nglish-czech
ictionary
II. N-S

KAREL HAIS – BŘETISLAV HODEK

ACADEMIA PRAGUE 1992

ČESKOSLOVENSKÁ AKADEMIE VĚD

velký anglicko-
-český slovník

III. N-S

velký anglicko-
-český slovník
III. N–S

KAREL HAIS – BŘETISLAV HODEK

ACADEMIA PRAHA 1992

Redigoval
univ. prof. PhDr. Ivan Poldauf

Spolupracovala
PhDr. Miloslava Šroufková

Recenzovali:
PhDr. Jiří Krámský, DrSc.
Jan Caha

ISBN 80-200-0067-4 (3. díl)
ISBN 80-200-0065-8 (1. díl)
ISBN 80-200-0066-6 (2. díl)
ISBN 80-200-0064-X (celý soubor)

N

N, n[1] [en] *pl: Ns, N's, ns, n's* [enz] **1** písmeno N (*a capital / large / upper-case N, a little / small / lower-case n*) **2** mat. n obecné číslo naznačující libovolné číslo zvláštní **3** mat. v. *nth* **4** polygr. v. *en, 2* **5** cokoli označeného N, ve tvaru N

'n'[2] [ən] ve složeninách = *and* (*rock'n'roll*)

Naafi [næfi] BR voj. kantýna, prodejna pro vojáky

nab [næb] (*-bb-*) hovor. **1** sebrat, sbalit zatknout **2** čapnout, načapat, nachytat **3** ukrást; urvat pro sebe (*he ~bed the best seats in the house*)

nabber [næbə] AM slang. polda, tajný policista

nabe [neib] AM slang. nejbližší kino, kino vedle (*the ~s are now closed except for weekends*)

nabocklish [næbəkliš] IR nář. toho si nevšímej, to je jedno

nabob [neibob] **1** nabob hist.: titul správců n. vládců v Indii; zast.: boháč žijící v okázalém přepychu, zejm. Evropan, který získal jmění v Indii **2** bonz (*these scientific ~s*) ◆ *~ sauce* kuch. speciální kořeněná omáčka k hovězí pečeni

Naboth's vineyard [ˌneiboθsˈvinjəd] **1** bibl. Nábotova vinice **2** co si někdo usmyslel, že musí mít, co chce někdo stůj co stůj získat (třeba nepoctivě)

nacarat [nækərət] nakarát žlutavě červená barva

nacelle [næˈsel] let. **1** gondola letadla **2** kabina letadla **3** koš, loďka balónu, kabina vzducholodi

nacre [neikə] perleť

nacred [neikəd] vykládaný perletí

nacreous [neikriəs], **nacrous** [neikrəs] perleťový

Naderism [neidərizəm] AM = *consumerism*

nadir [neidiə] **1** nadir, podnožník **2** přen. úplné dno (*at the ~ of one's hopes*), nejhlubší bod (*~ of degradation*)

Naffy [næfi] hovor. = *Naafi*

nag[1] [næg] **1** koník, kobylka **2** poník **3** kobyla, herka, hajtra zejm. stará

nag[2] [næg] *s* **1** rýpání, rytí, otravování, dopalování, sekýrování, sekatura **2** rejpal, otrava ● *v* (*-gg-*) **1** neustále sekýrovat, otravovat poznámkami, dopalovat, popichovat, pošťuchovat, poštívat, rýpat (*at*) koho, rýt do (*she ~ged at him all day long*) **2** dohnat poštíváním *into / to do* aby udělal **3** otravovat, soužit, týrat, trápit (*this tooth has been ~ging me for days*) **4** strašit v (*that tattoo ~ged my memory* to tetování mě strašilo v hlavě), honit se v (*a possible solution ~ged at the back of my mind* tušil jsem, že existuje možné řešení ale nedokázal jsem je formulovat) ***nag away*** neustále otravovat, sekýrovat *at* koho, neustále rýpat do (*she ~ged away at him for years*)

nagana [nəˈga:nə] zool. nagana krevní choroba afrických přežvýkavců

nagged [nægd] **1** sekýrovaný, pronásledovaný poznámkami (*a ~ child*) **2** v. *nag. v*

nagger [nægə] poštívačný člověk zejm. žena, otrava, rýpalka

nagging [nægiŋ] v. *nag*[2]*, v* ◆ *~ pain* hlodavá bolest, neustálá bolest

nagor [neigə] zool. nahur, bharal

nagsman [nægzmæn] *pl: -men* [-men] cvičitel koní

naiad [naiæd] **1** *pl* též *naiades* [naiædi:z] najáda, vodní nymfa, vodní žínka, víla **2** bot. řečanka

naïf [na:ˈi:f] **1** řidč.: muž naivní **2** drahokam s přirozeným leskem

nail [neil] *s* **1** nehet **2** dráp; spár **3** hřeb, hřebík; cvok, cvoček **4** též *thumb ~* připínáček, napínáček **5** též *hooked ~* skoba, skobička **6** stará délková míra 2¼ palce (5,715 cm) ◆ *~ in a p.'s coffin* hřebík do rakve koho; *fight tooth and ~* prát se, rvát se zuby nehty *for* o; (*as*) *hard as ~s 1.* zdravý jako řípa *2.* tvrdý, neoblomný, cynický; *hit the (right) ~ on the head* uhodit hřebík na hlavičku, strefit se, tnout do živého; *pay on the ~* platit ihned, položit peníze na dřevo; *right as ~s* naprosto správně; *to the ~* dokonale, do posledního puntíku ● *v* **1** přibít, přitlouci hřebíky (*he ~ed the proclamation to the church door*); sbít hřebíky (*he ~ed the timbers into a sturdy frame* sbil trámy do pevné kostry) **2** též *~ up / down* zatlouci (*~ down the windows, ~ the box up*); spojit hřebem zlomenou kost **3** připíchnout, připevnit hřebíčky (*they ~ed the vines to the wall* přichytili hřebíčky révu ke zdi); přibodnout (*he was ~ed to the tree by an Indian's arrow* Indiánův šíp ho přibodl ke stromu); zachytit, lokalizovat (*she ~ed the source of the story* podařilo se jí lokalizovat pramen této historie) **4** přesně zasadit n. umístit **5** přen. přikovat (*the clerk ~ed to his counter* úředník přikovaný ke své pokladní přepážce), spoutat, chytit (*the film ~s by gags and images* film upoutává svými gagy a poezií); přibít, strnule upírat (*~ing his eyes on the door*) **6** slang. seknout, štípnout, otočit ukrást (*~ an apple*); praštit, cáknout (*he ~ed him in the head with a rock* bacil ho do hlavy kamenem) **7** chytit, nachytat, načapat např. při lži ◆ *~ a lie to a counter* dokázat celému světu, že to není pravda, odhalit lež; *~ one's colours to the mast* otevřeně se hlásit ke svému názoru, stát pevně za svým; *~ to a counter / to the barndoor* přibít na pranýř, zostudit, znemožnit ***nail back*** přibít, přitlouci k nepohyblivé podložce ***nail down*** *1* přibít, přitlouci hřebíky (*if the corner of the carpet curls up, ~ it down*) *2* přinutit, přidržet *a p.* koho *to* aby (*she was ~ed down to write the thing*) **3** držet, přidržet, přikovat (přen.) *to* u, při, k (*our bodies are ~ed down* *to the earth by their own weight* tíha našich těl nás poutá k zemi) *4* přitlačit ke zdi, donutit k vyjádření zásadního stanoviska *5* definitivně rozhodnout n. prokázat *6* přesně definovat *7* v. *nail, v 2* **nail up** *1* přibít, přitlouci hřebíky (*he ~ed up a sign over the door*) **2** zatlouci hřebíky (*doors of derelict houses may be ~ed up to prevent children getting in* dveře opuštěných domů lze zatlouci hřebíky, aby se děti nedostaly dovnitř)

[illegible]

úzkost při [illegible] hryže nehty

nailbrush [neilbraš] kartáček na nehty

nailed [neild] **1** přibitý, zatlučený, sbitý hřebíky **2** okovaný (~ *boots*) **3** mající nehet n. nehty **4** mající dráp n. drápy **5** v. *nail, v*

nail enamel [ˌneiliˈnæml] AM lak na nehty

nailer [neilə] **1** hřebíkář, cvočkář **2** slang. sekáč, pašák schopný člověk

nailery [neiləri] (*-ie-*) hřebíkárna, cvočkárna

nailfile [neilfail] pilníček na nehty

nailhead [neilhed] **1** hlava hřebíku **2** stav. kvádrování do tvaru úzkých čtyřstěnných jehlanů, diamantování

nailing [neiliŋ] **1** zast. slang. senzační, prima, bašta (*a ~ good time*) **2** v. *nail, v*

nail polish [ˈneilˌpoliš] lak na nehty

nailscissors [ˈneilˌsizəs] nůžky na nehty

nailvarnish [ˈneilˌva:niš] lak na nehty

nainsook [neinsu:k] bavlněný mušelín

naissance [neisns] zrození

naïve, naive [na:ˈiv] **1** naivní, prostuduchý, prostomyslný (*a ~ girl*) **2** dětinský, pošetilý, hloupý (~ *remarks* hloupé poznámky) **3** prostý, nestrojený (~ *dignity of death* přirozená vznešenost smrti) **4** s kterým dosud nebyl podniknut žádný pokus (~ *animals*) **5** výtv. naivní (~ *painters*)

naiveté [na:ˈi:vtei], **naïvety, naivety** [na:ˈi:vti] naivnost, naivita

naked [neikid] **1** nahý, nahatý (*as ~ as I was born*), málo oblečený, polonahý (*that blouse is a disgrace, the girl is simply ~* ta halenka je ostudná, děvče je téměř nahaté) **2** holý bez listí, zbraně, ozdob (~ *trees, ~ fists, ~ room*), též přen. (~ *truth, ~ facts*); pustý a prázdný (*a ~ desert* holá pustina, poušť); pouhý, nedoložený, neopodstatněný (~ *belief* ničím nepodložené přesvědčení); strohý (*a ~ account of the conference* strohé shrnutí konference) **3** nic neskrývající, otevřený (*his ~ heart*); obnažený (*a ~ sword*) **4** neozbrojený, pouhý (*a ~ eye*); nechráněný (*a ~ light*); bezbranný (*to slay a ~ man* zabít bezbranného člověka); neosedlaný (*a ~ horse*); bez konečné úpravy, netapetovaný, s pouze základním povrchem (*a ~ wall*); neizolovaný (*a ~ wire* ... drát); nepokrytý (*in its ~ absurdity* v celé absurdní nahotě); nepřikrášlený, naprostý **5** jasný, zřejmý, nepokrytý, vyložený (*an act of ~ aggression*) **6** čistý, bez příměsků (~ *water*), nezředěný (~ *spirits*) **7** práv. hist. ničím nepodložený, nedokázaný, neověřený, holý (*a ~ assertion* ničím nepodložené tvrzení) **8** zbavený *of* čeho, jsoucí bez čeho (*hands ~ of rings* ruce bez prstenů, ~ *of comfort* bez útěchy) ◆ ~ *boy* = ~ *lady;* ~ *floor* nosná konstrukce podlahy; ~ *force* bezostyšné brutální násilí; ~ *lady* bot. ocún jesenní; *strip a p.* ~ svléknout do naha

nakedness [neikidnis] **1** nahota, nahost, nahatost; obnaženost **2** holost, neporostlost, prázdnota,

[illegible]

[illegible] atek *of* čeho **5** jasnost, zřejmost

naker [neikə] hud. hist. kotel, tympán

Nam [næm] zejm. AM hovor. Vietnam

namable [neiməbl] = *nameable*

namby-pamby [ˌnæmbiˈpæmbi] *adj* **1** sladký, sentimentální (~ *rhymes,* ~ *talk*), limonádový **2** změkčilý, zženštilý, skleníkový (~ *boys afraid to leave their mothers' apron-strings* změkčilí hoši, kteří se bojí pustit maminčiny zástěry) **3** neslaný nemastný; laxní, vlažný; příliš shovívavý (~ *handling of juvenile delinquents* nerozhodné řešení zločinnosti mládeže) ● *s* (*-ie-*) **1** sentimentální řeči **2** slaďák, sentimentální kýč, limonáda **3** skleníkový člověk, „kytička"

name [neim] s **1** jméno (*his ~ is John* jmenuje se Jan, *a person of the ~ of Smith* člověk jménem Smith, *he writes under the ~ of Nimrod*) **2** název (*the ~ of the fruit*), pojem (*the grand old ~ of gentleman*), pojmenování, označení **3** hovor. známé jméno, známá osobnost, známá rodina (*she tried to get several ~s to give glamour to her party* snažila se získat pár slavných osobností, které by dodaly jejímu večírku lesku); slavné jméno, slavná osobnost (*the great ~s of history*); pouhé jméno (*honour had become a ~* čest je teď prázdný pojem) **4** rod; klan **5** pouze *sg* jméno, pověst, proslulost, sláva, vážnost (*win a good ~ for oneself*) ◆ *assumed ~* pseudonym; *bad ~* špatná pověst; *by ~ 1.* jménem (*the teacher knows all his pupils by ~*) *2.* (jen) podle jména (*I know the man by ~*); *in ~* (jen) podle jména n. názvu (*the place was a town in ~ only, a poet in ~ but scarcely in production* básník spíš podle jména nežli tvorby); *in the ~ of 1.* jménem, ve jménu (*in the Queen's ~, in the ~ of the law* jménem zákona, *in the ~ of mercy* pro všechno na světě, pro smilování Boží) *2.* na jméno (*book a ticket in my ~* rezervujte mi lístek na moje jméno); *call a p. ~s* nadávat, spílat komu; *call a t. by its proper ~* nazývat co pravým jménem; *Christian ~* BR křestní n. rodné jméno; *enter a p.'s ~ for* = *put down a p.'s ~ for; first ~* AM křestní n. rodné jméno; *~ of the game* co je nejdůležitější, na čem nejvíc záleží, hlavní věc; *give one's ~* uvést své jméno, říci své jméno; *give a p.'s ~* říci, jak se kdo jmenuje, uvést jménem koho, jmenovat koho; *give a dog a bad ~ and hang him* nasadit někomu psí hlavu; *give it a ~* hovor.

co si dáš?, co chceš? já platím; *given ~ = Christian ~; go by the ~ of* být znám jako (*he went by the ~ of Brown*); *have a ~ for* být známý čím (*he has a ~ for honesty* je známý svou poctivostí); *have the ~ of* být znám jako (*he had the ~ of a miser* byl to známý lakomec); *not have a penny to one's ~* být úplně bez haléře n. na suchu; *keep one's | a p.'s ~ in the books* zůstat | nechat dále členem např. klubu; *I know your middle ~* AM tebe znám skrz naskrz; *last ~* příjmení; *lend one's ~ to* propůjčit své jméno čemu, podpořit svým jménem co; *maiden ~* dívčí jméno, jméno za svobodna; *persons of ~* známí n. slavní lidé; *make a bad ~ for o.s.* udělat si ostudu; *put a p.'s ~ for 1.* zapsat koho kam *2.* přihlásit koho kam n. k čemu n. do čeho *3.* předplatit komu co; *send in one's ~* přihlásit se; *take a p.'s ~ in vain* brát či jméno nadarmo; *take one's ~ off the books* přestat být členem, vystoupit např. z klubu; *take a p.'s ~ off the books* vyloučit z členství např. klubu; *trade ~* název výrobku; *what is your ~* jak se jmenujete; *without a ~* bezejmenný, neznámý, anonymní; *with not a t. to your ~* když n. kde nemáš ani co (*with not two dresses to your ~* když nemáš ani druhé šaty) ● *v* **1** pojmenovat, dát jméno, nazvat *after | for* po (*they ~d the child John, Tasmania was ~d after its discoverer* Tasmánie byla pojmenována po svém objeviteli); jmenovat, uvést jménem (*~ one person who would do such a thing*); vyjmenovat, označit jménem (*can you ~ all the plants and trees in this garden?*) **2** vyslovovat jméno koho (*everyone ~d him with respect*); představit jménem (*may I ~ these gentlemen?*); jmenovat *for | to* do funkce (*Mr Brown has been ~d for the directorship* pan Brown byl jmenován ředitelem) **3** vyslovit se o, stanovit (*please ~ the day*) zejm. dívka; stanovit datum svatby **4** říci, nabídnout (*~ your price*) **5** zmínit se o, říci co, o (*I'll ~ it to him the next time we meet*) **6** BR udělit důtku členu parlamentu ◆ *~ ~s* jmenovat jménem, prozradit jména zejm. pachatelů; *not to be ~d on | in the same day with* nesahat komu ani po kolena; *~ yours* hovor. co si dáš?, co chceš pít? já platím

nameable [neiməbl] **1** jmenovatelný, pojmenovatelný **2** pamětihodný, pozoruhodný

name badge [ˈneimˌbædž] štítek se jménem, jmenovka

name-caller [ˌneimˈko:lə] kdo spílá n. nadává, posměváček

name-calling [ˌneimˈko:liŋ] spílání, posměšky, nadávání, nadávky

name-child [neimčaild] *pl: -children* [-čildrən] dítě pojmenované po, jmenovec (*my ~*)

named [neimd] **1** uvedený jménem, jmenovitě uvedený **2** v. *name, v* ◆ *~ insured* pojišť. pojištěná osoba uvedená jménem

name day [neimdei] jmeniny, svátek

name-drop [neimdrop] (*-pp-*) nenápadně se při řeči chlubit svými slavnými známými

name-dropper [ˈneimˌdropə] kdo se nenápadně chlubí svými slavnými známými

name-dropping [ˈneimˌdropiŋ] nenápadné chlubení slavnými známými

name-giving [ˈneimˌgiviŋ] volba vlastního jména, pojmenování vlastním jménem, dávání vlastního jména

nameless [neimlis] **1** bezejmenný, neznámý (*the ~ men who fought*) **2** nemající jméno otce, pojmenovaný po matce, nemanželský **3** jsoucí bez jména, nejmenovaný, anonymní (*the hero of this tale must remain ~*); neoznačený jménem (*a ~ grave* hrob bez nápisu) **4** dosud nepojmenovaný (*he discovered several ~ species of moss* objevil několik dosud nepojmenovaných druhů mechů) **5** nepopsatelný (*this ~ abomination* tato nepopsatelná ohavnost), těžko popsatelný, nepostižitelný (*~ fears and uncertainties* těžko definovatelné hrůzy a nejistoty) ◆ *a well-known person who shall be ~* jeden známý člověk, kterého nebudu jmenovat

namely [neimli] totiž, a to (*two cities, ~ Paris and London*)

name part [neimpa:t] titulní role

nameplate [neimpleit] **1** štítek se jménem **2** firemní n. tovární štítek **3** titulek, hlavička, záhlaví novin n. časopisu

namesake [neimseik] **1** jmenovec **2** = *name-child*

namesmanship [neimzmənšip] umění chlubit se slavnými známými

nammet [namit] BR = *nummet*

nana[1] [na:nə] = *nanna*

nana[2] [na:nə] AU slang. blbeček

nance [næns], **nancy** [nænsi] slang. *adj* **1** zženštilý **2** úchylný, teplý, přihřátý ● *s* (*-ie-*) teplouš, buzerant, mařenka

nancy boy [nænsiboi] = *nancy, s*

nankeen, nankin [næŋˈki:n] **1** nankin hustá bavlněná látka **2** *~s, pl* nankinky, nankinové kalhoty **3** hnědožlutá barva

nanna [na:nə] hovor. babička

nanny [næni] (*-ie-*) *s* **1** chůva **2** slang. kurvička ● *v* chovat se jako chůva k, rozmazlovat, zacházet jako v bavlnce s

nanny-goat [nænigəut] koza

nant [nænt] **1** horský potok, bystřina **2** údolí

nao [neiəu] hist. nao středověká plachetní loď střední velikosti

nap[1] [næp] *v* (*-pp-*) zdřímnout si, zchrupnout si zejm. ve dne, dát si / hodit si šlofíka ◆ *catch a p. ~ping* nachytat koho na hruškách nepřipraveného ● *s* **1** několik veršíků, dvacet na ucho, šlofík

krátký spánek zejm. ve dne **2** AU slang. deka na přikrytí ◆ *take a ~ = nap[1], v*
nap[2] [næp] *s* **1** vlas sukna **2** přen. hebký povrch, samet (*hills with a mottled ~ of grey-green sage-brush* kopce porostlé šedozelenými, sametovými skvrnami pelyňku) **3** krátké čupřiny, kudrny ● *v* (*-pp-*) česat, počesávat sukno
nap[3] [næp] *s* **1** BR napoleon druh karetní hry **2** sázka na jednu kartu **3** sázecí tip ◆ *~ choice* tip na vítěze při dostihu; *go ~ 1.* vsadit vše na jednu kartu, též přen. *2.* ručit za výsledek ● *v* (*-pp-*) tipovat vítěze při dostihu
napa [næpə] = *nappa*
napalm [nəipa:m] *s* napalm rosolovitá hořlavina ● *v* stříkat napalmem, bombardovat napalmovými bombami
nape [neip] šije, vaz, týl
napery [neipəri] SC, zast. **1** stolní prádlo **2** bílé zboží textilní
naphtha [næfθə] **1** nafta; ropa, zemní olej **2** zast. petrolej
naphthalene [næfθəli:n] **naphthaline** [næfθəlin] naftalen, naftalín
naphthalize [næfθəlaiz] zpracovávat, sytit, napouštět n. impregnovat naftou; mísit s naftou
naphthene [nafθi:n] naften
naphthenic [næˈfθi:nik] naftenový
naphthol [næfθol] naftol
napkin [næpkin] **1** ubrousek, servítek látkový i papírový **2** dětská plenka **3** AM dámská vložka **4** SC kapesník; šátek ◆ *lay up in a ~* přen. odložit, založit
napkin ring [næpkinriŋ] kroužek na ubrousky
Naples [neiplz] Neapol ◆ *Bay of ~* Neapolský záliv; *~ yellow* neapolská žluť
napless [næplis] sukno bez vlasu; odřený
napoleon [nəˈpəuljən] **1** napoleon, napoleondor zlatý dvacetifrank **2** druh zákusku **3** = *nap[3], s 1* ◆ *double ~* dvounapoleon zlatý čtyřicetifrank
Napoleonic, napoleonic [nəˌpəuliˈonik] napoleonský
Napoleonism [nəˈpəulionizəm] **1** napoleonismus, napoleonství **2** přen. diktatura
Napoleonist [nəˈpəuljənist] bonapartista, napoleonovec
Napoleonize [nəˈpəuljənaiz] vládnout jako Napoleon komu
napoo [næˈpu:] BR slang. *interj* dost, konec, hotovo, je po všem, fertyk, šmytec ◆ *adj* hotový, oddělaný, grogy
nappa [næpə] kožel. napa rukavičkářská useň
nappe [næp] **1** geol. příkrov **2** geom. půlkužel
napper[1] [næpə] kdo si dává šlofíka, spáč
napper[2] [næpə] **1** česač sukna **2** česačka, počesávačka, česací stroj
nappy[1] [næpi] (*-ie-*) *adj* **1** zast. pivo řízný, silný, opojný **2** zast. podnapilý **3** kůň vrtkavý ● *s* SC pivo
nappy[2] [næpi] (*-ie-*) AM miska, tácek, podnos
nappy[3] [næpi] (*-ie-*) vlasový, jsoucí s vlasem
nappy[4] [næpi] (*-ie-*) dětská plenka
nappy talk [næpito:k] balamucení, řečičky
napu [na:pu:] zool. kančil větší
narc [na:k] AM slang. detektiv z protinarkotického oddělení
narceine [na:siin] chem. narcein
narcissism [na:sisizəm] narcismus, narcisismus zamilování do sebe samého
narcissist [na:sisist] narcisista
narcissistic [ˌna:siˈsistik] narcisovský, narcisistický
narcissus [na:ˈsisəz] *pl* též *narcissi* [na:ˈsisai] narcis, narciska
narco [na:kəu] AM slang. = *narcotic*
narcolepsy [na:kəlepsi] narkolepsie chorobné záchvaty krátce trvajícího spánku
narcose [na:kəus] omámený (jako) narkotiky
narcosis [na:ˈkəusis] *pl: narcoses* [na:ˈkəusi:z] **1** narkóza **2** omámení narkotiky
narcotic [na:ˈkotik] *adj* **1** narkotický **2** uspávací, omamující, opojný **3** uspávající (*a ~ speech*) ● *s* **1** narkoman, narkotik **2** narkotikum
narcotism [na:kətizəm] narkomanie
narcotist [na:kotist] narkoman
narcotization [ˌna:kətaiˈzeišən] narkotizace, narkotizování
narcotize [na:kətaiz] narkotizovat
nard [na:d] nard smilka tuhá; vonná mast kdysi připravovaná z oddenku této rostliny
nares [neəri:z] *pl* nosní dírky, chřípí
narghile, nargileh [na:gili] nargilé vodní dýmka
nark [na:k] slang. *s* **1** policejní špicl, práskač, donašeč **2** AU člověk, který kazí každou radost, zlomyslný mrzout, škarohlíd, otrava **3** = *narc* ● *v* **1** špiclovat, práskat, donášet **2** otrávit, naštvat ◆ *~ it!* přestaň, už dost!
narker [na:kə] slang. **1** špicl, práskač **2** policajt **3** kverulant
narky [na:ki] (*-ie-*) **1** naštvaný **2** jedovatý, jizlivý
narrate [nəˈreit] **1** vyprávět, vykládat, povídat **2** na|mluvit komentář k filmu apod.
narration [nəˈreišən] vyprávění, vypravování činnost i příběh
narrative [nærətiv] *s* **1** vyprávění, vypravování, povídání **2** příběh, historka **3** vyprávěčské umění **4** narativní obraz ● *adj* **1** vyprávěčský, vyprávěcí **2** obraz narativní
narrator [nəˈreitə] **1** vypravěč **2** komentátor např. filmu
narratress [nəˈreitris] vypravěčka
narrow [nærəu] *adj* **1** úzký (*the road was ~ for cars to pass*), též přen. (*a ~ circle of friends, what does the word mean in the ~est sense?*) **2** těsný (*a*

~ *escape from death* únik smrti jen tak tak, o vlásek, *he was elected by a ~ majority*); stísněný (*he lives in ~ circumstances* žije ve stísněných podmínkách) 3 omezený (~ *resources* omezené finanční prostředky, *a ~ market*); hubený (*a ~ income* ... příjem) 4 podrobný (*a ~ search* ... prohlídka), přesný, přísný (*a ~ interpretation*) 5 úzkoprsý, omezený, předpojatý, malicherný (*a ~ individual*) 6 SC, nář. lakotný ◆ ~ *bed / cell* hrob; *cloth* úzká tkanina; ~ *goods* text. úzké zboží např. stuhy; ~ *house* = ~ *bed*; ~ *seas* BR kanál La Manche a Irské moře; *a ~ squeak* hovor. únik o vlásek; *a ~ vowel* úzká samohláska vysoká, zavřená; ~ *way* cesta ctnosti ● *s* část. ~*s*, *pl* 1 úžina 2 soutěska 3 úzký průchod, těsná ulička ● *v* 1 též ~ *down* zúžit | se 2 přimhouřit (*she ~ed her eyes*) 3 omezit (~ *the powers of authority*); vymezit (~ *one's views on education*)

Narrowdale [nærəudeil] : *till ~ Noon* až naprší a uschne, na svatého Dyndy

narrow gauge [ˌnærəuˈgeidž] *s* žel. úzký rozchod ● *adj: narrow-gauge* 1 úzkorozchodný, úzkokolejný 2 týkající se úzkého filmu 3 přen. omezený, malicherný ◆ ~ *film* úzký film zejm. 16 mm; ~ *railway* úzkorozchodná železnice

narrowish [nærəuiš] dost / poněkud / téměř úzký

narrowishness [nærəuišnis] stísněnost, poměrná úzkost

narrowly [nærəuli] 1 jen tak tak, málem ne (*he ~ escaped* jen tak tak že uprchl) 2 přísně, přesně, minuciózně (*a ~ interpreted constitution* přesná interpretace ústavy); podrobně (*search an area ~* podrobně prohledávat určitou oblast) 3 usilovně, intenzívně 4 v. *narrow, adj*

narrow mind [ˌnærəuˈmaind] 1 úzkoprsost, bigotnost; omezenost 2 malichernost, přízemnost

narrow-minded [ˌnærəuˈmaindid] 1 úzkoprsý, plný předsudků, bigotní; omezený 2 malicherný, přízemní

narrow-mindedness [ˌnærəuˈmaindidnis] = *narrow mind*

narthex [na:θeks] chrámová předsíň zejm. ve starokřesťanských chrámech

narwhal [na:wəl] zool. narval kytovec

nary [neəri] AM hovor. ani jeden (*he sold goods to a friend with ~ an entry in the books*)

Nasa [neisə] = *N.A.S.A.*

nasal [neizəl] *adj* 1 nosní, týkající se nosu (~ *inflammation* zánět nosních dutin) 2 nosový, nazální ◆ ~ *organ* žert. nosní orgán, čichadlo nos; ~ *sounds* nosovky ● *s* nosovka, nosová hláska, nazála

nasality [neiˈzæləti] 1 nosovost 2 mluvení nosem

nasalization [ˌneizəlaiˈzeišən] nazalizace

nasalize [neizəlaiz] 1 nazalizovat | se 2 mluvit nosem; vydávat nosový zvuk

Nasbys [næzbiz] *pl* AM pošťáci, poštmistrové přezdívka

nascency [næsnsi] 1 na|rození, zrození 2 vznik, počátek

nascent [næsnt] 1 rodící se 2 pučící, vznikající 3 jsoucí ve stavu zrodu, nascentní

naseberry [neizberi] (*-ie-*) bot. 1 strom Achras zapota 2 plod tohoto stromu

Nasrani, Nasrany [næˈzra:ni] hanl. křesťan v islámském prostředí

nastiness [na:stinis] 1 odpornost, nechutnost, nepříjemnost, protivnost 2 sprostota, neslušnost 3 špína, špinavost, hanebnost, hnusnost, podlost, nepoctivost

nasturtium [nəˈstə:šəm] bot. 1 řeřicha 2 lichořeřišnice 3 rukev

nasty [na:sty] (*-ie-*) adj 1 odporný, nechutný (*medicine with a ~ smell* odporně páchnoucí lék); nepříjemný, protivný (*a ~ question, that's a ~ corner for a car that's travelling fast* pro rychle jedoucí vozidlo je to velice nepříjemná zatáčka kolem rohu) 2 ošklivý, velice nepříjemný, nebezpečný, zlý, riskantní (*there was a ~ sea when we got out of the harbour*), zlověstný (*there was a ~ look in his eye*) 3 sprostý, neslušný, nemravný (~ *language*), chlípný (*a man with a ~ mind*), pornografický (*a ~ book*) 4 hanebný, hnusný, podlý, špinavý, nepoctivý, nedovolený, nefér (*a ~ trick*) ◆ *a ~ bit / piece of work 1.* protiva, ohava, odporný chlap *2.* odporná záležitost; ~ *mess 1.* pěkná brynda *2.* svinstvo, nepořádek, všechno vzhůru nohama; *a ~ one 1.* pitomá rána ochromující *2.* ošklivý nos důtka ● *s* 1 ohava, protiva, odporný chlap 2 ohavnost, odporná záležitost

natal [neitl] 1 bás. rodný (*princes' children took names from their ~ places, ~ mountain peaks*) 2 vrozený (*their ~ faculties* jejich vrozené vlohy) 3 týkající se zrodu, zrození n. narození (*his ~ day*); jsoucí při n. od narození (*my ~ star, the ~ down of the young ducklings* chmýří kačátek, s nímž se klubají na svět) ◆ ~ *death rate* kojenecká úmrtnost

natality [neiˈtæləti] natalita, porodnost

natant [neitənt] 1 plovoucí, plující 2 bot. vzplývavý

natation [nəˈteišən] plavání, plování

natatorial [ˌneitəˈto:riəl], **natatory** [neitətəri] 1 plovací (~ *organs*) 2 plavecký (~ *skill*) 3 uzpůsobený k plování, plovoucí 4 pták vodní, plovavý

natch [næč] slang. samo, se ví, že váháš, no jestli

nates [neiti:z] *pl* anat. 1 hýždě 2 přední pár mozkových laloků

natheless, nathless [neiðlis] zast. v. *nevertheless*

nation [neišən] 1 národ 2 lid; stát 3 hist. národnost 4 BR hist. národ studenti jedné národnosti n. jednoho kraje na středověké univerzitě ◆ *most favoured ~* stát požívající nejvyšších výhod celních při dovozu

national [næšənl] *adj* 1 národní (*N~ Theatre*) 2 celostátní (~ *newspapers, ~ advertising* celostátní reklamní kampaň, ~ *interests*) **3** státní (*the ~ flag, the ~ anthem* státní hymna, *a ~ road*); vnitrostátní, domácí, tuzemský **4** národnostní (~ *groups in the state*) **5** lidový (~ *customs* ... obyčeje) **6** vlastenecký; nacionální, nacionalistický ♦ ~ *assistance* BR *1.* státní podpora nezaměstnaným *2.* důchodové přilepšení; ~ *blue* sytá červenavě modrá barva; ~ *court* tuzemský soud; ~ *championship* mistrovství státu, celostátní přebor; ~ *church* státní církev; ~ *debt* státní dluh; ~ *emblem 1.* státní znak, výsostný znak státu; *N~ Government* vládní koalice; *Grand N~ (Steeplechase)* Velká liverpoolská; ~ *health insurance* (povinné) národní nemocenské pojištění; *N~ Health Service* státní zdravotní péče; ~ *holiday* národní svátek; ~ *income* národní důchod; *N~ Liberation Front* Národní fronta osvobození; ~ *monument* státem chráněná kulturní památka; ~ *park* národní park, přírodní rezervace; ~ *service 1.* všeobecná branná povinnost, povinná vojenská služba *2.* pracovní povinnost; ~ *service man* branec; *N~ Society* BR spolek pro vzdělávání nemajetných; *N~ Trust* BR spolek pro kulturní a památkovou péči ● *s* **1** státní příslušník, občan **2** ~*s, pl* soukmenovci, příslušníci jednoho státu, členové jednoho národa **3** ~*s, pl* sport. národní mistrovství **4** *N~* Velká liverpoolská

nationalism [næšnəlizəm] **1** vlastenectví **2** nacionalismus

nationalist [næšnəlist] *s* **1** vlastenec **2** nacionalista ● *adj* národní, nacionální

nationalisic [ˌnæšnəˈlistik] nacionalistický

nationality [ˌnæšəˈnæləti] (*-ie-*) **1** národnost (*men of all nationalities*) **2** občanství, státní příslušnost (*his voluntary resignation of ~ was not recognized* nebylo uznáno, že se vzdal dobrovolně státního občanství) **3** státní nezávislost (*Canada's evolving ~* rozvíjející se nezávislost Kanady) **4** vlastenectví, národovost

nationalization [ˌnæšnəlaiˈzeišən] **1** utváření národa, srůstání v (jeden) národ **2** naturalizace **3** znárodnění, zestátnění, nacionalizace

nationalize [næšnəlaiz] **1** znárodnit, zestátnit (~ *the steel industry*) **2** dát národní ráz čemu **3** utvořit jeden stát z, spojit se v jeden stát (*the Poles were ~d after 1918*) **4** naturalizovat (~*d Greeks in the USA*)

nationhood [neišənhud] národovost, národnost, národní ráz

nationist [næšnist] *adj* nacionalistický ● *s* nacionalista

nationwide [ˌneišənˈwaid] celostátní

native [neitiv] *s* **1** rodák *of* z (*a ~ of Stratford*); zvíře n. rostlina pocházející / původem *of* z (*the kangaroo is a ~ of Australia*) **2** domorodec (*the attitude of the white population toward the ~s* vztah bílých obyvatel k domorodcům); místní rodák (~*s and foreign-born persons* místní rodáci a přistěhovalci), místní obyvatel (*the split between ~s and refugees* roztržka mezi místními obyvateli a uprchlíky); AM Indián **3** BR domácí ústřice z britských parků, zejm. umělých **4** AU běloch z usedlých rodičů narozený v Austrálii ♦ *astonish the ~s* šokovat veřejnost ● *adj* **1** rodný (~ *land* vlast, ~ *place* rodiště, ~ *language* mateřština) **2** rodilý (*a ~ Englishman*) **3** vrozený (~ *ability* ... schopnost, ~ *charm*) **4** pocházející, jsoucí původem *to* z (*plants ~ to America*); přirozeně se vyskytující *of* v (*one of the ~ animals of India is the tiger*), domácí, autochtonní **5** domorodý vztahující se k původnímu obyvatelstvu, zejm. barevnému (~ *customs* zvyky domorodců, *the ~ quarter*); v místě narozený (~ *artists left the state and studied abroad* umělci, kteří se tam narodili, ze státu odešli a studovali v cizině) **6** místní (*a structure of ~ stone*); domácí (*the Edinburgh groat was the first ~ coin of Scotland* první mincí raženou ve Skotsku byl edinburský groš) **7** ryzí, nesmíšený, přirozeně čistý (~ *gold*), též přen. (*our ~ feelings*) **8** přírodní (~ *protein, salt in the ~ state* sůl v přírodním stavu); přirozený (*fiction abandoned its ~ approach* beletrie opustila svůj přirozený přístup) **9** dobytek neznačkovaný ♦ ~ *bear* AU koala; *go ~* běloch žít jako domorodec; ~ *rock* geol. mateční hornina

native-born [neitivbo:n] rodilý

nativism [neitivizəm] **1** nativismus filozofický směr hlásající vrozenost určitých idejí **2** polit. ochrana zájmů obyvatelstva proti přistěhovalcům

nativist [neitivist] nativista stoupenec nativismu

nativity [nəˈtivəti] (*-ie-*) **1** narození, zrození **2** *N~* Narození Páně n. Panny Marie n. sv. Jana Křtitele svátek i umělecké dílo **3** horoskop ♦ *cast a man's ~* sestavit horoskop; *N~ play* vánoční hra, hra o narození Páně; *N~ scene* jesličky, betlém

N.A.T.O., NATO [neitəu] Severoatlantický pakt

natron [neitrən] chem. natron, uhličitan sodný

natter [nætə] hovor. *v* **1** bručet, hubovat, reptat, brblat **2** žvanit, kecat ● *s* **1** reptání, hubování **2** žvanění, řečičky, kecy

nattered [naetəd] **1** bručavý, nevrlý, brumlavý **2** v. *natter, v*

natterjack [nætədžæk] BR zool. ropucha krátkonohá

nattery [nætəri] (*-ie-*) nevrhlý, popudlivý, mrzoutský, brumlavý

nattier [nætiə] : ~ *blue* Nattierova modř

nattiness [nætinis] **1** okázalá elegance, úhlednost **2** obratnost, ladnost

natty [næti] (*-ie-*) **1** okázale elegantní, úhledný, jsoucí jako ze škatulky **2** obratný, ladný

natural [næčrəl] *adj* **1** přirozený souvisící s přírodní zákonitostí (*die a ~ death* zemřít přirozenou smrtí); daný přírodou (~ *law*, ~ *selection* přírodní výběr, *animals living in their ~ state*); samozřejmý (*his *guilt is a ~ deduction from the facts* jeho vina vyplývá přirozeně z faktů); nestrojený, nenucený, bezprostřední (*~ behaviour* přirozené chování, *speak in a ~ voice, it was a ~ piece of acting* byl to přirozený herecký projev); nezjevený (*~ religion*) **2** přírodní (*~ forces, ~ phenomena*) **3** rozený (*he is a ~ orator* je rozený řečník); vrozený (*~ justice*); jsoucí od narození (*a ~ idiot, a ~ fool* hlupák od narození) **4** nevlastní (*a ~ brother*), nemanželský (*a ~ son*) **5** fyzický (*a ~ life*), fyzikální (*a ~ law*) **6** skutečný (*a ~ day*) **7** samorostlý, nepěstovaný (*~ grass*) **8** hud: jsoucí v C dur, jsoucí bez předznamenání; stupnice postavený na základním tónu, diatonický; tón dechových nástrojů přirozený ◆ *~ bar* mělčina při ústí řeky; *~ childbirth* bezbolestný porod bez anestézie a s psychoprofylaktickou přípravou; *~ circulation cooling* termosifonové chlazení; *~ detector* sděl. tech. přirozený krystalový detektor; *~ drying* sušení na vzduchu; *~ feature* povaha terénu; *~ fibre* přírodní vlákno; *~ flowers* rostlé květy; *~ food* přírodní strava; *~ gas* zemní plyn; *~ gasoline* přírodní benzín; *~ gender* jaz. přirozený rod; *~ ground* panenská půda; *~ historian* přírodopisec; *~ history* přírodopis *of* čeho; *~ impendance* vlnová impendance; *~ level* normální výška např. vody v řece; *~ mother* vlastní matka; *~ number* číslo celé; *~ philosopher* fyzik; *~ philosophy* fyzika; *~ resin* přírodní pryskyřice, kalafuna: *~ resources* přírodní zdroje, přírodní bohatství; *~ scale 1.* přirozená velikost *2* diatonická tvrdá stupnice; *~ selection* biol. přírodní výběr; *~ silk* přírodní hedvábí; *~ statics* atmosférické poruchy ● *s* **1** slabomyslný, duševně zaostalý člověk, idiot od narození (*the vacant grin of a ~* tupý úsměv idiota od narození); „velké dítě" (*Rubinstein, the great ~*) **2** přirozený život n. řád (*all culture is thus a negation of the ~*) **3** hovor. jasný kandidát, předurčený člověk n. předurčená věc *for* pro / k (*he's a ~ for the job, the new novel was a ~ for the films* nový román byl přímo předurčen ke zfilmování) **4** hud. tón základní diatonické stupnice; bílá klávesa; odrážka **5** červenožlutá barva, tělová barva **6** přírodní benzín **7** karty výhra z ruky; kostky výhra při prvním hodu ◆ *in one's pure ~s* úplně nahý

natural-born [ˈnæčərlˌbo:n] rozený

naturalise [næčrəlaiz] = *naturalize*

naturalism [næčrlizəm] **1** naturalismus filozofický i umělecký **2** naturalistické dílo zejm. literární **3** pudové chování **4** přirozenost, přirozené chování

naturalist [næčrəlist] *s* **1** přírodopisec, přírodovědec **2** naturalista přívrženec naturalismu **3** BR obchodník s drobnými zvířaty; obchod s drobnými zvířaty **4** BR preparátor zvířat, taxidermista; preparátorský závod ● *adj* = *naturalistic*

naturalistic [ˌnæčrəˈlistik] **1** naturalistický **2** přirozený; přírodní **3** přírodopisný, přírodovědecký

naturalization [ˌnæčrlaiˈzeišən] naturalizace zdomácnění (*the ~ of these new terms in English*); udělení státního občanství cizinci (*certificate of ~*); přizpůsobení cizímu prostředí (*the ~ of British salmon in Colonial waters* zdomácnění britského lososa v koloniálních vodách)

naturalize [næčrlaiz] **1** naturalizovat | se (*~ immigrants into the United States, Lafcadio Hearn was ~d in Japan*) **2** zdomácnit (*English sporting terms have been ~d in many languages* anglická sportovní terminologie zdomácněla v mnoha jazycích) **3** aklimatizovat (*several European weeds have become ~d here* řada evropských plevelů se zde aklimatizovala) **4** vysadit do volné přírody květinu **5** učinit přirozeným (*the first painter who ~d the stiff manner of Giotto* první malíř, který dal ztrnulému giottovskému stylu život); zbavit nadpřirozenosti, zpozemštit, vysvětlit přirozeným způsobem (*~ the miracle* vysvětlit zázrak přirozeným způsobem) **6** hovor. studovat přírodu (*he is going to ~ in the Mediterranean for a couple of years*)

naturally [næčrəli] **1** ovšem, pochopitelně, samozřejmě, samosebou (*"Did you answer her letter?" – "N~!"*) **2** od přírody, přirozeně (*her hair curls ~* vlasy se jí kudrnatí od přírody) **3** v. *natural, adj*

naturalness [næčrəlnis] **1** přirozený stav **2** přirozenost, nestrojenost, bezprostřednost

nature [neičə] **1** příroda (*~ is at its best in spring, return to ~*); živá příroda **2** přirozenost, přirozená vlastnost (*it is the ~ of a dog to bark* štěkat je přirozená vlastnost psa, *cats and dogs have quite different ~s*); podstata (*inquire into the ~ of heredity* zkoumat podstatu dědičnosti); vlastnosti (*chemists study the ~ of gases*); charakter, povaha (*the ~ of a literary movement, he is interested in the ~ of man, sanguine ~s do not feel this* sangvinikové toto necítí); charakteristika, směr (*~ of activity*); naturel **3** druh, ráz (*things of this ~ do not interest me*) **4** ráže, kalibr (*he had a quantity of twelve-pounders and larger ~s* měl větší množství dvanáctilibrovek a větších ráží) **5** šťáva, míza, síla (*anything which is beginning to deteriorate is said to have lost its ~* o všem, co začíná chátrat, se říká, že ztratilo šťávu); pryskyřice **6** *~s pl* euf. vyměšovací orgány; vyměšování, kálení ◆ *~ of ammunition* druh střeliva; *animal ~* živočišná stránka člověka; *beat all ~* AM překonat samu přírodu; *better ~* lepší stránka povahy; *by ~* od přírody n. přirozenosti, svou povahou, svým založením (*that man is proud by ~* ten člověk má v sobě vrozenou pýchu); *~ conservation* ochrana přírody; *ease ~* konat potřebu tělesnou; *from ~* obraz podle přírody; *full of ~* dřevo pryskyřičnatý; *good ~* dobromyslnost, laskavost, dobré srdce; *in ~* ve skutečnosti; *in / of the ~ of* (myšlený) jako (*his request was in the ~ of a command* jeho přání bylo myšleno jako rozkaz); *law of ~* zákon přírody, přírodní zákon; *let ~ take its course* hovor. nechme záležitost volně vyvíjet zejm. milostný vztah; *pay one's debt to ~* zemřít; *~ reserve* přírodní rezervace; *state of ~* prvotní stav, přirozený stav (*in a state of ~* též úplně nahý); *~ study* přírodopis školní předmět; *~ trail* naučná stezka

nature lover [ˈneičəˌlavə] milovník přírody

nature myth [neičəmiθ] přírodní mýtus

nature printing [ˈneičəˌprintiŋ] přírodní tisk, Auerův tisk

nature worship [ˈneičəˌwə:šip] **1** uctívání přírodních božstev **2** zbožňování přírody

naturism [neičərizəm] **1** holdování přírodě, naturismus **2** náboženský naturalismus **3** nudismus

naturist [neičərist] **1** naturista stoupenec naturismu **2** nudista

naturopathic [ˌneičərəˈpæθik] : *~ clinic* sanatorium pro přírodní léčbu

naught [no:t] *s* **1** kniž. AM nic, nicota **2** nula ◆ *all for ~* pro nic za nic; *bring to ~* zmařit, zkazit, promarnit; *care ~ for* vůbec nedbat na, nemít zájem o, pokládat za bezcenné co; *come to ~* selhat, dopadnout špatně, nemít úspěch; *make ~ of* zničit, zmařit co; *set at ~ 1.* pokládat za nic *2.* vzdorovat čemu, postavit se proti čemu, porušit co ● *adj* **1** zast. nicotný, bezvýznamný, bezcenný **2** zbytečný, jsoucí k ničemu **3** ztracený, zkažený; neexistující ◆ *~ stop* odb. nulový doraz

naughtily [no:tili] v. *naughty*

naughtiness [no:tinis] nezbednost, nezvedenost, darebáctví, rozpustilost

naughty [no:ti] (*-ie-*) **1** nezbedný, nezvedený, darebácký, uličnický (*a ~ boy*) **2** rozpustilý, hambatý, nemravný (*~ stories*), pornografický (*~ pictures*) ◆ *be ~* zlobit, uličničit; *do / go (the) ~* žena souložit

nausea [no:sjə] **1** nucení k zvracení, zvedání žaludku, nauzea; mdlo, špatně od žaludku (*overcome by ~ after eating octopus* když snědl chobotnici, udělalo se mu špatně od žaludku a zvracel); nechutenství **2** zhnusení **3** zast. mořská nemoc

nauseant [no:sjənt] *s* med. dávicí prostředek, dávidlo ● *adj* dávicí, zvedající žaludek

nauseate [no:sieit] **1** působit zvedání žaludku koho, zvedat žaludek komu, dělat špatně od žaludku komu (*there was something in the dinner that ~d him*) **2** hnusit si, ošklivit si, cítit odpor k (*the mind ~s the thought of procession of learned dunces* duch se vzpírá představě průvodu učených pitomců)

nauseous [no:sjəs] působící zvedání žaludku, odporný, nechutný (*I used to eat the ~ bits first* nechutná sousta jsem jídával napřed), též přen. (*he had persecuted her with his ~ affections* obtěžoval ji svými odpornými projevy přízně)

nauseousness [no:sjəsnis] odpornost, nechutnost

nautch [no:č] vystoupení profesionálních tanečnic v Indii a Indonésii

nautch girl [no:čgə:l] bajadéra

nautical [no:tikəl] **1** námořní, mořský **2** plavební, navigační **3** námořnický ◆ *~ almanach* námořní ročenka, plavební kalendář; *~ astronomy* nautická astronomie; *~ chart* námořní mapa; *~ day* pravý sluneční den; *~ distance* loxodromická vzdálenost; *~ instruments* navigační přístroje; *~ log* (navigátorský) log; *~ mile* námořní / mořská míle 1 852 n. 1 853 m; *~ signal* lodní signál; *~ stars* orientační hvězdy vhodné k určování polohy lodi

nautilus [no:tiləs] *pl* též *nautili* [no:tilai] zool. loděnka ◆ *paper ~* argonaut obecný; *pearly ~* loděnka hlubinná

Navaho, Navajo [nævəhəu] *pl* též *Navahoes, Navajoes* [nævəhəuz] **1** Navaho indiánský kmen; příslušník tohoto kmene **2** jazyk Navahů

naval [neivəl] **1** námořní, lodní zejm. týkající se válečného námořnictva **2** námořnický ◆ *~ architect* lodní inženýr; *~ architecture* lodní stavitelství; *~ constructor* stavitel lodí, loďař; *~ costs* výdaje na námořnictvo; *~ officer* námořní důstojník; *~ pipe* kotevní průvlak, řetězová trouba; *~ port* válečný přístav; *~ stores 1.* lodní potřeby všeho druhu *2.* potřeby pro námořníky *3.* obchod pro námořníky *4.* obch. pryskyřičné výrobky dehet, smola apod.; *~ yard* loděnice

navalist [neivəlist] kdo zdůrazňuje důležitost silného námořnictva

nave[1] [neiv] hlava, náboj kola

nave[2] [neiv] hlavní (střední) loď chrámu

navel [neivəl] **1** pupek, pupík **2** střed (*the Mediterranean, the ~ of the earth*) ◆ *~ orange* druh pomeranče s malým druhým vrostlým plodem; *~ pipe = naval pipe*

navel cord [neivəlko:d], **navel string** [neivəlstriŋ] pupeční šňůra

navelwort [neivəlwə:t] bot. pupkovec

navew [neivju:] bot. brukev polní

navicert [nævisə:t] navicert, průvodní list, pas osvědčení zastupitelského úřadu, že loď vplouvající do neutrálního přístavu neveze kontraband

navicular [nəˈvikjulə] *adj* **1** člunový, člunovitý; člunkový, člunkovitý; loďkový, loďkovitý **2** bot. lodičkovitý ◆ *~ bone* člunková / střelková / loďkovitá kost; *~ disease* zvěř. zánět člunkové / střelkové / loďkovité kosti koně ● *s* **1** = *~ bone* **2** = *~ disease*

navigability [ˌnævigəˈbiləti] **1** splavnost řeky **2** schopnost plavby lodi **3** řiditelnost balónu

navigable [nævigəbl] **1** řeka splavný **2** loď moře

schopný, plavby schopný, plavebný **3** balón řiditelný

navigableness [nævigəblnis] = *navigability*

navigate [nævigeit] **1** plout, plavit se *a t.* po / přes (*cargo ships can ~ inland waters* nákladní lodi mohou plout po vnitrozemských vodách, *they successfully ~d the pack ice* úspěšně propluli polem ledových ker) **2** vést, řídit loď n. letadlo, navigovat **3** přen. absolvovat, vy|manévrovat po (*he had trouble navigating the stairs* zdolání schodů mu působilo potíže) **4** AM hovor. jít pořádně n. rovně

navigating [nævigeitiŋ] v. *navigate* ◆ *~ bridge* velitelský můstek; *~ officer* navigační důstojník, navigátor; *~ lights* navigační světla

navigation [ˌnæviˈgeišən] **1** navigace metoda bezpečného řízení lodi n. letadla z jednoho místa do druhého **2** navigační umění zejm. doplout k cíli (*feats of ~ among migratory birds* příklady umění doletět k cíli u stěhovavých ptáků) **3** plavba, let, cesta (*open to ~ as soon as the ice is cut, pigeons can exhibit a successful ~ homeward* holubi se mohou pochlubit úspěšným letem domů) **4** přen. manévrování (*a delicate ~ between the ancient British alliance and Axis* delikátní manévrování mezi dávným spojencem Británií a Osou) **5** umělý splavný průtok, kanál (*a tolerable ~ was established for a distance of eleven miles* byl vybudován poměrně vyhovující kanál v délce jedenácti mil) ◆ *~ acts* námořní zákony a opatření; *~ canal* průplav; *inland ~* vnitrozemská plavba; *~ police* lodní policie; *~ service* přístavní služba; *~ set* navigační rádiový přístroj

navigation coal [ˌnæviˈgeišənˌkəul] krátkoplamenné uhlí, kotelní uhlí

navigator [nævigeitə] **1** navigátor, navigační důstojník **2** plavec, mořeplavec **3** navigační zařízení rakety **4** BR řidč. kopáč, nádeník při stavbě průplavu

navvy [nævi] (*-ie-*) BR **1** kopáč, nádeník, pomocný dělník, štrekař při stavbě průplavu, trati, silnice apod. **2** rypadlo

navy [neivi] (*-ie-*) **2** válečné loďstvo, válečné námořnictvo; námořní síly státu **2** bás., zast. flotila, eskadra, loďstvo zejm. obchodní **3** revolver typu *Navy Colt* ◆ *~ bill* BR admiralitní směnka; *N~ Department* AM ministerstvo námořnictva; *~ list* oficiální seznam důstojníků válečného námořnictva; *~ yard 1.* válečné loděnice *2.* námořní arzenál

navy blue [neiviblu:] *s* námořnická modř tmavá *adj: navy-blue* jsoucí barvy námořnické uniformy, tmavomodrý

navy cut [neivikat] BR jemně řezaný tabák

navy yard [neivija:d] státní loděnice

nawab [nəˈwa:b] **1** navab titul vladaře n. šlechtice v Indii **2** řidč. zbohatlík, nabob

NAWCH [no:č] sdružení pro péči o děti v nemocničním ošetřování

nay [nei] *adv* **1** ale co, ale kdež, ba (*each of them is peculiar, ~, unique*) **2** zast. ne, nikoliv ● *s* **1** slovo ne, negativní odpověď, odmítnutí, zákaz **2** hlas proti (*the ~s outnumbered the ayes* hlasů proti bylo více než hlasů pro) **3** oponent, kdo hlasuje proti (*he voted among the ~s*) ◆ *say ~* odmítnout, zakázat, popřít; *he will not take ~* nedbá námitek; *yea and ~* na váhách, nerozhodný, vrtkavý

naysay [neisei] (*naysaid, naysaid*) odmítnout, říci „ne"

naysayer [ˈneiˌseiə] kdo něco odmítá, kdo proti něčemu hlasuje

nay-word [neiwə:d] zř. heslo

Nazarene [ˌnæzəˈri:n] *s* **1** *the N~* (Ježiš) Nazaretský **2** Nazarejec obyvatel Nazaretu **3** nazarejec, nazarén člen raně křesťanské sekty **4** křesťan ● *adj* **1** nazarejský, nazaretský **2** narazénský

Nazarite [næzərait] **1** Nazarejec obyvatel Nazaretu **2** = *Nazirite*

naze [neiz] výběžek, ostroh

Nazi [na:tsi] *s* **1** nacista, hitlerovec **2** nácek, němčour ● *adj* **1** nacistický, hitlerovský **2** němčourský

Nazidom [na:tsidəm] **1** nacismus, hitlerismus **2** nacisté, hitlerovci

Nazify [na:tsifai] (*-ie-*) nacizovat

Naziism [na:tsiizəm] = *Nazism*

Nazirite [næzərait] nazirej, nazirejský příslušník židovské asketické skupiny

Nazism [na:tsizəm] nacismus, hitlerismus

ne [ne] hovor. = *never*

né [nei] rozený (*Edward Knight, né Austen*)

Neanderthal [niˈændəta:l] neandrtálský ◆ *~ man* neandrtálský člověk, neandrtálec, pračlověk

neap [ni:p] *adj* **1** příliv kvadraturní, nízký **2** týkající se kvadraturních n. nízkých slapů ● *s* = *neap tide* ● *v* **1** příliv blížit se ke kvadraturním n. nízkým slapům **2** příliv dosáhnout maxima kvadraturních n. nízkých slapů **3** loď nasednout na mělčinu, uvíznout na mělčině při odlivu

Neapolitan [ˌni(:)əˈpolitən] *adj* neapolský ◆ *~ ice 1.* zmrzlinový dortík z vrstev různých zmrzlin *2.* cukrový špalíček; *~ violet* violka vonná ● *s* Neapolitán

neap tide [ni:ptaid] kvadraturní n. nízké slapy, kvadraturní n. nízký příliv

near [niə] *adv* **1** blízko, nedaleko (*the station is quite ~*), též přen. (*she was ~ to tears* měla slzy na krajíčku) **2** hovor. skorem, téměř, málem (*a period of ~ thirty years, he was ~ exhausted by the heat* vedro ho málem vyčerpalo) **3** téměř přesně (*copy it as ~ as you can*) **4** velice skromně n. šetrně, skrblicky, skrblivě (*he lives very ~*) **5** kůň s nohama těsně u sebe ◆ *as ~ as 1.* tak dalece (*as ~ as I can guess* podle mého nejlepšího odhadu) *2.* téměř (*he was as ~ as could be to being* *knocked down by the bus* jen tak tak a porazil ho autobus, *as ~ as makes no difference* jen s nepatrným rozdílem); *come / draw ~* blížit se; *come ~ to* téměř vystihovat co; *come / go ~ to doing* málem udělat co, málem se stát, že; *~ at hand* po / při ruce (*always keep a good dictionary ~ at hand, be ~ at hand* být na dosah, *the examinations are ~ at hand* zkoušky jsou za dveřmi); *keep ~* nevzdalovat se; *not* hovor. / *nowhere ~* zdaleka ne (*the cinema was nowhere ~ full*); *~ (up)on* téměř, skorem časový údaj (*it was ~ upon 2 o'clock*) ● *prep* u (*Trampington ~ Cambridge*); k (*don't go ~ the edge*); vedle, blízko (*bombs fell ~ the building*) ◆ *keep ~ a t.* držet se, setrvávat u / při ● *adj* **1** blízký (*a ~ relative*); intimní, důvěrný (*a ~ friend, ~ affairs*) **2** jsoucí skorem, téměř, málem, div ne (*a ~ disaster* téměř katastrofa, *a ~ miracle* téměř zázrak) **3** méně vzdálený, bližší (*the ~ slope of the mountain* bližší svah hory); přivrácený (*the ~ side of the moon*) **4** levý z páru (*a ~ wheel of a cart, a ~ hind foot* levá zadní noha) **5** cesta krátký, přímý (*four miles by the ~est road*) **6** lakotný, skrblivý (*some were beginning to consider Oak a ~ man*) **7** věrný; blížící se originálu n. vzoru n. ideálu (*a ~ translation, the ~est thing to perfect happiness*) **8** AM umělý (*~ wool*) **9** těsný, jsoucí o vlas (*a ~ escape*) ◆ *~ beer* AM nealkoholické pivo; *~ distance* druhý n. střední prostorový plán obrazu n. reliéfu; *N~ East* Blízký východ; *~ horse* podsední kůň; *~ miss 1.* téměř přesný zásah, zásah blízko cíle, zejm. při bombardování *2.* téměř úspěch; *~ point* blízký bod přizpůsobení oka; *~ thing* hovor. jen tak tak, málem opak (*he won the match but it was a ~ thing*); *~ work* piplačka práce, na niž je nutno se dívat zblízka ● *v* blížit | se, přibližovat | se

near-balance [ˈniəˌbæləns] téměř vyrovnaný rozpočet

near by [niəbai] *adv* vedle, v sousedství ● *adj: near-by* zejm. AM vedlejší, sousední

Nearctic [ni:ˈa:ktik] zool. nearktický, neoarktický

near-hand [niəhænd] SC, nář. **1** blízko, na dosah **2** téměř, málem

nearish [niəriš] **1** poměrně blízký **2** téměř n. poměrně lakomý

nearly [niəli] **1** zblízka; podrobně **2** blízce, úzce (*we are ~ related* jsme v úzkém příbuzenském vztahu); těsně **3** téměř skorem, málem (*such words are ~ meaningless, lying ~ at right angles* svírající téměř pravý úhel, *the two handwritings are ~ identical*) ◆ *~ nobody* etc. AM téměř nikdo atd.; *not ~* zdaleka ne

nearness [niənis] **1** blízkost (*~ to God, ~ to a stream* blízkost pramene) **2** příbuznost (*~ of language*) **3** lakota, skrblictví (*~ is capable of life-long self-sacrifice* lakota může vést k celoživotnímu sebe...

nearside [niəsaid] *adj* jsoucí na / po levé straně při jízdě vlevo ● *s* levá strana vozovky, auta apod. při jízdě vlevo

near-sighted [ˌniəˈsaitid] krátkozraký

near-sightedness [ˈniəˈsaitidnis] krátkozrakost

near-silk [niəsilk] umělé hedvábí

neat[1] [ni:t] **1** dobytče **2** hovězí dobytek, skot

neat[2] [ni:t] **1** čistý nezředěný (*~ brandy*); bez příměsi, bez písku (*~ cement, ~ plaster* čistá sádra); pečlivý, dobře udělaný (*~ work*) **2** uklizený, uspořádaný (*a ~ desk*); útulný (*a ~ little room*); úhledný (*a ~ writing*) **3** chytrý, inteligentní, šikovný (*a ~ answer, a ~ conjuring trick* šikovný eskamotérský trik) **4** jasný, věcný, vybroušený (*a ~ style*) **5** elegantní, vkusný, upravený (*a ~ dress*); pěkný, pohledný (*a woman with a ~ figure* žena pěkné postavy) **6** pořádný, pořádkumilovný (*a ~ farmer is easily distinguished by his fences* pořádný sedlák se snadno pozná podle toho, jaké má ploty) **7** AM slang. fajn, prima, senzační, bašta (*that's a ~ car* to je bourák) ◆ *as ~ as a pin* čisťounký, vymydlený, jako ze škatulky

neaten [ni:tn] **1** upravit **2** uklidit, uspořádat, urovnat **3** začistit

neath, 'neath [ni:θ] SC, bás. v. *beneath*

neat-handed [ˌni:tˈhændid] šikovný, zručný

neat-herd [ni:thə:d] pasák hovězího dobytka

neat-house [ni:thaus] *pl: -houses* [-hauziz] kravín, chlév, chlívy pro dobytek

neatness [ni:tnis] **1** čistota **2** uklizenost; útulnost; úhlednost **3** chytrost, vtipnost, pádnost, inteligentnost, šikovnost např. odpovědi **3** jasnost, věcnost, vybroušenost **4** elegance, upravenost **5** pořádkumilovnost

neatnik [ni:tnik] zejm. AM slang. čistotný člověk

neat's-foot [ni:tsfut] *pl: -feet* [-fi:t] **1** pazneht **2** telecí nožička ◆ *~ oil* paznehtový olej

neat's-leather [ˈni:tsˌleðə] hovězina kůže

neat's-tongue [ni:tstaŋ] hovězí jazyk

neb [neb] SC **1** zoban, zobák **2** nos, čenich, čumák **3** špička, hrot zejm. pera **4** zast., SC huba

nebbish [nebiš] *adj* žalostně nešťastný ● *s* žalostně nešťastný člověk

nebula [nebjulə] *pl: nebulae* [nebjuli:] **1** med. vleklý zákal rohovky; zákal v moči **2** hvězd. mlhovina, nebula

nebular [nebjulə] nebulární, nebulózní, mlhovinový, mlhavý ◆ *~ theory / hypothesis* nebulární teorie hypotéza, podle níž sluneční soustava vznikla z mlhoviny

nebulium [nəˈbju:liəm] hypotetický prvek v mlhovinách

nebulize [nebjulaiz] **1** rozprašovat **2** měnit se v mlhu, rozptýlit se rozprášením

nebulizer [nebjulaizə] mlhový rozprašovač

nebulosity [ˌnebjuˈlosəti] (*-ie-*) **1** zamlženost, ml-

nebulous [nebjuləs] **1** mlhavý, nejasný, nebulózní (~ *memory,* ~ *hopes*) **2** zamlžený, zamžený **3** mlhovinný, nebulární ◆ ~ *cluster* hvězdokupa
necessarian [ˌnesiˈseəriən] = *necessitarian*
necessarianism [ˌnesiˈseəriənizəm] = *necessitarianism*
necessarily [ˌnesəˈserili] nutně; nevyhnutelně; bezpodmínečně
necessary [nesəsəri] *adj* **1** nutný, nezbytný *to / for* k / pro, *that / to* aby (*sleep is* ~ *to health, is war a* ~ *evil in this world?*) **2** logicky nutný (a ~ *conclusion* logický závěr); bezpodmínečně nutný (*food is* ~ *for all*) **3** nevyhnutelný (*the* ~ *outcome of the affair* logický a nevyhnutelný následek té záležitosti) **4** nucený, vynucený, přinucený (*a* ~ *submission to evil* vynucené podrobení zlu) ◆ *it is* ~ *for you to do* je nutné, abys udělal, musíš udělat ● *s* (*-ie-*) **1** *pl* základní potřeba; požadavek, nárok **2** slang. prachy, fiňáry peníze **3** slang. vercajk, nádobíčko potřebné náležitosti ◆ *necessaries of life* životní potřeby
necessitarian [niˌsesiˈteəriən] *s* determinista ● *adj* deterministický
necessitarianism [niˌsesiˈteəriənizəm] determinismus
necessitate [niˈsesiteit] **1** nutně vyžadovat, vynutit si (*the increase in population* ~*s a greater food supply* zvýšený počet obyvatelstva nutně vyžaduje větší přísun potravin) **2** nutně způsobit, vyvolávat, nutně vést k (*difficult circumstances seemed to* ~ *a certain gloominess on his part* zdálo se, že tísnivá situace u něho vyvolala určitou zachmuřenost) **3** řidč. donutit, přinutit *to* aby (*he was* ~*d to choose some other route* byl donucen si vybrat nějakou jinou cestu)
necessitous [niˈsesitəs] **1** nuzný, nuzácký **2** nutný, nezbytný
necessity [niˈsesəti] (*-ie-*) **1** nutnost *of / for* čeho (*the* ~ *of death, the doctor asked us not to call him during the night except in case of* ~ ... abychom ho v noci nevolali leda v případě nutnosti) **2** životní nutnost, základní požadavek života (*food and warmth are necessities*) **3** nezbytná potřeba, nutný požadavek (*all this is a* ~ *for happy living*) **4** nouze, nuzota (*she was reduced to the most abject* ~ skončila v úplně žalostné nouzi) ◆ *by* ~ z donucení, z nezbytí (*he did it, not because he wanted to, but by* ~); *of* ~ nutně, nevyhnutelně, bezpodmínečně; *bow to* ~ sklonit se před nutností; ~ *knows no law* v nouzi všechno dovoleno; *make a virtue of* ~ udělat z nouze ctnost; ~ *money* nouzové peníze; ~ *is the mother of invention* nouze naučila Dalibora housti; *be under the* ~ *of doing* muset nutně udělat, být nucen udělat
neck [nek] *s* **1** krk, hrdlo, šíje **2** výstřih; límec **3** krkovice, krkovička zejm. skopová **4** pevninská šíje, istmos, istmus; úzký průliv n. průsmyk **5** zúžení, zaškrcení **6** BR poslední snop o dožínkách **7** slang. drzé čelo, drzost, nestoudnost **8** námoř. botka n. vidlice vratipně n. vratiráhna; část vesla, kde žerď přechází v list **9** archit. krk, hypotrachelion dorského sloupu, spodek hlavice sloupu **10** polygr. úkos reliéfu obrazu písmena **11** odb. sopouch; okružní drážka; krček houslí, zubu; kořenový krček stromu; čep hřídele; přívěsek balónu; zapíchnutí, zápich součástky ◆ ~ *and* ~ v jedné čáře, těsně vedle sebe; *break one's* ~ *1.* zlomit si vaz *2.* moci se strhat, dřít, namáhat se; *break the* ~ *of a task* mít nejhorší část práce za sebou; *breathe down a p.'s* ~ *1.* funět na záda komu, mačkat se na *2.* ostře sledovat koho; *and crop* rychle, dokonale a důkladně; *get it in the* ~ slang. slíznout to, koupit to; ~ *gutter* úžlabí střechy; ~ *and heels* = ~ *and crop; lose by a* ~ těsně prohrát; *low* ~ hluboký výstřih; ~ *mould* oblounek, astragal; ~ *or nothing 1.* ryc anebo nic *2.* zoufale riskantně (*it is* ~ *or nothing* je nutno všechno riskovat, je nutno vsadit vše na jednu kartu); ~ *ring* obojek; *save one's* ~ ujít smrti, vyváznout se zdravou kůží, též přen.; *short* ~ *ahead of* o něco dříve než; *stick one's* ~ *out* lézt do rány, koledovat si o nářez, riskovat krk; ~ *strap* nákrčník; *talk through (the back) of one's* ~ slang. mlít páté přes deváté, kecat do lebedy; *up to one's* ~ až po krk; *win by a* ~ *1.* dostihy vyhrát o krk *2.* těsně vyhrát; ~ *of the woods* AM sídlo, sídliště v lese ● *v* **1** hovor. muckat se, muchlat se objímat se **2** obejmout, vzít kolem krku **3** opatřit hrdlem; zhotovit krček n. čep ◆ ~*ing party* AM mejdan s děvčaty, studentské orgie ***neck down*** zužovat se
neckband [nekbænd] **1** obojek **2** okruží **3** pásek u krku košile na připevnění límce; pásek u výstřihu; límeček
neckcloth [nekkloθ] nákrčník
necked [nekt] **1** opatřený hrdlem, mající krk **2** v. *neck, v*
necker [nekə] hovor. kdo se mucká n. muchlá
neckerchief [nekəčif] *pl* též *neckerchieves* [nekəčifs] šátek kolem krku
neckful [nekful] hovor. kolik člověk vydrží, nálož
necking [nekiŋ] **1** AM upoutání vzpurného zvířete za krk **2** archit. krk, hypotrachelion sloupu **3** v. *neck, v*
necklace [neklis] **1** náhrdelník **2** barevný proužek na krku zvířete
neckpiece [nekpi:s] šála zejm. kožešinová
necklet [neklit] **1** úzký náhrdelník **2** kožešinový límec
neckline [neklain] tvar výstřihu, výstřih
neck oil [nekoil] slang. pivo
necktie [nektai] zejm. AM vázanka, kravata ◆ ~ *party* AM lynčování
neck-verse [nekvə:s] první verš 51. žalmu ke zkoušce gramotnosti
neckwear [nekweə] obch. kravaty a šátky

necrobiosis [ˌnekrə*u*baiˈəusis] *pl: necrobioses* [ˌnekrə*u*baiˈəusi:z] nekrobióza přežívání tkání po smrti organismu
necrogenic [ˌnekrə*u*ˈdženik] mrtvolný, pocházející z mrtvého, nekrogenní
necrolatry [neˈkrolətri] přehnané uctívání mrtvých
necrologue [nekrəlog] nekrolog
necrology [neˈkrolədži] (*-ie-*) **1** nekrolog **2** hist. nekrologium **3** seznam mrtvých
necromancer [nekrə*u*mænsə] nekromant věštec dotazující se mrtvých na budoucnost
necromancy [nekrə*u*mænsi] nekromantie, nekromantika věštění s pomocí duchů zemřelých
necromantic [ˌnekrə*u*ˈmæntik] nekromantický
necrophagous [neˈkrofəgəs] živící se mrtvolami, požírající mrtvá těla
necrophil [nekrəfil], **necrophile** [nekrəfail] nekrofil člověk stižený nekrofilií
necrophilia [ˌnekrə*u*ˈfi:ljə], **necrophilism** [ˌnekrə*u*ˈfilizəm], **necrophily** [neˈkrofili] nekrofilie, nekromanie erotická náklonnost k mrtvolám
necrophobia [ˌnekrə*u*ˈfəubiə] nekrofobie chorobný strach z mrtvých
necrophore [nekrə*u*fo:] zool. hrobařík
necropolis [neˈkropəlis] *pl* též *necropoles* [neˈkropəli:z] n. *necropoli* [neˈkropəlai] **1** archeol. pohřebiště, nekropole **2** hřbitovy, velký hřbitov
necropsy [nekropsi] nekropsie znalecké ohledání mrtvoly; pitva
necroscopy [neˈkroskəpi] (*-ie-*) pitva, nekropsie
necrosis [neˈkrəusis] *pl: necroses* [neˈkrəusi:z] odúmrť, nekróza zejm. kosti; odumření
necrotic [neˈkrotik] **1** odumřelý, nekrotický **2** působící odumření
necrotize [nekrətaiz] **1** odumřít **2** způsobit odumření n. nekrózu
nectar [nektə] **1** nektar nápoj řeckých bohů; lahodný nápoj, zejm. sladký; sladká šťáva v květech **2** druh sodovky **3** šedočerná barva
nectarean [nekˈteəriən], **nectared** [nektəd], **nectareous** [nekˈteəriəs] nektarový
nectariferous [ˌnektəˈrifərəs] skýtající nektar, nektarodárný
nectarine [nekt*ə*rin] bot. nektarinka druh rané slívy připomínající broskev
nectary [nektəri] (*-ie-*) **1** medník, nektarium **2** zool. trubička, kterou mšice vylučuje sladkou šťávu
ned [ned] SC slang. chuligán
Neddy[1] [nedi] (*-ie-*) **1** Pepík, Karel osel n. kůň **2** AU slang. závodní kůň
Neddy[2] [nedi] (*-ie-*) BR Státní rada pro ekonomický rozvoj přezdívka ◆ *Little ~* výbor pro ekonomický rozvoj (*the Little ~ for the hotel and catering industry* ... pro hotely a veřejné stravování)
nee, neé [nei] **1** rozená (*Mrs Smith, ~ Jones*) **2** vlastním n. původním jménem

need [ni:d] s **1** potřeba (*our daily ~s, no ~ to apologize*) **2** požadavek (*a building adequate for the company ~s*) **3** nutnost (*the ~ to pay taxes*) **4** nouze, chudoba (*the community provides for those in ~*) ◆ *at ~* podle potřeby; *attend to one's ~s = do one's ~s; be in ~ of* potřebovat co; *do one's ~s* vykonat (tělesnou) potřebu; *A friend in ~ is a friend indeed* V nouzi poznáš přítele; *he had ~ (to) remember* měl si pamatovat; *have ~* potřebovat, vyžadovat; *at last ~* v nejvyšší nouzi; *if ~ arise / be* bude-li nutné; *~ makes the old wife trot* pořek. nouze naučila Dalibora housti; *~s test* prokázání nemajetnosti; *stand in ~ = be in ~; there is no ~ to* není zapotřebí, aby ● *v* **1** potřebovat (*the garden ~s rain, this chapter ~s rewriting / to be rewritten* tato kapitola potřebuje přepsat) **2** musit (*he did not ~ to be reminded* nikdo mu nemusel připomínat, *he ~s to hurry*) **3** být v nouzi, strádat (*give to them who ~*) **4** bez infinitivu a příčestí, 3. os. *need* musit, být nutné aby (*he talks more than he ~, he ~ not trouble himself, he ~n't answer, we ~n't have hurried*); stačit (*one ~ only look at the management* stačí se podívat na vedení) ◆ *it ~s not* zast. je zbytečné; *more than ~s* víc než je nutné; *what ~ / ~s?* proč má n. proč musí?
needfire [ni:dfaiə] **1** oheň ze suchého dřeva získaný třením (léčící uřknutí) **2** strážní n. signální oheň; zapálená hranice
needful [ni:df*u*l] *adj* potřebný, nutný, nezbytný (*she bought only what was strictly ~*) *to / for* k, pro (*~ for peace*) ◆ *as much as is ~* kolik je zapotřebí ● *s* **1** potřebnost, nezbytnost (*summer ~s*) **2** slang. nutná věc n. záležitost; hotovost, prostředky peníze (*he had the ~ to buy what he wanted*) ◆ *do the ~ 1.* udělat potřebné *2.* kopaná dorazit míč do branky
needfulness [ni:df*u*lnis] nutnost, potřeba, nezbytnost
neediness [ni:dinis] nouze, nuzota, strádání
needle [ni:dl] **1** jehla, jehlička **2** jehlice; pletací jehlice, pletací drát; háčkovací jehlice, háček; navlékací jehla, žengle **3** střelka kompasu **4** ukazatel, ručička přístroje **5** bot. jehlice jehličnatého stromu; *~s, pl* jehličí **6** obelisk **7** ostrý útes **8** též *~ beam* stav. podchycovací nosník **9** hradlo jezu **10** *the ~* BR slang. tréma, nervózní píchání **11** *the ~* AM slang. injekce; drogy **12** přen. pobídka, stimulus **13** přen. sarkastická poznámka, šleh ◆ *~ antimony* hvězdovaný antimon; *~ blight* les. sypavka, jehlosyp; *~ cast* les. opad jehličí; *~ in a bottle of hay* jehla v kupě sena; *~ dam* hradlový jez; *~ file* jehlový pilník; *~ fracture* jehlicovitý lom; *~ frame* vyšívací rám; *~ game* rozhodující hra s náruživým fanděním; *get the ~* být jako na jehlách; *~ girder 1.* příčník mostu *2.* podpěrný nosník při

opravě budovy; ~ *in a haystack* jehla v kupě sena; *hit the* ~ ~ strefit se do černého, uhodit hřebík na hlavičku; ~ *mark* stopa po vpichu; ~ *match* rozhodující zápas s náruživým fanděním; ~ *ore* aikinit; *pins and* ~*s* mravenci, mravenčení brnění; ~ *scaffold* vyložené n. vysunuté lešení; ~*'s eye* ucho jehly co nejmenší otvor; (*as*) *sharp as a* ~ *1.* ostrý jako břitva *2.* chytrý jako opice; ~ *spar* aragonit; ~ *stone* natrolit; ~ *time* BR vysílací čas věnovaný reprodukované hudbě v rozhlase; ~ *weir* hradlový jez ● *v* **1** šít, sešít, vyšívat **2** vpichovat, opichovat; dávat injekci; očkovat (*this institute* ~*s the population against polio* tento ústav očkuje občany proti obrně) **3** pro|-píchnout (*needling a blister* propíchnutí puchýře) **4** protáhnout | se (*he used to* ~ *a stick between his legs* měl ve zvyku protáhnout si hůl mezi nohama, *they*~*d their way through the crowd*) **5** popichovat, strefovat se do (*he enjoys needling his stuffy relations* velice rád popichuje své škrobené příbuzenstvo); vehnat, veštvat popichováním (*she* ~*d him into it*) **6** krystalizovat v jehlicích **7** podchytit zeď nosníky **8** přen. opepřit, okořenit (~ *a speech with humour*); říznout nápoj čistým lihem (~ *beer*)

needle bath [ni:dlba:θ] ostrá horizontální sprcha

needle book [ni:dlbuk] jehelníček v podobě látkového sešitku

needle case [ni:dlkeis] jehelníček, pouzdro na jehly

needlecord [ni:dlko:d] *s* manšestr ● *adj* manšestrový

needlecraft [ni:dlkra:ft] = *needlework*

needlefish [ni:dlfiš] *pl* též *-fish* [-fiš] zool. mořská jehla

needleful [ni:dlful] návlek jehly, nit na jedno navlečení

needle gun [ni:dlgan] voj. jehlovka

needle lace [ni:dlleis] = *needlepoint lace*

needle-maker [ˈni:dlˌmeikə] výrobce jehel, jehlář

needleman [ni:dlmæn] *pl: -men* [-men] narkoman píchající si drogy

needlepoint [ni:dlpoint] *s* **1** ostrá špička **2** vyšívaný goblén ● *adj: needlepoint:* ~ *lace* šitá krajka

needle-sharp [ni:dlša:p] citlivě reagující

needle-shower [ˈni:dlˌšauə] = *needle bath*

needless [ni:dlis] zbytečný (*a* ~ *movement*) ◆ ~ *to say* pochopitelně, to se rozumí, samo sebou, samozřejmě

needlessness [ni:dlisnis] zbytečnost

needle valve [ˌni:dlˈvælv] **1** jehlový ventil **2** stav. jehlový uzávěr

needlewoman [ˈni:dlˌwumən] *pl: -women* [-ˌwimin] švadlena, šička ◆ *she is a good* | *bad* ~ umí | neumí dobře šít

needlework [ni:dlwə:k] **1** šití **2** výšivka **3** krajka **4** škol.: dívčí ruční práce

needments [ni:dmənts] *pl* BR osobní potřeby

needn't [ni:dnt] = *need not*

needs [ni:dz] **1** před *must* tedy, nutně (*she shall go, if she* ~ *must*) **2** po *must* zrovna, just, musí a musí akorát (hovor.) (*he must* ~ *go away when I want his help*) ◆ ~ *must when the devil drives* pořek. přinuceni okolnostmi

need-to-know [ˌni:dtəˈnəu] týkající se utajování informací

needy [ni:di] (*-ie-*) nuzný, potřebný, chudý

neep [ni:p] SC, nář. řepa

ne'er [neə] bás. = *never*

ne'er-do-weel [ˈneədu(:)ˌwi:l], **ne'er-do-well** [ˈneədu(:)ˌwel] *s* darmošlap, budižkničemu ● *adj* lajdácký, neschopný

nef [nef] **1** lodička dekorace n. část servisu ve tvaru lodi **2** = *nao*

nefarious [niˈfeəriəs] zlý, ohavný, zločinný

nefariousness [niˈfeəriəsnis] špatnost, ohavnost; zločinnost

neg [neg] hovor. **1** = *negative* **2** = *negatively*

negate [niˈgeit] **1** zapřít, popřít, negovat **2** zrušit, vyloučit (*two contracts which* ~ *each other*), potlačit

negation [niˈgeišən] **1** zápor (*shaking the head is a sign of* ~ zavrtění hlavou je znamení záporu / nesouhlasu); záporná hodnota; negace **2** popírání, popření, vyvrácení, zničení, pravý opak (*anarchy is not law but its* ~) **2** jaz. zápor, záporka

negationist [niˈgeišənist] negativista

negative [negətiv] *adj* **1** záporný, negativní (*a* ~ *answer, a* ~ *opinion, a* ~ *personality, a* ~ *outlook* negativní vztah k budoucnosti, *a* ~ *mathematical quantity, a* ~ *diagnosis*); negativní (*a* ~ *picture*) **2** zákazový, vyjadřující zákaz, prohibitivní (~ *statutes,* ~ *precepts* zákazy) **3** odmítavý (*a* ~ *vote*) **4** mat. negativní, minusový **5** odb. zpětný; podnormální; levotočivý **6** med. mající negativní Rh faktor ◆ ~ *acceleration* zpoždění, záporné zrychlení; ~ *allowance* přesah v lícování; ~ *booster* snižovač napětí; ~ *electrode* záporná elektroda, katoda; ~ *flag* námoř. vlajka znamenající „ne"; ~ *lens* rozptylná čočka, rozptylka; ~ *praise* nenalezení žádné chyby; ~ *pressure* podtlak, záporný tlak; ~ *quantity* hovor., žert. nic; ~ *sign* záporné znamínko, minus; ~ *terminal* elektr. záporný pól, záporná svorka; ~ *trade balance* pasívní obchodní bilance; ~ *virtue* nedělání ničeho špatného ale také ničeho dobrého; ~ *voice* protest ● *s* **1** zápor **2** jaz. zápor, záporka **3** záporná n. negativní hodnota **4** nepřítomnost, nedostatek *of* čeho **5** negativní vyjádření; odmítnutí, popření; právo veta, veto **6** opak; opozice; oponent **7** fot. negativ; negativní materiál **8** elektr. záporná deska elektrického článku ◆ *in the* ~ *1.* odmítavý, záporný *2.* odmítavě, záporně; ~ *pregnant* práv. záporná odpověď kterou lze vyložit výhodně pro protivnou stranu; *return a ~* odpovědět záporně n. odmítavě; *two ~s make an affirmative* minus a minus dává plus ● *v* **1** odmítnout, zavrhnout zejm. hlasováním **2** zamítnout, nepřiznat nárok **3** vyvrátit, dokázat nepravdu čeho (*experiments ~d his theory*); popřít **4** vetovat **5** zničit, zmařit **6** vyvážit, neutralizovat, anulovat

negativeness [negətivnis] **1** záporné hodnoty **2** negativita, zápornost

negativism [negətivizəm] negativismus

negativist [negətivist] *s* negativista ● *adj* negativistický

negativity [ˌnegəˈtivəti] negativismus

negator [niˈgeitə] **1** popíratel, zejm. anarchista **2** zápor

neglect [niˈglekt] *v* **1** zanedbat, zanedbávat, nedbat na (*~ one's studies, she ~ed her clothes and hair*); přehlížet, nevzít dostatečně na vědomí, nevšímat si dost čeho **2** opominout, zapomenout na povinnost (*he ~ed to write and say "Thank you", don't ~ writing to your mother*) ● *s* **1** zanedbání, zanedbávání, opominutí (*he lost his job because of ~ of duty*); nedbalost, ledabylost **2** zanedbanost (*the total ~ of the house*) **3** přehlížení *of* koho / čeho, nevšímavost vůči (*they could not understand his ~ of her*)

neglectable [niˈglektəbl] zanedbatelný

neglectful [niˈglektful] **1** nedbalý, nedbající *of* na, zanedbávající co (*boys who are ~ of their appearance* hoši, kteří nedbají na svůj vzhled), lhostejný k (*~ of what people might think*) **2** zanedbaný (*the ~ condition of the cemetery* zanedbaný stav hřbitova)

neglectfulness [niˈglektfulnis] **1** nedbalý vztah *of* k, lhostejnost k, nedbalost čeho **2** zanedbanost

negligé, negligee [negli:žei] negližé, nedbalky oděv i nedostatečné oblečení

negligeable [neglidžəbl] řidč. = *negligible*

negligence [neglidžəns] **1** nedbalost, ledabylost **2** zanedbanost, neupravený zevnějšek **3** pohrdání úřadem apod. **4** uvolněnost, nestrojenost ◆ *active ~* nedbalost způsobená přehmatem, hrubá nedbalost; *contributory ~* spoluzavinění nedbalostí; *culpable ~* zanedbání povinné péče

negligent [neglidžənt] **1** nedbalý *in* / *of* na, lhostejný k, ledabylý v (*he was ~ in his work, he was ~ of his duties*) **2** nestrojený, neafektovaný, přirozený (*a ~ speech*); nedbale elegantní, nonšalantní (*he wore clothes with a ~ grace*)

negligible [neglidžəbl] zanedbatelný, pominutelný; bezvýznamný; nepatrný

negotiability [niˌgəušjəˈbiləti] (*-ie-*) **1** převoditelnost, směnitelnost, obchodovatelnost, schopnost eskontu **2** sjízdnost, schůdnost **3** přen. překonatelnost, zdolatelnost **4** dosažitelnost; použitelnost, přijatelnost

negotiable [niˈgəušjəbl] **1** obch. přenosný, postupitelný, převoditelný; prodejný, zpeněžitelný, obchodovatelný; proplatitelný, směnitelný, rozměnitelný, inkasovatelný; obchodně přitažlivý **2** řešitelný jednáním (*is the dispute ~?*), dosažitelný jednáním (*some kind of a treaty was ~* bylo možno dosáhnout určité dohody), o čem se dá vyjednávat, co lze dohodnout (*commencing salary will be ~ to £ 4,500* počáteční plat dle dohody až do výše 4 500 liber) **3** překonatelný (*a ~ difficulty*); schůdný (*a difficult but ~ path through the forest* lesní pěšina, schůdná těžko, ale přece); sjízdný (*the road, normally ~ by jeep*); zdolatelný (*a ~ hill* kopec, na který lze vylézt); průjezdný (*a ~ curve* průjezdná zatáčka) **4** přijatelný (*their claim is not ~* jejich požadavek je nepřijatelný, *familiar and ~ situations*); srozumitelný, pochopitelný, přístupný (*a widely ~ language, it is ~ to the widest possible public*) ◆ *~ instrument* obch. cenný papír převoditelný indosamentem

negotiant [niˈgəušiənt] **1** zprostředkovatel, vyjednavač **2** zástupce; jednající strana

negotiate [niˈgəušieit] **1** jednat o, vyjednat, projednat (*negotiating a peace treaty*); jednáním dohodnout **2** vyjednat, sjednat, dojednat, jednáním docílit *a p. into doing* aby kdo udělal (*he ~d them into doing exactly what he wanted*) **3** úspěšně zdolat, absolvovat; projet, přejet; překonat, zlézt; vypořádat se s **4** prodat; převést, inkasovat; proplatit

negotiating [niˈgəušieitiŋ] v. *negotiate* ◆ *remain on the ~ table* zůstat ve stadiu jednání

negotiation [niˌgəušiˈeišən] **1** jednání, vyjednávání **2** zdolávání, překonávání **3** obchodování; prodej; převod ◆ *price is a matter of ~* cena je záležitostí dohody

negotiator [niˈgəušieitə] **1** zprostředkovatel; prostředník; vyjednavač **2** financiér, makléř, finančník

negotiatress [niˈgəušieitris] zprostředkovatelka, prostřednice; vyjednavačka

Negress [ni:gris] černoška

negrification [ˌni:grifiˈkeišən] počernoštění

negrify [ni:grifai] (*-ie-*) počernoštit

negrillo [neˈgriləu] negrillo příslušník středoafrických černošských kmenů

negrito [neˈgri:təu] negritto příslušník trpasličích černošských kmenů žijících na Malajském souostroví

negritic [ni:ˈgritik] černošský

negritize [ni:gritaiz] počernoštit

negritude [ni:gritju:d] **1** africké černošství **2** hrdost na černošský původ

Negro [ni:grəu] *s, pl: Negroes* [ni:grəuz] **1** černoch **2** černoština zkomolená angličtina amerických černochů ● *adj* **1** černošský; černý **2** určený pro černochy

◆ ~ *ant* černý mravenec; ~ *bat* zool. netopýr tmavý; ~ *dog* hist. pes na černochy cvičený k chytání [illegible]rchlých otroků; ~ *drunk* AM úplně ožralý; ~ *minstrels* černí zpěváci a tanečníci černoši n. nalí[illegible]běloši; ~ *monge*[illegible] [illegible]chodník s černochy, otrokář; ~ *monkey* zool. černý makak; ~ *spiritual* černošský spirituál

negrohead [ni:grəuhed] **1** kus černého žvýkacího tabáku **2** koule podřadného kaučuku

Negroid [ni:groid] *adj* negroidní ● *s* negroidní člověk

Negroidal [ni:ˈgroidəl] negroidní

Negroism [ni:grəuizəm] **1** boj za zrovnoprávnění černochů **2** černošský výraz

Negroness [ni:grəunis] = *negritude*

Negrophil [ni:grəufil] *adj* negrofilní, stranící černochům ● *s* přívrženec černochů, bílý bojovník za práva černochů, negrofil

Negrophilism [ˌni:grəuˈfilizəm] prosazování černochů, boj za zrovnoprávnění černochů

Negrophobe [ni:grəfəub] nepřítel černochů, negrobijce

Negrophobia [ˌni:grəuˈfəubiə] nenávist k černochům, st[illegible] rasy, negrofobie

Negus[1] [ni:gəs] negus, něguš (hovor.) etiopský císař

negus[2] [ni:gəs] **1** punč z kořeněného vína **2** nápoj z horké vody, vína, cukru, citrónu a muškátu

N[illegible]**hru** [n[illegible] *coat* / *jack*[illegible] [illegible]ký přiléhavý kabát

neigh [nei] *s* řehtání, ržání, řičení, ryk ● *v* **1** řehtat, ržát **2** řičet, též přen.

neighbour [neibə] *s* **1** soused (*we're next-door ~s* jsme sousedé, bydlíme vedle sebe, *when the big tree fell, it brought down two of its smaller ~s* když se velký strom skácel, porazil dva menší sousedy) **2** bibl. bližní (*thou shalt love thy ~ as thyself* milovati budeš bližního svého jako sebe sama) ● *v* **1** sousedit *upon* / *with* s, být n. žít v sousedství koh[illegible] [illegible]ho (*she ~ed close upon the street where her former friend lived*); hraničit s **2** sousedsky se stýkat (*he had no mind to ~ with them*)

neighboured [neibəd] **1** jsoucí s okolím (*a beautifully ~ town* město s krásným okolím) **2** v. *neighbour, v*

neighbourhood [neibəhud] **1** okolí, sousedství (*he wants to live in the ~ of London, there is some beautiful scenery in our ~*); sousedstvo, sousedé (*he was liked by the whole ~*) **2** blízkost (*the ~ of this noisy airport is a serious disadvantage* vážnou nevýhodou je blízkost tohoto hlučného letiště, *the ~ of the earth to the sun*) **3** obec, sídliště ◆ *in the ~ of* kolem, asi (*he lost a sum in the ~ of £ 500*)

neighbouring [neibəriŋ] **1** sousední, vedlejší **2** přilehlý, blízký, okolní **3** odb. vicinální **4** v. *neighbourliness*

neighbourliness [neibəlinis] sousedská laskavost, přátelskost, přívětivost

neighbourly [neibəli] **1** sousedský **2** přátelský, laskavý **3** příjemný, přívětivý

neither [naiðə] *adj* a *pron* žádný, ani jeden ze dvou (*~ statement is true* ani jedno prohlášení není pravdivé, *~ one is satisfactory, I can agree in ~ case* ani v jednom případě nemohu souhlasit); vůbec žádný z více ● *adv* a *conj* **1** ani (*if you do not go, ~ shall I* když nejdeš ty, nepůjdu ani já) **2** a také ne, aniž (*I know not, ~ can I guess* nevím, a ani si nedokáži domyslet); ... také ne (*she can't swim, ~ can I*) **3** hovor. vůbec, vůbec už ne (*I don't know that ~*)

nek [nek] SA geol. sedlo

nekton [nektən] zool. nekton drobní živočichové plovoucí ve vodě

nelly[1] [neli] (*-ie-*) zool. buřňák obrovský

nelly[2] [neli] (*-ie-*) **1** též *N~* hlupák; zženštilý člověk **2** homosexuál **3** AU slang. špatné víno ◆ *not on your ~* slang. ale vůbec ne, ani nápad; *sit next to N~* slang. odkoukávat od odborníka

nelson [nelsn] podramenní páka, nelzon (hovor.)

nematocyst [nemətəusist] žahavé buňky žahavců

nematode [nemətəud], **nematoid** [nemətoid] zool. *s* hlíst, hlístice ● *adj* vláknitý, nitkovitý

nem con [nemˈkon] jednomyslně, bez opozice

nemesia [nəˈmi:sjə] bot.: jihoafrická trvalka z rodu Nemesia

Nemesis [nemisis] *pl* též *Nemeses* [nemisi:z] Nemesis bohyně pomsty a spravedlnosti; odplata, trest, msta

nemine contradicente / dissentiente [ˈnemini:ˌkontrədaiˈsenti:/ˌdisəntiˈenti:] jednomyslně, bez opozice

nemmind [nemaind], **nemmine** [nemain] AM hovor. = *never mind*

nemo me impune lacessit [ˈni:məumi:ˌimpˈju:ni:ləˈsesit] nikdo mě beztrestně nenapadne

nenuphar [nenjufa:] bot. stulík

neocolonial [ˌni(:)əukəˈləuniəl] *adj* neokolonialistický ● *s* neokoloniální velmoc

neocolonialism [ˌni(:)əukəˈləuniəlizəm] neokolonialismus

Neo-Darwinism [ˌni(:)əuˈda:winizəm] neodarwinismus

neodoxy [niˈodəksi] (*-ie-*) nový názor, nové hledisko, nové učení

neo-imperial [ˌni(:)əuimˈpiəriəl] neoimperialistický

neo-imperialism [ˌni(:)əuimˈpiəriəlizəm] neoimperialismus

Neolithic, neolithic [ˌni(:)əuˈliθik] vztahující se k mladší době kamenné, neolitický

neologian [ni(:)ˈolədžiən] náb. *adj* racionalistický ● *s* racionalista

neologism [ni(:)ˈolədžizəm] **1** novotvar, jazyková n[illegible]ta, neologismus, **2** náb. racionalismus

neologist [ni(:)ˈolədžist] **1** jazykový novotář **2** náb. racionalista
neologize [ni(:)ˈolədžaiz] **1** neologizovat, zavádět neologismy **2** náb. zastávat racionalistický názor
neology [ni(:)ˈolodži] (*-ie-*) = *neologism*
neon [ni:ən] neón ◆ ~ *light* neónové světlo; ~ *sign* neónová reklama
neonate [ni(:)əuneit] novorozeně
neo-Nazi [ˌni(:)əuˈna:tsi] *adj* neonacistický ● *s* neonacista
…azism [ˌni(:)əuˈna:tsizəm] neonacismus
…d] osvětlený neónem
…ni(:)ənˈtolədži] neontologie nauka o do…ismech
…ˈfi:liə] chtivost novinek, zájem
…:əfrən] zool.: rod supů
neophyte [ni(:)əufait] **1** neofyt konvertita, novokřtěnec, novověrec zejm. v raném křesťanství; nováček **2** novosvěcenec **3** novic
neoplasm [ni(:)əuplæzm] med. novotvar, nádor, neoplazma
neo-platonism [ˌni(:)əuˈpleitənizəm] filoz. neoplatonismus, novoplatónství
neo-realism [ˌni(:)əuˈriəlizəm] neorealismus
neoteric [ˌni(:)əuˈterik] nový, nedávný, moderní, …ávno vzniklý
…ical […ni(:)əuˈtropikəl] neotropický vztahující …ového světa
…zəuik] geol. *adj* neozoický, kenozo…ikum
…*adj* nepálský ● *s* **1** Nepálec; …ština
…θi] **1** bás. nepenthes prostředek utišující …ující lék; zapomnění
…i:z] **1** bot. láčkovka **2** = *nepenthe*
…əˈnæləsis] *pl: nephanalyses* [ˌne…] …bor fotografií mraků pořízených dru…
…synovec **2** zast. vnuk; pravnuk;
…lədži] nefologie nauka o oblacích; sys…ů
…rektəmi] (*-ie-*) nefrektomie chirur…dviny
… miner. nefrit
…ik] **1** ledvinový, renální **2** nefritic…
…[neˈfraitis] *pl* též *nephritides* [neˈfraitidi:z] nefritida zánět ledvin
…[neˈfrolədži] nauka o ledvinách
…my [neˈfrotəmi] (*-ie-*) chirurgický řez do …
…ionic [ˌni:piˈonik] zool. larvální
…plus ultra [ˌneiplusˈultra:] **1** nepřekonatelná překážka; omezení **2** nejzazší n. nejvzdálenější dosažený cíl **3** vrchol, vyvrcholení *of* čeho, …é slovo v (*the* ~ *of cities*)

nepotic [neˈpotik] protekční, protekcionářský
nepotism [nepətizəm] nepotismus, protežování zejm. příbuzných; protekce, protekcionářství
nepotist [nepətist] protekcionář
nepotistic [ˌnepəˈtistik] nepotistický, protekcionářský
Neptune [neptju:n] **1** Neptun bůh moře i planeta **2** přen. moře, oceán ◆ ~ *'s cup / goblet* zool. houba pohárová, pohár Neptunův
Neptunian [nepˈtju:niən] *adj* **1** geol. vzniklý usazením z vody; neptunistický **2** hvězd. neptunský, týkající se Neptuna ● *s* neptunista
Neptunism [neptju:nizəm] neptunismus starší nauka tvrdící, že veškeré horniny vznikly usazením z vody
Neptunist [neptjunist] neptunista stoupence neptunismu
neptunium [nepˈtju:njəm] neptunium radioaktivní prvek
nereid [niəriid] **1** nereida, nereidka, nereovna mořská nymfa **2** zool. *pl: nereides* [niˈri:idi:z] nereidka mořský červ
nero antico [ˌneiərəu ˌænˈti:kəu] černý mramor z rozvalin Říma
neroli [nerəli:] chem. nerol; nerolový olej z pomerančových květů
Neronian [niəˈrəuniən] **1** neronovský, neronský **2** přen. krutý; despotický; chlípný
nervate [nə:veit] bot. žilnatý
nervation [nə:ˈveišən] bot. žilnatina, nervatura
nerve [nə:v] *s* **1** nerv (*that man doesn't know what* ~ *s are*) **2** odvaha, pevné nervy (*a test pilot needs plenty of* ~) **3** drzost (*he had the* ~ *to suggest that I was cheating* měl v sobě tolik drzosti, že mě nařkl z podvádění) **4** ~ *s, pl* nervóza, nervozita, nervóznost; **5** bot. žilka zejm. hlavní **6** žebro klenby **7** bás. sval, šlacha, síla svalů, svaly ◆ ~ *agent* bojová látka s ochromujícím účinkem na nervovou soustavu; *a bag / bundle of* ~ *s* hovor. uzlíček nervů, hromádka nervů; *a fit of* ~ *s* nervy, nervový záchat, nervóza; ~ *gas* bojový plyn s ochromujícím účinkem na nervovou soustavu; *get on a p.'s* ~ *s* jít komu na nervy; *have a* ~ hovor. troufnout si, odvážit se; *have the* ~ *1.* mít odvahu *2.* mít tu drzost; *heart and* ~ přen. hybná páka; *hit a* ~ = *touch a* ~; *live on one's* ~ *s* vést vyčerpávající život; *lose one's* ~ ztratit nervy; *a man of* ~ muž s ocelovými nervy; *strain every* ~ napnout všechny svaly n. síly; *touch a* ~ dotknout se bolavého místa; *war of* ~ *s* válka nervů ● *v* dodat síly n. odvahy *to* k, posílit k, vzepnout k ***nerve o.s.*** vzepnout se (~ *oneself to face trouble* být pevně odhodlán se nedat)
nerve cell [nə:vsel] nervová buňka
nerve centre [ˈnə:vˌsentə] **1** nervové centrum **2** přen. řídící centrum organizace
nerved [nə:vd] **1** mající nervy **2** žilnatý **3** silný, statečný **4** v. *nerve, v*
nerve knot [nə:vnot] nervová uzlina, ganglie
nerveless [nə:vlis] **1** malátný, chabý (*the knife fell*

from his ~ hand) **2** chladnokrevný, klidný, nevzrušitelný (*one of the most ~ champions in the history of the tournament*) **3** bezvýrazný, bezbarvý (*a ~ piece of writing*) **4** list, křídlo hmyzu bez žilkování, nežilkovaný, bezžilný **5** jsoucí bez nervů (*the ~ amoeba*)

nervelessness [nə:vlisnis] **1** malátnost, chabost **2** klid, chladnokrevnost **3** bezvýraznost, bezbarvost

nerve-racking, nerve-wracking [ˈnə:vˌrækiŋ] **1** drásající nervy **2** vyčerpávající, únavný, vysilující (*a ~ day* den nervák)

nerve-strain [nə:vstrein] nápor na nervy, nervák (hovor.)

nervine [ne:vi:n] *adj* tišící nervy ● *s* utišující prostředek, nervové sedativum

nervous [nə:vəs] **1** nervový (*the brain and spinal chord are termed the ~ centres* mozek a mícha jsou nazývány centrálním nervstvem) **2** trvale nervózní (*are you ~ in the dark?*); úzkostlivý **3** energický, nervní (*a ~ style of writing*) **4** svalnatý, pevný, silný, šlachovitý (*~ limbs* svalnaté údy) **5** kritický (*the moment was ~*); vratký (*a ~ kayak*) ◆ *~ breakdown* nervové zhroucení; *make a p. ~* znervózňovat koho; *~ system* nervová soustava, nervstvo

nervousness [nə:vəsnis] **1** síla, pevnost (*his artistic perception has gained in strength and ~ of grasp* jeho umělecké zření získalo na síle a pevnosti uchopení uměleckého tématu) **2** nervóza, nervozita, nervóznost (*his faults sprang from ~* jeho chyby pramenily z nervozity)

nervure [nə:vjuə] **1** bot. hlavní žilka listu **2** zool. zast. žilka chitinová vzpěra

nervy [nə:vi] (*-ie-*) **1** bás. pevný, šlachovitý (*his ~ knees*) **2** slang. chladnokrevný; drzý **3** nervózní, trhavý (*the movements were quick, short, ~*) **4** slang. jdoucí na nervy **5** kaučuk pružný

nescience [nesiəns] **1** neznalost, nevědomost *of* čeho (*his ~ of contemporary literature*) **2** agnosticismus

nescient [nesiənt] *adj* **1** neznalý *of* čeho **2** agnostický ● *s* agnostik

ness [nes] výběžek do moře, útes zejm. v místních jménech

Nessie [nesi] hovor. obluda z Loch Ness

nest [nest] *s* **1** hnízdo (*a bird's ~, a wasps' ~* vosí hnízdo, *a turtle's ~* želví hnízdo); též přen. (*a ~ of crime* hnízdo zločinu, *a ~ of vice* hnízdo neřesti, *a ~ of pirates, a ~ of giant mountains* hnízdo z obrovských hor, *a machine-gun ~* kulometné hnízdo) **2** hnízdečko (*she made herself a ~ of cushions* udělala si z polštářů hnízdečko) **3** sada, souprava do sebe zapadajících předmětů (*a ~ of tables, a ~ of picnic plates*) **4** odb. kapsa, ložisko; podložná deska na řezání skla ◆ *crow's ~* hovor. kazatelna; *~ of drawers* skřínka se zásuvkami; *feather one's ~ 1.* zařídit si pohodlný život *2.* namazat si kapsy; *foul one's own ~* dělat / kálet do vlastního hnízda; *take a ~* vybrat hnízdo ● *v* **1** hnízdit, mít hnízdo, u|dělat si hnízdo (*the swallows are ~ing in the woodshed* vlaštovky hnízdí v kůlně) **2** vybírat hnízda (*let's go ~ing*) **3** naskládat do sebe, zapadat do sebe (*the tables ~*) **4** uložit, posadit jako do hnízda (*they ~ed their jelly bottles in green tissue paper* uložili láhve s rosolem do zeleného hedvábného papíru), bezpečně uložit

nest-egg [nesteg] **1** podkladek **2** rezerva, peníze dané stranou (*a ~ of £ 500*) **3** zajištěný počátek (*they will have a ~ of 128 votes*)

nester [nestə] AM hanl. usedlík, farmář na pastvinách

nestful [nestful] plné hnízdo mláďat (*I stumbled on a ~ of six fledglings* narazil jsem na hnízdo s šesti holátky)

nesting [nestiŋ] **1** zapadající jeden do druhého, jsoucí v sobě **2** v. *nest, v*

nestle [nesl] **1** pohodlně | se opřít *against* o **2** též *~ down* pohodlně se zabořit (*he ~d quietly into the cushions* tiše a pohodlně se zabořil do polštářů); zakutat se, zachumlat se, uvelebit se (*~ down in bed*) **3** též *~ up* při|tulit se (*the child was nestling closely to its mother*) **4** choulit se (*a lily nestling in the grass* lilie choulící se v trávě, *settlements ~d in narrow valleys* usedlosti schoulené v úzkých údolích) ***nestle in*** přitulit se *against* k (*the animals ~d in against their mother*)

nestlike [nestlaik] připomínající hnízdo n. hnízdečko (*he made a home for Annie, neat and ~*)

nestling [nestliŋ] **1** holátko, pískle ptačí n. lidě **2** děťátko **3** v. *nestle*

Nestor [nesto:] nestor, stařešina

Nestorian [nesˈto:riən] *adj* nestoriánský ● *s* nestorián vyznavač nestoriánství

Nestorianism [nesˈto:riənizəm] nestoriánství učení biskupa Nestora

net[1] [net] *s* **1** síť pletivo; pavučina; léčka, n. [illegible]ha; souhrn zařízení; ozdoba ve tvaru pletiva; síťka **2** text. tyl **3** síťová taška, síťovka **4** síťka na vlasy **5** kopaná, hokej branka **6** tenis míč odpálený do sítě, síť **7** *~s, pl* kriket cvičné hřiště obehnané vysokou sítí ◆ *~ braider* síťař; *~ gauze* síťová perlinka; *~ lace* tylová krajka; *on the Old Boy ~* voj. slang. cestou známosti, přes kamaráda; *~ masonry* prolamované zdivo; *~ plankton* síťkový plankton; *~ silk* skané hedvábí; *~ tracery* gotická kružba ● *v* (*-tt-*) **1** chytat do sítě (*they ~ted 15 tons of fish*); zatáhnout sítěmi (*~ a river*); lapit do sítě (*I am here ~ted*); klást přehradné sítě **2** přikrýt ochrannou sítí (*~ strawberries against birds*) **3** síťovat, plést jako síť (*~ a hammock* plést visutou síť, *she is ~ting herself a cloak* plete si síťový plášť) **4** spojit do jedné sítě n. jednoho systému např. rozhlasové stanice **5** kopaná, hokej vsítit **6** tenis zahrát míč do sítě

net² [net] *adj* čistý, netto ♦ ~ *gain* čistý zisk; ~ *premium* pojišť. ryzí pojistné, netoprémie (~ *premium valuation* bilancování netometodou); ~ *price* netto cena; ~ *proceeds* čistý výnos; ~ *profit* čistý zisk; ~ *weight* čistá váha ● *v* (*-tt-*) získat n. vynést čistý zisk (*he ~ted £ 5 from the deal* ten obchod mu vynesl čistých pět liber, *the restaurant ~ted $ 8,000 a year* restaurace nesla čistých 8 000 dolarů ročně) ● *s* **1** netto čistý příjem n. zisk; čistá váha; netto cena (~ *30 days* netto cena splatná do třiceti dnů) **2** základní myšlenka (*the ~ of all these articles is that competition is dying* základní myšlenkou všech těchto článků je tvrzení, že vymírá soutěživost)

netbag [netbæg] síťovka

netball [netbo:l] dívčí košíková

ne temere [ni:ˈteməri] papežská bulla „Ne temere" z r. 1907 o sňatcích katolíků s nekatolíky

netful [netf*u*l] plná síť n. síťka množství

nether [neðə] zast. n. žert. **1** spodní, dolejší (~ *lip* **2** podzemní, v útrobách země ♦ ~ *garments* kalhoty; ~ *limbs* / *man* nohy (*he warmed his ~ man on the hearthrug* hřál si nohy na koberci u krbu); ~ *millstone* přen. kámen v hrudi srdce; ~ *person* = ~ *limbs*; ~ *regions* / *world 1.* podsvětí, peklo *2.* řidč. pozemský svět

Netherlander [neθələndə] Nizozemec, Holanďan

Netherlandish [neθələndiš] nizozemský, holandský

Netherlands [neðələndz] Nizozemí, Holandsko

nethermost [nəðəməust] nejdolejší; nejhlubší (~ *hell* nejhlubší peklo)

netminder [ˈnetˌmaində] slang. golman brankář

netsuke [netsukei] netsuke ozdobný japonský knoflík

nett [net] = *net²*

netter [netə] AM hovor. tenista

netting [netiŋ] **1** síťoví, síťovina; pletivo **2** pletení sítí **3** v. *net^1,2 v*

nettle [netl] *s* bot. **1** kopřiva **2** hluchavka ♦ *great* / *common* ~ kopřiva obecná; *small* ~ kopřiva žahavka; *stinging* ~ kopřiva dvoudomá ● *v* **1** šlehat kopřivami **2** dráždit, pálit; zlobit, rozčilovat *at* / *by* / *with* čím (*she looked ~d at my remarks* zdálo se, že ji mé poznámky rozčilily)

nettle cloth [netlkloθ] text. **1** kopřivová tkanina **2** lesklý perkál

nettle rash [netlræš] kopřivka

nettlesome [netlsəm] **1** popudlivý, nedůtklivý (*he was not the least ~ of his countrymen*) **2** otravný, nepříjemný (~ *problems*)

nettle tree [netlri:] bot. břestovec západní

network [netwə:k] *s* **1** síť (*a ~ of rivers, a ~ of veins* žilnatina, *a ~ of secret agents*) **2** systém, skupina vysílačů s týmž programem (*radio* ~) **3** zájmová skupina **4** AM velká rozhlasová n. televizní společnost (*they sold their show to a big* ~) **5** síťovina, síťovaná práce (*the train was of gold ~* vlečka byla ze zlaté síťoviny) **6** přenosový článek ♦ ~ *system* rozvodná síť ● *v* AM vysílat, přenášet skupinou vysílačů

neum, neume [nju:m] hud. neuma notová značka raného středověku

neural [njuər*ə*l] **1** nervový **2** neurální

neuralgia [njuəˈrældžə] neuralgie

neuralgic [njuəˈrældžik] neuralgický

neurasthenia [ˌnjuərəsˈθi:njə] neurastenie, neuróza

neurasthenic [ˌnjuərəsˈθenik] neurastenický

neurectomy [ˌnjuərˈektəmi] (*-ie-*) chirurgické odnětí části nervu

neurine [njuərain] chem. neurin

neuritis [njuəˈraitis] *pl* též *neuritides* [njuəˈraitidi:z] zánět nervu, neuritida, neuritis

neuroglia [njuəˈrogliə] med. neuroglie tkáň vyplňující prostory mezi nervovými buňkami

neurological [ˌnjuərəˈlodžik*ə*l] neurologický

neurologist [njuəˈrolədžist] neurolog

neurology [njuəˈrolədži] neurologie

neuroma [njuəˈrəuma] *pl* též *neuromata* [njuəˈreumətə] med. neuroma nádor na nervu

neuro-muscular [ˌnjuərəˈmaskjulə] nervosvalový

neuron [njuəron] neuron nervová buňka

neuropath [njuərəpæθ] neuropat

neuropathic [ˌnjuərə*u*ˈpæθik] neuropatický

neuropathist [njuəˈropəθist], **neuropathologist** [ˌnjuərə*u*pəˈθolədžist] neuropatolog

neuropathology [ˌnjuərə*u*pəˈθolədži] neuropatologie

neuropathy [njuəˈropəθi] neuropatie

neurophysiology [ˈnjuərə*u*ˌfiziˈolədži] fyziologie nervstva

neuropsychic [ˌnjuərəuˈsaikik] neuropsychický

neuropterous [njuəˈroptərəs] zool. síťokřídlý

neurosis [njuəˈrəusis] *pl: neuroses* [njuəˈrəusi:z] neuróza

neurotic [njuəˈrotik] *adj* **1** neurotický; nervózní **2** nervový; působící na nervy ● *s* **1** neurotik **2** nervová droga zejm. škodlivá

neurotomy [njuəˈrotəmi] (*-ie-*) přetětí nervu

neurypnology [ˌnjuəriˈpnolədži] nauka o hypnotických jevech

neuter [nju:tə] *adj* **1** jsoucí středního rodu **2** sloveso nepřechodný **3** neutrální (*the man who stands ~*) **4** bezpohlavní; s nediferencovanými pohlavními znaky (*the worker bee is ~* včela dělnice nemá pohlavní znaky) ● *s* **1** neutrum, střední mluvnický rod **2** neutrál **3** zool. dělnice **4** kastrované zvíře, kastrát ● *v* vy|kastrovat, vyklestit

neutral [nju:tr*ə*l] *adj* **1** neutrální (~ *nations,* ~ *territory,* ~ *grey,* ~ *sounds, the solution is ~* roztok je neutrální); nestranný **2** pohlavně nevyvinutý, bezpohlavní, nepohlavní (*the queen ant lays three sorts of eggs, the male, female and ~* mravenčí královna klade tři druhy vajíček: samčí, samičí a nepohlavní) **3** bezbarvý, netečný,

…j v neutrální …á osa; ~ *con-* … *earthing* uzem- … *filter* neutrální n. … přové sádlo vytavené … lní bod, nulový bod, … n. klidová n. nulová n. … nulový vodič ● *s* **1** neu- … (*slip the gears into* ~ dát … neutrální polohy); nulový … va

…əm] zachovávání neutrality,

…ıst] zastánce neutrality

neutral… […'træləti] **1** neutralita, nestrannost **2** nevyhra…nost (*a striking* ~ *of treatment* nápadná nevyhraněnost přístupu) **3** chem. neutrální …akce **4** bezpohlavnost

…lization [ˌnju:trəlaiˈzeišən] neutralizace, ne-…vání

…trəlaiz] **1** neutralizovat (~ *the Dar-* … *acid with a base* neutralizovat … **2** vyvažovat, kompenzovat

…lˌtintid] neutrálně zbarvený,

…tron

…led **2** firnové pole

…*he* ~ *goes to the cinema* …na); jakživ ne; za žád-…žik (*they* ~ *forgot it* … vůbec ne (*that will* …o prostě nepůjde); … *left the key in the* …) **4** hovor. vážně?, … *ate the whole* …*ad* ~ *a cent*); … *before* ještě … *fear* žádné …omrzení o; …fej, ještě …tší kus; …dobrou …uteč-…ení …nic …e

never-ceasing [ˈnevəˌsi:siŋ] neustálý

never-do-well [nevəduwel] darebák, budižkničemu, darmošlap

never-dying [ˈnevəˌdaiiŋ] **1** neutuchající **2** nesmrtelný

never-ending [ˈnevəˌendiŋ] nekonečný

never-enough-to-be-regretted [ˈnevə-iˌnaf-təbiriˈ-gretid] žert. nenahraditelný

never-fading [ˈnevəˌfeidiŋ] nevadnoucí

never-failing [ˈnevəˌfeiliŋ] spolehlivý, neselhávající

nevermore [ˌnevəˈmo:] už nikdy

never-never [ˈnevəˌnevə] hovor. *s* **1** pustina **2** splátkový systém ◆ *buy on the* ~ koupit na splátky n. na doplňkovou půjčku ● *adj* **1** vymyšlený, neexistující, bájný **2** splátkový (*a* ~ *system*)

nevertheless [ˌnevəðəˈles] přesto, přesto však, nicméně, avšak

never-to-be-forgotten [ˌnevə-təbi-fəˈgotn] nezapomenutelný

neverwas [nevəwoz] *pl: neverweres* [nevəwə:z] slang. smolař, nešťastník

nevvy, nevy [nevi] (*-ie-*) hovor. = *nephew*

new [nju:] *adj* **1** nový (*a* ~ *film,* ~ *potatoes, learn* ~ *words, discover a* ~ *star* objevit novou hvězdu) **2** nově zvolený (~ *members of Parliament*) **3** čerstvý (~ *bread*); mladý (~ *wine*); panenský (~ *ground*); poslední (*the* ~ *fashion* ... móda) **4** dosud neobeznámený *to* s (*they are still* ~ *to the work* ještě v tom neumějí chodit, *I am* ~ *to Moscow* já se v Moskvě ještě nevyznám) **5** čerstvý, který právě přišel n. vyšel *from* z (*an office boy* ~ *from school, a servant* ~ *from the provinces*) **6** jazyk moderní, současný (~ *Latin*) ◆ *as good as* ~ jako nový, úplně zachovalý; ~ *birth* znovuzrození; ~ *brooms sweep clean* pořek. nové koště dobře mete; ~ *building* novostavba; ~ *chum* AU čerstvý přistěhovalec z Velké Británie; *N*~ *Deal 1.* AM hospodářská politika F. D. Roosevelta; *2.* ~ *deal* radikální opatření vlády ve prospěch určité skupiny; ~ *departure* AM nový směr např. v politice; *N*~ *Egyptian* Kopt; *N*~ *England* Nová Anglie; *N*~ *Englander* obyvatel Nové Anglie; ~ *foundation* katedrála apod. postavená po reformaci; *give* ~ *life* oživit, omladit, vzkřísit; ~ *growth* neoplazma, novotvar; *N*~ *Left* AM nová levice radikální; ~ *light* náboženský liberál; ~ *look 1.* nový vzhled *2.* nová móda šedesátých let; *make* ~ obnovit; *put on the* ~ *man* obléci nového člověka (bibl.), začít jiný lepší život; *the* ~ *mathematics* nové počty s množinami; ~ *moon 1.* nový měsíc, nov, novoluní *2.* srpek nového měsíce, měsíc v první čtvrti; *of* ~ *1.* nedávno *2.* znovu, opět; ~ *one* nový vtip … pro; ~ *penny* v. *penny;* ~ *rich* zbohatlík, …venu; ~ *star* hvězd. nova; *N*~ *Style* podle gregoriánského kalendáře, nového stylu; *N*~ *Testament* Nový zákon; ~ *town* BR satelitní město; ~ *woman* moderní emancipovaná žena; *N~ World* Nový svět Severní a Jižní Amerika; *N~ Year's Day* Nový rok; *N~ Year's Eve* Silvestr; *N~ Year wish* novoroční gratulace; *N~ Zealand* Nový Zéland ● *adv* **1** nově, čerstvě, právě **2** znovu **3** nedávno

new-blown [nju:bləun] **1** čerstvý, právě vykvetlý **2** přen. zbrusu nový (*I put my ~ honours in my pocket*) **3** právě vyfouknutý (*~ bubbles* právě vyfouknuté bublinky)

new-born [nju:bo:n] *adj* **1** právě narozený, novorozený (*~ kittens* právě narozená koťata); novorozenecký (*~ disorders* nemoci novorozenců) **2** znovuzrozený ● *s* novorozenec, novorozeně

new-boy [nju:boi] žák první třídy, prvňák

new-broom [nju:bru:m] novin. nový a energický (*a ~ chairman*)

new-build [nju:bild] (*new-built, new-built*) přestavět

newbuilding [nju:bildiŋ] **1** nově postavená loď **2** stavba lodí

new-built [nju:bilt] **1** nově postavený **2** v. *new-build*

Newburg [nju-:bə:g] AM newburská omáčka z vína, smetany a žloutků ◆ *lobster ~* langusta s newburskou omáčkou

new-coined [nju:koind] nově ražený, nově vytvořený, nový (*a ~ word*)

new-come [nju:kəm] nedávno přišlý

newcomer [ˈnju:ˌkamə] **1** příchozí, přistěhovalec, novousedlík **2** nováček, začátečník **3** nový objev, nové jméno **4** novinka

new-create [nju:krieit] znovu vytvořit (*language is not ~ed by the poet for his own ends* jazyk ... samoúčelně)

newel [nju:əl] **1** hlavní n. koncový sloupek zábradlí **2** sloupek točitých schodů

new-fallen [ˈnju:ˌfo:lən] **1** čerstvě napadaný (*~ snow*) **2** čerstvě spadaný (*~ leaves*)

newfangled [nju:ˈfæŋgld] **1** módní (*he was not sufficiently ~ to please the crowd*) **2** hypermoderní (*~ pajamas*)

new-fashioned [nju:ˈfæšənd] **1** hypermoderní **2** podle poslední módy, moderní

new-fledged [nju:ˈfledžd] čerstvě opeřený, jsoucí s novými křídly, též přen. (*a ~ hope*)

new-found [nju:faund] **1** znovu nalezený (*a ~ father*) **2** nedávno n. čerstvě objevený (*a ~ shore*)

Newfoundland *s* **1** [nju:fənd*l*ənd] Nový Foundland **2** [nju(:)ˈfaundlənd] novofoundlandský pes, novofundlanďan ● *adj* [nju(:)ˈfaundlənd] novofoundlandský, novofundlandský ◆ *~ dog* novofundlanďan; *~ fish* treska

Newfoundlander [ˌnju:fəndˈlændə] **1** obyvatel Nového Foundlandu, Novofoundlanďan **2** novofundlanďan pes

new-front [nju:ˈfrant] dát n. dostat novou fasádu (*he ~ed some church* udělal na jeden kostel novou fasádu, *the Wellingtons*

new-furnish [nju:ˈfə:niš] **1** nově zaříd *room*) **2** doplnit (*you must ~ yo* svůj šatník)

Newgate [nju:geit] stará londýnská věznic slang. kriminálník; *~ Calendar* sez v Newgatu; *~ fill / fringe* vousy p *~ knocker* vlna, patka z čela kadeř

new-girl [nju:gə:l] žákyně první třídy

newie [nju:i] hovor. **1** novinka **2** nováček

new-laid [nju:leid] čerstvý, čerstvě sneš *eggs*)

newly [nju:li] **1** čerstvě, právě **2** nedávno **3** opět **4** nově

newly-qualified [ˈnju:liˌkwolifaid] čerstvě promovaný

newlywed [nju:liwed] novomanžel(ka)

newly-made [nju:limeid] nový, čerstvý (*a ~ r ~ hay*)

Newmarket [ˈnju:ˌma:kit] **1** též *~ coat* dlouh léhavý kabát **2** druh karetní hry **3** dostihy marketu

new-model (*-ll-*) [nju:ˈmodl] předělat

news [nju:z] *s* **1** zpráva, zprávy (*no ~ is what's the latest ~?, have you any ~ your brother is staying?*) **2** novina, no vinky (*that's no ~ to me* to není pro novinka) **3** zprávy např. v rozhlase (*he read by John Wing*) **4** noviny text *White is in the ~*) ◆ *~ analyst* AM *~ ban / black-out* zákaz vydávání *the ~* sdělit, oznámit nepříjemnou no vu; *electric ~ flash* světelné novin vodajský film; *~ headlines* přeh v rozhlase; *~ hen* AM slang. reporté *ill ~ flies apace* špatné zpráv *~ item* (jedna) zpráva; *a pie* novinka; *~ summary* přehled tější zprávy v kostce; *tell me a* o něm všechny novinky; *wh* nového? ● *v* **1** povídat si novi *over the teacups* vyprávěli js nového) **2** šířit zprávu n. no *about that the report is inac* je ta zpráva nepřesná)

news agency [ˈnju:zˌeidžənsi lář, zpravodajská agentu

newsagent [ˈnju:zˌeidžənt]

newsboy [nju:zboi] AM po kamelot

news bulletin [ˈnju:zˌbulit **2** zpravodajství, zpráv

newscast [nju:zka:st] *s* ro vodajství, zprávy ● *v* zprávy v rozhlase n. tele

newscaster [ˈnju:zˌka:s n. televizních zpráv

news cinema [ˌnju:zˈsinəmə] kino aktualit a dokumentárních filmů
news conference [ˌnju:zˈkonfərəns] tisková konference
newsdealer [ˈnju:zˌdi:lə] AM majitel prodejny novin
newshawk [nju:zho:k] AM slang. reportér, novinář
newshound [ˌnju:zˈhaund] AM slang. = *newshawk*
newsie [nju:zi] zejm. AM hovor. = *newsboy*
newsiness [nju:zinis] **1** zpravodajství, pohotovost a čtivost (*the strength of this weekly lies in its ~ and its moderation* význam tohoto týdeníku spočívá v tom, že má pohotové zpravodajství a umírněné komentáře) **2** povídavost, roznášení novinek, klepaření
newsless [nju:zlis] jsoucí bez (posledních) zpráv, neinformovaný
newsletter [ˈnju:zˌletə] informační bulletin
newsmaker [ˈnju:zˌmeikə] AM osoba n. událost, o které píší noviny
news-man [nju:zmæn] *pl: -men* [-men] **1** novinář, žurnalista **2** kamelot
news media [ˌnju:zˈmi:djə] sdělovací prostředky
newsmonger [ˈnju:zˌmaŋgə] **1** klepař **2** roznašeč novinek
newspaper [ˈnju:sˌpeipə] noviny periodický tisk ◆ ~ *English* novinářská angličtina; ~ *clipping / cutting* novinový výstřižek; ~ *item* článek v novinách; ~ *office* redakce novin
newspaperese [ˌnju:speipəˈri:z] AM novinářská hantýrka
newspapering [ˈnju:sˌpeipəriŋ] novinářská práce, novinářství, novinařina
newspaperman [ˈnju:sˌpeipəˈmæn] *pl: -men* [-men] AM novinář, žurnalista, reportér
newspeak [nju:spi:k] novojazyk politicky usměrněný jazyk
newsprint [nju:zprint] novinový papír
newsreader [ˈnju:zˌri:də] hlasatel který obvykle čte zprávy
news-reel [nju:zri:l] filmové zpravodajství, filmový týdeník, žurnál, aktuality
news-room [nju:zru:m] **1** čítárna novin a časopisů **2** redakce zpráv
news service [ˈnju:zˌsə:vis] zpravodajská agentura
news-sheet [nju:zši:t] informační bulletin zejm. pouze rozmnožený
news-stand [ˈnju:zˌstænd] novinový stánek, kiosk s novinami
news summary [ˈnju:zˌsaməri] přehled nejdůležitějších zpráv např. v rozhlase
news-theatre [ˈnju:zˌθiətə] kino aktualit a dokumentárních filmů
news-vendor [ˈnju:zˌvendə] prodavač novin
news-woman [ˈnju:zˌwumən] *pl: -women* [-wimin] prodavačka novin
newsworthy [ˈnju:zˌwə:ði] stojící za zprávu v novinách
newsy [nju:zi] (*-ie-*) hovor. *adj* **1** plný novinek (*a letter*) **2** roznášející novinky, povídavý, klepavý (*a ~ old aunt*) **3** šaty chtějící vzbudit senzaci (*a ~ new cut about the shoulder*) ● *s* AM kamelot
newt [nju:t] zool. čolek, mlok
new-think [nju:θiŋk] nové politické myšlení
Newtonian [nju(:)ˈtəunjən] *adj* newtonský, newtonovský ● *s* **1** newtonovec **2** hvězd. newtonovský reflektor n. refraktor
new wave [ˌnju:ˈweiv] **1** nová vlna, nový směr v umění, politice apod. **2** film. nouvelle vague, nová vlna
next [nekst] *adj* **1** příští časově i místně (*~ week, take the ~ turning to the right* na příští křižovatce odbočte doprava); první **2** další, následující, druhý (*what's the ~ thing to do?*) **3** nejbližší (*his ~ neighbour was five miles away*) **4** AM slang. zasvěcený *to* do (*he is ~ to their schemes* je zasvěcený do jejich piklů); důvěrný, jedna ruka s ◆ *~ best* (*thing*) druhé nejlepší (*there are no tickets for the Circus; the ~ best thing is the Zoo*); *~ friend* práv. zákonný zástupce; *in the ~few days* v nejbližších dnech; *~ man* AM kdokoliv, každý, každý jiný (*Mr Bryan knows this as well as the ~ man*); *~ place to go* směr, kterým je nutno se ubírat; *~ in size* další n. druhý největší n. nejmenší (*which is the town ~ to London in size?*); *put ~ to* seznámit s; *~ time* podruhé, příště; *~ world* onen svět; *~year* napřesrok ● *adv* **1** příště (*when we ~ meet*), podruhé (*when I ~ saw her she was dressed in green*) **2** dál, dále, potom, pak (*~ we drove home, what are you going to do ~?*) **3** ještě (*A new motor-car! What ~!*) ◆ *come ~* následovat ● *prep* zast. **1** vedle, u (*I was standing ~ him*) **2** hned po (*she loves him ~ her own child*) **3** do blízkosti, blízko (*a mad dog will bite anyone who comes ~ him* vzteklý pes kousne každého, kdo se k němu přiblíží), k (*he placed his chair ~ her*) **4** těsně na (*he doesn't like wearing wool ~ his skin* nerad nosí vlněné věci přímo na kůži) ● *s* další člověk n. věc (*~, please; her ~ was a girl*) ◆ *to be continued in our ~* pokračování v příštím čísle; *~ of kin* nejbližší příbuzní, blízké příbuzenstvo
next-door [ˌnekstˈdo:] *adj* **1** sousední, vedlejší **2** nejbližší, žijící ve vedlejším n. sousedním domě n. bytě (*~ neighbours*) **3** hraničící *to* s (*such ideas are ~ to madness* takové nápady hraničí se šílenstvím) ● *adv* hned vedle, v sousedství
next to [nekstu:] *adv* téměř, skoro, skorem, bezmála (*it was ~ impossible to escape them* bylo téměř nemožné jim prchnout) ● *prep* **1** vedle, blízko, u (*a seat ~ the fire*) **2** vedle, mimo, kromě, po (*the most important writer ~ Shakespeare*)

nexus [neksəs] *pl* též *nexus* [neksəs] **1** spojitost, souvislost, vztah, poměr, svazek, nexus **2** souvislá řada n. série ◆ *càusal* ~ příčinná souvislost, kauzální nexus

ngwee [ənˈgwi:] ngwee dílčí jednotka měny Zambie

Niagara [naiˈægərə] přen. vodopád (*a* ~ *of curses* vodopád nadávek), záplava (*a* ~ *of cheap fiction* záplava laciné beletrie) ◆ *shoot the* ~ šíleně riskovat

nib [nib] *s* **1** hrot psacího pera n. brku; ocelové péro do násadky **2** zool. zobák, zoban **3** uzlík, uzel v tkanině; hrudka, žmolek v nátěru **4** odb. držadlo kosiště; výstupek, žebro pružnice; nos, ozub tašky **5** ~*s, pl* kakaová drť **6** ~*s, pl* kávová zrna ● *v* (*-bb-*) **1** opravit n. přiříznout hrot péra **2** nasadit hrot péra

nibble [nibl] *v* **1** okousat, ohryzat (*the bases of the smaller trees were* ~*d bare by rabbits* menší stromky byly dole úplně ohlodány od králíků, *leaves had been* ~*d away by deer* listy okousala vysoká) **2** pást se *at* na **3** jíst celý den malá množství (*I was allowed to carry on nibbling* měl jsem dovoleno jíst kdykoliv, ale málo), občas si ukousnout (*at*) co, z (*she* ~*d at her sandwich*) **4** ryba zabírat *at* na, ťukat do, oťukávat co (*the fish* ~*d at the bait* ryba oťukávala návnadu), též přen. **5** namátkově n. nesměle se strefovat poznámkami n. námitkami *at* do (*reviewers have* ~*d at phrases but have avoided the principal questions* kritici se nesměle strefovali do jednotlivých formulací, ale zásadním otázkám se vyhýbali) ● *s* **1** kousání, okusování, ohryzávání **2** zabírání, oťukávání, ťukání ryby **3** kousíček, troška

niblick [niblik] druh golfové hole na hraní míčku z pískové překážky

Nibmar [nibma:] polit.: trvání na poměrném zastoupení černochů v „bílém" parlamentě jako podmínky osamostatnění africké země

nibs [nibz] slang. žert.: *His* ~ Jeho Vašnost

Nicaraguan [ˌnikəˈrægjuən] *s* obyvatel Nicaraguy ● *adj* nicaragujský

Nice[1] [ni:s] Nizza

nice[2] [nais] **1** příjemný, milý, roztomilý, prima (*what a* ~ *fellow you are*); slušný, čistý, charakterní; ohleduplný, shovívavý, přívětivý *to* k, hodný na (*the duty of being* ~ *to one's mother-in-law*) **2** hezký, pěkný (*we have four* ~ *bedrooms upstairs*); též iron. (*you've got us into a* ~ *mess* to jsi nás dostal do pěkné bryndy) **3** příznivý (*the* ~ *weather of late spring*) **4** zlatý, dobrý (*the* ~ *old days of the past*) **5** vybíravý (*he's not too* ~ *in his business methods*) *about* v (*too* ~ *about his food to like camp cooking* je příliš vybíravý v jídle, takže mu tábornická kuchyně nechutná); úzkostlivý pokud jde o (*you must not be too* ~ *about the means* pokud jde o prostředky, nesmíš být příliš úzkostlivý) **6** povedený (*a* ~ *bit of satire, a* ~ *shot*); též iron. **7** kultivovaný (*none too* ~ *to distinguish between sense and fustian* nepříliš kultivovaný, takže nerozeznal rozumnou řeč od bombastického žvanění); elegantní, vkusný (*the* ~ *clothes she wears*); vhodný, slušný (*not a* ~ *word to use in church*) **8** přesný, precizní (~ *measurements with a micrometer* přesné měření mikrometrem); jemný (~ *shades of meaning* jemné odstíny významu); delikátní, choulostivý (*a* ~ *question*) **9** chutný (*the* ~ *dishes at the banquet*) **10** pozorný (*a* ~ *observer*) ◆ ~ *and*... dostatečně, dost, pěkně (*the house stands* ~ *and high, the car goes* ~ *and fast*)

Nicean [naiˈsiən] = *Nicene*

niceish [naisiš] = *nicish*

nice-looking [ˈnaisˌlukiŋ] půvabný

Nicene [ˌnaiˈsi:n] nicejský (~ *councils,* ~ *Creed*... vyznání víry)

nice-nellyism [ˈnaisˌneliizəm] hanl. upjatost, puritánství

niceness [naisnis] **1** přesnost, detailnost; puntičkářství **2** delikátnost **3** útlocitnost; přílišná pozornost **4** příjemný zjev, příjemné chování

nicety [naisəti] (*-ie-*) **1** příjemnost, příjemná stránka **2** přesnost, detailnost, jmenost **3** delikátnost **4** puntičkářství **5** útlocit **6** *niceties, pl* podrobnosti, jednotlivosti, detaily (*niceties of workmanship* detaily řemeslného zpracování) ◆ *to a* ~ přesně, do všech podrobností

nicey [naisi] hovor. **1** = *nice* **2** = *nicy*

niche [nič] *s* **1** výklenek, nika **2** vhodné n. pevné místo **3** přen. útočiště (~ *in the temple of fame* přen. právo na zasloužený věhlas) ● *v* **1** opatřit výklenkem, udělat výklenek do **2** postavit do výklenku např. sochu **3** přen. schovat se ◆ *be* ~*d* mít pevné místo n. postavení

nicish [naisiš] poměrně slušný (*a* ~ *income*), docela příjemný, dost milý (*they seemed to be* ~ *people*)

Nick[1] [nik] část. *Old* ~ rarach, satanáš, luciper, ďábel

nick[2] [nik] *s* **1** vrub, zářez, malé říznutí, vryp; zub (*the razor had bad* ~*s*) **2** polygr. značnice, signatura **3** biol. zušlechtěný kříženec **4** vyšší vrh v kostkách **5** slang. stav (*the house is in pretty poor* ~), kondice (*feeling in very good* ~) **6** slang. katr; lapák, chládek vězení ◆ *in the* ~ *of time 1.* v pravý čas, jako na zavolanou *2.* v nejvyšší čas ● *v* **1** vrubovat, zaříznout; udělat zuby na (~ *a knife blade* udělat zuby na ostří nože) **2** vylomit | se, vyštípnout | se **3** škrábnout (*a bullet* ~*ed his leg*), říznout, pořezat lehce (~*ed himself while shaving*) **4** udělat řez na spodku koňského ocasu **5** uchopit (~ *an opportunity* chopit se příležitosti). chytit (~ *a train*) **6** strefit se, uhodnout **7** slang. sebrat zatknout; ukrást **8** uhrát v kostkách **9** zušlechtit křížením ◆ ~ *the* ~ přesně se strefit časově; ~ *it* vyhrát ***nick down:*** ~ *it down* poznaménat si to ***nick in*** říznout zatáčku, nadběhnout si

Nicka-nan night [ˌnikənænˈnait] BR nář. večer před masopustním úterým

nickel [nikl] *s* **1** nikl **2** AM pěticent, niklák **3** nikl, niklák; šesťák, groš, haléř, šup, vindra malý peníz (*not worth a* ~) ◆ ~ *brass* niklová mosaz; ~ *coating 1.* niklování, poniklování *2.* niklový povlak; ~ *emerald* miner. zaratit, texasit; ~ *iron* miner. awaruit; ~ *nurser* AM slang. držgrešle; ~ [illegible] lárna ● (-*ll*-) niklovat, poniklovat

nickelodeon [ˌnikəlˈəudjən] AM **1** kino apod. s pěticentovým vstupným **2** hrací n. promítací automat na malé mince

nickel-plate [ˌniklˈpleit] galvanicky niklovat, poniklovat

nickel-plating [ˌniklˈpleitiŋ] galvanické niklování n. poniklování

nickel-silver [ˌniklˈsilvə] niklové stříbro

nickel-steel [ˌniklˈsti:l] niklová ocel

nicker[1] [nikə] *v* SC řehtat, ržát ● *s* **1** SC řehtání, ržání, ryk **2** BR slang. guinea; funt, libra šterlinků

nicker[2] [nikə] kdo n. co dělá vruby, zářez atd.

nicker[3] [nikə] mytol. vodní duch napůl dítě, napůl kůň

nick-nack [niknæk] = *knick-knack*

nickname [nikneim] *s* **1** přezdívka, přízvisko, přídomek **2** krycí jméno **3** hypokoristikon ● *v* dát přezdívku, nazývat přezdívkou (*they* ~*d patience cowardice* trpělivosti dali přezdívku „zbabělost“)

nicol [nikl] fyz. nikol polarizační hranol

Nicosia [ˌnikəuˈsi:ə] Nikósie

nicotian [niˈkəušjən] *adj* tabákový ● *s* kuřák

nicotine [nikəti:n] nikotin

nicotined [nikəti:nd] **1** jsoucí od nikotinu (~ *fingers* kuřácké prsty) **2** vykouřený, kouřením zruinovaný

nicotine-stained [nikəti:nsteind] zbarvený nikotinem

nicotinism [nikəti:nizəm] otrava nikotinem, nikotinismus

nicotinize [nikəti:naiz] sytit n. omámit nikotinem

nictate [nikteit] mžourat, mrkat

nictating [nikteitiŋ] v. *nictate* ◆ ~ *membrane* mžurka

nictation [nikteišən] mžourání, mrkání ◆ ~ *membrane* mžurka

nictitate [niktiteit] = *nictate*

nictitating [niktiteitiŋ] = *nictating*

nictitation [niktiteišən] = *nictation*

nicy [naisi] (-*ie*-) **1** dět. cukrátko, lízátko, mls, mlsek **2** hovor. hodný chlapeček, hodná holčička

nidamental [naidəmentl] zool. nidamentální ◆ ~ *gland* nidamentální žláza; ~ *capsule* nidamentální obal; ~ *ribbon* nidamentální páska

nidation [niˈdeišən] biol. **1** zahnízdění, nidace **2** implantace

niddering [nidəriŋ] zast. *s* baba, zbabělec ● *adj* zbabělý

niddle-noddle [ˈnidlˌnodl] *adj* **1** jsoucí s klimbavou hlavou **2** kolísavý ● *v* **1** pokyvovat, kývat n. klimbat hlavou (*he continually* ~*s his head like a toy mandarin*) **2** kolísat

nide [naid] BR **1** hnízdo bažantů **2** mladí bažanti

nidering [nidəriŋ] = *niddering*

nidificate [nidifikeit] hnízdit, stavět si hnízdo

nidification [ˌnidifiˈkeišən] hnízdění, stavění hnízda

nidify [nidifai] (-*ie*-) = *nidificate*

nid-nod [nidnod] (-*dd*-) **1** stále se kývat (*a green straw hat with large roses* ~*ding from the crown*) **2** stále kývat hlavou, pokyvovat hlavou

nidor [naidə] vůně z pečeně

nidorous [naidərəs] páchnoucí pečeným tukem

nidus [naidəs] *pl* též *nidi* [naidai] biol. **1** hnízdo **2** ložisko; ohnisko, též přen.

niece [ni:s] neteř

niello [niˈeləu] *s pl* též *nielli* [niˈeli] nielo černý zlatnický smalt; vykládaná zlatnická práce, tula ● *v* nielovat, zdobit nielem

Niersteiner [niəstainə] niersteiner rýnské víno

Nietzschean [ni:čiən] *adj* nietzschovský ● *s* nietzschovec

niff [nif] BR slang., nář. smrad ◆ *take a* ~ urazit se

niffy [nifi] (-*ie*-) BR slang., nář. smradlavý

nifty [nifti] (-*ie*-) slang. *adj* **1** prima, fajnový, epesní, fešácký (~ *clothes, a* ~ *blonde, a* ~ *right to the jaw* prima úder pravicí na sanici) **2** šikovný (*a* ~ *little machine,* ~ *hands*) **3** = *niffy* ● *s* AM trefná poznámka

nig [nig] slang. = *nigger, s*

Nigeria [naiˈdžiəriə] Nigérie

Nigerian [naiˈdžiəriən] *adj* nigerijský ● *s* obyvatel Nigérie

niggard [nigəd] *s* **1** lakomec, držgrešle, skrblík **2** bás. člověk skoupý *of* na, člověk šetřící čím (~ *of pardon*) ● *adj* **1** bás. skoupý of na, skrblící čím (*the heavens are not* ~ *of their dues* nebesa neskrblí svými dary) **2** = *niggardly, adj*

niggardliness [nigədlinis] lakomství, lakota, skrblictví

niggardly [nigədli] *adj* lakomý, skoupý, skrblický ● *adv* skoupě, skrblicky

nigger [nigə] *s* hanl. negr ◆ ~ *corner* AM místo vyhrazené pro černochy v kostele; ~ *heaven* AM bidýlko v divadle; ~ *jockey* AM obchodník s dovezenými černochy; ~ *luck* AM z pekla štěstí ~ *organ* AM černošský časopis; ~ *in the woodpile / fence* AM slang. zakopaný pes, čertovo kopýtko; *work like a* ~ dřít jako kůň ● *v* **1** AM přepálit kmen stromu **2** též ~ *it* hanl. dřít jako kůň ***nigger o.s.*** udělat ze sebe černocha nalíčit se

nigger-brown [nigəbraun] hanl. tmavohnědý

nigger-driver [ˈnigəˌdraivə] hovor. otrokář, plantážník kdo nutí do práce

niggerhead [nigəhed] **1** bot. suchopýr pochvatý **2** námoř. navíjecí hlava vrátku; hlava vlečného pacholete **3** = *negrohead*

nigger-lover [ˈnigəˌlavə] hovor. fanda na černochy

nigger minstrel [ˌnigəˈminstrəl] černý zpěvák a tanečník černoch n. nalíčený běloch

niggle [nigl] **1** BR párat se, nimrat se, mrnit se s, rýpat se v **2** handrkovat se *over* o (~ *over paying a few pounds* handrkovat se o to, jestli zaplatí pár liber) **3** otravovat *at* co, vrtat v

niggling [nigliŋ] **1** malicherný, úzkoprsý **2** bezvýznamný, podružný **3** rukopis titěrný **4** v. *niggle*

niggly [nigli] (*-ie-*) **1** titěrný (*cramped* ~ *writing* hustý, titěrný rukopis) **2** úzkoprsý, malicherný (*I admit I may be* ~ *about this*)

nigh [nai] zast., bás. v. *near, adv, prep, adj*

night [nait] **1** noc (*he went into the* ~, *he stayed three* ~*s with us*) **2** soumrak; večer od soumraku do půlnoci **3** večer trávený zábavou apod., večerní program, představení, koncert apod. **4** přen. tma, temnoty (*the* ~ *of ignorance* temnoty nevědomosti) ◆ ~ *after* ~ noc co noc; *all* ~ (*long*) celou noc; *at* ~ večer; ~ *brawl* noční výtržnost; *by* ~ v noci, za noci, za noční tmy; ~ *and day* ve dne v noci, neustále; *dirty* ~ ošklivá noc se špatným počasím; *first* ~ premiéra; *good* ~ dobrou noc; *have a good* | *bad* vyspat se s; dobře | špatně; *have a* ~ *out* / *off* jít večer do společnosti n. do divadla; ~ *lamp* noční lampa; *last* ~ včera večer; *be accustomed to late* ~*s* být zvyklý ponocovat; *late at* ~ pozdě večer; *make a* ~ *of it* natáhnout to, rozsvítit to; *o'*~*s* zast. v noci (*I can't sleep o'*~*s*); ~ *of Wagner* wagnerovský večer; *on the* ~ *of May 5* pátého května večer; *opening* ~ premiéra; ~ *out 1.* volný večer služebné *2.* slavnostní večer; ~ *season* bás. noční doba, noční čas; *second* ~ první repríza; *spend the* ~ *with* strávit noc s; vyspat se s; *stay the* ~ přenocovat, zůstat přes noc; ~ *stop 1.* noční zastávka, zastávka na noc *2.* přerušení letu na noc, mezipřistání na noc; *tomorrow* ~ zítra večer; *turn* ~ *into day* nastavit noc; *work* ~*s* mít noční směnu

nightattire [ˌnaitəˈtaiə] noční úbor

nightbell [naitbel] noční zvonek

nightbird [naitbə:d] noční pták, též přen.

nightblack [naitblæk] černý jako noc

night blindness [ˈnaitˌblaindnis] noční slepota, nyktalopie

nightboat [naitbəut] osobní noční loď

nightcap [naitkæp] **1** noční čepička **2** sklenička před spaním, šláftruňk (hovor.)

nightcellar [ˈnaitˌselə] BR sklepní putyka

nightchain [naitčein] řetízek na dveře

nightchair [naitčeə] = *nightstool*

nightclothes [ˈnaitˌklouðz] *pl* oblečení na noc, noční úbor

night club [naitklab] *s* bar, noční podnik ● *v* (*-bb-*) chodit n. vodit do baru n. nočního podniku

nightcoach [naitkəuč] AM noční letadlo

night commode [ˈnaitkəˌməud] = *nightstool*

nightdress [naitdres] noční košile dámská n. dětská

night drive [naitdraiv] (*nightdrove, nightdriven*) řídit auto v noci, jet v noci

night effect [ˈnaitiˌfekt] sděl. tech. noční odchylka při radiolokaci

night error [naiterə] = *night effect*

nightfall [naitfo:l] soumrak, stmívání

night flower [ˈnaitˌflauə] rostlina rozkvétající v noci

nightglass [naitgla:s] noční námořní dalekohled n. kukátko

nightgown [naitgaun] noční košile dámská n. dětská

nighthag [naithæg] čarodějnice

night-haunted [ˈnaitˌho:ntid] strašidelný v noci

nighthawk [naitho:k] **1** AM rod amerických lelků **2** zloděj, lupič **3** AM noční drožka; noční taxík **4** AM noční pták, sůva (přen.)

nightie [naiti] noční košilka

nightingale [naitiŋgeil] slavík

nightjar [naitdža:] lelek lesní, kozodoj

nightlark [naitla:k] noční pták (přen.)

night letter [ˌnaitˈletə] AM telegram posílaný v noci

nightlife [naitlaif] noční život

night-light [naitlait] noční světlo

night-line [naitlain] udice nalíčená na noc

nightlong [naitloŋ] celonoční

nightly [naitli] *adj* noční, každonoční ● *adv* každou noc, noc co noc, každonočně

night man [naitmæn] *pl: -men* [-men] **1** pracovník noční směny **2** noční hlídač **3** čistič stok, stokař **4** lupič

night mail [naitmeil] **1** noční pošta **2** noční vlak poštovní

nightmare [naitmeə] **1** noční můra, zlý sen, děs, hrůza, též přen. (*travelling on those bad mountain roads was a* ~) **2** děsivý přízrak (*the* ~ *of war*)

nightmarish [naitmeəriš] jsoucí jako ve zlém snu, děsivý, hrůzný

night moth [naitmoθ] noční motýl, můra

night owl [naitəul] AM přen. noční pták, sůva

night piece [naitpi:s] noční scéna, noční krajina, noční výjev obraz

nightporter [ˈnaitˌpo:tə] noční vrátný v hotelu

nightrider [ˈnaitˌraidə] AM noční jezdec, bandita n. terorista na koni řádící v noci

nightrobe [naitrəub] **1** župan **2** noční oděv

nights [naits] zejm. AM vždycky v noci, každou noc

night safe [naitseif] noční sejf noční služba banky

night school [naitsku:l] **1** večerní škola **2** pokračovací škola

nightshade [naitšeid] bot. **1** lilek **2** blín ◆ *black* ~ lilek černý; *deadly* ~ rulík zlomocný; *woody* ~ lilek potměchuť

night shift [naitšift] noční směna
nightshirt [naitšə:t] noční košile pánská a chlapecká
nightsoil [naitsoil] lidské výkaly ♦ ~ *cart* fekální vůz
night stick [naitstik] AM policejní obušek, pendrek
nightstool [naitstu:l] nočníková stolice
night-stop [naitstop] *v* (*-pp-*) mezipřistát na noc ● *s* mezipřistání na noc
nightsuit [naitsju:t] pyžamo, dětská spací souprava
night-time [naittaim] noc, noční čas ♦ *during* | *in the* ~ v noci, za tmy
night-veiled [naitveild] zahalený nocí
night walker [ˈnaitˌwo:kə] **1** nočňátko, prostitutka **2** řidč. náměsíčník
nightwalking [ˈnaitˌwo:kiŋ] chodící v noci
night watch [ˌnaitˈwoč] noční hlídka ♦ *in the* ~*es* v probdělých nocích
night watchman [ˌnaitˈwočmən] *pl:* *-men* [-mən] **1** noční hlídač **2** sport.: méně kvalitní pálkař zařazovaný do hry ke konci dne
nightwork [naitwə:k] noční práce, práce přes noc
nighty [naiti] (*-ie-*) noční košilka
nig-nog [nignog] **1** hovor. trouba, pytlík **2** hanl. negr
nigrescence [naiˈgresəns] **1** černání **2** černost, tmavost, snědost zejm. pleti, očí, vlasů
nigrescent [naiˈgresənt] načernalý
nigritude [naigritju:d] kniž. **1** černo, černost, černota, též přen. **2** černošská kultura
nihil [naihil] nic, nula ♦ ~ *ad rem* irelevantní, bezpodstatný; ~ *debet* nic nedluží; ~ *dicit* odmítnutí výpovědi; ~ *habet* nemá nic zabavitelného
nihilism [nai*h*ilizəm] nihilismus morální, filozofický, politický
nihilist [nai*h*ilist] nihilista
nihilistic [ˌnai*hi*ˈlistik] nihilistický
nihility [naiˈ*h*iləti] (*-ie-*) **1** nicota **2** úplné nic, úplná nula
nil [nil] nic, nula (*the result of the game was 3:0 – three-nil*) ♦ ~ *admirari* ničemu se nedivit; ~ *all draw* nerozhodný výsledek 0:0
Nile [nail] Nil
nilgai [nilgai] *pl* též *nilgai* = *nylghau*
nill [nil]: *will he* ~ *he* ať chce či nechce, volky nevolky
Nilometer [naiˈlomitə] niloskop, nilometr sloup sloužící k měření výšky hladiny Nilu
Nilotic [naiˈlotik] nilský
nim [nim] (*nam* | *nimmed, nomen* | *nome* | *nimmed; -mm-*) zast. seknout, štípnout, otočit ukrást
nimble [nimbl] **1** mrštný, hbitý, čilý, čiperný (~ *fingers, a* ~ *tongue*) **2** bystrý, pohotový (*a wit, a* ~ *listener*); svěží, svižný (*he writes a* ~ *dialogue*) **3** mince rychle obíhající (*a* ~ *shilling*)
nimble mind [ˌnimblˈmaind] bystrá mysl, hbitý úsudek
nimble-minded [ˌnimblˈmaindid] bystrý, rychle chápající, přesně uvažující
nimbleness [nimblnis] **1** mrštnost, hbitost, čilost, čipernost **2** svižnost, bystrost
nimble-witted [ˌnimblˈwitid] vtipný, bystrý, pohotový
nimbus [nimbəs] *pl* též *nimbi* [nimbai] **1** svatozář, gloriola, aureola, nimbus **2** meteor. dešťový oblak, nimbostratus, nimbus
nimbused [nimbəst] **1** obklopený aureolou n. svatozáří *by* z (*the Virgin* ~ *by a coronet of stars* Madona obklopená hvězdnou korunou) **2** tvořící temný mrak (~ *hair*)
nimiety [niˈmaiəti] řidč. přemíra, nadbytek
niminy-piminy [ˌniminiˈpimini] **1** afektovaný, strojený (*a* ~ *lisp* afektovaná šišlavá výslovnost); vyumělkovaný, nepřirozený (*a* ~ *subject treated in a* ~ *way* vyumělkované téma vyumělkovaně traktované) **2** upjatý (*a* ~ *gentleman*)
Nimrod [nimrod] nimrod náruživý lovec
nincompoop [ninkəmpu:p] blbeček, pitomeček, ňuma, ňouma
nine [nain] *adj* devět (~ *years,* ~ *o'clock, he will be* ~ *next year*) ♦ ~ *times out of ten* téměř pravidelně, obvykle, v devíti případech z deseti; ~ *to five* od devíti do pěti pracovní doba v kanceláři ● *s* **1** devítka číslice devět (*Arabic numeral 9, Roman numeral IX or ix*); karta (~ *of diamonds*); družstvo zejm. sportovní (AM baseballové); cokoliv označeného číslem 9; cokoliv devátého v pořadí **2** *the N*~ devatero Múz ♦ *dressed up to the* ~*s* hovor. nafintěný, vyfintěný, oháknutý; *front* | *back* ~ golf prvních | druhých devět jamek na hřišti o 18 jamkách; (*up*) *to the* ~*s 1.* do aleluja (*praising a man for to the* ~*s*) *2.* výborně, výtečně, co nejlépe (*the paper is done to the* ~*s*)
ninebark [nainba:k] bot. tavola kalinolistá
nine-days wonder [ˌnaindeizˈwandə] pomíjivá, přechodná senzace (*his escape on the night of the riot had been a* ~ dočasnou senzaci vzbudila skutečnost, že uprchl tu noc, kdy byla ta výtržnost), prskavka, bublina (přen.)
ninefold [nainfəuld] *adj* **1** devaterý **2** devítinásobný ● *adv* devítinásobně
nine-lived [nainlivd] mající devět životů jako kočka
nine-men's morris [ˌnainmənzˈmoris] mlýnek hra
ninepence [nainpəns] devět pencí
ninepenny [nainpəni] devítipencový, jsoucí za devět pencí
ninepin [nainpin] BR **1** kuželka **2** ~*s, pl* kuželky hra i nářadí ♦ ~*s alley* kuželník; *go down like a* ~ svalit se jako pytel; *play at* ~*s* hrát kuželky
nineteen [ˌnainˈti:n] *adj* devatenáct ● *s* devatenáctka číslice 19 (*Arabic numeral 19, Roman numeral XIX or xix*); velikost oděvu (*he wears a* ~); cokoliv označeného číslem 19; cokoliv devatenáctého v pořadí ♦ *talk* (*run*) ~ *to the dozen* mlít, rychle a mnoho mluvit
nineteenth [ˌnainˈti:nθ] *adj* **1** devatenáctý (*the*

day of the month) **2** devatenáctinový (*a ~ share* devatenáctina, podíl jedné devatenáctiny) ◆ *~ hole* žert. bar v klubovně golfového hřiště ● *s* **1** devatenáctý v pořadí (*the ~ of February*) **2** devatenáctina (*one ~ of the total*) **3** hud. nondecima **4** hud. nondecimový rejstřík, mixtura varhan

ninetieth [naintiiθ] *adj* **1** devadesátý (*the ~ year*) **2** devadesátinový (*the ~ share of the money* devadesátina peněžní částky) ● *s* **1** v pořadí **2** devadesátina (*one ~ of the total*)

nine-tenths [ˌnainˈtenθs] přen. téměř pravidelně, obvykle, v devíti případech z deseti

nine-to-five [naintəfaiv], **nine-to-fiver** [ˌnaintəˈfaivə] slang. ouřada pracující zejm. od devíti do pěti

ninety [nainti] (*-ie-*) *adj* devadesát ● *s* **1** devadesátka (*Arabic numeral 90, Roman numeral XC / LXXXX or xc / lxxxx*); cokoliv označeného číslem 90; cokoliv devadesátého v pořadí **2** *nineties, pl* devadesátá léta (*the nineties of the preceding century*) zejm. devatenáctého století (*the Gay Nineties*) **3** *nineties, pl* devadesátka (*a man in his nineties* muž s devadesátkou na krku) **4** *nineties, pl* cokoliv řádově devadesátého počet bodů mezi 90–99 (*a golf score in the nineties*); čísla domů mezi 90 a 99 (*lives in the nineties in the next block*); teplota mezi 90–99 stupni (*temperature in the high nineties tomorrow*)

ninety-nine [ˌnaintiˈnain] devadesát devět ◆ *~ (times) out of a hundred* téměř vždycky, v devadesáti devíti případech ze sta

Ninevite [ninivait] obyvatel Ninive

ninny [nini] (*-ie-*) pitomec, tele, husa (*don't stand there like a ~*)

ninth [nainθ] *adj* **1** devátý (*the ~ day of the month*) **2** devítinový (*a ~ share of the money* devítina peněžní částky) ● *s* **1** devátý v pořadí (*the ~ of the month*) **2** devítina (*one ~ of the total*) **3** hud. nóna **4** hud. nónový akord, nonakord

ninthly [nainθli] za deváté (*~ and lastly, they were wholly unintelligible* za deváté a naposled: byly zcela nesrozumitelné)

niobate [naiˈəubeit] chem. niobičnan

Niobe [naiəubi] Nioba, též přen. (*the poor gentlewoman was a perfect ~*)

Niobean [ˌnaiəuˈbiən] niobský

niobic [naiˈəubik] chem. niobový; niobičný ◆ *~ acid* kyselina niobičná

niobium [naiˈeubiəm] niob, niobium prvek

niobous [naiˈəubəs] niobičitý

nip[1] [nip] *v* (*-pp-*) **1** štípnout do (*a crab ~ped my toe* krab mě štípl do prstu u nohy); zaštípnout (*in the spring the blooms are ~ped* na jaře se květy zaštipují); při|štípnout | si, při|skřípnout | si (*he ~ped his finger in the door*) **2** stisknout (*he ~ped his grandson between his knees*); stiske... nit (*a little gold ring ~ped to the top of an ear*) **3** (chtít) kousnout *at* koho, kousnout *on* do (*the dog ~ped him on the leg*); ukousnout (*she ~ped pieces from the chocolate bar*) **4** zarazit (*his designs were ~ped in their infancy* hned od začátku mu plány zarazili) **5** setřít ostře napomenout (*when her brother grew sentimental, she ~ped him* když se bratra zmocňovala sentimentalita,

(*choosing a slender cigar he ~ped it carefully and lit it* vybral si tenký doutník, pečlivě mu odřízl špičku a zapálil si jej) **7** mráz s|pálit, sežehnout (*see if this frost has not ~ped my fruit trees* podívat se, jestli mi tento mráz nespálil ovocné stromy); sežehnout, spálit mrazem **8** vítr řezat *at* do; profouknout (*the wind ~ped him to the bone* vítr ho profoukl až na kost) **9** vzít, štípnout, seknout ukrást (*whoever ~ped the whiskey, ~ped the money, too* kdo otočil tu whisky, ten také seknul ty peníze) **10** skřípnout; chytit, načapat; sebrat, sbalit, zabásnout zatknout **11** srdce svírat se (*my heart ~s for the pain* srdce se mi svírá bolestí) **12** skočit kam (*~ up there and fetch me down a book* skoč nahoru a přines mi knihu) *on* do (*~ on a tram*); mazat, klusat, švihat (*~ back here with the key* švihej s klíčem nazpátek) **13** vzít *by* o (*he ~ped him by 6 inches at the tape* v cílové pásce ho vzal o šest palců) **14** slisovat knihu ◆ *be ~ped by the ice* loď být v zajetí ledu; *~ in the bud* zmařit, potlačit n. zarazit v samém počátku n. zárodku ***nip across*** skočit přes ulici apod. (*~ across to Mrs Jones and borrow a pound of sugar*) ***nip in 1*** vklouznout, proklouznout (*~ ping in under his host's arm*) **2** skočit do řeči, vpadnout (*he ~ped in with a neat query* přerušil ho pohotovým dotazem) ***3*** motor. udělat „myšku“ (*another car ~ped in in front of me*) **4** ubrat, zúžit oděv ***nip off 1*** odštípnout (*the gardener was ~ping off the side shoots from the chrysanthemums* zahradník odštipoval vedlejší výhonky chryzantém) **2** odlomit (*the Atlantic, ~ping off a bit here and swallowing a valley there* Atlantik, který tady odlomí kousek a tamhle spolkne údolí) ***3*** mazat pryč, ztratit se, zdejchnout se (*I think I'll ~ off now*) ● *s* **1** štípnutí; skřípnutí; kousnutí stisk, stisknutí **2** špetka, štipec; kousek, ždibec (*a ~ of cheese*) **3** osvěžující chlad, mrazík; řezavá zima, ledové bodání (*the ~ of the air had startled her* překvapilo ji, jak vzduch mrazivě řezal) spalující mráz **4** štiplavost; ostrá chuť; ostrý vtip (*a scholar with a ~ in his words*) **5** štiplavost jedovatá poznámka, sarkasmus, rýpanec (*many a privy ~ has he given him* mnohokrát se do něho jedovatě a pro ostatní nesrozumitelně stre... fil) **6** kapsář, zloděj ◆ *~ and tuck* vyrovnaný závod, úporný boj

nip[2] [nip] *s* doušek, lok, hlt; slza, srknutí, líznutí alkoholu (*a ~ of brandy, he might take a little ~ now and then, gin at threepence a ~*) • *v* (*-pp-*) upíjet, usrkávat, lízat, cucat (alkohol) (*some of our young men ~ wine or spirits all day, he could take his bottle after dinner with any man, but ~ he could not*)

nipa [ni:pə] bot. nipa druh palmy

nip bottle [ˌnipˈbotl] miniatura lahvička s alkoholickým nápojem

nipper [nipə] **1** skrblík, lakomec, držgrešle, škrtil (*the old, miserable ~ or a cousin of yours*) **2** BR malý pomocník, mladý pouliční prodavač; kluk, cvoček (*~s of nine and ten*) **3** zool.: krab ~Polybius henslowi~ **4** kdo pije alkohol často, ale v malých dávkách **5** doušek, lok; malé pivo, dvě deci vína apod. **6** *~s, pl* též *a pair of ~s* kleště, štípačky **7** *~s, pl* svírací čelisti **8** klepeto raka; řezák koně **9** *~s pl.* zast. cvikr; želízka, náramky, klepeta pouta **10** AM kousavá ryba

nippet [nipit] **1** lakotný **2** podvyživený **3** omezený, úzkoprsý **4** jizlivý, jedovatý

nippily [nipili] v. *nippy, adj*

nipping [nipiŋ] **1** štiplavý, ostrý, řezavý, bodavý (*there was a ~ wind on deck*) **2** v. *nip*[1,2], *v*

nippit [nipit] = *nippet*

nipple [nipl] **1** prsní bradavka **2** struk **3** dudlík na dětské láhvi **4** klobouček na ochranu prsu při kojení **4** výstupek, vyvýšenina, pupík ozdoba n. kaz ve tvaru bradavky **6** odb. vsuvka trubek; tlaková maznička, mazací čep; komínek perkusního zámku

nipplewort [niplwə:t] bot. kapustka obecná

Nippon [nipon] Nippon, Japonsko

Nipponese [ˌnipəˈni:z] **Nipponian** [niˈpəuniən] nipponský, japonský

nippy [nipi] (*-ie-*) *adj* **1** kousavý (*a ~ dog*), též přen. (*the dialogue got much nippier*) **2** čiperný, svižný (*~ little chaps* čiperní kluci) **3** ostrý (*a ~ cheese*); řízný (*a ~ cider* řízný jablčák) **4** řezavě chladný, studený (*a ~ fall day*) ◆ *s* BR servírka (u Lyonsů)

nirvana [niəˈva:nə] nirvána

Nisei [nisei] AM Američan japonského původu

nisi [naisai] práv. prozatímní (*~ decree, ~ rule*) ◆ *decree ~* prozatímní soudní rozhodnutí při rozvodu; *~ prius* BR *1.* hist. projednávání civilní pře před westminsterskou porotou; příkaz ke svolání této poroty *2.* projednávání civilní pře před soudcem mimo Londýn

Nissei [nisei] = *Nisei*

Nissen hut [nisnhat] Nissenova chata, Nissenův kryt v podobě tunelu z vlnitého plechu

nit[1] [nit] **1** hnida **2** AU stráž, hlídka **3** slang. hlupák, pitomec, trouba, vůl

nit[2] [nit] fyz. nit jednotka jasu

nitchie [niči] CA hanl. Indián

nitid [nitid] bot. lesklý

niton [naitən] chem. radon, radiová emanace

nitpick [nitpik] hledat na něčem hnidy

nitpicking [nitpikiŋ] AM hnidopišský

nitrate [naitreit] *s* **1** nitrát, dusičnan **2** ledek jako hnojivo ◆ *v* nitrovat; nitridovat; nitrifikovat; nitrátovat

nitration [naiˈtreišən] nitrování, nitrace; nitratace; nitridace

nitre [naitə] ledek, dusičnan draselný ◆ *cubic ~* dusičnan sodný, chilský ledek

nitric [naitrik] **1** dusíkový; dusičný **2** ledkový ◆ *~ acid* kyselina dusičná

nitrification [ˌnaitrifiˈkeišən] chem. nitrifikace

nitrify [naitrifai] (*-ie-*) chem. nitrifikovat

nitrite [naitrait] chem. dusitan

nitro-benzene [ˌnaitrəuˈbenzi:n] nitrobenzén

nitro-cellulose [ˌnaitrəuˈseljuləus] nitrocelulóza

nitrochalk [ˌnaitrəuˈčo:k] dusičnan amonný smíšený s vápenatým hnojivo

nitrogen [naitrədžən] dusík ◆ *~ cycle* koloběh dusíku v přírodě; *~ fixation* poutání dusíku ve vzduchu

nitrogenous [naiˈtrodžinəs] dusíkový; dusíkatý

nitroglycerin, nitro-glycerine [ˌnaitrəuˈglisəri:n] nitroglycerín

nitrous [naitrəs] **1** chem. dusičnanový; dusný; dusitý **2** ledkový ◆ *~ acid* kyselina dusitá; *~ oxide* kysličník dusný, rajský plyn

nitroxyl [naiˈtroksil] chem. nitryl

nitty-gritty [ˌnitiˈgriti] (*-ie-*) podrobnosti; projednávání podrobností ◆ *get down to the ~* pustit se do podrobností n. zásadních otázek

nitwit [nitwit] hovor. trouba, pitomec, blbeček, vůl

nitwitted [nitwitid] přitroublý, zabedněný, jsoucí mdlého rozumu

nitwittery [nitwitəri] pitomost

nix[1] [niks] BR slang. bacha, jde starej!

nix[2] [niks] AM slang. *interj* ne • *s* nic • *v* torpédovat, potopit, zabít (*tried to ~ the idea of a lie-detector* snažil se torpédovat celou myšlenku detektoru lži)

nix[3] [nisk] **1** vodní elf, vodní muž, vodník **2** vodní žínka, vodní panna, rusalka

nixie [niksi] = *nix*[3]*, 2*

Nizam [naiˈzæm] nizám hist.: titul hajdarábádského panovníka, turecký voják 19. století

nizy [naizi] (*-ie-*) zast. hlupák, prosťáček, truhlík, bambula

no[1] [nəu] *adj* **1** žádný (*no apples, she had no umbrella, the poor boy had no money for books, no two men think alike, no other man could do the work, he's no friend of mine, Miss Green is no beauty*) **2** ani jeden (*no Germans applied* nepožádal ani jeden Němec, *no birds sing*) **3** ne- záporová předpona (*these opinions or rather no opinions* tyto názory či spíše ne-názory) ◆ *be no ...* nebýt (*he is no genius, this is no part of my plan*); *there is no 1.* není *2.* s gerundiem nelze, nedá se (*there is no* *saying what he'll be doing next, there was no mistaking what he meant* nedalo se nerozumět tomu, co tím myslí); *no ball* kriket neplatný míč; *no battle* hovor. to nestojí za to; *no bon* voj. slang. mizerný, pitomý, blbý nepříjemný; *no cards* místo zvláštního oznámení pohřbu; *no compree* voj. slang. nekapíruju, nerozumím; *no date* kniha neoznačený rokem vydání; *no dice* AM *1.* hra v kostky neplatný vrh *2.* slang. houby (platný) (*to such a proposition I can only say no dice* na takový návrh mohu odpovědět jenom „starou belu", *he tried for a scholarship but it was no dice*); *no distance* velice malá vzdálenost; *no doubt 1.* jistě, určitě *2.* bezpochyby, nepochybně; *no end of* hovor. spousta, strašně moc (*he spends no end of money on clothes, we had no end of a good time*); *no entry* ~ *1.* vstup zakázán *2.* zákaz vjezdu; *no flowers* prosíme, aby se upustilo od květinových darů při pohřbu; *it's no go* hovor. nedá se nic dělat, nejde to; *no good* / *use* zbytečné, marné (*it's no good crying over spilt milk* pozdě bycha honit); *no kid* / *kidding* AM fakt, vážně; *there is no love lost between them* nesnášejí se, nemají se rádi; *no matter* nezáleží na tom; *no matter how* jakkoli, *no matter where* kdekoli, *no matter who* kdokoli, apod.; *no mean* žádný obyčejný, nadprůměrný (*he is no mean scholar*); *by no means* vůbec ne, nikterak, v žádném případě; *no mistake 1.* rozumějte mi dobře *2.* a taky že ano; *no odds* nevadí, to je jedno, na tom nezáleží; *no one 1.* nikdo *2.* ani jeden *3.* se substantivem sám nikdo (*no one man could lift it*); *no parking* zákaz parkování; *no place* AM nikde; *no sabe* / *savvy* AM slang. *1.* nevím, nerozumím *2.* nevědět, nerozumět; *no side* ragby konec zápasu oznámení rozhodčího; *no thoroughfare 1.* slepá ulice *2.* průjezd zakázán; *at no time* nikdy; *in no time* velice brzy, hned (*he did it in no time*); *no trump(s)* bridž bez, bez trumfů, sans hlášení při licitaci; *no two ways about it* nic jiného se nedá dělat; *no whit 1.* vůbec ne, ani v nejmenším (*but no whit weary did he seem* leč nezdál se být ani trochu unaven) *2.* s komparativem o nic (*no whit the worse painter* o nic horší malíř) ● *adv* **1** nijak, nikterak (*your experience was no different from mine*) **2** s komparativem nic, o nic (*no better than before*) **3** s komparativem ne ... *than* než (*we went no farther than the bridge* nešli jsme dál než k mostu, šli jsme pouze k mostu); ◆ *no less* (*than*) *1.* aspoň (*no less than ten people have told me*) *2.* celých (*he gave me no less than 50 pounds*) *3.* při nejmenším (*it is no less a scandal*); *no more 1.* už dost *2.* nic víc (*I have no more to say*) *3.* už žádný, už ne (*no more wine, no more sugar*) *4.* v Pánu, zesnulý (*he is no more*) *5.* ani, také ne (*you did not come, no more did he*); *no more ... than 1.* o nic víc ... než (*he is no more a lord than I am*) *2.* stejně dobře ne ... jako (*he could no more help laughing than I could fly* nedokázal se nesmát tak, jako já nedokázal létat); *no sooner said than done* než to dořekli, byli s tím hotovi; *no sooner ... than* jakmile, sotva; *whether ... or no* ať ... či ne (*whether or no you like it, you've got to do it*) ● *part* **1** ne, nikoliv (*no, that's not the way the accident happened* ne, tak se ta nehoda nestala, *no, you can't have any more candy; I won't say no to a cup of tea* šálek čaje neodmítnu; *is it Monday today? No, it isn't*) **2** kdepak (*one man couldn't lift it; no, nor half a dozen* to jeden člověk nedokázal zvednout, co říkám, ani šest lidí by to nezvedlo) ● *s pl: noes* [nəuz] **1** záporný hlas (*110 ayes were cast and only 16 noes* bylo odevzdáno 110 hlasů pro a pouze 16 proti) **2** ten, kdo hlasuje proti (*the chairman asked the noes to raise their right hand*)

no² [nəu] *pl: no* [nəu] no druh japonského dramatu

no-account [ˌnəuəˈkaunt] AM nář. *adj* bezvýznamný, bezcenný, zbytečný (*those* ~ *relatives of his*) ● *s* bezvýznamný člověk, nula

Noachian [nəuˈeikiən], **Noachic** [nəuˈækik] noemovský vztahující se k patriarchovi Noemovi

Noah [nəuə] Noe starozákonní patriarcha ◆ ~*'s ark* archa Noemova, též dětská hra

nob¹ [nob] slang. *s* **1** kokos, palice, kebule, šiška hlava **2** cribbage kluk v barvě otočené karty **3** box úder do hlavy ◆ *one for his* ~ cribbage bod za kluka v barvě; *pay on the* ~ platit ihned hotově ● *v* (*-bb-*) box **1** udeřit do hlavy **2** strefovat se do hlavy (*he* ~*bed away without connecting once* snažil se strefit do hlavy, ale ani jednou ji nezasáhl)

nob² [nob] slang. milostpán; velké zvíře, veličina pupík význačný člověk

no-ball [ˌnəuˈbo:l] **1** prohlásit hozený míč za neplatný v kriketu **2** ~ *a p.* neuznat komu hod v kriketu

nobble [nobl] BR slang. **1** zabít n. zatlouct koně pro dostih znemožnit ho omámením n. ochromením **2** podplatit, podmazat (~ *a newspaper*) **3** podplatit žokeje aby se nesnažil zvítězit **4** vyfouknout komu co ošidit koho o co (*the old chap has* ~*d the young fellow's money*) **5** chytnout, čapnout (*we're bound to be* ~*d some day* jednoho krásného dne nás čapnou)

nobbler [noblə] BR slang. **1** šizuňk, podvodník **2** kdo zatlouká koně aby nezvítězil

nobbut [nobət] BR nář. jen, jenom (*I* ~ *wanted to know*) **2** až na to, že (~ *he wasn't lame* až na to, že nekulhal)

nobby [nobi] (*-ie-*) slang. nóbl, hogofogo, šikézní

Nobel [nəuˈbel] : ~ *prize* Nobelova cena ◆ ~ *prize winner* nositel Nobelovy ceny

no-being [ˌnəuˈbiiŋ] ne-existence

nobiliary [nəuˈbiliəri] šlechtický, aristokratický (~ *states,* ~ *pride* šlechtická hrdost) ● ~ *particle* předložka v šlechtickém přídomku např. de, von

nobility [nəuˈbiləti] (*-ie-*) **1** ušlechtilost; urozenost, aristokratičnost **2** šlechta, aristokracie, nobilita

noble [nəubl] *adj* **1** ušlechtilý (*a* ~ *leader,* ~ *sent* *ments, a ~ mind*), též přen. (*a ~ horse, a ~ wine*); charakterní, noblesní **2** šlechtický, urozený, aristokratický (*a man of ~ rank* urozený člověk) **3** vznosný, vznešený (*a ~ cathedral*) **4** impozantní (*he inherited a ~ estate* zdědil impozantní panství) **5** drahý, ušlechtilý (*~ metals*) **6** vzácný (*~ earths* ... zeminy, *~ gases*) **7** slavný (*a ~ deed* ... čin) ◆ *~ art / science* rohování, box; *~ fir* druh jedle Abies procera; *~ liverwort* jaterník podléška; *make ~* povýšit do šlechtického stavu, nobilizovat; *~ rot* ušlechtilá plíseň Botrytis cinerea ● *s* **1** šlechtic, aristokrat **2** hist. nobl zlatá n. stříbrná mince **3** AM slang. náčelník stávkokazů

nobleman [nəublmən] *pl: -men* [-mən] **1** šlechtic **2** BR peer člen sněmovny lordů

noble-minded [ˌnəublˈmaindid] šlechetný, ušlechtilý; velkorysý, velkodušný, velkomyslný

noble-mindedness [ˌnəublˈmaindidnis] šlechetnost, ušlechtilost; velkorysost, velkodušnost, velkomyslnost

nobleness [nəublnis] **1** ušlechtilost; urozenost, aristokratičnost; vznešenost **2** charakternost, noblesa, noblesnost **3** impozantnost **4** velikost, vzácnost

noblesse [nəuˈbles] šlechta, aristokracie zejm. neanglická

noblesse oblige [nəuˌbles əˈbli:ž] výsadní postavení zavazuje k ušlechtilému chování

noblewoman [ˈnəublˌwumən] *pl: -women* [-wimin] šlechtična, aristokratka

nobly [nəubli] **1** ušlechtile, velkodušně, velkoryse, velkomyslně **2** impozantně **3** nádherně **4** aristokraticky

nobody [nəubədi] *pron* nikdo (*we saw ~ we knew, he said he would marry me or ~*) ● *s* (*-ie-*) nula, bezvýznamný člověk (*only a few nobodies attended the meeting, don't marry a ~ like James*) ◆ *everybody's business is ~'s business* co se svěří všem, o to se nakonec nestará nikdo

no can do [ˌnəukənˈdu:] to nejde, to není možné

nocent [nəusənt] zast. **1** škodlivý **2** jsoucí vinen

nock [nok] *s* **1** zářez na lučišti k upevnění tětivy **2** drážka, vodítko šípu k nasazení na tětivu **3** námoř. (přední) roh podélné plachty ● *v* **1** udělat zářez na lučišti **2** nasadit šíp na tětivu

no-claim(s) [ˌnəuˈkleim(z)] : *~ bonus* sleva na pojistném za bezeškodní průběh pojištění

no-confidence [ˌnəuˈkonfidəns] nedostatek důvěry, nedůvěra

noctambulant [nokˈtæmbjulənt] **1** náměsíčný **2** noční, v noci vylézající

noctiflorous [nokˈtiflorəs] noční, v noci rozkvétající

noctiluca [ˌnoktiˈlju:kə] *pl* též *noctilucae* [ˌnoktiˈlju:si:] zool. svítilka prvok

noctivagant [nokˈtivəgənt], **noctivagous** [nokˈtivəgəs] toulající se v noci

noctule [noktju:l] zool. velký netopýr rezavý

nocturn [noktə:n] círk. nokturn část nočních modliteb breviáře

nocturnal [nokˈtə:nl] **1** noční (*~ darkness, a ~ journey*) **2** bot. otevírající se v noci (*a ~ flower*) ◆ *~ emission* poluce

nocturne [noktə:n] **1** nokturno hudební skladba **2** obraz noční krajiny

nod [nod] *v* (*-dd-*) **1** při|kývnout hlavou (*her cousin ~ded in agreement, he ~ded to me as he passed* když šel kolem, kývl mi na pozdrav) **2** *~ a t.* kývnout na (*he ~ded approval* souhlasně přikývl, *he ~ded me a welcome*) **3** kývat se (*the plumes ~ded on his helmet* na přílbici se mu kýval chochol) **4** klimbat, klímat, tlouci špačky (*she sat ~ding by the fire*) **5** udělat chybu z nepozornosti **6** budova naklánět se, být nakloněn ◆ *~ding acquaintance 1.* povrchní známost, známost od vidění *2.* povrchní znalost; *~ the ball* kopaná zahrát míč hlavou, dát hlavičku směrem dolů; *catch a p. ~ding 1.* přistihnout při nepozornosti *2.* doběhnout; *it ~s to its fall 1.* naklání se, div nespadne *2.* je na spadnutí; *Homer sometimes ~s* i božský Homér někdy dříme, i mistr tesař se utne ***nod off*** na chvíli usnout vsedě ● *s* **1** kývnutí; přikývnutí; pokyn **2** dřímota, klímání **3** chyba z nepozornosti ◆ *be at a p.'s ~* skákat jak kdo píská; *a ~ is as good as a wink* (*to a blind horse*) chytrému napověz, hloupého trkni; *go to the land of N~* jít do Hajan; *on the ~ 1.* AM slang. na dluh *2.* BR bez formalit, jako samozřejmost (*the agenda was accepted on the ~*)

nodal [nəudl] uzlový ◆ *~ line* hvězd. uzlová přímka; *~ point 1.* uzlový bod, uzel *2.* styčný bod, styčník

nodality [nəuˈdæləti] (*-ie-*) uzlovitost

noddle [nodl] hovor. *s* šiška, palice hlava ● *v* kývat n. vrtět hlavou

noddy [nodi] (*-ie-*) **1** trouba, vrták, osel, pitomec **2** zool.: rod rybáků (Anous)

node [nəud] **1** bot. kolénko, nodus, uzlina **2** anat. uzlina, ganglie **3** hvězd., elektr., fyz., mat. uzel **4** stav. styčník, uzel **5** zauzlení, (další) zápletka v dramatu

nodi [nəudai] *pl* v. *nodus*

nodical [nəudikəl] uzlový ◆ *~ month* hvězd. drakonický měsíc, drakonický oběh

nodose [nəuˈdəus] uzlinatý, nodosní

nodosity [nəuˈdosəti] (*-ie-*) **1** uzlovitost **2** uzlina, hrbol, boule (*a surface dotted with nodosities*)

nodular [nodjulə] **1** uzlinatý, uzlinkatý, uzlíkovitý **2** stéblo s kolénky **3** nerost peckovitý, hlíznatý, ◆ *~* (*cast*) *iron* tvárná litina s kuličkovým grafitem

nodulated [nodjuleitid] s malými výrůstky; hrbolatý, bobulkovitý

nodulation [ˌnodjuˈleišən] **1** tvoření výrůstků n. uzlin **2** uzliny, hrbolky, výrůstky

nodule [nodju:l] **1** uzlík, uzlíček **2** hlíza, pecka nerostu **3** uzlinka, malá ganglie **4** bot. kolénko u trav,

uzlina, nodus na stonku ◆ ~ *bacteria* les. bakterie hlízkové
nodulose [nodjuləus] , **nodulous** [nodjuləs] uzlinkatý
nodus [nəudəs] *pl: nodi* [nəudai] zauzlení, (další) zápletka
Noel, Noël [nəuˈel] **1** vánoce **2** *n*~ vánoční koleda
noetic [nəuˈətik] *adj* **1** noetický, gnozeologický **2** abstraktní **3** hloubavý ● *s* též ~*s* noetika, gnozeologie
no-fault [ˌnəuˈfo:lt] : ~ *insurance* AM pojištění automobilisty vztahující se i na nehody jím zaviněné
no-feeling [ˌnəuˈfi:liŋ] nedostatek citu, bezcitnost, necitelnost
no-fines [ˌnəuˈfainz] : ~ *concrete* jemnozrnný beton
no-frills [ˌnəuˈfrilz] věcný, strohý
nog[1] [nog] *s* **1** kolík, kostka, špalík, klínek dřeva **2** horn. rozpor; vzpěra; podložka; trám hráňové výztuže ● *v* (*-gg-*) **1** zabezpečit n. připevnit dřevěnými kolíky n. špalky **2** vyplňovat hrázděné stěny, zejm. cihlami
nog[2] [nog] **1** BR silné pivo **2** AM vaječný koňak; koktejl, flip
noggin [nogin] **1** korbílek **2** vědérko **3** osminka, deci alkoholu **4** hovor. kokos, kebule hlava
nogging [nogiŋ] **1** cihlová výplň hrázděných stěn **2** v. *nog*[1], *v*
no-go [ˌnəuˈgəu] **1** slang. znamenající konec (*a ~ situation*) **2** kam je zakázaný vstup (*a ~ area*)
no-good [ˈnəuˌgu:d] *adj* **1** jsoucí k ničemu, zbytečný (*he was ~ at anything tedious* když šlo o něco úmorného, nebyl k ničemu, *it's ~ to argue* je zbytečné se hádat) **2** mizerný (*see what that ~ dog has done*) ● *s* budižkničemu, ztracená existence
noh [nəu] = *no*[3]
no-hoper [ˌnəuˈhəupə] AU hovor. ztracený případ
nohow [nəuhau] **1** slang. vůbec ne (*he was ~ equal to the task* na ten úkol prostě nestačil) **2** AM nář. vůbec (*where are you going ~*) **3** AM nář.: též *all ~* celý pryč (*he was all ~ at the thought of going*)
noil [noil] *sg* n. *pl* výčesek; výčesky
noise [noiz] *s* **1** hluk, hřmot; šum, též v teorii informací **2** rámus, randál, kravál **3** poruchy v signálu **4** zvuk, hlas (*the ~ of heavenly choirs*) **5** pověsti; rozruch ◆ *big ~* hovor. velké zvíře důležitý člověk; ~ *elimination* odstraňování hluku, odrušování; ~ *factor / figure* činitel šumu, šumové číslo; *a hell of a ~* pekelný rámus; *make a ~ 1.* dělat rámus *about* kvůli *2.* neslušně se zachovat; *3.* napodobit *like* koho / co; *make a ~ in the world* někam to dotáhnout, proslavit se, udělat rozruch ve společnosti, udělat díru do světa; *make ~s* mít řeči n. poznámky, vyjadřovat se; ~ *level* hlasitost ve fónech; ~ *limiter* omezovač poruch; ~*s off* hluk za scénou; ~ *pollution* zdraví škodlivý hluk; ~ *reduction* snížení hlučnosti; *rude ~ 1.* neslušný zvuk *2.* neslušná poznámka; ~ *silencer / suppressor 1.* tlumič hluku *2.* potlačovač poruch, odrušovač; ~ *trap* odrušovač ● *v* povykovat, rámusit ***noise about / abroad / around*** povídat, rozhlašovat (*it was ~d about that the troops were to be returned home*)
noise-free [noizfri:] jsoucí bez šumu, nerušený (*~ communication*)
noiseless [noizlis] **1** nehlučný, bezhlučný **2** tichý, tichounký
noiselessness [noizlisnis] nehlučnost, bezhlučnost
noisemaker [noizˈmeikə] kdo n. co tropí hluk
noisette[1] [nwa:ˈzet] též ~ *rose* růže Noisette
noisette[2] [nwa:ˈzet] kuch. *s* **1** kulička, medailón maso **2** smažená bramborová kulička ● *adj* **1** smažený na másle (*cutlets~*) **2** jsoucí z másla, máslový (*a ~ sauce*)
noisily [noizily] v. *noisy*
noisiness [noizinis] hlučnost; křiklavost
noisome [noisəm] **1** škodlivý, nezdravý (*a ~ environment* nezdravé okolí) **2** páchnoucí, zapáchající; obtížný **3** nechutný, odporný, hnusný
noisomeness [noisəmnis] **1** škodlivost, nezdravost **2** pach, zápach, puch **3** nechutnost, odpornost, hnus
noisy [noizi] (*-ie-*) **1** hlučný, rámusivý (*~ children, a ~ classroom*) **2** křiklavý, řvavý (*a ~ sweater*) ◆ ~ *arc* elektr. syčivý oblouk
no-knock [ˌnəuˈnok] AM: ~ *law* zákon dovolující policii někam vstoupit bez ohlášení a legitimování
nolens volens [ˌnəulenzˈvəulenz] chtě nechtě, volky nevolky
no-licence [ˌnəuˈlaisəns] týkající se nepovolení prodeje alkoholických nápojů
noli me tangere [ˌnəulaimi:ˈtændžəri] **1** varování nedotýkat se! (*he carries a ~ in his face*) **2** vpřed **3** netýkavka **4** bot. netýkavka nedůtklivá **5** obraz „Kristus se zjevuje Marii Magdaleně"
no-limit [ˌnəuˈlimit] jsoucí bez omezení výšky sázek
noll [nol] BR nář. temeno; hlava
nolle prosequi [ˌnoliˈprosəkwai] odvolání žaloby, upuštění od žaloby
no-load [ˌnəuˈləud] akcie prodávané bez provize
nolo episcopari [ˌnoləuiˈpiskəpa:ri:] odmítnutí úřadu n. funkce
nol-pros [nolpros] (*-ss-*) AM odvolat žalobu
no man [ˌnəuˈmæn] **1** nikdo **2** člověk, který stále říká „ne" ◆ ~*'s land* země nikoho
nomad [nəumæd] , řidč. **nomade** [nomәd] *s* **1** kočovník, nomád **2** tulák ● *adj* kočovný
nomadic [nəuˈmædik] **1** kočovný (*a ~ tribe* kočovný kmen); kočující (*~ group*) **2** toulavý (*many*

ownerless dogs are ~ mnoho psů bez majitele jsou toulaví psi)
nomadism [nəumədizəm] **1** kočovnictví, kočovný způsob života **2** přen. neposednost, nestálost (*intellectual* ~)
nomadize [nomədaiz] **1** kočovat, žít kočovným životem **2** donutit ke kočovnému životu (*they were ~d by evacuation from the bombed cities*)
nom de guerre [ˌnomdəˈgeə] pseudonym, přijaté n. umělecké jméno
nom de plume [ˌnomdəˈplu:m] *pl: noms de plume* pseudonym literární
nomenclative [nəumenkleitiv] **1** jmenný **2** pojmenovávací **3** názvoslovný
nomenclator [nəumenkleitə] **1** hist. nomenklátor římský otrok **2** zast. nomenklátor, slovník **3** uvaděč oznamující jména hostů **4** terminolog, tvůrce názvosloví zejm. přírodopisného
nomenclature [nəuˈmenkləčə] **1** jméno, název **2** označení, pojmenování (*the changing* ~ *of the streets*) **3** pojmenovávání, dávání názvu **4** nomenklatura, názvosloví (*the following* ~ *is used in the paper*) **5** terminologie (*botanical* ~, ~ *of chemistry*) **6** seznam, soupis, rejstřík, katalog (*no more than an annotated* ~ *of the rich and varied writings*) **7** ~*s, pl* poznávací značka letadla
nominal [nominl] **1** nominální, jmenovitý (~ *and real price,* ~ *and real wages*) **2** jen podle jména (*the* ~ *ruler of the country*) **3** substantivní; jmenný (~ *and verbal roots* jmenné a slovesné kořeny) **4** jmenovitý (*a* ~ *list of officers*) **5** pouze formální, zanedbatelný, nepatrný, uznávací (*a* ~ *sum*) **6** známý jen podle jména (~ *species* druhy známé pouze podle jména) **7** přibližný (*a* ~ *size* přibližná velikost)
nominalism [nominəlizəm] nominalismus
nominalist [nominəlist] nominalista stoupenec nominalismu
nominalistic [ˌnominəˈlistik] nominalistický
nominate [nomineit] **1** zast. vy|jmenovat (*to* ~ *all the islets of the sound* vyjmenovat všechny ostrůvky v průlivu) **2** označit jménem (*it becomes more and more difficult to* ~ *the real criminals*) **3** nominovat, jmenovat (*the President shall* ~ *and appoint ambassadors* prezident bude jmenovat a dosazovat velvyslance) **4** navrhnout za kandidáta, kandidovat *a p.* koho *for* na (~ *a man for Presidency, anyone may challenge the person* ~*d and start another candidate* kdokoli může nesouhlasit s navrženým kandidátem a kandidovat jiného občana), též přen. **5** dosadit (*a committee of five* ~*d members*) **6** vyhlásit *as* za (*they* ~*d him as the best model football player of 1952*) **7** přihlásit jméno koně k dostihu
nomination [ˌnomiˈneišən] **1** nominace, jmenování (*how many* ~*s have there been so far?*) **2** kandidatura; *in* ~ jako kandidát (*put my name in* ~ *for this job*) **3** právo jmenovat **4** přihláška jména koně k dostihu ◆ *place a p.'s name in* ~ kniž. nominovat koho
nominatival [ˌnominəˈtaivəl] nominativní
nominative [nom*i*nətiv] *s* **1** nominativ, první pád **2** podmět ● *adj* **1** nominativní (*a* ~ *ending*) **2** [nomineitiv] nominovaný nevolený **3** na jméno (~ *shares* akcie na jméno)
nominator [nomineitə] kdo jmenuje n. navrhuje na místo, určovatel
nominee [ˌnomiˈni:] **1** kdo je jmenován, kandidát **2** pověřenec, mandatář
nomothetic [ˌnoməˈθetik] **1** zákonodárný, legislativní **2** zákonný, zákonitý **3** psych., filoz. nomotetický
non [non] : ~ *assumpsit* popření, že žalovaný dal slib; ~ *compos* (*mentis*) nepříčetný; ~ *esse* ne-existence; ~ *est* / *est inventus* obžalovaný nebyl zastižen; ~ *liquet* nejasný případ, porota žádá odklad; ~ *nobis* žalm 95, píseň díkůvzdání; ~ *placet 1.* hlas proti *2.* zamítnout; ~ *plus ultra* = *ne plus ultra;* ~ *possumus* nelze odmítnutí; ~ *sequitur 1.* logický lapsus, nelogičnost závěru *2.* není prokázáno
nonability [ˌnonəˈbiləti] neschopnost
nonabstainer [ˌnonəbˈsteinə] **1** neabstinent **2** kdo se nezdržel hlasování
nonacceptance [ˌnonəkˈseptəns] nepřijetí
nonaccess [ˌnonˈækses] práv. nemožnost pohlavního styku obhajoba v paternitním sporu
nonacquaintance [ˌnonəˈkweintəns] neznalost
nonaddict [ˌnonˈædikt] příležitostný narkoman
nonaddictive[ˌnonəˈdiktiv] nevytvářející návyk (~ *drugs*)
nonaddition [ˌnonəˈdišən] nepřidání, nepřipojení
nonadherent [ˌnonədˈhiərənt] nepřiléhající těsně
nonadmission [ˌnonədˈmišən] **1** nepřipuštění, nevpuštění **2** nedoznání **3** nedovolení
nonage [nəunidž] **1** nezletilost, nedospělost **2** mladá léta, mládí (*the brook we leaped so nimbly in our* ~ potok, který jsme v mládí tak svižně přeskočili) **3** léta dospívání (*he had passed a riotous* ~ prošel bouřlivými léty dospívání) **4** nevyzrálost (*she was bored by the* ~ *of her contemporaries* nevyzrálost jejích vrstevníků ji nudila)
nonagenarian [ˌnəunədžiˈneəriən] *adj* starý mezi devadesáti a sto léty ● *s* devadesátník
nonaggression [ˌnonəgˈrešən] polit. neútočení ◆ ~ *agreement* / *pact* smlouva o neútočení
nonagon [nonəgən] devítiúhelník
nonaligned [ˌnonəˈlaind] neangažovaný v politických blocích, neutrální
nonalignment [ˌnonəˈlainmənt] neangažovanost v politických blocích
nonallergic [ˌnonəˈlə:džik] nevyvolávající žádnou alergii
non-American [ˌnonəˈmerikən] *adj* neamerický ● *s* Neameričan

nonappearance [ˌnonəˈpiərəns] nedostavení se zejm. k soudu ◆ ~ *risk* pojišť. riziko vypadnutí herce n. režiséra mající za následek finanční ztráty při natáčení filmu
nonaqueous [ˌnonˈækwiəs] bezvodý
nonary [nəunəri] *adj* devítkový, založený na devítkové soustavě ● *s* (*-ie-*) skupina devíti, devítka, devítice
non-Aryan [ˌnonˈeəriən] *adj* nearijský ● *s* nearijec
nonatomic [ˌnonəˈtomik] bezatomový, nemající atomové zbraně (~ *power*)
nonattendance [ˌnonəˈtendəs] nechození do školy, absence
nonauthenticity [nonˌo:θənˈtisəti] nepravost
nonauthoritative [ˌnono:ˈθoritətiv] neautoritativní
nonavaibalbility [ˌnonəˌveiləˈbiləti] nezískatelnost, nedostupnost
nonavailable [ˌnonəˈveiləbl] nejsoucí k dostání n. k dispozici, nezískatelný, nedostupný
nonbeliever [ˌnonbiˈli:və] nevěřící, skeptik
nonbelligerency [ˌnonbiˈlidžərənsi] neúčast ve válce
nonbelligerent [ˌnonbiˈlidžərənt] neválčící, ve válce přímo neúčastný nikoli však neutrální
nonbleeding [ˌnonˈbli:diŋ] stálobarevný
nonbroking [ˌnonˈbrəukiŋ] nemaklérský
nonbuckled [ˌnonˈbakld] nevypouklý
noncancelable [ˌnonˈkænsələbl] nezrušitelný
noncapital [ˌnonˈkæpitl] zločin na který se nevztahuje trest smrti
non-Catholic [ˌnonˈkæθəlik] nekatolický
non-Caucasian [ˌnonko:ˈkeižjən] nekavkazký
nonce [nons] *s*: *for the* ~ *1.* pro teď, pro tentokrát, jednou jedenkrát (*for the* ~, *conditions were reasonably normal*) *2.* záměrně, schválně, za určitým účelem (*he has a fit of anger for the* ~ na oko se strašně rozvzteklil) ● *adj* příležitostný, pouze pro tuto (jednu) příležitost (*they chose one of four societies as a* ~ *police*)
nonce word [nonswə:d] **1** příležitostné slovo **2** hapax legomenon
noncertifiable [nonˌsə:tiˈfaiəbl] duševně zdravý
nonchalance [nonšələns] nonšalance, nonšalantnost, nenucennost; lhostejnost
nonchalant [nonšələnt] nonšalantní, nenucený; lhostejný
nonchattering [ˌnonˈčætəriŋ] nehlučný
non-Christian [ˌnonˈkristjən] nikoli křesťanský
nonclaim [ˌnonˈkleim] neuplatnění nároku v zákonné n. smluvní lhůtě
nonclassical [ˌnonˈklæsikəl] neklasický
nonclouding [ˌnonˈklaudiŋ] : ~ *windscreen* nezamlžující se přední ochranné sklo
noncollapsible [ˌnonkəˈlæpsəbl] kuch. který nespadne, tuhý (~ *soufflé* tuhý nákyp kypřený sněhem)
noncollegiate [ˌnonkəˈli:džiit] **1** student mimokolejní, nekolejní **2** univerzita nekolejní, jsoucí bez kolejí
noncom [nonkəm] hovor. roťák
noncombatant [ˌnonˈkombətənt] *s* **1** civilista ve válce **2** příslušník nebojové jednotky v armádě, např. lékař ● *adj* **1** nebojující, patřící k nebojovým jednotkám (~ *personnel*) **2** nebojový (~ *operations* nebojové akce)
noncommissioned [ˌnonkəˈmišənd] : ~ *officer* poddůstojník
noncommittal [ˌnonkəˈmitl] **1** neutrální, bezvýrazný, neosobní, chladný (*ordinary* ~ *expression* obvyklá bezvýraznost obličeje) **2** vyhýbavý (*a* ~ *answer*); nic neříkající (*a brief and* ~ *communique* stručné a nic neříkající komuniké)
noncommunicant [ˌnonkəˈmju:nikənt] *s* rekuzant; kdo nechodí na bohoslužby zejm. anglikánské; kdo se nezúčastňuje Večeře Páně zejm. podle anglikánského ritu ● *adj* nechodící na bohoslužby zejm. anglikánské
noncompletion [ˌnonkəmˈpli:šən] nedokončení, nesplnění
noncompliance [ˌnonkəmˈplaiəns] **1** neuposlechnutí *with* čeho (~ *with the rules*) **2** nesouhlas, neochota; nevyhovění
nonconclusion [ˌnonkənˈklu:žən] žádný závěr, prázdné vyznění
nonconducting [ˌnonkənˈdaktiŋ] nevodivý (~ *material*)
nonconductor [ˌnonkənˈdaktə] nevodič
nonconductibility [ˌnonkənˌdaktiˈbiləti] nevodivost
nonconformist [ˌnonkənˈfo:mist] též *N*~ *s* nonkonformista nespokojenec zejm. se státní církví; člen některé z nekatolických anglických církví, které se odštěpily od státní církve ● *adj* nonkonformistický, nekonformní
nonconformity [ˌnonkənˈfo:məti] (*-ie-*) **1** též *N*~ nonkonformismus; nonkonformisté (*he made many friends in the circle of prosperous* ~) **2** nekonformnost, projev nekonformnosti **3** nesoulad *of* mezi (*the striking* ~ *of his ideas and his practice* nápadný nesouhlas mezi jeho názory a životní praxí)
nonconscious [ˌnonˈkonšəs] podvědomý
noncontent [ˌnonkənˈtent] **1** nespokojenec **2** BR hlasující proti návrhu ve sněmovně lordů
noncontentious [ˌnonkənˈtenšəs] nesporný
noncontributory [ˌnonkənˈtribju(:)təri] **1** nepřispívající **2** na který se nemusí přispívat
noncooperation [ˌnonkə*u*ˌopəˈreišən] odmítání spolupráce zejm. Britů s Indy
noncorrosive [ˌnonkəˈrəusiv] = *noncorrodible*
noncorrodible [ˌnonkərəudəbl] odolný proti korozi, nekorodovatelný
noncreasing [ˌnonˈkri:sin] nemačkavý, s nemačkavou úpravou
nondelivery [ˌnondiˈlivəri] (*-ie-*) **1** nedodání; ztráta zásilky **2** nedoručitelnost
nonderailable [ˌnondiˈreiləbl] nevykolejitelný
nondescript [nondiskript] *adj* **1** nepopsatelný **2** též-

ko popsatelný n. zařaditelný **3** nevyhraněný, přesně nedefinovatelný ● *s* **1** koho / co nelze popsat, zařadit n. definovat **2** nevýznamný člověk, nula **3** parchant člověk i zvíře
nondestructive [ˌnondiˈstraktiv] neničivý
nondisclosure [ˌnondisˈkləužə] neuvedení, neoznámení, nevyjevení např. okolnosti
nondomiciled [ˌnonˈdomisaild] nenaturalizovaný
nondrinker [nondriŋkə] abstinent
nondurable [ˌnonˈdjuərəbl] *adj* podléhající zkáze, netrvanlivý ● *s*: *~s, pl* zboží podléhající zkáze
none[1] [nan] *pron* **1** žádný, ani jeden (*I wanted some string but there was ~ in the house* potřeboval jsem provázek, ale žádný doma nebyl, *there are faults from which ~ of us is / are free* existují určité nedostatky, jichž nikdo není prost) **2** *pl* nikdo (*~ but fools have ever believed it* nikdo krom hlupáků tomu nikdy nevěřil); *sg* nic žádná část (*~ of this concerns me*) **3** v rozkazovací větě dost (*~ of that*); přestaň *of* s (*~ of your impudence* už té tvé drzosti bylo dost) ◆ *~ but* též pouze, jenom, výhradně (*they chose ~ but the best*); *~ other than* nikdo jiný než, nic jiného než (*the new arrival was ~ other than the President* nový příchozí nebyl nikdo jiný než prezident); *I want ~ of it* nechci to ani vidět, nechci o tom ani slyšet ● *adj* žádný, nikdo, nic ◆ *be ~* nebýt (*his understanding is ~ of the clearest; if a linguist is required, I am ~* potřebujete-li lingvistu, tak já to nejsem) ● *adv* **1** s komparativem o nic (*I am ~ the wiser of your explanation* z tvého vysvětlení nejsem o nic moudřejší, *I hope you are ~ the worse for that fall from your horse* doufám, že jste si pádem s koně nijak neublížil) **2** *~ too / so* nijak, nikterak (*the salary they pay me is ~ too high, they are ~ so fond of him*) ◆ *be ~ the worse* nepohoršit si, nebýt na tom o nic hůře; *~ the less* nicméně, přesto; *~ too soon 1.* téměř pozdě *2.* AM vůbec ne
none[2] [nəun] nóna část denních modliteb breviáře
noneffective [ˌnoniˈfektiv] *adj* **1** nevýkonný **2** neschopný činné služby ● *s* vojín n. námořník neschopný činné služby
nonego [ˌnonˈegəu] filoz. nejá
nonelective [ˌnoniˈlektiv] nevolený, jmenovaný
nonenforcement [ˌnoninˈfo:smənt] nevynucení, nevynucování, žádný nátlak
nonentity [noˈnentəti] (*-ie-*) **1** nebytí, nejsoucno 2 smyšlenka, fikce **3** nic, nula bezvýznamný člověk n. předmět
nones [nəunz] *pl* **1** hist. nóny devátý den před idami **2** círk. nóna část denních modliteb breviáře
nonessential [ˌnoniˈsenšəl] *adj* nepodstatný ● *s* nepodstatná věc n. záležitost
nonesuch [nansač] = *nonsuch*
nonet [nonet] **1** hud. nonet; noneto **2** fyz. skupina devíti atomových částic
nonetheless [ˌnanðəˈles] = *none the less*
non-Euclidean [ˌnonju(:)ˈklidiən] neeuklidovský
non-European [nonˌjuərəˈpi(:)ən] *adj* **1** neevropský **2** barevný, černý (*~ Americans*) ● *s* **1** kdo není Evropan **2** SA barevný obyvatel, černoch
nonevent [ˌnoniˈvent] **1** co se nepřihodilo **2** žádné překvapení, nic nového
nonexistence [ˌnonigˈzistəns] neexistence, nebytí, nejsoucno
nonexistent [ˌnonigˈzistənt] nejsoucí, (už) neexistující
nonextension [ˌnoniksˈtenšən] nerozšiřování
nonfarm [nonfa:m] nezemědělský
nonfeasance [ˌnonˈfi:zəns] opominutí, zanedbání povinnosti
nonferrous [ˌnonˈferəs] : *~ metal* neželezný kov, barevný kov
nonfiction [ˌnonˈfikšən] *adj* nebeletristický ● *s* faktografická kniha, populárně naučná kniha, literatura faktu
nonfilter [ˌnonˈfiltə] jsoucí bez filtru (*~ cigarettes*)
nonflam [ˌnonˈflæm] = *nonflammable*
nonflammability [ˌnonˌflæməˈbiləti] nehořlavost
nonflammable [ˌnonˈflæməbl] nehořlavý, nezápalný
nonflowering [ˌnonˈflauəriŋ] nekvetoucí
nonflying [ˌnonˈflaiiŋ] : *~ officer* důstojník letectva pozemních složek
nonfolk [ˌnonˈfəuk] : *~ instrument* nelidový hudební nástroj
nonfood [ˌnonˈfu:d] nepotravinářský
nonforest [nonˈforist] : *~ land* nelesní půda
nonforfeiture [ˌnonˈfo:fičə] pojišť. neprůpadný
nonfulfilment [ˌnonfulˈfilmənt] nesplnění, nenaplnění, neukojení
nongimmicky [ˌnonˈgimiki] hovor. prostý, jsoucí bez vymyšleností n. fórů (*~ silhouettes*)
nongraded [ˌnonˈgreidid] **1** nekvalifikovaný; neprofesionální **2** AM škol. nerozdělený do oddělení, společný
nongraduate [ˌnonˈgrædžuət] negraduovaný, bez ukončeného univerzitního vzdělání
nongreasy [ˌnonˈgri:zi] nemastný
nonhuman [ˌnonˈhju:mən] nečlověčí; nikoli člověčí n. lidský
nonidentical [ˌnonaiˈdentikl] dvojče dvouvaječný
nonillion [nəuniljən] **1** BR 10^{54} **2** AM 10^{30}
nonillumination [ˌnoniˈlju:mineišən] neozřejmění
noninduced [ˌnoninˈdju:st] : *~ drag* tech. škodlivý odpor
noninductive [ˌnoninˈdaktiv] elektr. nevodivý, špatně vodivý
noninflammable [ˌnoninˈflæməbl] = *nonflammable*
non-interest-bearing [nonˌintristˈbeəriŋ] bezúročný
noninterference [nonˌintəˈfirəns] nevměšování
nonintervention [nonˌintəˈvenšən] neintervence, nevměšování

nonintrusion [non͵inˈtru:žən] nevnucování zejm. pastora proti vůli kongregace ve skotské církvi
noniron [͵nonˈaiən] který není nutno žehlit, mající nežehlivou úpravu (~ *cotton*)
nonius [nəunjəs] vernier, nonius
non-Jewish [͵nonˈdžu(:)iš] nežidovský
nonjoinder [͵nonˈdžoində] práv. **1** opominutí připustit vedlejšího účastníka k řízení **2** opominutí důvodu který měl být připojen
nonjoiner [͵nonˈdžoinə] kdo se nepřipojil, kdo stojí stranou
nonjuring [͵nonˈdžuəriŋ] hist. odmítající přísahu věrnosti
Nonjuror [͵nonˈdžuərə] duchovní, který odmítl přísahu věrnosti Vilému Oranžskému r. 1689
nonjury [͵nonˈdžuəri] nepatřící před porotu, neporotní
nonladder [͵nonˈlædə], **nonladdering**[͵nonˈlædəriŋ] punčochy nepouštějící oka
nonlanguage [͵nonˈlæŋgwidž] nejazykový
nonlegal [͵nonˈli:gəl] nikoli právní, mimoprávní
nonleaded [͵nonˈledid] jsoucí bez olova (*a ~ cable*)
nonlife [͵nonˈlaif] : *~ business* pojišť. neživotní pojištění
nonliquid [͵nonˈlikwid] tuhý
nonliterary [͵nonˈlitərəri] mající malou literární hodnotu n. erudici
nonlogical [͵nonˈlodžikəl] nikoli logický, nelogický
nonmanual [͵nonˈmænjuəl] netýkající se těžké fyzické práce n. dělníků těžce fyzicky pracujících
nonmanufacturing [non͵mænjuˈfækčəriŋ] nevýrobní
nonmarine [͵nonməˈri:n] nenámořní
nonmarriagable [͵nonˈmæridžəbl] neschopný uzavřít manželství
nonmaterializing [͵nonməˈtiəriəlaiziŋ] neuskutečňovaný, nerealizující se
nonmember [ˈnon͵membə] nečlen
nonmembership [͵nonˈmembəšip] **1** nečlenství **2** neúčast
nonmetal [͵nonˈmetl] nekov
nonmetallic [͵nonmiˈtælik] nekovový
nonmilitarization [non͵militəraiˈzeišən] nevyužívání k vojenským účelům (*~ of the sea bed* nevyužívání mořského dna k vojenským účelům)
nonmilitary [͵nonˈmilitəri] nevojenský, civilní
nonmoral [͵nonˈmorəl] **1** morálně nelišný, indiferentní (*a completely ~ problem of society*) **2** jsoucí bez mravoučného konce (*a ~ story*)
non-natural [͵nonˈnæčrəl] nikoli přirozený, nepřirozený
non-negotiable [͵nonniˈgəušjəbl] ekon. **1** nepřenosný, nepřevoditelný (*a ~ check* šek určený pouze k zúčtování) **2** nepřevoditelný, neobchodovatelný ◆ *~ bill* ekon. rektasměnka
non-nuclear [͵nonˈnjukliə] *adj* **1** nenukleární; provedený bez pomoci nukleárních zbraní (*a ~ attack*) **2** nemající nukleární zbraně (*~ nations*) **3** zbraně konvenční ◆ *s* stát nemající nukleární zbraně
nonny-nonny [͵noniˈnoni] zast. tralala
no-no [ˈnəu͵nəu] AM slang. něco zakázaného
nonobjective [͵nonəbˈdžektiv] výtv. abstraktní
nonobservance [͵nonəbˈzə:vəns] **1** nedodržení, nezachovávání např. půstu **2** nesvěcení neděle
nonobstructable [͵nonəbˈstraktəbl] neucpatelný
non-office-holding [ˈnon͵ofishəuldiŋ] neúřadující, nikoli ve funkci
no-nonsense [͵nəuˈnonsəns] vážný, seriózní, praktický, jsoucí bez výstředních nápadů
nonpareil [nonpərel] *s* **1** šestibodové písmo, nonpareille **2** neporovnatelný člověk, člověk nemající sobě rovna **3** zool.: strnadovitý klecní pták Passerinaciris; druh můry **4** název cukroví, jablečné odrůdy, druhu pšenice ● *adj* neporovnatelný, nesrovnatelný
nonparticipant [͵nonpa:ˈtisipənt] nezúčastněný člověk
nonparticipating [͵nonpa:ˈtisipeitiŋ] nezúčastňující se zejm. na zisku ◆ *~ insurance* pojištění za pevnou prémii
nonpartisan [non͵pa:tiˈzæn] **1** nestranný, neangažovaný zejm. politicky **2** objektivní **3** nestranický, nadstranický
nonparty [͵nonˈpa:ti] **1** politicky neorganizovaný **2** nezaložený na politických stranách **3** nadstranický
nonpayment [͵nonˈpeimənt] neplacení, nezaplacení
nonpensionable [͵nonˈpenšənəbl] nekrytý důchodovým pojištěním
nonperception [͵nonpəˈsepšən] nepochopení, neporozumění
nonperformance [͵nonpəˈfo:məns] **1** neudělání, nevykonání **2** nedodržení, nesplnění
nonpersistent [͵nonpəˈsistənt] plyn prchavý
nonperson [͵nonˈpə:sn] politická mrtvola o níž byly zlikvidovány všechny zmínky
nonplanners [͵nonˈplænəz] *pl* **1** nešlechtěný pár **2** práv. devizoví cizinci
nonplus [͵nonˈplas] *s* **1** rozpaky **2** konec, slepá ulička ◆ *at a ~* nepřipravený (*be at a ~* být na rozpacích n. v koncích); *bring / drive / put / reduce to a ~* přivést do rozpaků ● *v* (*-ss-*) přivést do rozpaků
nonpolitical [͵nonpəˈlitikəl] nepolitický
nonpro [nonˈprəu] slang. = *nonprofessional*
nonproductive [͵nonprəˈdaktiv] **1** nevýrobní **2** pracující v nevýrobním sektoru, administrativní (*~ personnel*) **3** neproduktivní **4** nerealizovatelný (*a ~ plan*) ◆ *~ cough* suchý kašel
nonprofessional [͵nonprəˈfešənl] *adj* **1** nikoliv zaměstnaný **2** nikoli odborně vzdělaný (*it will not*

be read by many ~ citizens) **3** neprofesionální, amatérský ♦ *s* **1** neodborník **2** amatér
nonprofit [ˌnonˈprofit] AM, **non-profit-making** [nonˈprofitˌmeikiŋ] nevýdělečný, obecně prospěšný
nonproliferation [ˌnonprəuˌlifəˈreišən] nešíření, nerozšiřování ♦ ~ *treaty* dohoda o nešíření nukleárních zbraní
non-Protestant [nonˈprotistənt] neprotestantský
nonprovided [ˌnonprəˈvaidid] BR základní škola soukromý
nonpunishable [ˌnonˈpanišəbl] beztrestný
nonquestion [ˌnonˈkwesčən] zmatečná otázka
nonreader [ˌnonˈri:də] kdo nečte zejm. knihy, nečtenář
nonrefundable [ˌnonri:ˈfandəbl] nerefundovatelný
nonreligious [ˌnonriˈlidžəs] nenáboženský
nonrepresentational [nonˌreprizenˈteišənl] výtv. abstraktní *(a ~ painting)*
nonresident [ˌnonˈrezidənt] *s* **1** kdo někde nebydlí, kdo není hotelový host *(the dining room of this hotel is open to ~s)* **2** funkcionář nebydlící v sobě svěřené oblasti např. biskup ve své diecézi ● *adj* **1** nebydlící v místě svého působiště **2** bydlící jinde; přespolní
nonresistance [ˌnonriˈzistəns] hist. neodporování, poslušnost nespravedlivé vrchnosti
nonresistant [ˌnonriˈzistənt] *adj* pasívní, poslušný ● *s* **1** kdo neodporuje vrchnosti **2** zastánce názoru, že se násilí nemá odporovat
nonresponse [ˌnonriˈspons] žádná odpověď
nonrestrictive [ˌnonrisˈtriktiv] nijak neomezující
nonreturnable [ˌnonriˈtə:nəbl] nevratný *(~ bottles)*
nonreversible [ˌnonriˈvə:səbl] tech. nevratný, jednosměrný
nonrigid [ˌnonˈridžid] nemající pevnou kostru
nonrun [nonran] **1** punčocha nepouštějící oka **2** start letadla vertikální
nonscheduled [ˌnonˈšedju:ld] letecká linka nepravidelný
nonselfgoverning [nonˌselfˈgavəniŋ] nesamostatný, neautonomní
non-self-righter [nonˈselfˌraitə] samočinně se nevyrovnávající člun
nonsense [nonsəns] **1** nesmysl; nesmyslnost, absurdnost **2** hloupost, pitomina **3** nesmysly, hlouposti, pitomosti ♦ *make ~ of a t.* udělat z čeho úplný nesmysl a tím zkazit, zničit, znemožnit; *stand no ~ 1.* netrpět žádné hlouposti *2.* nedat si nic líbit; *~ verse* absurdní komická poezie
nonsense book [nonsənsbuk] absurdní humor vydaný knižně
nonsensical [ˌnonˈsensikəl] nesmyslný, absurdní
nonshattering [ˌnonˈšætəriŋ] netříštivý
nonshrink [ˌnonˈšriŋk] nesrážlivý, nesrážející se
nonsignatory [ˌnonˈsignətəri] kdo není signatář, kdo nepodepsal např. dohodu
nonsked [ˌnonˈsked] = *nonscheduled*
nonskid [ˌnonˈskid] **1** neklouzavý, nekluzký **2** bránící smyku, protiskluzový, protismykový
nonslip [ˌnonˈslip] neklouzavý
nonsmog [ˌnonˈsmog] nevypouštějící škodlivé zplodiny do vzduchu *(a ~ vehicle)*
nonsmoker [ˌnonˈsməukə] **1** nekuřák **2** nekuřácké oddělení v železničním voze; nekuřácký vůz, nekuřák (hovor.)
nonsmoking [ˌnonˈsməukiŋ] : *~ compartment* nekuřácké oddělení, „nekuřáci" v železničním voze
nonsociety [ˌnonsəˈsaiəti] AM **1** dělník odborově neorganizovaný **2** podnik zaměstnávající odborově neorganizované zaměstnance
nonspecialist [ˌnonˈspešəlist] neodborník, laik
nonsplintering [ˌnonˈsplintəriŋ] : *~ glass* netříštivé sklo
nonstandard [ˌnonˈstændəd] **1** jazyk substandardní **2** nestandardní, horší než standardní
nonstarter [ˌnonˈsta:tə] **1** nestartující kůň v dostihu, do něhož byl přihlášen **2** předem ztracený případ člověk n. záležitost bez naděje na úspěch
nonstick [ˌnonˈstik] jsoucí s teflonovou vložkou, teflonový
nonstop [ˌnonˈstop] *s* **1** přímý rychlík **2** přímá cesta bez zastávek ♦ *adj* přímý, bez přerušení, bez zastávky n. mezipřistání ● *adv* přímo, bez zastávky, nonstop; v jednom tahu
nonsuccess [ˌnonsəkˈses] neúspěch
nonsuch [nansač] **1** eso, unikát člověk n. věc nemající sobě rovna **2** bot. též *black ~* bot. tolice dětelová
nonsuit [ˌnonˈsju:t] *s* zamítnutí žaloby ● *v* zamítnout žalobu komu
nonswimmer [ˈnonˌswimə] neplavec
nontaxable [ˌnonˈtæksəbl] nezdanitelný, nepodléhající dani
nonthinker [ˌnonˈθiŋkə] kdo nepřemýšlí, nemyslí n. neuvažuje
nontoxic [ˌnonˈtoksik] nejedovatý, netoxický
nontribal [ˌnonˈtraibəl] nemající strukturu podle domorodých kmenů
non-U [ˌnonˈju:] hovor. *adj* nevhodný pro „vyšší společnost", deklasující, obyčejný, vulgární ● *s* **1** obyčejný člověk **2** společensky neúnosné chování, vulgární chování
nonunion[1] [ˌnonˈju:njən] **1** odborově neorganizovaný *(~ carpenters)* **2** neuznávající n. nepodporující odborové organizace *(a ~ contractor* podnikatel zaměstnávající odborově neorganizované zaměstnance)
nonunion[2] [ˌnonˈju:njən] nesrůst zlomené kosti
nonunionist [ˌnonˈju:njənist] *s* odborově neorganizovaný pracovník ● *adj = nonunion*[1]
nonusage [ˌnonˈju:zidž] neužívání, nepoužívání
nonus [nəunəs] devátý
nonuse [nonju:s] neužití, nepoužití
nonuser [ˌnonˈju:zə] neuplatnění (a proto) promlčení práva n. výsady

nonverbal [nonvə:bl] **1** jsoucí bez slov, mimoslovní **2** špatně se vyjadřující **3** neslovesný
nonviable [ˌnonˈvaiəbl] neschopný života
nonvintage [ˌnonˈvintidž] víno mladý, nearchívní
nonviolence [ˌnonˈvaiələns] pasívní rezistence
nonviolent [ˌnonˈvaiələnt] nenásilný
nonvolatile [ˌnonˈvolətail] netěkavý
nonvoting [ˌnonˈvəutiŋ] **1** nehlasující **2** neopravňující hlasovat, nespojený s hlasovacím právem
non-wage-earning [nonˌweidžˈə:niŋ] : ~ *activity* nevýdělečná činnost
nonwhite [ˌnonˈwait] **1** obyvatel barevný **2** určený pro barevné obyvatelstvo
nonword [nonwə:d] nikde jinde nedoložené slovo
nonworkable [ˌnonˈwə:kəbl] **1** nezpracovatelný **2** netvárný
non-woven [nonˈwəuvən] netkaný
noodle[1] [nu:dl] nudle, nudlička ◆ *celestine* ~*s* celestýnské nudle; *fried* ~*s* fritátové nudle; *soup* ~*s* polévkové nudle
noodle[2] [nu:dl] AM slang. **1** hlupák, trouba, mamlas, pytlík **2** kokos, kebule hlava.
noodle[3] [nu:dl] improvizovat v džezu
noodledom [nu:dldəm] **1** Hlupákov, království pitomců; pitomci **2** hlupáctví, hloupost, pitomost
nook[1] [nuk] **1** kout, růžek **2** zastrčený kout, díra ◆ *search every* ~ *and cranny* prohledat každou škvíru n. skulinu
nook[2] [nuk] hovor. nukleární zbraň
noon [nu:n] **1** poledne **2** přen. zenit, vrchol (*the* ~ *of life* životní vrchol)
noonday [nu:ndei] *s* poledne ● *adj* polední ◆ ~ *witch* polednice
nooning [nu:niŋ] **1** poledne **2** polední přestávka **3** oběd **4** polední odpočinek
noontide [nu:ntaid] *s* **1** poledne **2** přen. zenit, vrchol (*at the* ~ *of night*) ● *adj* polední
noontime [nu:ntaim] poledne
noose [nu:s] *s* **1** smyčka, oprátka; oko **2** žert. chomout, jho manželství **3** námoř. volná smyčka, námořní dračí smyčka ◆ *put one's head in the* ~ *1.* strčit dobrovolně hlavu do smyčky *2.* nechat se nachytat ● *v* **1** chytnout do smyčky n. do oka **2** oběsit **3** udělat smyčku na
Nootka [nu:tkə] : ~ *cedar* / *cypress* bot. cypřišek nutkajský
nopal [nəupl] bot. opuncie, nopál kaktus
nopalery [nəupləri] (*-ie-*) nopálová plantáž
nope [nəup] hovor. ne, ani nápad, žádné takové
nor [no:] **1** *neither* ... ~ ... ani ... ani ... (*they had neither arms* ~ *provisions* neměli ani zbraně, ani potraviny, *I have neither time* ~ *money for nightclubs*) **2** a / ale také ne (*all this is true,* ~ *must we forget*) **3** bás., zast. ani (~ *gold* ~ *silver, not a man* ~ *a child was to be seen*)
nor' [no:] zejm. námoř. = *north*
nor'ard [no:əd] = *northward*
Nordic [no:dik] *adj* nordický; severský, severní ● *s* Seveřan
nor'-east [ˌno:rˈi:st] = *north-east*
nor'-easter [ˌno:ˈri:stə] = *north-easter*
Norfolk [no:fək] Norfolk ◆ ~ *capon* BR uzenáč; ~ *dumpling* žert., hanl. obyvatel Norfolku; ~ *Island pine* bot. blahočet ztepilý; ~ *jacket* volné sako s páskem; ~ *plover* zool. *1.* dytík *2.* koliha; ~ *turkey* žert., hanl. = ~ *dumpling*
norland [no:lənd] BR severní kraj, sever
norm [no:m] norma, standard
normal [no:məl] *adj* **1** normální, obyčejný (~ *working hours, a* ~ *price, a* ~ *married life*) **2** kolmý (~ *to the surface*) ◆ ~ *school* AM učitelský ústav ● *s* **1** kolmice **2** normál **3** cokoliv normálního, např. teplota
normalcy [no:məlsi] (*-ie-*) zejm. AM normální stav, normální poměry, normální život (*return to* ~ *after war*)
normality [no:ˈmæləti] (*-ie-*) **1** normálnost, normalita **2** normální stav
normalization [ˌno:məlaiˈzeišən] normalizace (~ *of diplomatic relations*)
normalize [no:məlaiz] normalizovat, standardizovat
Norman [no:mən] *pl: Normans* [no:mənz] *s* **1** Norman **2** Normanďan **3** normanština ● *adj* normanský ◆ ~ *architecture* normanská architektura, raná gotika; ~ *Conquest* dobytí Anglie Normany, Normanský zábor bitvou u Hastingsu r. 1066; ~ *English* normanská angličtina; ~ *French* normanština; ~ *style* normanský styl architektury, raná gotika
Normanesque [ˌno:məˈnesk] podobný normanskému stylu architektury, podobný rané gotice
Normandy [no:məndi] Normandie
Normanism [no:mənizəm] **1** normanský ráz, normanství **2** normanský výraz, normanské rčení
Normanization [ˌno:mənaiˈzeišən] normanizace, ponormanštění
Normanize [no:mənaiz] normanizovat, ponormanštit
normative [no:mətiv] **1** normativní (~ *grammar*) **2** normotvorný (*a* ~ *law*) **3** jsoucí podle normy, normální
Norn [no:n] norna sudička v nordické mytologii
nor'-nor'-east [ˌno:norˈi:st] = *north-north-east*
nor'-nor'-west [ˌno:no:ˈwest] = *north-north-west*
Norroy [noroi] BR herald. ~ *King of Arms* Severní heroldský král pro Anglii na sever od Trentu
Norse [no:s] *s* **1** norština **2** hist. stará norština, severština ● *adj* **1** norský **2** hist. severský, skandinávský
Norseland [no:slænd] **1** Norsko **2** hist. (stará) Skandinávie
Norseman [no:smən] *pl: -men* [-mən] **1** Nor **2** hist. Seveřan, Skandinávec
Norsk [no:sk] = *Norse*

north [no:θ] *s* **1** sever (*the ~ of England, magnetic ~, cold winds from the ~*) **2** severák, severní vítr **3** bridž sever jeden ze čtyř hráčů ● *adj* severní; k severu obrácený (*the ~ wall*) ◆ *N~ Britain* Severní Británie, Skotsko; *N~ Briton* Skot; *N~ country* BR severní Anglie; *too far ~* příliš chytrý; *N~ latitude* severní šířka; *~ light 1.* světlo dopadající ze severu *2.* severní záře, polární záře *3.* okno na sever zejm. ve střeše; *N~ Pole* severní pól; *N~ Sea* Severní moře; *N~ Star* Severka, Polárka; *~ and south* v severojižním směru ● *adv* severně, na sever *of* od, k severu, severním směrem

northbound [no:θbaund] jedoucí n. vedoucí k severu n. na sever

north-country [ˈno:θˌkantri] BR severoanglický

north-countryman [ˌno:θˈkantrimən] *pl: -men* [-mən] rodák ze severní Anglie

north-east [ˌno:θˈi:st] *s* **1** severovýchod **2** severovýchodní vítr ● *adj* severovýchodní ◆ *N~ passage* hist. severovýchodní cesta, cesta na severovýchod domnělá cesta do Indie na východ kolem severní Evropy a Asie ● *adv* severovýchodně, na severovýchod *of* od; k severovýchodu, severovýchodním směrem

north-easter [ˌno:θˈi:stə] bouře, vichřice n. vítr od severovýchodu

north-easterly [ˌno:θˈi:stəli] *adj* **1** severovýchodní **2** plavba severovýchodním směrem ● *s* (*-ie-*) severovýchodní vítr

north-eastern [ˌno:θˈi:stən] **1** severovýchodní (*~ suburbs of the city* severovýchodní předměstí města) **2** jsoucí na severovýchodě např. Spojených států (*~ seaports*)

north-eastward [ˌno:θˈi:stwəd] *s* severovýchod ● *adj* severovýchodní ● *adv* severovýchodně, na severovýchod, severovýchodním směrem

north-eastwards [ˌno:θˈi:stwədz] = *north-east, adv*

norther [no:ðə] AM studený severák postihující Texas, Floridu a Mexický záliv

northerly [no:ðəli] *adj* **1** severní (*~ slopes of hills* ... svahy kopců) **2** jsoucí na sever, směrem k severu (*~ flight of birds* let ptactva severním směrem) **3** severský (*a ~ atmosphere*) **4** vítr vanoucí ze severu, severní ● *adv* **1** ze severu (*the wind blew~*) **2** na sever, severním směrem (*streets running ~*)

northern [no:ðən] *adj* **1** severní (*the ~ hemisphere*) **2** severský (*~ autumn, a pallid ~ day* bledý severský den) **3** řidč.: dující ze severu (*a ~ snowstorm* sněhová bouře od severu) ◆ *~ alder* olše šedá; *N~ cross* Labuť souhvězdí; *~diver* zool. potáplice lední; *~ lights* polární záře, severní záře; *~ pine* borovice vejmutovka ◆ *s* **1** severák **2** hist. kanoe z březové kůry

northerner [no:ðənə] člověk ze severu např. Spojených států; obyvatel Severu, Seveřan

northernmost [no:ðənməust] nejsevernější

northing [no:ðiŋ] **1** úchylka plavidla směrem k severu; severní rozdíl v šířce **2** pohyb severním směrem

Northland [no:θlænd] bás. sever, severní kraj

Northman [no:θmən] *pl: -men* [-mən] **1** Seveřan, Skandinávec **2** AM obyvatel Severní Kanady

north-north-east [ˌno:θno:θˈi:st] *s* severoseverovýchod ● *adj* severoseverovýchodní ● *adv* severoseverovýchodně, na severoseverovýchod; k severoseverovýchodu; severoseverovýchodním směrem

north-north-west [ˌno:θno:θˈwest] *s* severoseverozápad ◆ *adj* severoseverozápadní ● *adv* severoseverozápadně, na severoseverozápad; k severoseverozápadu; severoseverozápadním směrem

north-polar [ˌno:θˈpəulə] severopolární, arktický

Northumbrian [no:ˈθambriən] *adj* **1** hist. northumbrijský **2** northumberlandský ● *s* **1** hist. obyvatel Northumbrie **2** hist. northumbrijské nářečí **3** Northumberlanďan, obyvatel Northumberlandu **4** northumberlandské nářečí

northward [no:θwəd] *s* sever, severní směr ● *adv* též *~s* na sever *of* od; k severu; severním směrem ● *adj* severní (*the ~ part*); severním směrem (*our ~ voyage* naše plavba na sever)

northwardly [no:θwədli] *adv* na sever, k severu, severním směrem (*travelling ~*) ● *adj* severní (*~ wind*)

northwest [ˌno:θˈwest] *s* **1** severozápad **2** severozápadní vítr ● *adj* severozápadní ◆ *N~ passage* hist. severozápadní cesta, cesta na severozápad domnělá cesta k Tichému oceánu kolem severního pobřeží Severní Ameriky ● *adv* severozápadně, na severozápad *of* od; k severozápadu; severozápadním směrem

north-wester [no:θwestə] bouře, vichřice n. vítr od severozápadu

north-westerly [ˌno:θˈwestəli] *adj* **1** severozápadní **2** plavba: jsoucí severozápadním směrem ● *s* (*-ie-*) severozápadní vítr

north-western [ˌno:θˈwestən] **1** severozápadní (*~ counties*) **2** na severozápadě např. Spojených států (*~ forests*)

north-westward [ˌno:θˈwestwəd] *s* severozápad ● *adj* severozápadní ● *adv* **1** severozápadně, na severozápad *of* od **2** též ~s severozápadním směrem

norward(s) [no:wəd(z)] = *northward*

Norway [no:wei] Norsko

Norwegian [no:ˈwi:džən] *adj* norský ● *s* **1** Nor **2** norština

nor'-west [no:ˈwest] = *northwest*

nor'-wester [no:ˈwestə] **1** bouře, vichřice n. vítr od severozápadu **2** námoř. slang. prcek, frťan **3** nepromokavý klobouk, rybářský klobouk

nose [nəuz] *s* **1** nos (*hit a man on the ~* udeřit člověka do nosu); čenich, čumák, rypák (*hit the shark over the ~ with an oar* udeřit žraloka veslem přes čumák); čichací orgán **2** čich, (dobrý) nos (*a dog with a good ~, an old man with* *a ~ for scandal*) **3** BR vůně, pach (*a musty ~* zatuchlý pach, *the hay would lose its ~* seno by ztratilo svou vůni); kytka, buket vína **4** předek, přední konec (*the ~ of my car*); špička lodi, letadla n. střely; hubice pánve n. hadice; ústí, konec vřetena; příď, přední vaz, konec předního vazu **5** výstupek, výčnělek **6** délka nosu (*he won the race by the ~* vyhrál závod o prsa) **7** nosník brýlí **8** slang. policejní špicl, čmuchal, práskač ◆ *~ bit* jednobřitový vrták pro kolovrátek; *bite a p.'s ~ off 1.* odseknout komu *2.* dát / udělat nos komu; *~ block* (dlažební) kostka s nosem; *blow one's ~* vyčistit si nos, vysmrkat se; *~ box* nosová skříň leteckého motoru; *his ~ is always brown* vulg. pořád někomu leze do prdele; *by a ~* hovor. o chlup, těsně; *~ cap 1.* čelní kryt letadla *2.* náustník dělové hlavně *3.* hlava zapalovače; *count ~s 1.* počítat přítomné n. přívržence *2.* rozhodnout číselnou většinou; *cut off one's ~ to spite one's face* sám si uškodit ze vzteku; *~ down* letadlo střemhlav; *follow one's ~ 1.* jít rovnou za nosem *2.* jít podle čichu *3.* řídit se vlastním instinktem; *~ glasses* skřipec, cvikr; *have one's ~ in a book* ležet v knihách; *hold one's ~* zacpat si nos prsty; *keep one's ~ to the grindstone 1.* stále jen dřít a dřít *2.* nutit koho stále dřít; *lead by the ~* vodit za nos; *make a long ~* u|dělat dlouhý nos; *look down one's ~ at a p.* dívat se spatra na koho; *on the ~ 1.* AM přesně *2.* AU slang. prašivý, smradlavý; *parson's ~* biskup u drůbeže; *pay through the ~* nechat si tahat peníze z kapsy, platit přemrštěné částky, nechat se oškubat; *~ of pier* ledolom mostního pilíře; *as plain as the ~ in your face* jasné jako facka; *poke / put / thrust / one's ~ into* strkat svůj nos do čeho; *pope's ~ = parson's ~; put a p.'s ~ out of joint 1.* udělat čáru přes rozpočet komu *2.* vyšoupnout, vyhodit ze sedla koho; *rub a p.'s ~ in a t.* hovor. dát komu co sežrat, omlátit o hubu komu co; *he cannot see beyond (the length) of his ~* nevidí si ani na špičku nosu; *snap a p.'s ~ off = bite a p.'s ~ off; speak through one's ~* mluvit nosem, huhňat; *~ spray* kužel rozletu střepin granátu; *~ to tail* těsně za sebou; *tell ~s = count ~s; turn up one's ~ at* ohrnovat nos nad; *under one's ~* přímo před nosem; *~ up* nosem vzhůru; *~ of wax* vosk, kousek vosku, s nímž si každý může dělat co chce člověk i věc ● **1** též *~ around* čichat, čenichat *after / for* po **2** též *~ out* vyčenichat, vyčuchat (*the dog ~d out a rat*) **3** strkat nos *into* do (*a man who is always nosing into other people's affairs*) **4** strkat čumákem (*wolves or foxes had ~d aside some of the rocks, the dog ~d the door open* pes si otevřel dveře čumákem); lísat se čumákem k (*his dog came and ~d him*) **5** rozrážet špicí n. přídí (*our craft ~d the first strong swell* naše plavidlo rozrazilo přídí první velkou vlnu) **6** šinout se opatrně (*the cars began to move again, nosing out into the main road*); plavit se opatrně (*he had been nosing along the shores* opatrně se plavil podél břehů) **7** porazit o hlavu při dostihu; vzít o prsa při závodě **8** zaoblit konec klády ◆ *~ one's way 1.* razit si cestu, zejm. opatrně *2.* postupovat, šinout se opatrně ***nose ahead*** dostat se dopředu těsně ***nose in*** geologická vrstva zlomit se ***nose out*** geologická vrstva vyrovnat

nose around [ˌnəuzəˈraund] prohledávání, kramaření

nosebag [nəuzbæg] obročnice, ovesník, pytlík na píci k upevnění ke hlavě koně

noseband [nəuzbænd] nánosník koňského postroje

nosebleed [nəuzbli:d] krvácení z nosu

noseclip [nəuzklip] skřipec na nos potápěče

nosecone [nəuzkəun] **1** kosm.: oddělitelná kabina na špici kosmické lodě **2** voj. hlavice balistické střely

nose dive [nəuzdaiv] *s* střemhlavý let letadla, let střemhlav ● *v nose-dive* letadlo letět střemhlav

nose-down [nəuzdaun] let. *adj* směřující k zemi *s* sestup, klesání

nose-end [nəuzend] špička zejm. nosu

nose flute [nəuzflu:t] hud. nosová flétna

nosegay [nəuzgei] vonička; malá kytice, pugét zejm. vonných květin

nose hole [ˌnəuzˈhəul] chřípí

noseless [nəuzlis] beznosý, jsoucí bez nosu

nose monkey [ˈnəuzˌmaŋki] opice nosatá

nosepiece [nəuzpi:s] **1** nánosník koňského postroje **2** otočná hlavice mikroskopu **3** hubice

nosepipe [nəuzpaip] **1** hubice, hubička **2** koncový násadec hadice

noser [nəuzə] **1** rána do nosu **2** pád na nos **3** protivítr, protivný vítr (hovor.)

nose rag [nəuzræg] slang. kapesník

nose ring [nəuzriŋ] nosní kroužek, kroužek do nosu

nose-up [ˌnəuzˈap] let. směrem nahoru

nose warmer [ˈnəuzˌwo:mə] slang. čibuk lulka, krátká dýmka

nosey [nəuzi] (*-ie-*) = *nosy*

nosh [noš] *v* stále pojídat n. jíst malé množství *s* **1** BR jídlo **2** AM svačina, malé občerstvení, obložený chléb **3** malé občerstvení mezi dnem, něco k zakousnutí **4** restaurace; bufet, snack-bar

no show [ˌnəuˈšəu] cestující, který se nedostavil ačkoli si rezervoval místo, zejm. v letadle

nosh-up [nošap] BR slang. velká bašta, žranice (*what a ~ we had on my birthday!*)

nosiness [nəuzinis] dotěrnost; všetečnost

nosing [nəuziŋ] **1** náběh, obloun schodu n. prkna **2** zhlaví mostního pilíře **3** vrtění parní lokomotivy **4** v. *nose, v*

nosography [nəuˈsogrəfi] med. nosografie popis a třídění nemocí

nosological [ˌnosəˈlodžikəl] med. nosologický

nosologist [nəu'solədžist] med. nosolog odborník v nosologii

nosology [nəu'solədži] med. nosologie nauka o nemocech

nostalgia [ˌnos'tældžiə] **1** tesknice, nostalgie touha po domově **2** bolestná n. teskná touha, stesk

nostalgic [ˌnos'tældžik] nostalgický; teskný, tesklivý, bolestný

nostoc [nostok] bot. **1** jednořadka **2** rod sinic

Nostradamus [ˌnostrə'deiməs] přen. jasnovidec, věštec

nostril [nostril] nozdra

nostrilled [nostrild] jsoucí s nozdrami, mající nozdry

no-strings [nəustriŋz] poskytnutý bez jakýchkoli podmínek (*a ~ pay deal*)

nostrum [nostrəm] všelék, univerzální lék, zázračná medicína, též přen. (*this spiritually impotent but socially powerful ~* tento duchovně impotentní, ale společensky mocný všelék)

nosy [nəuzi] (-*ie*-) *adj* **1** nosatý **2** čpící, zatuchlý, páchnoucí (*as ~ as a slave ship of niggers* smradlavý jako otrokářská loď plná negrů) **3** citlivý na pach (*the most ~ visitor has no legitimate grounds for offence* žádný návštěvník, byť byl na pach sebecitlivější, nemá skutečně právo se cítit dotčen) **4** voňavý, vonící (*a new and ~ tea*) **5** slang. dotěrný, všetečný, vlezlý ◆ *N~ Parker* BR všetečka; člověk, který do všeho strká nos ● *s* nosáč, nosatec člověk s velkým nosem

nosy-park [nəuzipa:k] strkat do všeho nos

not [not] **1** ne, nikoliv (*~ in sight* nikoliv v dohledu / na dohled; *will he be here or ~; ~ a full cup, please; ~ dishonest*) **2** ne- (*I know ~* nevím, *I doubt ~* nepochybuji, *say ~ so* to neříkej, *fear ~* neboj se, *~ to go is a mistake* chyba je nejít); za pomocnými slovesy též *n't* [nt, n] (*I cannot = I can't, he will not = he won't, she is not = she isn't, do not = don't* etc.) **3** po slovesech vyjadřujících názor že ne (*Can you come next week! I am afraid ~. Will it rain this afternoon? I hope ~*) **4** před podstatným jménem n. osobním zájmenem kdepak (*the Chinese will not fight, ~ they*) ◆ *~ a / an* ... ani jeden (*~ a hair on your head will be touched* nezkřiví se ti ani vlas na hlavě, *five wounded and ~ a man killed*); *~ at all 1.* vůbec ne *2.* po poděkování prosím, rádo se stalo; *~ but / but what / but that* ačkoliv, nicméně; *~ half* BR slang. *1.* a jak, šíleně, děsně, hrozně moc, to bych prosil (*Was he annoyed! N~ half.* Otrávilo ho to! Že váháš.) *2.* před přídavným jménem vůbec ne, naprosto ne (*she is ~ half bad*); *as likely as ~* pravděpodobně; *or ~* ne- (*a boss or ~, he must behave* šéf nešéf, musí se chovat slušně); *~ out* kriket *1.* mužstvo pálkující *2.* pálkař neporažený *3.* skóre bez poražené branky; *as soon as ~* s větší chutí, raději; *~ that* ne že (by)

nota bene [ˌnəutə'bi:ni] **1** pozor!, nepřehlédnout! **2** poznámka, douška, postskriptum **3** notabene, mimoto, dokonce

notabilia [ˌnəutə'biliə] *pl* pozoruhodnosti

notability [ˌnəutə'biləti] (-*ie*-) **1** významná n. vynikající osobnost; hodnostář, notábl (*all the notabilities gave balls* všechny honorace pořádaly plesy) **2** pozoruhodnost, pamětihodnost (*names of no historical ~*) **3** BR zast. zručnost ve vedení domácnosti, dobré hospodaření

notable [nəutəbl] *adj* **1** pozoruhodný (*the ~ increase in joint production of films*); nápadný (*the most ~ exception to this statement* nejnápadnější výhrada proti tomuto prohlášení) **2** důležitý, význačný (*he appeared as chief counsel in many ~ cases* v mnoha důležitých procesech vystupoval jako hlavní obhájce) **3** výtečný, vynikající (*a ~ technique* vynikající technika) **4** smutně proslulý (*a ~ criminal*) **5** pozorovatelný (*other important events were ~ throughout 1948*) **6** zast. vedoucí dobře domácnost (*~ mothers*) **7** zast. hospodyně schopný, šikovný, dobrý **8** chem. rozpoznatelný, zjistitelný (*suppose we wish to know whether it contains a ~ quantity of oxide of manganese* dejme tomu, že zkoumáme, jestli v tom lze zjistit nějaký kysličník manganičitý) ● *s* **1** notábl, významný člověk, významná osobnost (*~s from princes to publishers were involved* byly do toho zapleteny význačné osobnosti, od knížat až po nakladatele) **2** příslušník společenské smetánky **3** *N~s, pl* hist. notáblové představitelé jednotlivých stavů ve Francii ◆ *Assembly of N~s* nouzový parlament, prozatímní rada

notably [nəutəbli] **1** nápadně, pozoruhodně (*seasons vary ~ in length*) **2** zvlášť, obzvlášť (*neither comfortable nor ~ uncomfortable*) **3** zejména (*other powers, ~ Great Britain and the United States*)

notarial [nəu'teəriəl] notářský, notářem vyhotovený (*~ documents*)

notarize [nəutəraiz] (dát) notářsky ověřit (*~ a legal paper*)

notary [nəutəri] (-*ie*-) často *~ public* notář

notation [nəu'teišən] **1** notace notový záznam, notové písmo; číselný záznam; záznam symbolickými znaky **2** zaznamenávání, zapisování notami, číslicemi n. symbolickými znaky **3** poznámky, záznam, zápis (*the damage, according to the constable's, ~ consisted of a broken front bumper* podle policistova zápisu tvořil celou škodu zlomený přední nárazník) **4** skica výtvarná n. literární **5** matematická symbolika

notch [noč] *s* **1** vrub, zářez (*three ~es on the butt of his six-shooter* tři zářezy na pažbě jeho koltu) **2** zásek, zaseknutí, podseknutí **3** kriket běh **4** AM soutěska, průsmyk **5** AM přen. cihla, stupeň (*his voice rose another* ~ jeho hlas stoupl o další cihlu) **6** odb. útor sudu; poloha řadicí páky; olamková stopa litery ◆ ~ *planting* les. štěrbinová sazba ● *v* **1** u|dělat vrub n. zářez **2** též ~ *down* / *up* poznamenat zářezem n. vrubem (*he* ~*ed another kill into the butt of his gun* poznamenal si dalšího zabitého zářezem na pažbu revolveru) **3** přen. vynést (*he wrote the thesis which* ~*ed him his MD.*) **4** přen. zajistit (*he* ~*ed himself a place in Spanish history*) **5** zapustit, zaklesnout pomocí vrubů (*logs* ~*ed into each other at the corners* klády spojené v rozích pomocí vrubů) **6** nasadit na tětivu šíp **7** odb. vyřezávat útor sudu; přestavovat, přeřazovat řadicí páku ◆ ~ *groove* drážka, zářez ***notch up 1*** dosáhnout, docílit čeho *2* zaznamenat, vysledovat

notched [nočt] **1** zubatý, pilovitý **2** v. *notch, v*

notch-wing [nočwiŋ] zool. obaleč

notchy [noči] (*-ie-*) zubatý, pilovitý

note [nəut] *s* **1** nota **2** tón, též přen. (*her voice carried a* ~ *of irritation* v jejím hlase bylo slyšet podrážděný tón, *a strong* ~ *of realism*) **3** zvuk (*the iron on the roof gave an uneasy warning* ~ železo na střeše vydalo ustrašený, varovný zvuk) **4** klávesa **5** ptačí zpěv **6** známka, charakteristický znak **7** znamení (*a* ~ *of infamy* ... hanby) **8** poznámka (*a new edition of "Hamlet" with copious* ~*s* nové vydání „Hamleta" se spoustou poznámek) **9** sdělení, krátký dopis, lístek, pár řádek **10** diplomatická nóta **11** noticka v novinách **12** bankovka **13** též ~ *of hand* dlužní úpis, poukázka (*a figure of almost international* ~) **14** odb. základní složka vůně parfému ◆ *of* ~ význačný, významný (*a critic of* ~); *bills and* ~*s* obchodní papíry, cenné papíry; *compare* ~*s* vyměnit si názory n. zkušenosti; *cover* ~ potvrzení o pojistném krytí; *credit* ~ dobropis; *delivery* ~ dodací list; ~ *of exclamation* / *exclamation* ~ vykřičník; *explanatory* ~ vysvětlivka; ~ *forger* padělatel bankovek; ~ *of interrogation* / *interrogation* ~ otazník; ~*s of judicial decision* sbírka soudních rozhodnutí; *make a* ~ *1.* poznamenat | si; *2.* zapamatovat si; *promissory* ~ dlužní úpis, vlastní směnka; *side* ~ marginálie; *sold* ~ prodejní odpočet; *strike the right* ~ udeřit na správnou strunu; *strike* / *sound a false* ~ uhodit na špatnou strunu; *take* ~ všimnout si (dobře); *take a* ~ poznamenat | si; *worthy of* ~ pozoruhodný ● *v* **1** dávat pozor na (*please* ~ *my words*) **2** též ~ *down* zapsat | si, poznamenat | si (*he* ~*d in the margin his disagreement with the author* poznamenal si na okraj, kde s autorem nesouhlasí, *the policeman* ~*d down every word I said*) **3** všimnout si (*she* ~*d that his hands were dirty*) **4** pozorovat (*in these brilliant and gifted inhabitants one may* ~ *a number of characteristics* u těchto velice bystrých a nadaných obyvatel můžeme pozorovat řadu charakteristických vlastností) **5** opatřit poznámkami, opoznámkovat (~ *cases for the attorney general* udělat generálnímu prokurátorovi poznámky k procesům) **6** zaregistrovat (*on this occasion she was merely* ~*d as a member of the company*), vzít na vědomí

notebook [nəutbuk] zápisník, notes, sešit, diář

notecase [nəutkeis] řidč. náprsní taška, náprsní peněženka

noted [nəutid] **1** slavný, význačný, významný *for* čím **2** v. *note, v*

noteless [nəutlis] **1** nepozorovaný **2** nechaný bez povšimnutí **3** nemelodický, nelibozvučný

notelet [nəutlit] **1** sděleníčko **2** poznámečka **3** přeložený poznámkový lístek s tiskem na první straně

notepad [nəutpæd] poznámkový blok

notepaper [ˈnəutˌpeipə] dopisní papír zejm. pro soukromou korespondenci

note-row [nəutrəu] hud.: dvanáctitónová tónová řada

noteworthy [ˈnəutˌwə:ði] pozoruhodný

nother [naðe] hovor. = *another*

nothing [naθiŋ] *pron* **1** nic (*there's* ~ *interesting in the newspaper, he has* ~ *in him, that is* ~) **2** nula (*multiply six by* ~ *and the result is* ~ znásob šest nulou a výsledek je nula) ◆ *be* ~ nebýt nic ani katolík, ani protestant, být ateista; *be* ~ *to* nebýt nic proti (*my losses are* ~ *to yours* moje ztráty jsou daleko menší než tvoje); *all to* ~ všechno proti ničemu sázka; ~ *but* / *else but* / *else than* nic než, jenom, pouze; *come to* ~ *1.* zkrachovat *2.* nepřinést žádný výsledek *3.* rozplynout se; *dance on* ~ houpat se, viset být oběšen; ~ *doing* slang. *1.* nedá se nic dělat *2.* nejde to, nelze; *feel like* ~ *on earth* hovor. cítit se mizerně; *for* ~ *1.* zdarma, zadarmo (*get things for* ~) *2.* nadarmo (*it was not for* ~ *that he spent three years studying the subject*); ~ *for it* (*but*) jediná možnost (*there is* ~ *for it but to keep her under close inspection* jediná možnost je mít ji pod přísným dozorem); *go for* ~ být zbytečný n. ztracený, přijít nazmar (*six month's hard work all gone for* ~); *have* ~ *to do with 1.* nemít nic společného s, vyhnout se komu / čemu (*I advise you to have* ~ *to do with that man* radím ti, aby ses tomu člověku vyhnula) *2.* netýkat se koho (*this has* ~ *to do with you*); *have* ~ *on 1.* nevědět nic na, nemít nic proti (*the police had* ~ *on him*) *2.* nemít nic na sobě; *3.* iron. nebýt víc než (*now Ford has* ~ *on me: I have my own car too!*); ~ *if not* velice, nesmírně (~ *if not persistent* nesmírně vytrvalý); ~ *to it* to se sfoukne jako nic, úplná hračka; *there is* ~ *like* není nad; *make* ~ *of 1.* nedělat si nic z čeho *2.* nedokázat pochopit co; ~ *much* nic důležitého; *no* ~ vůbec nic, absolutně nic (*no bread, no butter, no cheese, no* ~ ; ~ *of the kind* ale vůbec ne, to tě nesmí ani napadnout; *to say* ~ *of* nemluvě o (*he had his wife and seven children with* *him in the car, to say ~ of two dogs, a cat and a parrot*); *there is ~ to it* to nic není, to je hračka je to snadné; *think ~ of* nepokládat co za něco zvláštního (*he thinks ~ of a twenty-mile walk* dvacetimílový pochod pro něj nic není / to je pro něho hračka); *~ to write home about* nic zvláštního, nic mimořádného ● *s* **1** vyložená nula (*the new commander-in-chief was a ~*) **2** *~s, pl* hlouposti, maličkosti, nic (*whisper sweet ~s*) ● *adv* **1** nijak, nikterak, vůbec ne (*it helps us ~ in such a difficulty*) **2** AM hovor. houby, vůbec ne, starou belu, starou bačkoru (*Is it gold! Gold ~, it's pinchbeck.* To je zlato? Starou belu zlato, tombak to je.) ◆ *~ like* /*near* zdaleka ne (*our frost seems to have been ~ like so severe as it has been in France or Italy* mrazy u nás asi nebyly zdaleka tak kruté jako ve Francii nebo Itálii)

nothingarian [ˌnaθiŋˈgeəriən] skeptik, agnostik

nothingness [naθiŋnis] **1** nicota, nicotnost **2** prázdno, prázdnota

no-throw [ˌnəuˈθrəu] sport.: neplatný hod, vrh který se nepočítá pro porušení pravidel

notice [nəutis] **1** oznámení (*~s of births, deaths and marriages in the newspapers*); vyhláška, ohláška **2** předběžné upozornění (*ten minutes ~* upozornění dané deset minut před událostí); varování, vyhlášení (*evacuate a school building in / at a minute's ~* vyklidit školní budovu minutu po vyhlášení) **3** výpověď ze zaměstnání n. z bytu (*the cook left without ~, give a servant a month's ~, receive a two month's ~ to quit* dostat dvouměsíční výpověď) **4** hlášení, zpráva o (*~ of any error should be addressed to the Office* každý omyl je nutno hlásit písemně Úřadu) **5** pozornost (*he first attracted ~ with his short novel*) **6** po|všimnutí (*this brought him into public ~* to způsobilo, že si ho veřejnost všimla) **7** recenze, kritika v novinách (*the stage play received glowing ~s* divadelní hra měla nadšené kritiky, *a collection of book ~s*); recenzování, kritika, hodnocení (*the books under ~* kritizované knihy) **8** inzerát (*one sees rude ~s of patent medicines*) ◆ *arrival ~ / ~ of arrival* návěští, avízo; *avoid ~* nebudit pozornost; *beneath a p.'s ~* pod čí důstojnost, aby si čeho kdo všímal (*their insults should be beneath your ~* jejich urážky by měly být pod vaši důstojnost); *bring a t. to a p.'s ~* upozornit koho na co; *bring into ~* oznámit, rozhlásit; *~ of claim* pojišť. ohlášení škody; *come to a p.'s ~* kdo být upozorněn na co; *~ of distingas* oznámení o soudní zápovědi, soudní zákaz; *do a t. at short ~ ~* dělat co na požádání n. (téměř) okamžitě; *escape ~* uniknout pozornosti; *~ of expulsion* oznámení o vypovězení ze země nežádoucího diplomata; *give ~ 1.* oznámit, dát zprávu *of* o *2.* pozorovat, všímat si *to* čeho **3.** upozornit, varovat *to* koho *4.* dát výpověď; *judicial ~* vzetí na vědomí soudem; *length of ~* výpovědní lhůta; *at a moment's ~* okamžitě; *post a ~* vyvěsit vyhlášku; *public ~* vývěska, vyhláška; *receive ~ 1.* dostat zprávu *2.* dostat výpověď; *serve a p. with a ~* dát / doporučit oznámení komu; *sit up and take ~* hovor. otvírat oči, zírat, stát v pozoru (přen.); *take ~ ~ 1.* všímat si (*take no ~ of what they say*) *2.* vnímat, reagovat, projevovat zájem o okolí (*the patient is sitting up and taking ~*); *take judical ~* vzít úředně na vědomí; *till / until further ~* až na další ● *v* **1** všimnout si (*I didn't ~ you, did you ~ him pause?*), z|pozorovat (*did you ~ his hand shaking*); dávat pozor (*I wasn't noticing*) **2** uvést, zmínit se o (*the city merchant's house that is ~d in another chapter, three of the four men ~d by name*) **3** dát výpověď komu (*~ a tenant* dát nájemníkovi výpověď) **4** recenzovat (*he asked me to ~ the book*) **5** zaznamenat v soudním kalendáři (*hearing on the motion was ~d for February 14* projednávání tohoto návrhu bylo zapsáno v soudním kalendáři na 14. února)

noticeable [nəutisəbl] **1** zasluhující pozornost (*a ~ word*) **2** nápadný, znatelný (*a ~, but not unpleasant taste* výrazná, ne však nepříjemná chuť)

noticeably [nəutisəbli] **1** nápadně, znatelně, zřejmě **2** značně ◆ *not ~* nijak zvlášť

noticeboard [nəutisbo:d] vývěsní tabule, nástěnka

notifiable [nəutifaiəbl] choroba podléhající hlášení

notification [ˌnəutifiˈkeišən] oznámení, sdělení *of* o, uvědomění zejm. úřední *of* o / koho

notify [nəutifai] (*-ie-*) **1** oznámit, ohlásit, sdělit co, informovat *of* o čem (*~ a birth, ~ a loss to the police*), informovat koho o / o tom, že **2** hlásit úředně *to* komu / kde / u (*all addicts to dangerous drugs should be notified to a central authority* všechny narkomany je nutno hlásit ústředí)

notion [nəušən] **1** ponětí, potucha (*I have no ~ of what he means*) **2** nápad (*your head is full of silly ~s*) **3** představa (*my ~ of the country genleman*) **4** dojem (*he has a ~ that I'm cheating him* má dojem, že ho podvádím) **5** pojem (*the meaning of the ~ "law"*) **6** názor, teorie (*the ~ of succession through females was already beginning to be entertained* začalo se už uvažovat o teorii o následnictví trůnu po přeslici) **7** chuť (*the people have no ~ of dying*) **8** *~s, pl* AM drobnosti, drobná galanterie v obchodním domě **9** *~s, pl* BR zvláštní slovník winchesterské koleje ◆ *fall into a ~ / take a ~* přijít na nápad

notional [nəušənl] **1** čistě spekulativní (*a ~ work*) **2** teoretický (*he distinguishes between ~ assent and real assent* činí rozdíl mezi souhlasem teoretickým a praktickým) **3** imaginární (*he bewilders himself in the pursuit of ~ phantoms* sám sobě mate hlavu honbou za imaginárními fantomy) **4** rozmarný, náladový (*his wife was rather ~*) **5** pojmový, nocionální (*~ words*) **6** AM náchylný si myslit (*I'm ~ that there is something queer*

afoot začínám mít dojem, že se děje něco podivného)
notionist [nəušənist] zast. člověk výstředních náboženských názorů
notobranchiate [ˌnəutəˈbræŋkieit] s dorzálními žábrami
notochord [nəutəko:d] zool. struna hřbetní
notonecta [ˌnəutəˈnektə] zool. znakoplavka
Notogaea [ˌnəutəˈdžiə] zoografická oblast (Austrálie, Nový Zéland a ostrovy v jihozápadním Tichomoří)
notoriety [ˌnəutəˈraiəti] (*-ie-*) **1** všeobecná známost, notoričnost **2** proslulost zejm. smutná n. neblahá **3** známý člověk zejm. nějakým skandálem
notorious [nəuˈto:riəs] **1** dobře známý (*iron is a ~ conductor of heat* železo je obecně známým vodičem tepla) **2** nechvalně známý, smutně n. neblaze proslulý (*a ~ criminal*) *for* čím (*a ship ~ for ill luck* loď smutně proslulá svou smůlou) **3** notorický (*a ~ gambler* ... hazardér)
notoriously [nəuˈto:riəsli] **1** notoricky **2** jak je obecně známo, jak každý ví
Notornis [nəuˈto:nis] zool. chřástalovitý pták rodu Notornis
not-quite [notˈkwait] *adj* ne zcela přijatelný ● *adv* téměř, málem, div ne ● *s* ne zcela přijatelný člověk; ne zcela přijatelná věc
Notre-Dame [ˌnəutrəˈda:m / AM ˌnəutəˈdeim] Notre Dame, chrám Matky Boží v Paříži
no-trump [ˌnəuˈtramp] bridž *adj* jsoucí bez trumfů ● *s* hláška n. hra bez trumfů
no-trumper [ˌnəuˈtrampə] bridž list, při němž lze licitovat hru bez trumfů
notthereness [ˌnotˈðeənis] **1** nepřítomnost **2** zaneprázdněnost
notwithstanding [ˌnotwiθˈstændiŋ] *prep* přes, nehledě na (*~ its wide distribution, it is an animal seldom encountered* ačkoli je tento živočich hodně rozšířen, lze se s ním setkat pouze zřídka; *this ~*) ● *adv* přesto, přece, nicméně (*the rite is ~ a real sacrament* tento obřad je přesto skutečnou svátostí) ● *conj* též *~ that* zast. ač, ačkoliv, třebaže (*he was detained prisoner, ~ that a truce existed between the two countries* ačkoliv bylo mezi oběma zeměmi příměří, zůstal v zajetí)
nougat [nu:ga:] nugát
nought [no:t] *s* **1** zast., bás. nic **2** nula ◆ *bring to ~* zničit, zmařit; *come to ~* přijít na zmar / ke zničení / ve psí; *~s and crosses* mlýnek kreslená dětská hra ● *adj: at ~ feet* let. těsně nad zemí
noumenon [nauminən / AM nu:mənən] *pl: naumena* [naumina / AM nu:mənə] noumen skutečnost, jak existuje „sama o sobě"
noumenonal [nauminonəl] noumenální
noun [naun] **1** podstatné jméno, substantivum **2** dř. podstatné n. přídavné jméno, substantivum n. adjektivum
nounal [naunəl] řidč. substantivní
nounou [nu:nu:] dět. chůva, kojná
nourish [nariš] **1** živit, vyživovat, dodávat výživu (*the heart speeds up and the blood pressure rises to better ~ the tissues* srdce tluče rychleji a krevní tlak stoupá, aby se tkáním dostalo více výživy), též přen. (*he ~ed in us the dream of liberty* živil v nás sen o svobodě) **2** udržovat při životě (*welfare committees whose task it is to ~ the social life of old people* sociální výbory, jejichž úkolem je udržovat při životě společenský život starých lidí) **3** zast. kojit **4** vychovat (*~ed in the old bootlegger days* vychovaný za starých časů nucené prohibice) ◆ *~ the hope* chovat naději, kojit se nadějí
nourishing [narišiŋ] **1** výživný **2** v. *nourish, v*
nourishment [narišmənt] **1** jídlo, pokrm (*he takes little ~ between breakfast and dinner*) **2** výživa, potrava (*the soil was poor and gave almost no ~ to the plants* půda byla chudá a rostlinám neposkytovala téměř žádnou výživu) **3** strava (*a few books provided his only intellectual ~*) **4** podporování, pěstování rozvoje (*he devoted himself to the ~ of education* věnoval se pěstování rozvoje výchovy)
nous [naus / AM nu:s] **1** rozum, intelekt **2** hovor. zdravý n. selský rozum **3** hovor. filip, fištron důvtip
nouveau riche [ˌnu:vəuˈriš] *pl: nouveaux riches* zbohatlík, parvenu
nouvelle [nuvel] novela
nova [nəuvə] *pl: novae* [nəuvi:] hvězd. nová hvězda, nova
novation [nəˈveišən] obnovení smlouvy
novel[1] [novəl] **1** nový **2** neotřelý, neobvyklý (*if a man cannot write what is new, at least he can write what is ~*)
novel[2] [novəl] **1** román **2** řidč. novela; příběh **3** římské právo novela
novelese [ˌnovəˈli:z] banální románový styl
novelette [ˌnovəˈlet] **1** novela **2** lehký román zejm. sentimentální, limonáda **3** hud. fantazie pro klavír
novelettish [ˌnovəˈletiš] sentimentální, limonádový
novelist [novəlist] romanopisec, spisovatel románů
novelize [novəlaiz] zpracovat jako román např. hru n. událost ◆ *~d biography* životopisný román
novella [nəuˈvelə] pl též *novelle* [nəuˈveli:] novela
novelty [novəlti] (*-ie-*) **1** novinka (*the ballet season produced only two novelties*) **2** novota, novost (*the charm of ~*)
November [nəuˈvembə] listopad
novena [nəuˈvi:nə] círk. novéna devítidenní pobožnost
novercal [nəuvə:kl] macešský
novice [novis] *s* novic; nováček, začátečník ● *adj* **1** jsoucí v noviciátu **2** nováčkovský **3** začátečnický **4** sport.: závodní zvíře jsoucí poprvé v dostihu
noviciate, novitiate [nəuˈvišiit] **1** noviciát zkušební doba i budova pro novice **2** novic
novocaine [nəuvəkein] novokain lokální anestetikum

now [nau] *adv* **1** teď, zrovna teď, nyní (*he is busy ~, he is ~ writing a new play*) **2** hned teď (*I must write ~ or it will be too late*) **3** na začátku věty a teď, heleď (*~ be a good boy and do as I tell you, ~ don't get me wrong* heleď, rozuměj mi dobře); tedy, tak tedy (*~ this point of view seems to me absolutely unhistorical*) ◆ *before ~* dříve; *by ~* teď už, zatím už, touto dobou (*he will be in London by ~*); *(every) ~ and then / again* občas; *from ~ on / onwards* od této chvíle; *~ ... ~ / then / and again* hned ... hned zas, brzy ... brzy (*~ gay, ~ sad*); *up to / till / until ~* dosud, až do teď, až do této chvíle (*up to ~ we have been lucky*) ● *interj* též *~*, *~* n. *then* no tak (*~ don't get me angry* no tak, nechtěj, abych se rozzlobil, *no nonsense, ~; ~ then, what mischief are you up to!* tak copak, jakou lumpárnu máš zase za lubem!) ● *conj* též *~ that* teď když (*~ I am a man, I think otherwise; ~ that I have seen her, I can understand your feeling for her*) ● *s* přítomnost, přítomná doba, nynějšek ● *adj* **1** nynější (*the father of the ~ king*) **2** slang. módní, moderní ◆ *N~ Generation* nová generace z konce šedesátých let dvacátého století

nowaday [nauədei] dnešní

nowadays [nauədeiz] *adv* v nynější době, dnes, v těchto dnech, za dnešních dnů ● *adj* dnešní ● *s* dnešek, nynějšek

no-waiting [ˌnəuˈweitiŋ] *s* parkování zakázáno ● *adj* kde se nesmí parkovat (*~ areas*), týkající se zákazu parkování (*~ restrictions*), označující zákaz parkování (*~ lines*)

noway [nəuwei] , **noways** [nəuweiz] nijak ne, vůbec ne (*I ~ doubt*)

Nowel[1] [nəuˈel] **1** (veselé) vánoce **2** přen. koleda

nowel[2] [nəuˈel] tech. **1** spodek formy, spodní formovací rám **2** jádro na lití velkých dutých předmětů

nowhere [nəuweə] *adv* **1** nikde (*he has property everywhere and home ~* majetek má všude a domov nikde) **2** nikam (*the team will get ~ this year*) **3** úplně vzadu (*a dazzling exhibition of grace and beauty that left her rivals ~* oslňující ukázka líbezné krásy, která nechala její soupeřky daleko vzadu) ◆ *be / come in ~ 1.* neumístit se v závodě *2.* nepřicházet v úvahu (*she is ~ when it comes to the race for class president* pokud jde o honbu za předsednictvím ve třídě, nepřichází vůbec v úvahu); *~ near* daleko od, zdaleka ne (*it operates at ~ near its theoretical efficiency* v praxi zdaleka nedosahuje teoreticky předpokládaného výkonu) ● *s* **1** nic, prázdnota (*night and ~ had the world* noc a prázdnota vládly světem) **2** neznámá pustina (*lost forever in the ~ of South America*) **3** nejbližší osada (*he found a cattleman with a broken leg miles from ~*) **4** slang. nula, nýmand (*that guy is ~* ten chlap je úplná nula) ◆ *from / out of ~* též *1.* odnikud *2.* zčista jasna, kde se vzal tu se vzal (*an officer appeared from ~ to strike the soldier sharply* zčista jasna se objevil důstojník a vojína prudce udeřil) ● *adj* nudný, bezvýznamný

no-win [ˌnəuˈwin] který nelze vyhrát

nowise [nəuwaiz] nikterak, nijak ne (*the human values that we have taken for granted are ~ different from those of the past* lidské hodnoty, které my pokládáme za samozřejmé, se nikterak neliší od hodnot minulosti)

nowt[1] [nəut] BR hovor., nář. nic

nowt[2] [nəut] SC nář. dobytek

noxious [nokšəs] **1** škodlivý, zhoubný (*~ gases, a ~ book, a ~ doctrine*) **2** nechutný (*a ~ political scandal*) **3** hovor. ošklivý (*a ~ evening*)

noxiousness [nokšəsnis] **1** škodlivost **2** nechutnost

noyade [nwaiˈa:d] poprava utopením zejm. hromadná

noyau [nwaiəu] jádrovka pálenka aromatizovaná jádry

nozzle [nozl] *s* **1** hubice, hubička; tryska **2** odb. píšťala vysoké pece; výlevka licí pánve; špička ličky **3** slang. čumák, rypák nos (*he longed to clout him in the ~* toužil ho cáknout do rypáku) ● *v* **1** opatřit hadicí n. tryskou **2** strkat n. hledat čumákem (*~ remnants of fodder* hledat čumákem zbytky píce, *~ for food*) **3** chrlit (*every gun ~d a cone of fire at it* každé dělo na ně chrlilo kužel ohně)

N-rays [enˈreiz] paprsky N

n't [nt, n] v. *not, adv*

nth [enθ] entý ◆ *to the ~ degree / power* na entou (*3^n, three to the ~ degree / power*), též přen. (*all the components of dullness and boringness to the ~ degree* všechny složky nudnosti a otravnosti na entou)

nu [nju:] ný řecké písmeno Ν, ν

nuance [nju(:)ˈã:ns] *s* **1** nuance, jemný rozdíl (*~s of colour, ~ of flavour*) **2** odstín (*~s of plain words, a very singular ~ of a boy's behaviour* velice podivný odstín chlapcova chování) **3** smysl, pochopení pro nuance, citlivost (*acting which has no ~ or restraint* herecký výkon, ve kterém není ani smysl pro nuance ani žádná ukázněnost) ● *v* nuancovat, odstínit (*the treatment of the first movement is excessively ~d* interpretace první věty je až příliš nuancovaná)

nub [nab] **1** kostka, ořech, kousek, hrudka (*~ of coal*) **2** zbytek (*a ~ of a cigarette, a ~ of grass*) **3** jádro, podstata (*the ~ of a problem*) **4** uzlík (*jacket of tobacco-coloured wool dotted with fat black ~s* sako z vlněné látky tabákové barvy tečkované tlustými černými uzlíky)

nubbin [nabin] **1** nevyvinutý plod, zakrnělina, zakrslík **2** zbytek, špaček (*a ~ of chalk* zbytek křídy) **3** podstata, jádro problému (*get to the ~ and ask*)

nubble [nabl] = *nub*

Nubian [nju:bjən] *adj* nubijský ● *s* **1** Nubijec **2** nubijský jazyk, nubijština

nubile [nju:bail / AM nu:bəl] **1** dívka schopná uza-

vřít sňatek, dospělá fyziologicky n. právně (*in the East girls are early* ~) **2** dívka milovná, milování chtivá (*an excessively* ~ *young woman*)
nubility [nju:ˈbiləti] **1** schopnost uzavřít sňatek (*the age of* ~) **2** milovnost, chtivost milování
nuchal [nju:kl] anat šíjový
nuciferous [ˌnju:ˈsifərəs] bot. ořechoplodý
nucivorous [ˌnju:ˈsivərəs] ořechožravý
nucleal [nju:kliəl] **1** jádrový, jádrovitý **2** v. *nuclear, adj*
nuclear [nju:kliə] *adj* **1** nukleární, jaderný; atomový **2** prvopočáteční ◆ ~ *arms* nukleární zbraně; ~ *bomb* nukleární bomba, atomová n. vodíková bomba (~ *fusion bomb* thermonukleární puma); ~ *charge* náboj jádra atomu; ~ *deterrent* hrozba použití nukleárních zbraní; ~ *disarmament* atomové odzbrojení; ~ *energy* nukleární energie; ~ *fission* štěpení jádra; ~ *fuel* atomové palivo, nukleární palivo; ~ *isomers* polohové izomery; ~ *physicist* nukleární fyzik, atomový fyzik; ~ *physics* jaderná fyzika, nukleární fyzika; ~ *power 1.* jaderná energie, atomová energie *2.* nukleární velmoc, atomová velmoc; ~ *power plant* atomová elektrárna; ~ *reactor* jaderný reaktor, atomový reaktor; ~ *stage* prvopočáteční stadium pevnin; ~ *test* nukleární test, zkouška atomové zbraně; ~ *war* atomová válka; ~ *warhead* nukleární hlavice; ~ *weapon* atomová zbraň ● *s* **1** nukleární zbraň, zejm. raketová střela s nukleární hlavicí **2** nukleární velmoc, atomová velmoc
nuclear-armed [ˌnju:kliəˈa:md] opatřený nukleární hlavicí n. nukleárními hlavicemi
nuclearism [nju:kliərizəm] harašení atomovými zbraněmi
nuclearist [nju:kliərist] zastánce politiky síly s hrozbou použití atomových zbraní
nuclear-powered [ˈnju:kliəˌpauəd], **nuclear-propelled** [ˌnju:kliəprəˈpeld] jsoucí na atomový pohon, poháněný atomovou energií; atomový (*a* ~ *submarine* atomová ponorka)
nuclear-test ban [ˈnju:kliəˌtestˈbæn] zákaz nukleárních zkoušek
nucleary [nju:kliəri] jádrový, jaderný
nucleate [nju:klieit] *v* **1** vy|tvořit jádro n. zárodek **2** mít za zárodek *by* co, tvořit se kolem čeho (*an oasis* ~*d by a hamlet*) ● *adj* jádrový; s jádrem (~ *cells* buňky mající jádro) ◆ *s* chem. nukleinát
nuclei [nju:kliai] *pl* v. *nucleus*
nucleic [nju:kliik] : ~ *acid* chem. nukleinová kyselina
nucleolar [njukliələ] biol. jadérkový (~ *proteins*)
nucleolated [ˌnju:kliəˈleitid] biol. jadérkový, s jadérkem
nucleole [nju:kliəul] biol. jadérko
nucleonics [ˌnju:kliˈoniks] **1** jaderná fyzika a technika **2** aplikovaná nukleární fyzika, nukleární inženýrství
nucleus [nju:kliəs] *pl: nuclei* [nju:kliai] **1** jádro, nukleus **2** zárodek **3** základ; střed
nude [nju:d] *adj* **1** nahý **2** holý (*a broad* ~ *valley*) **3** bot. nahý, bezobalný **4** jsoucí tělové barvy (~ *stockings*) ◆ ~ *contract* nevymahatelná smlouva, smlouva bez sankce; ~ *cult* kult nahoty, nudismus ● *s* **1** výtv. akt **2** nahota ◆ *in the* ~ nahý
nudge [nadž] *v* **1** šťouchnout zejm. loktem **2** pošťuchovat (*she needled and* ~*d and worried him* dráždila ho a pošťuchovala ho a zlobila ho, *our department didn't really need such nudging* našemu oddělení se to skutečně nemuselo říkat dvakrát) **3** vystrčit | se, vyšťouchnout | se *out of* z, zastrčit | se, zašťouchnout | se *into* do (*little tugboats* ~*d our ship of its slip* malé remorkérky vytáhly naši loď ze skluzu, *automobiles* ~*d into a parking space* automobily se nastrkaly do parkoviště), postrkovat zezadu **4** blížit se, šinout se (*as the taxi* ~*d slowly forward*), též přen., dosahovat čeho (*its circulation is nudging the four million mark*) ● *s* **1** šťouchnutí, šťouchanec **2** pošťouchnutí
nudie [nju:di] *s* **1** film n. drama, ve kterém hrají nazí herci **2** časopis s fotografiemi nahých lidí ● *adj* ve kterém hrají nazí herci
nudism [nju:dizəm] nudismus
nudist [nju:dist] *s* nudista ● *adj* nudistický
nudity [nju:diti] (*-ie-*) **1** nahost, nahota **2** akt, nudita, nahotina, nahotinka výtvarné dílo (*nudities by Rubens*)
nuffin [nafin] hovor. = *nothing*
nugae [nju:gi:, nju:dži:] *pl* hříčky, učené hříčky (*philosophical* ~)
nugatory [nju:gətəri] (*-ie-*) **1** malicherný (*a* ~ *interference*) **2** zbytečný, nepodstatný (~ *commentaries*) **3** marný, neužitečný; k ničemu, zanedbatelný
nuggar [nagə] nákladní plachetnice na Nilu
nugget [nagit] **1** valoun, hrudka, zrno zejm. čistého zlata **2** přen. zrnko (~*s of wisdom*)
nuisance [nju:sns] **1** nepřípustné zasahování, obtěžování **2** nepřístojnost, zlořád právně postižitelný **3** svízel, zlo, kdo / co je na obtíž n. pro zlost **4** otrava, protiva (*what a* ~ *that child is!*) ◆ ~ *area* elektr. oblast rušení; *be a* ~ *to a p.* neustále otravovat koho; ~ *claims* = ~ *settlements; commit no* ~ BR znečišťování tohoto místa se zakazuje výstraha; *make a* ~ *of oneself* být jako zimnice; *private* ~ rušení vlastnického n. nájemního práva; *public* ~ veřejné pohoršení, veřejný skandál; ~ *settlements* pojišť. likvidování pochybných nároků za méně, než by činily náklady soudního sporu, „výpalné"; ~ *tax* národohospodářsky škodlivá daň; ~ *vibrations* škodlivé kmity; ~ *value* negativní cena n. hodnota daná tím, že někomu co překáží n. je mu na obtíž

nuisance-maker [ˈnju:snsˌmeikə] kdo je na obtíž n. pro zlost, výtržník

nuke [nju:k] zejm. AM slang. *s* atomová bomba, atomovka ● *v* použít atomové bomby proti

null [nal] *adj* **1** smlouva též ~ *and void* neplatný, neúčinný, nezávazný **2** bezvýznamný, nicotný **3** nevýrazný, bezvýrazný **4** řidč. žádný, nulový, neexistující ♦ ~ *set* nulová množina ● *s* BR nula ● *v* **1** zničit, zmařit **2** anulovat **3** nastavit na nulu

nulla bona [ˌnaləˈbəunə] je nemajetný, nic nelze zabavit

nullah [nala:] **1** kanál, potok v Indii, často vysýchající **2** strž

nullah-nullah [ˌnaləˈnalə] AU domorodý klub

nullification [ˌnalifiˈkeišən] **1** zbavení účinnosti, zrušení, stornování, anulování **2** prohlášení za neplatné

nullify [nalifai] (*-ie-*) **1** zbavit účinnosti, zrušit, stornovat, anulovat **2** prohlásit za neplatné **3** pohltit, přehlušit

nullipore [nalipo:] bot. mořské řasy (Rhodophyceae)

nullity [naləti] (*-ie-*) **1** nulita, zmatečnost, neplatnost zejm. manželství **2** neplatná věc, neplatný zákon **3** nicotnost **4** úplné nic, úplná nula člověk ♦ ~ *plea* zmateční stížnost

numb [nam] *adj* **1** zkřehlý, prokřehlý **2** necitlivý, znecitlivělý; ochromený, otupělý, tupý; strnulý, nehybný, zmrtvělý, mrtvý (přen.) ● *v* **1** zbavit citu, ochromit, znecitlivit, též přen. (~*ed with grief* ochromený žalem) **2** ztratit cit, znecitlivět, strnout (*his face* ~*ed*)

number [nambə] *s* **1** číslo přesné vyjádření množství; základní aritmetický pojem; výtisk; část programu n. představení; dům; mluvnické číslo; poznávací značka vozidla; velikost **2** číslice (*the code employs letters as well as* ~*s* **3** počet (~ *of desks in the room*) **4** *a* ~ jisté množství (*a limited* ~ *of laboratories*); určitý počet, několik, pár (*a* ~ *of books is missing from the library*); **5** ~*s, pl* mnoho, velké množství (~*s died on the way*) **6** ~*s, pl* číselná převaha, přesila (*the enemy won by* ~*s*) **7** kus, kousek děvče (*a cute* ~ *in a yellow dress* rozkošná kočka ve žlutých šatech) **8** šaty, kus oděvu (*a dreary black* ~ nudně černé šaty), výtvor, výrobek (*a Young Jaeger* ~), artikl (*the new nylon* ~ *which he calls an armoured vest* nový nylonový artikl, kterému říká neprůstřelná vesta) **9** ~*s, pl* počty (*teach children their* ~*s*) **10** ~*s, pl* metrum verše; verše; perioda, souvětí (*melodic* ~*s of classical orators*) **11** *N*~*s* bibl.Numeri čtvrtá kniha Mojžíšova **12** ~*s, pl,* též ~*s game* AM slang. lotynka ♦ *any* ~ *of times* hovor. stokrát, tisíckrát (*I've told you any* ~ *of times to keep the door shut* říkal jsem ti stokrát, abys neotvíral dveře); *back* ~ *1.* staré n. dřívější číslo časopisu *2.* odbytá n. vyřízená veličina cokoli zastaralého; *beyond* ~ nesčíslně, bezpočtu; *cardinal* ~*s* základní číslovky; *consecutive* ~ pořadové číslo; *current* ~ nové n. poslední číslo časopisu; *do* ~ *one* dět. lulat, čurat; *do* ~ *two* dět. kakat; ~ *10 Downing Street* sídlo britského ministerského předsedy; *even* ~ sudé číslo; *even* ~*s* stejný počet (*given even* ~*s* když nás bude stejně); *force of* ~*s* početní převaha, přesila; *get a p.'s* ~ prokouknout koho; *have a p.'s* ~ znát skrz na skrz koho; *a p.'s* ~ *is* / *has come up* došlo na něho, je na řadě; *his* ~ *goes up* dodělává, je v posledním tažení; *in* ~ *1.* v počtu, počtem *2.* celkem (*they were fifteen in* ~); *in* ~*s* na pokračování (*story issued in* ~*s* příběh vydávaný na pokračování); *index* ~ index, ukazatel; *odd* ~ liché číslo; ~ *one 1.* prvotřídní *2.* námoř. slang. první důstojník *3.* vlastní zájmy (*look* / *take care of* ~ *one* pečovat o vlastní zájmy); *opposite* ~ něčí protějšek, kolega ve stejné funkci v jiném úřadě; *ordinal* ~ pořadové číslo; *he is not of our* ~ ten k nám nepatří, ten nepatří do našeho kruhu; ~ *9 pill* univerzální lék vojenského lékaře; *reference* ~ značka dopisu; *in round* ~*s* zaokrouhleně; ~ / ~*s runner* AM slang. kdo organizuje lotynku; *serial* ~ *1.* pořadové n. běžné číslo *2.* sériové číslo vozidla; *a small* ~ hrstka; *take a p.'s* ~ poznamenat si číslo koho; *times without* ~ nesčíslněkrát; nesčetněkrát, bezpočtukrát; *five times* etc. *the* ~ pětkrát atd. tolik; *to the* ~ *of* kolik počtem; ~ *two* druhý, druhořadý, jsoucí na druhém místě; *his* ~ *is up* je po něm; *your* ~ *is still wet* ještě ti teče mléko po bradě, ještě máš skořápku na zadečku; *without* ~ = *beyond* ~ ● *v* **1** o|číslovat (*let's* ~ *them from 1 to 10*); o|paginovat (~ *pages of the book*) **2** počítat, říkat čísla (~ *in Siamese*) **3** též ~ *off* odpočítat, odpočítávat | se (*the company* ~*d off from the right*) **4** též ~ *up* zast. vypočítat **5** počítat *among* / *in* / *with* k / mezi / do (~ *among one's friends*) **6** čítat (*his extensive collection* ~*ing many thousand specimens* jeho rozsáhlá sbírka čítající mnoho tisíc exemplářů); být počtem kolik koho dohromady (*we* ~*d twenty in all*) **7** bás. prožít ♦ *his days are* ~*d* jeho dny jsou sečteny; ~*ing machine* číslovačka

numberless [nambəlis] nesčetný, nesčíslný, jsoucí bez počtu

numberplate [nambəpleit] státní poznávací značka, tabulka se státní poznávací značkou automobilu

numbfish [namfiš] *pl* též *-fish* [-fiš] rejnok

numbles [namblz] *pl* zast. **1** vnitřnosti vysoké zvěře **2** myslivecké / lovecké právo, jágrecht

numbness [namnis] **1** znecitlivění, snížená citlivost (*the patients subsequently experienced a feeling of* ~ *in the thighs* pacienti potom zjistili sníženou citlivost ve stehnech) **2** otupění, otupělost, tupost (*she slipped from the waking* ~ *into complete oblivion* z otupělé bdělosti sklouzla do úplného zapomnění)

numbskull [namskal] = *numskull*
numen [nju:mən] *pl: numina* [nju:minə] **1** numen duch sídlící v předmětu **2** božstvo, strážný duch **3** tvůrčí duch
numerable [nju:mərəbl] počitatelný
numeracy [nju:mərəsi] znalost základních vědeckých pojmů
numeral [nju:mərəl] *adj* **1** číselný, numerický **2** číslicový, ciferný ● *s* **1** číslice, cifra **2** číslovka
numerate [nju:məreit] *adj* dokonale vyčíslený *s* počtář kdo umí počítat ● *v* počítat, vypočítávat
numeration [ˌnju:məˈreišən] **1** počítání; početní systém, počet (*decimal* ~) **2** o|číslování **3** vyčíslení, sčítání (*an exact ~ of the inhabitants*) **4** vyjadřování číslic slovy ◆ ~ *table* početní tabulka
numerator [nju:məreitə] **1** čitatel zlomku **2** sčítací komisař, počítač, sečítač, zejm. obyvatelstva **3** počítač, sčítačka stroj; číslovačka, paginýrka (hovor.)
numeric [nju:mərik] řidč. číslo
numerical [nju(:)ˈmerikəl] **1** číselný (~ *superiority* číselná převaha) **2** číslicový (*a very simple ~ cipher* velice jednoduchá číslicová šifra) **3** daný číslem, pořadový (*a ~ standing in the class* pořadové místo ve třídě) **4** počtářský (~ *skill*) ◆ ~ *control* číslicové řízení obráběcího stroje
numerically-controlled [nju(:)ˈmerikəliˌkənˈtrəuld] číslicově řízený (~ *machine tools* číslicově řízené obráběcí stroje)
numerous [nju:mərəs] **1** četný (*her ~ friends*) **2** početný (*a ~ family*), bohatý (*a library*) **3** mnohohlasý (*a ~ hum* ... hukot) **4** próza rytmický
numerology [ˌnjuməˈrolədži] nauka o magickém významu čísel
numinous [nju:minəs] *adj* **1** nadpřirozený (*a single dark and ~ power ruling the world* jediná temná a nadpřirozená moc vládnoucí světu) **2** posvátný, zasvěcený božstvu (*a ~ wood*) **3** kouzelný, magický (*a ~ object*) **4** vzbuzující posvátnou bázeň (*the holiest, most ~ moment in the mass* nejsvětější okamžik ve mši vzbuzující posvátnou bázeň) **5** duchovní (~ *authority*) **6** estetický (*the candle was a graceful and ~ method of illumination* svíčka byla líbezným a estetickým způsobem svícení) **7** záhadný, neznámý (*the ~ aspect of writing*) ● *s* **1** neviditelné božstvo budící posvátnou hrůzu **2** posvátná bázeň
numismatic [ˌnju:mizˈmætik] **1** numizmatický **2** směnný, platidlový, jako platidlo (*a ~ significance of shells* směnný význam lastur) ● *s: ~s, sg* numizmatika (*~s is an auxiliary to the knowledge of the trade of the ancients* numizmatika pomáhá poznávat obchodní systémy antického světa)
numismatist [nju(:)mizmətist] numizmatik
numismatology [ˌnju:mizməˈtolədži] numizmatika, numizmatická věda
nummary [naməri] **1** peněžní, týkající se peněz **2** zabývající se penězi, finanční
nummet [namit] BR nář. oběd
nummulary [namjuləri] = *nummary*
nummulite [namjulait] geol. nummulit třetihorní prvok
numnah [namnə] sedlová pokrývka, sedlový polštář
numskull [namskal] **1** trouba, pytlík, mamlas, zabedněnec, ťulpas, vrták **2** prázdná makovice, zabedněná hlava
nun [nan] **1** jeptiška, řeholnice, řádová sestra, klášternice **2** zool. bekyně mniška **3** zool. sýkora modřinka **4** zool. morčák kachna ◆ *~'s cloth* jemná vlněná tkanina na šaty; *~'s cotton / thread* jemná bílá bavlna k vyšívání; *~'s veiling* lehká šatová tkanina s plátnovou vazbou
nunatak [nu:nətæk] nunatak skalní hřebeny vyčnívající z ledovce
nun-buoy [nanboi] námoř. dvojkuželová bóje
nunc dimittis [ˌnaŋkdiˈmitis] **1** Pane, propusť církevní zpěv (večerní modlitba) **2** odchod ◆ *sing ~* ochotně odejít, zejm. ochotně zemřít
nunchakus [ˌnu:nˈča:ku:z] *pl* dva spojené klacky, obušky, tyče japonská zbraň
nunciature [nanšjətjuə] nunciatura úřad a sídlo nuncia
nuncio [nanšiəu] nuncius papežův diplomatický zástupce
nuncle [naŋkl] zast., nář. strýc
nuncupate [naŋkjupeit] prohlásit svou poslední vůli pouze ústně
nuncupation [ˌnaŋkjuˈpeišən] ústní prohlášení poslední vůle
nuncupative [naŋkjupeitiv] poslední vůle ústní, ústně sdělený
nunhood [nanhud] řeholní stav, řeholní život, klášter (*she resolved on ~*)
nunky [naŋki] (*-ie-*) **1** slang. zastavárník **2** hovor. = *nuncle*
nunlike [nanlaik] jeptišský, klášterní (*the usual ~ simplicity of her dress*)
nunnation [naˈneišən] přidávání hlásky „n" zejm. v arabštině
nunnery [nanəri] (*-ie-*) klášter jeptišek
nunnish [naniš] **1** jeptišský, jeptiškovský (*these women have a ~ look*) **2** řeholní, klášterní (*the ~ life*)
nunship [nanšip] řeholní stav
nuphar [nju:fə] bot. stulík
nuplex [nju:pleks] **1** zemědělsko-průmyslový kombinát postavený kolem atomového reaktoru **2** komplex továren na atomový pohon
nuppens [napəns] slang. žádné peníze, nic
nuptial [napšəl] *adj* svatební; snubní ● *s: ~s, pl* svatba, svatební obřad
Nuremberg [njuərəmbə:g] Norimberk
nurse[1] [nə:s] *s* též *~ shark* zool. název různých žraloků, zejm. Carcharias arenarius n. Ginglymostoma cirratum
nurse[2] [nə:s] *s* **1** chůva; guvernantka, bona **2** též *wet*

~ kojná **3** též *sick* ~ zdravotní sestra, ošetřovatelka; asistentka lékaře **4** též *children's* ~ dětská sestra **5** též *male* ~ ošetřovatel **6** přen. pěstoun, ochránce **7** strom chránící jiné mladé stromy, ochranný stínící strom; hostitel strom **8** chůva, dělnice včela **9** zool. chůva **10** námoř. chůva zkušený důstojník jako pomocník nezkušeného velitele ◆ *at* ~ v opatrování; ~ *balloon* pomocný balón; ~ *crops* = ~ *stand; head* ~ vrchní sestra; ~*s' home* zdravotnický internát; *put (out) to* ~ dát n. svěřit do opatrování dítě n. majetek; ~ *stand* les. les ochranný; ~ *ship* mateřská loď; *student* ~ elévka; *trained* ~ diplomovaná sestra ● *v* **1** opatrovat, ošetřovat; být ošetřovatelkou **2** kojit, dávat pít **3** sát, pít z prsu **4** vychovat **5** pečlivě pěstovat, vy|piplat **6** přen. živit (~ *hatred* ... nenávist), podporovat, posilovat (*anything to* ~ *the arts*) **7** úzkostlivě pečovat o **8** přidržet, přiložit (*I took her hands and* ~*d them against my cheek*); držet se v blízkosti čeho (~ *a rival horse in a race*) **9** hýčkat, chovat na klíně; žmoulat v ruce, držet si co **10** držet a pomalu upíjet z (~ *a cup of coffee*) **11** hýčkat v sobě; chovat v sobě, pěstovat v sobě (~ *feelings of revenge* pěstovat si pomstychtivost) **12** léčit si doma (~ *a cold,* ~ *a headache* zůstat doma pro bolesti hlavy) **13** kulečník sestrkávat koule k sobě **14** BR snažit si udržet sympatie voličů (*he is busy nursing his constituency* pilně si snaží udržet sympatie svého volebního okresu) ◆ ~ *one's leg* objímat si kolena, držet si koleno rukama ***nurse along / back*** vyléčit, vypiplat

nursechild [nə:scaild] *pl: nursechildren* [ˈnə:sˌčildrən] dítě v opatrování, svěřenec

nurse-frog [nə:sfrog] zool. ropuška porodní, poloropucha vejconosná

nursehound [nə:shaund] zool. máčka skvrnitá žralok

nurseling [nə:sliŋ] = *nursling*

nursemaid [nə:smeid] slečna k dětem, guvernantka, bona

nursery [nə:sri] (*-ie-*) **1** dětský pokoj; dětská ložnice **2** jesle **3** semeniště, školicí pracoviště (*a* ~ *for good surgeons* líheň dobrých chirurgů) **4** pěstitelská školka **5** násadový rybník, rybniční sádka, odchovný rybník **6** chráněné území pro zvířata **7** kulečník sestrkané koule ◆ *day* ~ *1.* denní jesle *2.* dětský pokoj; ~ *governess* vychovatelka a zároveň slečna k dětem; ~ *rhyme* dětská říkánka; ~ *school* mateřská školka; ~ *slope* cvičná louka, svah pro lyžaře-začátečníky

nurserymaid [nə:srimeid] = *nursemaid*

nurseryman [nə:srimən] *pl: -men* [-mən] školkař

nursey [nə:si] dět. chůvo!

nursing [nə:siŋ] **1** ošetřovatelství **2** v. *nurse, v* ◆ ~ *bottle* dětská láhev; ~ *father* pěstoun; ~ *mother 1.* pěstounka *2.* kojící matka; ~ *pond* sádka; ~ *sister* diplomovaná sestra

nursing home [ˌnə:siŋˈhəum] BR soukromé sanatorium

nursling [nə:sliŋ] **1** kojenec, kojeňátko chůvy **2** odchovanec

nurturance [nəčərəns] péče o rodinu, starání o rodinu

nurturant [nə:čərənt] pečovatelský, vychovatelský

nurture [nə:čə] *s* **1** výchova, vychování **2** výživa; potrava, strava **3** výchovná péče ● *v* **1** vychovat; živit **2** dát na vychování komu **3** chovat v sobě (~ *a secret affection* chovat tajnou náklonnost) ◆ *be* ~*d* též přen. být odkojen *on* čím

nut [nat] *s* **1** ořech **2** přen. jádro problému; oříšek problém **3** matice, matka **4** slang. kokos, kebule hlava **5** slang. cvok **6** zast. slang. sekáč, švihák **7** hud. pražec **8** hud. žabka smyčce **9** zub, ozub; ořech zámku pušky; pastorek hodinek **10** AM koláček **11** ~*s, pl* ořech uhlí **12** ~*s, pl* vulg. koule, vejce varlata **13** AM slang. kapitál; režie ◆ ~ *bolt* šroub s maticí; *Brazil* ~ para ořech; *castle* ~ korunková matice; *do one's* ~ / ~*s* BR slang. *1.* dřít jako vůl *2.* snažit se jako blbec; *not for* ~*s* ani za nic; *hard / tough* ~ tvrdý ořech, tvrdý oříšek tvrdohlavec n. problém; *off one's* ~ cvok, blázen; *that's* ~*s to him* to je něco pro něho; *work one's* ~ lámat si kokos čím *v* (*-tt-*) **1** hledat n. klátit ořechy (*go* ~*ting*) **2** BR slang. vrazit hlavou do **3** též ~ *out* slang. promyslit, vyšpekulovat

nutant [nju:tənt] bot. nící, dolů visící, převislý

nutate [nju:ˈteit] bot. viset dolů, klánět se dolů

nutation [nju:ˈteišən] **1** sklonění hlavy, sklopení hlavy, ohýbání hlavy dopředu **2** přen. klimbání **3** nutace astron.: malé periodické kolísání v precesním pohybu zemské osy; bot.: periodická změna růstu

nutational [nju:ˈteišənl] nutační

nutbrown [natbraun] **1** ořechový, oříškový, ořechově n. oříškově hnědý, (světle) kaštanový **2** snědý, tmavé pleti (*a* ~ *maid*) **3** tmavý (*a* ~ *ale*)

nut butter [ˈnatˌbatə] **1** ořechová pomazánka 2 umělé máslo

nutcase [natkeis] slang. cvok blázen

nutcracker [ˈnatˌkrækə] **1** též ~*s, pl* louskáček **2** zool. ořešník **3** slang. chirurg operující mozek ◆ *a* ~ *face* obličej s orlím nosem a vysedlou bradou

nutgall [natgo:l] duběnka

nuthatch [nathæč] zool. brhlík

nuthouse [nathaus] *pl: -houses* [-hauziz] slang. cvokárna, cvokhaus blázinec

nutlet [natlit] oříšek

nutmeg [natmeg] muškátový oříšek, muškát ◆ ~ *flower* bot. černucha; ~ *grater* struhátko na muškátové oříšky

nutmeg apple [ˈnatmegˌæpl] muškátový oříšek

nutmeg liver [ˈnatmegˌlivə] med. atrofie jater

nutmeg tree [ˈnatmegˌtri:] bot. muškátovník pravý, macizeň vonná

nutoil [natoil] ořechový olej

nut palm [natpa:m] bot. palma Cycas media
nutpecker [ˈnat,pekə] zool. brhlík
nutria [nju:triə] **1** nutrie zvíře i kožišina **2** olivová šeď
nutrient [nju:triənt] *adj* **1** výživný **2** živící, živný ● *s* **1** živná látka, živina **2** ~*s, pl* složky výživy
nutriment [nju:trimənt] potrava, strava, živina
nutrition [nju(:)ˈtrišən] výživa ◆ *items of* ~ složky výživy; *therapeutic* ~ léčebná výživa
nutritional [nju(:)ˈtrišənl] živící, vyživovací
nutritionist [nju(:)ˈtrišənist] odborník pro výživu, pracovník zabývající se výživou lidu
nutritious [nju(:)ˈtrišəs] výživný
nutritiousness [nju(:)ˈtrišəsnis] výživnost
nutritive [nju:trətiv] **1** živný; živící, vyživovací **2** výživný ◆ ~ *value* výživná hodnota
nuts [nats] BR slang. *adj* zcvoklý, jsoucí úplný cvok ◆ *be* (*dead*) ~ být úplný cvok *on* / *over* do; *go* ~ zcvoknout | se ● *interj* blbost!, houby! ● *s* **1** úplný cvok **2** bašta, senzace (*it's the* ~, *you can splash around all you want to* to je senzace, člověk může kolem sebe cákat, jak chce)
nuts and bolts [,natsən*d*ˈbəults] hovor. *s* základ, základní princip ● *adj* zásadní, základní
nutshell [natšel] **1** ořechová skořápka **2** skořápka, skořepina malá loď n. malý domek ◆ *in a* ~ *1.* třemi slovy, několika slovy, velice stručně *2.* v kostce; *it lies in a* ~ to je jednoduché
nutter [natə] **1** BR slang. cvok **2** kdo sbírá ořechy
nuttiness [natinis] **1** poblázněnost do, zcvoknutí do **2** potrhlost, praštěnost **3** ořechová n. oříšková chuť, ořechová n. oříšková příchuť **4** jadrnost
nuttree [nat-tri:] bot.**1** líska **2** řidč. ořešák
nutty [nati] (*-ie-*) **1** ořechový, oříškový (*a* ~ *flavour* ořechová / oříšková příchuť; s ořechovou n. oříškovou příchutí) **2** jadrný (*a* ~ *humour*) **3** slang. zblázněný, zcvoknutý, zcvokovaný *about* / *on* / *upon* do **4** AM slang. trhlý, potrhlý, praštěný, vzatý, uhozený šílený n. výstřední
nut weevil [ˈnat,wi:vil] zool. nosatec lískový
nux vomica [,naksˈvomikə] *pl: nux vomica* „dávivý ořech", vraní oko jedovaté semeno kulčiby obecné
nuzzle [nazl] **1** rýpat, hledat n. tisknout se čumákem n. čenichem **2** strčit čenich *against* / *into* do, tulit se čenichem k (*the horse* ~*d against my shoulder*) **3** s|choulit (*she* ~*e her face into the pillow* přitiskla se obličejem do podušky); při|tulit | se čím *against* k (*he* ~*d his lips against her hair*)
nyctalopia [,niktəˈləupiə] med. **1** hemeralopie, noční mlha, noční slepota **2** nyktalopie schopnost vidět lépe v noci
nyctophobia [,niktəˈfəubjə] nyktofobie neodůvodněný strach ze tmy n. noci
nyctitropic [,niktiˈtropik] bot. nyktitropický vztahující se ke spánkovým pohybům
Nylex [naileks] značka nylonu
nylghau [nilgo:] zool. antilopa nilgau
nylon [nailən] **1** nylon **2** ~*s, pl* nylonky nylonové punčochy **3** ~*s, pl* nylonové prádlo
nyloned [nailənd] jsoucí v nylonkách (~ *legs*)
nymph [nimf] nymfa vodní n. lesní bohyně, víla, rusalka; přen.: krásná mladá žena; zool.: poslední larvální stadium hmyzu ◆ *sea* ~ nereidka; *tree* ~ dryáda
nymphal [nimfəl] zool. nymfální
nymphean [nimfiən] nymfový, nymfický
nymphet [nimˈfet / AM nimfit] nymfička, zajíček nedospělá nymfomanka
nymphish [nimfiš] nymfový, nymfický
nymphlike [nimflaik] **1** připomínající nymfu **2** ladný, krásný, luzný
nympho [nimfəu] hovor. = *nymphomaniac*
nympholepsy [nimfəlepsi] extatická touha po nedosažitelném
nympholept [nimfəlept] kdo je posedlý touhou po nedosažitelném
nympholeptic [,nimfə*u*ˈleptik] **1** týkající se extatické touhy po nedosažitelném **2** extatický
nymphomania [,nimfə*u*ˈmeiniə] nymfomanie chorobná touha žen po mužích
nymphomaniac [,nimfə*u*ˈmeiniæk] *adj* nymfomanický ● *s* nymfomanka žena stižená nymfomanií
nystagmus [nisˈtægməs] med. nystagmus mimovolné kmitavé pohyby oka n. oči, záškuby, třes oči

O

O[1], **o** [əu] *pl: Os, O's, Oes, os, o's, oes* [-z] **1** písmeno O (*a capital / large / upper-case O,* velké O, *a little / small/ lower-case o* malé o) **2** kroužek, kolečko (*he made an enthusiastic O with his thumb and forefinger*) **3** nula zejm. v telefonním čísle (*6033 = six O double three*); úplná nula, nic **4** cokoli označeného O, ve tvaru O (*the wooden O*) ◆*round as a Giotto's O* lehce a dokonale provedený

O[2] [əu] **1** před čárkou též *Oh* O', ach, á, jé citoslovce (*O dear me; Oh, what a lie; Oh is that so!*) **2** bás.: uvádí zvolání (též bez českého ekvivalentu) (*Praise the Lord, O Jerusalem* chval Hospodina, (ó) Jeruzaléme) ◆ *O for* bás. kéž by tu byl, kéž bych (tu) měl (*O for a Muse of fire* Ach, tak zde mít ohnivou Múzu)

O'[1] [əu] první část složených irských příjmení spojující část druhou s významem slova syn n. potomek (*O'Connell, O'Neil*)

o'[2] [əu] ve složeninách **1** = *of* (*o'clock, Jack-o'-lantern, Will-o'-the wisp, man-o'-war, cup-o'-tea*) **2** = *on* (*he cannot sleep o'nights*)

oaf [əuf] *pl* též *oaves* [əuvz] **1** elfí podvrženec, podloženec, podloženče člověku podvržené dítě elfa **2** zast. nedochůdče, nedochcíple, nedoscíple **3** nemehlo, nemotora **4** vrták, trouba, pitomec, blboun

oafish [əufiš] nemotorný, humpolácký

oafishness [əufišnis] nemotornost, humpoláctví

oak [əuk] *s* **1** dub strom i dřevo **2** dubový nábytek **3** dubové listí, dubové listy **4** BR vnější dveře u pokojů v univerzitní koleji **5** bás. lodě, koráby **6** světlehnědá barva **7** *the Oaks, pl* epsomský závod pro tříleté klisny ◆ ~ *bark* dubová kůra; *British / common / English* ~ dub letní, křemelák; *chestnut / marden* ~ dub zimní, drnák; *cork* ~ dub korkový, korkovník, plut; *dwarf* ~ bot. ožanka; ~ *fungus* václavka houba; *ground* ~ bot. ožanka; *dyer's* ~dub barvířský; *scarlet* ~ dub červený; *sport one's* ~ BR zavřít vnější dveře u svého pokoje na znamení, že návštěvy nejsou vítány; *swamp* ~ dub bahenní; ~ *thistle* bot. ostropes trubil; *Turkey* ~ dub cer ● *adj* dubový

oak apple [ˈəukˌæpl] větší dubová hálka, duběnka ◆ ~ *day* BR 29. května

oak beauty [ˈəukˌbju:ti] (*-ie-*) drsnokřídlec dubový, píďalka

oak egger [ˈəukˌegə] zool. bourovec dubový

oaken [əukən] řidč. dubový

oak fern [əukfə:n] bot. bukovinec osladičovitý kapraďorost

oak fig [əukfig], **oak gall** [əukgo:l] = *oak apple*

oak-hook-tip [ˈəukˌhuktip] zool. srpokřídlec dubový

oak leaf [əukli:f] *pl: leaves* [li:vz] dubový list ◆*oak-leaf cluster* AM voj. dubová větévka vyznamenání

oaklet [əuklit], **oakling** [əukliŋ] doubek

Oakley [əukli] AM slang. lístek zadarmo, volňásek

oakmast [əukma:st] krmení žaludy, žaludový žír, pastva na žaludech

oak plum [əukplam], **oak potato** [ˈəukˌpəˈteitəu] *pl: -es* [-z], **oak spangle** [ˈəukˌspæŋgl] duběnka, dubová hálka

oak tortix [ˈəukˌto:tiks] zool. obaleč dubový

oak tree [əuktri:] dub

oakum [əukəm] *s* koudel, cupanina, cucky ze starých lan, pazdeří ◆ *pick* ~ dělat cupaninu, cupovat lana n. provazy ● *v* utěsňovat koudelí, kalfatrovat loď

oak wood [əukwud] **1** doubrava, dubina, doubí, dubovina, dubový les **2** dubové dřevo, dub

oar [o:] *s* **1** párové dvouruční veslo, též přen. **2** též *~s, pl* zast. člun **3** též *~s, pl* veslař **4** *~s, pl* vesla nad vodu! připravit k veslování n. přestat veslovat **5** kopist ◆ ~ *blade* list vesla, ~ *boat* veslový člun, veslice, skul; *boat the ~s* vtáhnout vesla; *chained to the* ~ přikovaný k práci zejm. nepříjemné n. namáhavé; *feather the ~s* zploštit vesla, obrátit vesla na plocho; *first ~s* háček, veslař na háčku; *have an ~ in every man's boat / barge* plést se do všeho, strkat do všeho nos; *pair of ~s* dvojka, dvouveslice člun; *he pulls a good* ~ je dobrý veslař; *put / stick / shove in one's ~ / put one's ~ in another man's boat* plést se do všeho, strkat nos do cizích záležitostí; *rest / lie on ones' ~s 1.* založit vesla, dát vesla nad vodu *2.* přen. dát si pohov, odpočinout si; *3.* spát na vavřínech (přen.); *ship the ~s* vložit vesla do havlenek; *toss ~s* zdravit vztyčenými vesly; *young* ~ nezkušený veslař ● *v* veslovat, též přen.

oarage [o:ridž] bás. **1** veslování **2** vesla, veslovací zařízení

oared [o:d] **1** jsoucí s vesly, veslový **2** v. *oar, v* ◆ ~ *shrew* zool. rejsek vodní

oarless [o:lis] **1** jsoucí bez vesel **2** nerušený veslováním (~ *sea*)

oarlock [o:lok] AM havlenka, havlinka, veslová vidlice, lubový zářez pro veslo

oarsman [o:zmən] *pl: -men* [-mən] veslař

oarsmanship [o:zmənšip] veslařství, veslařská zručnost

oarswoman [o:zwumən] *pl: -women* [-wimin] veslařka zejm. zručná

oary [o:ri] veslovitý (~ *wings*)

oasis [əuˈeisis] *pl: oases* [əuˈeisi:z] oáza

oast [əust] sušárna na chmel, slad n. tabák

oast house [əusthauz] *pl: houses* [hauziz] sušárna budova

oat [əut] **1** bot. oves setý **2** jedna obilka ovsa **3** zprav. *~s, pl* oves (*~s can be grown further north than wheat* oves lze pěstovat více na sever než žito) **4** *~s, pl* ovsy, ovesná pole (*the ~s are doing well* ovsy vypadají dobře) **5** píšťala, flétna z ovesného stébla ♦ *be off one's ~s* hovor. ztratit chuť k jídlu; *false ~* ovsík; *feel one's ~s* AM hovor. cítit se n. dělat se důležitým; *~ flakes* ovesné vločky; *smell one's ~* napnout poslední síly před dosažením cíle; *sow one's wild ~s* vybouřit se v mládí, za mlada vyvádět a později se polepšit; *wild ~* bot. oves hluchý; *wild ~s* mladý bouřlivák, neukázněný mladík, divous

oatcake [əutkeik] ovesná placka

oaten [əutn] ovesný

oatgrass [əutgra:s] bot. oves hluchý

oath [əuθ] *pl: oaths* [əuðz] **1** přísaha, přísežný slib (*~ of allegiance* přísaha věrnosti, *~ of enlistment* vojenská přísaha, *~ of office* služební přísaha) **2** zaklení, kletba, nadávka (*horrible ~s of the drivers*) ♦ *administer / tender a p. an ~* vzít pod přísahu koho; *be on one's ~* být pod přísahou; *bind by ~* zavázat přísahou; *break one's ~* porušit přísahu, zpronevěřit se přísaze; *give a p. the ~ = put a p. on ~*; *in lieu of an ~* místopřísežně; *on ~* pod přísahou; *put a p. upon / on (his) ~* vzít pod přísahu / do přísahy koho; *take / make / swear an / the / one's ~* přísahat, odpřisáhnout, zapřisáhnout se, učinit přísežný slib; *under an ~* pod přísahou; *under the ~ of secrecy* sub rosa, pod pečetí mlčenlivosti; *upon / on oath, upon / on one's ~* přísežně, pod přísahou (*upon my ~* to mohu odpřisáhnout)

oatmeal [əutmi:l] **1** ovesná mouka **2** ovesné vločky **3** AM ovesná kaše

oats [əuts] v. *oat*

obbligato [ˌobliˈga:təu] hud. *adj* obligátní ♦ *accompaniment ~* obligátní doprovod ● *s pl* též *obbligati* [ˌobliˈga:ti] obligát, obligátní hlas

obdurability [ˌobdjurəˈbiləti] tvrdost, odolnost (*~ of bone* odolnost kosti)

obduracy [obdjurəsi] **1** zarytost, zavilost, zatvrzelost **2** tvrdošíjnost, tvrdohlavost, neoblomnost

obdurate [obdjurət] **1** zarytý, zavilý, zatvrzelý (*an ~ sinner* zatvrzelý hříšník) **2** tvrdý, neoblomný, neústupný, nepoddajný (*~ in his determination* neoblomný ve svém rozhodnutí) **3** nepoddajný (*an ~ soil*)

obeah [ˈəuˌbiə] **1** čarodějnictví západoindických a západoafrických černochů **2** amulet, fetiš užívaný v tomto čarodějnictví **3** kletba, zlořečení tohoto čarodějnictví

obedience [əˈbi:djəns] **1** poslušnost (*blind ~*) **2** náboženská poslušnost *of* k (*return to the ~ of the Papal See* navrátit se k poslušnosti papežského stolce) **3** obedience, podřízenost zejm. církevně právní **4** hluboká n. obřadná poklona, reverence **5** věřící, příslušníci církve ♦ *in ~ to* podle čeho, poslušen čeho (*soldiers act in ~ to the orders of their superior officers* vojáci jednají podle rozkazů nadřízených důstojníků)

obedient [əˈbi:djənt] **1** poslušný (*an ~ child, an ~ instrument of his will*) **2** BR v závěru dopisu uctivý, oddaný (*your ~ servant*)

obedientiary [əˈbi:djənšəri] círk. obediantiarius řeholník, jemuž představený svěřil nějakou funkci

obeisance [əuˈbeisəns] **1** hluboká n. obřadná poklona, reverence **2** projev nejhlubší úcty zejm. prostrace **3** úcta, hold ♦ *make / do / pay ~ 1.* vzdát hold, poklonit se, podrobit se *2.* zast. udělat poklonu n. reverenci

obelisk [obəlisk] **1** obelisk **2** značka ÷ n. – označující vadné n. nejasné místo ve starém rukopisu **3** též *obelus* †, křížek značka odkazující na poznámku na okraji n. pod čarou

obelize [obilaiz] označit značkou ÷ n. — vadné n. nejasné místo rukopisu

obelus [obiləs] *pl* též *obeli* [obilai] v. *obelisk 2, 3*

obese [əuˈbi:s] otylý, obézní

obesity [əuˈbi:səti] otylost, obezita

obey [əˈbei] **1** poslouchat, uposlechnout (*~ one's parents, ~ an officer, ~ orders*) **2** řídit se čím, podrobovat se čemu (*the fiercest rebel against society ~s most of its conventions* nejzuřivější rebel proti společnosti se podřizuje většině jejich konvencí) **3** být poslušný ♦ *he was ~ed* jeho poslouchali n. poslechli; *he will be ~ed* vyžaduje poslušnost

obfuscate [obfaskeit] **1** zatemnit; otupit, zatemnit hlavu (*he was ~d with brandy and water*) **2** poplést, zmást

obfuscation [ˌobfasˈkeišən] **1** zatemnění, zatemňování **2** zmatek

obi[1] [əubi] = *obeah*

obi[2] [əubi] obi široká stuha uvázaná v pase přes kimono

obiit [əubiit] před datem smrti na náhrobcích zemřel

obit [obit] **1** pohřební obřad **2** zádušní mše, rekviem **3** smuteční slavnost, tryzna např. na památku zakladatele n. mecenáše **4** hovor. nekrolog

obiter [obitə] mimochodem ♦ *~ dictum* (*pl: ~ dicta*) *1.* práv. faktická poznámka soudce (bez právní účinnosti) *2.* poznámka mimochodem

obituarese [ˌəubitjuəˈri:z] jazyk n. styl smutečních oznámení

obituarist [əˈbitjuərist] pisatel nekrologu n. nekrologů

obituary [əˈbitjuəri] *s (-ie-)* **1** nekrolog **2** přen. labutí píseň znamení konce **3** seznam zádušních mší **4** matrika zemřelých ● *adj* úmrtní ♦ *~ notice 1.* smuteční oznámení v novinách *2.* smuteční oznámení, parte

object [obdžikt] *s* **1** předmět, věc (*tell me the names of the ~s in this room*); objekt **2** cíl, záměr, účel (*with no ~ in life, work with the ~ of earning fame* pracovat proto, aby získal věhlas) **3** *~ of* člověk n. věc n. předmět budící co (*an ~ of pity* člověk budící soucit, *an ~ of admiration* člověk n. věc budící úžas) **4** hovor. člověk n. předmět budící hrůzu n. soucit, strašidlo, ostuda (*what an ~ you look in that old hat!*) **5** obsah obrazu **6** jaz. předmět (*direct ~* přímý předmět, *indirect ~* nepřímý předmět) **7** filoz. objekt, předmět ♦ *diffuse ~* difúzní objekt; *~ lesson* v. *object lesson; no ~* v inzerátech podle přání nabízejícího (*money no ~* cena nerozhoduje); *unidentified flying ~* neidentifikované těleso, UFO, létající talíř ● *v* (əbˈdžekt)**1** mít námitky, namítat *to / unto / against* proti *that* že, aby (*I ~ against him that he is too young for the position*) **2** protestovat *to* proti (tomu, že) (*I ~ to all this noise*) aby (*I ~ to being treated like a child* protestuji proti tomu, aby se se mnou zacházelo jako s dítětem) **3** řidč. mít námitky proti (*its adversaries ~ed the absence of all the great patriarchs* jeho protivníci měli námitky proti nepřítomnosti všech velkých patriarchů) **4** nesouhlasit *to / unto / against* s, oponovat čemu, nemít rád co, nestát o ♦ *I ~* BR protestuji oznámení protestu proti návrhu zákona v Dolní sněmovně

object ball [obdžiktbo:l] kulečník cílová koule

object finder [ˈobdžiktˌfaində] hledáček mikroskopu

object glass [obdžik*t*gla:s] objektiv

objectification [obˌdžektifiˈkeišən] **1** objektivizace **2** zpředmětnění, materializace, zhmotnění

objectify [obˈdžektifai] (*-ie-*) **1** objektivizovat, objektivovat **2** zpředmětnit, zhmotnit, konkretizovat, materializovat

objection [əbˈdžekšən] **1** protestování, protest *to* proti **2** námitka *to* proti, nesouhlas s **3** vada, chyba *to* v čem, nedostatek čeho **4** reklamace ♦*consider the ~* přezkoumat námitku; *have no ~* nic nenamítat, nemít žádné námitky; *make / raise/ take ~* protestovat *to* proti; *stamp ~s* námitky týkající se kolků

objectionable [əbˈdžekšnəbl] **1** problematický, sporný, budící námitky **2** nevyhovující, vadný, závadný **3** nežádoucí (*~ remarks*) nepříjemný, nechutný, odporný (*an ~ smell* nepříjemný zápach)

objective [əbˈdžektiv] *adj* **1** objektivní nikoliv subjektivní; existující nezávisle na našem vědomí; nestranný **2** jaz. předmětový (*~ case* předmětový pád, *~ genitive* předmětový genitiv) **3** cílový ♦ *~ area* cílový prostor, prostor určený k ovládnutí; *~ point 1.* operační cíl *2.* bod dopadu střely ♦ *s* **1** cíl, účel (*~ of advertisement* účel inzerátu) **2** úkol, plán (*sales ~* prodejní úkol) **3** objektiv **4** jaz. předmětový pád **5** voj. operační cíl ♦ *~ plane* rovina místa cíle dělostřeleckého; *~ sunshade* sluneční clona fotoaparátu

objectiveness [əbˈdžektivnis] **1** objektivnost **2** objektivní existence

objectivism [əbˈdžektivizəm] **1** objektivnost **2** objektivismus filozofický i umělecký

objectivity [ˌobdžekˈtivəti] (*-ie-*) = *objectiveness*

object lens [obdžiktlenz] objektiv

objectless [obdžiktlis] **1** jsoucí bez určitého cíle (*~ rambles* toulky bez cíle) **2** prázdný, jsoucí bez jakéhokoli předmětu **3** rovina pustý a prázdný (*an ~ expanse*)

object lesson [ˈobdžiktˌlesn] **1** názorná lekce, názorné cvičení, praktikum **2** hovor. perná n. důkladná lekce, názorný příklad, škola odstrašující

object matter [ˈobdžiktˌmætə] obsah, předmět, téma uměleckého díla, rozhovoru apod.

object of virtu [ˌobdžiktə*f*və:ˈtu:] drahý a zajímavý umělecký předmět

objector [obdžəktə] oponent, odpůrce, protivník *to* čeho ♦ *conscientious ~* odpůrce z mravních důvodů např. vojenské služby n. očkování

object plate [obdžiktpleit] podložné sklíčko mikroskopu

object staff [obdžiksta:f] nivelační lať

objet d'art [ˌobžeiˈda:] *pl: objets d'art* [ˌobžeiˈda:] umělecký předmět

objurgate [obdžə:geit] **1** plísnit, peskovat, hubovat (hovor.) **2** ostře odsuzovat, kárat (*he ~d the custom of garnishing poems with archaisms* ostře odsuzoval zvyk vyšperkovávat básně archaismy)

objurgation [ˌobdžə:ˈgeišən] po|kárání, vy|peskování, vy|plísnění, vy|hubování

objurgatory [obˈdžə:gətəri] káravý, kárající, plísnící

oblate[1] [obleit] círk. **1** oblát **2** bratr-laik **3** dítě vychovávané k řeholnímu životu

oblate[2] [obleit] **1** zploštělý **2** zmáčknutý

oblation [əuˈbleišən] **1** náboženská oběť zejm. eucharistická **2** oblace, oféra dar na církevní účely

oblational [əuˈbleišənl] , **oblatory** [oblətəri] obětní

obligate [obligeit] *v* zavázat, učinit povinným ♦ *be ~d* být povinen *to do a t.* udělat co, morálně n. podle zákona; *feel ~d to do a t.* považovat za svou povinnost udělat co ● *adj* **1** povinný **2** biol. obligátní

obligation [ˌobliˈgeišən] **1** závazek ve svědomí **2** závazná povinnost; závazný slib; závazná dohoda **3** závaznost; zavazení **4** stav vázanosti, nutnost **5** povinnost zejm. nepříjemná, konání povinnosti **6** břímě, břemeno (*the ~ of tribute* břemeno poplatnosti) **7** laskavost (*when a kindly face greets us, we should feel it as an ~*) **8** úpis **9** obligace, dluhopis ♦ *assume an ~* převzít závazek; *be under an ~* být zavázán n. povinován *to* komu / udělat co; *day / holiday of ~* zasvěcený svátek; *~ of contract* smluvní závazek; *lay / put a p. under an ~* zavázat si koho *by* čím; *meet one's ~* dostát svému závazku n. své povinnosti; *of ~* povinný, závazný; *repay an ~* splatit dluh společenský; *waive an ~* netrvat na závazku

obligato [ˌobliˈga:təu] = *obbligato*

obligatory [oˈbligətəri] **1** závazný **2** povinný ♦ *be ~*

1. být povinný *2.* být povinností *on* / *upon* koho (*it is ~ on theatre proprietors to take precautions against fire* majitelé divadel jsou povinni učinit protipožární opatření); *~ insurance* povinné pojištění

oblige [əˈblaidž] **1** zavázat (*we ~d ourselves to settle our father's bills* zavázali jsme se vyrovnat otcovy účty) **2** práv. být zavázán *to* udělat **3** vázat, být závazný (*two inconsistent laws cannot both ~* dva protikladné zákony nemohou být oba právně závazné) **4** při|nutit, donutit (*necessity ~d him to this crime* k tomuto zločinu ho dohnala nouze, *the soldiers were ~d to retreat* vojáci byli donuceni ustoupit) **5** zavázat si vděčností n. díkem (*you will ~ me greatly if you get there early*) **7** hovor. přednést *with* co (*the quartet will ~ with a song*) **8** přispět komu *with* čím, vypomoci komu čím, půjčit komu co (*can you ~ me with a few dollars*) **9** uklízet, pomáhat při úklidu *for* komu ◆ *be ~d to do a t.* být nucen / musit udělat co; *be ~d to a p.* být zavázán komu; *feel ~d* cítit se povinnen (*I feel ~d to say "No"*); *~ me by (leaving the room)* etc. račte laskavě (odejít z místnosti) apod.; *much ~d* děkuji mnohokrát; *~ oneself to a p. to do a t.* zavázat se komu, že udělám co; *an early reply will ~* prosíme o rychlou odpověď; *will you ~ me by doing* udělal byste laskavě

obligee [ˌobliˈdži:] **1** práv. věřitel; strana zavazující **2** AM strana odškodněná v zárukovém pojištění **3** řidč.: kdo získal výsadu

obliging [əˈblaidžiŋ] **1** ochotný, úslužný, laskavý **2** v. *oblige*

obligingness [əˈblaidžiŋnis] ochota, úslužnost, laskavost

obligor [ˌobliˈgo:] **1** práv. dlužník; strana povinovaná, zavázaný **2** AM strana odškodňující v zárukovém pojištění

oblique [əˈbli:k] *adj* **1** šikmý, nakloněný **2** kosý (*~ angle* kosý úhel) **3** anat., bot. šikmý, šikmo uťatý, kosý **4** jaz. nepřímý **5** křivý, křivolaký **6** postranní, záludný **7** scestný, zvrhlý ◆ *~ axes* kosoúhlé osy souřadné; *~ bond* stav. úhlopříčná / diagonální / pevnostní vazba; *~ case* jaz. nepřímý pád, v angl. předložkový pád; *~ glance* pohled úkosem; *~ motion* hud. stranný pohyb hlasů; *~ narration / oration / speech* jaz. nepřímá řeč; *~ stroke* šikmá zlomková čára; *~ system* jednoklonná / monoklinická soustava krystalická ● *v* pochodovat n. postupovat šikmo ● *s* anat. šikmý sval

obliqueness [əˈbli:knis] **1** šikmost, kosost **2** nejasnost, dvojznačnost (*~ of literary response* dvojznačnost literární reakce) **3** nepřímost, záludnost

obliquity [əˈblikwəti] (*-ie-*) **1** šikmost, kosost **2** nesouměrnost **3** hvězd. sklon ◆ *~ angle* úhel sklonu; *~ of the ecliptic* sklon ekliptiky; *~ of wheels* sbíhavost kol

obliterate [əˈblitəreit] **1** vymazat, vyhladit, zahladit **2** zamazat, zaškrtat, přeškrtat, udělat nečitelným **3** smazat (*~ individual differences*) **4** med. uzavírat se, srůstat **5** med. odstranit např. operativně **6** přetisknout známku; zeslabit barvu

obliteration [əˌblitəˈreišən] **1** vymazání, vyhlazení, zahlazení, smazání **2** zamazání, přeškrtání **3** med. srůst, zátvor **4** mizení **5** přetištění známek; zeslabení barvy

oblivion [əˈbliviən] **1** zapomenutí, zapomnění **2** zapomnětlivost ◆ *Act* / *Bill of O~* politická amnestie; *fall into ~* upadnout v zapomenutí

oblivious [əˈbliviəs] **1** zapomnětlivý (*~ old age*); zapomínající *of* na (*~ of past slights* zapomínající na minulá příkoří) **2** nehledící *of* na, nedbající čeho, nedávající pozor na, nestarající se o (*~ of what was taking place*)

obliviousness [əˈbliviəsnis] zapomnětlivost

Oblomovism [əbˈləuməvizəm] oblomovština

oblong [obloŋ] *adj* **1** podlouhlý, protáhlý **2** obdélníkový, ve tvaru obdélníku (*an ~ sheet of paper*) **3** podélný, jsoucí na délku, ležatý (*an ~ octavo* osmerkový formát na délku) **4** bot. podlouhlý, přiokrouhlý ● *s* **1** obdélník; obdélníček (*a border of silver ~s*) **2** protáhlý útvar **3** AM zast. slang. šajn, bankovka

obloquy [obləkwi] (*-ie-*) **1** pomluva, kleveta **2** pomlouvačná řeč, zostuzování **3** hanba, ostuda, špatná pověst

obmutescence [ˌobmju:ˈtesəns] stálé n. zatvrzelé mlčení

obmutescent [əbˈmju:təsənt] stále n. zatvrzele mlčící

obnoxious [əbˈnokšəs] **1** nepřístojný, zasluhující pokárání **2** zast. škodlivý, závadný **3** nepřijatelný; nepříjemný; urážlivý **4** řidč. vystavený *to* čemu, daný na pospas čemu (*~ to general dislike* vystavený všeobecné nechuti, *~ to its foes* daný na pospas nepřátelům); postižitelný čím

obnoxiousness [əbˈnokšəsnis] **1** nepřístojnost **2** škodlivost, závada, závadnost **3** nepřijatelnost; nepříjemnost; urážlivost **4** řidč. postižitelnost *to* / *unto* čím (*~ to a sanction* podléhající sankcím)

oboe [əubəu] hoboj dřevěný dechový nástroj; varhanní rejstřík

oboist [əubəuist] hobojista, hráč na hoboj

obol [obol] obol, obolus, obolos drobná stříbrná mince starých Řeků

obovate [obˈəuvəit] obvejčitý

obreption [obˈrepšən] práv. úskočné nabytí zatajením okolnosti

obscene [əbˈsi:n] **1** obscénní, necudný, oplzlý, nemravný, kluzký, neslušný, sprostý **2** zast. odporný, ohavný, hnusný

obscenity [əbˈsenəti] (*-ie-*) **1** obscenita, obscénnost, necudnost, oplzlost, nemravnost, kluzkost, ne-

slušnost, sprostota **2** zast. odpornost, ohavnost, hnus **3** AM slovo zastupující sprostý výraz (*go and ~ yourself* místo *go and fuck yourself*)
obscurant [obˈskjuərənt] *s* obskurant, tmář, zpátečník ● *adj* **1** tmářský, zpátečnický, obskurantní **2** zatemňující, zastírající
obscurantism [ˌobskjuəˈræntizəm] **1** obskurantismus, obskurantství, tmářství, zpátečnictví **2** umění nejasný n. nedefinovaný styl, nevyhraněnost, kryptičnost
obscurantist [ˌobskjuəˈræntist] obskurant, tmář, zpátečník
obscuration [ˌobskjuəˈreišən] **1** zatemnění, zahalení, zastření, zastínění **2** hvězd. zatemnění; zákryt; zahalení, potemnění **3** přen. tma; temné místo **4** kryvost barvy
obscure [əbˈskjuə] *adj* **1** tmavý, temný, nejasný (*the ~ dusk of the shuttered room* nejasné přítmí pokoje se zavřenými okenicemi); barva tmavý, matný **2** zapadlý, obskurní (*~ regions*); téměř neznámý (*an ~ poet*) **3** nejasný, nezřetelný (*an ~ reference, ~ sounds*) **4** slabý, špatně zřetelný (*~ markings on the wings of a butterfly* nezřetelná kresba na křídlech motýla); sotva znatelný (*an ~ pulse*) **5** neviditelný (*~ rays* neviditelné paprsky, *~ forces of evil* neviditelné síly zla) **6** bezvýznamný, obyčejný, nenápadný, malý (*such ~ everyday people*) **7** záhadný, nevyjasněný, neznámý, skrytý (*the origin of hail is still ~* vznik krup je dosud nerozřešený) ● *s* **1** tma, temnota **2** matnost, nejasnost, nezřetelnost **3** *~s, pl* stíny, tmavá místa obrazu ● *v* **1** za|halit (*mist ~d the view* mlha zastírala rozhled) **2** učinit nejasným, ztemnit, částečně pohltit světlo (*the soot on the lampshade ~d the light* očazené stínítko částečně pohlcovalo světlo) **3** zakrýt, přikrýt, zastřít **4** zastínit (*the fortunes of the university of Oxford were ~d by the glories of Paris* osud oxfordské univerzity byl zastíněn slávou Paříže) **5** zatemnit (*too much use of the symbolism ~d his poetic thought*) **6** skrýt, schovat ◆ *obscuring power* kryvost barvy
obscured [əbˈskjuəd] **1** málo známý, zapadlý **2** v. *obscure, v*
obscurity [əbˈskjuərəti] (*-ie-*) **1** tma, temnota (*he galloped in the deep ~ by another route to Paris* v hluboké temnotě cválal do Paříže jinou cestou) **2** záhada, záhadnost, nejasnost (*the ~ of his birth*) **3** neznámý n. málo známý člověk (*I married this poor, young ~*) **4** neznámo, neznámost **5** nesrozumitelnost
obscurum per obscurius [əbˈskju:rəmˌpərəbˈskju:riəs] vysvětlování nejasného ještě nejasnějším
obsecrate [obsikreit] zapřísahat, úpěnlivě prosit
obsecration [ˌobsiˈkreišən] zapřísahání, úpěnlivá prosba
obsequence [əbˈsi:kwəns] = *obsequiousness*
obsequial [obˈsi:kwiəl] **1** pohřební (*~ rites*); tvořící součást pohřbu **2** smuteční (*the last ~ act*)
obsequies [obsikwiz] *pl* pohřeb, pohřební obřad; smuteční obřad, rozloučení
obsequious [əbˈsi:kwiəs] **1** zast. poslušný, úslužný, ochotný **2** servilní, podlízavý, patolízalský
obsequiousness [əbˈsi:kwiəsnis] **1** řidč. poslušnost, úslužnost, ochota **2** servilnost, podlízavost, patolízalství
observable [əbˈzə:vəbl] **1** hodný zachování (*a very ~ old custom*) **2** pozoruhodný **3** pozorovatelný, zjistitelný, rozpoznatelný
observance [əbˈzə:vns] **1** zachovávání zvyku **2** dodržování předpisů **3** plnění, konání povinnosti **4** svěcení neděle; slavení svátku **5** obřadní úkon, obřad, rituál **6** BR zast. úcta, uctivá pozornost **7** *~s, pl* círk. observance, řeholní pravidla ◆ *in ~ of* na počest čeho
observancy [əbˈzə:vnsi] (*-ie-*) **1** círk. *O~* observantní klášter františkánský **2** = *observance*
observant [əbˈzə:vnt] *adj* **1** zachovávající, dodržující, plnící, konající *of* co; dávající pozor na; dbající čeho **2** pozorný, opatrný **3** všímavý (*an ~ traveller*) ● *s* círk. observant člen přísného františkánského řádu
Observantin [əbˈzə:vəntin] = *observant, s*
observation [ˌobzəˈveišən] **1** pozorování **2** postřeh **3** pozorovací schopnost (*a man of little ~*) **4** pozorování zejm. odborné **5** pozornost (*escape ~*) **6** zkoumání, bádání **7** zast. zachovávání, dodržování, plnění, slavení ◆ *aircraft ~* pozorování za letu; *~ aviation* pozorovací letectvo; *~ balloon* pozorovací balón; *~ camp* karanténní tábor; *~ car / coach* vyhlídkový vůz; *~ desk* dozorčí stůl; *~ hole* pozorovací otvor, kontrolní okénko; *~ mirror* zpětné zrcátko auta; *keep a p. under ~* pozorovat koho, mít pod dohledem koho; *~ port* pozorovací / kontrolní okénko, hledítko; *~ post* pozorovací stanoviště, pozorovatelna zejm. dělostřelecká; *take an ~* zjistit zeměpisnou polohu měřením výšky slunce n. hvězdy; *~ satellite* špionážní družice; *~ tower 1.* rozhledna *2.* pozorovatelna
observational [ˌobzəˈveišənl] **1** výzkumný, pozorovací **2** založený na pozorování
observatory [əbˈzə:vətri] (*-ie-*) **1** observatoř, hvězdárna **2** pozorovatelna **3** stanice pro vědecká pozorování **4** vyhlídka, místo dalekého rozhledu
observe [əbˈzə:v] **1** po|všimnout si, z|pozorovat, vzít na vědomí, zaznamenat, zaregistrovat (*they were ~d entering the bank* byli viděni, jak vcházejí do banky) **2** zachovávat předpisy, ticho, půst **3** dodržet lhůtu **4** o|slavit výročí **5** světit neděli **6** konat povinnost, obřady **7** konat pozorování, pozorovat (*she has ~d the stars all her life* celý život pozoruje hvězdnou oblohu) **8** podotknout, poznamenat, dělat n. mít poznámky *to* k; komentovat *on / upon* co **9** zjistit zeměpisnou polohu měřením výšky slunce n. hvězdy

observer [əbˈzə:və] pozorovatel
observingly [əbˈzə:viŋli] pozorně
obsess [əbˈses] **1** posednout *by / with* čím **2** zachvátit (*the spirit of war seems to have ~ed our periodical literature*) ◆ *be ~ed* být posedlý *by / with* čím (*he was ~ed by details*)
obsession [əbˈsešən] **1** posedlost **2** utkvělá myšlenka n. představa, brouk **3** med. nutkavé konání, obsese
obsessional [əbˈsešənl] **1** uhrančivý (*the ~ character of his response* uhrančivý způsob jeho odpovědi) **2** peníz ražený za obléhání **3** trpící utkvělými myšlenkami n. představami **4** med. obsedantní
obsessive [əbˈsesiv] **1** vtíravý, vtírající se, zachvacující **2** utkvělý, působící posedlost **3** uhrančivý **4** nesmírný
obsidian [obˈsidiən] obsidián vyvřelá hornina
obsolesce [ˌobsəˈles] **1** zastarat **2** dát k ledu
obsolescence [ˌobsəuˈlesns] **1** zastarávání **2** zakrnění
obsolescent [ˌobsəuˈlesnt] **1** stárnoucí, zastarávající, vycházející z užívání **2** zakrňující
obsolete [obsəli:t] *adj* **1** zastaralý (*an ~ word, an ~ construction*) **2** nemoderní, starý, zastaralý, překonaný (*a ~ theory*) **3** známka, bankovka neplatný **4** podnik zrušený **5** zakrnělý ● *s* **1** zastaralý výraz **2** vykopávka zastaralý n. nemoderní člověk n. věc
obsoleteness [obsəli:tnis] zastaralost
obsoletism [ˌobsəˈli:tizəm] **1** zastaralý výraz **2** zastaralost
obstacle [obstəkl] **1** překážka **2** zátaras
obstacle race [ˈobstəklˌreis] překážkový běh, překážkový závod
obstetric(al) [obˈstetrik(əl)] porodní, porodnický ◆ *~ forceps* porodnické kleště; *~ ward* porodnické oddělení
obstetrician [ˌobsteˈtrišən] porodník
obstetrics [obˈstetriks] porodnictví
obstinacy [obstinəsi] (*-ie-*) **1** zatvrzelost, zarputilost, tvrdohlavost, tvrdošíjnost, neústupnost, umíněnost **2** úpornost, urputnost
obstinate [obstənət] **1** zatvrzelý, zarputilý; tvrdohlavý, tvrdošíjný, umíněný, neústupný, neoblomný **2** úporný, urputný
obstreperous [əbˈstrepərəs] **1** hlučný **2** divoký, neukázněný, trucovitý zároveň rámusící (*an ~ child* trucovité dítě, *~ crowd* rozvášněný dav)
obstreperousness [əbˈstrepərəsnis] **1** hlučnost, hluk, rámusení, křičení **2** neukázněnost
obstruct [əbˈstrakt] **1** ucpat, zatarasit (*traffic ~ing the street*) **2** zarazit **3** brzdit, stát v cestě čemu (*unwise rules ~ legislation* nemoudrá pravidla stojí v cestě zákonodárství) **4** překážet čemu, bránit čemu / v (*the high wall ~ed the view*) **5** dělat obstrukci, obstruovat v parlamentě
obstruction [əbˈstrakšən] **1** ucpání, zacpání, zácpa, zatarasení **2** zastavení, zaražení **3** překážení, bránění, brzda **4** překážka, zátaras **5** parlamentní obstrukce, maření, rušení
obstructionism [əbˈstrakšənizəm] systematická obstrukce, soustavné maření n. rušení
obstructionist [əbˈstrakšənist] obstrukčník kdo dělá obstrukci
obstructive [əbˈstraktiv] *adj* **1** tvořící překážku, překážející *of / to* čemu; zdržující, brzdící co **2** ucpávající, působící ucpání, brzdící průchod **3** stavící, působící zácpu ● *s* **1** překážka, zdržovadlo, brzda *to* čeho **2** obstrukčník; brzda n. překážka jednání zejm. v Dolní sněmovně
obstructiveness [əbˈstraktivnis] dělání překážek, překážení, házení klacků pod nohy
obstructor [əbˈstraktə] **1** překážka, brzda, zábrana **2** protivník, oponent
obstruent [obstruent] *s* med. stavící n. zastavovací prostředek ● *adj* **1** med. stavící, zastavovací **2** = *obstructive, adj*
obtain [əbˈtein] **1** získat (*~ing the information easily*) **2** opatřit | si, obstarat | si (*we can ~ it for you*) **3** dostat, obdržet, dostat koupit (*where can I ~ this book*) **4** dosáhnout, docílit čeho (*~ a price, ~ quiet*) **5** držet se, udržovat se **6** zvyk, stav panovat, vládnout, převažovat (*the custom ~s of going to the seashore in summer* je zvykem jezdit v létě k moři); být moderní (*the new mode which now ~s*); být platný (*laws of nature which universally ~*); existovat
obtainable [əbˈteinəbl] **1** dosažitelný (*an ~ price, ~ temperatures*) **2** k dostání *at* u, v
obtainment [əbˈteinmənt] řidč. **1** dosažení, dosáhnutí **2** zisk (*fraudulent ~* podvodný zisk, *valuable ~s*)
obtect [əbˈtekt], **obtected** [əbˈtektid] zool.: pupa krytý
obtention [əbˈtenšən] získání, obdržení
obtest [əbˈtest] zast. **1** volat za svědka zejm. nebe **2** zapřisahat, úpěnlivě prosit *that* aby **3** zavázat *to* k (*~ to secrecy*) **4** protestovat; prohlašovat
obtestation [ˌəbtesˈteišən] **1** volání za svědka zejm. nebe **2** zapřisahání, úpěnlivá prosba **3** prohlášení, prohlašování
obtrude [əbˈtru:d] **1** vnucovat se, vtírat se *upon / on* komu **2** vystrkovat (*the snail slowly ~d his tentacle* hlemýžď pomalu vystrkoval růžek)
obtruncate [əbˈtraŋkeit] **1** seříznout vršek n. špičku **2** zkomolit, učinit komolým **3** useknout hlavu
obtrusion [əbˈtru:žən] **1** vtírání, vnucování se *upon* komu **2** násilné vsunutí n. zasazení **3** násilnost násilí
obtrusive [əbˈtru:siv] **1** vtírající se, vtíravý, vlezlý, dotěrný **2** nápadný (*hats will be less ~ this season*) **3** vyčnívající (*a sharp ~ edge* vyčnívající ostrá hrana)
obtrusiveness [əbˈtru:sivnis] vtíravost, dotěrnost, vlezlost (*~ of the natives*)
obtund [əbˈtand] med. **1** otupit, zmírnit **2** umrtvit

obturate [obtjuəreit] **1** zacpat, ucpat **2** u|zavřít, u|těsnit zejm. závěr děla ◆ *obturating ring* těsnicí kroužek střely

obturation [ˌobtjuəˈreišən] **1** zacpání, ucpání **2** u|zavření, u|těsnění zejm. závěru děla **3** med. obturace ucpání dutých orgánů

obturator [obtjuəreitə] **1** u|závěr, zátka **2** med. ucpavač, obturátor **3** těsnicí kroužek střely **4** těsnění plynu v dělové hlavni **5** závěrka fotoaparátu

obtuse [əbˈtju:s] tupý neostrý; nevýrazný; netečný; hloupý ◆ ~ *angle* tupý úhel; ~ *triangle* tupoúhlý trojúhelník

obtuseness [əbˈtju:snis] tupost

obverse [obvə:s] *s* **1** líc, lícní / lícová strana, avers mince **2** přední strana **3** druhá strana; protějšek; doplněk ● *adj* **1** lícní, lícový, aversní **2** dole slabý a nahoře silný (*an* ~ *tool*) **3** bot. obkopinatý **4** bot. obvejčitý **5** doplňkový; protějškový

obversely [obvə:sli] naopak, na druhou stranu, obráceně

obversion [obˈvə:šən] **1** obměna, protikladný závěr způsobený změnou premisy **2** obrácení, obrat

obvert [obˈvə:t] **1** změnit v protiklad zejm. závěr změnou premisy **2** zvrátit na druhou stranu

obviate [obvieit] **1** odstranit překážku **2** vyhnout se čemu **3** zbavit se čeho **4** předejít čemu; zabránit čemu; zamezit čemu; čelit čemu **5** obejít; učinit zbytečným

obviosity [ˌobviˈosəti] samozřejmost, co je nabílední

obvious [obviəs] **1** jasně viditelný (*an* ~ *light switch* dobře viditelný vypínač) **2** zřejmý, zřetelný, očividný **3** jasný **4** samozřejmý **5** pochopitelný **6** nápadný ◆ ~ *choice* jasný kandidát při výběru; *make* ~ dát jasně najevo

obviousness [obviəsnis] **1** zřetelnost **2** očividnost **3** jasnost **4** samozřejmost

ocarina [ˌokəˈri:nə] okarína lidový hudební nástroj

occasion [əˈkeižən] *s* **1** doba; vhodná doba **2** příležitost (*he has had few* ~*s to speak French*) *of* k (*an* ~ *of sin* příležitost ke hříchu) **3** důvod (*I've had* ~ *to visit him recently*) **4** záminka (*the birthday was merely the* ~, *not the cause of the guests' effusions* narozeniny byly pouhá záminka, nikoli důvod citových výlevů hostů) **5** podnět, bezprostřední příčina (*the real causes of the strike are not clear, but the* ~ *was the dismissal of two workmen* skutečné důvody stávky nejsou jasné, ale bezprostřední příčinou bylo propuštění dvou dělníků) **6** možnost (~ *to grow surplus products* možnost pěstovat nadbytečné množství plodin) **7** ~*s, pl* zast. záležitosti (*going about their lawful* ~*s*) ◆ *be the* ~ *of* / *give* ~ *go* způsobit, vyvolat co; zavdat příčinu k; *choose one's* ~ najít si pravou chvíli; *festive* ~ slavnostní příležitost, slavnostní chvíle; *for the* ~ za tímto účelem, ad hoc; *have the* ~ *for* moci dobře použít, potřebovat; *improve the* ~ vyvodit z události morální poučení; *on* ~ příležitostně, občas; *on this* ~ při této příležitosti; *rise to the* ~ *1.* vytáhnout se *2.* zhostit se úkolu *3.* uchopit věc za správný konec; *sense of* ~ *1.* schopnost chovat se správně při určité příležitosti *2.* schopnost poznat mimořádnou příležitost; *take* ~ chopit se n. využít příležitosti *to* k / a dělat; *upon* / *on* ~ *1.* je-li zapotřebí *2.* občas, příležitostně ● *v* **1** způsobit, být příčinou čeho (*a violent storm* ~*ed a new delay of two weeks* divoká bouře způsobila nové čtrnáctidenní zpoždění) **2** donutit, přimět *a p.* koho *to* do udělat / k (*he was almost at the end of his financial resources, which fact* ~*ed him to turn away from a pretentious hotel* finanční prostředky mu už téměř došly a tato skutečnost ho donutila, aby se vyhnul snobskému hotelu)

occasional [əˈkeižənl] **1** příležitostný **2** občasný ◆ ~ *cause 1.* druhotný důvod *2.* zdánlivý důvod; ~ *licence* povolení prodávat alkoholické nápoje při určitých příležitostech

occasionalism [əˈkeižnəlizəm] filoz. okazionalismus

occasionalist [əˈkeižnəlist] okazionalista stoupenec okazionalismu

occasionality [əˌkeižəˈnæləti] příležitost

occasionally [əˈkeižnəli] **1** příležitostně; náhodou **2** občas, tu a tam, sem tam

Occident oksid [ənt] **1** Západ; západní svět; západní polokoule; západní země; Okcident **2** západní civilizace **3** Evropa; Evropa a Amerika; Amerika

Occidental [ˌoksiˈdentl] *adj* západní (~ *art, culture*) ◆ ~ *stones* nepravé drahokamy ● *s* obyvatel Západu, okcidentál, okcidentálec, západ'ák (hovor.)

Occidentalism [ˌoksiˈdentəlizəm] západnictví; evropanismus; amerikanismus; okcidentalismus

Occidentalist [ˌoksiˈdentəlist] **1** západník, západ'ák (hovor.), stoupenec západní kultury **2** odborník pro západní kulturu n. jazyky

Occidentalize [ˌoksiˈdentəlaiz] po|evropštět | se, po|amerikanizovat | se, po|západničit |se

occipital [okˈsipitl] anat. týlní, okcipitální

occiput [oksipat] anat. týl

occlude [oˈklu:d] **1** odb. okludovat uzavírat; poutat; chem.: pohlcovat, mechanicky vázat plynné látky **2** uzavírat (*medicaments are* ~*d in some convenient vessel* léky jsou uzavřeny v příhodné nádobě) **3** přikrývat, zakrývat, zastiňovat (*the lights alternately* ~*d and revealed* světla střídavě zastiňovala a osvětlovala) ◆ ~*d front* meteor. okluzní fronta, okludovaná fronta

occlusion [oˈklu:žən] **1** odb. okluze uzavření, upoutání; chem.: pohlcování, mechanické vázání plynných látek; meteor.: spojení teplé a studené vzduchové hmoty; anat.: skus; jaz.: závěr při tvoření závěrových hlásek **2** meteor. okluzní fronta, okludovaná fronta

occlusor [oˈklu:zə] med. okluzní, uzavírací zařízení n. sval

occult [o|kalt] *adj* **1** tajný (*too ~ to be shown to uninitiate eyes* příliš tajné, než aby se mohlo ukázat nezasvěceným očím) **2** tajemný, tajuplný **3** skrytý (*~ infection, ~ carcinoma*) **4** okultní, magický (*he deals in ~ arts*) **5** med. skrytý, okultní (*~ blood in the faeces* skrytá krev ve výkalech ● *v* **1** za|clonit; zakrýt; skrýt **2** hvězd. zakrýt, zatmít ◆ *~ing light* přerušované světlo např. majáku ● *s* okultní vědy, magie (*he is a student of the ~*)

occultation [ˌokəlˈteišən] **1** skryt, zakrytí **2** hvězd. zákryt, okultace

occultism [okəltizəm] **1** okultismus soubor tajných věd **2** okultní vědy, magie

occultist [okəltist] okultista přívrženec okultismu

occultness [o|kaltnis] **1** tajnost; tajemnost, tajuplnost **2** skrytost **3** okultnost

occupancy [okjupənsi] (*-ie-*) **1** držení, držba např. pozemku **2** zabírání prostoru; okupování místa **3** obyvatelstvo, osazenstvo **4** osídlení, obývání (*between successive human occupancies, the caves were often used by wild animals* jeskyně několikrát osídlené lidmi sloužily mezitím často divoké zvěři) **5** obydlení, zabydlení **6** nastěhování (*four-room fully furnished office available for ~ September 30* dokonale zařízená kancelář o čtyřech místnostech k pronajmutí od 30. září) **7** činnost (*his former state of professional ~*) **8** objekt (*residential ~, industrial ~, storage ~* skladištní objekt)

occupant [okjupənt] **1** uchvatitel **2** držitel; uživatel; majitel **3** bydlící, obyvatel; nájemník **4** okupant **5** kdo zastává, slouží, úřaduje n. má funkci (*the first ~ of the post of assistant to the president*) **6** kdo někde sedí, host (*he limped hurriedly to grab a table whose ~s had scarcely risen fully to their feet* kulhavým krokem rychle spěchal obsadit stůl, od něhož měli hosté sotva čas se pořádně zvednout); návštěvník, uživatel ◆ *~s of a car* cestující v autě; *~s of a house* obyvatelé domu

occupation [ˌokjuˈpeišən] **1** držení, držba **2** zastávání (*it is only the ~ of two offices at the same time that offends public policy*) **3** povolání, zaměstnání (*his ~ is farming, writing has been his ~ for many years*) **4** obsazení, zabrání **5** okupování, okupace zejm. vojenská (*their ~ of the divided capital city*) ◆ *army of ~* okupační armáda; *~ bridge* povinný most spojující dva díly pozemku přeťatého např. železnicí; *~ court* okupační soud; *~ franchise* BR volební právo získané bydlením a výkonem povolání v místě; *~ road* povinná cesta, soukromá cesta přes cizí pozemek

occupational [ˌokju(:)ˈpeišənl] **1** okupační (*~ troops*) **2** týkající se povolání n. zaměstnání (*~ choice*) **3** mající původ v povolání (*~ disease* choroba z povolání) **4** pracovní (*~ therapy, ~ accident*) **5** zaměstnanecký (*~ category*) ◆ *~ hazard* riziko povolání; *~ mortality* úmrtnost podle skupin zaměstnání; *~ training photograph* fotografie pracovních postupů; *~ leave* dovolená ze zaměstnání

occupier [okjupaiə] **1** držitel pozemku; nositel funkce **2** obyvatel *of* čeho, bydlící kde; nájemce, nájemník **3** okupant

occupy [okjupai] (*-ie-*) **1** zabrat, uchvátit, obsadit, okupovat (*the enemy troops quickly occupied the eastern half of the country* nepřátelské oddíly rychle obsadily východní polovinu země) **2** zmocnit se čeho **3** zaujímat, zabírat čas i místo (*I shall not ~ your time with any description* nebudu vás okrádat o čas nějakým popisem) **4** rozkládat se kde (*it occupies an attractive site along the bay shore* rozkládá se na atraktivním místě na břehu zálivu) **5** trvat (*the dinner and speeches occupied three hours*) **6** zaměstnávat (*the deeper issues which have occupied modern thinkers* důležitějši problémy, které dosud zaměstnávají moderní myslitele) **7** mít co dělat (*she had to be given extra work to ~ her*) **8** zaneprázdnit *with / in* čím (*he was occupied in national service throughout that period*) **9** zaplnit (*the centre of the house was occupied by a magnificent mahogany staircase* střed domu zabíralo nádherné mahagonové schodiště) **10** zastávat místo (*~ the newly created office of chancellor* zastávat nově vytvořenou funkci kancléře) **11** obývat co, bydlit kde (*he occupies the house that his grandfather built fifty years ago* bydlí v domě, který jeho děd postavil před padesáti léty), být kde (*he occupied the callbox*) ◆ *~ one's mind* zabývat se, zaměstnávat se, obírat se v duchu čím, přemýšlet o; *~ a position* zaujmout postavení ***occupy o.s.*** zabývat se, zaměstnávat se *with / by / with doing* čím

occur [əˈkə:] (*-rr-*) **1** stát se, přihodit se, udát se (*when did the accident ~?*) **2** stát se náhodou, přihodit se náhodou (*successful marriages do not ~, but are created*) **3** vyskytovat se (*misprints ~ on every page* na každé stránce se vyskytují tiskové chyby) **4** napadnout *to* koho (*an idea has ~red to me*), přijít na mysl komu **5** svátek připadnout na stejný den jako jiný svátek

occurance [əˈkarəns] **1** příhoda, událost (*an everyday ~*); náhoda (*an unfortunate ~*) **2** výskyt (*the ~ of shallow coal beds in this region* výskyt nízkých uhelných ložisek v této oblasti) ◆ *it is of frequent ~* vyskytuje se hojně n. často: *~ book* kniha oznámení

ocean [əušən] **1** oceán (*Atlantic O~* Atlantský oceán, *Pacific O~* Tichý oceán **2** moře, též přen. (*~ of foliage* moře listí, *~ of light*) ◆ *~ coal* podmořské uhlí; *~ greyhound* rychlá zaoceánská osobní loď; *~ lane* pravidelná trať, předepsaná trasa pro plavby zaoceánských lodí; *~ liner* zaoceánská loď; *~ tramp* zaoceánská trampová nákladní loď bez pravidelné trasy

oceanfront [əušənfrant] přímořský pás, mořské pobřeží, přímoří
oceanarium [ˌəušiəˈneəriəm] mořské akvárium
oceanaut [əušəno:t] podmořský badatel, potapěč
ocean-going [ˈəušənˌgoiŋ] určený pro plavbu na moři
Oceania [ˌəušiˈeinjə] Oceánie
Oceanian [ˌəušiˈeinjən] *adj* oceánický ● *s* obyvatel Oceánie
oceanic [ˌəušiˈænik] *adj* **1** oceánský; mořský **2** *O* ~ oceánický ● *s* ~ *s, pl* oceánografie
Oceanid [əuˈsi:ənid] *pl: Oceanides* [ˌəuˈsi:ænidi:z] oceanidka mořská nymfa
oceanographic(al) [ˌəušjənəuˈgræfik(əl)] oceánografický
oceanography [ˌəušjəˈnogrəfi] oceánografie, oceánologie nauka o fyzických a biologických poměrech oceánů a moří
oceanward(s) [əušənwed(z)] směrem k moři
ocellate [osəlit], **ocellated** [osəleitid] **1** hmyz mající očko **2** jsoucí s oky n. očky, očkovaný, s kresbou oček, skvrnitý v podobě oček
ocellus [əuˈseləs] *pl: ocelli* [əuˈselai] **1** očko drobné jednoduché oko hmyzu; jedno očko fasetového oka hmyzu **2** oko, očko (*a butterfly with a striking* ~ *on its wing* motýl s nápadným okem na křídle)
ocelot [əusilot] zool. ocelot
och [och] SC ach, och, ó citoslovce
ochlocracy [okˈlokrəsi] (*-ie-*) ochlokracie, vláda lůzy, lůzovláda
ochlocrat [oklokræt] ochlokrat stoupenec ochlokracie
ochlocratic [ˌokloˈkrætik] ochlokratický
ochraceous [əuˈkreišəs] okrový
ochre [əukə] *s* okr; okrová žluť ● *v* barvit okrem
ochreish [əukəriš] téměř okrový, blížící se barvou okru, žlutohnědý
ochreous [əukriəs], **ochrous** [əukrəs], **ochry** [əukəri] (*-ie-*) okrový
octachord [oktəko:d] hud. oktachord nástroj; soustava osmi tónů
octachordal [ˌoktəˈko:dl] oktachordový
octad [oktæd] **1** mat. osmice, skupina osmi, oktáda **2** chem. osmimocný prvek
octagon [oktəgən] *s* osmiúhelník ● *adj* = *octagonal*
octagonal [okˈtægənl] **1** osmiúhelníkový, osmiúhlý, osmiúhelný **2** osmihranný, osmiboký
octahedral [ˌoktəˈhedrəl] osmistěnný, oktaedrický ◆ ~ *crystals* krystaly tvaru osmistěnu; ~ *system* krychlová (kubická) soustava krystalografická
octahedron [ˌoktəˈhedrən] osmistěn, oktaedr
octamerous [okˈtæmərəs] osmičlenný, osmičetný (~ *flowers*)
octane [oktein] chem. oktan nasycený uhlovodík ◆ ~ *number* oktanové číslo
octant [oktənt] **1** oktant osmina kruhu; jedna z osmi částí prostoru rozděleného třemi souřadnými rovinami; přístroj k měření zenitových vzdáleností nebeských těles **2** hvězd. poloviční kvadratura
octarchy [okˈta:ki] (*-ie-*) **1** vláda osmi **2** osmistátí
octaroon [ˌoktəˈru:n] = *octoroon*
octastyle [oktəstail] archit. *adj* osmisloupový, charakterizovaný osmi sloupy ● *s* chrám n. budova charakterizovaná osmi sloupy, osmisloupí
octateuch [oktətju:k] prvních osm knih Starého zákona (v řecké církvi)
octave [oktiv] **1** oktáva stupnice; interval; strofa z osmi veršů (ottava rima); poloha zbraně v šermu **2** skupina osmi, osmička, osma (*an* ~ *of oarsmen* veslařská osma) **3** BR soudek na víno o obsahu asi 51,2 l **4** [okteiv] círk. oktáv osmý den po svátku ◆ *second* etc. ~ tón o dvě atd. oktávy níž | výš
octave-coupler [ˈoktivˌkaplə] oktávová spojka varhan
octave-flute [ˈoktivˌflu:t] pikola dechový nástroj i varhanní rejstřík
octavo [okˈteivəu] oktáv, osmerka rozměr knihy n. stránky
octavus [okˈteivəs] osmý
octennial [okˈtenjəl] osmiroční, osmiletý; trvající osm let; opakující se po osmi letech
octet(te) [okˈtet] **1** oktet skladba pro osm hudebních nástrojů n. hlasů; seskupení osmi elektronů v jedné elektronové vrstvě **2** hud. okteto **3** první dvouverší v oktávě
octillion [okˈtiljən] oktilion **1** BR 10^{48} **2** AM 10^{27}
octillionth [okˈtiljənθ] *adj* oktiliontý ● *s* oktiliontina
octingentenary [ˌoktindžənˈti:nəri] (*-ie-*) BR osmisté výročí
October [okˈtəubə] **1** říjen **2** zast.: silné pivo vařené v říjnu
Octobrist [okˈtəubrist] *s* okťabrista ● *adj* okťabristský
octocentenary [ˌoktəusenˈti:nəri] (*-ie-*) osmisté výročí
octocentennial [ˌoktəusenˈtenjəl] týkající se osmistého výročí
octodecimo [ˌoktəuˈdesiməu] osmnácterka formát knihy
octogenarian [ˌoktəudžiˈneəriən] *adj* osmdesátiletý (*an* ~ *author*) ● *s* osmdesátník (*a feeble* ~ vetchý osmdesátník)
octonal [oktənəl] osmičkový; složený z osmi
octonarian [ˌoktəˈneərien] *adj* verš osmistopý ● *s* oktonár osmistopý verš
octonary [oktənəri] *adj* osmičkový, složený z osmi ● *s* (*-ie-*) osmiveršová strofa zejm. Žalmu 119
octopod [oktəpod] zool. *s* chobotnice ● *adj* osminohý
octopodes [okˈtopədi:z] řidč. = *octopuses*
octopus [oktəpəs] *s* zool. chobotnice, též přen. (*an* ~ *of a corporation which lends, buys, produces and sells*) ● *adj* chobotnicový, připomínající chobotnici

octopush [oktəpuš] vodní hokej hraný na dně bazénu
octoroon [ˌoktəˈru:n] míšenec s osminou černošské krve
octosyllabic [ˌoktəusiˈlæbik] *adj* osmislabičný (*the fatal facility of ~ verse* osudová snadnost osmislabičného verše) ● *s* osmislabičný verš (*romantic stories in ~s*)
octosyllable [ˌoktəuˈsiləbl] *adj* osmislabičný ● *s* **1** osmislabičné slovo **2** osmislabičný verš
octroi [oktrwa: / AM okˈtrwa:] **1** akcíz, daň n. poplatek z dovozu do města **2** čára daně, akcíz **3** výběrčí daně, akcízák
octuple [oktju:pl] *adj* **1** osminásobný **2** z osmi; po osmi ● *s* osminásobek ● *v* z|osminásobit, z|násobit osmi
ocular [okjulə] *adj* **1** vizuální (*the density of the vegetation as determined by ~ estimate* vizuálně odhadnutá hustota vegetace) **2** očividný, zřejmý, jasný (*~ evidence for my belief* zřejmý doklad pro mé přesvědčení) **3** očitý (*~ testimony* očité svědectví) **4** zrakový, pro oči (*a wondrous ~ excitement* báječné vzrušení pro oči); optický (*~ illusions*) **5** oční (*~ diseases*) **6** vyjádřený očima n. zrakem (*~ approval* souhlasný pohled), užívající oči (*the ~ dialect needs no dictionary*) ◆ *~ inspection* zraková kontrola; *~ spot* zraková skvrna ● *s* fyz. okulár ◆ *~ lens* čočka okuláru, okulár; *~ tube* tubus okuláru
ocularist [okjulərist] výrobce umělých očí
oculate [okjulit], **oculated** [okjuleitid] = *ocellate*
oculist [okjulist] oftalmolog, oční lékař, okulista
oculistic [ˌokjuˈlistik] okulistický, oftalmologický, týkající se očního lékařství
Od[1], **od** [od] = *God* (*Od, man, but it's a queer story*)
od[2] [od] ód domnělá síla jevící se vyzařováním
odal [əudl] hist. alod, alodium plně svobodný šlechtický statek nevázaný v lenní soustavě
odalisque [əudəlisk] odaliska
Odd[1] [od] zast. = *God*
odd[2] [od] *adj* **1** lichý (*1, 3, 5 are ~ numbers, she lost a glove and was unable to match the ~ one*) **2** nadpočetný (*the ~ player*) **3** zbylý, zbývající (*the ~ dollars*) **4** pár čeho, trochu, čeho, něco čeho (*he had some ~ change in his pocket*) **5** a pár, a něco (*a book of three hundred- ~ pages, he was forty ~ years old, twelve pounds ~*) **6** navíc (*he hoped to make a few ~ dollars during his summer vacation*) **7** jednotlivý (*three ~ volumes of the original 12-volume set* tři jednotlivé svazky z původně dvanáctisvazkového kompletu) **8** různý (*we picked up a few ~ things we needed* sebrali jsme pár rozličných drobností, které jsme potřebovali) **9** některý, blíže neurčený (*he told her he would see her some ~ day*) **10** nějaký ten (*cyberneticians and the ~ psychologist*) **11** jeden jediný (*just for this ~ night*); ojedinělý (*he manages to get in some reading at ~ moments* občas si najde chvilku a něco si přečte) **12** nepravidelný (*the matter was brought up at one of the club's ~ sessions* záležitost se projednávala na jedné nepravidelné klubovní schůzi), nesouvislý, volný **13** výpomocný (*he hired a couple of ~ hands for the farm* přijal na farmu pár dělníků na výpomoc), příležitostný (*they try to supplement their pensions by taking on ~ jobs* snaží si vylepšit penzi příležitostným zaměstnáním), náhodný (*an ~ stroke of luck* šťastná náhoda), roztroušený, jednotlivý, vyskytující se porůznu (*he found a few ~ references to the book*); zastrčený, zapadlý (*they found it in some ~ corner of the house*) **14** zvláštní, podivný (*it's ~ you did not know, she had an ~ look in her eyes*); záhadný, nevysvětlitelný (*the young man had an ~ effect on her making her almost giddily loquacious* mladík měl na ni záhadný vliv: mluvila a mluvila, až se z toho málem točila hlava); neobvyklý (*an ~ circumstance is that the oakleaves this year are falling as soon as those of the elm* letos je jedna neobvyklá okolnost: duby shazují listí stejně brzo jako jilmy) **15** výstřední (*an ~ fellow; the village people thought her ~, and were a little afraid of her*) **16** společensky neformální (*wear ~ jackets and slacks* nosit sportovní saka a kalhoty nikoliv obleky) **17** nemanželský (*an ~ child*) ◆ *~ court* levá půlka dvorce při tenisové dvouhře; *~ and even* sudá – lichá hazardní hra; *an ~ fish* divný pavouk podivín; *~ man* jazýček na vahách rozhodující činitel při vyrovnaném hlasování; *go the ~ man* platit rundu; *~ man out 1.* člověk vybraný losováním např. házením mince *2.* vyřízený člověk *3.* ten, kdo stojí stranou; *~ mark* BR úhor; *~ months* měsíce o 31 dnech; *~ page* lichá / pravá stránka; *at ~ times* příležitostně; *~ trick* rozhodující třináctý zdvih ve whistu n. bridži ● *s* **1** golf úder navíc proti počtu úderů protivníka **2** v. *odds*
oddball [odbo:l] AM hovor. *adj* zvláštní, podivný ● *s* podivín
odd-come-short [ˌodkamˈšo:t] **1** zbytek látky **2** *~s, pl* zbytky, odpadky
Oddfellow [odfeləu] člen quasizednářského sdružení
oddish [odiš] poněkud zvláštní, trochu neobvyklý
oddity [odəti] (*-ie-*) **1** zvláštnost, podivnost (*the ~ of the situation*) **2** výstřednost (*any oddities in his behaviour will be commented upon* budou komentovány všechny výstřednosti v jeho chování) 3 zvláštní člověk, podivín (*I had all sorts of oddities visiting me*) **4** zvláštnost, zvláštní událost (*a good piece of steak is an ~, meeting her there was an ~*) **5** podivínství (*I saw for myself one example of his ~*)
odd-jobbing [oddžobiŋ] příležitostná práce
odd-jobman [odˈdžobmən] *pl: -men* [-mən] člověk pro všechno
odd jobs [odˈdžobz] příležitostná nesystematická práce

odd-lot [odlot] : ~ *transaction* převod méně než 100 akcií

oddly [odli] **1** též ~ *enough* kupodivu, a což je zvláštní **2** v. *odd, adj*

oddments [odmənts] *pl* **1** zbytky, odpadky **2** vstupní a závěrečné části knihy, vstupní strany, zadní vakáty v knize **3** maličkosti, drobnosti, harampádí (*a museum where were gathered those ~ that rich men seem disposed to accumulate* muzeum, kde bylo sebráno harampádí, jaké zdá se mají bohatí lidé sklon shromažďovat)

oddness [odnis] **1** podivnost, podivínství (*we were warned off by his ~* odradilo nás jeho podivínství) **2** lichost

odd-pinate [ˈodˌpinit] bot. lichozpeřený

odds [odz] *pl* **1** naděje, pravděpodobnost, vyhlídka, šance (*the night is clear and the ~ are that it'll stay that way until morning*) **2** výhoda (*they allowed ~ to the other team, I ask no ~ of them*); handicap (sport.) **3** převaha, přesila (*he won the election by considerable ~*), nepříznivý poměr sil (*he has managed to beat the heavy ~ against him* přes velmi nepříznivý poměr sil se mu podařilo vyhrát) **4** přen. nepřízeň zejm. osudu (*one man's determination to win through despite heavy ~* rozhodnutí jednotlivce zvítězit nad nepřízní osudu) **5** rozdíl (*all deacons are good – but there is ~ in deacons*) **6** poměr sázky (*he offered him ~ of 3 to 1 but he refused to take the bet* nabídl mu sázku tři proti jedné, ale on ji odmítl) ◆ *the ~ are / it is ~ that* je pravděpodobné, že (*the ~ are in your favour 1.* je pravděpodobné, že vyhrajete *2.* jste ve výhodě, *the ~ are against you 1.* je pravděpodobné, že prohrajete *2.* jste v nevýhodě); *be at ~ 1.* být sporný *2.* nesouhlasit, být ve sporu, hádat se, být v sobě *with* s *on* kvůli; *be at much the longest ~* mít zdaleka největší naději na úspěch; *by ~ / all ~ / long ~* se superlativem z každého hlediska, daleko nej- (*it was by all ~ the outstanding public question in the United States*); *fixed ~* pevný poměr sázky bez ohledu na počet účastníků; *give ~ = lay ~; it is even ~* vyjde to na stejně; *lay ~ 1.* poskytnout výhodu *2.* nabídnout poměr sázek *of* jaký, vsadit se v jakém poměru; *long ~* velký rozdíl při sázce např. 20 ku 1; *make ~ even* vyrovnat rozdíly; *it makes / it is no ~* na tom nezáleží, na tom nesejde, v tom není žádný rozdíl *of* jestli; *it doesn't make much ~* v tom není žádný velký rozdíl; *over the ~* nad obvykle dohodnutou cenu; *short ~* malý rozdíl při sázce např. 3 ku 1; *take ~ 1.* přijmout výhodu *2.* přijmout poměr sázky *3.* nabídnout pro sebe nevýhodnou sázku; *what ~ is it to him* co je mu do toho; *what's the ~* hovor. co na tom, jaký je v tom rozdíl, k čemu, jakou to má cenu *to do* dělat

odds and ends [ˌodzəndˈendz] *s* **1** maličkosti, drobnosti (*I have some ~ to do tomorrow morning, he threw some ~ into a suitcase*) **2** kousky, kousíčky, zbytky (*~ of food*) **3** harampádí (*~ found lying around the attic*) ● *adj: odds-and-ends: ~ shop* vetešnictví

odds and sods [ˌodzəndˈsodz] vulg. sračičky

odds-on [ˌodzˈon] **1** pravděpodobný (*an ~ favourite at the race track* ... favorit na dostihové dráze) **2** spíš ... než ne (*the book is an ~ best seller*); poměrně jistý n. bezpečný (*an ~ chance of getting out*) **3** příznivý, výhodný, skýtající naději na úspěch n. výhru

ode [əud] óda ◆ *choral ~* zpěv chóru v řecké tragédii

Oder [əudə] Odra

odeum [əuˈdi:əm] *pl* též *odea* [əuˈdi:ə] **1** odeon budova pro hudební a recitační produkce ve starém Řecku **2** koncertní síň

odic[1] [odik] ódický týkající se ódu

odic[2] [əudik] odický týkající se ódy

odious [əudjəs] **1** ohavný, odporný, nechutný **2** protivný, hnusný **3** budící n. zasluhující nenávist

odiousness [əudjəsnis] **1** ohavnost, odpornost, nechutnost **2** protivnost, hnusnost

odium [əudjəm] **1** ódium, příhana (*these three artists had finally started losing their ~* konečně začali ti tři umělci ztrácet své ódium, *the whole ~ fell on the girl*) **2** opovržení, hanba, hana (*it heaps ~ on those responsible for the defect* hanba padá na ty, kteří nesou za defekt odpovědnost) **3** ohavnost (*other ~s were abolished* jiné ohavnosti byly vymýceny) ◆ *~ theologicum* teologická nenávist sveřepost charakterizující teologické spory

odometer [əuˈdomitə] = *hodometer*

odontalgia [ˌəudonˈtældžiə] med. bolest zubů

odontoglossum [əuˌdontəuˈglosəm] bot. odontoglosum druh americké orchideje

odontoid [əuˈdontoid] zubovitý, jsoucí ve tvaru zubu

odontologic [əuˌdontəˈlodžik] odontologický

odontology [ˌəudonˈtolədži] odontologie vědní obor zabývající se zuby obratlovců; zubní lékařství

odontorhyncous [ˌəudontəˈriŋkəs] zool. pilozubý

odorant [əudərənt] , **odoriferous** [ˌəudəˈrifərəs] **1** vonný, voňavý, aromatický (*~ flowers, ~ spices* aromatická koření) **2** řidč. páchnoucí, zapáchající (*~ fumes* páchnoucí výpary), též přen. (*~ legislation*)

odoriferousness [ˌəudəˈrifərəsnis] voňavost, aromatičnost

odorous [əudərəs] **1** zejm. bás. vonný, voňavý, aromatický **2** hovor. smradlavý

odorousness [əudərəsnis] **1** zejm. bás. vonnost, voňavost, aromatičnost **2** hovor. smradlavost

odour [əudə] **1** aróma, pach, vůně příjemná i nepříjemná, odér **2** zápach **3** přen. nádech (*an* ~ *of romance*) **4** ~*s, pl* zast. aromatické látky, parfémy ◆ *be in good* | *bad* n. *ill* ~ být dobře | špatně zapsán *with* u; ~ *of sanctity* pověst svatosti, též iron.

odourless [əudəlis] jsoucí bez zápachu (*an* ~ *gas*)

odyl [odil], **odyle** [odail] = *od*[2]

Odyssey [odisi] **1** Odyssea starořecký hrdinský epos 2 odysea bludná pouť, dlouhé dobrodružné putování

oecist [i:sist] kolonizátor, zakladatel kolonie zejm. starořecké

oecology [i:ˈkolədži] (-*ie*-) = *ecology*

oecumenical [ˌi:kju:ˈmenikəl] **1** církev. ekumenický týkající se všech křesťanských církví **2** celosvětový

oecumenicity [ˌi:kju:məˈnisəti] círk. ekumeničnost

oedema [i:ˈdi:mə] med. edém

oedematose [i:ˈdimətəuz], **oedematous** [i:ˈdimətəs] edémový, odematický

Oedipal [i:dipl] oidipovský

Oeidipus [i:dipəs] **1** v řec. mytol. Oidipus **2** přen. chytrá hlava kdo umí luštit hádanky ◆ ~ *complex* psych. oidipovský komplex

oeil-de-boeuf [ˌə:jdəˈbə:f] *pl: oeils-de-boeuf* [ˌə:jdəˈbə:f] kulaté n. oválné okénko, volské oko

oenology [i(:)ˈnolədži] enologie nauka o vinařství a o ošetřování vína

oenophile [i:nəfail] znalec vín

o'er [əuə] bás. = *over*

oersted [ə:stəd] fyz. oersted jednotka intenzity magnetického pole

oesophageal [i:ˌsofəˈdžiəl] anat. ezofágový, jícnový

oesophagus [i:ˈsofəgəs] *pl* též *oesophagi* [i:ˈsofəgai] anat. ezofágus, jícen

oestrogen [i:strəudžən] biol. estrogen ženský pohlavní hormon

oestrous [i:strəs] vzrušující, působící orgasmus n. říji, říjný

oestrum [i:strəm], **oestrus** [i:strəs] **1** zool. střeček **2** přen. osten (*they too were pricked by the* ~ *of intellectual responsibility* je také bodal osten intelektuální odpovědnosti) **3** posedlost (*Milton would not write more verses when the* ~ *was not on him*) **4** chtíč, říje; orgasmus

of[1] [ov, əv] **1** vyjadřuje vzdálenost časovou i místní od (*five miles south of Leeds, within a year of his death*), po (*three months of this date*) **2** vyjadřuje vzdálení o (*rob a p. of his purse* okrást koho o peněženku, ukrást komu peněženku), na (*independent of help* nezávislý na pomoci), z (*clear oneself of accusation* smýt ze sebe podezření, *cure of a disease* vyléčit z nemoci) **3** vyjadřuje omezení na (*blind of one eye* slepý na jedno oko) **4** vyjadřuje obsah (*a glass of milk* sklenice mléka, *a play of three acts* tříaktová hra) **5** vyjadřuje soustředění k (*the love of study* láska ke studiu), o (*dream of home* snít o domově), na (*complain of a t.* stěžovat si na co) **6** vyjadřuje příčinu (*die of hunger* zemřít hladem, *the cause of the accident* příčina nehody) **7** vyjadřuje autorství od (*the works of Shakespeare* Shakespearovo dílo, *the Iliad of Homer* Homérova Iliada, *how kind of you to help* jak je to od vás laskavé, že pomáháte) **8** vyjadřuje materiál z (*built of bricks* postavený z cihel, *a table of wood* dřevěný stůl, *a dress of silk* hedvábné šaty, *a house of stone* kamenný dům) **9** vyjadřuje místní určení (*battle of Leipzig* bitva u Lipska, *Messrs Paul Hamlyn of Feltham* firma Paul Hamlyn, sídlem ve Felthamu, *John Burke of Southwold* John Burke bytem v Southwoldu) **10** vyjadřuje charakteristiku (odpovídá přístavku) (*the city of Dublin* město Dublin, *the month of August* měsíc srpen, *university of Oxford* oxfordská univerzita, *a man of humble origin* člověk nízkého původu, *a woman of no importance* bezvýznamná žena, *a man of genius* geniální člověk, *a man of ability* schopný člověk, *a girl of ten years* desetiletá dívka, *forty years of age* čtyřicetiletý, *wine of choice* vybrané víno, *a friend of mine* můj přítel, *where's that fool of a servant* kde je ten pitomec sluha, *she's a fine figure of a woman* to je žena s krásnou postavou, *mountain of a wave* vlna jako hora) **11** vyjadřuje čas (*he died of a Monday* zemřel v pondělí, *he comes in of an evening* přicházívá večer) **12** AM v časovém údaji: chybí do (*ten minutes of eight* za deset minut osm, *quarter of ten* třičtvrtě na deset) ◆ *of his own accord 1.* sám, z vlastní vůle, z vlastního popudu *2.* na vlastní pěst; *of age* zletilý (*come of age* dosáhnout zletilosti); *all of a t.* celý (*all of a tremble* celý rozechvělý, *all of a sweat* celý zpocený); *all five* etc. *of us* nás všech pět atd.; *all of a sudden* najednou, náhle, zčista jasna; *of all things* především; *back of* AM za; *of course* ovšem, samo sebou, samozřejmě; *hard of hearing* nedoslýchavý, nahluchlý; *do a t. of necessity* udělat co z nutnosti; *have a good* | *bad time of it* mít se dobře | špatně; *of itself* samovolně, samo od sebe (*the explosion couldn't have happened of itself*); *of late* poslední dobou; *maid of honour* družička; *no more of that* nech toho, s tím už přestaň; *of nights* v noci; *of old 1.* za dávných dob, kdysi *2.* dávný; *a sort of a t.* nějaký, jakýsi co; *short of* až na; *song of songs* píseň písní, velepíseň zejm. Šalomounova; *think of a way out* vymyslet způsob, jak z toho

of[2] [əv] AM hovor. = pomocné sloveso *have*

ofay [əufei] hanl. běloch

off [of] *adv* **1** pohyb pryč (~ *with him* odveď ho, ~ *with his head* setni mu hlavu; ~, *or I'll shoot* zmiz nebo střelím); výsledný stav pryč, to tam, fuč (hovor.), v tahu (slang.) (*the gilt is* ~ pozlátko je pryč) **2** za údajem rozsahu jak daleko, vzdálen časově i místně (*the town is five miles* ~), za jak dlouho (*Christmas is three weeks* ~) **3** za scénou, za jevištěm (*noises* ~, *knocking is heard* ~); přen. vedle na omylu (*you are* ~ *on this point*) **4** vyjadřuje vzdálení odtržením n. odpoutáním (*he rode* ~ odjel, *beat*

the map 1. slang. neexistující *2.* hovor.
...ný ● *adj* **1** strana druhý vzdálenější
...*dal was blank* druhá strana
...**2** obrácený k moři (*keep-*
...*de* udržující bóji na
...ruční, pravý (*the*
...*the ~ wheel*)
...*~ issue* to
...anní ulice, *an*
... rameno řeky)
...*~ day*) **6** smolný,
...*er has his ~ days*
... smolný den) **7** mrtvý
...ný (*an ~ grade of oil*
... málo známý, málo inze-
... *~ brands* nevěřící málo
...**9** barva lomený (*an ~ kind of*
... protější stranu n. straně vzhledem
...*hit* zásah na protější stranu, *an*
...*chance* malá pravděpodobnost (*only*
...*e that he is right*), *on the ~ chance*
... nepravděpodobné, co kdyby náhodou
...*on the ~ chance of seeing him* půjdu, co
...ych ho náhodou viděl) ◆ *v* **1** loď odrazit od
...hu, vyplout na volné moře **2** hovor. oznámit
...ušení smlouvy n. přerušení jednání **3** AM slang.
oddělat zabít ● *s* **1** kriket protější strana hřiště proti pálkaři **2** BR úplný začátek (*heredity had thrust our roles on us from the ~* dědičnost nám určila naši roli od samého začátku)

offal [ofəl] **1** odpad, odpadky **2** vnitřnosti, droby játra, mozeček, atd., též jazyk, nožičky a oháňka **3** otruby **4** laciné n. příliš drobné ryby **5** mršina

off balance [ˌo:fˈbæləns] **1** nevyrovnaný, nevyvážený (*the plans are ~*) **2** ve vratké pozici (*he was caught ~ and knocked down* zachytil ho ve vratké pozici a srazil k zemi) **3** zmatený (*the ~ presentation of alternatives*), vyvedený z rovnováhy (*he may turn us momentarily ~ by saying one thing when he means another* na okamžik nás ...ožná vyvede z rovnováhy tím, že něco jiného ...a něco jiného myslí)

...o(:)fˈbi:t] *adj* **1** hud.: jsoucí s důrazem na ...bu **2** hovor. nekonvenční, neobvyklý (*an* ...*ng* neobvyklá reklama) ● *s* hud. lehká

...ˈbro:dwei] divadlo nejsoucí na ...y komerční, experimentální
...*adj* vyvržený, zapuzený ●
...děnec (*the ~s of all professions*)

...ˈsentə] **1** výstředný (*an ~ revolving* ...středný otočný terč) **2** neumístěný na ... (*~ placing of a letterhead* záhlaví dopisu ...umístěné na střed) **3** poštovní známka s okraji nestejné šířky **4** nenormální, excentrický (*suspi-*

cion that existentialism is ~ podezření, že existencialismus je nenormální)

off-colour [ˌofˈkalə] **1** nesprávně zbarvený, nevybarvený, nedobarvený **2** barevný, zbarvený nikoli bezbarvý (*an* ~ *paper, an* ~ *diamond*) **3** pochybný (*an* ~ *reputation*) **4** AM pikantní, nesalónní (~ *anecdotes*)

off cut [ˌofˈkat] odřezek

off day [ˌofˈdei] hovor. smolný den, černý den

off-drive [ofdraiv] (*off-drove, off-driven*) kriket zahrát míč na protější stranu kde není pálkař

offence [əˈfens] **1** poklesek, přestupek, přečin *against* proti (*an* ~ *against the law*), zločin (*be charged of a serious* ~ být obviněn z těžkého zločinu) **2** hřích (*an* ~ *against God and man*) **3** urážka *to* čeho (*no* ~ *intended and none taken* bez urážky z obou stran, *such chord successions are an* ~ *to the ear* takový postup akordů je urážka sluchu) **4** obtíž, zlořád, ostudnost, důvod rozhořčení, otrava *to* pro (*that cesspool is an* ~ *to the neighbourhood* ta žumpa je všem v okolí na obtíž) **5** řidč. pohoršení, znamení odporu **6** útok (*the most effective defence is* ~), zteč ◆ *arms / weapons of* ~ útočné zbraně; *capital* ~ hrdelní zločin; *criminal* ~ trestný čin; *driving* ~ přestupek proti dopravnímu řádu; *give / cause* ~ *to* pohoršit koho; *no* ~ bez urážky, neračte se urazit; *rock of* ~ kámen úrazu; *take* ~ *at a t. 1.* pohoršit se nad *2.* urazit se kvůli

offence-defence [əˌfensdiˈfens] voj. aktivní obrana

offencedly [əˈfensidli] uraženě

offenceless [əˈfenslis] neškodný, bezbranný, nevinný (*a mild* ~ *prey* mírná, bezbranná kořist)

offencer [əˈfensə] provinilec, delikvent ◆ *first* etc. ~ dosud netrestaný, trestaný poprvé atd.; *old* ~ člověk vícekrát trestaný, recidivista

offend [əˈfend] **1** spáchat přestupek n. přečin *against* proti (~ *good manners*) **2** porušit *against* co (~ *against the law*) **3** urazit, dotknout se koho (*I'm sorry if I've* ~*ed you* omlouvám se, jestli jsem se vás nějak dotkl) **4** urazit co, být urážkou čeho (*ugly buildings that* ~ *the eye*) **5** dělat nezdobu n. nepřístojnost (*take care that your dog does not* ~ *on the common staircase* postarejte se o to, aby váš pes nedělal na veřejném schodišti žádnou nepřístojnost) **6** být skvrnou (*a fabric of brick and asbestos that would not* ~ *in that landscape* budova z cihel a azbestu, která by nebyla v té krajině jako pěst na oko) **7** jít komu na nervy (*she was* ~*ed by her husband* její manžel jí šel na nervy) **8** obtěžovat, otravovat (*he took off his shoe and removed the* ~*ing pebble* zul si střevíc a vyklepal kamínek, který ho zlobil) **9** po|ranit (*the horse develops bony growths around the joints that have been* ~*ed* kolem poraněných kloubů se vytvářejí koni tvrdé výrůstky) **10** pohoršit | se (*if thy right eye* ~ *thee, pluck it out* pohoršuje-li tě pravé oko, vyloupni je) *at*

/ *b*
men
book
by my
se ura

offense [ə

offensive [ə
weapons,
chutný, p
ludku (*fish*
odporný z
přístojný, h
horšlivý (*lar*
4 zast. škodliv
hmyzu škodí,
ofenzíva (*the l*
kampaň, ofenzi
ofenzívu, přejít

offensiveness [əˈfens
2 nepřístojnost; u

offer [ofə] *v* **1** nabídno
~*ed to help, we* ~*e*
být nabízen na prod
suitable) **2** uvést (*on*
remarks), předložit (~
důkaz), přednést jako ná
ture) **3** přinášet oběti, o
přinést v oběť **4** zvolit si
for the degree may ~
foreign languages) **5** požá
never hesitated about ~*ing*
days' acquaintance sotva z
váhal a požádal ji o ruku) **6** p
~*ed to strike him with his c*
udeřit holí, *he* ~*ed to kiss he*
tovat (*the summit* ~*s a ma*
z vrcholu se naskýtá nád
stream ~*s excellent fishing*
tečný rybolov) **8** naskytn
(*buying land whenever op*
pozemky, kdykoli se k to
free choice to get work
bodná možnost získat
kdy se vyskytne) ◆ ~
tost k bitvě; ~ *with*
nabídnout; ~ *one's*
ance bránit se, klá
odměnu; ~ *a ri*
nabídnout ke ko
vrh, navrhnout;
k násilí ● *s* **1** n
~*s of assistan*
3 obch. nabídk
kus *of* o (*a h*
parohů ◆ *on*

offering [ofər
službě, ofer

burnt ~ zápalná oběť, *sin* ~ oběť za hříchy) **3** nabídnutí, nabídka **4** v. *offer, v*

offertory [ofətəri] (*-ie-*) **1** círk. obětování, ofertorium část katolické mše **2** hud. ofertorium antifona k obětování **3** oběť, obětina, **4** oféra, sbírka

offhand [ˌoːfˈhænd] *adv* **1** rovnou, spatra, bez přípravy, bez rozmýšlení (*he couldn't give the figures* ~) **2** okamžitě, naráz (*habit is a growth and cannot be made* ~ zvyk je něco, co roste, a nelze se jej zbavit naráz) **3** řidč.: střílet z ruky bez podpory (*fire* ~ *with accuracy* přesně střílet z ruky) ● *adj* **1** nepřipravený, improvizovaný (~ *excuses,* ~ *inquiry*) **2** ledabylý, nedbalý (*he grumbled about the* ~, *grudging service* huboval na nedbalou, neochotnou obsluhu); společensky neformální (*her clothes usually gave an* ~ *effect* její oblečení obvykle působilo dojmem nenucenosti) **3** střelba z ruky (*a rifle too heavy for* ~ *shooting*) ◆ ~ *grinding* broušení na hrubo, hrubé broušení

offhanded [ˌofˈhændid] = *offhand, adj*

offhandedness [ˌofˈhændidnis] společenská neformálnost, nedbalost

office [ofis] **1** kancelář, úřadovna (*a lawyer's* ~ advokátní kancelář) **2** ordinace **3** úřad; funkce (*qualified to hold public* ~) **4** ministerstvo (*the Foreign O*~ ministerstvo zahraničí, *General Post O*~ ministerstvo pošt / spojů, *Home O*~ ministerstvo vnitra) **5** místo ve vládě n. státní službě **6** úkoly, povinnost, povinnosti (*the* ~ *of the host* povinnosti hostitele); služební povinnost **7** círk. oficium, hodinky, breviář (*a priest reciting his* ~ kněz modlící se breviář) **8** círk. obřad (*the* ~ *of the mass* mešní obřad) **9** centrála (*directives to branch factories were sent out from the New York* ~) **10** pobočka (*our London* ~) **11** ~*s, pl* služba, pozornost **12** ~*s, pl* kuchyně a příslušenství, sklepy **13** záchod **14** BR slang. áčko znamení (*in case the boss gives you the* ~ *that the cops are going to investigate* jestli ti dá šéf áčko, že budou poldové vyšetřovat) **15** ~*s, pl* pomoc, služba (*good* ~*s*) ◆ ~ *basket* košík na dopisy; *be in* | *out of* ~ být | nebýt u moci n. vlády (*the Liberals have been out of* ~ *for a long time now* liberálové už nejsou dlouho u vlády); *booking* ~ BR nádražní pokladna; *box* ~ *1.* pokladna v divadle; *2.* kasovní výnos, kasovní úspěch; *branch* ~ filiálka; ~ *building* správní budova; *call* ~ telefonní hovorna; ~ *car* služební auto; *central* ~ AM ústředna; *come into* ~ nastoupit do úřadu; ~ *copy 1.* úředně ověřený opis *2.* redakční výtisk; ~ *corrections* domácí korektury tiskárenské; *dead-letter* ~ poštovní úložna; ~ *of destination* dodací úřad; *delivery* ~ doručovací úřad; *dispatching* ~ výpravna zavazadel; *Divine O*~ círk. hodinky; *do the* ~ *of* zastávat co, sloužit jako co; *Fire* ~ požární oddělení v pojišťovně; *good* ~*s* laskavost, laskavá přímluva; *Holy O*~ círk. inkvizice; ~ *hours 1.* úřední hodiny, návštěvní hodiny, ordinační hodiny lékaře *2.* pracovní doba; *ill* ~ medvědí služba; *insurance* ~ pojišťovací ústav, pojišťovna; *inquiry* ~ informace, informační kancelář; *last* ~*s* pohřební obřad; *left-luggage* ~ úschovna zavazadel; *lost-property* ~ oddělení ztrát a nálezů na nádraží; *oath of* ~ služební přísaha; ~ *of the public prosecution* prokuratura; *Public Record O*~ BR Národní archív; *record* ~ *1.* soudní kancelář *2.* archív; ~ *supplies* kancelářské potřeby; *O*~ *of Works* správa státních budov

officebearer [ˈofisˌbeərə] BR funkcionář, držitel úřadu

office block [ofisblok] velká administrativní budova

office boy [ofisboi] poslíček

office girl [ofisgəːl] sekretářka

officeholder [ˈofisˌhəuldə] AM = *officebearer*

officer [ofisə] *s* **1** důstojník (~*s and men,* ~*s and crew*) **2** funkcionář, hodnostář, člen představenstva n. řídícího sboru (*the* ~*s of the Debating Society,* ~*s of a bank*) **3** příslušník bezpečnostního sboru, strážník, policista, člen policie (*a police* ~, *the* ~ *on duty at a traffic corner*); BR běžné oslovení policisty **4** státní úředník (*a customs* ~); vládní úředník, referent (~*s in the foreign service*) **5** majordomus, správce **6** zast. pověřenec; vyslanec; zástupce **7** člen čtvrté třídy řádu Britského impéria **8** ~*s, pl* též důstojnictvo, velící důstojníci, velitelský sbor, štáb (~*s'corps* důstojnický sbor) ● *v: be* ~*ed* mít velitele, mít důstojnický sbor (*the troops were well* ~*ed* oddíly měly dobré velitele) *by* mít za velitele koho (*both these corps were* ~*ed by Frenchmen and other foreigners*) ◆ ~ *at arms* herold; *commissioned* ~ důstojník; *flag* ~ námoř. vlajkový důstojník, admirál; ~ *of the day* službu konající důstojník; ~ *of the guard* voj. velitel stráže; *petty* ~ lodní poddůstojník; ~ *of the watch* námoř. velitel hlídky

office seeker [ˈofisˌsiːkə] člověk, který se honí za funkcí

official [əˈfišəl] *adj* **1** úřední, oficiální (~ *representative,* ~ *duties,* ~ *statement,* ~ *language*) **2** oficinální (*an* ~ *quinine pill* ... tabletka chininu) ◆ ~ *business* služební záležitost (*on* ~ *business* služebně); *through* ~ *channels* úřední cestou, instanční cestou, úředně; ~ *contradiction* oficiální dementi; ~ *position* hodnost, funkce, zaměstnání, pracovní zařazení; ~ *receiver* správce konkursní podstaty, konkursní komisař; ~ *red tape* úřední šiml; ~ *travel order* příkaz ke služební cestě, cestovní rozkaz; ~ *oath* služební přísaha; *for* ~ *use only* pouze pro služební účely ◆ *s* **1** část. ~ *principal* církevní hodnostář **2** státní n. vládní úředník (*government* ~ člen vlády, ministr) **3** vedoucí pracovník, funkcionář, člen představenstva n. řídícího sboru (*railroad* ~*s* vedoucí pracovníci železniční dopravy)

officialdom [əˈfišəldəm] **1** úředníci, úřednictvo **2** byrokrati, byrokracie
officialese [əˌfišəˈli:z] nesrozumitelná úřední hantýrka, špatný úřední jazyk např. vyhlášek
officialism [əˈfišəlizəm] byrokracie, úřední šiml (*where there is ~ every human relation suffers* kde je byrokracie, tam všechny lidské vztahy trpí)
officialize [əˈfišəlaiz] **1** učinit oficiálním, dát úřední punc čemu **2** dostat pod úřední kontrolu
officially [əˈfišəli] **1** formálně, podle předpisů, byrokraticky **2** v. *official, adj*
officiant [əˈfišiənt] círk. **1** celebrant **2** kněz, duchovní v činné službě
officiate [əˈfišieit] **1** círk. celebrovat, vést bohoslužbu, sloužit **2** duchovní fungovat, plnit kněžský úřad (*~ at a coronation*) **3** fungovat *as* jako, mít funkci koho, dělat koho, být kým (*~ as toastmaster at a banquet* fungovat na banketu jako řečník pronášející přípitky, *~ as hostess at a formal dinner* na oficiální večeři dělat hostitelku, *he asked her to ~ temporarily as his personal secretary*) ◆ *~ at a marriage 1.* oddat, provést svatební obřad *2.* duchovní požehnat sňatku
officinal [ˌofiˈsainl] lékár. oficinální lék: obsažený v lékopise n. který musí být v lékárně
officious [əˈfišəs] **1** přehnaně úslužný n. snaživý, příliš horlivý; všetečný, vlezlý, strkající do všeho nos **2** oficiózní, polooficiální **3** neformální, neoficiální, neúřední
officiousness [əˈfišəsnis] **1** přílišná horlivost n. snaživost **2** vlezlost, všetečnost **3** oficióznost **4** neformálnost, neoficiálnost
offing [ofiŋ] **1** mořský obzor z pobřeží, též přen. (*a wedding was in the ~* na obzoru byla svatba, rýsovala se svatba) **2** volné moře v dohledu pobřeží, též přen. (*a waiter hovered in the ~* číšník se zdržoval na dohled) ◆ *gain the ~* vyplout na volné moře; *keep an ~* plout / držet se v dohledu pobřeží
offish [ofiš] hovor. nepřístupný, uzavřený, nesdílný, studený, jsoucí do sebe
off-island [ˌofˈailənd] *s* ostrov blízko pobřeží ● *adj* **1** bydlící na ostrově blízko pobřeží **2** AM bydlící dočasně na ostrově ◆ *adv* z ostrova na pevninu
off-islander [ˌofˈailəndə] AM kdo dočasně bydlí na ostrově
off-key [ˌofˈki:] **1** rozladěný, neladící, falešný (*the band was ~*) **2** jsoucí v nepořádku, podezřelý (*he sensed something ~ about the fire*)
off-licence [ˈofˌlaisəns] BR **1** povolení prodávat lihoviny přes ulici **2** obchod n. hostinec prodávající lihoviny přes ulici
off-limits [ˌofˈlimits] AM hranice
off-line [ˌofˈlain] kyb. nezapojený na ústřední počítač, nespřažený
off-load [ofləud] **1** vyložit, složit náklad (*dynamite must be ~ed within twenty-four hours after arrival*) **2** docílit jakého nákladu (*~ed more copies than Bond managed for Fleming*)
off-peak [ˌofˈpi:k] jsoucí mimo špičku např. dopravní, mimošpičkový, jsoucí přes den (*~ train services*)
off-position [ˈofpəˌzišən] tech. vypnutá poloha, vypínací poloha stroje
off-print [ofprint] *s* separát, zvláštní otisk ● *v* vytisknout jako separát n. zvláštní otisk
off-put [o:fput] (*off-put, off-put; -tt-*) odradit
off-putting [ˈo:fˌputiŋ] **1** obsahující n. oznamující odklad (*an ~ letter*) **2** zarážející, odrazující **3** v. *off-put*
off-saddle [ˌofˈsædl] AF **1** odsedlat koně, sundat sedlo z koně **2** přerušit jízdu na koni
off-sale [ˌofˈseil] *s* prodej alkoholických nápojů v obchodě ● *adj: ~ section* oddělení prodeje přes pult v hostinci
offscourings [ˈofˌskauəriŋz] *pl* **1** smetí, odpadky, špína **2** přen. spodina, vyvrhelové (*~ of humanity*)
off-season [ˌofˈsi:zn] jsoucí mimo sezónu
offset [ofset] *s* **1** též *~ process* polygr. ofset způsob tisku **2** odnož, též přen.; krátký šlahoun **3** nesoulad, nepoměr, rozpor, diskrepance (*the result is an ~ between his desires and his possibilities* výsledkem je rozpor mezi jeho touhami a možnostmi) **4** kontrastní pozadí, kontrast, doplněk **5** kompenzace, vyrovnání, protiváha, protiúčet **6** výběžek horského hřebenu **7** pořadnice vzdálenost bodu od strany polygonu **8** obtažení, neúmyslný otisk vlhkého tisku na plochu, která měla zůstat nepotištěná **9** *~s, pl* námoř. souřadnice, používané v lodním stavitelství k určení přesného tvaru lodního trupu na rýsovně **10** AM přirozená terasa na svahu hory, horizontální rozestoupení u zlomu **11** řidč. začátek, počátek **12** odskokový oblouk tvarovka pro potrubí; ústupek zdi **13** elektr., žel. odbočka; stav. lavička, berma; horn. ústup n. průrva hory, krátký překop ◆ *~ bombing* voj. bombardování s nepřímým zaměřením, bombardování bez vidu; *~ crankshaft* výstředný zalomený hřídel; *deep ~* polygr. ofsetový hlubotisk; *~ direction* pošinutý směr paprsku; *~ ink* ofsetová barva; *~ lithography* polygr. ofsetový tisk; *~ rod* měřičská lať; *~ screwdriver* zahnutý šroubovák; *~ sheets* námoř. rýsovací měřítko, rýsovací tabulky; *~ staff = ~ rod; ~ tool* osazený nůž soustružnický; *~ well* hltač, odvodňovací studna ● *v* (*offset, offset, offsetting*) **1** vyrovnat (*~ the costs* vyrovnat výdaje) **2** vy|nahradit, vy|kompenzovat (*the financial arrangements would make it possible to ~ this by greater social security*) **3** vyrovnat, vyvážit, (*he had speed enough to ~ his opponent's greater weight*) **4** udělat ústupek na zdi **5** vyhnout; odbočit **6** tisknout z plochy, tisknout ofsetem **7** obtáhnout se neúmyslně se otisknout (*interleaving to prevent ~ting* proložení čistými listy, aby se zabránilo obtáhnutí) **8** horn. rozšiřovat porub

offshoot [ofšu:t] **1** odnož, výhonek **2** odbočka, odnož (*a large school in town which has ~s in the surrounding villages*)

offshore [ˌofˈšo:] **1** pobřežní, pevninský **2** jsoucí mimo břeh, vzdálený od pobřeží **3** jsoucí v pobřežních vodách, na volném moři (~ *fisheries*) **4** AM nákupy v jedné zemi pro druhou ♦ ~ *wind* pevninský vítr

offside [ˌofˈsaid] *adj* jsoucí v postavení mimo hru, jsoucí v ofsajdu ● *s* pravá strana vozidla při jízdě vlevo

offsider [ofsaidə] AU kamarád, partner

offspring [ofspriŋ] **1** potomek **2** potomci, potomstvo (*a numerous* ~) **3** přen. následek, výsledek, ovoce (*the discoveries of Newton were the* ~ *of those of Copernicus*)

offstage [ˌofˈsteidž] jsoucí v zákulisí, za scénou, do zákulisí, za scénu (*the actual murder is carried out* ~), též přen. (*much of the important work of the conference was done* ~)

off-street [ˌofˈstri:t] jsoucí mimo hlavní ulici, ve vedlejší ulici (~ *parking*) ♦ ~ *unloading* skládání zboží u zadního vchodu

offtake [ofteik] **1** odebrání zboží **2** odebrané zboží **3** vývod (~ *of a distilling flask* ... destilační baňky)

off-the-cuff [ˌofðəˈkaf] jsoucí bez přípravy, spatra, improvizovaný

off-the-face [ˌofðəˈfeis] *adj* **1** klobouk nezakrývající obličej, jsoucí se zdviženým okrajem **2** vlasy sčesaný dozadu n. vyčesaný nahoru ● *adv* tak, aby nezakrýval obličej

off-the-job [ˌofðəˈdžob] **1** nejsoucí jako součást zaměstnání, mimoúřední, mimoslužební **2** vyloučený z práce, nezaměstnaný

off-the-peg [ˌofðəˈpeg] **1** konfekční oděv **2** standardní model

off-the-record [ˌofðəˈreko:d] soukromý, důvěrný, neurčený pro veřejnost, který nepřijde do zápisu o jednání

off-the shoulder [ˌofðəˈšəuldə] **1** dámské šaty ponechávající ramena obnažená **2** plavky: jsoucí bez ramínek

off time [ˌofˈtaim] volný čas, volno

offward [ofwəd] námoř. směrem od břehu, na volné moře

off-white [ˌofˈwait] *adj* špinavě bílý, našedlý, šedobílý ♦ *s* špinavě bílá barva, našedlá barva, šedobílá barva

off year [ˌofˈjə:] **1** neúrodný rok, špatný rok (*an* ~ *for grapes*) **2** AM rok bez voleb

Oflag [oflæg] zajatecký tábor pro důstojníky v Německu

oft [oft] **1** zast. a bás. často (*many times and* ~) **2** ve složeninách často, zhusta

often [ofn] *adv* často, nezřídka (*we* ~ *go there, we are* ~ *puzzled and sometimes annoyed by the ways of other peoples* chování druhých lidí nám často připadá záhadné a někdy nás i obtěžuje) ♦ ~ *and* ~ moc a mockrát; ~ *as* ačkoli často (~ *as I ask him, he never helps his father* i když ho žádám často, svému otci nikdy nepomůže); *as* ~ *as* pokaždé, kdykoli; *as* ~ *as not* = *more* ~ *as not; every so* ~ každou chvíli; *more* ~ *as / than not* velice často, téměř pokaždé; *once too* ~ až se to jednou nevyplatí, až to jednou nevyšlo (*he exceeded the speed limit once too* ~ *and was fined £ 10* tak dlouho překračoval dovolenou rychlost, až jednou dostal pokutu deset liber) ● *adj* zast. častý, hojný, opakovaný

oftentimes [ofntaimz], **oftimes** [oftaimz] zast. častokrát

ogam [ogəm] = *ogham*

ogdoad [ogdəuæd] **1** osmička číslo **2** skupina osmi, souprava osmi, osmička, osmice

ogee [əudži:] archit. *s* **1** žlábkovnice; obrácená žlábkovnice **2** esovitá čára, esovka ● *adj* **1** esovitý **2** kýlový ♦ ~ *arch* kýlový oblouk, španělský oblouk, oslí hřbet

ogeed [əudži:d] žlábkovnicový, se žlábkovnicí

ogham [ogəm] **1** ogam irské písmo známé u Keltů od 5. stol. **2** ogamské písmeno **3** ogamský nápis

oghamic [oˈgæmik] ogamský

ogival [əuˈdžaivəl] archit. lomený, hrotitý, ogivální

ogive [əudžaiv] archit. **1** ogival lomený oblouk gotický; klenební žebro **2** voj. špička střely

ogle [əugl] *v* **1** dělat zamilované oči (*at*) na koho (*ogling all the pretty girls*) **2** koketovat očima s, házet očkem po **3** dívat se chtivě, hladově n. žíznivě po, čučet na (*he was still ogling the drinks on the next table*) ● *s* **1** zamilované oči, zamilovaný pohled **2** slang. oko

ogler [əuglə] kdo se zamilovaně dívá

ogmic [ogmik] ogamský

o'gobelin [əuˈgoblin] = *gobelin*[2]

Ogpu [ogpu:] O.G.P.U., Sjednocená státní politická správa orgán státní bezpečnosti SSSR zrušený 1934

ogre [əugə] **1** obr-lidožrout, lidožravá obluda **2** strašák, strašidlo

ogreish [əugəriš] obludný, obrovský, hrůzostrašný, lidožravý

ogress [əugris] **1** lidožravá obryně **2** herald. černá koule

Ogygian [əuˌdžižiən] pravěký, prehistorický

oh [əu] v. *O*[2]

oh-dee [əuˈdi:] AM slang. zemřít (jako) po nadměrné dávce drogy

ohm [əum] fyz. ohm jednotka elektrického odporu

ohmameter [əuməmi:tə] ohmampérmetr

ohmic [əumik] ohmový, ohmický, vyjádřený v ohmech

ohmmeter [əummi:tə] ohmmetr

oh yes [əuˈjes] = *oyez*

oho [əuˈhəu] oho, ale hele, aha citoslovce

oil [oil] *s* **1** olej **2** ropa; nafta **3** silice (~ *of camphor* kafrová silice, ~ *of hops* chmelová silice, ~ *of parsley* petrželová silice) **4** kapalný tuk (*cod-liver* ~ rybí tuk) **5** mazivo, mazadlo **6** olejová barva (*he paints in* ~*s* maluje olejem) **7** část. ~*s, pl* olej obraz malovaný olejovými barvami **8** ~*s, pl* nepromokavý oblek námořníků **9** AU slang. hláška informace ◆ ~ *of almonds* mandlový olej; ~ *atomizer* rozprašovač oleje; ~ *bath* olejová lázeň; ~ *brake* olejová brzda, kapalinová brzda; ~ *bomb* zápalná bomba; *burn the midnight* ~ pracovat n. studovat dlouho do noci; ~ *burning* topení olejem n. naftou; ~ *coke* petrolejový koks; ~ *conduit* ropovod; ~ *cup 1.* maznice na olej *2.* odkapávací miska na olej *3.* olejová jímka; ~ *deposit* karbon zbytky spáleného paliva; ~ *derrick* naftová vrtná věž; ~ *drill* splachovací vrták; *drying* ~*s* vysýchavé oleje; ~ *duct* = ~ *conduit;* ~ *electric* dieselelektrický; *essential | volatile* ~*s* éterické oleje, silice; *fatty | fixed* ~ mastné oleje; ~ *feed* přívod oleje; *fried in* ~ smažený na oleji; ~ *fuel* naftové palivo, nafta; ~ *gas* olejový plyn; ~ *gear* olejový převod; ~ *groove* mazací drážka; *hair* ~ olej na vlasy; ~ *lamp* petrolejová lampa, petrolejka; ~ *lubrication* mazání olejem, olejové mazání; *mineral* ~*s* minerální oleje; ~ *mould* bot. plíseň třpytná; *nondrying* ~*s* nevysýchavé oleje; *olive* ~ olivový olej; *on the* ~ hovor. na flámu; ~ *pipeline* = ~ *conduit;* ~ *pool* ložisko ropy; *pour* ~ *on the waters | on troubled waters* uklidnit rozbouřenou hladinu, urovnat; *pour |throw* ~ *on the flames* přilévat oleje do ohně; ~ *refinery* rafinerie olejů; ~ *retainer* odstřikovací kroužek na hřídeli; ~ *ring 1.* mazací kroužek ložiska *2.* odstřikovací kroužek na hřídeli *3.* stírací kroužek pístní; ~ *rock* roponosná hornina; ~ *shale* živičná břidlice hořlavá; *smell of (the midnight)* ~ dílo být vydřený, pracně udělaný ale bez ducha; ~ *starter* olejový spouštěč; *strike* ~ AM *1.* narazit na naftu, objevit naftu *2.* přen. zakopnout o štěstí; *sunflower* ~ slunečnicový olej; *train* ~ trán tuk kytovců; ~ *varnish* olejový lak; fermež; ~ *and vinegar* oheň a voda dvě neslučitelné věci; ~ *of vitriol* dýmavá kyselina sírová ● *v* **1** na|mazat olejem, promazat, na|olejovat (*he carefully* ~*ed the bearings of the machine* pečlivě promazal ložiska stroje) **2** napustit olejem, činit olejem useň **3** loď, lokomotiva na|tankovat naftu **4** rozpustit | se, z|olejovatět **5** naložit do oleje (~*ed sardines* olejovky) ◆ ~ *a p.'s hand |* ~ *the palm of |* ~ *a p.* podmazat koho podplatit; ~ *one's tongue* lichotit, mazat med kolem úst při rozhovoru; ~ *the wheels 1.* mazat kolečka *2.* přen. podmazat podplatit

oilberg [oilbə:g] obří tanková loď

oilbird [oilbə:d] zool. lelek jeskynní

oilbox [oilboks] plechovka na olej, mazací nádržka na olej

oilbush [oilbuš] samomazné pouzdro ložiska

oil-cake [oilkeik] olejná pokrutina

oilcan [oilkæn] olejnička, maznička

oilcloth [oilkloθ] voskované plátno, nepromokavé plátno, olejované plátno

oilcoat [oilkəut] nepromokavý kabát

oil colour [ˈoilˌkalə] část. ~*s, pl* olejová barva

oiled [oild] **1** slang. namazaný opilý **2** v. *oil, v*

oil engine [ˈoilˌendžin] naftový motor, Dieselův motor, dieselový motor, diesel (slang.)

oil-engined [ˈoilˌendžind] jsoucí s naftovým motorem, s dieselovým pohonem, na dieselový pohon

oiler [oilə] **1** mazač **2** maznice na olej, olejnice, olejnička **3** těžební vrt na ropu **4** loď s naftovým motorem **5** tanková loď **6** ~*s, pl* nepromokavý oblek

oileys [oiliz] *pl* nepromokavý plášť námořníka

oilfield [oilfi:ld] ropné pole n. ložisko, roponosná oblast

oilfired [ˈoilˌfaiəd] **1** vytápěný naftou **2** jsoucí na naftový pohon; naftový

oil gauge [oilgeidž] **1** olejoměr **2** olejoznak ukazovatel hladiny oleje

oil gilding [ˈoilˌgildiŋ] zlacení s olejovým podkladem

oil gland [oilglænd] tuková žláza

oil gold [oilgəuld] = *oil gilding*

oil hole [oilhəul] mazací dírka, mazací otvor stroje

oiliness [oilinis] **1** olejnatost **2** mastnost, mazavost **3** úlisnost, lísavost

oilless [oillis] **1** bezolejný, jsoucí bez oleje **2** nemazaný olejem **3** nevyžadující olej

oilman [oilmən] *pl: -men* [-mən] **1** olejář výrobce olejů; obchodník s oleji **2** naftař, petrolejář, majitel naftových zřídel

oilmeal [oilmi:l] šrot n. moučka z olejných pokrutin

oil nut [oilnat] **1** jakýkoli olejnatý ořech **2** AM bot. ořešák popelavý

oil paint [ˌoilˈpeint] olejová barva

oil painting [ˌoilˈpeintiŋ] **1** malování olejem, olejomalba **2** olej, olejomalba obraz

oilpalm [oilpa:m] bot. palma olejná

oil-paper [ˈoilˌpeipə] olejovaný papír, voskovaný papír průsvitný

oil plant [oilpla:nt] **1** jakákoli olejnatá rostlina **2** bot. sesam **3** bot. skočec

oil press [oilpres] lis na olej ze semen

oil rig [oilrig] plovoucí těžní věž, těžební zařízení, vrtná plošina pro těžbu ropy z mořského dna

oilseed [oilsi:d] **1** jakékoli olejnaté semeno **2** též *Siberian* ~ bot. lnička setá

oilsilk [oilsilk] olejovaná hedvábná tkanina

oilskin [oilskin] **1** olejované nepromokavé plátno **2** jakýkoli kus oděvu z nepromokavého plátna **3** ~*s, pl* námořnický nepromokavý oblek ◆ ~ *hat* námořnický klobouk, rybářský klobouk

oil slick [oilslik] naftová skvrna na moři
oil spring [oilspriŋ] pramen ropy
oilstone [oilstəun] olejový obtahovací brousek
oil stove [oilstəuv] **1** naftová kamna **2** petrolejová kamínka
oil sump [oilsamp] **1** jímka na odpadní olej **2** spodek klikové hřídele; spodek klikové skříně, karter
oil tanker [ˈoilˌtæŋke] tanková loď na přepravu nafty
oil tree [oiltri:] **1** bot. skočec **2** bot. palma olejná
oil well [oilwel] vrt na ropu, ropný vrt
oily [oili] (*-ie-*) **1** olejový; olejný; olejnatý **2** mastný, zamaštěný (jako) od oleje, napuštěný olejem **3** úlisný, lísavý (*an ~ hypocrite*)
ointment [ointment] mast, mazání
Oireachtas [erəchθəs] zákonodárný sbor Irské republiky
O.K. [əuˈkei] v. *okay*
okapi [əuˈka:pi] *pl* též *okapi* [əuˈka:pi] zool. okapi africký savec
okay [ˌəuˈkei] hovor. *adj, adv* prima, bašta, fajn (*an ~ battery commander; ~, ~, but be good to him*) ● *v* schválit, dát souhlas k, odsouhlasit (*~ for print* schválit k tisku, dát imprimatur)
oke [əuk], **okeydoke** [ˌəuki:ˈdəuk], **okeydokey** [ˌəuki:ˈdəuki:] slang = *okay*
okra [okrə] bot. **1** sléz velkokvětý **2** ibišek jedlý, okra, gomgo, bamja
old [əuld] (*older, oldest* jiné je *elder, eldest*) *adj* **1** starý (*~ people, ~ houses, an ~ friend of mine*); starobylý, dávný (*~ customs*) **2** zkušený, zběhlý, ostřílený (*~ in the ways of conspirators* mající zkušenosti v metodách spiklenců) **3** po *good, grand, high* obrovský, senzační (*we're having a high ~ time*) **4** nějaký, velký (*there was ~ singing* to bylo nějakého zpívání) **5** zesiluje předcházející výraz (*any ~ thing will do* stačí prostě cokoliv, *poor ~ chap, plain ~ pneumonia* zcela obyčejný zápal plic) 6 v důvěrném hovoru zdrobňuje (*~ Peter* Péťa, Petříček, *~ boy* chlapeček, *~ girl* holčička) ◆ *~ bachelor* zatvrzelý starý mládenec; *O ~ Bailey* BR nejvyšší soud trestní v Anglii; *~ bird* opatrný ptáček člověk; *~ boy* též *1.* absolvent, bývalý žák *2.* stařec *3.* přítel, kamarád; *O ~ Church Slavonic* staroslověnština; *~ clothes* obnošené šatstvo; *come the ~ soldier* hovor. vytahovat se svou zkušeností *over* na; *~ country* stará vlast Evropa; *O ~ Dominion* AM Virginie; *O ~ English 1.* stará angličtina, anglosaština *2.* gotické písmo; *he is ~ enough to do a t.* je dost starý na dělání čeho / na to, aby udělal co; *~ Etonian* etc. absolvent Etonu atd.; *get / grow ~* stárnout; *O ~ Glory* americká vlajka; *~ gold 1.* staré zlato *2.* v barvě starého zlata; *~ growth* prales; *~ guard* stará garda konzervativní část politické strany; *~ hand* starý kozák, starý, zkušený pracovník *at doing a t.* v čem; *O ~ Harry / Nick / Scratch* ďábel, čert, rarach; *~ hat* stará vesta něco dávno známého n. staromódního; *~ head on young shoulders* na svůj věk velice chytrý; *as ~ as the hills* prastarý; odedávna; *~ lady 1.* stará manželka *2.* matka; *O ~ Lady of Threadneedle Street* Anglická banka; *~ lag* starý kriminálník kdo není ve vězení poprvé; *O ~ Left* levice; *~ life* život paleozoické éry; *~ maid 1.* stará panna *2.* puntičkář *3.* Černý Petr karetní hra; *~ man 1.* bibl. starý člověk hříšný *2.* hovor. starý otec; manžel; šéf; kapitán *3.* v oslovení kamarád, přítel *4.* bot. pelyněk brotan *5.* představitel starých rolí; *~ man of the sea* mořský dědek, klíště koho se nelze zbavit; *O ~ Man River* AM řeka Mississippi; *~ man's beard* bot. plamének plotní; mech Tillandsia; *~ master* starý mistr malíř i obraz; *~ Ocean* paleozoické moře; *~ salt* mořský vlk, starý námořník; *~ school tie 1.* kravata, jakou nosí všichni absolventi jedné školy *2.* pocit sounáležitosti absolventů; *of the ~ school* ze staré školy, tradiční, konzervativní; *~ squaw* zool. kachna lední hoholka; *~ stager* BR hovor. starý kozák, veterán; *of ~ standing* obchod zavedený; *O ~ Style* juliánský kalendář v Evropě do r. 1584, v Anglii do r. 1752; *O ~ Testament* Starý zákon; *good ~ times* staré zlaté časy; *~ wine* staré víno vyzrálé; *~ wives' tale* pohádka, povídačka; *~ woman 1.* stařena, stařenka *2.* stará matka; manželka *3.* baba, bačkora muž; *O ~ World* Starý svět Evropa, Asie a Afrika; *young and ~* staří (a / i) mladí všichni ● *s* minulost, staré časy, dávné doby, pradávno ◆ *of ~ 1.* za starých časů (*of ~ there were giants* za starých časů žili na zemi obři) *2.* od pradávna (*I have heard it of ~*)
old age [ˌəuldˈeidž] *s* stáří, staroba ◆ *live to a good ~* dožít se vysokého věku ● *adj: old-age* [əuldeidž] starobní ◆ *~ benefits* BR starobní dávky; *~ pension* BR starobní důchod
old boy network [əuldˌboiˈnetwə:k] BR hanl. **1** protekcionářství bývalých spolužáků z jedné školy **2** absolventi *public school* na vlivných místech
old clothes man [əuldˈkləuðzmæn] *pl: men* [men] vetešník
olden [əuldən] BR *adj* zast., kniž. dávný (*in ~ times*) ● *v* **1** stárnout (*an ~ing flaccid face* stárnoucí ochablý obličej) **2** přidat na létech, udělat starším (*experience has ~ed him*)
olde-worlde [ˌəuldiˈwə:ldi] BR hovor. záměrně staromódní
old-fashioned [ˌəuldˈfæšənd] *adj* **1** staromódní (*an ~ black bow tie* staromódní černý motýlek) **2** starodávný, starobylý (*two editions, one of them bound in ~ blue gingham* dvě vydání, jedno vázané ve starodávném modrém plátně s proužkem) **3** stařičký (*thirty ~ propeller planes* třicet stařičkých aeroplánů s vrtulovým pohonem) **4** chápavý (*the collie had turned on him an ~ eye*) ● *s* AM koktejl z whisky s cukrem
old-fashionedness [ˌəuldˈfæšəndnis] **1** staromódnost **2** starodávnost, starobylost

old fogy [ˌəuldˈfəugi] (*-ie-*) hanl. staromilec
old-fogeyish, old-fogyish [ˌəuldˈfəugiiš] staromilský, konzervativní, reakční
old-maidish [ˌəuldˈmeidiš] **1** staropanenský **2** puntičkářský
oldster [əuldstə] zejm. AM hovor. starouš, stařík, stařešina
old-style [əuldstail] starý, bývalý
old-time [əuldtaim] starodávný
old-timer [ˈəuldˌtaimə] **1** starý kozák, veterán ostřílený člověk **2** AM starý člověk, stařík, starouš (*service for* ~*s beyond retirement age* služba pro staříky po důchodovém věku)
old-womanish [ˌəuldˈwumənіš] babský
old-womanishness [ˌəuldˈwumənišnis] babství stařecký věk u žen; zbabělost
old-womanliness [ˌəuldˈwumənlinis] = *old-womanishness*
old-womanly [ˌəuldˈwumənli] = *old-womanish*
old-world [əuldwə:ld] **1** starosvětský (*the simple pastoral* ~ *life*) **2** jsoucí ze Starého světa, evropský, asijský n. africký, nikoliv americký
oleaginous [ˌəuliˈædžinəs] **1** olejovitý; olejnatý **2** mastný **3** přen. sladký, sentimentální (~ *crooners* sentimentální zpěváci)
oleander [ˌəuliˈændə] bot. oleandr
oleaster [ˌəuliˈæstə] bot. hlošina úzkolistá, „česká oliva"
oleic [əuˈli:ik] chem. olejový (~ *acid* kyselina olejová)
oleiferous [ˌəuliˈifərəs] olejný, olejnatý, olejodárný (~ *seeds*)
olein [əuliin] chem. **1** olein, triolein **2** olein kapalná složka tuků **3** technická olejová kyselina
oleograph [əuliə*u*gra:f] fot., polygr. olejotisk obraz
oleography [ˌəuliˈogrəfi] fot., polygr. olejotisk technika
oleomargarine [ˌəuliə*u*ˌma:džəˈri:n] **1** chem. oleomargarín, **2** AM margarín, umělý tuk rostlinný
oleometer [ˌəuliˈomitə] olejoměr
oleoresin [ˌəuliə*u*ˈrezin] **1** přírodní balzám **2** lékár. oleoresina
olfaction [olˈfækšən] **1** čich, **2** čichání
olfactive [olˈfæktiv] čichací, čichový
olfactory [olˈfæktəri] *adj* čichový, olfaktorický, (~ *nerves*) ♦ ~ *organ* čichový orgán, nos ● *s* (*-ie-*) čichový orgán
olibanum [oˈlibənəm] kadidlo
olid [olid] páchnoucí, zapáchající, smrdutý
oligarch [oliga:k] oligarch, oligarcha člen n. přívrženec oligarchie
oligarchic(al) [ˌoliˈga:kik(əl)] oligarchický
oligarchy [oliga:ki] (*-ie-*) oligarchie vláda několika málo lidí
oligocarpous [ˌoligə*u*ˈka:pəs] bot. jsoucí s malým počtem plodů, oligokarpický
Oligocene [oˈligə*u*si:n] geol oligocén
olim [əuˈli:m] *pl* židovští přistěhovalci do Izraele
olio [əuliəu] **1** kuch. ragú; jídlo z dušeného masa; míšeninka **2** hud. směs, fantazie
oliphant [olifənt] **1** hud. olifant lovecký roh ze slonoviny **2** zast. salón
olivaceous [ˌoliˈveišəs] olivový; olivově zelený
olivary [olivəri] anat. olivový, oválný
olive [oliv] *s* **1** oliva strom; plod; dřevo; cokoli ve tvaru olivy **2** olivovník strom **3** olivová ratolest, olivový věnec symbol míru n. vítězství **4** olivka knoflík; oliveta skleněná perla **5** olivová barva, olivová zeleň **6** ~*s, pl* malé masové závitky s olivovou nádivkou (*beef* ~*s, veal*~*s*) ♦ *Mount of O*~*s* bibl. Olivetská hora ● *adj* **1** olivový (~ *crown* olivový věnec, ~ *oil* olivový olej) **2** olivový; olivově zelený ♦ ~ *drab* AM šedozelená barva vojenské uniformy; ~ *shells* zool. oliva, olivy mořští předožábří plži
olive branch [olivbra:nč, olivbra:nš] **1** olivová ratolest symbol míru **2** žert. ratolest dítě ♦ *hold out an / the* ~ nabídnout ruku k smíru
olive green [olivgri:n] olivově zelený, olivový
oliver[1] [olivə] nožní buchar
Oliver[2] [olivə] v. *Roland*
olivet [olivet] **1** olivka knoflík **2** oliveta skleněná perla
olive tree [olivtri:] bot. oliva strom
olivette [olivet] = *olivet*
olivin(e) [oliˈvi:n] miner. olivín
olla podrida [ˌoləpoˈdri:də] **1** směs, míchanina **2** = *olio, 1*
ology [olədži] (*-ie-*) žert. **1** věda, vědní obor **2** *ologies, pl* pouhé teorie, vědy vzdálené praktickému životu, vědátorství
Olympiad [ə*u*ˈlimpiæd] olympiáda ve starém Řecku čtyřleté období mezi dvojími olympijskými hrami; moderní olympijské hry
Olympian [ə*u*ˈlimpiən] *adj* **1** olympský, též přen. (~ *beauty*) **2** bohorovný (~ *detachment*) ● *s* **1** olympan, olympský bůh **2** přen. povznesený člověk
Olympic [ə*u*ˈlimpik] *adj* olympský, olympijský (~ *games* olympijské hry) ● *s* ~*s, pl* moderní olympijské hry, moderní olympiáda (*winter* ~*s* zimní olympiáda)
Olympus [ə*u*ˈlimpəs] Olymp hora v Řecku, sídlo bohů
ombre [ombə] l'hombre karetní hra pro 3 hráče
ombrology [omˈbrolədži] (*-ie-*) meteor. ombrologie nauka o měření srážek
ombrometer [omˈbromitə] meteor. srážkoměr, ombrometr
ombrophilous [omˈbrofiləs] bot. dešťomilný, ombrofilní
ombudsman [ombudzmæn] *pl: -men* [-men] **1** ombudsman úředník městské správy vyřizující stížnosti občanů **2** přen. bojovník *for* proti (~ *for injustice*)
omega [əumigə / AM əuˈmegə] **1** omega řecké písmeno Ω, ω **2** přen. poslední slovo *of* v (*these two volumes may be considered as the* ~ *of Hebrew bibliography*) **3** přen. konec ♦ *alpha and* ~ alfa i omega, počátek i konec

omelet(te) [omlit] **1** omeleta (*savoury* ~ zeleninová omeleta, *sweet* ~ omeleta plněná zavařeninou) **2** svítek **3** polévková vložka **4** palačinka ◆ *Cannot make an* ~ *without breaking eggs* Když se kácí les, létají třísky
omen [əumen] *s* **1** omen, osudové znamení dobré i zlé *for* čeho **2** věštba, předzvěst ◆ *of good* ~ přinášející štěstí; *of ill* ~ zlověstný, přinášející neštěstí n. smůlu ● *v* hlásat, věštit, být předzvěstí čeho (*the blazing red of the setting sun* ~*ed fine weather* ohnivá červeň zapadajícího slunce hlásala krásné počasí)
omental [əuˈmentl] anat. předstěrový
omentum [əuˈmentəm] *pl: omenta* [əuˈmenta] anat. předstěra
omicron [*əu*ˈmaikrən] omikron řecké písmeno O, o
ominous [ominəs] **1** zlověstný, neblahý; hrozivý, hrozící *of* čím (*an* ~ *silence* zlověstné ticho) **2** zkázonosný **3** řidč. věštící *for* co (~ *for right*) **4** nejasný, nezřetelný, matný a proto hrozivý (~ *light*)
ominousness [ominəsnis] **1** zlověstnost; zkázonosnost **2** hrozba
omissible [*əu*ˈmisibl] pominutelný, vynechatelný, vypustitelný, zanedbatelný
omission [əˈmišən] **1** opomenutí, vypuštění, vynechání, zanedbání *of* čeho; zapomenutí na **2** vynechávka, opomenutá věc n. záležitost, omyl zaviněný opomenutím **3** polygr. vynechávka ◆ *erros and* ~*s excepted* s výhradou případného omylu; *supply an* ~ doplnit n. napravit opominutí
omissive [*əu*ˈmisiv] **1** vynechávající, opomíjející **2** charakterizovaný soustavným opomíjením
omit [əˈmit] (*-tt-*) **1** opominout, pominout, zapomenout na *to do (doing)* zapomenout udělat, ne- (*most visitors* ~ *to walk round the walls in their hurry* většina spěchajících návštěvníků neobchází hradby) **2** vynechat, vypustit **3** vynechat, přeskočit (*this chapter may be* ~*ted*)
omnibus [omnibəs] *s* **1** omnibus; dostavník **2** autobus, autokar **3** soukromý autokar dopravující hosty k nádraží (*hotel* ~) **4** antologie, výbor kniha **5** též ~ *volume* levné jednosvazkové vydání několika děl od téhož autora n. se stejným tématem ◆ *family* / *private* ~ autokar patřící železnici dopravující cestující k nádraží ◆ *adj* celkový, souhrnný, společný (*an* ~ *bill* souhrnný návrh různých zákonů) ◆ ~ *bar* elektr. přípojnice; ~ *book 1.* antologie *2.* jednosvazkové vydání několika děl; ~ *box* velká divadelní lóže pro několik předplatitelů současně; ~ *clause* všeobecné ustanovení ve smlouvě; ~ *rejection* odmítnutí bez udání důvodu; ~ *train* BR osobní zastávkový vlak; ~ *wire* = ~ *bar*
omnicompetent [ˌomniˈkompitənt] mající všechnu pravomoc
omnifaceted [ˌomniˈfæsitid] všímající si všech hledisek, všestranný (*an* ~ *study*)
omnifarious [ˌomniˈfeəriəs] **1** různý, jsoucí všeho druhu (~ *drinks*) **2** všestranný (~ *reading*, ~ *knowledge*)
omnific [omˈnifik] všechno tvořící (~ *God*)
omnifocal [ˌomniˈfəukəl] čočka mající plynulý přechod mezi dvěma ohnisky
omnigenous [omˈnidženəs] jsoucí všeho druhu, různorodý
omniparity [ˌomniˈpærəti] rovnost ve všem n. pro všechny
omnipotence [omˈnipətəns] všemohoucnost
omnipotent [omˈnipətənt] všemocný, všemohoucí (*the O* ~ Všemohoucí Bůh)
omnipresence [ˌomniˈprezəns] všudypřítomnost
omnipresent [ˌomniˈprezənt] **1** všudypřítomný **2** všude se vyskytující (*the bird is* ~)
omniscience [omˈnisiəns] vševědoucnost
omniscient [omˈnisiənt] vševědoucí
omnium [omniəm] celek akcií; celková suma státních obligací ◆ ~ *gatherum 1.* směs, směsice; míchanina, míchanice *2.* neuzavřená společnost kam může přijít každý
omnivorous [omˈnivərəs] **1** zool. všežravý **2** přen. hltavý, všechno hltající (*an* ~ *reader of classics*)
omophagous [oˈmofəgəs] živící se syrovým masem (*the* ~ *Teutonic colonist*)
omoplate [əumopleit] anat. lopatka
omphalic [omˈfælik] pupeční
omphalocele [omfəlosi:l] med. pupeční kýla
omphalos [omfəlos] **1** hist. puklice uprostřed štítu **2** omfalos kámen v Delfách označující domnělý střed světa **3** náboj / hlava kola **4** přen. střed **5** anat. pupek
omphalotomy [ˌomfəˈlotəmi] (*-ie-*) med. oddělení pupeční šňůry
omphalus [omfələs] = *omphalos*
on [on] *prep* **1** poloha na ploše n. linii: kde na čem (*the book is on the table*), kam na co (*stick a stamp on the envelope* přilepit na obálku známku); závěs: kde na čem (*their clothes hung on a couple of nails* šaty jim visely na několika hřebících), kam na co (*hang the picture on this wall*); kolem (*the earth revolves on its axis* zeměkoule se točí kolem své osy, *she fell on her mother's neck* padla mamince kolem krku); těsná blízkost: na (*a village on the frontier*), s (*that verges on the impossible* to hraničí s nemožností), nad (*the storm is on us*); v místních jménech poloha při řece nad (*Henley-on-Thames*) **2** směr, útok na (*marching on the enemy's capital*), k (*turn one's back on a p.*) proti (*they rose on their oppressors* povstali proti svým utlačovatelům); do, po (*hit a p. on the head* udeřit někoho do hlavy); sklon k, záliba v (*he was bent on fishing* měl zálibu v rybaření) **3** reakce na (*on this he gave up* na tohle to on vzdal), při (*react on the slightest touch* reagovat při nejslabším dotyku), k (*congratulate a p. on his success*), pro, kvůli (*he remonstrated with his chief on this injustice* kvůli této nespravedlnosti protestoval u svého šéfa); časová následnost hned po (*I will send a cheque on*

receipt of the book, on the death of his parents po smrti rodičů, jakmile / sotva / když mu rodiče zemřeli, *a long period of peace followed on this war*) **4** vztah vůči (*claims on those countries* nároky vůči těm zemím); ve srovnání s, oproti (*preliminary figures indicate that profit is down only 3,5 % on last year* předběžná čísla ukazují, že výdělek bude oproti loňskému roku nižší jen o 3,5 %); nad, podle (*have a pity on me* smiluj se nade mnou, *on the English pattern* podle anglického vzoru, *act on a p.' s instructions*) **5** vázanost pod (*he will do it on one condition, on penalty of death* pod trestem smrti); podle, při (*on a rough calculation* podle hrubého propočtu) **6** téma o (*speak on international affairs*), k (*a commentary on Milton*) **7** stav s (*drink on an empty stomach* pít na lačno); zdroj z, v (*I heard it on the radio*), po (hovor.) (*on the telephone*) **8** udělení: komu (*a title was conferred on him* byl mu udělen titul, *serve a notice on a p.* dát výpověď komu), nad (*the court pronounced sentence of death on the murderer* soud vynesl nad vrahem rozsudek smrti) **9** spotřeba za (*spend money on books*); výtěžek z (*the tax on tobacco, interest on capital, live on a small income*); na účet koho (*this is on me* to je na můj účet, to platím já, *drinks are on the house* nápoje jsou zdarma je to pozornost podniku) **10** uvádí časové určení jednotlivého dne n. jeho části (*on the 2nd of May* druhého května, *on Monday* v pondělí, *on Mondays* každé pondělí, *on the following day* druhého dne, nazítří, *on Friday afternoon* v pátek odpoledne, *on a dark wintry night* za tmavého zimního večera) **11** angažování v kolektivu u, v (*he's on "The Daily Telegraph", he is on the committee*) **12** s osobním zájmenem u, při (*have you any money on you?, they found a knife on him*) ◆ *on application* na požádání; *on approval* na ukázku, na zkoušku; *on good authority* z dobrého pramene; *on an average* průměrně; *on one's best behaviour* chovající se nejlépe jak dovede; *on the bias* diagonálně; *on board ship* na lodi, na palubě lodi; *on business 1.* obchodně *2.* služebně; *on further consideration* po podrobnější úvaze; *on the contrary* naopak; *on the corner* BR na rohu chodníku, AM na rohu ulice; *on course* ve správném směru; *go on crutches* chodit o berlích; *on that day* toho dne; *on demand* na požádání; *on duty* ve službě; *on end* cihla nastojato; *on the eve of 1.* v předvečer čeho *2.* těsně před čím; *on fire* v plamenech (*be on fire* hořet, *set on fire* zapálit); *on the flat* na plocho; *on foot* pěšky; *on all fours* po čtyřech; *on the go* v pohybu; *gone on a p.* slang. celý pryč do zamilovaný; *on that ground* z toho důvodu; *on the one hand ... on the other hand* na jedné straně ... na druhé straně, naproti tomu; *have nothing on a p. 1.* nemít nic proti komu 2. nic na koho nevědět; *on my honour* na mou čest; *on the hour 1.* přesně *2.* když udeří celá, když je přesně celá hodina; *on the instant* okamžitě; *a joke on me* vtip na můj účet; *on even keel* loď vodorovně; *be on one's last legs* být v posledním tažení; *on leave* na dovolené; *on your left* | *right* po vaší levé | pravé straně; *be mad on a t.* šílet po čem, mít strašně rád co; *on your marks!* na místa! startovní povel; *on the mitre* na pokos; *on the move* v pohybu; *on this occasion* při této příležitosti; *on my part* pokud jde o mne, co se mne týče; *on the point* hotový, dokončený; *win on points* vyhrát na body; *on principle* ze zásady; *on publication* ihned po vydání; *on purpose* schválně, záměrně; *on the run 1.* v pohybu, v chodu *2.* na útěku; *on sale* na prodej; *on side* ve hře nikoliv v ofsajdu; *on the slant* šikmo, kose; *be on speaking terms* mluvit spolu, nehněvat se, znát se; *on spot* okamžitě; *go on the stage* jít k divadlu; *on a sudden* najednou, náhle, z čista jasna: *on tap* pivo od čepu; *on time 1.* přesně *2.* včas; *on train* vlakem (*he rode there on train* jel tam vlakem); *on the train* ve vlaku jedoucím (*have lunch on the train*); *be on trial* být ve vyšetřovací vazbě; *on the turn* v zatáčce; *on my way here* na / po cestě / cestou sem; *on the whole* celkem ● *adv* **1** dál, kupředu, vpřed (*they hurried on; on!, Stanley, on!*) **2** na náležité místo (*put your shoes on* obuj si střevíce, *put the kettle on* postav konvici na oheň / plotnu / vařič; na náležitém místě (*has he got his spectacles on?* má nasazené brýle?) **3** na sobě (*he has nothing on*) **4** na programu (*have you anything on this evening!*) **5** na řadě (*I am on next*) **6** k sobě, na sebe (*the two cars smashed together heads on,* auta na sebe narazila čelem, *the boats collided bows on* lodě se srazily příděmi) **7** vyjadřuje zapojení, zapnutí, fungování (*someone has left the bathroom tap on* někdo nechal v koupelně otevřený kohoutek) **8** kriket na stejné straně, na které stojí pálkař ◆ *and so on* a tak dále; *be on 1.* dávat se, hrát se, být na programu (*what's on at the local cinema this week?*); představení běžet, být v proudu n. v běhu (*the performance is on*) *2.* být zapojen n. zapnut, fungovat (*the lights were all full on* všechna světla byla rozsvícena; *is the water on yet?* teče ještě voda z potrubí?, *the radio is on* rádio hraje; *breakfast is on at 8* snídaně se podává v 8 *3.* právě se konat, právě být (*there is a high sea on*) *4.* být svolný, souhlasit, jít s sebou, hrát s sebou (přen.) *5.* být možný, jít *6.* být k dostání, být na jídelním lístku *7.* mít rozsvíceno být opilý; *be on at* / *to a p.* hovor. *1.* popichovat koho, navážet se / strefovat se do koho *2.* znát skrz naskrz koho, dovést číst myšlenky koho; *be* / *get on* pochopit *to a t.* co; *end on* koncem napřed, obráceně; *later on* později, potom; *on and on* dál a dál, pořád dál, neustále; *on and off* chvílemi, přerušovaně, s přestávkami, nepravidelně, hned ... hned zase ne; *put a p. on* umožnit komu styk *to a p.* s kým, spojit koho s kým;

on to směrem k (*a ship broadside on to the dock gates* loď bokem k vratům doku) ● *adj* **1** kriket ze strany n. na stranu, kde stojí pálkař (*an on hit*) **2** BR slang. frčící (*the most on person* člověk, který nejvíc frčí) ♦ *on licence* BR povolení podávat alkoholické nápoje ● *s* kriket strana, kde stojí pálkař

onager [onədžə] *pl* též *onagri* [onəgrai] **1** zool. onager asijský divoký osel **2** hist. prak, kamenomet, katapult

onanism [əunənizəm] **1** coitus interruptus **2** sebeprznění, onanie, masturbace

onanist [əunənist] onanista, masturbant

on-board [ˈon͵bo:d] kosm., let. palubní

once [wans] *adv* **1** jednou, jedenkrát (*I have been there* ~, *we go to the cinema* ~ *a week* chodíme do kina jednou týdně / jednou za týden) **2** kdysi (*this novel was* ~ *very popular but nobody reads it today*), někdy v budoucnu **3** po záporu ani, vůbec ne (*he didn't* ~ *offer to help*) **4** trochu (*if you thought about it* ~, *you'd see I'm right*) ♦ ~ *and again* občas; ~ *and for all* jednou provždy; *all at* ~ náhle, najednou; *at* ~ *1.* okamžitě (*come here at* ~*!*) *2.* najednou (*don't all speak at* ~*!*) *3.* zároveň (*the book is at* ~ *interesting and instructive*); ~ *more 1.* ještě jednou *2.* znova; ~ *upon a time* za onoho času začátek pohádky (~ *upon a time there was a giant* byl jednou jeden obr); *if I've told you* ~ *I've told you a hundred times* už jsem ti to říkal apoň stokrát; *this* ~ tentokrát; (*for*) *this* ~ / (*just*) *for this* ~ pro jednou, pro tentokrát výjimečně; ~ *or twice* párkrát; *for* ~ *in a way* tentokrát, pro změnu; ~ *in a while* jenom občas, zřídkakdy ● *conj* jak, jakmile, až (jednou) (~ *the job is finished, we have nothing to worry about*) ● *adj* bývalý, dřívější (*the* ~ *province of Britain*) ● *s* co se stalo jen jednou jedenkrát (*thought it was only the* ~, ~ *is enough for me*)

once-over [ˈwans͵əuvə] hovor. **1** zběžný pohled **2** rychlý kritický pohled **3** rychlá informativní zkouška n. prohlídka **4** zmlácení, zbití ♦ *give a p.* / *a t. the* ~ přejet koho / co rychle očima

oncer [wansə] BR **1** kdo chodí do kostela jen v neděli **2** kdo dělá něco jen jednou **3** hovor. jednolibrová bankovka (*I wanted three hundred in* ~*s*)

oncological [͵onkəˈlodžikəl] onkologický

oncology [onˈkolədži] med. onkologie nauka o nádorech

on-coming [ˈon͵kamiŋ] *adj* **1** blížící se (*an* ~ *car*) 2 nadcházející (*the* ~ *year*), chystaný (~ *new airlines*) **3** budoucí (*our* ~ *citizens*) **4** nový, hlásící se ke slovu (*the* ~ *generations*) **5** slang.: v lásce dotěrný, k tělu ● *s* **1** při|blížení **2** příchod, příjezd

oncost [onkost] režie (ekon.) ♦ ~ *man* horník s pevnou mzdou, režijní dělník, směnař

on dit [on di] *pl: on dits* [on diz] co se říká, klep, zvěst, drb (hovor.)

on-drive [on-draiv] (*on-drove, on-driven*) kriket odpálit míč na pálkařovu levou stranu

one [wan] *adj* **1** jeden (~ *pen*, ~ *o'clock*, ~ *is enough*); jeden z více (~ *of my friends arrived late* jeden můj přítel přijel pozdě, *I borrowed* ~ *of your books last week* vypůjčil jsem si minulý týden jednu tvou knihu, ~ *of the girls has hurt herself* jedna dívka se poranila); jeden a tentýž; týž, stejný (*they all went off in* ~ *direction*); jedno (*the writer and his principal character are* ~) **2** *the* ~ jediný (*the* ~ *way to do it*), právě ten (*that's the* ~ *thing needed, he was the* ~ *person she wanted to marry*) **3** sám (*no* ~ *of you could lift it* nikdo z vás by to sám nezvedl) **4** první (*Book O*~ Kniha první, *Chapter O*~ Kapitola první) **5** nějaký, jakýsi, jistý (*I heard the news from* ~ *Mr Smith*) **6** AM úplně dokonalý (*it's going to be* ~ *great year*) ♦ *it's all* ~ to je jedno, na tom nezáleží, na tom nesejde *to* komu (*it's all* ~ *to me whether you go or don't go*); ~ *with another* celkem vzato; *at* ~ zajedno; *become* / *be made* ~ *1.* spojit se *2.* uzavřít sňatek, vzít se; ~ *by* ~ jeden za druhým, jednotlivě; ~ *day 1.* jednoho dne *2.* jednou *3.* někdy; ~ *in the eye* „nos", setření důtka; *for* ~ na příklad; *I for* ~ pokud jde o mne; *for* ~ *thing* jednak, zajedno, například proto (*I can't go. For* ~ *thing, I've no money*); *as* ~ *man* jako jeden muž všichni; *number* ~ *1.* námoř. první důstojník *2.* hovor. já, vlastní zájmy (*he's always thinking of number* ~ stále myslí jen na sebe); *everything went like* ~ *o'clock* všechno šlo jako na drátkách; ~ ... *the other* jeden ... druhý (*the two girls are so much alike that it is difficult for strangers to tell the* ~ *from the other* ty dvě dívky jsou si tak podobné, že je cizí člověk od sebe těžko rozezná); ~ *and the same* jeden a tentýž; *at* ~ *time* jednou, kdysi, dříve; ~ *or two* pár několik málo ● *pron* **1** člověk, jeden (hovor.) jako německé „man" (~ *cannot always find time for reading*); já (~ *let it pass, for* ~ *did not want to seem mean*) **2** *pl* ~*s* zástupný výraz za již uvedený počitatelný výraz ten (*Which kitten will you have! The black* ~), nějaký (*I haven't a pen. Can you lend me* ~*?*) **3** zpodstatňuje adjektivum (*a nest with five young* ~*s* hnízdo s pěti mláďaty, *the little* ~*s* děti) **4** součást, člen *of* koho / čeho, patřící k (*Mr Smith is not* ~ *of my customers* pan Smith nepatří k mým zákazníkům, pan Smith není můj zákazník, *we have always treated her as* ~ *of the family* vždycky jsme se k ní chovali jako ke členu rodiny) **5** po adjektivním n. substantivním přívlastku zastupuje substantivum (*your plan is a good* ~ *on the paper* tvůj plán je teoreticky dobrý, *their opinions were the true* ~*s* jejich názory byly správné; *the programme is a compromise* ~ program je kompromisní) ♦ ~ *another 1.* jeden druhého, se navzájem (*they like* ~ *another*) *2.* jeden druhému, si

navzájem (*they were fighting with cudgels, trying to break ~ another's heads* bojovali klacky, snažíce se jeden druhému rozbít hlavu) *3.* jeden s druhým, spolu (*they have quarrelled and no longer speak to ~ another* pohádali se a už spolu nemluví); *every ~ 1.* každý *2.* všichni; *many a ~* mnozí, mnoho lidí; *no ~* nikdo; *such a ~* takový člověk ● *s* **1** jedna, jednička číslice 1 (*a row of ~s*) **2** jedna rána (*he got ~ on the jaw* dostal jednu do zubů) **3** číslo (hovor.) něčím charakteristický člověk (*you're a ~, aren't you!*) **4** fanda (*he was a ~ for football*)
one-act [ˌwanˈækt] : *~ play* aktovka, jednoaktovka divadelní hra
one-armed [ˌwanˈa:md] **1** jednoruký (*a ~ man*) **2** jednoramenný (*a ~ lever*) ◆ *~ bandit* slang. hrací automat na peníze s jednou pákou
one-design [ˌwandiˈzain] námoř.: jsoucí stejné třídy
one-designer [ˌwandiˈzainə] námoř. loď stejné třídy, sesterská loď
one-eyed [ˌwanˈaid] **1** jednooký **2** slepý na jedno oko **3** hovor.: podřadný, ubohý, bídný, ubohoučký
onefold [wanfəuld] **1** jednoduchý nikoliv dvoudílný **2** prostoduchý, prostý
Onega [oˈnjegə] **1** Oněga řeka a město v SSSR **2** Oněžské jezero
one-handed [ˈwanˌhændid] **1** jednoruký **2** provedený jednou rukou **3** hovor.: provedený levou rukou (*any girl can do it ~*)
one-horse [ˌwanˈho:s] **1** jednospřežný (*a ~ waggon*) **2** AM hovor. obskurní, pofidérní podřadný (*a ~ newspaper, a ~ lawyer*); zapadlý (*a ~ town* zapadákov)
one-idea'd, one-ideaed [ˌwanaiˈdiəd] **1** posedlý jedinou myšlenkou **2** jednostranný, jsoucí s klapkami na očích
oneirocritic [əuˌnaiərəuˈkritik] **1** vykladač snů **2** *~s, pl* vykládání snů
oneirocritical [əuˌnaiərəuˈkritikəl] vykládající sny
oneirocriticism [əuˌnaiərəuˈkritisizəm], **oneirology** [əuˌnaiˈrolədži] vykládání snů
oneiromancy [əuˈnaiərəumænsi] věštění ze snů
one-legged [ˌwanˈlegd] **1** jednonohý (*a ~ veteran*) **2** přen. jednostranný (*a ~ law*)
one-liner [ˌwanˈlainə] AM krátký vtip
one-man [ˌwanˈmæn] **1** jsoucí o jednom člověku, sestávající se z jediného člověka (*a ~ government*) **2** jsoucí pro jednoho člověka (*a ~ stage play, a ~ job*), řízený n. ovládaný jedním člověkem (*a ~ tank, a ~ torpedo*), sólový (*a ~ show*), **3** samostatný, individuální (*a ~ show of oil paintings*) ◆ *~ band 1.* pouliční muzikant hrající na řadu různých nástrojů *2.* sólový podnik činnost bez cizí pomoci; *~ dinghy* jednoveslice; *~ operation* obsluha stroje jedním člověkem
oneness [wannis] **1** jednota, jednotnost (*a ~ of thoughts and desires* jednota myšlení a tužeb) **2** jedinečnost, ojedinělost (*the ~ of man*) **3** singularita (*a ~ of purpose* singularita záměru)
one-night stand [ˌwannaitˈstænd] jediné představení na každé zastávce při uměleckém turné apod.
one-off [ˌwanˈof] BR *adj* jsoucí jen pro jednu určitou příležitost apod., speciální, individuální (*the intricacies of ~ apparatus*) ● *s* specialita, speciální zařízení apod. pro jednu určitou příležitost apod.
one-pair [ˌwanˈpeə] BR pokoj n. byt v prvním patře (*~ back | front* takový pokoj n. byt v zadní | přední části domu)
one-piece [ˌwanˈpi:s] jsoucí v celku, jednodílný (*a ~ bathing costume*)
one-piecer [ˌwanˈpi:sə] jednodílné plavky
one-price shop [ˌwanpraisˈšop] jednotkový obchod
oner [wanə] **1** slang. machr, kanón *at* na, přeborník v (*she is such a ~ at eating*) **2** unikát věc i člověk **3** slang. řacha, jedna úder (*he caught Hiram such a ~* ubalil Hiramovi [takovou] jednu) **4** hovor.: úder, který se počítá jako jeden bod, zejm. v kriketu **5** BR slang. kolosální lež
onerous [onərəs] **1** obtížný, těžký (*an ~ task*) **2** tíživý (*an ~ political system*) **3** práv. onerózní zatížený závazkem nebo povinností (*an ~ property*) **4** udělený za úplatu (*an ~ title*)
onerousness [onərəsnis] **1** obtížnost, těžkost; tíživost **2** práv. oneróznost
oneself [ˌwanˈself] **1** se (*wash ~* umýt se, *dress ~* obléknout se, *cut ~* říznout se) **2** sám zdůrazňuje osobu, kterou označuje (*one should not live for ~ alone* člověk nemá žít jen sám pro sebe, *one can trust only one person and that is ~* člověk může věřit jen jedinému člověku, a to je sám sobě, *in such a place one could not be ~* v takovém místě nemohl být člověk sám sebou, *to ~* pro sebe)
one-shot [wanšot] *adj* **1** jednorázový **2** neperiodický, který se objeví jen jednou a víckrát ne (*a ~ magazine*) ● *s* **1** zvláštní číslo časopisu věnované jedné události **2** jediné vystoupení např. v televizi **3** detailní záběr jedné osoby
one-sided [ˌwanˈsaidid] **1** jednostranný (*a ~ decision, a ~ interpretation* ... výklad **2** nerovný (*a ~ fight*) ◆ *~ plant* jednostranná rostlina; *~ street* ulice zastavěná jen po jedné straně
one-sidedness [ˌwanˈsaididnis] **1** jednostrannost **2** nerovnost
one-stage [ˌwanˈsteidž] jednostupňový
onestep [wanstep] onestep společenský tanec v dvoučtvrťovém taktu
one-time [ˌwanˈtaim] hovor. *adj* **1** někdejší, bývalý (*a ~ professor of history*) **2** pouze jeden jediný za život (*have ~ or rare contact with their customers*) ◆ *~ pad* šifra pro jedno jediné použití ● *adv* dříve, kdysi (*they ~ knew him very well* ... se s ním stýkali)
one-track [ˌwanˈtræk] úzce zaměřený, specializo-

vaný pouze na jednu jedinou věc (*a ~ mind, ~ farming*)

one-up [ˌwanˈap] *adj* jsoucí o něco vpředu, mající náskok ● *v* (*-pp-*) získat výhodu nad, předhonit, trumfnout

one-upman [ˌwanˈapmən] = *one-up, v*

one-upmanship [ˌwanˈapmənšip] žert. umění trumfnout své bližní

one-way [ˌwanˈwei] **1** jednosměrný (*a ~ street*) **2** jednostranný (*a ~ conversation*) **3** AM obyčejný, jen tam nikoliv zpáteční (*a ~ air ticket*) ◆ *~ ticket to* žert. betonová příčina čeho

onfall [onfo:l] útok, nástup sil

onflow [onfləu] přítok (*a constant ~ of information*)

ongoing [ˈonˌgəuiŋ] *s* **1** pokrok, vývoj (*this entire period of the world's ~*) **2** *~s, pl* události zejm. pochybné (*the ~s in the Orient*) ● *adj* stále pokračující, nepřerušený

onhanger [ˈonˌhæŋə] **1** přívrženec **2** přítěž **3** příživník, parazit

onion [anjən] *s* cibule ◆ *flaming ~s* druh svítící protiletecké střely; *he is off his ~* slang. je praštěný, šplouchá mu na maják má bláznivé nápady; *know one's ~s* slang. válet to dobře umět svou práci ● *v* **1** dát cibuli do **2** potřít cibulí, přiložit cibuli k např. očím

onion couch [anjənkauč] bot. ovsík vyvýšený

onion dome [anjəndəum] cibule věžní báň

onionskin [anjənskin] pauzovací papír

onion twitch [ˌanjənˌtwič] bot. = *onion couch*

on-islander [ˌonˈailəndə] AM stálý obyvatel ostrova

on-line [ˌonˈlain] **1** jsoucí na výrobní lince (*~ process control* kontrola výrobních operací při výrobě) **2** kyb. zapojený na ústřední počítač, spřažený

onlooker [ˈonˌlukə] divák ◆ *the ~ sees most of the game* pořek. nezúčastněný divák může soudit lépe než účastník

only [əunli] *adj* **1** jediný (*Smith was the ~ person able to do it*); celý (*her ~ answer was a shrug* odpověděla pouze pokrčením ramen) **2** jediný pořádný (*the ~ actor on Broadway*), jediný hodný toho jména (*the team was the ~ one*) **3** nejlepší, nejvhodnější (*he's the ~ man for the position*) ◆ *~ child* jedináček; *one and ~* jeden jediný (*my one and ~ hope*) ● *adv* **1** jen, jenom, pouze (*~ five men were seriously hurt in the accident* při nehodě bylo vážně zraněno pouze pět mužů, *we've ~ half an hour to wait now, I can ~ tell you what I know*) **2** časově teprve, až nečekaně pozdě (*he promised to see us on Sunday, but he came ~ yesterday, ~ after* až po); ještě ani ne tak dávno (*I saw her ~ last week* minulý týden jsem ji ještě viděl a dnes už tu není); též *~ just* právě, zrovna (*I ~ just talked to her*) ◆ *if ~ 1.* jen kdyby *2.* kéž, kéž by, proč ne- přání (*if ~ she had yellow hair!* taky nemůže být blondýna!); *~ just* též *1.* jen tak tak *2.* teprve teď (*ministers have ~ just formulated their conclusions*); *not ~ ... but* nejen ... ale i; *~ not* skorem, málem, téměř, div ne (*the fortress was ~ not abandoned to the enemy* pevnost byla málem vydána nepříteli); *~ too* velice, plně, dokonce a nikoliv opak, až moc, docela, víc než se dá / dalo čekat, opravdu (*~ too glad, ~ too true, ~ too pleased*) ● *conj* hovor. **1** jenže, jenomže (*the book is likely to be useful, ~ it's rather expensive*) **2** ale musíš (*you may go, ~ come back early* můžeš jít, ale musíš se brzy vrátit) ◆ *~ that* až na to, že; nebýt toho, že (*he would do well in the examination, ~ that he gets rather nervous* nebýt toho, že nemá pevné nervy, vedl by si u zkoušek dobře)

onomatop [onəumætop] , **onomatope** [onəumætəup] onomatopoion, zvukomalebné slovo

onomatopoeia [ˌonəumætəuˈpi:ə] zvukomalba, onomatopoie

onomatopoeic [ˌonəumætəuˈpi:ik] , **onomatopoetic** [ˈonəumætəuˌpəuˈetik] zvukomalebný, onomatopoický

on-position [ˌonpəˈzišən] zapnutá poloha, zapínací poloha u stroje

onrush [onraš] **1** nápor (*the first ~ of some sudden grief* první nápor jakéhosi náhlého žalu) **2** prudká záplava (*~ of water*) **3** prudký rozběh (*~ of wheels*)

onrushing [onrašiŋ] ženoucí se vpřed, uhánějící vpřed (*~ waves, the ~ train*)

on-scene [ˌonˈsi:n] přímý, jsoucí přímo z místa (*an ~ report* přímá reportáž)

onset [onset] **1** útok, výpad (*the ~ of the army*) **2** začátek, počátek čeho, náběh na (*the ~ of winter, the ~ of scarlet fever* náběh na spálu) ◆ *at the first ~* hned na začátku

onslaught [onslo:t] prudký útok, prudký nápor (*the tremendous ~ across the Rhine*), též přen. (*his wife's verbal ~s*)

onto [ontu] v. *on to* ◆ *be ~ a good thing* hovor. být na tom dobře; *be ~ a p.* přijít komu na něco např. protizákonného

ontogenesis [ˌontəuˈdženisis] ontogeneze vývoj jedince od zárodku až do zániku

ontogenetic [ˌontəudžiˈnetik] ontogenetický

ontogeny [onˈtodžini] ontogeneze

ontological [ˌontəuˈlodžikəl] ontologický

ontologist [onˈtolədžist] odborník v ontologii

ontology [onˈtolədži] filoz. ontologie

onus [əunəs] nemá pl **1** břemeno, břímě, zátěž (*the job of caring for his dependants was a real ~*) **2** povinnost, břímě (práv.) (*the ~ of bringing forward a bill* povinnost podat návrh zákona) **3** vina (*transfer the ~ from the accused to the accusers* přenést vinu z obžalovaných na žalobce) **4** ostuda, hanba (*excusing himself ahead of time* *so that the ~ would be less if his failure was realized* omlouvající se dopředu, aby měl menší ostudu, kdyby se přišlo na to, že nesplnil svou povinnost) ◆ ~ *probandi* práv. důkazní břímě

onward [onwəd] *adv* **1** vpřed, kupředu, dopředu; vpředu (*the bridge was ~ along the road* most byl na cestě vpředu) **2** dále (*from the 6th century ~* počínaje šestým stoletím) ● *adj* **1** směřující kupředu (*the ~ course of events*) **2** postupující, pokračující

onwards [onwədz] = *onward, adv*

onymous [oniməs] neanonymní podepsaný (*an ~ article in a magazine*)

onyx [oniks] **1** miner. onyx polodrahokam **2** med. zákal spodní části oční rohovky ◆ ~ *marble* onyxový mramor

oocyte [əuəsait] biol. zárodečná buňka vaječná

oodles [u:dlz] hovor. hora, kupa, moře, milión velké množství (*he has ~ of money* má peněz jako želez)

ooecium [əuˈi:siəm] biol.: váček, v němž se u bezobratlých oplodňuje vajíčko

oof [u:f] *interj* uf! ● *s* AM slang. prachy peníze

oof-bird [u:fbə:d] slang. zazobanec, prachař bohatý člověk

oofy [u:fi] (-*ie*-) slang. zazobaný, prachatý bohatý

oogamous [əuˈogəməs] biol. vztahující se k pohlavnímu rozmnožování, oogamní

oogenesis [ˌəuəˈdženisis] biol. tvoření n. zrání vajíček

oolite [əuəlait] geol. **1** oolit **2** svrchní jura v Anglii

oolitic [ˌəuəˈlitik] geol. oolitický, seménkový

oological [ˌəuəˈlodžikəl] vztahující se ke studiu ptačích vajec

oologist [əuˈolədžist] sběratel ptačích vajec; ornitolog studující ptačí vejce

oology [əuˈolədži] **1** nauka o ptačích vejcích **2** sbírání ptačích vajec

oolong [u:loŋ] tmavý druh čínského čaje

oom [u:m] SA strýček (*O~ Paul* jihoafrický prezident Kruger zemř. 1904)

oomph [u:mf] slang. **1** pára energie **2** rajc, šmrnc dráždivost

oomph girl [u:mfgə:l] slang.: pěkná kočka, udělaná šťabajzna, sexbomba

oont [u:nt] velbloud

oops [u(:)ps] hovor. no nazdar!, tě pic! (*O ~! I nearly dropped my cup of tea*)

oops-a-daisy [ˈu:psəˌdeizi] hovor. **1** vyjadřuje pobídku při přelézání hop, hopla **2** komentuje něčí pád bác

oosperm [əuəspə:m] biol. oplodněné vajíčko

ooze [u:z] *s* **1** sedlé, mazlavé, řídké bahno; bahnitá sedlina, bahnitá usazenina; blátíčko; sliz **2** močál, bažina, bahnisko, bahniště **3** tříselná břečka, tříslo **4** výpotek **5** líný tok **6** mokvání, prosakování ● *v* **1** pomalu téci, pomalu vytékat (*blood appears to have ~d from a varicose vein* zdá se, že krev pomalu vytekla z varikózně rozšířené žíly) **2** mokvat, vlhnout zejm. krví **3** vy|ronit | se (*a weak tear ~d from each eye*) **4** prosakovat (*water ~d from the ground*) **5** pronikat (*a voice ~s from a slit of a door* štěrbinou dveří proniká nějaký hlas) **6** vyzařovat (*~ charm, ~ confidence* ... důvěru) *with* co (*a writing that ~s with hostility* psaní, z něhož kape nepřátelství) **7** hýbat se pomalu, sunout se, šinout se (*the crowds began to ~ forward*) **8** též ~ *out* / *away* pomalu prchat, ztrácet se, vytrácet se (*courage oozing out at his fingertips* pomalu z něho vyprchávala odvaha), vypařit se (*let's ~*) ***ooze out*** *1* informace proniknout na veřejnost *2* = *ooze, v 8*

ooze calf [u:zka:f] *pl: calves* [ka:vz] telecí useň vyčiněná tříslem

ooziness [u:zinis] **1** bahnitost; mazlavost; slizkost **2** vlhkost

oozy [u:zi] (-*ie*-) **1** bahnitý; mazlavý; slizký **2** vlhký, potící se (*~ stairs*) **3** mokvavý, mokvající (*~ ulcer* mokvající vřed)

op [op] hovor.: v. *operation*

opacifier [əuˈpæsifaiə] kalidlo (*~ for paper*)

opacity [əuˈpæsəti] 2 neprůhlednost, neprůzračnost, neprůsvitnost **3** nepropustnost pro záření **4** nejasnost, nesrozumitelnost **5** tupost, hloupost **6** kryvost barvy **7** odb. opacita

opah [əupə] zool.: mořská ryba Lampris regius

opal [əupl] **1** opál **2** opálové sklo, opál ◆ *common ~* obecný opál, poloopál

opalescence [ˌəupəˈlesns] **1** opalescence **2** opalizace, opalizování **3** opalínové sklo

opalescent [ˌəupəˈlesnt], **opalesque** [ˌəupəˈlesk] opalizující

opaline *adj* [əupəlain] **1** opalínový **2** opálový, opálovitý **3** opalizující ● *s* [əupəli:n] **1** částečně průhledné opalínové sklo **2** neprůhledné mléčné sklo, opálové sklo **3** miner. opalin

opalize [əupəlaiz] opalizovat (*~ glass*)

opaque [əuˈpeik] *adj* **1** neprůhledný, neprůsvitný, neprůzračný **2** řídč. matný **3** nepropustný pro záření **4** nejasný, temný (*an ~ expression*) **5** tupý, hloupý (*too ~ to understand her husband's jeers* příliš tupá, aby rozuměla posměšným poznámkám svého manžela) ● *s* **1** tma, temnota **2** stínítko na oči **3** fot. krycí lak

opaqueness [əuˈpeiknis] **1** neprůhlednost, neprůsvitnost, neprůzračnost **2** řidč. matnost **3** nepropustnost pro záření

op-art [opa:t] op-art

op-artist [ˈopˌa:tist] výtvarník pěstující op-art

ope [əup] bás. = *open, v*

open [əupən] *adj* **1** otevřený (*leave the door ~, an ~ carriage, an ~ question, an ~ town*); rozevřený (*an ~ book*) **2** volný (*the ~ sea, an ~ river, the position is still ~* místo je dosud neobsazené) **3** veřejný (*an ~ competition, an ~ scandal*); veřejně přístupný (*the exhibition is now ~*) *to* komu / čemu (*be ~ to an offer* být přístupný nabídce, *~ to the public*), přístupný amatérům i profesionálům (*an ~ golf tournament* otevřený golfový turnaj) **4** náchylný *to* čemu (*~ to infection*) **5** nekrytý, bezpalubní (*an ~ boat*), holý nezarostlý (*a ewe with an ~ face* ovce s holou hubou), jsoucí bez sněhu (*~ winter* mírná zima) **6** sport. neobsazený, nekrytý; nehájený **7** jaz.: slabika, samohláska otevřený **8** prázdný (*the four ~ strings of a violin*) **9** základní, přirozený (*an ~ tone*) **10** neodpojený, zapojený (*an ~ microphone*) **11** karty vyložený na stole **12** upřímný (*an ~ heart, an ~ face*) **13** nezaujatý, liberální (*an ~ mind*) **14** prolamovaný, jsoucí s velkými oky (*~ network* síťovina s velkými oky); pórovitý, pórézní (*~ soil*); vzdušný, světlý; silně proložený **15** nepřekrývající se, mající mezi sebou viditelnou mezeru (*steer so as to keep the two spires ~* kormidlovat tak, aby byla mezi oběma věžemi vidět mezera) **16** rozptýlený (*~ population*) ◆ *~ access* volný výběr knih z regálu veřejné knihovny; *in the ~ air* venku, v přírodě; *~ angle* tupý úhel; *with ~ arms* s otevřenou náručí; *I will be ~ to you* budu s tebou mluvit zcela otevřeně; *O~ Brethren* tolerantnější sekta náboženského sdružení Plymouthských bratří; *~ burner* kahan; *~ cheque* běžný šek; *~ city* voj. otevřené město; *~ cluster* otevřená hvězdokupa; *~ cover* všeobecná n. generální pojistka; *in ~ court* ve veřejném jednání n. přelíčení; *~ to criticism* nikoli bezvadný, proti čemu lze mít výhrady; *~ (railway) crossing* nechráněný železniční přejezd; *~ ditch* otevřený příkop; *~ door* politika otevřených dveří hospodářská; *force an ~ door* vymáhat, co lze na požádání dostat; *~ to doubt 1.* čemu není nutno věřit *2.* pochybný; *with ~ eyes 1.* s otevřenýma očima vědomě *2.* s vykulenýma očima udiveně; *~ gait* zrychlený cval, trysk koně; *~ gowan* bot. blatouch bahenní; *with ~ hands 1.* plnýma rukama štědře *2.* s otevřenou náručí; *keep ~ house* mít pro každého otevřené dveře; *~ items* propadlé položky; *lay ~ 1.* otevřít *2.* odhalit; *lay oneself ~ to* vystavit se čemu; *~ letter* otevřený dopis v novinách; *~ note* AM celá n. půlová nota; *~ notes* přirozené tóny na žesťovém nástroji; *~ order* rozevřená sestava, formace v širokém rozestupu vojska n. lodí; *~ policy* generální pojistka; *~ sandwich* obložený chléb jeden plátek; *~ score* dělená partitura; *~ season* lovecká n. rybářská sezóna; *shelf* AM = *~ access; ~ shop* podnik, v němž za stejných podmínek pracují zaměstnanci odborově organizovaní a neorganizovaní; *~ soap* mydlářské jádro; *~ type* polygr. prosvětlené písmo s otevřenými očky; *an ~ verdict* usnesení ohledací poroty neuvádějící důvod smrti (jde-li o přirozenou smrt, nešťastnou náhodu, sebevraždu n. vraždu); *O~ University* BR typ vysoké školy pro studenty nesplňující obvyklé požadavky: *~ work* prolamovaný vzor; *vowel* jaz. otevřená samohláska ● *s* **1** volný prostor, volná krajina; volné moře **2** venek, příroda, plenér (*he day in the ~*) ◆ *in the ~* zast. *1.* veřejně *2.* na veřejnost: *come into the ~* nic neskrývat ● *v* **1** otevřít | se (*he ~ed the door for me to come in, ~ a box, ~ an account at a bank, the door ~ed, the flowers are ~ing*); otvírat, mít otevřeno *at* od (*shops ~ at 9 a.m.*); otevřít knihu (*he ~ed at page 12*) **2** přen. projevit, odhalit (*~ one's mind* projevit své názory, *~ one's heart* vylít své srdce) **3** dveře, okno, místnost vést (*this door ~s on to the garden, the two rooms ~ into one another* ty dvě místnosti jsou spojené dveřmi) **4** pro|klestit, pro|razit (*~ a new road through the forest*) **5** vy|-hloubit, pro|razit šachtu **6** zahájit (*~ Parliament* zahájit zasedání parlamentu, *~ fire* zahájit palbu *at* / *on* na / do) **7** začínat (*the story ~s with a murder* příběh začíná vraždou) **8** zahájit projev, začít mluvit (*he ~ed with a compliment*) **9** začít n. zahájit vlastní činnost, zejm. spustit palbu (*the artillery ~ed on the enemy*) **10** karty zahájit hru *with* čím, vynést co **11** začít štěkat (*the dog ~ed at once*), též hanl. o člověku **12** rozevřít | se, rozvinout | se (*the rose ~ed its dewy petals* růže rozevřela své orosené lupínky, *the buds ~ed* poupata se rozvinula); kypřit (*~ ground*), uvolnit (*she ~ed the matted wool by shaking vigorously* zcuckovanou vlnu uvolnila energickým vytřepáním) **13** rozevřít | se; rozložit | se, rozkládat | se (*~ out a folding map* rozložit skládací mapu, *the view ~ed before our eyes*) **14** námoř. být zřetelně viditelný; dostat se ze zákrytu **15** přerušovat okruh, vypínat elektrický proud **16** hra, film mít premiéru ◆ *~ bowels* projímat; *~ a p.'s eyes* otevřít n. otvírat oči komu, vyvést z omylu koho; *~ one's shoulders* kriket rozpřáhnout se ***open out*** *1* přidat plyn; dát plný plyn *2* začít mluvit, (všechno) vyklopit, (všechno) ze sebe vysypat (hovor.) *3* v. *open, v 13* ***open up*** *1* objevně otevřít, odkrýt, odhalit, otevřít (přen.) (*her account ~ed up a whole new line of investigation* její výpověď otevřela úplně nový směr vyšetřování) *2* otevřít n. zahájit zejm. po odstranění překážky *3* otevřít se, rozevřít se *4* přen. mluvit otevřeně *5* v. *open, v*

openable [əupənəbl] otvíratelný, uzpůsobený k otvírání

open-air [ˌəupnˈeə] **1** konaný pod širým nebem, konaný venku n. v přírodě, zahradní apod. (*an ~ meeting*) **2** konaný na čerstvém vzduchu (*an ~ treatment* léčba na čerstvém vzduchu / čerstvým vzduchem) **3** milující čerstvý vzduch **4** ošlehaný větrem (*they have an ~ look about them*)

open-and-shut [ˌəupənəndˈšat] jasný, vyložený, jednoznačný (*an ~ case*)

open-armed [ˌəupnˈa:md] srdečný, upřímný

opencast [əupənka:st] BR, **opencut** [əupənkat] AM povrchový (*an ~ iron mine* povrchový důl na železnou rudu)

open-eared [ˌəupnˈiəd] **1** pozorný nastavující uši **2** popřávající sluchu, vnímavý, přístupný
open-ended [ˌəupnˈendid] **1** na co nelze dát definitivní n. správnou odpověď, nejednoznačný (*an ~ question, an ~ test*) **2** jsoucí bez pevného stanoviska, jsoucí s nejistým koncem, neurčitý, jasně nedefinovaný (*an ~ guarantee* nejasně formulovaná záruka, *~ arguments*) **3** časově neomezený (*~ drinking hours*)
opener [əupənə] **1** zahajovač **2** otvírač kdo otvírá **3** otvírač, otvírák náčiní **4** text. čechradlo
open door [ˌəupnˈdo:] : *~ policy* politika otevřených dveří
open-eyed [ˌəupnˈaid] **1** jsoucí s otevřenýma očima **2** bdělý **3** užaslý
open-faced [ˌəupnˈfeist] **1** jsoucí s upřímnou tváří 2 hodinky jsoucí bez vrchního pláště
open-field [ˌəupnˈfi:ld] : *~ system* hist.: středověký způsob obdělávání orné půdy rozdělením mezi vesničany
open-handed [ˌəupnˈhændid] štědrý
open-handedness [ˌəupnˈhændidnis] štědrost
open-heart [ˌəupnˈha:t] med.: operace prováděný za použití umělého srdce
open-hearted [ˈəupənˌha:tid] **1** upřímný, otevřený **2** vnímavý, citlivý **3** šlechetný, laskavý, štědrý
open-hearth [ˌəupnˈha:θ] : *~ furnace* martinská pec, Martinova pec, Siemens-Martinova pec; *~ process* martinování, Siemens-Martinův pochod výroby oceli; *~ steel* martinská ocel
open-housing [ˌəupnˈhauziŋ] **1** jsoucí pod širým nebem **2** AM týkající se zákazu rasové n. náboženské diskriminace při prodeji n. pronájmu domu apod.
opening [əupniŋ] *s* **1** otvor; mezera, průlom **2** paseka, mýtina **3** vhodná příležitost (*waiting for an ~ to tell his story*) **4** volné místo, pracovní příležitost (*there are always ~s for qualified engineers*) **5** záliv **6** dvoustránka v knize **7** začátek, úvod; zahájení nové sezóny; vernisáž **8** premiéra **9** šachové otevření **10** v. *open, v* ● *adj* **1** úvodní, zahajovací (*Ascot ~ race*) **2** projímavý (*some gentle ~ medicine*) **3** v. *open, v* ◆ *~ hours 1.* návštěvní hodiny *2.* otvírací doba; *~ night* premiéra; *~ time* otvírací hodina zejm. výčepů
open-minded [ˌəupnˈmaindid] **1** nezaujatý, nepředpojatý, přístupný každému názoru; objektivní **2** liberální, svobodomyslný
open-mindedness [ˌəupnˈmaindidnis] **1** nezaujatost, nepředpojatost; objektivnost **2** liberálnost, svobodomyslnost
open-mouthed [ˌəupnˈmauðd] **1** jsoucí s otevřenými ústy, s otevřenou hubou (vulg.) **2** hlučný, halasný, křiklounský (*an ~ person* otevřhuba) **3** hltavý, chtivý **4** přen. nedočkavý
openness [əupnnis] **1** otevřenost **2** vnímavost **3** mírnost, klidnost počasí
openwork [əupnwə:k] **1** prolamování, řídké síťování n. mřížování **2** povrchový důl

opera[1] [opərə] opera hudebně dramatické dílo; budova; operní soubor ◆ *~ bouffe* opera buffa; *comic ~* komická opera; *opéra comique* opera s mluvenými recitativy; *~ dancer 1.* tanečník v baletu *2.* baletka; *grand ~* opera se zpívanými recitativy; *light ~* opereta
opera[2] [opərə] v. *opus*
operable [opərəbl] **1** operabilní, operovatelný (*an ~ cancer* operovatelná rakovina) **2** schopný provozu (*an ~ machine*) **3** použitelný, proveditelný
opera cloak [opərəkləuk] večerní plášť
opera glass(es) [opərəgla:s(iz)] divadelní kukátko
operagoer [ˈopərəˌgəuə] návštěvník opery
opera hat [opərəhæt] klak, skládací cylindr
opera hood [opərəhud] dámský večerní plášť
opera house [opərəhaus] *pl: houses* [hauziz] opera budova
operate [opəreit] **1** operovat *upon* / *on* koho / komu *for* co / na (*the doctors decided to ~ at once*) **2** působit, účinkovat (*the drug ~s quickly* droga účinkuje rychle); z|působit, vyvolat, přivodit (*such influences may ~ remarkable changes* takové vlivy mohou způsobit podivuhodné změny) **3** běžet, být v běhu, pracovat (*machinery that ~s night and day*), fungovat (*the lift was not operating properly*) **4** obsluhovat, řídit; přen. pohánět (*the lift is ~d by electricity* výtah je na elektřinu) **5** provádět vojenské operace, manévrovat **6** operovat na burze, spekulovat **7** rozhlasová stanice vysílat **8** zpracovávat *on* co (*a mill for operating on the crude ore* závod na zpracovávání nečistěné rudy) **9** zejm. AM řídit; organizovat, spravovat, provozovat (*the company ~s three factories and a coalmine*); zpracovat kolik **10** zejm. AM obsluhovat (*~ a machine*) **11** zejm. AM působit, pracovat zejm. zločinec (*crooked gamblers operating on the Atlantic liners* falešní hráči působící na atlantických lodích)
operatic [ˌopəˈrætik] operní
operating [opəreitiŋ] **1** provozní (*~ expenses*) **2** týkající se obsluhy (*~ instructions* návod k obsluze stroje) **3** operační **4** v. *operate* ◆ *~ board* tech. rozvodný stůl; *~ cable* let. řídicí lanko; *~ lever* řídicí páka, ovládací páka, zapínací páka; *~ voltage 1.* provozní napětí *2.* napětí na výboji
operating room [opəreitiŋru:m] operační sál
operating table [ˈopəreitiŋˌteibl] operační stůl
operating theatre [ˈopəreitiŋˌθiətə] velký operační sál kde medici přihlížejí operaci
operation [ˌopəˈreišən] **1** operace chirurgický zákrok *upon* koho *for* čeho (*an ~ for appendicitis* operace slepého střeva) **2** úkon (*the mechanical ~s involved in sculpture* mechanické úkony tvořící součást sochařiny); početní úkon, výkon **3** provoz, provozování (*the plant has been in ~ for several weeks, problems in the ~ of a railroad*) **4** řízení, ovládání, vedení (*the ~ of a large household*)

5 obsluha, obsluhování stroje, manipulace *of* s 6 funkce, fungování; chod (*its ~ is easily explained*) 7 pracovní postup (*building ~s*) 8 pochod, proces (*~ of thinking* myšlenkový pochod, *during the ~ of rusting* při rezavění) 9 činnost, proces, operace, práce (*we ought to remember what a slow and painful ~ reading is to the uneducated*) 10 platnost, účinnost (*is this rule in ~ yet?* už je toto pravidlo v platnosti?) 11 účinek, působení, působnost (*the ~ of a drug* účinek drogy) 12 obchodní operace, spekulace; *~s, pl* jednotlivé obchody, transakce 13 část. *~s, pl* vojenská operace, vojenská akce, bojová činnost 14 voj. *O~* akce, operace krycí název pro velkou vojenskou operaci (*O~ Overlord* invaze ve Francii za 2. světové války) 15 *~s, pl* velení, velící štáb, strategické velení 16 *~s, pl* let. letištní dispečink ◆ *be in ~ 1.* fungovat *2.* být v platnosti; *combined ~* kombinovaná operace vojenská; *come into ~ 1.* začít fungovat *2.* vstoupit v platnost, nabýt účinnosti; *go into ~* spustit, zahájit; *~s manager* vedoucí provozu, provozní ředitel; *~ manual 1.* provozní předpisy *2.* návod k použití obsáhlý; *~s room* voj. štáb; *theatre of ~* válečná oblast, válčiště

operational [ˌopəˈreišənl] 1 provozní; pracovní; funkční 2 operační 3 mat. operátorový, operační (*~ symbols*) 4 bojový, válečný, operační, akční 5 akceschopný; schopný provozu ◆ *~ costs* provozní náklady; *~ end* praktické vyústění *~ expenditure = ~ costs; fully ~* jsoucí v plném provozu; *~ research* provozní analýza

operative [opərətiv] *adj* 1 platný, účinný (*this law becomes ~ on 1 May* tento zákon vstupuje v platnost / nabývá účinnosti 1. května, *an ~ dose* účinná dávka léku) 2 práv., med. operativní 3 hlavní, řídící, rozhodující, nejdůležitější, určující (*the ~ word* slovo, na něž je položen důraz) 4 pracující, pracovní, dělný; praktický ● *s* 1 tovární dělník, odborný n. zaškolený pracovník, pracovník u stroje 2 AM soukromý detektiv; tajný agent

operatize [opəretaiz] zhudebnit jako operu

operator [opəreitə] 1 operatér chirurg 2 odborný dělník n. pracovník u stroje n. přístroje, specialista; telefonista; radio|telegrafista; radista; manipulant 3 řidič, šofér; pilot 4 film. kameraman; promítač, operatér 5 mat., log. operátor 6 provozovatel např. dopravy, soukromý dopravce 7 spekulant na burze 8 vedoucí podniku, podnikatel, zaměstnavatel ◆ *aeronautical station ~* radiooperátor letecké pohyblivé služby; *flight wireless ~* let. palubní radiotelegrafista

opercular [əuˈpə:kjulə] 1 víčkový, příklopkový 2 zool. skřelový u ryb

operculate [əuˈpə:kjuleit] , **operculated** [əuˈpə:kjullitid] bot. opatřený víčkem n. příklopkou, víčkatý, operkulátní

operculum [əuˈpə:kjuləm] *pl: opercula* [əuˈpə:kjulə] 1 víčko, příklopka, operkulum (bot.) 2 zool. žaberní víčko, skřele u ryb

operetta [ˌopəˈretə] 1 (jednoaktová) lehká komická opera 2 opereta

operose [opərəus] 1 pracný, těžký, namáhavý 2 člověk pilný, pracovitý

operoseness [opərəusnis] 1 pracnost, namáhavost 2 pilnost, píle, pracovitost

ophicleide [ofikleid] hud. 1 hist. ofikleida 2 tuba žesťový nástroj; varhanní rejstřík

Ophidia [oˈfidiə] *pl* hadi

ophidian [oˈfidiən] *adj* 1 hadí 2 hadovitý ● *s* had

ophiolater [ofioleitə] uctívatel hadů

ophiolatry [ˌofiˈolətri] hadí kult, uctívání hadů

ophiology [ˌofiˈolədži] nauka o hadech

ophite [ofait] geol. ofit odrůda diabasu

ophthalmia [ofˈθælmiə] oční zánět

ophthalmic [ofˈθælmik] 1 oční 2 hojivý pro oči 3 mající oční zánět, trpící očním zánětem

opthalmitis [ˌofθælˈmaitis] oční zánět

ophthalmological [ofˌθælməˈlodžikəl] : *~ department* oční oddělení např. lékařské fakulty

ophthalmologist [ˌofθælˈmolədžist] oční lékař, okulista, oftalmolog

opththalmology [ˌofθælˈmolədži] oční lékařství, okulistika, oftalmologie

ophthalmoscope [ofˈθælməskəup] oftalmoskop přístroj k vyšetřování oka

ophthalmotomy [ˌofθælˈmotəmi] chirurgické otevření zornice

opiate [əupiit] *adj* zast. 1 obsahující opium 2 omamný, uspávající ● *s* lékár. opiát lék obsahující opium, opium (nespr.)

opine [əuˈpain] 1 vyjádřit svůj názor, vyjádřit se v tom smyslu, prohlásit (*he ~d that the weather would improve* řekl, že podle jeho názoru se zlepší počasí) 2 myslit si, domnívat se, domýšlet si (*some things we know, some we only ~*) 3 mít n. udělat si svůj názor (*you may ~ about anything under the sun*)

opinion [əˈpinjən] 1 názor *of* na (*what's your ~ of the new President?*) 2 domnění, domněnka 3 přesvědčení (*political ~s*); zásada (*a man of rigid ~s* muž přísných zásad) 4 mínění (*have a good / high | low / poor ~ on a p.* mít o kom dobré | špatné mínění, cenit si koho vysoko | nízko) 5 dobré mínění (*I have no ~ of Frenchmen*) 6 odborný názor, posudek, odborné vyjádření, dobrozdání, expertiza ◆ *have another ~* opatřit si další odborné vyjádření, obstarat si ještě jeden posudek např. od jiného lékaře; *have no ~* nemít dobré mínění *of* o; *have the courage of one's ~s* stát za svým přesvědčením; *in my ~* podle mého názoru; *a matter of ~* věc názoru; *expert ~* odborný n. znalecký posudek, expertiza; *I am of (the) ~ that* jsem toho názoru, že; domnívám se, že; *(public) ~ poll* výzkum veřejného mínění

opinionated [ə'pinjəneitid] **1** neústupný ve svém názoru, tvrdohlavý **2** dogmatický
opinionatedness [ə'pinjəneitidnis] **1** neústupnost, tvrdohlavost **2** dogmatičnost
opinionative [ə'pinjəneitiv] = *opinionated*
O. Pip. [əupip] = *observation post*
opisometer [ˌopi'somitə] kartometr přístroj k měření křivky na mapách, křivkoměr
opisthograph [o'pisθogra:f] hist. papyrus n. pergamen popsaný po obou stranách; takto popsaná deska
opium [əupjəm] *s* opium ◆ ~ *den* opiové doupě; ~ *habit* morfinismus, narkomanie ● *v* omámit n. léčit opiem
opium eater ['əupjəmˌi:tə] poživač opia
opiumism [əupjəmizəm] **1** morfinismus, narkomanie **2** otrava opiem
opiumize [əupjəmaiz] omámit n. léčit opiem
opodeldoc [ˌopəu'deldok] lékár. opodeldok mázání
opopanax [əu'popənæks] **1** bot. moračina **2** lékár. panaxová guma **3** balzám užívaný při výrobě voňavek
opossum [ə'posəm] zool. vačice americká i australská, opossum
oppidan [opidən] BR *adj* řidč. městský nikoliv univerzitní ● *s* **1** měšťan **2** v Etonu externista žák bydlící mimo kolej
oppilate [opileit] med. ucpat
oppilation [ˌopi'leišən] med. **1** ucpání **2** překážka
opponency [ə'pəunənsi] **1** hist. oponentura **2** řidč. opozice, antagonismus
opponent [ə'pəunənt] *adj* řidč. **1** protější, protilehlý 2 nepřející *to* komu ● *s* **1** oponent **2** protivník, odpůrce
op-pop [ˌop'pop] ve stylu op-artu a pop-artu (*an* ~ *jacket*)
opportune [opətju:n] **1** vhodný, příhodný (*an* ~ *moment, an* ~ *spot*) **2** včasný (*this most* ~ *assistance*) **3** řidč. oportunní, oportunistický
opportuneness [opətju:nnis] **1** vhodnost, příhodnost **2** včasnost
opportunism [opətju:nizəm] oportunismus
opportunist [opətju:nist] oportunista
opportunity [ˌopə'tju:nəti] (*-ie-*) vhodná příležitost, možnost *for* | *of doing a t.* / *to do a t.* k, pro | udělat co / k tomu, aby (*I have no* ~ *for hearing good music, I had no* ~ *to discuss the matter with her, Canada is a land of opportunities*) ◆ *embrace* / *seize an* ~ chopit se příležitosti; *miss the* ~ propást příležitost; ~ *target* příležitostný cíl
opposable [ə'pəuzəbl] palec který lze postavit proti ostatním prstům
opposability [əˌpəuzə'biləti] schopnost palce postavit se proti ostatním prstům
oppose [ə'pəuz] **1** čelit, bránit | se, odporovat čemu, postavit se / být proti (~ *the enemy*); oponovat, být v opozici proti (*it is the duty of an opposition to* ~, ~ *a scheme*) **2** dát / stavět *a t.* co *to* proti (~ *one military force to another*)
opposed [ə'pəuzd] **1** protilehlý (*uncertain which of two* ~ *doors he should enter*) **2** protikladný, protichůdný, kontrastní (*they had different national characters as strongly* ~ *as any two national characters in Europe*) **3** v. *oppose* ◆ *be* ~ *1.* kontrastovat *to* s (*black is* ~ *to white*) *2.* být / stavět se *to* proti / vůči / nepřátelsky k (*he is firmly* ~ *to protection*)
opposeless [ə'pəuzlis] bás. nesnášející odpor (*the great* ~ *will of his patron*)
opposer [ə'pəuzə] **1** hist. oponent **2** odpůrce
opposing [ə'pəuziŋ] **1** protilehlý, proti sobě stojící (*ground between the* ~ *surfaces of the masses of ice* země mezi protilehlými plochami ledových mas) **2** protichůdný (~ *interests*); nepřátelský, antagonisticky (*the* ~ *party*) **3** v. *oppose*
opposite [opəzit] **1** *adj* protější, opačný, druhý ze dvou (*on the* ~ *side of the road*); ležící n. stojící naproti (*to*) *a t.* čemu (*the house* ~ (*to*) *mine*); protilehlý (~ *angle* protilehlý úhel) **2** opačný, protivný (zast.) (*we started in* ~ *direction*); zcela odlišný, protichůdný **3** bot. vstřícný (~ *leaves*) ◆ ~ *number 1.* kolega ve stejné funkci v jiném státě (*the American Secretary of the Treasury is the* ~ *number of the British Chancellor of the Exchequer*) *2.* totéž v jiném státě (*the New York City subway is the* ~ *number of the London underground*) ◆ *s* **1** opak, protiklad (*vice and virtue are* ~*s* neřest a ctnost jsou protiklady) **2** zast. protivník ● *adv, prep* naproti (*there was an explosion* ~), proti (*live* ~ *the post office*) ◆ *play* ~ *a p.* hrát např. ve filmu hlavní roli s kým; ~ *prompt* / *prompter* jeviště po pravé straně herce
oppositeness [opəzitnis] odpor, antagonismus
oppositifolious [ˌəpoziti'fəuliəs] bot. vstřícnolistý
opposition [ˌopəzišən] **1** opozice (*the Socialist Party was in* ~, *the planet was in* ~, *leader of the O* ~) **2** odpor (*our forces met with strong* ~ naše síly narazily na silný odpor) **3** umístění proti prstům, opozice (~ *of the thumb*)
oppositionist [ˌopə'zišənist] *s* opozičník; člen opozice ● *adj* řidč. opoziční
oppositisepalous [əˌpoziti'sepələs] bot.: tyčinka umístěný proti lístkům kalicha
oppositive [ə'pozitiv] řidč. **1** záporný; negativní; kontrastní **2** vzpurný
oppress [ə'pres] **1** utlačovat, utiskovat (*rulers that* ~ *the people*) **2** tížit, tísnit, skličovat, trápit, týrat, deprimovat (*he was* ~*ed by a sense of failure* deprimoval ho pocit neúspěchu) **3** fyzicky ničit, deptat, vyčerpat, dokonale unavit (*we were* ~*ed by prolonged sultry weather* dlouhotrvající dusno nás zdeptalo)
oppression [ə'prešən] **1** útlak, útisk; potlačení, utlačování, utiskování, deptání **2** tlak, tíha; trápení, útrapy **3** tíseň; úzkost; svírání, stísnění, skličování **4** fyzická vyčerpanost

oppressive [əˈpresiv] **1** tvrdý, nespravedlivý, despotický, tyranský **2** skličující, tísnivý, depresívní, deprimující **3** vyčerpávající, tíživý, nesnesitelný **4** atmosféra dusný, nedýchatelný

oppressiveness [əˈpresivnis] **1** tvrdost, nespravedlivost; despotismus, tyranství **2** tíha, tlak; tíživost, nesnesitelnost **3** dusnost, nedýchatelnost

oppressor [əˈpresə] utlačovatel, utiskovatel, despota, tyran

opprobrious [əˈprəubriəs] **1** hanebný, ostudný (*this ~ monument of human greed* tento ostudný památník lidské chamtivosti) **2** potupný, urážlivý (*~ language*)

opprobrium [əˈprəubriəm] **1** hanba, ostuda **2** hana, pohana, příhana, potupa

oppugn [oˈpju:n] **1** potírat, popírat, vyvracet; veřejně pochybovat o **2** řidč. odporovat čemu, oponovat čemu, bojovat proti

oppugnance [oˈpagnəns], **oppugnancy** [oˈpagnənsi] řidč. potírání; odpor, nepřátelství, antagonismus

oppugnant [oˈpagnənt] řidč. *adj* nepřátelský, antagonistický ● *s* odpůrce

oppugnation [ˌopju(:)ˈneišən] řidč. potírání; odpor, nepřátelství, antagonismus

oppugner [oˈpju:nə] pochybovač; odpůrce, oponent

ops [ops] zejm. BR hovor.: vojenské operace

opsimath [opsimæθ] řidč. člověk, který se začal učit n. studovat až v pozdním věku

opsimathy [opˈsimæθi] učení v pozdním věku

opsonic [opˈsonik] biol. opsoninový

opsonin [opsonin] biol. opsonin ochranná látka v krvi

opster [opstə] AM slang. = *op-artist*

opt [opt] **1** vybrat si *between* mezi / z **2** rozhodnout se, optovat ***opt out*** *1* rozhodnout se k neúčasti, jít od toho (hovor.) *2* přen. odejít *of* odkud *3* přen. vyhnout se *of* čemu (*~ of tasks*)

optant [optənt] práv. optant osoba vykonávající právo opce n. volby

optative [optətiv] jaz. *adj* optativní, přací ◆ *~ mood* způsob přací ● *s* optativ, způsob přací

optic [optik] *adj* **1** oční; zrakový **2** optický ◆ *~ angle* zorný úhel ● *s* **1** žert. kukadlo oko **2** BR dávkovač na láhvi k odměřování lihovin **3** *~s, pl* n. *sg* optika vědní obor i část přístroje

optical [optikəl] optický; zrakový; oční ◆ *~ disk* stroboskop; *~ double* vizuální dvojhvězda; *~ illusion* optický klam; *~ lamp* promítací žárovka

optician [opˈtišən] optik

optime [optimi] BR hist.: na cambridžské univerzitě druhý n. třetí nejlepší student při závěrečném matematickém kolokviu

optimism [optimizəm] optimismus

optimist [optimist] *s* optimista ● *adj* optimistický

optimistic(al) [ˌoptiˈmistik(əl)] optimistický

optimize [optimaiz] **1** být optimistický, dívat se optimisticky **2** co nejlépe využít; co nejvíce rozvinout

optimum [optiməm] *s pl* též *optima* [optimə] optimum ● *adj* optimální (*~ temperature*)

option [opšən] **1** právo n. možnost volby n. výběru (*have the ~* moci si vybrat, mít na vybranou; *make one's ~* vybrat si, zvolit si) **2** opce; volitelná alternativa **3** předkupní n. přednostní právo; premiový opční obchod na koupi cenných papírů ◆ *~ of a fine* možnost zvolit peněžitý trest místo nastoupení trestu ve vězení; *local ~* právo občanů zakázat prodej alkoholických nápojů ve své oblasti; *without the ~* trest který není možno nahradit pokutou

optional [opšənl] **1** nepovinný, dobrovolný **2** školní předmět volitelný

optometer [opˈtomitə] zrakoměr, optometr

optometrist [opˈtomitrist] odborník v optometrii

optometry [opˈtomitri] optometrie, měření zraku

optophone [optəfəun] optofon přístroj umožňující slepcům číst sluchem

opulence [opjuləns] bohatství; hojnost, nadbytek; opulence

opulent [opjulənt] **1** bohatý, hojný, opulentní **2** výnosný, lukrativní **3** sloh květnatý

opus [əupəs] *pl* též řidč. *opera* [opərə] opus hudební n. literární dílo ◆ *magnum ~* / *~ magnum* největší / životní dílo umělce

opuscule [oˈpaskju:l], **opusculum** [oˈpaskjuləm] *pl: opuscula* [oˈpaskjulə] umělecké dílko, malá umělecká práce

or[1] [o:] **1** a|nebo, či (*white or black*) **2** či, čili, a|neb (kniž.), neboli (*geology, or the science of earth crust* geologie čili nauka o zemské kůře) ◆ *either ... or* buď ... anebo; *whether ... or* jestli / zda ... nebo

or[2] [o:] zlato jeden ze dvou heraldických kovů, v praxi někdy zlatá

or[3] [o:] arch., bás.: *or ever* / *e'er* dříve než

orach(e) [orič] bot. lebeda

oracle [orəkl] **1** orákulum věštírna; záhadná n. nejasná věštba n. odpověď; prorok, autorita **2** archa úmluvy, vnitřní svatyně, svatostánek v židovském chrámu **3** náb. zjevení, revelace (kniž.) ◆ *work the ~ 1.* zajišťovat pokoutně rozhodnutí, provádět zákulisní machinace, pletichařit; *2.* slang. získat prachy

oracular [oˈrækjulə] **1** nejasný, záhadný, orakulózní **2** autoritativní (*~ ministers*)

oracularity [oˌrækjuˈlærəti] (*-ie-*) **1** nejasnost, záhadnost **2** autoritativnost; autoritativní výrok

oral [o:rəl] *adj* ústní, orální ● *s* hovor. ústní zkouška

orang [o:rəŋ] orangutan

Orange[1] [orindž] *s* **1** hist. Oranžsko (*William of O ~* Vilém Oranžský Vilém III.) **2** zeměp. Oraňsko ● *adj* **1** hist. oranžský **2** hist.: v Irsku ultraprotestantský **3** zeměp. oraňský

orange² [orin*dž*] *s* **1** pomeranč; pomerančovník; oranž (kniž.) **2** oranž, oranžová barva červenožlutá ◆ *Blenheim* ~ Blenheimské jablko; *blood* ~ krvavý pomeranč s rudou dužinou; *China* ~ *1.* dř. pomeranč 2. AM mandarínka; *Cox's* ~ Coxova oranžová reneta; *Mandarine* ~ mandarínka: *mock* ~ bot. *1.* maklura oranžová *2.* pustoryl *3.* bobkovišeň *4.* darmota kustovnicovitá; ~*s and lemons* *1.* dětská hra podobná hře „Zlatá brána otevřená" *2.* bot. lnice, úporek; *squeeze the* ~ vymačkat jako citrón, vymačkat, co se dá; *squeezed* ~ využitá věc n. využitý člověk; *suck the* ~ *dry* vycucat ho jako citrón; *Tangarine* ~ mandarínka ● *adj* **1** pomerančový **2** oranžový

orangeade [ˌorin*dž*ˈeid] oranžáda

orange blossom [ˈorin*dž*ˌblosəm] **1** květy pomerančovníku ozdoba nevěsty **2** oranž, oranžová barva

orange-coloured [ˈorin*dž*ˌkaləd] oranžový

orange conservatory [ˈorin*dž*ˌkənˈsə:vətri] (*-ie-*) = *orangery*

orange fin [orin*dž*fin] mladý pstruh

orange juice [orin*dž*džu:s] pomerančová šťáva, pomerančový džus

Orangeism [orin*dž*izəm] = *Orangism*

Orangeman [orin*dž*mən] *pl: -men* [-mən] hist. Oranžista člen tajné společnosti (založené r. 1795) usilující o protestantskou nadvládu v Irsku

orange peel [orin*dž*pi:l] pomerančová kůra ◆ ~ *bucket* tříčelisťový n. vícečelisťový drapák

orangery [orin*dž*əri] (*-ie-*) oranžérie skleník pro přechovávání teplomilných rostlin přes zimu

orange stick [orin*dž*stik] dřevěné čistítko na nehty

orange tip [orin*dž*tip] zool. bělásek řeřichový

orange tree [orin*dž*tri:] pomerančovník

orange-yellow [ˈorin*dž*ˌjeləu] oranžově žlutý

Orangism [orin*dž*izəm] hist. oranžismus politický protestantismus v Irsku

orang-outang, orang-utan [o:ˌræŋu:ˈtæn] orangutan

orate [o:ˈreit] žert. řečnit, krasořečnit, řečňovat

oratio obliqua [oˌra:tiəu oˈbli:kwə] jaz. nepřímá řeč

oration [o:ˈreišən] **1** slavnostní řeč, slavnostní projev n. proslov, orace **2** jaz. řeč (*direct* | *indirect* / *oblique* ~ přímá | nepřímá řeč

orator [orətə] skladatel řečí, vynikající řečník, orátor ◆ *Public O* ~ BR Oxford, Cambridge oficiální řečník a mluvčí univerzity

oratorian [ˌorəˈto:riən] círk. *adj* oratoriánský ● *s* oratorián

oratorical [ˌorəˈtorikəl] řečnický, oratorický

oratorio [ˌorəˈto:riəu] hud. oratorium

oratorize [orətəraiz] v. *orate*

oratory¹ [orətəri] (*-ie-*) círk. **1** oratorium, oratoř **2** **O**~ Oratorium zejm. kongregace oratoriánů sv. Filipa Neri

oratory² [orətəri] **1** řečnictví, řečnické umění, orátorství **2** řečnění, krasořečnění

oratress [orətris] řečnice

orb [o:b] *s* **1** kruh, okruh; prstenec, kolo **2** koule; zeměkoule **3** bás. oko, zřítelnice, zornice **4** bás. slunce; měsíc; hvězda; nebeské těleso **5** hvězd. hist. sféra; sféra vlivu hvězdy **6** říšské jablko **7** učleněná skupina, kruh, celek, svět ● *v* **1** kolem dokola obehnat, obtočit **2** sehnat do kruhu; z|formovat | se do koule n. kuličky; dát / dostat kulatý tvar

orbicular [o:ˈbikjulə] **1** kulový, kulovitý; sférický, kruhovitý **2** do sebe uzavřený, zaokrouhlený (*an* ~ *system of political thought*)

orbicularity [o:ˌbikjuˈlærəti] **1** kulovitost; kruhovitost; sféričnost **2** uzavřenost, zaokrouhlenost

orbiculate [oˈbikjulit] bot. okrouhlý (~ *leaf*)

orbit [o:bit] *s* **1** anat. orbita, očnice, oční důlek **2** dráha; oběžná dráha **3** přen. okruh, sféra vlivu **4** zool. očnice ◆ *put into* ~ vypustit na oběžnou dráhu např. družici ● *v* **1** obíhat po oběžné dráze; kroužit kolem (*a satellite* ~*ing the earth*) **2** vypustit na oběžnou dráhu (~ *a satellite*) **3** kroužit (*a plane* ~*ing over a landing field*)

orbital [o:bitl] *adj* **1** orbitální očnicový **2** týkající se oběžné dráhy, orbitální **3** dopr. okružní, kruhový (~ *road*) ◆ ~ *velocity* kruhová rychlost, první kosmická rychlost 7,9 km / s ● *s* BR dopr. sběrný okruh kolem města

orbless [o:blis] **1** jsoucí bez nebeského tělesa (*the* ~ *blue*) **2** jsoucí bez zřítelnice (*our* ~ *eye*)

orc [o:k], **orca** [o:kə] **1** zool. kosatka **2** obr, obluda zejm. mořská

Orcadian [o:ˈkeidjən] *adj* orknejský ● *s* obyvatel Orknejských ostrovů

orchard [o:čəd] ovocný sad zejm. uzavřený

orchardist [o:čədist], **orchardman** [o:čədmən] *pl: -men* [-mən] sadař

orchestic [o:ˈkestik] *adj* taneční ● *s* ~*s, pl* taneční umění

orchestra [o:kistrə] **1** hist. orchestra ve starověkém divadle **2** orchestr hudební těleso; místo pro ně **3** AM křesla v přízemí v divadle; přízemní sedadla v divadle ◆ ~ *pit* místo pro orchestr, orchestřiště; ~ *stalls* křesla v přízemí v divadle

orchestral [o:ˈkestrəl] orchestrální

orchestrate [o:kistreit] hud. instrumentovat

orchestration [ˌo:keˈstreišən] hud. instrumentace, orchestrace (řidč.)

orchestrina [ˌo:kiˈstri:nə], **orchestrion** [o:ˈkestriən] AM orchestrion velký hrací automat

orchid [o:kid] *s* **1** orchidea, orchidej **2** bot. vstavačovitá rostlina, vstavač **3** fialová barva ● *adj* fialový

orchidaceous [ˌo:kiˈdeišəs] **1** bot. vstavačovitý **2** přen. ozdobný, honosný

orchidist [o:kidist] pěstitel n. milovník orchidejí

orchidology [ˌo:kiˈdolədži] **1** nauka o orchidejích; studium orchidejí **2** pěstování orchidejí

orchidomania [ˌo:kidə*u*ˈmeinjə] náruživá záliba v orchidejích

orchil [o:čil] orseille, francouzský purpur, červené indigo barvivo

orchis [o:kis] divoce rostoucí evropská vstavačovitá rostlina, zejm. vstavač

orchitic [o:ˈkitik] med. orchitický

orchitis [o:ˈkitis] med. orchitis, orchitida zánět varlete

orcin [o:sin] chem. orcin

ordain [o:ˈdein] **1** vy|světit na kněze, zmocnit ke kněžskému úřadu, ordinovat (*he was ~ed priest* byl vysvěcen na kněze), **2** Bůh, osud, autorita určit, u|stanovit (*God has ~ed that all men shall die*) 3 zákon stanovit, nařídit *that* aby

ordainer [o:ˈdeinə] **1** světitel, světící biskup **2** kdo něco stanoví n. určuje

ordainment [o:ˈdeinmənt] řidč. stanovení, určení osudem

ordeal [o:ˈdi:l] **1** hist. ordálie, Boží soud, nadpřirozený důkaz o vině n. nevině, např. zkouška ohněm 2 tvrdá zkouška; zlý zážitek; muka, utrpení

order [o:də] *s* **1** řád pořádek; řehole; odznak; systematická skupina; organizace rytířů **2** pořádek (*is your passport in ~? put a room in ~* dát pokoj do pořádku, uklidit pokoj) **3** pořadí, pořádek, uspořádání, seřazení, posloupnost (*names in alphabetical ~* jména seřazená podle abecedy); procedurální pořádek (*he was called to ~ by the chairman*), předepsaná forma bohoslužeb **4** klid, pořádek, obvyklý řád (*the army restored law and ~* vojsko obnovilo zákon a pořádek) **5** rozkaz; nařízení, příkaz, směrnice; befél (slang.) (*~ is ~*) **6** společenská vrstva, třída (*higher | lower ~s* vyšší | nižší vrstvy) **7** kněžský stav podle stupně svěcení (*the O~ of Deacons*); (*holy*) *~s, pl* duchovní stav (*take (holy) ~s* stát se knězem, *be in (holy) ~s* být knězem) **8** voj. řady, formace, šik, tvar, sestava (*close | open ~* sevřená / semknutá | otevřená soustava, *marching ~* pochodová soustava, *review ~* přehlídková soustava); předepsaná výstroj; vojenský oddíl po provedeném rozkaze k noze zbraň! **9** peněžní poukaz, peněžní poukázka, platební příkaz (*an ~ on the Midland Bank*) **10** písemné povolení (*an ~ to view* povolení k prohlídce domu před jeho koupí) **11** objednávka *for* čeho, na (*an ~ for two tons of coal*); zakázka na; objednávka objednané zboží n. pokrm (*the ~ arrived in good condition* objednávka přišla v dobrém stavu, *bring me my ~ right away* přineste mi okamžitě, co jsem si objednal) **12** jaz. slovosled **13** druh, povaha, charakter (*in emergencies of this ~*) **14** soudní apod. rozhodnutí, usnesení; soudní výnos, nařízení, příkaz, opatření **15** hovor. porce (*one ~ of mashed potatoes* ... šťouchaných brambor) **16** div. zlevněná vstupenka; volňásek (hovor.) **17** náb.: andělský kůr **18** řidč. řada **19** BR zast. opatření, kroky (*take ~* podniknout kroky *to* k / aby, zařídit aby) ◆ *be in ~* být na místě, být v pořádku, být dovoleno *to do* udělat / když se udělá (*is it in ~ to interrupt?* smím vás přerušit?); *be out of ~ 1.* nefungovat (*the lift is out of ~* výtah nejezdí) *2.* špatně pracovat, zlobit (*my stomach is out of ~* zlobí mě žaludek); *be under ~s* mít / dostat rozkaz n. nařízeno *to* aby (*he is under ~s to leave for Finland next week*); *by ~* podle rozkazu, z příkazu, z nařízení; *call a meeting to ~ 1.* BR zjednat pořádek při schůzi *2.* AM svolat schůzi; *~ cheque* šek na řad; *O~ in Council* BR vládní nařízení v administrativní záležitosti, vládní vyhláška; *~ of the day 1.* denní program, pořad dne *2.* přen. dnešní móda; *equation of the first* etc. *~* rovnice prvního atd. řádu; *fill an ~* vyřídit objednávku; *in ~ of* seřazený podle (*in ~ of size* seřazený podle velikosti, *in ~ of importance* seřazený podle důležitosti); *in ~ to | that* proto aby; *a large ~* hovor. tvrdý oříšek, silný tabák, trochu moc; *made to ~* zhotovený na zakázku n. míru; *minor ~s* v katolické církvi nižší svěcení kněžské; *money ~* peněžní poukázka; *natural ~* bot. přirozený systém nikoliv podle Linnéa; *of the ~ of* mat. řádově (*lines of the ~ of one third of an inch in diameter*); *on ~* zboží objednáno dosud nedodáno; *on the ~ of* AM jako; *~ paper* pořad jednání zákonodárného shromáždění; *place an ~* objednat *with* u; *point of ~* v debatě faktická poznámka o procedurálním pořádku; *postal | post-office ~* poštovní bon; *put in working ~* dát do pořádku, spravit aby něco fungovalo; *~ retreat* spořádaný ústup; *rise to (a point of) ~* přerušit debatu při porušení procedurálního pořádku; *rules and ~s* předpisy a nařízení; *shipping ~* příkaz k nalodění, expediční příkaz, odvolávka; *in short ~* AM hned, na to tata (hovor.); *standing ~* trvalý příkaz; *tall ~ = large ~*; *~ wire* spoj. tech. služební vedení; *~ word* heslo ● *v* **1** nařídit, rozkázat, dát příkaz, přikázat, nakázat *to do* udělat / aby udělal; lékař předepsat (*he ~ed him a mustard plaster* předepsal mu hořčičnou placku) **2** velet, rozkazovat, mít velení (*your turn to ~ next week* ty budeš mít velení příští týden); poslat rozkazem, odvelet (*he was ~ed to Egypt*) **3** vypsat (*~ new elections*) **4** Bůh, osud u|stanovit, určit (*so we hoped, but it was otherwise ~ed*) **5** řídit, zařídit | si, z|organizovat | si, usměrnit | si, uspořádat | si (*~ one's life according to strict rules* zorganizovat si život podle přísných pravidel); upravit | si (*she ~ed her dress*); seřadit **6** objednat | si, poručit | si (*I've ~ed lunch for 1,30, she ~ed herself two dozen oysters* objednala si dva tucty ústřic) ◆ *~ arms* dát k noze zbraň ***order about | round*** komandovat, sekýrovat, honit ***order out 1*** vykázat (*the disobedient boy was ~ed out of the room* neposlušný hoch byl vykázán z místnosti) **2** vypovědět (*Wilson was ~ed out of Canada*)

order book [o:dəbuk] **1** kniha zakázek, kniha objednávek **2** záznam rozkazů **3** BR v Dolní sněmovně kniha přihlášených návrhů k projednávání

order clerk [o:dəkla:k] úředník přijímající objednávky
order form [o:dəfo:m] objednací list, formulář objednávky, objednávka blanket
ordering [o:dəriŋ] **1** uspořádání, organizace **2** v. *order, v*
orderliness [o:dəlinis] **1** uklizenost, uspořádanost, upravenost, spořádanost, ukázněnost **2** systematičnost, metodičnost
orderly [o:dəli] *adj* **1** uklizený, uspořádaný, upravený (*an ~ room, an ~ desk*); spořádaný, ukázněný (*an ~ crowd*) **2** systematický (*a series of ~ actions at regular hours*); logicky uvažující, metodický (*a man with an ~ mind*) **3** voj. ordonanční, služební; službu konající ◆ *~ bin* BR pouliční koš na odpadky; *~ room* kancelář v kasárnách ● *s* (-*ie*-) **1** vojenský sluha n. posel, spojka, ordonance **2** zdravotník, sanitář zejm. ve vojenské nemocnici **3** pouliční metař, počišťovač
orderly paper [ˈo:dəliˌpeipə] BR denní rozkaz psaný
ordinal¹ [o:dinl] *adj* **1** číslovka řadový **2** bot., zool. řádový, vztahující se k řádu **3** řadový, pořadový (*~ dances*) ● *s* číslovka řadová
ordinal² [o:dinl] círk. rituál kniha obřadních předpisů
ordinance [o:dinəns] **1** nařízení, rozhodnutí, výnos **2** řízení osudu **3** náb. ritus; ustanovení svátosti zejm. Eucharistie **4** řidč. řazení, seskupení částí literárního díla n. architektury
ordinand [ˌo:diˈnænd] círk. ordinand, svěcenec
ordinariness [o:dinərinis] obyčejnost, všednost
ordinary [o:dnri] *adj* **1** normální, běžný, obvyklý; oblek všední; pojistka standardní, normální **2** obyčejný, průměrný, málo vynikající; nešpičkový (*an ~ wine*) **3** řádný (*an ~ member*) **4** BR pravoplatný, pravomocný, ex officio ◆ *~ seaman* námořník druhé třídy; *~ stock* základní / kmenový kapitál akciové společnosti; *~ train* osobní vlak; *in the ~ way* za normálních okolností, normálně (*in the ~ way I should refuse*) ● *s* (-*ie*-) **1** círk. ordinář diecézní biskup; rituál kniha obřadních předpisů **2** BR menu jídlo za jednotnou cenu; hostinec podávající taková jídla **3** BR pravoplatný soudce (*Lord O~* jeden z pěti soudců Nejvyššího soudu ve Skotsku) **4** heroltský kus geometrické heraldické znamení **5** velociped s vysokým kolem **6** cokoliv obyčejného n. běžného ◆ *in ~ 1.* BR profesor řádný (*physician in ~* ordinář) *2.* lékař osobní, domácí *3.* loď v záloze; *out of the ~* mimořádný
ordinate [o:dinit] geom. pořadnice, ordináta
ordination [ˌo:diˈneišən] **1** vy|svěcení na kněze **2** se|řazení, uspořádání, klasifikace **3** řízení, uspořádání (*a sign of God's ~ of the world*)
ordinee [ˌo:diˈni:] círk. novosvěcenec
ordnance [o:dnəns] **1** těžké dělostřelectvo (*a piece of ~* těžký kus dělo) **2** arzenál skladiště i výzbroj **3** BR *O~* vojenská zásobovací správa ◆ *~ datum* BR základní nadmořská výška generální mapy; *~ map / sheet* generální mapa v měřítku 1 : 100 000, generálka (slang.); *~ survey* BR oficiální topografická mapa Velké Británie; úřední topografické měření
ordure [o:ˈdjuə] **1** výkaly, fekálie **2** hnůj, špína, svinstvo, bahno
ore [o:] **1** ruda (*iron ~*) **2** bás. kov; zlato
oread [o:riæd] oreáda nymfa horstev
orectic [oˈrektik] **1** sociol. uspokojující touhy **2** med. povzbuzující chuť, stimulační
oreide [o:riid] oroid slitina podobná zlatu
orfe [o:f] zool. jesen zlatý
orfray [o:fri] = *orphrey*
organ [o:gən] **1** orgán ústrojí; hlas; mluvčí; časopis **2** varhany; varhanní stroj; skupina rejstříků varhan **3** kolovrátek, flašinet ◆ *American ~ = reed ~; choir ~* hud. pozitiv; *great ~* hlavní stroj varhan, principálové rejstříky varhan; *mouth ~* foukací harmonika; *portable ~* hud. portativ; *reed ~* harmonium
organ-blower [ˈo:gənˌbləuə] **1** kalkant, šlapač měchů **2** elektrický pohon měchů varhan
organ-builder [ˈo:gənˌbildə] varhanář, stavitel varhan
organdie, AM **organdy** [o:gəndi] organdy jemná průsvitná tkanina
organ-grinder [ˈo:gənˌgraində] kolovrátkář, flašinetář
organic [o:ˈgænik] **1** organický, ústrojný **2** ustavující
organism [o:gənizəm] organismus
organist [o:gənist] **1** varhaník **2** kolovrátkář, flašinetář
organizable [o:gənaizəbl] **1** z|organizovatelný **2** schopný přeměny v živou tkáň
organization [ˌo:gənaiˈzeišən] **1** organizace; útvar zejm. vojenský **2** organizování, uspořádání **3** organismus, organický systém **4** AM aparát státu n. politické strany; politická strana ◆ *~ chart* schéma organizace, „pavouk"
organize [o:gənaiz] **1** z|organizovat | se; stát se organickým **2** utřídit; sestavit, srovnat, uspořádat, dát do organického celku **3** dát dohromady, utvořit organizaci **4** odborově n. politicky z|organizovat; utvořit odborovou organizaci **5** AM ovládnout většinou (*~ the House*) **6** slang. dát dohromady, schrastit dohromady (*~ a bit of supper*) **7** slang. štípnout, seknout, otočit, přemístit ukrást
organized [o:gənaizd] **1** slang. nalitý opilý **2** v. *organize*
organizer [o:gənaizə] organizátor
organless [o:gənlis] **1** jsoucí bez tělesných orgánů **2** jsoucí bez varhan
organ-loft [o:gənloft] **1** kruchta, kůr s varhanami v kostele **2** varhanní podium v koncertní síni
organon [o:gənon] organon nástroj myšlení n. bádání
organotherapy [ˌo:gənəuˈθerəpi] med. organoterapie léčení pomocí výtažků z orgánů

organ-screen [o:gənskri:n] stěna s varhanami rozdělující kadedrálu na chór a loď
organ-stop [o:gənstop] varhanní rejstřík soubor tónů i mechanismus
organum [o:gənəm] **1** hud. organum **2** v. *organon*
organza [o:ˈgænzə] text. hrubší organdy z hedvábí n. nylonu a bavlny
organzine [o:gənzi:n] text. organzín skaná příze z přírodního hedvábí
orgasm [o:gæzəm] **1** med. orgasmus, vrcholné pohlavní vzrušení **2** silné vzrušení, třeštění, paroxysmus (kniž.)
orgastic [o:ˈgæstik] vztahující se k orgasmu
orgeat [o:ža:] orgeada osvěžující nápoj z mandlového mléka n. ječných krup
orgiastic [ˌo:džiˈæstik] orgiastický (*the ~ worship of Zeus*)
org-man [o:gmæn] *pl: -men* [-men] AM člověk zcela oddaný podniku apod., ve kterém je zaměstnán
orgy [o:dži] (*-ie-*) orgie
orgulous [o:gjuələs] zast. **1** pyšný **2** skvělý, nádherný
oriel [o:riəl] arkýř ◆ *~ window* arkýřové okno
orient [o:riənt] *s* **1** bás. východ, orient světová strana 2 Orient, Východ **3** nádherný perlový lesk ● *adj* **1** bás. východní **2** perla, drahokam vzácný, nádherný, lesklý, třpytný, zářivý **3** slunce, měsíc vycházející, též přen. ● *v* v. *orientate*
oriental [ˌo:riˈentl] **1** orientální **2** zast. východní **3** planeta vycházející před východem slunce **4** perla, drahokam v. *orient, adj* ◆ *~ stitch* rozmarýnkový steh ● *s* obyvatel Orientu, orientálec
orientalism [ˌo:riˈentəlizəm] orientální prvek, orientální způsob, orientalismus
orientalist [ˌo:riˈentəlist] orientalista
orientalize [ˌo:riˈentəlaiz] **1** orientalizovat | se **2** studovat orientální jazyky n. kulturu
orientate [o:riənteit] **1** postavit, situovat, orientovat budovu směrem na východ **2** pohřbít s nohama k východu **3** stanovit polohu n. směr podle kompasu ***orientate o.s.*** orientovat se
orientation [ˌo:rienˈteišən] **1** orientování budovy směrem na východ; obrácení k východu **2** pohřbení s nohama k východu **3** orientování, orientace, též přen. **4** orientační smysl živočichů **5** odb. směrovost zrn
orienteer [ˌo:rienˈtiə] účastník orientačního závodu
orienteering [ˌo:rienˈtiəriŋ] orientační závod
orifice [orifis] **1** vstupní otvor, ústí; hrdlo **2** jícen propasti
oriflamme [oriflæm] **1** hist. oriflama francouzská červená válečná korouhev sv. Diviše **2** zlatá korouhev, zlatý praporec, též přen.
origami [oˈrigəmi] japonské umění papírových skládanek
origan [origən], **origanum** [oˈrigənəm] bot. dobromysl obecná; majoránka
origin [oridžin] **1** původ; prapůvod **2** pramen, zdroj, počátek; vznik, výchozí bod
original [əˈridžənl] *adj* **1** původní, prvotní, prapůvodní, nejstarší (*the ~ inhabitants of the country*); pravý **2** originální, původní neodvozený n. neotřelý (*~ ideas, an ~ manuscript, an ~ composer*); svérázný, samostatný (*an ~ research* samostatný výzkum); **3** rozený (*an ~ thief* ... zloděj); vrozený (*where whooping cough is ~* kde je černý kašel vrozený) ◆ *~ copy* originál dokumentu; *~ position 1.* výchozí bod *2.* počáteční stav; *~ sin* náb. dědičný hřích ● *s* **1** originál původní věc; původní jazyk; svérázný člověk **2** přirozený talent
originality [əˌridžəˈnæləti] (*-ie-*) **1** originálnost, původnost **2** originalita, originální zjev
originally [əˈridžənəli] **1** rodem, původem (*he is ~ German*) **2** hlavně, v první řadě (*education is ~ to implant in men's minds a sense of truth and justice* výchova má v první řadě za úkol vštípit do lidských duší pocit pravdy a spravedlnosti) **3** v. *original, adj*
originate [əˈridžineit] **1** vzniknout *from / in* z, mít původ v (*the quarrel ~d in rivalry between two tribes* spor vznikl z řevnivosti dvou kmenů) *with / from* u (*with whom did the scheme ~?* koho ten plán napadl?) **2** začínat, mít počátek **3** být původcem čeho, vymyslit, vytvořit, vynalézt, založit **4** být příčinou čeho, způsobit, vyvolat, dát podnět k, dát vzniknout čemu (*men who have ~d remarkable religious movements* lidé, kteří vyvolali podivuhodná náboženská hnutí) **5** zboží pocházet
origination [əˌridžiˈneišən] **1** původ, počátek (*a custom that has its ~ far back in time*) **2** vznik, vy|tvoření, uvedení v život (*the ~ of the plan*) **3** zast. etymologie
originative [əˈridžineitiv] plodný, tvůrčí, tvořivý (*~ geniuses, a not very ~ habit of mind* nepříliš tvůrčí duch)
originator [əˈridžineitə] **1** původce, tvůrce; působitel **2** odesílatel, podatel
orinasal [ˌo:riˈneizəl] *adj* hláska tvořený ústy i nosem ● *s* hláska tvořená ústy i nosem
Orinoco [ˌoriˈnəukəu] Orinoko řeka
oriole [o:riəul] též *golden ~* žluva
Orion [əˈraiən] hvězd. Orión souhvězdí ◆ *~'s belt* Oriónův pás tři hvězdy uprostřed souhvězdí; *~'s hound* Sirius hvězda
Orionid [əˈraiənid] hvězd. meteor patřící k Orionidám
orison [orizən] obyč. *~s,* zast. *pl* modlitba
Orkney [o:kni] *adj* orknejský ● *s ~s, pl* Orkneje souostroví
orle [o:l] herald. lem štítu, rovnoběžný s jeho okrajem, ale nedotýkající se ho
Orleans [o:ˈlianz] **1** odrůda švestky **2** text. orleán hustá tkanina s plátěnou vazbou
orlon [orlon] orlon polyesterová tkanina
orlop [o:lop] námoř. nejspodnější paluba tzv. dolní

ormer [o:mə] zool. ušeň mořský plž
ormolu [o:məulu:] **1** bronzové pozlátko; práškové zlato na zlacení **2** cokoliv z pozlaceného kovu (*an ~ clock*)
ornament *s* [o:nəmənt] **1** ozdoba, okrasa, též přen.; příkrasa, ornament **2** vnější ozdoba, dekorace, zdobení (*a tower rich in ~* bohatě zdobená věž) **3** ozdobný n. dekorativní předmět **4** *~s, pl* liturgické náčiní též zvony a varhany **5** *~s, pl* hud. ozdoby ● *v* [o:nəment] o|zdobit, z|krášlit, dekorovat
ornamental [ˌo:nəˈmentl] ozdobný, okrasný, dekorativní, ornamentální
ornamentalism [ˌo:nəˈmentəlizəm] ornamentalismus
ornamentalist [ˌo:nəˈmentəlist] dekoratér
ornamentation [ˌo:nəmenˈteišən] **1** zdobení, přikrašlování **2** ozdoby, výzdoba **3** charakteristický vzor, kresba na zvířeti
ornary [o:nəri] AM hovor. **1** všední, obyčejný, tuctový **2** líný, špatný, mizerný **3** nedotýkavý, tvrdohlavý
ornate [o:neit] **1** ozdobený, vyšňořený **2** sloh květnatý, vyumělkovaný
ornateness [o:neitnis] **1** vyšňořenost **2** květnatost, vyumělkovanost slohu
ornery [o:nəri] = *ornary*
ornithological [ˌo:niθəˈlodžikəl] ornitologický
ornithologist [ˌo:niˈθolədžist] ortnitolog
ornithology [ˌo:niˈθolədži] ornitologie
ornithomancy [ˈo:niθəuˌmænsi] věštění z letu ptáků, ptakopravectví, augurství
ornithorhyncus [ˌo:niθoˈriŋkəs] zool. ptakopysk
ornithoscopy [ˌo:niˈθoskəpi] ptakopravectví
orogenesis [ˌoroˈdženisis] geol. horotvorné pohyby, orogeneze vznik pásmových horstev vrásněním
orogenetic [ˌorodžiˈnetik] geol. horotvorný, orogenetický
orogenic [ˌoroˈdženik] geol. orogenní
orographic(al) [ˌo:rəuˈgræfik(əˌl)] geol. horopisný, orografický ◆ *orographic factor* orografický činitel
orography [oˈrogrəfi] geol. horopis, orografie
orohippus [ˌoroˈhipəs] orohippus terciérní kůň
oroide [əurəuid] oroid slitina mědi a zinku podobná zlatu
orogical [ˌorəˈlodžikəl] geol. vztahující se k nauce o horách, orologický
orologist [oˈrolədžist] geol. odborník v orologii
orology [oˈrolədži] nauka o horách, orologie
orotund [orəutand] **1** zvučný, plný (*an ~ voice*) **2** bombastický, pompézní (*~ speeches*)
orontundity [ˌorəuˈtandəti] **1** zvučnost, plnost hlasu **2** bombastičnost, pompéznost
oropesa [ˌorəˈpi:zə] voj. kontaktní odminovací zařízení
orphan [o:fn] *s* **1** sirotek úplný i poloviční, sirota, též přen. ◆ *~'s annuity* pojišť. sirotčí důchod ● *adj* osiřelý (*a delicate ~ boy*); sirý; sirotčí ● *v* udělat sirotkem, zbavit rodičů n. ochrany
orphanage [o:fənidž] **1** sirotenství, osiřelost, sirost, siroba (kniž.) **2** sirotčinec, ústav pro sirotky
orphaned [o:fnd] **1** osiřelý **2** v. *orphan, v* ◆ *be ~* osiřet (*millions were ~ when he died*)
orphanhood [o:fnhud] = *orphanage, 1*
orphanize [o:fnaiz] = *orphan, v*
Orphean [o:ˈfi(:)ən] **1** orfeovský, orfejský **2** přen. luzný, vábný, čarovný, okouzlující **3** řidč. tajuplný, záhadný, mystický
Orphic [o:fik] **1** tajuplný, záhadný, mystický, orfický **2** řidč. orfeovský, orfejský
orphrey [o:fri] **1** zlaté lemování, zlatý vyšívaný lem ornátu **2** hist.: zlaté krumplování
orpiment [o:pimənt] miner. auripigment žlutá arzénová ruda užívaná k výrobě barev
orpin(e) [o:pin] bot. rozchodník veliký, sedum (hovor.)
Orpington [o:piŋtən] orpingtonka plemeno slepic n. kachen
orra [orə] SC = *odd, adj*
orrery [orəri] (*-ie-*) mechanické planetárium, planetostroj
orris[1] [oris] prýmek, krajka ze zlata n. stříbra
orris[2] [oris] řidč. bot. kosatec florentský
orris-powder [ˈorisˌpaudə] prášek z fialkového kořínku
orris-root [orisru:t] fialkový kořínek
ort [o:t] nář. a zast., část. *~s, pl* zbytky, odpadky
orthicon [o:θikən] ortikon jeden z typů televizních snímacích elektronek
orthocephalic [ˌo:θəusəˈfælik], **orthocephalous** [ˌo:θəuˈsefələs] lebka ortokefální středně vysoký
orthochromatic [ˌo:θəukrəuˈmætik] fot. ortochromatický
orthoclase [o:θokleis] miner. ortoklas draselný živec
orthodontia [ˌoθəuˈdonšiə] med. ortodoncie upravení vadného skusu
orthodontic [ˌo:θəuˈdontik] med. *adj* ortodontický ● *s ~s, pl* ortodoncie
orthodontist [ˌo:θəuˈdontist] odborník v ortodoncii
orthodox [o:θədoks] pravověrný, ortodoxní ◆ *O~ Church* pravoslavná církev východní
orthodoxy [o:θədoksi] (*-ie-*) **1** pravověrnost, ortodoxie **2** ortodoxní názor **3** *O~* círk. pravoslaví
orthoepic(al) [ˌo:θəuˈepik(əl)] jaz. ortoepický
orhoepist [o:θəuepist] ortoepik
orthoepy [o:θəuepi] jaz. ortoepie souhrn obecných zákonů výslovnosti spisovného jazyka
orthogenesis [ˌo:θəuˈdženisis] biol. ortogeneze
orthognathous [o:ˈθognəθəs] obličej rovnolící, ortognátní
orthogonal [o:ˈθogənl] kolmý, pravoúhlý, ortogonální
orthographic(al) [ˌo:θəˈgræfik(əl)] ortografický, pravopisný

orthography [o:ˈθogrəfi] pravopis, ortografie
orthopaedic [ˌo:θəuˈpi:dik] med. *adj* ortopedický ● *s* ~*s*, *pl* ortopedie
orthopaedist [ˌo:θəuˈpi:dist] ortopéd
orthopaedy [o:θəupi:di] ortopedie
orthopone [o:θəfəun] sluchátko
orthoptera [o:ˈθopterə] zool. rovnokřídlí, Orthoptera řád hmyzu
orthopterous [o:ˈθoptərəs] zool. rovnokřídlý
orthoptic [o:ˈθoptik] *adj* **1** vidící normálně; týkající se správného vidění **2** jsoucí pro obě oči, binokulární ● *s* ~*s*, *pl* záměrný kotouček
orthorhombic [ˌo:θəuˈrombik] miner. kosočtverečný, rombický
orthotics [o:ˈθotiks] *pl* med. protetika
orthotone [o:θətəun] jaz. slovo s vlastním přízvukem
ortolan [o:tələn] zool. strnad zahradní, hortolán, též jako lahůdka
Orvieto [ˌo:viˈjejtəu] orvietské víno
Oryx [oriks] zool. přímorožec
Oscan [oskən] hist. *adj* oský týkající se Osků ● *s* **1** Osk **2** jazyk Osků, oskičtina
Oscar [oskə] AM Oskar zlatá soška, cena Filmové akademie; film n. herec vyznamenaný touto cenou
oscillate [osileit] **1** kývat se, kmitat, chvět se, vibrovat, oscilovat **2** jezdit / chodit sem a tam touž cestou, pendlovat (*he* ~*s regularly between his comfortable home and his downtown office-laboratory*) **3** kolísat, měnit se (*the snow line* ~*s with the seasons, men have* ~*d in their opinions*), váhat **4** rozechvět, rozkolísat (~ *the crankshaft* rozkolísat zalomený klikový hřídel) ◆ *oscillating axle* výkyvná náprava auta; *oscillating grate* nátřasný rošt; *oscillating lever* kyvná páka; *oscillating saw* pila s přímočarým pohybem nástroje
oscillation [ˌosiˈleišən] **1** kývání, kmitání, chvění, vibrace, vibrování, oscilace, oscilování **2** kolísání, váhání
oscillator [osileitə] **1** fyz. oscilátor, budič kmitů **2** kdo váhá n. kolísá
oscillatory [osilətəri] kývavý, kývací, kyvný; kmitavý, vibrační, oscilační
oscillograph [əˈsiləugra:f] fyz. oscilograf
oscitancy [ositənsi] ospalost
oscitation [ˌosiˈteišən] řidč. zívání, nepozornost, lelkování
osculant [oskjulənt] **1** biol. tvořící přechod, přechodný **2** zool. těsně se dotýkající, lnoucí
oscular [oskjulə] řidč. = *osculatory, adj*
osculate [oskjuleit] **1** řidč., zejm. žert. líbat | se, pusinkovat | se, pusovat | se **2** mít společné rysy s, souviset s **3** geom. dotýkat se, oskulovat
osculation [ˌoskjuˈleišən] **1** líbání; polibek **2** těsný dotyk; geom. dotyk, oskulace
osculatory [oskjulətəri] *s* (*-ie-*) obraz Krista n. Panny Marie líbaný při bohoslužbě ● *adj* **1** žert. líbací, pusinkovací (*the two ladies went through the* ~*ceremony*) **2** geom. dotykový, oskulační
osculum [oskjuləm] *pl: oscula* [oskjulə] zool.: vyvrhovací otvor houby
osier [əužə] **1** vrba košíkářská **2** košíkářské proutí
osier-bed [əužəbed] vrboví, vrbičky
osmagogue [ozməgog] dráždící čich
Osmanli [ozˈmænli] = *Ottoman*[1]
osmic [ozmik] chem. osmičelý
osmium [ozmiəm] chem. osmium kovový prvek
osmophore [ozməfo:] chem. osmofor, odorifor
osmose [ozməus], **osmosis** [ozˈməuzis] fyz., biol. osmóza mísení n. prolínání kapalin n. plynů
osmotic [ozˈmotik] fyz., biol. osmotický
osmous [ozməs] chem. osmiový
osmund [ozmənd] bot. podezřeň
Osnaburg [oznəbə:g] **1** Osnabrück město **2** *o*~ pytlovina
osprey [ospri] **1** zool. orlovec říční **2** péro, chochol za kloboukem
osseous [osiəs] **1** jsoucí z kosti, kostěný; kostní; kostnatý **2** geol. kosťový ◆ ~ *breccia* kosťová brekcie hornina z úlomků kostí
ossia [osiə] hud. zjednodušené znění
osicle [osikl] kůstka, kostička
ossiferous [oˈsifərəs] **1** obsahující fosilní kosti (~ *mud*) **2** kosťový
ossification [ˌosifiˈkeišən] z|kostnatění, ztvrdnutí na kost, osifikace, též přen.
ossifrage [osifridž] = *osprey*
ossify [osifai] (*-ie-*) z|kostnatět, ztvrdnout na kost, osifikovat, též přen.
ossuary [osjuəri] (*-ie-*) **1** kostnice; popelnice; urna n. schránka na kosti **2** jeskynní naleziště kostí
osteitis [ˌostiˈaitis] med. osteitis, ostitis zánět kosti n. kostní tkáně
Ostend [oˈstend] Ostende město a lázně
ostensibility [oˌstensiˈbiləti] okázalost, ostentace
ostensible [oˈstensəbl] **1** předstíraný, zdánlivý, údajný, udávaný, udánlivý, konaný na oko (*a company whose* ~ *purpose was to provide an adequate supply of water* společnost, jejímž údajným cílem bylo zabezpečit dostatečnou dodávku vody) **2** zast. ukazatelný, který je možno veřejně ukázat (*send me two letters – one confidential, another* ~ pošli mi dva dopisy – jeden důvěrný a druhý, který lze ukázat) **3** význačný, exponovaný; nápadný, okázalý
ostensory [oˈstensəri] (*-ie-*) círk. monstrance
ostentation [ˌostenˈteišən] okázalost, úmyslná nápadnost, ostentativnost; okázalé chování, předvádění se
ostentatious [ˌostenˈteišəs] okázalý, úmyslně nápadný, ostentativní
osteoarthritis [ˌostiəa:ˈθraitis] zánět kostních kloubů, pakostnice
osteoblast [ˌostiəˈbla:st] buňka vytvářející kostní tkáň, osteoblast

osteogenesis [ˌostiəˈdženisis] osteogeneze vznik a vývoj kostí
osteography [ˌostiˈogrəfi] vědecký popis kostí
osteoid [ostioid] **1** podobající se kosti, osteoidní **2** jsoucí s kostěnou kostrou (~ *fishes*)
osteology [ˌostiˈolədži] osteologie nauka o kostech
osteoma [ˌostiˈəumə] nezhoubný nádor kostní tkáně, osteom
osteomalacia [ˌostiəuməˈleisiə] osteomalacie měknutí kostí
osteomyelitis [ˌostiəumaiəˈlaitis] osteomyelitis, osteomyelitida zánět kostní dřeně
osteopath [ostiəpæθ] chiropraktik
osteopathy [ˌostiˈopəθi] chiropraxe
ostiary [ostiəri] (*-ie-*) **1** círk. dveřník, ostiář **2** zast. ústí řeky
ostinato [ˌostiˈna:təu] hud. ostinato stálé opakování tématu v některém hlase ◆ *basso* ~ tvrdošíjný bas
ostler [oslə] podkoní v hostinci
ostracism [ostrəsizəm] ostrakismus střepinový soud ve starém Řecku; hlasování n. projevy vylučující koho z nějaké činnosti
ostracize [ostrəsaiz] **1** ostrakizovat vyloučit ostrakismem **2** ignorovat, odsunout stranou, vyloučit ze společnosti **3** zrušit, zbavit se čeho
ostreiculture [ostriikalčə] pěstování ústřic
ostreophagous [ˌostriˈofəgəs] živící se ústřicemi
ostrich [ostrič] pštros ◆ *a digestion like an* ~ kachní žaludek všechno stráví
ostrich farm [ostričfa:m] pštrosí farma
ostrichism [ostričizəm] pštrosí politika
ostrich plume [ostričplu:m] pštrosí péro, chochol z pštrosích per
ostrich policy [ˌostričˈpolisi] pštrosí politika která nechce vidět ožehavé otázky n. vědomě nedbá nebezpečí
ostrich tip [ostričtip] špička pštrosího péra
other [aðə] *adj* **1** s určitým členem druhý ze dvou (*can you tell one twin from the* ~*?*) **2** jiný, ostatní, druhý, další, zbývající (~ *guests* jiní hosté, *the* ~ *guests* ostatní hosté) **3** jiný, opačný, rozdílný (*the question must be decided by quite* ~ *considerations* problém nutno vyřešit úvahou zcela opačnou) ◆ *any* ~ každý jiný (*any* ~ *man would have done better*); *the* ~ *day* nedávno, onehdy, tuhle (*the* ~ *evening* nedávno, onehdy, tuhle večer); *each* ~ o dvou (*one another* o dvou n. o více) sebe, sobě, si navzájem; *every* ~ *1.* každý jiný (*every* ~ *boy in the class knows the answer*) *2.* každý druhý, ob (*write only on every* ~ *line!* pište pouze ob řádku!); *every* ~ *day 1.* obden, každý druhý den (*every* ~ *day it rained*) *2.* velice často, každou chvíli (*this happens every* ~ *day*); *far* ~ *from* úplně jiný než (*he is far* ~ *from the Smith I knew as a boy* to je úplně jiný Smith než jakého jsem znával jako chlapce); *some ... or* ~ nějaký, některý blíže neurčený (*some idiots or* ~ *have been shouting all night, someone or* ~ někdo neznámý, *some time or* ~ někdy, jednou, *some day or* ~ (až) někdy, jednou, jednoho (krásného) dne; *on the* ~ *hand* na druhé straně (zase), (ale) zase, naproti tomu (*it's cheap, but on the* ~ *hand the quality is poor, on the one hand ... on the* ~ *hand* na jedné straně ... na druhé straně, jednak ... jednak); ~ *than / from* jiný než, jinak než; ~ *things being equal* kdyby v ostatním nebyl žádný rozdíl, kdyby jinak bylo všechno stejné (~ *things being equal, Alice would marry Jim, not Tom, but Jim is poor and Tom is rich* nebýt v ničem jiném rozdíl, Alice by se vdala za Jima, ne za Toma, jenže Jim je chudý a Tom bohatý); ● *pron, s* jiný, druhý ostatní (*one neutralizes the* ~, *let* ~*s talk*) ◆ *I can do no* ~ zast. nemohu udělat nic jiného ● *adv* jinak (*I could not do it* ~ *than hurriedly, I cannot* ~ *than accept* nemohu než přijmout)
othergates [aðəgeits], **otherguess** [aðəges] zast. a hovor. jinši, jinači
otherness [aðənis] řidč. rozdílnost, rozdíl, různost, jinakost
otherwhence [aðəwens] odjinud
otherwhere(s) [aðəweə(z)] bás. jinde
otherwhile(s) [aðəwail(z)] jindy
otherwise [aðəwaiz] *adv* **1** jinak (*he was* ~ *engaged* byl jinak zaměstnán), z jiného hlediska, po jiné stránce (*the rent is high but* ~ *the house is satisfactory*) **2** jinak též, čili, neboli, aneb, alias (*Poquelin* ~ *Molière*) ◆ *and / or* ~ nespr. *1.* místo protikladu (*the merits or* ~ *of the Bill* přednosti a nedostatky navrhovaného zákona) *2.* místo *and / or other* (*additions automatic and* ~ přírůstky automatické a jiné) ● *conj* jinak, nebo (*do what you've been told,* ~ *you will be punished* udělej, co jsem ti řekl, nebo budeš potrestán)
otherwise-minded [ˈaðəwaizˌmaindid] člověk opačných názorů, úplně jinak smýšlející
other world [ˌaðəˈwə:ld] *s* onen svět věčnost ● *adj: other-world* jsoucí z jiného světa, z onoho světa, neskutečný
otherworlder [ˌaðəˈwə:ldə] hovor. duchař, spiritista
otherworldliness [ˌaðəˈwə:ldlinis] **1** soustředění na onen svět na věčnost **2** nezemskost, věčnost, nadpozemskost (*full of life and* ~ *of poetry*)
otherworldly [ˌaðəˈwə:ldli] **1** nezemský, nadpozemský, týkající se onoho světa **2** soustředěný n. zaměřený na onen svět **3** zaměřený na vznešenější záležitosti, jsoucí plný chimér, nepraktický
otic [əutik] ušní
otiose [əušiəus] **1** odpočívající, nečinný; líný, ledabylý, netečný **2** pasívní, trpný, planý **3** zbytečný, nadbytečný
otioseness [əušiəusnis] zbytečnost, nadbytečnost
otiosity [ˌəušiˈosəti] **1** klid, nečinnost **2** netečnost, pasivita; nedbalost, ledabylost
otitis [əuˈtaitis] med. otitis, otitida zánět ucha ◆ ~ *media* zánět středního ucha

otium cum dignitate [ˈəušiəmkamˌdigniˈteiti] vznešený klid
otology [əuˈtolədži] med. otologie nauka o ušních chorobách
otoscope [əutəskəup] otoskop přístroj k vyšetřování ucha zrakem
ottava rima [əuˈta:və ˈri:mə] liter. oktáva
otter [otə] **1** vydra zvíře i kožešina; vydrovina, vydřina **2** též ~ *board* klouzavá deska pro rozvírání rybářské sítě n. lovení min, ochranný paraván, minový odrazník, oter zvláštní plovák používaný k odminování **3** námoř. hist. obklápěcí zdvihule
otterdog [otədog], **otterhound** [otəhaund] vydrař lovecký pes
otterspear [otəspi:ə] oštěp na vydry
otto [otəu] : ~ *of roses* v. *attar*
Ottoman[1] [otəmən] *adj* turecký, osmanský (zast.)
ottoman[2] [otəmən] **1** otoman lůžko; težká hedvábná tkanina **2** polštářovaná sedačka čtvercová, polštářovaná podnožka
oubit [u:bit] v. *woobut*
oubliette [ˌu:bliˈet] podzemní hladomorna, vězení kam se spouštěl odsouzenec otvorem ve stropě
ouch[1] [auč] BR zast. *s* **1** brož, spona, přezka s drahokamy; náramek, náhrdelník **2** lůžko pro drahokam ● *v* ozdobit (jako) broží, sponou n. přezkou
ouch[2] [auč] au! ouvej!
ought[1] [o:t] v. *aught*
ought[2] [o:t] nespr. nic, nula
ought[3] [o:t] (nemá neurčitý způsob ani vlastní minulý čas) **1** mám, měl bych mravní povinnost (*we ~ to love our neighbours* máme milovat své bližní); správnost (*such things ~ not to be allowed* takové věci by se neměly trpět); doporučení (*you ~ to see the new film* měl by ses podívat na ten nový film); úsudek (*Harry ~ to win the race* Jindra by měl ten závod vyhrát) **2** s minulým infinitivem měl jsem ale stal se opak (*I ~ to have done it* měl jsem to udělat, škoda, že jsem to neudělal; *I ~ not to have done it* neměl jsem to dělat, škoda, že jsem to udělal, *I didn't ~, did I?* to jsem neměl, že ne?)
ouija [wi:dža:], **ouija-board** [ˈwi:dža:ˌbo:d] spiritistická tabulka s abecedou a ukazovátkem
ounce[1] [auns] **1** unce váhová jednotka **2** přen. kousek, ždibec, trocha (*an ~ of common sense*)
ounce[2] [auns] **1** bás. rys n. jiná středně velká kočkovitá šelma, velká divoká kočka **2** zool. sněžný levhart, irbis
our [auə] náš, zvratně svůj ◆ *O ~ Father* otčenáš modlitba; *O ~ Lady* Panna Maria; *in ~ midst* v našem středu, mezi námi
ours [auəz] náš samostatně (*~ is a large family* naše rodina je velká, *I like ~ better* naši mám raději, *this house is ~* tento dům je náš); náš např. útvar BR (*Jones of ~*); ve spojení *a / this /* etc. ... *of ~* (*this dog of ~ never wins any prizes* tento náš pes nikdy žádnou cenu nevyhraje, *a friend of ~* jeden nás přítel) ◆ *it is ~ 1.* to patří nám, to je naše *2.* (to) je na nás
ourself [ˌauˈself] **1** my (sami / sám) v projevech panovníka; já (sám) (*can we imagine a world in which ~ does not exist?*) **2** *pl: ourselves* [ˌauəˈselvz] my sami (*we will do it ourselves* my sami to uděláme, *we'd better go and see the house (for) ourselves* bude líp, když se na ten dům půjdeme podívat sami), zvratně se, sami sebe (*we shall only harm ourselves* uškodíme jen sami sobě) ◆ *(all) by ourselves* sami *1.* bez pomoci *2.* bez společnosti
ousel [u:zl] v. *ouzel*
oust [aust] vyhnat, vyloučit, vypudit, vytlačit, zatlačit, vystrnadit, vypíchnout, vyšoupnout *from* z; zbavit *of* čeho
ouster [austə] vypuzení z držby
out [aut] *adv* **1** nikoli na obvyklém místě venku, jinde, ne doma (*the servant has her meals with us but sleeps ~, we're dining ~ this evening, it's a lovely day ~*) **2** vyjadřuje pohyb z obvyklého místa ven, pryč, vy- (*come ~* vyjít, *walk ~* odejít, *order ~* vykázat, *find one's way ~* najít (si) cestu ven, *~ you go!* běž pryč, vypadni!, *~ with it!* pryč s tím, vyhoď to!, *have a tooth ~* dát si vytrhnout zub, *keep him ~* nepouštěj ho dovnitř, *lock him ~* zamkni, aby nemohl dovnitř); od břehu, na moře (*they rowed ~ to the ship* veslovali od břehu k lodi) **3** zdůrazňuje vzdálenost daleko, venku, tak daleko (*he lives ~ in the country* žije na venkově daleko od města, *what are you doing ~ here!* co tady děláte tak daleko od domova!), od břehu (*anchored some way ~* zakotvený kus od břehu) **4** vyjadřuje stav mimo činnost n. hru: hráč, míč venku, v autu; boxer odpočítaný (*count me ~* se mnou nepočítejte) **5** vyjadřuje viditelnost (*a fire broke ~* vypukl požár, *murder will ~ 1.* vražda se nedá utajit, *2.* šídlo v pytli neutajíš; *blood will ~* krev chce svoje, *~ in revolt* v otevřené vzpouře, *just ~* kniha právě vyšla, *the eruption is ~ all over him* má vyrážku po celém těle, *best thing ~* nejlepší věc na světě); šíři n. délku (*the dog was stretched ~ on the floor* pes ležel natažený na podlaze, *the last act was terribly drawn ~* poslední jednání bylo strašně natahované); jasnost, zvučnost (*call ~* zavolat, *cry ~* vykřiknout, *tell straight ~* říci rovně a jasně, *ring ~* silně zazvonit n. zazvučet, *read ~* přečíst nahlas) **6** vyjadřuje dodělání do konce vy-, do- (*I am tired ~* jsem úplně vyčerpán, *she had her cry ~* vyplakala se, *hear ~* vyslechnout do konce, *supplies are running ~* zásoby docházejí, *let her have her sleep ~* ať se pořádně vyspí, *work ~ a problem* vyřešit problém); zhasnutí, vyčerpání (*the fire has burnt ~* oheň vyhasl, *the wind blew the candles ~* vítr sfoukl svíčky, *the candle blew ~* svíčka zhasla, *species that is on its way ~* druh, který je na vymření), zhasnutý, vypnutý, nefungující (*one plane coming in with two of its engines ~*) **7** vyja-

dřuje rozdělení (*select* ~ vybrat, *portion* ~ rozdělit na porce, *laid* ~ *the work for his two assistants* rozdělil práci svým dvěma asistentům) **8** zdůrazňuje sloveso (často nemá český ekvivalent) (*bait* ~ *the fish lines* nalíčit šňůry, *sketch* ~ *the plans* naskicovat plány, *write* ~ *the speech* napsat projev) ◆ *all* ~ *1.* ze všech sil, naplno, na plné pecky (hovor.) (*his new car does 80 miles an hour when it's going all* ~) *2.* úplně hotový (*be all* ~ skončit, dohrát, uzavřít hru); ~ *and about* (už zase) na nohou, schopen pohybu po nemoci; ~ *and away* daleko (*I was* ~ *and away the handsomest man in the room*), daleko nej- (*Who's the best shot! Mr Trelawney,* ~ *and away* Kdo je nejlepší střelec! Pan Trelawney, ten je daleko nejlepší); *be* ~ *1.* objevit se, růže vykvést, listy rašit, kniha, slunce vyjít, kuře vyklubat se, tajemství prozradit se, dívka být uveden do společenského života, zatykač být vydán; *2.* vystoupit z břehů, rozlít se po okolí (*the flood is* ~ povodeň se rozlila po okolí) *3.* jít špatně (*my watch is five minutes* ~) *4.* vypršet (*the lease is* ~ nájemní smlouva vypršela) *5.* být v odlivu (*the tide is* ~) *6.* být na cestě (*the ship was four days* ~ *from Lisbon*) *7.* být půjčen, nebýt v regále (*the book I wanted was* ~) *8.* být v bezvědomí, být knokautován v boxu *9.* být mrtvý, kamenný úplně opilý (hovor.) *10.* nesouhlasit o (*we're ten pounds* ~ *in our accounts* naše účty nesouhlasí o deset liber) *11.* skončit (*school is* ~) *12.* být chudší o (*he is £ 50* ~) *13.* být chybný, nehrát, nesouhlasit (*his calculations are* ~) *14.* vyjít ze cviku (*my hand is* ~) *15.* nebýt k dostání, dojít (*potatoes are* ~) *16.* být venku (*be* ~ *on business* být na služební / obchodní cestě, být služebně / obchodně pryč), nebýt přítomen (*be* ~ *on account of illness*) *17.* nepřicházet v úvahu (*that's* ~) *18.* uplynout (*before the week is* ~) *19.* být nemoderní, už se nenosit (*short skirts are* ~ krátké sukně se už nenosí) *20.* dohořet, vyhořet, vyhasnout (*the fire is* ~) *21.* stávkovat (*the miners are* ~ horníci stávkují) *22.* nebýt u vlády n. u moci (*the Tories are* ~) *23.* být vykloubený n. vyhozený (*my arm is* ~) *24.* kriket dohrát, být vyřazen ze hry *25.* AM postrádat, přijít *a t.* o; *be* ~ *for* hledat co, snažit se o, usilovat o, jít po (*I'm not* ~ *for compliments, be* ~ *for prey* zvěř být na lovu); *be* ~ *to do a t.* snažit se, chtít udělat co (*I'm not* ~ *to reform the world*); ~ *at elbows* kabát prodřený, s děravými lokty; *evening* ~ volný večer, večer ve společnosti; *fight it* ~ rozdat si to bojovat; *flat* ~ = *all* ~; *have it* ~ *with a p.* vyjasnit si to, prodiskutovat si to, rozříkat si to, vyříkat si to (slang.) s; ~ *at the heels* AM *1.* ošuntělý *2.* lajdácký *3.* zchudlý; *inside* ~ *1.* naruby *2.* vzhůru nohama (*turn the flat inside* ~); *keep* ~ nepustit dovnitř, bránit vzniknutí čeho; ~ *on a limb* AM hovor. v úzkých, v nesnázích; *time* ~ *1.* konec hry uplynutím hracího času *2.* oddechový čas v košíkové; *voyage* ~ cesta tam k cíli; *way* ~ východ ***out of 1*** místo mimo (*fish cannot live* ~ *of water, this happened* ~ *of England,* ~ *of doors* venku, v přírodě, na čerstvém vzduchu); vzdálenost od (*the ship struck a mine ten miles* ~ *of Hull* deset mil od Hullu narazila loď na minu), z (~ *of sight* z dohledu, ~ *of hearing* z doslechu nikoliv na doslech) ***2*** pohyb z (*he walked* ~ *of the shop, he jumped* ~ *of bed* vyskočil z postele) ***3*** zdroj z (*a scene* ~ *of a play, drink* ~ *of a bottle*); příčina z (*it was done* ~ *of mischief* to bylo uděláno ze zlomyslnosti); materiál z (*the hut was made* ~ *of old planks* chata byla sbita ze starých prken) ***4*** jiný stav než obvyklý n. předchozí z, bez, mimo, ne- (~ *of work* bez práce, nezaměstnaný, *we're* ~ *of tea* došel nám čaj, už nemáme čaj); změna proti dřívějšímu (*talk a p.* ~ *of doing a t.* vymluvit komu, aby nedělal co, *cheat a p.* ~ *of his money* vylákat podvodně peníze z, podvést o peníze koho, *frighten a p.* ~ *of his wits* vylekat koho k smrti div že nepřijde o zdravý rozum) ***5*** výběr z (*choose one* ~ *of these ten*) ***6*** rodičovství u zvířat (*a filly got by Persimmon* ~ *of Lutetia* klisnička, otec Persimmon, matka Lutetia) ◆ ~ *of action 1.* nečinný *2.* vyřazený *3.* nefungující; ~ *of bounds 1.* mimo hřiště *2.* zakázaný; ~ *of breath* udýchaný; ~ *of control* neřízený, neovladatelný; ~ *of danger* mimo nebezpečí; ~ *of doubt* nepochybně, zcela jistě; ~ *of drawing* špatně nakreslený; ~ *of fashion* nemoderní (*be* ~ *of fashion* vyjít z módy); ~ *of focus* špatně zaostřený, nezaostřený, neostrý, rozmazaný; ~ *of health* nemocný; ~ *of heart* náhle bázlivý (*be* ~ *of heart* náhle ztratit odvahu); ~ *of it 1.* nepozvaný, nezařazený *2.* ztracený, opuštěný, v rozpacích, vedle (hovor.) *3.* špatně informovaný, na omylu, vedle (hovor.) *4.* nezúčastněný, z toho venku (*it's a dishonest scheme and I'm glad to be* ~ *of it* je to nečestný plán a já jsem rád, že v něm nejedu); ~ *of line* tech. nesouosý; ~ *of order 1.* nefungující *2.* rozházený, přeházený *3.* mimo provoz, nefunguje upozornění; ~ *of place* nemístný; ~ *of print* kniha úplně rozebraný; ~ *of range* z dostřelu; ~ *of register* barevný tisk rozpasovaný (slang.); ~ *of repair* nespravitelný, k nepotřebě, naprosto rozbitý, k zahození; ~ *of service* mimo provoz; *O* ~ *of sight* ~ *of mind* Sejde z očí, sejde z mysli; ~ *of stock* kniha nejsoucí na skladě, vyprodaný; ~ *of time* rytmicky rozházený, ve špatném rytmu, pozdě n. napřed; *times* ~ *of number* nesčetněkrát; ~ *of tune* rozladěný; ~ *of the way 1.* nesouvisející, irelevantní *2.* neobvyklý, nekonvenční *3.* nedosažitelný *4.* odstraněný (*get* ~ *of a p.'s way* jít komu z cesty, *get a p.* ~ *of the way* odstranit koho z cesty, *keep* ~ *of the way* držet se stranou, vyhnout se, stranit se); (*born*) ~ *of wedlock* nemanželský; ~ *of whack* AM hovor. *1.* neslučitelný, nesouhlasný *2.* každý pes jiná ves *3.*

zkroucený, vykroucený, přelomený zdeformovaný ● *adj* **1** vnější (*an ~ edge* vnější hrana) **2** zápas hraný na cizím hřišti (*an ~ match*) **3** velikost nadměrný (*a dress of an ~ size*) ● *s* **1** vypuštění, vynechávka **2** AM vynechávka v tisku, závada, díra; chyba, nedostatek, aut (hovor.) **3** *~s, pl* opozice, nevládnoucí strana ◆ *at ~s with* AM v rozporu s, na štíru s; *ins and ~s 1.* celá vláda, vládní strana i opozice *2.* podrobnosti, detaily ● *prep: from ~* z (*from ~ the dungeon came a groan* z podzemní kobky se ozvalo zasténání) ● *inter* zast. fuj! hanba! (*~ upon you!* hanba tobě!) ● *v* hovor., slang. **1** složit, oddělat, uzemnit srazit **2** vyhodit, vyrazit, vykázat **3** sport. vyřadit soupeře, vyautovat; knokautovat

outachieve [ˌautəˈči:v] mít větší úspěch než, mít lepší výsledky než, předstihnout

outact [ˌautˈækt] hrát divadlo lépe než (*she so much ~ed him* hrála o tolik lépe než on)

out-and-out [ˌautəndˈaut] **1** skrz na skrz (*he's a scoundrel ~* to je skrz na skrz uličník) **2** nesrovnatelně, daleko (*he was ~ the best man*)

out-and-outer [ˌautəndˈautə] slang. **1** cvok, praštěný člověk, extremista **2** senzace, bomba člověk i věc **3** kolosální lež **4** potvora skrz na skrz ničema

outargue [ˌautˈa:gju:] porazit v hádce, přehádat

outasite, outasight [ˌautəˈsait] AM slang. **1** špičkový **2** fantastický

outback [autbæk] AU pusté vnitrozemí, buš

outbalance [ˌautˈbæləns] převážit

outbargain [ˌautˈba:gin] usmlouvat, vyhrát při obchodním jednání

outbellow [ˌautˈbeləu] víc štěkat než, přehlušit štěkotem

outbid [ˌautˈbid] (*outbid, outbid; -dd-*) **1** více nabídnout než **2** přelicitovat, předražit nabídku v bridži **3** hovor. trumfovat předčit

outblaze [ˌautˈbleiz] bás. vzplát

outboard [autbo:d] : *~ motor* přívěsný lodní motor

outbound [autbaund] **1** loď plující pryč do cizího přístavu **2** letadlo letící pryč

outbox [ˌautˈboks] porazit v boxu

outbrag [ˌautˈbræg] (*-gg-*) **1** více se holedbat než **2** vytahovat se nad chvástala

outbranch [ˌautˈbra:nč, ˌautˈbra:nš] bás. rozkládat se, rozvětvovat se

outbrave [ˌautˈbreiv] **1** statečně čelit čemu, postavit se proti **2** předčit zejm. odvahou, krásou n. výstrojí

outbreak [autbreik] **1** vypuknutí (*the ~ of war*); prudký nástup, vzplanutí, výbuch (*~s of experimentation, ~ of laughter* výbuch smíchu) **2** propuknutí (*the ~ of flu*) **3** vzpoura (*a slave ~* vzpoura otroků); násilí, násilnosti (*famine conditions lead to ~s in many cities* panující hlad vedl v mnoha městech k násilnostem)

outbreeding [ˈautˌbri:diŋ] **1** biol. křížení zejm. mimodruhové **2** bot. samosprašnost

outbuild [autbild] hovor. = *outbuilding*

outbuilding [ˈautˌbildiŋ] hospodářské stavení; přístavek, kůlna

outburst [autbə:st] **1** výbuch; vzplanutí **2** hvězd. náhlé zvětšení jasnosti, záblesk, též rádiový

outcast [autka:st] *adj* ode všech opuštěný, vyděděný, vyvržený ● *s* **1** vyvrhel, vyděděnec **2** trosečník **3** SC hádka

outcaste [autkeist] *adj* **1** vyloučený n. vyvržený z kasty **2** nekastovní, mimokastovní ● *v* vyloučit ze své kasty, odvrhnout (*his wife's family had ~d him*) ● *s* vyděděnec, pária

outclass [ˌautˈkla:s] předčit, předstihnout rozdílem třídy, být o třídu lepší než

outclearing [ˈautˌkliəriŋ] BR **1** zaslání směnek do zúčtovací banky **2** zúčtovatelné směnky

outcollege [autkolidž] BR bydlící mimo kolej, externí

outcome [autkam] výsledek, výsledný závěr

outcrop [autkrop] **1** geol. výchoz horniny na povrch **2** přen. občasné vzplanutí, propuknutí, vypuknutí; výbuch

outcry [autkrai] (*-ie-*) **1** křik, pokřik, výkřik; veřejné volání, protest **2** veřejná dražba

outdance [ˌautˈda:ns] předčit v tanci, tančit lépe n. déle než

outdare [ˌautˈdeə] **1** vzdorovat čemu (*~ danger*) **2** být odvážnější než (*he ~s all other stuntmen* svou odvahou předčí všechny ostatní kaskadéry)

outdated [ˌautˈdeitid] **1** zastaralý **2** prošlý (*~ importation papers*)

outdistance [ˌautˈdistəns] předstihnout, předběhnout, nechat daleko za sebou

outdo [ˌautˈdu:] (*outdid, outdone*) **1** předčit, předstihnout **2** překonat, zvítězit nad

outdoor [ˈautˈdo:] **1** konaný venku n. pod širým nebem (*an ~ concert*), určený pro venek; zvyklý žít venku n. na čerstvém vzduchu (*an ~ girl*) **2** nezastřešený (*an ~ arena*) ◆ *~ aerial* venkovní anténa; *~ agitation* mimoparlamentní agitace; *~ apprentice* učedník nežijící u mistra; *~ dress* vycházkový oblek; *~ games* hry ve volné přírodě n. hrané na hřišti; *~ patients department* ambulance; *~ photograph* exteriérová fotografie *~ pool* otevřený bazén; *~ relief* BR chudinská podpora těm, kteří nejsou v chudinském ústavu; *~ setting* exteriér, plenér; *~ things* vycházkový oblek, vycházkové šaty

outdoors [ˌautˈdo:z] **1** venku (*he stayed ~*); ven (*she went ~*) **2** v. *outdoor*

outeat [ˌautˈi:t] (*outate, outeaten*) předčit v jídle, jíst více než

outer¹ [autə] hovor. = *out of*

outer² [autə] *adj* **1** vnější, vnějškový, zevnější (*~ characteristics*) **2** krajní (*the two ~ movements* *of the symphony* dvě krajní věty symfonie) **3** objektivní ◆ ~ *bar* hovor. mladší právníci; ~ *city* AM předměstí; ~ *cover* povlak, vnější obal; *firebox* kotlová skříň lokomotivy; ~ *garments* | *wear* svrchní oděv; ~ *jib* námoř.: vnější kosatka; ~ *man* zevnějšek člověka; ~ *plank* krajina, odkorek prkno; ~ *skin* pokožka; ~ *world* ostatní svět ● *s* **1** vnější část terče, okrajový kruh terče **2** zásah do kraje terče **3** AU hovor. sběrna sázek blízko dostihové dráhy

outermost [autəməust] nejokrajovějši, nejzevnější, nejvzdálenější od středu

outer space [ˌautəˈspeis] **1** meziplanetární prostor **2** vesmír, kosmos

outface [ˌautˈfeis] **1** dívat se na tak dlouho, až odvrátí oči **2** vzdorovat komu, postavit se hrdým n. drzým čelem komu **3** přimět k zblednutí (*silk that ~s all reds* hedvábí, před nímž každá červeň bledne)

outfall [autfo:l] **1** ústí řeky **2** odtok, výtok

outfield [autfi:ld] **1** od statku vzdálené pole, zadní pole **2** pastvina, úhor, lada **3** kriket: část hřiště nejvíce vzdálená od pálkaře; polaři na této části hřiště **4** baseball: část hřiště mimo kosočtverec

outfielder [ˈautˌfi:ldə] baseball hráč stojící mimo kosočtverec

outfight [ˌautˈfait] (*outfought, outfought*) předčit n. porazit v boji, bojovat lépe než

outfighting [ˈautˌfaitiŋ] **1** boj na velkou vzdálenost (*she was no match for the heavier ship in ~* v boji na velkou vzdálenost se nemohla těžší lodi rovnat), boj nikoliv zblízka n. na tělo (*the first round was all ~*) **2** v. *outfight*

outfiltrate [autfiltreit] hovor. vypařit se, zmizet

outfit [autfit] *s* **1** výzbroj, výstroj, výbava, vybavení; vše, co kdo potřebuje *for* k čemu; vhodný oblek, vhodné šaty (*an ~ for graduation*) **2** AM hovor. organizace; parta, skupina ● *v* (*-tt-*) **1** vyzbrojit | se, vybavit | se (*they ~ted for the long journey, they ~ted expeditions to far-off places*) **2** dodat komu (*~ting every family with shoes*)

outfitter [autfitə] **1** dodavatel výzbroje **2** obchodník s konfekcí ◆ *gentlemen's ~* obchod s pánskými oděvy, pánská konfekce

outflank [ˌautˈflæŋk] **1** obklíčit z boku, obchvátit z boku, přesahovat křídlem nepřítele, obejít nepřátelské křídlo **2** přen. vyzrát na, převézt (hovor.) (*~ one's friends*)

outflow [autfləu] **1** odtékání, proudění **2** průtok (*a river's ~ is usually expressed in cubic feet per second*) **3** přen. odliv, odčerpávání, únik (*the ~ of gold from the country*)

outfly [ˌautˈflai] (*outflew, outflown, -ie-*) letět rychleji než

outfoot [ˌautˈfut] **1** předhonit, být rychlejší než **2** předčit, předstihnout

outfox [ˌautˈfoks] přelstít

outfrown [ˌautˈfraun] **1** mračit se víc než **2** mračením umlčet apod.

outgas [ˌautˈgæs] (*-ss-*) odstranit plyn z

outgeneral [ˌautˈdženərəl] (*-ll-*) **1** porazit lepší taktikou n. strategii generálů (*in these movements Lee was entirely ~led*) **2** přemoci chytrostí, přelstít (*if you ~ the bear, you may carry off his pelt* jestli medvěda přelstíš, můžeš si odnést jeho kůži)

outgiving AM *s* [autgiviŋ] veřejné prohlášení ● *adj* [ˈautˌgiviŋ] rozdávající se, otevřený, upřímný

outgo *s* [autgəu] *pl: -es* [-z] **1** výdej (*income and ~ of radiant solar energy* příjem a výdej vyzařované sluneční energie) **2** náklady, výdaje (*revenues and ~es*) **3** přen. výlev (*~ of affections* výlev citů) ● *v* [ˌautˈgəu] (*outwent, outgone*) předstihnout, předčit (*such sorrow as outwent the utmost pain of other punishment* takový žal, jaký předčil nejhorší bolest jiné formy trestu)

outgoing [ˈautˌgəuiŋ] *adj* **1** odněkud vycházející (*the ~ sixth grade class*); odcházející (*the ~ tenant* odcházející nájemník); odstupující (*the ~ president*); odplouvající, odjíždějící (*an ~ ship*); ustupující (*~ tide* odliv) **2** otevřený, nesobecký, společenský **3** v. *outgo, v* ● *s* **1** odchod, odtok; vycházení, odjezd **2** přen. výron, emanace **3** *~s, pl* náklady, režie **4** v. *outgo, v*

outgrow [ˌautˈgrəu] (*outgrew, outgrown*) **1** vyrůst z (*he outgrew his new suit*) **2** přerůst (*those whom he had outgrown socially*) **3** růst rychleji než (*weeds ~ grass* plevel roste rychleji než tráva) ◆ *~ one's strength* dítě příliš rychle růst a nesílit

outgrowth [autgrəuθ] **1** výrůstek (*a deformed ~*) **2** přirozený následek, přímý důsledek (*crime is sometimes the ~ of poverty* zločin je někdy přímým důsledkem chudoby)

outgun [ˌautˈgan] (*-nn-*) předstihnout, předčit, být lepší než

out-hector [ˌautˈhektə] zastrašit

out-herod [ˌautˈherəd] : ~ *Herod* přeherodesovat Herodese

outhouse [authaus] *s pl: -houses* [-hauzis] **1** kůlna, hospodářské stavení **2** záchod mimo dům ● *v* jinde deponovat (*care has been taken to ~ only books which are thought to be less frequently consulted* byla věnována péče tomu, aby do depozitáře byly dány pouze ty knihy, do nichž se podle našeho názoru čtenáři dívají méně často)

outing [autiŋ] **1** výlet; vycházka **2** vzdálené moře **3** zápas, utkání ◆ *take an ~* jet na výlet

outjockey [ˌautˈdžoki] zvítězit lstí nad, přelstít, převézt (hovor.)

outjuggle [ˌautˈdžagl] **1** předčit v žonglování, žonglovat lépe než **2** dělat lepší triky než **3** intrikovat více n. lépe než

outjump [ˌautˈdžamp] skákat rychleji n. dále než

outlabour [ˌautˈleibə] tvrdě pracovat, dřít více než

outland [autlænd] *s* **1** cizí země, cizina, zahraničí (*the ~s were glutting Europe with novelties* Evropa byla zaplavena novinkami z ciziny) **2** *~s, pl* AM venkov, provincie ● *adj* **1** zahraniční (*the chief ~ interests of the Swedish people*); cizí, z jiné oblasti (*an ~ man*) **2** AM venkovský, provinční ● *adv* AM pryč, z domova (*on my way ~*)

outlander [ˈautˌlændə] **1** bás. cizinec, cizák **2** *O~* SA hist. cizí přistěhovalec na rozdíl od Búrů

outlandish [ˌautˈlændiš] **1** cizí, zahraniční (*~ readers*) **2** zvláštní, exotický, bizarní, fantastický (*an ~ costume, ~ or unbeliavable people* bizarní či neuvěřitelný národ) **3** zapadlý, zastrčený (*foolish enough to offer to go to such an ~ station* dosti pošetilý, aby se nabídl, že půjde na tak zastrčenou stanici)

outlast [ˌautˈla:st] vydržet déle než, přežít, přečkat

outlaw [autlo:] *s* **1** člověk n. věc mimo zákon; vyhoštěnec, vypovězenec; zbojník, bandita, psanec, desperát **2** nezkrotitelný divoký kůň ● *v* postavit mimo zákon; prohlásit za nezákonné; zakázat zákonem; vydat zákon proti; zbavit zákonné platnosti

outlawry [autlo:ri] postavení n. život mimo zákon, vyhoštění, vypovězení; zákon *of* proti, zákonný zákaz čeho

outlay *s* [autlei] vydání, výdaj (*an ~ of 10 dollars for food*), výdej (*~ of energy*) ● *v* [ˌautˈlei] (*outlaid, outlaid, outlaying*) vydat, utratit, vynaložit (*money which might be more profitably outlaid*)

outlet [autlet] **1** východ, otevření, otvor **2** ventil (*~ for energy*); publikační možnost (*a magazine that could provide an ~ for writers* časopis, který mohl poskytovat spisovatelům publikační možnosti); volné místo, příležitost; trh, odbytiště **3** výběh pro dobytek **4** výpust; výtok, odtok; strouha **5** prodejna, filiálka, obchod **6** elektr. zdířka **7** AM místní vysílačka ◆ *~ conduit* odpadní potrubí, vypouštěcí potrubí; *~ funnel* výlevka; *~ sluice* splav

outlier [ˈautˌlaiə] **1** kdo bydlí jinde než v místě svého pracoviště **2** kdo je mimo, „outsider" **3** bludný balvan **4** geol. příkrovová kra, bradlo

outline [autlain] *s* **1** hranice, čára, kontura **2** též *~s, pl* obrys; nárys, nástin, náčrt; přehled, skica, synopse, osnova **3** těsnopisný samoznak **4** profil, rysy, silueta obličeje ◆ *in ~* v hlavních rysech, jen v obryse ● *v* **1** udělat obrys čeho, nakreslit v obrysech **2** vyznačit n. zjistit obrysy n. hranici čeho **3** naskicovat, načrtnout, nastínit, naznačit, narýsovat, navrhnout, předvést, ukázat v hlavních rysech (*he ~d a five-point programme for business*) ◆ *be ~d* rýsovat se (*the castle turrets are ~d against the horizon* na obzoru se rýsují věže zámku); *~ stitch* stonkový steh

outlive [ˌautˈliv] **1** žít déle než, přežít **2** přetrvat, vydržet déle než (*an institution that ~d a century*)

outlook [autluk] **1** hlídka **2** výhled, rozhled, vyhlídka **3** názor, náhled; názory, světový názor **4** vyhlídky (*my political ~ is very gloomy* politické vyhlídky jsou podle mne velmi chmurné) ◆ *be on the ~* dívat se *for* po, rozhlížet se po, dávat pozor, až se objeví co, hledat co

outlying [ˈautˌlaiiŋ] **1** ležící venku n. mimo (*~ cattle, ~ facts*) **2** vzdálený, odlehlý (*~ regions*) **3** krajní (*the ~ parts of the apron* krajní díly zástěry)

outmachine [ˌautməˈši:n] voj. porazit materiální převahou

outman [ˌautˈmæn] (*-nn-*) **1** mít početní převahu nad **2** být mužnější než

outmanoeuvre [ˌautməˈnu:və] vymanévrovat, manévrovat lépe než, předčit v manévrování; získat manévrováním výhodu nad, porazit lepší taktikou, překonat taktikou

outmarch [ˌautˈma:č] předčit v pochodování, pochodovat déle n. vytrvaleji než

outmatch [ˌautˈmæč] předčit, být lepší n. větší než

outmeasure [ˌautˈmežə] předčit v rozloze, být delší n. rozsáhlejší než

outmoded [ˌautˈməudid] zastaralý (*~ practices*)

outmost [autməust] v. *outermost*

outness [autnis] vnějšek, vnějškovost

outnumber [ˌautˈnambə] být početnější než, převyšovat počtem, mít početní převahu nad

out-of-competition [ˌautəvˌkompəˈtišən] mimosoutěžní (*~ films*)

out-of-date [ˌautəvˈdeit] zastaralý

out-of-door(s) [ˌautəvˈdo:(z)] konaný venku n. pod širým nebem; určený pro venek

out-of-pocket [ˌautəvˈpokit] výdaj placený v hotovosti

out-of-the-way [ˌautəvðəˈwei] **1** zapadlý, zastrčený (*the very ~est house I can set eyes on*) **2** zvláštní, podivný, neobvyklý, bizarní (*an especially novel, ~ subject*) **3** scestný

out-of-town [ˌautəvˈtaun] venkovský

outpace [ˌautˈpeis] předhonit, předstihnout (*the mining industry was for a time ~d by lumbering* těžba dřeva na čas předstihla báňský průmysl)

outpaint [ˌautˈpeint] předčit v malování, malovat lépe než

outparty [ˈautˌpa:ti] (*-ie-*) politická strana, která není u vlády

outpatient [ˈautˌpeišənt] ambulantní pacient, nemocný léčený ambulantně

outpensioner [ˈautˌpenšənə] vojenský důchodce, penzista, veterán nebydlící v ústavu

outperform [ˌautpəˈfo:m] **1** podat větší n. lepší výkon než **2** přinést lepší výsledky než

outplace [ˌautˈpleis] AM převést zaměstnance do jiného zaměstnání, dát k dispozici jinému zaměstnavateli
outplacement [autpleisment] AM převedení zaměstnance do jiného zaměstnání
outplay [ˌautˈplei] předčit ve hře, hrát lépe než
outpoint [ˌautˈpoint] **1** získat větší počet bodů než **2** vyřadit na body **3** námoř. plout ve výhodnějším kursu než vzhledem k větru
outport [autpo:t] menší přístav vzdálený od celního přístavu, vedlejší přístav
outpost [autpəust] **1** předsunutá hlídka n. stráž v poli **2** přen. avantgarda **3** vojenská základna, stanoviště v zahraničí **4** mez, nejzazší místo **5** pobočka ◆ ~ *duty* služba v předsunutém postavení
outpour *v* [ˌautˈpo:] **1** bás. vylévat (*nightingales ~ their song*) **2** řinout se ● *s* [autpo:] **1** výlev, vylévání **2** tok, proud
outpouring [ˈautˌpo:riŋ] **1** = *outpour, s* **2** v. *outpour, v*
outpreach [ˌautˈpri:č] **1** kázat lépe n. více než **2** zahladit kázáním
outprice [ˌautˈprais] nabídnout lepší cenu než
output [autput] **1** výtěžek, těžba (*coal ~*) celková výroba, produkce, objem výroby (*a tenth of the total ~*); tvorba, dílo (*his enormous symphonic ~*) **3** elektr. výkon; výstupní hodnota **4** výstup u přístroje, zařízení n. výrobního procesu ◆ ~ *capacity* výkonnost; *peak ~* rekordní výkon, rekordní těžba, rekordní produkce; ~ *text* výstupní text strojového překladu
outrage [autreidž] *s* **1** násilí, násilnost, násilný čin, ukrutnost *against* na (*~s committed by a drunken mob* násilnosti páchané opilým davem) **2** těžká urážka *against / upon* čeho (*an ~ against decency* ... slušnosti) **3** vztek, zuřivost, pobouření, rozhořčení **4** znásilnění, zprznění *on* koho, též přen. ● *v* **1** těžce urazit; těžce se provinit proti / na **2** pobouřit, rozzuřit, rozhořčit **3** zprznit, znásilnit, dopustit se násilí n. krutosti na
outraged [autreidždl] **1** rozhořčený, pobouřený, rozhorlený **2** v. *outrage, v*
outrageous [ˌautˈreidžəs] **1** násilnický; urážlivý, hrubý, ohavný, odporný, ostudný **3** nesmírný, bezmezný, překračující všechny meze; fantastický, neskutečný; nesnesitelný (~ *weather*)
outrageousness [ˌautˈreidžəsnis] **1** hrubost, urážlivost **2** ohavnost, odpornost, ostudnost **3** nesmírnost; nesnesitelnost
outrange [ˌautˈreindž] **1** dělo nést dále než, mít větší dostřel než (*our guns were ~d by those of the enemy cruisers* děla nepřátelských křižníků měla větší dostřel než naše) **2** předčit, předhonit
outrank [ˌautˈræŋk] předčit hodností n. postavením, mít vyšší hodnost n. lepší postavení než
outré [utrei] **1** přehnaný; výstřední, bizarní **2** neslušný, nesalónní (~ *subjects*)
outreach [ˌautˈri:č] **1** přesáhnout; sáhnout dále než **2** podvést, přechytračit ● *s* [autri:č] **1** natažení, napřažení **2** dosah
outreason [ˌautˈri:zn] porazit lepšími argumenty, vyvrátit logikou
out-relief [ˈautriˌli:f] BR chudinská podpora tomu, kdo není v chudinském ústavu
outride [ˌautˈraid] (*outrode, outridden*) **1** předčit v jízdě, jezdit lépe n. dále n. rychleji než **2** přestát, vydržet (*a ship strong enough to ~ any storm* dost pevná loď na to, aby přežila jakoukoli bouři)
outrider [ˌautˈraidə] **1** jezdec doprovázející n. jedoucí vpředu (*~s* jízdní doprovod) **2** člen předvoje, bojovník v předvoji **3** hlasatel, zvěstovatel, posel, herold; předzvěst (*that sugar maple, an ~ of winter* javor cukrový, tato předzvěsť zimy) **4** nářeč. obchodní cestující, cesťák
outrigged [ˈautˌrigd] námoř.: člun vybavený výložníkem n. vahadlem
outrigger [ˈautˌrigə] **1** námoř. člun s vahadlem **2** námoř. výložník, krakorec, vahadlo; veslový / havlinkový krakorec sportovních veslových člunů **3** závodní veslařská loď **4** vysunutý trámec, vysunutá traverza ke zvedání břemene; vyčnívající část stroje **5** výložník jeřábu ◆ ~ *scaffolds* vysunuté lešení, zavěšené lešení, „klecové lešení“
outright *adj* [autrait] **1** jasný, naprostý, úplný, dokonalý, stoprocentní, skrz na skrz (*an ~ lie*); nepopíratelný, hotový, vyložený (*an ~ disaster* vyložená katastrofa) **2** upřímný, otevřený, přímý (*an ~ manner*) **3** jednoznačný; celý, úplný; jednou provždy (*an ~ payment*) ● *adv* [ˌautˈrait] **1** přímo, rovnou, otevřeně, do očí (*tell a man ~ what one thinks of his behaviour* říci člověku přímo do očí, co si myslíme o jeho chování) **2** najednou; hotově ne na splátky; rázem, naráz; okamžitě, ihned, na místě (*killed thirty people ~ and injured hundreds* způsobil okamžitou smrt třiceti lidí a stovky dalších zranil)
outrightness [autraitnis] přímost, upřímnost, otevřenost *of* v (~ *of thought*)
outrival [ˌautˈraivəl] (*-ll-*) porazit v soutěži, zvítězit nad
out row [ˌautˈrəu] veslovat rychleji než
outrun [ˌautˈran] (*outran, outrun; -nn-*) **1** předstihnout, předběhnout; běžet / plout / jet rychleji než **2** utéci čemu n. z dosahu čeho, uprchnout před (*men who had ~ the established law* lidé, kteří uprchli před existujícím zákonem) **3** vymknout se čemu (*scientific theory is ~ning common sense* vědecká teorie se vymyká zdravému rozumu) ◆ ~ *the constable 1.* utrácet víc než vydělávat *2.* upadnout do dluhů, zadlužit se *3.* mluvit o věcech, kterým kdo nerozumí
outrunner [ˈautˌranə] **1** běžec který běží napřed n. vedle vozu **2** vůdce tažné smečky pes **3** přen. kdo předběhl svou dobu, předchůdce
outrush [autraš] prudké vylití, vyřícení, vychrlení, vypuštění, prudký výtok

outsail [ˌautˈseil] **1** předstihnout, předhonit zejm. při plavbě jinou loď n. člun; plout dále n. rychleji n. lépe než **2** minout při plavbě, plout kolem
outscold [ˌautˈskəuld] předčit ve spílání n. nadávání, překřičet
outsell [ˌautˈsel] (*outsold, outsold*) **1** stát za víc než; prodat za víc než; mít větší cenu než **2** předčit v prodávání, docílit při prodeji lepší ceny než; prodávat se lépe než
outsentry [ˈautˌsentri] (*-ie-*) předsunutá stráž, vysunutá hlídka
outset [autset] **1** začátek, počátek (*at the* ~ na začátku) **2** SC nové pole, novina **3** SC ozdoba
outshine [ˌautˈšain] (*outshone / outshined, outshone / outshined*) **1** svítit / zářit víc než, vydávat větší světlo než, přezářit; oslňovat nádherou víc než **2** předstihnout, být n. zdát se lepší než, excelovat nad
outshoot [ˌautˈšu:t] (*outshot, outshot*) **1** předčit ve střelbě, střílet lépe n. dále než **2** přerůst, vyrůst dále než **3** přestřelit cíl **4** vyrážet (~*ing limb* vyrážející větev); vrhat (~ *shadows* stíny)
outshot [autšot] **1** výčnělek, výběžek **2** výmět, zmetek **3** přístavek stavení **4** v. *outshoot* ◆ ~ *hemp* odpadové konopí
outside [ˌautˈsaid] *s* **1** venek, vnějšek, zevnějšek (*don't judge a thing from the* ~ neposuzuj nic podle zevnějšku); vnější strana (*the* ~ *of the door was badly scratched* vnější strana dveří byla ošklivě poškrábaná) **2** zjev; viditelná stránka (*heroic* ~*s of action*); povrch (*the* ~ *of a cigar*) 3 kraj (*it's right near the* ~ je to hned z kraje) **4** sport. křídlo **5** BR cestující sedící venku nikoliv uvnitř např. dostavníku **6** ~*s, pl* vnější strany archu papíru, vnější vrstva papíru v balíku ◆ *at the (very)* ~ nanejvýš, maximálně; *open from* ~ otvírat | se zvenčí; ~ *in* naruby ● *adj* **1** venkovní, vnější, prováděný zvenku (~ *measurements* vnější rozměry), umístěný venku (*an* ~ *seat*), týkající se vnějšku (~ *repairs* opravy vnějšku) **2** externí (~ *work*); mimoparlamentní (~ *opinion* ... názor); prováděný v exteriéru n. terénu (~ *broadcasts*); neorganizovaný na burze (~ *broker* ... makléř); cizí, zahraniční (~ *intervention*); možnost, naděje vzdálený (~ *chance*) **3** největší, nejvyšší (*quote the* ~ *prices* podat nabídku na nejvyšší ceny) **4** krajní, okrajový (~ *seat*); vedlejší (~ *interests*); domácí (~ *preparation*) ◆ ~ *left* sport. levé křídlo; ~ *porter* BR nosič odnášející zavazadla z nádraží; *skate on the* ~ *edge* sport. jet po vnější hraně; ~ *right* sport. pravé křídlo ● *adv* **1** venku, vně, zvenku **2** ven ◆ ~ *of 1.* mimo (~ *of that* jinak) *2.* AM až na, kromě; *get* ~ *of* slang. zblajznout sníst, vypít ● *prep* **1** vně, mimo; venku před, za, u, vedle (*the American flag* ~ *my building*); někde jinde než u / při / v (*she seemed always* ~ *her subject* vždycky se zdálo, že se nedrží tématu) **2** ven z (*she ran* ~ *the house*)
outsider [ˌautˈsaidə] **1** outsider kdo stojí stranou, na okraji n. na podřadném místě; závodník, družstvo n. kůň, o kterém se předpokládá, že nezvítězí **2** člověk stojící mimo, nezasvěcenec (*it would be impossible for an* ~ *to calculate how much is spent*) **3** hovor. část. *rank* ~ černá ovce, společensky nepřijatelný člověk
outsight [autsait] postřeh vnější skutečnosti; vnímání okolního světa
outsing [ˌautˈsiŋ] (*outsang, outsung*) **1** předčit zpěvem n. krásou hlasu, zpívat lépe n. hlasitěji než 2 zvítězit zpěvem n. ve zpěvu nad **3** dát se do zpěvu, vyzpívat
outsit [ˌautˈsit] (*outsat, outsat; -tt-*) (zůstat) sedět déle než, (zůstat) sedět ještě po skončení (*we outsat the twilight* zůstali jsme sedět až do úplné tmy)
outsize [ˌautˈsaiz] *s* velké číslo, nadměrná velikost konfekčního oděvu ● *adj* **1** oděv velký, jsoucí nadměrné velikosti **2** příliš n. nezvykle velký
outsized [ˌautˈsaizd] = *outsize, adj*
outskirt [autskə:t] část. ~*s, pl* kraj, okraj, periférie
outsleep [autsli:p] (*outslept, outslept*) prospat, zaspat časový úsek (~ *thunderstorm*)
outsmart [ˌautˈsma:t] hovor. porazit, vyhrát nad; přelstít, zvítězit chytrostí nad
outsole [autsəul] podešev
outspan SA *v* [ˌautˈspæn] (*-nn-*) **1** vypřáhnout, odpřáhnout koně **2** přen. utábořit se ● *s* [autspæn] 1 vypřáhnutí, odpřáhnutí **2** místo pro odpřáhnutá zvířata k odpočinku
outsparkle [ˌautˈspa:kl] jiskřit n. zářit víc než
outspeak [ˌautˈspi:k] (*outspoke, outspoken*) bás. dít, promluvit
outspeed [ˌautˈspi:d] předčit rychlostí, běžet / jet / plout / letět rychleji než, předhonit
outspend [ˌautˈspend] (*outspent, outspent*) **1** utratit víc než (*he outspent princes*) **2** úplně vyčerpat utrácením (*he would* ~ *his fortune*)
outspoken [ˌautˈspəukən] **1** řeč otevřený, upřímný, přímočarý **2** choroba jasný, zcela zřetelný **3** v. *outspeak*
outspokenness [ˌautˈspəukənnis] otevřenost, upřímnost, přímočarost v řeči
outspread [ˌautˈspred] **1** natažený, roztažený (~ *skins*) **2** vztažený, rozpřažený, rozevřený, otevřený (~ *arms*) **3** rozpuštěný (~ *hair*)
outstanding [ˌautˈstændiŋ] *adj* **1** nápadný (~ *characteristics*), význačný, vynikající (~ *painter*) 2 nevyrovnaný, nevyřízený, nezaplacený (~ *debts*); nedodělaný, neskončený (~ *work*); nevyřešený, nedořešený, otevřený (~ *problems*) **3** [ˈautˌstəndiŋ] vyčnívající; odstávající, trčící od (~ *ears*) ◆ ~ *premium* pojišť. dlužné pojistné ◆*s* ~*s, pl* nevyrovnané položky, dluhy, pohledávky
outstare [ˌautˈsteə] déle se upřeně dívat na; zkrotit upřeným pohledem; dívat se bez pohnutí na

outstate [ˌautˈsteit] AM **1** krajinský, venkovský, provinciální, provinční (~ *areas*) **2** jsoucí z jiného státu (*few* ~ *visitors*)
outstation [autsteišən] místo, stanice, stanoviště, působiště ve vzdálené n. řídce obydlené oblasti, vystrkov (hovor.)
outstay [ˌautˈstei] **1** zůstat déle než (*he was determined to* ~ *him* byl rozhodnut tam zůstat déle než on); přetáhnout (*he* ~*ed his leave*) **2** vydržet déle než, mít větší výdrž než (hovor.) ◆ ~ *one's welcome* přetáhnout návštěvu, zůstat na návštěvě déle, než je hostiteli milé
outstep [ˌautˈstep] (*-pp-*) překročit
outstink [ˌautˈstiŋk] (*outstank / outstunk, outstunk*) zapáchat více než
outstretch [ˌautˈstreč] natáhnout, roztáhnout; napřáhnout, vztáhnout, rozpřáhnout: napnout
outstrip [ˌautˈstrip] (*-pp-*) předčit, předhonit, být rychlejši n. větší než
outswept [autswept] tech. dlouhý a skosený
outswim [ˌautˈswim] (*outswam, outswum, -mm-*) předčit v plavání, plavat rychleji než
outtalk [ˌautˈto:k] umluvit, zvítězit řečí nad
outthink [ˌautˈθiŋk] (*outthought, outthought*) **1** zvítězit myšlením nad, přemoci myšlenkami n. uvažováním **2** uvažovat dále než, překročit myšlením, jít myšlenkami za, myslit za (*we cannot* ~ *the bounds of thought* při úvahách nemůžeme překročit hranice myšlení)
outthrow [autθrəu] **1** vy|chrlení; odpad **2** přen. náhlý rozkvět
outthrust [autθrast] **1** vyražení, vypíchnutí; tlak směrem ven **2** výstupek
outthunder [ˌautˈθandə] **1** hřmět více než; přehlušit hřmotem n. hřměním **2** za|hřmět, říkat hromovým hlasem
outtoil [ˌautˈtoil] **1** udřít prací **2** dřít se víc než
out-to-out [ˌauttuˈaut] rozměr z kraje do kraje, od jednoho konce k druhému
outtop [ˌautˈtop] (*-pp-*) **1** převýšit, být vyšší než, tyčit se nad **2** předstihnout
outtrade [ˌautˈtreid] předčit v obchodování, obchodovat úspěšněji než, vydělat na obchodu s
outtravel [ˌautˈtrævl] (*-ll-*) dostat se při cestování za (~ *the boundaries of space* dostat se při své cestě za hranice sluneční soustavy); cestovat dále n. rychleji než
outtrump [ˌautˈtramp] pře|trumfnout
outturn [ˈautˌtə:n] **1** výtěžek, výnos, výsledek práce **2** kvalita zboží při dodání
outvalue [ˌautˈvælju:] mít větší cenu než
outvie [ˌautˈvai] předstihnout, předhonit, předčit v soutěži
outvoice [ˌautˈvois] přehlušit, překřičet
outvote [ˌautˈvəut] přehlasovat
outvoter [ˈautˌvəutə] BR volič nebydlící ve své volební oblasti
outwalk [ˌautˈwo:k] **1** chodit lépe n. rychleji n. dále než **2** dojít za, dostat se chůzí za
outward [autwəd] *adj* **1** vnější; směřující n. obrácený ven **2** navenek viditelný (~ *shackles* ... spojovací články) ◆ *for* ~ *application* lék k vnějšímu použití; ~ *beauty* tělesná krása; ~ *eye* fyzické oko, fyzický zrak; ~ *man 1.* fyzický člověk *2.* žert. šaty, oblek, oblečení; ~ *things* viditelný svět kolem nás ● *s* **1** vnějšek, zevnějšek **2** vnější stránka n. složka **3** hmotný svět **4** ~*s, pl* vnější okolnosti ● *adv* = *outwards*
outward-bound [ˈautwədˌbaund] **1** loď na cestě z mateřského přístavu; připravený k odplutí **2** cesta ven, tam, pryč z domova
outwardly [autwədli] **1** navenek (*she appeared* ~ *calm*) **2** v. *outward, adj*
outwardness [autwədnis] **1** vnějškovost **2** reakce na vnější svět; zájem o vnější stránku n. složku **3** objektivní skutečnost; objektivnost, objektivita
outwards [autwədz] **1** směrem ven, vně **2** zast. naven, navenek **3** tam, do ciziny ◆ *clearance* ~ celní odbavení při vývozu
outwash [autwoš] geol. fluvioglaciální nános před čelem ledovce
outwatch [ˌautˈwoč] **1** bdít n. hlídat déle než **2** bdít n. hlídat ještě po skončení úkazu (~ *the moon* hlídat i po západu měsíce)
outwear [ˌautˈweə] (*outwore, outworn*) **1** smazat, setřít, zahladit častým zacházením **2** strávit čas **3** přetrvat, vydržet déle než **4** v. *outworn*
outweep [ˌautˈwi:p] (*outwept, outwept*) **1** bás. vyplakat (*a cloud which has outwept his rain*) **2** plakat více n. déle než
outweigh [ˌautˈwei] převážit, převažovat nad
outwent [ˌautˈwent] v. *outgo, v*
outwit [ˌautˈwit] (*-tt-*) přelstít; porazit chytrostí, zvítězit chytrostí nad; vypéct (hovor.)
outwith [autwið] SC *prep* mimo ● *adv* ven; venku
outwork *v* [ˌautˈwə:k] (*outworked / outwrought, outworked / outwrought*) **1** bás. dokončit, dodělat **2** předčit v práci, lépe n. rychleji pracovat než ● *s* [autwə:k] **1** čast. ~*s, pl* vnější opevnění, ochranný val, bašta; vysunutá pevnůstka **2** vedlejší práce, domácí práce; fuška, melouch (hovor.)
outworker [ˈautˌwə:kə] domácí dělník
outworn [autwo:n] **1** obnošený; utahaný **2** zastaralý **3** v. *outwear*
outwrought [ˌautˈro:t] v. *outwork, v*
outyell [ˌautˈjel] ječet víc než
out-zola [ˌautˈzəulə] : ~ *Zola* být naturalističtější než Zola
ouzel [u:zl] **1** kos černý **2** též *ring* ~ kos horský
ova [əuvə] v. *ovum*
oval [əuvl] *adj* oválný, oválový, elipsovitý, vejčitý ● *s* **1** ovál, elipsa, vajíčko tvar **2** oválné závodiště

3 *the O*~ BR kriketové hřiště v Londýně 4 hovor. šiška ragbyový míč

ovalness [əuvlnis] oválnost, vejčitost, elipsovitost

ovarian [əu'veəriən] vaječníkový, týkající se vaječníku, ovariální

ovariotomy [əu,veəri'otəmi] chirurgické odstranění vaječníku

ovaritis [,əuvə'raitis] zánět vaječníku

ovary [əuvəri] (*-ie-*) **1** anat. vaječník, ovarium **2** bot. semeník

ovate [əuveit] vejčitý

ovation [əu'veišən] ovace ◆ *give a p. an* ~ zahrnout ovacemi; *standing* ~ ovace ve stoje na důkaz nadšení

oven [avn] **1** pec, pícka **2** kamna; sušárna **3** pečicí trouba ◆ *Dutch* ~ holandská trouba na pečení při otevřeném ohni

oven-baked [avnbeikt] **1** zapékaný v troubě **2** pečený v troubě

oven-bird [avnbə:d] zool. **1** hrnčiřík černý **2** zlatohlávek, králíček obecný

oven-ready [avnredi] : ~ *foods* polotovary

ovenware [avnweə] varný / ohnivzdorný porcelán, varná / ohnivzdorná keramika, varné / ohnivzdorné sklo

ovenwood [avnwud] klestí

over [əuvə] *adv* **1** vyjadřuje překocení, převrácení pře- (*don't knock the vase* ~ nepřevrhni tu vázu, *he gave me a push and* ~ *I went* vrazil do mne a já spadl / sletěl / přeletěl, *turn* ~ *the page* obrať stránku, *it rolled* ~ *and* ~ několikrát se to převrátilo); opačný směr (*put the helm* ~ otoč kormidlo na druhou stranu) **2** překonání prostoru n. překážky pře- (*some wild geese have just flown* ~ právě přeletělo několik divokých husí, *take these letters* ~ *to the post-office* dones ty dopisy na poštu přes ulici, *sail* ~ *to England* plout do Anglie přes moře, *throw the ball* ~ hodit míč přes hřiště), sem, k nám (*come* ~ pojď sem, *ask him* ~ pozvi ho k nám), k sobě (*the major called the three* ~ major si ty tři zavolal), k sobě domů (*inviting fifteen or twenty of her friends* ~ *for fun and games*) **3** pohyb nahoru n. ven pře- (*the milk boiled* ~ mléko vzkypělo / přeteklo / uteklo při vaření, *he was boiling* ~ *with rage* překypoval zlostí); stav nad hlavou, nad námi (*the plane was directly* ~) **4** vyjadřuje probrání n. kritické hodnocení pro- (*you should think it* ~ měl by sis to promyslit, *I'll look the papers* ~ já si ty listiny prohlédnu / pročtu) **5** vyjadřuje opakování znovu, pře- (*count them* ~ přepočítej je, *this work will have to be done* ~ tato práce se musí udělat znovu, tato práce se musí předělat, *he did it six times* ~ dělal to šestkrát po sobě, předělával to šetkrát) **6** vyjadřuje zbytek n. odložení ostatku (*seven into thirty goes four times and two* ~ sedm ve třiceti je čtyřikrát a dvě zbudou, *I've paid all my debts and have £ 15* ~ zaplatil jsem všechny dluhy a zůstalo mi patnáct liber, *leave this inquiry* ~ *till Monday* nech to vyšetřování na pondělí *that can stand* ~ to může počkat) **7** vyjadřuje nadměrnost nad to, přes to, víc než to (*children of fourteen and* ~ děti čtrnáctileté a starší, *10 feet and a bit* ~), tuze, příliš, přespříliš, tak moc (*he's not strong*), příliš mnoho (*the ship was* ~ *canvassed* loď nesla příliš mnoho plachet) **8** vyjadřuje přestup n. odevzdání (~ *(to you)* přepínám (na vás) „příjem!“; ~ ! změna stran, střídat!) ◆ ~ *again* znovu, ještě jednou (*recite the verse* ~ *again*); ~ *against 1.* proti *2.* naproti *3.* v porovnání s; *all* ~ *1.* samý mající všude na / po sobě (*your clothes are all* ~ *dust* tvé šaty jsou všude samý prach) *2.* všude v / na / po (*this pianist is famous all the world* ~ tento klavírista je slavný po celém světě) *3.* po všech stránkách (*that is Smith all* ~ to je celý / typický Smith); ~ *and above 1.* mimo to, krom toho, a co víc *2.* ještě k; ~ *and* ~ AM, ~ *and* ~ *again* BR zas a zas, opětovně; *be* ~ být po čem skončit se (*the storm is* ~ je po bouřce, *his sufferings will soon be* ~ bude mít brzy po trápení); *be all* ~ též být ten tam, být pryč, skončit | se; ~ *and done with* hotový a vyřízený ● *prep* **1** vyjadřuje umístění n. polohu na celém povrchu přes, na (*tie a piece of paper firmly* ~ *the top of the jar* přikrýt zavařovačku kouskem papíru a pevně převázat, *spread a cloth* ~ *the table*); pokrytí celku po, na, v (*snow is falling* ~ *the north of England* sněží v celé severní Anglii, *he went* ~ *his notes* prošel všechny své poznámky), pokrytí těsným stykem přes, na, po (*rap a child* ~ *the knuckles* klepnout dítě přes prsty) **2** vyjadřuje polohu kryjícího n. rozkládajícího se nad (*attendants held a large umbrella* ~ *the chief's head* družina držela náčelníkovi nad hlavou velký deštník, *there was a lamp* ~ *the table*); nadřazenost nad (*he reigns* ~ *a great empire* panujc nad velkou říší, *a general is* ~ *a colonel*), před (*I give preference to wine* ~ *beer* dávám přednost vínu před pivem) **3** vyjadřuje pohyb z jedné strany na druhou přes (*he escaped* ~ *the frontier* uprchl přes hranici); pohyb dolů přes (*he fell* ~ *the edge* přepadl přes kraj); překročení překážky, prostorové n. časové meze přes (*he helped me* ~ *this difficulty, climb* ~ *a wall* přelézt zeď, *can you stay* ~ *Sunday?* můžete zůstat aspoň do pondělí?), přes, víc než (*the river is* ~ *fifty miles long, he is* ~ *forty, she won't live* ~ *today* dnešek nepřežije); překročení s dotykem o (*stumble* ~ *a stone* zakopnout o kámen) **4** vyjadřuje dlouhé trvání po (*they lost the use of their eyes through living underground* ~ *many generations* protože po řadu generací žili pod zemí, jejich oči ztratily svou funkci), v průběhu čeho (*many times prime minister of his country* ~ *the past 25 years*) **5** vyjadřuje okolnosti nad zatím co se zabýval (*he went to sleep* ~ *his work* usnul nad prací), při, u (*we had a pleasant chat* ~ *a cup of tea* při šálku čaje jsme si příjemně popovídali, *we all laughed* ~ *the* *affair* všichni jsme se té záležitosti zasmáli), zatím co **6** vyjadřuje změnu (*a change came* ~ *him* stala se s ním změna) a vzniklý rozdíl ve srovnání s, proti (*this year's copy contains no innovations* ~ *those in the past* letošní text neobsahuje ve srovnání s minulými nic nového) **7** vyjadřuje prostředek v (*I heard it* ~ *the radio* mám to z rádia, slyšel jsem to v rozhlase, *he spoke to me* ~ *the telephone* mluvil se mnou telefonicky) **8** mat. lomeno (*two* ~ *three* dvě lomeno třemi) ◆ *all* ~ *1.* na / v / po celém (*he is famous all* ~ *Europe* je slavný po celé Evropě) *2.* slang. celý pryč do, zblázněný do zamilovaný; ~ *the bags* ven ze zákopů; *be* ~ *one's flu* být z chřipky venku, mít chřipku za sebou; *be* ~ *a p'.s head* být nad síly koho; ~ *the barrel* vydaný na milost a nemilost; *go* ~ *the hills* jít přes kopečky utéci, dezertovat; *get a t.* ~ *with* mít z krku co; ~ *the head and ears* až nad hlavu; ~ *the head of 1.* překračující chápání koho *2.* přes hlavu koho, bez porady s; *King* ~ *the water* hist. Karel II. v exilu; ~ *sea* připlouvající z cizího přístavu; ~ *shoes* ~ *boots* naplno, ne polovičatě; ~ *one's signature* podepsáno kým; ~ *the tops* = ~ *the bags;* ~ *the way* přes cestu, na druhé straně (ulice), na druhou stranu (ulice), naproti ● *s* **1** kriket směna série šesti hodů **2** dlouhá dělostřelecká střela která přeletěla cíl **3** ~*s, pl* nadnáklad, přetisky, přebytky, přídavky k určenému množství výrobků ◆ *maiden* ~ v. *maiden, s, 4* ● *adj* **1** horní; vyšší **2** nadbytečný, nadměrný, příliš velký, jsoucí navíc **3** hodiny přesčasový **4** vejce smažený na obou stranách ● *v* hovor. přeskočit, přejet

overabound [ˌəuvərəˈbaund] být nadmíru hojný

overabundance [ˌəuvərəˈbandəns] nadbytek, nadpočetnost

overabundant [ˌəuvərəˈbandənt] nadbytečný

overachieve [ˌəuvərəˈči:v] dosáhnout lepších výsledků než

overachiever [ˌəuverəˈči:və] student, který dosáhl nečekaně dobrých výsledků

overact [ˌəuvərˈækt] přehrát, přemrštěně n. afektovaně zahrát roli; přehrávat

overactive [ˌəuvərˈæktiv] nadmíru čilý n. činný, abnormálně aktivní

overactivity [ˌəuvərækˈtivəty] nadměrná n. abnormální činnost

overage[1] [ˌəuvərˈeidž] starší než má být

overage[2] [əuvəridž] přebytek

overall [əuvəro:l] *s* **1** domácí pracovní plášť **2** dětské kalhotky, dětská kombinéza na hraní **3** ~*s, pl* pracovní oblek, montérky, kombinéza **4** ~*s, pl* pracovní kalhoty, montérky; jezdecké ochranné kalhoty; kalhoty slavnostní uniformy ● *adj* celkový, souhrnný, okrouhlý, paušální, generální, totální (~ *height* celková výška, ~ *length* celková délka) ● *adv* [ˌəuvərˈo:l] **1** celkem, celkově, dohromady **2** všude, po všech stránkách ◆ *dressed* ~ loď slavnostně vyzdobena, se všemi vlajkami vlajícími

overambitious [ˌəuvəræmˈbišəs] příliš ctižádostivý

overanxiety [ˌəuvəræŋˈzaiəti] zbytečná úzkostlivost

overanxious [ˌəuvərˈæŋ*k*šəs] zbytečně úzkostlivý

overarch [ˌəuvərˈa:č] klenout se přes

overarm [əuvəra:m] = *overhand* ◆ ~ *side stroke* sport. plavání na boku; ~ *stroke* sport. kraul

overate [ˌəuvərˈe*i*t] v. *overeat*

overawe [ˌəuvərˈo:] zastrašit

overbalance [ˌəuvəˈbæləns] *v* **1** převážit | se, překotit | se, ztratit rovnováhu, vyšinout z rovnováhy **2** víc než vyvážit (*the gains* ~ *the losses* zisky více než vyváží ztráty) ● *s* **1** převaha **2** nevyváženost

overbear [ˌəuvəˈbeə] (*overbore, overborne*) **1** přemoci, převrhnout, převážit nad, vypínat se nad; osobovat si právo na, konat nátlak na, vynucovat si poslušnost od **2** utlačit, zatlačit, podrobit si nátlakem; umluvit

overbearance [ˌəuvəˈbeərəns] zpupnost, arogance, drzost, neomalenost, osobivost, panovačnost

overbearing [ˌəuvəˈbeəriŋ] *s* **1** zpupnost, arogance, drzost, neomalenost, osobivost, panovačnost **2** tvrdý nátlak na slabšího, vynucení si poslušnosti ● *adj* **1** zpupný, arogantní, drzý, neomalený, osobivý, panovačný **2** převažující, nejdůležitější, nejhlavnější **3** v. *overbear*

overbearingness [ˌəuvəˈbeəriŋnis] zpupnost, arogance, arogantnost, drzost, neomalenost, osobivost, panovačnost

overbid *v* [ˌəuvəˈbid] (*overbid, overbid; -dd-*) **1** přeplatit, nabídnout více než **2** BR přelicitovat, licitovat výše než ● *s* [əuvəbid]BR vyšší licitace, vyšší hláška v bridži

overbite [əuvəbait] med. otevřený skus

overblow [ˌəuvəˈbləu] (*overblew, overblown*) **1** zavát sněhem **2** přefukovat, přepiskovat při hře na dechové nástroje **3** nafouknout

overblown[1] [ˌəuvəˈbləun] **1** nadělaný, tlustý, korpulentní (*a handsome* ~ *creature* půvabné boubelaté stvoření) **2** nadutý, nafouknutý, nafoukaný; bombastický, přehnaný, příliš okázalý **3** mnohomluvný a příliš gestikulující **4** v. *overblow*

overblown[2] [ˌəuvəˈbləun] odkvétající, jsoucí v odkvětu; odkvetlý

overboard [əuvəbo:d] přes okraj paluby, do moře, přes palubu ◆ *go* ~ *for* být u vytržení nad, dát nevímco za; *throw* ~ přen. hodit přes palubu, pustit k vodě

overboil [əuvəboil] přetéci, překypět při vaření; mléko utéci

overbold [ˌəuvəˈbəuld] **1** příliš odvážný, nerozvážný, ukvapený **2** drzý; nestydatý, nestoudný

3 křiklavý, nevkusný (~ *floral-patterned curtains* záclony s křiklavým květinovým vzorem)
overbook [ˌəuvəˈbuk] rezervovat n. prodat více jízdenek, vstupenek, pokojů apod., než je celkem k dispozici
overbore [ˌəuvəˈbo:] v. *overbear*
overborne [ˈəuvəˈbo:n] v. *overbear*
overbought [ˌəuvəˈbo:t] v. *overbuy*
overbrash [ˌəuvəˈbræš] překotný
overbridge [ˌəuvəˈbridž] nadjezd
overbrim [ˌəuvəˈbrim] (*-mm-*) přetéci při nalévání n. vyvěrání
overbuild [ˌəuvəˈbild] (*overbuilt, overbuilt*) **1** příliš stavět n. zastavět; stavět zbytečně mnoho domů v (~ *a town*) **2** zastavět, zakrýt stavbou **3** přen. překrýt se *with* čím, skrýt se za (*some men ~ their nature with books*)
overburden [ˌəuvəˈbə:dn] *v* přetížit; příliš zatěžkat ● *s* **1** přílišné břemeno, přílišná zátěž, přetížení **2** horn. odkrývka, skrývka, pokryvná hornina, odkliz
overburdensome [ˌəuvəˈbə:dnsəm] příliš obtížný n. zatěžující
overbusy [ˌəuvəˈbizi] **1** příliš horlivý **2** příliš zaměstnaný **3** příliš rušný
overbuy [ˌəuvəˈbai] **1** koupit zbytečně velké množství čeho **2** překročit své finanční možnosti při koupi
overcall [ˌəuvəˈko:l] *v* **1** přeplatit, nabídnout více než **2** AM přelicitovat, licitovat výše než ● *s* AM vyšší licitace, vyšší hláška v bridži
overcanopy [ˌəuvəˈkænəpi] (*-ie-*) tvořit baldachýn nad, přikrýt (jako) baldachýnem
overcapitalize [ˌəuvəkəˈpitəlaiz] **1** překapitalizovat, přecenit majetek čeho **2** nadcenit, nadhodnotit
overcare [ˌəuvəˈkeə] nadmíru velká péče n. starost
overcareful [ˌəuvəˈkeəful] nadmíru opatrný, přeopatrný, přepečlivý
overcast *v* [ˌəuvəˈka:st] (*overcast, overcast*) **1** za|stínit, za|halit | se, zatáhnout | se, přikrýt | se, zakrýt | se, pokrýt | se, zamračit | se *with* čím **2** obnitkovat; zapošít **3** polygr. prošít složky knihy ● *adj* [əuvəka:st] **1** obloha zatažený **2** přen. zamračený, zachmuřený **3** geol.: vrása překocený ◆ ~ *stitch* obnitkovací steh ● *s* [əuvəka:st] **1** pokrývka, příkrov; potah **2** obnitkování, zapošití **3** zatažená obloha, zataženo; clona mraků (*the Moon disapperared behind the ~*)
overcasting [ˌəuvəˈka:stiŋ] **1** zapošití **2** obnitkovací steh **3** v. *overcast, v*
overcaution [ˌəuvəˈko:šən] nadměrná opatrnost
overcautious [ˌəuvəˈko:šəs] nadmíru n. až příliš opatrný, přeopatrný
overcharge [ˌəuvəˈča:dž] *v* **1** žádat n. účtovat příliš vysokou cenu zejm. neprávem; počítat přehnaně; předražit **2** přecpat, přeplnit, přetížit; příliš nabít, přebít **3** přehnat, nadsadit ● *s* **1** přetížení, přebití; přílišný náklad; přílišné břemeno; příliš silný náboj; nadměrná dávka **2** přirážka, příplatek; přeplatek; předražení
overcentralization [ˌəuvəˌsentrəlaiˈzeišən] **1** přílišná centralizace **2** přílišné soustředění moci
overcheck [əuvəček] text. **1** vrchní kostka **2** tkanina s vrchní kostkou
overchoice [əuvəčois] příliš velký výběr
overclever [ˌəuvəˈklevə] přemoudřelý
overcloud [ˌəuvəˈklaud] **1** přikrýt, zakrýt mračny, zatáhnout se **2** vrhnout stín na (~ *her husband's early life*); zatemnit, zakalit
overcloy [ˌəuvəˈkloi] přecpat, přesytit; dusit
overcoat [əuvəkəut] **1** svrchní kabát, svrchník, převlečník, teplý plášť, raglán; zimník, burnus **2** ochranný nátěr
overcolour [ˌəuvəˈkalə] líčit příliš barvitě, zkreslovat (*he has no motive for ~ ing or distorting facts* nemá důvod zkreslovat nebo překrucovat skutečnost)
overcome [ˌəuvəˈkam] (*overcame, overcome*) **1** přemoci, zdolat, zvítězit nad **2** vyhrát, zvítězit ◆ *be ~ by* / *with* čím *1.* být zmožen opít se *2.* dát se strhnout (*he was ~ with rage* zmocnil se ho vztek tak, že se přestal ovládat)
overcompensation [ˌəuvəˌkompənˈseišən] kompenzace, vy|kompenzování např. pocitu méněcennosti
overconfidence [ˌəuvəˈkonfidəns] přílišná důvěra
overconfident [ˌəuvəˈkonfidənt] příliš důvěřivý
overcontain [ˌəuvəkənˈtein] příliš ovládat, příliš držet na uzdě (přen.) (~*s his emotions*)
overcooked [ˌəuvəˈkukt] příliš uvařený, převařený, rozvařený
overcredulity [ˌəuvəkrəˈdjuləti] přílišná důvěřivost
overcredulous [ˌəuvəˈkredjuləs] příliš důvěřivý
overcrop [ˌəuvəˈkrop] (*-pp-*) vymrskat půdu
overcrow [ˌəuvəˈkrəu] triumfovat nad, porazit, přemoci
overcrowd [ˌəuvəˈkraud] **1** přecpat, přeplnit **2** přelidnit
overcrowded [ˌəuvəˈkraudid] **1** stísněný, omezený na malý prostor (*live in ~ conditions*) **2** nadměrně obydlený, obydlený nadměrným počtem osob (*an ~ dwelling* nadměrně obydlený byt); přeplněný, přecpaný (~ *theatres*) **3** v. *overcrowd*
overcrust [ˌəuvəˈkrast] potáhnout | se *with* čím, pokrýt | se skořápkou, korou n. pláštěm, mít nános čeho
overculture [ˌəuvəˈkalčə] jedna základní kultura
overcunning [ˌəuvəˈkaniŋ] přílišné chytračení
overcuriosity [ˌəuvəˌkjuəriˈosəti] přílišná zvědavost
overcurious [ˌəuvəˈkjuəriəs] příliš zvědavý
overdeepen [ˌəuvəˈdi:pn] vyhloubit do neobvyklé hloubky
overdelicacy [ˌəuvəˈdelikəsi] nesmírná delikátnost
overdelicate [ˌəuvəˈdelikət] nesmírně delikátní
overdevelop [ˌəuvədiˈveləp] převyvolat, příliš dlouho vyvolávat ve vývojce

overdo [ˌəuvəˈdu:] (*overdid, overdone*) **1** přehnat, přehánět **2** převařit, upražit, příliš uvařit n. upéci **3** přecpat žrádlem **4** přecenit sílu, vyčerpat, unavit ◆ ~ *it* přehnat to, zajít příliš daleko ***overdo o.s.*** překonat se

overdone [ˌəuvəˈdan] **1** nadměrný, přílišný, přehnaný (~ *politeness*) **2** biftek příliš udělaný, nekrvavý, propečený **3** v. *overdo*

overdoor [ˌəuvəˈdo:] *s* obraz n. ozdoba nad dveřmi ● *adj* umístěný nad dveřmi

overdose [ˌəuvəˈdəuz] *s* nadměrná dávka ● *v* dát nadměrnou dávku čeho (~ *the medicine*) komu (~ *the patient*), předávkovat

overdraft [əuvədra:ft] **1** debetní saldo; poukaz na částku, která přesahuje hotovost **2** dočasný úvěr

overdraw [ˌəuvəˈdro:] (*overdrew, overdrawn*) **1** přetáhnout účet, přečerpat úspory, překročit úvěr, (chtít) vybrat více než je vklad **2** přehnat **3** příliš napnout luk

overdrawal [ˌəuvəˈdro:əl] přečerpání úspor, krátkodobý úvěr

overdress [ˌəuvəˈdres] fintit se, parádit se, přehnaně se oblékat nevkusně

overdrink [ˌəuvəˈdriŋk] (*overdrank, overdrunk*): ***o.s.*** přepít se, opít se

overdrive [ˌouvəˈdraiv] *s* zrychlující převod v automobilu ● *v* (*overdrove, overdriven*) uhnat, uštvat, utahat ◆ ~ *the headlights* jet automobilem tak rychle, že brzdná dráha je delší, než kam dosvítí reflektory

overdub [ˌəuvəˈdab] (*-bb-*) dát další záznam, nahrát znovu na magnetofonový pásek se záznamem

overdue [ˌəuvəˈdju:] **1** zpožděný; už dávno splatný (*an* ~ *note*); jsoucí s uplynulou výpůjční lhůtou (*an* ~ *library book*) **2** dávno očekávaný n. potřebný (*an* ~ *book, improvement is long* ~); dlouho zralý (*the country was* ~ *for democracy*) ◆ *be* ~ *1.* mít zpoždění, být opožděn (*the baby is two weeks* ~ dítě se mělo narodit před čtrnácti dny podle výpočtu) *2.* žena nemít menses v očekávaném intervalu (*I am* ~ mně to ještě nepřišlo) *3.* loď, letadlo pohřešovat se, být nezvěstný; ~ *list* seznam nezvěstných lodí; ~ *ship* nezvěstná loď

overdye [ˌəuvəˈdai] **1** příliš obarvit; příliš dlouho barvit **2** přebarvit

overeager [ˌəuvərˈi:gə] příliš horlivý

overeagerness [ˌəuvərˈi:gənis] přílišná horlivost

overearnest [ˌəuvərˈə:nist] příliš zaujatý

overeat [ˌəuvərˈi:t] (*overate, overeaten*) též ~ ***o.s.*** přejíst se, přejídat se

overeducate [ˌəuvərˈedjukeit] poskytnout zbytečně velké vzdělání komu pro výkon budoucího povolání

overemotional [ˌəuvəriˈməušənl] příliš citově vzrušený, příliš emocionální

overemphasis [ˌəuvərˈemfəsis] přílišný důraz

overemphasize [ˌəuvərˈemfəsaiz] příliš zdůrazňovat, klást příliš velký důraz na

overemployment [ˌəuvərimˈploimənt] nedostatek pracovníků

overengined [ˌəuvərˈendžind] přemechanizovaný

overenthusiastic [ˌəuvərinˌθjuziˈæstik] příliš nadšený

overestimate *v* [ˌəuvərˈestimeit] přecenit, odhadovat příliš vysoko, nadhodnotit ● *s* [ˌəuvərˈestimət] příliš vysoký odhad, přecenění

overexcite [ˌəuvərikˈsait] předráždit

overexert [ˌəuvərigˈzə:t] přepínat se

overexertion [ˌəuvərigˈzə:šən] přepínání, přílišná námaha

overexploitation [ˌəuvərˌeksploiˈteišən] drancování, přílišná exploatace přírodních zdrojů

overexpose [ˌəuvərikˈspəuz] přeexponovat film

overexposure [ˌəuvərikˈspəužə] přeexpozice, příliš velký osvit filmu

overfall [ˌəuvəˈfo:l] **1** víření vody způsobené nerovností dna, vzdutá hladina **2** přepad, přeliv **3** jáma náhlé stoupnutí hloubky mořského dna

overfatigue [ˌəuvəfəˈti:g] *v* příliš namáhat n. unavit, vyčerpat, utahat (hovor.) ● *s* přílišná námaha; vyčerpanost, utahání (hovor.)

overfault [ˌəuvəˈfo:lt] geol. přesmyk, zdvih

overfeed [ˌəuvəˈfi:d] (*overfed, overfed*) **1** překrmovat | se, přecpávat | se **2** přisunovat příliš mnoho materiálu **3** přivádět n. zásobovat shora

overfill [ˌəuvəˈfil] přeplnit

overfilm [ˌəuvəˈfilm] pokrýt se tenkým povlakem; zaclonit

overfish [ˌəuvəˈfiš] vychytat ryby z

overflight [ˌəuveˈflait] přelet letadla

overflow *v* [ˌəuvəˈfləu] **1** přetékat (*he filled his glass till it* ~*ed*); přetéci, přelít se, vylít se z (*the river has* ~*ed its banks*) **2** zatopit, zalít, zaplavit, rozlít se do / po (*the flooded river* ~*ed the adjacent fields* rozvodněná řeka se rozlila po přilehlých polích) **3** rozvodnit se (*every spring the river* ~*s*); vylít se **4** dav nahrnout se, vyhrnout se **5** kypět, překypovat *with* čím ● *s* [əuvəfləu] **1** záplava, zátopa; přelévání, přelití, přetékání **2** přetok, přepad **3** přebytek zejm. lidí **4** přepadová trubka; jalový přepad, odlehčovací komora **5** liter.: syntaktický n. rytmický přesah

overflowing [ˌəuvəˈfləuiŋ] *s* **1** přelití; přetékání, rozlévání, zaplavování; záplava **2** kypění, překypování; výlev **3** v. *overflow, v* ● *adj* **1** přebytečný, nadpočetný, přespočetný **2** v. *overflow, v*

overfly [ˌəuvəˈflai] (*overflew, overflown*) přeletět, letět přes n. nad

overfold [əuvəfəuld] geol. překocená vrása

overfond [ˌəuvəˈfond] příliš zamilovaný *of* do

overfreight [əuvəfreit] **1** příliš velký náklad, přetížení **2** nadváha

overfront [ˌəuvəˈfront] krátká pláštěnka, přední část peleríny kryjící paže místo rukávů

overfulfilment [ˌəuvəfulˈfilmənt] překročení plánu

overfull [ˌəuvəˈful] přeplněný

overgarment [ˌəuvəˈga:mənt] svrchní oděv

overgild [ˌəuvəˈgild] (*overgilded* / *overgilt, overgilded* / *overgilt*) ozlatit, pozlatit
overgovern [ˌəuvəˈgavən] **1** zast. vládnout nad **2** mocensky vládnout komu, uplatňovat svou vládu nad
overgovernment [ˌəuvəˈgavnmənt] nadvláda; příliš tvrdá vláda; mocenské zásahy vlády
overgrazing [ˌəuvəˈgreiziŋ] přílišné spásání
overground [əuvəgraund] nadzemní, pozemní, povrchový ♦ *still* ~ přen. ještě neumřel
overgrow [ˌəuvəˈgrəu] (*overgrew, overgrown*) **1** zarůst, porůst, obrůst **2** vyrůst, přerůst ***ovegrow o.s.*** příliš rychle růst
overgrowth [əuvəgrəuθ] **1** nadměrný růst; příliš rychlý růst **2** nadměrné množství **3** porost
overhand [əuvəhænd] *adj* držený n. vedený shora n. přes rameno, vrchní ♦ ~ *knitting* pletení přes ruku; ~ *knot* uzel přes ruku; ~ *stroke* sport. záběr shora např. při kraulu; ~ *throw 1.* těl. nadhmat, nadhmatem *2.* baseball vrchní hod, nadhazování vrchem ● *s* **1** tenis úder shora **2** vláda, nadvláda ● *adv* udeřit shora dolů
overhang *v* [ˌəuvəˈhæŋ] (*overhung, overhung*) **1** viset nad, též přen. **2** být převislý nad., tyčit se nad, přesahovat ● *s* [əuvəhæŋ]**1** převis **2** přečnívající konec **3** vystouplé patro domu do ulice **4** kanta přečnívající okraj desek knihy
overhappy [ˌəuvəˈhæpi] (*-ie-*) příliš n. nesmírně šťastný
overhaste [ˌəuvəˈheist] *s* přílišný spěch ● *v* = *overhasten*
overhasten [ˌəuvəˈheisn] uspěchat, hnát, překalupírovat (hovor.)
overhasty [ˌəuvəˈheisti] ukvapený
overhaul *v* [ˌəuvəˈho:l] **1** opravit, renovovat, předělat, reorganizovat **2** důkladně prohlédnout, zkontrolovat, přezkoušet za účelem opravy; lékař důkladně vyšetřit, udělat celkové vyšetření **3** udělat generální opravu **4** předhonit, předstihnout **5** povolit, uvolnit, popustit lano, uvolnit n. rozebrat kladkostroj na jednotlivé kladky ♦ *s* [əuvəho:l] **1** generální oprava, renovace, předělání, reorganizace, generálka (hovor.) **2** podrobná prohlídka, podrobné vyšetření, přezkoušení, důkladná kontrola **3** odvoz odkopané země
overhead [əuvəhed] *s* **1** mimořádný výdaj **2** též ~*s, pl* režie, režijní náklady **3** strop zejm. lodní kabiny **4** sport. úder nad hlavou ● *adj* **1** režijní (~ *charges*) **2** horní, vrchní, stropní; visutý ♦ ~ *cable* nadzemní vedení, venkovní vedení; ~ *conveyor* podvěsný dopravník; ~ *costs* = *expenses;* ~ *crossing* mimoúrovňová křižovatka, nadjezd n. podjezd; ~ *expenses* režie, režijní výdaje; ~ *line* = ~ *cable;* ~ *personnel* voj. administrativní síly; ~ *play* sport. hra nad hlavou; ~ *rope railway* visutá lanovka; ~ *service* sport. vrchní podání; ~ *travelling crane* pojízdný mostový jeřáb; ~ *wire* = ~ *cable* ● *adv* **1** nad hlavou (*looking up at the stars* ~) **2** ponořit i s hlavou, úplně celý, že ani hlava nevyčnívá **3** shora, nad hlavou
overhear [ˌəuvəˈhiə] (*overheard, overheard*) **1** zaslechnout **2** tajně vyslechnout, tajně poslouchat, odposlechnout
overhearing [ˌəuvəˈhiəriŋ] : v. *overhear* ♦ ~ *range* doslech (*within or beyond* ~)
overheat [ˌəuvəˈhi:t] **1** přehřát, přežhavit; přetopit **2** přen. rozpálit (~ *ed by nationalism* ... nacionalismem)
overhit *v* [ˌəuvəˈhit] (*overhit, overhit; -tt-*) dávat příliš dlouhé rány ● *s* [əuvəhit] příliš dlouhá rána
overhouse [ˌəuvəˈhaus] telefonní vedení střešní, vedený nad střechami domů
overhoused [ˌəuvəˈhauzd] mající příliš velký dům
overhung [ˌəuvəˈhaŋ] **1** zavěšený seshora **2** v. *overhang, v*
overidealistic [ˌəuvəraidiəˈlistik] příliš idealistický
overidealize [ˌəuvəraiˈdiəlaiz] příliš si z|idealizovat
overindulge [ˌəuvərinˈdaldž] **1** příliš hovět *in* čemu **2** přen. příliš pít **3** příliš vyhovovat *in* komu, hýčkat, kazit, rozmazlovat koho
overindulgence [ˌəuvərinˈdaldžəns] **1** přílišné hovění *in* čemu **2** přen. nemírné pití **3** přílišné vyhovování, rozmazlování
overinflated [ˌəuvərinˈfleitid] příliš velký, přebujelý (~ *bureaucracy*)
overingenious [ˌəuvərinˈdži:njəs] až příliš chytrý, přehnaně důvtipný
overingenuous [ˌəuvərinˈdženjuəs] příliš naivní
overinspirational [ˌəuvərinspəˈreišənl] příliš podnětný
overinsurance [ˌəuvərinˈšuərəns] přepojištění
overinterpretation [ˌəuvərinˌtə:priˈteišən] neodůvodněně příliš odvážný výklad
overissue [ˌəuvərˈišu:] *s* **1** nadměrně velké vydání cenných papírů, vydání překračující platební schopnost **2** remitenda, neprodané výtisky ● *v* vydat nadměrné množství cenných papírů
overjoyed [ˌəuvəˈdžoid] velice rozradostněný, mající velikou radost, přešťastný
overjump [ˌəuvəˈdžamp] **1** přeskočit, skočit příliš daleko **2** přen. vynechat, přeskočit; přesáhnout **3** přehnat trénování skoků ***overjump o.s.*** *1* přehnat to, pustit se do něčeho, na co nestačí síly **2** přehnat trénink skoků, přetrénovat se
overkill [ˌəuvəˈkil] *s* **1** v nukleární válce nadměrná ničicí schopnost větší, než je nutná k poražení nepřítele **2** škoda vzniklá překročením meze ● *v* mnohonásobně zabít n. zničit
overknee [ˌəuvəˈni:] sahající přes kolena, vysoký, jezdecký (~ *boots*)
overlabour [ˌəuvəˈleibə] **1** přetížit prací, předřít, sedřít prací **2** příliš propracovat, příliš se zabývat čím
overladen [ˌəuvəˈleidn] **1** loď, kůň příliš naložený, přetížený **2** umělecké dílo přeplácaný
overlaid [ˌəuvəˈleid] v. *overlay, v*

overland *adv* [ˌəuvəˈlænd] po zemi, po souši ● *adj* [əuvelænd] pozemní, suchozemský, vedený n. konaný po souši ◆ ~ *stage* AM hist. dostavník ● *v* [ˌəuvəˈlænd] AU hnát (dobytek) na velkou vzdálenost
overlander [ˌəuvəˈlændə] AU **1** honák dobytka do vnitrozemí **2** cestující do vnitrozemí
overlap *v* [ˌəuvəˈlæp] (*-pp-*) **1** přečnívat, přesahovat do **2** mít něco z; krýt se částečně, překrývat se; časově kolidovat ● *s* [əuvəlæp] **1** překrytí, překrývání, přeložení přes sebe **2** přečnívání, přečnívající část
overlarge [ˌəuvəˈla:dž] příliš velký, předimenzovaný
overlay *v* [ˌəuvəˈlei] (*overlaid, overlaid*) **1** pokrýt, přikrýt, potáhnout **2** navařit vrstvu kovu na **3** zalehnout dítě **4** polygr. opatřit pauzovacím papírem a oformátovat, provést vrchní přípravu čeho ● *s* [əuvəlei] **1** povlak, potah; nátěr, též přen. **2** ochranný hedvábný papír **3** polygr. pauzovací papír s vyznačenými rozměry, vrchní příprava, přípravný arch ◆ ~ *days* dny prostoje
overleaf [ˌəuvəˈli:f] na druhé straně dopisu, knihy apod. po jejím obrácení
overleap (*overleaped / overlept, overleaped / overlept*) **1** [ˌəuvəˈli:p] přeskočit dostat se skokem přes překážku; vynechat **2** [əuvəli:p] skočit příliš daleko ***overleap o.s.*** přehnat to, pustit se do něčeho, na co nestačí síly
overlie [ˌəuvəˈlai] (*overlying; overlay, overlain*) **1** ležet na, spočívat na **2** zalehnout dítě
overlive [ˌəuvəˈliv] přežít ***overlive o.s.*** žít příliš dlouho
overload [ˌəuvəˈləud] *v* **1** přetížit nákladem, příliš zatížit, příliš naložit na **2** při nabíjení dát příliš silný náboj do ● *s* [əuvələud] **1** přetížení; příliš velký náklad **2** příliš silný náboj; příliš velká dávka střelného prachu ◆ *in* ~ plně vytížený
overlong [ˌəuvəˈloŋ] *adj* příliš dlouhý ● *adv* příliš dlouho
overlook [ˌəuvəˈluk] *v* **1** prohlédnout si; prolistovat knihu **2** přehlédnout nevidět omylem n. záměrně **3** dohlédnout na **4** mít vyhlídku na; okno vést na **5** uhranout ● *s* **1** přehlédnout omyl **2** vyhlídka
overlord *s* [əuvəlo:d] vrchní pán, nejvyšší pán, nejvyšší vládce; absolutní vladař, suverén ● *v* [ˌəuvəˈlo:d] tvrdě vládnout, tyranizovat
overlordship [ˌəuvəˈlo:dšip] nadvláda, absolutní vláda; vrchní panství
overly [əuvəli] příliš, tuze, moc
overlying [ˌəuvəˈlaiiŋ] v. *overlie*
overman *v* [ˌəuvəˈmæn] (*-nn-*) **1** zaměstnat nadbytečný počet lidí **2** dát příliš velkou posádku na (~ *a ship*) ● *s* [əuvəmæn] *pl: -men* [-men] **1** předák, dohlížitel, parťák (hovor.) **2** zast. nadčlověk, superman
overmantel [ˌəuvəˈmæntl] vrchní ozdoba na římse krbu
overmany [ˌəuvəˈmeni] příliš mnoho
overmasted [ˌəuvəˈma:stid] přetížený stěžni, mající příliš vysoké n. těžké stěžně
overmaster [ˌəuvəˈma:stə] ovládnout, zvládnout, přemoci
overmastering [ˌəuvəˈma:stəriŋ] **1** zcela převažující; prudký, strhující (~ *passion* ... vášeň) **2** v. *overmaster*
overmatch [ˌəuvəˈmæč] **1** být větší než, víc než vyvážit **2** porazit, zdolat, přemoci **3** sport. postavit proti silnějšímu soupeři; převyšovat soupeře, porazit soupeře v utkání
overmatter [əuvəmætə] polygr. přebývající sazba
overmeasure [ˌəuvəˈmežə] hojnost, nadbytek
overmodest [ˌəuvəˈmodist] příliš skromný, nemístně skromný
overmuch [ˌəuvəˈmač] *adj* příliš velký (~ *credulity* přílišná důvěřivost) ● *adv* přespříliš ● *s* příliš n. zbytečně velké množství
overnice [ˌəuvəˈnais] **1** velice nedotýkavý **2** přeúzkostlivý, příliš skrupulózní
overniceness [ˌəuvəˈnaisnis], **overnicety** [ˌəuvəˈnaisəti] přílišná skrupulóznost
overnight [ˌəuvəˈnait] *adj* noční, celonoční; trvající n. zůstávající jednu noc ◆ ~ *bag* necesér, malé zavazadlo, příruční zavazadlo s nejnutnějšími potřebami k přenocování ● *adv* **1** přes noc, též přen. **2** minulý večer ● *v* přenocovat
overoccupied [ˌəuvərˈokjupaid] přecpaný, přelidněný
overpass *v* [ˌəuvəˈpa:s] překročit, přesáhnout, přejít; přeskočit opominout ● *s* [əuvəpa:s] přechod; nadjezd, přejezd nad dálnicí
overpassed, overpast [ˌəuvəˈpa:st] skončený, uplynulý; nebezpečí zažehnaný
overpay [ˌəuvəˈpei] (*overpaid, overpaid*) přeplatit, víc než zaplatit
overpayment [ˌəuvəˈpeimənt] přeplacení, přeplatek
overpeopled [ˌəuvəˈpi:pld] přelidněný
overperform [ˌəuvəpəˈfo:m] přehnaně provést, zahrát apod. příliš efektně
overpersuade [ˌəuvəpəˈsweid] definitivně přemluvit, získat na svou stranu
overpitch [ˌəuvəˈpič] **1** kriket hodit míč daleko že ho může pálkař odpálit, dřív než dopadne na zem **2** nadsadit, přehánět (*these praises appear to me a little ~ed*)
overplay [ˌəuvəˈplei] **1** přehrávat; příliš zdůrazňovat **2** vyhrát nad **3** golf zahrát míček za jamku ◆ ~ *one's hand* zajít příliš daleko, příliš si troufnout neúspěšně
overplus [əuvəplas] **1** nadbytek, přebytek **2** polygr. přídavek papíru nad náklad
overpoise [ˌəuvəˈpoiz] víc než vyvážit, převažovat
overpopulated [ˌəuvəˈpopjuleitid] přelidněný

overpopulation [ˌəuvəpopjuˈleišən] přelidněnost; příliš velké množství obyvatel
overpot [ˌəuvəˈpot] (*-tt-*) pěstovat v příliš velkém květníku
overpower [ˌəuvəˈpauə] přemoci, zmoci, zdolat, porazit silou
overpowering [ˌəuvəˈpauəriŋ] **1** neodolatelný, silný, mocný; světlo oslnivý **2** v. *overpower*
overpraise [ˌəuvəˈpreiz] přechválit
overpreach [ˌəuvəˈpri:č] : ***o.s.*** kázat nad své schopnosti
overprescribe [ˌəuvəpriˈskraib] zbytečně předpisovat léky
overprescription [ˌəuvəpriˈskripšən] zbytečné předpisování léků
overpressure [ˌəuvəˈprešə] **1** velký tlak; přetlak **2** přílišné duševní namáhání
overpressurize [ˌəuvəˈprešəraiz] **1** podrobit příliš velkému tlaku **2** překročit předepsaný tlak
overprint *v* [ˌəuvəˈprint] **1** přetisknout, přitisknout; udělat přetisk na, udělat přítisk čeho **2** fot. překopírovat, vkopírovat ● *s* [əuvəprint] **1** přetisk, přítisk **2** poštovní známka s přetiskem
overproceeds [ˌəuvəprəˈsi:dz] *pl* přebytečný n. nadměrný výnos n. výtěžek
overproduce [ˌəuvəprəˈdju:s] nadprodukovat, vyrobit příliš mnoho
overproduction [ˌəuvəprəˈdakšən] nadprodukce, nadvýroba
overproof [ˌəuvəˈpru:f] líh koncentrovaný nad normální hodnotu
overpunish [ˌəuvəˈpaniš] zbytečně tvrdě potrestat
overqualified [ˌəuvəˈkwolifaid] mající vyšší kvalifikaci, než je požadovaná
overquantification [ˌəuvəkwontifiˈkeišən] přílišné spoléhání na množství v systému hodnot
overrate [ˌəuvəˈreit] přecenit, nadcenit; nadhodnotit
overreach *v* [ˌəuvəˈri:č] **1** přesáhnout, přesahovat **2** zacházet příliš daleko, přehánět **3** přelstít, přechytračit, napálit, podvést **4** kůň kopat do přední nohy zadním kopytem ***overreach o.s.*** přepočítat se v chytračení ● *s* [əuvəri:č] **1** velká námaha; přehánění **2** podvod, lest **3** kůň kopnutí pohyb i zranění zadním kopytem
overread [ˌəuvəˈri:d] (*overread* [ˌəuvəˈred], *overread* [ˌəuvəˈred]) **1** příliš mnoho číst, unavit se čtením **2** zast. přečíst
overreasonable [ˌəuvəˈri:znəbl] příliš rozumný, shovívaný
overrefine [ˌəuvəriˈfain] **1** dělat příliš jemné rozdíly **2** příliš zjemnit, zchoulostivit
overrefinement [ˌəuvəriˈfainmənt] přejemnělost
overrent [ˌəuvəˈrent] předražit nájemné čeho; počítat příliš velké nájemné komu
override [ˌəuvəˈraid] (*overrode, overridden*) **1** přejet, jet přes (~ *a country*) **2** povyšovat se nad, nabýt vrchu nad, převážit nad, zvítězit nad, zdrtit, zrušit a nahradit **3** přejít, nedbat čeho, anulovat, odsunout stranou **4** schvátit jízdou koně **5** být posunutý n. vysunutý nad
overriding [ˌəuvəˈraidiŋ] **1** hlavní, první, základní, nejdůležitější, prvořadý, vše ostatní převažující (~ *interest*); nezvratný (*this* ~ *fact*) **2** arogantní, rozkazovačný, osobitý, panovačný, povýšený **3** v. *override* ◆ ~ *commission* superprovize
overripe [ˌəuvəˈraip] **1** přezrálý; přestárlý **2** přen. příliš sladký, vyumělkovaný, úpadkový, dekadentní
overrule [ˌəuvəˈru:l] **1** vést, řídit **2** přemoci, překonávat, získat vládu nad, z|vítězit nad, mít přednost před **3** vyšší autorita změnit, zvrátit, odmítnout; zrušit rozsudek, nepřipustit námitku, zamítnout názor
overrun *v* [ˌəuvəˈran] (*overran, overrun; -nn-*) **1** rychle zabrat, obsadit, okupovat, dobýt, provést rychlou okupaci čeho **2** AM přemoci, překonat 3 zdrtit; zaplavit, zamořit **4** přeběhnout, přejet, přeletět; přetéci, překročit mez; předběhnout, předstihnout **5** polygr. převést na další řádek n. stránku, přelomit ◆ *be* ~ *with* hemžit se čím ***overrun o.s.*** schvátit se dlouhým během ● *s* [əuvəran] **1** překročení, přesah **2** polygr. výtisky nad náklad, přetisk
oversailing [ˌəuvəˈseiliŋ] stav. vyložený, vysunutý přesahující ve vodorovném směru
overscrupulous [ˌəuvəˈskru:pjuləs] příliš úzkostlivý, zbytečně skrupulózní
oversea [ˌəuvəˈsi:], **overseas** [ˌəuvəˈsi:z] *adv* za moře, přes moře, do zámoří, v cizině ● *adj* zámořský, zahraniční, cizí; umístěný v zámoří n. v cizině; určený pro cizinu n. pro zahraničí (~ *broadcasting*) ● *s* zámoří
overseasoned [ˌəuvəˈsi:znd] strom přestárlý
oversee [ˌəuvəˈsi:] (*oversaw, overseen*) **1** dozírat, dohlížet na; kontrolovat, mít dozor nad; **2** zahlédnout **3** zast. tajně pozorovat
overseer [əuvəsiə] **1** dozorce, dozorčí **2** dohližitel otrokáře **3** předák, faktor; parťák (hovor.) **4** AM člen gremia n. dozorčí rady univerzity ◆ ~ *of the poor 1.* BR místní úředník, obecní tajemník apod. *2.* AM chudinský inspektor, opatrovník chudých úředník
oversell [ˌəuvəˈsel] (*oversold, oversold*) nadbízet; prodávat více než může prodávající skutečně dodat
oversensitive [ˌəuvəˈsensitiv] přecitlivělý
oversensitiveness [ˌəuvəˈsensitivnis] přecitlivělost
overset [ˌəuvəˈset] (*overset, overset; -tt-*) **1** rozrušit, přivést z rovnováhy; zkazit žaludek **2** řidč. převrhnout, zvrhnout, zvrátit, převrátit
oversew [ˈəuvəˌsəu] (*oversewed, oversewn*) prošít
oversexed [ˌəuvəˈsekst] **1** přeerotizovaný **2** velice sexuálně založený

overshadow [ˌəuvəˈšædəu] zastínit, vrhnout stín na; zatlačit do pozadí, upozadit (hovor.) ◆ *be ~ed by* být ve stínu n. pod stínem čeho
overshoe [əuvəšu:] přezůvka, galoše
overshoot [ˌəuvəˈšu:t] *v* (*overshot, overshot*) **1** přeletět minout, překročit mez **2** přestřelit, střelit nad; předstihnout ve střelbě, střílet lépe než; vystřílet zvěř z revíru ◆ *~ the mark* = ***overshoot o.s.*** přestřelit, přehnat ● *s* nedosažení příliš vysokého cíle
overshot [ˌəuvəˈšot] v. *overshoot, v* ◆ *~ wheel* kolo na svrchní vodu
overside [əuvəsaid] *adv* **1** přes bok lodi; za okraj paluby, z paluby **2** na druhé straně gramofonové desky ● *adj* **1** prováděný s paluby lodi na jinou loď n. do člunu **2** nahraný na druhé straně gramofonové desky ● *s* druhá strana gramofonové desky
oversight [əuvəsait] **1** přehlédnutí, nedopatření, opominutí **2** dohled, dozor *of* na
oversimplify [ˌəuvəˈsimplifai] (*-ie-*) příliš (to) zjednodušovat, líčit (to) příliš jednoduše
oversimplification [ˌəuvəsimplifiˈkeišən] přílišné zjednodušení
oversing [ˌəuvəˈsiŋ] (*oversang, oversung*) zpívat příliš hlasitě
oversize [əuvəsaiz] *s* velké číslo, abnormální velikost ● *adj* abnormálně velký
oversized [əuvəsaizd] přerostlý, jsoucí v nadživotní velikosti (*an ~ imp*)
overslaugh *s* [əuvəslo:] **1** BR voj. prominutí služby n. úkolu při pověření důležitějším úkolem **2** AM písčina v řece ● *v* [ˌəuvəˈslo:]**1** přeskočit při povyšování **2** za|stavit, za|brzdit, překážet čemu
oversleep [ˌəuvəˈsli:p] (*overslept, overslept*) též *~ **o.s.*** zaspat
oversleeve [əuvəsli:v] ochranný rukáv
oversmoke [ˌəuvəˈsməuk] též *~ **o.s.*** překouřit se, příliš mnoho toho vykouřit
oversolicitous [ˌəuvəsəˈlisitəs] **1** přepečlivý **2** přehorlivý
oversolicitude [ˌəuvəsəˈlisitju:d] **1** přílišná pečlivost; příliš velký strach **2** přílišná horlivost
oversoon [ˌəuvəˈsu:n] příliš brzy
oversoul [ˌəuvəˈsəul] absolutní duše, absolutno v transcendentální filozofii
overspend [ˌəuvəˈspend] (*overspent, overspent*) **1** utratit víc než **2** překročit při utrácení své možnosti, vyhazovat peníze ***overspend o.s.*** vydat se ze všech peněz, všechno utratit
overspill *s* [əuvəspil] **1** přelití **2** přebytek zejm. populace **3** obyvatelstvo usazené v oblasti přilehlé k přelidněnému městu; stěhování za okraj města ● *v* [ˌəuvəˈspil] přelít
overspread [ˌəuvəˈspred] (*overspread, overspread*) roztáhnout | se po, rozprostřít | se po, rozšířit | se po
overstability [ˌəuvəstəˈbiləti] neměnnost, stálost
overstaff [ˌəuvəˈsta:f] zbytečně zatížit velkým množstvím pracovníků, personálně předimenzovat
overstate [ˌəuvəˈsteit] zveličovat, nadsazovat, přehánět
overstatement [ˌəuvəˈsteitmənt] zveličení, zveličování, přehánění; přehnané tvrzení, nadsázka
overstay [ˌəuvəˈstei] překročit, přetáhnout časovou mez ◆ *~ the market* AM propást příležitost k nákupu; *~ one's welcome* přetáhnout návštěvu zůstat na návštěvě déle, než je hostiteli milé
overstep [ˌəuvəˈstep] (*-pp-*) **1** překročit, též přen. (*~ one's authority*) **2** přehnat to s vyprávěním, vymýšlet si (*once in a while Uncle Timothy ~ped and my wife had a job distinguishing valid history from his inventions*)
overstock [ˌəuvəˈstok] **1** nadělat n. mít příliš velké zásoby n. sklad čeho **2** přetížit, přecpat, obsadit příliš velkým počtem zvěře n. ryb **3** nechat dlouho bez dojení krávu
overstocking [ˌəuvəˈstokiŋ] **1** mysl. přezvěření **2** v. *overstock*
overstrain *v* [ˌəuvəˈstrein] přepínat, příliš namáhat; sedřít, zničit námahou, přešponovat (slang.) ● *s* [əuvəstrein] přílišná námaha, přílišné namáhání; příliš velké napětí, přepínání, přešponování (slang.)
overstretch [ˌəuvəˈstreč] nadměrné zvyšování počtu branných sil
overstride [ˌəuvəˈstraid] (*overstrode, overstridden*) **1** překročit (*~ the stream*) **2** předhonit při chůzi (*overstrode his companion*), též přen. (*~ one's competitors*) **3** stát n. postavit se rozkročmo nad, sedět n. posadit se rozkročmo na (*~ a horse*)
overstructured [ˌəuvəˈstrakčəd] přeorganizovaný
overstrung [ˌəuvəˈstraŋ] **1** předrážděný, přetažený, nervózní **2** klavír: jsoucí se strunami napnutými křížem
overstudy [ˌəuvəˈstadi] *v* (*-ie-*) příliš mnoho studovat ● *s* příliš dlouhé n. intenzívní studium
oversubscribe [ˌəuvəsəbˈskraib] předplatit n. projevit zájem o větší množství, než je náklad n. počet
oversubscribed [ˌəuvəsəbˈskraibd] **1** akcie u kterého je větší zájem než nabídka **2** v. *oversubscribe*
oversubtle [ˌəuvəˈsatl] velice jemný n. rafinovaný; minuciózní
oversupply [ˌəuvəsəˈplai] (*-ie-*) nadměrná zásoba, nadměrné zásobení trhu zbožím, nadměrná nabídka n. dodávka zboží na trh
overswollen [ˌəuvəˈswəulən] nadutý, vzdutý, nafouknutý; vzkypěný
overt [əuvə:t] veřejný, otevřený; zjevný, jasný, zřetelný, patrný, vyložený ◆ *market ~* volný trh
overtalk [əuvəto:k] přílišné řečnění
overtake [ˌəuvəˈteik] (*overtook, overtaken*) **1** předhonit, předběhnout, předjet **2** udělat / vyřídit včas přes potíže **3** potkat, stihnout (*a strange adventure overtook him* potkalo ho podivné dobro-

družství); zastihnout, chytit (*overtaken by a sudden and vicious blizzard* zastihl ho náhlý a prudký blizard) **4** přebít kartu ◆ *no overtaking* zákaz předjíždění

overtaker [ˌəuvəˈteikə] předjíždějící

overtask [ˌəuvəˈta:sk] dát příliš velký úkol, příliš zatěžkat

overtax [ˌəuvəˈtæks] **1** zatížit příliš velkými daněmi **2** klást příliš velké nároky na, mít příliš velké požadavky na

overthrow *v* [ˌəuvəˈθrəu] (*overthrew, overthrown*) **1** shodit, povalit **2** svrhnout; vyvrátit, zvrátit, převrátit **3** strhnout, zničit, porazit **4** přehodit cíl; hodit příliš daleko ● *s* [əuvəθrəu] **1** svržení, stržení; zničení, poražení; pád **2** kriket přehození nechytatelný hod házeče

overthrust [ˌəuvəˈθrast] geol. přesmyk

overtime [əuvətaim] *adv* přes čas; v přesčase ● *s* **1** přesčas, přesčasy, přesčasové hodiny **2** sport. nastavený čas

overtip [ˌəuvəˈtip] (*-pp-*) dát příliš vysoké spropitné komu

overtire [ˌəuvəˈtaiə] velice unavit, vyčerpat

overtoil *s* [əuvətoil] předření, vyčerpání ● *v* [ˌəuvəˈtoil] udřít, předřít; unavit, vyčerpat

overtone *s* [əuvətəun] **1** hud. svrchní harmonický tón, alikvotní tón, alikvot (slang.) **2** nádech, náznak; podtext, vedlejší význam, asociace ● *v* [ˌəuvəˈtəun] **1** tónovat barvu, dát jiný odstín čemu **2** přehlušit silnějším tónem

overtop [ˌəuvəˈtop] (*-pp-*) **1** převyšovat, být vyšší než **2** povyšovat se nad; mít přednost před, být důležitější než, předčit, zatlačit do pozadí

overtower [ˌəuvəˈtauə] tyčit se nad

overtrain [ˌəuvəˈtrein] **1** přetrénovat sportovce; sportovec přetrénovat se **2** příliš hnát n. nutit do výšky popínavou rostlinu

overtrump [ˌəuvəˈtramp] karty pře|trumfnout, přebít, zabít vyšším trumfem

overture [əuvətjuə] *s* **1** předehra, ouvertura **2** též *~s, pl* přátelské přiblížení, nabídka, náznak ochoty, předběžné jednání ● *v* předložit jako nabídku n. náznak

overturn *v* [ˌəuvəˈtə:n] převrátit, překotit; zrušit, zvrátit ● *s* [əuvətə:n] **1** převrácení, překocení **2** politický převrat

over-under [ˌəuvəˈandə] *adj* ručnice s dvěma hlavněmi nad sebou ● *s* kozlice

overuse [ˌəuvəˈju:z] *v* nadměrně používat ● *s* [əuvəju:s] nadměrné používání

overvalue [ˌəuvəˈvælju:] *v* příliš vysoko cenit, přecenit, nadhodnotit ● *s* větší hodnota než je skutečná

overview [ˌəuvəˈvju:] přehled

overwalk [ˌəuvəˈwo:k] unavit chůzí

overwatched [ˌəuvəˈwočt] zast. unavený příliš dlouhým bděním, nevyspalý

overweening [ˌəuvəˈwi:niŋ] **1** drzý, arogantní; domýšlivý, samolibý, sebejistý **2** bezmezný, nezkrotný (*an ~ ambition*)

overweight *s* [əuvəweit] nadváha ● *adj* [ˌəuvəˈweit**1** příliš těžký, plný balastu, bombastický (*~ prose*) **2** otylý, tlustý; obézní

overweighted [ˌəuvəˈweitid] obtížený, přetížený; utlačený

overwhelm [ˌəuvəˈwelm] **1** spolknout; zaplavit, zasypat; pohřbít, utopit *by* v **2** ohromit, zavalit, zalykat se čím **3** převrátit, překotit; přemoci, překonat, zdolat; zkrušit, zničit

overwhelming [ˌəuvəˈwelmiŋ] **1** ohromný, zdrcující, naprostý (*an ~ majority* ... většina) **2** v. *overwhelm*

overwind [ˌəuvəˈwaind] (*overwound, overwound*) **1** přetáhnout hodinky při natahování **2** příliš napnout strunu, přešponovat (hovor.)

overwing [ˌəuvəˈwiŋ] voj. obchvacovat bok

overwork *s* **1** [əuvəwə:k] práce v přesčase, vedlejší práce **2** [ˌəuvəˈwə:k] příliš mnoho práce; příliš namáhavá práce ● *v* [ˌəuvəˈwə:k] (*overworked / overwrought, overworked / overwrought*) **1** přepracovat | se, unavit příliš dlouhou n. namáhavou prací **2** ozdobit, pomalovat **3** příliš používat; přeplácat

overworked [ˌəuvəˈwə:kt] **1** otřelý, omletý, otřískaný (*an ~ term*) **2** v. *overwork, v*

overwrite [ˌəuvəˈrait] (*overwrote, overwritten*) **1** popsat celý povrch **2** psát příliš strojeně n. příliš mnoho **3** přepsat, přepracovat

overwrought [ˌəuvəˈro:t] **1** přepracovaný, přetažený (*an ~ businessman*); nervózní, vzrušený, vynervovaný (*an ~ voice*) **2** příliš bombastický (*~ passages*) **3** v. *overwork, v*

overzeal [ˌəuvəˈzi:l] přílišná horlivost

overzealous [ˌəuvəˈzeləs] **1** přehorlivý, nadmíru horlivý, zbytečně bdělý n. ostražitý **2** pánbíčkářský

overzealousness [ˌəuvəˈzeləsnis] **1** přehorlivost, nadměrná horlivost, zbytečná bdělost n. ostražitost **2** pánbíčkářství

ovibovine [ˌəuviˈbəuvain] zool. *adj* pižmoňovitý, patřící k rodu Ovibos ● *s* pižmoň

ovicide [əuvisaid] žert. vraždění ovcí, pobíjení ovcí, „ovcovražda"

Ovidian [oˈvidiən] ovidiovský vztahující se k básníku Ovidiovi

oviduct [əuvidakt] vejcovod; zool. ovidukt; řidč. anat. salpinx

oviform[1] [əuvifo:m] řidč. podobný ovci, mající tvar ovce, ovčí

oviform[2] [əuvifo:m] vejcovitý, vejčitý, mající tvar vejce, podobný vejci

ovine [əuvain] *adj* **1** ovčí, týkající se ovcí **2** zool. ovčí ● *s* ovce

oviparous [əuˈvipərəs] zool. vejcorodý, oviparní

oviposit [ˌəuviˈpozit] klást vajíčka

ovipositor [ˌəuviˈpozitə] kladélko
ovoid [əuvoid] *adj* **1** vejcovitý, podobný vejci, elipsovitý, šišatý (hovor.) **2** odb. vejčitý, ovoidní ● *s* geom. ovoid rotační těleso, jehož poledník má vejčitý tvar
ovolo [əuvələu] *pl: ovoli* [əuvəlai] archit. obvejčitý podvalek, tvarová lišta
ovology [əuˈvolədži] biol. nauka o tvoření vajíček u savců
ovorhomboidal [ˌəuvəurom ˈboidl] kosodélníkově elipsovitý, elipsovitě kosodélníkový
ovoviviparous [ˌəuvəuviˈvipərəs] plaz nepravě živorodý líhnoucí se z vajíček při jejich snášení (kladení)
ovular [əuvjulə] biol. týkající se vajíčka n. ovuly, ovulární
ovulation [ˌovjuˈleišən] biol. ovulace
ovule [əuvju:l] bot., biol. vajíčko, ovulum
ovum [əuvəm] *pl: ova* [əuvə] **1** biol. vajíčko zárodečná buňka **2** archit. vejcovka, vejcovec
ow [əu] vyjadřuje bolest au, aú
owe [əu] **1** dlužit, být dlužen, viset (hovor.) *a p.* komu *a t.* co / *(to)* komu *(he ~s his tailor £ 50) for* za, mít dluh na, nemít zaplaceno co *(he still ~s for his car)* **2** vděčit, být zavázán, děkovat *a t. to* komu / čemu za co *(we ~ a great deal to our parents and teachers, he ~s his success to good luck more than to ability* za svůj úspěch vděčí spíše štěstí nežli schopnostem) **3** být povinován čím *(they ~ their reverence and obedience to the Pope* papeži jsou povinováni úctou a poslušností) ◆ *I ~ him a grudge* má u mne vroubek, mám s ním ještě nevyřízený účet
Owenism [əuinizm] filoz. owenismus směr utopického socialismu založeného Robertem Owenem
owing [əuiŋ] **1** dlužný, dluhovaný, nezaplacený, splatný *(large sums still ~* dosud nevyrovnané velké částky) **2** v. *owe* ◆ *be ~ to* moci připsat čemu, moci přičíst na vrub čeho
owing to [əuiŋtu(:)] uvádí příčinu následkem čeho, pro, kvůli; díky čemu, vzhledem k
owl [aul] **1** sova; sýček, výr **2** sůva kdo ponocuje; nočňátko nevěstka **3** mudrc, mudrlant **4** vejr hlupák (hovor.) ◆ *barn ~* sova pálená; *blind as an ~* slepý jako kotě; *carry ~s to Athens* nosit sovy do Atén / dříví do lesa; *drunk as an ~* nalitý jako slíva opilý namol; *eagle ~* výr velký; *fly with the ~* vést noční život; *like an ~ in an ivy bush* dívající se jako sůva z nudlí; *little ~* sýček obecný; *I live too near a wood to be scared by an ~* já už jsem velký, já se bubáka nebojím; *long-eared ~* kalous ušatý; *~ pigeon* sovák odrůda domácího holuba; *screech ~* sova ušatá, sýček (bás.); *snowy ~* sovice sněžní; *tawny ~* sova obecná, puštík
owler [aulə] hist. **1** pašerák vlny n. ovcí z Anglie **2** pašerácká loď
owlery [auləri] *(-ie-)* **1** soví voliéra **2** soví hnízdo **3** místo, kde se hojně vyskytují sovy
owlet [aulit] sovička, sovátko
Owlglass [aulgla:s] Enšpígl
owling [auliŋ] hist. pašování vlny n. ovcí z Anglie
owlish [auliš] **1** soví; podobný sově, připomínající sovu **2** hloupý ale vážný **3** mžourající jako sova; jsoucí s upřeným pohledem
owllight [ˈaulˌlait] soumrak
owltrain [ˈaulˌtrein] AM hovor. noční vlak, půlnoční vlak, flamendrcuk
own[1] [əun] *adj* **1** vlastní svůj *(my ~ self* já sám, *I saw it with my ~ eyes* viděl jsem to na vlastní oči, *may I have it for my very ~?* mohu si to nechat celé pro sebe? nemusím to vracet n. se dělit?, *it is my ~* to je moje, to patří mně, to jsem dělal já sám); původní *(his ~ composition)*; charakteristický, osobitý *(this fruit has a flavour of its ~* toto ovoce má svou specifickou chuť); samostatný, osobní *(she wants a room of her ~)*; pokrevní *(~ brother)*; přímý *(~ cousin)* **2** vlastní majetek; vlastní výrobek; vlastní rodina, národ, lidé, přátelé; vlastní časopis *my ~* můj nejdražší, nejmilovanější; *get one's ~ back* vyřídit si účty *on* s; *hold one's ~* držet se, nedat se; *come into one's ~ 1.* dosáhnout svého *2.* dojít uplatnění n. ocenění *3.* získat svůj majetek; *King's ~* BR královský osobní pluk; *be one's ~ man* být samostatný, být svým vlastním pánem; *on my* etc. *~ accord* sám od sebe, z vlastního popudu; *of one's ~ 1.* samostatně, sám od sebe, z vlastní vůle *2.* za své, na vlastní vrub, na vlastní noze, na vlastní odpovědnost *3.* sám, bez doprovodu, bez cizí pomoci; *~ retention* pojišť. vlastní vrub
own[2] [əun] *v* **1** mít, vlastnit *(who ~s this house?* komu patří tento dům?) **2** uznat, doznat, přiznat, připustit *(I ~ that the claim is justified* připouštím, že nárok je oprávněný) **3** znát se *(to)* k, při|hlásit se k *(the man refused to ~ the child* muž odmítl uznat dítě za své) ***own up*** hovor. *1* všechno vyklopit, kápnout božskou **2** přiznat se k, hlásit se k, doznat
own-brand [əunbrænd] označený jménem n. značkou obchodu a nikoli výrobce *(~ groceries)*
owner [əunə] **1** majitel, majetník, vlastník, držitel **2** námoř. majitel plavidla, rejdař **3** námoř. slang. starý, patron kapitán
owner-driver [ˌəunəˈdraivə] sport. řidič amatér majitel auta
ownerless [əunəlis] nikomu nepatřící; pes bez pána, potulný; majetek k němuž se nikdo nehlásí
owner-occupation [ˌəunəokjuˈpeišən] bydlení ve vlastním domě
owner-occupied [ˌəunəˈokjupaid] dům obývaný vlastníkem
owner-occupier [ˌəunəˈokjupaiə] obyvatel vlastního domu
owner-pilot [ˌəunəˈpailət] sport. pilot amatér majitel letadla
ownership [əunəšip] vlastnictví, majetnictví
ox [oks] *pl: oxen* [oksən] **1** hovězí kus, hovězí dobytče, tur **2** vůl **3** *oxen, pl* skot, hovězí dobytek

♦ *a black ox has trodden on his foot 1.* potkalo ho neštěstí *2.* zestárl; *humped ox* zebu; *play the giddy ox* dělat ze sebe šaška; *as strong as an ox* silný jako tur / býk; *ox on the tongue* úplatek za mlčení
oxalate [oksəleit] chem. šťavelan, oxalát
oxalic [okˈsælik] chem. šťavelový, oxalový (~ *acid*)
oxbeef [oksbi:f] hovězí maso z vola
oxbird [oksbə:d] zool. **1** vodouš **2** klubák
oxblood [oksblad] sytá, temně červená barva
oxbow [oksbəu] **1** chomout, krumpolec dobytčího jha **2** AM ostrý zákrut řeky **3** AM půda v zákrutu řeky
Oxbridge [oksbridž] BR stará univerzita oxfordská n. cambridžská
Oxbridgean, Oxbridgian [oksbridžiən] *s* student n. absolvent oxfordské n. cambridžské univerzity ● *adj* oxfordský n. cambridžský
oxcart [okska:t] vůz tažený volem n. voly
oxcheek [oksči:k] hovězí líčko
oxen [oksən] *pl* v. *ox*
oxer [oksə] ohrada, plot omezující dobytek
oxeye [oksai] **1** velké oko lidské **2** bot. kolotočník ♦ ~ *daisy* kopretina; *yellow* ~ kopretina osenní
oxeyed [oksaid] **1** jsoucí s velkýma očima **2** antic. volooký
oxfence [oksfens] = *oxer*
Oxford [oksfəd] : ~ *accent* oxfordská výslovnost afektovaná; ~ *bags* kalhoty s širokými nohavicemi; ~ *blue* tmavá modř načervenalá; ~ *clay* geol. oxfordský jíl; ~ *frame* BR obrazový rám, jehož strany na konci přesahují; ~ *Group* náboženské hnutí založené Frankem Buchmanem (1878–1961); ~ *hollow* polygr. dutinka v hřbetu knihy; ~ *Movement 1.* hist. oxfordské hnutí snaha o sblížení anglikánské církve s katolicismem (1833–41) *2.* = ~ *Group;* ~ *shirting* oxfordský širtynk, oxford; ~ *shoes* šněrovací polobotky; ~ *Tracts* hist. články stoupenců oxfordského hnutí
oxgall [oksgo:l] **1** volská žluč **2** světlá chromová žluť
oxgang [oksgæŋ] jitro míra
oxherd [okshə:d] stádo skotu, hovězí stádo
oxhide [okshaid] hovězí kůže n. useň, hovězina, volská useň, volovice
oxidation [ˌoksiˈdeišən] chem. okysličení, okysličování, oxidace
oxide [oksaid] chem. kysličník, oxid
oxidizable [oksidaizəbl] oxidovatelný
oxidization [ˌoksidaiˈzeišən] **1** okysličování, oxidace **2** rezivění, rezatění kovu; černání stříbra
oxidize [oksidaiz] **1** oxidovat, okysličovat | se **2** kov rezivět, rezatět; stříbro černat ♦ ~*d silver* zčernalé stříbro s vrstvou sirníku stříbrného
oxidizer [oksidaizə] oxidační činidlo, okysličovadlo, oxidovadlo (slang.)
oxlip [okslip] bot. prvosenka vyšší
Oxonian [okˈsəujən] *adj* oxfordský; týkající se oxfordské university ● *s* Oxforďan obyvatel Oxfordu; student n. absolvent oxfordské university
oxtail [oksteil] hovězí oháňka
oxter [okstə] SC *s* podpaží; vnitřní část paže ● *v* držet pod paží; obejmout
oxtongue [okstaŋ] **1** hovězí jazyk **2** bot. pilát lékařský; hořčík
oxyacetylene [ˌoksiəˈsetili:n] *adj* kyslíkoacetylénový; na kyslíkoacetylénový plyn ♦ ~ *blowpipe / burner* svářecí hořák na kyslíkoacetylénový plyn ● *v* svařovat kyslíkoacetylénovým plamenem
oxyacid [ˌoksiˈæsid] chem. **1** kyslíkatá kyselina **2** nespr. hydrooxikyselina, oxikyselina
oxycalcium [ˌoksiˈkælsiəm] chem. kyslíkovápníkový ♦ ~ *light* Drummondovo světlo
oxycarpous [ˌoksiˈka:pəs] bot. mající špičaté plody
oxygen [oksidžən] chem. kyslík
oxygenant [okˈsidžinənt] chem. oxidační prostředek, okysličovadlo
oxygenate [okˈsidižineit] sytit kyslíkem; okysličovat, oxidovat
oxygenation [ˌoksidžiˈneišən] sycení kyslíkem; okysličení, okysličování, oxidace
oxygenize [oksidžinaiz] = *oxygenate*
oxygen-mask [ˌoksidžənˈma:sk] med. kyslíková maska
oxygenous [okˈsidžinəs] kyslíkový; kyslíkatý
oxygen tent [ˌoksidžənˈtent] med. kyslíkový stan
oxy-house-gas [ˌoksiˈhausˌgæs] sváření plamenem ze směsi kyslíku a svítiplynu
oxyhydrogen [ˌoksiˈhaidrədžən] kyslíkovodíkový ♦ ~ *welding* svařování kyslíkovodíkovým plamenem
oxymel [oksimel] lékár. hist. zakyslý med, octěnka, oxymel
oxymoron [ˌoksiˈmo:ron] *pl: oxymora* [ˌoksiˈmo:rə] liter. oxymóron
oxyopia [ˌoksiˈəupiə] med. oxyopie abnormální ostrost zraku
oxysalt [ˌoksiˈso:lt] chem. kyslíkatá sůl
oxytone [oksitəun] jaz. *adj* s přízvukem na poslední slabice ● *s* oxytonon slovo mající přízvuk na poslední slabice
oyer [oiə] **1** soudní vyšetřování **2** trestní řízení ♦ ~ *and terminer* soudní vyšetření a rozhodnutí; *commission / writ of* ~ *and terminer* BR pověření pro porotní soudce zasedající v jednotlivých hrabstvích
o yes, oyes, oyez [əuˈjes] slyšte! (trojnásobné) zvolání soudního sluhy před důležitým prohlášením n. městského serbuse před čtením vyhlášky
oyster [oistə] *s* **1** ústřice; zool. ústřice jedlá **2** tmavší maso na hřbetu drůbeže **3** AM co je celé k disposici, o co se může kdo pokusit (*the world is the salesman's* ~) **4** nemluva, uzavřený člověk ♦ ~ *agaric / mushroom* bot. hlíva ústřičná; *close as a Kentish* ~ *1.* tajný *2.* vzduchotěsně uzavřený; *dumb*

as an ~ němý jako ryba; ~ *patty* ústřice v těstíčku, ústřicová paštička; ~ *s on the shell* čerstvé ústřice; *the world is a p.'s* ~ celý svět čeká jen na koho, má otevřený celý svět ● *v* lovit ústřice

oyster bank [oistəbæŋk] = *oyster bed*

oyster bar [oistəba:] **1** restaurace, v níž se podávají ústřicové pokrmy **2** ústřicový pult; ústřicový bufet

oyster bed [oistəbed] ústřicová lavice kde se nacházejí n. pěstují ústřice

oystercatcher [ˈoistəˌkæčə] zool. ústřičník velký pták

oyster farm [oistəfa:m] ústřicový park kde se pěstují ústřice

oyster knife [oistənaif] *pl: knives* [naivz] nůž na otvírání ústřic

oyster plant [oistəpla:nt] bot. **1** kozí brada fialová **2** druh plícněnky

oyster shell [oistəšel] lastura ústřice

ozalid [ozəlid] polygr. ozalid rozmnožovací proces z průhledných i neprůhledných předloh; kopie z tohoto procesu

ozocerite [əuˈzəusirit], **ozokerit, ozokerite** [əuˈzəukərit] geol. zemní vosk, ozokerit

ozone [əuzəun] **1** chem. ozón modifikace kyslíku ◆ **2** přen. ovzduší, vůně, ozón **3** hovor. mořský vzduch

ozonic [əuˈzonik] ozónový

ozoniferous [ˌəuzəuˈnifərəs] obsahující n. vytvářející ozón

ozonize [əuzəunaiz] ozonizovat; působit ozónem na

ozonizer [əuzəunaizə] ozonátor, ozonizátor přístroj na výrobu ozónu

ozonometer [ˌəuzəuˈnomitə] ozónometr přístroj na měření množství ozónu ve vzduchu

ozonous [əuzəunəs] ozónový

P

P[1], **p** [pi:] *pl: P's, Ps, p's, ps, Pees, pees* [pi:z] **1** písmeno P (*a capital / large / upper-case P* velké P, *a little / small / lower-case p* malé p) **2** cokoli označeného P, ve tvaru P ◆ *mind one's P's and Q's* snažit se pěkně vystupovat, dát si pozor na jazyk a vystupování, mluvit a chovat se slušně

p[2] [pi:] hovor.: nová pence po 15. 2. 1971

pa[1] [pa:] hovor. tati, taťka, tatínek

pa[2] [pa:] **1** hist. domorodá pevnost na Novém Zélandu **2** maoriská vesnice

pablum [pæbləm] **1** strava, potrava; pohonná hmota **2** špatné dílo, slabý odvar, dvakrát převařený čaj (přen.)

pabulum [pæbjuləm] **1** strava, potrava, výživa, krmivo; živný roztok **2** přen. duševní strava, materiál k přemýšlení

paca [pa:kə] zool. paka hlodavec

pace[1] [peisi] při vší úctě k člověku tvrdícímu opak, aniž se chci dotknout koho (*~ tua* aniž se tě chci dotknout, s prominutím)

pace[2] [peis] *s* **1** krok pohyb i vzdálenost **2** chod, chůze; mimochod, jinochod koně **3** rychlost, tempo **4** sport. pružnost, měkkost n. tvrdost (*~ of the wicket* měkkost terénu kriketového hřiště), prudkost míče ovlivněná odrazem od kriketové branky ◆ *~ for ~* krok za krokem; *geometrical ~ = great ~*; *go the ~ 1.* hnát se *2.* přen. rozhazovat, žít rozmařile; *at a good ~* v pořádném tempu, hezky rychle, tempem; *great ~* dvojkrok; *hit the ~ = go the ~*; *keep ~ with* držet krok s; *put a horse through his ~s* vyzkoušet všechny druhy chodu koně od kroku k trysku; *put a p. through his ~s* vyzkoušet si koho, sáhnout na zoubek komu, aby ukázal, co dovede; *set the ~ 1.* udávat tempo n. základní rytmus *2.* regulovat rychlost *3.* sport. být vodičem, dělat vodiče *4.* být průkopníkem *for* čeho; *stand the ~* vydržet tempo n. v tempu ● *v* **1** kráčet (*~ up and down*); chodit po, procházet se po, přecházet po, měřit kroky (*pacing the station platform*) **2** též *~ off / out* vy|měřit, odměřit svými kroky vzdálenost (*~ out a distance of 30 yards*) **3** být vodičem koho, udávat tempo n. rychlost v závodě *a p.* komu; vést koho **4** měřit, zjišťovat tempo zvl. pracovní **5** kůň chodit mimochodem

pace bowler [ˈpeisˌbəulə] kriket hráč házející rychlé míčky

paced [peist] **1** odměřený (*in ~ tragic tones*) **2** v. *pace*[2], *v* ◆ *~ ride* sport. jízda za vodičem

pacemaker [ˈpeisˌmeikə] **1** kdo udává krok n. tempo **2** sport. tvůrce hry, špílmachr (hovor.) **3** sport. vodič **4** med. kardiostimulátor

paceman [peismən] *pl: -men* [-mən] **1** = *pace bowler* **2** = *pacemaker 1, 2*

pacer [peisə] **1** mimochodník, mimochodec, jinochodník kůň **2** sport. vodič

pacesetter [ˈpeisˌsetə] = *pacemaker 1, 2*

pacestick [peis-stik] BR jednoduchý krokoměr vojenský

paceyness [peisinis] úporná snaha o modernost, o udržování kroku se současností

pacha [pa:šə] = *pasha*

pachisi [pəˈči:zi] indická společenská hra připomínající lurč

pachuco [pəˈču:kəu,] **pachuke** [pəˈču:k] AM mexický pásek, švihák, sekáč v Los Angeles

pachyderm [pækidə:m] *pl: pachydermata* [ˌpækiˈdə:mətə] **1** tlustokožec **2** přen. člověk s hroší kůží

pachydermatous [ˌpækiˈdə:mətəs] tlustokožný, s tlustou kůží

pacific [pəˈsifik] *adj* **1** mírný, tichý, pokojný, klidný; umírněný, smířlivý, mírumilovný, mírový **2** *P~* tichomořský, pacifický **3** AM vedoucí n. směřující k Pacifiku, pacifický (*P~ express, P~ road*) ◆ *P~ Islands* Tichomořské ostrovy, Tichomoří, Polynésie; *P~ Ocean* = ● *P~* Pacifik, Tichý / Pacifický oceán

pacification [ˌpæsifiˈkeišən] **1** uklidnění, zklidnění, zjednání n. obnovení klidu a pořádku, pacifikace **2** vystěhování obyvatel a zničení areálu součást boje proti partyzánům **3** mírová smlouva (*the ~ of Ghent*) ◆ *Edict of P~* hist. edikt nantský

pacificatory [pəˈsifikətəri] **1** pacifikační, mírový **2** smířlivý

pacificism [pəˈsifisizəm] = *pacifism*

pacificist [pəsifisist] = *pacifist*

pacifier [pæsifaiə] **1** zejm. AM šidítko, dudlík; cumel, cucák **2** uklidňující prostředek, sedativum **3** uklidňovač, usmiřovač

pacifism [pæsifizəm] pacifismus politický směr, který hlásá zachování míru

pacifist [pæsifist] *s* pacifista stoupenec pacifismu ● *adj* pacifistický

pacify [pæsifai] (*-ie-*) **1** uklidnit, utišit; usmířit **2** pacifikovat zprav. násilně

pack [pæk] *s* **1** náklad; balík, balíček; balení, krabice, bedna, obal, obalový materiál; svazek, paket; AM krabička (*a ~ of cigarettes*), svitek filmu **2** ranec, uzel; vak, tlumok, torba, torna, tornistra; pingl, tele (slang.); složený padák s obalem **3** skupina stejných věcí n. lidí, sada; úplná hra karet, balíček karet, balík nerozdané karty; smečka vlků, hejno tetřívků, stádo opic; hanl. hromada, halda, hora (*~ of lies* samé lži, snůška lží, jedna velká lež); banda (*~ of thieves* zlodějská banda); operační skupina ponorek, ponorková smečka (hovor.) **4** sport. roj v ragby; mužstvo, družstvo **5** roj světlušek (malých skautek) **6** plující led mořský, ledová tříšť, ledová návrš 7 celkové množství masa, ovoce, ryb zpracované za sezónu 8 žok vlny n. mouky 9 med. zábal ◆ ~ *and prime way* cesta sjízdná i s nákladem ● *v* 1 za|balit, sbalit, za|pakovat, spakovat (hovor.) (*I'm ~ed* mám zabaleno); naložit koho, dát náklad na (~ *a mule*); být naložen čím; nést v ruce n. na zádech; AM obvykle mít, nosit u sebe (~ *a gun*) 2 odborně zabalit, těsně obalit, dát obal, uložit do obalu, obtočit; u|těsnit, dát těsnění do / na, obvázat, dát obvaz 3 vkládat, nabíjet film 4 na|mačkat, na|pěchovat, u|těsnit, cpát, nacpat, naplnit, stlačit; narvat, našlapat (hovor.); být plný *with* čeho, být přeplněný čím 5 naložit, vložit, složit, srovnat, narovnat, nandat, plnit do obalu před konzervováním; konzervovat; srovnat karty do balíčku 6 být ve smečce, u|tvořit smečku z 7 dát zábal komu 8 vyrazit, vyhodit, vy|pakovat se vším všudy 9 obsadit svými přívrženci, dát své stoupence do (~ *a committee*) 10 odb. vyplnit zdi; podbíjet pražce 11 sport. udělat roj pro mlýn v ragby 12 sport. slang. moci n. umět ubalit úder ◆ *be ~ed* být plný *with* čeho, být přeplněný čím; *~ed house* plné, vyprodané hlediště; *send a p. ~ing* zahnat, odehnat, vyrazit, vylít perka komu ***pack in*** *1* zabalit, sbalit, přibalit *2* = *pack up, 1* ◆ ~ *it in* slang. zabalit to skončit ***pack on*** nabalit ◆ ~ *on all sail* rozvinout všechny plachty ***pack off*** *1* vyhodit, vyrazit, vysypat, vyperendit, vypakovat *2* zmizet, vypadnout, ztratit se, zdejchnout se, pakovat se ***pack up*** *1* hovor. nechat toho, zabalit to, sbalit si své věci, sebrat si svých pět švestek skončit činnost *2* motor zhasnout, vyplivnout, chcípnout přestat fungovat *3* člověk zhasnout, zkápnout *4* nahromadit se, nalepit se (*ice ~ed up against the cab glass* na sklo drožky se nalepil led) ◆ ~ *it up* zabalit to, nechat toho přestat

package [pækidž] *s* 1 svazek; balík, obal, kontejner 2 AM balíček; přen. uzlíček 3 blok hotový program, např. zájezdu 4 = *package deal* 5 jednokusová zásilka zboží ● *v* za|balit, dát do balíku

packaged [pækidžd] 1 nedílný, nediferencovaný, souhrnný 2 zabalený v balíčku 3 v. *package, v*

package deal [ˌpækidžˈdi:l] 1 jediná souhrnná transakce kde odebrání dobrého (např. zboží) je vázáno na odebrání podřadnějšího n. kde výhodné je vázáno na nevýhodné 2 soubor návrhů k projednání

package tour [ˌpækidžˈtuə] organizovaný turistický zájezd s předem stanoveným programem, placený jednou celkovou částkou

packaging [pækidžiŋ] 1 obalová technika, balicí technika, balení 2 AM pojišť. sdružování 3 v. *package, v*

pack animal [ˈpækˌænimәl] soumar

packaway [ˌpækəˈwei] skládací

pack box [pækboks] obalová krabice, obalová bedna

pack case [pæk-keis] = *packbox*

pack cloth [pæk-kloθ] obalové plátno

pack drill [pækdril] voj. pochod s plnou polní výstrojí za trest

packer [pækə] 1 balič; balicí stroj, balička 2 majitel balírny n. konzervárny, velkoobchodník (*tea ~*... s čajem)

packet [pækit] 1 balíček, krabička cigaret 2 slang. majlant velké množství peněz, balík 3 pořádná rána, důkladný trest 4 = *packet boat* ◆ *catch / stop a ~* BR slang. dostat ji, koupit ji být zasažen střelou

packet boat [pækitbəut] 1 poštovní loď, poštovní člun 2 pravidelná osobní loď

pack frame [pækfreim] nosná konstrukce

packhorse [pækho:s] soumar kůň

packhouse [pækhaus] *pl: -houses* [-hauziz] 1 balírna, expedice 2 AM balírna masa hovězího a vepřového

pack ice [pækais] souvislé pole ledových ker zabraňující plavbě

packing [pækiŋ] 1 obal, balení 2 těsnění, těsnicí kroužek, ucpávka 3 v. *pack, v* ◆ ~ *twine* balicí motouz

packman [pækmən] *pl: -men* [-mən] podomní n. pouliční obchodník, hauzír, hauzírník

pack march [pækma:č] voj. pochod s plnou polní výstrojí

packneedle [ˈpækˌni:dl] košikářská jehla, jehla na zašívání pytlů, žengle

packsack [pæksæk] AM batoh, ruksak

packsaddle [ˈpækˈsædl] soumarské sedlo

pack set [pækset] přenosné zařízení

packsheet [pækši:t] 1 balicí plátno n. plachta, plachta na balíky 2 med. prostěradlo na zábaly

packthread [pækθred] režná niť, motouz

packtrain [pæktrein] karavana soumarů

pact [pækt] smlouva, pakt

pad[1] [pæd] *s* 1 slang. cesta 2 zast. slang. loupežník 3 kůň, koník s klidnou chůzí 4 temný zvuk, ťápnutí kroku, tichý krok ◆ *gentleman / knight / squire of the ~* loupežný rytíř, lapka, loupežník; *stand ~* žebrat u cesty ● *v* (*-dd-*) 1 chodit po (~ *the road*), vandrovat 2 též ~ *it* šlapat, jít pěšky, jít vandrem, vandrovat ◆ ~ *the hoof* hovor. chodit, obcházet, toulat se

pad[2] [pæd] koš míra např. ovoce

pad[3] [pæd] *s* 1 vycpávka, čalounění, vatování; přen. polštář 2 chránič, chránítko, nákolenice, ochranná vložka 3 blok papíru; psací podložka 4 polštářek na razítka 5 tlapa, tlapka; stopa; bříško palce; polštářek část chodidla hmyzu 6 tenká matrace; měkké sedlo 7 držadlo na nástroje; upínací hlava 8 též *launching ~* odpalovací rampa 9 velký plovoucí list např. leknínu 10 slang. bejvák byt 11 AM slang.: kolektivní úplatek přijímaný policií ◆ *be on the ~* AM slang. policista brát prachy dostávat část úplatku; *electric warming ~* elektrická poduška ● *v* (*-dd-*) 1 vycpat, opatřit vycpávkou n. čalouněním, vatovat (*~ded shoulders* ramena s vycpávkami, *~ded cell* ča-

louněná cela) **2** vyplnit vatou literární dílo, dát vatu do; zvětšit, nafouknout, natáhnout zbytečnými slovy n. nepravdivými údaji **3** utlumit, přikrýt zvuk
padding [pædiŋ] **1** vycpávka, vatování, vata **2** v. *pad*[3], *v*
paddle [pædl] *s* **1** pádlo; lopata, lopatka lodního kolesa; lodní koleso **2** ploutev, ploutvovitá končetina **3** tlouk, tlukadlo máselnice; plácačka na prádlo **4** otvor ve vratech plavební komory, stavidlo; hradítko násypky **5** pádlování; záběr pádlem ♦ *double* ~ dvojpádlo ● *adj* kolesový; kolesnicový ● *v* **1** pádlovat; pomalu veslovat **2** brouzdat|se, cachtat|se **3** batolit se ♦ ~ *one's own canoe* stát na vlastní noze, spoléhat sám na sebe
paddleboard [pædlbo:d] lopata, lopatka lodního kolesa
paddle boat [pædlbəut] kolesový parník
paddlebox [pædlboks] kolesnice
paddlefish [pædlfiš] *pl* též *-fish* [-fiš] zool. veslonos
paddle steamer [ˈpædlˌsti:mə] kolesový parník
paddle vessel [ˌpædlˈvesl] kolesové plavidlo
paddle wheel [pædlwi:l] koleso
paddling pool [ˌpædliŋˈpu:l] brouzdaliště
paddock[1] [pædək] **1** padok místo, kde se koně shromažďují před dostihem **2** výběh u hřebčince **3** AU pole, pozemek, pastvina
paddock[2] [pædək] zast., nář. žába, ropucha
Paddy[1] [pædi] (*-ie-*) Irčan přezdívka
paddy[2] [pædi] (*-ie-*) BR slang. vztek, zlost, záchvat vzteku
paddy[3] [pædi] **1** rýže **2** nevyloupaná rýže, rostoucí rýže **3** = *paddyfield*
paddyfield [pædifi:ld] rýžové pole
paddywhack [pædiwæk] **1** hovor. výprask, nářez **2** = *paddy*[2]
Padishah [pa:diša:] padišáh perský šáh; dř. turecký sultán; britský panovník (dř. indický název)
padlock [pædlok] *s* visací zámek ♦ ~ *law* zákon o zavírání a zamykání místností ● *v* **1** zavřít visacím zámkem, dát visací zámek na **2** AM úředně uzavřít
pad nag [pædnæg] **1** kůň s klidnou chůzí, klusák **2** mimochodník, jinochodník
padouk [paˈdəuk] bot.: jihovýchodoasijská dřevina Pterocarpus
padre [pa:dri] hovor.: vojenský kaplan, polní kurát; páter
padrone [pəˈdrəuni] **1** italský pán, patron, šéf zejm. žebravých dětí n. pouličních hudebníků **2** patron, kapitán lodi ve Středozemním moři **3** krčmář, vinárník, hostinský, restauratér v Itálii
Padshah [pa:dša:] v. *Padishah*
Padua [pædjuə] Padova město v Itálii
paduasoy [pædjuəsoi] text.: silná hedvábná tkanina; oděv z této tkaniny
paean [pi:ən] paján chvalozpěv; hymnus; zpěv díků za vysvobození, pův. zpívaný k oslavě Apollóna
paederast [pi:dəræst] pederast, homosexuál
paederasty [pi:dəræsti] pederastie, homosexualita u mužů, láska k chlapcům
paedeutics [pi:ˈdju:tiks] *pl* pedagogika, nauka o výchově
paediatric [ˌpi:diˈætrik] *adj* pediatrický ● *s* ~*s, sg* pediatrie, dětské lékařství
paediatrician [ˌpi:diəˈtrišən,] **paediatrist** [ˌpi:diˈætrist] pediatr, dětský lékař
paedobaptism [ˌpi:dəˈbæptizəm] křest nemluvňat
paedobaptist [ˌpi:dəˈbæptist] zastánce křtění nemluvňat
paedogenesis [ˌpi:dəˈdženisis] zool. pedogeneze, junobřezost zjev, že se larva vylíhne v mateřském těle
paeon [pi:ən] liter. paión metrická stopa
paeonic [pi:ˈonik] paionský
paeony [pi:əni] (*-ie-*) = *peony*
pagan [peigən] *s* pohan; neznaboh ● *adj* pohanský
pagandom [peigəndəm] pohané, pohanstvo; pohanství
paganish [peigəniš] pohanský, připomínající pohany
paganism [peigənizəm] paganismus, pohanství; pohanské názory, pohanské náboženství; projev pohanství, pohanskost
paganize [peigənaiz] stát se pohanským, učinit pohanským, dát n. dostat pohanský charakter, zpohanštět
page[1] [peidž] *s* **1** páže, pachole, pážátko; mládeneček o svatbě **2** BR hist. strážce titul, člen královského doprovodu **3** poslíček, pacholík; sluha, liftboy, pikolík; uvaděč, biletář ● *v* **1** dělat páže komu, být pážetem u **2** AM vyvolat jménem např. v hotelové hale (*Paging Mr Green!* pan Green k telefonu!)
page[2] [peidž] *s* **1** stránka, strana listu (*on the front* ~ na první stránce např. novin) **2** polygr. stránka **3** dílo; část, díl uměleckého díla; historka, epizoda ♦ *a* ~ *in one's life* kus života, epizoda v životě; ~ *proof* stránkový obtah, stránková korektura ● *v* **1** o|stránkovat, o|číslovat stránky **2** listovat v knize, prolistovat knihu
pageant [pædžənt] **1** živý obraz; podívaná, průvod, slavnost zejm. v dobových kostýmech **2** hist. mirakulum středověká hra zejm. hraná pod širým nebem **3** přen.: pozlátko, pouhý honosný zevnějšek, prázdná pompa, falešná okázalost
pageantry [pædžəntri] (*-ie-*) **1** slavnosti, pořádání okázalých slavností, slavnostní podívaná, pompa **2** přen. vnější pompa, předstíraný lesk, předstíraná sláva, pompéznost
pageboy [peidžboi] **1** pážecí účes **2** = *page*[1]*, s 3*
pagehood [peidžhud,] **pageship** [peidžšip] pážecí úřad, pážectví
Pagett, M.P. [ˈpædžitˌemˈpi:] cestovatel přesvědčený o tom, že může v několika málo měsících dokonale poznat cizí zemi
paginal [pædžinəl,] **paginary** [pædžinəri] **1** stránkový (*each subject in the index has a* ~ *reference* každé heslo v rejstříku má odkaz na stránku)

2 pořízený stránku za stránkou (*a pirated edition that is a ~ reprint of the original* pirátské vydání, které stránku za stránkou přetiskuje originál)

paginate [pædžineit] **1** o|stránkovat, o|číslovat stránky, o|paginovat **2** vsazovat stránkové číslice

pagination[ˌpædžiˈneišən]**1** o|stránkování, o|číslování stránek, paginace, paginování **2** vsazování stránkových číslic

pagoda [pəˈgəudə] **1** pagoda věžovitá chrámová stavba; pagodovitá stavba n. ozdoba; hist: zlatá indická mince **2** pavilónek, kiosk, stánek

pagoda tree [pəˈgəudətri:] **1** bot. jerlín japonský **2** přen. strom, který rodí zlaté peníze ◆ *shake the ~* rychle v Indii zbohatnout

pagurian [pəˈgjuəriən] zool. *s* rak poustevník ● *adj* týkající se n. připomínající raka poustevníka

pah[1] [pa:] fuj, pfi, pcha vyjadřuje odpor

pah[2] [pa:] = *pa*[2]

Pahlavi [pa:ləvi:] **1** pahlaví perský jazyk **2** pahlavské písmo

paid [peid] v. *pay, v*

paid-up [peidap] jsoucí se zaplacenými členskými příspěvky (*facilities of the club are granted only to ~ members* zařízení klubu jsou k dispozici pouze členům, kteří mají zaplacený členský příspěvek)

paigl [peigl] bot. **1** prvosenka vyšší **2** prvosenka petrklíč

pail [peil] džber, kbelík, džka, vědro; nádoba

pailful [peilful] plný džber, kbelík, plné vědro množství

paillasse [pæliæs] slamník

paillette [ˌpælˈjet] pajetka, kovová šupinka, blyskotka ozdoba; umělecký materiál

pain [pein] *s* **1** bolest, bolesti (*be in ~* mít bolesti, *cry with ~* plakat bolestí, *a ~ in the knee* bolavé koleno, *stomach ~s* žaludeční bolesti) **2** trest (*on / under ~ of death* pod trestem smrti) **3** *~s, pl* n. *sg* námaha, úsilí, snažení (*work hard and get very little for all one's ~s*) **4** *~s, pl* porodní bolesti **5** omyl, problém, otrava protivná věc, obtížný člověk (*she's a real ~*) ◆ *~s and penalties* tresty a pokuty; *be at ~s to do a t.* vyna|snažit se udělat (*he was at ~s to stress* výslovně zdůraznil); *give a p. a ~ in the ass / neck* jít na nervy komu, lézt krkem komu, štvát; *give a p. a ~ in the arse* vulg. srát koho *~ in the neck* hovor. = *pain, s 5; put a wounded animal out of his ~* dorazit raněné zvíře; *take ~s* vyvinout úsilí, namáhat se, usilovat, vyna|snažit se (*he has obviously taken great ~s to study the details* zřejmě si velice pečlivě prostudoval detaily); *shooting ~s* prudké / vystřelující bolesti; *spare no ~s* nešetřit námahou, udělat vše možné, udělat maximum *to* aby / pro ● *v* **1** bolet koho (*my foot is still ~ing me*) **2** trápit, působit bolest komu (*doesn't your laziness ~ your parents?* ta tvoje lenost rodiče netrápí?)

pained [peind] **1** bolestivý, obolený **2** přen. ztrápený, mrzutý (*she had a ~ look*), bolestivě dotčený **3** v. *pain, v*

painful [peinful] **1** bolavý (*a remedy for ~ feet* lék proti bolení nohou), bolestivý (*a ~ wound*) **2** trapný, nepříjemný (*she is so shy that it's ~* ta se tak stydí, až je to nepříjemné); mrzutý **3** úmorný, velice namáhavý, obtížný, vyčerpávající (*a long ~ trip*)

painfully [peinfuli] **1** přehnaně, trapně (*~ modern*) **2** v. *painful*

painfulness [peinfulnis] **1** bolavost, bolestivost **2** nepříjemnost, trapnost; mrzutost **3** obtíže, námaha

painkiller [peinkilə] **1** lék proti bolesti **2** patentní medicína, mazání; hotový, továrně vyrobený lék

painkilling [ˈpeinˌkiliŋ] utišující bolesti (*a ~ drug* utišující prostředek)

painless [peinlis] bezbolestný

painlessness [peinlisnis] bezbolestnost

painstaker [ˈpeinzˌteikə] horlivý člověk, snaživec

painstaking [ˈpeinzˌteikiŋ] *s* snaživost, horlivost, velká pečlivost ● *adj* **1** snaživý, pilný, horlivý **2** velice pečlivý, puntičkářský

paint [peint] *s* **1** barva, barvička; barvivo **2** nátěr, lak, lakování (*the ~ had already begun to chip off* nátěr už začal odprýskávat) **3** kosmetická barva, líčidlo, rouge, mejkap **4** malba, malování ◆ *coat of ~* nátěr; *as smart as ~* jako malovaný upravený; *water ~* vodová barva, vodovka, temperová barva, tempera; *wet ~!* čerstvě natřeno! ● *v* **1** nabarvit, natřít barvou, nalakovat (*~ the gate green* natřít vrátka na zeleno), vymalovat (*~ the walls white* vymalovat stěny bíle) **2** na|-malovat obraz, vymalovat, pomalovat (*~ in oils / water-colours* malovat olejem / akvarelem) **3** na|líčit | se, na|malovat | se, přikrášlit | se líčidlem **4** rozetřít, potřít (*she ~ed egg white over the surface of the cake* potřela koláč navrch bílkem, *~ with iodine* najódovat) **5** přen. vykreslit, vypodobnit ◆ *~ed cup* bot. zornice lepkavá; *~ed lady 1.* zool. babočka bodláková *2.* bot. sedmikráska n. kopretina zahradní; *he is not so black as he is ~ed* není tak špatný, jak se o něm říká; *~ the town red* AM slang. jít na tah / flám; *~ed woman* coura, běhna ***paint o.s.*** malovat se ◆ *~ o.s. into a corner* dostat se vlastní vinou do slepé uličky ***paint in*** přimalovat, domalovat do obrazu (*~ in the background*) ***paint out*** zamalovat, zabarvit, zakrýt barvou

paintbox [peintboks] skřínka s barvami n. na barvy zejm. vodové

paintbrush [peintbraš] **1** malířský štětec **2** natěračský štětec **3** štětec, štětka na lakování n. bílení

paintcoat [peintkəut] nátěr, lakování auta

painter[1] [peintə] **1** malíř **2** natěrač, lakýrník ◆ *~'s colic* otrava olovem

painter[2] [peintə] námoř. uvazovací lanko k připoutání člunu k lodi; kotevní / přítažné lano, kotevní úvazné lano (hist.) ◆ *cut the ~ 1.* odpoutat se, odtrhnout se, osamostatnit se, jít vlastní cestou *2.* zmizet, ztratit se

painter[3] [peintə] AM zool. puma

paint in [ˌpeintˈin] omalování fasád apod. pro zlepšení vzhledu n. jako upozornění na nutnost opravy

painting [peintiŋ] **1** malba, obraz **2** malování, malířství **3** v. *paint, v* ◆ *~ knife* malířská stěrka, špachtle

paintpot [peintpot] *s* **1** nádoba s barvou **2** geol. vyvěrající různobarevné bahno ● *adj* strakatý (*~ warriors*)

paint remover [ˌpeintriˈmu:və] **1** odlakovač **2** odstraňovač nátěrů

paint refresher [ˌpeintriˈfrešə] osvěžovač nátěrů

paintress [peintris] malířka

paintroller [ˌpeintˈrəulə] váleček malířská potřeba

paint thinner [ˌpeintˈθinə] ředidlo

painty [peinti] (*-ie-*) **1** připomínající barvu n. lak (*a ~ odour* pach připomínající vůni laku) **2** umazaný od barvy n. laku (*after doing the kitchen walls she found that her clothes were all ~*) **3** příliš barevný, křiklavý, kýčovitý (*an unskilful ~ portrait*)

pair [peə] *s* **1** pár dvojice k sobě patřících věcí (*a ~ of shoes, a ~ of gloves*); pár, párek dvojice lidí; samec a samice **2** pár spřežení o dvou koních, dvojspřeží **3** druhý člověk n. předmět z páru (*where is the ~ to this sock?* kde je druhá ponožka z páru?) **4** v parlamentě: dva členové proti sobě stojících stran, kteří se dohodnou, že se nezúčastní hlasování **5** označuje podvojný předmět (bez českého ekvivalentu) (*a ~ of trousers* jedny kalhoty, *a ~ of scissors* jedny nůžky) **6** označuje několikadílný kompletní předmět (bez českého ekvivalentu) (*a ~ of organs* jedny varhany, *a ~ of cards* úplná hra karet, *a ~ of arrows* sada tří šípů) **7** schodiště, rameno schodů, patro, podlaží (*two ~ (of stairs) window* okno v druhém patře) ◆ *~ bond* „manželství" mezi zvířaty; *~s event* sportovní dvojice krasobruslařská disciplína; *~ of steps 1.* schodiště, rameno schodů, patro, podlaží *2.* BR přenosné schůdky např. v knihovně; *one* etc. *front|back ~* pokoj n. nájemník v prvním atd. patře vpředu|vzadu; *~ royal* terce, tercka seskupení tří stejných karet; stejný počet ok na třech kostkách; *~ of lawn sleeves* biskup; *a different ~ of shoes / boots* něco úplně jiného, jiné kafe (hovor.); *show / take a clean ~ of heels* ukázat paty, vzít nohy na ramena ● *v* **1** spojit do páru, udělat pár z, dát dohromady dvojici, spojit se dohromady; spárovat, spárkovat **2** též *~ up* patřit do páru *with* k, jít do páru s (*a shoe that doesn't ~ up with the other*) **3** zvěř s|pářit | se ***pair off 1*** rozdělit | se do dvojic (*he ~ed off the group into couples for the next dance* na příští tanec rozdělil skupiny do párů); odejít po dvou / ve dvojicích (*the happy crowd gradually ~ed off*) **2** v parlamentě: dohodnout se s příslušníkem opoziční strany, že se oba nezúčastní hlasování **3** hovor. oženit se *with* s, vdát se za, vzít si koho (*~ off with a shop girl*) ***pair up 1*** dát se dohromady s druhým **2** = *pair, v 2*

pair-horse [ˈpeəˌho:s] tažený dvojspřežím, dvojspřežní

pairing season [ˈpeəriŋˌsi:zn,] **pairing time** [peəriŋtaim] doba páření zvěře; říje; tok

pair oar [peəro:] dvojka, dvojveslice člun

paisley [peizli] *s* kašmír ● *adj* kašmírový, (vlněný) s abstraktním esovitým vzorem (*a ~ shawl*)

pajamas [pəˈdža:məz] AM = *pyjamas* ◆ *palazzo ~* odpolední kalhotový komplet s širokými nohavicemi

Pak [paek] slang. Pákistánec

pakeha [pa:kəha:] *s* běloch, Evropan ● *adj* bělošský

Paki [pa:ki] BR slang. Pákistánec

Pakistan [ˌpa:kisˈta:n] *s* Pákistán ● *adj* pákistánský

Pakistani [ˌpa:kisˈta:ni] *s* Pákistánec ● *adj* pákistánský

pal [pæl] hovor. *s* **1** kamarád, kolega **2** kumpán; komplic ● *v* (*-ll-*) kamarádit se ***pal up*** skamarádit se *with* s, sčuchnout se s, dát se dohromady s

palace [pælis] **1** palác; výstavný dům **2** palác vlivné osoby kolem panovníka apod. ◆ *~ car* AM luxusní vagón železniční; *~ revolution* palácová revoluce

paladin [pælədin] **1** paladýn člen družiny Karla Velikého; vznešená osoba u dvora **2** bludný rytíř **3** zastánce, ochránce

palaeocrystic [ˌpæliəuˈkristik] složený z pravěkého ledu

palaeographer [ˌpæliˈogrəfə] paleograf odborník v paleografii

palaeographic [ˌpæliəuˈgræfik] paleografický

palaeography [ˌpæliˈogrəfi] paleografie nauka o starých písmech a jejich vývoji

Palaeolithic [ˌpæliəuˈliθik] *s* starší doba kamenná, paleolit ● *adj* paleolitický týkající se starší doby kamenné

palaeontological [ˌpæliontəˈlodžikəl] paleontologický

palaeontologist [ˌpælionˈtolədžist] paleontolog odborník v paleontologii

palaeontology [ˌpælionˈtolədži] paleontologie nauka o organismech v minulých geologických dobách

palaeothere [ˌpæliəˈθiə] Paleotherium vyhynulý eocenní savec

Palaeozoic [ˌpæliəuˈzəuik] *s* prvohory, paleozoikum ● *adj* prvohorní, paleozoický

palaestra [pəˈli:strə] *pl* též *palaestrae* [pəˈli:stri:] antic. palestra zápasiště

palafitte [pæləfit] pravěká jezerní kolová stavba ve Švýcarsku n. severní Itálii

palais [pælei] hovor. velký taneční sál, tančírna

palankeen, palanquin [ˌpælənˈki:n] **1** palankýn východoasijská krytá nosítka **2** nespr. krytý kočár v Orientě
palatability [ˌpælətəˈbiləti] = *palatableness*
palatable [pælətəbl] **1** chutný **2** přen. příjemný, přijatelný
palatableness [pælətəblnis] **1** chutnost **2** přen. příjemnost, přijatelnost
palatal [pælətl] jaz. *adj* **1** palatální **2** hláska předopatrový, přední; měkký ● *s* palatála hláska artikulovaná na tvrdém patře
palatalization [ˌpælətəlaiˈzeišən] jaz. palatalizace měkčení
palatalize [pælətəlaiz] jaz. palatalizovat
palate [pælit] **1** patro přepážka mezi ústní a nosní dutinou **2** přen. chuť, citlivý jazyk, mlsný jazýček; smysl porozumění ◆ *bony* ~ tvrdé patro; *cleft* ~ rozštěp patra; *hard* ~ = *bony* ~; *soft* ~ měkké patro
palatial [pəˈleišəl] **1** palácový; výstavný (*a* ~ *residence*) **2** luxusní, honosný (*a* ~ *yacht*)
palatinate [pəˈlætinət] **1** palatynát území spravované palatýnem; falc **2** *P*~, též *Rhine P*~ Rýnská Falc **3** BR na durhamské univerzitě světlefialová barva; světlefialový blejzr
Palatine[1] [pælətain] *s* **1** Palatin jeden ze sedmi římských pahorků **2** palatýn, vysoký státní hodnostář, komoří, vladař, regent **3** falckrabě; šlechtic s královskou pravomocí **4** *p*~ dámské kožišinové paleto ◆ *Count* ~ falckrabě; *County* ~ *1.* falckrabství *2.* hist. palatynát, panství v Lancashiru a Durhamu; *Earl* ~ regent, hrabě palatýn ● *adj* **1** vybavený královskou pravomocí **2** palatýnský; falckrabský, falckraběnský
palatine[2] [pælətain] *adj* patrový ● *s* ~*s*, *pl* patrové kůstky
palatogram [pælətəgræm] jaz. palatogram zobrazení artikulace na patře
palaver [pəˈla:və] *s* **1** rozhovor, diskuse, dlouhá debata, řečnění, vyjednávání, potlach zejm. s africkými domorodci **2** žvanění, tlachání, řečnění, plané řeči, mlácení prázdné slámy; kecy, kecání (vulg.) **3** pochlebování, lichocení, mazání medu kolem úst, šmajchlování (hovor.) **4** slang. věc, záležitost, starost (*that's your* ~) ● *v* **1** žvanit, tlachat, řečňovat, kecat (vulg.) (*he* ~*ed himself out of the mess* vykecal se z bryndy) **2** lichotit komu, pochlebovat komu, mazat med kolem úst komu, šmajchlovat komu (hovor.)
pale[1] [peil] **1** kůl; plaňka, tyčka **2** přen. meze, hranice (*within the* ~ v mezích slušnosti, *beyond* / *outside the* ~ vybočující z mezí slušnosti, společensky nepřijatelný, *within the* ~ *of the Church* v lůně církve) **3** herald. kůl v erbu **4** (*English*) *P*~ hist.: část Irska pod anglickou správou; Calais a okolí ◆ *in* ~ erbovní znamení položený svisle středem štítu; *per* ~ erb půlený
pale[2] [peil] *adj* **1** bledý, pobledlý (*turn* ~ zblednout) **2** odstín barvy světlý, bledý (~ *pink* bleděrůžová barva) **3** nejasný, málo výrazný, matný; nevýrazný, slabý, chabý (*a* ~ *imitation of his mighty sire* chabá napodobenina jeho mocného otce) ◆ *as* ~ *as clay* / *death* / (*a*) *ghost* / *ashes* bílý jako smrt / křída; ~ *sedge* bot. ostřice bledá ● *v* **1** z|blednout, poblednout, způsobit bledost, ztratit barvu (*illness* ~*d her cheek* tváře jí nemocí zbledly) **2** přen. blednout, mizet, tratit se
palea [peiliə] *pl: paleae* [peilii:] bot. plucha, plevka
paled [peild] **1** ohrazený, oplocený **2** v. *pale*[2], *v*
paleface [peilfeis] bledá tvář indiánské pojmenování pro bělocha
paleness [peilnis] bledost
paleocrystic [ˌpæliəuˈkristik] etc. = *palaeocrystic* etc.
Palestine [pælistain] Palestina
Palestinian [ˌpæləsˈtiniən] *adj* palestinský ● *s* Palestinec
palestra [pəˈli:strə] = *palaestra*
paletot [pæltəu] paleto plášť
palette [pælit] paleta malířská pomůcka; charakteristické barvy; bohatství výrazových prostředků
palette knife [pælitnaif] *pl: knives* [naivz] malířská stěrka, stěrka na barvu, špachtle
palfrey [po:lfri] hist., bás. jezdecký kůň, zejm. dámský
Pali [pa:li] pálí literární jazyk buddhismu
palikar [pælika:] **1** řecký n. albánský voják v tureckém žoldu **2** řecký milicionář bojující proti Turecku (1821 –28)
palimpsest [pælimpsest] liter. palimpsest rukopis napsaný na pergamenu přes starší odstraněný text
palindrome [pælindrəum] palindrom slovo n. věta znějící stejně, ať je čteme odpředu n. odzadu
palindromic [ˌpælinˈdrəumik] palindromický
paling [peiliŋ] **1** tyčkový n. laťkový plot, oplocení, ohrada **2** tyčka, laťka v plotě **3** v. *pale*[2], *v*
palingenesis [ˌpælinˈdženisis] **1** geol., bot. palingeneze **2** znovuzrození, převtělení, obnova, též přen. **3** stěhování duší, metempsychóza
palingenetic [ˌpælindžəˈnetik] palingenetický
palinode [pælinəud] **1** liter. palinodie báseň odvolávající obsah básně dřívější **2** odvolání
palisade [ˌpæliˈseid] *s* **1** palisáda, kolová ohrada, hradba z kůlů n. železných tyčí **2** hradební kůl, palisáda **3** AM *P*~*s*, *pl* příkré skály zejm. na dolním toku řeky Hudsonu ◆ ~ *cell* bot. palisádová buňka v listech ● *v* obehnat palisádou, postavit palisádu kolem
palisander [ˌpæliˈsændə] palisandr cenné nábytkové dřevo
palish [peiliš] pobledlý; poměrně bledý
pall[1] [po:l] *s* **1** příkrov na rakvi; rakev s tělem **2** korunovační plášť **3** cirk. pallium; palla; korporál **4** přen.: černý plášť, příkrov, mrak (*a* ~ *of smoke*) **5** herald. vidlice, erbovní znamení ve tvaru Y ◆ *per* ~ erb rozdělený na tři díly ● *v* zahalit, přikrýt příkrovem
pall[2] [po:l] *v* **1** vyprchávat; ztrácet přitažlivost *on* / *upon* u, znechutit se komu, omrzet koho, nudit koho **2** přesytit, přecpat (*the choicest delicacies* ~ *the stomach in time* i nejvybranější lahůdky časem

žaludek přesytí); z přesycení ztratit zájem *of* o (~ *of too much music*)

Palladian [pəˈleidjən] archit. palladiovský podle architekta Andrei Palladia (1508 – 1580) ◆ ~ *window* benátské okno

palladium[1] [pəˈleidjəm] *pl: palladia* [pəˈleidjə] paládium posvátná soška bohyně Pallas Athény; ochrana, záštita

palladium[2] [pəˈleidjəm] chem. paládium prvek

pallbearer [ˈpo:lˌbeərə] nosič příkrovu při pohřbu, pohřební zřízenec nesoucí rakev; člen čestné stráže kráčející podél rakve při pohřbu

pallet[1] [pælit] **1** slamník **2** chudé / tvrdé / provizorní lůžko; kavalec, pryčna; pokrývka na zemi

pallet[2] [pælit] **1** otáčivý hrnčířský kotouč; hrnčířský nůž, stěrka **2** malířská paleta **3** záklopka, ventil mezi vzduchovodem a píšťalou u varhan **4** odb. paleta, přepravní prkno na cihly; zub ramena kotvy hodinek; západka rohatky; razidlo k zlacení v knihařství

pallet[3] [pælit] herald. poloviční kůl v erbu

palletized [pælitaizd] paletizovaný (~ *cargoes* ... náklady)

pallet knife [ˌpælitˈnaif] = *palette knife*

pallial [pæliəl] zool. plášťový týkající se pláště měkkýšů

palliasse [pæliæs] = *paillasse*

palliate [pælieit] **1** zmenšit, z|mírnit příznaky nežádoucího, u|tišit bolest, ulehčit v, ulevit v, přivodit úlevu n. mírnější průběh čeho **2** omlouvat, ospravedlňovat, zmenšovat závažnost čeho, zlehčovat, příznivě zkreslovat, přikrašlovat zlo

palliation [ˌpæliˈeišən] **1** zmenšování, mírnění, u|tišení; ulehčení, úleva *of* v **2** omlouvání, omluvy, výmluvy, ospravedlňování, příznivé zkreslování, zlehčování, přikrašlování ◆ *in* ~ *of* jako ospravedlnění (*the tyrant's plea of necessity in* ~ *of his evil deeds*)

palliative [pæliətiv] *adj* **1** paliativní; utišující, zmírňující bolest, přinášející úlevu n. ulehčení (~ *drugs, a* ~ *word* dobré slovo) **2** omluvný, ospravedlňující ● *s* **1** paliativum; utišující prostředek; uklidňující opatření **2** omluvné / příznivě zkreslené vylíčení, ospravedlnění

pallid [pælid] **1** bledý, bílý, bezkrevný, zsinalý (*a* ~ *face*); sinavý, sinalý (*a* ~ *sky*) **2** bezbarvý, nedokrevný, neslaný nemastný (~ *writings*)

pallidness [pælidnis] bledost, z|sinalost, sinavost; bezbarvost, plochost

pallium [pæliəm] *pl* též *pallia* [pæliə] **1** pallium svrchní roucho starých Římanů; círk.: vlněná páska kladená kolem krku, odznak arcibiskupské hodnosti **2** plášť splývavý kožní záhyb měkkýšů a ramenonožců

pall-mall[1] [ˌpælˈmæl] **1** hra připomínající kroket **2** hřiště pro tuto hru

Pall Mall[2] [ˌpælˈmæl] BR Pall Mall ulice v Londýně, sídlo exkluzívních klubů

pallor [pælə] bledost, pobledlost, z|sinalost, sinavost

pally [pæli] hovor. kamarádský

palm[1] [pa:m] **1** bot. palma **2** palmová ratolest symbol vítězství n. slávy (*bear* / *carry the* ~ zvítězit, *yield the* ~ *to* uznat svou porážku od) **3** přen. vítězství, sláva, triumf, výhra **4** stromová ratolest, kočička v církevním průvodu ◆ *P*~ *Sunday* Květná neděle; ~ *wine* palmové víno

palm[2] [pa:m] *s* **1** dlaň vnitřní plocha ruky n. rukavice; co připomíná dlaň; lopata daňčích parohů; stará délková míra **2** námoř. list, lopatka vesla; kotevní list / pracka ◆ *cross a p.'s* ~ *with silver* dát předem peníz(e) komu např. jasnovidce; *grease* / *oil a p.'s* ~ podmazat koho, podplatit koho; *have an itching* ~ brát rád úplatky; *sailmaker's* ~ dlanička, dlaňový chránič ● *v* **1** dotknout se, pohladit dlaní; podat ruku **2** skrýt do dlaně, palmovat (~ *a card*) **3** podvodně vrazit, podsunout, podstrčit *on* / *upon* komu (*trash fit only to be* ~*ed on the unwary* šmejd, který se dá podstrčit leda nepozorným) **4** podmazat, podplatit **5** AM slang. seknout, čajznout, štípnout, otočit ukrást ***palm off*** ***1*** podvodně podsunout, podstrčit, vnutit, vemluvit *upon* komu ***2*** odbýt, obelhat, oblafnout *a p.* koho, namluvit komu (~*ed off his brother with some story or other*) ***3*** vydávat se za (~*ed himself off as a millionaire sportsman*)

Palma Christi [ˌpælməˈkristi] bot. skočec obecný

palmaceous [pælˈmeišəs] palmový, palmovitý

palmar [pælmə] dlaňový, týkající se dlaně

palmary [pælməri] vítězný, triumfální; vynikající (~ *emendation* vynikající emendace)

palmate [pælmit], **palmated** [pælmeitid] **1** dlanitě složený **2** lopatkovitý

palmation [pælˈmeišən] **1** dlanitost **2** mysl. lopata parohu

palmchrist [pa:mkraist] bot. = *Palma Christi*

palmer[1] [pa:mə] **1** poutník vracející se ze Svaté země; žebravý mnich **2** červ; žravá housenka, např. housenka makadlovky **3** umělá muška chlupatá

palmer[2] [pa:mə] podvodník, lhář

palmer worm [ˈpa:məˌwə:m] = *palmer*[1]*, 2*

palmette [pælˈmet] palmeta ozdoba mající tvar palmových listů

palmetto [pælˈmetəu] bot. palmeto, trpasličí palma ◆ *P*~ *State* AM Jižní Karolína

palmful [pa:mful] plná dlaň, hrst, hrstka (~ *of rice*)

palm honey [ˈpa:mˌhani] palmový med

palmhouse [pa:mhaus] *pl: -houses* [-hauziz] palmový skleník

palmiped [pælmiped], **palmipede** [pælmipi:d] *adj* jsoucí s plovacíma nohama ● *s* vodní pták s plovacíma nohama

palmist [pa:mist] hadač, věštec z ruky, chiromant

palmistry [pa:mistri] hádání, věštění z ruky, chiromantie, chirologie

palm oil [pa:moil] **1** palmový olej **2** podmazávka úplatek

palmy [pa:mi] **1** palmový, palmovitý, týkající se palem; zarostlý palmami n. palmovím (*a ~ shore*) **2** vítězný, triumfální; úspěšný, nejlepší, nejkrásnější, šťastný (*my ~ days*)
palmyra [pælˈmaiərə] palmýra druh palmy
palolo [pəˈləuləu] též ~ *worm* zool. palolo zelený mořský červ
palomino [ˌpæləˈmi:nəu] plemeno plavého koně s bílou hřívou
palooka [pəˈlu:kə] AM slang. **1** salát, zajíc, hadrář nezkušený hráč n. boxer **2** osel, tele, slon, vrták, ťululum hlupák
palp [pælp] makadlo
palpal [pælpl] týkající se makadla
palpability [ˌpælpəˈbiləti] hmatatelnost; patrnost, zřejmost
palpable [pælpəbl] **1** na|hmatatelný, hmatný; makavý, makatelný **2** zřejmý, patrný, jasný
palpal [pælpl] zool. týkající se makadla
palpate[1] [pælpeit] **1** med. vyšetřit pohmatem, palpovat **2** ohmatat, omakat
palpate[2] [pælpeit] zool. mající makadla
palpation [pælˈpeišən] **1** med. pohmat, palpace **2** ohmatání, omakání
palpebral [pælpibrəl] víčkový, týkající se očních víček
palpitant [pælpitənt] chvějivý, rozechvívající
palpitate [pælpiteit] **1** srdce bušit, tlouci nepříjemně **2** chvět se, třást se *with* čím (~ *with fear*); rozechvět
palpitating [pælpiteitiŋ] **1** vzrušující, napínavý **2** v. *palpitate*
palpitation [ˌpælpiˈteišən] bušení, tlučení srdce; palpitace (med.)
palpus [pælpəs] *pl: palpi* [pælpai] makadlo
palsgrave [po:lzgreiv] falckrabě, falckrabí
palsgravine [po:lzgrəvi:n] manželka falckraběte, vdova po falckraběti, falckraběnka
palsied [po:lzid] **1** ochrnutý **2** churavý, chorý, neduživý **3** mající třesavku
palstave [po:lsteiv] předhistorická plochá bronzová sekerka s lištami n. lištovým schůdkem
palsy [po:lzi] (*-ie-*) **1** ochrnutí, obrna, paralýza **2** zmítavá křeč, třesavka, chvění těla n. jeho části **3** přen. ochromení, ochromující vliv ● *v* ochromit (*palsied children* ochrnuté děti)
palsy-walsy [ˌpælziˈwælzi] slang. důvěrný, intimní, jsoucí jedna ruka *with* s (*got ~ with the boss*)
palter [po:ltə] **1** jednat / mluvit dvojsmyslně, podvádět *with* koho; zahrávat si s **2** tahat se, přít se, handrkovat se *with* s *about* o co
paltriness [po:ltrinis] mizernost, ubohost, bezcennost
paltry [po:ltri] (*-ie-*) špatný, ubohý, mizerný, bezcenný, k ničemu (*a ~ house, a ~ excuse, a ~ fellow*)
paludal [pəˈlju:dəl] **1** bahenní, bažinný; bažinatý **2** malarický, maláriový
paly[1] [peili] bás. bledý, pobledlý
paly[2] [peili] herald.: štít, erbovní znamení pruhovaný sudým počtem pruhů
palynology [ˌpæliˈnolədži] bot. palynologie věda o pylu a sporách rostlin
pam [pæm] křížový kluk karta **2** druh karetní hry připomínající hru napoleon
Pamirs [pəˈmiəz] *pl* Pamír
pampa [pæmpə] zprav. ~*s, pl* pampy rovinné prérie střední Argentiny, jižně od Amazonky
pampa(s) grass [ˈpæmpə(s)ˌgra:s] bot. pampasová tráva
pamper [pæmpə] **1** hýčkat, rozmazlovat (~ *a child*) **2** příliš hovět čemu (~ *one's appetite*) **3** pečlivě ošetřovat, hýčkat (~ *your complexion* ošetřujte pečlivě svou pleť)
pampered [pæmpəd] **1** zhýčkaný, rozmazlený, který už neví, co by si vymyslel **2** v. *pamper*
pampero [pæmˈpeərəu] pampero studený jihozápadní vítr v Argentině
pamphlet [pæmflit] **1** brožura, knížka s aktuálním obsahem **2** pamflet; útočná politická brožurka n. příručka; leták
pamphleteer [ˌpæmfliˈtiə] *s* pamfletista; pisatel brožurek n. letáků; pisálek ● *v* psát n. vydávat brožurky, letáky n. pamflety; zpracovávat veřejnost články, brožurkami n. pamflety
pampootie [pæmˈpu:ti] střevíc z nevyčiněné hovězí kůže
Pan[1] [pæn] antic. Pan bůh plodivé síly; duch přírody, pohanství, předkřesťanského n. amorálního světa
pan[2] [pæn] panchromatický film
pan[3] [pæn] betelový list, list pepře betelového; betel žvýkaný s arekovými oříšky
pan[4] [pæn] (*-nn-*) snímací kamera, záběr najet na, sledovat, zabrat; panorámovat
pan[5] [pæn] *s* **1** pánev, pánvička; pekáč, rendlík, kastrólek n. kastrol s držadlem, kuthan (zast.) **2** rýžovací pánev / miska / necičky **3** miska vah **4** geol. tvrdé podloží, železivec; pánev na promývání náplavu **5** anat. kolenní čéška **6** anat. temenní kost **7** odb. pánvička zbraně; odpařovací pánev; sázecí korýtko slévárenské; talíř mysliveckých želez, talířová železa; výplň hrázděné stěny **8** voj. slang. ksicht, ciferník, cifrplát obličej ◆ *lavatory* ~ splachovací mísa; ~ *mill* kolový mlýn; ~ *salt* vařená sůl ● *v* (*-nn-*) **1** péci n. připravovat na pánvi apod.; odpařovat v pánvi **2** umačkávat zem **3** hovor. stírat, setřít kritizovat **4** = *pan out, 1* ***pan out*** / ***off 1*** rýžovat zlato, prát / vypírat písek **2** AM dávat n. skýtat při těžbě n. rýžování, vynášet (*dirt that ~s out 40 ounces of gold to a ton* nečistota, která z tuny dává 40 uncí zlata); přinést dobrý výtěžek, mít úspěch (*the business did not ~ out*); dopadnout (*the scheme ~ned out well*), osvědčit se **3** slang. vyklopit, vypláznout, vysolit, přihrát dát peníze
panacea [ˌpænəˈsiə] panacea všelék

panache [pəˈnæš] **1** chochol ozdoba na hlavě / přílbě **2** honosnost; verva, švih, šmrnc (hovor.) **3** hovor. vytahování, nadnášení, honění, chvástání
panada [pəˈna:də] žemlová kaše, rozmočený bílý chléb, panáda, panádl (zast.)
Pan-African [ˌpænˈæfrikən] panafrický, všeafrický, celoafrický
Panama [ˌpænəˈma:] též ~ *hat* panamský klobouk, panama, panamák
Panamanian [ˌpænəˈmeinijən] panamský
Pan-American [ˌpænəˈmerikən] panamerický, vše americký, celoamerický
Pan-Anglican [ˌpænˈæŋlikən] pananglický, týkající se všech anglikánských církví
Pan-Arabism [ˌpænˈærəbizəm] panarabismus politické hnutí usilující o politické spojení všech Arabů
Pan-Arabic [ˌpænˈærəbik] panarabský
Pan-Asianism [ˌpænˈeišənizəm] panasiatismus snaha o politickou jednotu všech asijských států
panatela, panatella [ˌpænəˈtelə] dlouhý tenký doutník
pancake [pænkeik] *s* **1** palačinka, tenká omeleta, tenký lívanec, lívaneček **2** slang. plácnutí, propadnutí, propadání letadla **3** tuhé líčidlo ◆ *P~ Day / Tuesday* masopustní úterý; *flat as a ~* rovný jako stůl (*the country is as flat as a ~*); *~ ice* tenké kry; *~ landing* slang. přistání s propadáním letadla; *~ roll* druh masového závinu ● *v* **1** slisovat, zmandlovat (*his hat has been ~d under a suitcase*) **2** slang.: letadlo plácnout sebou, přistát propadáním
panchayat [panˈčaiət] pětičlenná obecní rada v indické vesnici
panchreston [pænˈkrestən] univerzální vysvětlení, univerzální návrh
panchromatic [ˌpænkrəuˈmætik] film panchromatický citlivý na všechny barvy
panchromatism [pænˈkrəumætizəm] fot. panchromázie
pancosmism [ˌpænˈkozmizəm] pankosmismus názor, že existuje pouze hmotný vesmír v prostoru a čase
pancratiast [pænˈkreitiæst] = *pancratist*
pancratic [pænˈkrætik] **1** antic. týkající se pankrationu; atletický **2** okulár nastavitelný, s nastavitelným zvětšením
pancratist [pænˈkrætist] atlet, zápasník, boxer
pancratium [pænˈkreišiəm] antic. pankration zápasnické střetnutí ve starém Řecku
pancreas [pæŋkriəs] anat. pankreas, slinivka břišní, mikter
pancreatic [ˌpæŋkriˈætik] anat. týkající se slinivky břišní, pankreatický
pancreatin [pæŋkriətin] biol. pankreatin enzym vylučovaný pankreatem
panda [pændə] zool. panda červená indický stromový savec ◆ *~ car* BR hovor. policejní auto; *~ crossing* BR přechod pro chodce se semaforem ovládaným chodci; *giant ~* zool. panda obrovská velký černobílý savec připomínající medvěda
Pandaean, Pandean [pænˈdi:ən] týkající se boha Pana ◆ *~ pipe(s)* Panova píšťala, syrinx, moldánky
pandect [pændekt] zprav *~s, pl* pandekty jedna ze sbírek římského práva pořízených císařem Justiniánem
pandemian [pænˈdi:miən] = *pandemic, adj*
pandemic [pænˈdemik] *adj* **1** pandemický rozšířený po velkém obvodu **2** všeobecný, univerzální ● *s* **1** smyslná láska **2** *~s, pl* med. pandemie rozšíření nemoci po velkém obvodu
pandemonium [ˌpændiˈməunjəm] **1** *P~* pandemonium, démonská říše, démonská vláda **2** přen. peklo, blázinec, vřava (*the jubilation grew and grew to a positive ~* oslavy se rozrostly, až z nich byl úplný blázinec)
pander [pændə] *s* **1** kuplíř; řidč. kuplířka **2** pomocník, na|pomáhač ve špatnosti ● *v* **1** dělat kuplíře **2** podporovat, živit *to* co; hovět čemu; uspokojovat koho, podbízet se komu
pandit [pandit] = *pundit*
pandoor [pænduə] = *pandour*
pandora[1] [pænˈdo:rə] bandura, kobza strunný nástroj
Pandora[2] [pænˈdo:rə] : *~'s box* antic. Pandořina skřínka dar bohů obsahující rozmanité strasti
pandore [pænˈdo:] = *pandora*[1]
pandour [pænduə] pandur, bandur člen charvátské nepravidelné pěchoty rakouského vojska v 18. stol.
pandowdy [pænˈdəudi] (*-ie-*) AM druh jablečného koláče
pandy [pændi] (*-ie-*) hovor. *s* jedna přes rána rákoskou apod. přes ruce ● *v* udeřit přes ruce
pane[1] [pein] = *peen*
pane[2] [pein] **1** tabulka skla, okenní sklo **2** čtvereček, kosočtvereček, políčko v prolamovaném vzoru **3** odb. faseta drahokamu; nos kladiva; bok matice
paned [peind] **1** zasklený; okno tabulový, s tabulkami **2** oděv prolamovaný
panegyric [ˌpæniˈdžirik] *s* chvalozpěv, chvalořeč, panegyrikon *upon* na ● *adj* chvalořečný, oslavný, panegyrický
panegyrist [ˌpæniˈdžirist] oslavovatel, velebitel, chvalořečník, panegyrik
panegyrize [pænidžiraiz] oslavovat, velebit; pět chválu na, chvalořečit komu
panel [pænl] *s* **1** pergamenový lístek **2** seznam porotců; porota; SC obžalovaný, obžalovaní **3** BR seznam lékařů ordinujících pro Státní zdravotní péči n. pojišťovnu (*a ~ doctor* lékař na pokladnu, *on the ~* lékař, pacient na pokladnu (*be on the ~* být přihlášen u lékaře Státní zdravotní služby, léčit se „zdarma" n. na pokladnu) **4** tým, skupina odborníků n. účastníků, „brainstrust" (*a ~ discussion* beseda se skupinou odborníků, *a ~ game* zábavný pořad, v němž se snaží tým uhodnout odpovědi předem obecenstvu oznámené zejm. v rozhlase) **5** grémium, správní / poradní sbor, výbor **6** knižní řada, komplet (*this book is the second of a projected ~ of four about*

the West) **7** díl, dílec; plát, tabule, tabulka, štítek, deska, panel; výplň dveří; obkladová deska; strana krabice n. bedny; oddíl trámu; přihrada nosníku **8** vybraný obdélník, čtverec, prázdné okénko např. na knižním přebalu **9** vsazený díl z jiné látky **10** rozvodná deska; rozvodné pole; palubní deska, přístrojová deska, panel letadla; čelní deska přístroje **11** úzký formát velké fotografie **12** dřevěná deska na malování, dřevo; malba na dřevě **13** sedlo; poduška sedla **14** návěstní terč; signalizační plachta **15** námoř. sekce část lodního tělesa připravená k montáži **16** AM = *panel truck* ● *v* (*-ll-*) **1** o|sedlat koně, dát sedlo na **2** deštit, táflovat; obkládat, obložit, panelovat; dávat n. zasadit výplně do dveří **3** zdobit šaty vsazením dílu z jiné látky, kombinovat **4** SC obžalovat, postavit před soud

panelboard [pænlbo:d] **1** výplň; deska, panel **2** tech. panelový rozváděč, plášťová deska

paneless [peinlis] jsoucí bez okenních tabulek

panelling [pænliŋ] **1** deštění, táflování, obložení **2** v. *panel, v*

panellist [pænlist] účastník diskuse, člen týmu v zábavné rozhlasové soutěži

panel meeting [ˌpænlˈmi:tiŋ] odborné konzilium

panel painting [ˌpænlˈpeintiŋ] výtv. **1** deskové malířství, tabulové malířství **2** deskový obraz, tabulový obraz

panel patient [ˌpænlˈpeišnt] pacient „na pokladnu", pacient Státní zdravotní služby

panel truck [ˌpænlˈtrak] AM dodávkový vůz pro dodávku mléka n. chleba

panel work [ˌpænlˈwə:k] deštění, táflování

panful [pænful] plná pánev atd. množství

pang [pæŋ] **1** bodavá bolest, bodnutí, píchnutí, svírání, hlodání **2** přen. soužení (*~s of love*), hryzení (*a ~ of conscience*)

panga [pæŋgə] africká mačeta

Pangea [pænˈdži:ə] předpokládaný jednotný kontinent

pangenesis [ˌpænˈdženisis] biol. pangeneze Darwinova hypotéza vykládající dědičnost existencí pangenů

Pan-German [ˌpænˈdžə:mən] pangermánský, celoněmecký

Panglossian [pæŋˈglosiən] nadmíru optimistický

pangolin [pæŋˈgəulin] zool. luskoun krátkoocasý

pangram [pængrəm] věta obsahující všechna písmena abecedy

panhandle [pænhændl] *s* **1** držadlo pánve atd. **2** AM *s* úzký pás, pruh, cíp území státu ● *v* AM slang. žebrat na ulici; vyžebrat

panhandler [pænhændlə] AM pouliční žebrák zejm. fyzicky zdatný

Panhellenic [ˌpænheˈlenik] panhelénský, týkající se všech Řeků n. celého Řecka

Panhellenism [pænˈhelinizəm] panhelénství politická jednota všech Řeků

panic[1] [pænik] bot. proso

panic[2] [pænik] *s* **1** panika; panický strach; zmatek, zděšení, fofr (hovor.) **2** slang. junda, kanada, prča velká legrace ◆ *~ braking* dupnutí na brzdu, prudké zabrzdění; *in a ~* honem, trapem ● *adj* **1** panický **2** nouzový, pro nouzový východ ● *v* (*panicked, panicked, panicking*) z|panikařit, šířit paniku ◆ *be ~(k)ed* podléhat panice, dát se poplašit, dát se zjančit (hovor.)

panicky [pæniki] (*-ie-*) hovor. **1** panický; panikářský **2** vyplašený, vyjukaný *at* kvůli ◆ *become ~* začít strachy jančit

panicle [pænikl] bot. lata

panicmonger [ˈpænikˌmaŋgə] panikář, zmatkář

panic-stricken [ˈpænikˌstrikən], **panick-struck** [ˈpænikˌstrak] vyděšený, zpanikařený; panický, panikářský

paniculate [pəˈnikjuleit] bot. latnatý

paniering [pæniəriŋ] panýrování obalování jen v mouce

panification [ˌpænifiˈkeišən] přeměna v chléb

Pan-Islam [ˌpænˈizla:m] panislámismus spojení mohamedánského světa

Pan-Islamic [ˌpænizˈlæmik] panislámský

panjandrum [pənˈdžændrəm] *pl* též *panjandra* [pənˈdžændra] žert. vysokorodí, vašnosta, veličina, velké / důležité zvíře, pupík, potentát, bonz, mandarín, paša

panlogism [ˌpænˈlodžizəm] panlogismus názor, že rozum řídí veškeré jsoucno

panlogistic [ˌpænləuˈdžistik] panlogistický

pannage [pænidž] BR zast. **1** právo pást vepře v lese; poplatek za toto právo; pasení vepřů v lese **2** povrchový žír

panne [pæn] měkká tkanina podobná aksamitu

pannier[1] [pæniə] **1** velký proutěný koš jakých pár nosí soumaři; koš s chirurgickými nástroji a léky; hradební koš **2** velká sedlová brašna motocyklu **3** obručová sukně, krinolína

pannier[2] [pæniə] BR hovor. číšník v *Inner Templu*

pannikin [pænikin] BR kovový pohár, pohárek nádoba i obsah

panning shot [pæniŋšot] film. panoramatický záběr

Pannonia [pəˈnəunijə] hist. Panonie

panoplied [pænəplid] jsoucí v plné zbroji, obrněn, též přen.

panoply [pænəpli] (*-ie-*) **1** panoplie, úplná n. plná zbroj, brnění; trofej **2** přen. štít **3** přen. krása, nádhera (*woods in their full ~ of autumn foliage* lesy v celé nádheře podzimního listí); pompa (*the military ~ of an empire on parade*)

panoptic [pænˈoptik] **1** umožňující vidět všechny složky n. části najednou **2** poskytující souhrnný obraz, univerzální

panopticon [pæˈnoptikən] hist. věznice s celami umístěnými v kruhu kolem strážnice

panorama [ˌpænəˈra:mə] **1** panoráma rozhled; dioráma **2** přen. celkový přehled (*a ~ of American history*)

Panoramic [ˌpænəˈræmik] **1** panoramatický **2** přen. celkový, povšechný; přehledný
pan-pipe(s) [pæn-paip(s)] Panova píšťala, syrinx, moldánky
Pan-Slavism [ˌpænˈsla:vizəm] panslavismus
panspermatism [ˌpænˈspə:mətizəm], **panspermy** [pænˈspə:mi] panspermie hypotéza vysvětlující vznik života na Zemi ze zárodků rozšířených v celém kosmu
pansy [pænzi] *s* (*-ie-*) **1** bot. maceška; violka trojbarevná **2** též ~ *boy* hovor. teplouš, buzík homosexuál; ťunťa, tintíšek, jelimánek, bábovka, žádný chlap zženštilý člověk ● *adj* hovor. teplý, přihřátý homosexuální; zženštilý ● *v* (*-ie-*) též ~ *up* AM hovor. vyzdobit, vystrojit, vyštafírovat (slang.)
pant[1] [pænt] nář. kašna; vodní jímka
pant[2] [pænt] *v* **1** hekat, supět, odfukovat, funět; těžce dýchat, prudce oddechovat; lapat po dechu, sotva dechu popadat, být bez dechu **2** srdce bušit, tlouci; krev tepat, pulsovat **3** toužit, dychtit, prahnout, žíznit, vzdychat *for / after / to do a t.* po (~ *for / to acquire knowledge* dychtit po vědomostech, ~ *for breath* lapat po dechu) ***pant out 1*** vyrazit ze sebe, vyhrknout *2* udýchaně / přerývaně vyprávět (*he ~ed out his story*) ● *s* **1** za|supění, vy|heknutí, prudký vzdech, prudké nadechnutí n. výdech, zalapání po dechu; supění, oddechování lokomotivy **2** dmutí, zvedání a klesání hrudi
pant[3] [pænt] kalhotový, týkající se kalhot (*a ~ leg* nohavice kalhot)
pantagruelian [ˌpæntəgru:ˈeliən] pantagruelský, obhrouble satirický
pantagruelism [ˌpæntəgru:ˈelizəm] pantagruelism, obhroublý, satirický humor
pantalet(te)s [ˌpæntəˈlets] *pl* **1** dívčí dlouhé spodní kalhoty zdobené volány **2** dámské cyklistické kalhoty
pantaloon [ˌpæntəˈlu:n] **1** *P~* Pantalon komická figura staré italské komedie **2** paňáca, hloupý šašek ve vánoční revuální pohádce **3** *~s, pl* AM kalhoty; BR žert. pantalóny
pantdress [pæntdres] šaty s kalhotovou sukní
pantechnicon [pænˈteknikən] BR **1** skladiště nábytku **2** též ~ *van* velký stěhovací vůz na nábytek, nábytkový vůz **3** umělecký bazar
pantheism [pænθi(:)izəm] panteismus učení ztotožňující Boha s přírodou; pohanské mnohobožství
pantheist [pænθi:ist] panteista stoupenec panteismu
pantheistic [ˌpænθi:ˈistik] panteistický
pantheon [pænθi:ən] **1** panteon antický chrám zasvěcený všem bohům; budova určená k pohřbívání n. posmrtnému uctívání nejvýznamnějších příslušníků národa **2** BR Panteon zábavní podnik v Londýně
panther [pænθə] zool. panter, levhart, pardál ◆ *American ~* puma, kuguár; *~ fungus* muchomůrka panterová
pantheress [pænθəris] zool. panteřice, levhartice, pardálice
panties [pæntiz] dámské, dětské kalhotky spodní
pantie belt [pæntibelt] návlek
pantie girdle [ˌpæntiˈgə:dl] AM = *pantie belt*
pantihose [pæntihəuz] = *pantyhose*
pantile [pæntail] **1** prejz, hák, kůrka, vlnovka, esovka; prejzová taška, pánvová taška **2** mořský suchar
pantisocracy [ˌpæntiˈsokrəsi] společnost, v níž jsou všichni sobě rovni a všichni též vládnou
panti tights [pæntitaits] *pl* punčochové kalhoty
panto [pæntəu] hovor.: v. *pantomime, 3*
pantograph [pæntəugra:f] pantograf tech.: přístroj k překreslování ve zvětšeném n. změnšeném měřítku; elektr.: sklápěcí sběrač proudu v podobě rovnoběžníku
pantographic [ˌpæntəuˈgræfik] týkající se pantografu, pantografický
pantologic [ˌpæntəuˈlodžik] žert. vševědný
pantology [pænˈtolədži] žert. **1** vševědní, vševědství **2** vševěd naučný slovník
pantomime [pæntəmaim] *s* **1** antic. mim **2** pantomima, němohra **3** BR groteskní pohádková revue hraná zejm. o vánocích ● *v* vyjádřit pantomimicky; naznačit posunky
pantomimic [ˌpæntəuˈmimik] **1** pantomimický (*a ~ dance*) **2** pohádkový připomínající pohádkovou revui (*a ~ suddenness of the transformation* náhlá proměna jak v pohádkové revui)
pantomimist [pæntəmaimist] **1** pantomim; herec v revuální pohádce **2** autor pantomim n. revuálních pohádek
pantomorphic [ˌpæntəuˈmo:fik] připomínající všechny tvary
pantopragmatic [ˌpæntəupræg ˈmætik] *adj* strkající do všeho prsty, všetečný ● *s* všetečka, člověk strkající do všeho prsty
pantoscopic [ˌpæntəuˈskopik] **1** fot. pantoskopický, panoramatický **2** brýle pantoskopický; dvojohniskový, bifokální
pantoum [pænˈtu:m] liter. pantum básnická forma malajského původu
pantry [pæntri] (*-ie-*) **1** spíž, spižírna; zásobárna **2** komora sloužící k úschově příborů a stolního prádla **3** námoř. lodní přípravna
pantryboy [pæntriboi] kuchtík
pantryman [pæntrimən] *pl: -men* [-mən] **1** komorník **2** námoř. zaměstnanec v přípravně
pants [pænts] **1** BR pánské spodky zejm. dlouhé; žert. dámské kalhotky **2** dlouhé kalhoty ◆ *by the seat of one's ~* hovor. jen ze zkušenosti; *in long ~* AM hovor. dospělý; *in short ~* AM hovor. nedospělý; *with one's ~ down* hovor. nepřipravený, v rozpacích, „na hruškách“
pantshoes [pæntšu:z] *pl* dámské střevíce určené jako doplněk k širokým kalhotám, brikety (hovor.)
pantskirt [pæntskə:t] kalhotová sukně
pantsuit [pæntsju:t] kalhotový kostým
pantyhose [pæntihəuz] *pl* n. *sg* punčocháče

pantywaist [pæntiweist] AM *s* **1** dětské krátké kalhotky připnuté k bundičce **2** zženštilý člověk ● *adj* zženštilý

panzer [pæntsə] voj. *adj* pancéřový (~ *division*) ● *s* **1** německý tank, německý obrněný vůz za 2. světové války **2** ~*s, pl* hovor. pancéřové sbory

pap[1] [pæp] **1** zast., nář. prsní bradavka **2** ~*s, pl* dva kuželovité kopce, pahrbky, prsy (hovor.)

pap[2] [pæp] *s* **1** kaše, kašička, kašovina, kašovitá strava; ovocná dřeň **2** řečičky, mlácení prázdné slámy (přen.) **3** AM hovor. právo dosazovat do funkce **4** AM zábavná četba, literární brak ● *v* (*-pp-*) **1** krmit kašičkou **2** vést sladké n. dětské řečičky

pap[3] [pæp] AM = *papa*

papa [pəˈpa:] tati, taťka, tatínek

papacy [peipəsi] papežství papežská hodnost n. instituce n. vláda

papadum [pæpədəm] druh indického pečiva

papain [pæˈpæin] papain enzym

papal [peipəl] papežský ♦ ~ *crown* tiára

papalism [peipəlizəm] papežství, papeženství

papalist [peipəlist] zastánce papežství, papeženec

papalize [peipəlaiz] popapežit | se

paparazzo [ˌpa:pəˈra:tsəu] *pl: paparazzi* [ˌpa:pəˈra:tsi:] drzý, vlezlý fotograf fotografující bez dovolení známé osobnosti

papaveraceous [pəˌpeivəˈreišəs] bot. *adj* makovitý ● *s* rostlina z čeledi makovitých

papaverous [pəˈpeivərəs] **1** připomínající mák, týkající se máku, mákovitý **2** přen. uspávací

papaw [pəˈpo:] BR **1** bot.: strom *Asimina triloba;* plod tohoto stromu **2** = *papaya*

papaya [pəˈpaiə] AM bot. papája melounový strom; plod tohoto stromu

paper [peipə] *s* **1** papír; list n. arch papíru **2** noviny (*daily* ~ deník, *weekly* ~ týdeník, *monthly* ~ měsíčník); časopis, magazín, publikace **3** cenný papír; zejm. ~*s, pl* směnky, papírové peníze, bankovky **4** přednáška (*read a* ~ *on currency reform* přednášet / mít přednášku o měnové reformě); krátká napsaná práce, krátký esej, článek, studie, pojednání (*his collected* ~*s*); disertace **5** natištěné otázky zkušební; kompozice, test otázky i odpovědi, písemná zkouška, písemná práce, písemka (hovor.) (*the biology* ~ *was difficult*) **6** balíček, sáček, kornout; kartón obsah i množství (*a* ~ *of needles*) **7** tapeta, papírový čaloun (*pictorial* ~*s printed from wood blocks were imported* dovážely se tapety s obrázkovým dekorem tištěným z dřevěných štočků) **8** slang. lístek, vstupenka; volná vstupenka, volňásek; vata návštěvník s volnou vstupenkou (*there was much* ~ *in the theatre*) **9** ~*s, pl* papíry, doklady, dokumenty, pověřovací listiny; průkaz, průkazka, legitimace **10** ~*s, pl* listiny, akta, písemnosti (*family* ~*s*) **11** ~*s, pl* papírové natáčky, papírky, bábrlata (hovor.) ♦ *art* ~ křídový papír; křída (slang.); *bible* ~ biblový papír, biblák (slang.); *blotting* ~ savý papír, piják; *bond* ~ kancelářský papír; *brown* ~ hnědý balicí papír; *cake* ~ ozdobná papírová podložka pod dorty; *carbon* ~ uhlový papír, kopírák (hovor.); *coated* ~ = *art* ~; *commit to* ~ svěřit papíru, napsat; *cross-section* ~ čtverečkovaný papír; *drawing* ~ kreslicí papír, kreslicí čtvrtka; *factory* ~ závodní časopis továrny; *fancy* ~ dekorativní obalový papír; *featherweight* ~ pírkový / letecký papír; *foolscap* ~ kancelářský papír formátu 17 × 13½ in.; *grain of* ~ zrno / zrnitost papíru; *greaseproof* ~ svačinový papír; *identification* / *identity* ~*s* osobní doklady, průkaz totožnosti; *interlining* ~ proložený papír; *note* ~ dopisní papír; *off* ~ poštovní známka odlepený; *on* ~ *1.* písemně, černé na bílém *2.* pouze na papíru, teoreticky *3.* poštovní známka nalepený, s obálkou; *printed* ~ tiskopis, tiskovina; *profile* ~ milimetrový papír; *put pen to* ~ začít psát; *rag* ~ hadrový papír; *ruled* ~ linkovaný papír; *send in one's* ~*s* vzdát se funkce, rezignovat; *tissue* ~ hedvábný papír; *toilet* ~ toaletní papír; *tracing* ~ pauzovací papír, pauzák (slang.); *waste* ~ odpadový papír, makulatura (*waste* ~ *basket* koš na papír); *writing* ~ dopisní papír ● *v* **1** též ~ *up* zabalit do papíru, nastrkat do papíru, dát do papírových sáčků, sáčkovat (~ *butterflies*) **2** polepit papírovými čalouny, vy|tapetovat (~ *a room*) **3** v|lepit předsádku do knihy **4** o|brousit skelným papírem **5** slang. naplnit vatou návštěvníky s volnými vstupenkami (~ *a theatre for the opening night*) ***paper over*** zakrýt, zastřít, zatušovat, zaretušovat (*the meeting has done little to* ~ *over the cracks between the member states* schůzka ani nezalepila trhliny mezi členskými státy) ● *adj* **1** papírový **2** papírenský (~ *industry*) **3** novinový (~ *stall,* ~ *war*) **4** existující pouze na papíru, teoretický (~ *profits*) ♦ ~ *bag* papírový sáček, pytlík, kornout; ~ *nautilus* zool. argonaut; ~ *tape 1.* lepicí páska *2.* děrovací páska

paperback [peipəbæk] *adj* jsoucí v měkké papírové vazbě, kartonovaný; levný, kapesní ♦ ~ *house* nakladatelství kapesních edic ● *s* kniha v měkké papírové vazbě; knížka do kapsy, levné vydání; detektivka

paper-bag [peipəbæg] : ~ *cookery* příprava pokrmů vložením do mastných sáčků a pečením v mírné troubě

paperboard [peipəbo:d] *s* lepenka, kartón ● *adj* lepenkový, kartónový

paperboy [peipəboi] mladý kamelot, kluk s novinami, mladý doručovatel n. roznašeč novin

paper carriage [ˈpeipəˌkæridž] válec psacího stroje

paper carrier [ˈpeipəˌkæriə] AM = *paperboy*

paperchase [peipəčeis] honička hra, v níž pronásledovaná strana nechává za sebou jako stopu útržky papíru

paperclip [peipəklip] spínátko, klips na papír

paper-credit [ˈpeipəˌkredit] obch. směnečný úvěr

paper-cutter [ˈpeipəˌkatə] řezačka na papír

paper dress [ˌpeipəˈdres] papírové šaty
paper-dressed [ˈpeipəˌdrest] oblečený v papírové šaty
papered-over [ˌpeipədˈəuvə] zaretušovaný
paperer [peipərə] **1** tapetář **2** kdo balí do papíru atd.
paperfastener [ˈpeipəˌfa:snə] spínátko, klips na papír
papergirl [ˈpeipəˌgə:l] mladá kamelotka, děvče s novinami, mladá doručovatelka n. roznašečka novin
paper gold [ˌpeipəˈgəuld] ekon. „papírové zlato"
paperhanger [ˈpeipəˌhæŋə] tapetář
paperhanging [ˈpeipəˌhæŋiŋ] **1** ~ *s, pl* tapety, papírové čalouny **2** tapetování
paperknife [peipənaif] *pl: -knives* [-naivz] nůž na dopisy, nůž na rozřezávání papíru
paperless [peipəlis] poskytující informace přímo bez použití papírů (*a* ~ *service*)
paperman [peipəmən] *pl: -men* [-mən] prodavač novin, kamelot
papermill [peipəmil] **1** papírna **2** stoupa
paper money [ˈpeipəˌmani] papírové peníze bankovky, státovky
paper pulp [peipəpalp] dřevovina
paper stainer [ˈpeipəˌsteinə] **1** barvíř papíru, výrobce pestrobarevného papíru **2** výrobce tapet **3** žert. škrabal, škrabák málo známý spisovatel
paperthin [peipəθin] zcela jemný, tenoučký
paper tiger [ˈpeipəˌtaigə] polit. papírový tygr
paperweight [peipəweit] **1** těžítko na papír **2** sport. papírová váha
paperwoman [ˈpeipəˌwumən] *pl: -women* [-wimin] prodavačka novin
paperwork [peipəwə:k] **1** písařina, kancelářská práce **2** administrativa, úřadování, papírování
papery [peipəri] papírovitý, podobný papíru, slabý jako papír
papeterie [pæpətri] krabice n. skříňka s psacími potřebami
Paphian [peifiən] *adj* **1** antic. paphoský **2** erotický ● *s* **1** Kypřan **2** prostitutka
papier-mâché [ˌpæpjeiˈma:šei] papírová drť, papírmašé (slang.)
papilionaceous [pəˌpiliəˈneišəs] *adj* **1** květ motýlovitý **2** rostlina motýlokvětý ● *s* rostlina z čeledi motýlokvětých
papilla [pəˈpilə] *pl: papillae* [pəˈpili:] bradavka, papila (anat.)
papillary [pəˈpiləri] bradavkovitý, papilární
papillate [pæpileit] **papillose** [pæpiləus] papilózní, pokrytý bradavkami / papilami
papilloma [ˌpæpəˈləumə] *pl* též *papilomata* [ˌpæpəˈləumətə] papilom nezhoubný epitelový nádor
papism [peipizəm] hanl. papeženectví
papist [peipist] *s* hanl. papeženec ● *adj* papežský; papeženecký
papistic(al) [pəˈpistik(əl)] hanl. papeženecký
papistry [peipistri] hanl. papeženství, papeženectví
papoose [pəˈpu:s] děťátko, nemluvně, batole severoamerických Indiánů
papoosh, papouche [pəˈpu:š] = *babouche*
pappose [pəˈpəus] bot.: jsoucí s chmýrem, chmýrnatý
pappus [pæpəs] *pl* též *pappi* [pæpai] **1** bot. chmýr, pappus **2** chmýří
pappy[1] [pæpi] (*-ie-*) AM tati, taťka
pappy[2] [pæpi] (*-ie-*) kašovitý
paprika [pæprikə] paprika bot.: paprika roční; paprikový lusk; koření
Pap smear [ˌpæpˈsmiə] med. Papanicolaouova skvrna rakovinový test
papula [pæpjulə] *pl: papulae* [pæpjuli:] **1** med. pupenec, pupínek, papula **2** bot. bradavka
papular [pæpjulə] **1** med. pupínkový, s pupínky, pokrytý pupínky **2** bot. bradavčitý, bradavkový, bradavkatý
papule [pæpju:l] = *papula*
papulose[pæpjuləus] **1** opatřený pupínky / papulami, papulózní **2** též **papulus** [pæpjuləs] = *papular*
papyraceous [ˌpæpiˈreišəs] připomínající papír, tenký jako papír
papyrograph [pəˈpairəgra:f] blánový rozmnožovač, cyklostyl
papyrography [ˌpæpiˈrogrəfi] cyklostylování
papyrologist [ˌpæpiˈrolədžist] papyrolog odborník v papyrologii
papyrology [ˌpæpiˈrolədži] papyrologie věda zabývající se studiem starých textů psaných na papyrech
papyrotype [pəˈpaiərətaip] rozmnožování rotaprintem, rotaprintování
papyrus [pəˈpaiərəs] *pl* též *papyri* [pəˈpaiərai] **1** bot. šáchor papírodárný **2** papyrus výrobek z dřeně šáchoru **3** *papyri, pl* papyrus, papyrusy svitek; rukopis na papyrusu
par[1] [pa:] *s* **1** roveň; obch. pari, parita (*on a* ~ postavený na roveň *with* s, stejné ceny / hodnoty jako) **2** úroveň, průměr, normál, jmenovitá hodnota (*novels below* ~, *on a* ~ průměrně) **3** golf normální počet úderů na jednu jamku ◆ *above … below* ~ nad … pod nominální / jmenovitou hodnotou; *at* ~ al pari, v nominální hodnotě, za nominální hodnotu; *be|feel not up to / below* ~ nebýt|necítit se ve své kůži; ~ *of exchange* devizová parita; *mint* ~ *of exchange* mincovní parita ● *adj* průměrný (*the acting is only* ~ herecké výkony jsou pouze ...)
par[2] [pa:], **para** [pa:rə] hovor. **1** odstavec, paragraf **2** článek, sloupek v novinách
par[3] [pa:] = *parr*
PAR[4] [pa:] voj. kruhový zajišťovací radar
para [pærə] zkr. = *parachutist* apod.
parabasis [pəˈræbəsis] *pl: parabases* [pəˈræbəsi:z] antic. parabáze část antické komedie, v níž básník ústy sboru mluvil o sobě a o svých názorech na různé otázky

parabiosis [ˌpærəbaiˈəusis] *pl: parabioses* [ˌpærəbaiˈəusi:s] fyziol. parabióza spojení dvou jedinců

parable [pærəbl] **1** podobenství, parabola (*the ~s of Christ in the Gospels*) **2** alegorie, přirovnání, příměr **3** záhadná promluva, orákulum **4** příklad, dobrý / špatný vzor ◆ *take up one's ~* zast. spustit, začít mluvit

parabola [pəˈræbələ] **1** parabola kuželosečka **2** směrový mikrofon **3** parabolická anténa

parabolic [ˌpærəˈbolik] geom. parabolický (*~ mirror* parabolické zrcadlo)

parabolical [ˌpærəˈbolikəl] liter. parabolický mající formu podobenství

parabolize [pəˈræbəlaiz] **1** liter. vyprávět podobenství n. v podobenstvích **2** učinit parabolu n. paraboloid

paraboloid [pəˈræbəloid] geom. **1** paraboloid plocha druhého stupně **2** též *~ of rotation* rotační paraboloid

para-brake [pærəbreik] brzdicí padák, padáková brzda

paracetamol [ˌpærəˈsi:təmo:l] lék proti bolení hlavy a proti horečce

parachronism [pəˈrækrənizəm] omyl v chronologii

parachute [pærəšu:t] *s* **1** padák, padákové zařízení, padáček; vrchlík padáku **2** záchyt důlní klece ◆ *~ container* pouzdro s padákem; *~ cords* šňůry padáku; *~ drop* seskok padákem; *~ flare* padáková světlice, osvětlovací raketa; *~ harness* upínací řemeny padáku; *~ jump* seskok padákem; *~ mine* mina shozená s padákem, padáková mina; *~ troops* paradesantní / výsadkové vojsko, výsadkáři, parašutisté ● *v* seskočit padákem; shodit padákem

parachutist [pærəšu:tist] **1** skokan padákem; padákový výsadkář, parašutista **2** *~s, pl* výsadkáři, výsadkové / paradesantní vojsko

Paraclete [pærəkli:t] náb. Utěšitel název Ducha svatého

parade [pəˈreid] *s* **1** přehlídka (*a mannequin ~* módní přehlídka, *military ~* vojenská přehlídka, *programme ~* přehled rozhlasových pořadů); slavnostní pochod; paráda, slavnostní přehlídka / průvod (*a church ~*) **2** nástup, apel (slang.) **3** místo, kde se konají nástupy n. přehlídky; cvičiště, cvičák (slang.), apelplac (slang.) **4** promenáda, korzo zejm. na mořském pobřeží ◆ *be on ~* být vystaven jako na přehlídce; *~ rest!* pohov!; *be ordered to ~* musit nastoupit; *make a ~ of* stavět na obdiv co; *make a ~ of doing a t.* u|dělat okatě co ● *v* **1** útvar nastoupit, nastoupit k přehlídce; pochodovat na přehlídce *before* před; chodit vojenským krokem (*down on the wharf the sentry stiffly ~d* dole na molu chodila prkenně hlídka) **2** velitel dát nastoupit; vy|konat přehlídku čeho, přehlížet **3** promenovat se, korzovat po (*veiled females were parading the docks* po přístavištích korzovaly dámy v závojích); ukazovat se, parádovat; jít průvodem n. v průvodu, pochodovat (*mob of thousands recently paraded through the main square in Cairo*) **4** stavět na odiv, nastrkovat, strkat pod nos; ukazovat | se, předvádět | se; honosit se čím, parádovat (hovor.) **5** tvářit se *as* jako, vydávat se za (*myths which ~ as modern science* mýty, ... za moderní vědu)

parade ground [pəˈreidgraund] místo, kde se konají nástupy n. přehlídky; cvičiště, cvičák (slang.). apelplac (slang.)

paradiddle [ˌpærəˈdidl] hud.: druh víření na bubínek

paradigm [pærədaim] typ, vzor skloňování n. časování; příklad, vzor, paradigma

paradigmatic [ˌpærədigˈmætik] vzorový, typový, paradigmatický

paradisaic(al) [ˌpærədiˈsaiik(əl)] rajský

paradise [pærədais] **1** ráj rajská zahrada; nebe; místo n. zdroj blaha **2** orientální park s cizokrajnou zvěří **3** slang. bidýlko druhá galerie v divadle ◆ *live in fool's ~* oddávat se iluzím

paradisean [ˌpærəˈdisiən,] **paradisiac** [ˌpærəˈdisiæk], **paradisiacal** [ˌpærədiˈsaiəkəl], **paradisial** [ˌpærəˈdisiˈəl], **paradisic(al)** [ˌpærəˈdizik(əl)] rajský

parados [pærədos] zadní násep opevnění n. zákopu, zadní ochranný val

paradox [pærədoks] paradox tvrzení; vtip; jev; paradoxon

paradoxer [pærədoksə] kdo si libuje v paradoxech, tvůrce paradoxů

paradoxical [ˌpærəˈdoksikəl] paradoxní

paradoxicality [ˌpærədoksiˈkæləti,] **paradoxicalness** [ˌpærəˈdoksikəlnis] paradoxnost

paradoxist [pærədoksist] tvůrce paradoxů

paradoxure [ˌpærəˈdoksjuə] zool. ovíječ cibetková šelma

paradoxy [pærədoksi] (*-ie-*) paradox; paradoxní vlastnost

paradrop [pærədrop] *v* (*-pp-*) shodit padákem ●*s* seskok padákem

paraffin [pærəfin,] **paraffine** [pærəfi:n] *s* **1** parafín **2** též *~ oil* parafínový olej **3** BR též *~ oil* petrolej ◆ *~ lamp* petrolejová lampa, petrolejka; *liquid ~* mírné projímadlo; *~ wax* tuhý parafín ● *v* parafínovat, napouštět parafínem, zpracovat parafínem

parafoil [pærəfoil] AM kombinace padáku a křídla

paragoge [ˌpærəˈgəudži] jaz. přisouvání, přidávání hlásek / slabik

paragogic [ˌpærəˈgodžik] jaz.: hláska přísuvný

paragon [pærəgən] *s* **1** vynikající příklad, vzor, model, ideál (*a ~ of beauty* ... veškeré krásy) **2** dokonalý diamant vážící víc než 100 karátů ● *v* bás. srovnávat *with* s

paragraph [pærəgra:f] *s* **1** odstavec; paragraf **2** krátký sloupek, článek v novinách, noticka, puntík (slang.) **3** odstavcové znaménko, zarážka; typografická značka ¶ ● *v* **1** rozdělit na odstavce, uspořádat do odstavců, udělat odstavce v 2 psát krátké sloupky, články n. noticky do novin

paragrapher [pærəgra:fə] **1** notickář **2** úvodníkář

paragraphic [ˌpærəˈgræfik] **1** odstavcový, týkající se odstavců **2** notickářský, týkající se noticek v novinách

paragraphist [pærəgra:fist] = *paragrapher*

paragraphy [pærəgra:fi] **1** noticky **2** psaní noticek v novinách; způsob psaní noticek do novin

Paraguay [pærəgwai] **1** Paraguay stát v Jižní Americe **2** *p*~ bot. cesmína paraguayská **3** *p*~, též *p*~ *tea* maté odvar ze sušených listů cesmíny paraguayské

Paraguayan [ˌpærəˌgwaiən] *adj* paraguayský ● *s* Paraguayec

paraheliotropic [ˌpærəˌhi:liəuˈtropik] rostlina natáčející listy kolmo ke slunci, paraheliotropický

paraheliotropism [ˌpærəˌhi:liəuˈtropizəm] otáčení listů rostliny přímo k slunci, paraheliotropismus

parakeet [pærəki:t] označení různých druhů malých papoušků zejm. s dlouhým ocasem

parakite [pærəkait] **1** padákový drak **2** meteorologický drak

parakiting [pærəkaitiŋ] sport. volné létání v podvěsném kluzáku

paraldehyde [pəˈrældihaid] chem. paraldehyd

paraleipsis [ˌpærəˈlaipsis,] **paralipsis** [ˌpærəˈlipsis] liter.: zdůraznění zdánlivým n. předstíraným zamlčením n. jen letmou zmínkou

parallastic [ˌpærəˈlæktik] paralaxní, paralaktický

parallax [pærəlæks] paralaxa zdánlivý rozdíl polohy předmětu vzhledem k pozadí při pozorování ze dvou různých míst; hvězdná paralaxa

parallel [pærəlel] *adj* **1** rovnoběžný, souběžný, paralelní *to* s (~ *rows of tall poplars* souběžné řady vysokých topolů, *a line* ~ *to the edge of paper*) **2** přen. obdobný, analogický, současný (~ *strikes*) **3** zapojený vedle sebe (*in* ~) ◆ ~ *bars* bradla tělocvičné nářadí; ~ *circuit* elektr. paralelní obvod; ~ *with grain* tisk po směru vlákna papíru; ~ *lines* rovnoběžky (*on* ~ *lines* souběžně, paralelně); ~ *motion* hud. stejný / paralelní pohyb hlasů; ~ *perspective* rovnoběžná perspektiva; ~ *rod* spojnice lokomotivy; ~ *ruler* dvě rovnoběžná pravítka rýsovací; ~ *sign* = *parallel, s 7* ● *s* **1** ~*s*, *pl* rovnoběžky **2** též ~ *of latitude* zeměpisná rovnoběžka **3** zákop souběžný s pevností **4** přen. obdoba (*progress that is without* ~ *in the history of mankind*); protějšek, podobnost; paralela **5** rovnoběžnost, souhlasnost, paralelismus **6** hvězd. paralela **7** typografická značka | | ◆ *draw a* ~ učinit srovnání; *put in* ~ srovnávat; *without* ~ nemající sobě rovna ● *v* **1** srovnávat, porovnávat, paralelizovat (*he* ~*s the jollity of Christmas with a picture of country life in Attica* srovnává vánoční veselí s obrázkem venkovského života v Atice); mít / nacházet obdobu v; odpovídat čemu (*programme which roughly* ~*ed the private school*) **2** být rovnoběžný, souběžný s, běžet rovnoběžně, souběžně s (*the route* ~*s the river*); dát do rovnoběžnosti, upravit rovnoběžně, s|rovnat

parallelepiped [ˌpærəleˈlepiped] geom. hranol, rovnoběžnostěn

parallelism [pærəlelizəm] **1** geom. rovnoběžnost **2** obdoba, podobnost, souběžnost, paralelismus

parallelogram [ˌpærəˈleləgræm] geom. rovnoběžník ◆ ~ *of forces* vektorový diagram (mech.)

paralogism [pəˈrælədžizəm] paralogismus, paralogie vadný závěr n. důkaz, vznikající z neznalosti věci n. logických pravidel; logická chyba

paralogize [pəˈrælədžaiz] udělat logickou chybu, dopustit se paralogismu

paralysation [ˌpærəlaiˈzeišən] ochrnutí; ochromení

paralyse [pærəlaiz] **1** ochrnout; ochromit; strnout **2** zeslabit, zneškodnit, potlačit, paralyzovat

paralysis [pəˈrælisis] *pl: paralyses* [pəˈrælisi:z] **1** ochrnutí, obrna, paralýza **2** přen. ochromení, strnutí

paralytic [ˌpærəˈlitik] *adj* týkající se paralýzy, ochrnutí n. obrny, **1** paralytický **2** ochrnutý, ohromený, strnulý ◆ ~ *laughter* nezadržitelný smích; ~ *stroke* mrtvice, ochrnutí ● *s* paralytik člověk stižený paralýzou

paramagnetic [ˌpærəmægˈnetik] fyz. paramagnetický

paramagnetism [ˌpærəˈmægnitizəm] paramagnetismus vlastnost některých látek, že jsou přitahovány póly magnetu

paramatta [ˌpærəˈmætə] polovlněná lehká šatovka

paramecium [ˌpærəˈmi:siəm] = *paramoecium*

paramedic[1] [ˌpærəˈmedik] AM zdravotník

paramedic[2] [ˌpærəˈmedik] voj. výsadkářský lékař

parameter [pəˈræmitə] **1** mat. parametr pomocná proměnná **2** přen. charakteristika, parametr (*the mind with all its* ~*s*)

parametrize [pəˈræmətraiz] zjistit parametry čeho

para-military [ˌpærəˈmilitəri] polovojenský (*a* ~ *police force*); pomocný pro armádu

paramo [pəˈra:məu] paramo jihoamerická náhorní rovina bez stromů

paramoecium [ˌpærəˈmi:siəm] zool. trepka rod prvoků z třídy nálevníků

paramouncy [pærəmaunsi] = *paramountcy*

paramount [pærəmaunt] *adj* **1** výsostný, vrcholný, vrchní, hlavní (*lord* ~ vrchnost); nejvyšší, svrchovaný, první (*one of the* ~ *sheiks in the desert*) **2** prvořadý, nejdůležitější, rozhodující (*the reporter is the* ~ *performer* prvořadým činitelem je reportér); naprosto nadřazený *over* / *to* nad (*the new constitution should be* ~ *over all other constitutions*) ● *s* nejvyšší pán, vrchnost; náčelník, hlava (*his cousin is the* ~ *of the tribe*)

paramountcy [pærəmauntsi] **1** výsostnost, vrcholnost, svrchovanost **2** prvořadost; naprostá nadřazenost

paramour [pærəmuə] **1** milenec vdané ženy **2** milenka, metresa ženatého muže
parana [pəˈra:nə] : ~ *tree* / ~ *wood* bot. blahočet úzkolistý
parang [pa:raŋ] malajská mačeta
paranoea [ˌpærəˈniə] = *paranoia*
paranoeac [ˌpærəˈni:æk] = *paranoiac*
paranoia [ˌpærəˈnoiə] med. paranoia duševní choroba
paranoiac [ˌpærəˈnoiik] *adj* paranoický ● *s* paranoik člověk stižený paranoií
paranoid [pærənoid] paranoidní, pomatený
paranormal [ˌpærəˈno:məl] nevysvětlitelný přírodními zákony, nikoliv však nadpřirozený
paranymph [ˌpærəˈnimf] **1** svědek **2** hlavní družička
parapack [pærəpæk] složený padák
parapet [pærəpit] **1** stav. předprseň, poprsník, podprseň, poprseň, parapet **2** ochranné lešení; nízká zídka, zábradlí terasy n. mostu **3** voj. přední násyp zákopu, přední ochranný val, parapet
parapeted [pærəpitid] opatřený parapetem, jsoucí s poprsníkem, s podprsní
paraph [pærəf] paraf, kroucená klička okrasné zakončení podpisu
paraphernalia [ˌpærəfəˈneiljə] *pl* **1** osobní majetek, osobní příslušenství **2** výzbroj, výstroj, výbava, parafernálie **3** práv. parafernálie vlastní jmění manželčino (vedle věna), jehož může volně užívat **4** obaly n. ředidla narkotik
paraphrase [pærəfreiz] *s* **1** parafráze volné zpracování cizí myšlenky; převypravování **2** círk. hymnus ve skotské církvi **3** hud. fantazie, variace, parafráze ● *v* parafrázovat, tlumočit vlastními slovy, převyprávovat (*stories will have to be ~d by the mother*); přestylizovat (*he ~d some of the telegrams*)
paraphrastic [ˌpærəˈfræstik] parafrastický vyjádřený parafrází
paraphysis [pəˈræfisis] *pl: paraphyses* [pəˈræfisi:z] bot. parafýza u mechů
paraplegia [ˌpærəˈpli:džə] med. paraplegie ochrnutí obou dolních končetin
paraplegic [ˌpærəˈpli:džik] **1** týkající se paraplegie **2** stižený paraplegií
paraprofessional [ˌpærəprəˈfešənl] *s* poloprofesionál ● *adj* poloprofesionální
parapsychology [ˌpærəsaiˈkolədži] parapsychologie, metapsychologie studium tzv. okultních duševních jevů
Paraquat [pærəkwot] druh herbicidu
paraquet [pærəki:t] = *parakeet*
paras [pærəs] *pl* hovor. parašutisté
parasang [ˌpærəsæŋ] parasang stará délková míra (asi 5 km)
paraselene [ˌpærəsəˈli:ni] *pl: paraselenae* [ˌpærəsəˈli:ni:] hvězd. vedlejší měsíc, falešný měsíc
parasite [pærəsait] **1** biol. parazit, cizopasník **2** příživník, parazit, cizopasník **3** bot. parazitická rostlina, parazit
parasitic(al) [ˌpærəˈsitik(əl)] **1** cizopasný, příživnický, parazitický, parazitní **2** tech. nenapájený; nenabuzený; nežádoucí ◆ ~ *drag* let. škodlivý odpor; ~ *oscillation* parazitní kmity
parasiticide [ˌpærəˈsitisaid] med. prostředek hubící parazity
parasitism [pærəsaitizəm] příživnictví, parazitismus; biol. cizopasnictví
parasitize [pærəsaitaiz] **1** zamořit parazity (~*d* napadený parazity) **2** cizopasit, parazitovat
parasol [pærəsol] **1** slunečník, parazol **2** let. jednoplošník parazol ◆ ~ *fungus* / *mushroom* bedla vysoká houba; ~ *pine* pinie borovice
parastatal [ˌpærəˈsteitl] *adj* polovládní, polooúřední ● *s* poloúřední organizace
parasynthesis [ˌpærəˈsinθisis] jaz. odvozenina ze složeniny
parasynthetic [ˌpærəsinˈθetik] jaz. odvozený ze složeniny
paratactic [ˌpærəˈtæktik] **1** jaz. souřadný, parataktický **2** pocit nesourodý; neharmonický
parataxis [ˌpærəˈtæksis] jaz. souřadnost, parataxe, parataktické spojení
parathyroid [ˌpærəˈθairoid] anat. *adj* příštitný ◆ ~ *gland* = ● *s* příštitná žláza
paratrooper [pærətru:pə] padákový výsadkář, parašutista, paradesant
paratroops [pærətru:ps] *pl* výsadkové / paradesantní oddíly, výsadkáři, parašutisté
paratyphoid [ˌpærəˈtaifoid] med. paratyf(us) střevní infekční onemocnění s příznaky mírnějšími než u tyfu
paravane [pærəvein] námoř. minolovný drak-paraván
par avion [ˌpa:rəˈvjo:ŋ] letadlem, letecky označení letecké zásilky
parboil [pa:boil] zpola uvařit, předvařit, nedovařit ***parboil o.s.*** přen. vařit se, péci se, potit se (*four dollars a day for ~ing themselves two thousand feet underground*)
parbuckle [pa:bakl] námoř. *s* **1** lanový nával, lanová ližina **2** dvojitá smyčka pro odvíjení sudů ● *v* **1** vytahovat n. spouštět pomocí lanového návalu / lanové ližiny **2** ovinout dvojitou smyčkou; zdvihat n. spouštět pomocí dvojité smyčky **3** zkracovat plachtu navinováním na peň
Parcae [pa:si:] *pl* mytol. sudičky, Parky
parcel [pa:sl] *s* **1** balíček, malý balík; zásilka **2** partie nabízeného zboží **3** též ~ *of land* pozemek, parcela **4** hejno, stádo, banda, tlupa (*a ~ of giddy young kids*) **5** zast. kus, část, částka, díl; součást (*part and ~* nedílná / nezbytná součást, *in ~s* po částech) **6** ~*s, pl* přesné označení majetkových kusů ve smlouvě **7** slang. balík velká výhra n. prohra ◆ *do up in ~s* zabalit do balíků; ~ *company* společnost pro dopravu balíků; *express ~* spěšnina; *insured ~* cenný balík, cenovka; ~ *paper* hnědý balicí papír; *be part and ~ of* být nedílnou součástí čeho; ~ *post* balíková pošta (*to send*

a t. by ~ *post* poslat co poštou jako balík, ~ *post insurance* pojištění poštovních balíků) ● *v (-ll-)* **1** též ~ *out* roz|dělit, roz|kouskovat; roz|parcelovat pozemek **2** též ~ *up* zabalit / dát do balíčku, udělat balíček z (~ *his purchase* udělat z jeho nákupu balíček) **3** námoř. utěsňovat lodní švy plachtovinou; ovíjet lano pruhem plachtoviny ● *adj* zast. částečně, zpola (~ *blind* poloslepý, ~ *drunk* podnapilý, ~ *gilt* částečně pozlacený, částečně uvnitř vyzlacený)

parcelling [pa:sliŋ] **1** námoř.: dlouhé úzké pásy plachtoviny určené k ovíjení lan **2** v. *parcel, v*

parcels room [pa:slzru:m] AM úschovna zavazadel

parcenary [pa:sinəri] *(-ie-)* společné dědictví, spoludědictví

parcener [pa:sinə] spoludědic

parch [pa:č] **1** o|pražit (*they* ~*ed the kernels of sweet corn*); vy|sušit, ožehnout, sežehnout **2** vysychat, vyschnout, pukat, okorat ◆ *be* ~*ed* být vyschlý, vyprahlý, spálený horkem n. mrazem, rozpukaný, okoralý (*be* ~*ed with thirst* mít vyprahlé hrdlo); ~*ed peas* pučálka

parcheese [pa:ˈči:zi] AM = *pachisi*

parchment [pa:čmənt] **1** pergamen kůže; listina **2** pergamenovitá slupka, zejm. oplodí kávovníku ◆ ~ *paper* pergamenový papír

parchmenty [pa:čmənti] pergamenovitý, jako pergamen, připomínající pergamen

parclose [pa:kləuz] mřížka mezi boční kaplí a hlavní lodí kostela

par-cook [pa:kuk] kuch. obdělat

pard[1] [pa:d] BR zast. pard pardál, leopard, levhart

pard[2] [pa:d] AM slang. pard, kámoš, brácha společník

pardner [pa:dnə] AM slang. = *pard*[2]

pardon [pa:dn] *s* **1** odpuštění, prominutí, smilování, milost; pardon **2** círk. odpustek; pouť, poutní slavnost, odpust (nář.) **3** práv. amnestie (*general* ~ všeobecná amnestie) ◆ *I beg your* ~ *1.* prosím? nerozuměl jsem *2.* promiňte!; ~ *bell* klekání ● *v* odpustit, omluvit, prominout, promíjet, pardonovat *a p.* komu *for* co / že ◆ ~ *me* AM *1.* pardon, promiňte *2.* s dovolením, račte dovolit

pardonable [pa:dnəbl] omluvitelný, prominutelný

pardoner [pa:dnə] odpustkář středověký prodavač odpustků

pare [peə] **1** o|řezat, o|krájet, přiříznout (~ *the horse's hoof*) **2** o|loupat (~ *apples*); o|stříhat nehty (~ *the nails to the quick* ostříhat nehty do masa) **3** též ~ *off* / *away* o|pilovat, o|hoblovat, o|drhnout, o|škrábat, o|brousit; srazit hrany **4** zast. podmítat zem, zaorat / obrátit drn **5** též ~ *away* / *down* přen. zmenšit, oholit, zredukovat na

paregoric [ˌpærəˈgorik] *adj* lék mírnící bolest, uklidňující, paliativní ◆ *P*~ *elixir* lék na zmírnění bolesti opiová tinktura ● *s* lék na zmírnění bolesti, paliativum

pareira [pəˈreərə] močopudná droga

parenchyma [pəˈreŋkimə] parenchym specifická tkáň orgánu; buněčné pletivo

parens [peərəns] *pl* zkr. = *parentheses*

parent [peərənt] *s* **1** otec, matka; rodič, roditel|ka; pra|předek (~*s* rodiče, *first* ~*s* prarodiče Adam a Eva) **2** původní zdroj, původce, prapůvodce (*liberty was the* ~ *of eloquence* volnost byla prapůvodem výmluvnosti) ● *adj* **1** základní, mateřský (~ *firm*) **2** matečný, mateční (~ *tree,* ~ *rock*) ◆ ~ *company* mateřská společnost; ~ *material* matečná hornina; ~ *metal* základní kov při svařování

parentage [peərəntidž] **1** rod, rodina, předkové, rodokmen, rodinný původ (*can you tell me anything of the* ~ *of the lady?*) **2** původ, zdroj, zrod (*the ballads about them are of a common* ~) **3** rodičovství, otcovství, mateřství

parental [pəˈrentl] **1** rodičovský, týkající se rodičů, udělený rodiči (*participation in the tests now under way is only upon* ~ *request* právě konaných testů se lze zúčastnit pouze na výslovnou žádost rodičů); mateřský, otcovský (*the peculiar, and indeed* ~ *relationship of the author to his work*) **2** základní, mateřský; matečný, mateční, zárodečný (*the progenitor of the gold was some* ~ *magma* zlato má prapůvod v jakémsi zárodečném magmatu) **3** biol. parentální **4** med. mimostřevní ◆ ~ *injection* podání léku jinou cestou než zažívacím traktem

parenthesis [pəˈrenθisis] *pl: parentheses* [pəˈrenθisi:z] **1** jaz. vsuvka, parenteze slovo n. věta mluvnicky nezařaděná do jiné věty **2** oblá / kulatá závorka ( ) **3** přen. přestávka, mezera, vsuvka, interval; mezičlánek, mezihra (*the fate of mankind is an irrelevancy, a* ~ *of no importance* osud lidstva není rozhodující, je to pouze nedůležitý mezičlánek)

parenthesize [pəˈrenθisaiz] **1** vsunout jako vsuvku; doplnit vsuvkou, udělat vsuvku do **2** dát do kulatých závorek

parenthetic(al) [ˌpærənˈθetik(əl)] **1** jaz. vsuvkový, parentetický **2** vsunutý (*they speak of him with many* ~ *qualifications* když o něm mluví, vsunují do toho řadu výhrad), vedlejší, vysvětlující, jsoucí jakoby v závorce (~ *remarks*) **3** řidč. libující si ve vsuvkách n. závorkách (*a* ~ *style*)

parenthood [peərənthud] rodičovství, otcovství, mateřství ◆ *voluntary* ~ plánované rodičovství, kontrola porodnosti

parent-in-law [peərəntinlo:] *pl: parents-in-law* [peərəntsinlo:] **1** tchán **2** tchyně

parentless [peərəntlis] **1** jsoucí bez rodičů, osiřelý, sirý (kniž.) **2** jsoucí bez známého zdroje n. původu n. původce

parent teacher [ˌpeərəntˈti:čə:] : ~ *association* AM rodičovské sdružení při škole

parer [peərə] **1** kráječ kůží **2** loupáček, škrabka nůž (*potato* ~)

parergon [pəˈrə:gon] *pl: parerga* [pəˈrə:gə] **1** vedlejší práce, vedlejší / dodatkové dílo, parergon **2** okrasa, příkrasa, ozdoba, ornament

paresis [pəˈri:sis] med. paréza neúplné ochrnutí nervu n. svalu

par excellence [pa:ˈreksəla:ns] zvláště, vysloveně, vyloženě, non plus utra, par excellence

parfait [pa:ˈfei] parfet mražený smetanový krém se šlehačkou a s ovocem

parget [pa:džit] *v* omítat, nahazovat; štukovat ● *s* **1** omítnutí, nahození **2** sádrová / štuková omítka **3** štuk, štukatura; štukování

pargeter [pa:džitə] štukatér

pargeting [pa:džitiŋ] **1** štuk, štukování, štukatura **2** v. *parget, v*

parging [pa:džiŋ] = *pargeting, 1*

parhelion [pa:ˈhi:ljən,] *pl: parhelia* [pa:ˈhi:ljə] meteor. vedlejší slunce, falešné slunce, parhelium (*lower* ~ spodní vedlejší slunce)

pariah [pəˈraiə] **1** pária člen nízké kasty v Indii **2** společenský vyděděnec, vyvrhel, pária **3** = *pariah-dog*

pariah-dog [pəˈraiədog] pária zdivočelý pes v asijských zemích

Parian [peəriən] *adj* parský vztahující se k ostrovu Paros ◆ ~ *ware* = *parian, s 2* ● *s* **1** obyvatel ostrova Paros **2** *p*~ parian, biskvitový střep porcelán

parietal[1] [pəˈraiitl] *adj* **1** anat. temenní, parietální (~ *bones* temenní kosti) **2** bot. nástěnný, parientální ● *s* temenní kost

parietal[2] [pəˈraiitl] univerzitní (~ *committee*)

pari-mutuel [ˌpæriˈmjutjuəl] **1** systém sázek, podle něhož si výherci rozdělí po odečtení malé srážky vsazené částky **2** totalizátor při dostizích

paring [peəriŋ] **1** oloupaná slupka; hoblina, ořezek, špona (slang.) **2** v. *pare*

pari passu [ˌpæraiˈpæsju:] **1** ve stejném tempu, stejnoměrně, rovnoměrně; souběžně **2** práv. rovným dílem

paris[1] [pæris] bot. vraní oko

Paris[2] [pæris] **1** antic. Paris syn trojského krále Priama **2** Paříž (*gay* ~ [pæri:] rozpustilá Paříž) ◆ ~ *blue* pařížská / pruská modř; ~ *doll* krejčovská panna, figurína, manekýn; ~ *green* pařížská / svinibrodská zeleň; ~ *white* pařížská běloba, přírodní křída

parish [pæriš] **1** farnost **2** celá farnost, všichni farníci **3** BR též *civil* ~ okrsek **4** AM kongregace, náboženská společnost, církev **5** hist. diecéze ◆ *be* / *go on the* ~ pobírat sociální důchod; ~ *church* farní kostel; ~ *clerk* pomocník faráře / pastora, kostelník, kantor; ~ *council* BR místní rada sociální péče; ~ *office* farní úřad; ~ *priest* farář, pastor; ~ *register* farní matrika

parishioner [pəˈrišənə] farník

parish-pump [pærišpamp] záležitost místní, úzce lokální, provinciální

Parisian [pəˈrizjən] *adj* pařížský ● *s* Pařížan, obyvatel Paříže

Parisienne [ˌpəriˈzjen] *pl: Parisiennes* [ˌpəriˈzjen] Pařížanka

parisyllabic [ˌpærisiˈlæbik] jsoucí o stejném počtu slabik, stejnoslabičný ve všech pádech

parity[1] [pærəti] (*-ie-*) **1** rovnost, rovnováha; stejná hodnost, rovnocennost, parita **2** stejnost, souběžnost, analogičnost (~ *of reasoning* stejný způsob uvažování) **3** obch.: měnová parita ◆ *at the* ~ *of* při jakém přepočítacím kursu; ~ *of exchange* oficiální přepočítací kurs; ~ *prices* obch. rovnostní / paritní ceny

parity[2] [pærəti] (*-ie-*) med. **1** rodičovství ženy **2** počet dětí jedné ženy

park [pa:k] *s* **1** park; sady **2** obora **3** též *national* ~ přírodní park, přírodní rezervace, chráněná oblast **4** AM horské údolí; řídce porostlá krajina **5** též *amusement* ~ lunapark **6** voj.: dělostřelecký park seřadiště i soubor; shromaždiště zásob; seřadiště; mimoubikační část vojenského tábora **7** též *ball* ~ AM travnaté hřiště **8** též *car* ~ parkoviště ◆ ~ *flower* konvalinka; ~ *forest* parkovitý les ● *v* **1** změnit v oboru, udělat park / oboru z **2** voj. seřadit, shromáždit dělostřelectvo, zásoby **3** za|parkovat vůz (*he* ~*ed his car behind the building*), za|parkovat s vozem (*he* ~*ed with his girl in a local lover's lane*) **4** přen., hovor. nechat, uložit, odložit, dát do úschovy n. opatrování ***park o.s.*** hovor. uvelebit se (*he* ~*ed himself in an easy chair* uvelebil se do lenošky)

parka [pa:kə] **1** eskymácký kožešinový kabátec s kapucí **2** AM sportovní bunda s kapucí s kožešinovou n. plyšovou vložkou

Parkhurst [pa:khə:st] též ~ *prison* BR parkhurstská trestnice

parker [pa:kə] kdo parkuje, parkující

parkin [pa:kin] BR nář. pečivo z ovesné mouky a sirupu

parking [pa:kiŋ] **1** parkoviště **2** v. *park, v* ◆ ~ *attendant* hlídač parkoviště; ~ *brake* ruční brzda; ~ *light* parkovací světlo; ~ *lot* AM parkoviště; ~ *orbit* kosm.: dočasná oběžná dráha kolem země n. měsíce před dalším letem do kosmu; ~ *space 1.* parkoviště *2.* odstavná plocha letiště

parking meter [ˈpa:kiŋˌmi:tə] parkovací hodiny, parkoměr přístroj

Parkinson's disease [ˌpa:kinsnzdiˈsi:z] med. obrna třaslavá, Parkinsonova choroba

Parkinson's law [ˌpa:kinznsˈlo:] Parkinsonův zákon humorný postřeh z oblasti byrokratického řízení ekonomie apod.

parkish [pa:kiš] parkovitý, připomínající park

park keeper [ˈpa:kˌki:pə] hlídač v parku

parkland [pa:klænd] rozlehlý park, sadová plocha, oblast připomínající park

parkway [pa:kwei] AM dálnice se zeleným pásem

parky[1] [pa:ki] (*-ie-*) BR slang.: vzduch studený, mrazivý, sychravý, řezavý, zebavý

parky[2] [pa:ki] (*-ie-*) BR slang. = *park keeper*

parlance [pa:ləns] **1** řeč, způsob řeči **2** jazyk, žargon, hantýrka ♦ *in common ~* jak se obvykle říká, prostě; *naval ~* námořnická hantýrka
parlando [pa:ˈlændəu] hud. parlando
parlay [pa:lei] *v* **1** znovu vsadit vyhrané **2** (umět) použít přednosti k získání výhody *into* k, vložit do (*she ~ed her physical attributes into a film career* použila svých tělesných předností k tomu, aby udělala kariéru u filmu) ● *s* nová sázka
Parlement [pa:ləma:ŋ] hist.: francouzský soudní dvůr zrušený r. 1792
parlementaire [ˌpa:ləma:nˈteə] parlamentář osoba zmocněná vyjednávat s nepřítelem o příměří
parley [pa:li] *s* rozhovor, debata, diskuse, jednání, vyjednávání k vyřešení sporných otázek, zejm. o příměří ♦ *beat | sound a ~* za|bubnovat | za|troubit na znamení ochoty vyjednávat ● *v* **1** jednat o podmínkách, vyjednávat příměří s nepřítelem **2** mluvit zejm. cizí řečí
parleyvoo [ˌpa:liˈvu:] žert. *s* **1** Francouz **2** francouzština ● *v* mluvit francouzsky
parliament [pa:ləmənt] **1** parlament, zasedání parlamentu (*open ~* zahájit zasedání parlamentu, *the ~ met* parlament zasedal, *the ~ rises* zasedání parlamentu končí) **2** čast. *P~* BR zákonodárný orgán Horní a Dolní sněmovna **3** křehký perník ♦ *Act of ~* BR zákon; *Long P~* zasedal 1640 – 1660; *Short P~* zasedal 13.4. – 5.5. 1640
parliamentarian [ˌpa:ləmenˈteəriən] *s* **1** parlamentář, obratný řečník v parlamentu **2** BR hist. republikán, stoupenec Parlamentu v občanské válce **3** AM organizační místopředseda schůze ● *adj = parliamentary*
parliamentarianism [ˌpa:ləmenˈteəriənizəm] parlamentarismus
parliamentaire [ˌpa:ləma:nˈteə] = *parlamentaire*
parliamentary [ˌpa:ləˈmentəri] *adj* **1** parlamentní (*~ reform*), parlamentární **2** vhodný pro parlament, slušný, zdvořilý; jemný, uhlazený, vybraný, salónní (*two gentlemen politely and in strictly ~ language calling one another incompetent administrators* dva džentlmeni, kteří si navzájem a naprosto vybraným jazykem nadávali, že jako správní úředníci jsou neschopní) **3** BR hist. republikánský v občanské válce (*~ troops*) ♦ *~ agent* BR referent pro individuální záležitosti a návrhy v parlamentu; *~ train* BR zlevněný vlak ● *s* (*-ie-*) **1** člen parlamentu, poslanec **2** BR zlevněný vlak **3** = *parlamentaire*
parlour [pa:lə] *s* **1** předpokoj vysokého úředníka, dvorana banky, hala v hotelu, salónek v restauraci, hovorna v klášteře **2** zejm. AM pokoj, obývací n. přijímací pokoj, salón, salónek v bytě **3** AM speciální provozovna, salón (*beauty ~*), ústav (*funeral ~* pohřební ústav, *beer ~* pivnice, *ice-cream ~* cukrárna prodávající zejm. zmrzlinu) ● *adj* salónní vhodný pro salón (*~ furniture*), pouze debatující (*~ socialist*) ♦ *~ games* společenské hry zejm. slovní, hrané uvnitř místnosti; *~ pink* salónní socialista
parlour car [pa:ləka:] AM salónní vůz n. vagón železniční
parlour lizard [ˈpa:ləˌlizəd] AM lev salónů
parlourmaid [pa:ləmeid] BR panská služebná posluhující při stole
parlour snake [pa:ləsneik] AM = *parlour lizard*
parlous [pa:ləs] zast., nář., žert. *adj* **1** nebezpečný, těžký; zatracený, zatrachtilý, sakramentský (*a ~ journey up a ladder* zatracený výstup po žebříku) **2** čtverácký; mazaný, fikaný, vykutálený, práskaný vychytralý ● *adj* děsně, strašně, strašlivě, příšerně, šíleně, fantasticky (*she is ~ handsome* ... krásná)
Parmesan [ˌpa:miˈzæn] *s* parmezán, parmazán druh tvrdého sýra ● *adj* [pa:mizæn] **1** parmezánský, parmazánský (*~ cheese*) **2** parmský
Parnassian [pa:ˈnæsiən] *adj* parnasistní, parnasistický vztahující se k parnasismu ● *s* parnasista stoupenec parnasismu
Parnassus [pa:ˈnæsəs] Parnas pohoří v Řecku, zasvěcené Múzám; přen.: básnictví ♦ *grass of ~* bot. tolije, parnasie
Parnellism [pa:nelizəm] parnellismus irský politický směr hlásaný C. Parnellem 1880 – 91
parochiaid [pəˈrəukieid] AM státní podpora církevní škole
parochial [pəˈrəukjəl] **1** farní (*~ church*); obecní (*~ workhouse* obecní chudobinec) **2** místní, lokální, úzce omezený; malý, zápecnický, provinční (*manifestations of national pride and other ~ bigotries* projevy národní pýchy a jiné zápecnické bigotnosti) ♦ *~ school* AM církevní škola
parochialism [pəˈrəukjəlizəm,] **parochiality** [pəˌrəukiˈæləti] (*-ie-*) **1** malost, zápecnictví, provinčnost **2** *parochialities, pl* farní záležitosti
parochialize [pəˈrəukjəlaiz] **1** rozdělit do farností n. na farnosti **2** pracovat ve farnosti, pomáhat svému faráři n. pastorovi v práci
parodic [pəˈrodik] posměšný, zesměšňující, parodující, parodistický, parodický
parodist [pærədist] parodista skladatel parodií
parody [pærədi] (*-ie-*) *s* parodie; karikatura ● *v* parodovat, karikovat
paroecious [pəˈri:šəs,] **paroicous** [pəˈroikəs] bot. jednodomý
parol [pəˈrəul] ústní (*~ evidence*)
parole [pəˈrəul] *s* **1** též *~ of honour* čestné slovo zajatce, zejm. že se nepokusí o útěk (*on ~* na takové čestné slovo) **2** AM propuštění vězně na čestné slovo, volná vazba **3** vyšetřování na svobodě, propuštění podmíněně odsouzeného **4** heslo velitelů n. dozorčích stráže **5** jaz. parole jazykový projev ♦ *break one's ~* zajatec na čestné slovo pokusit se o útěk, nevrátit se do vězení ● *v* propustit na čestné slovo, zavázat čestným slovem vězně

parolee [ˌpərəuˈli:] zajatec n. vězeň na čestné slovo (*the ~ broke his parole*)
paronomasia [ˌpæronəuˈmeiziə] liter. **1** paronomázie slovo stejného kořene **2** slovní hříčka
paroquet [pærəki:t] = *parakeet*
parotid [pəˈrotid] *adj* příušní (*~ gland* příušní žláza, *~ duct* Stensonův kanálek) ● *s* příušní žláza
parotitis [ˌpærəˈtaitis] med. zánět příušní žlázy, příušnice, parotitida
parousia [pəˈru:ziə] náb. druhý příchod Kristův na svět
paroxysm [pærəksizəm] **1** záchvat nemoci; nával zlosti; výbuch smíchu; paroxysmus **2** vrchol, vrcholný bod, maximum
paroxysmal [ˌpærəkˈsizməl] křečovitý, prudký, náhlý; záchvatový, paroxysmální
paroxytone [pəˈroksitəun] *adj* s přízvukem na předposlední slabice ● *s* paroxytonon slovo s přízvukem na předposlední slabice
parpen(t) [pa:pen(t)] stav. dvoulícný vazák
parquet [pa:kei / AM pa:ˈkei] *s* **1** parketa; parkety, parketová podlaha; vykládané parketování, vykládaná podlaha, parket **2** AM parket, přízemí v divadle **3** ve Francii kriminální oddělení, kriminálka ● *v* pokládat parkety, dávat parketovou podlahu, parketovat co
parquetry [pa:kitri] (*-ie-*) **1** vykládané parketování; dřevěná intarzie **2** stav. parketa; parketová podlaha, vlýsková podlaha
parr [pa:] *pl* též *parr* [pa:] mladý losos n. strdlice, mladí jedinci do jednoho roku s charakteristickým zbarvením
parricidal [ˌpæriˈsaidl] otcovražedný, vražedný; vlastizrádný, velezrádný
parricide [pærisaid] **1** otcovrah, matkovrah; kralovrah; vrah rodičů / blízkého příbuzného / posvátné osoby **2** otcovražda, matkovražda; kralovražda, vražda rodičů / blízkého příbuzného / posvátné osoby **3** vlastizrádce, velezrádce **4** vlastizrada, velezrada
parrot [pærət] *s* papoušek pták; papouškující člověk ◆ *~ disease* / *fever* papouščí nemoc, psitakóza ● *v* **1** papouškovat **2** nadřít koho, napapouškovat (*actors ~ed by the stage manager*)
parrot fish [pærətfiš] *pl: fish* [fiš] zool. papouščí ryba
parrotry [pærətri] papouškování
parry [pæri] (*-ie-*) *v* **1** odrážet, odrazit zbraň; krýt úder **2** čelit čemu, odvrátit, parírovat ● *s* **1** odrážení, krytí **2** odvrácení, parírování
parse [pa:z] **1** mluvnicky rozebrat větu, u|dělat větný rozbor čeho **2** určit větnou platnost slova; udělat slovní rozbor **3** rozebrat, analyzovat (*~ problems and solutions*)
parsec [pa:sek] hvězd. parsek astronomická jednotka vzdálenosti (3,26 světelných roků)
Parsee [pa:ˈsi:] **1** Párs stoupenec Zarathuštrova náboženství v Indii **2** jazyk pársistických knih, stará perština za Sásánovců
Parseeism [pa:ˈsi:izəm] pársismus Zarathuštrovo náboženství v Indii
parsimonious [ˌpa:siˈməunjəs] **1** šetrný, spořivý **2** lakomý, lakotný, skoupý
parsimoniousness [ˌpa:siˈməunjəsnis] šetrnost, spořivost, skoupost; lakotnost, lakomost, lakocení
parsimony [pa:siməni] **1** šetrnost, spořivost, skoupost **2** lakomost, lakota, lakomství **3** úspornost ◆ *law of ~* log. zákon o „ekonomii myšlení“ pravidlo o zbytečném nerozšiřování počtu příčin nějakého jevu
parsing [pa:ziŋ] **1** rozbor větný **2** v. *parse*
parsley [pa:sli] petržel, petržel zahradní (bot.) ◆ *cow ~* kerblík obyčejný; *~ family* bot. mrkvovité; *~ fern* bot. jinořadec kadeřavý; *he has need now of nothing but little ~* už na něm roste trávníček je mrtev
parsnip [pa:snip] bot. pastinák ◆ *fine / kind / soft words butter no ~s* to jsou jen plané řeči, pěkná slova nic nespraví, sliby chyby
parson [pa:sn] **1** farář; pastor **2** duchovní, kněz; vikář, kaplan **3** černé zvíře, černý pták ◆ *~'s nose* biskup u drůbeže
parsonage [pa:snidž] fara; pastorství; vikariát; kaplanka
parson bird [pa:snbə:d] zool. kystráček novozélandský
parsonic [pa:snik] farářský; pastorský
part [pa:t] *s* **1** část, kus (*only (a) ~ of his story is true*); stejný díl (*mix the powder with three ~s of water, a minute is the sixtieth ~ of an hour* minuta je šedesátina hodiny) **2** součást (*as if light and shadow were ~ of her being*); součástka (*spare ~s* náhradní díly, rezervní součástky) **3** sešit, pokračování (*a new encyclopaedia is to be issued in monthly ~s*) **4** místo na těle (*bathe the affected ~ with warm water* koupat nemocné místo v teplé vodě) **5** strana ve sporu **6** úloha, účast, podíl *in* na (*I had only a small ~ in these events* na těchto událostech jsem měl pouze malý podíl) **7** divadelní role, úloha, text (*do the actors all know their ~s?*) **8** hud. hlas, part (*orchestra ~s*); hlas v polyfonní skladbě (*sing in three ~s* zpívat trojhlasně) **9** způsob chování (*I thought silence is the best ~*); povinnost (*do one's ~* splnit svou povinnost) **10** pěšinka ve vlasech **11** *~s, pl* kraj, končina, končiny, kout země (*in foreign ~s* v cizině) **12** *~s,* též *private / privy ~s, pl* přirození člověka, pohlavní ústrojí zvířete **13** *~s, pl* zast. vynikající schopnosti, vlastnosti; nadání, talent (*man of ~s* chytrý a schopný člověk, talent) ◆ *be art and ~ in* zúčastnit se čeho; *~ and parcel* v. *parcel, s; in the early ~ of summer* počátkem léta; *for my* etc. *~* pokud jde o mne atd.; *for the most ~* většinou; *form a ~* být součástí *of* čeho; *greater ~* většina; *have neither art nor ~ in* nemít ani to nejmenší společného s; *in ~ 1.* částečně, zčásti *2.* postupně, po částech; *~ of a negative*

výřez fotografie; *on my* etc. ~ *1.* na mé atd. straně (*he that is not against us is on our* ~ kdo nejde proti nám, jde s námi) *2.* z mé atd. strany; *on the* ~ *of 1.* ze strany koho, z hlediska koho *2.* zaviněný kým, pocházející od koho (*an indiscretion on the* ~ *of his wife nearly ruined him* indiskrece jeho manželky ho téměř zničila); *on the one* ~ ... *on the other* ~ jednak ... jednak ...; *play a* ~ *1.* hrát, hrát divadlo, přetvařovat se, filmovat to *2.* za|chovat se jak (*play a noble* | *unworthy* ~ zachovat se dobře | špatně); ~ *of speech* jaz. slovní druh; *take* ~ *in* zúčastnit se čeho; *take a t. in good* ~ vzít co v dobrém nezlobit se; *take a p.'s* ~ *1.* stranit komu *2.* zastávat se koho *3.* podporovat koho; *take in* ~ *exchange* vzít na částečný protiúčet ● *adv* částečně, zčásti (*made* ~ *of iron and* ~ *of wood*) ● *v* **1** rozdělit se (*the crowd* ~*ed and let us through* dav se rozdělil a nechal nás projet), rozejít se (*let us* ~ *friends* rozejděme se jako přátelé) **2** odejít *from* / *with* od; rozloučit se (*they* ~*ed at the door*) *with* / *from* s (*just after I have* ~*ed with him at his lodging*) **3** rozevřít se (*the curtain* ~*ed on the next act*) **4** přetrhnout se (*the cable suddenly* ~*ed*) **5** odtrhnout se od (*the ship* ~*ed her hawser in the gale* ve vichřici se loď odtrhla od lana), odlepit se *from* od **6** oddělit (~ *animals from the herd* oddělit zvířata od stáda); dělit, oddělovat, rozdělovat od sebe (*the narrow seas that* ~ *the French and the English*), odloučit od sebe (~ *gold from silver*), odtrhnout od sebe (*we tried to* ~ *the two fighters*); rozptýlit, rozehnat (*the policemen* ~*ed the crowd*) **7** rozčísnout vlasy **8** rozdělit, rozdat *between* / *among* komu / mezi (*I* ~*ed my garments among them* rozdal jsem jim svoje oblečení) **9** přen. rozlišovat, dělat rozdíl mezi **10** bás. odejít na věčnost, zesnout **11** slang. klopit, pustit chlup, za|táhnout to platit ◆ ~ *company 1.* rozloučit se, rozejít se, přerušit styky *with* / *from* s *2.* rozcházet se v názorech (*here he* ~*s company from most of the scholars*); ~ *one's hair* udělat / česat si pěšinku ve vlasech, rozčísnout si vlasy

partake [pa:ˈteik] (*partook, partaken*) **1** z|účastnit se *in* / *of* čeho, podílet se na *with* s **2** trochu pít / pojíst *of* co (*he partook of our lowly meal* pojedl trochu našeho skromného jídla); hovor. sníst / vypít *of* co (*he partook of a cake* zbaštil koláč) **3** mít nádech *of* čeho (*his manner partook of insolence* v jeho chování byl nádech drzosti); zavánět po, načichnout čím

partaker [pa:ˈteikə] účastník, spoluúčastník; podílník, společník

partan [pa:tən] SC rak ◆ ~ *face* člověk s kyselým obličejem

partbook [pa:tbuk] vokální party několika skladeb svázané dohromady v jednu knihu

parted [pa:tid] **1** rozštěpený **2** bot. rozdělený zářezy **3** zast. zesnulý **4** herald.: štít dělený (~ *per pale* štípený svisle, ~ *per bend* dělený pokosem; ~ *per fess* dělený vodorovně) **5** v. *part, v*

parterre [pa:ˈteə] parter hlediště v přízemí; pravidelné květinové záhony tvořící reprezentační část okrasné zahrady v nejbližším okolí budovy

part-exchange [ˌpa:tiksˈčeindž] částečný protiúčet

parthenogenesis [ˌpa:θinəuˈdženisis] biol. samobřezost, partenogeneze

Parthian [pa:θjən] *s* **1** Parth člen íránského kmene **2** jazyk Parthů, parthština ● *adj* **1** parthský **2** přen. vystřelený na rozloučenou ◆ ~ *glance* poslední nepřátelský pohled před odchodem; ~ *shaft* / *shot* poslední nepřátelská poznámka před odchodem

parti [pa:ˈti:] partie vhodný ženich, vhodná nevěsta (*an excellent* ~) ◆ ~ *pris* předpojatost, předsudek

partial [pa:šəl] *adj* **1** částečný, neúplný, dílčí, parciální (*a* ~ *success* dílčí úspěch) **2** hud. částkový, alikvotní (~ *tones*) **3** příznivě nakloněný *to* vůči komu, zaujatý kým, trpící na; předpojatý pro, stranící komu (*examiners who are* ~ *to pretty women students* examinátoři, kteří si potrpí na hezké studentky) **4** círk.: odpustek neplnomocný ◆ *be* ~ *to* mít velice rád (*the horse is particularly* ~ *to salt* kůň má zejména velice rád sůl); ~ *eclipse* hvězd. částečné zatmění; ~ *fraction* částečný zlomek; ~ *payment* splátka) ● *s* hud. alikvotní tón, alikvot (*upper* ~*s* svrchní alikvoty)

partiality [ˌpa:šiˈæləti] **1** předpojatost *to* / *for* / *towards* pro, náklonnost k, stranění komu **2** záliba *for* v (*a* ~ *for moonlight walks*)

partible [pa:tibl] roz|dělitelný *among* mezi (*a* ~ *inheritance* rozdělitelné dědictví)

participant [pa:ˈtisipənt] *adj* účastný, účastnící se *in* na, čeho, zúčastňující se čeho, podílející se na ● *s* účastník, spoluúčastník

participate [pa:ˈtisipeit] **1** z|účastnit se *in* čeho *with* s, spoluúčastnit se, podílet se na, participovat na, sdílet co; zapojit se do **2** mít něco společného *of* s (*both members* ~ *of harmony*), mít něco z (*your mother* ~*s in this ambition* tvá matka má něco z této ctižádosti); připomínat povahou co (*his poems* ~ *of the nature of satire*)

participation [pa:ˌtisiˈpeišən] **1** účast *in* na, součinnost, činné přispění; účastenství **2** podíl *in* na, participate na, společenské zapojení do

participational [pa:ˌtisiˈpeišənl] počítající s činnou účastí diváků n. návštěvníků

participator [pa:ˈtisipeitə] činný účastník (*an observer rather than* ~)

participatory [pa:ˈtisipeitəri] spojený s účastí všech ◆ ~ *theatre* divadlo počítající s činnou účastí diváků

participial [ˌpa:tiˈsipiəl] jaz. participiální

participle [pa:tisipl] jaz. participium přechodník, příčestí

participled [pa:tisiplt] jsoucí s participiem

particle [pa:tikl] **1** drobet, částečka; smítko (~*s of* *dust*); kousek, kousíček, ždibec, ždibeček (*she hasn't a ~ of sense*) **2** jaz. částice, partikule **3** fyz. elementární částice **4** náb. malá proměněná hostie, partikule

parti-coloured [ˈpa:tiˌkaləd] různobarevný, pestrobarevný; pestrý, strakatý

particular [pəˈtikjulə] *adj* **1** jednotlivý (*claims of the United States or any other ~ state* nároky Spojených států nebo jiného státu); ob|zvláštní, speciální, specifický, konkrétní (*in this ~ case* v tomto speciálním případě, *for no ~ reason* z žádného konkrétního důvodu), individuální (*he preferred the general to the ~ approach* dával přednost všeobecnému přístupu před individuálním) **2** přesný, podrobný, detailní (*a full and ~ account of what we saw* úplný a podrobný popis toho, co jsme viděli) **3** vybíravý, vyběravý *about* v, příliš pečlivý v, úzkostlivě dbalý na (*be ~ about* úzkostlivě dbát na, dávat si záležet na) **4** intimní, blízký, drahý (*my very ~ friend*) ♦ *in ~* obzvlášť, zvláště, zejména ● *s* **1** podrobnost, jednotlivost, detail **2** *~s, pl* podrobný popis / seznam **3** hovor. specialita, to ono charakteristická n. oblíbená věc (*London ~* londýnská mlha) **4** hovor. důvěrný přítel ♦ *enter into ~s* jít do podrobností

particularism [pəˈtikjulərizəm] náboženský, politický partikularismus

particularist [pəˈtikjulərist] partikularista stoupenec partikularismu

particularity [pəˌtikjuˈlærəti] (*-ie-*) **1** zvláštnost, specifičnost, specifikum (*the particularities of French rural society*); individualita, individuálnost (*the words when written alone have of course no ~*) **2** přesnost, preciznost, zpracování do podrobností, obšírnost / úzkostlivost v detailech (*the loving ~ of the essays*)

particularize [pəˈtikjuləraiz] **1** vypočítávat jednotlivě v seznamu, precizovat, specifikovat, rozdetailovat (hovor.) **2** rozdělit do jednotlivých částí, roz|parcelovat (*pasturage might be ~d* pastviny lze rozparcelovat) **3** zacházet do podrobností, jít do detailu při popisu (*even advanced American researchers tend to ~ excessively* i zkušení američtí badatelé mají tendenci zacházet při popisu do zbytečných podrobností)

particularly [pəˈtikjuləli] **1** zvlášť, zvláště, obzvlášť; zejména (*not ~* ani ne) **2** zvláště, odděleně; každý zvlášť **3** v. *particular, adj*

particulate [pa:ˈtikjulit] kniž. **1** jsoucí v podobě částice n. částic; týkající se částic **2** částečný (*~ progress*)

parting [pa:tiŋ] *s* **1** roz|loučení, rozchod **2** pěšinka ve vlasech **3** v. *part, v* ♦ *~ of the ways 1.* rozcestí *2.* přen. osudová křižovatka, okamžik rozhodování ● *adj* **1** poslední, daný na rozloučenou (*a ~ advice* poslední rada před rozchodem, *a ~shot* ještě jedna jedovatost n. poznámka n. jeden výmluvný pohled na rozloučenou) **2** dělicí (*~ line*) **3** v. *part, v*

partisan[1] [ˌpa:tiˈzæn] *s* hist. partyzána, halapartna

partisan[2] [ˌpa:tiˈzæn] *s* **1** fanatický přívrženec, stoupenec, straník, partyzán; bojovník *of* za (*~ of peace*) **2** voj. partyzán; záškodník ♦ *in a ~ spirit* zaujatě, předpojatě

partisanship [ˌpa:tiˈzænšip] **1** fanatické stranění, slepá oddanost politické straně **2** partyzánství; záškodnictví

partita [pa:ˈti:tə] hud. suita, partita

partite [pa:tait] bot. dělený

partition [pa:ˈtišən] *s* **1** roz|dělení (*the ~ of India in 1947*); práv. rozdělení zejm. nemovitosti **2** příčka, přepážka, dělicí stěna; pažení, přepažení **3** regál ve skříni; přepážka, přihrádka, příhrada, foch (hovor.) v regálu; vložka, mřížka rozdělující krabici na malé prostory **4** díl, část; oddělení, sekce ♦ *~ folding* skládací příčka, harmoniková příčka ● *v* **1** od|dělit; rozdělit (*the former German capital was ~ed among the allies*) **2** též *~ off* oddělit příčkou, přepažit, přehradit, přepažením rozdělit (*they ~ed the great hall into many cubicles*) **3** roz|třídit (jako) do přihrádek

partitionment [pa:ˈtišənmənt] rozdělení

partition window [pa:ˌtišənˈwindəu] okénko mezi řidičem a cestujícím v autě

partitive [pa:titiv] jaz. *s* slovo označující část (např. *some, any*) ● *adj* partitivní ♦ *~ genitive* genitiv partitivní

partizan [ˌpa:tiˈzæn] = *partisan*[1,2]

Partlet [pa:tlit] **1** *Dame ~* Slípka, Slepice, Slepička, Kvočna, Kvokalka jméno slepice v pohádkách **2** káča, ženská **3** *p~* hist.: krátká pelerína

partly [pa:tli] částečně, zčásti, dílem ♦ *~ ... ~* jednak ... jednak (*his disease was ~ magical and ~ natural* jeho choroba byla jednak zaviněná mágií, jednak byla zcela přirozená)

partner [pa:tnə] *s* **1** partner, druh, kolega, účastník *in / of* v (*~ in crime*) **2** obchodní společník, partner; stálý zákazník n. dodavatel **3** druh, partner v manželství, manželka, řidč. manžel **4** též *dancing ~* tanečník, partner ve společenském tanci **5** partner, spoluhráč hrající na stejné straně **6** *~s, pl* námoř. stěžňová postranice ♦ *be ~s* zúčastnit se *with* s *in* čeho; *dormant ~* BR = *sleeping ~*; *predominant ~* Anglie jako člen Spojeného království; *limited ~* obch. společník ručící pouze do výše svého vkladu; *sleeping ~* BR, *silent ~* AM tichý společník v obchodě ● *v* **1** spojit se, sdružit se (*British seapower, ~ed with the French, beat them off* odrazila je britská námořní moc spojená s francouzskou) **2** být partnerem koho; dělat tanečníka komu; dělat spoluhráče komu (*uncle has played alongside nephew and brother has ~ed brother* strýc hrál se synovcem a bratrovým spoluhráčem byl bratr)

partnering [pa:tnəriŋ] **1** schopnost n. umění hrát v kolektivu, spoluherectví **2** v. *partner, v*
partnerless [pa:tnəlis] **1** jsoucí bez partnera, bez druha **2** jsoucí bez spoluhráče; bez tanečníka (*some of the pretty and ~ groups of a London ball room*)
partnership [pa:tnəšip] **1** spoluúčast *in* na (*a scandal which charged Emma herself with ~ in the deed* zlovolný klep, který ze spoluviny na činu obviňoval samotnou Emmu) **2** obchodní společenství, společný podnik, obchodní společnost, společenstvo (*the ~ computes its net income in a manner similar to that of the individual* obchodní společnost počítá svůj čistý zisk podobně jako jednotlivec) **3** pracovní společenství, spolupráce, partnerství (*an effective working ~ between scientists and military men* účelné pracovní společenství mezi vědci a vojáky) ◆ *enter into ~ with* spojit se s; *take a p. into ~* vzít za společníka koho
partook [pa:ˈtuk] v. *partake*
part owner [ˌpa:tˈəunə] spolumajitel, spoluvlastník
patridge [pa:tridž] **1** též *common / grey ~* koroptev **2** AM tetřev; tetřívek; křepelka; orebice ◆ *St P~'s Day* 1. září (konec hájení koroptví)
partridge berry [ˈpa:tridžˌbəri] (*-ie-*) bot.: severoamerická rostlina *Mitchella repens*
partridge-wood [pa:tridžwud] **1** bot. pomeřan plstnatý **2** dřevo pomeřanu plstnatého
part score [pa:tsko:] dílčí skóre, částečné skóre
part-script [pa:tskript] podílet se na scénáři
part song [pa:tsoŋ] jednoduchá tříhlasá n. vícehlasá sborová píseň zejm. bez doprovodu
part time [ˌpa:tˈtaim] *s* zkrácená pracovní doba, částečný pracovní úvazek ● *adj: part-time* **1** zaměstnaný v částečném úvazku, mající zkrácenou pracovní dobu, polodenní (*a ~ private secretary*) **2** nikoliv řádný, externí, studující při zaměstnání (*a few hundred mainly ~ students*)
part-timer [ˈpa:tˌtaimə] hovor. pracovník se zkrácenou pracovní dobou n. nikoliv na plný úvazek
parturient [pa:ˈtjuəriənt] **1** rodící, pracující k porodu (*a ~ heifer* rodící prvotelka) **2** porodní (*~ pang* porodní bolest) **3** přen. těhotný *with* čím, hodlající přivést na svět co, mající za následek nové co (*freedom ~ with a hundred states*); plodný (*a ~ mind*)
parturition [ˌpa:tjuəˈrišən] porod
parturiunt montes, (nascitur ridiculus mus) [pa:ˈtjuəriant monti:z (nəˈsi:tə raiˈdikjuləsmas)] hory pracují k porodu (a porodí malou myš)
partway [pa:twei] částečně, zčásti, poněkud (*bony shelf extends ~ toward the outer wall*
part work [pa:twə:k] dílo vycházející postupně n. po jednotlivých dílech
party [pa:ti] (*-ie-*) *s* **1** strana skupina lidí stejného názoru; účastník při dvojstranném jednání *to* čeho (*the two parties to a marriage contract*); politická organizace; partaj (hovor.) **2** stranictví, stranickost (*the spirit of ~* duch neobjektivnosti) **3** společnost přátel sezvaná za určitým účelem, zábava, sedánka, dýchánek, společenský večírek, malá slavnost, slezina, mejdan (slang.) (*give a ~* uspořádat večírek) **4** účastník, spoluúčastník *to* čeho (*Greece and Turkey were brought as parties to the treaty, High Contracting Parties* vysoké smluvní strany mezinárodní smlouvy); člověk zasvěcený do (*a ~ to a conspiracy* člověk zasvěcený do spiknutí), člověk zúčastněný na (*the candidate was in no way a ~ to the transaction*) **5** skupina, výprava (*join a ~ of thirteen American editors to visit Great Britain*); stádo (*a ~ of over forty hinds with calves* stádo více než čtyřiceti laní s kolouchy), hejno (*a lively bird seen occasionally in small parties*) **6** pracovní skupina, četa, brigáda (*a hay-making ~* senná brigáda, *a potato-picking ~* brigáda na vybírání brambor) **7** malý vojenský oddíl, vojenská četa (*a landing ~*) **8** hotelový host **9** zast., žert. člověk, pán, paní (*who is the old ~ in blue?*) ◆ *be a ~ to* zúčastnit se čeho, být zasvěcen do, vědět o; *contracting ~* smluvní strana, kontrahent; *hen ~* dámská společnost, babinec (hovor.); *make one of the ~* připojit se ke společnosti; *necktie ~* AM hovor. lynč, lynčování; *stag ~* pánská společnost, „pánská jízda" ● *adj* **1** společenský (*a ~ game, a ~ dress*); chodící z večírku na večírek (*~ boys trying to recapture lost youth* pánové chodící z večírku na večírek a snažící se znovu zachytit ztracené mládí) **2** stranický, partajní (hovor.) (*~ membership, ~ discipline*) **3** v. *parted*, **4** ◆ *~ girl* prostitutka; *~ machine* stranický aparát; *~ machine man* aparátník); *~ question* věc stranické příslušnosti při rozhodování; *~platform* program strany; *~ travel* žel. cestování ve skupině; *~ vote* hlasování podle směrnic strany ● *v* **1** chodit na večírky apod., flámovat **2** hostit na večírku / večírcích apod.
party-coloured [ˈpa:tiˌkaləd] = *particoloured*
party line [ˌpa:tiˈlain] **1** sériová účastnická linka telefonní **2** dělicí čára mezi majetky **3** politické stranictví **4** stranické direktivy, stranická politika (*follow the ~* dodržovat stranickou linii)
partyliner [ˈpa:tiˌlainə] AM straník, člen strany zejm. komunistické, „skalní straník"
party man [pa:timæn] *pl: men* [men] poslušný, ukázněný straník, partajník (hovor.)
party spirit [ˌpa:tiˈspirit] **1** stranictví, stranickost **2** stranická disciplína, projev stranické disciplíny
party ticket [ˌpa:tiˈtikit] **1** žel. skupinová jízdenka **2** AM doporučení politické strany pro kandidáta (*he has the ~* je oficiálním kandidátem strany na úřad)
party wall [ˌpa:tiˈwo:l] společná / dělicí stěna, mezibytová stěna, požární zeď

par value [pa:ˈvælju:] měnová parita, paritní hodnota, nominale

parvenu [pa:vənju:] povýšenec, zbohatlík, parvenu

parvis [pa:vis] předdvoří kostela, chrámová předsíň

pas [pa:] *pl: pas* [pa:z] **1** přednost (*give a p. the* ~ pustit napřed koho) **2** taneční krok; tanec (~ *seul* sólový tanec, ~ *de deux* tanec pro baletní pár)

Pasch [pa:sk] zast. **1** přesnice **2** velikonoce ◆ ~ *eggs* velikonoční vajíčka

pascha [pa:šə] = *pasha*

paschal [pa:skəl] *adj* **1** přesnicový týkající se židovského svátku přesnic **2** velikonoční ◆ ~ *flower* bot. koniklec; ~ *lamb 1.* velikonoční beránek, též přen. **2** herald. beránek Páně ● *s* paškál velikonoční svíce

paschalic [pəˈša:lik] = *pashalic*

paseo [pəˈseiəu] **1** promenáda místo i procházka (*a wide, tree bordered* ~ široká, stromy lemovaná promenáda; *the women turn out for the day's* ~ ženy vycházejí na svou denní promenádu) **2** výlet **3** obřadný vstup toreadorů do arény

pash[1] [pæš] slang. vášeň, sentimentální náklonnost, zbožňování, dělání *for* do, baštění koho

pash[2] [pæš] nář. **1** mrštit, bacit, praštit **2** rozbít | se, rozbíjet | se, tříštit | se

pash[3] [pæš] SC makovice, kokos hlava

pasha [pa:šə] paša vysoký vojenský hodnostář v osmanské říši (~ *of three* | *two tails* | *one tail* paša prvního | druhého | třetího stupně)

pashalic [pa:šəlik] pašalík území spravované pašou

pashm [pæšəm] jemná vlna z kašmírské kozy

pasqueflower [ˈpa:sk͵flauə] bot. koniklec

pasquinade [͵pæskwiˈneid] *s* paskvil, paškvil, hanopis, pamflet zejm. veřejně vyvěšený ● *v* napadnout hanopisem

pass[1] [pa:s] (*passed* / řidč. *past, passed* / řidč. *past*) **1** jít, chodit, přecházet (*from group to group the girls* ~*ed, laughing*); projít (*please let me* ~) projet (*the road was too narrow for cars to* ~); projet mezi, proplout čím (*the ship* ~*ed the channel*); proklouznout mezi, přejít přes (*no complaint* ~*ed her lips* žádná stížnost jí nepřešla přes rty) **2** minout, pro|jít, přejít, pro|jet kolem / podle (*turn right after* ~*ing the Post Office*), potkat (*I* ~*ed Miss Green in the street*); vést kolem, nechat stranou (*an avenue that* ~*es several large churches*) **3** přejíždět (*do not* ~ *on the right* nepředjíždějte po pravé straně); předhonit, předstihnout, nechat za sebou (*he* ~*ed the other runners in the homestretch* v cílové rovince předběhl ostatní závodníky); předčit, překonat, předstihnout (*it used to be the largest city in the state, but now it has been* ~*ed by several others*) **4** vyjadřuje pohyb po povrchu (*he* ~*ed his hand across his forehead* přejel si rukou po čele, *she* ~*ed the cloth over the top of the desk* přetáhla přes psací stůl látku), kolem překážky (*I* ~*ed a rope round the barrel* ovázal / obtočil jsem sud lanem) n. skrze překážku (*he* ~*ed his knife through the opponent's body* probodl protivníkovo tělo nožem, *the bullet* ~*ed through his chest* střela mu proletěla hrudníkem, *the excess nitrogen* ~*es rapidly into capillaries* nadbytečný dusík rychle vnikne do vlásečnic) **5** podat u stolu (*please* ~ (*me*) *the butter*) **6** AM konat přehlídku vojenského útvaru, nechat přecházet vojenský útvar; vojenský útvar pochodovat při přehlídce **7** karty říci / ohlásit „pas" n. „dál", pasovat (slang.); položit, zahodit karty **8** sport. přihrát, podat (*the situation called for a kick but he decided to* ~ postavení si říkalo o střelu na branku, ale on se rozhodl přihrát) **9** projít, být trpěn (*his rude remarks* ~*ed without comment* hrubé poznámky mu prošly bez poznámky, *such conduct may* ~ *in certain circles but cannot be tolerated here* takové chování snad může v určitých kruzích projít, ale zde je nelze tolerovat); přehlédnout, přehlížet, přejít bez povšimnutí, dělat, jako by neexistoval (*his commander quietly* ~*ed his likes or dislikes* jeho velitel tiše přecházel rozdíl mezi tím, co měl rád a co ne) **10** pominout, vynechat při vyprávění (~ *the trivial details and get to the heart of the story* vynech podřadné detaily a přejdi k vlastnímu obsahu vyprávění) **11** černoch být pokládán za bělocha zejm. ve Spojených státech; být přijímán, platit (*these South African coins won't* ~ *in England*), být pokládán *for* za (*that awful jargon that* ~*es for English*) **12** být v oběhu, obíhat (*bank notes* ~ *so long as nobody refuses them* bankovky jsou v oběhu potud, pokud je nikdo neodmítá); dát / pustit do oběhu, rozšiřovat (*he was imprisoned for* ~*ing forged bank notes* byl uvězněn pro rozšiřování falešných bankovek) **13** šířit, rozšiřovat, dávat dál (*she* ~*es malicious gossip about her neighbours* o sousedech šíří malicherné klepy) **14** postoupit, přejít při vypravování (*before I* ~ *to other matters*) **15** být na ústupu, přejít, odcházet, z|mizet (*customs that are* ~*ing* zvyky, které jsou na ústupu, *the pain soon* ~*ed*); pominout (*the strangeness of his life* ~*ed* nezvyklý život mu skončil) **16** čas u|plynout, utíkat, běžet, ubíhat, uběhnout, míjet, minout, utéci (*the time* ~*ed pleasantly, six months* ~*ed and still we had no news of them*); strávit čas (*how shall we* ~ *the evening?*), utlouci čas, zkrátit si dlouhou chvíli (*what can we do to* ~ *the time?*) **17** zkusit, zažít, prožít, snést, vytrpět (*we are* ~*ing through times of speculative unbelieve* prožíváme dobu spekulativní skepse) **18** stát se, přihodit se, zběhnout se, u|dát se, dít se (*tell me everything that* ~*ed between you*) **19** přesahovat, překračovat, vymykat se čemu (*it* ~*es my comprehension* to překračuje moje chápání) **20** přecházet *from* z *to* do (*water* ~*es from a liquid to a solid state when it freezes* voda přechází z kapalného do pevného skupenství, když zmrzne), měnit se *from* z *into* v (*when water boils it* ~*es into steam* když se voda vaří, mění se v páru) **21** postoupit *to a p.* komu n. *to a t.* na, k (~ *the title to an estate* postoupit nárok na dědictví; přejít na (*throne* ~*ed to Darius the Great*), pod (*the institution* ~*ed from parish to state control*) **22** vyslovit, sdělit, pronést, prohlásit názor (*I cannot* ~ *an opinion on your work without seeing it* když jsem vaši práci neviděl, nemohu o ní vyjádřit žádný názor); vynést, vyhlásit rozsudek *on / upon* nad, odsoudit koho (~ *sentence on an accused man* vynést rozsudek nad obžalovaným); po|soudit, rozsuzovat *on / upon* co **23** schválit (*Parliament* ~*ed the Bill*); potvrdit, odsouhlasit (*the committee* ~*ed the nomination*); být schválen, projít (*the Bill* ~*ed and became law*); nechat projít, pustit (hovor.) (*the examiners* ~*ed most of the candidates*); složit, udělat zkoušku, obstát, projít u zkoušky (*the candidates* ~*ed the examination*), projít kontrolou (*we have to* ~ *the Customs before we leave* před odchodem musíme projít celní kontrolou) **24** obch. připsat na účet, zaúčtovat **25** sport. učinit výpad v šermu ◆ ~ *the buck* slang. zahrát to, shodit to, svést to, přehrát to *to* na přenést odpovědnost; ~ *the chair* hovor. skončit svou vysokou funkci; ~ *current* *1.* volně obíhat *2.* být přijímán jako pravý; ~ *a dividend* neplatit dividendu; ~ *a draft* *1.* schválit návrh *2.* obch. vystavit tratu; ~ *one's eye* přejet zrakem *over* po, podívat se na, prohlídnout co; ~ *the hat* dát kolovat klobouk, u|dělat sbírku peněžní, vybírat; ~ *muster 1.* být podroben prohlídce n. zkoušce *2.* obstát, projít při prohlídce n. zkoušce; ~ *under the name of* být znám jako (*he* ~*es under the name of Mr Green*); ~ *one's oath* = ~ *one's word;* ~*ed pawn* volný pěšec v šachu; ~ *for print* dát imprimatur, schválit k tisku korekturu; ~ *the press* být v tisku; ~ *a remark* utrousit poznámku; ~ *through sieve* pro|cedit, prosít, pro|pasírovat; ~ ~ *the time of the day with a p. 1.* pozdravit koho (např. *"good morning"* apod.) *2.* popovídat si s; ~ *water* močit; ~ *one's word* dát čestné slovo, slíbit ***pass away*** ***1*** odejít, odpoutat se, utrhnout se ***2*** zesnout, vypustit duši, usnout na věky (*immediately as he uttered these words he* ~*ed away* sotva vyřkl tato slova, usnul na věky) ***3*** čas uplynout (*thus* ~*ed the winter away*) ***4*** přejít, zmizet, vyprchat (*his anger* ~*ed away* jeho hněv vyprchal) ***pass by*** ***1*** jít kolem (*the countrymen would all look up when she* ~*ed by*) ***2*** přejít, opomíjet, minout, zavírat oči nad / před, ignorovat (*instances which legislation* ~*es by in silence*) ***pass in*** předložit šek bance ◆ ~*one's check* slang. natáhnout bačkory zemřít ***pass off*** ***1*** přejít, zmizet (*the numbness will* ~ *off in a few hours* necitlivost zmizí během několika hodin), vyprchat (*the smell of the paint will* ~ *off in a few days* pach barvy během několika dní vyprchá) ***2*** proběhnout (*labour demonstrations* ~*ed off more peaceably than was anticipated* dělnické manifestace proběhly klidněji, než se předpokládalo) ***3*** vydávat nepoctivě *for / as* za (*he* ~*es himself off as a learned man* vydává se za učence) ***4*** snažit se rychle n. nenápadně přejít, odvrátit pozornost od (~ *off an awkward situation* odvrátit pozornost od trapné situace) ***pass on*** ***1*** dát dál, přihrát dál, podat, předat osobně (*please read this and* ~ *it on*) ***2*** v. *pass¹, 4* ***pass out*** ***1*** odcházet (*when any one is* ~*ing out of this life*) ***2*** mizet z dohledu ***3*** BR skončit studium, vycházet školu ***4*** hovor. ztratit vědomí, omdlít; zemřít; ztvrdnout, zkamenět opít se do němoty ***pass over*** ***1*** přejít; přeběhnout (*the hope that some of those regiments he had formerly commanded would* ~ *over to his standard*) ***2*** předat, odevzdat *to* komu (*geology here* ~*es the continuation of the history of man over to archeology*) ***3*** přejít, pominout mlčením (*this gross offence was not to be* ~*ed over* tento hrubý přestupek nelze přejít mlčením) ***4*** přeskočit koho při jmenování do místa (*they* ~*ed me over in favour of young Hill*) ***pass round*** dát / nechat kolovat ***pass up*** AM odmítnout, vzdát se čeho

pass² [pa:s] **1** složení zkoušky, zkouška; BR univerzitní zkouška s pouze dostatečným prospěchem, která nestačí k dosažení titulu (*get a* ~ prospět u zkoušky, nepropadnout, nedostat vyznamenání) **2** pouze *sg* kritický stav, situace (*things have come to a (pretty)* ~ situace se vyhrotila) **3** lístek, vstupenka, průkaz, propustka, legitimace (*season* ~ předplatní lístek, *free* ~ volný traťový lístek) **4** let, přelet (*he made several low* ~*es over the field*); nálet (*he made seven* ~*es at that gun, each time dropping a bomb*) **5** pokus (*she told me in French, after a few unsuccessful* ~*es in other languages*) **6** gesto, magický tah eskamotéra n. hypnotizéra; manipulace; volta, podmítka eskamotážní sejmutí, přehození vrstev karet; trik **7** sport. podání, kolmá přihrávka, pas (*a clever* ~ *to the centreforward*) **8** výpad v šermu **9** hláška pas, pasování (slang.) v kartách **10** stav záležitosti (*the economic situation had come to a dreadful* ~ ekonomická situace se dostala do strašného stadia) ◆ *be at a desperate* ~ být na tom beznadějně; ~ *boat* pramice; *bring a t. to* ~ způsobit; *make a* ~ *at a p.* slang. dovolit si na koho, obtěžovat milostnými návrhy

pass³ [pa:s] **1** průsmyk; soutěska; úzký průjezd, průchod **2** úzký průliv, úžina **3** plavební kanál; brod; výpad průliv mezi mělčinami; propust; propust pro ryby ◆ *gain / hold / keep the* ~ držet pevně svou pozici, nedat se otřást; *sell the* ~ *1.* zradit (společnou) věc, zradit své spojence *2.* zradit své přesvědčení

passable [pa:səbl] **1** cesta sjízdný, schůdný (*are the Alpine roads ~ yet?*) **2** mince, bankovka běžný, jsoucí v oběhu (*counterfeit money so good it was ~ in a bank* tak dobře padělané peníze, že je přijímala i banka) **3** přen. slušný, ucházející (*a ~ knowledge of German*); snesitelný, co se dá vydržet (*any evening hosts and guests passed in company must at least have been ~* večer, který spolu vydrželi hostitelé i hosté, musel být alespoň snesitelný) **4** falešné peníze přijatý v bance, nerozpoznaný

passacaglia [ˌpæsəˈka:ljə] hud. passacaglia variace s ostinátním basem

passage[1] [pæsidž] **1** kůň jet stranou, zabočit **2** jezdec stočit, strhnout stranou koně, zabočit s koněm

passage[2] [pæsidž] *s* **1** projetí, projití, průjezd, průchod *of* čím, vjezd do (*they made the ~ of their domain hazardous to settlers* způsobili, že průjezd jejich územím byl pro kolonisty riskantní); *through* čím (*force a ~ through the crowd* vynutit si průchod davem); průtok (*the ~ of an electric current through the wire* průtok elektrického proudu drátem); přechod *of* čím / čeho (*the ~ of the Red Sea*); přelet **2** právo průchodu n. přechodu (*force ~ through the town* vynutit si právo průchodu městem násilím) **3** přen. přechod *from* od *to* k (*the ~ from barbarism to civilization*) **4** plynutí, míjení, tok (*wounds, illnesses, sorrows were all weakened by the ~ of time* jak čas plynul, rány, choroby i žal ztratily na své intenzitě) **5** pasáž, průjezd, průchod, brána (*she has to keep her bicycle in the ~*); chodba (*how easy it would be to get lost in this hotel, in all these long ~s*) **6** cesta lodí n. letadlem, plavba, přeplavba, let (*book one's ~ to New York*); přeprava, místo pasažéra **7** přen. lodní lístek, letenka; kabina, sedadlo (*he was able to secure ~ on the next flight* podařilo se mu zajistit letenku na příští let); jízdné, převozné, přeplavné, přepravné **8** epizoda, moment, okamžik (*our experience with psychological warfare had its wholly comic ~s* podle našich zkušeností se vyskytují v psychologické válce zcela komické momenty) **9** úryvek, oddíl, část, pasáž literárního díla; hudební pasáž, lauf (slang.) (*the ~ in arpeggios*) **10** zejm. BR schválení návrhu zákona (*government leaders bent upon securing ~ of their bills* šéfové vlád, kteří se snaží zajistit, aby jejich návrh zákona byl schválen) **11** tah ptactva (*the black ducks were on* táhly černé kachny) **12** vysoký chod koně **13** *~s, pl* výměna důvěrností n. názorů; rozhovor, polemika, potyčka (*have angry ~s with an opponent during a debate*) ♦ *~ at / of arms* šarvátka, souboj, zkřížení zbraní, též přen.; *bird of ~* tažný pták stěhovavý pták; nestálý člověk ● *v* cestovat (*he ~d Europe last month*)

passage boat [ˌpæsidžˈbəut] loď pro kyvadlovou přepravu

passageway [ˌpæsidžˈwei] **1** krytá spojovací chodba, průchod, průjezd **2** cesta, stezka (*only one narrow ~ up the steep mountain*)

passant [pæsənt] heraldické zvíře v kroku

passbook [pa:sbuk] **1** nákupní knížka **2** SA propustka, legitimace umožňující nositeli vstup do míst vyhrazených pro „bílé" ♦ *depositor's ~* vkladní knížka, průkazní knížka o pohybech na běžném účtě

passcheck [pa:sček] propustka

passé [pa:sei,] *fem* **passée** [pa:sei] **1** minulý, odbytý, pasé **2** žena odkvetlý (*a somewhat rakish but ~ miss* poněkud rozverná, ale odkvetlá slečna)

passementrie [pa:smәntri:] prýmek, krumplování, pozamentérie

passenger [pæs*in*džə] **1** cestující, pasažér **2** slang. ocásek, přívažek neschopný n. neproduktivní člen posádky **3** neproduktivní n. málo produktivní zvíře ♦ *~ deck* paluba pro cestující; *~ ferry* osobní převozní loď; *~ seat* místo vedle řidiče auta

passenger pigeon [ˈpæs*in*džəˌpidžin] AM vymřelý holub stěhovavý *Ectopistes migratorius*

passe-partout [ˌpæspa:ˈtu:] **1** univerzální n. hlavní klíč **2** paspart, pasparta **3** černá lepící páska na rámování diapozitivů

passer [pa:sə] kdo podává, přechází, rozšiřuje atd. (v. *pass*[1])

passer-by [ˌpa:səˈbai] *pl: passers-by* [ˌpa:səzˈbai] kolemjdoucí, mimojdoucí

passerine [pæsərain] zool. *adj* vrabcovitý ● *s* vrabec

pass-fail [ˌpa:sˈfeil] buď anebo, prospěl neprospěl týkající se systému zkoušek bez podrobnější klasifikace (*a ~ basis*)

passibility [ˌpæsiˈbiləti] schopnost trpět n. cítit, citlivost, vnímavost

passible [pæsibl] schopný trpět n. cítit, citlivý, vnímavý

passifloraceous [ˌpæsiflo:ˈreišəs] bot. *adj* mučenkovitý ● *s* rostlina z čeledi mučenkovitých

passim [pæsim] na různých místech, tu a tam, porůznu, passim (*this occurs in Milton ~*)

passing [pa:siŋ] *adj* **1** nestálý, přelétavý, pomíjivý (*~ interests, ~ sensations*) **2** povrchní, zběžný (*a ~ glance*) **3** zast. všechno převyšující, největší, nejhorší (*a ~ traitor* nejhorší zrádce) **4** v. *pass*[1] ● *adj* zast. poměrně, dost (*~ fair love lyrics*) ● *s* **1** zlatá n. stříbrná niť hedvábí opletané kovem **2** v. *pass*[1] ♦ *in ~* mimochodem

passing bell [pa:siŋbel] umíráček

passing modulation [ˌpa:siŋˌmodjuˈleišən] hud. průchodná modulace

passing note [ˈpa:siŋˌnəut] hud. průchodný tón, průchod

passing-out [pa:siŋaut] **1** závěrečný (*~ examinations*) **2** abiturientský (*a ~ ceremony*) ♦ *~ parade* voj. slavnostní vyřazení

passion [pæšən] *s* **1** vášeň (*his ruling ~ is greed* jeho převládající vášní je chamtivost); vášnivý cit, vášnivé zaujetí, zanícení *for* pro (*~ for money*); nadšení, náruživost (*blue eyes that blazed with ~ as he expanded his favourite theme* když hovořil na své oblíbené téma, jeho modré oči plály nadšením) **2** vášnivý hněv, vášnivá zlost, rozvášněnost, vztek (*be in a ~* mít zlost n. vztek, zuřit (hovor.); *fly in a ~* rozčilit se, rozzlobit se, rozvzteklit se, rozzuřit se, vyletět (hovor.)) **3** neovládané vzrušení, hnutí, pohnutí mysli, afekt (*a ~ of emotion*) **4** *P~* Umučení Ježíše Krista **5** hud. pašije oratorium na text evangelií **6** zast. utrpení, mučednická smrt, martyrium ◆ *P~ Sunday* Smrtná / Smrtelná neděle; *P~ Week* Svatý týden začínající Květnou nedělí ● *v* bás. cítit n. vyjadřovat vášnivý cit zejm. zármutek *for* k / nad, oplakávat co

passional [pæšənl] *s* pasionál sbírka životopisů světců n. mučedníků ● *adj* vášnivý; vášně / nadšení budící

passionate [pæšənit] **1** vášnivý **2** zanícený, pramenící z hloubi srdce (*a ~ and unquestioned faith* vášnivá a neproblematická víra); prováděný celým srdcem (*a ~ bit of acting*) **3** naléhavý, důtklivý (*a ~ appeal*) **4** nadšený, náruživý, vášnivý, zuřivý (hovor.) (*she has become a ~ housekeeper*) **5** lehce vznětlivý, popudlivý, prudký (*a ~ but not a vicious boy* vznětlivý, ale nikoliv zlý chlapec) **6** prudký, neovladatelný (*she broke in a flood of ~ weeping*) ◆ *be ~ for* vášnivě toužit, dychtit po; *be ~ in* zuřivě, vášnivě dělat co; *get ~* rozvášnit se, dostat se do ráže

passionateness [pæšənitnis] **1** vášnivost **2** zanícení, nadšení, náruživost **3** vznětlivost, popudlivost, prudkost

passionflower [ˈpæšənˌflauə] bot. mučenka, pasiflóra

Passionist [pæšənist] círk. člen misijního řádu pasionistů

passionless [pæšənlis] **1** nevášnivý, studený (*this ~ girl was like an icicle in the sunshine* toto studené děvče připomínalo rampouch na slunci) **2** chladný, nezaujatý, střízlivý (*the impersonal ~ observation of the human nature*)

Passion play [pæšənplei] pašijová hra, pašije

passion-ridden [ˈpæšənˌridn] vášní posedlý

passivate [pæsiveit] **1** učinit pasívním **2** pasivovat

passive [pæsiv] *adj* **1** trpný, netečný, pasívní *to* vůči, na, k (*nature is neutral and ~ to outside impressions or influences*) **2** osudu odevzdaný, letargický, nečinný; bezvládný, nehybný **3** jaz. trpný, pasívní (*~ voice* trpný rod) ◆ *~ debt* bezúročný dluh; *~ homing* voj. samočinné navedení na cíl protiletecké rakety; *~ resistance* pasívní rezistence ● *s* pasívum slovesný rod trpný; trpný tvar slovesa

passiveness [pæsivnis,] **passivity** [pæˈsivəti] **1** trpnost, netečnost, pasívnost, pasivita **2** nečinnost, letargičnost, letargie, odevzdanost do vůle osudu; nehybnost, bezvládnost

passkey [pa:ski:] **1** univerzální klíč **2** soukromý klíč **3** klíč k patentnímu zámku **4** AM paklíč, šperhák

passman [pa:smæn] *pl: -men* [-men] BR student nepřipravující se k získání akademického titulu

Passover [ˈpa:sˌəuvə] **1** pascha, přesnice židovské velikonoce **2** Beránek Ježíš Kristus (*Christ our ~ is sacrificed for us*) **3** oběť při slavení velikonoc

passport [pa:spo:t] **1** cestovní pas; průkaz, průkazka, propustka; povolení ke vstupu do cizích vod **2** přen. doporučení, glejt, vizitka (přen.) (*the composer managed to write a concerto which proved to be his ~ to Paris* skladateli se podařilo napsat koncert, který, jak se ukázalo, mu otevřel cestu do Paříže)

passus [pæsəs] *pl* též *passus* [pæsəs] **1** odstavec **2** úryvek, úsek, pasus písemného n. mluveného projevu, oddíl, zpěv dlouhé básně

password [ˈpa:sˌwə:d] heslo stráží

past [pa:st] *adj* **1** právě uplynulý (*he started working on this project ten years ~* začal na tomto projektu pracovat před deseti léty); jsoucí pryč, tentam (*his prime is ~* jeho nejlepší léta jsou už pryč, má už nejlepší léta za sebou **2** minulý, jaz. též souminulý (*the ~ tense*) **3** poslední (*for the ~ few days* posledních pár dnů) **4** předcházející, dřívější (*~ generations*), bývalý (*the ~ president*) ◆ *~ history* přen. stará písnička, otřepaná věc; *~ master 1.* úplný / skutečný / nepřekonatelný mistr *of* | *in* čeho | v **2.** bývalý mistr např. zednářské lóže; *~ participle* příčestí minulé ● *s* minulost, minulá doba (*we cannot change the ~*), vlastní minulost (*she's a woman with a ~*) ● *prep* **1** zejm. BR vyjadřuje překročení časové meze přes, po (*half ~ two* půl třetí; *a quarter ~ six* čtvrt na sedm; *ten minutes ~ eight* osm hodin a deset minut, za pět minut čtvrt na devět; *she is now ~ sixty* teď je jí přes šedesát; *it was now ~ sunset* teď už bylo po západu slunce, zatím už slunce zapadlo; *she was ~ playing with dolls* s panenkami si už nehrála, na hraní s panenkami byla už stará) **2** vyjadřuje překročení prostorové meze za (*the entrance to the dining room is just ~ the elevators*) **3** vyjadřuje překročení meze možnosti n. schopnosti (*get ~ a thing* s něčím se vyrovnat, *the old man is ~ work* ten stařec už nemůže pracovat; *the pain was almost ~ bearing* bolest byla téměř nesnesitelná; *he's ~ praying for* tomu ani Pán Bůh nepomůže; *she's ~ caring what happens* jí už nezáleží na tom, co se děje; *a dilemma ~ solution* neřešitelné dilema; *I wouldn't put it ~ him to play a trick like that* taková lumpárna se od něho dala čekat podle mého názoru; *he has gone far ~ other writers in his experiments with language* v experimentování s jazykem daleko předčil ostatní spisovatele) **4** vyjadřuje minutí mimo, kolem, okolo, u, podle, vedle (*the train runs ~ the house, he hurried ~ me without stopping* *to speak)* ◆ ~ *comprehension* nepochopitelný; ~ *cure 1.* nevyléčitelný *2.* nenapravitelný; ~ *hope* beznadějný; ~ *recognition* jsoucí k nepoznání ● *adv* mimo, kolem, okolo (*run* ~ proběhnout ..., *hurry* ~)

pasta [pa:stə] těsto na výrobu italských těstovin

paste [peist] *s* **1** polotuhé těsto s tukem (*short* ~ křehké těsto), máslové těsto **2** pasta (*anchovy* ~ sardelová pasta, *tomato* ~ rajský protlak) **3** škrobové lepidlo, maz, pojivo; kaše **4** štras, strass, pasta, sklo k napodobování drahokamů **5** hnětená hlína keramická; hustě třená barva ◆ *alimentary* ~*s* těstoviny; ~ *job* = *scissor and* ~ *work 1.* splácanina, slátanina *2.* kompilace, montáž ● *v* **1** s|lepit, na|lepit, přilepit **2** též ~ *on* polepit *with* čím **3** slang. zmydlit, namydlit komu, nabančit komu ***paste together*** slepit ***paste up*** *1* nalepit, vylepit *2* zalepit *3* graficky upravit, udělat grafickou úpravu čeho, udělat maketu čeho

pasteboard [peistbo:d] **1** vrstvená lepenka, papendekl (hovor.) **2** zejm. AM tvrdý papír, kartón **3** slang. kartička navštívenka; lístek na vlak n. do divadla; list, lupen karta ● *adj* **1** lepenkový, papendeklový (hovor.) (*a* ~ *box*) **2** přen. falešný, kašírovaný (~ *romanticism*)

pastedown [peistdaun] řidč. předsádka knihy

paste grain [peistgrein] na rubu škrobená useň

paste-in [peistin] vlepený

pastel *s* [pæstəl] **1** pastel obraz i barva; barevná křída; pastelová barva, pastelka **2** bot. boryt barvířský **3** borytová modř ● *adj* [pæstl] pastelový ◆ ~ *shades* pastelové odstíny

pastel(l)ist [pæstəlist] malíř malující pastelem

paster [peistə] **1** lepič **2** pastovač **3** nálepka, přelepka

pastern [pæstə:n] spěnka kopyta

pastern bone [pæstə:nbəun] spěnková kost

paste-up [peistap] **1** kompilace **2** fotomontáž; koláž **3** zalepená maketa knihy; slepený návrh přebalu

pasteurism [pæstərizəm] očkování proti nemoci zejm. proti vzteklině

pasteurization [ˌpæstəraiˈzeišən] pasterizace, pasterace, pasterizování, pasterování

pasteurize [pæstəraiz] **1** pasterizovat, pasterovat konzervovat (např. mléko) krátkodobým zahřátím, aby se zničily mikroorganismy **2** přen. od|filtrovat

pasticcio [pæsˈtičəu] hudební směs, potpourri

pastiche [pæˈsti:š] literární parafráze, napodobenina, pastiš; montáž, koláž

pasties [peisti:z] *pl* malé ozdoby, hvězdičky apod. kryjící pouze hroty ňader

pastil, pastille [pæstil] **1** tableta, tabletka, pastilka **2** františek kuželík z vonné pryskyřice

pastime [pa:staim] zábava; hra, sport; kratochvíle, vyražení, rekreace

pastiness [peistinis] **1** těstovitost; pastóznost **2** nechutnost

pasting [peistiŋ] **1** slang. výprask **2** v. *paste, v*

pastness [pa:stnis] dávnost, minulost

pastor [pa:stə] **1** duchovní pastýř, duchovní správce, farář, pastor; ochránce, pastýř **2** zool. špaček růžový

pastoral [pa:stərəl] *adj* **1** pastevecký, pastýřský (*a* ~ *people, seminomadic in their habits* národ pastevců polokočovného způsobu života); pastevní (*third-class* ~ *land,* ~ *economy*) **2** pastorální (*a* ~ *symphony*); klidný, idylický (*a long,* ~ *afternoon*); venkovský, romantický **3** pastorační (~ *duties*); pastýřský, týkající se duchovního pastýře (*a congregational and not a* ~ *reluctance to participate* nechuť zúčastnit se ze strany věřících, nikoli ze strany duchovního pastýře) ◆ ~ *letter* = *pastoral, s 1;* ~ *staff* pastýřská hůl, berla odznak biskupské hodnosti ● *s* **1** pastýřský list biskupa **2** pastorála hra n. literární skladba s pastýřskými motivy, pastorální poezie

pastorale [ˌpæstəˈra:li] *pl* též *pastorali* [ˌpæstəˈra:li:] **1** pastorální opera, opera s námětem z venkovského života **2** hud. pastorále, pastorela **3** liter. pastorála

pastoralism [pa:stərəlizəm] **1** idyličnost, pastorálnost **2** pastevectví

pastorality [ˌpæstəˈræləti] pastorálnost

pastorate [pa:stərit] **1** duchovní správcovství, pastýřství, pastorství, pastýřský úřad **2** duchovní, duchovenstvo **3** pastorát; fara

pastorship [pa:stəšip] duchovní správcovství, pastýřství, pastorství, pastýřský úřad

pastrami [pəˈstra:mi] AM silně kořeněný uzený plátek z hovězí plece

pastry [peistri] (*-ie-*) **1** sladké pečivo, cukrářské zboží **2** lístkové těsto **3** máslová paštika ◆ *almond* ~ mandlové pečivo; *butter* ~ máslové pečivo; *lasting* ~ trvanlivé pečivo; *puff* ~ lístkové pečivo; *tea* ~ čajové pečivo

pastry cook [peistrikuk] BR cukrář, moučníkář, paštičkář

pasturable [pa:sčərəbl] vhodný pro pastvu, skýtající pastvu

pasturage [pa:stjuridž] **1** pastva **2** pastevectví; pastvinářství

pasture [pa:sčə] *s* pastva pasení; porost; pastviště; pastvina, pastvisko ● *v* **1** pást | se (*he* ~*ed his cattle on the open range* pásl dobytek na otevřených pastvinách, *the cows* ~) **2** spásat (*the field was* ~*ed bare* pole bylo zcela spaseno) **3** skýtat pastvu pro (*rich grassland that could* ~ *many cattle* bohaté travnaté pastviny, které mohou skýtat pastvu pro mnoho dobytka)

pasty[1] [pæsti] (*-ie-*) masová n. ovocná paštička pečená v těstě; piroh, pirožka

pasty[2] [peisti] (*-ie-*) **1** těstovitý, připomínající těsto; nezdravě bledý, bílý; pastózní **2** nechutný (*the* ~ *little books that circulate beneath the counter* nechutné knížky, které kolují pod pultem)

pasty-faced [peistifeist] nezdravě bledý, bílý

Pat[1] [pæt] Patrik přezdívka Irčana
pat[2] [pæt] *s* **1** ťuknutí, plesknutí **2** zaklepání, poklepání, popleskání (*a quick reassuring* ~ *on the arm*) **3** rytmické pleskání, pleskot, ťapání, cupání, cupitání, cupot (*the* ~ *of bare feet*) **4** hrudka, kulička másla; malý bochánek těsta ◆ ~ *on the back* hovor. *1.* zvláštní pochvala *2.* povzbuzení ● *v* (*-tt-*) **1** klepnout, plesknout; ťuknout, ťapkat (*snowflakes were* ~*ting against the window pane*) **2** po|hladit, popleskat, upleskat rukou (*he had been* ~*ted on the head by the city founder*); poopravit účes, přičesat, přihladit, na|čechrat vlasy **3** zaťukat na, popleskat po, splácávat dohromady **4** ťapat, capat, cupat, šlapat, pleskat ◆ ~ *a p. on the back* poplácat koho po zádech pochvalně n. pro povzbuzení (*I* ~*ted myself on the back* gratuloval jsem si) ***pat away*** od|ťapat, od|cupat (*in summer she* ~*ted away to school*) ● *adv* **1** vhod, včas, jako na zavolanou (*the story came* ~ *to his purpose*) **2** okamžitě, v tu ránu (*the answer came* ~) **3** pohotově, ihned po ruce (*he had his excuse* ~) ◆ *stand* ~ *1.* neměnit karty v pokeru *2.* neměnit se, trvat na svém rozhodnutí n. stanovisku
pat-a-cake [pætəkeik] „paci, paci, pacičky" dětská hra
patagium [ˌpætəˈdžaiəm] *pl: patagia* [ˌpætəˈdžaiə] létací blána netopýrů
Patagonia [ˌpætəˈgəunjə] Patagonie
Patagonian [ˌpætəˈgəunjən] *adj* **1** patagonský **2** zast. obrovský, gigantický ● *s* Patagonec
patavinity [ˌpætəˈvinəti] (*-ie-*) **1** padovský dialektismus v díle Tita Livia **2** dialektismus, nářeční prvek; užívání dialektu
patball [pætbo:l] BR **1** pinkání, ťukes špatný tenis **2** přen. ping-pong (*the bill became a* ~ *of policy* z návrhu zákona se stal politický ping-pong)
patch [pæč] *s* **1** záplata (*a coat with* ~*es on the elbows*); přištipek, skvrna, flíček; flek (hovor.) (*a dog with a white* ~ *on its neck*) **2** náplast, flastr (hovor.) **3** klapka, klípec na oko **4** kousek půdy (~*es of bare earth*); záhon, záhonek, záhony místo i množství (*the cabbage* ~ záhon zelí) **5** muška malý ústřižek černé náplasti nalepované pro ozdobu na tvář **6** místo, úryvek, část (*in* ~*es* místy, *fog* ~*es* místní mlhy) **7** jmenovka, domovenka, označení pluku na uniformě **8** hadr, hadřík na čištění hlavně **9** BR období, situace **10** šašek, blázen ◆ *purple* ~ v. *purple, adj; strike a bad* ~ mít smůlu, dostat se do špatné situace přechodné; *not a* ~ *on / upon* hovor. nedá se srovnávat s lepším ● *v* **1** záplatovat, látat, dát záplatu na, za|flekovat (slang.) (~ *her sails*); vy|spravit, ucpat, zacpat, zadělat cizím materiálem (*windows* ~*ed with rags and paper* okna zadělaná hadry a papírem); našít jako záplatu (~ *new cloth to the new coat*) **2** slátat, sesadit, dát dohromady, sflikovat (hovor.) z různorodých kousků (*they possessed only suspicions but out of these they succeeded in* ~*ing together a mosaic* neměli víc než podezření, ale podařilo se jim z nich sesadit dohromady určitou mozaiku) **3** též ~ *up* s|flikovat, sesmolit, usmolit, nouzově n. neodborně opravit / spravit, narovnat, též přen. (*relations between the two men had to be* ~*ed up repeatedly*) **4** dát náplast n. mušku komu / na **5** tvořit nepravidelné skvrny na (*neat clearings* ~*ing the sides of the mountain* úhledné paseky tvořící na horské stráni nepravidelné skvrny)
patchcord [ˌpæčˈko:d] elektr. propojovací šňůra
patchery [pæčəri] (*-ie-*) **1** záplatování, látání **2** slátanina, splácanina, patlanina, mišmaš (*a thin sample of poetic* ~ nevalná ukázka poetické slátaniny)
patchiness [pæšinis] **1** záplatovanost, spravovanost **2** skvrnitost, strakatost; nepravidelnost; různorodost
patchouli, patchouly [pæčuli(:)] **1** bot. pačuli obecné aromatická indonéská rostlina **2** pačule, pačuli silice z této rostliny používaná ve voňavkářství
patch pocket [ˈpæčˌpokit] našitá kapsa navrch
patch-up [ˌpæčˈap]: ~*policy* politika sbližování
patch work [pæčwə:k] *s* **1** ruční práce sešívaná z malých kousků (~ *quilt*) **2** slátanina, splácanina, patlanina, mišmaš (*a* ~ *of four languages*) **3** flikovačka, fušeřina, prťačení, neodborná práce ● *adj* **1** sesmolený, spráskautý dohromady (*a* ~ *report*) **2** břídilský, fušérský, prťácký (~ *efforts* prťácké pokusy, ~ *intellects*)
patchworky [pæčwə:ki] pestrý, různorodý (*a* ~ *spectacle* různorodá podívaná)
patchy [pæči] (*-ie-*) **1** spravovaný, záplatovaný, zalátaný **2** skvrnitý, strakatý **3** tvořící nepravidelné skvrny (~ *sunlight*) **4** nestejně kvalitní, nepravidelný, nejednotný, různorodý **5** smolný, nešťastný (*a* ~ *morning for money*)
pate [peit] **1** zast. hlava, lebka **2** hovor. kokos, kebule, šiška hlava **3** zast., bás. moudrá hlava, hlavička
pâté [pætei] paštika, paštička (~ *de foie gras* paštika z husích jater a lanýžů lahůdkově upravená)
patella [pəˈtelə] *pl* též *patellae* [pəˈteli:] anat. čéška, patela
patellar [pəˈtelə] čéškový, patelární
patellate [pəˈtelit] mající tvar čéšky n. misky
paten [pætən] **1** círk. paténa miska, na niž se klade hostie **2** tenký talířek, kotouček kovový
patency [peitənsi] **1** jasnost, zřejmost, zjevnost, patrnost **2** med. průchodnost
patent [peitənt] *adj* **1** privilegovaný, výsadní; ustanovený patentem n. dekretem; diplomovaný **2** patentovaný, speciální, patentní (*a* ~ *can opener* patentní otvírač konzerv); značkový (*a* ~ *article*) **3** veřejně přístupný; otevřený (*a circular temple* ~ *to the sun*) **4** jasný, zřejmý, zjevný, patrný (*a* ~ *fact*); vyložený, očividný, prostý (~ *nonsense*) **5** hovor. patentovaný, puncovaný (*that* ~ *Christianity which has been for some time manufacturing at Clapham*) ◆ ~ *fastener* patent-

ka, spínací knoflík; ~ *flour* kvalitní pšeničná mouka; ~ *fuel* brikety; ~ *infringement* porušení patentu; ~ *law* patentní zákon; ~ *leather* lakovká kůže (~ *leather shoes* lakýrky, lakovky); *letters* ~ královský / úřední patent, dekret, privilegium; ~ *life* doba platnosti patentu; ~ *log* námoř. patentní log, mechanický rychloměr; *P*~ *Office* patentní úřad ● *s* **1** patent **2** BR královský patent, dekret, privilegium **3** přen. známka (*a* ~ *of gentility* známka ušlechtilosti); dovolení, schválení; patent (*he has no* ~ *on that philosophy*) **4** ~*s, pl* lakýrky, lakovky ◆ ~ *applied for* / ~ *pending* patent přihlášen; *take* (*out*) *a* ~ *on a t.* dát si patentovat co ● *v* **1** patentovat **2** dát si patentovat; dostat patent na co

patentee [ˌpeitənˈti:] majitel patentu

patent roll [peitəntrəul] BR seznam patentů udělených v jednom roce

pater [peitə] **1** slang. starý pán, otecko, taťulda, tatouš, fotr otec **2** otčenáš

paterfamilias [ˌpeitəfəˈmiliæs] *pl: patresfamilias* [ˌpeitri:zfəˈmiliæs] antic., žert. hlava rodiny

paternal [pəˈtə:nl] **1** otcovský (*his smile was almost* ~, *he passed his childhood on the* ~ *farm*) **2** jsoucí z otcovy strany (~ *grandfather*) **3** příliš otcovský, do všeho zasahující, sešněrovávající (~ *legislation*)

paternalism [pəˈtə:nəlizəm] **1** otcovská péče **2** systém vlády zdánlivě laskavé, tyranizující občana

paternalistic [pəˌtə:nəˈlistik] **1** otcovský **2** týkající se zdánlivě laskavého systému vlády

paternity [pəˈtə:nəti] **1** otcovství (*the cares of* ~ otcovské starosti); otcovství, paternita (*establish the* ~ *of a child* zjistit, kdo je otcem dítěte) **2** původ po otci (*the secret of the baby's* ~), též přen. ◆ ~ *test* určení otcovství

paternoster [ˌpætəˈnostə] **1** modlitba Otčenáš zejm. latinsky (*say ten* ~*s*) **2** modlitba, zaříkání, otčenáš (*the Buddhist* ~) **3** zrnko růžence označující Otčenáš; růženec, též přen. ◆ *ape's* ~ drkotání zuby; *black* ~ *1.* různé zaříkání, čárymáry *2.* černá magie; *devil's* ~ tiché zaklení, mumlaná kletba; ~ *line* vlasec s několika udicemi za sebou zatížený olůvky; ~ *wheel* korečkové kolo; *white* ~ bílá magie

path [pa:θ] *pl:* ~*s* [pa:ðz] **1** vyšlapaná cesta, cestička, stezka, pěšina; chodník **2** dráha pruh země upravený pro určitý účel (*cinder* ~ škvárová dráha); místo n. směr pohybu (*the* ~ *of a meteor*) **3** přen. životní dráha, kariéra

Pathan [pəˈta:n] Afgánec zejm. usedlý v Pakistánu n. Indii

path-breaking [ˌpa:θˈbreikiŋ] originální, novátorský, pionýrský, průkopnický (*a book which, although in no sense* ~, *is thoroughly competent*)

pathetic [pəˈθetik] *adj* dojemný, dojímavý, tklivý, vzbuzující soucit; smutný, žalostný ◆ ~ *fallacy* přičítání lidských citů neživé přírodě (např. *cruel sea*) ● *s* **1** ~*s, pl* dojemné chování **2** ~*s, pl* studium emocí n. hnutí mysli

pathfinder [ˈpa:θˌfaində] **1** průkopník, pionýr (*a* ~ *of the air*); stopař **2** letadlo zavádějící bombardéry na cíl

pathic [pæθik] **1** objekt, předmět (*the "healer" and the* ~ *who is to be healed* „uzdravovatel" a ten, kdo má být uzdraven) **2** mladý milenec, chlapec zneužívaný pro homosexuální styk

pathogenesis [ˌpæθəuˈdženisis] patogeneze vývoj choroby

pathogenetic [ˌpaeθə*u*džiˈnetik], **pathogenous** [pəˈθə*u*džinəs] patogenetický

pathogeny [pəˈθodžini] = *pathogenesis*

pathognomic [ˌpæθəˈgnomik] značící nemoc

pathognomonic [pəˌθognəˈmonik] jasně určující chorobu (*a* ~ *symptom* patogenetický příznak)

pathognomy [pæˈθognəmi] studium n. rozpoznávání nemocí podle vnějších znaků

pathologic(al) [ˌpæθəˈlodžik(əl)] patologický vztahující se k patologii; chorobný, nezdravý

pathologist [pəˈθolədžist] patolog odborník v patologii

pathology [pəˈθolədži] patologie nauka o chorobných pochodech a změnách v těle ústrojenců

pathos [peiθos] **1** tklivost, dojemnost, dojímavost (*the tale of Protestant sufferings was told with a wonderful* ~ *by John Knox*) **2** dojetí; žal, zármutek (*he felt a stab of* ~ pocítil náhlý zármutek)

pathotype [pæθətaip] patogenetický typ organismu

pathway [pa:θwei] **1** cesta, stezka, pěšina; dráha, též přen. **2** most, můstek, ochoz pro obsluhu

pathy [pæθi] AM hanl. způsob léčby

patience [peišəns] **1** trpělivost **2** vytrvalost, stálost **3** strpění, snášenlivost, shovívavost **4** zast. svolení, poshovění **5** schopnost trpělivě snášet *of* co (~ *of hunger*) **6** BR pasiáns hra v karty pro jednu osobu (*play* ~ hrát pasiáns, vykládat si karty) ◆ *I am getting out of* ~ *with you* už mi z tebe přechází trpělivost; *have no* ~ *with 1.* nemít trpělivost s n. na *2.* hovor. nesnášet co; ~ *of Job* svatá / andělská trpělivost; *try a p.'s* ~ zkoušet trpělivost koho

patience dock [peišənsdok] bot. **1** šťovík zahradní **2** hadí kořen větší

patient [peišənt] *adj* **1** trpělivý (*that means a lot of* ~ *discussion*); shovívavý (*love is* ~); vytrvalý, stálý (~ *effort*) **2** umožňující, připouštějící, snášející *of* co (*the facts are* ~ *of two interpretations*) **3** trpělivě snášející *of* co, nenamítající nic proti, ● *s* **1** pacient (*the hospital is equipped to handle 500* ~*s* nemocnice je zařízena na léčbu pěti set pacientů) **2** čekající např. zákazník (*a beauty shop filled with* ~*s*) **3** řidč. subjekt, trpný činitel (*there are agents as well as* ~*s and observers in the world*)

patienthood [peišənthud] stav pacienta, vlastnosti pacienta
patina [pætinə] patina měděnka; jemná vrstva dodávající starobylého vzhledu (*the ~ of old furniture*)
patinated [pætineitid] patinovaný
patination [pætineišən] **1** patinování; tvoření patiny **2** patina
patinous [pætinəs] patinovaný
patio [pætiəu] vnitřní dvůr, nádvoří, patio španělského n. jihoamerického domu
patisserie [pəˈti:səri] **1** jemný cukrářský výrobek, dortík **2** cukrářství, cukrárna zejm. prodávající jemné francouzské pečivo
Patna [pætnə] ~ *rice* kvalitní leštěná rýže s dlouhými zrnky
patois [pætwa:] *pl: patois* [pætwa:z] jaz. **1** podřečí varianta nářeční skupiny **2** slang. žargon (*the ~ of the prison yard*)
patrial [peitriəl] *adj* týkající se vlasti ● *s* člověk mající nárok na státní příslušnost zejm. svým původem
patriality [ˌpeitriˈæləti] nárok na státní příslušnost zejm. daný původem
patriarch [peitria:k] patriarcha praotec; kmet; biskup; vysoký církevní hodnostář
partiarchal [ˌpeitriˈa:kəl] patriarchální, patriarší (zast.)
patriarchate [peitria:kit] patriarchát úřad i sídlo patriarchy
patriarchism [peitria:kizəm] , **patriarchy** [peitria:ki] (*-ie-*) patriarchální zřízení n. řád
patrices [peitrisi:z] v. *patrix*
patrician [pəˈtrišən] *s* **1** antic., hist. patricij **2** šlechtic, aristokrat ● *adj* patricijský
patricianship [pəˈtrišənšip] patricijství
patriciate [pəˈtrišiit] patriciát, patriciové
patricidal [ˌpætriˈsaidl] otcovražedný
patricide [pætrisaid] **1** otcovražda **2** otcovrah
patrimonial [ˌpætriˈməunjəl] dědický; dědičný, rodinný (*a ~ estate* rodinná usedlost); patrimoniální, patrimonijní
patrimony [pætriməni] (*-ie-*) **1** dědictví; dědičný n. rodinný majetek **2** církevní majetek, patrimonium
patriot [peitriət] vlastenec, patriot ◆ *P~'s Day* AM státní svátek ve státech Maine a Massachusetts (19. dubna)
patrioteer [ˌpeitriəˈtiə] *s* nacionalista, šovinista, hurávlastenec ● *v* vlastenčit, chovat se jako hurávlastenec
patriotic [ˌpætriˈotik] vlastenecký, patriotický
patriotism [pætriətizəm] vlastenectví, láska k vlasti, patriotství, patriotismus
patristic [pəˈtristik] *adj* patristický vztahující se k patristice ● *s ~s, sg* patristika studium textů starokřesťanských spisovatelů
patrix [peitriks] *pl: patrices* [peitrisi:z] patrice vrchní díl nástroje pracující proti spodnímu dílu (matrici)
patrol [pəˈtrəul] *s* **1** hlídka, stráž hlídání i hlídači; strážný; obchůzka, pochůzka, patrola **2** průzkumná hlídka **3** dohled *of* na (*maintaining a vigilant ~ of the domestic scene* udržující bedlivý dohled na domácnost); pravidelné pozorování (*he has discovered three supernovae in his camera ~* při pravidelném fotografickém průzkumu objevil tři supernovy) **4** skautská šestka n. osma **5** let. hlídkový let; hlídkující stihač; roj letadel; hlídkování letadly ◆ *~ race* hlídkový závod; *~ wagon* AM policejní uzavřený vůz, zelený anton (hovor.) ● *v* (*-ll-*) **1** hlídat, střežit; být na hlídce / na stráži / na obchůzce; patrolovat **2** hlídkovat (*carrier-based aircraft ~led above* nad hlavou hlídkovalo letadlo z mateřské letadlové lodi) *a t.* kde / po (*~ling the north Atlantic coast*)
patrol car [pəˈtrəulka:] policejní vůz silniční hlídky
patrolman [pəˈtrəulmæn] *pl: -men* [-men] AM **1** policista, strážník na obchůzce; nejnižší policejní hodnost; pochůzkář, obchůzkář **2** kontrolor rozvodné sítě **3** požární hlídka
patrology [pəˈtrolədži] patristika
patron [peitrən] **1** patron ochránce; světec; příznivec; kapitán; hostinský; BR kdo vykonává patronát **2** pravidelný návštěvník; stálý zákazník **3** mecenáš, podporovatel ◆ *~ saint* svatý patron, ochránce
patronage [pætrənidž] **1** patronát, záštita; patronství, patronance **2** BR círk. patronát právo udílet prebendu **3** zákazníci, obchodní klientela, příliv zákazníků (*though it was not yet noon, there was a considerable ~*) **4** blahovůle, blahosklonnost, blahosklonná shovívavost, povýšené chování, povýšenost
patronal [pəˈtrəunl] patronský, patronátní ◆ *~ festival* poutní slavnost, pouť o svátku patrona kostela
patroness [peitrənis] **1** patronka **2** mecenáška
patronize [pætrənaiz] **1** chránit, podporovat (*~ a young musician*), být záštitou / oporou koho / komu (*~ a young dressmaker* být oporou mladé švadlence) **2** chovat se povýšeně, blahosklonně, blahovolně k, zacházet povýšeně / s urážlivou shovívavostí s (*the aristocracy ~d him* aristokracie se k němu chovala povýšeně) **3** být stálým zákazníkem kde, pravidelně chodit do / kam, pravidelně navštěvovat (*we both ~d the city library*)
patronizing [pætrənaiziŋ] **1** povýšený **2** blahosklonně až urážlivě shovívavý **3** v. *patronize*
patronymic [ˌpætrəˈnimik] *adj* rodový, odvozený ze jména otcova, patronymický ● *s* patronymikon, patronymikum rodové jméno odvozené ze jména otcova; jméno po otci, otčestvo (v ruském prostředí)
patroon [pəˈtru:n] AM hist. patronátní pán na pozemcích holandské západoindické společnosti na východě Spojených států
patsy [pætsi] (*-ie-*) AM slang. **1** obětní beránek (přen.) **2** kavka, hejl (přen.)
pattée [pætei] herald.: *cross ~* tlapatý kříž

patten [pætn] **1** dřevák s vysokou podrážkou do bláta **2** dřevěná destička pod kopyta koně **3** patka sloupu

patter[1] [pætə] *s* **1** drmolení, breptání, brebentění; rychlý slovní doprovod, povídání, řeči např. eskamotéra **2** prázdné řečnění, řečňování, žvanění, klábosení, tlachání **3** text komické písně n. kupletu; rychlý recitativ v takové písni **4** žargon, hantýrka (*the ~ of science*), argot ● *v* **1** drmolit, breptat, brebentit co / čím (*~ the jargon of two different tribes* brebentit žargonem dvou různých kmenů); drmolit modlitby; řeč sypat se (*jokes ~ed regularly from variety comedians*) **2** žvanit, klábosit, tlachat **3** slang. šprechtit mluvit cizí řečí (*you all ~ French*) ◆ *~ flash* mluvit slangem

patter[2] [pætə] *v* **1** ťukat, pleskat (*the rain ~ed dismally against the panes* déšť zoufale pleskal do okenních skel) **2** ťapkat, capat, cupat, cupitat (*away she ~ed full speed*) **3** způsobit ťukání n. pleskání např. vody (*~ the water about the boat*); pokropit, pocákat (*the trees would ~ me with big drops*) **3** setřást, shodit tak, že ťukne (*the wind was ~ing the acorns*) ● *s* ťukání, pleskání, capání, ťapání, ťapkání (*the ~ of little feet*)

pattern [pætən] *s* **1** vzor; model, ideál (*he is a ~ of all the virtues*); vzor, vzorec, vzorek ozdobný ornament, desén (*a ~ of roses*); vzorek malá ukázka zejm. tkaniny (*a bunch of ~s* vzorník látek) **2** předloha, model pro odlitek, šablona; střih papírový vzor **3** charakter, typ, profil (*the ~s of a p.'s mind* charakterový typ koho); typ, způsob, podoba, šablona (*the Yemen war settled into a medieval ~* jemenská válka se ustálila do středověké šablony) **4** typický příklad, typický zástupce (*the only ~ of consistent gallantry I have met with* jediný typický příklad důsledné galantnosti, s nímž jsem se setkala) **5** styl, soustava, struktura, formální celek (*the whole book forms a rich and subtle but highly organized ~*) **6** obrazec, figura při krasobruslení **7** neschválená vzorová mince **8** televizní monoskop **9** voj. obraz zásahů, obrazec rozptylu střel **10** AM látka na šaty / na oblek, kupón potřebný k zhotovení jednoho oděvu ◆ *on the ~ of* podle vzoru koho; *set ~* být vzorem *for* pro, *take ~ by* vzít si příklad z, řídit se podle; *take a ~ of* obkreslit co ● *v* **1** řídit se vzorem *on / upon / after* čeho, udělat podle modelu / vzoru; napodobit, imitovat, kopírovat (*a dress ~ed upon a Paris model*) **2** tvořit vzor; dělat figury (*the dancer is always ~ing in space*) **3** vzorovat, vzorkovat tkaninu **4** zast. sloužit za vzor **5** voj. dávat obrazec rozptylu ● *adj* **1** vzorný, ideální, příkladný, typický **2** týkající se vzoru n. vzorku ◆ *~ bombing* bombardování v kobercích; *by ~ post* zásilka jako vzorek bez ceny

pattern-book [pætənbuk] vzorkovnice

pattern-designer [ˈpætəndiˌzainə] textilní výtvarník, návrhář, navrhovač vzorů na tkaninu

patterning [pætəniŋ] **1** šablonování, práce podle šablony **2** v. *patter, v*

pattern-maker [ˈpætənˌmeikə] **1** modelář ve slévárně **2** = *pattern-designer*

pattern-pupil [ˈpætənˌpju:pl] vzorný žák

pattern-room [pætənru:m], **pattern-shop** [pætənšop] modelárna ve slévárně

patter-song [pætəsoŋ] komický kuplet s recitativem

patty [pæti] (*-ie-*) paštička, plněný bochánek; placička

pattypan [pætipən] košíček, formička, tvořítko na paštičky atd.

patulous [pætjuləs] **1** otevřený; odchlípený, rozchlípený (*a wound with ~ margins* rána s rozchlípenými okraji) **2** rozložitý, košatý (*an old apple tree with ~ branches* stará jabloň s ... větvemi) **3** bot. rozkladitý

patulousness [pætjuləsnis] **1** otevřenost; odchlípenost, rozchlípenost **2** rozložitost, košatost **3** rozkladitost

paty [pæti] = *pattée*

paucity [po:səti] **1** malý počet, malé množství (*the chorus suffered slightly from a ~ of male voices* sbor poněkud trpěl malým počtem mužských hlasů) **2** nedostatek, nedostatečné množství

Paul [po:l] Pavel ◆ *~ Pry* všetečka, šťoura hrdina komedie Johna Poola (1825)

pauldron [po:ldrən] náramenník část brnění

Pauline[1] [po:lain] *adj* (svato)pavelský, od sv. Pavla (*~ epistles* epištoly sv. Pavla) ● *s* **1** pavlán, paulán souhrnný název některých mnišských řádů **2** BR žák Svatopavelské školy v Londýně

Pauline[2] [po:ˈli:n] Pavla, Pavlína

paulo-post-future [ˌpo:ləupəustˈfju:čə] **1** v řecké gramatice futurum perfektum **2** žert. bezprostřední budoucnost

paulownia [po:ˈləuniə] bot. paulovnie

paunch [po:nš, po:nč] *s* **1** velké břicho **2** břich, pupek, teřich, panděro, nácek, cejcha (hovor.) (*a ~ like that of Falstaff*) **3** bachor přežvýkavců **4** též *~ mat* námoř. pletená rohož / rohožka k ochraně ráhen a takeláže ● *v* vyvrhnout, vyndat vnitřnosti (*rabbits must not be ~ed out of doors in hot weather* je-li horko, není dovoleno vyvrhovat králíky venku)

paunchiness [po:nčinis] břichatost

paunchy [po:nči] břichatý

pauper [po:pə] nemajetný člověk, člověk bez prostředků, kdo pobírá chudinskou podporu, chudák, chuďas, nuzák, ubožák, žebrák

pauperdom [po:pədəm] = *pauperism*

pauperism [po:pərizəm] **1** trvalá nouze, nemajetnost, chudoba, zbídačení; pauperismus **2** chudina, chudáci

pauperization [ˌpo:pəraiˈzeišən] ochuzování, z|chudnutí, zbídačení, pauperizace

pauperize [po:pəraiz] ochuzovat, ochudit, zbídačit, přivést na mizinu, pauperizovat

pause [po:z] *s* **1** pomlčka, odmlka, malá přestávka, pauza; cézura, přerývka; důvod k zastavení **2** hud. pauza; koruna, fermata znaménko 𝄐 ◆ ~ *dots* tečky označující vynechávku; *give* ~ *to* / *put a p. to a* ~ zarazit koho, přimět k zaváhání / k zamyšlení, přivést do nejistoty, rozkolísat ● *v* **1** přestat, udělat přestávku; odmlčet se (*people seemed to* ~, *listening for a message*); přimět k přestávce (*bad times had but* ~*ed him in his climb* špatné časy jeho cestu nahoru jen přerušily) **2** prodlít *on* / *upon* na, protáhnout, natáhnout co, položit se na; hud. udělat korunu na (*the singer* ~*ed on the high note*) **3** zastavit / zarazit se na chvíli, zůstat stát (*he* ~*ed on the threshold to survey the room* zarazil se na prahu, aby si prohlédl pokoj), též přen. (*one ought also to* ~ *and ponder seriously* člověk by se měl také na chvíli zastavit a vážně přemýšlet) **4** počkat, posečkat, zůstat na místě (*the expedition had to* ~ *while barges were built*)

pavage [peividž] **1** dlažba, vy|dláždění **2** dlažebné poplatek

pavan, pavane [pævən] pavana starý tanec volného tempa; hudba k tomuto tanci

pave [peiv] *s* vy|dláždit, též přen. (*Hell is* ~*ed with good intentions* Cesta do pekla je dlážděna dobrým předsevzetím) ◆ ~ *the way* připravit cestu n. půdu *for* / *to* čemu (*alchemy* ~*ed the way for the modern science of chemistry*)

pavé [pævei] **1** dlažba, dláždění; vydlážděná ulice / třída **2** husté posázení drahokamů vedle sebe

pavement [peivmənt] **1** dlažba, dláždění; dlažební materiál **2** BR chodník **3** AM vozovka, jízdní dráha (*he stopped his car just off the* ~) **4** zool. hustá řada např. zubů) ◆ *crazy* ~ BR zahradní cestička dlážděná v nepravidelném vzoru; *hit the* ~ slang. být vyražen na dlažbu z práce n. z hostince; ~ *light* = *vault light*

pavement artist [ˈpeivməntˌa:tist] BR žebravý výtvarník-amatér malující obrazy na chodník

paver [peivə] **1** dlaždič **2** dlažební kostka, dlaždice **3** řidč. míchačka na beton

pavilion [pəˈviljən] *s* **1** velký stan opatřený špicí **2** pavilón, pavilónek menší ozdobná budova; nemocniční pavilón; altán, besídka **3** baldachýn **4** archit. pavilón samostatně zastřešená část budovy **5** spodek broušeného diamantu ● *v* **1** dát / postavit / umístit do stanu atd. **2** postavit stany na ◆ ~ *roof* stanová / jehlanová střecha víc než čtyřboká

paving [peiviŋ] **1** dláždění, dlažba **2** dlažební materiál **3** v. *pave, v*

paving stone [peiviŋstəun] dlažební kámen, dlažební kostka

paviour [peivjə] **1** dlaždič **2** dlaždičský beran / pěch **3** dlažební deska, dlaždice; dlažební cihla

pavis, pavise [pævis] hist. pavéza

paviser [pævisə] hist. pavézník

pavonazzo [ˌpa:voˈnætsəu] rudě n. fialově žilkovaný druh mramoru

pavonine [pævənain] paví, připomínající páva, pávový

paw[1] [po:] *s* **1** tlapa, pracka zvířete; nožička kožešiny (*a coat of minks'* ~*s*) **2** hovor., žert., hanl. tlapa, pracka ruka (*he selected a cigarette with a vast* ~); dětská packa, pacička, tlapička (*go and wash those* ~*s before dinner*) **3** ruka rukopis; podpis **4** hrabání koně ◆ *be a p.'s cat's* ~ tahat za koho kaštany z ohně, pálit si za koho prsty; *give me* / *gimme* ~ dej pac; *south* ~ hovor. levák ● *v* **1** dotknout se tlapou, seknout tlapou n. tlapami *at* po (*he barely escaped being* ~*ed by the lion* jen tak tak, že ho lev nesekl tlapou, *the kitten* ~*ed at the mouse* kotě šťouchalo tlapkami do myšky); škrábat tlapou (*the dog* ~*ed at the back door begging to come in* pes škrábal na zadní dveře, aby ho pustili dovnitř) **2** sahat *at* po (*they were all on their feet, their hands* ~*ing at their daggers* všichni vyskočili a sahali po dýkách); zamávat rukama po (*his right hand* ~*ed the steel side ineffectually* jeho pravá ruka se marně chytala ocelové stěny); prodírat se tápavě rukama (*the troops* ~*ed forward*); přehrabávat rukama (*he* ~*ed the stones hurriedly, searching* jak hledal, rychle přehrabával kamení) **3** ohmatávat, omakávat, osahávat zejm. neslušně (*an important man could find more to do than* ~ *a lady's knees*) **4** kůň hrabat kopyty (*horses begin tossing their heads and* ~*ing and neighing* koně začínají pohazovat hřívou, hrabat kopyty a řehtat) ◆ ~ *the air* tlouci kolem sebe do vzduchu

paw[2] [po:] hovor. tati

paw[3] [po:] SC neslušný

pawl [po:l] *s* západka, záchytka, zarážka např. u navijáku ● *v* zajistit západkou / záchytkou / zarážkou např. naviják

pawkiness [po:kinis] SC nář. **1** lstivost, mazanost, vykutálenost; drzost **2** suchý humor

pawky [po:ki] (*-ie-*) SC nář. **1** lstivý, mazaný, vykutálený; drzý **2** suše vtipný

pawn[1] [po:n] **1** šachy pěšec, pěšák, sedlák, pión (slang.) **2** přen. šachová figurka (*they have become* ~*s in the hands of those who thrive on agitation and unrest* staly se z nich figurky v rukou lidí, kteří žijí z pobuřování a neklidu)

pawn[2] [po:n] *s* zástava věc i zastavení, záruka ◆ *in* / *at* ~ v zástavě, zastavený ● *v* **1** zastavit, dát do zástavy (*the medical student* ~*ed his microscope to pay his rent*) **2** dát slovo, vsadit život (*I will* ~ *my life for her*)

pawnbroker [ˈpo:nˌbrəukə] majitel zastavárny, zastavárník

pawnbroking [ˈpo:nˌbrəukiŋ] **1** zastavárna živnost **2** půjčování peněz na zástavy

pawnee[1] [po: ˈni:] komu je dána zástava, držitel zástavy, zástavní věřitel
pawnee[2] [po:ni:] v indickém prostředí voda
pawnshop [po:nšop] zastavárna
pawn ticket [ˈpo:nˌtikit] zástavní lístek, lístek ze zastavárny
pawpaw [po:ˈpo:] = *papaw*
pax [pæks] *s* **1** círk. hist. pax tabulka líbaná ve středověku při mši **2** círk. polibek míru při mši ◆ ~ *Britannica* / *Romana* mír pod britskou / římskou nadvládou; ~ *vobis* / *vobiscum* pokoj vám ● *interj* BR slang. už dost! pusť! konec pranice školáků
paxwax [pækswæks] nář., hovor. vaz
pay[1] [pei] (*payed* / *paid, payed* / *paid*) BR námoř. kalfátrovat, dehtovat švy lodní paluby
pay[2] [pei] *s* **1** plat, mzda, služné, důchod, výplata, žold zejm. v armádě (*he demanded* ~ *for overtime work*); placení; příplatek, přídavek (*travel* ~) **2** kdo platí (*business people say that the best* ~ *are Japanese* obchodníci říkají, že nejlépe / nejrychleji platí Japonci) **3** zlatonosný písek, zlatonosná hornina **4** ložisko ropy ◆ *be in a p.'s* ~ být zaměstnán kým / u, být placen kým, dostávat plat n. peníze od (*he was suspected to be in the* ~ *of a foreign power* byl v podezření, že je placen cizí mocností) ● *v* (*paid, paid*) **1** za|platit (*I have to* ~ *someone to mow the lawn* musím někomu zaplatit, aby mi posekal trávník) (*to*) *a p.* komu *for* za (*he paid £ 600 to a dealer for that car*), též přen. **2** financovat (*for*) co, honorovat co, dát honorář za, hradit co, zatáhnout co (hovor.) (*I'll* ~ *for the music lesson*) **3** přen. doplatit *for* na, odskákat si co, vypít si co (*he'll have to* ~ *for this* tohle si odskáče) **4** za|platit dluhované (~ *him the rent*), splatit, vrátit peníze (*I paid you the money last week*); vyrovnat účet **5** vyplatit se, vynášet, rentovat se (hovor.) (*he says that sheep farming doesn't* ~) komu (*it paid the store to stay open evenings* obchodu se vyplatilo mít otevřeno i večer); nést, vynášet kolik (*the investment paid five percent*) ◆ ~ *attention* dávat pozor, věnovat pozornost; ~ (*in*) *cash* platit hotově; ~ *by cheque* platit šekem; ~ *court* dvořit se; ~ *the last debt* / *the debt of nature* odejít na věčnost; ~ *the fiddler* = ~ *the piper;* ~ *heed* dbát *to* čeho, dávat pozor na; ~ *in kind 1.* oplatit stejným *2.* platit v naturáliích; ~ *through the nose* v. *nose, s;* ~ *the piper* za|platit to za sebe i za ostatní; *put paid to a t.* vyřídit co, skoncovat s, zabránit čemu, znemožnit co, zhatit co; ~ *one's respect* / *respects* složit poklonu komu; *something is to* ~ něco se děje; ~ *a visit* navštívit *to* koho; ~ *one's* (*own*) *way* vystačit s penězi; *what's to* ~*?* co se děje?; ~ *for one's whistle* doplatit na své rozmary ***pay away*** povolit, popustit, odvinout lano ***pay back*** *1* oplatit, odplatit, splatit, vynahradit *a p.* komu *for* co, odvděčit se komu za (*how can I* ~ *you back for all your kindness?*) *2* vyrovnat si účet *to* s (*he cheated me but I'll find some way to* ~ *him back* podvedl mne, ale já už si najdu způsob, jak si s ním vyrovnat účet) ◆ ~ *a p. back in his own coin* oplatit komu stejnou mincí ***pay down*** zaplatit hotově n. v hotovosti ***pay in*** vložit n. poukázat peníze na svůj n. cizí účet ***pay off*** *1* vyplatit a propustit (~ *off the crew of the ship* ... lodní posádku), proplatit, všechno zaplatit komu *2* námoř. odpadnout do závětří ***pay out*** *1* vyplatit (~ *out wages* vyplatit mzdy) *2* iron. oplatit, odplatit, odvděčit se (*I've paid him out for the trick he played on me* já jsem mu odplatil tu ničemnost, kterou mi provedl) *3* námoř. povolit, popustit, odvinout lano n. kabel ***pay up*** *1* doplatit *2* splatit, vyrovnat dluh ● *adj* **1** výplatní (~ *office*) **2** jsoucí za honorář, placený, nikoli zdarma, kde / za co se musí platit (~ *hospital*) **3** fungující po vhození mince, mincovní (~ *telephone*) **4** zlatonosný **5** skýtající naftu ◆ ~ *book* BR vojenská knížka; ~ *clerk* mzdový účetní; ~ *dirt 1.* zlatonosný nános *2.* AM hovor. užitečný objev, to pravé, to hledané (*after hours of questioning the police struck* ~ *dirt* po hodinách dotazování se konečně usmálo na policii štěstí); ~ *envelope* AM výplatní sáček; ~ *grade* platové zařazení; ~ *office* výplatní místo; ~ *officer* náčelník finanční služby; ~ *ore* průmyslová hornina; ~ *packet* BR *1.* výplatní sáček *2.* celková mzda; ~ *record* mzdový arch; ~ *rock* zrudněná hornina; ~ *tone* sděl. tech. tón ve sluchátku vyzývající hovořícího z telefonního automatu k vhození mince
payable [peiəbl] **1** splatný (~ *in monthly instalments* splatný v měsíčních splátkách) **2** zaplatitelný, cenově přijatelný (~ *prices*) **3** výnosný, rentabilní (~ *enterprise* výnosný podnik, ~ *vein of ore* výnosná rudná žíla)
pay-as-you-earn [ˌpeiəzjuˈə:n] BR daňový systém, v němž daň z příjmu příjemce strhává a odvádí plátce
payday [peidei] **1** výplatní den, den výplat, výplata (hovor.) **2** BR platební den, den splatnosti burzovních transakcí, likvidační den
payee [peiː:] **1** věřitel; osoba, které má být placeno **2** adresát poštovní poukázky **3** vlastník / doručitel směnky
payer [peiə] **1** plátce **2** směnečník, trasát ◆ *dilatory* ~ liknavý dlužník
paying [peiiŋ] **1** výnosný, rentabilní **2** v. *pay,*[1,2] *v* ◆ ~ *guest* nájemník na byt a stravu
paying-in [peiiŋin] : ~ *slip* vplatní lístek v bance
payload [peiləud] **1** ekon. prodejné zatížení **2** užitečné zatížení, užitečný náklad **3** mzdové náklady
paymaster [ˈpeiˌma:stə] vojenský pokladník, důstojník intendanční služby, intendant ◆ ~ *general* BR hlavní pokladník ministerstva financí
payment [peimənt] **1** platba, za|placení, vyrovnání dluhu (*prompt* ~ *of debt*); zaplacená částka

2 odměna (*he accepted a judgeship as ~ for loyal service to the party* přijal soudcovské místo jako odměnu za věrné služby straně) ◆ *advance ~* záloha, závdavek; *balance of ~ 1.* platební bilance *2.* vyúčtování; *terms of ~* platební podmínky

paynim [peinim] zast. pohan, nevěřící, mohamedán

payoff [peiof] **1** splacení dluhu **2** výplata; doplatek při výplatě **3** výtěžek, výnos **4** přen. odměna, odplata **5** hovor.: neočekávaný výsledek **6** pointa, rozuzlení příběhu (*now listen to the ~*) **7** rozhodující činitel n. faktor

payola [peiˈəulə] AM slang. úplatek za dělání reklamy při nereklamním pořadu, vyplácený např. diskžokejům

pay-packet [ˈpeiˌpækit] **1** obálka s výplatou **2** výplata, mzda

payroll [peirəul] **1** výplatní listina **2** celková výplata, mzdy (*increase the weekly ~*) **3** celkový počet zaměstnanců v podniku ◆ *~ tax* daň ze mzdy

paysage [peiˈsa:ž] krajinka, krajinomalba, pejsáž

paysagist [peiˈsa:žist] krajinář, malíř krajin

paysheet [peiši:t] BR výplatní listina

pay station [ˈpeiˌsteišən] AM veřejný telefonní automat, telefonní budka

pazazz [pəˈzæz] = *pizzazz*

pea [pi:] **1** hrách, hrášek; bot. hrách setý **2** *~s, pl* hrách pokrm **3** *~s, pl,* též *green ~s* zelené lusky ◆ *as like as two ~s (in a pod)* podobný jako vejce vejci; *~ coal* hráškové uhlí, hrášek, krupice velikost tříděného uhlí; *split ~s* loupaný hrách; *sweet ~s* hrachor

peace [pi:s] **1** mír (*make ~* uzavřít mír, *treaty of ~* mírová smlouva) **2** veřejný klid, pořádek, právní jistota (*King's / Queen's ~* veřejný pořádek ve Velké Británii, *break the ~* rušit veřejný pořádek, dělat výtržnosti) **3** klid, pokoj (*~ be with you!* pokoj vám!); duševní klid, mír, pokoj, pohoda, vyrovnanost, usmířenost (*~ of conscience* klidné / čisté svědomí) ◆ *at ~ (with) 1.* usmířený s *2.* v přátelských vztazích k *3.* klidný, pokojný; *be sworn of the ~* stát se strážcem veřejného pořádku / smírčím soudcem; *breach of the ~* výtržnost, výtržnictví; *~ feeler* diplomatická mírová sonda; *hold one's ~* zast. být zticha, mlčet, nemuknout, držet hubu (vulg.); *Justice of P~* smírčí soudce; *keep the ~* udržet mír a klid, zabránit sporu; *make one's ~* smířit se s Pánem Bohem; *make one's ~* usmířit se *with* s, usmířit si koho; *~ offensive* mírová ofenzíva; *P~ race* Závod míru cyklistický; *~ sign 1.* symbol míru ☮ *2.* = *V sign; ~ talks* mírové rozhovory

peaceable [pi:səbl] **1** mírumilovný (*the quiet, humble, modest and ~ person*); mírový (*the company in ~ times makes chiefly freight cars*) **2** tichý, po|klidný (*his tongue was not always ~* neměl jazyk vždycky klidný)

peaceableness [pi:səblnis] **1** mírumilovnost, po|klid, po|klidnost **2** tichost, pokojnost

peaceful [pi:sful] **1** mírný, po|klidný, tichý, pokojný, plný pohody **2** mírový (*~ coexistence* mírové soužití)

peacefulness [pi:sfulnis] **1** klid, mír, mírnost, pokoj, pohoda, ticho **2** přátelské soužití

peacekeeper [ˈpi:sˌki:pə] osoba n. vojenská jednotka dohlížející na zachování příměří n. míru, mírový dozorčí

peacekeeping [ˈpi:sˌki:piŋ] *s* dozor nad zachováváním příměří n. míru ● *adj* dozorčí pro zachování příměří n. míru (*~ force*)

peacemaker [ˈpi:sˌmeikə] **1** mírotvůrce, u|smiřovatel, smiřující n. mírový prostředník n. vyjednavač **2** žert. utišující prostředek smrtící zbraň

peace mission [ˈpi:sˌmišən] mírové diplomatické poslání, mírová mise

peacenik [pi:snik] AM slang. demonstrant při mírové manifestaci, obránce míru

peace offering [ˈpi:sˌofəriŋ] **1** dar na usmířenou **2** bibl. smírná oběť **3** mírová nabídka, nabídka k jednání o míru; ústupek n. oběť v zájmu míru

peace officer [ˈpi:sˌofisə] udržovatel pořádku, strážce veřejného pořádku

peace pipe [pi:spaip] dýmka míru, kalumet

peacetime [pi:staim] *s* mír, mírová doba, doby míru (*public opinion would be reluctant to approve such a move in ~* v [době] míru by s takovou akcí veřejné mínění těžko souhlasilo) ● *adj* mírový, jsoucí v době míru (*~ training*)

peach¹ [pi:č] **1** slang. prásknout, udat *upon / against* koho **2** hovor. donášet, žalovat *upon* na *to* komu (*the vilest of all sins is to ~ to the headmaster* nejhorší hřích je žalovat panu řediteli)

peach² [pi:č] **1** broskev strom i ovoce; broskvoň **2** slang. co je prima / bašta / fajn (*a ~ of a game*); prima žába, šťabajzna (*he's got a studio with a ~ of an English girl*) **3** AM broskvovice lihovina ◆ *~ brandy* broskvovice lihovina; *~ Melba* pohár Melba broskev s vanilkovou zmrzlinou a šlehačkou, politá malinovou šťávou a lihovinou; *stoned ~es* vypeckované broskve

peach bloom [pi:čblu:m] = *peach blow*

peach blow [pi:čbləu] **1** jemná temně růžová barva **2** temně růžová glazura na čínském porcelánu

peach colour [ˈpi:čˌkalə] *s* broskvová barva barva zralé broskve; barva broskvových květů ● *adj* jsoucí broskvové barvy

pea-chick [pi:čik] **1** páve, paví mládě, paví kuře **2** přen. mladý bohatýr

peachiness [pi:činis] hebkost a růměnost tváří

peach stone [pi:čstəun] broskvová pecka

peach tree [pi:čtri:] broskvoň, broskev strom

peachy [pi:či] (*-ie-*) **1** připomínající broskve, jsoucí jako broskve (*~ cheeks and slender figure*) **2** slang. ohromný, znamenitý, senzační (*terriers were ~ dogs*)

peacock [pi:kok] *s* 1 páv pták; pyšný člověk 2 přen. hrdopych, hrdopýšek, nadutec, náfuka 3 *P*~ Páv souhvězdí jižní oblohy; hvězda alfa v souhvězdí Páva ♦ ~ *blue* paví / pávová modř; ~ *butterfly* babočka paví oko motýl; ~ *coal* BR lesklé uhlí; ~ *eye* paví oko na konci pavího pera; ~ *pine* bot. kryptomerie japonská; *play the* ~ nosit se / chodit jako páv ● *v* pávit se, nosit se / chodit jako páv, naparovat se (*all the girls were* ~*ing in their bustles* všechny dívky se nosily v honzíkách jako pávice)

peacockery [pi:kokəri] 1 nadutost, pýcha (*his vanity is extreme but he has no* ~) 2 nastrojenost, honosnost, paráda

peacock fish [pi:kokfiš] *pl* též *fish* [fiš] zool. pyskoun

peacockish [pi:kokiš], **peacocklike** [pi:koklaik] 1 připomínající páva, pyšný, nadutý, chlubivý 2 okázale se nosící, nastrojený, honosný, naparáděný

peafowl [pi:faul] páv, pávice

pea green [pi: gri:n] *s* hrachová / hrášková zeleň ● *adj: pea-green* [pi:gri:n] hráškově zelený

peahen [pi:ˈhen] pávice samice páva

pea jacket [ˈpi:ˌdžækit] lodní kazajka, těžký dvouřadový tříčtvrteční kabát námořníka

peak[1] [pi:k] *s* 1 špice, špička, hrot 2 temeno, vrchol, vrcholek; špice, štít hora 3 přen. vrchol, nejvyšší bod, nejvyšší stupeň, maximum 4 dopravní n. energetická špička 5 štítek čepice, kšilt (hovor.) 6 námoř. kolizní prostor na přídi lodi, klínovitá část plavidla, příď, záď 7 námoř. roh vratiplachty ● *adj* maximální, nejvyšší, nejlepší, špičkový (~ *condition*) ♦ ~ *arch* lomený / gotický oblouk; *P*~ *District* název oblasti v Derbyshiru; ~ *hours / period* doba špičky, doba největšího provozu n. spotřeby, špička ● *v* 1 dělat špičky, tvořit hroty (*beat egg whites until they* ~ šlehejte bílky tak dlouho, až začne sníh tvořit špičky) 2 tvořit maximum n. vrchol 3 vytáhnout do výšky (*she pursed her pretty lips and* ~*ed her eyebrows* našpulila své půvabné rtíky a zvedla obočí) 4 docílit maxima, dosahovat vrcholu (*a firm whose business* ~*s from July to December*)

peak[2] [pi:k] člověk schnout, tratit se, hubnout ***peak out*** vytratit se, vymizet (*the little business they had started finally* ~*ed out*)

peak[3] [pi:k] 1 vztyčit vesla, ráhna do svislé polohy 2 velryba vztyčit ocas při potápění

peaked[1] [pi:kt] 1 špičatý, zašpičatělý 2 se štítkem (*a* ~ *cap* kšiltovka (hovor.)) 3 v. *peak*[1], *v*

peaked[2] [pi:kt] 1 hubený, vyzáblý, vycmrdlý (*the boy looked sallow and* ~ na chlapci bylo vidět, že je nažloutlý a vyzáblý) 2 v. *peak*[2]

peak load [ˌpi:kˈləud] špička, špičkové zatížení

peaky[1] [pi:ki] (*-ie-*) 1 špičatý (*a* ~ *face*) 2 plný špičatých vrcholů (*a* ~ *ridge* horský hřeben plný špičatých vrcholů)

peaky[2] [pi:ki] (*-ie-*) hubený, vyzáblý, vycmrdlý

peal[1] [pi:l] *s* 1 zvuk zvonů, vyzvánění, zvonění, hlaholení zvonů; variační vyzvánění 2 sada vyladěných zvonů pro variační vyzvánění, zvonkohra 3 za|dunění, za|rachocení, za|hřímání, za|burácení, rachot hromu n. výstřelu; výbuch, salva smíchu, bouře potlesku ● *v* 1 zvony zvonit zejm. variačně, hlaholit 2 hřmět, burácet, dunět; troubit (*he* ~*ed a high C on the trumpet*) 3 zvuk odrážet se (*silvery laughter* ~*ed against the ceiling* stříbrný smích se odrážel od stropu) ♦ ~ *bells* zvonit, vyzvánět variačně

peal[2] [pi:l] BR 1 v Irsku mladý losos 2 v Anglii mořský losos

pean [pi:ən] herald. černý hermelín se zlatými ocásky

peanut [pi:nat] 1 bot. podzemnice olejná 2 burský oříšek, arašíd, burák (hovor.) 3 přen. cvrček malý člověk (*he shows a lot of strength for such a* ~) 4 ~*s*, *pl* AM téměř nic, mizivě málo, prkotina (*compared to present prices I was getting* ~*s*) ● *adj* 1 arašídový; podzemnicový 2 AM bídný, ubohý, mizerný, nicotný, jsoucí k ničemu (*I haven't got all day for this* ~ *case*) ♦ ~ *butter* arašídová pomazánka; ~ *oil* podzemnicový olej; ~ *roaster* AM slang. kafemlejnek malá lokomotiva; ~ *stand* stánek s burskými oříšky

peapod [pi:pod] hrachový lusk

pear [peə] hruška strom i ovoce; hrušeň ♦ ~ *rust* rez hrušňová

pear drop [peədrop] bonbón, drops hruškového tvaru

pearl[1] [pə:l] řetízek okraj paličkované krajky

pearl[2] [pə:l] *s* 1 perla, též přen. (~ *of wisdom*), perlička 2 perleť 3 polygr. pětibodové písmo, perl (zast.) ♦ *cast* ~*s before swine* bibl. házet perly sviním poskytovat někomu něco, čeho si neumí vážit; ~ *disease* zvěr. tuberkulóza skotu ● *v* 1 operlit, ozdobit n. posázet perlami n. perličkami 2 perlit se, tvořit kapky na (*the perspiration* ~*s down your face* perličky potu ti stékají po tváři, *rain* ~*ed down the window*) 3 barva perlit, pěnit 4 omílat na velikost perličky (~ *barley*) 5 dát n. mít perlový lesk / perlovou barvu (*the peaked hills, blue and* ~*ed with clouds*)

pearl ash [pə:læš] chem. perlová potaš, uhličitan draselný

pearl barley [ˌpə:lˈba:li] perlové kroupy, perličky

pearl button [ˌpə:lˈbatn] perleťový knoflík

pearl diver [ˈpə:lˌdaivə] lovec perel

pearled [pə:ld] 1 perleťový (*the* ~ *splendour of the moonlit scene* perleťová nádhera měsícem ozářené krajiny) 2 vykládaný perletí (*the* ~ *revolver*) 3 v. *pearl*, *v*

pearler [pə:lə] 1 lovec perel 2 obchodník s perlami 3 člun užívaný k lovu perel

pearl fisher [ˈpə:lˌfišə] lovec perel

pearl-fishery [ˈpə:lˌfišəri] (*-ie-*) 1 lov / lovení perel činnost i zaměstnání 2 místo, kde se loví perly

pearlies [pə:liz] *pl* 1 slavnostní oblek pouličního

obchodníka pošitý perleťovými knoflíky **2** BR slang. zuby **3** v. *pearly, s*
pearliness [pə:linis] perleťovost, perleťová barva
pearl oyster [ˈpə:lˌoistə] perlorodka
pearl powder [ˈpəlˌpaudə] perlová běloba
pearl sago [ˈpə:lˌseigəu] perlové ságo
pearl shell [pə:lšel] perlorodka
pearl white [pə:lwait] **1** perlová běloba; perleťová barva **2** perlovina pro napodobení perel
pearlwort [pə:lwə:t] bot. úrazník
pearly [pə:li] (*-ie-*) *adj* **1** perleťový, perlový; pošitý perlami **2** přen. vzácný, krásný, nesmírně cenný (~ *virginity* převzácné panenství) ◆ *P~ Gates 1.* nebeská brána *2. p~ gates* zuby; ~ *king* titul „krále" pouličních prodavačů, opravňující ho nosit oblek pošitý perleťovými knoflíky ● *s* **1** BR slang. perleťový knoflík na obleku pouličního obchodníka **2** pouliční obchodník v obleku pošitém perleťovými knoflíky
pearmain [peəmein] parména odrůda ušlechtilého jablka
pear-shaped [peəšeipt] **1** hruškovitý, mající hruškovitý tvar **2** tón kulatý
peart [piət] AM nář. **1** čilý, živý **2** bystrý, chytrý
pear tree [peətri:] hrušeň, hruška strom
peasant [pezənt] *s* **1** evropský malý sedlák, rolník, zemědělec; člověk z venkova, venkovan **2** venkovský balík, dacan, venkovská husa (*she was a complete ~ when she came here*) ● *adj* **1** rolnický, zemědělský, selský (*most were ~ stock whose descendants today hold important positions* většinou to byly selské rody, jejichž potomci dnes mají důležité postavení) **2** venkovský (*a very pretty girl in a ~ blouse*); lidový (*decorative ~ art*)
peasantry [pezəntri] **1** rolnictvo, selský lid, venkované **2** venkovské způsoby; lidovost, rustikálnost (*as a gentleman, you could have never descended to such ~ of language* jakožto džentlmen jste se nikdy nemohl snížit k tak rustikálnímu jazyku)
pease [pi:z] zast. **1** hrách **2** hrášky
peasecod [pi:zkod] hrachový lusk
pease pudding [ˈpi:zˌpudiŋ] hrachová kaše, hrachové pyré
peashooter [ˈpi:ˌšu:tə] **1** foukačka na střílení hrachu **2** přen. bouchačka revolver **3** slang. letec stihač; stihačka
pea soup [ˌpi:ˈsu:p] **1** hrachová polévka **2** = *peasouper*
peasouper [ˌpi:ˈsu:pə] hustá, neproniknutelná mlha, londýnská mlha připomínající barvou hrachovou polévku
peasoupy [ˌpi:ˈsu:pi] plný husté mlhy (*the ~ January evening*)
peat¹ [pi:t] zast.: energická dívka, žena, krasavice
peat² [pi:t] rašelina
peatbog [pi:tbog], **peatery** [pi:təri] (*-ie-*) rašeliniště, rašelinisko, vrchoviště
peat hag [pi:thæg] vybrané rašeliniště
peat moss [pi:tmos] **1** rašeliniště, rašelinisko **2** bot. rašeliník
peat reek [pi:tri:k] **1** dým z hořící rašeliny **2** whisky destilovaná nad rašelinovým ohněm
peaty [pi:ti] (*-ie-*) rašelinatý, rašelinitý, rašelinný, rašelinový
peavey [pi:vi] AM obracák
peavy [pi:vi] (*-ie-*) = *peavey*
pebble [pebl] *s* **1** oblázek, oblý křemínek, křemílek, kamínek, valounek, malý placák **2** křišťál; brýlová čočka z křišťálu **3** vzácný kamínek, valounek, malý polodrahokam **4** též ~ *leather* šagrén, šagrénová kůže s jemně zrnitým povrchem ◆ *he is not the only ~ on the beach* není jediný na světě, žádný unikát ● *v* **1** po|sypat / pohazovat / vy|dláždit oblázky **2** zrnit, šagrénovat kůži
pebble dash [pebldæš] hrubá / ostrá omítka s oblázkovým povrchem
pebbly [pebli] oblázkový, plný kamínků, pokrytý oblázky, jsoucí z drobných kamínků (*a ~ shore* ... břeh)
pébrine [peiˈbri:n] choroba bource morušového
pecan [piˈkæn] **1** bot. ořechovec pekan **2** pekanový ořech, ořech puma
peccability [ˌpekəˈbiləti] náchylnost ke hříchu, hříšnost
peccable [pekəbl] náchylný ke hříchu, hříšný
peccadillo [ˌpekəˈdiləu] *pl* též *peccadilloes* [ˌpekəˈdiləuz] hříšek, malý poklesek, škraloup
peccancy [pekənsi] (*-ie-*) **1** hříšnost, zkaženost (*horrible exultation at the universal ~ of husbands* příšerný jásot nad všeobecnou zkažeností manželů) **2** chyba, přestupek (*his trivial peccancies*)
peccant [pekənt] **1** hříšný, hřešící, zkažený (*~ humanity*); provinilý, zhřešivší (*~ parishioners* provinilí farníci) **2** zlobivý, zlobící, nezbedný, tropící neplechu (*intervene to save the ~ poet*) **3** vadný, nemocný, nakažený, zkažený, nezdravý, postižený (*by the lopping of a ~ member the body is saved from decay* odříznutím postiženého údu se uchrání tělo rozkladu)
peccary [pekəri] (*-ie-*) *pl* též *peccary* [pekəri] též *collared ~* zool. pekari páskovaný
peccavi [peˈka:vi:] „zhřešil jsem" doznání viny ◆ *cry ~* doznat vinu, kát se
pêche Melba [ˌpæšˈmelbə] = *peach Melba*
peck¹ [pek] **1** dutá míra (asi 9 l); odměrka **2** přen. spousta, kopec, moře, halda (*a ~ of trouble*)
Peck² [pek] : *~'s Bad Boy* AM enfant terrible
peck³ [pek] **1** slang. majznout čím, praštit, hodit, házet šutrem *at* po / na **2** kůň zakopnout při doskoku
peck⁴ [pek] *v* **1** zobat **2** klofat, klovat, zobat, ďobat *at* do / po, ozobávat, oďobávat co (*hens ~ at the corn*) **3** přen. šťourat se, rýpat se *at* v (*he ~ed without enthusiasm at the lamb chop* nepříliš nadšeně se rýpal ve skopovém žebírku) **4** dlabat

špičatým nástrojem (*figures ~ed into the rock*), opracovat špičatým nástrojem; vrtat vrtacím kladivem **5** dát letmou pusu na, zběžně / letmo políbit (*she ~ed his forehead*) **6** ťukat *at* do, zejm. do psacího stroje (*she started ~ing at the keys*) **7** rýpat *at* do, strefovat se do, popichovat koho (*my wife keeps ~ing at me all day*) **8** BR hovor. něčeho si zobnout, jíst (*she wants to know if you'll ~ with us*) ◆ *~ing order* přen.: tuhá společenská hierarchie, hierarchická stupnice společnosti, kde vyšší tyranizuje nižšího (*Poor Tom! He's at the bottom of the ~ing order!* Chudák Tom! Ten je u nich poslední v kalendáři!) ***peck out / up*** sezobat, vyzobat ● *s* **1** zobnutí, klovnutí, klofnutí, ďobnutí, klofec, ďobec **2** letmý polibek, malá pusa (*a brief ~ on the cheek*) **3** slang. dlabanec, bašta jídlo

pecker [pekə] **1** ptačí zobák **2** klovavý pták **3** motyčka, kracička **4** rypák nos **5** AM vulg. penis ◆ *keep your ~ up* BR slang. nedejte se, hlavu vzhůru

Peckham [pekəm] : *all holiday at ~* žádná chuť k jídlu

peckish [pekiš] slang. **1** vyhládlý, hladový (*their swim made them ~*) **2** kousavý, rýpavý, jedovatý (*the old woman was spiteful and ~* stařena byla zlomyslná a jedovatá)

Pecksniff [peksnif] svatoušek, úlisný pokrytec připomínající postavu v Dickensově románu *Martin Chuzzlewit*

Pecksniffian [pek'snifiən] svatouškovský, úlisně pokrytecký

pectase [pekteiz] chem. pektáza enzym

pecten [pektən] *pl* též *pectines* [pektini:z] zool. **1** hřebenatka mořský mlž **2** hřeben, hřebínek, hřebenovité ústrojí např. štíra

pectic [pektik] chem. pektinový

pectin [pektin] chem. pektin

pectinate [pektinit], **pectinated** [pektineitid] hřebenitý (*a ~ leaf*); hřebenovitý

pectination [ˌpekti'neišən] **1** hřebenitost, hřebenovitost **2** hřeben, hřebínek, hřebenovité ústrojí

pectize [pektaiz] z|rosolovatět, (dát) ztuhnout na rosol

pectoral [pektərəl] *s* **1** círk. hrudní štítek židovského kněze **2** círk. pektorál kříž zavěšovaný na prsa **3** též *~ fin* prsní ploutev **4** prsní sval **5** prsní pancíř ● *adj* hrudní (*a ~ arch*), prsní týkající se prsou; k léčbě onemocnění cest dýchacích (*a ~ syrup*), pektorální (*a ~ cross* pektorální kříž, pektorál)

pectoralis [ˌpektə'rælis] *pl: pectorales* [ˌpektə'ræli:z] prsní sval

pectose [pektəuz] chem. pektóza pektinová látka

peculate [pekjuleit] **1** zpronevěřit, defraudovat (*a large sum ~d from treasury* velká částka defraudovaná ze státní pokladny) **2** zpronevěřit / defraudovat peníze, dopustit se zpronevěry (*the chef began to ~*)

peculation [ˌpekju'leišən] zpronevěra, defraudace (*the ~ of state revenue* zpronevěra státního důchodu)

peculator [pekjuleitə] defraudant

peculiar [pi'kju:ljə] *adj* **1** vlastní *to* komu (*customs to these tribes*); příznačný, typický, charakteristický pro (*a style ~ to the eighteenth century*); svérázný, svébytný, osobitý (*the ~ character of the government*) **2** po|divný, zvláštní, nezvyklý (*a ~ situation*), výstřední, extravagantní (*her ~ behaviour* její výstřední chování) **3** ob|zvláštní, mimořádný, kromobyčejný (*a matter of ~ interest*) ◆ *feel ~* mít zvláštní pocit (*I feel ~* je mi divně); *~ institution* AM otrokářství; *P~ People 1.* Vyvolený národ Židé *2.* Vyvolenci členové náboženské sekty zal. 1838 ● *s* **1** výsada, privilegium **2** círk.: farnost vyňatá z pravomoci místního biskupa **3** Vyvolenec člen sekty Vyvolenců

peculiarity [piˌkju:li'ærəti] (*-ie-*) **1** vlastnost, zvláštnost, charakteristický rys (*the intrusion of his personal peculiarities* vnucování jeho osobních zvláštností); svéráz, svéráznost, svébytnost, osobitost (*his regard for her seemed to have lost all its ~*) **2** zvláštnost, podivnost, výstřednost, extravagance, něco divného (*there is another ~ about Mr Talfourd: he can't spell*)

peculiarly [pi'kju:ljərli] **1** jenom, pouze, toliko, jedině, výhradně, výlučně (*it doesn't concern him ~*) **2** v. *peculiar, adj*

pecuniary [pi'kju:njəri] peněžní (*certain regular gifts, ~ or in kind* určité pravidelné dary, peněžní nebo v naturáliích), finanční (*~ gain ...* zisk), pekuniární (*the medieval cathedrals were not built with any ~ motive*)

pedage [pedidž] hist. mýto, mýtné

pedagogic [ˌpedə'godžik] *adj* pedagogický (*a ~ tone*), učitelský, výchovný, vychovatelský ● *s: ~s, sg* pedagogika (*~s is the most revolutionary of all sciences*)

pedagogical [ˌpedə'godžikəl] = *pedagogic, adj*

pedagogism [pedagogizəm] = *pedagoguism*

pedagogue [pedəgog] pedagog; vychovatel, učitel

pedagoguism [pedəgogizəm] učitelství, vychovatelství

pedagogy [pedəgodži] **1** pedagogika nauka o výchově **2** vzdělání, výchova; vyučování; učitelství **3** hist. škola, pedagogium

pedal[1] [pedl] *s* **1** pedál; pedály, pedálová klávesnice varhan **2** šlapka, šlapadlo **3** hud.: též *~ point* držený bas **4** též *~ straw* pšeničná sláma z dolních částí stébel **5** mat. úpatnice ◆ *~ brake* nožní brzda; *~ clarinet* basklarinet; *~ cycle* jízdní kolo, bicykl, velocipéd; *loud ~* pravý pedál klavíru; *~ pushers* dámské tříčtvrťové kalhoty sportovní; *soft ~* levý pedál, dusítko klavíru ● *v* (*-ll-*) **1** pedálovat, pedalizovat, šlapat pedály; hrát na pedály **2** šlapat do

pedálů (*~ing a bicycle*), jet na kole (*he ~led off*)
pedal[2] [pedl] *adj* zool. nožní
pedalo [pedələu] malé šlapací plavidlo, šlapák (slang.)
pedant [pedənt] **1** knižní teoretik, nezáživný učenec, vědátor (*a pompous ~*) **2** hnidopich, puntičkář, pedant **3** dogmatik, doktrinář; formalista
pedantic [piˈdæntik] **1** nezáživný, nezáživně učený (*a ~ style*) **2** suchý, akademický (*the intellectual life that remained came to be ~ rather than humane and broad*) **3** přízemní, bez fantazie (*dull ~ minds*) **4** puntičkářský, pedantický; formalistní (*the living Bach as opposed to the dry and ~ Bach*)
pedantize [pedəntaiz] **1** nezáživně psát n. přednášet (*~ on classics*) **2** dělat nezáživné učence (*the cramping and pedantizing influence of a pseudo-system* ochromující pseudosystém, který svým vlivem vytváří nezáživné učence)
pedantocracy [ˌpedənˈtokrəsi] vláda nezáživně učených byrokratů
pedantocrat [peˈdæntəkræt] nezáživně učený byrokratický vládce
pedantry [pedəntri] **1** nezáživnost, nezáživná teorie, plané vědátorství (*the book is a demonstration of scholarship without ~* kniha je ukázkou učenosti bez planého vědátorství) **2** puntičkářství, hnidopišství, pedantství, pedanterie (*to correct popular speech according to formal canons is sheer ~* opravovat lidovou řeč podle formálních pravidel je čiré hnidopišství)
pedate [pedit] **1** zool. mající nohy **2** bot. znožený
peddle [pedl] **1** prodávat po domech n. na ulici, prodávat v drobném / malém (*~ fish from a pushcart* prodávat ryby na ulici z vozíku), kočébrovat (zast.); pokoutně nabízet n. prodávat, strkat, podstrkovat (*peddling of drugs to a boy of fifteen* nabízet drogy patnáctiletému chlapci) **2** roznášet, rozšiřovat klepy (*she loves to ~ gossip round the village* libuje si v roznášení klepů po vesnici) **3** mrnit se, párat se, nimrat se, šťourat se (*no science peddling with the names of things*)
peddler [pedlə] AM = *pedlar*
peddling [pedliŋ] *s* **1** pokoutný obchod (*flesh ~* obchod s bílým masem) **2** v. *peddle* ● *adj* **1** malý, nicotný, jsoucí k ničemu **2** v. *peddle*
pederasty [pedəræsti] = *paederasty*
pedestal [pedistl] *s* **1** pata sloupu **2** podstavec, stojan, piedestal, sokl, podnoží **3** přen. sloup, základ, podklad (*pedigree was the ~ of the British constitution* základem britské ústavy byl rodokmen) **4** postranní opora, podpěra psacího stolu **5** přenosná skřínka na nočníky **6** odb. kluznice lokomotivy ◆ *~ desk* psací stůl; *knock a p. off his ~* přen. vrátit do tvrdé životní reality koho, přestat se chovat uctivě k; *~ lamp* stojanové svítidlo; *place / set a p. on a ~* postavit / povýšit na piedestal koho, uctívat, zbožňovat koho; *~ table* kavárenský stolek o jedné noze ● *v* (*-ll-*) **1** postavit na podstavec (*the pride of the collection stands ~led in an alcove* nejkrásnější exponát sbírky stojí ve výklenku na podstavci) **2** povýšit, vyvýšit (*he desired not to be ~led, but to sink into the crowd* netoužil po tom být povýšen, ale zmizet dole mezi davem)
pedestrian [piˈdestriən] *adj* **1** pěší, jdoucí pěšky, opěšalý; konaný pěšky (*a ~ journey*); chodecký (*~ races*); určený k pěší túře n. k obchůzce, co je možné / nutné ujít pěšky (*he complained about the ~ distances*) **2** přízemní, bez fantazie, obyčejný, šedivý, prozaický; sloh banální, suchopárný, těžkopádný (*his sentences and phrases are too ~, commonplace and flat* jeho věty a slovní obraty jsou příliš banální, všední a bez fantazie) ◆ *~ crossing* přechod pro chodce; *~ island* ostrůvek pro chodce, refýž; *~ precinct* pěší zóna; *~ refuge* = *~ island* ● *s* chodec (*he signalled traffic to halt to allow ~s to cross the street* dal signál k zastavení dopravy, aby mohli chodci přejít ulici)
pedestrianism [piˈdestriənizəm] **1** chození, chodectví; záliba v konání pěších túr **2** banálnost, banalita, banálnosti, banality
pedestrianization [piˌdestriənaiˈzeišən] **1** chození pěšky **2** uzavření ulice pro dopravu
pedestrianize [piˈdestriənaiz] **1** jít, chodit pěšky **2** uzavřít ulici pro dopravu, vyhradit ulici pro chodce, udělat pěší zónu z
pediatric [ˌpi:diˈætrik] = *paediatric*
pediatrician [ˌpi:diəˈtrišən] = *paediatrician*
pediatrist [pi:diətrist] = *paediatrist*
pedicab [pedikæb] velocipédová rikša, tříkolka
pedicel [pedisel] *adj* **1** zool. stopkatý, jsoucí se stopkou **2** bot. stopečkatý, jsoucí se stopečkou ● *s* **1** zool. stopka **2** zool. druhý článek tykadla **3** bot. stopečka
pedicelate [pediseleit] = *pedicel, adj*
pedicle [pedikl] = *pedicel, s*
pedicular [piˈdikjulə] **1** vší, týkající se vši **2** všivý, zavšivený
pediculate [piˈdikjulit] stopkatý, se stopkou
pediculosis [ˌpidikjuˈləusis] zavšivenost, všivost
pediculous [piˈdikjuləs] **1** všivý, zavšivený **2** vší, týkající se vši
pedicure [pedikjuə] *s* **1** pedikúra, pedikýra **2** pedikér, pedikérka ● *v* pedikúrovat, pedikýrovat, provádět pedikúru
pedigree [pedigri:] *s* **1** rodokmen; původ, starý původ; historie věci **2** etymologie slova ● *adj* **1** plemenný (*~ cattle*) **2** čistokrevný (*a ~ poodle*)
pedigreed [pedigri:d] **1** plemenný **2** mající rodokmen, čistokrevný
pediment [pedimənt] archit. fronton štít s římsou ve formě oblouku n. trojúhelníku
pedimental [ˌpediˈmentl] frontonový, týkající se frontonu

pedimented [pedimәntid] opatřený frontonem, připomínající fronton, frontonový
pedlar [pedlә] **1** podomní obchodník, pouliční prodavač, kočébr, (zast.) hauzír|ník; kramář *of* s **2** roznašeč, šiřitel (~ *of gossip* klevetník) ♦ ~ *'s French* zlodějská hantýrka, argot
pedlary [pedlәri] **1** podomní / pouliční obchod, kočebrování (zast.), hauzírování **2** drobné zboží, krámy, cetky, tretky
pedologist [piˈdolәdžist] půdoznalec, pedolog
pedology [piˈdolәdži] půdoznalství, nauka o půdě, pedologie
pedometer [piˈdomitә] krokoměr, pedometr
pedrail [pedreil] článkový pás na pryžové obruče traktoru
peduncle [piˈdaŋkl] **1** bot.: květní stopka **2** zool. násadec, kořen
peduncular [piˈdaŋkjulә] = *pedunculate*
pedunculate [piˈdaŋkjuleit] mající květní stopku (*a ~ flower*); přisedlý stopkou (*a ~ tumour* nádor přisedlý stopkou)
pee [pi:] hovor. *v* čurat ● *s* čurání ♦ *do / go for / have a ~* jít se vyčurat
pee break [pi:breik] hovor. přestávka „na cigaretu"
peek [pi:k] *v* kouknout, juknout, mrknout *at* na (*he ~ed at his flashlight* mrkl na jeho baterku) ***peek out*** vykukovat ● *s* kouknutí, juknutí, mrknutí
peekaboo [pi:kәbu:] *s* dělání „kuk" na malé dítě, udělání „baf", schovávaná ● *adj* **1** dírkovaný, děrovaný (~ *cards*) **2** zdobený širokou ažúrou (*a ~ blouse*); průhledný, průsvitný (*she dons a ~ negligé*)
peel¹ [pi:l] = *peal²*
peel² [pi:l] hist. čtyřhranná strážní věžička n. tvrz na hranicích mezi Anglií a Skotskem
peel³ [pi:l] pekařská sázecí lopata
peel⁴ [pi:l] *v* **1** o|loupat (~ *a banana*) **2** též ~ *off* sloupnout (*stamps should never be ~ed from the paper*); loupat se (*after a day in the hot sun my skin began to ~*), oloupávat se (*the bark of plane trees ~s off regularly* kůra platanů se pravidelně odloupává); hovor. stáhnout, svléknout (*he ~ed the shirt off over his head*); stáhnout si část oděvu, svléknout se, vysvléci se, udělat striptýz (přen.) (*you had to ~ to get a relief* musel jste se svléknout, aby se vám ulevilo) **3** zast. oloupit, okrást **4** slang. vypláznout peníze ♦ ~ *it* AM slang. napíchnout si to, hnát si to, mést to, mazat rychle utíkat (~ *it now, or you'll be late*); *keep one's eyes ~ed* AM hovor. mít oči na stopkách, dávat majzla, dívat se kolem sebe; *scattered and ~ed* národ rozptýlený a oloupený ***peel off 1*** letadlo, loď odloučit se od základní formace n. útvaru, opustit formaci **2** v. *peel⁴*, *v 2* ***peel out*** AM slang. dupnout na to náhle zvýšit rychlost auta tak, že na vozovce zůstane stopa pneumatik ● *s* **1** slupka, kůra např. pomeranče **2** kandovaná ovocná kůra (*orange ~*)
peeled [pi:ld] **1** olysalý, jsoucí s tonzurou (*my ~ head*) **2** v. *peel⁴*, *v* ♦ ~ *barley* kroupy
peeler¹ [pi:lә] **1** loupač, loupačka člověk i stroj, loupáček **2** striptérka **3** hovor. žrout *for* čeho, fanda na (*a real ~ for work*)
peeler² [pi:lә] BR **1** slang. policajt, polda, stráža **2** hist.: člen irského policejního sboru
peeling [pi:liŋ] **1** oloupaná slupka **2** ~*s*, *pl* oloupané bramborové slupky
Peelite [pi:lait] hist.: konzervativní stoupenec Sira Roberta Peela (1846)
peen [pi:n] *s* nos slabší konec kladiva ● *v* roztepat nosem kladiva
peep¹ [pi:p] *v* **1** pípat (*a brood of chickens ~ed in a coop* vylíhlá kuřata pípala ve výběhu) **2** pípnout, klesnout, muknout, ceknout ● *s* **1** pípnutí, zapípání **2** ceknutí, hlesnutí, muknutí, pípnutí (*don't let me hear another ~ out of you*)
peep² [pi:p] *v* **1** po|dívat se, kouknout, juknout malým otvorem (~*ing out from chinks and knotholes* jukající ze škvír a děr po suku) **2** dívat se zvědavě n. všetečně, tajně pokukovat (~ *behind the scenes*) **3** vyrážet na povrch *through/out/ from* z vykukovat z (*crocuses ~ in through the grass*), vyčuhovat z (*the stem of a pipe ~ed out of the breast pocket of his coat*); prorážet čím, probleskovat (*selfishness and heartlessness would ~ out now and then* občas probesklo sobectví a tvrdost srdce, *the day began to ~*) ♦ *P~ing Tom* přen. zvědavý člověk, zejm. voyeur ● *s* **1** krátký pohled, juknutí, mrknutí *at* na (*take a quick ~ at the past* rychle se mrknout na minulost); kradmý pohled (*a ~ at the neighbours through the blinds* krátký pohled na sousedy skrze žaluzie) **2** přen. rozbřesk (*the ~ of dawn*) ♦ ~ *sight* voj. průhledíkové / dioptrické hledí
peeper¹ [pi:pә] kdo n. co pípá, pípálek, pípátko
peeper² [pi:pә] **1** kdo se zvědavě n. tajně dívá, voyeur **2** slang. kukadlo oko **3** slang. soukromý detektiv
peephole [pi:phәul] **1** kukátko malý zasklený otvor ve dveřích; škvíra, štěrbina, díra, dírka **2** tech. zorné okénko, hledítko, průhledítko, nahlížecí otvor, průzor
peep-of-day [ˌpi:pәvˈdei] : ~ *boys* hist.: irská protestantská organizace (1784–95)
peepshow [pi:pšәu] **1** kukátko pozorování obrázků malým otvorem; takové obrázky **2** přen. lascivní atrakce ♦ ~ *machine* kukátkový kinematograf
peep-toe [pi:ptәu] obuv vpředu vykrojený, nechránící palec
peepul [pi:pәl] bot. smokvoň posvátná
peer¹ [piә] **1** sobě rovný, rovnocenný člověk stejné kvality (*scholars of the first rank welcomed him as their ~* přední učenci ho uvítali jako sobě rovného, *it will not be very easy to find his ~* bu-

de velice nesnadné najít někoho, kdo by se mu vyrovnal) **2** peer, pair člen britské Sněmovny lordů; vévoda, markýz, hrabě, vikomt (*~s of the realm / United Kingdom* britští peerové mající právo zasedat v Sněmovně lordů, *life ~* doživotní peer, *hereditary ~* peer s dědičným nárokem na členství ve Sněmovně lordů) **3** neanglický šlechtic, aristokrat, pair; *~s, pl* šlechta, panstvo ♦ *be the ~(s) of* snést srovnání s; *without ~* jedinečný, s ničím nesrovnatelný

peer² [piə] **1** vy|rovnat se *with* komu, řadit se po bok koho **2** hovor. povýšit na peera (*Her Majesty must decide when I am to be ~ed*)

peer³ [piə] **1** civět, čučet, zírat, dívat se zvědavě n. drze *into* do *at* na (*~ing impudently into your face*) **2** dívat se upřeně, upřít zrak na, hledat očima co (*he drove and began to ~ at the signs on street corners*) **3** vylézat, vykukovat, objevovat se, vystrkovat hlavu (*when daffodils begin to ~* když začnou narcisky vystrkovat hlavičky)

peerage [piəridž] **1** šlechta, aristokracie, peerové, pairové (*Charlemain with all his ~*) **2** hodnost / titul peera, pairství **3** seznam peerů (*his name is in the ~*) ♦ *be raised to the ~* být povýšen do šlechtického stavu

peeress [piəris] peerka, pairka; žena peera; vdova po peerovi

peerless [piəlis] jedinečný, s ničím neporovnatelný / nesrovnatelný, nemající sobě rovna (*his ~ reading*)

peerlessness [piəlisnis] jedinečnost, nesrovnatelnost, nevyrovnatelnost, absolutnost (*the ~ of Christian theism*)

peeve [pi:v] hovor. *v* míchat, namíchnout, otravovat, štvát, žrát, dožrat, jít na nervy komu ♦ *be ~ed about / at* být naštvaný kvůli / na ● *s* co dožírá, otrava (*my pet ~* co mi jde nejvíc na nervy)

peevish [pi:viš] **1** mrzutý, rozmrzelý, podrážděný, nervózní (*rather ~ with waiting*) **2** vzdorovitý, vzpurný (*~ children*) **3** nevrlý, nepřívětivý (*that ~ sort of criticism*) **4** zast. zvrácený

peevishness [pi:višnis] **1** rozmrzelost, mrzoutství, podrážděnost, nervóza **2** vzpurnost, vzdorovitost **3** nevrlost, nepřívětivost **4** zast. zvrácenost

peewit [pi:wit] = *pewit*

peg [peg] *s* **1** kolík, kolíček; dřevěný hřeb, čep, zákolníček, nýtek; flok **2** kolík, kolíček na prádlo; u houslí **3** jednotlivý věšák **4** zátka sudu **5** dřevěná noha **6** přen. záminka (*the ~ for these comments is the strike and its aftermaths* záminkou pro tyto poznámky jsou stávka a její následky) **7** BR nápoj, drink zejm. alkoholický; whisky / brandy se sodovkou (*he poured himself out a stiff ~*) ♦ *coat ~* věšák; *a ~ to hang on* záminka / příležitost k; *move / start / stir a ~* po|hnout se; *off the ~* oděv hotový, konfekční; *put a p. on the ~* voj. slang. zavřít, dát kasárníka, dát deku; *round ~ in a square hole / square ~ in a round hole* člověk na nesprávném n. nevhodném místě; *take a p. down a ~* setřít koho, srazit hřebínek komu, sáhnout na kobylku komu ● *v* (*-gg-*) **1** přibít, zarazit, zatlouci kolík, hřeb / kolíkem, hřebem (*~ a notice to a post*); spojit kolíkem / kolíčkem; začepovat, upevnit zákolníčkem; kolíčkovat, flokovat (*~ shoes*) **2** upevnit, ustálit, stabilizovat cenu; stanovit strop ceny (*~ging the price of grapefruit*) **3** snažit se udržovat tržní ceny n. mzdy na určité výši **4** udeřit, strefit se kolíkem *at* do; prorazit kolíkem co; harpunovat co (*~ a shark*) **5** odhadnout *for* jako, umístit do kategorie čeho, zařadit mezi, placírovat mezi (hovor.) (*I had you ~ged for one of those ladies with fainting spells* já jsem odhadoval, že patříte mezi ty dámy, které občas omdlévají) **6** označit, identifikovat (*~ging it as the cause of vast future unemployment*) **7** napojit, navázat *to* na (*~ your sales talk to some recent happening* když se snažíte něco prodat, navažte při své řeči na nějakou nedávnou událost), spojit s **8** hnát se, hrnout se (*~ging down the stairs*) **9** karty zaznamenat výsledek kolíčkem při hře *cribbage* **10** slang. házet šutry *at* na / po ***peg away*** dělat jako šroub *at* co, dřít na čem ***peg down*** *1* připevnit kolíkem, přikolíkovat *2* omezit, uvázat, připoutat ***peg out*** *1* vy|kolíkovat, vyznačit kolíky (*~ out a claim* vykolíkovat zábor) *2* kroket zasáhnout kůl a tím skončit hru *3* hovor. přijít na mizinu *4* hovor. natáhnout bačkory, zemřít ***peg up*** BR věšet a připevňovat kolíčky (*she was in the garden ~ging up wet clothes*)

pegamoid [pegəmoid] pegamoid napodobenina kůže

Pegasus [pegəsəs] **1** Pegas okřídlený kůň Múz **2** pegas básnické nadání

pegboard [pegbo:d] **1** dírkovaná deska, do níž lze zastrkávat n. zatloukat kolíčky **2** dírkovaný panel

pegbox [pegboks] količník např. houslí

pegging [pegiŋ] v. *peg, v* ♦ *level ~* postupující stejně rychle kupředu

peghouse [peghaus] *pl: -houses* [-hauziz] slang. putyka

pegleg [pegleg] **1** hovor. dřevěná noha, protéza **2** slang. člověk s dřevěnou nohou

pegtop [pegtop] *s* **1** káča dětská hračka **2** *~s, pl* kalhoty nahoře široké, dole úzké, mrkváče (hovor.) ● *adj* kalhoty, sukně rozšířený v bocích a dolů se zúžující

peignoir [peinwa:] peignoir ranní dámský pláštík

peine forte et dure [ˌpeinˌfo:təˈdjuə] hist. trest smrti umačkáním pro toho, kdo se odmítl přiznat ke svému zločinu

pejorate [pi:džəreit] zhoršit

pejorative [pi:džərətiv] *s* hanlivý výraz, pejorativum ● *adj* hanlivý, pejorativní

pekan [pekən] AM zool. pekan, kuna rybářská

peke [pi:k] čínský pinč, japončík, mopsl, mopslík

pekin [pi:kin] **1** text. taft zdobený proužky **2** civil, civilista **3** pekingská kachna
pekinese [ˌpi:kiˈni:z] = *Pekingese*
Peking [pi:ˈkiŋ] Peking ◆ ~ *man* opočlověk pekingský
Pekingese [ˌpi:kiŋˈi:z] *adj* pekingský ● *s* **1** obyvatel Pekingu **2** čínský pinč, japončík, mopsl, mopslík
Pekingologist [ˌpi:kiŋˈolədžist] znalec čínské politiky
Pekingology [ˌpi:kiŋˈolədži] znalost čínské politiky
Pekinologist [ˌpi:kiˈnolədžist] = *Pekingologist*
Pekinology [ˌpi:kiˈnolədži] = *Pekingology*
pekoe [pi:kəu] nejlepší čaj z pupenců čajovníku
pelage [pelidž] **1** srst **2** řidč. peří
pelagian[1] [peˈleidžən] *adj* mořský, týkající se mořských živočichů ● *s* mořský živočich
Pelagian[2] [peˈleidžən] *s* pelagián stoupenec mnicha Pelagia (4.–5. stol.) ● *adj* pelagiánský
Pelagianism [peˈleidžənizəm] pelagianismus blud mnicha Pelagia
pelagic [peˈlædžik] mořský, hlubokomořský, pelagický (~ *sealing|whaling* oceánský lov tuleňů| velryb se zpracováním na moři)
pelargonium [ˌpeləˈgəunjəm] bot. pelargónie, muškát (hovor.)
Pelasgic [peˈlæzgik] pelasgický týkající se praobyvatel Řecka Pelasgů
pele [pi:l] = *peel*[2]
pelerine [peləri:n] dámská pláštěnka, pelerína
pelf [pelf] hanl., žert. prachy, mrzký mamon peníze
pelican [pelikən] pelikán pták; nástroj na trhání zubů; křivule ◆ *P*~ *State* AM žert. Louisiana
pelisse [peˈli:s] **1** dámský dlouhý plášť lemovaný kožešinou; pláštěnka **2** dětská pláštěnka **3** kožešinou lemovaný krátký kabát důstojníka jezdectva
pellagra [peˈleigrə] med. pelagra chronické onemocnění, projevující se vyrážkou a nervovými poruchami
pellagrous [peˈleigrəs] nemocný pelagrou (~ *patients*); příznačný pro pelagru (~ *symptoms*) ◆ ~ *insanity* duševní choroba způsobená pelagrou
pellet [pelit] *s* **1** kulička papíru, chlebové střídky apod. **2** kulatá pilulka, tabletka, dražé **3** brok; střela, kulka **4** herald. černá koule jako erbovní znamení **5** lisovaná píce **6** kulatá puklice na minci **7** hut. sbalek, peleta **8** herald. černý kotouč ve štítu ● *v* **1** dělat kuličky; utvářet se v kuličky **2** házet zejm. papírové kuličky na (*boys* ~*ed the girls*)
pelletize [pelitaiz] lisovat do tvaru kuliček, šišek n. malých briket (~ *foodstuffs for animals and fowl*)
pellicle [pelikl] **1** blána, blanka; pelikula **2** tenký povlak na tekutině
pellicular [peˈlikjulə] slabý jako blána; blanitý, blánovitý, blánový
pellitory [pelitəri] bot. **1** též ~ *of Spain* trahok lékařský **2** též ~ *of the wall* drnavec lékařský
pell-mell [ˌpelˈmel] *adv* páté přes deváté, bez ladu a skladu (*piles of volumes that were heaped* ~ *around him* stovky knih, které se kolem něho vršily bez ladu a skladu); hlava nehlava, pel-mel (*he hesitated to barge ahead* ~ *as he had done in previous years* nechtělo se mu vrhnout se do toho hlava nehlava jako v minulých létech) ● *adj* zmatený, změtený, smíchaný, z|přeházený (*a shelf that contained a* ~ *assortment of French novels* polička, na níž byly nijak neuspořádané různé francouzské romány) ● *s* zmatek, nepořádek, mela, pel-mel, mišmaš
pellucid [peˈlju:sid] **1** průhledný, průsvitný, průzračný (*water in a white glass beaker, clear,* ~, *without shadow* voda v bílé skleněné kádince, čirá, průzračná, bez odstínu) **2** sloh jasný, průzračný (*the chiselled* ~ *beauty of an image*)
pellucidity [ˌpeljuˈsidəti], **pellucidness** [peˈlju:sidnis] průhlednost, průsvitnost, průzračnost; jasnost
Pelmanism [pelmənizəm] cvičení paměti podle způsobu W. J. Ennevera
pelmet [pelmit] **1** kryt závěsu záclon nad oknem, garnýž, volán **2** konzole, závěs nad záclony
Peloponnese [peləpəni:s] Peloponés, Peloponnésos
Peloponnesian [ˌpeləpəˈni:šən] *adj* peloponéský ● *s* Peloponésan
pelorus [piˈlo:rəs] zaměřovací násadec záměrného kompasu; palubní zaměřovač, pelorus
pelota [pəˈləutə] pelota baskická národní hra míčem; baskický míč
pelt[1] [pelt] *s* **1** kůže s kožešinou, kožešina, kožich **2** surová kůže, holina zejm. ovčí a kozí **3** žert. holá kůže lidská ◆ ~ *manufacture* kožešnictví; ~ *wool* jateční / jirchářská vlna ● *v* stahovat kůži z (~ *a fox*)
pelt[2] [pelt] *v* **1** házet na / po *with* čím / co, vrhat na / po bít, bušit do čím, bombardovat čím, zasypávat čím (*boys* ~*ed the girls with green apples*); též přen. (*the crowd* ~*ed him with questions*); pálit *at* do **2** též ~ *away* tlouci, bušit, mlátit, bít *at* do (*the smith* ~*ing away at his hot iron*); déšť bičovat, bubnovat do (*listening to the rain* ~ *and rattle on the tin roof* poslouchající, jak na plechové střeše bubnuje a řinčí déšť) **3** uhánět, běžet, hnát se o překot, pelášit (*imagine the whole crowd* ~*ing to the telephones*) ◆ ~*ing rain* prudký liják ● *s* **1** házení, zasypávání, bombardování **2** bubnování deště (*the swish and* ~ *of the rain were heard in pauses* ve chvílích ticha bylo slyšet šumění a bubnování deště) **3** rána, bouchanec (*he gave him a good* ~ *on the head* dal mu pořádnou ránu do hlavy) ◆ (*at*) *full* ~ plnou rychlostí, nejvyšší rychlostí (*just fancy a horse that comes full* ~ jen si představte koně, který se přiřítí, jak nejrychleji může)
pelta [peltə] *pl: peltae* [pelti:] **1** antic. plochý štít **2** bot. štítek

peltast [peltæst] antic. voják ozbrojený plochým štítem

peltate [pelteit] bot. štítnatý (*a ~ leaf*)

peltry [peltri] (*-ie-*) **1** surové, nevydělané kůže, kožešiny **2** kožešina

pelvic [pelvik] pánevní

pelvis [pelvis] *pl: pelves* [pelvi:z] **1** pánev soubor kostí; dutina pánevní **2** pánvička ledvinná / ledvinová

Pembroke [pembruk] : ~ *table* skládací oválný stůl se zásuvkami

pemmican [pemikən] **1** rozdrcené sušené maso s tukem potrava severoamerických Indiánů; nouzová potrava cestovatelů **2** lisovaný chlebíček z hrozinek, kokosu, datlí, fíků, arašídů apod.

pemoline [pemәli:n] druh uklidňujícího prostředku

pemphigoid [pemfigoid], **pemphigious** [pemfigiəs] puchýřkovitý, puchýřnatý

pemphigus [pemfigəs] puchýřina, puchýřnaté onemocnění kůže

pen[1] [pen] *s* **1** ohrada; dětská ohrádka **2** přístřešek, chlév (*he erected a ~ for the calves*) **3** kotec, posada (*a ~ of one cock and four hens*) **4** hráz, přehrada **5** hospodářství, plantáž na Jamajce ◆ *submarine* ~ neprůstřelný kryt pro ponorky ● *v* (*-nn-*) **1** též ~ *up* / *in* dát / zavřít do ohrady atd. **2** vystavovat v kotcích / na posadách ◆ ~ *closer* svírat kruh obklíčení ***pen in 1*** obklíčit, izolovat, obklíčit palbou **2** = *pen*[1], *v 1*

pen[2] [pen] *s* **1** pero, péro nástroj k psaní (*fountain* ~ plnicí pero; *ballpoint* ~ kuličkové pero, věčná tužka, propiska, propisovačka), též přen. (*make a living with one's* ~ živit se perem literární prací, *he wields a formidable* ~ dobře vládne perem je dobrý stylista) **2** zast. brk **3** přen. spisovatel (*the translation has been made by a distinguished* ~); literární styl (*his vivid* ~) ◆ ~ *and ink 1.* psací potřeby *2.* psaní, spisovatelská činnost; ~ *pal* známý, s kterým si někdo pouze dopisuje ● *v* (*-nn-*) psát, napsat perem zejm. krasopisně (~ *a letter*)

pen[3] [pen] labuť samice

pen[4] [pen] AM slang. káznice

penal [pi:nl] **1** trestní (~ *laws*); trestný (~ *offence* trestný čin); trestanecký (~ *colony* / *settlement*) **2** nucený; donucovací (~ *servitude* trestanecké donucovací práce) **3** sloužící jako trest (*terms decidedly ~ to those who put their money into steel* podniky, které byly rozhodně trestem pro lidi, kteří investovali peníze do ocele) ◆ ~ *code* trestní zákoník; ~ *servitude* těžký žalář

penalization [ˌpi:nəlaiˈzeišən] po|trestání, pokutování; penalizace

penalize [pi:nəlaiz] **1** po|trestat, dát / uložit trest; pokutovat, dát / uložit pokutu; penalizovat; handicapovat zejm. v dostizích **2** prohlásit za trestné, učinit trestným

penalty [penlti] (*-ie-*) **1** trest zejm. peněžní, pokuta; penále (*on* / *under the ~ of* pod pokutou / trestem) **2** *penalties, pl* trestné body v bridži ◆ ~ *area* trestné / pokutové území; ~ *bond* penalizační smlouva / závazek; ~ *box* trestná lavice v ledním hokeji; ~ *clause* sankční klauzule ve smlouvě; ~ *envelope* AM úřední obálka; *extreme* ~ absolutní trest smrti; ~ *goal* branka z pokutového kopu; ~ *kick* pokutový kop; ~ *shot 1.* trestné střílení v ledním hokeji *2.* trestný hod v košíkové

penance [penəns] *s* **1** pokání, též círk. **2** přen. hotové utrpení ◆ *do* ~ vy|konat pokání *for* za, odpykat si co ● *v* uložit pokání komu

pen-and-ink [ˌpenən*d*ˈiŋk] *adj* kreslený perem, perokresbový, perokresebný ● *s* též ~ *drawing* perokresba, pérovka (slang.)

penannular [pi:ˈnænjulə] jsoucí v podobě neuzavřeného kruhu (*a ~ silver brooch*)

Penates [peˈna:teiz] antic. penáti ochránci domácnosti a rodiny v římské mytologii

pen case [penkeis] pouzdro na pera, penál

pence [pens] *pl* **1** nová pence od 15.2.1971 **2** v. *penny*

penchant [BR pa:ŋša:ŋ / AM penčənt] záliba *for* v, náklonnost, sklon k / pro (*a ~ for art*)

pencil [pensl] *s* **1** tužka (*coloured* ~ barevná tužka, pastelka, *propelling* ~ šroubovací tužka, *push* / *automatic* / *repeater* ~ krejón, verzatilka); krejón, verzatilka, pisátko; tyčinka (*a menthol* ~) **2** jemný štětec, štěteček výtvarníka **3** výtvarný rukopis, styl **4** svazek paprsků, rovin apod; úzký pruh, paprsek světla ● *v* (*-ll-*) **1** na|kreslit, psát, napsat, poznamenat, vy|stínovat tužkou **2** pronikat, vycházet v úzkém pruhu **3** zapsat jméno koně do knihy sázek

penciller [penslə] slang. sázkař na dostizích, bookmaker

pencilling [pensliŋ] **1** tužková kresba **2** kresba štětcem **3** bílé spáry mezi cihlami; bílení spár mezi cihlami **4** v. *pencil, v*

pencil pusher [ˈpenslˌpušə] hovor. = *pen-pusher*

pencil sharpener [ˈpenslˌša:pnə] ořezávátko

pencraft [penkra:ft] = *penmanship*

pend [pend] **1** nechat nerozhodnuté n. nevyřešené **2** odložit rozhodnutí o

pendant [pendənt] *s* **1** přívěsek (*a jewelled ~ on a chain* přívěsek s drahokamem na řetízku); závěs **2** visací svitidlo / lampa, lustr **3** námoř. přívěsek, volný konec běhounu / táhlice **4** námoř. plamenec dlouhá trojúhelníková vlajka (*broad* ~ flotilní / velitelský plamenec komodora) **5** pandán, pendant, protějšek *to* čeho / k (*he publishes the present book frankly as a ~ to his earlier one*) ● *adj* = *pendent, adj*

pendency [pendənsi] **1** visutost, visení; zavěšenost, převislost **2** nevyřízenost, nerozhodnost, projednávání (*during the ~ of a suit at law* během projednávané žaloby); nejasný, nerozhodnutý stav (*during the ~ of the war*)

pendent [pendənt] *adj* **1** visící (*vines bearing ~ bunches of grapes* réva, z níž visí úroda hroznů); bot. nící (*a plant with a ~ blossom* rostlina s nícími květy); závěsný **2** visutý, převislý (*a ~ cliff* převislý útes); srázný (*a ~ hillside*) **3** práv. nevyřízený, nerozhodnutý, dosud projednávaný (*a claim still ~* dosud projednávaný nárok) **4** s neúplnou gramatickou stavbou ● *s = pendant's*

pendente lite [pen͵denti ˈlaiti] dokud spor ještě nebyl rozhodnut

pendentive [penˈdentiv] archit. pandántiv, pendentiv klenbový cíp nad kouty čtvercových n. úhelníkových místností, nesoucí kopuli

pendicle [pendikl] přívěsek, malý pozemek u většího panství (*a mere ~ to his major kingdom* pouze malý přívěsek jeho velkého království)

pending [pendiŋ] *adj* **1** nerozhodnutý, nevyřešený, dosud projednávaný (*the lawsuit was then ~* pře byla tehdy ještě projednávána) **2** časově blízký, hrozící (*these ~ ills* hrozící zla) **3** v. *pend* ● *conj* **1** během, při (*laborious and fruitless negotiations* při namáhavých a bezvýsledných jednáních) **2** až do, v očekávání čeho (*four withholding a vote ~ further information* čtyři, kteří se zdrželi hlasování, dokud nedostanou další informace)

pendragon [penˈdrægən] titul starých britských / velšských knížat

pendular [pendjulə] kyvadlový, kyvadlovitý, jako kyvadlo, z extrému do extrému (*public opinion has moved in violent ~ swings between optimism and pessimism* veřejné mínění se pohybovalo z extrému do extrému, od optimismu k pesimismu a zpět)

pendulate [pendjuleit] **1** kývat se jako kyvadlo, pendlovat **2** přen. váhat, kolísat (*~ between extremes*)

penduline [pendjulain] *adj* **1** hnízdo zavěšený, vakovitý **2** pták pletoucí zavěšená, vakovitá hnízda (*~ titmouse* moudivláček) ● *s* pták pletoucí zavěšená, vakovitá hnízda; moudivláček

pendulous [pendjuləs] **1** volně visící, kývající se (*branches hung with ~ vines* větve, z nichž volně visela réva) **2** bot. převislý **3** kyvadlový, kývavý (*~ motion* kyvadlový pohyb) **4** zavěšený, visutý; dolů visící (*ears long broad and ~*); svislý, visící (*~ abdomen, ~ breasts*) **5** kolísavý, váhavý (*a state of ~ uncertainty* stav kolísavé nejistoty) ◆ *~ sedge* bot. ostřice převislá

pendulum [pendjuləm] *s* **1** kyvadlo **2** přen. výkyvy, kyvadlo veřejného mínění; váhavec, kolísavý člověk ● *adj* kyvadlový (*~ pump*), kývavý, kyvný ◆ *~ clock* kyvadlové hodiny, pendlovky (hovor.); *~ level* krokvice; *~ lock* visací zámek; *swing of the ~ 1.* střídání moci různých politických stran *2.* výkyvy veřejného mínění z krajnosti do krajnosti; *~ wheel* setrvačka v hodinkách

Penelope [piˈnelәpi] věrná, počestná manželka jako manželka Odysseova

peneplain [pi:niplein] geol. parovina, peneplén zemský povrch, na kterém původní velké výškové rozdíly byly denudací téměř vyrovnány

penetrability [͵penitrəˈbiləti] proniknutelnost, prostupnost; pronikavost

penetrable [penitrəbl] proniknutelný, prostupný; pronikavý

penetralia [͵peniˈtreiljə] **1** vnitřek, nejvnitřnější část, svatyně **2** tajemství, tajnosti

penetralium [͵penəˈtreiljəm] nejtajnější n. nejskrytější část

penetrant [penitrənt] *adj* **1** pronikající **2** přen. ostrý, řezavý ● *s* **1** kdo n. co proniká **2** smáčecí přípravek

penetrate [penitreit] **1** pronikat *through* do / čím (*bad smells that ~d through the building* zápachy, které pronikaly budovou) *to* / *into* do / k (*a telescope that ~s to the remote parts of the universe*); proniknout do, vniknout do (*the mist ~d (into) the room* mlha vnikla do místnosti); zvuk pronikat nad (*a smooth voice that ~d the mighty vibrations of the falls* klidný hlas, který pronikal nad mocným chvěním vodopádu); proniknout, prorazit silou (*the army ~d beyond the Rhine*); procházet čím, vést čím (*this route ~s the leading resort and lake areas*) **2** prostoupit, infiltrovat do (*the plan is to ~ political parties and unions*) **3** proniknout, vniknout do tajemství, pochopit (*a scientific secret which will eventually be ~d by other countries*); prohlédnout co (*he ~d their designs* prohlédl jejich záměry, *we soon ~d his disguise* brzy jsme prohlédli jeho přestrojení) **4** prodchnout (*~d with a desire for mystical experiences* prodchnut touhou po mystických zážitcích) ***penetrate o.s.*** nechat / dát se prostoupit / prodchnout, nasát do sebe (*~ yourself with the feeling of the situation*)

penetrating [penitreitiŋ] **1** bystrý, pronikavý **2** v. *penetrate*

penetration [͵peniˈtreišən] **1** pronikání, vnikání, proniknutí, vniknutí, průnik, vpád **2** prostoupení, infiltrace; prodchnutí **3** pochopení, prohlédnutí; pronikavost, bystrost **4** průlom; průraz, průraznost; průstřel

penetrative [penitrətiv] **1** hluboko n. daleko pronikající **2** průrazný, průbojný (*a ~ lecture*)

penetrator [penitreitə] kdo proniká n. vniká, pronikač, vnikač; narušitel hranic; vetřelec

penetrometer [͵peniˈtromitə] rentgenová měrka, penetrometr

penetron [penitrən] fyz. mezon, penetron hypotetická elementární částice hmoty

pen feather [ˈpen͵feðə] psací brk

pen friend [ˈpenˌfrend] známý / přítel v cizině, s nímž si kdo pouze dopisuje
pen friendship [ˈpenˌfrendšip] čilý, dlouholetý korespondenční styk s přítelem v cizině
pen-ful [penful] kotec, posada množství
penguin [peŋwin] **1** zool. tučňák **2** hovor. penguinka, knížka do kapsy **3** cvičný letoun ◆ ~ *suit* slang.: speciální kombinéza kosmonauta pro pohyb v beztížném stavu
penholder [ˈpenˌhəuldə] **1** násadka **2** stojánek na pera
penial [pi:niəl] týkající se pyje, fungující jako pyj
penicillate [penisilit] **1** štětičkovitý, štětcovitý **2** kropenatý, žíhaný (~ *stigmas*)
penicillin [ˌpeniˈsilin] penicilín antibiotikum
penicillium [ˌpeniˈsiliəm] *pl* též *penicillia* [ˌpeniˈsiliə] některý druh rodu Penicillium
peninsula [piˈninsjulə] **1** poloostrov **2** *P*~ Pyrenejský poloostrov v anglo-francouzské válce 1808–1814; Gallipoli v I. světové válce
peninsular [piˈninsjulə] *adj* **1** poloostrovní **2** *P*~ pyrenejský (*P*~ *War* anglo-francouzská válka 1808–1814) ● *s* **1** obyvatel poloostrova **2** voják z pyrenejské války
peninsulate [piˈninsjuləit] utvořit poloostrov z
penis [pi:nis] *pl* též *penes* [pi:ni:z] pyj, penis
penitence [penitəns] **1** pokání *for* za **2** kajícnost, zkroušenost, lítost *for* nad
penitent [penitənt] *adj* kající, kajícný (*she wrote a* ~ *letter apologizing for her hasty words*) ● *s* **1** kajícník, penitent **2** ~*s, pl* kající mnišské řády
penitential [ˌpeniˈtenšəl] *adj* kající, kajícný (~ *psalms* kající žalmy) ● *s* **1** kajícník, penitent **2** ~*s, pl* kající žalmy **3** kniha pokání
penitentiary [ˌpeniˈtenšəri] (*-ie-*) *s* **1** círk. penitenciář (*Grand P*~ kardinál penitenciář); zpovědník **2** káznice, nápravný ústav; BR domov pro padlé dívky, polepšovna; AM vězení, trestnice ● *adj* **1** kající, kajícnický **2** nápravný; kázeňský, vězeňský (*improve* ~ *conditions* zlepšit vězeňské podmínky); který je nutno odpykat v trestnici (*a* ~ *offence*)
penknife [pennaif] *pl: -knives* [-naivz] kapesní nůž, perořízek (zast.)
penman [penmən] *pl: -men* [-mən] **1** písař **2** kdo umí rychle a úhledně psát (*a good shorthand* ~); kaligraf **3** autor, spisovatel
penmanship [penmənšip] **1** psaní perem; ovládání pera, kaligrafie; písmo, rukopis (*he deciphers the awful* ~ *of the captain* luští kapitánův příšerný rukopis) **2** spisovatelství, literární kvality (*improve your* ~)
pen name [penneim] literární pseudonym
pennant [penənt] **1** námoř. plamenec dlouhá trojúhelníková vlajka **2** námoř. přívěsek, přívěsník **3** AM klubovní vlajka **4** v. *pennon*
penniferous [peˈniferəs] péřovatý, peřnatý
penniform [penifo:m] peřovitý, peřitý
penniless [penilis] jsoucí bez šesťáku / krejcaru / haléře / groše / vindry / prostředků; chudý, na mizině; na suchu, dutý, černý, švorc (hovor.)
pennill [penil] *pl: pennillion* [peˈniljən] improvizovaná píseň, strofa improvizované písně s doprovodem harfy, zpívaná na velšském festivalu Eisteddfodu
penning [peniŋ] v. *pen,*[1, 2] *v* ◆ ~ *of game* mysl. komorování zvěře
pennon [penən] hist., voj. **1** praporec, vlaječka; bič velmi dlouhý a úzký plamenec **2** v. *pennant*
pennoned [penənd] jsoucí s praporcem / plamencem, opatřený vlaječkou
pen'orth [penəθ] = *pennyworth*
penny [peni] **1** *pl: pence* [pens] penny měnová jednotka, setina libry, dř. dvanáctina šilinku (*this costs eighteen pence*) **2** *pl: pennies* [peniz] penny jednotlivá mince (*please give me six pennies for this sixpence*) **3** AM hovor. cent **4** bibl. denár, troník **5** groš, haléř, šesťák, vindra, šup drobná mince ◆ ~ *ante* AM poker při kterém se sází (na začátku) jeden cent; ~ *blood* BR slang. *1.* laciný krvák román *2.* bulvární plátek; *Take care of the pence and the pounds will take care of themselves* Sbírej po nitkách a budeš mít na provaz; ~ *dreadful* BR *1.* laciný krvák román *2.* bulvární plátek; ~ *dropped* došlo mu to pochopil; ~ *graff* laciný kabaret; *he hasn't a* ~ *to bless himself with* nemá ani vindru; *in for a* ~, *in for a pound* když jsi řekl A, musíš říci B, když už se začalo, musí se pokračovat; *look twice at every* ~ každý haléř obrátit dvakrát; *new* ~ nová penny / pence od 15.2 1971; ~ *novelette* šesťákový román; ~ *number* jeden sešit např. detektivky vycházející v sešitech; *No pater noster, no* ~ Bez práce nejsou koláče; *Peter('s)* ~ / *pence* svatopetrský halíř; ~ *post* BR hist.: poštovní služba doručující zásilky za jednotné výplatné jednoho penny; *a pretty* ~ hezké peníze, hezkých pár liber atd. (*this will cost a pretty* ~); *spend a* ~ hovor. jít si „zatelefonovat", odskočit si na klozet; *ten a* ~ BR = *two a* ~; *a* ~ *for your thoughts* řekni mi, nač právě myslíš; *turn an honest* ~ něco si přivydělat; *two a* ~ BR úplně běžný, jsoucí jako much a proto neceněný; ~ *whistle* laciná píšťalka; ~ *wise* (*and pound foolish*) pečlivý v malých věcech (ale neopatrný ve velkých)
penny-a-line [ˌpeniəˈlain] **1** spisovatel honorovaný od řádku jedním penny; malou částkou **2** literární dílo špatný, laciný, zbytečně nafouknutý
penny-a-liner [ˌpeniəˈlainə] špatný spisovatel honorovaný od řádku jedním penny; neseriózní novinář, pisálek
penny-a-lining [ˌpeniəˈlainiŋ] psavost, grafomanie
penny bank [penibæŋk] spořitelna přijímající malé vklady
pennycress [penikres] bot. penízek

penny-farthing [ˈpeniˌfa:ðiŋ] BR starý velocipéd s jedním velkým a jedním malým kolem, kostitřas
penny father [ˈpeniˌfa:ðə] = *penny pincher*
penny-in-the-slot [ˌpeni-inðəˈslot] automatický, fungující po vhození mince, jsoucí na peníze ◆ ~ *machine* prodejní automat
penny pincher [ˈpeniˌpinčə / pinše] šetřílek, lakomec
pennyroyal [ˌpeniˈroiəl] bot. **1** máta polej **2** též *mock* ~ americká bylina *Hedeoma puleigoides*
pennyweight [peniweit] jednotka váhy (24 gránů, asi 1,56 g)
pennywit [peniwit] hovor. vtipálek
pennywort [peniwə:t] též *wall* ~ bot. **1** pupečník obyčejný **2** rostlina z čeledi tučnolistých *Cotyledon umbilicus*
pennyworth [penəθ] **1** množství, které lze koupit za penny (*two* ~ *of bread* za dvě penny chleba) **2** koupě, kup (*a good* ~) **3** špetka, troška, za groš *of* čeho ◆ *get one's* ~ dostat co proto, dostat vynadáno
penological [ˌpi:nəˈlodžikəl] penologický týkající se penologie
penologist [pi:ˈnolədžist] penolog odborník v penologii
penology [pi:ˈnolədži] penologie nauka o výkonu trestu a jeho účelu a účincích
pen picture [ˈpenˌpikčə] **1** kresba perem, perokresba **2** jasný popis
penpusher [ˈpenˌpušə] hovor. úředníček, škrabák, inkoust
pensile [pensil] **1** visící, visutý (~ *gardens*); zavěšený **2** pták pletoucí zavěšená, vakovitá hnízda
pension[1] [pa:ŋsioŋ] penzión, hotel s pevnou denní penzí (*live in* ~ žít v penziónu)
pension[2] [penšən] *s* **1** důchod, penze, výslužné, odpočivné (*old-age* ~ starobní důchod) **2** zaopatřovací plat, podpora; invalidní příspěvek, čestný důchod, stipendium **3** penze denní plat za byt a stravu **4** BR poradní sbor právnické koleje Gray's Inn ◆ *draw one's* ~ *1.* (jít) vyzvednout důchod *2.* brát důchod; *Ministry of P* ~*s* důchodkový úřad za I. světové války; ~ *scheme* penzijní pojištění ● *v* **1** žít za denní penzi (*the small country cottage where we* ~*ed*) **2** dát, vyplácet důchod / penzi / podporu / stipendium komu **3** též ~ *off* penzionovat, poslat do důchodu (*he finally* ~*ed off his faithful old servant*)
pensionable [penšənəbl] **1** mající nárok na penzi, jsoucí pod penzí (*a* ~ *employee*); opravňující k odchodu do penze **2** penzijní, důchodkový (*for* ~ *purposes* z důchodových důvodů)
pensionary [penšənəri] *adj* **1** námezdný, dostávající plat / podporu; schopný za peníze všeho (*an extensive* ~ *clergy* velice početné duchovenstvo, které je za peníze schopno všeho) **2** důchodkový, penzijní (~ *aid*) ● *s* (-ie-) **1** důchodce, penzista **2** kdo je někým placen, pochop, stvůra, nohsled, něčí člověk ◆ *Grand P* ~ hist. primas titul prvního ministra v Holandsku 1619–1794
pensioner [penšənə] **1** důchodce, penzista **2** zast. něčí člověk, pochop, nohsled, stvůra **3** BR platící student na cambridžské universitě
pensionless [penšənlis] jsoucí bez důchodu (*the* ~ *discharged soldier* voják, propuštěný z armády bez důchodu)
pensive [pensiv] zamyšlený, zadumaný, zádumčivý, vážný; trudnomyslný, těžkomyslný, melancholický
pensiveness [pensivnis] zamyšlenost, zadumanost, zádumčivost, vážnost; trudnomyslnost, těžkomyslnost, melancholie
penstemon [penˈsti:mən] = *pentstemon*
penstock [penstok] **1** plavidlová komora, propust; stavidlo **2** AM přívodní koryto / potrubí, původní tlakové potrubí, náhon turbiny
pent [pent] též ~ *up* / *in* **1** nadržený (~ *up traffic*); zadržený, zadržovaný (~ *breath*), potlačovaný (~ *emotions*); uzavřený v malém prostoru **2** prostor malý, stísněný, omezený
pentachord [pentəko:d] hud. pentachord nástroj o pěti strunách; pětitónová diatonická stupnice
pentacle [pentəkl] pentagram, muří noha, pěticípá hvězda kreslená k magickým účelům
pentad [pentæd] **1** pětka, pětice skupina pěti **2** pětidenní období; pětiletí **3** chem. pětimocný atom / radikál / prvek
pentadactyl [ˌpentəˈdæktil] *adj* pětiprstý, s pěti prsty na každé končetině ● *s* pětiprstý živočich
pentadactylism [ˌpentəˈdæktilizəm] pětiprstost
pentagon [pentəgən] **1** pětiúhelník, pentagon **2** *P* ~ AM Pentagon ministerstvo obrany Spojených států
pentagonal [penˈtægənl] pětiúhelníkový; pětiúhelný
pentagram [pentəgræm] muří noha, pentagram, pěticípá hvězda kreslená k magickým účelům
pentagynous [penˈtædžinəs] bot. mající pět pestíků, pětipestíkový
pentahedral [ˌpentəˈhi:drəl] pětistěnný
pentahedron [ˌpentəˈhi:drən] *pl* též *pentahedra* [ˌpentəˈhi:drə] pětistěn
pentamerous [penˈtæmərəs] **1** bot. pětičetný, pentamerický **2** zool. pětičlenný **3** chem. pětivazební, pentamerní
pentameter [penˈtæmitə] *s* pentametr pětistopý verš ● *adj* pentametrický
pentandrous [penˈtændrəs] bot. mající pět tyčinek, pětityčinkový, pentandrický
pentangle [pentæŋgl] = *pentagram*
pentane [pentein] chem. pentan
pentapetalous [ˌpentəˈpetələs] jsoucí s pěti plátky korunními
pentapody [penˈtæpodi] pětistopý verš
pentastich [pentəstik] strofa o pěti verších
Pentateuch [pentətju:k] bibl. Pentateuch, pět knih Mojžíšových
Pentateuchal [ˌpentəˈtju:kəl] týkající se Pentateuchu

pentathlone [pen|tæθlon] hist., sport. pětiboj, pentatlon

pentatomic [ˌpentə|tomik] **1** pětiatomový **2** chem. pětimocný; pětisytný

pentatonic [ˌpentə|tonik] hud. pětitónový, pentatonický (~ *scale* pentatonická stupnice, čínská stupnice (slang.))

pentatonism [pentətəunizəm] hud. užívání pětitónové stupnice

pentavalent [ˌpentə|veilənt] chem. pětimocný

Pentecost [pentikost] **1** židovské letnice **2** zast. svatodušní svátky **3** zejm. AM Boží hod svatodušní

Pentecostal [ˌpenti|kostl] **1** letnicový **2** svatodušní

penthouse [penthaus] *pl: -houses* [-hauziz] **1** přístřešek, podstřeší, podstřešek; přístěnek, kůlna **2** malá nástavba, domek na střeše **3** krytý ochoz, plátěná stříška, markýza

pentice [pentis] zast. = *penthouse*

pentimento [ˌpenti|mentəu] *pl: pentimenti* [ˌpenti|mentai] výtv. prosvítání dřívější malby pod její konečnou podobou

pentode [pentəud] *s* pentoda elektronka s pěti elektrodami ● *adj* jsoucí s pěti elektrodami

pentomino [pen|tominəu] *pl: pentominoes* [pen|tominəuz] mnohoúhelníkový hrací kámen přikrývající pět čtvercových polí hracího plánu

Pentonville [pentənvil] BR londýnská trestnice samovazebního systému

pent roof [pentru:f] pultová střecha

pentstemon [pent|sti:mən] bot. dračík

pent-up [pentap] v. *pent up*

penult [pe|nalt], **penultimate** [pi|naltimit] *adj* předposlední ● *s* předposlední slabika, penultima

penumbra [pi|nambrə] *pl* též *penumbrae* [pi|nambrei] **1** polostín **2** hvězd. penumbra, polostín

penumbral [pi|nambrəl] polostínový, penumbrální

penurious [pi|njuəriəs] **1** chudý, nuzný; svízelný, hladový (~ *years*) **2** úzkostlivě šetrný, lakomý, lakotný (*a* ~ *weaver* lakomý tkadlec)

penuriousness [pi|njuəriəsnis] **1** chudost, nouze, svízelnost **2** úzkostlivá šetrnost, škudlení, lakomost, lakota

penury [penjuri] **1** chudoba, nouze, bída **2** nedostatek *of* čeho **3** řidč. lakomství, lakota

pen wiper [|penˌwaipə] utěrátko, hadřík, kůžička na pera

penwoman [|penˌwumən] *pl: -women* [-wimin] **1** písařka **2** kaligrafka **3** autorka, spisovatelka

peon 1 [pju:n] sluha, poslíček; pěší voják, strážník, ordonance v Indii **2** [pi:ən] peón, zemědělský dělník v Latinské Americe **3** [pi:ən] hist. dlužník, který si odpracovává dluh u věřitele v Mexiku

peonage [pi:ənidž] **1** nucená práce za trest; místo placení dluhu, peonáž **2** peónství, stav peóna

peony [pi:əni] *(-ie-) s* bot. pivoňka ● *adj* červený jako pivoňka, pivoňkový (~ *cheeks*)

people [pi:pl] *s* **1** národ (*a warlike* ~ národ válečníků, *English-speaking* ~*s*) **2** *pl* lidé (*some* ~ *are very inquisitive* někteří lidé jsou velice zvědaví, *several* ~ *were hurt*), někdo, kdokoliv (*I don't like to keep* ~ *waiting* nerad nechávám na sebe čekat) **3** *pl* lidé, občané, obyvatelstvo (*middle--class* ~ *spend a lot of money on clothes*) **4** pouze sg lid (*government of the* ~, *by the* ~, *for the* ~; *P*~*'s* lidový charakterizovaný diktaturou proletariátu (*Bulgarian P*~*'s Republic*); lidové masy (*the intellectuals may like this, but the* ~ *will not*); obecný / prostý lid, poddaní (*disputes between the* ~ *and the nobles*) **5** *pl* členové náboženské obce, lid, věřící, farníci, příslušníci, ovečky (*the priest and his* ~ kněz a jeho farníci) **6** *pl* ozbrojené služebnictvo, suita, doprovod **7** *pl* (*a p.'s* ~) rodiče, rodina, blízké příbuzenstvo, naši, (naši) doma, vaši, vaši doma (*you must come home with me and meet my* ~ musíš jít se mnou domů a poznat naše, *how are your* ~*?* co dělají doma?); předkové, rod (*his* ~ *have been farmers for generations*) ◆ *of all* ~ zrovna (*he of all* ~ zrovna on); *city* ~ lidé z města, obyvatelé měst; *Chosen P*~ Vyvolený národ Židé; *good* ~ dobří duchové; *literary* ~ literáti, spisovatelé, intelektuálové; *little* ~ skřítkové; *mountain* ~ horalé; ~ *mover* označení rychlého dopravního prostředku (*a "*~ *mover", a vehicle smaller than a streetcar*); ~*'s park* AM veřejný sad / park jehož návštěva není omezena žádnými předpisy; ~ *say* říká se, prý; ~ *sniffer* voj. slang. detektor k zjišťování ukrytých osob; *village* ~ vesničané ● *v* zalidnit, osídlit *with* čím

peopled [pi:pld] **1** přen. plný *with* čeho, naplněný čím (*a town* ~ *with memories*) **2** v. *people, v*

people-in-law [ˌpi:plin|lo:] rodiče manžela n. manželky, tchán a tchyně

pep [pep] AM slang. *s* vzpruha; verva, energie, elán; šťáva, říz, šmrnc ◆ ~ *pill* pilulka k povzbuzení energie; ~ *talk* povzbuzující řeč, nalejvárna ● *v (-pp-)* též ~ *up* **1** povzbudit, vzpružit, oživit (*trusts* ~ *up management* trusty oživí řízení) **2** dodat šťávy čemu, vyštafírovat (~ *up songs for foreign tastes*), podepřít (*the actors* ~*ped the play*) **3** přidat plyn

peperino [ˌpepə|ri:nəu] peperin porézní tuft

pepful [pepful] hovor. energický, mající elán, živý

peplum [pepləm] *pl:* též *pepla* [peplə] šos, šůsek kabátku

pepo [pepəu] bot.: plod tykvovité rostliny

pepper [pepə] *s* **1** pepř zrnka i mletý (*black* ~ černý pepř, *cayenne* ~ kayenský pepř, *Hungarian / red / Spanish* ~ paprika, *white* ~ bílý pepř) **2** paprikový lusk, paprika (*stuffed* ~*s*) **3** přen. pepř, ostré koření, opepření, okořenění ◆ *black* ~ bot. pepřovník černý; *P*~ *Fog* / ~ *gas* druh bojového plynu používaného zejm. v boji proti demonstrantům ● *v* **1** o|pepřit, o|kořenit pepřem (~ *a stew* opepřit dušené maso, *don't* ~ *so heavily*), též přen.

2 za|sypat (*~ing classical quotations right and left, ~ing them with questions*), zasypat střelami 3 trestat, osladit (iron.)
pepper-and-salt [ˌpepərənd'so:lt] jsoucí pepř a sůl barva látky n. psí srsti, šedobíle a šedohnědě kropenatý
pepperbox [pepəboks] **1** pepřenka nádobka na pepř **2** BR kulatá věžička **3** pepřenka pistole s více hlavněmi **4** pevnůstka, bunkr **5** temperamentní osoba, drak, štírek
pepper caster, pepper castor ['pepəˌka:stə] **1** pepřenka sypátko na pepř **2** slang. bouchačka revolver
peppercorn [pepəko:n] **1** celý pepř, zrnko pepře **2** nominální n. formální nájemné
peppergrass [pepəgra:s] bot. řeřicha
pepperiness [pepərinis] **1** o|pepřenost, peprnost, pepřovost, pepřovitost, pikantnost **2** přen. peprnost, palčivost, štiplavost, pikantnost **3** prchlivost, výbušnost
peppering [pepəriŋ] **1** okořenění **2** v. *pepper, v*
pepper mill [pepəmil] ruční mlýnek na pepř
peppermint [pepəmint] **1** bot. máta peprná **2** silice máty peprné, mentol **2** též *~ candy / drop* větrový / mentolový bonbón, mentolka, pfefferminc (hovor.)
pepper pot [pepəpot] **1** pepřenka nádobka na pepř **2** silně kořeněný pokrm z dušeného masa **3** přen. Jamaičan **4** přen. divous, horká hlava
pepperwort [pepəwə:t] bot. řeřicha ladní
peppery [pepəri] **1** o|pepřený, peprný, pepřový, pepřovitý, pikantní **2** přen. peprný, palčivý, štiplavý, pikantní **3** člověk divoký, prudký, rychle vzplanoucí, výbušný, prchlivý
peppiness [pepinis] hovor. energičnost, vervnost, říznost, elán
peppy [pepi] (-ie-) hovor. energický, vervní, řízný, plný elánu
pepsin [pepsin] pepsin enzym štěpící bílkoviny v peptony
peptic [peptik] fyziol. *adj* **1** peptický týkající se pepsinu, trávicí **2** týkající se zažívacího ústrojí ● *s ~s, pl* zažívací ústrojí
peptize [peptaiz] chem. rozpouštět gely v koloidní disperzi
peptone [peptəun] chem. pepton směs polypeptidů
peptonize [peptənaiz] chem. peptonizovat štěpit bílkoviny v peptony
per [pə:] **1** uvádí rozdělení na, podle, za, v (*~ annum* ročně; *~ contra* na rubu, otiskem, naopak; *~ contra account* na protiúčet; *~ caput* na hlavu, na jednoho člověka; *~ diem* denně; *~ mensem* měsíčně; *~ mille* promile; *~ quarter* čtvrtletně; *second ~ second* vteřina za vteřinou; *shilling ~ man* šiling na každého člověka) **2** uvádí prostředek n. cestu po, skrze, na, podle (*~ bearer* doručitelem; *~ cheapest | quickest route* nejlevnější | nejrychlejší cestou; *~ invoice* podle faktury; *~ se* samo o sobě; *~ saltum* bezprostředně, skokem, rázem; *~ post* poštou; *~ procurationem / per proxy* per prokura; *~ rail* po železnici; *~ return* obratem; *as ~ usual* žert. jako vždycky)
peradventure [ˌpərəd'vençə] zast., žert. *adv* **1** možná, snad, třeba (*it may ~ be thought there was never such a time*) **2** po *if / unless / that / lest* náhodou (*unless, ~, their wives were comely and young*) ● *s* **1** nejistota, pochyba (*beyond ~*) **2** otázka, problém **3** náhoda
perai [pə'ra:ji] piraňa jihoamerická dravá říční ryba
perambulate [pə'ræmbjuleit] **1** projít | se, procházet | se po, obcházet (*~ the park*) **2** úředně obejít, navštívit **3** vozit v kočárku (*mothers ~d the infants*)
perambulation [pəˌræmbju'leišən] procházka, obchůzka zejm. úřední; inspekce; inspekční zápis / zpráva
perambulator [pə'ræmbjuleitə] BR dětský kočárek
perambulatory [pə'ræmbjuleitəri] procházkový, obchůzkový
percale [pə'keil] perkál hustá, jemná bavlněná tkanina
per capita [pə'kæpitə] na jednu osobu (*production of milk ~*)
perceivable [pə'si:vəbl] **1** chápatelný, pochopitelný **2** vnímatelný, viditelný, povšimnutelný
perceive [pə'si:v] **1** chápat, pochopit, uvědomit si (*perceiving the uselessness of further resistance, he surrendered* když si uvědomil marnost dalšího odporu, vzdal se) **2** vnímat, vidět, po|všimnout si (*people have become so accustomed to the sight of ruins that they hardly ~ them any more* lidé si natolik zvykli na zříceniny kolem sebe, že už je pomalu ani nevidí)
per cent [pə'sent] *adv* procentní (*four ~ loan* čtyřprocentní půjčka) ● *s pl* též *per cent* [pə'sent] procento ◆ *no cramming for ~s* AM škol. slang. nešprtat se kvůli známkám; *~ of slope* stoupání
percentage [pə'sentidž] **1** procento; procentní sazba; procentní provize **2** nespr. část, díl **3** pojišt. frančíza
percentile [pə'sentail] stat. percentil hodnota variační řady oddělující její stý díl
percept [pə:sept] vjem
perceptibility [pəˌseptə'biləti] postřehnutelnost, znatelnost, patrnost
perceptible [pə'septəbl] roze|znatelný, patrný, zřetelný, postřehnutelný
perception [pə'sepšən] **1** vnímání, vjem, percepce **2** počitek; představa, pojem, dojem; vnímavost **3** vybírání např. nájemného
perceptional [pə'sepšənl] týkající se vnímání, perceptivní, percepční
perceptive [pə'septiv] **1** vnímavý, bystrý (*a ~ artist* vnímavý umělec) **2** citlivý (*effective music and ~ staging* působivá hudba a citlivá inscenace); pronikavý (*one of the most ~ essays*) **3** vjemový

perceptiveness [pəˈseptivnis], **perceptivity** [pəˌsepˈtivəti] **1** vnímavost, bystrost, postřeh **2** citlivost, pronikavost

perch[1] [pə:č] zool. okoun říční

perch[2] [pə:č] *s* **1** vyvýšené místo k sedění, bidlo, bidýlko, hřad (*bird takes its ~* pták si sedá na vyvýšené místo); úzké sedátko, sedačka; kozlík **2** přen. vysoké n. jisté postavení **3** vodorovná tyč na zavěšování kůží; vodorovný váleček na prohlížení tkanin **4** rozvora vozu **5** délková míra (5½ yardů, tj. 5,029 m); plošná míra (30¼ čtverečných yardů); objemová míra (16½ stopy × 1½ stopy × 1 stopa) ◆ *hop the ~* natáhnout bačkory umřít; *knock a p. off his ~ 1.* sundat koho z vysokého postavení, podrazit nohy komu *2.* oddělat ● *v* **1** pták sedět, posadit se, sletět, přiletět a posadit se *upon* na, hřadovat **2** sedět, posadit se na vysoké n. nejisté místo, vysoko trůnit **3** prohlížet na vodorovných tyčích kůže ***perch o.s.*** posadit se, usadit se na vysoké místo

perchance [pəˈča:ns] zast. snad, možná, třeba, co když (*~ he is not drowned* třeba se neutopil)

percher [pə:čə] **1** sedavý pták **2** kontrolor tkanin; přehlížeč tkanin **3** koželuh

percheron [pə:šəron] percheronský / peršeronský kůň, percheron, peršeron studenokrevný tažný kůň

perching [pə:čiŋ] v. *perch* ◆ *~ birds* stromoví ptáci

perciform [pə:sifo:m] okounovitý

percipience [pəˈsipiens] pronikavost pohledu; vnímavost, schopnost pochopit n. porozumět

percipient [pəˈsipiənt] *adj* pronikavý, vnímavý, chápavý (*a ~ critic*); hluboký (*five ~, satirical and compassionate tales*) ● *s* **1** kdo vnímá n. chápe **2** vnímající osoba zejm. při parapsychologických experimentech, osoba vnímavá na telepatické působení

percoid [pə:koid] zool. *adj* **1** patřící do řádu ostroploutvých **2** okounovitý ● *s* ryba z řádu ostroploutvých

percolate [pə:kəleit] **1** cedit, procezovat, filtrovat; prosakovat (*rainwaters ~ between the loose sands and gravels* dešťová voda se vsakuje do sypkého písku a štěrku) **2** louhovat, perkolovat; káva v perkolátoru pro|bublat (*waited for the coffee to ~*) **3** přen. volně se projevovat, kypět; vniknout, proniknout *into* do, rozptýlit se po, infiltrovat do (*soldiers and political police had already ~d into Bulgaria*) ● *s* chem. perkolát

percolation [ˌpə:kəˈleišən] **1** cezení, procezování, filtrování; prosakování **2** louhování, perkolace, perkolování **3** infiltrace, pronikání (*a gradual ~ of Scandinavian motives into sculpture*)

percolator [pə:kəleitə] **1** odb. perkolátor, zařízení k louhování **2** kávovar, perkolátor

percuss [pəˈkas] **1** med. poklepat, proklepat, vyšetřit poklepem **2** udeřit do

percussion [pəˈkašən] **1** náraz dvou pevných těles; křesání; úder (*a drum is played by ~*) **2** med. poklep, poklepávání, perkuse **3** masáž poklepem **4** bicí, skupina bicích nástrojů, šlágvrk (slang.) ● *adj* **1** perkusní (*a ~ lock* perkusní zámek) **2** nárazový, pneumatický (*a ~ drill for drilling holes in a rock* pneumatická vrtačka na vyvrtávání děr do skály) **3** bicí (*a ~ instrument*) ◆ *~ bullet* tříštivá střela, střela dumdum; *~ cap* nárazová zápalka, kapsle; *~ mill* stoupa; *~ powder* třaskavý prach, třaskavina; *~ primer* roznětka

percussionist [pəˈkašənist] hráč na bicí nástroje, tympánista, bubeník

percussive [pəˈkasiv] **1** mající charakter nárazu, připomínající zvuk bicích nástrojů (*inexplicable noises, usually ~* nevysvětlitelný hluk, obvykle jako by něco do něčeho naráželo) **2** úderný (*the stark dramatic power of the scenes is ~ and stabbing* syrová dramatická síla scén je úderná a ostře pronikavá); nárazný, nárazový, perkusní

percutaneous [ˌpe:kjuˈteinjəs] pronikající kůží, podkožní, perkutánní

percy boy [pə:siboi], **percy-pants** [pə:sipænts] AM slang. **1** mánička zženštilý hoch **2** zelenáč, cucák

perdition [pəˈdišən] **1** zkáza, zničení **2** věčné zatracení, propadnutí peklu; peklo

perdu(e) [pə:dju:] *adj* schovaný, ukrytý před světem (*seek shelter in a cavern, stay there ~ for three days* hledej úkryt v jeskyni, zůstaň tam schovaný tři dny) ◆ *lie ~ 1.* ležet / být v záloze *2.* nechodit nikomu na oči ● *s* zast. **1** vojín v ohroženém postavení **2** skrytá záloha

perdurability [pəˌdjuərəˈbiləti] trvanlivost, trvalost; věčnost

perdurable [pəˈdjuərəbl] trvanlivý, trvalý; věčný

perdure [pəˈdjuə] vy|trvat

père [peə] otec (*Dumas ~*)

peregrinate [perigrineit] žert. pro|cestovat, bloudit, pro|putovat

peregrination [ˌperigriˈneišən] **1** chození *of* po (*he stopped a moment in his ~ of the room*) **2** cestování, putování, bloudění *of* po, zejm. pěšky n. v cizině (*his anthropological ~s took him into the forests of Amazon* jeho antropologické toulky ho zavedly do amazonských lesů)

peregrinator [perigrineitə] zast. cestovatel, poutník

peregrine [perigrin] *adj* **1** cizí, cizozemský, zahraniční **2** zast. putující, konající pouť **3** příležitostný, nikoliv ve stálém pracovním poměru, na volné noze (*a ~ typist*) ◆ *~ falcon* = ● *s* sokol stěhovavý

peremptoriness [pəˈremptərinis] **1** tuhá přísnost, pevnost, rozhodnost, rezolutnost, neodvolatelnost, imperativnost, kategoričnost, apodiktičnost **2** neústupnost, dogmatičnost, panovačnost, panovačná / pánovitá / diktátorská povaha

peremptory [pəˈremptəri / AM perəmptori] **1** rozkaz

přísný, pevný, rozhodný, konečný, rezolutní, imperativní, neodvolatelný, kategorický; tvrzení apodiktický **2** člověk neústupný, dogmatický, panovačný, pánovitý, diktátorský **3** práv. peremptorní neodkladný, naléhavý (~ *writ* naléhavé předvolání pod hrozbou předvedení)

perennial [pəˈrenjəl] *adj* **1** trvalý, celoroční (*the ~ snow fields are of such great depth that glacial ice forms* nikdy netající sněhová pole jsou tak hluboká, že se tvoří glaciální led) **2** stálý, stále trvající, věčný (*the ~ value of this comparative study*) **3** bot. víceletý, trvalý, vytrvalý ● *s* bot. trvalka, perena ◆ *hardy ~* věčný problém, stále se opakující spor

perenniality [pəˌreniˈæləti] **1** trvalost, stálý výskyt, stálost; věčnost **2** víceletost, vytrvalost rostliny

perfect *adj* [pə:fikt] **1** dokonalý, perfektní; vzorný, ideální, výtečný (*a ~ wife, ~ in the performance of one's duties* vzorně plnící své povinnosti); bezvadný (*a ~ technique, a ~ crime* dokonalý zločin); přesný (*a ~ circle*); absolutní, totální; úplný, naprostý (*a ~ stranger*); mající všechny právní náležitosti, zákonný (*a ~ title*); typický; plně vyvinutý; hotový (*a ~ tirade of abuse* hotová záplava urážek) **2** jaz. týkající se perfekta **3** hudební interval čistý (*a ~ fifth*) **4** polygr. oboustranně potištěný ◆ *~ cadence* hud. úplný závěr; *~ gas* fyz. ideální plyn ● *s* [pə:fikt] **1** jaz. perfektum soustava tvarů; jednotlivý tvar, minulý čas (řidč.) **2** co je dokonalého, dokonalý výrobek (*the ~s go into one bag and the rejects into another* dokonalé výrobky se dávají do jednoho pytle a zmetky do druhého) ● *v* [pəˈfekt] **1** zdokonalit, zlepšit **2** dokončit, ukončit, dodělat; prohloubit, doplnit (*youthful learners who desired to ~ their education*) **3** polygr. potisknout arch i na druhé straně *perfect o.s.* zdokonalit se (*~ o.s. in a foreign language*)

perfecta [pə:fiktə] AM = *exacta*

perfectibility [pəˌfektiˈbiləti] zdokonalitelnost

perfectible [pəˈfektəbl] zdokonalitelný, schopný zdokonalení

perfecting [pəˈfektiŋ] **1** polygr. tisk po obou stranách, současný oboustranný tisk **2** v. *perfect, v*

perfection [pəˈfekšən] **1** dokonalost, perfektnost (*bring a t. to ~* přivést k dokonalosti, zdokonalit) **2** dokonalý příklad, dokonalá ukázka (*it was the very ~ of beauty*) **3** zlepšení, zlepšování, dodělávání, zdokonalování (*busy with the ~ of detail*) **4** přen. vrchol (*the ~ of cunning* ... lišáctví) **5** *~s, pl* nadání, přednosti ◆ *to ~* dokonale, perfektně

perfectionism [pəˈfekšənizəm] filoz. perfekcionismus

perfectionist [pəˈfekšənist] **1** perfekcionista, puntičkář (*a ~, he rehearsed one scene fifty minutes* že je puntičkář, zkoušel jednu scénu padesát minut) **2** *P~* AM člen oneidské společnosti perfekcionistů

perfective [pəˈfektiv] *adj* **1** zdokonalující **2** jaz. dokonavý, perfektivní ● *s* dokonavé sloveso, perfektivum

perfectness [pə:fiktnis] **1** dokonalost, perfektnost; vzornost, ideálnost; bezvadnost, přesnost; absolutnost, totálnost; úplnost, přímost, typičnost **2** čistota hudebního intervalu

perfecto [pəˈfektəu] druh doutníku

perfervid [pə:ˈfə:vid] pře|horlivý, velice horoucí (*a ~ patriot*); vášnivý (*~ screams*)

perfidious [pəˈfidiəs] zrádný, věrolomný, proradný, podlý, bezcharakterní, perfidní, který zrazuje *to* koho

perfidiousness [pəˈfidiəsnis] v. *perfidy, 2*

perfidy [pə:fidi] (*-ie-*) **1** zrada **2** zrádnost, věrolomnost, proradnost, podlost, bezcharakternost, perfidie, perfidnost

perfoliate [pə:ˈfəuliit] bot. prorostlý (*a ~ leaf*)

perforable [pə:fərəbl] prodírkovatelný, perforovatelný

perforate [pə:fəreit] **1** propíchat, prodírkovat (*~ a jar top to give a captured butterfly air* udělat dírky do víčka sklenice, aby měl ulovený motýl dost vzduchu) **2** děrovat, dírkovat; perforovat (*an ulcer ~s the duodenal wall* vřed perforuje stěnu dvanácterníku); způsobit perforaci **3** členit, prolamovat (*scenic fjords ~ the coastline* pobřeží je prolamováno malebnými fjordy) **4** proniknout, provrtat, prorazit (*bone and tissue ~d by the bullet* kost a tkáň provrtané střelou), prolomit

perforated [pə:fəreitid] **1** perforovaný (*a ~ sheet of postage stamps*) **2** děrovaný (*~ brick*); dírkovaný, děrný (*~ tape*) **3** prolamovaný (*~ wall*) **4** v. *perforate*

perforating wound [ˈpə:fəreitiŋˌwu:nd] průstřel

perforation [ˌpə:fəˈreišən] **1** perforace; filat. zoubkování **2** propíchnutí, pro|dírkování, děrování **3** členění, prolamování **4** proniknutí, provrtání, proražení, prolomení

perforative [pə:fərətiv] způsobující perforaci (*~ peritonitis*)

perforator [pə:fəreitə] dírkovač|ka, prorážeč|ka, probíječka, perforátor

perforce [pəˈfo:s] *adj* nutně, nezbytně, z nutnosti, chtě nechtě ● *s* nutnost (*by / of ~* z nutnosti)

perform [pəˈfo:m] **1** s|plnit (*~ a task, ~ a function*), zhostit se čeho; zastávat (*~ an office*); vy|konat (*a student who fails to ~ satisfactorily the work of his course* student, který nepracuje ve svém oboru uspokojivě, *~ a marriage ceremony* vykonat svatební obřad) **2** provést (*~ calculations with astronomical speed, dissections were ~ed on monkeys* na opicích se prováděly pitvy), u|dělat (*imaginative editing can ~ miracles* nápaditá střihačská práce může dělat zázraky) **3** sloužit, celebrovat (*a High Mass well ~ed* dobře celebrovaná slavná mše) **3** veřejně účinkovat, předvádět; provést umělecké dílo (*guest con-*

ductors ~ed certain new scores hostující dirigenti provedli určité nové orchestrální skladby); veřejně hrát, koncertovat (*~ skilfully on the flute*); hrát roli, dávat, uvést divadelní hru (*~ Hamlet*); veřejně za|tančit (*~ a hula to entertain the passengers* pro pobavení hostů zatančit hulu); člověk ukázat, co umí, předvádět se; zvířata cvičit, předvádět své kousky (*the seals ~ed well at the circus* v cirkusu dobře provedli své číslo tuleni) **5** pracovat; fungovat, běžet (*the car ~ed beautifully*)

performable [pəˈfo:məbl] **1** splnitelný; vykonatelný **2** hratelný, předveditelný

performance [pəˈfo:məns] **1** konání, vykonávání, provedení, provádění, s|plnění (*faithful in the ~ of his duties*); plnění závazku (*contracts whose ~ would violate the act are unforceable* smlouvy, jejichž plnění by porušilo zákon, jsou nevymáhatelné) **2** výkon; vykonaná práce (*his ~ as prime minister* co vykonal / o co se zasloužil jako ministerský předseda); výkonnost (*a marked decline in function and ~* zřetelný pokles funkce a výkonnosti); činnost (*such a silly ~*); chování (*the ~ of the stock market* chování burzy cenných papírů) **3** předvedení, veřejné provedení (*the first ~ of a new symphony*), představení divadelní hry, filmu, promítání (*tickets for the afternoon ~*), veřejná podívaná (*his current collection of sculpture and paintings is a truly handsome ~*); interpretace dramatické role **4** umělecké dílo (*for a new writer this novel would be rated a brilliant ~*) **5** hanl. moresy (*what a ~!*)

performer [pəˈfo:mə] **1** vykonavač, vykonavatel **2** účinkující, výkonný umělec

performing [pəˈfo:miŋ] **1** provozovací (*~ rights*) **2** koncertní, divadelní, reprodukční (*~ arts*) **3** zvíře cvičený **4** v. *perform*

perfume *s* [pə:fju:m] **1** vůně; pach **2** voňavka, parfém ● *v* [pəˈfju:m] navonět, navoňavkovat, naparfémovat

perfumeless [pə:fju:mlis] jsoucí bez vůně

perfumer [pəˈfju:mə] voňavkář obchodník i výrobce

perfumery [pəˈfju:məri] (*-ie-*) **1** voňavkářství obchod i výroba, parfumérie **2** voňavky

perfumier [pəˈfju:miə] = *perfumer*

perfunctoriness [pəˈfaŋ*k*tərinis] **1** povrchnost, zběžnost, ledabylost; letmost, formálnost, mechaničnost **2** netečnost, apatičnost

perfunctory [pəˈfaŋ*k*təri] **1** povrchní, zběžný, ledabylý; jen letmý, formální, mechanický, konaný pouze z povinnosti (*a ~ inspection, a ~ smile*) **2** jsoucí bez zájmu, netečný, apatický (*a wooden and ~ pedagogue*)

perfuse [pəˈfju:z] **1** stříkat, postřikovat, po|kropit, polít **2** prolít, promýt tekutinou (*~ a liver with a salt solution*); zalít září, barvou

perfusion [pəˈfju:žən] **1** lití, polévání při křtu; postřikání, pokropení, polití **2** prolití, zalití, promývání (*he believes that intermittent injection is better and safer than continuous ~* je přesvědčen, že periodické vstřikování je lepší a bezpečnější než plynulé promývání)

perfusive [pəˈfju:siv] vše pronikající, prostupující (*~ grace*)

pergameneous [ˌpə:gəˈmi:niəs] pergamenový, pergamenovitý

Pergamenian [ˌpə:gəˈmi:niən] hist. pergamský

pergana [pəˈga:nə] oblast, okres v Indii

pergola [pə:gələ] loubí, besídka, pergola

pergunnah [pəˈganə] = *pergana*

perhaps [pəˈhæps] snad, možná, třeba, asi

peri [piəri] **1** mytol. peri báječná orientální bytost, víla, dobrý / zlý duch **2** kráska, krasavice

periagua [pəˈra:gwə] piroga člun jihoamerických Indiánů

perianth [periænθ] bot. květní obal, perianthium

periapsidal [ˌperiˈæpsidl] : *~ aisle* výtv. ochoz, ambit

periapsis [ˌperiˈæpsis] kosm.: bod na dráze satelitu s nejmenší vzdáleností od tělesa, kolem kterého obíhá

periapt [periæpt] amulet

pericardiac [ˌperiˈka:diæk], **pericardial** [ˌperiˈka:djəl] anat. osrdečníkový

pericarditis [ˌperika:ˈdaitis] *pl: pericarditides* [ˌperika:ˈdaitidi:z] med. zánět osrdečníku, perikarditida

pericardium [ˌperiˈka:djəm] anat. osrdečník, perikard

pericarp [perika:p] bot. oplodí, perikarp

perichondrium [ˌperiˈkondriəm] *pl: perichondria* [ˌperiˈkondriə] anat. ochrustavice, perichondrium

periclase [perikleiz] miner. periklas, kysličník hořečnatý

periclinal [ˌperiˈklainl] geol. periklinální směřující od středu na vnější stranu

pericope [pəˈrikəpi] **1** perikopa výňatek z Písma sv. čtený při bohoslužbách **2** úryvek, odstavec

pericranium [ˌperiˈkreinjəm] *pl: pericrania* [ˌperiˈkreinjə] **1** anat. olebečnice, okostice lbi **2** žert. hlava, lebka, mozek, chytrost

pericynthion [ˌperiˈsinθiən] kosm. = *perilune*

periderm [peridə:m] bot. druhotná kůra, periderm

peridot [peridot] peridot světle zelená odrůda olivínu

perigean [ˌperiˈdžiən] hvězd. týkající se přízemí / perigea ◆ *~ tides* slapy vyvolané perigeem Měsíce

perigee [peridži:] hvězd. přízemí, perigeum bod na dráze Měsíce n. satelitu s nejmenší vzdáleností od Země

perigynous [pəˈridžinəs] bot. obplodní, perigynický

perihelion [ˌperiˈhi:ljən] hvězd. přísluní, perihel, pe-

rihélium bod na dráze planety s nejkratší vzdáleností od Slunce
peril [peril] *s* velké nebezpečí; riziko ◆ *at a p.'s ~* na čí vlastní nebezpečí / riziko / zodpovědnost; *in ~ of* v nebezpečí čeho ● *v* (*-ll-*) vydat v nebezpečí, ohrozit
perilous [periləs] velmi nebezpečný; riskantní
perilousness [periləsnis] mimořádná nebezpečnost; riskantnost
perilune [perilu:n] kosm.: bod na dráze satelitu s nejmenší vzdáleností od Měsíce
perimeter [pəˈrimi:tə] **1** obvod; délka obvodu **2** hranice tábora n. opevnění **3** med. perimetr přístroj k stanovení rozsahu nepřímého vidění
perineal [ˌperiˈni:əl] anat. hrázový
perineum [ˌperiˈni:əm] *pl: perinea* [ˌperiˈni:ə] anat. hráz krajina mezi řití a vchodem poševním
period [piəriəd] **1** doba, období, údobí, perioda, éra, epocha, fáze (*the ~ of the French Revolution*) **2** dnešek, současnost (*the girl of the ~* dnešní dívka) **3** jaz. tečka; a tečka, a dost nic víc (*not just unlucky in love, but unlucky, ~* ona nebyla jen nešťastná v lásce, ona byla prostě nešťastná) **4** souvětí s velmi složitou stavbou, perioda; *~s, pl* květnatý / řečnický styl projevu **5** *~s, pl* menstruace, čmýra, měsíčky, perioda **6** doba trvání nemoci **7** hvězd. oběžná doba např. planety **8** chem., tech. perioda řada jevů pravidelně se opakujících; fyz. perioda, doba kmitu; mat. skupina číslic pravidelně se opakujících v desetinném zlomku; hud. perioda, fráze melodický a rytmický útvar **9** konec, ukončení; závěr, zakončení (*certain cheeses serve as a brilliant ~ for a gay, well-ordered meal* určité sýry slouží jako vynikající zakončení pestrého a dobře seřazeného jídelníčku) **10** sport. poločas např. v kopané; třetina v hokeji **11** vyučovací hodina (*twenty teaching ~s a week*) ◆ *of the ~* jsoucí té doby, tehdejší (*sentiments of the ~*); *~ of incubation* inkubační doba; *put a ~ to a t.* skončit co, udělat tečku za čím ● *adj* **1** dobový, stylový (*the house is eighteenth century and has ~ furniture*) **2** historický (*a ~ costume, a ~ play, a ~ film*) ◆ *~ piece 1.* kus dobového / stylového nábytku *2.* staromódní člověk, *~ room* pokoj zařízený stylovým nábytkem
periodate [pəˈraiədeit] chem. jodistan
periodic [ˌpiəriˈodik] **1** periodický (*~ phases of the moon*) **2** pravidelný, opakující se v pravidelných intervalech (*~ epidemics*); častý (*one of Bermuda's ~ power failures* jeden z častých výpadků proudu na Bermudách); cyklický (*~ vibrations*) **3** složený n. vyjádřený v periodách, květnatý, rétorický ◆ *~ table* chem.: Mendělejevova periodická tabulka prvků
periodical [ˌpiəriˈodikəl] *adj* **1** periodický; pravidelný; častý; cyklický **2** časopisecký (*~ book review*), týkající se časopisů (*~ room in a library* čítárna časopisů v knihovně) ◆ *~ premium* běžné pojistné uhrazované periodicky ● *s* **1** časopis, magazín; týdeník, čtrnáctideník, měsíčník, čtvrtletník **2** *~s, pl* periodický tisk
periodicity [ˌpiəriəˈdisəti] (*-ie-*) **1** periodičnost, periodicita; pravidelnost **2** umístění prvku v periodické tabulce prvků **3** bot. časovost, periodicita
periodization [ˌpiəriəudaiˈzeišən] rozdělení / rozdělování na periody, určování period, periodizace
periodontal [ˌperiəuˈdontl] med. týkající se ozubice
periodontology [ˌperiəudonˈtolədži] med. nauka o ozubici, studium ozubice
periosteal [ˌperiˈostiəl] anat. okosticový, periostální
periosteum [ˌperiˈostiəm] *pl: periostia* [ˌperiˈostiə] anat. okostice, periost
periostitis [ˌperiosˈtaitis] med. zánět okostice, periostitida
peripatetic [ˌperipəˈtetik] *adj* **1** *P~* filoz. peripatetický, aristotelovský **2** kočovný (*~ habits*), toulavý, potulný (*a ~ teacher*) ● *s* **1** *P~* filoz. peripatetik, příslušník Aristotelovy Akademie, aristotelovec **2** žert. pouliční n. kočovný obchodník, kočébr (zast.)
peripateticism [ˌperipəˈtetisizəm] **1** *P~* filoz. peripatetická škola **2** kočovnost, toulavost **3** žert. procházení, obcházení
peripet(e)ia [ˌperipəˈtaiə] **1** liter. peripetie **2** rozhodující obrat ve vývoji událostí
peripheral [pəˈrifərəl] **1** *adj* okrajový (*~ wars*), nikoliv zásadní, nedůležitý (*a rather ~ criticisms of a fine book*) **2** vnější; obvodový, periferní (*~ nerve endings* nervové zakončení) ● *s* kyb. periferní zařízení
periphery [pəˈrifəri] (*-ie-*) okraj, obvod; periférie
periphonic [ˌperiˈfəunik] týkající se stereofonního apod. zvuku n. zvukového zařízení
periphrasis [pəˈrifrəsis] *pl: periphrases* [pəˈrifrəsi:z] opis, opisný výraz, perifráze
periphrastic [ˌperiˈfræstik] opisný, perifrastický; vyjádřený opisem, složený (*"more fair" is a ~ comparative*)
periplus [periplǝs] **1** obeplutí; plavba kolem pobřeží **2** cestopis o obeplutí
peripteral [pəˈriptərəl] chrám obklopený sloupořadím
perique [pəˈri:k] silně aromatický tmavý tabák
periscope [periskəup] **1** periskop; obzorka **2** druh fotografického objektivu
periscopic [ˌperiˈskopik] periskopový, periskopický ◆ *~ lens* periskop čočka
perish [periš] **1** za|hynout, zemřít (*hundreds of people ~ed in the earthquake* při zemětřesení zahynuly stovky lidí) *of* na (*many elephants were known to have ~ed of their wounds* je známo, že následkem zranění zemřely stovky slonů) *by / with* čím (*~ by cold, ~ with fright*); podnik zaniknout, zkrachovat; časopis přestat vycházet **2** mráz, vedro apod. za|hubit, zničit (*the heat had ~ed all*

vegetation horko zničilo všechnu vegetaci); u|mořit, otupit *with* čím **3** zničit, zkazit znemožnit správnou funkci (*oil on your car tyres will ~ them* olej na pneumatikách vašeho vozu je zničí) ♦ *~ the thought of* ne aby tě napadlo, abys; chraň Bůh, abys

perishable [perišəbl] *adj* **1** spějící ke zkáze n. zániku, dočasný, nikoliv věčný (*human life on this minute and ~ planet is but a mock episode* lidský život je na této mrňavé planetě spějící ke zkáze pouze ironickou epizodou); pomíjivý, pomíjející, nikoliv trvalý (*no art is so ~ as music*) **2** rychle se kazící, podléhající rychlé zkáze (*~ foods such as butter and fruit*) ● *s ~s, pl* zboží podléhající rychlé zkáze

perishableness [perišəblnis] **1** dočasnost, pomíjivost **2** podléhání rychlé zkáze, netrvanlivost

perished [perišt] **1** slang. oddělaný, mrtvý, pryč, hin mrazem n. hladem **2** v. *perish*

perisher [perišə] BR slang. zlobidlo, protiva, neřád ♦ *do a ~* AU málem zahynout v buši

perishing [perišiŋ] **1** BR slang. zpropadený, mizerný, zatracený **2** BR slang. vražedný (*~ cold*) **3** v. *perish*

perisperm [perispə:m] bot. perisperm vnější bílek

perispomenon [ˌperiˈspəuminən] *adj* slovo jsoucí s cirkumflexovým přízvukem na poslední slabice ● *s pl: perispomena* [ˌperiˈspəuminə] jaz. perispómenon cirkumflexový přízvuk na poslední slabice slova; slovo s takovým přízvukem

perissodactylate [pəˌrisəuˈdæktileit] lichokopytný

perissodactyle [pəˌrisəuˈdæktail] *adj* lichokopytný ● *s* lichokopytník

peristalith [pəˈristæliθ] archeol.: kruh postavený z kamenů kolem pohřebiště

peristalsis [ˌperiˈstælsis] fyziol. peristaltika, peristaltický pohyb

peristyltic [ˌperiˈstæltik] fyziol. peristaltický

peristome [peristəum] bot., zool. obústí

peristyle [peristail] archit. *s* **1** peristyl sloupový ochoz **2** nádvoří se sloupovým ochozem ● *adj* obklopený sloupořadím

periton(a)eum [ˌperitəuˈni:əm] anat. pobřišnice, peritoneum

peritoneal [ˌperitəuˈni:əl] anat. pobřišnicový, pobřišniční, peritoneální

peritonitis [ˌperitəuˈnaitis] med. zánět pobřišnice, peritonitida

peritus [peˈri:təs] *pl: periti* [peˈri:ti:] teologický poradce na 2. vatikánském koncilu

perityphlitis [ˌperitiˈflaitis] med. zánět pobřišnice slepého střeva

periwig [periwig] paruka zejm. právníka

periwigged [periwigd] jsoucí v paruce, mající paruku na hlavě

periwinkle[1] [ˈperiˌwiŋkl] bot. brčál ♦ *~ blue* brčálová / barvínková modř; *lesser ~* brčál barvínek

periwinkle[2] [ˈperiˌwiŋkl] zool. břeženka rod mořských plžů

perjure [pə:džə] : *~ o.s.* křivě přísahat, spáchat křivopřísežnictví

perjured [pə:džəd] **1** křivopřísežný (*~ testimony*) **2** v. *perjure*

perjurer [pə:džərə] křivopřísežník

perjurious [pəˈdžuəriəs] křivopřísežný

perjury [pə:džəri] (*-ie-*) křivá přísaha, slavnostní vědomá lež ♦ *commit ~* křivě přísahat, dopustit se křivé přísahy

perk[1] [pə:k] slang. *~s, pl* vedlejší příjem, ostatní požitky, výhody (*as pay and ~s go, it's a good job*)

perk[2] [pə:k] hovor. **1** bublat, perkolovat (*is the coffee ~ing yet?*) **2** u|vařit v perkolátoru, dát | si vylouhovat (*we ~ed some coffee*)

perk[3] [pə:k] *v* **1** nést se hrdě / drze (*a file of geese ~ing down the roadway*), naparovat se, ohrnovat nos (*~ing over the neighbours*) **2** oživnout (*people ~ed again*), oživit (*~ the taste and lift the spirit* oživit vkus a povznést ducha) **3** okázale čnít, trčet nebojácně n. furiantsky (*a sand-coloured handkerchief with monogram in brown ~ed from his breast pocket*) ***perk up*** ***1*** nosit / zvednout hlavu / bradu vzhůru, hodit hlavou (*the horse ~ed up his head*); oživnout **2** pták čepýřit, čechrat peří ***3*** přen. dát do pořádku, učesat ♦ *~ up one's ears* napnout / na|špicovat uši, zastříhat ušima ***perk o.s. up*** napřímit se, narovnat se, též přen. ● *adj* řidč. = *perky*

perkiness [pə:kinis] **1** sebejistota, drzost (*his ~ and occasional irascibility have marked him out as an average man* jeho sebejistota a občasná podrážděnost značily, že je to normální mužský) **2** elegance; energie, živost (*he kept his ~ of spirit*)

perky [pə:ki] (*-ie-*) **1** sebejistý, drzý (*a short, ~ woman*) **2** elegantní (*~ jeeps*); energický, živý (*a ~ waltz*) **3** odstávající od oděvu

perlite [pə:lait] geol.: perlit sklovitá sopečná vyvřelina s kuličkovitou odlučností

perm[1] [pə:m] hovor. *s* trvalá ondulace ● *v* udělat trvalou, naondulovat

perm[2] [pə:m] hovor. triz, rozpis na sázence

permafrost [pə:məfrost] geol.: trvale zamrzlá půda

permalloy [pə:mæloi] tech. permalloy magneticky vodivá slitina niklu a železa

permanence [pə:mənəns] **1** trvalost, trvání, stálost, neměnnost, neustálost, ustavičnost, permanentnost **2** trvanlivost, stálost (*the degree of ~ of different ruling inks*) **3** mat. permanence

permanency [pə:mənənsi] (*-ie-*) něco trvalého, co je navždy (*the visit developed into a ~*), trvalý rys (*the permanencies of the human heart*), trvalé místo (*his new post is not a ~*)

permanent [pə:mənənt] trvalý, stálý, neustálý, nepřetržitý, ustavičný, permanentní ♦ *P ~ Court of*

Arbitration stálý rozhodčí soud; ~ *disablement* trvalá invalidita; ~ *press* text. nemačkavá úprava; ~ *secretary* stálý státní tajemník; ~ *set* trvalé přetvoření, plastická deformace kovu po dlouhém používání; ~ *wave* trvalá ondulace, trvalá; ~ *way* BR železniční / silniční svršek (~ *way wagon* nářaďový vůz železniční)

permanganate [pəˈmæŋgəneit] chem. manganistan ◆ *potassium* ~ / ~ *of potash* manganistan draselný, hypermangán

permanganic [ˌpəmænˈgænik] : ~ *acid* chem. kyselina manganistá

permeability [ˌpə:mjəˈbiləti] propustnost, prostupnost, proniknutelnost, průdyšnost, prodyšnost, permeabilita

permeable [pə:mjəbl] propustný, prostupný, proniknutelný, prodyšný, průdyšný, permeabilní

permeance [pə:miəns] **1** pronikání, propouštění, prostupování **2** v. *permeability*

permeant [pə:miənt] v. *permeable*

permeate [pə:mieit] pronikat, prostupovat *through* čím, být propouštěn čím (*water* ~*s sand*), šířit se *among* do / mezi

permeation [ˌpə:miˈeišən] pronikání, prostupování

permeative [pə:miətiv] pronikavý (~ *irony*)

Permian [pə:miən] geol. permský týkající se nejmladšího období prvohor (~ *formation* permský útvar)

permissible [pəˈmisəbl] *adj* **1** dovolený, připustný (~ *dose*) **2** trhavina bezpečnostní ● *s* bezpečnostní trhavina (*sales of* ~*s and other high explosives* ... výbušnin)

permission [pəˈmišən] výslovné dovolení, svolení, povolení, souhlas (*obtain written* ~*s from the holders of the copyright*) ◆ *give* / *grant* ~ dovolit *for* komu *to* aby, k čemu

permissionist [pəˈmišənist] = *permissivist*

permissive [pəˈmisiv] *adj* **1** povolující, povolný, shovívavý, liberální, tolerantní (~ *parents*) **2** povolovací, dovolovací (~ *legislation*) ◆ ~ *society* extrémně tolerantní společenský řád zejm. pokud jde o sexuální život, požívání drog apod. ● *s* = *permissivist*

permissivism [pəˈmisivizəm] extrémní liberálnost

permissivist [pəˈmisivist] extrémně tolerantní člověk

permit *v* [pəˈmit] (*-tt-*) **1** výslovně dovolit, povolit *a p.* komu *to do* aby (~ *me to offer my congratulations*) *of* co, připustit, dát souhlas k (~ *others to use his patent*) **2** trpět, tolerovat (~ *smoking*) ◆ *time* ~*ting* bude-li to z časových důvodů možné; *weather* ~*ting* za příznivého počasí ● *s* [pə:mit] **1** písemné povolení, svolení, písemný souhlas **2** povolenka, lístek, průkaz, průkazka, legitimace (*a fishing* ~ rybářský lístek); propustka, permit, vizum, výjezdní doložka ◆ ~ *of transit* tranzitní vízum

permutation [ˌpə:mju:ˈteišən] **1** mat. změna pořadí, permutace **2** jaz. posouvání hlásek **3** řidč. změna **4** triz, rozpis sázenky

permute [pəˈmjut] měnit pořadí, permutovat, tvořit permutace

pern [pə:n] zool. včelojed lesní

perne [pə:n] nář. spirálovitě se točit

pernicious [pəˈnišəs] **1** zhoubný (~ *disease* zhoubná choroba); škodlivý, vedoucí ke zkáze, destruktivní **2** med. zhoubný, perniciózní (~ *anaemia* perniciózní anémie)

pernickety [pəˈnikəti] hovor. **1** člověk hnidopišský, puntičkářský, přepečlivý, malicherně pedantský, cimprlich **2** věc choulostivý, jemný, něžný, křehký, křehounký vyžadující opatrné zacházení

pernoctation [ˌpə:nokˈteišən] **1** círk. celonoční adorace **2** probdění noci; strávení noci zejm. na univerzitní půdě

perorate [perəreit] **1** dlouho mluvit, řečnit, pronést dlouhou řeč; dlouze vyhlašovat **2** shrnout projev, zakončit řeč

peroration [ˌperəˈreišən] **1** závěr a shrnutí řeči (*the* ~ *of his maiden speech* závěr a shrnutí jeho prvního projevu v parlamentu) **2** dlouhá řeč, dlouhý projev, řečnění

peroxide [pəˈroksaid] *s* **1** chem. peroxid **2** hovor. kysličník (~ *of hydrogen* kysličník vodičitý) ● *v* odbarvit (si) vlasy kysličníkem ● *adj* odbarvený kysličníkem ◆ ~ *blonde* odbarvená blondýna

perpend[1] [pəˈpend] zast. uvažovat, přemýšlet, hloubat *a t.* o

perpend[2] [pə:pənd] = *parpen*

perpendicular [ˌpə:pənˈdikjulə] *adj* **1** svislý, perpendikulární (*measure the* ~ *height* změřit svislou výšku) **2** kolmý *to* na / k, v pravém úhlu k (*the lines are* ~ *to each other*); srázný, prudký, strmý, téměř kolmý (*a lofty* ~ *cliff* vysoko čnící strmý útes) **3** chodící zpříma, s rovnými zády jako pravítko (*a* ~ *colonel* zpříma chodící plukovník) **4** žert. stojící, vstoje ◆ ~ *style* archit. perpendikulární sloh pozdně gotický sloh v Anglii, zdůrazňující pravoúhlost ve všech částech stavby ● *s* **1** svislice, kolmice **2** olovnice, přístroj k udávání svislého směru **3** ~*s, pl* svislice (*length between* ~*s* délka mezi svislicemi) **4** svislý / kolmý směr, svislost, kolmost (*is out of* (*the*) ~ vychyluje se ze svislého / kolmého směru) **5** sráz, prudký svah **6** slang. BR pohoštění vstoje; jídlo pojídané vstoje jako v automatu n. na gardenparty

perpendicularity [ˌpə:pənˌdikjuˈlærəti] **1** svislost, kolmost, svislý / kolmý směr, svislá / kolmá poloha **2** sráznost, strmost; prudkost svahu

perpetrate [pə:pitreit] spáchat, dopustit se čeho (*the horrors their former rulers have* ~*d* ohavnosti, jichž se dopustili jejich dřívější vládcové), udělat něco špatného (~ *a joke* udělat špatný vtip, uvtípnout se)

perpetration [ˌpə:piˈtreišən] **1** spáchání, dopuštění se trestného činu **2** zvěrstvo (*the savage ~s of Zingis and Timour* krutá zvěrstva spáchaná Čingischánem a Tamerlánem)

perpetrator [pə:pitreitə] pachatel

perpetual [pəˈpetjuəl] *adj* **1** věčný (*~ torment after death* věčná muka po smrti); stálý, trvalý (*he was granted a ~ charter by the national government*) **2** doživotní (*~ president of the club*) **3** hovor. věčný, ustavičný, neutuchající, nevysychající (*a ~ source of amusement* ustavičný pramen zábavy) **4** zahr. remontantní (*a hybrid ~ rose*) ♦ *~ calendar* věčný kalendář; *~ check* věčný šach; *~ motion* perpetuum mobile; *~ screw* šnekový převod ● *s* **1** zahr. trvalka, perena **2** remontantka růže

perpetuance [pəˈpetjuəns] = *perpetuation*

perpetuate [pəˈpetjueit] **1** zvěčnit **2** zachránit před vymřením (*~ the species*), před zapomněním (*~ a defunct tradition*) **3** navěky zachovat (*~ their absolute control*)

perpetuation [pəˌpečuˈeišən] **1** zvěčnění **2** neustálé / věčné trvání **3** záchrana před vymřením n. zapomenutím

perpetuator [pəˈpetjueitə] kdo zachycuje n. zachraňuje pro věčnost, zvěčnitel, zachránce, zachraňovatel

perpetuity [ˌpə:piˈtju:əti] (*-ie-*) **1** věčnost (*in / to / for ~* navěky, na věčné časy) **2** práv. nezcizitelný majetek; věčná annuita

perplex [pəˈpleks] **1** z|mást, po|plést, uvést do rozpaků člověka (*~ a p. with questions*) **2** mást, zamotávat, z|komplikovat, dělat složitým (*don't ~ the issue* nekomplikuj problém)

perplexed [pəˈplekst] **1** zmatený, popletený, rozpačitý, perplex **2** v. *perplex*

perplexity [pəˈpleksəti] (*-ie-*) **1** zmatení, zmatenost, popletenost **2** dilema, zmatek; složitost, komplikovanost

perquisite [pə:kwizit] **1** naturální požitek, naturálie, obvyklý přídavek k platu (*the maid's ~s include the dresses her mistress no longer likes to wear* k obvyklým přídavkům platu služebné patří šaty, které milostpaní už nechce nosit) **2** povolený poplatek za zvláštní službu **3** právo, výsada, privilegium (*the ~s of a particular group*)

perquisition [ˌpə:kwiˈzišən] domácí prohlídka policejní

perron [perən] **1** venkovní schody, předložené schody **2** terasa před vchodem

perry [peri] (*-ie-*) hruškový mošt

perse [pə:s] *adj* šedomodrý, téměř indigový ● *s* šedomodrá barva, připomínající indigo

persecute [pə:sikju:t] **1** pronásledovat, perzekvovat, potírat **2** obtěžovat, otravovat *with* čím (*~ a man with questions*)

persecution [ˌpə:siˈkju:šən] **1** pronásledování, perzekuce (*the numerous ~s of the Jews*) **2** obtěžování, otravování ♦ *~ mania* blud pronásledování, stihomam

persecutor [pə:sikju:tə] pronásledovatel, perzekutor

Perseid [pə:siid] : *~s, pl* Perseidy meteorický roj pozorovatelný kolem 12. srpna

perseverance [ˌpə:siˈviərəns] **1** trvání, lpění *in* na (*an obstinate ~ in error* zatvrzelé lpění na bludu) **2** vytrvalost ve snažení, stálost, úpornost

perseverant [ˌpə:siˈviərənt] vytrvalý, úporný

persevere [ˌpə:siˈviə] vytrvat *at / in / with* v, zůstat u, setrvat u (*I intend to stand to my post and ~ in accordance with my duty* mám v úmyslu své místo neopustit a setrvat na něm, jak mi velí povinnost)

perseveringly [ˌpə:siˈviəriŋli] vytrvale, stále, úporně, urputně

Persia [pə:šə] Persie; nespr. Írán

Persian [pə:šən] *adj* perský (*~ carpet* perský koberec, *~ cat* perská kočka) ● *~ blinds* žaluzie; *~ Gulf* Perský záliv ● *s* **1** Peršan obyvatel Persie **2** perština **3** perská kočka; perzián kožišina

persiennes [ˌpə:siˈenz] *pl* okenní perská žaluzie s pohyblivými prkénky

persiflage [ˌpə:siˈfla:ž] **1** lehký posměšný hovor; ironie, dělání si legrace; utahování, šoufky (hovor.) **2** zesměšnění, perzifláž

persimmon [pə:ˈsimən] bot. tomel strom i plod

persist [pəˈsist] **1** vytrvat, setrvat *in* v, přes námitky vytrvale dělat co, trvat na, tvrdošíjně lpět na, nedat se odvrátit od, nedat si říci a dělat co (*she ~s wearing the old-fashioned hat*) **2** být / trvat dál, udržet se, setrvávat (*the fog is likely to ~ in most areas*)

persistence [pəˈsistəns] **1** naléhavost, neodbytnost (*annoyed by the salesman's ~*) **2** trvání, úpornost, stálost, nepomíjivost, přetrvávání, perzistence (*the ~ of a high temperature puzzled the doctor* lékaři nešla do hlavy úpornost horečky, *~ of vision* přetrvávání / perzistence zrakových vjemů) **3** vytrvalost (*developing ~ in children*) ♦ *~ of force / energy | of matter* zákon o zachování energie | hmoty

persistency [pəˈsistənsi] vytrvalost (*courage and ~ are high gifts* velké přednosti jsou odvaha a vytrvalost)

persistent [pəˈsistənt] **1** trvalý, vytrvalý, neodbytný (*this ~ suitor* tento neodbytný nápadník); neústupný, urputný, úporný (*a ~ cough* úporný kašel); nezahnatelný, neodstranitelný (*a ~ odour of boiling cabbage* neodstranitelný zápach vařeného zelí); stálý, nepomíjivý, perzistentní (*~ gas*) **2** bot. neopadavý (*some oaks and beeches have ~ leaves* některé druhy dubů a buků mají listí neopadavé) **3** zool. nelínavý

person [pə:sn] **1** osoba lidský jedinec bez rozdílu pohlaví (*only* ~*s can inherit under a will* na základě testamentu mohou dědit pouze živé osoby); často hanl. (*people in our position could scarcely know a* ~ *in trade socially* lidé v našem postavení se mohli sotva společensky stýkat s živnostníky); fyzická podstata jedince (*pure in mind and* ~); jedinec v souhrnu svých vlastností (*a very touchy* ~ velice nedůtklivá osoba); božská osoba (*the three* ~*s of the Godhead* tři božské osoby); jaz.: mluvnická kategorie; tvar tuto kategorii vyjadřující (*first* ~); postava v dramatu n. literárním díle; člověk (*a very interesting* ~), individuum (hanl.) **2** osoba rodu ženského, slečna, slečinka (*there's a young* ~ *to see you*) **3** zast. zevnějšek (*he has a goodly* ~) **4** člověk, jedinec, jednotlivec, ◆ *a* ~ někdo; *artificial* / *ficticious* ~ právnická osoba; ~ *in authority* úřední osoba, funkcionář; *carry on one's* ~ mít u sebe, nosit u sebe; *search of the* ~ osobní prohlídka; *in* ~ osobně; *in the* ~ *of 1.* v postavě / roli koho *2.* místo koho, v zastoupení koho; *no* ~ / *not a single* ~ nikdo; *poor* ~ nemajetný

persona [pə:ˈsəunə] *pl: personae* [pə:ˈsəuni] osoba, postava v dramatu n. literárním díle (*comic personae*) ◆ ~ *grata* | *non grata* persona grata | non grata žádoucí | nežádoucí osoba zejm. v diplomatickém styku

personable [pə:sənəbl] vzhledný, příjemného zevnějšku, pohledný (*a* ~ *young man*)

personage [pə:snidž] postava, figura jako výtvarný prvek **2** důležitá osoba, někdo (*fast becoming a* ~) **3** historická, dramatická, literární postava **4** osobnost; člověk, individuum, někdo

personal [pə:snl] *adj* osobní týkající se jedince (~ *needs,* ~ *baggage* osobní zavazadla, ~ *beauty*); přímý (*make a* ~ *call* osobně navštívit); určený jedinci (~ *staff* osobní služebnictvo); zaujatý (*let us avoid being* ~ snažme se nebýt osobní); označující mluvnickou osobu (~ *pronouns*); soukromý, důvěrný (*a* ~ *friend*) ◆ ~ *apperance* zevnějšek; ~ *assistant* osobní tajemník; ~ *call* telefonní hovor na výzvu, výzva; ~ *column* osobní zprávy v novinách; ~ *effects* osobní svršky; ~ *equation* osobní chyba, osobní činitel při pokusech; ~ *history* životopis; ~ *injury* úraz, tělesné poškození; ~ *property* osobní vlastnictví / majetek s výjimkou půdy; *something* ~ něco důvěrného, nějaká důvěrnost; ~ *stuff* hovor. vlastní věci, vlastní proprieta ● *s* **1** osobní věc (*her* ~*s he distributed among the poor*) **2** slang. osobní vystoupení, osobní přítomnost filmové hvězdy **3** AM novinová zpráva o určité osobě n. určitých osobách **4** ~*s, pl* AM osobní zprávy, osobní noticky **5** sport. osobní chyba

personalism [pə:snəlizəm] projev osobní moci diktátora

personality [ˌpə:səˈnæləti] (*-ie-*) **1** osobnost; známá osoba; osobitost, svéráznost; personalita **2** člověk, nátura, charakter (hovor.) (*terrific* ~) **3** *personalities, pl* osobní výpady / narážky / urážky (*the senator resorted to personalities* senátor se stal osobním) ◆ ~ *cult* kult osobnosti

personalization [ˌpə:snəlaiˈzeišən] **1** zosobnění, ztělesnění, personifikace (*the* ~ *of natural forces in myth and religion*) **2** individuální zaměření (~ *of propaganda*)

personalize [pə:snəlaiz] **1** zosobnit, ztělesňovat, personifikovat, představovat (*a man who* ~*d an ideal of our childhood*) **2** zaměřit osobně n. adresně, individualizovat (~ *sales techniques* prodejní techniku zaměřit adresně)

personalized [pə:snəlaizd] **1** osobní, individuální (~ *training*) **2** přizpůsobený určité osobnosti (*highly* ~ *theories of the Fifth Republic*) **3** jsoucí s natištěnou vlastní adresou (~ *stationery* dopisní papíry s [natištěnou] vlastní adresou); jsoucí s vyšitým monogramem (~ *handkerchiefs* kapesníky ...) **4** v. *personalize*

personally [pə:sənli] osobně, pokud jde o mne, co se týče (~ *I don't want to go*)

personalty [pə:snlti] (*-ie-*) movité vlastnictví, movitý majetek

personate[1] [pə:səneit] bot. šklebivý (*a* ~ *flower*)

personate[2] [pə:səneit] **1** ztělesnit, představovat, dělat ze sebe, hrát dramatickou postavu (*I do not* ~ *the stage-play emperor* nedělám ze sebe žádného divadelního imperátora) **2** ztělesňovat, být ztělesněním čeho (*she* ~*d humility* byla ztělesněním pokory) **3** vydávat se protiprávně za (~ *an officer of the law*)

personation [ˌpə:səˈneišən] **1** ztělesnění, představování, hraní dramatické postavy **2** vydávání se za někoho jiného, protiprávní osvojení si cizí osobnosti

personator [pə:səneitə] **1** kdo ztělesňuje / hraje / představuje dramatickou postavu, představitel role, interpret, herec **2** kdo se protiprávně vydává za někoho jiného, podvodník

personhood [pə:sənhud] osobnost, individuálnost

personification [pə:ˌsonifiˈkeišən] **1** ztělesnění, zosobnění, personifikace (*Aeolus is the* ~ *of wind*) **2** liter. personifikace básnická ozdoba **3** literární n. dramatické vytvoření postavy (*a series of excellent readings and* ~*s*)

personify [pə:ˈsonifai] (*-ie-*) ztělesňovat, zosobňovat, personifikovat (*courage personified* vtělená odvaha)

personnel [ˌpə:səˈnel] *pl* též *personnel* [ˌpə:səˈnel] **1** osazenstvo, zaměstnanecký štáb; člen posádky (*there were five airline* ~ *on the plane that crashed* v letadle, které se zřítilo, bylo pět členů posádky), posádka (*naval* ~), zaměstnanci, personál **2** *pl* kádry (*missionary* ~, *the changing* ~ *of the theatre*) **3** osobní / kádrové oddělení v podniku; vedoucí osobního / kádrového oddělení, kádrovák (hovor.) ● *adj* **1** osobní, personální **2** kádrový ◆ ~ *administration* práce s kádry; ~ *bomb* puma k zničení živých cílů; ~ *carrier* voj. transportér; ~ *department* osobní oddělení; ~ *director* / *manager* personální šéf; ~ *officer* osobní referent, vedoucí osobního / kádrového oddělení, kádrovák (hovor.); ~ *turnover* přirozená fluktuace zaměstnanců příchod nových a odchod dřívějších

person-to-person [ˌpə:ntuˈpə:sn] : ~ *call* AM telefonní hovor na výzvu, výzva

perspective [pəˈspektiv] *s* **1** perspektiva prostorové zobrazení předmětů v rovině; perspektivní zobrazení (*in* ~ perspektivně) **2** výhled, hledisko, stanovisko, perspektiva (*time and experience which alter all* ~*s* čas a zkušenost měnící celou perspektivu, *in* (*true*) ~ správně nahlíženo, jak je to ve skutečnosti), pohled *of* na (*a distorted* ~ *of the man's true intentions*) **3** rozhled (*some folks cannot see the wood for the trees, while others have* ~) ♦ *aerial* ~ ptačí / vzdušná perspektiva; *in a longer* ~ perspektivně, někdy v budoucnu; *linear* ~ lineární perspektiva zobrazující předměty na základě středového promítání; *in the* / *in its right* ~ ve správném světle ● *adj* perspektivní; výhledový

Perspex [pə:speks] tech. plexisklo

perspicacious [ˌpə:spiˈkeišəs] bystrý, pronikavý, důvtipný

perspicacity [ˌpə:spiˈkæsəti] bystrost, pronikavost, důvtip, důvtipnost

perspicuity [ˌpə:spiˈkju:əti] jasnost, průzračnost, zřetelnost, srozumitelnost

perspicuous [pəˈspikjuəs] jasný, průzračný, zřetelný (~ *in meaning*); srozumitelný, snadno pochopitelný (*try to be* ~)

perspicuousness [pəˈspikjuəsnis] = *perspicuity*

perspirable [pəsˈpaiərəbl] **1** pokožka propouštějící pot **2** látka vypotitelný, vyměšovaný potem

perspiration [ˌpe:spəˈreišən] **1** pocení **2** pot

perspiratory [pəsˈpaiərətəri] **1** potní, potný (~ *glands*) **2** působící pocení

perspire [pəsˈpaiə] **1** potit se **2** potit, vypocovat

perstringe [pəˈstrindž] kniž. kritizovat, kárat

persuadable [pəˈsweidəbl] přemluvitelný, přesvědčitelný

persuade [pəˈsweid] **1** přesvědčit *a p.* koho *of* o / *that* že (*how can I* ~ *you of my sincerity* / *that I am sincere* jak vás mám přesvědčit, že to myslím upřímně) **2** přemluvit, přesvědčit *a p.* koho *to* aby, domluvit komu, aby (*he* ~*s his friend to study law*), vymluvit *a p.* komu *out of* co, přesvědčit koho, aby ne (*can you* ~ *her out of her foolish plans?*); přemlouváním vymáčknout, dostat *a t.* co *out of a p.* z koho (*he* ~ *d the confession out of him* dostal z něho přiznání) ***persuade o.s.*** přesvědčit se, dospět k názoru, přijít k názoru *that* že

persuader [pəˈsweidə] **1** kdo n. co přesvědčuje n. přemlouvá **2** slang. co popožene, „pádný argument"; ostruha, bič, zbraň

persuasible [pəˈsweizəbl] přemluvitelný, přístupný domluvě, ochotný přijmout jiné přesvědčení

persuasibility [pəˌsweiziˈbiləti] přemluvitelnost; přístupnost domluvě, ochota přijmout jiné přesvědčení

persuasion [pəˈsweižən] **1** přesvědčování, přemlouvání, domlouvání; schopnost přesvědčit, vemlouvavost (*there is an inherent* ~ *in some voices* některé hlasy jsou bytostně vemlouvavé) **2** přesvědčení (*holding the* ~ *that they could not fail* zastávající přesvědčení, že se jim to musí podařit); smýšlení, mínění, názor, zásady; vyznání, náboženství (*the several Protestant* ~*s*) **3** žert: označuje původ, pohlaví, společenskou třídu apod. (*no one of the male* ~ *was there*)

persuasive [pəˈsweisiv] *adj* přesvědčivý, přesvědčující, přesvědčovací; mající schopnost přesvědčit n získat na svou stranu, vemlouvavý (*a* ~ *preacher*) ● *s* přesvědčivý argument (*bribes and other* ~*s* úplatky a jiné ...)

persuasiveness [pəˈsweisivnis] **1** schopnost přesvědčit **2** vemlouvavost

pert [pə:t] **1** mladě drzý, troufalý, impertinentní (*he was amused by the boy's* ~ *answer* chlapcova impertinentní odpověď ho pobavila) **2** šik, odvážný, ale vkusný **3** čiperný, svižný (*she was as rosy and* ~ *as a schoolgirl*); svěží, pikantní (*a* ~ *turn in the end of a sentence*)

pertain [pəˈtein] **1** při|náležet, příslušet, patřit *to* k čemu (*the mansion and the lands* ~*ing to it* zámek a pozemky k němu patřící), hodit se k, slušet čemu (*the enthusiasm* ~*ing to youth*) **2** týkat se *to* čeho, mít vztah k, vztahovat se na / k (*historical documents* ~*ing to Christopher Columbus* historické dokumenty týkající se Kryštofa Kolumba)

pertinacious [ˌpə:tiˈneišəs] zarytý, urputný, tvrdošíjný (*a* ~ *opponent*); neodbytný (*a* ~ *beggar* neodbytný žebrák); vytrvalý, neúnavný, houževnatý (*many years of* ~ *advertising* mnoho let neúnavné reklamní kampaně)

pertinaciousness [ˌpə:tiˈneišəsnis] = *pertinacity*

pertinacity [ˌpə:tiˈnæsəti] zarytost, urputnost, tvrdošíjnost; neodbytnost; vytrvalost, neúnavnost, houževnatost

pertinence [pə:tinəns], **pertinency** [pə:tinənsi] **1** vhodnost, příhodnost, přiléhavost, případnost *to* pro; skutečnost, že se něco týká čeho **2** práv. příslušenství, pertinence

pertinent [pə:tinənt] *adj* **1** týkající se *to* čeho, vztahující se k (*remarks not* ~ *to the subject under discussion* poznámky netýkající se projednávaného předmětu) **2** případný, přiléhavý, trefný, který sedí (*a* ~ *reply*) ♦ *be* ~ *to a t.* přináležet, patřit k čemu, hodit se / příslušet k, týkat se čeho ● ~*s*, *pl* BR příslušenství

pertness [pə:tnis] **1** drzost, troufalost, impertinence **2** čipernost, svižnost; pikantnost

perturb [pə|tə:b] **1** zmást, splést, vznést zmatek do, dělat zmatek v; vzrušit, rozrušit, vyvést z klidu n. rovnováhy (*a man who is never* ~*ed*) **2** hvězd. způsobit perturbaci, poruchu n. odchylku

perturbation [ˌpə:tə|beišən] **1** zmatek, vzrušení, rozrušení (*great* ~ *of mind*) **2** hvězd. perturbace, odchylka porucha dráhy nebeského tělesa působící zmatek; vzrušující, rozrušující **2** hvězd. týkající se odchylek / perturbací

pertussis [pə|tasis] med. černý kašel

peruke [pə|ru:k] mužská paruka zejm. s copánkem ◆ ~ *buck* mysl. parukář

perusal [pə|ru:zəl] kniž.: důkladné přečtení, pročtení (*his* ~ *of the evening papers*)

peruse [pə|ru:z] důkladně přečíst, pročíst; pro|studovat (*applicants should* ~ *the lists carefully* žadatelé si mají pečlivě prostudovat seznamy); přen. prohlédnout

Peruvian [pə|ru:vjən] *adj* peruánský ◆ ~ *bark* chinovníková kůra ● *s* Peruánec

pervade [pə:|veid] pronikat, prostoupit čím, roz|šířit se do (*the subversive ideas that* ~ *all these periodicals may do great harm* podvratné názory, jimiž jsou všechny tyto časopisy proniknuty, mohou natropit velkou škodu)

pervasion [pə:|veižən] pronikání; proniknutí, prostoupení

pervasive [pə:|veisiv] pronikavý (~ *perfume*), pronikající, všechno prostupující, vše zachvacující

pervasiveness [pə:|veisivnis] pronikavost

perverse [pə|və:s] *adj* **1** člověk, čin n. chování zvrhlý, zrůdný, zvrácený; zarytý, zavilý, zatvrzelý; protipřirozený, úchylný, perverzní **2** okolnosti nepříhodný, nepříznivý, nepřátelský **3** výrok poroty nedbající soudcových směrnic n. svědeckých výpovědí ● *s* zarytost, zavilost, zatvrzelost (*flashes of the* ~ náhlé záchvaty zatvrzelosti)

perverseness [pə|və:snis] = *perversity*

perversion [pə|və:šən] **1** překroucení, překrucování, z|komolení (~ *of the truth*); převrácení, zvrácení (~*s of the laws of nature*); náboženské n. morální pobloudění, odpadlictví **2** zvrhlost, úchylnost, perverze zejm. sexuální

perversity [pə|və:səti] (*-ie-*) zvrhlost, zrůdnost, zvrácenost; zarytost, zavilost, zatvrzelost; protipřirozenost, úchylnost, perverzita, perverze, perverznost

perversive [pə|və:siv] **1** kazící, svádějící ke zlému, působící zvrhlost n. zvrácenost **2** úchylný, perverzní (~ *behaviour* perverzní chování)

pervert *v* [pə|və:t] **1** svést ke zlému, odvrátit od pravé cesty, z|kazit (~ *youth*) **2** zvráceně používat, zneužívat čeho (*the idea is one that may easily deteriorate or be* ~*ed* jde o myšlenku, která může snadno zdegenerovat nebo které se dá snadno zneužít) **3** překroutit, obrátit smysl čeho (~*s some evidence and omits the rest* některé svědectví překrucuje a jiné nebere vůbec v úvahu) ● *s* [pə:və:t] **1** odpadlík **2** zvrhlík, perverzní člověk; homosexuál ● *adj* [pə:və:t] zvrhlý, nepřirozený, úchylný, perverzní (*a still more* ~ *form of behaviour* ještě perverznější chování)

pervertible [pə|və:tibl] zkazitelný, odvratitelný od správné cesty

pervious [pə:vjəs] **1** propustný, prostupný, proniknutelný (~ *soil*) **2** přístupný *to* čemu (~ *to reason and the logic of facts*)

perviousness [pə:vjəsnis] **1** propustnost, prostupnost, proniknutelnost **2** přístupnost

Pesach [pei|sa:k] židovské velikonoce, pesach

peseta [pə|seitə] peseta jednotka měny ve Španělsku; mince této hodnoty

pesewa [pə|sewə] pesewa jednotka měny v Ghaně

Peshawar [pə|šo:ə] Péšávár město v Pákistánu

Peshito [pə|ši:təu], **Peshitta** [pə|ši:tə] Pešitto základní syrská verze Starého a Nového zákona

peshwa [peišwa:] hist. maráthský dědičný panovník

pesky [peski] (*-ie-*) hovor. ohavný, hnusný (*a* ~ *train*); otravný, tíživý (*a* ~ *decorating problem*)

peso [peisəu] peso jednotka měny v iberoamerických státech; mince této hodnoty

pessary [pesəri] (*-ie-*) med. pesar

pessimism [pesimizəm] pesimismus, škarohlídství, chmurný pohled

pessimist [pesimist] pesimista, škarohlíd

pessimistic [ˌpesi|mistik] pesimistický, škarohlídský

pest [pest] **1** škůdce, škůdci; neřád, otrava, neřádstvo; ~*s, pl* škodlivý hmyz **2** řidč.: dýmějový mor

pester [pestə] neustále obtěžovat, otravovat *with* čím, trápit s, dotírat na čím (~ *people with irritating questions*) *about* s (*my boss got tired of my* ~*ing him about the travel idea*)

pest house [|pestˌhaus] *pl: houses* [hauziz] hist.: morový špitál, lazaret

pesticide [pestisaid] pesticid prostředek k hubení škodlivého hmyzu

pestiferous [pe|stifərəs] **1** hist. morový, nakažený morem (*poor* ~ *creatures begging alms* morem stižení ubožáci žebrající o almužnu) **2** přen. nebezpečný, zhoubný (*one of the most* ~ *forms of calumny* jedna z nejnebezpečnějších forem pomluvy), škodlivý (~ *vermin*) **3** přen. obtížný, otravný (*a* ~ *old gentleman*)

pestilence [pestiləns] hist. morová rána; dýmějový mor

pestilent [pestilənt] **1** zhoubný, ničivý, hubivý, jedovatý, smrtonosný (*a* ~ *land where people died like flies*), též přen. (~ *heresies* zhoubná kacířstva) **2** hovor. obtížný, otravný, dotěrný **3** hromadně nakažlivý, přenosný, sdělný, infekční (*an antidote to a* ~ *disease* lék proti infekční chorobě)

pestilential [ˌpesti|lenšəl] **1** morový, působící mor (*a* ~ *malignancy in the air* morová zhouba ve vzduchu); nakažlivý, sdělný, přenosný, infekční (~ *diseases*) **2** zhoubný, škodlivý, jedovatý (~ *libels* jedovaté nactiutrhání) **3** hovor. otravný, ob-

tížný, dotěrný (*the ~ nuisances who write for autographs* dotěrní otravové, kteří si píší o autogramy)
pestle [pesl] *s* palička moždíře; tlukadlo, tlouk, tlouček; lékárnická těrka ● *v* tlouci, rozmělňovat, třít paličkou atd.
pestology [pes|tolədži] nauka o škodlivém hmyzu a jeho potírání
pet[1] [pet] *s* **1** mazel, mazlík, mazánek; mazlíček, miláček (*teacher's ~*) **2** domácí zvíře, ochočené zvíře, zvířecí kamarád ● *adj* **1** ochočený (*~ pig*), týkající se domácích zvířat; domácí, zdomácnělý **2** oblíbený (*~ students*), zamilovaný (*~ theories*) ◆ *~ aversion* co může kdo nejméně vystát, k čemu cítí největší odpor (*cowboy films are her ~ aversion* kovbojky jsou jí trnem v oku); *~ name* hypokoristikon, domácký tvar, důvěrná přezdívka, zdrobnělina; *~ service* = *~ transport*; *~ shop* obchod s domácím zvířectvem; *~s' hospital* veterinární nemocnice; *~ transport* doprava domácích zvířat ● *v* (*-tt-*) **1** hýčkat, laskat, mazlit se s (*silly women ~ting their poodles*) **2** mazlit se, miliskovat | se, muckat | se, muchlat | se, cicmat | se objímat osobu druhého pohlaví (*a girl is more popular with boys if she ~s*) ◆ *~ting party* AM mejdan při němž se mazlí chlapci s děvčaty
pet[2] [pet] *s* záchvat uraženosti n. otrávenosti, rozmar, špatná nálada, dopal ◆ *be in ~* být otrávený n. uražený, mít špatnou náladu, mít dopal, vztekat se; *take (the) ~* urazit se, otrávit se, nafouknout se vztekle (*take the ~ in a case of failure and go off in disgust* při neúspěchu se urazit a znechuceně odejít) ● *v* (*-tt-*) zast. **1** urazit se **2** mít špatnou náladu
petal [petl] bot.: korunní plátek; *~s, pl* petala, korunní plátky
petala [petələ] v. *petalon*
petal(l)ed [petld] bot.. plátečný
petaline [petəlain] bot. plátečný; plátkovitý
petaloid [petəloid] bot. plátkovitý, petaloidní
petalon [petələn] *pl: petala* [petələ] zlatá destička na mitře židovského velekněze
petalous [petələs] bot. mající plátky
petard [pi|ta:d] **1** petarda, malá ruční puma; třaskavka, rozbuška **2** druh ohňostrojné rakety ◆ *hoist by / with his own ~* přen. kdo jinému jámu kopá, sám do ní padá, chycený do vlastní pasti
petasus [petəsəs] antic.: nízký plstěný klobouk se širokou střechou; křídlatý klobouk boha Herma
petaurist [pi|to:rist] zool. poletuška, petaurista
petcock [petkok] odvzdušňovací n. odvodňovací kohout; odlehčovací ventil; dekompresní ventil
Pete [pi:t] Péťa, Petřík ◆ *for ~s sake!* pro všechno na světě!
Peter[1] [pi:tə] Petr ◆ *blue p~* mezinár. signal. kódová vlajka oznamující odplutí lodi; *~ principle* teorie, že zaměstnanec je povyšován, až dosáhne úrovně svých neschopností; *rob ~ to pay Paul* vyrážet klín klínem
peter[2] [pi:tə] karty *s* znamení partnerovi, aby vynesl trumf ● *v* naznačit partnerovi, že má vynést trumf
peter[3] [pi:tə] : *~ **out** **1*** ztratit se, vytratit se do ztracena, vymizet, rudná žíla dojít *2* přen. doklepat
peterman [pi:təmən] *pl: -men* [-mən] BR řidč. slang. kasař
Peter Pan [|pi:tə|pæn] **1** mladíček, zelenáč jako hrdina hry J. M. Barrieho (*he is the ~ of politics*) **2** *p~ p~* malý kulatý bílý límeček, bubi límeček na dětských n. dámských šatech
Peter penny [|pi:tə|peni] = *Peter's penny*
Petersburg [pi:təzbə:g] Petrohrad, Petěrburk
petersham [pi:təšəm] **1** hrubá vlněná tkanina, silný flauš **2** svrchník n. kalhoty z této látky **3** hedvábná rypsová stuha, rypsovka
Peter's penny [|pi:təz|peni], **Peter's pence** [|pi:təz|pens] (svato)petrský haléř
pethidine [peθidi:n] druh analgetika
petiolar [petiəulə] bot. řapíkový
petiolate [petiəulit] bot. řapíkový, jsoucí s řapíkem
petiole [petiəul] bot. řapík
petit [pə|ti:] : *~ four* malá polévaná sušenka, dekorativní čajové pečivo; *~ mal* malý záchvat epilepsie, absence, petit mal; *~ point* stanový steh vyšívací; *~s soins, pl* drobné pozornosti; *~ souper* soukromá přátelská večeře; *~ verre* sklenička likéru, drink
petit bourgeois [pə|ti:|bəžwa:] = *petty bourgeois*
petite [pə|ti:t] žena útlá, drobná, křehká ale s krásnou postavou
petite bourgeoisie [pə|ti:t|buəžwa|zi:] = *petty bourgeoisie*
petitio [pi|tišiəu] : *~ principii* log.: logická chyba důkazu, vznikající tak, že se mlčky předpokládá to, co se má dokázat
petition [pi|tišən] *s* naléhavá prosba (*our ~ in the litany against sudden death* naše prosba v litaniích o vysvobození od nenadálé smrti); písemná žádost, petice zejm. vladaři; návrh, stížnost soudu, žaloba ◆ *P~ and Advice* BR hist.: protest parlamentu Cromwellovi r. 1657; *~ for clemency* žádost o milost; *file one's ~ for bancruptcy* ohlásit úpadek / konkurs; *make a ~* zažádat, podat žádost; *P~ of Rights* BR hist.: petice, kterou r. 1628 předložil parlament Karlu I. a ve které žádal zachování zákonů a ochranu občanských práv ● *v* po|prosit, za|žádat zejm. uctivě *for* o *to do a t.* aby, podat petici (*the right of the people to ~ the government for a redress of grievances* právo národa žádat vládu o nápravu zlořádů)
petitionary [pi|tišənəri] **1** petiční, týkající se žádostí (*the ~ procedure*) **2** zast. prosící (*say no to a poor ~ rogue* odmítnout ubohého prosebníka)
petitioner [pi|tišnə] **1** žadatel, prosebník **2** navrhovatel, žalobce
petit-maitre [pə|ti:|meitə] hejsek, švihák, dandy
petits-chevaux [pə|ti:šə|vəu] mechanické dostihy, koníčky druh hracího automatu

petits pois [ˌpəti:ˈpwa:] zelený hrášek
pet napping [ˈpetˌnæpiŋ] AM únos n. krádež domácího zvířete
pet napper [ˈpetˌnæpə] AM únosce n. zloděj domácího zvířete
Petrarchan [petra:kən], **Petrarchian** [ˌpetra:ˈkiən] petrarkovský
petrel [petrəl] zool. buřňák ◆ *stormy* ~ *1.* zool. buřňáček *2.* přen. kazimír; bouřlivák
petrifaction [ˌpetriˈfækšən] **1** zkamenění, petrifikování, petrifikace; zkamenělina, fosilie, petrefakt **2** ztuhnutí, ztvrdnutí, zatvrdnutí (*a* ~ *of the artist's soul*)
petrify [petrifai] (-*ie*-) **1** z|kamenět, petrifikovat, fosilizovat **2** z|tuhnout, z|tvrdnout, zkoprnět, strnout (*petrified with fear*) **3** zatvrdnout, zkornatět, zkamenět
Petrine [pi:train] svatopetrský
petrochemical [ˌpetrəuˈkemikəl] *adj* petrochemický ● *s* **1** výrobek z chemického zpracování ropy **2** ~*s, pl* petrochemické závody
petrochemistry [ˌpetrəuˈkemistri] petrochemie
petroglyph [petrəuglif] řezba v kameni, rytina v kameni
petrograph [petrəugra:f] nápis na kameni
petrographer [peˈtrografə] petrograf odborník v petrografii
petrographic(al) [ˌpetrəuˈgræfik(əl)] petrografický
petrography [peˈtrografi] petrografie nauka o horninách
petrol [petrəl] BR benzín ◆ ~ *bomb* amatérsky zhotovená zápalná bomba; ~ *can* plechovka, kanystr na benzín; ~ *drum* sud, barel na benzín n. od benzínu; ~ (*filling*) *station* benzínová stanice, garáž n. servis s čerpadlem, pumpa (hovor.); ~ *piping* benzínové potrubí; ~ *pump* benzínové čerpadlo, benzinová pumpa (hovor.); ~ *ticket* / *voucher* poukázka na benzín
petrolatum [ˌpetrəˈleitəm] AM vazelína z ropy
petroleum [piˈtrəuljəm] ropa; nafta ◆ ~ *jelly* vazelína z ropy; ~ *pipeline* ropovod
petroleur [ˌpetrəuˈlə:] petrolejník žhář užívající petroleje
petrolic [peˈtrolik] ropný, naftový, benzínový
petrologic(al) [ˌpetrəuˈlodžik(əl)] petrologický, petrografický týkající se petrologie
petrologist [peˈtrolədžist] petrolog odborník v petrologii
petrology [peˈtrolədži] petrologie nauka o horninách
petronel [petrənel] hist. jezdecká babitka
petronella [ˌpetrəˈnelə] skotský lidový tanec
petrophytes [petrəfaits] *pl* bot. rostliny skalní, petrofyty
petrous [petrəs] **1** tvrdý jako kámen **2** anat. skalní
petticoat [petikəut] **1** spodnička **2** ~*s, pl* dětské sukýnky, chlapecké šatičky se sukýnkou (*I have known him since he was in* ~*s* znám ho od dětských střevíčků) **3** žena, ženská, „sukně" (*can't do business with a* ~ *in the room*) **4** námoř. stěžňový límec ● *adj* ženský ◆ ~ *government* nadvláda žen, muži pod pantoflem
petticoated [petikəutid] ženský, jsoucí v sukních (*a lady who was the* ~ *image of her admirable ancestor* dáma, která byla ženskou podobou svého podivuhodného předka)
petticoatless [petikəutlis] **1** nenosící sukně (*men declare that the* ~ *female has unsexed herself and left her modesty behind* muži prohlašují, že žena, která nenosí sukně, se zbavila sama ženství a odložila stud) **2** přen.: jsoucí bez žen (*Mamie is perhaps the best petticoat among Mr Stevenson's rather* ~ *tales*)
pettifog [petifog] (-*gg*-) **1** právník mít bezvýznamnou praxi, vést bezvýznamnou při **2** hádat se o slovíčka, kličkovat mezi paragrafy
pettifogger [petifogə] **1** pokoutní advokát, šejdíř **2** kdo využívá různých fint, kdo se hádá o slovíčko, pedant **3** malý neseriózní pracovník, břídil, žabař, hudlař
pettifoggery [petifogəri] **1** podvodná, pokoutní advokacie **2** kličkování mezi paragrafy; právnické finty, triky, úskoky, hejble
pettifogging [petifogiŋ] **1** bezvýznamný, malicherný, triviální, banální **2** v. *pettifog*
pettiness [petinis] **1** malost, drobnost, podružnost, druhořadost **2** malichernost, zbytečnost, bezvýznamnost, banalita
pettish [petiš] náladový, rozmarný, urážlivý; nedůtklivý, netýkavý; otrávený, nabručený, nasupený
pettishness [petišnis] náladovost, rozmarnost; urážlivost, nedůtklivost; otrávenost, nabručenost, nasupenost
pettitoes [petitəuz] *pl* **1** kuch. vepřové nožičky **2** dětské nožičky, tlapičky
pettle [petl] SC laskat, mazlit se s
petto [petəu] : *in* ~ tajně, soukromě, neveřejně, pro sebe
petty[1] [peti] **1** drobný, malý, menší (*a primary agrarian society of* ~ *producers*) **2** malicherný, zbytečný, bezvýznamný, triviální, banální (~ *principles* triviální, banální (~ *principles* triviální zásady) ◆ ~ *cash* drobné příjmy / výdaje, drobná hotovost; ~ *dancers* řidč. polární záře; ~ *goods* = ~ *wares;* ~ *jury* dvanáctičlenná porota; ~ *larceny* drobná krádež; ~ *offence* drobný přestupek; ~ *officer* námořní poddůstojník, staršina vojenského námořnictva; ~ *sessions* práv. jednání smírčího soudu bez poroty; ~ *wares* text. krátké zboží; ~ *whim* bot. *1.* kručinka anglická *2.* jehlice rolní
petty[2] [peti] hovor. spodnička (*nylon stockings and*

sticky-out ~*s* nylonky a dole čouhající spodničky)
petty bourgeois [ˌpetiˈbuəžwa:] *adj* maloměšťácký ● *s* maloměšťák
petty bourgeoisie [ˌpetiˌbuəžwa:ˈzi:] maloměšťáci
petulance [petjuləns] netrpělivost, nedůtklivost, urážlivost, netýkavost, netýkavkovitost
petulant [petjulənt] netrpělivý, nedůtklivý, urážlivý, netýkavý, netýkavkovitý
petunia [piˈtju:njə] bot. petúnie; v přívlastku tmavofialový jako petúnie
petuntse [piˈtuntsi] čínský kámen jehož rozemletím vzniká bílá hlína na výrobu čínského porcelánu
pew [pju:] *s* **1** kostelní lavice **2** hovor. posaz, sezení, místo k sezení, židle ◆ *take a* ~ hovor. posaďte se u nás ● *v* dát kostelní lavice do; zavřít do lavice
pewage [pju:idž] nájemné za kostelní lavici
pewit [pi:wit] **1** čejka; čejčí hýkot **2** též ~ *gull* zast. racek chechtavý
pewless [pju:lis] jsoucí bez kostelních lavic
pew opener [ˈpju:ˌəupnə] kostelní ceremoniář, uvaděč, pořadatel
pew rent [pju:rent] nájemné za kostelní lavici
pewter [pju:tə] **1** starý cín, cínové nádobí, cínová konvice **2** odb. cínová slitina cínu s olovem **3** BR slang. stříbro, podíl z kořisti ze zajaté lodi; hrnec, pohár sportovní trofej ◆ *scour the* ~ udělat svou práci pořádně
peyote [peiˈəuti] **1** bot.: kaktus *Lophophora williamsii* **2** chem. meskalin alkaloid
pfennig [*p*fenig], **pfenning** [*p*feniŋg] fenik setina marky; drobná mince této hodnoty
Phaethon [feiəθən] **1** mytol. Faethon syn boha slunce Hélia **2** *p*~ zool. faeton tropický mořský pták ◆ ~ *bird* labuť
phaeton [feitn] faetón lehký čtyřkolový kočár
phaged(a)ena [ˌfædžiˈdi:nə] med. rozežiravý vřed
phaged(a)enic [ˌfædžiˈdi:nik] rozežiravý, týkající se rozežiravého vředu
phagocyte [fægəsait] biol. fagocyt buňka schopná pohlcovat cizorodé částice
phalange [fælændž] v. *phalanx*
phalangeal [ˌfəlænˈdži:əl] článkový, týkající se článku prstu
phalanger [fəˈlændžə] zool. kuskus skvrnitý
phalanges [fæˈlændži:z] v. *phalanx*
phalansterian [ˌfælənˈsti:əriən] *adj* falangistický týkající se falang zakládaných Fourierem, fourieristický ● *s* **1** fourierista stoupenec utopického socialisty C. Fouriera **2** člen fourierovské falangy, falangista
phalanstery [fælənstəri] (*-ie-*) budova socialistické falangy podle Fouriera
phalanx [fælæŋks] *pl* též *phalanges* [fæˈlændži:z] **1** falanx, falanga sevřený šik bojovníků; základní jednotka utopistické společnosti podle Fourierova učení **2** článek prstu, falanx **3** bot. androeceum, soubor tyčinek
phalarope [fælərəup] zool. lyskonoh
phalli [fælai] v. *phallus*
phallic [fælik] falický týkající se falu
phallicism [fælisizəm], **phallism** [fælizəm] uctívání plodivé síly přírody zejm. symbolizované falem
phallus [fæləs] *pl* též *phalli* [fælai] **1** pyj **2** falos, falus zobrazení pyje
phanariot [fəˈnæriət] fanariot člen řecké vládnoucí vrstvy pod tureckou nadvládou; obyvatel čtvrti Fanar v Cařihradu
phanerogam [fænərə*u*gæm] bot. jevnosnubná rostlina, fanerogram
phanerogamic [ˌfænərəuˈgæmik], **phanerogemes** [ˌfænəˈrogəməs] bot. jevnosnubný
phano [fænəu], **phanon** [fænən] = *fanon*
phansigar [fænsiga:] thag člen fanatické indické organizace vrahů
phantasm [fæntæzəm] **1** přelud, přízrak, vidina, fantóm, fantazma **2** zjevení např. zemřelého **2** iluze (*all this is a mere* ~)
phantasma [fænˈtæzmə] = *phantasm, 1*
phantasmagoria [ˌfæntæzməˈgo:riə] fantazmagorie fantastická vidina; rychle se měnící obraz; kouzelné obrazy vyvolávané pomocí optických přístrojů v Londýně r. 1802
phantasmagoric [ˌfæntæzməˈgorik] fantasmagorický
phantasmal [fænˈtæzməl], **phantasmic** [fænˈtæzmik] přízračný, přeludný, fantomatický
phantast [fæntæst] = *fantast*
phantasy [fæntəsi] (*-ie-*) = *fantasy*
phantom [fæntəm] *s* **1** fantóm, přelud, přízrak, zjevení, vidina (*glittering* ~*s of wealth and fashion* třpytivé vidiny bohatství a módnosti); děsivý přízrak, strašidlo, bubák (*the* ~ *of the Holy War has been exorcised* strašidlo „svaté války" bylo zažehnáno) **2** pouhý stín, zdání (*maintain but the* ~ *of authority*) ● *adj* **1** strašidelný (*a* ~ *ship*) **2** domnělý, iluzorní, neexistující (~ *pregnancy* domnělé těhotenství) **3** neviditelný (*a* ~ *army*) **4** vymyšlený (~ *voters* vymyšlení voliči) **5** nominální (~ *leader*) **6** loutkový (*a* ~ *regime*) ◆ ~ *limb pains* bolest v amputovaném údu; ~ *order* voj. smlouva o válečné výrobě uzavřená už v míru; ~ *tumor* med. výduť otok u hysterických osob
Pharaoh [feərəu] farao, faraón ◆ ~*'s serpent* chemická hračka vydávající hadovitý popel
Pharisaic [ˌfæriˈseiik] **1** bibl. farizejský **2** = *pharisaical*
pharisaical [ˌfæriˈseiikəl] pokrytecký, licoměrný
Pharisaism [færiseiizəm] farizejství; pokrytectví, licoměrnost
Pharisee [færisi:] farizej, farizeus příslušník starožidovské náboženské strany; farizej, pokrytec, licoměrník
pharmaceutical [ˌfa:məˈsju:tikəl] *adj* farmaceutický týkající se farmacie ● *s* ~*s, pl* léky, léčiva
pharmaceutics [ˌfa:məˈsju:tiks] *sg* farmacie
pharmacist [fa:məsist] farmaceut, lékárník, magistr farmacie
pharmacologist [ˌfa:məˈkolədžist] farmakolog odborník ve farmakologii

pharmacology [ˌfa:məˈkolədži] farmakologie nauka o účincích léčiv
pharmacopoeia [ˌfa:məkəˈpi:ə] lékopis, farmakopéa; seznam léčiv; léky, zásoba / sbírka léků, lékárna
pharmacopoeial [ˌfa:məkəˈpi:əl] lékopisný
pharmacy [fa:məsi] (*-ie-*) **1** farmacie, lékárnictví **2** lékárna; lékárnička; sklad léčiv, výdejna léků
pharos [feəros] **1** zast. maják **2** světlo, lampa, lodní lucerna
pharyngal [fəˈriŋgəl], **pharyngeal** [ˌfærinˈdži:əl] hltanový, faryngální
pharyngitis [ˌfærinˈdžaitis] zánět hltanu, faryngitis, faryngitida
pharyngocele [fəˈriŋgəusi:l] zvětšení hrtanového úseku hltanu
pharyngotomy [ˌfæriŋˈgotəmi] chirurgický řez hltanu
pharynx [færiŋks] *pl* též pharynges [fæˈrin*dž*i:z] hltan, farynx
phase [feiz] *s* **1** fáze stav osvětlení měsíčního kotouče; časový úsek; okamžitý stav **2** stadium, etapa, vývojový stupeň, vývojové období **3** skupenství (*water exists in the solid ~ as ice*) ♦ *~ in | out of with* pracující | nepracující současně s, jdoucí | nejdoucí ruku v ruce s ● *v* provádět postupně, fázovat, rozvrhnout na dílčí úseky n. postupy, odstupňovat (*closures of mines should be ~d* zavírání dolů by se mělo provádět postupně) ***phase down*** postupně z|redukovat (*~ down an operation*) ***phase in*** postupně zavést ***phase out*** postupně vyřadit z činnosti (*the shipyard is to be ~d out toward the end of the year*)
phased [feizd] **1** postupný (*a ~ withdrawal* postupný odsun) **2** v. *phase, v*
phase-down [feizdaun] postupná redukce programu n. akce
phase-out [feizaut] postupné vyřazení z činnosti
phasic [feizik] fázový
pheasant [feznt] **1** bažant **2** na jihu Spojených států tetřívek
pheasant-eyed [ˌfezntˈaid] květ očkový, jsoucí s kresbou oček
pheasantry [fezntri] (*-ie-*) bažantnice
pheasant's eye [ˌfeznts ˈai] bot. **1** druh hlaváčku **2** narcis bílý ♦ *~ pink* bot. hvozdík pernatý
phenacetin [fiˈnæsitin] chem. fenacetin
phenazocine [fəˈnæzəsən] lékár.: druh účinného analgetika
Phenicia [fiˈnišiə] = *Phoenicia*
Phenician [fiˈnišiən] = *Phoenician*
phenobarbitone [fiˌnə*u*ˈba:bitəun] lékár. luminal uspávající a uklidňující prostředek
phenol [fi:nol] chem. fenol
phenological [ˌfi:nəˈlodžikəl] bot., zool. fenologický vztahující se k fenologii
phenology [fəˈnolədži] fenologie nauka o závislosti životních projevů živočichů a rostlin na ročních obdobích a změnách počasí, event. jejich životních projevů
phenomena [fəˈnominə] v. *phenomenon*
phenomenal [fəˈnominəl] **1** jevový, ukazový, týkající se fenoménu **2** mimořádný, značný, pozoruhodný, markantní; neobyčejný, vynikající, fenomenální
phenomenalism [fəˈnominəliz*ə*m] filoz. fenomenalismus
phenomenalist [fəˈnominəlist] filoz. fenomenalista
phenomenalistic [fəˌnominəˈlistik] fenomenalistický
phenomenism [fəˈnominiz*ə*m] = *phenomenalism*
phenomenist [fəˈnominist] = *phenomenalist*
phenomenistic [fəˌnomiˈnistik] = *phenomenalistic*
phenomenology [fəˌnomiˈnolədži] filoz. fenomenologie
phenomenon [fəˈnominən] *pl: phenomena* [fəˈnominə] **1** jev, úkaz **2** fenomén objektivní realita, jak se jeví naší zkušenosti; neobyčejný zjev (*a ~ at tennis*)
phenotype [fəˈnə*u*taip] fenotyp souhrn všech znaků a vlastností zjistitelných na určitém jedinci
phenotypic [ˌfi:nəuˈtipik] fenotypický
phenyl [fiˈnil] chem. fenyl
pheon [fi:ən] herald. hrot široké střely; široká střela
phew [f, v četbě fju:] uff, pff, fi, fí citoslovce označující netrpělivost n. nelibost
phi [fai] fí řecké písmeno φ
Phi Beta Kappa [ˌfaiˌbeitəˈkæpə] Phi Beta Kappa AM společnost, jejíž členové absolvovali vysokoškolská studia s mimořádným úspěchem
Phi Bete [ˌfaiˈbi:t] AM škol. slang. *s* člen společnosti Phi Beta Kappa ● *v: phi-bete* šprtat, dřít, biflovat
phial [faiəl] fióla; lahvička, lékovka; ampulka
philander [fiˈlændə] **1** flirtovat, koketovat; milkovat se **2** muž být holkař, chovat se záletně, běhat za ženskými, zanášet manželce
philanderer [fiˈlændərə] záletník, donchuán, holkař
philanthrope [filənθrəup] = *philanthropist*
philanthropic [ˌfilənˈθropik] dobročinný (*~ foundation*); lidumilný, lidský, filantropický (*~ sympathy for the cause of the slave* lidská sympatie k údělu otroka)
philanthropism [ˌfilənˈθropiz*ə*m] filantropismus, filantropie
philanthropist [fiˈlænθrəpist] filantrop, filantropista
philanthropize [fiˈlænθrəpaiz] **1** pěstovat filantropii **2** udělat z koho předmět lidumilné péče (*we look jealously at these attempts to ~ women* žárlivě sledujeme pokusy udělat z žen předmět lidumilné péče)
philanthropy [fiˈlænθrəpi] (*-ie-*) **1** lidumilnost, filantropie **2** dobročinnost, dobročinný skutek (*among his philanthropies were full tuition scholarships for deserving students* mezi jeho dobročinnosti se počítají úplná studijní stipendia pro studenty, kteří si je zaslouží); dobročinná organizace

philatelic [ˌfiləˈtelik] filatelistický (~ *organizations*)
philatelist [fiˈlætəlist] filatelista
philately [fiˈlætəli] **1** filatelie **2** filatelisté
philharmonic [ˌfilha:ˈmonik] *adj* **1** zast. milující hudbu **2** filharmonický; symfonický ◆ ~ *orchestra* velký symfonický / filharmonický orchestr, filharmonie; *new ~ pitch* komorní a / tón ● *s* **1** zast. člověk milující hudbu **2** velký symfonický orchestr, filharmonie (*he served as a guest conductor for the ~* působil jako pohostinský dirigent u ...); filharmonický koncert
philhellene [filˈheli:n] *adj* milující a uctívající Řecko, filhelénský (*more ~ than the Greeks themselves*) ● *s* člověk milující Řecko, helénofil (*an almost fanatical ~, fluent in both ancient and modern Greek*); filhelén
philhellenic [ˌfilheˈli:nik] filhelénský podporující boj Řeků pod tureckou nadvládou za nezávislost
philhellenism [filˈhelinizəm] láska k Řecku, helénofilství (*literary ~ from Shakespeare to Byron*); filhelénství
philhellenist [ˌfilheˈli:nist] = *philhellene, s*
philibeg [filibeg] = *filibeg*
Philippi [fiˈlipai] Filippy ◆ *thou shall see me at ~ / we shall meet at ~* sejdeme se u Filipp při vhodné příležitosti se vypořádáme
philippic [fiˈlipik] **1** filipika, prudká bojovná řeč **2** *~s, pl* Filipiky Démosthénovy řeči proti Filipu Makedonskému; Ciceronovy řeči proti Antoniovi
philippina [ˌfiliˈpi:nə], **philippine** [filipi:n] **1** ořech s dvěma jádry; dvojité jádro **2** společenská hra dvojic, v níž je zástavou jádro ořechu n. mandle
Philippino [ˌfiliˈpi:nəu] Filipínec
Philistian [fiˈlistiən] bibl. filištínský
Philistine [filistain] *s* **1** bibl. Filištín **2** žert. komu se kdo dostane do spárů, úhlavní nepřítel, katan **3** filistr, šosák, buržoa (*the ~ wants to talk about morals, not to understand what is morally wrong*) **4** ignorant, nevzdělanec (*a course designed to bring ~s to literature* kurs určený k tomu, aby se i nevzdělanci dostali k literatuře) ● *adj* **1** bibl. filištínský **2** šosácký, přízemní, buržoustský (hanl.) (*bringing the gospel of culture to a ~ world* šosáckému světu přinést kulturní evangelium) **3** ignorantský, nechápavý (*the old familiar theme of the misunderstood genius at war with ~ society*); nezasvěcený (*my attitude toward the ballet, which is ~ and ignorant* můj vztah k baletu, který je nezasvěcený a nepoučený)
Philistinism [filistinizəm] šosáctví, filistrovství, přízemnost (*his protest against the ~ of bourgeois values*)
phillumenist [fiˈlu:minist] filumenista
phillumeny [fiˈlu:mini] filumenie
philobiblic [ˌfiləˈbiblik] milující knihy
philodendron [ˌfiləˈdendrən] bot. filodendron
philogynist [fiˈlodžinist] kdo je nakloněn ženám, přítel žen, milovník žen (opak misogyna)
philogyny [fiˈlodžini] láska k ženám, záliba v ženách
philologian [ˌfiləˈlodžiən] filolog; jazykovědec, lingvista
philological [ˌfiləˈlodžikəl] filologický; jazykovědný, lingvistický
philologist [fiˈlolədžist] **1** filolog; lingvista **2** řidč. učenec, literát, klasický filolog
philologize [fiˈlolədžaiz] filologizovat, učinit pomocí filologie, studovat filologii
philology [fiˈlolədži] **1** filologie; lingvistika **2** řidč. láska k literatuře
philomath [filəmæθ] **1** vědychtivý člověk, zejm. milující matematiku **2** astrolog
Philomel [filəmel], **Philomela** [ˌfiləuˈmi:lə] bás. filomela, slavík
philopena AM, **philopoena** [ˌfiləˈpi:nə] = *philippina*
philoprogenetive [ˌfiləprəˈdženitiv] **1** plodný, rozmnožující se **2** týkající se lásky k svému potomstvu (*the ~ instinct*)
philoprogenetiveness [ˌfiləprəˈdženitivnis] láska k dětem n. potomstvu
philosopher [fiˈlosəfə] filozof ◆ *natural ~* fyzik; *~s' stone* kámen mudrců proměňující kovy ve zlato
philosophic [ˌfiləˈsofik] filozofický týkající se filozofie
philosophical [ˌfiləˈsofikəl] **1** filozofický v názvech společností apod. (*P~ Society, P~ Transactions*) **2** moudrý, hloubavý, rozumový, vyrovnaný, klidný, filozofický
philosophism [fiˈlosəfizəm] hanl. filozofírování, mudrování zejm. francouzských encyklopedistů
philosophist [fiˈlosəfist] mudrlant, filozof, „moudrá hlava" (iron.)
philosophize [fiˈlosəfaiz] **1** filozofovat, uvažovat z filozofického hlediska, zpracovat do filozofického systému **2** filozofírovat, mudrovat
philosophy [fiˈlosəfi] (*-ie-*) **1** filozofie; moudrost, životní filozofie **2** filozofický klid, duševní vyrovnanost **3** základní principy; vědecká metodika **4** vědy zejm. přírodní ◆ *~ of life* životní filozofie / názor; *moral ~* etika; *natural ~* fyzika
philter, philtre [filtə] nápoj lásky
phiz [fiz] BR hovor. kukuč obličej; výraz obličeje
phizgig [fizdžig] hovor. **1** žena předstírající mládí **2** zvlhlý prach střelný
phizog [fizog] hovor. = *phiz*
phlebitic [fliˈbitik] týkající se zánětu žíly; stižený zánětem žil (*a ~ leg*)
phlebitis [fliˈbaitis] med. flebitida, tromboflebitida, zánět žíly
phlebolite [fli:bəlait], **phlebolith** [fli:bəliθ] med. vápenitá sraženina v žíle
phlebolitic [ˌfli:bəˈlitik] týkající se vápenité sraženiny v žíle

phlebotomize [fliˈbotəmaiz] pustit žilou odebrat část krve
phlebotomy [fliˈbotəmi] (*-ie-*) puštění žilou
phlegm [flem] **1** flegma, flegmatičnost, chladnokrevnost, netečnost, lhostejnost **2** hlen
phlegmatic [flegˈmætik] flegmatický, chladnokrevný, netečný, lhostejný
phlegmon [flegmən] flegmóna, hnisavý zánět, vřed
phlegmonic [flegˈmonik], **phlegmous** [flegməs] flegmózní
phlegmy [flemi] hlenový, hlenovitý (~ *cough* hlenovitý kašel)
phloem [fləuem] bot. lýko, floém
phlogistic [floˈdžistik] **1** flogistický, flogistonový, týkající se flogistonu **2** med. zánětový, týkající se zánětu (~ *process in the pericardium* zánětlivý proces v perikardiu)
phlogiston [floˈdžistən] flogiston domnělá součást hořlavých látek
phlorizin [floˈraizin] chem.: hořká látka získávaná z kůry kořenů jabloní, hrušní apod.
phlox [floks] bot. plaménka, flox
phobia [fəubjə] fobie, chorobná bázeň, úzkost, obava
phobic [fəubik] **1** týkající se fobie, pramenící z chorobné bázně **2** biol.: pohyb vyvolaný strachem, fobický
Phoebe [fi:bi] bás. luna
Phoebus [fi:bəs] **1** mytol. Foibos, Fébus příjmení boha Apollóna jakožto boha (slunečního) světla **2** bás. slunce
Phoenicia [fiˈnišiə] Fénicie, Foinikie starověká země
Phoenician [fiˈnišiən] *adj* fénický, foinický ● *s* Féničan
phoenix [fi:niks] **1** mytol. fénix báječný pták, který se spalováním obrozoval; pták ohnivák **2** ideál, fenomén, vzor, výkvět (*seeing the* ~ *of modern culture throw herself away on a man unworthy of her*)
phon [fon] fyz. fón jednotka hlasitosti
phonate [fə*u*ˈneit] vydávat / tvořit hlas
phonation [fə*u*ˈneišən] med., fyz. fonace vydávání / tvoření hlasu
phonatory [fəunətəri] fonační týkající se fonace
phonautograph [fə*u*ˈno:təgra:f] fonautograf přístroj k zapisování chvění zvučících těles
phone[1] [fəun] hovor. *s* telefon, telefonní sluchátko ◆ *be on the* ~ *1.* mít doma telefon *2.* právě telefonovat ● *v* též ~ *up* zazvonit, brnknout, za|volat telefonem, za|telefonovat
phone[2] [fəun] jaz. hláska
phone booth [fəunbu:ð] telefonní budka, telefonní automat
phoneme [fəuni:m] jaz. foném, fonéma významotvorná hláska v jazyce
phonemic [fə*u*ˈni:mik] jaz. *adj* fonematický, fonémický ● *s* ~*s, pl* fonologie nauka o fonémech
phonendoscope [fə*u*ˈnendəskəup] med. fonendoskop druh auskultačního sluchátka
phonetic [fə*u*ˈnetik] *adj* fonetický týkající se fonetiky (~ *texts*); zvukový (~ *symbols*); hlasový, slovní ● *s:* ~*s, pl* **1** fonetika; hláskosloví **2** fonetická transkripce (*thru is pretty fair* ~)
phonetician [ˌfəuniˈtišən] fonetik odborník ve fonetice
phone-in [ˌfəunˈin] AM = *call-in*
phoneticism [fəuˈnetisizəm] fonetická hodnota, fonetický systém; fonetický pravopis
phoneticist [fə*u*ˈnetisist] zastánce fonetického pravopisu
phoneticize [fə*u*ˈnetisaiz] foneticky transkribovat, fonetizovat, psát přiměřeně k zvukové podobě
phonetism [fə*u*ˈnetizəm] fonetická transkripce; převedení do fonetického pravopisu
phonetist [fəunitist] **1** fonetik **2** zastánce fonetického pravopisu
phoney [fəuni] AM slang. *adj* padělaný, falešný, podezřelý, vymyšlený; dělaný, strojený, předstíraný (*a perpetually* ~ *front of good fellowship* stále stejná vnější fasáda dobrého kamarádství) ● *s pl* též *phonies* [fəuniz] **1** co je falešného n. předstíraného, falzifikát (*this letter is a* ~) **2** bouda, šaškárna (*this political issue is a* ~ *if there ever was one*) **3** kdo něco předstírá, falešný člověk, šarlatán **4** tajtrlík, šašek, panák, snob, káča (*I spent the whole night necking with a terrible* ~ *named Anne Louise Sherman* celou noc jsem strávil mazlením s příšernou káčou jménem Anne Louise Shermanová)
phonic [fəunik] **1** zvukový, akustický **2** fonetický
phonogram [fəunəgræm] **1** fonografický zápis, fonogram **2** těsnopisný znak **3** telegram zprostředkovaný telefonicky
phonograph [fəunəgra:f] *s* **1** BR fonograf **2** AM gramofon ● *s* **1** zachycovat fonografem, fonografovat **2** zaznamenat Pitmanovým fonetickým těsnopisem
phonographer [fə*u*ˈnogrəfə] **1** kdo užívá fonografu **2** stenograf užívající Pitmanova fonetického těsnopisu
phonographic [ˌfəunəˈgræfik] **1** fonografický, zapisující zvuk **2** těsnopisný, stenografický
phonography [fə*u*ˈnogrəfi] **1** fonografování, zachycování fonografem **2** Pitmanův fonetický těsnopis
phonolite [fəunəlait] miner. znělec, fonolit
phonologic(al) [ˌfəunəˈlodžik(əl)] fonologický týkající se fonologie
phonologist [fə*u*ˈnolədžist] fonolog odborník ve fonologii
phonology [fə*u*ˈnolədži] jaz. fonologie nauka o fonémech a jejich systému v daném jazyce
phonometer [fə*u*ˈnomitə] fyz. zvukoměr, fonometr
phonopore [fəunəpo:] přístroj umožňující posílat telefonní signál telegrafním vedením
phonoscope [fəunəskəup] fonoskop přístroj k pozorování / předvádění pohybů zvučících těles
phonotype [fəunə*u*taip] polygr. fonetické písmeno, fonetický znak
phonotypical [ˌfəunəˈtipikəl] tištěný foneticky

phonotypist [fəunəutaipist] zastánce fonetického tisku
phonotypy [fəunəutaipi] fonetický tisk, fonotypie
phony [fəuni] = *phoney*
phormium [fo:miəm] bot. novozélandský len
phosgene [fozdži:n] chem. fosgen bojový plyn
phosphate [fosfeit] chem. *s* fosforečnan, fosfát ● *s* hnojit fosfáty
phosphatic [fos'fætik] chem. fosfornatý, obsahující fosfor; fosforečný, fosforečnanový
phosphene [fosfi:n] zrakový vjem, fosfen vjem bezbarvých a barevných světel vyvolaný např. tlakem na oční kouli
phosphide [fosfaid] chem. fosfid
phosphine [fosfain] chem. fosfin, plynný fosforovodík
phosphinic [fos'finik] : ~ *acid* chem. kyselina dialkylfosforná
phosphite [fosfait] chem. fosforitan, fosfit
phosphorate [fosfəreit] chem. fosfatizovat, fosfátovat
Phosphor [fosfo:] básn. jitřenka, Venuše
phosphor bronze ['fosfo:ˌbronz] fosforový bronz
phosphoresce [ˌfosfə'res] světélkovat, fosforeskovat
phosphorescence [ˌfosfə'resns] světélkování, fosforescence
phosphorescent [ˌfosfə'resnt] světélkující, fosforeskující (*the ~ glow of a decaying wood* světélkování hnijícího dřeva)
phosphoric [fos'forik] chem. fosforový; fosforovitý; fosforečný
phosphorism [fosfərizəm] vleklá otrava fosforem
phosphorite [fosfərait] miner. fosforit
phosphorogenic [ˌfosfərə'dženik] vyvolávající světélkování / fosforescenci
phosphorograph [fosfərəgra:f] fosforograf obraz vyvolaný zejm. infračervenými paprsky na fosforeskujícím povrchu
phosphorographic [ˌfosfərə'græfik] fosforografický
phosphorography [ˌfosfə'rogrəfi] pořízení fosforografu
phosphoroscope [fos'forəskəup] fosforoskop přístroj k pozorování fosforescence
phosphorous [fosfərəs] chem. fosforový; fosforovitý; fosfornatý, obsahující fosfor
phosphorus [fosfərəs] chem. fosfor ◆ ~ *necrosis* odumírání čelisti následkem chronické otravy fosforem
phosphuretted [ˌfosfju'retid] sloučený s fosforem
phossy [fosi] : ~ *jaw* hovor. = *phosphorus necrosis*
phot [fot] fyz. phot jednotka světlení
photism [fəutizəm] fotismus vizuální počitek vyvolaný sluchovými, čichovými n. hmatovými podněty n. myšlenkou
photo [fəutəu] hovor. *s* fotka ● *v* vy|fotit, vyblejsknout
photocell [fəutəusel] fotoelektrický článek, fotonka
photochemical [ˌfəutəu'kemikəl] *adj* fotochemický ● *s* chemikálie vyvolaná působením světla
photochromism [fəutəukrəumizəm] schopnost změnit barvu působením světla, světelná citlivost
photochromy [fəutəkrəumi] barevná fotografie
photocopier ['fəutəuˌkopiə] kopírka, kopírovačka přístroj k pořizování fotokopií
photocube [fəutəukju:b] krychle z průhledného plastiku mající za každou stranou fotografii
photo-electric [ˌfəutəui'lektrik] fotoelektrický ◆ ~ *cell* fotonka, fotoelektrický článek
photoengraving [ˌfəutəuin'greiviŋ] polygr. výroba štočků, chemigrafie
photo finish [ˌfəutəu'finiš] při dostihu projetí cílem v těsném sledu takže lze vítěze určit pouze z fotografie
photofission ['fəutəuˌfišən] štěpení fotony
photoflash [fəutəuflæš] fot. bleskové světlo
photoflood [fəutəuflad] přežhavená fotografická žárovka
photogen [fəutəudžen] fotogen těžký benzín
photogenic [ˌfəutəu'dženik] **1** fotogenní, fotogenický, hodící se pro fotografování **2** světélkující
photoglyph [fəutəuglif] fotografická rytina, fotoglyf
photoglyphy [fəu'toglifi] dělání fotografických rytin
photogrammetric [ˌfəutəugrə'metrik] fotogrammetrický
photogrammetry [ˌfəutəu'græmitri] fotogrammetrie metoda sloužící ke konstrukci plánů a map z měřičských snímků
photograph [fəutəgra:f] *s* fotografie, fotografický snímek, obrázek ◆ *take a ~* vy|fotografovat ● *v* **1** vy|fotografovat **2** vypadat na fotografii (*I always ~ badly*)
photographer [fə'togrəfə] fotograf
photographic [ˌfəutə'græfik] fotografický ◆ ~ *print 1.* fotografický snímek, pozitiv *2.* fotokopie
photography [fə'togrəfi] fotografie obor, fotografování, fotografické umění
photogravure [ˌfəutəgrə'vjuə] polygr. hlubotisk
photolithography [ˌfəutəli'θogrəfi] polygr.: kamenotisk a ofset, při čemž je tisková deska zhotovena fotomechanickým procesem
photometer [fə'tomitə] fotomet přístroj na měření intenzity světla
photometric [ˌfəutəu'metrik] fotometrický
photometry [fəutəumetri] fotometrie nauka o měření světelných veličin
photomontage [ˌfəutə'mo:nta:ž] fotomontáž
photomultiplier ['fəutəˌmaltiplaiə] fotonásobič
photomural [ˌfəutəu'mjuərəl] velká zvětšenina jako dekorace na zdi apod.
photon [fəutən] foton kvantum elektromagnetického záření
photoperiodic [ˌfəutəuˌpiəri'odik] bot. fotoperiodický
photophobia [ˌfəutə'fəubjə] med. světloplachost, fotofóbie

photophone [fəutəufəun] fotofon světelný telefon; zařízení pro záznam zvuku na film
photopigment [ˈfəutəˌpigmənt] pigment měnící se působením světla
photorecce [ˌfəutəˈreki] AM voj. slang. průzkum leteckými fotografiemi
photorecording [ˌfəutəriˈko:diŋ] fotozáznam
photoresist [ˌfəutəriˈzist] plastická hmota, jejíž tvrdost se mění působením světla
photoscanner [ˈfəutəˌskænə] přístroj k sledování cesty radioizotopu vyšetřovaným tělem
photosetting [ˈfəutəuˌsetiŋ] polygr. fotosazba
photosphere [fəutəusfiə] fotosféra svítící „povrch" Slunce n. hvězd
photospheric [ˌfəutəuˈsferik] fotosférický
Photostat [fəutəustæt] *s* fotokopie; fotostat fotografický kopírovací přístroj ● *s* ofotografovat, udělat fotokopii z
photosurface [ˌfəutəˈsə:fis] fotosenzitivní povrch
photosynthesis [ˌfəutəuˈsinθisis] bot. fotosyntéza
phototelegraphy [ˌfəutətiˈlegrəfi] fototelegrafie, obrazová telegrafie, telefoto
phototest [fəutəutest] fotogenická zkouška herce
phototroph [fəutətrof] organismus užívající světla k rozkladu kysličníku uhličitého
phototropism [ˌfəutəuˈtropizəm] bot. fototropismus
phototype [fəutəutaip] polygr. **1** fototypická deska, fototypický štoček **2** fototypický tisk
phototypesetter [ˌfəutəuˈtaipˌsetə] polygr. fotosázecí stroj
photozincography [ˌfəutəziŋˈkogrəfi] polygr. foto|-zinkografie, foto|zinkotypie
phrasal [freizəl] frázový ◆ ~ *verbs* jaz. frázová slovesa
phrase [freiz] *s* **1** úsloví, rčení, slovní obrat, fráze, ustálené slovní spojení; jaz. frazeologické spojení; výraz (*a hackneyed* ~ otřepaný výraz); řeč, výrazy, slovník, idiom; způsob vyjadřování (*half past one — three bells in the sea* ~ půl druhé — v námořní řeči: troje zvonění); vhodný výraz, heslo, průpověď, devíza, slogan (*sum the matter up in a* ~ shrnout celou záležitost v jednom heslu) **2** hud. fráze nejmenší skladební obrat (*a cymbal crash followed immediately by a low* ~ *in the bassoon* činelový úder, po němž okamžitě následuje hluboká fráze ve fagotu) **3** ~*s, pl* fráze povrchní slovní spojení; prázdné mluvení, floskule ◆ ~ *marker* jaz. frázový ukazatel ● *v* **1** vyjádřit slovy, formulovat (*a neatly* ~*d compliment*) **2** charakterizovat (*it is quite difficult to* ~ *him*); nazvat, pojmenovat **3** roz|frázovat (*the job before her, that of phrasing and rephrasing a fugue of Bach's* ... znovu a jinak bachovskou fugu)
phrase book [freizbuk] **1** konverzační příručka **2** frazeologický slovník
phrasemonger [ˈfreizˌmaŋgə] frázista
phraseogram [freiziəgræm] těsnopisný samoznak pro slovní spojení
phraseograph [freiziəgra:f] slovní spojení pro něž existuje samoznak
phraseological [ˌfreiziəˈlodžikəl] frazeologický
phraseology [ˌfreiziˈolədži] **1** frazeologie **2** slovník, výrazivo
phratry [freitri] (*-ie-*) hist. frátrie organizační jednotka rodového zřízení
phrenetic [friˈnetik] **1** rozčilený, třeštící, bez sebe; frenetický **2** fanatický
phrenic [frenik] anat. brániční, bráničný, bránicový, diafragmatický
phrenological [ˌfrenəˈlodžikəl] frenologický týkající se frenologie
phrenologist [friˈnolədžist] frenolog odborník ve frenologii
phrenology [friˈnolədži] frenologie snaha o poznávání duševních vlastností a charakteru z tvaru lebky
phrontistery [fronˈtistəri] (*-ie-*) žert. „myslivna" pracovna, studovna; škola
Phrygia [fridžiə] Frýgie starověká země
Phrygian [fridžiən] *adj* frygický, fryžský ◆ ~ *cap* frygická čapka symbol revoluce a volnosti; ~ *mode* hud. frygická tónina církevní ● *s* Frýg obyvatel Frýgie
phthisical [θaisikəl] souchotinářský, tuberkulózní, ftizický, úbytný (zast.)
phthisis [θaisis] souchotiny, plicní tuberkulóza, ftisis, ftiza, ftize, úbytě (zast.)
phut [fat] *s* puf, pf zvuk při prudkém vyražení vzduchu n. plynu ● *adv: go* ~ hovor. zkrachovat, vybouchnout, prasknout, splasknout, být trop, být kaput
phyla [failə] v. *phylum*
phylactery [fiˈlæktəri] (*-ie-*) **1** náb. modlitební řeminky s pouzdrem obsahujícím starozákonní texty **2** amulet **3** pámbíčkářství, farizejství **4** řeč zobrazených postav v rámečku u úst na středověkých obrazech ◆ *make broad one's* ~ / *phylacteries* stavět na odiv svou spravedlnost
phyle [fail] antic. fýla kmen, rod
phyletic [faiˈletik] bot., zool. kmenový
phyllophagan [fiˈlofəgən] živočich živící se listím
phyllophagous [fiˈlofəgəs] požírající listí
phyllopod [filopod] zool. *s* listonoh ● *adj* listonohý
phyllostome [filostəum] zool. vampýr
phyllotaxis [ˌfiləuˈtæksis] bot. filotaxie postavení listů na ose
phylloxera [ˌfilokˈsiərə] *pl* též *phylloxerae* [ˌfilokˈsiəri:] révokaz, fyloxéra, mšička
phylogenesis [ˌfailəuˈdženisis] biol. fylogeneze historický vývoj živých bytostí od jednodušších k složitějším
phylogenetic [ˌfailəudžəˈnetik], **phylogenic** [ˌfailəuˈdženik] fylogenetický
phylogeny [faiˈlodžini] **1** fylogeneze **2** fylogenetický rodokmen
phylum [failəm] *pl: phyla* [failə] biol. kmen, phyllum jedna ze systematických jednotek v biologii
physic [fizik] *s* **1** zast. lékařství, medicína, léčitelství **2** hovor. lék, medicína, užívání **3** ~*s, pl* fyzika ● *v* (*-ck-*) dávat léky zejm. projímadlo komu; léčit

physical [fizikəl] *adj* fyzický, hmotný (*the ~ world*); fyzikální (*~ laws*); tělesný (*~ excercises* prostná cvičení) ◆ *~ chemistry* fyzikální chemie; *~ condition* tělesný stav; *~ culture* tělesná kultura; *~ damage* hmotná škoda (*auto ~ damage insurance* havarijní pojištění motorových vozidel); *~ disability benefit* invalidní renta; *~ education* tělocvik; *~ examination* lékařská prohlídka; *~ fitness* tělesná zdatnost; *~ geography* fyzický zeměpis; *~ inspection* zdravotní prohlídka; *~ inventory* věcná, předmětná, skutečná inventura; *~ jerks* slang. prostná cvičení; *~ labour* manuální práce; *~ science* věda o neživé přírodě; *~ training* tělocvik ● *s* lékařská prohlídka

physician [fiˈzišən] **1** lékař, doktor **2** zast. fyzik

physicist [fizisist] **1** fyzik; přírodovědec **2** filoz. materialista, hylozoista

physicky [fiziki] **1** připomínající léky (*~ flavour* pachuť ...) **2** způsobený tělocvikem (*~ cramps* křeče ...)

physiocracy [ˌfiziˈokrəsi] **1** fyziokratismus národohospodářské učení 18. stol. pokládající půdu a zemědělství za jediný zdroj národního bohatství **2** vláda podle přirozeného řádu

physiocrat [fiziəkræt] fyziokrat stoupenec fyziokratismu

physiogeny [ˌfiziˈodžəni] **1** vývoj životních pochodů **2** věda zabývající se tímto vývojem

physiognomic(al) [ˌfiziəˈnomik(əl)] fyziognomický týkající se fyzignomie

physiognomist [ˌfiziˈonəmist] fyziognomik kdo se zabývá fyziognomií

physiognomy [ˌfiziˈonəmi] **1** fyziognomie nauka o tom, jak z rysů obličeje poznávat vlastnosti duševní **2** podoba, výraz obličeje, vizáž, tvářnost, vzhled, fyziognomie (*a stern ~ indicative of great pride* přísný výraz obličeje svědčící o velké pýše) **3** ráz, povaha (*~ of a political party*) **4** vulg. fasáda, ciferník, cifrplát, držťka obličej

physiographer [ˌfiziˈogrəfə] fyziograf odborník ve fyziografii

physiographic(al) [ˌfiziəˈgræfik(əl)] fyziografický týkající se fyziografie

physiography [ˌfiziˈogrəfi] **1** fyziografie, geomorfologie **2** fyzický zeměpis

physiolatry [ˌfiziˈolətri] uctívání přírody, přírodní kult

physiologic(al) [ˌfiziəˈlodžik(əl)] fyziologický týkající se fyziologie

physiology [ˌfiziˈolədži] fyziologie věda zabývající se životními pochody uvnitř těl organismů ◆ *plant ~* bot. rostlinná fyziologie

physiotherapist [ˌfiziə*u*ˈθerəpist] fyzikální terapeut

physiotherapy [ˌfizie*u*ˈθerəpi] fyzikální léčba, fyzioterapie

physique [fiˈzi:k] **1** stavba těla, tělesná soustava, tělesný stav, konstrukce, konstituce, postava **2** charakter, vzhled, ráz krajiny

phytogenesis [ˌfaitəˈdženisis] = *phytogeny*

phytogenic [ˌfaitə*u*ˈdženik] bot.: jsoucí rostlinného původu

phytogeny [faiˈtodžəni] bot. fytogeneze vývoj rostlinstva

phytography [faiˈtogrəfi] popis rostlin, popisná botanika

phytomer [faitəmə] *pl* též *phytomera* [faiˈtomərə] bot. list s osou jednotka rostliny

phytophagous [faiˈtofəgəs] býložravý

phytoplankton [ˌfaitə*u*ˈplæŋkton] bot. fytoplankton

phytosociology [ˌfaitə*u*ˌsəusiˈolədži] bot. rostlinná sociologie, nauka o rostlinných společenstvech, fytocenologie

phytotomy [faiˈtotəmi] fytotomie, rostlinná anatomie

phytozoon [ˌfaitəˈzəuən] *pl: phytozoa* [ˌfaitəˈzəuə] zoofyt živočich připomínající svou podobou rostlinu

pi[1] [pai] pí řecké písmeno π; mat. Ludolfovo číslo

pi[2] [pai] BR slang. pobožný, nábožný

pi[3] [pai] polygr. slang. = *pie*[3]

piacular [paiˈækjulə] **1** smírný (*required to make a ~ offering for their sins* nuceni přinést smírnou oběť za své hříchy) **2** vyžadující smírnou oběť, hříšný (*~ offense* přečin, který nutno odčinit smírnou obětí)

piaffe [piˈæf] kůň pomalu klusat zejm. na místě

piaffer [piˈæfə] piaf pomalý klus koně zejm. na místě

pia mater [ˌpaiəˈmeitə] anat. cévnatka, plena cévnatá, měkká plena mozková, pia mater

pianette [piəˈnet] nízké pianino

pianino [piəˈni:nəu] pianino

pianism [pi:ənizəm] klavírní umění

pianissimo [pjæˈnisiməu] hud. pianissimo

pianist [pjænist] klavírista, pianista

piano[1] [pja:nəu] hud. piano

piano[2] [pjænəu] piano, klavír ◆ *~ accordion* pianová harmonika; *baby grand ~* krátké křídlo; *grand ~* křídlo (*concert grand ~* koncertní křídlo); *~ organ* mechanické piano s klikou; *~ score* klavírní výtah orchestrální skladby bez vokálních partů; *upright ~* pianino; *~ wire* strunový drát

pianoforte [ˌpjænə*u*ˈfo:ti] piano, klavír, pianoforte

pianola [pjæˈnəulə] **1** pianola zařízení, které se připojuje k pianinu a které umožňuje mechanickou hru na tento nástroj **2** mechanické piano, pianola

piano organ [ˈpjænə*u*ˌo:gən] elektrofonický klavír

piano player [ˈpjænə*u*ˌplei*ə*] hud. **1** mechanické piano, pianola **2** řidč. pianista, klavírista

piano stool [ˌpjænəˈstu:l] stolička k pianu

piassava [piəˈsa:və] bot. piasava druh palem; vlákno z těchto palem

piaster, piastre [pi'æstə] piastr měnová jednotka v Egyptě, Turecku aj., dříve též ve Španělsku; mince této hodnoty
piazza [pi'ætsə] **1** náměstí, tržiště zejm. v Itálii **2** podloubí **3** AM veranda
pibroch [pi:brok] skotské dudácké variace, zejm. v pochodovém rytmu
pic [pik] AM hovor. **1** fotka **2** film **3** zejm. *~s, pl* biják, kino
pica[1] [paikə] polygr.: anglická základní typografická míra, přibližně cicero
pica[2] [paikə] chorobná, nepřirozená chuť
picador [pikədo:] pikador zápasník s býky vyzbrojený kopím
picamar [pikəma:] dehtový olej ze dřeva
picaninny [pikənini] = *piccaninny*
picard [pika:d] hist. pikart; adamita
picaresque [ˌpikə'resk] **1** šibalský, rošťácký **2** román pikareskní ze života potulného dobrodruha
picaro [pikərəu] ničema, tulák
picaroon [ˌpikə'ru:n] *s* ničema, pobuda, zloděj; lupič, loupežník; námořní lupič, korzár; pirátská / korzárská loď ● *v* přepadávat jako lupič n. pirát, být lupičem n. pirátem
picayune [ˌpikə'ju:n] hovor. *s* **1** AM šesták, pěťák, halíř, krejcar pěticentová mince (*not worth a ~*) **2** nic, nula, ocásek bezvýznamný člověk; hloupost, pitominka, tintíšek bezvýznamná věc ● *adj* **1** zanedbatelný, mizivý (*compared to the total number of people employed, such cutbacks were still ~* v porovnání s celkovým počtem zaměstnanců bylo takové snížení výroby stále ještě zanedbatelné) **2** malicherný, hnidopišský (*within the limits of a short review it would seem ~ to be critical*)
picayunish [ˌpikə'ju:niš] = *picayune, adj*
piccalilli [pikəlili] zelenina v ostrém kořeněném nálevu
piccaninny [ˌpikə'nini] *s* (*-ie-*) **1** černoušek **2** malé dítě ● *adj* malinký, drobounký
piccolo [pikələu] pikola malá flétna
pice [pais] *pl: pice* [pais] pajs měnová jednotka v Pákistánu; mince této hodnoty
piceous [pisiəs] **1** smolný **2** hořlavý; zápalný **3** zool. smolně černý
pick[1] [pik] *s* **1** krumpáč, špičák, nosák, dvojnosák; kamenický oškrt **2** text. útek (*so many ~s to an inch*); prohoz člunku (*so many ~s a minute*) **3** polygr. hrotek, špíz (slang.) **4** zubní párátko **5** šperhák, paklíč **6** trsátko **7** BR nář. harpuna na úhoře; vidle, podávky ● *v* **1** kopat krumpáčem (*~ing the hard clay*), rozkopávat (*to ~ a road with a pickaxe*) **2** dlabat, obrábět špičákem kámen (*~ the surface of the millstone*) **3** prorážet, píchat, propichovat ostrým nástrojem ***pick up*** rozkopat krumpáčem
pick[2] [pik] *v* **1** vzít mezi palec a ukazováček, sebrat, sundat, vytáhnout, tahat, škubat za (*he ~ed the shoestring until it became untied* tak dlouho tahal za šněrovadlo, až se rozvázalo); rýpat se *a t.* v, šťourat, dloubat (se) v (*~ one's nose*), čistit si párátkem (*~ one's teeth*); mačkat, nípat (*~ a pimple* mačkat vřídek); strhnout (*~ a scab* strhnout strup) **2** obrat, okousat, ohryzat (*~ a bone*) **3** sbírat (*~ berries*), trhat (*~ flowers*), česat (*~ apples*), vybírat (*~ potatoes*); o|čistit zeleninu, přebírat hrách; škubat peří, o|škubat (*~ a goose*) **4** zobat, klovat (*chickens ~ing about the yard*), vyzobat, sezobat; párat se *at* v, ďobat se v, po|nimrat se v, uzobávat co (*she only ~s at her food*) **5** pečlivě vybírat, vybrat si (*~ only the best*), z|volit (*~ one's words*); předem označit, uhodnout, strefit se do (*~ the winning horse*), najít (*~ the best synonym*) **6** roz|cupovat (*~ rags*), drhnout (*~ oakum* drhnout koudel) **7** otevřít paklíčem (*~ a lock*); seknout, štípnout, ukrást, vykrást, vybrat (*~ a p.'s pocket* kapsář okrást, vybrakovat kapsu) **8** peskovat, plísnit *at* / *on* koho, hledat stále chyby na, strefovat se do, zasednout si na, nenechat na pokoji koho (*why are you always ~ing at the poor child*); vybrat, najít *on* / *upon* co, strefit se do (*they had ~ed on a poor camping site*); vyhlédnout si pro nepříjemnou práci koho (*why should you ~ on me to do the chores?* proč sis vybrala mne, abych to odděl?) **9** obroubit (*pocket flaps ~ed by hand* ručně obroubené klopy kapes) **10** text. prohazovat člunek, zatkávat útek **11** AM brnkat na (*to ~ a guitar* brnkat na kytaru) ◆ *I have a bone to ~ with him* má u mne vroubek; *~ a p.'s brains* u|krást nápad komu, tahat rozumy z koho, důkladně vyzpovídat koho a zneužít ke svému prospěchu; *~ and choose* vybírat si příliš, být příliš vyběravý; *~ holes in* nabourat např. teorii, vrtat do, rozvrtat co, hledat chlupy na; *~ a quarrel with a p.* vyhledávat hádku s, vyprovokovat k hádce koho; *~ to pieces 1.* rozebrat *2.* přen. strhat, roztrhat, roznést, rozcupovat, zkritizovat; *~ sides* rozdělit hráče n. soutěžící do dvou skupin; *~ speed* nabrat rychlost; *~ and steal* vy|krást; *~ one's steps* / *way* opatrně našlapovat ***pick off*** ***1.*** sundat, stáhnout kůži **2** utrhnout, uškubnout, otrhat, oškubat **3** jednoho po druhém sestřelit, odstřelit, postřílet, sundat (*a sniper behind the bushes ~ed off three of our men* odstřelovač za křovím nám odstřelil tři muže) ***pick out 1*** vybrat si; vykopat, vyšťourat; vyloučit, odloučit; vytáhnout stehy, vypárat; choroba zasáhnout **2** vidět, rozeznat, poznat mezi mnoha (*many famous summits can be ~ed out on a clear day*) **3** pochopit smysl, dát si dohromady **4** vyťukat melodii podle sluchu **5** odstínit barevně, vylehčit barevně (*green panels ~ed out with brown*), vyzdvihnout barevným kontrastem, zdůraznit, podtrhnout (*a snow-white gaucho costume ~ed out by the spotlight* sněhobílý gaučovský kostým ještě zdůrazněný hledáčkem) ***pick up 1*** vzít do ruky (*he always ~ed up your personal stuff and looked at it* vzal vždycky do ruky váš osobní materiál a

prohlédl si jej); sehnat, posbírat, nasbírat (*~ up bits of information, souvenirs he had ~ed up all over the world*); sbalit své věci (*many other Georgians had ~ed up and gone to Texas*); vytáhnout z vody, zachránit (*they were ~ed up by a passing freighter* zachránila je kolem plující nákladní loď); uklidit *after* po (*if you're a houseboy, baby, you can ~ up after me*); nabrat, zachytit pletacím drátem *2* zvednout | se, sebrat (*he bent to ~ up his hat; she slipped and fell, but quickly ~ed herself up*); sebrat se, zotavit se (*he's beginning to ~ up now*); probudit k životu, postavit na nohy (*a bite of something might ~ you up*); zlepšovat se, zvedat se, vzmáhat se (*business began to ~ up towards summer*); dát dohromady, stlouci, splašit, schrastit (*~ up a livelihood by selling things from door to door* stloukat živobytí podomním obchodem) *3* náhodou objevit, narazit na (*~ up an old painting in a village*), koupit (*~ up a bargain at an auction sale* dobře a lacino koupit ve dražbě); pochytit (*~ up a foreign language*) *4* chytnout, najít vysílané n. pozorované (*~ up Rome on one's radio*) *5* chytit, zadržet, zatknout, zajistit (*the escaped prisoner was ~ed up by the police in Hull* uprchlého trestance zadržela policie v Hullu), zajmout, ukořistit; (znovu) najít a sledovat (*~ up the trail of the fugitives* najít stopu uprchlíků), znovu sledovat (*the narrative switches back to ~ up its major characters* vyprávění se vrací zpět a znovu sleduje hlavní postavy); chopit se, chytit se čeho a pokračovat (*some candidates quickly ~ed up the boycotter's cause* někteří kandidáti se rychle chytili věci člověka, který vyhlásil bojkot); zachytit (*enemy planes ~ed up by our radar installations*); rozhlasový přijímač chytat, dostat; chytat za slovo (*don't be always ~ing me up, she said sharply*) *6* naložit cestující n. spolujezdce, vzít s sebou (*he stopped the car to ~ up a hitchhiker* zastavil auto, aby přibral stopařku, *I'll ~ you up at your house* zastavím se pro tebe doma, přijedu si pro tebe domů); hovor. sebrat, najít, sbalit, nabalit si (*a girl he ~ed up on the street*), seznámit se náhodou, navázat známost *with* s (*the danger of ~ing up with anyone who happens to come along* nebezpečí navázání známosti s každým, kdo se náhodou po cestě objeví), sebrat, nabrat koho (*where did you ~ up with that queer fellow?*) *7* vybrat si spoluhráče *8* rozpálit, přidat, nabrat rychlost, zrychlit tempo, zesílit zvuk (*urging the band to ~ it up* vybízející kapelu, aby přidala); dohánět *on a p.* koho při předjíždění; motor zabrat ♦ *~ up an anchor* zvednout cizí kotvu; *~ up a bearing* zaměřit se na orientační bod; *~ up the buoy* podat uvazovací lano na přístavní bóji; *~ up courage* vzchopit se, dodat si odvahy; *~ up flesh* přibrat, spravit se, ztloustnout; *~ up a habit* navyknout si, zvyknout si; *~ up speed* nabrat / zvýšit rychlost, zrychlit plavbu; *~ up victories* sbírat vavříny nestále vítězit; *~ up a wind* změnit kurs za účelem najít vítr ● *s* **1** výběr, volba *of* mezi (*he had the ~ of several jobs*) **2** to nejlepší, nejlepší / vybraná část, elita (*the ~ of the rebel forces*) **3** najednou sklízená úroda (*biggest berry ~ in several years*), první výběr (*first ~ of peaches*) ♦ *~ of the bunch* hrozinky, bonbónky to nejlepší; *take one's ~* vybrat si

pickaback [pikəbæk] *adv* na zádech, jako ranec (*I find it necessary to carry you away, ~*) ♦ *ride ~ on* být nesen na zádech koho ● *s* vy|nesený předmět, nálož ♦ *give me a ~* vezmi mě na záda

pickaninny [pikəˈnini] = *piccaninny*

pickaroon [ˌpikəˈru:n] AM druh sapiny / skoblice, bidlo s hákem, vorařský hák na plavení dřeva

pickax(e) [pikæks] *s* krumpáč, křížatka, špičák, motyka ● *v* kopat, rozkopávat krumpáčem

pickelhaube [pikəlhau:bə] piklhaubna helma s kovovou špicí

picked[1] [pikt] zast. nář. špičatý, zahrocený

picked[2] [pikt] **1** vybraný, elitní (*a raiding party of ~ men* přepadový oddíl z elitních mužů) **2** v. *pick*[2], *v*

picker [pikə] **1** sběrač, česač plodů **2** odb. špičák, želízko, čisticí drát ♦ *~ husker* AM loupací sklizečka na kukuřici; *~s and stealers* zlodějíčkové

pickerel [pikərəl] *pl* též *pickerel* [pikərəl] **1** mladá štika **2** malý druh štiky

picket [pikit] *s* **1** dřevěný kůl, kolík; AM tyčka, laťka v plotě **2** vojenská hlídka, polní stráž (*outlying ~* předsunutá hlídka, *inlying ~* hlídka v záloze); vojenská stráž, vojenská policie **3** demonstrant, demonstranti nesoucí heslo, protestující proti vládní politice **4** část. *~s, pl* protestní hlídka, hlídka proti stávkokazům, stávková hlídka **5** voj. hist. špičatý kolík na němž se za trest stálo na jedné noze; takový trest ● *v* **1** ohradit, vykolíkovat, vytyčit pozemek; uvázat ke kůlu **2** hlídat, střežit, být na stráži / hlídce, rozestavit hlídku *a t.* do, mezi, určit na hlídku **3** demonstrovat nošením hesla; při stávce obsadit továrnu a určit hlídky, hlídat proti stávkokazům, piketovat; demonstrovat před podnikem n. obchodem; hlídkovat na protest **4** voj. hist. potrestat postavením na špičatý kolík

picket line [pikitlain] řada demonstrantů

picking [pikiŋ] **1** *~s, pl* odměna za námahu, výtěžek, výnos zejm. krádeže n. podvodu (*lush ~s are expected as colour television becomes more widespread* protože je barevná televize více rozšířena, lze očekávat, že krádeže se budou výtečně vyplácet) **2** *~s, pl* zbytky zejm. jídla (*the dogs have scanty ~s in that house* v tom domě dostávají psi jen málo zbytků) **3** polygr. vytrhávání vláken z papíru při tisku **4** v. *pick*[2], *v* ♦ *~s and stealings* drobné krádeže

pickle [pikl] *s* **1** lák, nálev, konzervační tekutina, marináda **2** obyč. *~s, pl* naložená / nakládaná zelenina **3** nakládaná okurka, okurčička **4** mořidlo na kov **5** přen. brynda, šlamastyka; nepořádek, chlívek, čurbes, bordel (*small boy who left the bathroom in a ~*) **6** mladý uličník, spratek, rošťák, darebák, smrad ◆ *be in a nice / pretty / sad / sorry ~ 1.* být v pěkné bryndě, být ve srabu *2.* být hezky / náramně zřízen; *I have a rod in ~ for him* má to u mne schováno, ten ať si mě nepřeje ● *v* **1** mořit, napouštět, řidč. impregnovat dřevo **2** naložit do láku / do octa / do octového nálevu (*~ fruit in syrup and vinegar*), nasolit **3** hist. nasolit záda, vetřít ocet do ran po bičování **4** AM hovor. zničit, torpédovat (*this will promptly ~ her college chances*) ◆ *~ one's nose* (*with drink*) dát si do nosu, zlinkovat se

pickled [pikld] **1** slang. nalitý, nadrátovaný, zlinkovaný opilý **2** v. *pickle, v* ◆ *~ herring* marinovaný sleď

picklock [piklok] **1** zloděj, lupič užívající paklíčů **2** paklíč, šperhák

pick-me-up [pikmi(:)ap] životobudič, lomcovák povzbuzující nápoj

pickpocket [ˈpikˌpokit] kapsář, kapesní zloděj

picksome [piksəm] vybíravý

pickthank [pikθæŋk] patolízal, šplhoun, donašeč

pick-up [pikap] **1** snímání zvuku n. obrazu; přenoska gramofonu; mikrofon; rozhlasový / televizní přejímaný program; přenosové zařízení (*the field ~ included four cameras*) **2** zastávka, zastavení; cestující, pasažér n. náklad naložený cestou, náhodný cestující **3** slang. svezení autem; stopař; náhodná známost, slečna sbalená zejm. na ulici **4** zatčení, zadržení, zajištění **5** zotavení, zlepšení stavu, zvednutí; rozbírání, akcelerace motoru **6** oživení, rozruch (*the autumn ~*) **7** životobudič, lomcovák **8** hra dvou družstev určených před začátkem **8** hud. předtaktí, auftakt (slang.) **9** AM odvoz **10** též *~ truck* AM malý otevřený dodávkový vůz, malé nákladní auto ◆ *live ~* přímý přenos (*the programme was a live ~ from the theatre*)

Pickwickian [pikˈwikiən] **1** pickwickovský připomínající hrdinu Dickensonova románu (*a ~ headmaster*), prostý, šlechetný **2** žert.: výraz svérázný, speciální, nikoliv běžný (*injustice is merely a ~ expression for what human beings do not like* nespravedlnost je pouze speciálním označením pro to, co nemají lidé rádi)

picky [piki] (*-ie-*) AM hovor. děsně vybíravý

picloram [paiˈklorəm] vysoce účinný herbicid

picnic [piknik] *s* **1** piknik občerstvení / svačina z přinesených potravin zprav. v přírodě **2** pohoštění na společný účet **3** hovor. hračka, legrace, psina, lážo snadná n. příjemná práce (*as the fight started any thoughts that this was to be a ~ for him were dissipated* názor, že to vyřídí hladce, se mu rozplynul, sotva zápas začal) **4** slang. trapas; povyk ● *v* (*-ck-*) pořádat piknik, účastnit se pikniku, být na pikniku, jíst v přírodě

picnicker [piknikə] účastník pikniku, výletník

picnicky [pikniki] hovor. piknikový

picosecond [ˈpaikəuˌsekənd] pikosekunda biliontina sekundy

picot [piˈkəu] *s* lem; zub / zoubek okraje např. krajky, pikot, pikotka ● *v* lemovat, zoubkovat, dělat zoubky na, zdobit pikotami / pikotkami

picotee [ˌpikəˈti:] *s* bot. varieta hvozdíku karafiátu bílý, s plátky s tmavším okrajem ● *adj* mající jinobarevný okraj (*~ pattern*)

picquet [pikit] = *picket, 2*

picric [pikrik] : *~ acid* kyselina pikrová, trinitrofenol

Pick [pikt] hist. Pikt

Pictish [piktiš] piktský

pictograph [piktəgra:f] **1** obrazový znak, obrázkové písmeno, piktogram, hieroglyf, obrázkové písmo; nápis z takového písma **2** piktogram figurální graf

pictographic [ˌpiktəˈgræfik] obrázkový (*a ~ script*), obrazový (*a ~ character*), týkající se obrázkového písma (*the ~ stage in the development of writing*)

pictography [pikˈtogrəfi] obrázkové písmo

pictorial [pikˈto:riəl] *adj* **1** obrazový, obrázkový, ilustrovaný (*a ~ weekly*) **2** malířský (*~ calling*); výtvarný (*~ arts*); pikturální (*~ imagination*) **3** malebný, pitoreskní ● *s* **1** ilustrovaný časopis, obrázkový magazín **2** filat. známka s námětem slavného obrazu

picture [pikčə] *s* **1** obraz, obrázek; zobrazení, vyobrazení; portrét, fotografie; televizní obraz **2** co vypadá jako obrázek / jako malované (*the ship was really a ~ with all her sails unfurled* loď, všechny plachty napjaté, vypadala doopravdy jako malovaná), pohádka, báseň (*the hat is a ~*) **3** věrná podoba (*the boy is the ~ of his father*), zosobnění (*the ~ of health*), představa **4** též *living ~* živý obraz na jevišti na konci dějství **5** BR film; *~s, pl,* též *moving ~s, pl* kino, biograf, filmové představení ◆ *be a ~ of misery* být obrazem bídy a utrpení; *be in the ~ 1.* být zasvěcen n. informován *2.* patřit k věci; *break into ~s* jít k filmu; *come into the ~* objevit se na scéně; *draw a ~ of* vylíčit, vykreslit, popsat; *get the ~* pochopit situaci, učinit si obraz; *form a ~ of a t.* učinit si obraz / představu o; *~ moulding* lišta na zavěšení obrazů; *not in the ~ 1.* nevhodný, nehodící se *2.* závodník který se neumístil; *out of the ~* vůbec sem nepatřící, nevhodný, nedůležitý; *put a p. into the ~* informovat koho, zasvětit koho do celé věci, všechno názorně vylíčit komu; *~ slide* diapozitiv; *~ tube* obrazovka; *~ window* velké okno zejm. s jedinou velkou střední tabulí, rámující krásnou vyhlídku ● *v* **1** vyobrazit, zobrazit (*the room they finished for him is ~d on this page*); popsat, vylíčit (*he likes to ~ the triumph of well-born Nordics over* *the Canadian wilderness)* **2** představit si v duchu *(the children were picturing a beautiful, sad face)* *to o.s.* si *(he ~d to himself the family sitting out on the lawn)* **3** z|filmovat, nafilmovat, natočit, udělat film z

picture book [pikčəbuk] obrázková kniha, obrazová publikace

picture card [pikčəka:d] **1** pohlednice **2** karty honér

picturedrome [pikčədrəum] zast. kino, biograf

picture gallery [ˈpikčəˌgæləri] *(-ie-)* obrazárna, galérie

picturegoer [ˈpikčəˌgəuə] návštěvník kina, filmový fanoušek

picture hat [pikčəhæt] dámský široký, bohatě zdobený klobouk jaký malovali Reynolds a Gainsborough

picture house [pikčəhaus] *pl: picture houses* [ˈpikčəˌhauzis], **picture palace** [ˈpikčəˌpælis] BR zast. kino, biograf

picture parade [ˌpikčəpəˈreid] přehlídka filmů

picture phone [pikčəfəun] videotelefon

picture postcard [ˌpikčəˈpæus*t*ka:d] *s* pohlednice ● *adj* jsoucí jako pohlednice, malebný, pitoreskní

picturesque [ˌpikčəˈresk] **1** malebný, pitoreskní **2** jazyk živý, svěží, výrazný, pitoreskní

pictoresqueness [ˌpikčəˈresknis] **1** malebnost, pitoresknost **2** živost, svěžest, výraznost, pitoresknost jazyka

picture theatre [ˌpikčəˈθiətə] zast. kino, biograf

picture writing [ˌpikčəˈraitiŋ] **1** obrázkové písmo, hieroglyfy **2** ideogram, piktogram

picturization [ˌpikčəraiˈzeišən] zfilmování, filmové zpracování, filmový přepis

picturize [pikčəraiz] z|filmovat, nafilmovat, natočit, udělat film z

picul [pikəl] pikul váhové míry ve východní Asii, asi 60 kg

piculstick [pikəlstik] tyč přes obě ramena k nošení zavěšených břemen

piddle [pidl] *v* **1** vulg. mrnit se, piplat se, srát se s něčím **2** hovor., dět. čurat, lulat ● *s* čurání

piddling [pidliŋ] hovor. malý, mrňavý, nepodstatný (~ *profits*); hloupý, malicherný (~ *details*)

piddock [pidək] zool. skulař měkkýš vrtající do měkčích skal

pidgin [pidžin] *adj:* ~ *English* lámaná angličtina užívaná zejm. Číňany při styku s Evropany ● *s* BR **1** hovor. věc, záležitost, kompetence, píseček **2** = *pidgin English*

pidog [paidog] = *pyedog*

pie[1] [pai] zool. zast. straka ◆ *French* ~ zast. strakapúd velký

pie[2] [pai] **1** pečivo plněné ovocem n. masem, plněný koláč, závin, piroh, pirožka **2** AM koláč, paj **3** přen. výnos z držení úřadu *(cut the political ~)* **4** AM snadná záležitost, co jde jako po másle, lehy *(they caught him and the rest was ~)* ◆ *the ~ counter* AM rozdělování výnosných úřadů při změně vládní strany; *Eskimo ~* AM eskymo; *~ in the sky* slang. *1.* rajské slasti v nebi *2.* vzdušné zámky

pie[3] [pai] *s* **1** polygr. rozbitá sazba, koláč (slang.) **2** polygr. falešné písmeno, ryba (slang.) **3** přen. zmatek, chaos ◆ ~ *box* polygr. ruční matricovka ● *v* **1** rozbít sazbu, udělat koláč (slang.) **2** smíchat písmena nestejného řezu, zrybařit písmovku (slang.)

pie[4] [pai] pajs měnová jednotka v Pákistánu; mince této hodnoty

piebald [paibo:ld] *adj* **1** strakatý, zejm. černobílý **2** přen. spráskaný, všelijaký ◆ ~ *skin* med. získaný místní nedostatek barviva v kůži, vitiligo ● *s* strakáč, strakoš, straka zejm. kůň

piece [pi:s] *s* **1** kus oddělená část *of* čeho *(a ~ of glass)*; jednotlivý samostatný předmět jistého druhu *(a dinner service of fifty ~s)*, kousek; jednotlivý exemplář *of* čeho *(a ~ of news* jedna zpráva, *a ~ of advice* jedna rada, *a ~ of information* jedna informace, *two* etc. *~s of furniture* dva atd. kusy nábytku); část, součást, součástka, díl **2** parcela, kus pozemku, pozemek; podíl *of* v majetku *(he had a ~ of a nearby automobile dealership* byl podílníkem nedalekého obchodu s automobily) **3** kupón, kus jisté množství tkaniny a pod., štůček, role *(a ~ of wallpaper* role tapet); sud vína **4** kus, dílo, práce *of* jakého druhu *(a fine ~ of music* krásné hudební dílo); literární práce; obraz, socha, drama, hudební skladba **5** názor *(just about every accredited Republican spokesman has said his ~)*; článek, příspěvek; číslo, úryvek *(he spoke his ~ at the school graduation)* **6** mince *(a three-penny ~)*; talisman, amulet *(a good-luck ~)* **7** hrací kámen, šachová figura, figurka, též přen. **8** střelná zbraň, pistole, dělo, kus *(ceased to debate the question of his ~ being loaded* přestal diskutovat o problému, jestli měl revolver nabitý) **9** holka, kost, kůstka, kočka *(cheeky little ~)*; štětka **10** SC kus chleba, krajíc **11** nář. chvilka *(sat thinking for a ~)* **12** AM nář. kus cesty *(the next town is quite a ~ from here)* ◆ *be of a ~ with* souhlasit s, odpovídat čemu *(his performance under stress was of a ~ with his honourable record* jeho výkon ve stresové situaci odpovídal dosavadní čestné pověsti); *~ by ~* postupně, kus po kuse; *~ of cake* slang. hračka, psina, lážo něco snadného; *come to ~s* rozpadnout se; *a ~ of eight* španělský tolar v hodnotě osmi reálů; *give a p. a ~ of one's mind* vyčinit / vynadat komu, říci komu, co si o něm myslím; *go (all) to ~s 1.* věc rozpadnout se, vymknout se z kontroly *2.* člověk zhroutit se *3.* záměr ztroskotat; *~ goods* látka v kupónech; *~ of goods* nář. děvče, dítě; *of a ~ with* v. *be of a ~ with; so much of a ~* důsledně totožný *(his habitual exhibitionism makes Private Shaw and Public Shaw so much of a ~* jeho obvyklý exhibicionismus tvoří z Shawa soukromého a Shawa veřejného jednu a tutéž osobu); *~ of ordonance* těžké dělo, kus (zast.); *pick up the ~s* hop nahoru! pobídka děcku, když upadne; *pay by the ~* platit dělníka od kusu; ~ *payment* úkolová mzda; ~ *price* cena za kus; *say one's* ~ říci si svoje, vyřídit si svoje; *sell by the* ~ prodávat na kusy v celku; *take to* ~*s* rozebrat; *to* ~*s 1.* plně, skrz na skrz (*I love you to* ~*s*) *2.* na kusy, na cimprcampr (*the teapot fell and was broken to* ~*s*); ~ *of work 1.* dílo, kousek, výrobek, výtvor *2.* práce, obtížná záležitost *3.* číslo, stvoření (*a nasty* ~ *of work*) *4.* obráběný předmět; ~ *of water* jezírko, rybníček, „louže" ● *v* **1** dávat dohromady z kusů; skládat, sešívat z kusů (*she had been piecing a quilt all afternoon* celé odpoledne sešívala z ústřižků ložní pokrývku); látat, spravovat, záplatovat **2** navazovat, přikrucovat, přisukovat nit ***piece in*** vložit ***piece on*** připojit, připevnit, přilepit, přišít *to* k ***piece out 1*** složit z kusů, dát dohromady, zkombinovat; doplnit, ucelit **2** rozšířit, nastavit, zvětšit, prodloužit ***piece together*** sestavit, smontovat, zkombinovat, dát dohromady; splácat, sesmolit, spráskat dohromady ***piece up 1*** složit (a) slepit rozbité **2** slátat, zalátat, vyspravit; zahladit, zamalovat, zamazat **3** splácat, sesmolit, sprásknout dohromady

piece de résistance [ˌpjesdəˌreziˈsta:ns] *pl: pieces de résistance* [ˌpjesdəˌreziˈsta:ns] **1** hlavní chod např. hostiny, zlatý hřeb (přen.) **2** hlavní část, hlavní událost, hlavní věc / záležitost

piece goods [pi:sgudz] metrové / kusové zboží textilní, zejm. bavlněná látka z Lancashiru

piecemeal [pi:smi:l] *adv* kus po kuse, kousek po kousku, po kouskách, postupně (*he has achieved the real substance of independence gradually and* ~ postupně, kousek po kousku, dosáhl podstaty nezávislosti) **2** na kusy (*the beast will tear thee* ~ to zvíře tě roztrhá na kusy) ● *adj* postupný, konaný po kouskách (*engaged in* ~ *attacks upon discrimination* zúčastňující se postupných útoků na diskriminaci) ● *s: by* ~ kus po kuse, kousek po kousku, postupně

piecemealer [pi:smi:lə] **1** spojovač, sestavovač z kusů; látač, záplatovač **2** text. přisukovač

piecework [pi:swə:k] **1** kusová / zakázková práce **2** úkolová práce, práce v úkolu

pie chart [paiča:t] AM grafické zobrazení percentuálních poměrů výsečemi v rozděleném kruhu

piecrust [paikrast] **1** těsto na koláč atd. **2** pečený okraj, pečená kůrka z těsta na koláči atd. **3** vypečená paštička ◆ *promises are like* ~*, made to be broken* sliby-chyby

pied [paid] dvoubarevný, vícebarevný, pestrobarevný, strakatý, černobílý

pied-à-terre [piˌeida:ˈteə] *pl: pieds-à-terre* [piˌeida:ˈteə] útulek, druhý n. přechodný byt (*he lives in the country and has a* ~ *in London*)

piedmont [pi:dmənt] AM *s* úpatí hor, podhůří ● *adj* ležící na úpatí hor

piedog [paidog] = *pyedog*

Pied Piper [ˌpaidˈpaipə] **1** krysař z Hamelnu **2** též *p*~ *p*~ kdo svádí jiného k pošetilé akci

pie-eyed [ˌpaiˈaid] hovor. nalitý, nalíznutý, nadrátovaný opilý

pie face [paifeis] tvář jako měsíční úplněk

pieman [paimən] *pl: -men* [-mən] cukrář, prodavač koláčů atd., paštičkář

pie plant [paipla:nt] AM reveň, rebarbora

pier [piə] **1** molo, mořská hráz, přístavní hráz, vlnolam, přístaviště, přírazíště **2** železná n. dřevěná konstrukce vybíhající do moře, sloužící zejm. jako promenáda, na níž bývají zejm. zábavní podniky, restaurace apod. **3** mostní n. meziokenní pilíř; mostní bárka **4** pevný podstavec např. hvězdářského dalekohledu

pierage [piəridž] poplatek za používání mola

pierce [piəs] **1** propíchnout, probodnout, prorazit, provrtat, probít ostrým předmětem (*he* ~*d his side with a spear* probodl mu bok kopím) **2** proniknout *a t.* čím / do (*the cold* ~*d him to the bone*) *into* | *through* do | čím (*he tried to* ~ *into the enigma of her conduct* snažil se proniknout záhadu jejího chování, *our forces* ~*d through the enemy's lines*) ◆ ~*ed earring* AM náušnice k zavěšení do propíchnutého ucha

piercer [piəsə] polygr. děrovač / děrovačka sázecího perforátoru

piercing [piəsiŋ] **1** ostrý, bodavý, pronikavý (~ *cries*, ~ *sarcasm*) **2** v. *pierce*

piercingly [piəsiŋli] **1** upřeně (*the woman looked* ~ *through the dusk* žena se upřeně dívala do šera) **2** v. *piercing*

pier glass [piəgla:s] **1** velké / vysoké meziokenní zrcadlo **2** vysoké, úzké okno

pier head [piəhed] zhlaví přístavní hráze / mostního pilíře

Pierian [paiˈeriən] přen. múzický ◆ ~ *spring* inspirační zdroj poezie, pramen básnického poznání

pierrot [piərəu] **1** pierot komická postava francouzské pantomimy **2** komik, konferenciér s namoučněnou tváří

pieta [ˌpieˈta:] pieta zpodobnění Panny Marie s tělem Kristovým na klíně

pietism [paiətizəm] **1** pietismus protestantské náboženské hnutí vzniklé v 17. stol. **2** pobožnůstkářství

pietist [paiətist] **1** pietista stoupenec pietismu **2** pobožnůstkář

peitistic(al) [ˌpaiəˈtistik(əl)] **1** pietistický **2** pobožnůstkářský

piety [paiəti] (*-ie-*) **1** zbožnost, nábožnost **2** též *filial* ~ poslušnost k rodičům **3** zbožný čin (*the pieties of a simple life justly and charitably lived*) ◆ *pelican in* ~ herald. pelikán na hnízdě, rozklovávající si hruď a krmící krví svá mláďata

piezoelectric [ˌpi:zəuiˈlektrik, AM pi:ˌeizəuiˈlektrik] piezoelektrický týkající se elektřiny vznikající na krystalech tlakem n. tahem

piezometer [ˌpaiəˈzomitə] piezometr přístroj na měření tlaků

piffle [pifl] slang. *v* **1** žvanit, kecat **2** hloupnout, blbnout, dělat blbinky / pitominky ● *s* **1** nesmysl, kec, žvást, žvanění, kecání **2** blbinka, pitominka, hloupost

piffler [piflə] žvanil, kecka

piffling [pifliŋ] slang. pitomý, k ničemu, malicherný, nanicovatý (*brushed aside this ~ bit of legalistic hairsplitting* mávnutím ruky odstranil tuto malichernou ukázku právnického detailizování); směšný

pig [pig] *s* **1** prase, vepř; mladé vepřové maso, sele (*roast ~* pečené selátko) **2** hovor. hltoun, žrout; otrava, protiva, protivné zvíře; prase, čuně člověk **3** tech. houska surového železa; balík konopí **4** dílek pomeranče n. jablka **5** druh karetní hry připomínající naše „lehni, vole" **6** slang. svině, sviňka, sviňucha nemorální žena **7** hanl. slang. polda, fízl ◆ *blind ~* AM slang. tajná putyka za prohibice; *bring one's ~ to a fine / pretty / wrong market* dopadnout bledě, pohořet při jednání; *buy a ~ in a poke* kupovat zajícc v pytli; *~'s eye* karty kárové eso; *~'s hair* štětiny; *happy as a ~ in a muck* šťastný jako prase v žitě; *~s might fly!* nemaluj straky na vrbě!; *in ~* svině sprasný, březí; *~ lily* hovor. kala rostlina; *make a ~ of o.s.* přežírat se, ožírat se; *~ monkey* zool. makak *Macaca nemestrina*; *please the ~s* hovor. jestli všechno klapne; *in less than a ~'s whisper* BR / *whistle* AM než řekneš „švec" ● *v* (*-gg-*) **1** vrhnout podsvinčata; svině oprasit se **2** namačkat lidi jako slanečky, žít namačkaný jako slanečci (*a rare collection of human animals ~ging together in mean huts* neobvyklá sbírka lidských živočichů, kteří žijí v ubohých chatrčích namačkáni jako slanečci) **3** chlemtat, chlamstat ◆ *~ it* BR *1.* žít jako v chlívku *2.* šňupat popel žít chudě

pig bed [pigbed] hut. licí pole

pig bin [pigbin] = *pig bucket*

pig boat [pigbəut] námoř., voj. slang. ponorka starého typu

pig bucket [ˈpigˌbakit] vědro na pomyje

pigeon [pidžin] *s* **1** holub **2** přen. trouba, moula, vrták, kavka hlupák **3** = *pidgin, s* ◆ *clay ~* asfaltový terč ve sportovní střelbě, hliněný holub (zast.); *homing ~* cvičený domácí poštovní holub; *~'s milk* *1.* ~ tvarohovitý výměšek ve voleti holuba *2.* BR semtele, komáří sádlo v aprílových žertech; *~ pair* chlapec a děvče, párek dvojčata; jediné dvě děti ● *v* napálit, podvést, ošvindlovat zejm. při karetní hře *of* o

pigeon breast [pidžinbrest] med. ptačí hruď

pigeon-breasted [ˌpidžinˈbrestid] med.: jsoucí s ptačí hrudí

pigeon-chested [ˌpidžinˈčestid] med. = *pigeon-breasted*

pigeon fancier [ˌpidžinˈfænsiə] holubář

pigeon-hearted [ˌpidžinˈha:tid] **1** mající holubí srdce, jemný, něžný **2** bázlivý, ustrašený, příliš poddajný

pigeonhole [pidžinhəul] *s* **1** holubník, otvor pro holuby ve vratech **2** otevřená přihrádka v psacím stole n. třídicí skříni **3** klícka, díra, kurník malá místnost (*she hated the little ~ where she had to work*) **4** bidýlko v divadle **5** škatulka kategorie (*they label or ticket our public men too neatly, putting them into ~s*) ● *v* **1** rozdělit, vložit do přihrádek, opatřit přihrádkami (*the cabinet was conveniently ~d for the tiny glass figures she collected*) **2** roztřídit, dát do přihrádky (*he accepted the papers and ~d them in his desk*); založit, odložit, odsunout, dát k ledu (*find some polite formula for pigeonholing the whole idea*) **3** roztřídit, rozškatulkovat (*he attempted to ~ the knowledge in the light of his experience*)

pigeon-livered [ˌpidžinˈlivəd] **1** mající holubí játra, jemný, něžný **2** bázlivý, ustrašený, příliš poddajný

pigeon post [ˌpidžinˈpəust] doručování zásilek poštovními holuby

pigeonry [pidžinri] (*-ie-*) holubník (*picturesque villages with their pigeonries*)

pigeon's blood [pidžinzblad] *s* **1** granát nerost **2** temně červená granátová barva ● *adj* temně rudý

pigeon-toed [pidžintəud] mající dovnitř obrácené prsty u nohou

pig-eyed [pigaid] mající prasečí očka

piggery [pigəri] (*-ie-*) **1** vepřín, vepřinec, prasečinec, prasečák (hovor.) **2** vepři hromadně **3** chlív, svinčík špinavé místo **4** hltavost; tvrdohlavost

piggin [pigin] dřevěná naběračka s držadlem, džka

piggish [pigiš] **1** prasečí (*his ~ eyes*) **2** chamtivý, nenasytný; hltavý, žravý, obžerný; přízemní, živočišný (*a somewhat ~ material happiness*) **3** tvrdohlavý, paličatý

piggishness [pigišnis] **1** chamtivost, nenasytnost; hltavost, žravost, obžerství; přízemnost, živočišnost **2** tvrdohlavost, paličatost

piggy [pigi] *s* (*-ie-*) prasátko, čuník ● *adj* **1** připomínající prase, prasečí (*with round ~ cheeks*) **2** svině v pokročilém stavu březosti

piggyback [pigibæk] = *pick-a-back*

piggybacking [ˈpigiˌbækiŋ] AM doprava plných nákladních přívěsů po železnici

piggy bank [pigibæŋk] prasátko střádanka

piggy-wiggy [ˌpigiˈwigi] (*-ie-*) **1** dět. prasátko, čuně, čuník, čuňátko, též přen. **2** BR špaček dřevěný špalíček; hra s ním

pig-headed [ˌpigˈhedid] **1** tvrdohlavý, paličatý, svéhlavý **2** zabedněný

pig-headedness [pigˈhedidnis] **1** tvrdohlavost, paličatost, svéhlavost **2** zabedněnost

pig iron [ˈpigˌaiən] surové železo v houskách

Pig Islander [ˌpigˈailəndə] AU slang. Novozélanďan

pig-jump [ˌpigdžamp] kůň vyskočit s roztaženýma nohama

pig Latin [ˌpigˈlætin] úmyslná hatmatilka
pig lead [pigled] olovo v houskách
piglike [piglaik] prasečí
pigling [pigliŋ] sele, selátko, podsvinče
pigmean [pigˈmi:ən] = *pygmean*
pig meat [pigmi:t] vepřové maso
pigment [pigmənt] *s* pigment barvivo; barvicí lak ● *v* obarvit pigmentem
pigmental [pigˈmentl], **pigmentary** [pigməntəri] pigmentový
pigmentation [ˌpigmənˈteišən] pigmentace zejm. nadměrná
pigmented [pigməntid] **1** pigmentovaný **2** v. pigment, *v*
pigmy [pigmi] (*-ie-*) = *pygmy*
pignorate [pignəreit] dát n. přijmout jako zástavu, zastavit
pignut [pignat] bot. **1** rostlinná hlíza druhu *Bunium flexuosum* **2** druh ořechovce *Carya cordiformis;* jeho plod
pigpen [pigpen] = *pigsty*
pig-root [pigru:t] AU slang.: kůň pevně se zapřít předníma nohama a zadníma vyhazovat
pigskin [pigskin] **1** vepřová kůže, vepřovice **2** hovor. sedlo **3** AM ragbyový míč
pigsticker [ˈpigˌstikə] **1** jízdní lovec divokých prasat s kopím **2** zabiják kapesní nůž **3** AM voj. bajonet
pigsticking [ˈpigˌstikiŋ] lov divokých prasat na koni s kopím
pigsty [pigstai] (*-ie-*) **1** prasečí chlívek **2** chlív špinavá místnost
pigswill [ˈpigˌswil] pomyje
pigtail [pigteil] **1** cop, copánek, myší ocásek cůpek **2** tech.: spojovací kabel; přívodní drát **3** námoř. kus silného lana **4** bot. svízel přítula **5** svitek tabáku
pigtailed [pigteild] jsoucí s copem n. copy, mající copánek n. copánky (*a ~ little girl*)
pigwash [pigwoš] **1** pomyje; pivovarské splašky **2** brynda
pigweed [pigwi:d] bot. **1** merlík bílý **2** merlík červený **3** rdesno ptačí **4** šrucha obecná
pi jaw [paidžo:] slang. moralizování, zbožné kecy
pike¹ [paik] **1** špice, špička, bodec **2** žerď vlajky **3** SC trn **4** nář. motyka, krumpáč; podávky, vidle
pike² [paik] BR v názvech hor štít
pike³ [paik] štika
pike⁴ [paik] **1** mýtní závora, šraňk **2** mýto; mýtné **3** cesta, na níž se vybírá mýto
pike⁵ [paik] hist. *s* píka, kopí ● *v* zabít / pro|bodnout píkou / kopím
pike⁶ [paik] slang. **1** pelášit, mazat; vypadnout, odejít **2** hazardovat, hazardně sázet **3** nechat toho, přestat
piked [paikd] **1** špičatý, s dlouhou špicí (*a ~ shoe*) **2** v. *pike⁵, v*
pikelet [paiklit] BR vánoční pečivo připomínající livance
pikeman¹ [paikmən] *pl: -men* [-mən] sbíječ, rubač horník
pikeman² [paikmən] *pl: -men* [-mən] mýtný, výběrčí mýta
pikeman³ [paikmən] *pl: -men* [-mən] hist. voják s kopím, kopiník
pike perch [paikpe:č] zool.: název různých druhů ryb (*Stizostedion canadiensis, Hyperprosopon argenteus, Lucioperca sandra*)
piker [paikə] AM hovor. bábovka, srab opatrný hráč
pikestaff [paiksta:f] **1** násada, držadlo piky **2** hůl s ostrým bodcem ◆ *as plain as a ~* nad slunce jasnější, jasné jako facka (hovor.)
pilaf(f) [piləf] = *pilau*
pilaster [piˈlæstə] archit. pilastr plochý hranatý výstupek ve stěně
Pilate [pailət] (Pontský) Pilát
pilatory [piˈleitəri] *adj* podporující vzrůst vlasů ● *s* vodička na vlasy
pilau [piˈlau] pilaf, pilav dušené maso (zprav. skopové) s rýží, kořeněné
pilaw [piˈlau] = *pilau*
pilch [pilč], **pilcher** [pilčə] svrchní trojúhelníková flanelová plena
pilcorn [pilko:n] bot. oves nahý
pilchard [pilčəd] zool.: hromadné označení pro různé druhy sardinek
pile¹ [pail] *s* **1** kůl, pilota, pilot **2** herald. špice obrácená hrotem k dolnímu konci štítu ◆ *in ~* herald. znamení položené sbíhavě např. meče, sbíhající se dole ● *v* zatloukat piloty, podepřít pilotami, pilotovat
pile² [pail] *s* **1** naskládaná hromada, halda, stoh (*a ~ of books*); přen. spousta, moře, fůra (*a ~ of troubles, ~s of money* peněz jako želez); hromada peněz, bohatství **2** pohřební hranice; milíř **3** impozantní stavba, vznosná budova (*contrast between the ~ of the cathedral and the pygmy men in the streets*) **4** galvanický sloup, elektrická baterie ◆ *atomic ~* zast. atomový reaktor; *funeral ~* hranice; *make a / one's ~* nahrabat si, vydělat spoustu peněz; *turn on a ~* zast. uvést atomový reaktor do chodu, spustit atomovou reakci ● *v* část. *~ up / on* dát / nakládat, složit na hromadu, stohovat; na|hromadit, na|kupit, na|vršit (*~ things up*), na|rovnat do hranice (*~ logs*); naložit, navršit (*she ~d the salad on her plate*) ◆ *~ on / up the agony* rozmazávat to něco nepříjemného; *~ arms* složit pušky do pyramid; *~ it on* chvástat se, přehánět, přestřelovat **pile in** slang. *1* nalézt, nasednout např. do auta *2* nahrnout se např. do kina **pile out** slang. *1* vylézt, vyhrabat se např. z auta *2* vyhrnout se např. z kina **pile up** *1* loď ztroskotat, najet / nasednout na mělčinu *2* více aut narazit, vjet do sebe, srazit se *3* letadlo zřítit se *4* AM dát v součtu *to* kolik *5* v. *pile², v*
pile³ [pail] BR zast. rub mince ◆ *cross or ~* hlava nebo orel, panna nebo lev
pile⁴ [pail] **1** hustý vlas sukna, koberce **2** jemná srst ovčí ◆ *~ velvet* aksamit s vlasem

pile-driver [ˈpailˌdraivə] **1** beranidlo na zatloukání pilot **2** přen. uzemňující rána, kopanec **3** energický člověk n. hráč; kdo buší např. do klavíru **4** sport.: složení soupeře v zápase tak, že udeří hlavou o žíněnku
piled-up [paildap] **1** vyčesaný do výšky (*a ~ hairdo*) **2** v. *pile, v*
pile dwelling [ˈpailˌdweliŋ] kolová stavba
piles [pailz] *pl* med. hemoroidy, „zlatá žíla"
pile-up [pailap] **1** řetězová srážka aut např. na dálnici **2** nahromaděné věci **3** polygr. zplsťování papíru při tisku
pileus [pailiəs] *pl: pilei* [pailiai] bot. klobouk houby
pilewort [pailwə:t] bot. **1** orsej jarní **2** starčkovec jestřábníkolistý
pilfer [pilfə] **1** u|krást drobnosti n. malá množství (*he ~ed from his fellow-students, he ~ed his room mate's stamps* chodil svému spolubydlícímu na známky) **2** vykrádat zejm. zásilky
pilferage [pilfəridž] **1** drobná krádež **2** vykrádání zejm. zásilek
pilferer [pilfərə] zlodějíček, drobný zloděj
pilgarlic [pilˈga:lik] zast. **1** lysina, pleš; plešatec **2** chudák, chudinka ◆ *poor P~* AM hovor. já chudák
pilgrim [pilgrim] *s* **1** poutník **2** AM starousedlík **3** AM na západě nováček, nový příchozí **4** *P~ = Pilgrim Father* ◆ *P~s of Great Britain / of the United States* společnost anglo-amerického přátelství; *P~ Fathers* puritáni, kteří r. 1620 odpluli lodí Mayflower z Anglie a usadili se v Massachusetts ● *v* putovat
pilgrimage [pilgrimidž] *s* pouť, putování; životní pouť ◆ *go on (a) ~* vydat se na dlouhou pouť ● *v* putovat, jít / vydat se na dlouhou pouť
pilgrimize [pilgrimaiz] **1** putovat **2** udělat poutníka z, poslat na pouť
pili [paili] bot. kanárník strom i plod
piliferous [paiˈlifərəs] bot. chlupatý, chloupkatý, chluponosný
piliform [pailifo:m] vlasovitý, vlásečný, vlásčitý, vláskovitý, chlupovitý
pill[1] [pil] *s* **1** pilulka, též přen.; dražé, tabletka, prášek **2** *the ~* pilulka antikoncepční prostředek **3** slang. kulička, koule dělostřelecká, kulečníková **4** *~s, pl* BR kulečník **5** slang. otrava, protiva (*she was considered in some circles a vast ~* v některých kruzích ji pokládali za strašně otravnou osobu) **6** *P~s, sg* slang. mastičkář, felčar, doktor lékař ◆ *be on the ~* žena užívat pravidelně antikoncepční tabletky; *this is ~ to cure an earthquake* to je, jako když se plivne do moře / jako když dáš volovi jahodu / slonovi malinu; *~ sedge* bot. ostřice kulkonosná; *swallow the ~ / a bitter ~* spolknout hořkou pilulku ● *v* **1** dávat pilulky komu **2** slang. vyloučit, porazit **3** cuckovat se, dělat cucky (*sweaters made of wool yarns have a tendency to ~*) ◆ *be ~ed* propadnout při volbách
pill[2] [pil] BR **1** zast. vy|plenit, vy|drancovat **2** nář. o|loupat
pillage [pilidž] *s* **1** plen, plenění, loupení, drancování **2** zast. kořist ● *v* **1** vy|plenit, vy|drancovat, vy|loupit, vy|plundrovat (*pirates ~d the coast*) **2** ukořistit (*tobacco ~d from a tinfull which his father had bought*)
pillager [pilidžə] kořistník, plenitel, plenič, olupovač, drancíř
pillar [pilə] *s* **1** sloup, sloupek, sloupový útvar (*a ~ of dust*); pilíř; podpěra; přen. opora (*~s of society*) **2** odb. celina v šachtě, sedlová trubka jízdního kola ◆ *~ drilling machine* sloupová vrtačka; *from ~ to post* od čerta k ďáblu sem tam ● *v* podepřít (jakoby) pilířem / pilíři; být podepřen pilířem / pilíři
pillar box [piləboks] BR poštovní schránka ve tvaru válce
pillaret [pilərit] sloupek, pilířek, podpěrka
pillaring [piləriŋ] **1** sloupoví, kolonáda **2** v. *pillar, v*
pill bag [pilbæg] AM hovor. doktor
pillbox [pilboks] **1** kulatá krabička na pilulky n. prášky **2** voj. bunkr, podzemní pevnůstka, kulometné hnízdo **3** žert. krabička, škatulka, krcálek malé vozidlo; malá budova **4** kastrol, kastrůlek dámský klobouk bez krempy ve tvaru nízkého válce
pill bug [pilbag] zool. svinka
pillhead [pilhed] slang. narkoman, feťák
pillion [piljən] *s* **1** tandem, tandemové sedlo motocyklu, zadní sedadlo pro spolujezdce **2** hist.: lehké dámské sedlo, zadní poduškové sedlo pro spolujezdce ● *adv* na zadním sedadle, na tandemu ◆ *ride ~* jet na zadním sedadle / na tandemu
pillion rider [ˈpiljənˌraidə] **1** tandemista, spolujezdec **2** lokaj jedoucí na zadním sedadle
pillion passenger [ˌpiljənˈpæsindžə] = *pillion rider, 1*
pillion seat [piljənsi:t] = *pillion, s 1*
pilliwinks [piliwiŋks] hist. palečnice druh mučidla
pillock [pilok] BR hovor. pytlík, trouba, nýmand, nula bezcenný hloupý člověk
pillorize [piləraiz] = *pillory, v*
pillory [piləri] (*-ie-*) *s* pranýř *v* **1** postavit na pranýř **2** přen. pranýřovat, vystavit na posměch (*a demagogue who has risen to power by ~ing good men* demagog, který se dostal k moci pranýřováním slušných lidí)
pillow [pilǝu] *s* **1** poduška, polštář zejm. na lůžku **2** podložka, podklad ◆ *take counsel of one's ~* poradit se s polštářem, vyspat se na to ● *v* spočívat (jako) na polštáři (*his head ~ed on a sack*); podložit / podepřít polštáři, dát si polštář / polštáře za (*he ~ed his back comfortably in the big chair*); opatřit polštáři
pillow block [piləublok] **1** podklad, podkladová deska **2** stojan ložiska; stojaté ložisko
pillowcase [piləukeis] povlak na polštář

pillow fight [piləufait] **1** polštářová bitva při niž se házejí podušky **2** malá šarvátka, potyčka
pillow lace [ˌpiləuˈleis] paličkovaná krajka
pillow sham [ˌpiləuˈšæm] zejm. AM ozdobná pokrývka na polštář
pillow slip [piləuslip] povlak na polštář
pillowy [piləui] **1** polštářový **2** měkký, povolný jako polštář
pill pedlar [pilˌpedlə] AM hovor. **1** doktor **2** apatykář
pillule [pilju:l] = *pilule*
pillwort [pilwə:t] bot. míčovka kulkonosná
pilose [pailəus] chlupatý, srstnatý
pilosity [paiˈlosəti] chlupatost, srstnatost
pilot [pailət] *s* **1** lodivod; zast. kormidelník **2** pilot letadla, letec, aviatik **3** vodič, vůdce **4** přen. prototyp **5** lodivodský člun **6** též *~s, pl* plavební příručka **7** AM kolejové smetadlo lokomotivy **8** odb. vodicí čep, vodicí část nástroje; vodicí tyč; měřicí drát; směrná chodba v dole ◆ *drop the ~* propustit zkušeného rádce; *~'s certificate / licence* pilotní průkaz ● *adj* **1** průkopnický **2** průzkumný; pokusný ◆ *~ plant* pokusný / poloprovozní závod; *~ project* zkušební projekt; *~ scheme* zkušební provoz, nultá série; *~ survey* zkušební průzkum; *~ trainee* žák pilotního kursu ● *v* **1** vést, řídit loď, též přen. (*~ a delegation*) **2** řídit, pilotovat letadlo **3** přen. protlačit manévrováním návrh zákona
pilotage [pailətidž] **1** lodivodství, vedení lodi; nauka o vedení / řízení lodi; pilotáž **2** lodivodský poplatek **3** pilotování letadla pomocí map
pilot baloon [ˌpailətbəˈlu:n] **1** meteor. pilotovací balón sondážní **2** přen. pokusný balónek
pilot biscuit [ˈpailətˌbiskit] zejm. AM lodní suchar
pilot boat [pailətbəut] lodivodský člun
pilot bridge [pailətbridž] pontonový most
pilot burner [ˈpailətˌbə:nə] = *pilot light*
pilot cloth [pailətkloθ] modré námořnické sukno
pilot compass [ˈpailətˌkampəs] řídicí kompas
pilot engine [ˈpailətˌendžin] ochranná lokomotiva, předvoj
pilot fish [pailətfiš] *pl* též *fish* [fiš] zool. ryba lodivod, pilot pruhovaný
pilot flag [pailətflæg] lodivodská vlajka
pilot flame [pailətfleim] zapalovací hořák
pilot house [pailəthaus] *pl: houses* [hauziz] kormidelna
pilot jack [pailətdžæk] = *pilot flag*
pilot jacket [ˈpailətˌdžækit] lodní kazajka, těžký dvouřadový tříčtvrťový kabát námořníka
pilot jet [pailətdžet] = *pilot light, 1*
pilot ladder [ˈpailətˌlædə] lodivodský žebřík provazový
pilot light [pailətlait] **1** zapalovací plamen, plamínek, hořáček, věčný plamínek k zapálení hlavního hořáku **2** kontrolní světlo, kontrolní žárovka
pilot officer [ˈpailətˌofisə] BR důstojník, poručík nejnižší důstojnická hodnost v námořnictvu a letectvu
pilot tube [pailət-tju:b] pilotovací teodolit na měření rychlosti větru
pilot valve [pailətvælv] řídicí ventil
pilot vessel [ˈpailətˌvesl] lodivodská loď
pilot water [ˈpailətˌwo:tə] vodní cesta sjízdná pouze s lodivodem
pilous [pailəs] chlupatý, srstnatý
pilousness [pailəsnis] chlupatost, srstnatost
Pilsener, Pilsner [pilznə] **1** plzeňské pivo; světlý ležák napodobenina plzeňského **2** pohár na pivo
Piltdown [piltdaun] samota v Sussexu ◆ *~ man* Eoanthropus dawsoni domnělý typ vývojové fáze člověka; *~ skull* jeho lebka nalezená v Piltdownu (falzifikát)
pilular [piljulə] pilulkový, kulatý
pilule [pilju:l] malá pilulka
pilulous [piljuləs] = *pilular*
pily [paili] jsoucí s jemným vlasem, s jemnou srstí
pimelode [pimiləud] BR zool. sumec kočičí
pimento [piˈmentəu] **1** nové koření, jamajský pepř, piment **2** bot. pimentovník pravý **3** jasně červená barva
pi-meson [ˌpaiˈmi:zon] fyz. mezon π elementární částice
pimp [pimp] *s* **1** kuplíř; pasák **2** AU práskač, udavač, špicl ● *v* **1** dělat kuplíře *for* komu **2** AU prásknout, udat, špiclovat
pimpernel [pimpənel] bot. bedrník obecný ◆ *bog ~* druh drchničky; *scarlet ~* bot. drchnička rolní; *yellow ~* bot. vrbina hajní
pimping [pimpiŋ] **1** malý, bezvýznamný, mizerný, mrňavý, jsoucí k ničemu **2** marodný, stonavý, špatný
pimple [pimpl] **1** zanícený pupínek, uher, vimrle (hovor.) **2** hrbolek, puchýřek
pimpled [pimpld] = *pimply*
pimpliness [pimplinis] uhrovitost
pimply [pimpli] uhrovitý, plný pupínků (*a ~ face*)
pin [pin] *s* **1** špendlík; ozdobná jehlice, brož **2** přen. maličkost, pitominka **3** vlásenka, vlásnička **4** svorník; med. svorka, hřeb **5** voj. průbojník, úderník **6** dřevěný / kovový kolík, kolíček, hřídelík, vřeteno; zarážka, zákolník, závlačka; kolíček na natahování strun; čep, čípek klíče **7** válek, váleček na těsto; kuželka dřevěný sloupek určený ke hře **8** *~s, pl* jedenáctky nohy (*he's quick on his ~s*) **9** praporková tyč označující střed jamky v golfu **10** trojbřitý omykací nůž na kůži **11** dutá míra (cca 20,45 l) **12** zast. střed terče ◆ *be not worth a ~* nemít žádnou cenu, nestát ani za zlámanou grešli; *be on ~s and needles* být jako na jehlách; *I don't care a ~* to je mi úplně fuk; *~ clover* bot. pumpava obecná; *drawing ~* napínáček, připínáček; *~ lock* zámek na dutý klíč; *~ mark* polygr. značka písmolijny na písmenu; *in a merry ~* zast. dobře naladěný, v dobrém rozmaru; *neat as a new ~* jako ze škatulky / ze žurnálu; *~s and needles* brnění, mravenčení, mravenci v těle; *put in the ~* hovor. říci

si „dost" zejm. přestat pít; ~ *rush* bot. sítina rozkladitá; *safety* ~ zavírací špendlík; *split* ~ závlačka ● *v* (*-nn-*) **1** spojit špendlíkem n. svorkou, přišpendlit, připíchnout *on* / *to* k, na (~ *a rose to a dress*); též ~ *together* sešpendlit, spíchnout s; přibodnout špendlíkem, napíchnout (*an entomologist* ~*ning a butterfly*); upevnit / spojit kolíkem n. hřebem **2** stisknout, přitisknout, přitlačit a tím znemožnit pohyb (~*ned his arms to his sides*) *against* k, přidržet u (~ *a person against a wall*); zavřít, dát do ohrady **3** svést nepříjemnost *on* na, dávat vinu za co komu, přišít co komu (~ *a murder on an innocent woman,* ~ *all the woes of the world on grog* svádět veškeré strasti na světě na grog) **4** vyplnit spáry zdiva malými kameny **5** šachy vázat figuru ◆ ~ *a p.'s ears back 1.* zkrotit *2.* vynadat komu, seřvat koho (*the blouse buyer had her ears* ~*ned back*); ~ *one's hopes* / *faith on* spoléhat na, doufat v, upnout naděje na ***pin down 1*** stisknout, přitisknout a tím znemožnit pohyb (~*ned down by a fallen tree*) *2* přimět, přidržet, připoutat *to* k (*impossible to* ~ *him down to anything*) *3* zjistit, definovat (*I cannot* ~ *down the essence of poetry*) ***pin up 1*** připíchnout na viditelné místo (~ *up a notice*) *2* podchytit, podepřít základy budovy *3* zašpendlit, našpendlit, přichytit špendlíkem (~ *up a hem* našpendlit lem)

pinaceous [paiˈneišəs] bot. borovicovitý

pinafore [pinəfo:] **1** zástěrka zejm. dětská **2** pracovní propínací šaty **3** přen. malé dítě, holčička (*the* ~*s were gone*)

pinafored [pinəfo:d] **1** jsoucí v zástěrce, se zástěrkou **2** jsoucí v pracovních propínacích šatech

pinaster [paiˈnæstə] bot. sosna pomořská

pin-ball [pinbo:l] : ~ *machine* tivoli, hrací automat

pince-nez [pænsnei] *pl: pince-nez* [pænsneiz] skřipec, cvikr

pincer [pinsə] : ~ *attack* | *movement* obchvatný útok | pohyb

pincers [pinsəz] *pl* **1** též *a pair of* ~ štípací kleště, štípačky (slang.), klíštky, pinzeta **2** zool. klepeta **3** voj. oboustranný obchvat ◆ ~ *movement* obchvatný manévr k sevření nepřítele jako do kleští, kleště (*caught in a* ~ *movement, they do not know where to turn*)

pincette [pænˈset] klíštky, kleštičky, pinzeta

pinch [pinč, pinš] *s* **1** u|štípnutí, seštípnutí, přištípnutí, uskřípnutí, stisknutí, sevření, zmáčknutí **2** špetka, ždibec, štipec, na špičku nože (*a* ~ *of salt*) **3** tlak, tíseň (*feel the* ~ *of poverty*); nedostatek, nouze (*labour* ~ nedostatek pracovních sil) ◆ *at a* ~ kdyby bylo nejhůře, v nejhorším / nejlepším případě (*we can get six people round the table at a* ~); *give a* ~ štípnout; *if it comes to the* ~ kdyby bylo nejhůře, kdyby došlo k nejhoršímu, při nejhorším (*at a* ~, *it could be supplied by the sea* při nejhorším to lze dopravit po moři) ● *v* **1** se|štípnout, štípnout do (*he* ~*ed the boy's cheek*), stisknout, sevřít; při|skřípnout, uskřípnout (*I* ~*ed my finger in the doorway*); též ~ *back* / *off* / *out* zaštípnout květ **2** mráz štípat; hlad trápit, sužovat; nemoc vzít; boty být těsný, tlačit; rukavice škrtit; znetvořit, poznamenat, způsobit ztrhané rysy (*cruelty* ~*ed his face about the mouth* obličej měl kolem úst znetvořený krutostí) **3** škrtit, škudlit, šetřit (*parents who had to* ~ *and scrape in order to save money for a child's clothes* rodiče, kteří musili škudlit a utrhovat si od úst, aby ušetřili dítěti na oblečení); mít nedostatek *in* / *of* / *for* čeho (*so* ~*ed for money that he often had only tea for dinner*); tísnit, tlačit, sužovat, trápit, přivést do úzkých (*the debtor who found himself* ~*ed by the shrinking supply of currency* dlužník, který se ocitl v úzkých tím, že se ztenčovala zásoba peněz), omezit, limitovat (*local prices and sales are being drastically* ~*ed by foreign imports*) **4** hovor. sebrat, štípnout, čajznout, seknout, otočit ukrást, vzít bez dovolení (*who's* ~*ed my dictionary*); sbalit, sebrat, zašít zatknout (*you'll be* ~*ed if you're not careful*) **5** vy|mačkat, vy|ždímat peníze *from* / *out of* z **6** BR hnát, pobízet koně při dostihu **7** námoř.: loď střídavě stáčet k větru a odpadat od větru, najíždět výšku ◆ *that is where the shoe* ~*es* tam nás tedy bota tlačí, v tom je největší obtíž ***pinch o.s.*** uskrovnit se, odbývat se (*they were ready to* ~ *themselves for years*) ***pinch back*** zaštípnout větev n. stonek

pinchbeck [pinčbek, pinšbek] *s* **1** tombak druh mosazi **2** přen. napodobenina ● *adj* **1** tombakový **2** falešný, nepravý, napodobenina čeho (*a* ~ *throne* něco jako trůn)

pinched [pinčt, pinšt] **1** obličej ztrhaný, vyzáblý **2** dutý, jsoucí na suchu bez peněz **3** stísněný, malý **4** v. *pinch, v*

pinching [pinčiŋ, pinšiŋ] **1** námoř. střídavé stáčení k větru **2** v. *pinch, v*

pinch-hit [pinčhit, pinšhit] (*pinch-hit, pinch-hit, -tt-*) AM zaskočit *for* za (*he would* ~ *for the president in the entertainment of foreign visitors*)

pinch-hitter [ˈpinčˌhitə, ˈpinšˌhitə] náhradník

pincurl [pinkə:l] natočený pramen vlasů, přichycený pinetkou

pincushion [ˌpinˈkušn] jehelníček, polštářek na jehly

pindan [pindæn] AU step, buš

pindari [pinˈda:ri] hist. indický záškodník na koni

Pindaric [pinˈdærik] *adj* pindarský připomínající řeckého básníka Pindara ● *s* ~*s, pl* pindarské ódy v nepravidelných verších

pindrow fir [ˌpindrəuˈfə:] bot. jedle západohimálajská

pine¹ [pain] **1** též ~ *away* schnout, hynout, trápit se, tratit se před očima (*so she* ~*d, and so she died forlorn* tak hynula a tak zemřela všemi opuštěná) **2** toužit, hynout touhou *for* po (*he* ~*d for his native hills*)

pine² [pain] **1** borovice, sosna strom i dřevo **2** ananas ♦ *Austrian* ~ borovice černá; *Bhotan* ~ borovice ztepilá; *Bosnian* ~ borovice Heldreichova bělokorá; ~ *carpet* zool. píďalka sosnová; *Chile* ~ blahočet ztepilý, araukárie; *digger* ~ borovice Sabineova; *drooping-coned* ~ kosodřevina; *foxtail* ~ borovice osinatá; *Florida spruce* ~ borovice zavřená; ~ *marten* zool. kuna lesní; *Norway* ~ *1.* BR smrk ztepilý *2.* AM strom *Pinus resinosa; Scotch* ~ borovice lesní; *white* ~ borovice vejmutovka

pineal [piniəl] : ~ *body* / *gland* anat. šišinka mozková, pineální tělísko, epifýza

pineapple [ˈpainˌæpl] **1** ananas **2** slang. ruční granát; malá bomba ♦ *Chicago* ~ AM ježek pánský účes

pineapple weed [ˌpainˌæplˈwi:d] bot. heřmánek terčovitý

pinebarren [ˈpainˌbærən] AM písečný kus země, řídce porostlý borovicemi

pine beauty [ˈpainˌbju:ti] (*-ie-*) zool. bekyně sosnová

pine blister [ˈpainˌblistə] puchýřnatost borovic

pineclad [painklæd] porostlý borovicemi (~ *hillsides*)

pine cone [painkəun] borová šiška

pine hawk moth [ˌpainho:kˈmoθ] zool. lyšaj borový

pine knot [pain-not] kus borového dřeva palivo

pine needle [ˈpainˌni:dl] jehlice borovice (~*s* borové jehličí)

pinery [painəri] (*-ie-*) **1** skleník pro pěstování ananasů; ananasová plantáž **2** kulturní bor, borový les

pine tree [paintri:] = *pine², 1* ♦ *P*~ *State* AM Maine přezdívka

pine tree weevil [ˌpaintri:ˈwi:vil] zool. smolák sosnový

pinetum [paiˈni:təm] *pl: pineta* [paiˈni:tə] **1** borovicová plantáž zejm. různých druhů borovic, pinetum **2** pojednání o borovicích

pinewood [painwud] **1** též ~*s, pl* bor, borový les **2** borové dřevo, borovice

pinfeather [ˈpinˌfeðə] zárodek ptačího pera, rostoucí pero, pisk

pinfold [pinfəuld] *s* salaš, ohrada pro zatoulaný dobytek ● *v* **1** zavřít do ohrady n. salaše **2** přen. omezit

ping [piŋ] *s* zasvištění, zabzučení střely ve vzduchu (*he heard the* ~ *of a slingshot* slyšel zasvištění střely z praku); bim, cinknutí, zazvonění (*a bell rang with a* ~) ● *v* za|bzučet (*a few mosquitoes* ~*ed shrilly* ostře zabzučelo pár moskytů); plesknout (*a bullet* ~*ed into the water*), za|cinknout, za|zvonit

ping pong [piŋpoŋ] ping-pong stolní tenis

pinguid [piŋwid] **1** tučný, mastný, sádelnatý (*a* ~ *bullfrog*) **2** půda úrodný

pinguin [piŋwin] bot. bromelie

pin-fire [pinfaiə] *v* ošetřovat koně pomocí elektrické jehly ● *adj:* ~ *cartridge* náboj odpalovaný úderem úderníku na jeho zápalku

pinhead [pinhed] *s* **1** špendlíková hlavička **2** přen. zrnko máku, mák něco malého **3** hlupák, trulant, zabedněnec ♦ *I don't care a* ~ ani zbla mi na tom nezáleží ● *adj* drobounký

pinholder [ˈpinˌhəuldə] kenzan, „ježek" pro ikebanu

pinhole [pinhəul] **1** malá dírka propíchnutá špendlíkem **2** dírka pro kolík n. svorník

pinion¹ [pinjən] *s* **1** poslední část ptačího křídla; peruť, peroutka, kosinka; křídlo, křidélko **2** přen. peruť; letka ● *v* **1** zastřihnout křídla čemu, svázat křídla čemu **2** svázat / přivázat ruce k tělu komu (*bodyguards had* ~*ed their attacker* tělesné stráže přivázali útočníkovi ruce k tělu)

pinion² [pinjən] **1** pastorek ozubené kolečko s malým počtem zubů **2** hut. ozubený válec, hřebenový válec

pink¹ [piŋk] *s* **1** bot. hvozdík, zejm. hvozdík pernatý; karafiát **2** přen. výkvět (*the* ~ *of elegance*), obraz (*the* ~ *of health*), vrchol (~ *of fashion,* ~ *of politeness*) **3** světle růžová barva; nažloutlé barvivo **4** červený lovecký kabát honce na lišku; honec na lišku **5** polit. levičák **6** hanl. běloch ♦ *China* / *Chinese* ~ hvozdík čínský; *clove* ~ hvozdík karafiát; *in the* ~ hovor. zdravý jako řípa (*delighted to see you in the* ~); *maiden* / *maidenly* / *meadow* ~ bot. hvozdík slzičky, slzičky Panny Marie ● *adj* **1** světle růžový **2** polit. levičácký, polokomunistický **3** přen. absolutně zdravý, absolutní (~ *health*) **4** přen. maximální **5** vzrušený, vyvedený z míry (*would get quite* ~ *on the subject*) ♦ ~ *gin* gin s angosturou; ~ *oak* AM dub bahenní; ~ *rot of potatoes* červená plíseň bramborová ● *v* z|růžovět (*when the eastern sky was beginning to* ~)

pink² [piŋk] hist. **1** pinka dvoustěžňová holandská rybářská plachetnice **2** středozemní trojstěžňová pobřežní plachetnice s latinskými plachtami

pink³ [piŋk] **1** pro|píchnout, pro|bodnout např. mečem (~*s him neatly in the arm*); po|střelit (~*ed three times by the assassin* zasažen třemi výstřely atentátníka) **2** ozdobně vysekávat, vykrajovat, propichovat, dírkovat, perforovat, prolamovat, zoubkovat, vroubkovat tkaninu n. kůži; zdobit perforací atd.

pink⁴ [piŋk] BR **1** mladý losos **2** nář. střevle potoční

pink⁵ [piŋk] **1** auto střílet do výfuku (*when the mixture is too rich the engine* ~*s*) **2** cinkat, zvonit (~*ing like a hundred tiny coins*) **3** nabrat, vrazit do (*he whirled round and* ~*ed the kitchen cupboard* prudce se otočil a vrazil do kuchyňské kredence)

pink-cheeked [piŋkči:kt] růžovolící, růžolící

pink elephant [ˌpiŋkˈelifənt] přen. **1** bílé myšky halucinace alkoholika **2** zast. delirium tremens

pinkeye [piŋkai] **1** med. infekční zánět spojivek **2** chřipka koně

pinkie [piŋki] AM nář. malíček
pinking [piŋkiŋ] v. *pink, v* ◆ ~ *scissors / shears* začisťovací nůžky
pinkish [piŋkiš] narůžovělý, téměř růžový
pinko [piŋkəu] *pl* též *-es* [-z] hovor. tak trochu socialista
Pinkster [piŋkstə] AM letnice, svatodušní svátky ◆ *p~ flower* druh azalky
pink tea [piŋkti:] AM velice formální čaj o páté
pinky [piŋki] růžový, narůžovělý
pin money [ˈpinˌmani] **1** kapesné, apanáž ženy, jehelné (zast.) (*this man provides ~ in plenty for his daughter*) **2** přen. pakatel, spropitné (*worked feverishly for what would look like ~ to modern men* horečně pracoval za částku, která by modernímu člověku připadala spíš jako spropitné)
pinna [pinə] *pl: pinnae* [pini:] **1** ušní boltec **2** bot. lístek zpeřeného listu **3** ploutev
pinnace [pinis] námoř. pinasa veslový n. plachetní člun se zrcadlovou zádí; dř.: pomocný člun na válečné n. obchodní lodi
pinnacle [pinəkl] *s* ozdobná věžička např. na střeše; (*three silent ~s of aged snow*); vrchol, vrcholek, též přen. (*on a ~ of happiness*) ● *v* **1** ozdobit věžičkou (*~ a pediment* ozdobit fronton věžičkou) **2** postavit vysoko, vyzvednout (*desired not to be ~d but to sink into the crowd*)
pinnate [pinit], **pinnated** [pineitid] **1** bot.: list zpeřený **2** zool. po obou stranách rozložený, symetrický
pinnatifid [piˈnætifid] bot. zpeřený
pinnatilobate [piˌnætiˈləubeit] bot. peřenolaločný
pinnatisect [piˈnætisekt] bot. peřenosečný
pinner[1] [pinə] **1** kolíčkovač, přišpendlovač **2** malý kámen na vypodložení velkého kamene **3** zast. špendlíkář
pinner[2] [pinə] honec, pastevec dobytka
pinner[3] [pinə] ženský čepec s cípy v 17. a 18. stol.; cíp takového čepce
pinnigrade [pinigreid], **pinniped** [piniped] *adj* ploutvonohý ● *s* ploutvonožec
pinnotere [pinətiə], **pinnothere** [pinəθiə] druh kraba rodu Pinnotheres
pinnule [pinju:l] **1** lístek **2** ploutvička **3** průhledítko úhloměrného přístroje
pinnular [pinjulə] **1** lístečkový, týkající se lístku **2** ploutvičkový
pinny [pini] (*-ie-*) dět. = *pinafore*
pinoc(h)le [pinokəl] AM binokl karetní hra
pinole [piˈnəul] AM **1** kukuřičná mouka z pražené kukuřice **2** sladký pokrm z této mouky a skořice **3** aromatický prášek při výrobě čokolády
pinon [pinən] bot. borovice mexická
pinpoint [pinpoint] *s* **1** hrot / špička špendlíku (*left impaled upon the ~* ponechán napíchnutý na špičce špendlíku); ostrá špička (*a ~ of rock*); bod (*above the town ~s of light twinkled* nad městem se třpytily světelné body) **2** malé bezvýznamné místo, díra (*at this one ~ in the wilderness* v této jedné díře v pustině); nic (*not a ~ of difference* ani za mák rozdílu) **3** přesně stanovený bod na mapě (*anchoring on the precise ~ assigned* zakotvení na přesně stanoveném a přiděleném místě); přesný orientační bod ◆ *be on ~s* být jako na jehlách ● *adj* přesný, detailní (*a revulsion against ~ planning* odpor proti detailnímu plánování); přesně vymezený / stanovený (*~ localization of the foreign body*); vyžadující přesný zásah (*~ targets*) ◆ *~ accuracy* absolutní / stoprocentní přesnost ● *v* **1** přesně stanovit / určit polohu (*can ~ the position of his aircraft within two miles*); přesně umístit, zaměřit (*~ very heavy bombs on the most vulnerable points*); přesně zasáhnout bombami, bombardovat přesně vymezený cíl (*~ed oil refineries and other strategic installations*) **2** přesně označit, bezpečně zjistit (*hope to ~ promising young engineers by psychometric methods* doufat, že zjistí nadějné mladé techniky psychometrickými metodami); přesně vymezit (*~ and define the procedural rights of a citizen* přesně vymezit a definovat procedurální práva občana) **3** vypíchnout, zdůraznit (*scenes that were supposed to ~ delicate emotional balances* scény, které měly za účel zdůraznit jemnou vyváženost emociálních vztahů)
pinprick [pinprik] *s* **1** píchnutí špendlíkem činnost, otvor i bolest **2** malé bodnutí, po|píchnutí, nepříjemná poznámka (*the action was viewed as another ~*) ● *v* píchat, popichovat, otravovat (*~ed and heckled the socialist leaders* popichoval a provokoval socialistické vůdce)
pinscher [pinšə] slang. čokl
pinstripe [pinstraip] text. *s* **1** úzký proužek **2** úzce proužkovaná tkanina ● *adj* tkanina úzce proužkovaný, jsoucí s úzkým proužkem
pint [paint] **1** pinta dutá míra BR 0,568 l, AM 0,473 l **2** přen. půllitr piva
pinta [paintə] BR hovor. půllitr zejm. mléka n. piva
pintable [pinteibl] BR tivoli hra
pintado [pinˈta:dəu] **1** mořská ryba *Scomberomorus maculatus* **2** též *~ bird / petrel* kápský buřňák; perlička kropenatá
pintail [pinteil] **1** též *~ duck* zool. ostralka kachna **2** druh tetřeva
pintle [pintl] **1** čep, trn; havlenka **2** vulg. penis
pinto [pintəu] AM *adj* strakatý, černobílý ● *s* strakatý / černobílý kůň
pint-size [paintsaiz] malý a nedůležitý jako „malé pivo"
pin tuck [pintak] úzká ozdobná záložka
pin-up [pinap] hovor. **1** obrázek zejm. málo oblečené n. nahé dívky k připíchnutí / přilepení na stěnu **2** obrázek filmové herečky / filmového herce **3** též *~ girl* slečna, dráždivě půvabná dívka jejíž fotografie se hodí k připíchnutí na stěnu

pinwheel [pinwi:l] **1** dětský větrník **2** malé kateřinské kolo ohňostroj **3** odb. cévové kolo

pinworm [pinwə:m] roup

pinxerunt [piŋkˈsiərənt] za podpisy malířů na obraze na|malovali

pinxit [piŋksit] za podpisem malíře na obraze na|maloval

Pinxter [piŋstə] = *Pinkster*

piny [paini] borový (~ *woods*), borovicový (~ *odour*)

piolet [pjəuˈlei] cepín

pion [paion] fyz. pion elementární částice mezon π

pioneer [ˌpaiəˈniə] *s* **1** voj. zákopník, ženista, sapér, pionýr **2** průkopník, pionýr (*a* ~ *in oceanography*) ◆ *P*~ *Corps* pomocný oddíl složený ze spřátelených cizích příslušníků n. osob nepodléhajících branné povinnosti za 2. světové války ● *v* razit cestu *in* čemu (*group which* ~*ed in the development of the modern art movement*); objevovat jako první, zkoumat (*Portugal, which had done so much to* ~ *the outer ocean*), zavádět, propagovat (*she* ~*ed the short haircut for women*)

pionic [paiˈonik] fyz. týkající se mezonu π

piou-piou [ˌpju:ˈpju:] BR hovor. francouzský voják

pious [paiəs] **1** zbožný, pobožný, nábožný (*the* ~ *Jewish historian, a* ~ *hush in the atmosphere* zbožné ztišení v ovzduší) **2** pobožný, pobožnůstkářský, farizejský (~ *noble phrases about ideals which serve only to cover up iniquity* farizejsky vznešené fráze, jejichž jediným cílem je zakrýt špatnost) **3** chvalitebný, chvályhodný, hodný doporučení, ideální (*international law was scoffed at as* ~ *but impotent* mezinárodní zákon byl v opovržení, že je sice ideální, ale bezmocný) **4** zast. uctivý, povinný, konaný s nábožnou n. povinnou úctou (*took me to pay a* ~ *visit to my old school*) ◆ ~ *effort* dobře míněný pokus; ~ *founder* zakladatel např. koleje k Boží slávě a dobru člověka; ~ *fraud* podvod z dobrého úmyslu, pia fraus; ~ *hope* nesplnitelné zbožné přání; ~ *literature* náboženská literatura; ~ *wish* zbožné přání

pip[1] [pip] *s* **1** tipec **2** vulg. syfilis **3** žert. brouky, launy; otrava, zle, nanic ◆ *he gives me the* ~ dělá se mi z něho zle; *he has the* ~ je otrávený, má brouky v hlavě ● *v* (*-pp-*) zkazit náladu komu, otrávit

pip[2] [pip] **1** oko na kostce n. kamenu domina; jednotka v kartách **2** BR slang. hvězdička, pecka, frčka označení hodnosti **3** rostlinný puk **4** kosočtvercový dílek slupky ananasu

pip[3] [pip] (*-pp-*) BR hovor. **1** pobít porazit (~*ped his opponent in the race*); vyzrát na **2** zasáhnout vrženým **3** vyloučit hlasováním; vyhodit při zkoušce ◆ ~ *at the post* porazit na poslední chvíli / v posledním okamžiku ***pip out*** natáhnout bačkory zemřít

pip[4] [pip] **1** jádro, jadérko např. jablka; pecička **2** slang. číslo, senzace, bašta (*the gal's* ~ *and I'm going to marry her* ta holka je senzace a já se s ní ožením)

pip[5] [pip] (*-pp-*) **1** pípat **2** ptačí mládě proklovnout skořápku vejce

pip[6] [pip] BR písmeno P při hláskování zejm. v telefonu ◆ ~ *emma* p. m., odpoledne

pip[7] [pip] BR *s* časová značka, za|pípnutí časového signálu (*the six* ~*s of the time signal*) ● *v* (*-pp-*) zavolat přenosnou rozhlasovou stanicí ***pip in*** letec srovnat si hodinky, synchronizovat svůj čas

pipa [pi:pə] zool. pipa velká americká žába

pipal [pi:pəl] = *peepul*

pipage [paipidž] potrubí, vedení trubkami / potrubím

pipe [paip] **1** trubka, trubice, roura, potrubí, vedení trubek **2** píšťala hudební nástroj; zvučící těleso varhan; ~*s, pl* dudy; námoř.: loďmistrovská píšťala; zapískání, signál píšťalou **3** pisklavý hlásek, fistulka (*in a feeble* ~ chabou fistulkou); ~*s, pl* hlasivky (*a soloist with a powerful set of* ~*s*, sólista obdařený silnými hlasivkami); ptačí zpěv (*the earliest* ~ *of half-awaken'd birds* nejranější zpěv ještě polospících ptáčků); za|pískání, za|hvízdání na píšťalu (*helped him with his first* ~*s on the flute*) **4** dýmka, lulka, fajfka náčiní i množství (*give me a* ~ *of tobacco, please*) **5** ~*s, pl* průdušky, průdušnice; žíly; střeva, zažívací trakt **6** díra, nora; geol. sopouch **7** stéblo (bot.) **8** kanál / rameno s tenaty na rybníčku **9** sud vína / oleje, nádoba i množství (cca 500 l) **10** hist. listina, svitek, spis; archív **11** námoř. ~*s, sg* slang. loďmistr **12** ~*s, pl* BR slang. holínky, štíflata **13** AM slang. vidina, báchorka, vymyšlenina, fantazie **14** AM slang. pouhá legrace, psina; hračka (*both think acting on a show is a* ~); vyložená věc, beton, co je na beton (*a play that is at least a* ~ hra, která je aspoň „tutovka“) **15** hut. staženina, „lunkr“ ◆ ~ *bomb* amatérsky zhotovená bomba z litinové n. ocelové trubky; ~ *dream* vzdušný zámek, vidina, iluze, přelud, fantazie; ~ *duct* potrubí; ~ *key* dutý klíč, klíč s dírkou; *King's* ~ BR spalovací pec v londýnských docích; *lay* ~ / ~*s 1.* klást potrubí *2.* AM poslat své nezapsané voliče protiprávně k urnám; ~ *major* velitel plukovních dudáků; ~ *of ore* rudný peň; ~ *of peace* dýmka míru, kalumet; ~ *privet* zast. šeřík obecný, bez; *put a p.'s* ~ *out* zatrhnout to komu, donutit, aby zpíval jinak kdo; *put that in your* ~ *and smoke it* strč si to za klobouk, trhni si nohou, dělej co umíš proti tomu; *Queen's* ~ BR spalovací pec v londýnských docích; ~ *spanner* hasák na trubky; ~ *stop* varhanní rejstřík; *system of* ~*s* potrubí, potrubní síť; *tune one's* ~*s* SC natahovat moldánky; ~ *vein* geol. válcovitá žíla, rudní sloup ● *v* **1** vést / přivádět potrubím, trubkami atd.; spojit trubkou n. trubkami; zavést potrubí / instalaci do, opatřit potrubím **2** za|pískat, za|hrát na píšťalu; za|pískat, pištět, vypísknout; hlasitě fičet **3** doprovázet dudáckou hudbou (*men of Scotland who've ~d their men into battle*) **4** námoř.: loďmistr hvízdat, pískat, vyzývat, dávat rozkaz píšťalou (*~ all hands on deck* dát nastoupit celou posádku na palubu); dát nastoupit stráž na poctu komu, u|vítat nastoupenou stráží (*~ the captain on board*) **5** mluvit / zpívat fistulí n. slabým hlasem **6** stočit do sudu víno **7** o|lemovat, o|zdobit lemovkou oděv (*the edge of the white jacket was ~d with navy* okraj bílého saka měl tmavě modrou lemovku); vytlačovat těsto, o|zdobit dort nastříkanou polevou **8** řízkovat karafiáty **9** AM přenášet po drátě (*~ music into restaurants, stores and factories*), kabelem (*~ the telecast to all network stations* přenášet kabelem televizní program všem propojeným stanicím) **10** slang. brečet, bulit plakat **11** AM slang. zmerčit všimnout si ◆ *~ one's eye / eyes* plakat, ronit slzy; *~ the stem* pískat poctu nástup stráže u bočních visutých schůdků ***pipe away*** pískat (na) start lodě ***pipe down*** *1* dát rozkaz ke skončení práce lodní posádce *2* ztichnout, přestat mluvit; utišit se, uklidnit se, krotit se, mírnit se v projevu ***pipe off*** *1* napodobit *2* odejít, vytratit se, vypařit se, zmizet, ztratit se *3* zhasnout umřít ***pipe up*** *1* začít hrát zejm. na dudy; začít zpívat *2* spustit, dát se do toho začít hrát n. zpívat, začít mluvit

pipe bell [paipbel] tech. průvlak na tažení trubek

pipe bend [paipbend] tech. trubkový oblouk tvarovka

pipe clamp [paipklæmp] = *pipe clip*

pipeclay [paipklei] *s* **1** bílá dýmkařská hlína, bílý dýmkařský jíl na čištění pásů **2** nadměrná péče o zevnějšek vojáka; bezduchý dril, buzerace ● *v* natřít / vyčistit dýmkařskou hlínou (*~ shoes or helmets*)

pipe climber [ˈpaipˌklaimə] fasádník lupič

pipe clip [paipklip] poutko trubky, příchytka trubky

pipefish [paipfiš] *pl* též *-fish* [-fiš] zool. mořská jehla

pipeful [paipful] plná dýmka, fajfka množství

pipejoint [paipdžoint] potrubní spoj, trubkový spoj

pipe laying [ˈpaipˌleiiŋ] AM zákulisní intriky, machinace

pipeline [paiplain] **1** potrubí, naftovod, ropovod (*Transarabian ~ that carries oil from Saudi Arabia to Lebanon*) **2** spojení, linka, informační kanál (*a news ~ from a mayor's office*) ◆ *be in the ~* aktivně se připravovat

piper [paipə] **1** pištec, pískač, šumař; dudák **2** instalatér **3** zool. štítník **4** dýchavičná herka **5** BR honicí pes hlídající lapené kachny ◆ *~'s news* stará novina; *pay the ~* nést náklady / riziko podniku; *he who pays the ~ calls the tune* kdo platí, může poroučet

piperaceous [ˌpipəˈreišəs] bot. pepřovitý

pipe rack [paipræk] stojánek na dýmky

pipe rolls [paiprəls] hist.: finanční akta, dokumenty, doklady (1131–1833)

pipe stem [paipstem] troubel dýmky

pipe stone [paipstəun] růžová hlinitá hornina používaná Indiány k výrobě dýmek

pipe vine [paipvain] bot. podražec

pipette [piˈpet] **1** pipeta, pipetka skleněná odměrná trubice na kapaliny ◆ *wine ~* koštýř

piping [paipiŋ] *s* **1** trubky, potrubí (*ten feet of lead ~*) **2** ztužené lemování šatů **3** hut. staženina, „lunkr" **4** v. *pipe, v* ● *adj* **1** charakterizovaný klidnou, nevojenskou hudbou (*the ~ time of peace*) **2** pisklavý **3** v. *pipe, v* ◆ *~ hot 1.* velice horký, vařící, vřelý *2.* přen. zbrusu nový

pipistrel(le) [ˌpipiˈstrel] zool. netopýr hvízdavý

pipit [pipit] zool. linduška

pipless [piplis] **1** ovoce jsoucí bez jader n. bez peciček **2** baňka hladký

pipkin [pipkin] hliněný hrneček, rendlík

pipperoo [ˌpipəˈru:] AM slang. brouček, miláček

pippin [pipin] *s* **1** ušlechtilá odrůda jablka **2** slang. senzace, co je prima, bašta ● *adj* červený jako jablíčko

pippy [pipi] plný jadérek n. peciček, jadernatý

pipsqueak [pipskwi:k] slang. **1** svištivý granát **2** prskolet motocykl s dvoudobým motorem **3** nula, nic bezvýznamný člověk, bezvýznamná věc

pipy [paipi] (*-ie-*) **1** trubkovitý, trubičkovitý **2** ostrý, pronikavý

piquancy [pi:kənsi] (*-ie-*) pikantnost; přen. šťáva, pikantní příchuť (*the sense that he was watched added ~ to his journey* vědomí, že byl pozorován, dodalo jeho cestě pikantní příchuť); pikantní pokrm (*restaurateurs scouring Italy for piquancies to enhance their menus* majitelé restaurací hledající v celé Itálii pikantní jídla ke zpestření svých jídelníčků)

piquant [pi:kənt] pikantní ostrý (*ham curing in a ~ brine*); provokativní (*his comments are always ~ and sometimes blistering* jeho poznámky jsou vždycky provokativní a občas sžíravé)

pique[1] [pi:k] *v* **1** dotknout se koho, podráždit, urazit, zranit zejm. přezíráním (*~s her by his apparent indifference*) **2** vy|provokovat, vy|dráždit (*a possible coincidence which ~s one's curiosity* možná shoda okolností, která dráždí naši zvídavost) **3** voj. letět / útočit střemhlav ***pique o.s.*** nosit se, chlubit se, holedbat se, honit se *on* čím (*he ~d himself on being punctual* holedbal se tím, že vždycky přijde včas) ● *s* uraženost, dotčenost, zraněná pýcha ◆ *take a ~ against a p.* urazit se na, nemluvit s

pique[2] [pi:k] *s* výhra v piketu, 30 bodů v piketu ● *v* vyhrát, udělat 30 bodů v piketu, vyhrát v piketu nad

piqué [pi:kei] text. piké, pik, stehová tkanina

piquet[1] [piˈket] piket karetní hra

piquet[2] [pikit] = *picket, s*

piracy [paiərəsi] (*-ie-*) **1** pirátství, korzárství **2** nedovolený přetisk knihy, pirátský tisk

piragua [pi'rægwa] piroga dlabaný člun s postranními vahadly
piraña, piranha [pi'ra:njə] zool. piraňa
pirate [paiərit] *s* **1** pirát, korzár, námořní lupič; pirátská / korzárská loď **2** rozhlasový pirát, pirátská stanice **3** nakladatelský pirát přetiskující cizí knihy bez dovolení **4** BR pirátský autobus s vysokým jízdným; jezdící po cizí trati, soukromý autobus ● *v* **1** u|loupit, u|kořistit na moři **2** vydat bez povolení / jako pirátský tisk
piratical [pai'rætikəl] pirátský (~ *strongholds* pirátské pevnosti, ~ *editions*); ukradený, odcizený
pirn [pə:n] SC cívka, špulka; rybářský naviják
pirogue [pi'rəug] = *piragua*
pirouette [ˌpiru'et] *s* pirueta rychlé otočení na špičce nohy ● *v* u|dělat / tančit piruetu, vířit v piruetách
pis aller [piz'ælei] východisko z nouze
piscary [piskəri] : *common of* ~ právo rybolovu v cizí vodě
piscatorial [ˌpiskə'to:riəl], **piscatory** [piskətəri] rybářský (~ *life*); rybolovný, lovící ryby (~ *tribes*) ◆ *Piscatory ring* papežův rybářský prsten
Piscean [pi'si:ən] člověk narozený ve znamení Ryb
Pisces [pisi:z] hvězd. Ryby
piscicide [pisisaid] vyhubení ryb v určité oblasti
piscicultural [ˌpisi'kalčərəl] rybochovný, sádkovací
pisciculture [pisikalčə] umělý chov ryb
pisciculturist [ˌpisi'kalčərist] pěstitel ryb
piscina [pi'si:nə] *pl* též *piscinae* [pi'si:ni:] **1** rybník, nádrž na ryby **2** antic. bazén, lázeň **3** kamenná výlevka umístěná blízko oltáře
piscine[1] [pisi:n] **1** bazén **2** lázeň; veřejné lázně
piscine[2] [pisain] rybí
piscivorous [pi'sivərəs] rybožravý, živící se rybami
pisé [pi'zei] též ~ *de terre* **1** lepenice; dusané lepeničné zdivo **2** dusaná lepeničná stavba
Pisgah [pizgə] **1** bibl. hora Pisgach **2** přen. vzdálené místo odkud je rozhled do nepřístupného kraje
pish [piš] interj pšá, pch, cha chá; fuj; no tak, no no ● *v* říkat pšá atd. (~*ed and pshawed a little at what had happened*)
pishogue [pi'šəug] IR kouzlo, čáry; zaklínání, zaklínadlo, kletba
pisiform [paisifo:m] hrachovitý, hráškovitý, hráškový ◆ ~ *bone* hráškovitá kost v zápěstí
pismire [pismaiə] nář. mravenec
piss [pis] vulg. *v* chcát; pochcat ***piss o.s.*** pochcat se smíchy ***piss off 1*** odprejsknout odejít **2** nasrat rozzlobit (*a lot of boys are* ~*ed off at me*) ● *s* chcanky, též přen.
pissed [pist] vulg. **1** ožralý **2** nasraný **3** v. *piss, v* ◆ ~ *as a newt* ožralý jako slíva
pissoire [pi:'swa:] pisoár
pisspot [pispot] vulg. chcáč nočník
pistachio [pis'ta:šiəu] **1** bot. řečík pistáciový, pravá pistácie, zelená mandle ● *adj* **1** pistáciově zelený **2** pistáciový (~ *ice* ... zmrzlina)
piste [pist] **1** vyježděná cesta zejm. ve sněhu, lyžařská stopa, sjezdová dráha, pista **2** šerm. planš **3** pěšinka, stezka pravidelně používaná zvěří, veksl (slang.)
pistil [pistil] bot. pestík
pistillary [pistiləri], **pistillate** [pistilit], **pistiliferous** [ˌpisti'lifərəs], **pistiline** [pistilain] pestíkový
pistol [pistl] *s* pistole; revolver ◆ *hold a* ~ *to a p.'s head* přen. položit / dát komu nůž na krk ● *v* (*-ll-*) střílet, za|střelit z pistole
pistole [pis'təul] pistole, pistol stará španělská a francouzská zlatá mince
pistoleer [ˌpistə'liə] pistolník
pistol grip [pistlgrip] revolverová rukojeť, pažbička
pistol shot [pistlšot] **1** střelba z pistole **2** dostřel z pistole (*he came within* ~) **3** střelec z pistole, pistolník
pistol-whip [pistlwip] (*-pp-*) udeřit n. bít pažbou pistole
piston [pistən] **1** píst **2** piston, píst, ventil u dechového nástroje **3** hud.: varhanní rejstřík
piston bearing ['pistənˌbeəriŋ] pístové ložisko
piston-engined ['pistənˌendžind] letadlo vrtulový
piston pump [pistənpamp] pístové čerpadlo
piston ring [pistənriŋ] pístní kroužek
piston rod [pistənrod] **1** pístnice, pístní tyč parního stroje **2** ojnice spalovacího motoru
piston stroke [pistənstrəuk] zdvih pístu
pit[1] [pit] *s* **1** jáma; díra; propast; podzemní jeskyně **2** důl, šachta, kutací příkop **3** past, vykopaná jáma **4** bibl. hrob; pekelná propast, peklo (*a demon from the depths of the* ~) **5** krecht; skleník, pařeniště; zast. studna **6** též *grease* ~ montážní jáma **7** dolík, jamka, prohlubeň, prohlubenina; důlek, dolík (*smallpox* ~ důlek po neštovici) **8** voj. kryt pro cílné; okop pro děla **9** BR lacinější sedadla v přízemí, přízemí za křesly, parter, publikum v přízemí **10** aréna pro kohoutí zápasy **11** AM pecka **12** sport. doskočiště; depo, box při automobilových závodech **13** hist. hladomorna **14** AM kruhovité místo na burze vyhrazené pro určitou komoditu **15** AM slang. prkenice náprsní taška ◆ ~ *of the stomach* (přen.) žaludek, srdeční jamka ● *v* (*-tt-*) **1** dát do jámy; krechtovat **2** postavit jako protivníka *against* proti (~*ted a pair of cocks against each other*); zkusit proti, z|měřit s, napnout proti, napřít proti energii (~ *one's strength against the rival*) **3** rozrýt dolíčky; výbuch rozrýt, nadělat díry v (*the field had been* ~*ted by explosions*); podržet stopu vmáčknutého prstu, dolíčkovatět (*tissue affected by oedema will usually* ~)
pit[2] [pit] AM *s* pecka ● *v* (*-tt-*) vypeckovat ovoce (~*ted dates* datle pez pecek)
pita [pi:'ta:] kulatý syrský chléb
pitapat [ˌpitə'pæt] *adv* ťuk ťuk, ťap ťap, hupky dupky (*came running* ~ *down the corridor in her bare feet* hupky dupky přiběhla bosa chodbou)

◆ *go* ~ srdce rozbušit se ● *s* **1** ťukání (*the ~ of rain on the roof*) **2** bušení, tepání (*the ~ of two young hearts*) ● *v* (*-tt-*) bušit, tepat (*love ~ted in their hearts*)

pit bank [pitbæŋk] **1** ohlubeň jámy **2** horní těžní patro

pit car [pitka:] důlní / těžní vozík

pitch[1] [pič] *s* **1** smola, smůla, pryskyřice **2** dehet, asfalt ● *v* vy|smolit, dehtovat loď

pitch[2] [pič] *v* **1** zřídit, postavit, rozbít tábor (*moved the camp away from where it had been ~ed* přemístili tábor jinam, než byl původně postaven); vztyčit, postavit stan (*decided to ~ their tents for the night* rozhodli se postavit na noc stany); u|tábořit | se, usadit | se, zvolit si za stanoviště (*~ed on the other side of the hill*) **2** zarazit, zatlouci, vetknout do země kolík; postavit kriketovou branku (*the wickets are ~ed opposite and parallel to each other* branky v kriketu jsou postaveny paralelně proti sobě); zasadit do země rostlinu **3** BR nabízet, hodit na trh, prodávat na trhu; spustit velkou prodejní kampaň, prosazovat (*~ing a new line of refrigerators* prosazující nový druh chladniček) **4** hodit na cíl čím, zaměřit čím (*~ed a fast ball to him and he struck out*), mrštit, metat, vrhnout (*~ed the spear over their heads* mrštil jim kopí nad hlavami); házet k čáře (*boys ~ing pennies*), ke kolíku (*liked to ~ horseshoes*); házet, podávat, nakládat vidlemi n. podávkami (*the men were ~ing hay*) **5** obrátit, upřít zrak, myšlenky, naděje (*~ing her mind among the enjoyments of Corinth*) **6** hovor. dát se, pustit se *into* do, vrhnout se na (*got mad and ~ed into him with both fists* rozčílil se a pustil se do něho oběma pěstmi, *the hungry boy ~ed into the meat pie* hladový chlapec se vrhl na masový nákyp); nedat se, bojovat dál, prát se s osudem (*no matter what happened he stayed in there ~ing*) **7** naladit, nasadit, posadit (*~ed her voice too high*), do určité tóniny (*~ed the melody in the key of A* posadil melodii do A dur), do určité polohy (*this song is ~ed too low for me* tahle píseň je na mne posazena příliš hluboko), v určitém úhlu (*~ed the roof too steep* posadil střechu příliš nízko), přen. nasadit tón při vyprávění; sklánět se, naklánět se, mít sklon (*a vein of ore ~ing 36 degrees east* rudná žíla má sklon 36 stupňů na východ) **8** vyfantazírovat, vykládat, vyprávět, povídat nepravděpodobný příběh (*~ a yarn that not even a child would have believed* vyprávět historku, které by nevěřilo ani dítě, *he was disgusted with a line she ~ed* znechutil ho výmysl, který mu vykládala) **9** s|padnout, dopadnout (*lost consciousness and ~ed on his face* ztratil vědomí a padl na obličej), prudce padnout, sletět (*he ~ed on his head*) **10** loď houpat se z přídě na záď; vynořovat se a zapadat, skákat (*watched the dog come ~ing toward them through the high grass*) **11** padnout *upon* na, vybrat náhodou koho, rozhodnout se pro (*~ upon the most suitable man for the job*) **12** golf zahrát vysoko míč tak, že po dopadu na zem se málo kutálí **13** baseball postavit jako házeče (*the manager had a hard time deciding which player to ~* manažerovi dalo velkou práci určit, kterého hráče má postavit jako házeče), hrát jako házeč (*he ~ed a perfect game*), házet / vrhat míč v baseballu (*a pitcher that really knows how to ~* házeč, který doopravdy dovede házet míč), dělat házeče v baseballu (*~ed for 10 years before retirement* před odchodem z aktivního sportu dělal deset let házeče), nadhazovat **14** hranit kámen; zakvasit pivo; vy|dláždit malými kameny ◆ *be ~ed out* vypadnout, vyletět, vysypat se (*the carriage overturned and the passengers were ~ed out*); *~ed battle* řádná / regulérní bitva nikoliv náhodná; *~ short 1.* nedohodit míč v kriketu *2.* míč dopadnout na zem dřív, než je odpálen v kriketu; *~ it too strong* žert. prášit, přehánět, nadsazovat ***pitch in*** pustit se do práce / do toho (*I took hold with Dan and ~ed right in*) ● *s* **1** houpání lodi z přídě na záď **2** házení, vrhání, nadhoz, metání; hod, hození, vrh; délka n. výška vrhu; množství podané najednou podávkami; BR dávka, množství zboží nabízené na trhu **3** golf: též *~ shot* úder při kterém míč dopadne a minimálně se kutálí **4** BR obvyklé místo, stanoviště, štace, rajón (*a shoeblack whose ~ is at the corner* čistič bot, který má stanoviště na rohu) **5** kriket část hřiště mezi brankami; fotbalové / hokejové hřiště **6** stupeň intenzity (*excitement was raised to the highest ~*); vrchol, maximum, nejvyšší bod (*when the general hilarity was at its ~* když dosáhlo všeobecné veselí nejvyššího bodu, *they sang at the ~ of their voices* zpívali z plných plic) **7** hud. základní ladění, „a", poloha, výška (*the ~ of the voice*) **8** sklon, spád zejm. střechy; úhel sklonu; spád, svah, sráz **9** rozteč; vzdálenost mezi dvěma body **10** let. výška doletu (*flies at a much higher ~*); klopení; stoupání vrtule **11** fantazie, povídání, bulíkování, blafy; přehnaná náborová řeč, prodejní kec, žvejk (slang.) **12** přihrávka v ragby ◆ *dead | fiery ~* měkký | tvrdý povrch hřiště tlumící | odrážející míč; *queer a p.'s ~* zmařit záměry komu; *~ ratio* let. poměrné stoupání

pitch-and-toss [ˌpičənd'tos] **1** čára hazardní hra s mincemi **2** přen. hazard, hazardní hra; riziko

pitch angle [ˌpič'æŋgl] **1** let. úhel stoupání **2** tech. úhel roztečného kužele, roztečný úhel

pitch attitude [ˌpič'ætitju:d] sklon podélné osy

pitch-black [ˌpič'blæk] černý jako smola / uhel

pitchblende [pičblend] miner. smolinec, uranin, uraninit

pitch cap [pičkæp] smolná čepice mučidlo

pitch circle ['pičˌsə:kl] roztečná kružnice

pitch dark [ˌpičˈda:k] velice tmavý, černý jako uhel
pitch-darkness [ˌpičˈda:knis] tma jako v pytli
pitcher[1] [pičə] *s* **1** baseball házeč **2** BR stánkař, kramář, trhovec **3** druh golfové hole **4** v. *pitch*[2], *v* ◆ *~'s elbow* tenisový loket
pitcher[2] [pičə] **1** džbán, džbánek; konvička; amfora **2** bot. džbánečkovitý útvar láčkovky ◆ *The ~ goes often to the well, but is broken at last* Tak dlouho se chodí se džbánem pro vodu, až se ucho utrhne; *~s have ears* stěny mají uši; *little ~s have long ears* před dětmi pozor na řeč
pitcherful [pičəful] plný džbán atd., množství
pitcher plant [pičəpla:nt] bot. **1** láčkovka **2** šprlice
pitch faced [pičfeist] stav.: postavený z kamene s hraněným lícem
pitch farthing [ˈpičˌfa:ðiŋ] = *chuck farthing*
pitchfork [pičfo:k] *s* **1** vidle; podávky **2** hud. ladička ◆ *it is raining ~s* padají ševci je liják ● *adj* ledabylý (*~ justice*) ● *v* **1** házet, po|dávat, nakládat vidlemi n. podávkami (*~ed the hay into the wagon*) **2** neočekávaně vrazit, dosadit, hodit do místa; nerozvážně vrhat oddíly do boje
pitch indicator [ˌpičˈindikeitə] let. podélný sklonoměr
pitching [pičiŋ] **1** dláždění lomovým kamenem; dlažba z lomového kamene; dláždění břehu **2** podkladní vrstva vozovky, štět **3** v. *pitch*[1,2] *v* ◆ *~ hole* vikýř pro metání sena; *~ motion 1.* námoř. houpání *2.* let. klopení
pitch pine [pičpain] **1** smolná borovice **2** bot. borovice bahenní
pitch pipe [pičpaip] foukací ladička, ladící píšťala varhan
pitchstone [pičstəun] smolek vulkanické sklo
pitch wheel [pičwi:l] ozubené kolečko
pitchy [piči] (*-ie-*) **1** smolný, smolnatý, smolovitý (*~ timber* smolné dříví); černý jako smola / uhel (*went into the ~ night*) **2** s lepivým asfaltem (*a ~ road*)
pit cole [pitkəul] dolové uhlí na rozdíl of dřevěného
piteous [pitiəs] **1** dojímavý, žalostný, budící soucit n. sympatie, úpěnlivý (*had received ~ appeals for help*) **2** zast. slitovný, soucitný, milosrdný (*he hath with a ~ eye beheld us in our misery* soucitným okem na nás shlédl v naší bídě)
piteousness [pitiəsnis] dojímavost, žalostnost, bída, úpěnlivost
pitfall [pitfo:l] **1** past, jáma **2** přen. léčka, osidlo (*the snares and ~s of the law* pasti a osidla zákona)
pith [piθ] *s* **1** dřeň, dužina (*the white ~ lining the skin of the orange*); duše dřeva **2** mícha; morek **3** přen. jádro (*getting down to the ~ of the matter*); střed (*people who live in the thick of politics and in the ~ of society* lidé žijící v politickém dění a uprostřed společnosti); hloubka, obsah, říz (*made a speech that lacked ~*), šťáva, energie (*he is usually full of ~*) **4** zast. význam, váha, důležitost (*of great ~ and moment*) ◆ *~ hat / helmet* lehká sluneční přilba ● *v* zabít propíchnutím míchy dobytek
pithball [piθbo:l] obrácení lodě přes příď do kolmé polohy, horní polovinou do vody
pithead [pithed] ústí jámy, vchod do dolu ◆ *~ frame / gear* těžní věž jámy
pitheap [pithi:p] horn. halda, odval
pithecanthrope [ˌpiθikænˈθrəup], **pithecanthropus** [ˌpiθikænˈθrəupəs] *pl: pithecanthropi* [ˌpiθikænˈθrəupai] opočlověk vzpřímený
pithecoid [piˈθi:koid] připomínající opici, opičí
pithiness [piθinis] **1** hutnost, obsažnost, říznost, pádnost, jadrnost **2** dřeňovitost
pithless [piθlis] chabý, prázdný; nanicovatý, bezobsažný, bezduchý
pithy [piθi] (*-ie-*) **1** hutný, obsažný, řízný, pádný, jadrný (*a ~ proverb, a ~ speaker*), významný, mnohoznačný (*a sharp ~ glance*) **2** dřeňový, dřeňovitý, dužinatý (*a ~ substance*)
pitiable [pitiəbl] **1** žalostný, ubohý, bídný, smutný (*a ~ attempt to be funny* ubohý pokus o legraci) **2** politováníhodný, (*~ accidents* politováníhodné nehody), bídný, opovrženíhodný, hanebný (*the ~ display of shortsighted greed over the factory bill* hanebná ukázka krátkozraké lakotnosti nad účtem z továrny)
pitiful [pitiful] **1** soucitný, slitovný, milosrdný (*be ~ to my great woe* smilujte se nad mým velkým žalem; *and she, suddenly ~* a jí to najednou přišlo líto) **2** ubohý, zubožený, žalostný, bídný, budící soucit n. sympatie (*one of those ~ refugees of which Europe was full*) **3** bídný, hanebný, ubohý (*the ~ wage scale* ubohá mzdová stupnice)
pitifulness [pitifulnis] **1** soucit, slitovnost, milosrdenství **2** bídný stav, zuboženost; ubohost
pitiless [pitilis] bezcitný, nelítostný, nemilosrdný (*a ~ dictator*), též přen. (*an almost ~ clarity of intelligence* až nelítostně jasná logičnost inteligence)
pitilessness [pitilisnis] bezcitnost, nelítostnost, nemilosrdnost
pitman [pitmən] **1** *pl: -men* [-mən] jámař, šachtař, lomař, horník **2** *pl: ~s* spojovací tyč, táhlo, ojnice lisu ◆ *~ arm* hlavní páka řízení automobilu
Pitot-head heater [ˌpi:təuhedˈhi:tə] let. ohřívač Pitotovy trubice
Pitot tube [pi:təutju:b] let. Pitotova trubice
pitpan [pitpæn] dlabaný člun, kanoe ve Střední Americe
pitpat [pitpæt] = *pitapat*
pit pony [ˌpitˈpəuni] důlní koník
pit prop [pitprop] horn. stojka, důlní vzpěra
pit saw [pitso:] rozmítací pila
pit stop [ˌpitˈstop] zastávka u depa při automobilových závodech
pittance [pitəns] **1** hist. nadace na přilepšenou kláště-

ru, přilepšení 2 almužna, dárek (*their usual requests for ~s of food and clothing*) 3 žebrácký výdělek, almužna (*worked long hours for a ~* pracoval dlouhé hodiny za pár šupů) 4 drobet, kousek, ždibec, zlomeček (*had received a mere ~ of education*) 5 přen. poslední groš
pitted [pitid] poďobaný; jamkovitý, jamkatý; důlkovitý, rozežraný důlkovou korozí
pitter[1] [pitə] cvrkat, bzikat (*~ing grasshoppers* cvrkající luční kobylky)
pitter[2] [pitə] odpeckovač ovoce (*the cherry ~*)
pitter-patter [ˈpitəˌpætə] rychlé cupání, cupot, cupitání, ťapkání, ťapání, ťupkání
pitting [pitiŋ] 1 důlková koroze kovu; puchnutí malty 2 umělé dolíčkování kovu n. nátěru 3 v. *pit, v*
pittite [pitait] BR divák v přízemí divadle
pituitary [piˈtju(:)itəri] slizový, vylučující sliz n. hlen ◆ *~ body / gland* hypofýza, podvěsek mozkový
pituitous [piˈtjuitəs] slizovitý, hlenovitý
pituitrin [piˈtjuitrin] pituitrin hormon
pity [piti] (*-ie-*) *s* 1 lítost *for* nad, soucit s (*felt the deepest ~ for the prisoners*) 2 slitování, slitovnost, milosrdenství (*was habitually hardhearted and without ~*) 3 škoda politováníhodná okolnost (*it's a ~ that he can't swim* (věčná) škoda, že neumí plavat; *it is a thousand pities you did not mention it* škoda tisíckrát, že ses o tom nezmínil) ◆ *for ~'s sake* proboha, pro všechno na svčtč (*for ~'s sake try to stop this persecution*); *have ~ on a p.* smilovat se, slitovat se, ustrnout se nad kým; *the ~ of it is* chyba je v tom, že, bohužel (*the ~ of it is they are drowned* chyba je v tom, že se utopili); *take ~ on a p.* = ● *v* smilovat se, slitovat se, ustrnout se nad, mít soucit s, mít lítost nad (*pitied them in their distress* slitoval se nad nimi v jejich nesnázích); litovat koho, být líto koho (*I ~ you if you think that you deserve to be helped* jestli si myslíte, že si zasloužíte, aby vám někdo pomohl, tak vás lituji)
pityriasis [ˌpitiˈraiəsis] med. otrubovitost, pityriáza kožní onemocnění
pivot [pivət] *s* 1 otočný čep, patní čep, osa otáčení, obrtlík; otočný bod 2 předmět n. člověk, kolem něhož se všechno točí: střed, jádro, ústřední bod (*public occasions when he himself is the ~ of attention*) 3 otočka v tanci 4 sport. obrátka; pivotman, pivot ◆ *~ of attack* voj. hlavní směr úderu; *~ force* voj. hlavní síly obrany ● *v* 1 točit | se, otáčet | se (jako) na čepu kolem osy (*~ on one's heels*) 2 nasadit na otočný čep, opatřit otočným čepem (*a ~ed mechanism*), uložit otočně 3 přen. záviset (*the future ~s on what is done today*), pověsit, založit (*~ing their life on some such particular motive*)
pivotal [pivətl] 1 týkající se otočného čepu, čepový (*correct ~ dimensions*) 2 přen. ústřední, klíčový, hlavní (*holds a ~ position*)
pixel [piksəl] obrazový prvek televizního obrazu
pixie [piksi] 1 skřítek, elf 2 dívčí špičatý klobouček, špičatá čepička ● *adj* šibalský, čtverácký, uličnický (*a ~ grin* široký uličnický úsměv)
pixilated [piksileitid] AM nář. 1 bacený, vzatý, praštěný omámený (*has been ~ of late, never quite aware of what is going on* poslední dobou je praštěný pavlačí, nikdy pořádně neví, co se děje) 2 zmatený, popletený (*have formed a rather ~ image of his country* vytvořil si o jeho vlasti poněkud zmatený obraz) 3 nadrátovaný, rozsvícený opilý (*pretty well ~ by the fourth drink* po čtvrté skleničce byl pěkně ...)
pixy [piksi] (*-ie-*) = *pixie*
pizazz [pəˈzæz] = *pizzazz*
pizza [pi:tsə] pizza italský pokrm
pizzazz [pəˈzæz] AM slang. 1 šmrnc, extravagance (*a state that likes politics with a ~*) 2 životní energie, elán, vitalita
pizzicato [ˌpitsiˈka:təu] hud. pizzacato
pizzle [piz] zast., nář. býčí pyj, „žíla"
placability [ˌplækəˈbiləti] 1 tolerance, tolerantnost, ochota odpouštět n. odpustit, mírnost 2 u|smiřitelnost
placable [plækəbl] 1 ochotný odpouštět n. odpustit, tolerantní, mírný (*young people are almost always ~*) 2 u|smiřitelný
placard [plæka:d] *s* 1 plakát, poutač 2 štítek (*a ~ on the fuselage lists performance data* štítek na trupu letadla uvádí údaje o jeho výkonnosti) ● *v* po|lepit (jako) plakáty (*~ a fence with advertisements* polepit plot reklamami); plakátovat, inzerovat, propagovat plakátem, dělat reklamu plakátem čemu; viset jako plakát
placate [pləˈkeit] u|smířit, uklidnit (*to ~ public opinion* uklidnit veřejné mínění)
placatory [plækətəri] smířlivý, uklidňující
place [pleis] *s* 1 místo část prostoru (*I can't be in two ~s at once*); část, díl; osada, obec, město; vyhrazený prostor; lavice (*go back to your ~*); sedadlo (*two ~s in the coach*); pořadí, pořadí číslice v čísle; služební postavení, funkce (*fifty years ago servants had to know their ~*); místečko na povrchu (*a sore ~ on his wrist* bolístka na zápěstí); označuje jakékoli místo (*I don't like the ~* tady / tam se mi to nelíbí, *let's go to a ~ where ...* pojďme někam, kde ...) 2 atmosféra místa (*the feeling for ~ was in him like the feeling for personality*); vhodné místo, správné prostředí (*a frontier house was no ~ to educate a boy*) 3 prostor (*all are strangers, rootless in ~ or time* jsou to všechno cizinci, nemající kořeny ani v prostoru, ani v čase); země, kraj, krajina, oblast (*visit the far ~s of the earth*); malé náměstí, široká krátká ulice (*St James's P~*) 4 sídlo (*Shakespeare's New P~ at Stratford upon Avon*), palác, rezidence (*Ely P~*); dům, domov (*invited them to his ~ for the evening* pozval si je na večer k sobě domů); panství, usedlost, statek, farma (*a few ~s were harrowing summer fallow* několik

statků vláčelo letní úhor) **5** podnik (*a ~ of amusement* zábavní podnik, *a second-hand car ~* prodejna ojetých vozů); jídelna, restaurace (*found a little Italian ~*) **6** postavení, umístění, pozice, stav, situace (*decisions which have brought our science and our engineering to their present ~* rozhodnutí, která přivedla naši vědu a techniku do nynějšího stavu, *put yourself in my ~* vžijte se do mé situace) **7** pořadí na prvních třech místech v dostihu (*I shall back the favourite for a ~* vsadím si na favorita na pořadí) **8** pasáž, místo v textu (*comparing two ~s of Scripture* srovnávající dvě pasáže Písma); místo, kde člověk právě čte, stránka (*she dropped the book and lost her ~* upustila knihu a ztratila místo, kde četla) **9** místo u stolu (*two ~s farther along a second man was munching a piece of toast* o dvě židle dál přežvykoval druhý muž topinku); prostření, příbor **10** přen. důvod (*there's no ~ to doubt*) **11** = *placekick* ◆ *~ of abode* (trvalé) bydliště; *all over the ~* všude (*they are are looking for you all over the ~*); *another ~* BR *1.* druhá komora v Sněmovně lordů: Dolní sněmovna, v Dolní sněmovně: Sněmovna lordů *2.* žert. druhá univerzita v Cambridgi: Oxford, v Oxfordu: Cambridge *3.* peklo; *be out of ~* být nevhod, nehodit se; *~ of business* sídlo podniku; *he has changed his ~* přestěhoval se; *decimal ~* desetinné místo; *~ of employment* pracoviště; *feel out of ~* cítit se nesvůj, jako že tam kdo nepatří; *give ~ to* být nahrazen kým; *go ~s 1.* hovor. dotáhnout to daleko *2.* AM jít se někam podívat např. do nočního podniku; *go (to) ~s and see things* cestovat pro zábavu; *go to one's own ~* přen. zemřít; *great ~ for* známé středisko čeho, místo slavné čím (*Whitstable is a great ~ for oysters* Whitstable je slavné svými ústřicemi); *have no ~ to turn* nemít kam se obrátit; *in ~ 1.* na místě (*a kind of shuffle dance in ~*) *2.* na svém / patřičném místě (*I like to have everything in ~*) *3.* vhodný (*the proposal is not quite in ~* návrh není zcela vhodný); *in ~ of* na|místo (*in ~ of dues he is asked to make an annual contribution* je žádán, aby místo poplatků dal každý rok nějaký příspěvek); *in ~s* místy; *in all ~s* všude; *in the first ~ 1.* vůbec (*why did you do it in the first ~?*) *2.* prostě, především, v první řadě (*you should have omitted it in the first ~* v první řadě jsi to měl vynechat); *in the first ~* etc. za prvé atd.; *it is not my ~ to do a t.* já nemám právo / povinnost udělat co; *he knows his ~* dovede se chovat ve společnosti, ví, kam patří, zná svou cenu ve společnosti; *lay a ~ (at table)* prostřít (stůl) pro jednoho; *make ~ for 1.* udělat místo komu *2.* ustoupit komu; *~ of refuge* útočiště; *of this ~* zdejší, místní; *out of ~ 1.* nikoliv na svém místě *2.* nevhodný, nemístný, nepatřičný (*bathing suits look out of ~ in a hotel lobby* v hotelové hale vypadají plavky velice nepatřičně); *seaside ~* mořské lázně; *~ setting* prostírání, prostření, příbor; *take ~ 1.* konat se, stát se, udat se, odbývat se, probíhat *2.* obsadit místo; *take one's ~ 1.* posadit se *2.* zaujmout své místo; *take a p.'s ~* zastupovat koho, zaskakovat za koho; *take your ~ 1.* posaďte se *2.* zaujměte své místo; *take the ~ of* nahradit, vytlačit (*plastics have taken the ~ of many conventional materials*); *this is the ~* tady jsme, tady já bydlím atd.; *watering ~* lázně, lázeňské město; *~ of worship* posvátné / bohoslužebné místo, kostel, kaple; *yield ~ to* ustoupit komu vzdát se místa ve prospěch koho ● *v* **1** dát, položit, postavit, pověsit atd. na vhodné / patřičné místo (*~ a cake in the oven, ~ a board edgeways* položit prkno na úzkou hranu) **2** umístit, rozmístit (*aims to ~ all physically handicapped persons into remunerative positions* jeho cílem je umístit všechny tělesně postižené osoby do finančně výhodných zaměstnání); přesně umístit (*the bombs were ~d directly upon the assigned target* bomby byly svrženy přímo na určený cíl); přesně umístit např. míč, strefit se (*you cannot ~ to a yard by means of shoulder and arm energy alone*); umístit na trh, roz|prodat (*how can we ~ all this surplus stock?* jak můžeme rozprodat přebytečné zásoby?, *difficult to ~* těžko prodejný) **3** svěřit místo, jmenovat, povýšit do určitého postavení (*he was ~ed in command of the Second Army* byl jmenován velitelem druhé armády) **4** najít, určit místo; najít nakladatele | producenta pro rukopis | hru **5** klást (*the growing railroad system ~ed increasing demands on iron and coal mines* rozrůstající se síť železnic kladla vzrůstající nároky na železorudné i uhelné doly); vkládat naděje *in* do, upínat víru k / na, dát důvěru komu (*~ our faith in knowledge*); předložit *before* komu / před (*the pending debate should be ~d before a larger audience* tato budoucí debata by se měla konat před širším publikem), přikládat, přisuzovat, spojovat s (*the most extraordinary interpretations are being ~d on Mr Wilson's remarks*) **6** řadit (*as a biographer I ~ him among the first*); zařadit (*its quality ~s it among the real masterpieces of the novel*); upořádat **7** zařadit člověka, vzpomenout si, odkud ho znám (*I know that man's face, but I can't ~ him*); identifikovat zvuk; odhadnout (*the same area has iron ore reserves ~d at 1, 3 billion metric tons*) **8** uložit, deponovat peníze (*~ £ 100 to my credit in the bank*), připsat; investovat *in* do (*~ £ 500 in War Bonds*) **9** určit pořadí při dostihu **10** AM kůň doběhnout jako druhý **11** ragby dát branku z výkopu ◆ *be ~d 1.* být v situaci (*I explained to him how I was ~d* vysvětlil jsem mu, v jaké jsem situaci) *2.* umístit se v pořadí BR mezi prvními třemi); *~ under contract* smluvně si zavázat (*~ a performer under contract* zajistit si účinkujícího smluvně); *~ an order* objednat *for* co *with* u (~ *an order for books with Messrs W. H. Smith and Sons*); ~ *upon record* zaznamenat, zaregistrovat, dát do zápisu, zaprotokolovat; ~ *a telephone call 1.* za|telefonovat *2.* objednat si telefonní hovor

placeable [pleisəbl] umístitelný

place bet [pleisbet] **1** BR sázka na pořadí **2** AM sázka na první n. druhé místo

placebo [plə'si:bəu] *pl* též *-es* [-z] **1** círk. nešpory za zemřelé **2** placebo lék s účinkem pouze psychologickým

placebo effect [plə,si:bəui'fekt] léčivý účinek placeba

place brick [pleisbrik] nedopálená cihla

place card [pleiska:d] jmenovka na místě, kam si má host sednout

place kick [pleiskik] sport. výkop n. kop z místa

placeman [pleismən] *pl: -men* [-mən] BR dosazený člověk, „náš" člověk ve funkci

placement [pleismənt] **1** umístění, rozmístění, (*strategic* ~ *of artillery*), též pracovníků (*teacher* ~) **2** přesně umístěný míč např. v tenise **3** posazení hlasu (*the natural quality of a singing voice is enhanced by good* ~ přirozená zpěvní vlastnost hlasu se zlepší dobrým posazením) **4** investice

place name [pleisneim] místní jméno

placenta [plə'sentə] *pl* též *placentae* [plə'senti:] **1** anat. plodový koláč, plodové lůžko, placenta **2** bot. semenice, placenta

placental [plə'sentl] placentární

placer[1] [pleisə] umisťovač

placer[2] [pleisə] *s* rýžoviště, rýžovisko ● *v* rýžovat, vypírat

place seeker ['pleis,si:kə] kariérista

placet [pleisit] *v* při hlasování ano, souhlasím ◆ *non* ~ ne, nesouhlasím ● *s* hlas pro, souhlas, placet ◆ *non* ~ hlas proti, nesouhlas

placid [plæsid] **1** klidný, poklidný, nerušený (*the* ~ *atmosphere of easy living*); mírný, tichý (*a* ~ *lamb* tichý beránek) **2** klidný, nevzrušený, flegmatický, spokojený

placidity [plə'sidəti] **1** klid, poklid, klidnost, nerušenost; mírnost, tichost **2** klid, klidnost, nevzrušenost, flegmatičnost; spokojenost

placing [pleisiŋ] **1** tichý převod (části) kapitálu podniku **2** umístění, pořadí **3** v. *place, v*

placket [plækit] **1** rozparek, zapínání sukně **2** zast. kapsář; spodnička, přen. žena

placket hole [plækithəul] rozparek, zapínání sukně

placoid [plækoid] *adj* šupina destičkový ● *s* **1** druh rybí šupiny **2** ryba z čeledi Placoidei

plafond [plæ'fo:n] malovaný strop, plafond; nástropní malba

plagal [pleigəl] hud.: stupnice plagální na čtvrtém stupni diatonické stupnice ◆ ~ *cadence* plagální závěr subdominanta-tónika; ~ *mode* plagální stupnice

plage [pla:ž] mořská pláž

plagiarism [pleidžjərizəm] **1** plagiát; opsaná pasáž (*his book is full of* ~*s*) **2** plagiátorství

plagiarist [pleidžjərist] plagiátor

plagiarize [pleidžjəraiz] plagovat, dopustit se plagiátorství; opisovat, napodobovat cizí vzor (*a learned book of his had been coolly* ~*d and issued in short version*)

plagiary [pleidžjəri] (*-ie-*) zast. **1** plagiát **2** plagiátor

plagiocephalic [,pleidžjəsə'fælik] ploskolebý, plagiokefalický

plagioclase [pleidžjə*u*kleis] miner. plagioklas trojklonný živec sodnovápenatý

plagioclastic [,pleidžjə'klæstik] miner. plagioklasový

plagiostome [pleidžjəstəum] ryba příčnoústý, jsoucí s příčnými ústy např. žralok

plague [pleig] *s* **1** rána, pohroma (*rebel regiments were a* ~ *on the country*); ničivé hejno, množství; záplava, mrak, mračno (*tremendous* ~*s of rats have devastated the rice fields* obrovská hejna krys úplně zničila rýžová pole) **2** epidemie; morová rána, dýmějový mor **3** hovor. soužení, trampota, otrava, kříž, těžký osud (*having been her husband's* ~ *because of the violence of her temper* když se kvůli své divoké povaze něco manžela natrápila); zlobidlo (*what a* ~ *that child is!*); obtížné mračno, spousta, záplava (*a* ~ *of hot-dog stands and cheap amusements* záplava stánků se zapékanými párky a s laciným atrakcemi); náhlý výskyt něčeho nepříjemného (*a* ~ *of burglaries* náhlý výskyt loupeží) ◆ *Great P*~ *of London* velký mor v Londýně (1664-65); ~ *on it!* hrom do toho!, mor na to! ● *v* **1** zasáhnout ranou n. pohromou **2** hovor. otravovat, trápit, soužit (*debts* ~*d her after her husband's death*); po|stihnout (*construction of the power plant has been* ~*d by bad weather* výstavba elektrárny byla narušována špatným počasím)

plaguesome [pleigsəm] hovor. otravný, nepříjemný

plague spot [pleigspot] **1** morová skvrna, místo zasažené morem **2** přen. vřed, semeniště zla, zdroj špatnosti (*the* ~ *of the parish* semeniště zla ve farnosti)

plaguy [pleigi] zast. *adj* **1** morový (*the* ~ *fever came aboard* na palubu se dostala morová horečka) **2** otravný, nepříjemný (*a* ~ *newfangled safety rail* nepříjemná moderní ochranná zábradlí); zatracený, sakramentský (*no wonder the* ~ *fools can't talk English*) ● *adv* velice, nesmírně; nepříjemně, zatraceně, sakramentsky (*it's so* ~ *cold*)

plaice [pleis] *pl: plaice* [pleis] zool. platýs, platejs

plaid [plæd] **1** pléd, pokrývka, přehoz z kostkované n. tartanové látky **2** kostka vzor **3** přen. skotský horal

plaided [plædid] **1** mající na sobě přehozený pléd (*a* ~ *Highlander*) **2** tkanina kostkovaný, jsoucí s tartanovým vzorem

plain[1] [plein] *adj* **1** jasný, srozumitelný (~ *English, a* ~ *writer, the meaning is quite* ~); telegram nekódovaný; otevřený, rovný a jasný, jasně srozumitelný (~ *words*); naprosto otevřený, upřímný (*a ~ speech*); nehledaný, nelíčený **2** jednoduchý, prostý (~ *food*, ~ *folks*); obyčejný, všední, prostý, nenápadný, bez ozdob, holý, střízlivý (*a New England country church is traditionally a rather ~ building with a thin spire* venkovský kostel v Nové Anglii je tradičně poměrně nenápadná budova s tenkou věžičkou); hladký (~ *blue dress*); prostý, pouhý, holý (*made no attempt to harangue his listeners but stuck to the ~ facts* nesnažil se zastrašit posluchače, ale držel se holých faktů); čistý, obyčejný (*takes his whisky with ~ water*) **3** kresba nekolorovaný, nelavírovaný **4** tkanina jednobarevný, nevzorkovaný **5** obyčejný, normální, prostý (*the ~ people everywhere wish to live in peace with one another*); řadový, běžný (*writes not for musical specialists but for the ~ opera goer*); karty nikoliv trumfový **6** zřejmý, zřetelný, očividný (*stared at him coldly, hatred and contempt very ~ in her face* dívala se na něho chladně, v obličeji se jí jasně zračily nenávist a pohrdání) **7** nevýrazný, málo hezký, nepohledný, ošklivý (*it's a pity his wife is so ~*) ♦ *it is as ~ as ~ can be* jasněji se to už říci nedá; *as ~ as the nose in your face* jasný jako facka: *~ as a pikestaff* / *as the sun at noonday* / *as Salisbury* nad slunce jasnější; *to be ~ with you* povím ti to bez obalu; *~ bread and butter* chléb s máslem bez zavařeniny; *~ cards* obyčejné karty od dvojky do desítky; *in ~ clothes* policista neuniformovaný, v civilu, v občanském obleku; *~ common sense* zdravý lidský rozum; *~ cook* kuchařka, která dovede vařit obyčejné domácí pokrmy; *~ language* jazyk kvakerů (*the use of "thee" and "thy" is characteristic of the ~ language*); *~ living* jednoduchá strava; *make a t. ~* vysvětlit, vyložit co; *~ rule* polygr. jemná linka (*~ swelled rule* anglická špička / linka); *~ sailing 1.* námoř. plavba podle námořní mapy konstruované na základě plošného zobrazování *2.* přen. jednoduchá, prostá záležitost, hračka (*after we engaged a guide, everything was ~ sailing* najali jsme si průvodce a potom šlo všechno jako po másle); *~ service* bohoslužba bez zpěvu; *~ sewing* šití prádla; *~ tea* čaj a chléb s máslem; *~ tile* stav. obyčejná / rovná taška, bobrovka; *in ~ words* jasně, bez obalu ● *adv* jasně, otevřeně, naprosto upřímně, bez obalu ● *s* **1** rovina, planina, pláň, nížina **2** *~ s, pl* prérie ● *v* **1** s|rovnat, urovnat, u|hladit **2** čeřit sklo

plain[2] [plein] bás., zast. lkát, štkát; stěžovat si, naříkat na (*I did many times ~ my ill hap*)

plainchant [pleinča:nt] = *plainsong*

plainclothes [ˌpleinˈkləuðz] jsoucí v civilu, neuniformovaný ♦ *~ man* neuniformovaný člen bezpečnostního sboru, tajný, detektiv

plain dealing [ˌpleinˈdi:liŋ] *s* upřímnost, otevřenost v jednání ● *adj: plain-dealing* upřímný, otevřený, přímý

plainsman [pleinzmən] *pl: -men* [-mən] obyvatel prérie

plainsong [pleinsoŋ] chorál, jednohlasý sborový zpěv v církevní tónině, gregoriánský n. ambroziánský chorál

plain-spoken [ˌpleinˈspəukən] otevřený, upřímný, mluvící přímo / bez obalu, drsný

plaint [pleint] BR **1** civilní žaloba, podání **2** bás., zast. nářek, žal, lkání *over* nad (*a ~ over a lost doll* nářek nad ztracenou panenkou)

plaintiff [pleintif] civilní žalobce, navrhovatel, strana žalující

plaintive[pleintiv] žalostný, naříkavý, smutný, tklivý, lkavý

plait [plæt] *v* **1** skládat v záhyby / do záhybů, nabírat do záhybů, řasovat, sámkovat, plisovat **2** plést, splétat do copu n. pletence; proplétat, oplétat ● *s* **1** záhyb, přehyb, sámek, plisé **2** cop, vrkoč, pletenec; slaměné pletivo

plan [plæn] *s* plán úmysl, záměr, projekt, návrh; rozvrh, osnova, program; půdorysné vyznačení malého úseku krajiny n. stavebního díla; výkres, diagram; prostorová vrstva v obraze tvořící jeho hloubku ♦ *counter ~* vstřícný plán; *five-year ~* pětiletka; *ground ~* půdorys; *~ view 1.* polohový plán *2.* půdorys ● *v* (*-nn-*) **1** též *~ out* na|plánovat | si, projektovat; navrhovat, mít v plánu, chystat **2** AM zamýšlet, hodlat, chystat se, mít v úmyslu, plánovat (*the many jewels she had accumulated and which she ~ned to leave them* spousta šperků, které si nahromadila a měla v úmyslu jim je nechat)

planar [pleinə] rovinný, dvojrozměrný

planarian [pləˈneəriən] zool. ploštěnka

planch [pla:nš] BR nář. **1** dřevěná podlaha **2** destička, tabulka zejm. z vypálené hlíny

planchet [plænšit] střížek, střížová destička na ražení mince

planchette [pla:nˈšet] destička s tužkou pro okultní pokus

plane[1] [plein] bot. platan

plane[2] [plein] *s* hoblík; hladítko ● *v* **1** hoblovat **2** zast. urovnat, vyrovnat (*~ the way*) ***plane away / down*** ohoblovat, odhoblovat, shoblovat

plane[3] [plein] *s* **1** rovina **2** plocha; též *crystal ~* plocha krystalu **3** nosná plocha, křídlo letadla; letadlo (*take the next ~ for São Paolo*) **4** horn. svážná **5** přen. úroveň, stupeň, stadium (*on the same ~ as a savage*) ♦ *~ of delineation* perspektivní průmětna / nákresna; *~ of projection* (perspektivní) průmětna ● *v* **1** plachtit (*watching a gull ~ down in circles without moving a wing* pozorující racka, jak plachtí krouživým letem níž a níž bez hnutí křídla); klouzat (*these boats, when they reach a certain speed, ~ on the flat after section of their hull* ... kloužají na rovné zadní části lodního trupu); ponorka stoupnout n. klesnout (*will ~ down or up faster, to escape or attack* bude rychleji klesat nebo stoupat, buď aby unikla nebo zaútočila) **2** letět letadlem ● *adj* rovinný, konaný v rovině ◆ ~ *chart* plochá mapa v Mercatorově průmětu; ~ *geometry* planimetrie; ~ *problem* úloha z rovinné geometrie; ~ *sailing* v. *plain sailing;* ~ *scale* logaritmické měřítko; ~ *section* rovinný řez

planeload [pleinləud] letadlo plné *of* čeho (*one ~ of mercenaries* letadlo plné žoldnéřů)

planer [pleinə] **1** hoblíř **2** hoblovka **3** polygr. sklepávátko, klopholc (slang.); obrážecí / hranicí hoblík

planeside [pleinsaid] *s* bok letadla ● *adj* konaný u letadla (*a ~ interview*)

planet[1] [plænit] ornát

planet[2] [plænit] **1** hvězd. planeta **2** oběžnice, satelit **3** hvězda ovlivňující lidský osud ◆ *be born under a lucky ~* narodit se na šťastné planetě; *inferior ~s* vnitřní planety; *superior ~s* vnější planety

plane table [ˈpleinˌteibl] *s* měřičský stůl ● *v: plane-table* měřit pomocí měřičského stolu

planetarium [ˌplæniˈteəriəm] *pl: planetaria* [ˌplæniˈteəriə] planetárium zařízení k předvádění hvězdné oblohy

planetary [plænitəri] **1** oběžnicový, planetový, planetární **2** světský, pozemský **3** bludný, nestálý ◆ ~ *electrons* obíhající elektrony, elektrony kolem jádra; ~ *system 1.* planetární soustava *2.* sluneční soustava

planetesimal [ˌplæniˈtesiməl] hvězd. *s* planetesimála název pro jedno z malých těles, které se vytvořilo při vzniku slunečního systému ● *adj* planetesimální patřící k malým tělesům, z kterých se vytvořily kolem centrální hvězdy planety

Planetokhod [pləˈnetəcho:t] kosm.: sovětský planetochod

planetoid [plænitoid] planetka, planetoida, asteroida

planetologist [ˌplæniˈtolədžist] hvězd. planetolog

planetology [ˌplæniˈtolədži] hvězd. planetologie nauka o planetách

planet-stricken [ˈplænitˌstrikən] **planet-struck** [plænitstrak] **1** poškozený, zatracený astrologickým vlivem **2** panický, zpanikovatěný

plane tree [pleintri:] bot. platan

planet wheel [plænitwi:l] tech. planetové kolo, satelit

plangency [plændžənsi] **1** zvučnost, síla, hutnost, sytost, jadrnost **2** naléhavost, naříkavost, kvílivost; dojímavost, prosebnost, vemlouvavost

plangent [plændžənt] **1** hlučně narážející na břeh (~ *waves*) **2** zvučný, silný, hutný, sytý (~ *organ music*) **3** naléhavý, naříkavý, kvílivý; dojímavý, prosebný, vemlouvavý (*the long ~ ripple of the harp* dlouhé a dojímavé harfové arpeggio)

planholder [ˈplænˌhəuldə] účastník zvláštního důchodového pojištění

planimeter [plæˈnimitə] planimetr přístroj na měření ploch

planimetric(al) [ˌplæniˈmetrik(əl)] planimetrický týkající se planimetrie

planimetry [plæˈnimitri] měření ploch, planimetrie

planing [pleiniŋ] v. *plane*[2]*, v* ◆ ~ *machine* hoblovka

planipetalous [ˌplæniˈpetələs] rostlina mající ploché korunní plátky, mající plochou korunu

planish [plæniš] **1** vy|rovnat zejm. kladivem, vyklepat, sklepat do rovna **2** u|hladit, na|leštit ◆ *~ing hammer* hladík, vyrovnávací sedlík kladivo

planisphere [plænisfiə] zeměp. planiglób, planisféra plošné zobrazení zemské polokoule

planispheric [ˌplæniˈsferik] planisférický, plošný

plank [plæŋk] *s* **1** tlusté prkno, fošna; plaňka; deska připomínající prkno (*a concrete ~*) **2** z lodi na břeh můstek (*the ship was to lift ~ at four that afternoon* to odpoledne měla loď zvedat můstek ve čtyři hodiny) **3** kuchyňské prkénko **4** přen. opora, sloup (*the ~s of the peace system*) **5** přen. proklamovaný pevný bod, článek politického programu (*a cardinal ~ in Britain's patient Far Eastern policy*) ◆ ~ *bed 1.* kavalec, pryčna *2.* tvrdé lůžko kázeňský trest; *walk the ~* jít za trest po prkně se zavázanýma očima ● *v* **1** přikrýt, zabednit, obít prkny (*~ed the well over*), pokládat prkna na; námoř. plaňkovat, obkládat plaňkami, opatřovat loď dřevěnými plaňkami **2** položit (~ *the cash on the counter for a slice of sirloin*), uložit, uvelebit (*~ed himself in the chair*) **3** AM tepelně připravit a servírovat na prkénku pokrm (*~ed steak*) ***plank down*** slang. *1* hrubě vrazit (*was herded into a corner and ~ed down among five other sufferers*), uvalit (*delighted to slam us all in jail and ~ down martial law* s rozkoší nás vrazil všecky do žaláře a uvalil na město stanné právo) **2** vysolit, vyplatit peníze na prkno (*~ed down a fistful of money*)

plank bed [plæŋkbed] palanda, pryčna

plank bottom [ˌplæŋkˈbotəm] fošnová podlaha

plank frame [ˌplæŋkˈfreim] fošnová obruba

planking [plæŋkiŋ] **1** bednění, obíjení úzkými prkny **2** námoř. dřevěná obšívka, plaňkování, oplaňkování **3** v. *plank, v*

plank revetment [ˌplæŋkriˈvetmənt] fošnové bednění, pažení fošnami, fošnování

plankton [plæŋktən] plankton drobné rostliny a drobní živočichové vznášející se ve vodě

planless [plænlis] bezplánovitý, jsoucí bez cíle, tápavý

planned [plænd] **1** plánovaný (~ *economy*) **2** v. *plan, v* ◆ ~ *obsolescence* úmyslná krátká životnost, úmyslné rychlé zastarávání výrobku

planner [plænə] plánovač, projektant

planning permission [ˌplæniŋpəˈmišən] BR stavební povolení

plano-concave [ˌpleinəuˈkonkeiv] čočka ploskodutý, ploskokonkávní

plano-convex [ˌpleinəuˈkonveks] ploskovypuklý, plankonvexní

planographic [ˌpleinəuˈgræfik] : ~ *printing* polygr. tisk na plocho, plochotisk

planometer [pleiˈnomitə] měřidlo rovinnosti; příměrná deska

plant [pla:nt] *s* **1** rostlina; sazenice (*cabbage* ~*s for sale* sazenice zelí na prodej); ~*s, pl* rostlinstvo; hovor. kytka; přen. rostlinka, kytička (*a sensitive* ~ *who must be shielded from shock* citlivá kytička, kterou nutno chránit před šokem) **2** úroda (*the sugar beet is up to a good* ~ *once again* cukrovka bude mít zase jednou dobrou úrodu) **3** závod, podnik, továrna, provoz, provozovna, dílna, výroba (*automobile* ~ automobilka, *steel* ~ ocelárna, *ice cream* ~ výroba zmrzliny); výrobní / strojní zařízení, instalace, stanice; přístroj, aparatura, agregát (*a couple of experts armed with an oxyacetylene* ~ *and other strange tools* několik odborníků vyzbrojených kyslíkoacetylénovým přístrojem a jiným podivným nářadím) **4** AM ústav, budovy, zařízení školy n. nemocnice (*several large bequests have enabled the school to expand its* ~ škole byly několikrát odkázány velké částky a to jí umožnilo rozšířit své zařízení) **5** přen. duševní výzbroj **6** nasazený člověk v gangu, policejní špicl (*joined the criminal ring as a* ~ dal se k zločinecké organizaci jako špicl); falešná stopa, nastrčená věc, trik, švindl (*left muddy footprints as a* ~ *to confuse the police* nechal po sobě blátivé šlépěje jako falešnou stopu ke zmatení policie, *the story had all the earmarks of a propaganda* ~ historka měla všechny charakteristické znaky propagačního triku); policejní dozor, dohled, pozorování (*put a* ~ *on a suspect* dát podezřelého pod dohled), past, léčka (*the town has set up several* ~*s for traffic violators* město nalíčilo na neukázněné řidiče několik pastí) **7** AM kradené n. pašované zboží; přechovávání, skrýš takového zboží **8** póza, postoj (*took up a determined* ~ *in front of the door*) ◆ *be in* ~ růst, být vzešlý; ~ *capacity* výrobní kapacita závodu; ~ *life* květena, flóra; *lose* ~ rostlina přestat růst, vadnout, zajít; *miss* ~ nevzejít, nevzklíčit; *power* ~ *1.* elektrárna *2.* hnací skupina / ústrojí; ~ *sociology* bot. fytocenologie; ~ *sprayer* zahradnické postřikovací zařízení ● *v* **1** zasadit, vsadit do země (~ *trees*), posázet, osázet (~ *a garden with rose bushes*); sázet rostliny, provést sadbu (*this is perfect weather for* ~*ing*); též ~ *out* vysázet, přesadit sazenici např. do volné přírody **2** postavit pevně, zarazit (*he* ~*ed his feet firmly on the ground*); zarazit do země (*stakes were* ~*ed to determine the ice movement in the mountain region* byly zaraženy do země kolíky, aby se zjistil pohyb ledu v horské oblasti); postavit dělo **3** usadit, posadit (*remained* ~*ed in the rocker* zůstal usazený v houpací židli), trvale umístit, usadit (~*ed former soldiers in the border region*), usídlit (~*ing a colony of Germans in the valley*) **4** vlepit, přilepit, vrazit (~ *a blow on a p.'s ear* vrazit komu facku) **5** nasadit, pěstovat (~*ing beavers for conservation purposes* pěstující bobry, aby je zachránil); nasadit *a t.* kam *with* co (~ *the stream with trout* nasadit do říčky pstruhy); nasadit do hlavy *in* komu **6** slang. skrýt, schovat kradené (*the plunder was* ~*ed under the floor of a restaurant* kořist byla schovaná pod podlahou restaurace); tajně dát, podstrčit *on* komu a tím inkriminovat (~ *stolen goods on a p.*); dát, podstrčit, nastrčit špeha (*frequently the gang is not able to* ~ *a confederate inside the house* často tlupa nemůže nastrčit svého spolupracovníka do domu), vějičku (~*ed gold nuggets in a worthless mine* do bezcenného dolu nastražil zlaté nugety); tajně nastražit, nastrčit, naaranžovat, nařežírovat, tajně dát do novin (*politicians and officials exploit their intimacy with the press and* ~ *true or false stories with them* politikové a vládní úředníci využívají svých důvěrných styků s tiskem a podstrkují jim k uveřejnění pravdivé nebo lživé zprávy); předem připravit (*asked an obviously* ~*ed question*) **7** AM opustit, nechat na holičkách, ponechat svému osudu (~*ed his family and left them penniless*) **8** AM pohřbít (*death lost some of its terrors when one could be* ~*ed neatly in a corner of one's own farm*)

plantable [pla:ntəbl] snášející přesadbu, schopný přesazení (~ *trees*), schopný osázení n. osetí (~ *fields*)

plantage [pla:ntidž] rostlinný svět, flóra

Plantagenet [plænˈtædžinit] *s* Plantagenet člen anglického panovnického rodu (1154–1485) ● *adj* plantagenetovský

plantain[1] [plæntin] bot. jitrocel ◆ *greater* ~ jitrocel větší

plantain[2] [plæntin] bot. **1** banánovník, pisang **2** banán

plantar [plæntə] chodidlový, nacházející se na chodidle

plantation [plænˈteišən] **1** sadba činnost (řidč.) i rostliny (*protect the* ~ *while it grows*); celé pole, sad, háj, lesík, kultura (les.) **2** plantáž **3** kolonizace, usídlení (*a forced* ~ *of English settlers*) **4** hist. osada, kolonie (*a vessel from the overseas* ~*s* loď ze zámořských osad) ◆ *send to the* ~*s* hist. poslat na nucené práce v koloniích; ~ *song* pracovní píseň amerických černochů

plant breeder [ˈpla:ntˌbri:də] pěstitel rostlin

planter [pla:ntə] **1** obdělavatel půdy, pěstitel, sázeč, sadař **2** hist. kolonizátor, kolonista **3** plantážník **4** sázecí stroj **5** AM ozdobný květináč

plantigrade [plæntigreid] *adj* ploskochodý (*the bear and men are both ~ animals*) ● *s* ploskochodý živočich

planting [pla:ntiŋ] **1** sadba, výsadba; osázená plocha **2** háj, lesík **3** v. *plant, v* ◆ *~ under shelterwood* les. pěstování pod mateřským porostem; *~ stock* les. sazební materiál

plantlet [pla:ntlit] rostlinka

plantlike [pla:ntlaik] vypadající jako rostliny, fytomorfní (*some ~ corals may continue to enlarge indefinitely*)

plantlouse [pla:ntlaus] *pl: plantlice* [pla:ntlais] mšice

plantocracy [plænˈtokrəsi] AM vláda plantážníků

plantsman [pla:ntsmən] *pl: -men* [-mən] pěstitel rostlin

planxty [plæŋksti] (*-ie-*) irská melodie pro harfu v triolách; tanec na tuto melodii

plant warfare [ˌpla:ntˈwo:feə] voj. biologická válka proti rostlinstvu

plaque [pla:k] **1** ozdobná plaketa, destička, medaile, falera **2** ohraničená skvrna

plaquette [plæˈket] malá plaketa atd.

plash[1] [plæš] louže, kaluž; močál, bažina

plash[2] [plæš] *v* plesknout do vody; pleskat, šplíchat, šplounat (*far below him ~ed the waters*); po|stříkat, po|cákat ● *s* plesknutí, pleskání, pleskot; šplíchání, šplounání; po|stříkání, po|cákání

plash[3] [plæš] vplést, vyplétat živý plot

plashy[1] [plæši] (*-ie-*) plný louží, samá kaluž (*a ~ path*); mokrý, rozmáčený, bažinatý, močálovitý

plashy[2] [plæši] (*-ie-*) cákající, stříkající (*~ waterfalls* stříkající vodopády)

plasm [plæzəm] plazma, protoplazma, bioplazma živý obsah buňky

plasma [plæzmə] *s* plazma temně zelená odrůda chalcedonu; tekutá složka krve; vysoce ionizovaný plyn vznikající vysokou teplotou, ozářením apod. ● *adj* plazmový ◆ *~ engine* plazmový raketový motor; *~ jet* plazmový proud; *~ physics* fyzika plazmy; *~ torch* plazmový hořák

plasmasphere [plæzməsfiə] hvězd. plazmosféra

plasmatic [plæzˈmætik] plazmatický

plasmic [plæzmik] **1** plazmatický, protoplazmový, protoplazmatický **2** plazmový

plasmid [plæzmid] = *episome*

plasmin [plæzmin] plasmin fibrinový přípravek

plasmodium [plæzˈməudiəm] *pl: plasmodia* [plæzˈməudiə] biol. plazmodium mnohojaderný protoplazmatický útvar; souhrnný název parazitických prvoků působících malárii

plasmolyse [plæzməlaiz] biol. podrobit plazmolýze

plasmolysis [plæzˈmolisis] *pl: plasmolyses* [plæzˈmolisi:z] plazmolýza uměle vyvolané smrštění protoplazmy v rostlinné buňce

plaster [pla:stə] *s* **1** náplast, hojivý obvaz; placka léčebný prostředek; leukoplast **2** sádrová malta, omítka **3** sádra sádrový obvaz; sochařská práce provedená v sádře; štuk, štukatura ◆ *~ clover* bot. komonice bílá; *~ jacket* sádrové lůžko, sádrový korzet; *~ of Paris* pálená sádra; *~ rock / stone* sádrovec, síran vápenatý; *~ work 1.* omítání, omítka *2.* sádrování, štukatura ● *v* **1** omítnout, nahodit omítkou (*~ a wall*) **2** přen. přikrýt, překrýt, zakrýt **3** dát náplast na, ošetřit náplastí n. obvazem; zalepit n. přilepit leukoplastem, přen. dát jako náplast na (*Clare gave the man five shillings to ~ the blow*), přilepit *to* k / na (*rain sluicing down to ~ his ragged shirt to his body* déšť se řinul dolů, takže se mu potrhaná košile přilepila na tělo), slepit, přilepit k hlavě (*hair ~ed with oil*); nanést, natřít na kůži **4** dát do sádry (*~ an arm* dát ruku do sádry) **5** pokrýt, oblepit, polepit (*an old trunk ~ed with hotel labels* starý kufr polepený hotelovými štítky), též přen (*~ed with jewels* posázený drahokamy) **6** zasypávat střelami n. ranami, bombardovat, bít do (*warships ~ing the beach, ~ed his opponent for four rounds and then knocked him down* po čtyři kola bombardoval soupeře a pak ho srazil) **7** sádřit víno; sádrovat pole

plaster bandage [ˌpla:stəˈbændidž] sádrový obvaz

plasterboard [pla:stəbo:d] sádrová deska krytá lepenkou po obou stranách

plaster cast [pla:stəka:st] **1** sádrový odlitek **2** sádrový obvaz

plastered [pla:stəd] **1** slang. nalitý, zlitý, nadrátovaný **2** v. *plaster, v*

plasterer [pla:stərə] **1** omítkař **2** sádrař **3** štukatér

plastering [pla:stəriŋ] **1** omítání; omítka; malta **2** sádrování **3** štukování, štukatura **4** nálož, výprask (*gave the other side a ~ they wouldn't forget*) **5** v. *plaster, v*

plastery [pla:stəri] **1** připomínající omítku (*examples in which the paint assumes almost ~ texture* příklady, kdy barva nabývá téměř omítkové struktury) **2** lpící, ulpívající

plastic [plæstik] *adj* **1** plastický provedený trojrozměrně; působící dojmem trojrozměrnosti; tvárný, tvárlivý, poddajný; názorný **2** kujný, tvárný, poddajný (*clay is a ~ substance* hlína je tvárná hmota), též přen. (*the ~ mind of a child* poddajná mysl dítěte) **3** biol. přizpůsobivý, schopný přizpůsobení (*a ~ genus* přizpůsobivý rod), schopný regenerace (*a ~ tissue* tkáň schopná regenerace) **4** vyrobený z plastiku, z umělé hmoty, plastikový, igelitový (*~ raincoats*); přen. nepřirozený, neskutečný, syntetický, umělý **5** tvůrčí, tvořivý **6** výtvarný (*of the several ~ means he used colour most sparingly*); balet skulpturální, sošný (*the ~ form and architectural construction of postwar ballets*) **7** organický (*the ~ whole*) ◆ *~ arts 1.* sochařství, keramika apod. *2.* výtvarné umění bez malířství a grafiky; *~ binding* polygr. lepená / nešitá vazba; *~ bomb* plastická bomba; *~ bronchitis* med.: druh bronchitidy; ~ *clay* geol. vazný, plastický jíl; ~ *set* / *strain* trvalé přetvoření, plastická deformace; ~ *sulphur* beztvará síra; ~ *surgery* plastická chirurgie ● *s* **1** hovor. plastik, umělá hmota **2** ~*s, pl* plastické / umělé hmoty **3** ~*s, sg* plastická chirurgie

plasticine [plæstisi:n] plastelína, formela

plasticity [plæˈstisəti] **1** plastičnost, plasticita; tvárlivost, tvářnost, poddajnost; výstižnost, výraznost, názornost **2** biol. přizpůsobivost, schopnost přizpůsobení

plasticize [plæstisaiz] zvláčňovat, hníst; učinit plastickým

plastid [plæstid] bot. plastid tělísko v rostlinné buňce, speciální struktury a funkce

plastral [plæstrəl] týkající se břišního krunýře želvy

plastron [plæstrən] **1** náprsenka, plastrón **2** sport. předstěr, plastrón **3** hist.: ocelový krunýř, kyrys, náprsenka část brnění **4** břišní krunýř želvy

plat[1] [plæt] *s* **1** malý pozemek, kousek půdy **2** AM mapa, plán ● *v* AM z|mapovat

plat[2] [plæt] *s* = *plait, s 2* ● *v* (-tt-) = *plait, v 2*

plat[3] [pla:] chod, pokrm, jídlo na jídelním lístku ◆ ~ *du jour* specialita dne, dnes doporučujeme na jídelním lístku

platan [plætən] bot. platan východní

plate [pleit] *s* **1** talíř nádoba i obsah (*a soup* ~, *a* ~ *of beef and vegetables, flat* ~ mělký talíř, *deep* ~ hluboký talíř), talířek (*a dessert* ~); mísa, miska; tác, podnos (*pass the meat* ~); pokrm, chod podávaný na jednom talíři (*the special* ~ *includes liver and onions, potatoes with gravy and green salad* specialita obsahuje játra s cibulkou, brambory polévané šťávou a hlávkový salát); menu, oběd, večeře (*a fund-raising dinner at $ 100 a* ~ dobročinné večeře po stu dolarech za menu) **2** talíř, miska, košíček pro peněžní sbírku při bohoslužbě; sbírka, výtěžek sbírky (*the* ~ *was a generous one*) **3** zlatý / stříbrný pohár, mísa pro vítěze v dostihu; pohárový běh, dostih; drahý kov, zejm. stříbro (*Spanish* ~ *ships*) **4** BR zlaté / pozlacené n. stříbrné / postříbřené n. cínové n. pocínované příbory a nádobí **5** kovová deska (*a* ~ *for etching* leptací deska), plát; pancíř; střední / tlustý plech; plíšek na špičce n. patě boty **6** kovová vrstva galvanizovaných předmětů **7** hist. plát, plátové brnění **8** štítek, tabulka, destička se jménem (*door* ~); destička (*a carapace of bony* ~*s* krunýř z kostěných destiček) **9** tisková deska, plotna, štoček; grafický list, tisk; samostatně tištěná a do svazku vlepená ilustrace, obrazová příloha **10** fotografická deska **11** AM baseball značka na hřišti označující postavení hráče (*home* ~ postavení pálkaře, *pitcher's* ~ postavení nadhazovače) **12** lehká podkova závodního koně **13** koleje; železnice, dráha **14** = *dental plate* **15** sešité kožešiny **16** odb. trám, trámec; pozednice; práh; anoda elektronky; vychylovací destička obrazovky; rám klavíru; přední / zadní deska houslí; hřeb, spona na spojení zlomené kosti **17** zast. peníz, mince zejm. stříbrňák **18** herald. stříbrný kotouč, penízek ve štítu ◆ *boiler* ~ AM = ~ *matter;* ~ *day* den, kdy se jede pohárový dostih; *dental* ~ *1.* gingivální ploška zubní protézy *2.* umělý chrup, zubní protéza; *finger* ~ číselnice telefonu; ~ *glass* zrcadlové / tabulové sklo (~ *glass insurance* pojištění tabulových skel proti rozbití); *hand a p. a t. on a* ~ dát komu co darem, dát na stříbrném podnose co komu (přen.), prezentovat; ~ *lunch* AM jídlo z jednoho talíře; ~ *matter* matrice s textem článku; ~*s of meat* slang. jedenáctky nohy; *number* ~ číslo vozu, tabulka se státní poznávací značkou vozidla; *selling* ~ dostih, v němž musí být vítěz prodán za předem stanovenou cenu ● *v* **1** plátovat, pokrývat / chránit / obrnit / pancéřovat kovovými deskami, opatřovat loď plechem, kovovou obšívkou (*the first ironclads were wooden ships* ~*d with iron* první obrněnci byly dřevěné lodě pancéřované železem); ozdobit destičkami (~ *a harness*) **2** galvanicky pokovit, galvanizovat; postříbřit, pozlatit, pocínovat, pochromovat, poniklovat **3** roztepat na plech

plate armour [ˈpleitˌa:mə] **1** pancéřování, pancéřový plášť, obšívka lodi **2** hist. plátové brnění

plateau [plætəu] *pl* též *plateaux* [plætəuz] **1** náhorní rovina, plošina, plató **2** ozdobný podnos, tác, mísa, plató **3** ozdobná plaketa **4** stabilní hladina, stabilizovaný stav, vyrovnaná úroveň ◆ ~ *level* nejvyšší dosažená těžba naftového pole

plate basket [ˈpleitˌba:skit] **1** BR košíček na příbory v zásuvce **2** odkapávač na nádobí

plate circuit [ˈpleitˌsə:kit] anodový obvod

plate cover [ˈpleitˌkavə] poklice, víko mísy

plateful [pleitful] plný talíř množství

plate glass [pleitgla:s] zrcadlové sklo

plate goods [pleitgudz] *pl* postříbřené příbory

plateholder [ˈpleitˌhəuldə] fot. kazeta

plate iron [ˈpleitˌaiən] tlustý ocelový plech

platelayer [ˈpleitˌleiə] BR traťový dělník, pokladač kolejí

platelet [pleitlit] krevní destička

plate mark [pleitma:k] **1** punc **2** vtlačenina způsobená deskou

plate-marked [pleitma:kt] : ~ *mount* pasparta se slepotiskovým rámečkem na fotografii

platen [plætən] **1** polygr. tlaková deska příklopového tiskového stroje **2** válec psacího stroje ◆ ~ *machine* polygr. příklopka

plate powder [ˈpleitˌpaudə] prášek na čištění stříbra

plater [pleitə] **1** galvanizátor, pokovovač **2** kdo vyrábí n. montuje pancéřový plášť lodí **3** podřadný závodní kůň

plate rack [pleitræk] **1** stojánek na talíře **2** odkapávač na nádobí

plate rail [pleitreil] **1** polička na talíře n. ozdoby na zdi **2** primitivní ploché kolejnice; dráha, železnice

platform [plætfo:m] *s* **1** stupínek, vyvýšená plošina, lešení, pódium, řečniště, tribuna, rostrum; plošina tramvaje n. vlaku **2** přen. řečnická podpora, řečnictví, řečnění; program n. politika politické strany, platforma **3** BR nástupiště, perón; rampa, vykladiště **4** základna, báze, platforma **5** bašta, hradba, ložiště pro dělo ◆ *have a good ~ manner* být dobrým řečníkem; *~ speaker* schůzovní referent; *~ tennis* AM druh míčové hry zejm. zimní; *~ ticket* BR lístek na nástupiště, peronka ● *v* **1** dát (jako) na stupínek atd. **2** mluvit na tribuně atd.

plating [pleitiŋ] **1** kovový povlak **2** pohárový dostih **3** námoř.: kovová lodní obšívka **4** v. *plate, v* **5** v. *plait, v 2*

platinic [plæˈtinik] chem. platinový; platičitý; obsahující platinu

platiniferous [ˌplætiˈnifərəs] platinonosný, obsahující platinu

platinize [plætinaiz] po|platinovat; zpracovat platinou; slučovat s platinou

platinoid [plætinoid] **1** platinoid slitina mědi, zinku, niklu a wolframu **2** platinový kov

platinotype [plætinəutaip] fot. platinotypie

platinum [plætinəm] chem. platina ◆ *~ black* platinová čerň; *~ blonde* hovor. žena s platinovými vlasy zlatošedými; *~ metals* platinové kovy

platitude [plætitju:d] otřepaná fráze, samozřejmost, otřepaná pravda

platitudinarian [ˌplætiˌtju:diˈneəriən] frázista

platitudinous [ˌplætiˈtju:dinəs] otřelý, omletý, otřepaný; frázovitý

platitudinize [ˌplætiˈtju:dinaiz] užívat frází, mluvit ve frázích; říkat důležitě otřepané pravdy

Platonic [pləˈtonik] *adj* **1** platónský týkající se filozofa Platóna **2** platonický (*a ~ relationship, purely ~ protestantism*) **3** neškodný ◆ *~ love 1.* platonická láska *2.* homosexuální láska mužů; *~ year* platónský rok ● *s* zast. platonik, platónovec **2** *~ s, pl* platonický vztah milenců; platonické řeči milenců

Platonism [pleitənizəm] platonismus učení filozofa Platóna a jeho následovníků

Platonist [pleitənist] *adj* platónský ● *s* platonik, platónovec stoupenec platonismu

Platonize [pleitənaiz] **1** platonizovat co / o **2** idealizovat

platoon [pləˈtu:n] *s* **1** hist.: malý oddíl pěchoty na vypálení salvy; salva **2** voj. rota **3** AM policejní / požární četa **4** AM sport. slang. útočný n. obranný blok, formace hráčů ◆ *~ sergeant* rotný ● *v* AM sport. slang. specializovat | se na hru v útočném n. obranném bloku hráčů

platten [plætən] = *platen*

platter [plætə] **1** AM velká mísa, tác, podnos **2** BR zast. dřevěný talíř, prkénko ◆ *on (a) ~* snadno, zadarmo (*can have the presidency on a ~*)

platypus [plætipəs] *pl* též *platypi* [plætipai] zool. ptakopysk

platyrhine [plætirain] opice ploskonosý

plaudit [plo:dit] část. *~ s, pl* **1** potlesk, aplaus (*with the ~ s of his audience still ringing in his ears*) **2** bouřlivý souhlas (*the book received the ~ s of the critics*)

plausibility [ˌplo:zəˌbiləti] přijatelnost, uvěřitelnost, hodnověrnost; možnost

plausible [plo:zəbl] **1** přijatelný, možný (*a more ~ site for a house* přijatelnější místo pro postavení domu) **2** možný, uvěřitelný (*a jewel too big to be ~* neuvěřitelně velký drahokam) **3** vystupující hodnověrně

play [plei] *v* **1** hrát si, dovádět, skotačit (*children ~ ing in the park*) **2** tropit, vyvádět (*~ ing their mischievous pranks at the maddest* vyváděli své nejbláznivější lumpárny) **3** dovádět, laškovat, mazlit se, užívat si (*if he ~ s with his wife in the evening there's another baby*) **4** ptačí sameček naparovat se, předvádět se, poskakovat při toku **5** BR stávkující dělníci nepracovat, nechodit do práce, mít volno **6** laškovat, zahrávat si, hrát si (*don't ~ with me*); dělat si legraci *at* z, vysmívat se komu (*the sallies of those who ~ ed at him in print* útoky těch, kteří si z něho dělali v tisku legraci); pohrávat | si (*a faint smile ~ ed about her lips, he ~ ed with his walking stick* pohrával si se svou hůlkou); pohrávat si, zahrávat si *with* s, zkoušet co, dělat zkusmo co (*liked to ~ with ideas*); hrát si *with* s, nimrat se v (*~ ed disconsolately with her food* nimrala se zachmuřeně v jídle) **7** pohybovat se sem tam rychle n. nepravidelně, vlnit se, poskakovat (*muscles could be seen ~ ing beneath his thin cotton shirt* bylo vidět, jak se mu pod tenkou bavlněnou košilí vlní svaly); pták poletovat, třepotat se (*watched the birds ~ ing overhead*); ryba vyskakovat z vody (*dolphins ~ ing about the ship*) **8** mít dostatečnou vůli (*a piston rod ~ s within a cylinder* vojnice má ve válci dostatečnou vůli); volně běžet, pracovat **9** povolovat a přitahovat, unavovat rybu **10** přen. hrát si jako kočka s myší s; klást léčky *upon* komu, snažit se oklamat / svést / očarovat koho (*the enchantress ~ ing upon him* kouzelnice snažící se ho očarovat) **11** stavět proti sobě, štvát, podněcovat (*became adept at ~ ing Japanese civilians against the military*) **12** umět hrát společenskou hru (*do you ~ chess?*), hrát *a t.* / zast. *at* co (*~ backgammon* hrát lurč) *a p.* s / proti (*refused to ~ the challenger* odmítl hrát s vyzývatelem), též sport. (*England ~ s Wales*) **13** karty zahrát co / čím, vy|nést (*~ a trump* vynést trumf); šachy za|hrát co / čím, táhnout, udělat tah čím **14** hrát hazardní hru *for* o (*~ ed for heavy stakes* hrál o vysoké sázky); vsadit při hře (*~ ed his last few dollars*), sázet, vsadit na; řídit se čím (*~ hunch* řídit se předtuchou, *~ ing their luck instead of their skill*) **15** spolupracovat (*he took* *it for granted that he would ~ with the big industrialists* pokládal za samozřejmé, že bude spolupracovat s velkými průmyslníky); podporovat *into* co, podtrhnout co (*the horizontal lines ~ into the central idea*) **16** hud. umět hrát na (*she ~s the violin*), hrát *on* na (*~ on the violin*), za|hrát (*~ a waltz*); doprovodit hudbou, zahrát na cestu komu (*~ them home*) **17** sport. hrát (*~ed in every major game this year*), postavit k zápasu (*whom shall we ~ as goalkeeper*); hodit, odpálit, zahrát míč apod. určitým směrem n. způsobem; hřiště hodit se ke hře, vyhovovat jak (*the ground ~s well*); *~!* play! zvolání hráče, že zahajuje hru **18** zast. šermovat **19** hrát divadelní hru, film, dávat (*~ an Elizabethan comedy*), hrát, představovat dramatickou postavu (*she ~ed a beautiful spy*), kde, na turné (*has ~ed more than forty communities*); hra vypadat při inscenaci jak (*the script reads well, but ~s badly* ta hra se dobře čte, ale hrát se nedá); chovat se jako (*do not expect boys of fifteen to be ~ing the lover*); hrát si na (*the children were ~ing house* děti si hrály na domácnost, *let's ~ soldiers*); dělat (*~ Santa Claus*), provozovat (*~ secret diplomacy and power politics*), hrát si na, předstírat, že jsem atd., dělat, stavět se kým (*don't ~ innocent*) **20** hrát si *at* na, předstírat co, markýrovat, dělat jako že (*you are only ~ing at boxing*) **21** přen. dát čemu publicitu, rozehrát, rozpracovat, nafouknout (*the popular press ~ed this for all it was worth* bulvární tisk to nafoukl, jak se dalo) **22** zamířit, zaměřit proud světla n. vody *on* na, svítit n. stříkat *a t.* čím na / po (*~ a stream of water, ~ed his flashlight along the line of feet* posvítil si baterkou na řadu nohou); světlo přejíždět *on* co / po, osvítit, ozařovat co (*the searchlight ~ed on the clouds* světlomet přejížděl po mracích); voda, vodní zdroj stříkat, postřikovat, fontána být v provozu, fungovat (*the fountains in the park ~ on Sundays*) **23** dělo soustavně střílet *on / upon* na, p|ostřelovat (*his cannon ~ed upon the besiegers from two sides* jeho děla ostřelovala obléhající ze dvou stran), zamířit a spustit soustavnou střelbu z, střílet z (*~ a rifle upon a fort* střílet z pušky na pevnost) **24** zasahovat *on* co, dopadat soustavně na, přijít na (*see that direct heat does not ~ on dry enamel* dbejte na to, aby suchý email nebyl vystaven přímému žáru); stále útočit, působit *on / upon* na (*the jungle scents ~ed upon my emotions* pachy džungle útočily na mé emoce) **25** soustavně zpracovávat, po|užívat *for* aby (*I think you are only ~ing me for what you can get out of me*); soustředit se *to* na, nahrávat, přihrávat čemu (*might ~ to popular prejudices to serve his political ends* mohl nahrávat obvyklým předsudkům, aby dosáhl svých politických cílů); soustavně využívat *on / upon* čeho, hrát na (*~ing upon the decisive forces in the Western world* využívající rozhodujících sil v západním světě); zacházet *for* jako s (*the king ~ed him for a sucker* král s ním zacházel jako s člověkem, jehož se dá snadno využít); manipulovat, zacházet s (*~ed him exactly the way I figured* manipuloval s ním přesně tak, jak jsem počítal); traktovat (*the law ~s the privilege differently*) ♦ *~ ball 1.* začít hru, pokračovat ve hře *2.* jít spolu, spolupracovat (*you ~ ball with me and I'll ~ ball with you, ~ the ball, not the man* kopat se má do míče, ne do soupeře) *3.* chovat se podle očekávání; *be ~ing* hrát se, dávat se, běžet (*what's ~ing at the picture shows?*); *~ both ends against the middle* když se dva perou, třetí se směje; *~ one's cards well | badly* přen. dobře | špatně využít příležitosti; *~ it cool* hovor. *1.* nevzrušovat se *2.* oddechnout si, odpočívat; *~ a deep game* neodkrýt své karty, mít něco vážného za lubem, tichá voda břehy mele; *~ the devil* řádit; *~ dumb 1.* stavět se němým, mlčet, nic neříkat *2.* neprozradit tajemství; *~ (it) by ear 1.* hrát podle sluchu *2.* improvizovat, chovat se podle vlastního uvážení kde nejsou pravidla (*we'll ~ it by the ear* uvidíme, co se dát dělat a podle toho se zachováme); *~ fair* hrát fair hru, zachovávat fair play, chovat se / jednat slušně n. čestně; *~ fast and loose* být kam vítr, tam plášť; *~ favourites* AM pěstovat kliky, potrpět si na některé lidi, mít své oblíbence (*I felt that he ~ed favourites and that I was not one of them*); *~ the field* AM chodit s několika děvčaty / mládenci najednou (*preferred ~ing the field to going steady*); *~ with fire / edged tools* hrát si s ohněm; *~ to full houses* hrát před vyprodaným hledištěm; *~ the game* chovat se slušně, zachovávat pravidla (*wasn't ~ing the game in giving publicity to this confidential report* tím, že zveřejnil tak důvěrnou zprávu, porušil pravidla hry); *~ into a p.'s hands* hrát komu (přímo) do rukou (*an unfortunate procedure that ~ed directly into the hands of the opposing party*); *~ havoc* zničit, zbořit, rozvrátit *with* co; *~ hell with* obrátit vzhůru nohama, převrátit, zmotat, zkomplikovat co, udělat kůlničku na dříví z; *~ hooky* chodit za školu, ulejvat se; *~ horse* dělat skopičiny *with* komu (*don't ~ horse with me*); *~ it low on* provést lumpárnu komu, využít; *~ it on* zahrát to na, podvést, oklamat koho; *~ a joke on* vystřelit si z; *~ knife and fork* ohánět se vidličkou a nožem, dávat si, cpát se; *~ with marked cards* AM přen. nehrát fair, podvádět; *~ the market* AM spekulovat / hrát na burze; *~ with oneself* onanovat; *~ a part* hrát roli, úlohu (*~ed an important part in the affair*); *~ politics* politikařit (*refused to ~ politics with foreign policy* odmítl politikařit v zahraniční politice); *~ the ponies* AM slang. hrát hazard, riskovat; *~ possum* AM *1.* dělat mrtvého *2.* předstírat nevědomost; *~ a practical joke* udělat recesi, provést kanadský žertík; *~ propriety* dodržovat dekorum;

~ *a role* hrát roli, úlohu; ~ *(it) safe* nic neriskovat, vyhýbat se riziku, držet se v bezpečí; ~ *at sight* hrát z listu; ~ *for time* snažit se získat čas; ~ *time out* hrát na čas; ~ *a (dirty) trick on 1.* provést špinavost komu *2.* vystřelit si (nepěkně) z; ~ *tricks with 1.* hrabat se v *(who's been ~ing tricks with my tools?* kdo se mi hrabal v nářadí?) *2.* zneužít čeho; ~ *truant 1.* trucovat *2.* ulejvat se, chodit za školu; ~ *to windward* námoř. křižovat proti větru; ~ *on words* pohrávat si se slovy, dělat slovní hříčky *(sometimes poets ~ on words in this fashion)* ***play along*** spolupracovat, kolaborovat *(willing to ~ along with him)* ***play around 1*** zahrávat si ***2*** milovat se pokoutně, tahat se, stýkat se pohlavně *(girls who ~ around with men in uniform* děvčata, která se tahají s chlapy v uniformě) ***play away 1*** prohrát v hazardních hrách *(~ed away his inheritance* prohrál své dědictví) ***2*** hrát o sto pryč ***play back*** vrátit, zopakovat, ještě jednou přehrát magnetofonový záznam ***play down 1*** bagatelizovat, přičítat malou váhu čemu, klást malý důraz na *(~ing down academic scholarship* kladoucí malý důraz na akademické vzdělání) ***2*** snížit se *to* k *(trying to ~ herself down to me)* ***3*** utlumit, upozadit, nezdůrazňovat, nevypichovat, psát málo o *(~ down stories of crimes)* ◆ ~ *it down on* provést lumpárnu komu, využít koho ***play in*** uvítat varhanní hudbou při příchodu do kostela *(~ the congregation in)* ***play off 1*** štvát, poštvat, podněcovat, hnát *(able to ~ off one tribe against another)* ***2*** dohrát přerušenou hru; hrát rozhodující zápas při nerozhodném výsledku předcházejícího utkání ***3*** odehrát hudební skladbu ***4*** blamovat, zahanbit koho ***5*** vydávat se *as* za ***play on*** kriket pálkař zahrát míč na vlastní branku ***play out 1*** doprovodit varhanní hudbou při odchodu z kostela ***2*** unavit, oslabit, vyčerpat; ***play over*** přehrát | si hudební skladbu ***play up 1*** začít hrát hudební skladbu ***2*** hrát s vervou, vydat ze sebe to poslední ***3*** naparovat se, čepýřit se, vykračovat si jako kohout před slepicemi ***4*** přehrávat; přehánět, příliš zdůrazňovat co, klást velkou váhu / důraz na *(the store also ~s up other makes* obchod až příliš zdůrazňuje také jiné značky) ***5*** vypíchnout, nafouknout *(interesting to see what items were ~ed up* zajímavé pozorovat, které zprávy byly nafouknuty) ***6*** podepřít, podpořit svou rolí / výkonem *to* jiného herce; podporovat / potvrzovat svou činností / svým chováním *to* co *(amusing to find how well they ~ed up to the theory of what an Oxford man ought to be* zábavné pozorovat, jak krásně potvrzovali svým chováním představu o tom, jak má vypadat absolvent Oxfordu) ***7*** hrát to *to* na koho, zaměřit se / svůj výkon na, hrát pro / komu, soustředit se při hraní na a tím chtít získat *(now they would have to ~ up to their public)*; snažit se zalichotit *to* komu *(he always ~s up to his political boss)* ***8*** AM rozčilit, navztekat

● *s* **1** hra; laškování, zábava, kratochvíle **2** hračka, hračička, legrace snadná práce **3** BR pracovní volno stávkujících **4** milostná hra, laškování, předehra k souloži; soulož **5** hra, vlnění, kmitání, měnění, střídání, lehké živé pohyby *(the ~ of sunlight upon water)* **6** společenská / hazardní hra, hraní *(lose fifty pounds in one evening's ~)*; manévr, tah *(that was a ~ to get your fingerprints* to byl manévr, jak získat tvoje otisky prstů); použití při hře / hraní *(this needle should be good for hundreds of ~s* tato jehla by měla vydržet stonásobné přehrávání) **7** hra, drama *(the ~s of Shakespeare, radio ~)*; přen. divadlo *(let's go to the ~ this evening)* **8** sportovní hra, hraní, zápas, utkání; chování při hře atd. *(there was a lot of rough ~ in the football match yesterday)*; přihrávka; šachy tah *(it's your ~* jste na tahu) **9** sou|činnost, akce, působení, rozvinutí *(the ~ of forces)*; vůle mezera *(the cylinder has about an inch of ~)*; prostor, místo, volnost pro nějakou činnost *(give free ~ to one's emotions* povolit uzdu svým citům) **10** AM pozornost tisku, zájem sdělovacích prostředků *(they were giving the casino a great ~)*; publicita *(I wish the country received a better ~ in the American press)* ◆ *be at ~ 1.* hrát si *(the children are at ~) 2.* šachy být na tahu *3.* karty nést; *be in full ~ 1.* být plně rozvinut *2.* běžet, působit naplno; *bring a t. into ~* použít čeho, přibrat co, uvést co; *come into ~* přicházet ke slovu, začít se hlásit, začít působit; *fair ~* přen. fair play čestná hra podle pravidel; čestné jednání; spravedlnost pro obě strany *(see fair ~* postarat se o fair play); *foul ~ 1.* nečestná / nepoctivá / falešná hra *2.* přen. zrada; zločin *(do the police suspect foul ~?* má policie podezření, že jde o zločin?); *give more ~* povolit, uvolnit *(give the rope more ~)*; *as good as a ~* zajímavý, zábavný; *grandstand ~* hra na efekt; *in ~ 1.* v legraci, žertem *(what I said was only in ~) 2.* míč ve hře; *make ~ 1.* při štvanici pobídnout pronásledovatele k činnosti *2.* AM snažit se zavděčit komu; *one-set ~* div. hra v jedné dekoraci; ~ *on words 1.* slovní hříčka, kalambur *2.* slovní vytáčka; *out of ~* míč mimo hru

playable [plei*ə*bl] hratelný, vhodný ke hře n. hraní *(harpsichord music is really ~)*

play-act [plei-ækt] **1** hrát, předstírat, hrát divadlo, filmovat to **2** hrát si na někoho jiného *(children love to ~)* **3** chovat se teatrálně, dělat jen tyjátr (hovor.) *(she was ~ing)*

play-acting [ˈpleiˌæktiŋ] **1** divadlo, tyjátr (hovor.); póza **2** v. *play-act, v*

play-actor [ˈpleiˌæktə] hanl., zast. komediant, herec

playback [pleibæk] **1** okamžité přehrání nahraného záznamu např. na magnetofonovém pásku **2** playback postsynchronní natočení obrazu n. zvuku ke zvuku předem nahranému; zařízení to umožňující

playbill [pleibil] divadelní cedule, plakát, návěstí

playbook [pleibuk] **1** sport. kniha diagramů útočných n. obranných formací např. v ragby **2** divadelní kniha
playbox [pleiboks] krabice n. bedna na hračky
playboy [pleiboi] **1** playboy bohatý povaleč, zejm. mladý: flamedr, hýřil **2** BR nář. šejdíř, lump
play-by-play [ˌpleibaiˈplei] AM podrobný, detailní ◆ ~ *report* / *story* sport. reportáž
play day [pleidei] **1** volný den ve škole, prázdno **2** BR den pracovního klidu nikoliv neděle
play debt [pleidet] dluh z hazardní hry
played-out [pleidˈaut] hovor. **1** oddělaný, hotový, grogy **2** otřelý, obehraný **3** v. *play out*
player [plei*ə*] **1** hráč společenské hry; hudebník; sportovec **2** herec **3** hazardní hráč **4** BR profesionální hráč kriketu (*Gentlemen v. P~s* amatéři proti profesionálům) **5** příští koule v kroketu **6** magnetofon; gramofon; přehrávač **7** námoř.: dobře přiléhající loď k větru ◆ *long* ~ hovor. dlouhohrající deska, elpíčko
player piano [ˈple*ə*ˌpjænəu] mechanický klavír, pianola
playfellow [ˈpleiˌfeləu] kamarád z dětství
playful [pleif*u*l] **1** hravý (*a* ~ *kitten*) **2** humorný, žertovný, laškovný (*were discovering the charm of* ~ *satire* objevovali půvab humorné satiry)
playfulness [pleif*u*lnis] **1** hravost **2** humornost, žertovnost, laškovnost
playgame [pleigeim] hračka, stín v porovnání s (tvrdou) skutečností
playgoer [ˈpleiˌgəuə] **1** pravidelný návštěvník, divadla, divák **2** ~*s, pl* divadelní publikum
playground [pleigraund] školní n. dětské hřiště ◆ ~ *of Europe* Švýcarsko
playgroup [pleigru:p] dětský kroužek druh jeslí
playhouse [pleihaus] *pl: -houses* [-hauziz] **1** divadlo budova **2** AM domek vyhrazený hrám dětí **3** domeček pro panenky
play-in [plei-in] AM ulice, ve které si obvykle hrají děti
playing cards [pleiiŋka:dz] hrací karty
playing field [pleiiŋfi:ld] sportovní hřiště zejm. školní
playlet [pleilit] dramatická hříčka, aktovka, jednoaktovka; jevištní žert
playmate [pleimeit] kamarád z dětství
play-off [pleiof] **1** rozhodující zápas při předchozím nerozhodném výsledku **2** AM šampionát
playpen [pleipen] dětská zahrádka, ohrádka
playpit [pleipit] BR pískoviště, písek pro hry malých dětí
playroom [pleiru:m] dětský pokoj vyhrazený k hrám dětí, klubovna
playschool [pleisku:l] školka, dětské jesle
playsuit [pleisju:t] trenýrky a tričko
plaything [pleiθiŋ] **1** hračka **2** přen. hříčka (*a* ~ *of unscrupulous pressure groups* hříčka bezohledných nátlakových skupin)
playtime [pleitaim] **1** čas na hry, volno, prázdno zejm. ve škole **2** začátek představení v divadle
playwright [pleirait], **playwriter** [ˈpleiˌraitə] dramatik, autor divadelní hry
playwriting [ˈpleiˌraitiŋ] psaní divadelních her
plaza [pla:zə] náměstí; tržiště ve španělském městě
plea [pli:] **1** obhajoba u soudu, soudní obrana, odpověď žalovaného u soudu; námitka **2** prohlášení obžalovaného, že se cítí vinen **3** naléhavá žádost, úpěnlivá prosba (~ *for mercy*) **4** omluva, výmluva, vysvětlení, záminka (*left the party early with the* ~ *of a headache*) **5** hist. proces, spor ◆ *put in a* ~ *for 1.* přimlouvat se (vřele) za *2.* dovolávat se čeho; *special* ~ obhajoba s uvedením nových skutečností
pleach [pli:č] s|plést dohromady, vyplétat živý plot
pleached [pli:čt] **1** chráněný spletenými větvemi, pod loubím ze spletených větví (*away from the house the* ~ *walk that led down to the river*) **2** v. *pleach*
plead [pli:d] (*pleaded, pleaded;* AM, SC, nář. *pled, pled*), **1** vystupovat před soudem, přednášet před soudem, zastupovat u soudu, přednášet civilní při **2** pronášet obžalobu *against* proti **3** zastupovat, hájit, vést obhajobu, obhajovat u soudu *for* koho, dělat obhájce komu; uvést na obhajobu (*her counsel* ~*ed insanity* její obhájce ji hájil pominutím smyslů) **4** přiznat se, doznat se k (*I have to* ~ *an inexcusable ignorance of handgrandes* musím přiznat, že moje neznalost ručních granátů je neomluvitelná); vymlouvat se na, hájit se, omlouvat se čím, odvolávat se na (*she* ~*ed ignorance of the law*) **5** naléhavě žádat, úpěnlivě prosit *with* koho *for* o co / za koho; naléhat *with* na (*the waiter* ~*ed with Arthur*) **6** plédovat za, obhajovat co, bojovat, stavět se za (~ *the cause of the Old Age Pensioners*) ◆ ~ *guilty* | *not guilty* obžalovaný prohlásit, že se cítí | necítí vinen; ~ *a p. guilty doing a t.* obžalovat koho, že udělal co
pleadable [pli:dəbl] hájitelný; obhajitelný, omluvitelný, udržitelný
pleader [pli:də] mladší právní zástupce v Indii
pleading [pli:diŋ] *s* **1** přelíčení, proces, přednes stran u soudu; plaidoyer; obhajoba **2** ~*s, pl* písemná obžaloba; protokol o přelíčení, soudní zápis sporného řízení; předběžné řízení **3** v. *plead* ● *adj* **1** naléhavý, úpěnlivý, prosebný (*a* ~ *note in her voice*) **2** v. *plead*
pleasance [plezəns] zast. **1** potěšení, rozkoš **2** sad, park, libosad, okrasná zahrada
pleasant [pleznt] **1** příjemný, pěkný, milý (*a* ~ *afternoon*); veselý (~ *clowning*) **2** zast. směšný, žertovný, šprýmovný
pleasantness [plezntnis] **1** příjemnost, pěknost, veselost **2** příjemný pocit
pleasantry [plezntri] (*-ie-*) **1** veselost, bodrost, humor, konverzační lehkost, žoviálnost **2** šprým, vtip, vtípek, legrace, legrácka, vtipná poznámka (*the girls dutifully smiled at the headmistress's pleas-*

antries dívky se poslušně smály vtípkům paní ředitelky)

please [pli:z] **1** po|těšit, udělat radost komu, uspokojit, vyhovět komu (*that will ~ you, it's difficult to ~ everybody*); líbit se, působit potěšení (*the chief object of a play should be to ~ and entertain*) **2** pokládat za vhodné (*I shall do as I ~* udělám, co se mi líbí / co chci) **3** označuje zdvořilou žádost prosím (tě / vás), buď|te tak laskav, račte (*two coffee, ~* prosím dvakrát kávu; *come in ~* / *~ come in* prosím vstupte, račte vstoupit; *~ don't do that* to prosím nedělejte, to neračte dělat, to laskavě nedělejte; *~ don't* / *~ not to forget the key* prosím nezapomeňte (vrátit) klíč ◆ *~ God* dá-li Pán (*~ God the child will recover* bohdá že se dítě uzdraví); *if you ~* s (vaším) dovolením, prosím (*I will have another cup, if you ~*); též iron. (*and now, if you ~, I'm to get nothing for all my work*); *may it ~ your honour* / *lordship* *1.* slavný soude oslovení soudu *2.* dovoluji si slavný soud upozornit (*may it ~ your honour, there was no moon that night* dovoluji si slavný soud upozornit, že tu noc měsíc nesvítil); *may it ~ Your Majesty 1.* Veličenstvo, račte *2.* dovoluji si Vaše Veličenstvo upozornit; *~ the pigs* žert. = *~ God* **please o.s.** vybrat si, zachovat se podle vlastního přání / vkusu (*~ yourself as to whether you go*)

pleased [pli:zd] **1** potěšený, spokojený **2** v. *please* ◆ *be ~d 1.* buďte tak laskav výhrůžka *2.* být spokojen *with* s čím, mít radost z čeho; *I shall be ~ed to come* velice rád přijdu *3.* ráčit, laskavě udělat (*Her Majesty has been graciously ~d to confer knighthood on you* Její Veličenostvo vás laskavě ráčilo povýšit do rytířského stavu)

pleasing [pli:ziŋ] **1** příjemný, milý, roztomilý, půvabný; atraktivní **2** v. *please*

pleasurable [pležərəbl] příjemný, budící rozkoš, dávající příjemné uspokojení (*good printing will make every book more ~ to read*)

pleasurableness [pležərəblnis] schopnost dávat příjemný pocit, schopnost budit rozkoš

pleasure [pležə] *s* **1** potěšení, rozkoš, radost, příjemný pocit (*the ~s which one can derive from the knowledge of literature* potěšení, které může člověk mít ze znalosti literatury) **2** zábava; tělesná rozkoš (*his life is given up to ~*) **3** přání, rozhodnutí, vůle zejm. panovníka (*wait upon his ~*) ◆ *at (one's) ~* podle přání koho, na vůli koho; *during one's ~* jak dlouho je libo komu; *I have much ~ in informing you* mám to potěšení vám oznámit; *it's a ~* s radostí, milerád; *man of ~* rozmařilec, hejsek; *may I have the ~ of* smím prosit o; *the ~ is all mine* potěšení je na mé straně; *take ~ in doing a t.* dělat co (velice) rád; *take one's ~* zast. bavit se, odpočívat ● *v* **1** nacházet rozkoš / potěšení *in* v, mít rád co **2** vyhovět, udělat radost (*I'll learn just to ~ you*); poskytnout tělesnou rozkoš komu **3** bavit se, chodit za zábavou ● *adj* zábavní, výletní, rekreační

pleasure boat [pležəbəut] výletní člun

pleasure ground [pležəgraund] zábavní park, park kultury a oddechu

pleasure house [pležəhaus] *pl: houses* [hauziz] letohrádek

pleasure-seeker [ˈpležəˌsi:kə] vyhledavač rozkoší, rozmařilec

pleasure-seeking [ˈpležəˌsi:kiŋ] požitkářský, rozmařilý

pleasure train [pležətrein] rekreační / výletní vlak

pleasure travel [ˈpležəˌtrævl] rekreační zájezdy, cestování pro zábavu

pleat [pli:t] *v* skládat v záhyby / do záhybů, řasovat, plisovat, plisírovat (*~ a skirt*) ● *s* skládání, sežehlený záhyb, plisé

pleb [pleb] slang. obyčejný člověk, plebejec, plebejčík

plebby [plebi] slang. obyčejný, ordinérní, plebejský

plebe [pli:b] AM hovor. ucho člen nejnižší třídy ve vojenské či námořní akademii Spojených států

plebeian [pliˈbi(:)ən] *s* plebej, plebejec ve starém Římě; obyčejný člověk, příslušník lidových vrstev ● *adj* plebejský; obyčejný, lidový; hrubý, sprostý, nekultivovaný

plebeianize [pliˈbi(:)ənaiz] učinit plebejským; ponížit, snížit, učinit všedním

plebeianness [pliˈbi(:)ənnis] plebejství

plebs [plebz] *pl: plebes* [pli:bi:z] **1** hist. plebejstvo, plebs **2** obyčejný lid, příslušníci lidových vrstev, plebs

plebiscitary [pleˈbisitəri] plebiscitní

plebiscite [plebisit, AM plebisait] **1** antic. plebiscitum, plebiscit **2** plebiscit, referendum lidové hlasování

plectron [plektrən], **plectrum** [plektrəm] *pl: plectra* [plektrə] trsátko, plektrum; hrací prsten např. pro hru na havajskou kytaru

pled [pled] v. *plead*

pledge [pledž] **1** zástava věc daná někomu jako záruka; dání nějaké věci jako záruky (*goods lying in ~*); fant; zastavená věc v zastavárně **2** záruka (*the strong beat of his heart was a ~ of vigorous life*); důkaz lásky, pouto přátelství (*a ~ of friendship*); přen. dítě (*the ~ of their youthful love*) **3** slavnostní slib (*under ~ of secrecy*); slib zřeknutí se alkoholických nápojů **4** závazek, slavnostní prohlášení politika **5** přípitek ◆ *put into ~* zastavit; *sign* / *take the ~* alkoholik dát písemný slib, že se zřekne alkoholických nápojů ● *v* **1** dát do zástavy, zaručit se čím **2** slíbit (*I have ~d three stories*); zavázat | se (*~d the signatory powers to meet the common danger* zavázal signatářské mocnosti, že budou čelit společnému nebezpečí, *Johnson ~s to continue war*) **3** připít komu, pronést přípitek na zdraví koho (*lifted his glass and ~d the beautiful girl*)

◆ ~ *one's honour / word to* dát své čestné slovo na / že *pledge o.s.* zavázat se

pledgeable [pledžəbl] zastavitelný, vhodný k dání do zástavy

pledgee [pledžˈi:] zástavní věřitel

pledgeor, pledger [pledžə] zástavce

pledget [pledžit] **1** klůcek, kousek koudele; malý obvaz **2** námoř.: svitek konopí používaný při utěsňování švů lodní dřevěné obšívky

pledgor [pledžə] zastávce

Pleiad [plaiəd] *pl* též *Pleiades* [plaiədi:z] **1** *P~s, pl* Plejády, Kuřátka hvězdokupa **2** plejáda skupina umělců, zejm. sedmi francouzských básníků 16. stol. vedená básníkem Ronsardem

plein air [pleinˈeə] výtv. *s* plenér ● *adj* **1** plenérový **2** plenéristický ◆ ~ *artist* plenérista

Pleistocene [plaistəusi:n] geol. *adj* pleistocenní, staročtvrtohorní ● *s* pleistocén, starší čtvrtohory

plenary [pli:nəri] *adj* **1** absolutní, neomezený; celkový, dokonalý (*a ~ state of cleanliness* dokonalá čistota) **2** plenární, valný, všeobecný (*~ assembly*) ◆ ~ *indulgence* plnomocné odpustky; ~ *inspiration* božské vnuknutí týkající se všeho ● *s* (*-ie-*) círk. plenář bohoslužebná kniha se všemi texty citovanými při mši

plenipotentiary [ˌplenipəˈtenšəri] *adj* moc plný, úplný **2** zástupce zplnomocněný ● *s* (*-ie-*) zplnomocněný zástupce; zplnomocněný vyslanec, zmocněnec

plenish [pleniš] SC **1** zařídit dům; **2** vybavit nevěstu

plenitude [plenitju:d] **1** plnost, úplnost, dokonalost, absolutnost (*loves and sorrows that are great are destroyed by their own ~* velké lásky i strasti ničí jejich vlastní absolutnost) **2** dostatek; hojnost, velké množství (*the ~ of plants around them*)

plenteous [plentjəs] bás. hojný (*~ grace in thee is found*); úrodný *of / in* na, oplývající čím (*the seasons had been ~ in corn*)

plenteousness [plentjəsnis] hojnost

plentiful [plentiful] **1** plodný, úrodný (*a ~ land*) **2** bohatý, hojný, opulentní (*a ~ supper of roast and boiled beef* bohatá večeře: pečené a vařené hovězí); početný, jsoucí ve velkém množství (*the deer are as ~ as the vast wilderness will support* vysoká zvěř se vyskytuje v tak velkém množství, jaké dokáže rozlehlá divočina uživit)

plentifulness [plentifulnis] **1** plodnost, úrodnost **2** bohatost, hojnost, opulentnost; početnost, velké množství

plenty [plenti] (*-ie-*) *s* spousta, hojnost, velké / víc než dostatečné množství, víc než dost, nadbytek *of* čeho (*there are ~ of eggs in the house*) ◆ *horn of ~* roh hojnosti; *in ~* víc než dost, hodně, spousta (*there was food and drink in ~*) ● *adv* hovor. až dost, ažaž (*the nights were ~ cold*), docela (*a transatlantic holiday is ~ exciting*) ● *adj* hojný, jsoucí ve velkém množství (*there are ~ English books here* anglických knih je tady dost a dost)

plenum [pli:nəm] *pl* též *plena* [pli:nə] **1** zcela vyplněný prostor **2** přetlak v místnosti **3** plenární shromáždění, plénum ◆ ~ *system* přetlakové klimatizační zařízení

pleonasm [pliəunæzəm] pleonasmus slohová figura; mnohoslovné vyjádření

pleonastic [pliəuˈnæstik] pleonastický; mnohoslovný, mnohomluvný

plesiosaur [pli:siəso:], **plesiosaurus** [ˌpli:siəˈso:rəs] *pl* též *plesiosauri* [ˌpli:siəˈso:rai] plesiosaurus vyhynulý ryboještěr

plethora [pleθərə] **1** med. nadbytek červených krvinek **2** přen. nadměrné množství, velká spousta, nadbytek (*a ~ of references*)

plethoric [pleˈθorik] **1** med. charakterizovaný nadbytkem červených krvinek **2** velice hojný, existující ve velkém množství (*~ volumes which slumber in decorous old libraries* tisíce svazků dřímajících ve starých pěkných knihovnách)

pleura [pluərə] *pl* též *pleurae* [pluəri:] pohrudnice, pleura

pleurisy [pluərisi] zánět pohrudnice, pleuritida

pleuritic [pluəˈritik] nemocný zánětem pohrudnice

pleurodynia [ˌpluərəuˈdiniə] med. pleurodynie, bornholmská nemoc

pleuropneumonia [ˌpluərəunjuˈməunjə] pleuropneumonie, pleuropneumonia zánět plic a pohrudnice u dobytka

plexiform [pleksifo:m] **1** pletivovitý **2** spletitý

plexiglass [pleksigla:s] též *P~* plexisklo plastická hmota

pleximeter [plekˈsimitə] plezimetr destička ze slonové kosti užívaná při poklepu

plexor [pleksə] lékařské vyšetřovací kladívko

plexus [pleksəs] *pl* též *plexus* [pleksəs] **1** svazek, pleteň např. nervů **2** síť, spleť, pletivo (*a ~ of routes between western and eastern Europe*) ◆ *solar ~* anat. solární pleteň, solární plexus

pliability [ˌplaiəˈbiləti] ohebnost, pružnost, vláčnost, poddajnost (*the ~ of metal, with his ~ had yielded to their arguments* se svou [typickou] poddajností podlehl jejich argumentům)

pliable [plaiəbl] **1** ohebný, pružný (*~ ash saplings* pružné mladé jasany), vláčný, poddajný (*as ~ as velvet*) **2** ochotný, svolný, přístupný, měkký (*a self-controlled ~ personality*); podplatitelný (*~ officials*)

pliancy [plaiənsi] pružnost, poddajnost, přizpůsobivost

pliant [plaiənt] **1** vláčný, poddajný, měkký, též přen. (*sees the natives as a ~ mass*); pružný (*a girl with a slim, ~ figure*) **2** přizpůsobivý, plastický, tvárný (*the clarinet, a very fluent and ~ instrument*) ◆ ~ *draw / ruler* křivítko

plica [plaikə] *pl: plicae* [plaisi:] **1** vráska kůže **2** též *~ polonica* med. spečené / zplstěné vlasy
plicate [plaikət], **plicated** [plaikeitid] složený v záhyby, řasnatý; zvrásněný, vrásnatý; žebrovaný
plication [plaiˈkeišən] **1** záhyb, záhyby **2** zřásnění, řasnatost
plied [plaid] v. *ply*², *2*
pliers [plaiəz] špičaté kleště na drát, kombinované kleště, kombinačky (slang.)
plight¹ [plait] *v* slíbit, dát slovo, přísahat věrnost ***plight o.s.*** zast. zaslíbit se, zasnoubit se (*~ed lovers* snoubenci) ● *s* dané slovo; zasnoubení
plight² [plait] **1** nepříznivý stav, vážná situace (*desperate ~*) **2** fyzický stav, kondice (*lived many years after in very good ~*)
plim [plim] (*-mm-*) BR nář. dmout se (*her bosom ~med and fell* ňadra se jí vzdouvala a klesala); zvětšit nadýchnutím
Plimsoll [plimsəl] *p~* plátěnka, teniska, plimsolka ◆ *~ line* / *'s mark* čára nákladové značky, nákladová značka na lodi
plinth [plinθ] **1** plint, plinta spodní část patky sloupce **2** podstavec, podnož, sokl **3** masérské lehátko
Pliocene [plaiəusi:n] geol. *s* pliocén mladší (svrchní) útvar mladších třetihor ● *adj* pliocenní
pliosaurus [plaiəso:rəs] pliosaurus vyhynulý mořský ryboještěr
plod [plod] *v* (*-dd-*) **1** těžce jít, trmácet se, plahočit se, pachtit se, vléci se (*wayfarers ~ on for miles without speech* poutníci se dlouhé míle mlčky trmácejí) **2** též *~ away* pachtit se, namáhat se, lopotit se, dřít se, mořit se, hmoždit se *at* s, robotit na (*~ away at a dull task*) ◆ *~ one's way* razit si namáhavě cestu ● *s* **1** plahočení, trmácení, namáhavá chůze **2** pachtění, lopota, dřina, moření, hmoždění, robota
plodder [plodə] pomalý dříč, pracant, robotník
ploddingly [plodiŋli] těžce, namáhavě, lopotně
plombé [plo:mbei] úředně zaplombovaný, zapečetěný
plonk¹ [ploŋk] *s* dutý zvuk ● *v* **1** za|dunět **2** prudce n. hlučně postavit
plonk² [ploŋk] BR, AU laciné n. špatné víno
plop [plop] *s* žblunknutí, žbluňknutí; žblunk, žbluňk ● *v* (*-pp-*) **1** žblunknout, žbluňknout (*~ into water*) *a t.* čím, plesknout čím / co **2** svalit se, praštit sebou, kecnout sebou ● *adv* se žblunknutím / žbluňknutím
plosion [pləužən] jaz. exploze
plosive [pləusiv] *adj* souhláska výbuchový, ražený ● *s* výbuchová / ražená souhláska, explozíva
plot [plot] *s* **1** malý pozemek, políčko, parcela, dílec půdy, záhon (*vegetable ~s*); vyhrazené místo zejm. na hřbitově **2** AM půdorys, plán; narýsovaná poloha, pozice; diagram **3** osnova, zápletka (*a detective story with an ingenious ~*) **4** pikle, pleticha, intrika; spiknutí ◆ *Gunpowder P~* Prachové spiknutí r. 1605; *private ~* též záhumenek ● *v* (*-tt-*) **1** zmapovat (*~ this underground river*), zakreslit do mapy (*had ~ted the reef on his chart* zakreslil rif do své mapy), vynést, zakreslit, zanést, narýsovat do diagramu (*~ the exact position of the ship*); sestrojit diagram čeho (*~ the course of an airplane in flight from radar information*); sestrojit křivku; načrtnout; vyznačit, vyhodnotit **2** spiknout se, intrikovat, udělat / osnovat spiknutí *for* za účelem čeho (*~ for the coup d'état*); vymyslet, promyslet, připravit, organizovat něco špatného (*she ~ted the murder of her husband*) **3** vymyslet zápletku čeho (*~s better than most novelists, ~ted his play carefully*) ◆ *~ting paper* milimetrový papír
plotter [plotə] **1** kreslič, mapovač, plánovač; vynášecí přístroj **2** spiklenec, intrikán; strůjce, původce, organizátor zločinu **3** kdo vymýšlí zápletku literárního díla, autor zápletky **4** voj. mechanický trojúhelník kulometu
plough [plau] *s* **1** pluh nářadí, jímž se orá; zařízení ke shrnování hmoty **2** orná půda, oraniště **3** *the P~* Velký vůz souhvězdí **4** BR padák, vyhazov od zkoušky ◆ *put one's hand to the ~* dát se do práce, přiložit ruku k dílu ● *v* **1** z|orat (*the farmer ~ed all day, ~ a field*), kypřit půdu; orat se (*the land ~s well now*) **2** projet (jako) pluhem (*~ the roads after a snowstorm, tanks had ~ed up muddy roads*); najet, nabourat se (*a truck ~ed into her parked car*), probourat se do; ploužit se, prodrat se, drát se *through* čím (*we ~ed through the snow*); přen. prokousávat se (*forced to ~ through a summer reading list* byl nucen se prokousat povinnou letní četbou) **3** z|brázdit (*ships ~ing the seven seas, face ~ed with labour and sorrow*), brázdit moře (*the ship ~ed southward*) **4** vkládat, investovat peníze **5** BR vyhodit od zkoušky, nechat proletět ◆ *~ the air* / *the sand(s)* dělat marnou práci, zbytečně se namáhat, nosit dříví do lesa; *P~ Monday* pondělí po svátku Zjevení Páně; *~ a lonely furrow* jít si svou vlastní cestou, pracovat samostatně; *~ share* les. čepel lužní ***plough back*** ***1*** zaorat strniště **2** aktivovat, znovu investovat, použít opět jako kapitálu, kapitalizovat ***plough down*** hluboko zaorat hnůj, plevel ***plough in*** BR zaorat ***plough out*** vyorat ***plough under*** AM = *plough in* ***plough up*** vyorat, zorat, rozorat
ploughbeam [plaubi:m] hřídel pluhu
ploughboy [plauboi] **1** pohůnek, pohůnče **2** vesnický chlapec
ploughland [plaulænd] **1** orná půda **2** hist.: plošná míra orné půdy
ploughman [plaumən] *pl: -men* [-mən] **1** oráč **2** zemědělský dělník; venkovan ◆ *~'s spikenard* bot. oman hnidák
ploughshare [plaušeə] radlice
ploughshoe [plaušu:] odhrnovačka, předradlička
ploughstaff [plausta:f] otka

ploughtail [plauteil] **1** kleč pluhu **2** přen. polní práce, zemědělská práce

plover [plavə] *pl* též *plover* [plavə] **1** zool. kulík **2** hovor. čejka ◆ *golden* ~ kulík zlatý; *gray* ~ kulík bledý; *live like a* ~ žít ze vzduchu, vařit z vody

plover-page [plavəpeidž], **plover's-page** [plavəzpeidž] zast. zool. jespák obecný

plow [plau] AM = *plough*

ploy [ploi] BR hovor. **1** věc, činnost, práce, zaměstnání (*entered with eagerness into the new* ~ dychtivě se vrhl do nové činnosti); vylomenina, husarský kousek **2** koníček; zábava, společenská hra, rekreace **3** taktický manévr, trik, fígl, převoz (hovor.)

pluck [plak] *s* **1** prudké zatahání, za|škubnutí, trhnutí **2** škubanec, vyškubnutý / vytrhnutý chomáček **3** BR vyhazov, padák, propadnutí u zkoušky **4** droby, kořínek, vyvrhnuté vnitřnosti zabitého zvířete **5** odvaha, kuráž (*a boy with a plenty of* ~) **6** ostrost, výraznost, vervnost obrazu, kresby n. fotografie **7** trsátko (*lost the* ~ *for his ukulele*) ◆ *give a* ~ trhnout, škubnout, prudce zatahat ● *v* **1** o|trhat květiny, ovoce, sbírat, o|česat (~ *grapes*) **2** trhnout, škubnout, roztrhat, rozškubat, roztřepit (*a violent wind* ~*ed the sails to bits*); chytat se *at* čeho, tahat *at* za (*the child was* ~*ing at its mother's skirt*), zatahat *by* za (~*ed him by the sleeve to catch his attention* zatahal ho za rukáv, aby ho na sebe upozornil); vytrhat obočí **3** drnknout, brnknout na (~*ed the strings of his guitar* brnkal na struny kytary), za|hrát na strunu **4** o|škubat (~ *feathers from a fowl* oškubat z drůbeže peří, ~ *a chicken before cleaning* oškubat kuře před očistěním); vyvrhnout, vyjmout vnitřnosti **5** slang. obrat, oškubat nezkušeného hráče při hře **6** BR slang. vyhodit, vyrazit od zkoušky, dát padáka; dát do penze, vyrazit (~*ed after 20 years of service and sent into involuntary retirement*); vytáhnout na lepší místo **7** odb. odpesíkovat kožešinu; povrch papíru praskat ◆ *be* ~*ed* BR vyletět od zkoušky; *I have a crow to* ~ *with him* má u mne vroubek; *A drowning man* ~*s at straws* Tonoucí se stébla chytá; *I will* ~ *his goose for him* já mu srazím hřebínek ***pluck aside*** trhnutím rozevřít, prudce otevřít, rozhrnout, odhrnout, roztáhnout (~*ing the portière aside*) ***pluck away*** zast. odtáhnout, odtrhnout ***pluck back*** strhnout zpět (~ *him back from danger* strhnout ho před nebezpečím zpátky) ***pluck down*** *1* strhnout (~*ed the map down from the wall*), zbourat (*the chapel was* ~*ed down by the inhabitants* obyvatelé strhli kapli) *2* srazit hřebínek komu, sundat z lepšího místa ***pluck off*** *1* zast. odtáhnout, odtrhnout, vytrhnout *2* strhnout ***pluck out*** vytrhat, vyškrabat, vyrvat; vyškrabat oči ***pluck up*** roztrhat, vyškubat, vyplít ◆ ~*up courage* / *heart* / *spirits* sebrat odvahu, dodat si kuráže

plucked [plakt] **1** odvážný, statečný, kurážný (*what a good* ~ *one that boy of mine is*) **2** v. *pluck, v*

pluckiness [plakinis] **1** odvážnost, statečnost, kuráž, kurážnost, rezolutnost **2** ostrost, jasnost, výraznost obrazu n. fotografie **3** lasturnatost lomu

plucky [plaki] **1** odvážný, statečný, kurážný, rezolutní (*a* ~ *man*) **2** obraz, fotografie ostrý, jasný, výrazný **3** lom lasturnatý

plug [plag] *s* **1** dřevěná, kovová, gumová zátka; klínek, trn; med. obstrukce, zátka **2** hovor.: zubní plomba **3** zátka, ucpávka, závěr děla **4** hovor. splachovadlo klozetu **5** vložka zámku; kuželka kohoutku **6** váleček vykrojený na zkoušku; špalíček ve zdi; tech. hmoždík, hmoždinka **7** přípojka hydrantu, hydrant; elektr. vidlice, zástrčka, kolík, přípojka; svíčka motoru **8** kus, balíček, žvanec tabáku **9** slang. box, rohování (*the noble art of* ~); rána, výstřel, kulka **10** ležák neprodejná kniha **11** dříč, šprt; zabedněnec, tupec (*a willing worker but a dull old* ~) **12** AM stará kobyla, herka; studenokrevník kůň **13** též ~ *hat* cylindr **14** ryb. třpytka **15** opakovaná reklama (*gave the actor a* ~ *in her column*); vynášení, vychvalování ◆ ~ *socket* elektr. spodek zásuvky; ~ *song* šlágr; *swim* ~ ucpávka do uší při plavání; *take a* ~ *at* vy|střelit si po (*took a* ~ *at a deer with his rifle*) ● *v* (*-gg-*) **1** též ~ *up* ucpat | se, zacpat |se, zavřít (jako) zátkou (*grease* ~*ged up the sink* mastnota ucpala výlevku, *drain will* ~ *up if you let grease settle in it* jestli necháte v kanálku usazovat mastnotu, tak se ucpe); zazátkovat, utěsnit **2** hovor. za|plombovat zub; rozpěchovat, zatáhnout nýt **3** vykrojit zkušební váleček z čeho (~ *a watermelon to test its ripeness* vykrojit váleček z melounu, jak je zralý); **4** slang. praštit, cáknout, ubalit jednu komu (udeřit pěstí); mydlit, mlátit bušit do **5** slang. provrtat, od|prásknout, za|střelit (*old Maurice had* ~*ged me* starý Maurice mě provrtal kulkou) **6** držet se, nedat se (*we* ~*ged for all we were worth*) **7** slang. udělat reklamu čemu, propagovat neustálými opakováním (~ *a new song*) ◆ *be* ~*ged into* napojit se na, být napojen na, poslouchat magnetofonový záznam, vidět, pozorovat pomocí televize ***plug away*** *1* hovor. lopotit se, šrotit *at* na, mořit se s *2* střílet *at* do (*kept* ~*ging away at the can* střílel do plechovky ránu za ranou) ***plug in*** *1* zasunout do zásuvky vidlici apod., připojit vidlicí např. na síť, zapojit (~ *in the wireless set*) *2* zastrčit kolík do svírky v telefonní centrále; přen. spojit telefonní hovor

plug contact [ˈplagˌkontækt] kolíkové spojení

plug-in [plagin] **1** elektrický, fungující ihned po připojení na síť (*a* ~ *broiler* elektrický gril) **2** zesilovač zásuvný, vyměnitelný, kazetový

plug-ugly [ˈplagˌagli] AM *s* (*-ie-*) chuligán, darebák, výtržník zejm. jako nástroj politické machinace ● *adj* výtržnický, darebácký, chuligánský

plum [plam] **1** švestka strom i ovoce; slíva, bluma strom i ovoce **2** zast. hrozinka; víněnka, cibéba v pečivu

3 cukrový bonbón **4** přen. hrozinka, mandle, bonbónek to nejlepší **5** přen. AM polit. místo obsazované konkursem, zejm. protekčně **6** zast. sto tisíc liber **7** tech.: výplňový kámen do betonu ♦ ~ *cake* hrozinkový chlebíček; ~ *duff* pudink z mouky a hrozinek; *French* ~ BR velká sušená švestka, prynelka

plumage [plu:midž] peří, pera, opeření

plumaged [plu:midžd] opeřený (*a fully* ~ *young bird*)

plumassier [ˌplu:məˈsi:ə] výrobce ozdobných per n. chocholů; obchodník s ozdobnými pery n. chocholy

plumb [plam] *s* **1** olovnice **2** závaží hodin; rybářské olůvko ♦ *out of* ~ / *off* ~ vychýlený ze svislé polohy, šišatý ● *adj* **1** svislý, kolmý (*the wall is* ~); kriketová branka naprosto rovný **2** přen. úplný, jasný, vyložený (~ *nonsense*) ● *adv* **1** svisle, kolmo **2** přesně (*points* ~ *in the same direction*); okamžitě, bezprostředně **3** AM slang. úplně, dočista, vyloženě (~ *crazy* úplně praštěný) ● *v* **1** měřit hloubku (jako) olovnicí, provažovat olovnicí; pro|zkoumat, vy|sondovat hloubku, též přen. (~ *one's motives*); dosáhnout hloubky **2** být svislý / kolmý (*the chimney* ~*s perfectly*), udělat svislým / kolmým (~ *a wall*) **3** za|plombovat (*luggage* ~*ed by the customs inspector*) **4** hovor. dělat instalatéřinu n. klempířinu; přidělat / spravit / zapojit jako instalatér (*had a friend* ~ *his sink* požádal kamaráda, aby mu přidělal výlevku); dát instalaci do

plumbaginous [plamˈbædžinəs] tuhovitý, grafitický; tuhový, grafitový

plumbago [plamˈbeigəu] **1** tuha, grafit **2** bot. olověnec

plumber [plamə] klempíř, instalatér

plumbery [plaməri] (*-ie*) **1** klempířská dílna **2** klempířství, instalatérství

plumbeous [plambiəs] **1** olověný, olovovitý **2** olovnatě šedý **3** keramika: jsoucí s olovnatou polevou

plumbic [plambik] chem. olovičitý

plumbiferous [plamˈbifərəs] olovonosný, obsahující olovo

plumbing [plamiŋ] **1** klempířství, instalatérství **2** vodovodní a plynové vedení, instalační trubky, zařízení, instalace; domovní kanalizace **3** v. *plumb, v*

plumbism [plambizəm] otrava olovem

plumbless [plamlis] **1** nezměřitelně hluboký, bezedný **2** nezměrný, nezbadatelný, nevyzpytatelný

plumb line [plamlain] olovnice, šňůra olovnice; svislice

plumb rule [plamru:l] pravítko s olovnicí

plum-cot [plamkot] kříženec švestky a meruňky

plume [plu:m] *s* **1** velké / ozdobné péro (~ *of an ostrich* pštrosí péro) **2** chochol (*wore a* ~ *of three ostrich feathers in her hair* měla ve vlasech chochol ze tří pštrosích per, *the horsehair* ~ *of an ancient helmet* žíněný chochol antické přilby); přen. chochol, oblak (~ *of smoke*) **3** bot. chmýr, pappus; zool. huňatý ocas např. kočky ♦ *dress o.s. with borrowed* ~*s* chlubit se cizím peřím ● *v* **1** opeřit, ozdobit peřím n. chocholem **2** tvořit chochol n. oblak, čadit, čoudit (*a cigarette still pluming in the ashtray*) ***plume o.s. 1*** pták rovnat si peří, načechrávat si peří **2** přen. gratulovat si *on* k (~*d himself on his accomplishments* gratuloval si k tomu, co dokázal)

plumlet [plu:mlit] chocholka, peříčko

plumelike [plu:mlaik] připomínající chochol, chocholovitý

plummer block [ˈplaməˌblok] **1** stojan ložiska **2** stojaté ložisko kluzné

plummet [plamit] *s* **1** olovnice; olovnicový hloubkoměr **2** závaží, zatížení ● *v* **1** padat, s|letět / s|padnout střemhlav, z|řítit se (*the plane* ~*ed to earth*); prudce po|klesnout, spadnout (*prices may* ~ *later*) **2** měřit hloubku olovnicovým hloubkoměrem

plummy [plami] (*-ie-*) **1** většinou švestkový; hrozinkový (*a rich* ~ *cake*) **2** lákavý, výhodný, žádoucí, senzační (*got the plummiest appointment in the department* dostal nejlepší místo v oddělení) **3** švestkově modrý (*a dark* ~ *shade*); připomínající blumy (~ *cheeks*) **4** hlas sytý až mazlavý

plumose [plu̟:məus] opeřený; pernatý

plump[1] [plamp] BR zast. oddíl (*a* ~ *of spears* oddíl kopiníků); skupina; hejno (*a* ~ *of ducks* kachní hejno)

plump[2] [plamp] *v* **1** hodit, prásknout, praštit, bouchnout, žuchnout, žďuchnout, bacit, cáknout, kecnout (hovor.) (~*ing stones into water, washed and dressed the baby and* ~*ed him into his high chair,* ~*ed to her knees in front of the fire,* ~*ing down with a sigh* s povzdechem sebou kecla [do křesla]) **2** BR výhradně / s důvěrou hlasovat, být všemi desíti *for* pro, podporovat co (*ready to* ~ *for any scheme that would improve the school system* ochoten podporovat každý plán, který by zlepšil školský systém); vynášet, propagovat (*newspaper ads* ~ *the virtues of the Russian-built car* novinové inzeráty propagují přednosti ruského automobilu) **3** letět rychle se pohybovat (*he* ~*ed out of the house in a huff* vyletěl rozzlobeně z domu) ● *s* rána, bouchnutí, žuchnutí, žďuchnutí, bácnutí (hovor.) činnost i zvuk (*gave a* ~ *of his fist against the door, fell into the brook with a* ~) ● *adv* **1** prudce, těžce (*fell* ~ *into the river*) **2** rovnou, přímo (*there was the deer* ~ *in our path*); otevřeně, nepokrytě (*came out* ~ *for a lower tariff*); bez okolků, do očí (*I told him* ~) *come out* ~ *with* vytasit se s ● *adj* jasný, přímý, otevřený, nepokrytý, bryskní (*answer with a* ~ *"No"* odpovědět ... „nikoliv")

plump[3] [plamp] *adj* **1** žena buclatý, boubelatý, kyprý, plnoštíhlý, macatý (*a woman of medium height, a little* ~ *but not fat*); muž nadělaný, kulaťoučký, zaoblený **2** věc kulatý, oblý, bohatě vycpaný, polštářovaný, měkký (~, *double thick seats*) **3** bohatý *with* na, plný čeho (*the book is ~ with examples and citations*) ● *v* **1** bobtnat **2** též *~ out* / *up* kulatět, vyplňovat se, zakulaťovat se (*his cheeks are beginning to ~ out*) **3** též *~ up* dělat kulatým n. oblým, čechrat (*she ~ed up the pillows* načechrala podušky); cpát, krmit (*fowls ~ed for sale by the poulterers of London* drůbež, kterou londýnští drůbežníci vykrmovali na prodej)

plumper[1] [plampə] vycpávka zejm. ve tvářích

plumper[2] [plampə] **1** bouchnutí, žuchnutí **2** BR hlas pro jediného z více kandidátů **3** slang. nehorázná lež, lež jako věž

plum pudding [ˈplamˌpudiŋ] *s* v. *Christmas pudding*, v. *Christmas, s* ● *adj: plum-pudding* strakatý, jsoucí se skvrnami, grošovaný ◆ *~ stone* miner.: křemitý slepenec užívaný jako ozdobný kámen

plum thistle [ˈplamˌθisl] bot. pcháč

plum tree [plamtri:] bot. (slivoň) švestka; slíva, bluma strom **2** AM polit. souhrn míst obsazovaných konkursem zejm. protekčně jako odměna

plumulaceous [ˌplu:mjuˈleišəs] prachový, týkající se prachového peří

plumular [plu:mjulə] prachový

plumule [plu:mju:l] **1** peříčko, prachové pero **2** bot. vzrostný vrchol, plumula

plumy [plu:mi] **1** bohatě opeřený, pernatý; ozdobený peřím n. chocholem **2** prachový

plum-yew [plamju:] bot. hlavotis

plunder [plandə] *v* **1** vy|plenit, vy|drancovat, pustošit, vy|rabovat **2** ukrást, u|loupit, vyloupit, ukořistit, vybrat, vybrakovat; zpronevěřit ● *s* **1** plenění, drancování, rabování (*live by ~*) **2** kořist, lup, ukradené zboží (*wagonloads of ~* plné vagóny kořisti) **3** slang. zisk, profit

plunderage [plandəridž] kořistění na moři

plunderer [plandərə] plenič, plenitel, drancovník, drancíř, rabovač

plunge [plan*dž*] **1** prudce strčit, vrazit *into* do (*~ a dagger into his breast* vrazit mu dýku do prsou), rychle po|nořit, pohroužit (*~ one's hand into cold water*); u|vrhnout (*~ a country into war, ~ a room into darkness*) **2** skočit, vrhnout se střemhlav (*~ into a swimming pool*), též přen. (*~ into an argument* vrhnout se střemhlav do sporu): prudce vyrazit, řítit se; vrazit, vřítit se; vyrazit, vyřítit se; zřítit se **3** loď nořit se, potápět se; kůň houpat se nahoru a dolů, prudce se zhoupnout kupředu **4** sklánět se, prudce klesat (*the road ~d along the slope* na svahu cesta prudce klesala) **5** zasadit i s kořenáčem do země **6** přeložit, nastavit dalekohled **7** slang. těžce riskovat, hazardně hrát; spadnout do dluhů, zadlužit se ◆ *plunging fire* palba oblou dráhou střely, palba na níže položený cíl; *~ overboard* spadnout přes palubu ● *s* **1** bazén pro skoky do vody, místo pro skoky do vody, hluboké místo, hloubka, tůň **2** prudké vražení / vyražení; prudký pohyb dopředu, prudký sklon **3** skok střemhlav, šipka, krátké zaplavání, pár temp **4** riskantní úspěšný skok, skok s vypětím sil, skok přes překážku mající za následek získání délky **5** řidč. liják **6** přen. rozhodný krok ◆ *~ back* hluboký výstřih na zádech; *~ neckline* hluboký výstřih vpředu; *take the ~* přen. odhodlat se a udělat, rozhodnout se, odvážit se, skočit do něčeho rovnýma nohama / po hlavě

plunge bath [plan*dž*ba:θ] *pl: plunge baths* [plan*dž*ba:ðz] **1** koupel jako v bazénu **2** malý bazén

plunger [plan*dž*ə] **1** plunžrový píst, plunžr **2** skokan, potápěč **3** slang. hazardér, spekulant

plunk [plaŋk] *v* **1** brnkat, drnkat na (*~ing the strings on a harp, ~ed the banjo*) **2** strčit, drcnout; hodit, žuchnout, mrsknout, bácnout (*~ing the books onto the table* mrsknout knížky na stůl) **3** žblunknout (*the frogs ~ed into the pool* žáby žblunkly do tůně), žblunkat (*frogs were ~ing in the hollow* v dutině žblunkaly žáby) **4** AM náhle udeřit, praštit, od|prásknout za|střelit *plunk down 1* mrsknout, hodit co / čím (*~ed his paper down on the table*) *2* uvelebit (*~ed himself down on the bench*) *3* vyklopit (*~ed 100 dollars down for a suit*) ● *s* **1** za|brnkání, za|brnknutí, též přen. (*a ~ of hoofbeats* brnkání kopyt) **2** AM hovor. rána, úder; dolar (*paid 10 ~s for a ticket*)

plunky [plaŋki] brnkavý (*a ~ tune*)

pluperfect [plu:ˈpəfikt] *adj* čas předminulý, plusquamperfektní ● *s* čas předminulý, plusquamperfektum; tvar slovesa v předminulém čase

plural [pluərəl] *adj* **1** jaz. množný, v množném čísle **2** několikerý, několikanásobný, několikačetný **3** pluralitní (*~ society*) ◆ *~ vote, ~ voting* plurální votum hlasování jednoho člověka ve více volebních okresech ● *s* jaz. množné číslo, plurál

pluralism [pluərəlizəm] **1** mnohoobročnictví; zastávání několika funkcí najednou **2** filoz. pluralismus směr uznávající existenci více podstat

pluralist [pluərəlist] **1** mnohoobročník **2** filoz. pluralista stoupenec pluralismu

pluralistic [ˌpluərəˈlistik] **1** mnohoobročnický **2** filoz. pluralistický

plurality [ˌpluəˈræləti] **1** mnohost, pluralita; velké množství **2** mnohoobročí, mnohoobročnictví; současné držení více funkcí; úřad zastávaný současně několika osobami **3** prostá většina např. hlasů ◆ *~ of gods* mnohobožství, polyteismus; *~ of wives* mnohoženství, polygamie

pluralize [pluərəlaiz] **1** jaz. dát do množného čísla, vyjádřit v množném čísle, udělal plurál z **2** zastávat více úřadů n. funkcí najednou zejm. církevních

pluriliteral [ˌpluəriˈlitərəl] hebrejské slovo mající ve kmeni více než tři písmena

pluripresence [ˌpluəriˈprezns] schopnost být zároveň na několika místech najednou (*the ~ of saints*)
pluriserial [ˌpluəriˈsiəriəl], **pluriseriate** [ˌpluəriˈsiərieit] víceseriový
plus [plas] *prep* **1** a co, plus co (*four ~ five, the debt ~ interest*) **2** s čím, navíc s čím, (a) k tomu s čím (*came home poorer and ~ a wife and three children*) ◆ *the 11 + (examination)* zkouška jedenáctiletých ke zjištění přepokladů pro druh dalšího vzdělání ● *adj* **1** matematicky / elektricky kladný (*the ~ sign*) **2** přídavný, těžší, bohatší, větší, navíc; a nad / víc (*selection at the age of 12 ~ should be eliminated* měl by vyloučit výběr [žáků] starších dvanácti let); a něco (*twenty thousand ~* [něco] přes dvacet tisíc) ● *s pl* též *plusses* [plasiz] **1** znaménko plus (+) **2** kladná veličina, přidaná / připočítaná veličina **3** přídavek, přebytek; výhoda (*the quiet operation of the system was an unexpected ~*) ● *v* (*-ss-*) stoupnout na
plusfours [ˌplasˈfo:z] pumpky, golfky
plush [plaš] *s* **1** plyš **2** *~es, pl* plyšové kalhoty lokaje ● *adj* **1** plyšový **2** luxusní, přepychový (*~ apartments*) **3** hovor. lážový (*~ job*) **4** žijící si, prachový, zazobaný
plushy [plaši] **1** připomínající plyš **2** luxusní, přepychový
plutarchy [plu:ta:ki] (*-ie-*) plutokracie
Pluto [plu:təu] hvězd. Pluto nejvzdálenější planeta sluneční soustavy
plutocracy [plu:ˈtokrəsi] plutokracie soustředění státní moci v rukou nejbohatších představitelů vládnoucí třídy; bohaté vládnoucí vrstvy
plutocrat [plu:təkræt] plutokrat příslušník plutokracie
plutocratic [ˌplu:təˈkrætik] plutokratický
plutolatry [plu:ˈtolətri] uctívání bohatství
Plutonian [plu:ˈtəunjən] antic. plutónovský, týkající se boha Plutóna
Plutonic [plu:ˈtonik] *adj* **1** podsvětní, pekelný **2** geol. intruzívní, plutonický (*~ rocks*) ◆ *~ theory = plutonism* ● *s* pluton, plutón hlubinné vyvřelé těleso
plutonism [plu:tənizəm] plutonismus domněnka o sopečném původu všech hornin a o sopečných příčinách veškerých pohybů zemské kůry
plutonist [plu:tənist] plutonista stoupenec plutonismu
plutonium [plu:ˈtəunjəm] chem. plutonium prvek
plutonomic [ˌplu:təˈnomik] politicko-ekonomický
plutonomist [pluˈtonəmist] politický ekonom
plutonomy [pluˈtonəmi] politická ekonomie
pluvial [plu:vjəl] *adj* dešťový; charakterizovaný velkými dešťovými srážkami; způsobený deštěm ● *s* pluviál bohoslužebné roucho v podobě pláštěnky
pluviometer [ˌplu:viˈomitə] dešťoměr, pluviometr
pluviometric(al) [ˌplu:viəˈmetrik(əl)] dešťoměrný, pluviometrický
pluvious [plu:vjəs] dešťový, deštivý
ply[1] [plai] (*-ie-*) **1** ohánět se čím (*~ one's needle*); dobře vládnout čím, dobře zacházet s čím, energicky používat čeho (*~ an axe*), též přen. (*~ your wit*); pilně pracovat s **2** útočit *a p.* na *with* čím, zasypávat koho čím, stále dorážet na čím, vnucovat se komu s (*~ her with questions*); plynule zásobovat *a p.* koho *with* potravou, stále nabízet potravu komu, krmit koho čím, stále nalévat komu co, nalévat koho čím **3** dělat, provozovat, věnovat se pilně, soustavně čemu (*~ing his trade*); pracovat, angažovat se, být činným, vyvíjet činnost (*those who ~ in freedom's cause* ti, kteří se angažují ve věci svobody) **4** loď křižovat proti větru **5** dopravní prostředek, řidič pravidelně jezdit tam a zpět, pravidelně jezdit *between* mezi dvěma stanicemi, udržovat kyvadlovou dopravu mezi (*a steamer ~ing between opposite shores of the lake* parník obstarávající kyvadlovou dopravu mezi protilehlými břehy jezera) **6** BR nosič, drožkář mít své pravidelné stanoviště *at* kde ◆ *~ a p. with drink* nalévat koho alkoholem, lít do koho jednu skleničku za druhou; *~ the oars* usilovně veslovat
ply[2] [plai] (*-ie-*) *s* **1** vrstva; dýha; síla, záhyb, přehyb látky **2** pramen šňůry, lana ◆ *take a / the ~* vzít obrat ● *v* **1** ohýbat, přehýbat, překládat, zdvojovat **2** skát hedvábí
plywood [plaiwud] překližka
Plymouth [pliməθ] : *~ Brethren* Plymouthští bratři název náboženské sekty založené v Plymouthu asi r. 1830; *~ Rock* plymutka šedočerně kropenaté plemeno slepice
Plymouthism [pliməθizəm] hnutí Plymouthských bratří
Plymouthist [pliməθist], **Plymouthine** [pliməθait] příslušník hnutí Plymouthských bratří
pneumatic [nju:mætik] *adj* **1** vzduchový, vzdušný; jsoucí na stlačený vzduch, pneumatický (*a ~ drill* pneumatické vrtací kladivo) **2** ptačí kost dutý; týkající se dutin v ptačích kostech **3** duchovní ◆ *~ break* tlaková brzda; *~ dispatch* potrubní pošta; *~ hammer 1.* pneumatický buchar *2.* pneumatické kladivo; *~ post* potrubní pošta; *~ tyre* pneumatika; *~ trough* plynojemná / pneumatická vana ● *s* **1** pneumatika **2** *~s, sg* nauka o vlastnostech plynů
pneumaticity [ˌnju:məˈtisəti] dutiny, dutost ptačích kostí a v lebce savců
pneumatocyst [ˌnju:mətəˈsist] plicní vak nadlehčující tělo ptáků
pneumatological [ˌnju:mətəˈlodžikəl] **1** nábož. pneumatologický **2** týkající se nauky o duchovních věcech, magický **3** zast. psychologický
pneumatology [ˌnju:məˈtolədži] **1** nábož. nauka o Duchu svatém, pneumatologie **2** studium duchovních bytostí, magie; magická láska **3** zast. psychologie
pneumatometer [ˌnju:məˈtomitə] měřidlo vdechnutého vzduchu

pneumatophore [nju:mətəfo:] bot. vzdušný kořen, dýchací kořen
pneumogastric [ˌnju(:)məˈgæstrik] : ~ *nerves* desátý pár kraniálních nervů
pneumonia [nju:ˈməunjə] med. zánět plic, zápal plic, pneumonie ♦ *double* ~ oboustranný zápal plic
pneumonic [nju:ˈmonik] med. stižený zápalem plic (*a* ~ *lung* plíce zasažené zánětem)
pneumonitis [ˌnju:məˈnaitis] med. zvláštní druh zánětu plic
po[1] [pəu] dět. hrníček, nočníček
Po[2] [pəu] Pád italská řeka
poa [pəuə] bot. lipnice
poaceous [pəuˈeišəs] bot. lipnicovitý
poach[1] [pəuč] **1** vařit bez skořápky vejce **2** tepelně připravovat v tekutině udržované pod bodem varu (*trout* ~*ed in bouillon* pstruh mírně vařený ve vývaru) ♦ ~*ed eggs* „ztracená" vejce
poach[2] [pəuč] **1** pytlačit *on* / *upon* na, v, do (~ *on a neighbour's land*), též přen.; chodit jako pytlák na (~ *hares* pytlák chodit na zajíce), lovit jako pytlák *for* co (~ *for salmon* pytlák lovit lososy); přen. krást *for* co (~ *for other people's ideas*) **2** rozrýt kopyty; rozdupat zem, rozšlapat, rozčvachtat bláto; rozmoknout, rozbřednout, rozbahnit se; být rozmoklý, rozblácený (*swampy country that is inclined to* ~ *in the winter* močálovitý kraj, který se v zimě obvykle mění v bahno) **3** nář. vrazit, strčit **4** sport. sebrat (míč) partnerovi, zahrát míč letící na spoluhráče v tenisové čtyřhře; přen. dostat se dopředu nefair způsobem ♦ ~ *upon a p.'s preserves* plést se komu do jeho věcí, hrát si na cizím písečku, lovit v cizím revíru
poacher[1] [pəučə] pařák, dušák nádoba
poacher[2] [pəučə] **1** pytlák (*catches the* ~*s on his preserve* chytá ve své oboře pytláky) **2** též ~ *tub* bělící / prací holandr
poachy [pəuči] (*-ie-*) rozměklý, rozbředlý, rozblácený, rozbahněný, rozčvachtaný, bažinatý (*a* ~ *field*)
pochard [pəučəd] zool. kachna chocholatá
pochette [poˈšet] **1** psaníčko dámská kabelka **2** pošetky housle tanečního mistra
pock [pok] *s* **1** pustula, zejm. neštovice **2** díra, dolík, lavor (slang.) (*guiding the car around another* ~ *in the road*), důlek (*his eyes wide* ~*s of fear in a white face*) ● *v* poďobat (jako) od neštovic (*the rains of twenty centuries had* ~*ed that pure and haughty face*)
pocket [pokit] **1** kapsa sáček všitý do oděvu (*trouser* ~); dutina v mase; podzemní dutina (*an oil* ~ *underlying the city* kapsa ropy ležící pod městem); kapsička (*watch* ~) **2** míšek, váček, měšec, pytlík (*Lucy Locket lost her* ~); vak; váček pod očima **3** kapsa, finanční možnosti (*ample choice of accommmodation to fit all* ~*s*) **4** pytel, žok (*the packing of green beans and peas in orange* ~*s* balení fazolí a hrášku v oranžových pytlích); žok chmele (76,2 kg); balík vlny (82,6 kg) **5** otvor, díra, vak, kapsa (zast.) v kulečníku; přihrádka; vzdušná díra; sport. mezera mezi kuželkami **6** izolovaná oblast (~*s of unemployment scattered across the country* jednotlivé oblasti v zemi, v nichž se vyskytuje nezaměstnanost), izolovaný bod, izolovaný prostor okupovaný nepřátelskými silami (*the woods might have been planned by a master strategist to hold* ~*s of resistance* jako by ty lesy naplánoval nějaký mistr-stratég, aby v nich mohla být izolovaná ohniska odporu); geol. hnízdo ♦ *be in* ~ *1.* mít peníze (*I am five shillings in* ~) *2.* získat, vydělat; *be in a p.'s* ~ být u koho pečený vařený; *be out of* ~ *1.* nemít peníze (*I am five shillings out of* ~ chybí mi pět šilinků) *2.* prodělat, ztratit (*I am five shillings out of* ~ *by the transaction*); *empty* ~ „dutý" člověk, švorcák (hovor.); *she has him in her* ~ má ho otočeného kolem malíčku, jí jí z ruky; *in* ~ v kapse, v suchu zajištěný (*the museum job is safely in his* ~); *keep hands in* ~*s* chodit s rukama v kapsách, zahálet; *line one's* ~*s* cpát / mazat / na|mastit si kapsu; *pick a* ~ vybrat kapsu, krást z kapsy; *put one's hand in one's* ~ sáhnout (hluboko) do kapsy utratit peníze, *put one's pride in one's* ~ zapomenout na vlastní hrdost, potlačit nechuť, spolknout to, polknout a něco udělat ● *adj* **1** kapesní (*a* ~ *dictionary*) **2** stručný (*a* ~ *lecture*) **3** finanční (*our* ~ *interest has something to do with our attitude* náš finanční zájem má něco společného s naším zásadním vztahem) **4** izolovaný (*modern art is not a* ~ *movement*) ♦ ~ *edition* kapesní vydání; ~ *miner* AM rýžovač, rýžovník zlata ● *v* **1** dát / strčit / schovat do kapsy (*he* ~*ed the money*); shrábnout do vlastní kapsy (*he* ~*ed half the profits*) **2** odložit, potlačit, zapomenout na (*he had almost* ~*ed his pride* téměř zapomenul na svou pýchu), spolknout (hovor.) (~ *an insult* spolknout urážku, *cheerfully* ~*ed a loss in some cases*); potlačit zprávu **3** kontrolovat, mít v rukou (*an attempt to* ~ *legislature* pokus kontrolovat zákonodárství); AM vetovat nepodepsáním a pozdržením návrhu (*the president and governors have the power to kill a bill by* ~*ing it*) **4** být (jako) v hnízdě (*the ring of hills in which the town is* ~*ed*); zahnat do kouta (~ *a boat in such a manner that she cannot escape or get ahead* zahnat loď do takové situace, že nemůže ani uniknout, ani plout dál) **5** zahrát kulečníkovou kouli do díry / vaku
pocketable [pokitəbl] vhodný do kapsy (*the format of this series, the most* ~ *of them all*)
pocket battleship [ˌpokitˈbætlšip] obrněnec, kapesní bitevní loď
pocket book [pokitbuk] **1** náprsní taška, peněženka **2** přen. finanční možnosti, finance **3** kapesní zápisník **4** AM knížka do kapsy, kapesní vydání kni-

hy **5** AM kabelka (*held ~ s in their laps* držely na klíně kabelku)

pocket borough [ˈpokitˌbarə] BR volební okres, kde byl do parlamentu volitelný pouze jeden člověk n. členové jedné rodiny

pocket comb [pokitkəum] hřebínek do kapsy

pocketful [pokitful] plná kapsa množství (*a ~ of money*)

pocket glass [pokitgla:s] kapesní zrcátko

pocket handkerchief [ˌpokitˈhæŋkəčif] kapesník, šátek

pocketknife [pokitnaif] *pl: pocketknives* [-naivz] kapesní nůž, zavírací nůž, perořízek (zast.)

pocketless [pokitlis] jsoucí bez kapes

pocket money [ˈpokitˌmani] kapesné zejm. školáka

pocket-picking [ˈpokitˌpikiŋ] kapsářství

pocket piece [pokitpi:s] mince pro štěstí v peněžence

pocket pistol [ˈpokitˌpistl] žert. kapesní láhev alkoholu

pocket veto [ˌpokitˈvi:təu] AM veto pozdržením a nepodepsáním návrhu

pockety [pokiti] **1** dusný, zatuchlý **2** geol.: ložisko jsoucí s hnízdy rudy

pockmarked [pokma:kt] poďobaný (jako) od neštovic; dolíčkovatý, posetý dolíčky *with* čeho (*~ with small craters*)

pockpudding [pokpudiŋ] **1** puding vařený v sáčku **2** SC tlusťoch; hanl. Angličan

pocky [poki] poďobaný (jako) od neštovic

pococurante [ˌpəukəukjuəˈrænti] *adj* netečný, lhostejný, apatický, nonšalantní ● *s* netečný atd. člověk

pococurant(e)ism [ˌpəukəukjuəˈræntizəm] netečnost, lhostejnost, apatičnost, nonšalantnost

pod[1] [pod] **1** upínací hlava kolovrátku **2** přímá drážka lžicového vrtáku

pod[2] [pod] *s* **1** lusk; měchýřek, váček, tobolka, šešule, šešulka pukavý plod **2** zámotek, kokon; podlouhlé pouzdro s vajíčky hmyzu, zejm. kobylky **3** věženec, měchy, vrš nálevkovitá síť na úhoře **4** slang. cigareta s narkotikem **5** vulg. nácek, mozol břicho ◆ *be in ~* slang. být v tom, mít břicho, kynout být těhotná ● *v* (*-dd-*) **1** vytvářet lusky atd., nalévat se, bachratět **2** trhat lusky; vylušťovat, loupat hrách ***pod up*** slang. nakynout, dostat břicho, břichatět v těhotenství

pod[3] [pod] *s* **1** malé stádo tuleňů **2** hejno velryb ● *v* (*-dd-*) shánět dohromady tuleně

podagra [pəˈdægrə] med. dna v nohou, podagra

podagral [pəˈdægrəl], **podagric** [pəˈdægrik], **podagrous** [pəˈdægrəs] dnavý, podagrický

podded [podid] **1** jsoucí s lusky atd., jsoucí v luskách atd. (*~ seeds*) **2** přen. prachatý, zazobaný (hovor.) **3** v. *pod*[2], *v*

poddy [podi] (*-ie-*) *s* AU tele živené z láhve ● *adj* slang. panděratý

poddydodger [ˈpodiˌdodžə] AU hovor. zloděj neznačkovaných telat

podesta [poˈdestə] podesta hist.: nejvyšší úředník v italských městských republikách; starosta v italském prostředí

podge [podž] hovor. cvalík, cvalda, pořez, pořízek

podgy [podži] (*-ie-*) hovor. zavalitý, podsaditý, sporý

podiatrist [pəudiətrist] AM odborný lékař chorob nohou

podiatry [pəudiətri] AM léčení chorob nohou

podium [pəudiəm] *pl* též *podia* [pəudiə] **1** antic. sedadlo v amfiteátru **2** lavice kolem dokola místnosti **3** stupínek, pódium **4** zool. nožka

podophyllin [ˌpodəˈfilin] podofylin druh pryskyřice

podsol, podzol [podsol, podzol] podzol druh zeminy

poe [pəui], **poebird** [pəuibə:d] zool. kystráček novozélandský

poem [pəuim] **1** báseň, též přen. (*a prose ~* báseň v próze, *a symphonic ~* symfonická báseň) **2** přen. učiněná / hotová / jedna báseň (*the house we stayed in was itself a ~*)

poesy [pəuizi] (*-ie-*) zast. **1** báseň (*olden songs and poesies*); verš, veršík (*within the hoop of the betrothal or wedding ring it was customary to inscribe sentences or poesies* bylo zvykem, že se do kroužku zásnubního nebo snubního prstenu vyrývaly sentence nebo veršíky) **2** poezie, básnictví, básnířství (*the bold wings of ~* odvážná křídla poezie)

poet [pəuit] básník, poeta ◆ *P~'s Corner 1.* část Westminsterského opatství s památníky a náhrobky starých básníků *2.* žert. básnická rubrika v novinách

poetaster [ˌpəuiˈtæstə] veršotepec, špatný poeta, básníř, básnílek, básničkář

poetess [pəuitis] básnířka

poetic [pəuˈetik] *adj* **1** básnický, poetický, vzletný **2** romantický, poetický **3** = *poetical* ◆ *~ justice* pohádková / ideální spravedlnost, trest / odměna shůry; *~ licence* básnická licence ● *s* **1** *~s, sg* poetika **2** *~s, pl* vzletné city; básnické výlevy

poetical [pəuˈetikəl] **1** básnický psaný ve verších (*the ~ works of G. K. Chesterton*) **2** = *poetic, adj*

poeticism [pəuˈetisizəm] básnický výraz, poetismus

poeticize [pəuˈetisaiz] uvést do básnické formy, přetvářet / přetvořit v báseň, přebásnit prózu

poeticule [pəuˈetikju:l] veršotepec, básníř, básnílek, básničkář

poetize [pəuitaiz] psát básně, mluvit vzletně, psát vzletně o, básnit o, opěvat v básni co (*~d about what he has called reality, ~ the moon*)

poet laureate [ˌpəuitˈlo:riit] *pl: poets laureate* [ˌpəuitsˈlo:riit] poeta laureatus oficiální básník

poetry [pəuitri] poezie, též přen. (*her dancing is pure ~*)

po-faced [pəufeist] slang. vážně čučící, rádoby chytrý, učeně se tvářící

pogey [pəudži] *s* (*-ie-*) **1** AM slang. chudobinec, starobinec **2** CA podpora, charitativní dar ● *adj* CA darovaný charitativním ústavem n. státem

pogo [pəugəu], **pogo stick** [pəugəustik] pérovaná tyč na skákání hračka
pogonology [ˌpogəˈnolədži] nauka o vousech
pogrom [pogrəm] pogrom, masakr zejm. na Židy v Rusku
pogromatic [ˌpogrəˈmætik] týkající se pogromů (~ *history*)
poh [pəu] fuj!
poignancy [poinənsi] **1** ostrost, pikantnost **2** svírání, palčivost, sžíravost, kousavost **3** bolestivost, dojímavost **4** naléhavost, palčivost **5** příléhavost, věcnost
poignant [poinənt] **1** ostrý, pikantní (~ *sauces*), pronikavý (*a ~ perfume, a ~ novel*) **2** svíravý (~ *hunger*), palčivý, bodavý (~ *grief* bodání žalu), kousavý (~ *paradox*), sžíravý (~ *sarcasm*) **3** bolestný, hluboce dojímavý (*the ~ spectacle of a little child without a home*), bolestivý (~ *regret*) **4** naléhavý, palčivý (*the more ~ problems of human existence*) **5** příléhavý, věcný, k věci (*makes some brief but ~ observations*)
poikilotherm [poikiləuθe:m] biol. studenokrevný živočich
poilu [pwa:lu:] slang. chlupáč, poilu přezdívka francouzským vojákům za I. světové války
poind [poind] SC *v* zabavit ● *s* **1** zabavení **2** zabavené zboží; zabavený dobytek
poinsettia [poinˈsetiə] bot. mexický pryšec, poinsettie
point [point] *s* **1** bod základní geometrický prvek (*the shortest distance between any two ~s is a straight line*); nepatrné místo (*a satellite that was 200 miles from earth at its farthest ~*); základní bod teploměrné stupnice (*water's boiling ~* bod varu vody) **2** bod, tečka, puntík, tečička (*a blue background that was touched up with little ~s of gold* modré pozadí se zlatými puntíčky) **3** bod ve vývoji (*had reached the ~ where nothing seemed to matter any more* dosáhl bodu, kdy už jako by vůbec na ničem nezáleželo); moment, okamžik (*at this ~ he was interrupted* v tom okamžiku ho někdo přerušil); hranice (*found her on the ~ of hysterics* když ji našel, měla nakrajíčku hysterický záchvat) **4** bod, část, oddíl, složka (*said there were two ~s in the proposal that were important*); maličkost, detail (*in his new fob he would have to watch a couple of ~s*); situace, problém **5** hovor. stanice železnice n. tramvaje apod., která je zároveň hranicí pásma **6** bod jednotka hodnocení výkonu; kostky, karty oko; stupeň teploty (*four ~s below zero*); stupeň, míra (*a high ~ of civilization*) **7** číslo, bod cena akcií na burze **8** jednotka tloušťky papíru (0,021 mm); bod jednotka velikosti papíru **9** jaz. tečka; desetinná tečka / čárka (*four ~ six* čtyři celé šest desetin, *~ three* žádná celá tři desetiny) **10** jednotlivý / charakteristický rys (*judges at a dog show carefully noting the ~s of each dog* rozhodčí na přehlídce psů si pečlivě všímají charakteristických rysů každého psa); charakteristická stránka, vlastnost (*tact is one of her strong ~s*); *~s, pl* maska, kresba na obličeji siamské kočky **11** ústřední bod, vyústění řeči, hlavní obsah, hlavní smysl, jádro (*the ~ of his talk was that more effort was needed*); věc, záležitost, otázka (*with them the whole thing is a ~ of conscience* u nich je celá ta věc záležitostí svědomí); hlavní záležitost, vlastní předmět jednání, projednávaná otázka, věc (*asked them not to digress and keep to the ~* požádal je, aby neodbočovali a drželi se projednávané otázky) **12** smysl, význam, účel, cena (*I did not see what ~ there was in continuing the discussion*) **13** vtip, pointa, smysl (*the ~ of a remark, he missed the whole ~ of the joke* celá pointa vtipu mu ušla) v tom, že (*the ~ is they are doing as well as they can*) **14** šťáva, vnitřní náboj (*this is a basically sound book but somehow lacks ~* v zásadě je to zdravá kniha, ale jaksi jí chybí vnitřní náboj); něco (*he had a ~ in what he said* v tom, co říkal, něco bylo) **15** špička, hrot (*the sharp ~ of a needle* ostrý hrot jehly), špice, bodec; špičák nástroj, oškrt **16** špička brady, nohy, jazyka; box brada; špička smyčce **17** cíp hvězdy **18** rytecká, vyšívací jehla **19** hrot, výsada parohů **20** jazyk, hrotnice; *~s, pl* BR výhybka, špičky (hovor.) **21** špice, vrchol, útes, štít (*the towering ~s of a mountain range* vysoko čnící štíty horského hřebene); mys, výběžek **22** *~s, pl* nohy, hříva a ocas koně **23** dílec, čárka kompasu (11¼ stupně); bod na obzoru určený dílcem kompasu; směr **24** umístění v heraldickém štítu; pole na hracím plánu lurče / vrhcábů **25** hist. šňůra, šňůrka, tkanice, šněrovadlo na obleku (*hose was tied to the doublet with ~s* kalhoty byly spojeny s kabátcem šněrováním) **26** námoř. konec lana zúžený k provlékání **27** háčkovaná krajka **28** vyšitá čárka, vyšívání ozdoba na rukavici **29** lístek, bod, ústřižek na přídělovém lístku (*cereals are on ~s*) **30** tip, podnět, rada **31** stavění stavěcího psa **32** ukázání prstem (*he added with a smile and a ~ at his wife*) **33** hud.: polyfonní téma, myšlenka v kontrapunktu; krátká melodie **34** voj. čelní družstvo, čelní hlídka **35** sport. přespolní běh; kriket hráč v poli v blízkosti pálkaře; postavení hráče v poli blízko pálkaře; výpad v šermu **36** elektrická zástrčka, kontakt **37** AM přesně určené místo (*fire broke out at several ~s in the city, he asked them what ~s they intended to visit*); *~s, pl* oblast, země, kraje (*have come from distant ~s*) **38** AM srážka z půjčky zadržená věřitelem ◆ *at all ~s* v každém ohledu / směru; *at one ~* kdysi, jednou, svého času; *at the ~ of doing a t.* právě, když se chystal udělat; *at the ~ of one's fingers* v malíčku; *at the ~ of a pistol* pod nátlakem namířené pistole; *bad ~* trestný bod; *be at the ~ of death* být těsně před smrtí; *be ~s better than* mít náskok před; *be on | off ~s* být | nebýt na body / lístky na příděl; *be on the ~ of doing a t.* chtít právě udělat co, málem / jentaktak / užuž udělat co;

beside the ~ vedle, netýkající se hlavní věci, sem nepatřící (*the arguments are largely beside the* ~); *bread and* ~ suchý chléb; ~ *by* ~ po pořádku, jedno po druhém; *carry the* ~ prosadit svou, přesvědčit odpůrce, vyhrát, zvítězit v diskusi; *case in* ~ názorný příklad n. doklad; *come to the* ~ přejít k vlastnímu předmětu řeči (*became impatient with the witness and asked her to come to the* ~); ~ *contact* bodový dotek; ~ *discharge* hrotový výboj; *fess* ~ herald. střed štítu; ~ *fire* voj. bodová palba; *frankness to the* ~ *of insult* upřímnost hraničící s urážkou; *full* ~ jaz. tečka; ~ *fuse* hlavový zapalovač; *give* ~*s to* dát / poskytnout výhodu komu, *honour* ~ herald. čestné místo v horní části štítu; *in* ~ herald. dotýkající se; *in* ~ *of fact* ve skutečnosti, fakticky, vlastně; *jumping off* ~ přen. odrazový můstek; ~ *load* AM *1.* osamělé břemeno *2.* bodové zatížení; ~ *lock* žel. výměnový závorník; *maintain one's* ~ držet se pevně svého; *make a* ~ názorně ukázat; *make a* ~ *of doing a t. 1.* dát si záležet na *2.* u|dělat co okatě / pravidelně / ze zásady; *make one's* ~ *1.* jasně vysvětlit, přesvědčivě vyložit *2.* liška běžet přímo k cíli; ~ *man* AM voj. průzkumník v čele hlídky; ~ *of aim* voj. záměrný bod; ~ *of attack* zauzlení dramatu; ~ *of contact* styčný bod; ~ *of controversy* sporný bod; ~ *of departure* výchozí bod, východisko; ~ *of exclamation* vykřičník; ~ *of honour* otázka cti; ~ *of interest* to zajímavé; ~ *of interrogation* otazník; ~ *of intersection* průsečík; ~ *of origin* AM odesílací místo, místo původu; ~ *of order* faktická poznámka; ~ *of reference* kontrastní postava, protihráč v dramatu; ~ *of no return 1.* mezní bod návratu, polovina dráhy letu letadla, kdy je blíže cíle než místa odletu *2.* přen. kritický bod, kritická hranice po jejímž překročení už není možný návrat k dřívějšímu stavu; ~ *of war* válečná fanfára, válečný signál, válečné troubení; ~ *of view* hledisko, stanovisko; *on the* ~ *of doing a t.* právě když se chystal udělat; *potatoes and* ~ samotné brambory; *put the* ~ podat návrh; *not to put too fine a* ~ *on it* řečeno bez obalu, abych to řekl na rovinu; *see a p.'s* ~ pochopit záměr n. smysl řeči koho, rozumět komu; ~ *source* bodový zdroj světla; ~ *size* polygr. bodová velikost písma, kuželka; *stretch a* ~ přen. přihmouřit oko, posuzovat shovívavě; ~ *system* polygr. bodový systém; ~*s system* přídělový systém na lístky; *talking* ~ předmět hovoru, diskusní téma; *that's the* ~ o to tady jde; *to* ~ zast. přesně, do detailu; *to the* ~ věcný, k věci, případný; *turning* ~ rozhodující obrat, krize např. v dramatu; *up to a* ~ (jen) do určité míry; ~*s victory* vítězství na body; *weak* ~ slabina; *win one's* ~ prosadit svou ● *v* **1** za|špičatit, za|hrotit, udělat špičku na, ořezat do špičky (~*ing a pencil with a knife*) **2** ukázat prstem apod. *at* / *to* / *toward* na (~*ed at the map on the wall*) **3** na|mířit, zamířit (~*ing the gun at the target* namířit revolverem na cíl) čím (~*ed the boat upstream* namířil špičkou lodi proti proudu); obrátit oči, mysl, pozornost *to* / *upon* na, k **4** ukazovat, být namířený (*a directional arrow that* ~*ed to the north* šipka na ukazateli ukazovala k severu), směřovat, mít namířeno (*the boat was* ~*ing upstream* loď směřovala proti proudu); dům stát *to* / *toward* na, být situován směrem k (*the houses* ~ *to the south*); ukazovat *to* / *toward* / *at* na, dávat tušit (*such symptoms* ~ *to a serious disorder* takové symptomy svědčí o vážné poruše) **5** též ~ *up* zdůraznit, podtrhnout, vypíchnout (~*ed up his narrative with effective use of dialect*) **6** pes stavět, větřit (*a dog that* ~*s well, a setter that* ~*s pheasants extraordinarily well* stavěč, který mimořádně dobře vystavuje bažanty) **7** též ~ *down* opracovat špičákem (~*ing down the block of granite* opracovávající špičákem žulový kvádr) **8** najít hlavní body vrtáním kvádru (~*ing a block of marble before beginning to cut a statue* nacházející hlavní body v kvádru mramoru před tesáním sochy) **9** též ~ *up* spárovat (~ *up the brickwork* spárovat cihelné zdivo) **10** udělat interpunkci do, označit čárky a tečky v (~*ing the text of a speech*), udělat tečky n. čárky na; hud. tečkovat; udělat frázování žalmu **11** baletka postavit se na špičku nohy **12** zarýt kompost **13** vkládat bílé chlupy do kožešin (*red fox dyed and* ~*ed to imitate silver fox* imitace stříbrné lišky přebarvením obyčejné lišky a vložením bílých chlupů) **14** dát na lístky / na příděl, zavést přídělový systém čeho **15** námoř. nasadit, navléknout; loď stočit se ostře proti větru; zeslabit konec lana **16** AM připravovat se *for* na (*the team was* ~*ing for the game with the neighbouring college* **17** vřed zrát **18** lurč, vrhcáby postavit kámen na hrací pole ***point off*** oddělit desetinnou tečkou / čárkou (~*ed off the last two figures*) ***point out 1*** ukázat např. prstem na (~*ed out the house where he used to live*) **2** poukázat na, upozornit na, poznamenat, uvést (*let me* ~ *out that I knew nothing about the matter*) ***point over*** přerýt, obrátit zem rýčem

point-blank [ˌpointˈblæŋk] *adj* **1** přímý, rovný, horizontální, (téměř) vodorovný (*a projectile following a* ~ *trajectory* projektil letící po téměř vodorovné dráze) **2** jasný, přímý, rozhodný, definitivní, řečený bez obalu (*a* ~ *refusal* jasné a přímé odmítnutí) ● *adv* **1** přímo, rovnou (*fired* ~ *at the traitor* vystřelil bez míření na zrádce); (téměř) vodorovně (*an arrow whistling* ~ *toward the bull's-eye* šíp svištící téměř přímo do středu terče) **2** rovnou, bez obalu, bez okolků (*asked her* ~ *what she wanted*)

point d'appui [ˌpwændæˈpwi:] voj.: operační základna
point-device [ˌpointdiˈvais] zast. *adj* přesný, správný; puntičkářský, pečlivý, úzkostlivý ● *adv* přesně, správně; do posledního puntíku, pečlivě, úzkostlivě
point duty [ˈpointˌdju:ti] BR služba dopravního strážníka na křižovatce
pointed [pointid] **1** ostrý, zašpičatělý, špičatý **2** oblouk lomený; architektura gotický **3** jasný, zřejmý, okázalý (*her* ~ *lack of concern over what happened to him* její okázalý nezájem o to, co se mu přihodilo); přesný, podrobný, detailní, soustředěný (~ *attention*) **4** živý, šťavnatý (*with just enough Irish malice to make the narrative* ~ s dostatečnou dávkou irské jedovatosti, aby bylo vyprávění šťavnaté); kousavý (~ *wit*) **5** v. *point, v*
pointedness [pointidnis] **1** ostrost, špičatost **2** jasnost, zřejmost, okázalost; přesnost, podrobnost, detailnost, soustředěnost **3** živost, šťavnatost; kousavost
pointer [pointə] **1** ukazovátko; ručička přístroje **2** ukazatel **3** stavěč, ohař, pointer pes **4** ~*s, pl* dvě zadní hvězdy Velkého vozu (α, γ) jejichž spojnice míří k Polárce **5** hovor. náznak, tip, narážka **6** malý inzerát upozorňující na velký inzerát ve stejných novinách **7** mířič děla
pointillism [pwænti:lizəm] pointilismus směr v malířství kladoucí důraz na nanášení čistých barev v tečkách; tento způsob malby
pointillist [pwænti:list] pointilista stoupenec pointilismu
pointing [pointiŋ] **1** interpunkce **2** spárování činnost i výplň; opracování špičákem kvádru **3** punktace označování samohlásek např. v hebrejštině; systém značek pro recitaci žalmů **4** v. *point, v*
point lace [ˌpointˈleis] šitá krajka
pointless [pointlis] **1** tupý, bez špičky; tužka s ulomenou špičkou **2** zbytečný, bezvýznamný, nesmyslný (*a* ~ *remark*); marný, prázdný, bezúčelný (*a* ~ *life*); bez vtipu, bez pointy, chabý, nevtipný (~ *attempts to be funny*) **3** jsoucí bez bodů
pointlessness [pointlisnis] **1** tupost **2** zbytečnost, nesmyslnost; marnost, prázdnota, bezúčelnost **3** chabost, nevtipnost
pointsman [pointsmən] *pl: -men* [-mən] BR **1** výhybkář **2** dopravní strážník konající službu na křižovatce
point-to-point [ˌpoin*t*tuˈpoint] přespolní dostih při němž jede jezdec k cíli libovolnou cestou
poise [poiz] *v* **1** vyvažovat, udržovat v rovnováze, vy|balancovat (*the steerman* ~*d the canoe* kormidelník vybalancoval kánoe); nést, držet a udržovat v rovnováze (*walked along with a water jar* ~*d on her head* šla a na hlavě nesla nádobu s vodou); nést (~*d her head disdainfully* nesla povýšeně hlavu) **2** viset ve vzduchu (*for an instant the gull hung* ~*d in the sky* na okamžik zůstal racek viset bez hnutí ve vzduchu); zastavit, po|držet nehybně (~*d her fork*) **3** přichystat | se (~*d themselves for the ordeal awaiting them* přichystali se na těžkou zkoušku, která je čekala) ● *s* **1** rovnováha, též přen. **2** jistota chování, duševní rovnováha (*never lost his* ~ *under any circumstances*); klid (*the* ~ *of the drawing-room*) **3** držení těla, hlavy
poise[1] [pwa:z] *s* dř. poise jednotka dynamické viskozity
poison [poizn] *s* **1** jed (*strychnine and other* ~*s*), též přen. (*a populace whose emotional life has been drugged by the sugared* ~ *of pseudo art* veřejnost, jejíž citový život byl otráven sladkým jedem pseudoumění); jedovatá látka; jedovatina **2** přen. mor, zhouba, hnus, otrava, otravování **3** hovor. jed, jedy, utrejch alkoholický nápoj (*what's your* ~? co chcete pít?) ◆ ~ *gas* jedovatý bojový plyn, otravný plyn; *hate like* ~ nenávidět jako mor / jak nevím co; *slow* ~ látka působící při opakovaných dávkách jako jed ● *v* **1** o|trávit, zabít jedem (*accused of* ~*ing her husband*); dát jed do (~ *the water* otrávit vodu), namazat jedem, namočit do jedu; rozstřikovat / rozprašovat jedovatou látku (*was in the lower field next day,* ~*ing*); dostat otravu / infekci do (*I've* ~*ed my finger* mám podebraný prst, *a* ~*ed hand* podebraná ruka) **2** přen. otravovat, kapat jed do (~*ing minds with evil propaganda* otravovat mysli propagací zla); vzbudit nepříznivé zaujetí, poštvat (*malicious tales of that kind* ~*ed nearly everyone against him* podobné zlomyslné historky poštvaly proti němu téměř každého); z|kazit, z|ničit (~*ed the soup with too much salt*); ochromit (~*ed with fatigue* zcela ochromen únavou)
poisoner [poiznə] **1** travič **2** přen. škůdce, zhoubce, zhouba
poisoning [poizniŋ] **1** otrava (*suffering from acute* ~ stižený prudkou otravou) **2** v. *poison, v*
poison ivy [ˌpoiznˈaivi] bot. škumpa jedovatá
poisonous [poiznəs] **1** jedovatý (*a* ~ *substance*), též přen. (*a* ~ *slander*); otravný; otrávený (*avoided the* ~ *tip of the arrow* vyhnul se otrávenému hrotu šípu) **2** velice škodlivý, zhoubný (*a double life that would be* ~ *to their continued happiness*); zlý, špatný, otravný (*was in a* ~ *temper* měl velice špatnou náladu); hnusný, odporný (*such children in literature are often pretty* ~)
poisonousness [poiznəsnis] **1** jedovatost; otravnost **2** škodlivost, zhoubnost; hnusnost, odpornost
poison pen [poiznpen] *s* zlomyslný anonym, pisatel urážlivých, mstivých apod. anonymních dopisů ● *adj* *poison-pen* anonymní
poison sumach [ˌpoiznˈsju:mæk] bot.: druh škumpy
poison tree [ˈpoiznˌtri:], **poison wood** [poiznwud] bot.: jedovaté druhy škumpy
poissarde [pwoˈsa:d] **1** hist. pařížská trhovkyně **2** prodavačka ryb ve francouzském prostředí
poke[1] [pəuk] **1** nář. pytel; měšec, vak **2** plovací / vzdušní měchýř, duše ryby **3** zast. kapsa ◆ *buy*

a pig in a ~ koupit zajíce v pytli; *get the* ~ SC dostat vyhazov, vyletět být propuštěn z místa

poke[2] [pəuk] *v* **1** šťouchnout, dloubnout, rýpnout, píchnout, strčit holí, prstem (~ *a man in the ribs* rýpnout člověka do žeber); pošťouchnout dopředu, postrkovat, hnát postrkováním, po|pohánět (*all he had ever done was to* ~ *a team*) **2** prorazit, prošťouchnout, propíchnout otvor, udělat díru (~ *a hole in a paper screen*); pro|strčit otvorem *into* | *through* do | čím, strčit skrz (~ *one's umbrella through the bars of the lion's cage* prostrčit deštník mřížemi lví klece) **3** prohrábnout (~ *the fire*) **4** plést se, zasahovat, vrtat, šťourat, strkat nos (*don't* ~ *into other people's business* nestrkej nos do cizích záležitostí) **5** hovor. vystrčit (*he* ~*d his head out of the window*); vstrčit (*she* ~*d a toffee into my mouth* strčila mi do úst karamelku), vystrčit hlavu, vykouknout, objevit se náhle (*bell towers* ~*d above the trees* nad stromy se náhle objevily zvonice) **6** též ~ *the head* dávat / nosit hlavu vysunutou dopředu (*the young lady certainly* ~*d most terribly*) **7** udeřit, praštit pěstí; vést ránu pěstí (*first* ~*d a right to the chin* nejdříve vedl pravý hák na jeho bradu) **8** vulg. souložit s ◆ *be* ~*d up* hovor. žít (jako) v díře; ~ *fun at a p.* dělat si legraci z koho, utahovat si z koho; *don't* ~ *your nose into my affairs* nestrkej nos do mých záležitostí nepleť se do nich; *stay* ~*d up* hovor. zkysnout v malém místě ***poke about*** *1* prohrabávat *at* co, píchat do (*he was poking about at the rubbish with his stick* prohrabával smetí hůlkou) *2* hrabat se, vrtat, šťourat (*they* ~*d about among old boxes and trunks*) *3* vrtat / plést se / strkat nos do cizích záležitostí ***poke around*** *1* trčet, žít jako v díře *2* šmátrat (~*d around with her feet to find her slippers*) ***poke out*** *1* vypláznout jazyk *2* vyrazit oko ● *s* **1** šťouchnutí, dloubnutí, rýpnutí, píchnutí (*felt a* ~ *in the ribs* pocítil dloubnutí do žeber) **2** díra malé místo (*he wondered how people put up with living in a little* ~ *like that* divil se, jak mohou lidé vydržet žít v tak malé díře, jako je tohle) **3** klát, ohlávka s tyčí bránící pasoucímu se dobytku v přeskočení n. proražení ohrady **4** široká krempa dámského klobouku kryjící obličej; kokrhel ◆ *give a* ~ *1.* šťouchnout, dloubnout, rýpnout, píchnout (*give a p. a* ~ *in the ribs* dloubnout do žeber koho) *2.* prohrábnout (*give the fire a* ~)

poke bonnet [ˈpəukˌbonit] kokrhel zejm. příslušnic Armády spásy

poker[1] [pəukə] *s* **1** rovný pohrabáč; prohrabovač **2** vypalovací jehla na dřevo **3** BR slang.: v Oxfordu a Cambridgi prorektorské insignium, žezlo; pedel toto insignium nesoucí ◆ *as stiff as a* ~ *1.* jako by spolkl pravítko *2.* tuhý, kožený, škrobený, prkenný; *by the holy* ~ žert. pro pána krále, na mou duši; *red-hot* ~ bot. tritoma, kniphofia jihoafrická rostlina ● *v* vypalovat dřevo, vypalovat ozdoby na dřevu

poker[2] [pəukə] poker druh karetní hry ◆ ~ *chip* žeton

poker face [pəukəfeis] **1** kamenný / ledový obličej záměrně neprozrazující duševní hnutí **2** člověk s kamenným obličejem

poker-faced [pəukəfeist] jsoucí s kamenným / ledovým / nehnutým obličejem, nevyzpytatelný, neproniknutelný

pokerplant [pəukəpla:nt] bot. tritoma, kniphofia

pokerwork [pəukəwə:k] vypalování, vypalovaná práce, vypalované ozdoby

pokesey [pəuksi] pomalý, těžkopádný; neuspěchaný

pokeweed [pəukwi:d] bot. líčidlo americké

pokey [pəuki] = *poky*

poky [pəuki] (*-ie-*) *adj* **1** malý, těsný, zatuchlý, tmavý (*inspected the cheerless,* ~ *rooms*) **2** ošuntělý, utahaný, mizerný, chatrný (*she was dressed in the pokiest way imaginable*); nudný, neživý, k ničemu (*he has a* ~ *way of writing*); pomalý, nehybný (*infuriated with the* ~ *traffic* vzteklý z nehýbající se dopravy); malicherný ● *s* slang. díra, lapák vězení

pol [pol] AM hovor. hanl. politik

polacca [pəuˈlækə] **1** hud. polacca polský třídobý tanec **2** = *polacre*

Polack [pəulæk] AM hanl. Polák; polský Žid

polacre [poˈla:kə] polakra trojstěžňový plachetník ve Středozemním moři

Poland [pəulənd] Polsko

polar [pəulə] *adj* **1** polární, točnový (*valley glaciers in both* ~ *and equatorial regions* údolní ledovce jak v polárních tak rovníkových oblastech) **2** polární, pólový (~ *magnetismus*); pólově uspořádaný (~ *molecules* polární molekuly) **3** geom. polární **4** přen. protilehlý, opačný, protichůdný, polární ◆ ~ *curve* polární křivka; ~ *distance 1.* pólová vzdálenost *2.* vzdálenost mezi póly, vzdálenost od pólu ● *s* polární křivka, polára

polar bear [pəuləbeə] zool. lední medvěd

polar circle [ˌpəuləˈsə:kl] polární kruh

polar hare [pəuləheə] zool. polární zajíc

polarimeter [ˌpə*u*ləˈrimitə] polarimetr přístroj na měření stáčivosti polarizační roviny opticky aktivních látek

polarimetry [ˌpəuləˈrimitri] polarimetrie

Polaris **1** [pə*u*ˈlæris] hvězd. Polárka **2** [pə*u*ˈla:ris] Polaris typ rakety; název ponorky

polariscope [pə*u*ˈlæriskəup] polariskop přístroj ke zkoumání látek v polarizovaném světle

polarity [pəuˈlærəti] **1** fyz. vzájemná přitažlivost n. odpudivost, polarita **2** přen. polarizace (*cabinet produces a certain* ~ *in a nation*); tíhnutí, zaměření, soustředění k jednomu bodu (~ *of mind*)

polarizable [pəuləraizəbl] polarizovatelný

polarization [ˌpəulərai'zeišən] **1** polarizace **2** zaměření; usměrnění
polarize [pəuləraiz] **1** fyz. polarizovat, též přen. (*this tactic* ~*d the political elements into right and left camps*), polarizovat se (*political forces had* ~*d into right and left extremes*) **2** přitahovat, být středem čeho (*a bell tower which* ~*s a deep local pride* zvonice, která je hlavním středem všeho, na co jsou místní obyvatelé pyšní) **3** zaměřit (*the whole society was* ~*d toward financial success*), usměrnit (*the campaign tends to* ~ *people* kampaň obvykle lidi usměrňuje)
polarizer [pəuləraizə] polarizátor zařízení na získání polarizovaného světla
polatouche [ˌpolə'tu:š] zool. poletucha
polder [poldə] polder, poldr pobřežní plocha v Nizozemsku chráněná hrázemi, původně zaplavovaná mořskými vlnami
Pole¹ [pəul] Polák
pole² [pəul] *s* **1** kláda, kulatina; sloup (*telephone* ~); kůl; stožár; čnělka; tyč (*a tent* ~, *vault with a* ~ skákat o tyči); oj; žerď; tyčka, hůlka, dlouhý klacek; bidlo, sochor (*a boatman's* ~), sloupovina střední síly **2** ocas, ohon zejm. vydry **3** les. mladý strom **4** prut délková míra (asi 5 m); čtvereční prut plošná míra (asi 25,3) ◆ ~ *base* pata kůlu; *be* ~*s apart* být diametrálně odlišný; *be up the* ~ slang. *1.* být v prekérní situaci, být v bryndě *2.* být zcvoklý, být praštěný *3.* být nalitý *4.* být v tom těhotná; *barber's* ~ znak holiče a kadeřníka před provozovnou; *may* ~ máj, májka; *sectional* ~ skládací stanová tyč; ~ *shaft* oj; ~ *stage* les. tyčovina; *totem* ~ totem; *under bare* ~*s* s holými stěžni, se svinutými plachtami ● *v* **1** stavět sloupy, podpírat sloupy; přivazovat k tyčím; nosit na tyčích **2** bidlovat, sochorovat, odstrkovat tyčí (*never* ~ *a boat from the bow* při bidlování nikdy nestůj na přídi); lyžař odstrkovat se holemi
pole³ [pəul] **1** fyz., elektr., geom. pól **2** zeměp. pól, točna (*North* ~, *South* ~) **3** hlavní / ústřední bod (*a* ~ *of attention*) **4** zast. báň, nebesa ◆ *be on opposite sides of the* ~ / *be* ~*s apart* / *asunder* diametrálně se rozcházet / lišit, stát na opačném pólu; ~ *position* výhodná pozice
poleax(e) [pəulæks] *s* **1** hist. bitevní sekera na dlouhé rukojeti; hákovací / zlézačská sekera; burdýř **2** řeznická sekera, porážecí sekera ● *v* **1** porážet sekerou dobytek **2** přen. popravit, odpravit, omráčit **3** drasticky omezit / změnit
polecat [pəulkæt] tchoř
pole forest ['pəulˌforist] tyčkové dřevo, tyčkovina
polehammer ['pəulˌhæmə] válečné kladivo
pole jump [pəuldžamp], **pole jumping** ['pəulˌdžampiŋ] sport. skok o tyči
polemarch [polima:k] antic. polemarchos vrchní vojenský velitel s civilní funkcí; třetí archón v Aténách
polemic [po'lemik] *adj* polemický, zahrocený, sporný; bojovný, hádavý ● *s* **1** polemik, polemista **2** polemika **3** ~*s, sg* polemika, polemizování; disputace **4** ~*s, sg* náb. polemická teologie
polemical [po'lemikəl] polemický; bojovný
polemist [po'lemist] polemik, polemista; bojovník (*preacher, teacher and* ~ *for freedom*)
polemize [polimaiz] polemizovat, bojovat slovem, polemicky psát, mluvit (*he did not* ~ *against the pleasure of the senses*)
polemology [ˌpəulə'molədži] studium konfliktů mezi národy zejm. válečných
polenta [po'lentə] polenta kukuřičná kaše, italský pokrm
pole star [pəulsta:] **1** Polárka, Severní hvězda, severka (řidč.), Polární hvězda **2** přen. vůdčí princip (*Indian libety provided a new* ~ *in political thinking*)
pole timber ['pəulˌtimbə] tyčkové dřevo, tyčkovina
pole vault [pəulvo:lt] skok o tyči
pole-vaulter ['pəulˌvo:ltə] skokan o tyči
poleward [pəulwəd] *adv* směrem k zemskému pólu ● *adj* ležící směrem k zemskému pólu (~ *areas*)
police [pə'li:s] *s* **1** policie, státní bezpečnost, veřejná bezpečnost; policejní sbor, policisté (*the* ~ *was there in force*) **2** pořádkový sbor, dozorčí služba, pořádková policie / služba (*railway* ~) **3** zast. politeia, vnitřní správa, státní správa, organizace, způsob, jak je něco organizováno (*the* ~ *of the boat is superior to the best regulated tavern* na člunu je všechno zorganizováno mnohem lépe než v nejlépe řízené hospodě) ◆ ~ *boat* policejní člun; ~ *box* policejní hlásič automat; ~ *headquarters 1.* policejní prezídium, policejní ředitelství *2.* policejní komisařství; ~ *power* AM státní moc chránící občana, státní ochrana občana; ~ *precinct* AM policejní revír; *register with the* ~ přihlásit se policejně k pobytu; ~ *registration form* policejní přihláška; *report to the* ~ policejně se hlásit; ~ *state* policejní stát; ~ *vessel* policejní plavidlo ● *v* **1** regulovat, řídit / ovládat policií n. policisty (*a four-lane thoroughfare* ~*d against speeding* čtyřproudová silnice, na níž policie dohlíží na dodržování nejvyšší dovolené rychlosti); dát policejní stráž k, dát policejní dozor nad, chránit policejně **2** přen. hlídat, kontrolovat, regulovat, mít dozor nad, dozírat na
police court [pəˌli:sˌko:t] policejní soud, nejnižší trestní soud
police magistrate [pəˌli:s'mædžistreit] předseda policejního soudu, soudce
policeman [pə'li:smən] *pl: -men* [-mən] **1** policista, strážník, bezpečnostní orgán; strážný, stráž, člen stráže **2** skleněná tyčinka s kouskem pryže na vytírání kádinek ◆ ~*'s helmet* bot. netýkavka Royleova
policemanship [pə'li:smənšip] **1** policie, policisté **2** policejní dozor
police office [pəˌli:s'ofis] BR hlavní policejní komisařství

police officer [pəˌli:sˈofisə] **1** policista, strážník; bezpečnostní orgán, člen bezpečnostního sboru **2** policejní úředník

police station [pəˌli:sˈsteišən] policejní strážnice / služebna / stanice / komisařství

policewoman [pəˈli:sˌwumən] *pl: -women* [-wimin] policistka, členka bezpečnostního sboru

policing [pəˈli:siŋ] **1** kontrola, dozor, ochrana **2** v. *police, v*

policlinic [ˌpoliˈklinik] **1** soukromá klinika **2** ambulance v nemocnici

policy[1] [polisi] (*-ie-*) **1** taktika, postup, metoda, plán, způsob jednání, něčí politika **2** zásady, politika, politická linie (*the ~ of the present government*); diplomacie, umění vládnout **3** chytrost, taktičnost, moudrost, diplomatičnost, prozíravost (*decide upon the ~ of these laws* rozhodnout o moudrosti těchto zákonů, *the ~ of this act is doubtful*) **4** SC park, obora kolem venkovského sídla ◆ *Court of P~* zákonodárný sbor v Britské Guyaně; *foreign ~* zahraniční politika; *Honesty is the best ~* S poctivostí nejdál dojdeš; *~ of the law* úmysl / záměr zákonodárce

policy[2] [polisi] (*-ie-*) **1** pojistka doklad o pojistné smlouvě; pojistná smlouva, pojištění (hovor.) **2** AM loterie, sázení ◆ *~ of assurance* pojistka zajišťující výplatu důchodu n. náhradu vzniklé škody; *blanket ~* paušální n. smíšená / sdružená pojistka; *cover by ~* pojistit; *establish a ~* uzavřít / sjednat pojistku n. pojištění; *floating ~* všeobecná pojistka; *~ of insurance* pojistka, pojistná smlouva; *make a ~* uzavřít / sjednat pojistku n. pojištění; *~ period* pojistná doba; *size of ~* výše pojistky, pojistná částka; *~ slip* AM sázenka se vsazenými čísly; *take out a ~* uzavřít / sjednat pojistku n. pojištění; *~ wheel* AM osudí, loterní buben

policyholder [ˈpolisiˌhəuldə] pojistník, pojištěnec

policymaker [ˈpolisiˌmeikə] rozhodující politický činitel

policy shop [polisišop] AM loterní místnost, herna

polimetrician [ˌpolimeˈtrišən] politolog užívající matematických a statistických metod

polio [pəuliəu] hovor. **1** (dětská) obrna, polio **2** člověk stižený dětskou obrnou

poliomyelitis [ˌpəuliəumaiəˈlaitis] med. dětská obrna, poliomyelitis, poliomyelitida

poliovirus [ˌpəuliəuˈvairəs] virus dětské obrny

Polish[1] [pəuliš] *adj* polský ● *s* polština, polský jazyk

polish[2] [poliš] *v* **1** vy|leštit, naleštit, nablýskat; u|hladit; leštit se (*steel ~es well*) **2** přen. vy|tříbit, obrousit, vybrousit, vy|pulérovat, vy|pilovat, propilovat (*~ the style*) ◆ *spit and ~* bezduchý vojenský dril, buzerace ***polish off 1*** slang. vyřídit, odrovnat (*~ed off some of the best middleweights* hladce vyřídil několik boxerů střední váhy) **2** zhltnout (*~ off a volume in the evening* zhltnout knihu za večer); odehrát, odvést skladbu (*the players ~ed off this quintet with fierce brilliance* hráči odvedli tento kvintet s ohnivou brilancí) *3* spořádat, zbaštit, zblajznout (hovor.) (*they ~ed the chicken off between them*) *4* rychle dodělat, dotáhnout ***polish up 1*** naleštit, nablýskat (*he ~ed up the handle of the big front door*) **2** propilovat, zdokonalit se v (*he ~ed up his knowledge of law*) ● *s* **1** lesk (*a table with a high ~*); přen. vnější lesk / efekt, politura, pozlátko; leštění **2** uhlazenost, dokonalost, vytříbenost, vybroušenost (*a production more remarkable for high ~ than warmth of poetic feeling*) **3** politura; leštidlo, krém (*shoe ~*), poliš (*furniture ~* poliš na nábytek)

polishable [polišibl] leštitelný

polisher [poliše] **1** leštič; hladič **2** leštička, leštící deska / kotouč / kartáč; kalandr

politarch [polita:k] antic. politarch vladař v některých orientálních městech za římské nadvlády

Politburo [ˈpolitˌbjuərəu] politické byro, politbyro

polite [pəˈlait] zdvořilý, slušný (*~ answer*), společenský (*Latin became the vehicle of ~ as well as official intercourse* latina se stala nositelem jak společenského, tak oficiálního styku); kulturní, kultivovaný; elegantní, salónní (*the Revolutionary upheaval produced no ~ literature* revoluční vlna nepřinesla žádnou salónní literaturu); ušlechtilý, zušlechtěný (*things ignored or minimized in ~ history*) ◆ *do the ~* snažit se chovat zdvořile; *~ learning* klasické vzdělání

politeness [pəˈlaitnis] zdvořilost, zdvořilůstka; slušnost; kulturnost, kultivovanost; elegantnost, salónní charakter; ušlechtilost, zušlechtěnost

politic [politik] **1** taktický, diplomatický, chytrý, prozíravý, moudrý (*it was ~ to profess loyalty*), obezřetný, cílevědomý (*an astute and ~ statesman* bystrý a cílevědomý státník) **2** vypočítavý, mazaný (*a ~ answer*), vykutálený, fikaný (*a very ~ adversary* velice fikaný protivník) **3** zast. státní, státnický ◆ *body ~* stát jako celek

political [pəˈlitikəl] *adj* **1** politický (*~ sovereignty* politická svrchovanost) **2** vládní, státní, státnický **3** AM taktický, manévrovací; propagandistický, aparátnický; intrikářský ◆ *~ agent* hist. vládní poradce, úředník politické správy u místního vladaře v Indii; *~ animal* aktivní n. nadaný politik; *~ economy* národní hospodářství, politická ekonomie; *~ geography* politický zeměpis; *~ resident = ~ agent; ~ verse* moderní přízvučný řecký verš ● *s* **1** hist. vládní poradce, úředník politické správy u místního vládce v Indii **2** politický vězeň (*hundreds of ~s who escaped from a concentration camp* stovky politických vězňů, kteří uprchli z koncentračního tábora)

politician [ˌpoliˈtišən] **1** politik; státník **2** AM partajník, aparátník; propagandista; politický taktik, politikář, politický kariérista

politicization [poˌlitisaiˈzeišən] **1** zpolitizování (~ *of trade unions*) **2** výchova k slušnému a ohleduplnému vystupování

politicize [poˈlitisaiz] z|politizovat (*we want to moralize politics and not to ~ morals* my chceme vnést morálku do politiky, nikoliv politiku do morálky)

politick [poˈlitik] zast. **1** politizovat **2** politikařit

politico [poˈlitikəu] zejm. AM hanl. politikář, aparátník, politický kariérista

politico-economical [pəˌlitikəuˌi:kəˈnomikəl] politicko-ekonomický

politics [politiks] *pl* i *sg* **1** politika; politické názory / přesvědčení, politická příslušnost (*changed his ~ for advancement's sake* kvůli kariéře změnil své politické názory) **2** pohnutky, zájmy **3** politický život (*entered ~*) **4** politologie **5** AM manipulování s lidmi, personální politika n. klikaření, taktika; politické manévrování n. intrikářství, politikaření (*a university in which ~ had no place*) ◆ *play ~* AM dělat politiku; *that's not practical ~* to se dá sotva uskutečnit

polity [poləti] (*-ie-*) **1** politické zřízení (*any form of ~ is more efficient than none, the humanistic spirit flourished under various polities in Greece* v Řecku kvetl humanistický duch v různých politických zřízeních); státní obec, stát, státní zřízení (*at a period antecedent to the formation of anything like ~ in Greece*) **2** nespr. = *policy*

polk [pəuk] tančit polku

polka [polkə] **1** *s* polka tanec i hudební skladba **2** dámský pletený kabátek ◆ *~ dot* jsoucí s bílými puntíky, puntíkovaný, puntíkatý (*yellow ~ dot bikini* žluté bikini s bílými puntíky) ● *v* tančit polku

poll[1] [pəul] *s* **1** nář., žert. kotrba, kokos, šiška, kebule hlava (*scratching his ~* drbaje se na kokose); přen. vlasy, pačesy; zast. temeno **2** volby, hlasování (*on the eve of the ~*); voličský seznam; sčítání odevzdaných hlasů; doba, kdy je možno volit (*the ~ at the universities is restricted to five days*); volební výsledek, počet odevzdaných hlasů **3** *~s, pl* volební místnost; urna **4** daň z hlavy postihující osoby s volebním právem **5** průzkum veřejného mínění, zjišťování názoru jednotlivců **6** vršek klobouku; čelo kladiva; čepec sekery ◆ *deed ~* prostá listina ve formě prohlášení; *go to the ~s* jít k volbám, jít volit; *have one's name in the ~* být zapsán ve voličském seznamu; *heavy ~* velká účast při volbách; *light/low/poor ~* malá účast při volbách ● *v* **1** zast. ostříhat (*~ a man's head, ~ sheep*) **2** uříznout korunu stromu, přistřihnout / přiříznout / odříznout vršek; přiříznout / uříznout rohy dobytku **3** zapsat do voličského seznamu; hlasovat, volit; odevzdat svůj hlas; dostat kolik hlasů (*his party ~ed nearly twelve and a half million votes*)

poll[2] [pəul] *adj* **1** seříznutý, přiříznutý, přistřihnutý **2** bezrohý ● *s* bezrohé dobytče, zejm. bezrohý tur

poll[3] [pol] **1** *P~* Polly jméno papouška **2** papoušek ◆ *~ parrot* papouškující člověk, papoušek

poll[4] [pol] BR slang.: v Cambridgi studenti připravující se pouze na *poll degree* ◆ *~ degree* univerzitní zkouška s dostatečným prospěchem nestačící k dosažení titulu; *go out in the P~* složit takovou zkoušku; *~ man* student připravující se pouze na *poll degree*

pollable [pəuləbl] **1** volitelný **2** oprávněný volit

pollack [polək] zool.: treska *Pollachius virens*

pollan [polən] zool.: síh *Coregonus pollan*

pollard [poləd] *s* **1** bezrožec, bezrohé dobytče, bezrohá ovce; jelen, který shodil parohy **2** šrot, pšeničné otruby **3** strom s uříznutou korunou **4** zmlazený strom ● *v* uříznout korunu stromu (*~ed willows* vrby s uříznutou korunou) ● *adj* jsoucí s uříznutou korunou (*a ~ oak*)

pollarding [polədiŋ] soustavné ořezávání korun stromů, aby se docílilo dekorativního tvaru kmene hustě obrostlého listím

pollbeast [pəulbi:st] bezrohé zvíře

polled [pəuld] **1** bezrohý (*~ cattle*), jsoucí se shozeným parožím (*a ~ stag*) **2** v. *poll*[2], *v*

pollee [pəuˈli:] volič

pollen [polin] pyl ◆ *~ count* pylový spad, množství pylu ve vzduchu uveřejňované v tisku pro informaci osob trpících sennou rýmou; *~ disease / fever* senná rýma

pollenless [polinlis] jsoucí bez pylu

pollex [poleks] *pl: pollices* [poləsi:z] palec ruky

pollicitation [ˌpolisiˈteišən] práv. jednostranný slib a proto před přijetím odvolatelný

pollinate [polineit] **1** opylit, opylovat (*insects or wind ~ the majority of plants*), též přen. (*~ them with new ideas and methods*) **2** umazat (jako) od pylu, zaprášit (jako) pylem

pollination [ˌpoliˈneišən] opylování (*~ of fruit trees by insects*), opylení (*upon ~ the petals fall* po opylení lístky opadnou)

polling [pəuliŋ] v. *poll, v* ◆ *~ booth* volební kabina; *~ day* den voleb, volby; *~ station* volební místnost

pollinic [poˈlinik] pylový

polliniferous [ˌpoliˈnifərəs] vytvářející pyl, nesoucí pyl

polliwog [poliwog] AM nář. pulec

pollock [polək] = *pollack*

polloi [poˈloi] též *hoi ~* většina, většina lidí; dav, lůza

pollox [pəuloks] *pl: polloxen* [ˈpəulˌoksən] bezrohý tur

pollster [pəulstə] **1** kdo dává otázky v průzkumu veřejného mínění; kdo řídí průzkum veřejného mínění **2** sčítač odevzdaných hlasů

poll tax [pəultæks] daň z hlavy postihující osoby s volebním právem

pollutant [pəˈlu:tənt] kdo n. co znečišťuje
pollute [pəˈlu:t] **1** poskvrnit, zneuctít, znesvětit (~ *a temple*) **2** zkalit, zašpinit, znečistit (~ *a water supply by the introduction of sewage* znečistit přívod vody zavedením kalu)
pollution [pəˈlu:šən] **1** poskvrnění, zneuctění, znesvěcení **2** zkalení, zašpinění, znečištění **3** med. poluce
pollutive [pəˈlu:tiv] znečisťující
polly [poli] (*-ie-*) hovor. minerálka z Apollinarisburgu
Pollyana [ˌpoliˈænə] zejm. AM hanl. naivní optimistka jako hrdinka románu E. Porterové
pollywog [poliwog] = *polliwog*
polo [pəuləu] sport. pólo; vodní pólo ◆ ~ *coat* krátký kabátek, krátké sako
polocross [pəuləukros] sport.: druh póla hraného se síťkami na pálkách
polonaise [ˌpoləˈneiz] **1** polonéza tanec i hudební skladba **2** druh dámského svrchního šatu v 18. století
polone [pəuləun] slang. mánička, teplouš homosexuál
polo-neck [pəuləunek] |: ~ *sweater* rolák svetr s vysokým přehrnutým límcem
polonium [pəˈləuniəm] chem. polonium radioaktivní prvek
polony [pəˈləuni] (*-ie-*) masný výrobek z polovařeného masa
polo shirt [pəuləušə:t] pánská sportovní košile s krátkými rukávy, sportovní tričko, polokošile
polo stick [pəuləustik] pólová pálka s dlouhou rukojetí
poltergeist [poltəgaist] hlomozící strašidlo, duch házející předměty apod.
poltfoot [poltfut] *pl: poltfeet* [poltfi:t] zast. znetvořená / koňská noha, noha jako koňské kopyto
poltroon [polˈtru:n] baba, bačkora, bábovka, poseroutka zbabělec (*lily-livered ~s lacking even the meager courage of a rabbit* zbabělý poseroutka, jemuž chybí i nepatrná odvaha králíka)
poltroonery [polˈtru:nəri] zbabělost, slabošství, babství (~ *among politicians*)
Poly[1] [poli] *s* (*-ie-*) slang. polytechnika
poly[2] [poli] *adj* hovor. plastikový
polyad [poliæd] radikál, prvek vícemocný
polyadelphous [ˌpoliəˈdelfəs] bot. tyčinka mnohobratrý
polyandrist [ˌpoliˈændrist] žena mající několik manželů n. milenců
polyandrous [ˌpoliˈændrəs] **1** mající několik manželů n. milenců **2** bot.: jsoucí s mnoha tyčinkami, polyandrický
polyandry [poliændri] mnohomužství, polyandrie
polyanthus [ˌpoliˈænθəs] *pl* též *polyanthi* [ˌpoliˈænθai] bot. **1** primule **2** taceta
polyarchy [polia:ki] **1** mnohovláda **2** skupina mnoha království
polyatomic [ˌpoliæˈtomik] víceatomový, polyatomický
polyautography [ˌpolio:ˈtogrəfi] řidč.: původní, barevná litografie
polybasic [ˌpoliˈbeisik] chem. vícesytný
polyblends [poliblendz] chem. směs polymerů
polycarpellary [ˌpoliˈka:pələri] bot. vícepestíkový
polycarpous [ˌpoliˈka:pəs] bot. mnohoplodý
polycentrism [ˌpoliˈsentrizəm] polit. existence více samostatných center světového politického hnutí
polychaetan [ˌpoliˈki:tən] červ mnohoštětinatý
polychaete [poliki:t] zool. mnohoštětinatec, polychaet
polychaetous [ˌpoliˈki:təs] = *polychaetan*
polychord [poliko:d] mnohostrunný
polychromatic [ˌpolikrəuˈmætik] mnohobarevný, vícebarevný, polychromatický, polychromní
polychrome [polikrəum] *adj* barevný, barevně tištěný / o|malovaný /o|zdobený, polychromovaný ● *s* **1** barevné umělecké dílo, zejm. polychromovaná socha **2** různobarevnost, pestrost ● *v* natřít různými barvami, o|zdobit v mnoha barvách, polychromovat
polychromic [ˌpoliˈkrəumik], **polychromous** [polikrəuməs] mnohobarevný, různobarevný, polychromatický, polychromní
polychromy [polikrəumi] polychromování, polychromie
polyclinic [ˌpoliˈklinik] poliklinika
polydactyl [ˌpoliˈdæktil] *adj* mnohoprstý ● *s* **1** člověk mající vrozený nadměrný počet prstů ruky n. nohy, člověk stižený polydaktylií **2** zvíře s více prsty než je normální počet
polydaemonism [ˌpoliˈdi:mənizəm] víra ve velké množství duchů n. démonů
polygamic [ˌpoliˈgæmik] bot. mnohomanželný, polygamický
polygamist [pəˈligəmist] **1** zastánce polygamie **2** muž mající více manželek
polygamous [pəˈligəməs] **1** polygamický, polygamní (~ *marriages*) **2** bot. mnohomanželný, polygamický
polygamy [pəˈligəmi] **1** polygamie manželství n. pohlavní soužití jedince jednoho pohlaví s více jedinci pohlaví druhého; mnohoženství **2** bot. mnohomanželnost
polygastric [ˌpoliˈgæstrik] **1** jsoucí s mnoha žaludky **2** jsoucí s žaludkem složitě utvářeným
polygenesic [ˌpolidžiˈnesik] biol. polygenetický
polygenesis [ˌpoliˈdženisis] biol. polygeneze, polyfylogeneze
polygenetic [ˌpolidžiˈnetik] biol. polygenetický
polygenic [ˌpoliˈdženik] **1** chem.: prvek vícemocný, polygenní **2** geol. = *polygenous*
polygenism [poˈlidžənizəm] polygenismus teorie o původu současných lidských plemen z různých druhů předchůdců člověka
polygenist [poˈlidženist] stoupenec polygenismu
polygenous [poˈlidžənəs] geol. obsahující mnoho druhů, tvořící mnoho druhů, polygenní
polygeny [poˈlidžəni] původ současných lidských plemen z různých druhů předchůdců člověka

polyglot [poliglot] *adj* **1** mnohojazyčný (*a ~ population*) **2** vícejazyčný (*a ~ dictionary*) **3** několikajazyčný (*a ~ Bible*) **4** ovládající mnoho jazyků ● *s* **1** polyglot kdo ovládá mnoho jazyků **2** polyglota mnohojazyčný text zejm. bible **3** jazykový galimatyáš (*~ of diagnostic labels*)
polyglottal [ˌpoliˈglotl], **polyglottic** [ˌpoliˈglotik] polyglotní, polyglotický
polyglottism [poliglotizəm] znalost mnoha jazyků, polyglotství
polygon [poligən] **1** mnohoúhelník, polygon **2** voj. dělostřelecká střelnice ◆ *~ of forces* mnohoúhelník sil, složkový mnohoúhelník
polygonal [pəˈligənl] mnohoúhelný, mnohoúhelníkový, polygonový, polygonální
Polygonum [pəˈligənəm] bot. rdesno
polygram [poligræm] **1** mnohočárový obrazec **2** záznam polygrafu
polygraph [poligra:f] **1** plodný spisovatel, autor mnoha děl, grafoman, psavec (hanl.) **2** rozmnožovací stroj; rozmnožovací pantograf **3** polygraf přístroj na zapisování různých tepů současně
polygraphic [ˌpoliˈgræfik] **1** spisovatel plodný, hodně píšící; kniha do široka zabíhající, týkající se mnoha předmětů; rukopis společný, pořízený více pisaři **2** polygrafický s použitím polygrafu (*~ examination of the patient* vyšetřování pacienta pomocí polygrafie)
polygraphy [poˈligrəfi] **1** literární všestrannost; bohatá spisovatelská činnost **2** grafomanie, psavost, psavectví (hanl.)
polygynous [poˈlidžinəs] polygynický, polygynní týkající se polygynie
polygyny [poˈlidžini] mnohoženství, polygynie
polyhedral [ˌpoliˈhedrəl], **polyhedric** [ˌpoliˈhedrik] mnohostěnný, mnohostěnový, polyedrický
polyhedron [ˌpoliˈhedrən] *pl* též *polyhedra* [ˌpoliˈhedrə] mnohostěn, polyedr
polyhistor [ˌpoliˈhisto:] polyhistor znalec mnoha vědních oborů
polyhistoric [ˌpolihisˈtorik] polyhistorický
Polyhimnia [ˌpoliˈhimniə] mytol. Polyhimnia múza posvátného zpěvu
polymath [polimæθ] vševěd, polyhistor
polymathy [pəˈliməθi] všestranné znalosti, polyhistorie
polymer [polimə] chem. polymer vysokomolekulární látka vzniklá polymerací
polymeric [ˌpoliˈmerik] chem. polymerický, polymerní
polymerism [pəˈlimərizəm] chem. polymerie
polymerization [pəˌliməraiˈzeišən] chem. polymerace, polymerizace
polymerize [poliməraiz] chem. polymerovat, polymerizovat
polymerous [pəˈlimərəs] bot. mnohočetný, polymerický
polymorphic [ˌpoliˈmo:fik] mnohotvárný, heteromorfní; polymorfní
polymorphism [ˌpoliˈmo:fizəm] **1** mnohotvárnost, různotvárnost, heteromorfie, polymorfie **2** bot. mnohotvárnost, polymorfismus
polymorphous [ˌpoliˈmo:fəs] mnohotvárný, heteromorfní, polymorfní
Polynesia [ˌpoliˈni:zjə] Polynésie
Polynesian [ˌpoliˈni:zjən] *adj* polynéský ● *s* Polynésan
polynia [polənja:] otevřená vodní plocha uprostřed zamrzlého moře n. zamrzlé řeky
polynomial [ˌpoliˈnəumiəl] *adj* **1** mat. mnohočlenný **2** biol. mnohojmenný; polynomický ● *s* mat. mnohočlen, polynom
polyomino [ˌpoliˈəuminəu] mnohostěnný hrací kámen
polyonymous [ˌpoliˈonimәs] vícejmenný, mnohojmenný
polyonymy [ˌpoliˈonimi] pojmenování téže věci více názvy, mnohojmennost
polyopia [ˌpoliˈəupiə] med. diopia vidění téhož předmětu několikrát místo normálně jednou
polyp [polip] polyp přisedlé vývojové stadium mořských láčkovců; stopkatý slizniční nádor
polype [polip] mořský láčkovec
polypeptide [ˌpoliˈpeptaid] chem. polypeptid látka vzniklá spojením mnoha aminokyselin
polypery [polipəri] (*-ie-*) polypový trs
polypetalous [ˌpoliˈpetələs] bot. mnohoplátečný
polyphagous [poˈlifəgəs] zool. polyfágní živící se rozmanitou potravou
polyphase [polifeiz] mnohofázový, několikafázový
polyphone [polifəun] **1** hud. polyfón hudební automat s perforovanou deskou **2** jaz. písmeno / symbol označující několik rozličných zvuků
polyphonic [ˌpoliˈfəunik] **1** hud. mnohohlasý, vícehlasý, polyfonní **2** jaz. označující několik různých zvuků
polyphonist [pəˈlifənist] polyfonik skladatel užívající polyfonie
polyphonous [pəˈlifənəs] = *polyphonic*
polyphony [pəˈlifəni] **1** hud. vícehlas, vícehlasost, polyfonie, kontrapunkt **2** jaz. označení rozdílných zvuků stejným písmenem / symbolem
polyphyletic [ˌpolifiˈletik] = *polygenetic*
polyphyllous [pəˈlifiləs] bot. mnoholistý
polypidom [poˈlipidəm] polypový trs
polypite [polipait] zool. jednotlivý polyp, kolonie láčkovců
polypod [polipod] *adj* mnohonohý ● *s* mnohonožec
polypodium [ˌpoliˈpəudiəm] bot. = *polypody*
polypody [polipədi] bot. osladič ● *common ~* osladič obecný
polypoid [polipoid] polypový
polypore [polipo:] bot. choroš
polypous [polipəs] polypový

polypropylene [ˌpoliˈpropili:n] chem. polypropylen
polyptich [poliptik] **1** vícedílný tabulový obraz **2** vícedílný skládací oltář
polypus [polipəs] *pl* též *polypi* [polipai] **1** med. polyp, polypus **2** zool. zast. chobotnice
polysepalous [ˌpoliˈsepələs] bot. mající volné okvětí
polystome [polistəum] *adj* jsoucí s mnoha ústními otvory, póry, přísavkami ● *s* živočich s mnoha ústními otvory atd.
polystyle [polistail] jsoucí s mnoha sloupy, podpíraný mnoha sloupy (*a ~ court*)
polystyrene [ˌpoliˈstairi:n] chem. polystyrén
polysyllabic [ˌpolisiˈlæbik] mnohoslabičný, víceslabičný; charakterizovaný víceslabičnými slovy
polysyllable [ˈpoliˌsiləbl] víceslabičné / mnohoslabičné slovo
polysynthetic [ˌpolisinˈθetik] jazyk polysyntetický ve kterém se prvky označující pojmy a vztahy spojují v těsnou jednotku
polytechnic [ˌpoliˈteknik] *adj* polytechnický souvisící s různými technickými obory ◆ *P~ Institution* BR londýnská polytechnika otevřená 1838 ● *s* polytechnika
polythalamous [ˌpoliˈθæləməs] zool. mnohokomůrkový, vícekomůrkový
polytheism [poliθi:izəm] mnohobožství, polyteismus
polytheist [poliθi:ist] polyteista stoupenec polyteismu; kdo věří v mnoho bohů
polytheistic [ˌpoliθi:ˈistik] polyteistický
polythene [poliθi:n] chem. polytén, polyetylén
polytype [politaip] polygr. slitek, ligatura, polytyp
polyversity [ˌpoliˈvə:səti] (*-ie-*) AM = *multiversity*
polyvinyl [ˌpoliˈvainil] chem. polyvinil ◆ *~ chloride* polyvinylchlorid, PVC umělá hmota
Polyzoa [polizəuə] zool. mechovky
polyzoic [ˌpoliˈzəuik] zool. týkající se mechovky n. mechovek
polyzonal [ˌpoliˈzəunl] optika vícepásmový, mnohopásmový, několikapásmový
pom [pom] hovor. **1** špic, špicl plemeno psů **2** AU Anglán přistěhovalec z Velké Británie do Austrálie
pomace [pamis] **1** rozdrcené ovoce, rozdrcená jablka, ovocný rmut, ovocné výlisky před lisováním n. po vylisování šťávy **2** rybí drť hmota, která zůstane po vylisování tuku z ryb
pomade [pəˈma:d] *d* pomáda ● *v* na|mopádovat
pomander [pəuˈmændə] hist. **1** kulička z vonných látek sloužící jako ochrana před infekcí **2** kulička, jablko schránka na vonné látky **3** pomeranč n. kdoule se vpíchaným hřebíčkem
Pomard [pəˈma:r] červené burgundské víno
pomatum [pəˈmeitəm] = *pomade*
pombe [pombi] africký opojný nápoj
pome[1] [pəum] **1** bot. malvice **2** kovová koule; říšské jablko **3** bás. jablko
pome[2] [pəum] slang. básnička, veršíčky
pomegranate [ˈpomiˌgrænit] **1** bot. marhaník obecný **2** granátové jablko plod marhaníku
pomeis [pəuməs] herald. zelená koule erbovní znamení
pomelo [pomiləu] bot. pompel, pomelo, grape fruit, Adamovo jablko
Pomerania [ˌpoməˈreinjə] Pomořany, Pomořansko, Pomoří
Pomeranian [ˌpoməˈreinjən] *s* **1** Pomořan **2** špic, špicl plemeno psů ● *adj* pomořanský ◆ *~ dog* špic, špicl
pomfret [pamfrit] **1** zool. ryba *Brama raii* **2** = *pomfret-cake*
pomfret-cake [ˌpamfritˈkeik] BR lékořicové cukroví vyráběné v Pontefractu
pomiculture [ˈpəumiˌkalčə] ovocnářství
pomiferous [poˈmifərəs] rodící malvice
Pommard [pəˈma:r] = *Pomard*
pommel [paml] *s* **1** hruška u jílce meče; knoflík, makovice ozdoba **2** hruška, přední rozsocha sedla **3** těl. madlo na koni ● *v* (*-ll-*) **1** z|bít, z|tlouci (jako) pěstí **2** dělat sametový povrch kůže
pommy [pomi] (*-ie-*) AU Anglán přistěhovalec z Velké Británie do Austrálie
pomological [ˌpəuməˈlodžikəl] pomologický
pomologist [poˈmolədžist] pomolog odborník v pomologii
pomology [poˈmolədži] pomologie nauka o ovocných druzích a odrůdách
Pomona [pəˈməunə] mytol. Pomona bohyně ovoce ◆ *~ green* žlutozelená barva
pomp [pomp] **1** pompa, nádhera, okázalost, pýcha (zast.) (*the devil and all his ~*) **2** *~s, pl* zast. = *pomp*
Pompadour [pompəduə] **1** Pomapadůrka, markýza de Pompadour **2** *p~* růžová barva **3** *p~* vyčesaný věnec dámský účes **4** *p~* AM ježek pánský účes ● *adj* jsoucí à la Pompadour označující účes, střih a j.
pompano [pompənəu] zool.: ryba *Trachinotus carolinus*
Pompian [pomˈpi(:)ən] pompejský
Pompeii [pomˈpeii:] Pompeje
Pompey [pompi] BR **1** antic. Pompeius **2** slang. Portsmouth
pompier [pompiə] : *~ ladder* jednoštěřinový hákový žebřík požární
pom-pom [pompom] **1** rychlopalné / vícehlavňové / automatické / protiletadlové dělo malé ráže **2** = *pompon*
pompon [po:mpon] **1** bambule, bambulka **2** pomponka odrůda růže; druh jiřinek
pomponed [po:mpond] jsoucí s bambulkami (*~ mules*)
pomposity [pomˈposəti] **1** pompéznost, okázalost **2** sebevědomí, důležitost, nafoukanost **3** přepjatost, nabubřelost, bombastičnost
pompous [pompəs] **1** pompézní, okázalý, okázale nádherný (*~ Roman collonades*) **2** velice sebevědomý, důležitě se tvářící, důležitý, nafoukaný (*a*

~ *policeman*) **3** přepjatý, nabubřelý, bombastický (~ *language*)
pompousness [pompəsnis] = *pomposity*
ponce [pons] BR slang. *s* pasák, kuplíř ● *v* **1** dělat pasáka / kuplíře *for* komu **2** honit vodu *about* / *around* kde
ponceau [ponsəu] **1** vlčí mák (bot.) **2** barva vlčího máku
poncho [pončəu] **1** jihoamerická pláštěnka, pončo **2** cyklistická pláštěnka
pond [pond] *s* **1** vodní nádrž, rybník **2** žert. velká louže Severní Atlantik ◆ ~ *cypress* bot. tisovec dvouřadý ● *v* **1** udělat nádrž n. rybník, zadržet vodu **2** též ~ *back* / *up* zadržet, nadržet, zahradit vodu
pondage [pondidž] obsah nádrže / rybníka, množství vody v nádrži / rybníku
ponder [pondə] uvažovat, rozvažovat, přemítat, přemýšlet, hloubat *a t.* o (~ *the events of history* uvažovat o historických událostech), *on* / *over* o (~ *over a moral issue* přemýšlet o morálním problému)
ponderability [ˌpondərəˈbiləti] važitelnost; zjistitelnost
ponderable [pondərəbl] *adj* **1** važitelný; zjistitelný **2** přen. závažný, hodnotný ● *s* **1** važitelná látka; něco zjistitelného **2** přen. něco závažného, hodnotného
ponderation [ˌpondəˈreišən] **1** vážení; zjišťování **2** uvažování, rozvažování, přemítání, přemýšlení, hloubání
ponderosity [ˌpondəˈrosəti] **1** tíha, velká váha; přen. důležitost **2** těžkopádnost
ponderous [pondərəs] **1** velmi těžký (*a* ~ *stone*), tíživý (*a* ~ *burden*) **2** těžkopádný, nudný (*a* ~ *book*) **3** nemotorný, neohrabaný (~ *movements*)
ponderousness [pondərəsnis] **1** velká tíha, tíživost **2** těžkopádnost, nudnost **3** nemotornost, neohrabanost
pond file [pondlaif] fauna žijící ve stojatých vodách n. rybnících
pond skater [ˈpondˌskeitə] zool. bruslařka
pond weed [pondwi:d] **1** vodní flóra rostoucí ve stojatých vodách **2** rdest
pone[1] [pəun] kukuřičný chléb severoamerických Indiánů; lehké bílé pečivo
pone[2] [pəuni] karty **1** snímající hráč **2** protivník, soupeř ve hře pro dva hráče
pong [poŋ] hovor. *s* puch, smrad ● *v* smrdět
pongee [ponˈdži:] nahnědlé surové čínské hedvábí
pongo [poŋgəu] **1** dř. africký lidoop **2** orangutan **3** slang. voják; mariňák
poniard [ponjəd] *s* tenká dýka, tulich (zast.) ● *v* pro|bodnout dýkou / tulichem (zast.)
ponking [poŋkiŋ] ťukavý, klepavý (*a* ~ *noise*)
pons [ponz] : ~ *asinorum* přen. těžká úloha, těžko řešitelný problém pro nezkušeného n. začátečníka; ~ *Varolii* Varolův most část mozku
pontifex [pontifeks] *pl: pontifices* [ponˈtifisi:z] **1** antic. pontifex člen nejvyššího kněžského sboru **2** papež **3** přen. velekněz ◆ *P* ~ *maximus* velekněz, hlava nejvyššího kněžského sboru
pontiff [pontif] **1** též *sovereign* ~ papež **2** biskup; velekněz; pontifex
pontifical [ponˈtifikəl] *adj* **1** papežský, biskupský, velekněžský (~ *authority*) **2** pontifikální (~ *mass*) **3** samolibě důležitý, pompézní, demagogicky autoritativní (*a* ~ *professor*, ~ *statements* demagogicky autoritativní prohlášení) ◆ ~ *ring* círk. pastýřský prsten ● *s* **1** pontifikál kniha s liturgickými předpisy biskupských úkonů **2** ~*s*, *pl* pontifikálie odznaky a roucha biskupů a prelátů
pontificalia [ˌpontifiˈkeiliə] = *pontificals*
pontificate *s* [pontifikit] pontifikát úřad a hodnost papeže; trvání tohoto úřadu; vláda papeže n. biskupa *v* [ponˈtifikeit] = *pontify*
pontification [ˌpontifiˈkeišən] autoritativní n. dogmatický „neomylný" názor, soud
pontify [pontifai] (*-ie-*) **1** chovat se, mluvit, soudit, rozhodovat jako neomylný papež **2** autoritativně n. dogmaticky vyhlásit
pontil [pontil] sklářská náběrná tyč, palice, nabírák
pont levis [ˌpontˈlevis] padací most
ponton [ponton] AM = *pontoon*[1]
pontoneer, pontonier [ˌpontəˈniə] AM ženista, stavitel pontonového mostu; velitel ženijního oddílu
pontoon[1] [ponˈtu:n] *s* **1** převoznický prám **2** ponton; keson **3** plovák hydroplánu ◆ ~ *bridge* pontonový most ● *v* přemostit řeku pontonovým mostem; převézt se prámem přes řeku
pontoon[2] [ponˈtu:n] BR jednadvacet, oko karetní hra
pony [pəuni] (*-ie-*) *s* **1** poník, pony malý kůň **2** BR slang. dvacet pět liber peníze **3** slang. malá sklenička **4** malá revuální tanečnice **5** AM slang. doslovný překlad, tahák ● *adj* malý, miniaturní, kolibří (~ *edition*) ◆ ~ *express* AM hist. jezdecká pošta na ponících (mezi Missouri a Kalifornií v létech 1860–61) ● *v* AM slang. udělat si tahák ***pony up*** zaplatit částku a tím vyrovnat účet
pony engine [ˈpəuniˌendžin] žel. posunovací lokomotiva
ponytail [pəuniteil] koňský ohon dámský účes
pony trekking [ˈpəuniˌtrekiŋ] **1** jízda na poníku **2** výlet na ponících
pooch [pu:č] slang. pejsánek, pejsek, hafánek, fifinka
pood [pu:d] pud stará ruská jednotka váhy (16,375 kg)
poodle [pu:dl] *s* pudl pes ● *v* ozdobně ostříhat pudla
poodle-faker [ˈpu:dlˌfeikə] slang. mladík navštěvující čajové dýchánky a vyhledávající dámskou společnost
poodle-faking [ˈpu:dlˌfeikiŋ] slang. navštěvování čajových dýchánků, vyhledávání dámské společnosti

pooer [puə] SC = *power*
poof [pu:f] *pl* též *pooves* [pu:vz] BR slang. teplouš, buzík, mánička
poogye [pu:dži] indická nosní flétna
pooh [pu] **1** vyjadřuje pohrdání pšá, pch, bah **2** vyjadřuje netrpělivost no tak, no no
Pooh-Bah [ˌpu:ˈba:] mnohoobročník podle postavy v „Mikádu" W. S. Gilberta
pooh-pooh [ˌpu:ˈpu:] **1** vyjádřit své pohrdání nad, pohrdavě odmítnout, ohrnovat nos nad (*he ~ed the idea*) **2** podcenit, zlehčit, bagatelizovat
pooja [pu:džə] = *puja*
pooka [pu:kə] BR strašidlo, strašidelný kůň
pookoo [pu:ku:] zool.: antilopa *Adenota vardoni*
pool[1] [pu:l] *s* **1** louže, kaluž **2** tůň, tůňka; rybník, jezírko, stojatá voda; studánka **3** přehradní jezero, jímka, nádrž, cisterna; plavecký bazén; brouzdaliště **4** *P~* BR Temže v okolí londýnských doků **5** naftonosná oblast, ropové pole, ložisko ropy ♦ *~ of blood* tratoliště ● *v* **1** tvořit tůně (*swift-flowing water that ~ed and snaked down between the rocks and ice* rychle plynoucí voda, která vytvářela tůně a vinula se jako had mezi skalami a ledem) **2** horn. podbrázdit, podrubat; u|dělat místo pro klín
pool[2] [pu:l] *s* **1** bank, společný vklad **2** sázky, sázení na výsledek, sázková hra (*football ~s*) **3** obchod. sdružení firem, asociace, syndikát, zájmový svaz, společenství, trust, pool; společný kapitál, společná pokladna **4** zásoba, rezerva sil, fond; krevní banka; voj. záloha; námoř. záloha lodí obchodního loďstva ve válce **5** BR druh kulečníkové hry **6** druh šermířského utkání, každý s každým **7** zast. hráč karet ve hře o bank ● *adj* společný (*~ garage*), jsoucí ze společného zdroje (*~ petrol*) ● *v* **1** dát / složit dohromady, spojit, dát / shromáždit do společného fondu; utvořit sdružení **2** užívat společně, dělit se o
poolroom [pu:lru:m] AM **1** herna zejm. kulečníková **2** sázková kancelář
poon [pu:n] bot.: východoindický strom *Calophyllum*
poonah [pu:nə] badminton ♦ *~ brush* štětec pro malbu na rýžovém papíru; *~ painting* malba na rýžovém papíru napodobenina orientálního obrazu; *~ paper* rýžový papír
poon oil [pu:noil] olej ze stromu *Calophyllum*
poontang [pu:ntæŋ] AM slang. koitus
poop[1] [pu:p] *s* lodní záď; záďová nástavba ● *v* vlna zplavit záď; rozrazit se o záď
poop[2] [pu:p] = *pope*[3]
poop[3] [pu:] BR slang. nula, nicka, telátko, blbeček hloupý nedůležitý člověk
poop[4] [pu:p] hovor.: též *~ out* utahat, vyčerpat, unavit
poop deck [pu:pdek] námoř. paluba záďové nástavby
poor [puə] **1** chudý, nuzný, nemajetný (*they were so ~ that they couldn't afford things* byli tak chudí, že si nemohli nic dovolit, *the ~* chudí lidé, chudina); mající málo *in* čeho, chudý na (*a country ~ in minerals*) **2** chabý, chatrný, ubohý, mizerný, slabý, bídný, špatný, malý (*~ attendance* malá návštěva, *~ crop* špatná úroda, *~ Latin*, *~ consolation* slabá útěcha); pouhý (*a ~ ten days' holiday*); ubohý, nešťastný, ubožák, chudák, chudinka, chudáček (*the ~ guard had started to cry out*); jsoucí ve špatném stavu, zbědovaný, bědný, bídný, hubený, slabý, nemocný (*looked ~ after the hard winter*); skromný, ubohý, též iron. (*in my ~ opinion*) **3** bídný, zbabělý, smutný, žalostný (*he is a ~ creature* on je žalostné stvoření) **4** vápno hubený, chudý, černý, suchý ♦ *P~ Clare* klariska jeptiška; *~ definition* neostrost fotografie; *~ devil / fellow* chudák, chudáček, chudinka, ubožák; *~ man's weatherglass* drchnička rolní; *show a ~ spirit* projevit svou zbabělost, ukázat nedostatek odvahy; *~ thing* chudák, chudinka, chuďátko, ubožátko; *~ white(s)* AM bílá žebrota bělošská chudina v jižních státech
poor box [puəboks] pokladnička pro chudé v kostele
poorhouse [puəhaus] *pl: poorhouses* [ˈpuəˌhauziz] zast. chudobinec
poor law [puəlo:] sociální zákonodárství
poorly [puəli] *adv* **1** špatně, chabě, uboze, slabě, mizerně (*~ lighted streets*) **2** v. *poor, adj* ♦ *be ~ off* být na tom finančně špatně (*she's been ~ off since her husband died*); *think ~ of* nemít valné mínění o ● *adj* hovor. **1** nanicovatý, indisponovaný **2** zdravotně chatrný, chabý, bědný, stonavý, špatně vypadající (*he had been ~ lately* poslední dobou postonával) ♦ *feel ~* necítit se ve své kůži
poor-mouth [ˌpuəˈmauð] AM brečet, fňukat, naříkat na svou chudobu
poorness [puənis] **1** chudoba, chudost, nouze, nemajetnost; nedostatek *of* čeho **2** chabost, chatrnost, mizernost, slabost **3** ubohost, nedostatečnost; bídnost, žalostnost
poor rate [puəreit] chudinský příspěvek
poor relief [ˌpuəriˈli:f] péče o chudé, sociální podpora
poor-spirited [ˈpuəˌspiritid] zbabělý, ustrašený
poort [puət] SA soutěska, průsmyk v Jižní Africe
poove [pu:v] BR slang. teplouš, buzík
poovey, poovy [pu:vi] BR slang. teplý, teploušský, přihřátý, buzerantský
pop[1] [pop] *v* (*-pp-*) **1** vy|střelit, vy|bouchnout, prásknout, explodovat (*champagne corks were ~ping away on all sides*); vytáhnout s malou explozí (*~ a cork*); udělat bublinu z a nechat ji prasknout (*he ~ped his gum twice*) **2** rychle dávat, střílet, pálit otázky *to* na (*~ping questions to his class*); kriket, baseball napálit míč do vzduchu **3** rychle vsunout, vstrčit, vrazit (*~ping the berry into her*

mouth); vrazit komu jednu *on* do / na, praštit (*~ped him on the jaw and knocked him down* praštil ho do zubů a srazil na zem) **4** vynořit se, objevit se náhle, vyskočit, vystřelit (*he ~ped around the corner of the house and confronted me*); oči lézt z důlků (*eyes ~ping with amazement* oči lezoucí údivem z důlků) **5** slang. bouchat, práskat střílet *at* na (*they were ~ping away at the wood pigeons* práskali po hřivnáčích) **6** BR slang. dát / vrazit do frcu zastavit (*I'll ~ my watch and take you to the cinema*) **7** AM pražit kukuřici až pukne **8** motor střílet do karburátoru **9** BR zapnout na patentky ◆ *~ a peter* slang. nabourat káču otevřít nedobytnou pokladnu; *~ pills* slang. pravidelně polykat drogy, fetovat; *~ the question* slang. vyjádřit se, požádat o ruku ***pop across*** přeskočit, přehoupnout se ***pop down*** *1* seskočit, zaskočit (*~ down to the country*) *2* hodit (*~ a t. down on the table, ~ down one's ideas on paper*) ***pop in*** *1* zaskočit na krátkou návštěvu *2* vrazit / vtrhnout do místnosti ***pop off*** *1* ztratit se, vypadnout (*he ~ped off town without telling anyone*) *2* slang. zkápnout, natáhnout bačkory umřít *3* odprásknout, odpravit, odstřelit jednoho po druhém *4* pořád vyskakovat *about* kvůli (*~ping off about taxes*); žvanit, kecat *5* rychle sundat (*~ off your hat*) ***pop on*** hodit na sebe (*~ on your coat*), narazit si (*~ on your hat*) ***pop out*** *1* vystřelit, rychle vypadnout (*I saw him ~ out, out of the house*) *2* oči vyvalit se, vyboulit se, vy|lézt (*his eyes were on the point of ~ping out of his head* oči mu div nelezly z hlavy) *3* vyhoupnout se *4* sfouknout, zhasnout světlo ***pop round*** *1* za|skočit, doběhnout (*~ round to the chemist*) *2* objevit se, ukázat se (*I'll ~ round at six o'clock*) ***pop up*** *1* objevit se náhle, vynořit se (*~ up out of the water, this question has ~ped up again*) *2* odskočit si (*~ up to town*) ● *s* **1** prásknutí, vy|bouchnutí, třesknutí, malá exploze (*the cork flew off with a ~* zátka s bouchnutím vyletěla); puknutí, pukání, pinknutí, cvrnknutí zvuk (*the faint ~ of buttons being undone* slabé pukání rozepínaných patentek) **2** rychle udělaná značka, tečka při značení ovcí provedená rychlým, lehkým dotekem **3** výstřel, rána **4** bouchačka revolver **5** šumivý nápoj zejm. zázvorová limonáda; šumivé víno, sekt, šampaňské **6** bot. mochyně ◆ *go ~ 1.* udělat bum / puf *2.* puknout, vybouchnout, explodovat *3.* slang. natáhnout bačkory umřít; *~ goes the weasel* lidový tanec; *in ~* BR slang. ve frcu zastavený; *take a ~ at 1.* střelit po kom *2.* zkusit co, zkusit štěstí v čem (*take another ~ at matrimony*); *~ test* zkouška odolnosti papíru proti protržení

pop² [pop] hovor. *s* **1** koncert populární hudby; koncert za lidové vstupné **2** populární píseň, šlágr, lidovka, populární gramofonová deska, estrádní koncert atd. **3** = *pop art* ● *adj* populární, týkající se šlágrů, pop (*became the singer of ~ tunes*)

pop³ [pop] BR společenský a debatní klub v Etonu

pop⁴ [pop] hovor. tati, taťka

pop art [popa:t] pop-art módní umění pro nejširší vrstvy

pop-artist [ˈpopˌa:tist] tvůrce pop-artu

popcorn [popko:n] AM **1** kukuřice vhodná k pražení **2** mírně pražená kukuřice

pope¹ [pəup] papež, též přen. (*~s of knowledge*) ◆ *~'s eye* tukem obrostlá žláza uprostřed skopové n. hovězí kýty; *~'s head* mop na dlouhé tyči; *P~ Joan 1.* papežka Johana *2.* karetní hra; kárová devítka v této hře; *~'s nose* biskup drůbeže

pope² [pəup] **1** pop pravoslavný kněz **2** hist. patriarcha alexandrijský

pope³ [pəup] *s* citlivé místo na stehně ◆ *take a p.'s ~ = pope, v* ● *v* udeřit do stehna a tím ochromit koho

popedom [pəupdəm] pontifikát; papežství

popeless [pəuplis] jsoucí bez papeže

popery [pəupəri] hanl. papeženectví, katolictví (*no ~!* pryč od Říma!)

popeyed [ˈpopˌaid] AM jsoucí s vykulenýma očima

popgun [popgan] **1** dětská vzduchová pistole, bouchačka **2** bouchačka, špuntovka, kapslovka neúčinná střelná zbraň

popinjay [popindžei] **1** zast. papoušek **2** nastrojený hejsek, fintidlo, fintil, parádník

popish [pəupiš] hanl. papeženecký, katolický

poplar [poplə] **1** topol **2** topolové dřevo ◆ *~ birch* bot. bříza bílá; *trembling ~* osika, bot. topol osika

Poplarism [poplərizəm] BR udělování velkých chudinských podpor a podpor v nezaměstnanosti; sociální politika podmíněná zvýšením daní

poplin [poplin] text. **1** dř. hedvábný popelín, popelínové hedvábí **2** bavlněný popelín

popliteal [popˈlitiəl] anat. podkolenní, zákolenní ◆ *~ artery* tepna v zákolenní jamce; *~ tendons* šlachy v podkolení

popout [ˌpopˈaut] sport. slang. nekvalitní prkno pro surfing

poppa [popə] AM tati, taťka, papá

popper [popə] BR patent, patentka

poppet [popit] **1** BR cvrček, brouček, panenka, malý drahoušek **2** koník, vřeteník soustruhu **3** horn. podpěra, svislé vedení **4** námoř. trámek na člunkovém okrajníku tvořící havlenku; trám používaný při spouštění lidí na vodu **5** těžní věž **6** zast. loutka

poppet head [popithed] **1** koník, vřeteník soustruhu **2** těžní věž

poppet valve [popitvælv] talířový ventil

poppied [popid] **1** porostlý máky **2** ospalý, malátný (*fleeting ~ afternoons* prchavá ospalá odpoledne)

popping crease [popiŋkri:s] kriket čára před brankou kterou nesmí pálkař překročit

popple[1] [popl] *v* **1** voda zmítat se, vlnit se, kypět, vařit se **2** loď zmítat se, poskakovat (jako) na vzbouřených vodách ● *s* vlnění, kypění, dmutí

popple[2] [popl] bot. topol

poppy [popi] (*-ie-*) **1** mák **2** opium **3** = *poppyhead, 2* ◆ *corn* ~ mák vlčí; *P*~ *Day* BR sobota nejblíže 11. listopadu (výročí příměří za I. světové války), kdy se konají sbírky pro válečné vysloužilce a prodávají se umělé vlčí máky; *field* ~ mák vlčí; *Flanders poppies 1.* odrůda máku *2.* umělé máky prodávané o *Poppy Day; opium* ~ mák setý; *Shirley* ~ odrůda máku

poppycock [popikok] AM slang. blbina, blafy, kecy nesmysl

poppyhead [popihed] **1** makovice **2** vyřezávaná ozdoba na kostelní lavici

poppy seed [popisi:d] mák semena máku ◆ ~ *oil* makový olej

popsicle [popsikl] AM mražený krém na tyčince

popsie [popsi] fam. = *popsy*

pop singer [ˈpip ˌsiŋə] hovor. zpěvák populárních šlágrů, džezový zpěvák; lidový zpěvák

popshop [popšop] BR slang. frc zastavárna

popster [popstə] AM slang. = *pop-artist*

popsy(-wopsy) [ˈpopsi(ˌwopsi)] (*-ie-*) **1** fam. broučínek, koťátko, beruška děvče **2** kočka atraktivní mladá žena

pop-top [ˌpopˈtop] opatřený odtrhovacím uzávěrem

populace [popjuləs] lid; lůza, chátra (*"the quality" had to rub shoulders with the general* ~ „smetánka" se musila společensky stýkat s obyčejnou chátrou) **2** místní / zdejší / tamní lidé, obyvatelstvo (*the* ~ *insists that this is the most beautiful town*)

popular [popjulə] *adj* **1** lidový (~ *prices*), též polit. (~ *democracy*), týkající se lidu (~ *government* vláda lidu) **2** populární (*a* ~ *hero,* ~ *film stars*); oblíbený (*first class* ~ *orator* prvotřídní oblíbený řečník) *with* u (*he is* ~ *with his men*) **3** vše|-obecný, obecně rozšířený (*the* ~ *conviction* všeobecně rozšířené přesvědčení, ~ *error*) ◆ ~ *election* všeobecné volby; ~ *front* polit. lidová fronta levicových stran; ~ *magazine* obrázkový časopis; ~ *sovereignty* AM hist. právo na sebeurčení ● *s* **1** bulvární plátek n. časopis **2** ~*s, pl* zast. obyvatelé, obyvatelstvo, lid

popularist [popjulərist] usilující o popularitu (~ *administration*)

popularity [ˌpopjuˈlærəti] **1** lidovost **2** obliba, oblíbenost, popularita, populárnost *with* u, *among* mezi, u

popularization [ˌpopjuləraiˈzeišən] **1** zavedení, rozšíření do veřejnosti, popularizování, popularizace **2** populární zpracování; populárně naučná publikace

popularize [popjuləraiz] popularizovat, získávat oblibu pro (*credited with having* ~*d the island as a resort for artists* připisovali [mu], že ten ostrov získal u umělců oblibu jako [výhodné] bydlení)

populate [popjuleit] **1** zalidnit, osídlit (*the densely* ~*d parts of India*) **2** obývat co, být v (*the galaxies populating the space of the universe* galaxie jsoucí ve vesmírném prostoru)

population [ˌpopjuˈleišən] **1** celkový počet obyvatel; obyvatelstvo, populace (*the* ~ *of London*) **2** aglomerace, shluk, houf, houfy; počet jedinců v jednom místě (*an enormous* ~ *of china, ivory, and bronze figures*); národ, pronárod skupina lidí (*a floating* ~ *of drifters and rogues* sem tam se pohybující pronárod darmošlapů a ničemů); stav (*the Southern states have shown an average increase in their beef* ~*s*) **3** osídlení, osídlování, zalidnění, zalidňování (*encourage* ~ *of the colonies* podporovat osídlování kolonií) ◆ ~ *census* sčítání obyvatel; ~ *explosion* populační exploze; ~ *growth* populační přírůstek; ~ *inversion* fyz. inverzní populace

populism [popjulizəm] AM polit. populismus ideologie *People's Party* (zal. 1891)

populist [popjulist] *s* **1** AM polit. populista stoupenec populismu **2** člen strany vydávající se za mluvčího zájmů lidu ● *adj* = *populistic*

populistic [ˌpopjuˈlistik] populistický

populous [popjuləs] **1** hustě zalidněný, lidnatý (*this new and* ~ *community*) **2** početný (*the Navajos would be as* ~ *as we are now*); nabitý, plný, přeplněný lidmi (*a large and* ~ *ship*)

populousness [popjuləsnis] hustá zalidněnost, lidnatost

pop-up [popap] též ~ *book* dětská knížka s prostorovými obrazy

porbeagle [po:bi:gl] zool. žralok sleďový

porcelain [po:slin] **1** porcelán keramická hmota; výrobek z porcelánu **2** ~*s, pl* porcelánové nádobí, porcelán ● *adj* křehký jako z porcelánu, porcelánový ◆ ~ *clay* kaolin

porcelainize [po:slinaiz] vypálit na porcelán, přeměňovat v porcelán

porcelainous [po:slinəs] porcelánový, porcelánovitý, jako porcelán

porcelain-shell [po:slinšel] zavinutec mořský plž

porcellaneous [ˌpo:səˈleiniəs], **porcellanic** [ˌpo:səˈlænik], **porcellanous** [po:ˈselənəs] porcelánový, porcelánovitý

porch [po:č] **1** AM veranda; kolonáda **2** BR krytý vchod, přístřešek před vchodem **3** předsíňka stanu **4** *P*~ stoa aténská kolonáda **5** *P*~ přen. stoicismus ◆ *back* ~ pavlač; *hooded* ~ zastřešená předsíňka stanu

porched [po:čt] jsoucí s verandou n. kolonádou

porchless [poč:lis] jsoucí bez verandy n. kolonády

porcine [po:sain] prasečí, připomínající prase

(*comparison between human and ~ pleasures*); vepřový

porcupine [po:kjupain] **1** BR dikobraz **2** přen. sršeň, nedůtklivec **3** ježek stroj n. přístroj v podobě ježka ◆ ~ *ant-eater* zool. mravenečník; ~ *crab* rak *Lithodes hystrix;* ~ *fish* zool. ježník; ~ *grass* bot. kavyl

porcupinish [po:kjupainiš], **porcupiny** [po:kjupaini] ježatý, pichlavý jako dikobraz

pore[1] [po:] **1** kožní pór **2** průlinka, průduch, dírka ◆ *I sweat from every ~ 1.* ze mne leje, jsem zpocený jako myš *2.* potím se strachy / vzrušením

pore[2] [po:] **1** dívat se upřeně n. soustředěně, zírat *on / over* do (*~ on her large eyes, ~ over the microscope*) **2** být zabrán, zahloubán *over* do (*~d over a book*); hloubat, uvažovat *upon* o (*began to ~ upon religious problems*) ***pore out*** moci si vykoukat oči ◆ *~ one's eyes out over a t.* málem nechat oči na čem unavit je

porge [po:dž] košerovat maso odstraněním tuku a šlach

porgee [po:dži:] = *porgy*

porger [po:džə] košerák řezník

porgy [po:dži] (*-ie-*) AM zool. růžicha ryba; ostnozubec

porifera [po:ˈrifərə] zool. houby, porifera

poriferous [po:ˈrifərəs] pórovitý, průlinčitý

porism [po:rizəm] mat. příklad mající více řešení

porismatic [ˌpo:risˈmætik], **poristic** [poˈristik] mat. mající více řešení

pork [po:k] **1** vepřové, vepřové maso **2** AM pramen výhodných příjmů jednotlivci, skupině apod., křeslo, místo, místečko politická odměna ◆ *roast ~* vepřová pečeně; *boiled ~* ovar

pork barrel [ˈpo:kˌbærəl] slang. odměny z veřejných prostředků za politickou podporu

pork butcher [ˈpo:kˌbučə] řezník specializovaný na výsek vepřového masa

porker [po:kə], **porket** [po:keit] **1** krmník **2** sele, selátko

porkling [po:kliŋ] podsvinče

porkpie [po:kpai] **1** vepřová sekaná v těstě **2** tlačenka ◆ *~ hat* tralaláček

porky[1] [po:ki] hovor. vypasený, vykrmený, sádelnatý tlustý

porky[2] [po:ki] (*-ie-*) AM hovor. dikobraz

porn [po:n], **porno** [po:nəu] *s* **1** pornografie **2** pornografický film **3** pornograf ● *adj* pornografický

pornobiography [ˌpo:nəbaiˈogrəfi] (*-ie-*) pornografický životopis

pornocracy [po:ˈnokrəsi] antic. pornokracie vláda milostnic

pornographer [po:ˈnogrəfə] pornograf autor pornografií

pornographic [ˌpo:nəˈgræfik] pornografický

pornography [po:ˈnogrəfi] (*-ie-*) **1** pornografie **2** sprostota (*~ of violence* sprostota násilí)

pornologist [po:ˈnolədžist] kdo se (odborně) zabývá pornografií

pornotopia [ˌpo:nəˈtəupiə] vybájené prostředí pro činnost popisovanou v pornografiích (*both kinds of writing tend to regard the world as a ~*)

porn shop [po:nšop] obchod s pornografiemi apod.

porny [po:ni] slang. pornografický

poromeric [ˌpo:rəˈmerik] *s* porézní umělá kůže ● *adj* **1** vyobený z porézní umělé kůže **2** porézní

poroplastic [ˌpo:rəˈplæstik] porézní a plastický

porosity [po:ˈrosəti] pórovitost, průlinčitost, propustnost, poréznost, poróznost

porous [po:rəs] pórovitý, průlinčitý, propustný, porézní, porozní

porousness [po:rəsnis] pórovitost, průlinčitost, poréznost, poróznost

porphyry [po:firi] geol. porfyr vyvřelina

porpoise [po:pəs] *s* sviňucha druh delfína ● *v* vyskakovat a potápět se jako delfín

porraceous [pəˈreišəs] zelený jako pór

porrect [pəˈrekt] *adj* natažený zejm. kupředu ● *v* **1** natáhnout zejm. kupředu **2** círk. práv. podat, předložit dokument

porridge [poridž] kaše zejm. ovesná ◆ *do one's ~* BR slang. bručet, sedět ve vězení; *keep your breath to cool your ~* šetři si dech na horkou polévku nech si své rady

porrigo [pəˈraigəu] med. svrab, prašivina

porriginous [pəˈridžinəs] svrabovitý, stižený prašivinou

porringer [porindžə] polévkový šálek, miska s jedním n. dvěma oušky

port[1] [po:t] **1** přístav **2** přen. útočiště **3** přístavní město **4** letiště ◆ *~ admiral* velitel přístavu; *any ~ in a storm* v nouzi všechno dobré; *~ authority* přístavní správa; *close ~* námořní přístav v ústí řeky; *free ~* svobodný přístav; *~ light 1.* přístavní maják *2.* v. *port*[4], *s;* *~ of call 1.* přístav, do kterého loď směřuje *2.* obvyklá zastávka; *~ of entry* celní přístav; *P ~ of London Authority* Správa londýnského přístavu; *~ of refuge 1.* nouzový přístav, *2.* přen. útočiště; *~ of registry* domovský přístav

port[2] [po:t] **1** BR zejm. SC brána v hradbách (*city ~* městská brána) **2** brána, branka; krytý otvor, okno, světlík v boku lodi **3** průchod; kanál, kanálek, ventil **4** střílna lodi, tanku **5** zahnuté udidlo

port[3] [po:t] *s* **1** vystupování, celkový postoj, držení těla, chování (*pride in their ~, defiance in their eye* pýcha v držení jejich těla, vzdor v jejich očích) **2** voj. postoj se zbraní přes prsa šikmo vlevo vzhůru **3** zast. poštovné, porto ● *v* voj. dát / držet zbraň přes prsa šikmo vlevo vzhůru (*~ arms!*)

port[4] [po:t] *s* levobok, levý bok, levá strana lodi; levá plocha, levé křídlo, levá strana letadla ● *adj* jsoucí na levém boku, levý, na levé straně (*on your ~ bow* na vašem levém boku na přídi) ◆ *~ light* navigační světlo na levoboku; *put the helm to ~ / a ~* vyložit kormidlo vlevo ● *v* vyložit vlevo, stočit doleva kormidlo; loď otočit se / obrátit vlevo

port[5] [po:t] **1** portské, portské víno **2** vínová červeň

portability [ˌpo:təˈbiləti] přenosnost; pojízdnost

portable [po:təbl] *adj* **1** přenosný; pojízdný **2** kufříkový, cestovní ◆ *~ steam engine* parní lokomobila ● *s* **1** přenosný psací stroj, portable **2** přenosný rozhlasový přijímač **3** přenosný telefonní přístroj apod.

portage [po:tidž] *s* **1** přenesení, doprava, přeprava, transport, transportace po souši mezi dvěma řekami **2** odb. převlaka **3** dopravné, odměna nosičům, poplatek za přepravu ◆ *~ bill 1.* mzdová listina námořníků, mzdové vyúčtování *2.* celní potvrzení o volném zavazadle; *mariner's ~ 1.* část lodního prostoru využívaná námořníkem místo mzdy *2.* volné zavazadlo ● *v* přenést, transportovat, přetáhnout přes převlaku člun, zboží

portal[1] [po:tl] portál, vchod, vjezd ◆ *~ crane* portálový jeřáb

portal[2] [po:tl] anat. vrátnicový

portamento [ˌpo:təˈmentəu] hud. portamento klouzavý přechod od tónu k tónu; způsob přednesu mezi legatem a staccatem

portatile [po:tətail] oltář přenosný, skládací

portative [po:tətiv] *adj* **1** schopný držet / nést, nosný **2** přenosný ● *s* hud. portativ malé přenosné varhany

portcrayon [po:tkreiən] držátko na tuhu n. uhel n. tužku

portcullis [po:tˈkalis] *s* padací mříž ◆ *~ money* mince s obrazem padací mříže anglické stříbrné mince ražené za Alžběty I.; *~ Pursuivant* jeden z heroltských úředníků (perseverantů) ● *v* zahradit / opatřit padací mříží

Porte [po:t] hist.: též *Sublime / Ottoman ~* Vysoká porta turecká sultánská vláda

porte-cochère [ˌpo:tkoˈšeə] vjezd, brána, průjezd domem

porte-crayon [po:tkreiən] držátko na tuhu n. uhel n. tužku

porte-feuille [po:tˈfə:] řidč. = *portfolio*

porte-monnaie [ˌpo:tmoˈnei] kožená peněženka, náprsní taška na peníze

portend [po:ˈtend] **1** hlásat, věstit, být varovnou předzvěstí / znamením čeho, hrozit čím (*this ~s war*), ukazovat na, prozrazovat hlubší příčinu (*the present concern with the values of liberal arts education ~s an intellectual anaemia* dnešní starost o hodnoty humanistického vzdělání jsou znamením intelektuální chudokrevnosti) **2** předpovědět (*where this process will stop no one can ~*)

portent [po:tent] **1** špatné / zlé znamení; postrach **2** náznak, znamení, předzvěst (*a hopeful ~ in the changing world*) **3** div, zázrak, podivuhodnost (*the old maps and their ~s and monsters of the deep*)

portentous [po:ˈtentəs] **1** zlověstný, hrozivý **2** úžasný, ohromující, ohromný; nabubřelý, pompézní (*the style is so ~ that one expects up to the last paragraph that something of moment is about to be revealed* styl je natolik nabubřelý, že do posledního odstavce člověk očekává odhalení něčeho důležitého)

portentousness [po:ˈtentəsnis] **1** zlověstnost, hrozivost, výhrůžnost, hrozba **2** úžasnost, ohromnost; nabubřelost, pompéznost

porter[1] [po:tə] BR vrátný, portýr, fortnýř, dveřník ◆ *~'s lodge* vrátnice, fortna

porter[2] [po:tə] **1** nosič zavazadel; veřejný posluha **2** AM služba, obsluha, stevard v lůžkovém n. salónním voze **3** AM uklizečka **4** porter silné tmavé pivo ◆ *~'s knot* náramenní poduška na nošení břemen; *swear like a ~* klít / být sprostý jako dlaždič; *~ train* karavana nosičů

porterage [po:təridž] **1** nošení, transport, doprava nosiči na zádech **2** odměna nosičům, poplatek za odnešení **3** doručovací poplatek, doručné

porterhouse [po:təhaus] *pl: porter houses* [ˈpo:təˌhauziz] AM zast. výčep, hospoda, jídelna, pivnice ◆ *~ steak* silný šťavnatý biftek ze svíčkové

portfire [po:tfaiə] zápalnice, zápalná šňůra, doutnák

portfolio [po:tˈfəuljəu] **1** mapa, sloha, ochranné desky na listiny **2** ministerský úřad, ministerské křeslo, portfej (*minister without ~* ministr bez portfeje bez určitého oboru působnosti) **3** kmen, stav investic; zásoba cenných papírů v majetku společnosti

porthole [po:thəul] **1** kruhový otvor, světlík v boku lodi, letadla **2** střílna

portico [po:tikəu] *pl* též *~es* [-z] archit. kryté sloupořadí, sloupová hala před vchodem, portikus před monumentálními budovami

portière [ˌpo:tiˈeə] závěs, portiéra

portion [po:šən] *s* **1** část, kus **2** podíl **3** věno **4** část železniční jízdenky, útržek, ústřižek **5** porce (*a generous ~ of roast duck* štědrá porce pečené kachny) **6** úděl, los (*the preacher told him hell would be his ~*) ◆ *marriage ~* věno; *through ~* přímé vozy, část vlaku s přímými vozy (*the through ~ to Liverpool*) ● *v* **1** též *~ out* roz|dělit, roz|členit, roz|porcovat **2** podělit *a t.* čím *to* koho, dát podíl čeho komu; vyvěnit, vybavit nevěstu

portionless [po:šənlis] bez věna; bez dědického podílu

Portland [po:tlənd] též *~ prison* portlandská věznice ◆ *~ cement* portlandský cement; *~ stone* portlandský vápenec

portlight [po:tlait] **1** kruhové lodní okno v boku lodi **2** sklo kruhového lodního okna v lodním boku **3** neotvíratelný světlík, slepé okno

portliness [po:tlinis] **1** vznešenost, impozantnost, důstojnost **2** tělnatost, korpulentnost; tloušťka

portly [po:tli] (*-ie-*) **1** impozantní, důstojný **2** statný, tělnatý, mohutný, korpulentní; tlustý, objemný (*their history has been padded out in ~ volumes* jejich historii nafoukli do objemných svazků)

portmanteau [po:tˈmæntəu] *pl* též *portmanteaux* [po:tˈmæntəuz] **1** BR kožený cestovní vak **2** též *~ word* splynulina, kufříkové slovo sražené ze dvou slov a spojující význam obou, např. *brunch* (*breakfast-lunch*)

portolano [ˌpo:təˈla:nəu] hist. portulán stará plavební příručka

Porto Rico [ˌpo:təuˈri:kəu] Portoriko ostrov v Antilách

portrait [po:trit] **1** podobizna, portrét malba, fotografie; bysta, poprsí (*has modelled some notable ~s of women*); podoba (*he seemed a veritable ~ of his father*) **2** literární portrét, vypodobnění, zpodobnění ◆ *draw a ~ of* popsat, vylíčit co; *~ size* polygr. formát na výšku; *take a p.'s ~* portrétovat koho

portraitist [po:tritist] portrétista malíř, fotograf, sochař

portraiture [po:tričə] **1** portrétování; portrét **2** popsání, vylíčení, vypodobnění (*faith fullness in ~ depends upon the individual writer's art* věrnost popisu záleží na umění každého jednotlivého spisovatele) **3** ztělesnění dramatické postavy

portray [po:ˈtrei] **1** namalovat, nakreslit, výtvarně zachytit (*~s with sure but sparing brush strokes an unforgettable face* jistými, leč střídmými tahy štětce zachycuje nezapomenutelnou tvář) **2** popsat, vylíčit, vypodobnit, vykreslit (*a novelist who ~s life the way most of us see it*) **3** hrát, představovat, ztělesnit dramatickou postavu

portrayal [po:ˈtreiəl] **1** na|malování, na|kreslení, výtvarné zachycení podoby; portrét, obraz **2** popis, vylíčení, vykreslení, vypodobnění

portreeve [po:tri:v] **1** hist. purkmistr, starosta **3** vyšší městský úředník podřízený starostovi

portress [po:tris] vrátná; fortnýřka

Port Salut [ˌpo:səˈlju:] druh jemného sýra

Portugal [po:tjugəl] *s* Portugalsko ● *adj* portugalský ◆ *~ laurel* bot. varieta střemchy bobkové

Portuguese [ˌpo:tjuˈgi:z] *adj* portugalský ◆ *~ man-of-war* zool. měchýřovka fialová *s* **1** portugalština **2** *pl: Portuguese* Portugalec

portulaca [ˌpo:tjuˈlækə] bot. šrucha

port wine [po:twain] portské, portské víno

posaune [pəˈzo:n] **1** zast. pozoun, trombón **2** pozounový rejstřík varhan

pose[1] [pəuz] *v* **1** postavit, posadit do určitého postoje (*the artist ~d his model carefully*), na určité místo (*he ~d his spectacles*); rozestavit, na|aranžovat (*all the subjects are well ~d*); zaujmout postoj; stát / sedět modelem, pózovat (*are you willing to ~ for me?*) **2** položit, předložit, klást, vznést, nadhodit (*~ a question*); být čím, představovat, tvořit (*~d the greatest threat of dismemberment* tvořilo největší hrozbu rozdělení na jednotlivé části) **3** vydávat se *as* za, tvářit se / chovat se *as* jako (*~ as an expert on old coins*); vydávat za (*~ a play as Shakespeare's*); chovat se afektovaně, hrát divadlo (*she is always posing*); něco předstírat (*good poetry does not ~*) **4** položit první kámen domina ◆ *be ~d with* být postaven tváří v tvář čemu ● *s* **1** postoj, pozice, póza (*a set of about three short ~s culminating in a grand tableau* série asi tří krátkých póz vrcholících ve velkém živém obraze) **2** póza, strojenost, předstíraný postoj (*his philantropy is a mere ~*) **3** první položení kamene, právo klást první kámen domina

pose[2] [pəuz] přivést do úzkých / do rozpaků otázkou, problémem (*that particular question has ~d everybody*)

poser[1] [pəuzə] těžký problém, tvrdý oříšek, hlavolam

poser[2] [pəuzə] **1** zast. examinátor **2** pozér, pózista

poseur [pəuˈzə:] pozér, pózista, komediant

poseuse [pəuˈzə:z] pozérka, pózistka, komediant|ka

posh [poš] BR slang. *adj* extra, fajn, nóbl, hogofogo ● *v* též *~ up* vyštafírovat, vyfešákovat, ohodit

posigrade [pəusigreid] kosm. **1** raketa pohánějící ve směru letu **2** týkající se malé rakety pohánějící ve směru letu

posish [pəˈziš] hovor. = *position, s*

posit [pozit] předpokládat, postulovat (*every code of law ~s a lawgiver*) ◆ *be ~ed* tkvít, vězet, spočívat

position [pəˈzišən] *s* **1** zeměpisná poloha (*fix a ship's ~*); poloha, pozice (*sit in a comfortable ~*); základní taneční postavení, pozice (*the five ~s of the feet*); taneční póza (*she stays right in ~*) **2** výhodné místo, stanoviště, umístění (*secure a ~ where one will get a good view* zajistit si výhodné stanoviště, odkud bude dobrý rozhled); výhodná pozice, dobré umístění, výhoda místa (*they were manoeuvring for a ~*); vojenská, strategická pozice, místo obsazené kým (*the enemy's ~s*); dělostřelecká pozice **3** pracoviště, přepážka (*"P~ Closed"*) **4** místo, postavení (*a high ~ in society, a good ~ in the Civil Service* dobré místo ve státní službě); dobré místo, zaměstnání nikoliv manuální (*get a ~ as a governess* dostat zaměstnání jako vychovatelka); práce, pracovní zařazení, popis práce (*the ~ involves both book-keeping and typing* v popisu práce je jak účetnictví, tak psaní na stroji); vysoké postavení (*politicians of experience and ~*) **5** situace (*placed in an awkward ~* postavený do ošidné situace) **6** hud. poloha; harmonie (*open or close ~*) **7** poloha samohlásky ve slabice **8** stanovisko, postoj *on* k, názor na (*what's your ~ on this problem?*); teze, tvrzení (*the proper response to the ~ that atomic secrets merit unique protection is not a denial but a series of questions* správná odpověď na tvrzení, že atomová tajemství si zasluhují unikátní ochranu, není říci „nikoliv", ale klást otázky)

◆ *be in a ~ to do a t.* býti s to / moci udělat co; *geographical ~* zeměpisná poloha; *hold a ~* zastávat místo; *in ~* na správném / určeném místě, ve správné poloze; *~ light* polohové světlo letadla; *out of ~* na nesprávném místě, nikoliv na určeném místě, v nesprávné poloze; *~ paper* polit. prohlášení k důležité události atd.; *people of ~* dobře situovaní lidé; *put yourself in my ~* vžijte se do mé situace; *storm a ~* vzít vojenskou pozici ztečí; *take a ~* zastávat názor; *take one's ~* zaujmout určené místo ● v **1** umístit | se; uvést do správné / určené polohy, usadit **2** najít místo pro, zjistit / určit polohu čeho **3** umístit do vojenských pozic

positional [pəˈzišənl] polohový, poziční; situační

positioner [pəˈzišənə] tech. polohovadlo

positive [pozətiv] *adj* **1** jasný, pevný, přesný, definitivní, nedvojsmyslný (*give a man ~ orders*); spolehlivý, přesný (*~ knowledge*); praktický, konstruktivní (*a ~ suggestion*) **2** absolutní, dokonalý, jasný, přesvědčivý, naprostý, nezvratný, prokázaný, zjištěný (*a ~ proof*); zjistitelný, konkrétní (*a slight ~ change in temperature over the centuries*) **3** hovor. hotový, úplný, vyložený (*it's a ~ crime to drive when you're intoxicated* řídit auto v podnapilém stavu je vyložený zločin) **4** kladný, pozitivní, souhlasný (*a strongly ~ response from the audience* velice kladná odezva obecenstva) **5** skutečný, reální, daný, empirický (*a ~ phenomenon*); direktivní (*~ laws*); sebejistý, autoritativní, tvrdohlavý (*a very ~ man*) **6** průkazný, potvrzující domněnku (*a ~ case history* průkazný osobní materiál), pozitivní (*a ~ test for blood* pozitivní zkouška na krev) **7** mat., fyz. kladný, pozitivní **8** jaz. pozitivní týkající se prvního / základního stupně při stupňování přídavných jmen a příslovcí **9** fotograficky pozitivní (*a ~ film, a ~ image* pozitivní obraz) **10** jsoucí s nuceným pohybem; pohyb nucený ◆ *be ~ that / about a t.* vědět / tvrdit určitě že, být naprosto pevně přesvědčen že, být si naprosto jist že / čím; *~ degree* jaz. pozitiv; *~ feelings* přátelský poměr; *~ lens* spojná čočka, spojka; *~ offer* pevná / definitivní nabídka; *~ organ* hud. pozitiv; *~ sign* kladné znaménko, plus (+) ● *s* **1** pozitiv pozitivní fotografický obraz; první stupeň při stupňování; malé, pevně umístěné varhany **2** kladná n. pozitivní hodnota

positively [pozətivli] **1** kladně, pozitivně **2** jasně, jistě, určitě, rozhodně, úplně (*~ the best cake I ever ate, ~ true*) **3** v. *positive, adj*

positiveness [pozətivnis] **1** naprostá jistota (*the function of these fibres is not yet determined with ~* funkce těchto vláken ještě není určena s naprostou jistotou), dogmatické tvrzení (*~ without proof is intolerable* pouhé tvrzení bez důkazu se nedá tolerovat) **2** tvrdohlavost, sebejistota **3** = *positivity*

positivism [pozitivizəm] pozitivismus filozofický směr omezující poznání na popis a třídění faktů a jevů daných zkušeností

positivist [pozitivist] pozitivista stoupenec pozitivismu

positivistic [ˌpozitiˈvistik] pozitivist

positivity [ˌpozəˈtivəti] kladnost, pozitivnost, určitost; spolehlivost

positron [pozitron] fyz. pozitron elementární částice

posological [ˌposəˈlodžikəl] med. dozovací, dávkovací, týkající se nauky o dozování léků

posology [pəˈsolədži] med. nauka o dozování léků

posse [posi] **1** policejní oddíl, dobrovolný policejní oddíl **2** přen. síla lidí, dav ◆ *~ comitatus 1.* všichni zdraví muži nad 15 let, které může šerif povolat k policejní službě pro udržení veřejného pořádku *2.* oddíl takových mužů

possess [pəˈzes] **1** mít v majetku, vlastnit (*lose all that one ~es*) **2** mít vlastnost (*he ~es great patience*), znát, ovládat (*~ing several languages beside his native tongue*) **3** ovládat, pevně u|držet (*~ one's soul in peace* udržet svou duši v klidu a míru, *~ing himself firmly in the face of provocation* ovládající se pevně tváří v tvář provokaci); mocně ovlivnit **4** posednout, chytnout (*what ~ed you to do that?*) **5** naplnit *a p.* koho *with* čím (*this ~ed him with indignation* toto jej naplnilo rozhořčením) **6** přen. uvědomit *a p.* koho *of* o ◆ *be ~ed* být posedlý (jako) ďáblem (*she is surely ~ed, he is ~ed with the idea that someone is persecuting him*); *be ~ed of a t.* mít (*he is ~ed of great natural ability* má velkou přirozenou schopnost); *be ~ed with a t.* být plný čeho: *become ~ed of a t.* stát se majitelem čeho; *like all ~ed* AM náruživě, energicky, šíleně, jako posedlý; *~ oneself of a t.* stát se majitelem čeho, zmocnit se čeho

possession [pəˈzešən] **1** práv. držení, držba **2** co kdo má n. nemá k dispozici (*the information in my ~ is strictly confidential* moje informace jsou přísně důvěrné); majetek, vlastnictví (*I have several old manuscripts in my ~, his own ~ for which he owes nothing to any man*) **3** též *~s, pl* majetek, vlastnictví, bohatství (*lose all one's ~s*); državy, kolonie (*Great Britain has granted self-rule to most of her ~s overseas* Velká Británie povolila většině svých zámořských držav samosprávu) **4** posedlost (*there were tales of bewitchings and ~s* vykládalo se cosi o uhranutí a posedlosti) **5** sebeovládání, chladnokrevnost, vyrovnanost (*his ~ in the emergency was absolute* v krizové situaci se absolutně ovládal) ◆ *absolute ~* neomezená držba; *adverse ~* bezprávná držba; *be in ~ of* mít co, vlastnit co, být majitelem čeho (*I am in ~ of a fine specimen*), ovládat co (*is the woman in full ~ of her senses?* je ta žena úplně duševně zdravá?); *be in the ~ of* být v majetku koho, patřit komu, náležet komu (*the specimen is in the ~ of the present writer* ukázka je v majetku autora článku); *I rejoice in the ~ of* jsem rád, že mám co; *take ~ of* zmocnit se čeho, uchvátit co, vzít si co; *wrongful ~* neoprávněná / bezprávná držba

possessive [pəˈzesiv] *adj* **1** vlastnický, majetkový **2** chtivý, dychtivý, lačný (*she has a ~ nature*); panovačný, sobecký, činící si velké nároky (*a ~ mother* matka-diktátor) **3** jaz. přivlastňovací, posesívní ● *s* jaz. přivlastňovací zájmeno, přivlastňovací pád, posesívum

possessiveness [pəˈzesivnis] dychtivost, chtivost, lačnost; panovačnost, sobeckost, náročnost

possessor [pəˈzesə] práv. držitel, majitel, posesor

possessory [pəˈzesəri] **1** týkající se držby, posesorní (*a ~ action at law*) **2** chtivý, dychtivý, lačný (*a ~ spirit*)

posset[1] [posit] míchaný, kořením ochucený nápoj z teplého mléka a vína n. piva

posset[2] [posit] nechat / dát srazit mléko

possibilist [pəˈsibilist] polit. hist. posibilista stoupenec hnutí usilující jen o příležitostné sociální reformy (ve Francii n. Španělsku)

possibility [ˌposəˈbiləti] (*-ie-*) **1** možnost, posibilita předpoklad i eventualita *of* čeho (*the ~ of miracles* možnost zázraků, *one ~ remains of doing* udělat) **2** zast. finanční nárok **3** *possibilities, pl* možnosti, schopnosti, předpoklady (*a man of undetermined possibilities* muž blíže neurčených schopností) ◆ *cannot by any ~ be in time* nemůže být za žádných okolností včas; *there is no ~ of his coming* je vyloučeno, aby přišel)

possible [posəbl] *adj* **1** možný (*frost is ~, though not probable, even at the end of May*) **2** možný, vhodný, přijatelný (*he is the only ~ man for the position*), eventuální (*a ~ answer to a problem*), případný, potenciální (*every native-born American is a ~ president*), ucházející (*scraped together a just ~ meal* splašila dohromady jakés takés jídlo), snesitelný (*only one man ~ among them*); pravděpodobný (*it is barely ~ that it will rain* existuje velice malá možnost, že bude pršet) **3** po superlativu co nej... (*as large* etc. *as ~* co největší atd.) ◆ *it is ~ to do a t.* lze / dá se / je možné udělat co; *~ of proof* dokazatelný; *shortest ~ way* vůbec nejkratší cesta ● *s* **1** nejvyšší dosažitelný počet bodů zejm. při střelbě z pušky **2** kdo přichází v úvahu, eventuální reprezentant sportovec

possibly [posəbli] **1** třeba, možná, snad, eventuálně (*~ he will recover*); náhodou (*can you ~ lend me £ 5*) **2** při *can* jen, vůbec (*I will come as soon as I ~ can* přijdu hned, jak budu nejdřív moci, *how could you ~ think so?* jak sis to vůbec mohl pomyslet?) **3** při *cannot* rozhodně, absolutně, nijak, za žádnou cenu (*I cannot ~ do it*)

possum [posəm] *s* **1** hovor. vačice **2** *~* BR přezdívka zařízení umožňujícího ochrnulému člověku telefonovat, psát na psacím stroji apod. ◆ *play ~* předstírat bezvědomí, dělat mrtvého, předstírat nezájem ● *v* **1** předstírat (*~ing surprise*) **2** = *play possum*

post[1] [pəust] *s* **1** tyč, sloup, sloupek, kůl, stojka, podpěra **2** start n. cíl závodu **3** námoř. kormovec, zadní vaznice **4** horn.: uhelný pilíř; silná vrstva pískovce apod. **5** geol. stojka ◆ *be beaten on the ~* být poražen těsně před cílem; *~ binder* vazač, pořadač; *~ stone* jemnozrný pískovec ● *v* **1** též *~ up* vyvěsit, nalepit (*~ notice on the bulletin board*) **2** oznámit, inzerovat (jako) vývěskou (*the students' grades are ~ed*); BR dát do veřejně vyvěšeného seznamu jméno neúspěšného studenta; oznámit vývěskou jméno (*nurses ~ed for night duty*); zveřejnit jméno nezvěstné lodi **3** AM opatřit výstražnou tabulkou (*wandering about ~ed property* chodil si po pozemku, kam byl vstup zakázán) **4** veřejně označit, veřejně zostudit (*~ed the theatre as unfair*) **5** polepit plakáty n. vývěskami zeď; plakátovat ◆ *~ no bills!* lepení plakátů zakázáno!

post[2] [pəust] *s* **1** hist. pošta; poštovní kurýr, postilión; poštovní dostavník **2** BR pošta zařízení (*exchange of books by ~*); zásilky (*delivered his ~ to a house and moved on* doručil poštu do domu a šel dál); odvoz zásilek (*I missed the morning ~*); poštovní úřad (*take it to the ~*); poštovní schránka (*scarcely had last week's letter been dropped into the ~* sotva byl dopis z minulého týdne vhozen do schránky); zast. poštovné **3** Kurýr, Pošta název periodik (*Evening ~*) **4** formát psacího papíru (cca 39 krát 48 cm) ◆ *collect the ~* vybírat poštu; *general ~* „škatule, škatule, hejbejte se“ dětská hra; *by return of ~* obratem pošty ● *adv* velice rychle, spěšně (*ride ~*) ● *v* **1** BR zast. cestovat poštovním dostavníkem (*~ from London to Bristol*); rychle cestovat, pospíchat při cestování, uhánět (*off he ~ed to Louisville*) **2** BR poslat / odeslat poštou, dát / odnést na poštu, hodit do schránky (*stroll down the street to ~ a letter* dojít ulicí pomalu k poště a poslat dopis) **3** zanést, zapsat, za|knihovat účetní položku; též *~ up* doplnit záznamy v účetní knize (*~ up the general ledger* doplnit záznamy do hlavní knihy), přenést do hlavní knihy položku, uzavřít (*~ up the books for the month*) **4** informovat, zásobovat zprávami (*he is better ~ed than his audience*) ◆ *keep a p. ~ed* průběžně informovat koho, dávat čerstvé zprávy komu, zásobovat novinkami koho

post[3] [pəust] *s* **1** stanoviště stráže, místo, post (slang.) (*the sentinels are all at their ~s* všechny stráže jsou na svých místech); stanoviště vojáků zejm. v pohraniční pevnosti; předsunutá hlídka, posádka v pohraniční pevnosti; tábor, pevnost **2** přikázané místo, pozice (*~ of danger*) **3** obchodní stanice zejm. v necivilizované zemi (*trading ~s in nothern Canada a hundred years ago*); stanice, stanoviště (*first-aid ~*) **4** místo, zaměstnání (*be given a ~ as* *general manager*) **5** voj. troubení, signál na trubku, večerka, čepobití (*the last* ~) **6** námoř.: velitelské místo na válečné lodi o 20 a více dělech; ◆ ~ *adjustment* příspěvek na zapracování; ~ *captain* námoř. hist. velitel válečné lodi (o 20 i více dělech); *take* ~ zaujmout postavení (*we took* ~ *close to the fence* zaujali jsme postavení přímo u plotu) ● *v* **1** postavit, zavést na stanoviště stráže (~ *sentinels at the gates of the camp* postavit stráže k branám tábora) **2** strategicky umístit, postavit figurku v šachu (*the bishop and the queen are badly* ~*ed*) **3** BR poslat, přidělit, ustanovit, odvelet, přeložit, přeřadit (*I hope you will be* ~*ed to my battalion*) **4** AM nést státní vlajku na určené místo při vojenském obřadu (~*ing the colours*) **5** AM složit peníze (~*ed bail for the suspect* složil za podezřelého kauci) ◆ *be* ~*ed* námoř. hist. být povýšen z velitele na kapitána lodi o 20 i více dělech

postage [pəustidž] poštovné, porto ◆ ~ *due* doplatné; ~ *rate* poštovní sazba; ~ *stamp* poštovní známka

postage-due [pəustidždju:] : ~ *stamp* doplatní známka

postal [pəustəl] *adj* **1** poštovní (~ *service*) **2** korespondenční (~ *chess*) ◆ ~ *card* AM korespondenční lístek, dopisnice; ~ *code* = *postcode;* ~ *union* světová poštovní unie; ~ *vote* hlas zaslaný poštou při volbách; ~ *wrapper* křížová páska ● *s* **1** poštovní bon **2** AM korespondenční lístek, dopisnice

postal order [ˌpəustəlˈo:də] BR poštovní poukázka kterou lze zakoupit na poště v určitých hodnotách

postbag [pəustbæg] BR poštovní pytel

postboat [pəustbəut] BR poštovní loď

postbox [pəustboks] **1** poštovní přihrádka na poště **2** AM poštovní schránka na ulici

postboy [pəustboi] **1** poslíček, listonoš **2** kočí poštovního dostavníku, postilion (*the* ~*s cracked their whips* postilioni práskli bičem)

postcard [pəustka:d] dopisnice, lístek, korespondenční lístek; pohlednice, pohled ◆ *picture* ~ pohlednice

post chaise [pəustšeiz] hist. poštovní vůz, dostavník, diligence

post-Christian [ˌpəustˈkristjən] pokřesťanský

postcibal [ˌpəustˈsaibl] med. vyskytující se po jídle

postclassical [ˌpəustˈklæsikəl] poklasický

postcode [ˌpəustˈkəud] BR poštovní směrovací číslo

postcommunion [ˌpəustkəˈmju:njən] postcommunio část bohoslužby po přijímání věřících; modlitba po přijímání

postconciliar [ˌpəustkənˈsiliə] círk. pokoncilový

postcostal [ˌpəustˈkostəl] umístěný za žebrem

postdate [ˌpəustˈdeit] **1** postdatovat opatřit pozdějším datem, než je skutečný den vystavení **2** posunout dopředu datum čeho (*she* ~*ed her birth*) **3** být z pozdější doby než (*the words* ~ *the rest of the inscription*)

postdiluvian [ˌpəustdaiˈlu:vjən] *adj* žijící po potopě (~ *man*) ● *s* člověk žijící po potopě

postdoctoral [ˌpəustˈdoktərəl] postgraduální, po dosažení doktorského titulu (~ *training programme*)

posteen [posˈti:n] afgánský ovčí kožich

postentry [ˌpəustˈentri] (*-ie-*) dodatečný zápis položky; dodatečná přihláška

poster[1] [pəustə] **1** lepič plakátů **2** plakát, vývěska; nálepka na dopis ◆ ~ *stamp* reklamní nálepka; ~ *type* polygr. plakátové písmo; *window* ~ malý transparent, plakátek do výkladu k přilepení na sklo

poster[2] [pəustə] **1** odesílatel poštovní zásilky **2** poštovní kůň, rychlý cestovní kůň (*the yellow chaise and four* ~*s* žlutý dvoukolák a čtyři poštovní koně)

poste restante [ˌpəustˈrestã:*nt*] poste restante takový způsob posílání zásilky, že si ji příjemce sám vyzvedne na poštovním úřadě

posterior [poˈstiəriə] *adj* **1** pozdější *to* než, následující po **2** zadní, zadnější *to* než ● *s* též ~*s, pl* zadek, zadnice (*smacked him on his* ~*s and sent him out to play* plácla ho po zadečku a poslala ho ven si hrát)

posteriority [poˌstiəriˈorəti] **1** následnost **2** pozdější výskyt

posteriorly [poˈstiəriəli] při pohledu zezadu

posterish [pəustəriš] hanl. připomínající plakát, hodící se na plakát, kýčovitě realistický

posterity [poˈsterəti] potomci; potomstvo, příští generace (*plant trees for the benefit of* ~)

postern [pəustə:n] *s* **1** zadní / boční / postranní / tajný vchod; postranní branka **2** tajný východ z pevnosti ● *adj* zadní, postranní, tajný (~ *gate*)

post exchange [ˌpəustiksˈčeindž] AM voj. obchod ve vojenském táboře

postexilian [ˌpəustegˈziliən], **postexilic** [ˌpəustegˈzilik] poexilní, pocházející z doby po babylónském zajetí Židů (~ *Hebrew*)

postface [pəustfeis] doslov

postfigurative [ˌpəustˈfigjurətiv] týkající se společnosti, kde mají převahu hodnoty dospělých n. starší generace

postfix *v* [ˌpəustˈfiks] připojit jako příponu ● *s* [pəustfiks] přípona

post-free [ˌpəustˈfri:] BR dopravovaný poštou zdarma, bez porta; vyplaceně

postglacial [ˌpəu*s*tˈgleisjəl] poledový, postglaciální

postgraduate [ˌpəu*s*tˈgrædjuit] *adj* pro absolventy vysokých škol, postgraduální ● *s* student pokračující po dosažení titulu ve studiu

posthaste [ˌpəustˈheist] *adv* velmi rychle, co nejrychleji (*sent* ~ *for his lawyer*) ● *s* velký spěch, kalup (*in* ~)

post hoc ergo propter hoc [ˌpəusthokˌə:gəuˈproptəhok] po tom, proto následkem toho záměna časové následnosti s logickým důsledkem

post horn [pəustho:n] jednoduchá poštovní trubka

post horse [pəustho:s] poštovní kůň, nájemní kůň
posthumous [postjuməs] **1** narozený po smrti otce **2** posmrtný (~ *fame, a ~ novel*) ♦ ~ *son* pohrobek
posthumously [postjuməsli] po smrti autora, posmrtně
postiche [poˈsti:š] *s* **1** přílepek, nevhodný n. nesourodý dodatek / doplněk zejm. sochařského n. architektonického díla **2** imitace, náhražka, napodobenina *for* čeho **3** příčesek, paruka ● *adj* **1** dodatečně přidaný, přilepený **2** náhražkový, umělý, napodobený, imitace čeho
posticous [poˈsti:kəs] bot.: jsoucí na vnější straně, ven obrácený; zadní
postil [postil] **1** poznámky na okraj textu, glosa, marginálie; komentář zejm. k biblickému textu **2** krátké kázání, homilie; postila, sbírka kázání
postil(l)ion [pəsˈtiljən] **1** hist. listonoš, rychlý posel; postilión **2** jezdec na podsedním koni u kočáru n. dostavníku **3** cylindříček dámský klobouk
post-Impressionism [ˌpəustimˈprešnizəm] poimpresionismus umělecký směr vycházející z impresionismu
post-Impressionist [ˌpəustimˈprešnist] *s* poimpresionista zastánce poimpresionismu ● *adj* poimpresionistický
postliminy [ˌpəustˈlimini] **1** antic. práv. znovuzískání občanských práv po návratu z vyhnanství n. zajetí **2** práv. obnovení dřívějšího právního stavu v zemi
postlude [pəustlju:d] **1** hud. dohra, postludium zejm. na varhany **2** dohra, epilog
postman [pəus*t*mən] *pl: -men* [-mən] listonoš, poštovní doručovatel, pošťák (hovor.) ♦ ~*'s knock* společenská hra na zástavy
postmark [pəus*t*ma:k] *s* poštovní razítko ● *v* o|razítkovat poštovním razítkem (~ *a letter*)
postmaster[1] [ˈpəus*t*ˌma:stə] přednosta poštovního úřadu, poštmistr ♦ *P*~ *General* ministr pošt
postmaster[2] [ˈpəus*t*ˌma:stə] *s* BR stipendista oxfordské Merton College
postmastership[1] [ˈpəus*t*ˌma:stəšip] *s* úřad / hodnost přednosty poštovního úřadu, poštmistrovství
postmastership[2] [ˈpəus*t*ˌma:stəšip] BR stipendium v oxfordské Merton College
postmeridian [ˌpəus*t*məˈridiən] odpolední (*the ~ hours of the day*)
post meridiem [ˌpəus*t*məˈridiəm] odpoledne
postmillennial [ˌpəus*t*miˈlenjəl] náb. po prvním miléniu; týkající se nauky o druhém příchodu Kristově po skončení prvního milénia, chiliastický
postmillennialism [ˌpəus*t*miˈlenjəlizəm] náb. nauka o druhém Kristově příchodu po skončení prvního milénia, chiliasmus
postmillennialist [ˌpəus*t*miˈlenjəlist] náb. chiliasta
postmistress [ˈpəus*t*ˌmistris] přednostka poštovního úřadu, poštmistrová
postmortem [ˈpəustˌmo:tem] *adj* **1** posmrtný, postmortální (~ *changes*); pitevní (*a ~ table*) **2** hovor. dodatečný, po skončení hry, provedený post festum (~ *analysis of a bridge hand*) ♦ ~ *examination* ohledání mrtvoly, pitva, sekce, obdukce ● *s* **1** = *postmortem examination* **2** hovor. dodatečný rozbor *on* čeho (*a ~ on the election, held a ~ on their bidding tactics* udělali si dodatečný rozbor své taktiky při licitování)
postnatal [ˌpəustˈneitl] postnatální následující po narození ♦ ~ *care* péče o kojence
postneonatal [ˌpəustni:əuˈneitəl] novorozenecký ♦ ~ *mortality* kojenecká úmrtnost
postnuptial [ˌpəustˈnapšəl] **1** posvatební **2** svatební (~ *journey*)
post-obit [ˌpəustˈəubit] *adj* vcházející v platnost po smrti, konající se po smrti (~ *liquidation*) ♦ ~ *bond* = ● *s* dluhopis splatný po smrti třetí osoby, po níž má kdo dědit
post office [ˈpəustˌofis] **1** pošta; poštovní úřad **2** *P~ O~* BR ministerstvo pošt **3** společenská hra na zástavy ♦ ~ *box* poštovní přihrádka; *general ~ 1.* hlavní pošta; *2.* společenská hra; ~ *order* poštovní poukázka, poštovní bon na místě poštovní poukázky; ~ *savings bank* poštovní spořitelna
postoperative [ˌpəustˈopərətiv] pooperační, postoperační, postoperativní
postoral [ˌpəustˈo:rəl] umístěný za dutinou ústní
postpainterly [ˌpəustˈpeintəli] výtv. týkající se abstraktního malířství, libujícího si v geometrických tvarech
post-Pliocene [ˌpəustˈplaiəsi:n] geol. popliocenní
post paid [pəustpeid] vyplaceně, poštovné hradí příjemce
postpone [ˌpəus*t*ˈpəun] **1** odložit, odsunout, odročit na pozdější dobu (~ *further discussion of the matter*) **2** dát na konec (*postponing the verb in German*); dát *a t.* před čím přednost *to* čemu (~ *your business to literary trifling* dejte přednost své záležitosti před koketováním s literaturou) **3** choroba objevit se později než obvykle
postponement [ˌpəus*t*ˈpəunmənt] **1** odklad, odročení (*ordered a 30-day ~*); odložení, odsunutí na pozdější dobu (*the temporary ~ of inflation*) **2** dání přednosti **3** pozdější výskyt choroby než obvykle
postposition [ˌpəustpəˈzišən] jaz. příklonka, enklitikon
postpositional [ˌpəustpəˈzišənl] = *postpositive*
postpositive [ˌpəustˈpozətiv] příklonný, enklitický
post-postscript [ˌpəustˈpəusskript] druhá douška, druhé postskriptum v dopise
postprandial [ˌpəustˈprændiəl] žert. poobědový konaný po obědě (~ *potations* poobědové popíjení)
postrevolutionary [ˌpəustˌrevəˈlu:šnəri] porevoluční

postschool [ˌpəustˈsku:l] jsoucí po skončení školní docházky, pokračovací, mimoškolní
postscript [pəusskript] douška, doložka, postskriptum v dopise; dodatek, dovětek, poznámka na konci (*added a ~ to the manuscript*); komentář po zprávách v rozhlase
postsynchronization [ˌpəustˌsiŋkrənaiˈzeišən] film. postsynchrom
postterminal [ˌpəustˈtə:minl] místo určení zásilky
post-Tertiary [ˌpəustˈtə:šəri] geol. potřetihorní
post town [pəusttaun] město, ve kterém je (hlavní) pošta
postulant [postjulənt] žadatel, uchazeč, postulant zejm. o vstup do řehole
postulate *s* [postjulit] **1** nutný předpoklad, postulát; požadavek **2** mat., filoz. postulát ● *v* [postjuleit] **1** círk. požádat nadřízeného o souhlas se jmenováním n. volbou; jmenovat s výhradou schválení **2** žádat, požadovat, vyžadovat; postulovat, stanovit jako postulát; nutně předpokládat *that* / *to do a t.* aby (*~ that energy is expended within the plant* nutně předpokládat, aby se energie využilo v závodě) **3** vyhradit si, vymínit si *for* co
postulation [ˌpostjuˈleišən] **1** žádání, požadování, postulování **2** žádost, požadavek; předpoklad, postulát (*admit as a ~* připustit jako předpoklad)
postulator [postjuleitə] **1** žadatel **2** círk. postulátor navrhovatel v beatifikačním n. kanonizačním procesu
postural [posčərəl] poziční, postojový (*~ tension* poziční napětí); týkající se (správného) držení těla (*~ exercises*)
posture [posčə] *s* **1** nesení / držení těla (*good ~ helps you to keep well*); pozice, póza (*draws her in three ~s*); figura (*he had a very terrible ~*); postoj (*a ~ of moral superiority*) **2** situace, stav (*survey the ~ of affairs* udělat přehled stavu záležitostí) ● *v* **1** postavit | se, naaranžovat | se do určité pozice n. určitého postoje (*~ a model, the vain girl was posturing before a tall mirror* marnivá dívka se stavěla před vysokých zrcadlem do různých póz); zaujmout určitý postoj **2** stavět se, vystupovat *as* jako (*posturing as the friend of the oppressed* vystupoval jako přítel utlačovaných), přetvařovat se (*you've ~d till everyone's sick of you*)
posture maker [ˈposčəˌmeikə] akrobat, hadí muž; gymnasta
posture master [ˈposčəˌma:stə] **1** cvičitel, vedoucí gymnastických cvičení **2** = *posture maker*
posturer [posčərə] **1** akrobat, hadí muž (*circus freaks and ~s* cirkusové zrůdy a hadí muži) **2** pozér, pózista (*an incorrigible ~*)
postwar [ˌpəustˈwo:] poválečný (*the ~ revival of the theatre* poválečná obroda divadla)
postwoman [ˌpəustˈwumən] *pl: -women* [-wimin] listonoška, poštovní doručovatelka, pošťačka (hovor.)
posy [pəuzi] (*-ie-*) **1** zast. veršík do prstýnku **2** kytice, kytka, kytička, vonička (*a tight ~ of wild flowers* ... polních květin), též přen. (*a ~ of funny stories* ... anekdot)
pot [pot] *s* **1** hrnec, hrnek; ucháč, krajáč; *~s, pl* hovor. kuchyňské nádobí **2** čajová / kávová konvice; konvice na víno; džbán, korbel, korbílek **3** kotlík; kelímek **4** kropicí konev **5** zavařovací sklenice, plechovka **6** kalamář **7** květník, květináč, kořenáč **8** nočník **9** tavicí kotlík, kadlub **10** sport. slang. hrnec pohár (*all the ~s he won when he was young*); pacle sportovní trofej **11** hist. helmice, šišák **12** přen. balík, pytel, moře, halda, fůra (*make a ~ of money*); velká sázka; bank; fond, pokladna (*all the assets and production go into a common ~ on which they live* všechna aktiva a celá výroba jdou do společné pokladny, z níž žijí) **13** BR slang. favorit favorizovaný kůň **14** trubkový komínový nástavec, komínový přístřešek **15** formát psacího papíru (12½ × 15 palců); formát tiskového papíru (13 × 16 palců) **16** slang. břicháč, tlouštík **17** vrš na langusty, úhoře apod. **18** buřinka, bouřka, tvrďák klobouk **19** výstřel zblízka **20** SC díra, jáma **21** slang. marihuana ◆ *~s and pans* kuchyňské nádobí; *~ barley* ječné kroupy; *be in ~* hovor. být v kýblu; *big ~* velké zvíře, pupík, papaláš důležitý člověk; *the ~ calls the kettle black* jeden za osmnáct, druhý bez dvou za dvacet; *~ culture* životní styl poživačů marihuany; *~ garden* zelinářská zahrada; *go to ~* hovor. zkrachovat; *The ~ goes so long / often to the well that it is broken at last* Tak dlouho se chodí se džbánem pro vodu, až se ucho utrhne; *keep the ~ boiling 1.* udržet se nad vodou, vydělat na živobytí *2.* držet dětskou hru v tempu, aby šla jako na drátku; *~ ladle* naběračka; *a little ~ is soon hot* malý si nejvíc vyskakuje; *make the ~ boil* udržet se nad vodou, schrastit živobytí; *~ paper* v. *pot, s 15; ~ scourer* drátěnka na mytí nádobí; *take to ~* slang.: pravidelně požívat marihuanu; *a watched ~ never boils* kdo čeká, ten se dočká ● *v* (*-tt-*) **1** zavařovat, konzervovat (*~ted ham*), nakládat vejce; vařit v hrnci **2** udělat ručně z hlíny (*a round bowl has an alternating panel design and is well ~ted* kulatá miska má střídavý tabulkový vzor a je krásně ručně udělaná z hlíny) **3** též *~ up* zasadit do květináče (*~ up chrysanthemum cuttings*) **4** za|střelit neletící n. neběžící (*~ a rabbit* zastřelit sedícího králíka), střílet *at* na / po (*~ a hare* střílet po zajíci); nesportovně složit, ulovit zvěř jako potravu **5** stručně vyjádřit, shrnout, udělat „výcuc" z, podat v kostce **6** shrábnout peníze **7** kulečník srazit kouli do vaku / díry **8** hovor. posadit dítě na nočník **9** slang. převézt, vyšplouchnout, ošulit napálit
potable [pəutəbl] žert. *adj* pitelný ● *s ~s, pl* pitivo
potage [poˈta:ž] hustá polévka
pot ale [poteil] výpalky krmivo

potamic [po'tæmik] říční
potamology [ˌpotə'molədži] potamologie nauka o tekoucích vodách
potash [potæš] chem. **1** uhličitan draselný, potaš **2** žíravé draslo, hydroxid draselný **3** hypermangan, manganistan draselný
potash soap [ˌpotæš'səup] draselné mýdlo
potash water ['potæšˌwo:tə] nápoj nasycený kysličníkem uhličitým, nápoj s bublinkami
potass [pə'tæs] zast. = *potash*
potassic [pə'tæsik] chem. draselný ♦ ~ *manure* draselné hnojivo
potassium [pə'tæsjəm] chem. draslík ♦ ~ *cyanide* cyankáli, kyanid draselný; ~ *permanganate* hypermangan, manganistan draselný
potation [pəu'teišən] **1** pití činnost i nápoj **2** lok, doušek nápoje **3** čast. ~*s, pl* pitka, piatika
potato [pə'teitəu] *pl: potatoes* [pə'teitəuz] brambor, brambora, zemák; lilek brambor (bot.) ♦ *drop a t. like a hot* ~ utéci od čeho, pustit co, jako by to pálilo; *Irish* ~ AM brambor; *quite the (clean)* ~ přesně ono, to pravé; *Spanish / sweet* ~ povijnice jedlá, batata; *think o.s. no small* ~ slang. považovat se za velkého pupíka za důležitého; ~ *wart* rakovina brambor; *white* ~ AM brambor
potato bug [pəˌteitəu'bag], **potato beetle** [pəˌteitəu'bi:tl] zool. mandelinka bramborová
potato chips [pə'teitəučips] smažené brambůrky, smažené bramborové hranolky, pomfrity
potato-ring [pə'teitəuriŋ] stříbrný kroužek pod mísu vyráběný v Irsku v 18. stol.
potatory [pəutətəri] **1** týkající se pití, pijící **2** pitný
potbellied ['potˌbelid] **1** břichatý, panděratý, bachratý (*a* ~ *man*) **2** baňatý (*a* ~ *jug*)
potbelly ['potˌbeli] (*-ie-*) **1** nafouklé bříško známka podvýživy u dětí **2** pandero, panděro, velké / kulaté břicho, břich, těřich; přen. břicháč, břichatec, tlusťoch **3** bubínek kamínka
potboiler ['potˌboilə] hovor. malý kšeftík, kšeft, chlebová / výdělková práce, umělecké dílo zejm. nevalné ceny dělané pouze pro peníze (*published many popular historical* ~*s out of which he makes a great deal of money*) **2** chlebař, kšeftař tvůrce takového díla (*several* ~*s have since helped themselves to this material*)
potboiling ['potˌboiliŋ] hovor. chlebaření, dělání uměleckých děl pouze pro peníze (*he was a financial failure and must go back once more to* ~ byl finanční smolař a musí se opět vrátit k chlebařině)
pot-bound [potbaund] **1** pokojová rostlina s kořínky vyplňujícími celý kořenáč takže nemůže dále růst **2** přen. stísněný, sevřený, zakrňující
potboy [potboi] roznášeč nápojů, číšník, pikolík, pomocník výčepníka
pot cheese [ˌpot'či:z] AM tvaroh
pot companion [ˌpotkəm'pænjən] kamarád z mokré čtvrtě
pot earth [ˌpot'ə:θ] hrnčířská hlína
poteen [po'ti:n] irská domácí whiskey pálená načerno
potence [pəutəns] kniž. = *potency*
potency [pəutənsi] (*-ie-*) **1** síla, mocnost, mohoucnost (*the* ~ *of religious faith to deal with fear, anxiety and tension* mohoucnost náboženské víry vyrovnat se se strachem, úzkostí a napětím); průraznost, průbojnost, nosnost, pádnost, přesvědčivost (*we must not doubt the* ~ *of our ideas*); účinnost (*the* ~ *of the drug*); opojnost, síla (*the* ~ *of the drink*) **2** předpoklad, možnost, schopnost **3** démon, bůžek, mocnost (*pray to the potencies of rebirth and resurrection in nature and human love* modlit se k mocnostem znovuzrození a vzkříšení v přírodě a k lidské lásce) **4** mužská potence
potent[1] [pəutənt] **1** zejm. bás. silný, mocný (~ *weapons*); mohutný **2** silný (*a numerically inferior but intellectually* ~ *group*), přesvědčivý, průrazný, pádný (~ *arguments for ending the struggle*) **3** účinný (*the period during which the vaccine could be kept* ~); silný (~ *tea*); opojný (*a* ~ *drink*) **4** muž potentní
potent[2] [pəutənt] herald.: *cross* ~ berličkový kříž
potentate [pəutənteit] potentát (*an oriental* ~)
potential [pə'tenšəl] *adj* **1** možný, přicházející v úvahu, teoretický, teoreticky možný, eventuální, potenciální (*existing and* ~ *book markets*) **2** dosud neprojevený, latentní (*the detection of incipient or* ~ *disease* zjištění začínající nebo latentní nemoci) **3** jaz. kondicionální, vyjadřující možnost (~ *mood* kondicionální způsob) ♦ ~ *difference* rozdíl napětí / potenciálů; ~ *energy* energie polohy, potenciální energie ● *s* **1** kapacita, potenciál (*industrial* ~) **2** fyz. napětí, potenciál **3** jaz. způsob vyjadřující možnost (např. *it may rain*)
potentiality [pəˌtenši'æləti] (*-ie-*) možnost, schopnost (*the magnificent richness of human* ~ *and the paltriness of human achievement* nádherná šíře toho, co člověk může, a nepatrnost toho, co dokáže); utajená existence, vnitřní síla; potenciálnost, potencialita
potentialize [pə'tenšəlaiz] **1** udělat možným n. potenciálním **2** fyz. převést potenciální energii na energii pohybovou
potentiate [pə'tenšieit] **1** umocnit, zesílit, znásobit, dát větší sílu čemu (*a poet's work may be* ~*d by his experience of war and suffering*) **2** umožnit
potentilla [ˌpəutən'tilə] bot. mochna
potentiometer [ˌpəutenši'omitə] potenciometr přístroj k měření n. dělení napětí
pot-grown [potgrəun] vypěstovaný v květináči
potheen [pə'θi:n] = *poteen*
potful [potful] plný hrnec atd. množství
pot hat [pot'hæt] bouřka, buřinka, tvrďák klobouk

pothead [pothed] pravidelný poživač marihuany
pother [poðə] *s* **1** mrak, oblak, oblaka kouře n. prachu (*a ~ of dust*) **2** hluk, povyk, rámus (*the ~ of city traffic, so much ~ over a small point*) **3** vzrušení, zmatek, starosti, trápení; žalost, zármutek ◆ *make a ~ about a t.* spustit / tropit rámus pro co / kvůli čemu ● *v* starat | se, trápit | se, mít zamotanou hlavu (*~s himself over unnecessary detail* ... kvůli zbytečným detailům)
potherb [pothə:b] jedlá rostlina / bylina, kuchyňská rostlina, koření pěstované na zahradě; polévková zelenina pěstovaná v kořenáči
potholder [ˈpotˌhəuldə] chňapka
pothole [pothəul] *s* **1** jáma v řečišti; výmol, prohlubeň, prohlubenina; díra, jáma ve vozovce, lavor (hovor.) **2** geol. obří hrnec, krasová propast, hluboká svislá dutina ● *v* dělat výzkum krasových propastí, prolézat skalní díry
potholer [ˈpotˌhəulə] jeskyňář speleolog
potholey [ˈpotˌhəuli] plný výmolů (*~ road*)
pothook [pothuk] **1** hák na zavěšení nádoby nad ohněm **2** klička, dolejší oblouček jeden ze základních tvarů psacího písma; *~s, pl* čmáranina, klikyháky (*it is impossible to decipher her ~s* její klikyháky není možné rozluštit)
pothouse [pothaus] *pl: pothouses* [ˈpotˌhauziz] hanl. *s* hospoda, putyka ● *adj* hospodský, obhroublý, sprostý
pothunter [ˈpotˌhantə] **1** nesportovní lovec který loví cokoliv **2** sběratel pohárů, lovec trofejí kdo se zúčastní závodu n. soutěže pouze kvůli trofeji **3** sběratel střepů neopatrný amatérský archeolog
pothunting [ˈpotˌhantiŋ] **1** lovení zvěře bez výběru **2** účast v závodu n. soutěži jen kvůli trofeji **3** sbírání střepů neopatrná amatérská archeologie
potiche [pəˈti:š] *pl* též *potiches* [pəˈti:š] váza nahoře úzká
potion [pəušən] **1** lektvar, užívání, lék (*the physician daily prepares a nourishing ~* lékař denně připravuje výživné užívání) **2** nápoj, elixír (*gave him love ~s to increase his ardour* dala mu elixír lásky, aby zvýšila jeho dychtivost) **3** dávka, lžíce, lok, doušek tekutého léku **4** jed; dávka jedu ◆ *sleeping ~* uspávací prostředek
potlach(e), potlatch [potlæč] **1** rozdělení darů, slavnost severoamerických Indiánů **2** AM hovor. slavnost; dárek
pot lead [potled] tuha, grafit
pot lid [potlid] poklička
potluck [potlak] **1** co se právě náhodou vaří, co je zrovna k jídlu (*come and take ~ with us* pojďte k nám, ale musíte vzít zavděk tím, co bude na stole) **2** hovor. náhodný výběr
potman [potmən] *pl: -men* [-mən] roznašeč nápojů, číšník, pomocník výčepníka
pot marigold [ˌpotˈmærigəuld] bot. měsíček lékařský
pot metal [ˈpotˌmetl] **1** litina na hrnce **2** tavené barevné sklo
potpie [potpai] AM **1** zapékané maso se zeleninou **2** druh ovocného koláče
pot plant [potpla:nt] květina pěstovaná v květináči, pokojová květina
potpourri [ˌpəuˈpuri(:)] potpourri směs vonných látek; směs úryvků z hudebních děl; směs, směsice, všehochuť
pot roast [potrəust] *s* dušené maso zejm. hovězí ● *v* dusit maso
potsherd [potšə:d] BR zejm. archeol.: hliněný střep, zlomek nádoby (*~s unearthed at an excavation* střepy nalezené v zemi při výkopu)
pot shot [ˌpotˈšot] **1** rána na lap (mysl.) / naslepo / nazdařbůh (*taking ~s at passing rabbits* střílející nazdařbůh po králících běhajících kolem), též přen. (*subjects which require serious discussion, not verbal ~s*) **2** výstřel zblízka, nesportovní výstřel na neletící n. neběžící zvěř
pot still [ˌpotˈstil] kotlíkový destilační přístroj
potstone [ˌpotˈstəun] miner. krupník
pott [pot] v. *pot, s 15*
pottage [potidž] BR zast. hustá polévka ze zeleniny a masa ◆ *mess of ~* bibl. mísa čočovice
potted [potid] **1** stručný, kondenzovaný (*~ biography*); sprásknutý dohromady, jsoucí ve „výcucu“, jsoucí v kostce (*real scholarship and serious criticism in contradistinction to ~ "culture"* skutečná věda a vážná kritika na rozdíl od „kultury v kostce“) **2** jsoucí v konzervě (*~ music* hudební konzerva) **3** AM slang. nalitý, nadrátovaný, zlinkovaný opilý **4** v. *pot, v*
potter[1] [potə] hrnčíř ◆ *~'s asthma / bronchitis* med. zaprášení plic, silikóza; *~'s lathe* hrnčířský kruh; *~ wasp* zool. jízlivka, hrnčířka vosa; *~'s wheel* hrnčířský kruh
potter[2] [potə] **1** ledabyle pracovat *at / in* na, šťourat se v, nimrat se v, párat se s, patlat se s, vrtat se v, fušovat na, rýpat se v **2** jet pomalu, nepravidelně, ledabyle **3** též *~ about / around* toulat se, přešlapovat, procházet, lajdat, okounět (*~ing among the ruins of the old casino*) ***potter about / around*** *1* nesystematicky něco semtam dělat (*~ing about in the garden*) *2 = potter*[2]*, 3* ***potter away*** promarnit, prolajdat, zabít čas (*~ away a whole afternoon*)
potterer [potərə] lajdák
pottery [potəri] (*-ie-*) **1** hrnčířství, hrnčířina; hrnčířské zboží / výrobky **2** keramika; kamenina **3** *The Potteries* BR hrnčířská oblast ve Staffordshiru
potting shed [potiŋšed] kůlna na nářadí u zahrady
pottle [potl] **1** zast.: dutá míra (ca 2l); nádoba tohoto obsahu **2** košíček na jahody apod.
potto [potəu] *pl: ~s* zool. potto druh poloopice
potty[1] [poti] (*-ie-*) slang. **1** malý, mizerný, bezvýznamný, zapadlý (*a ~ little place*), jsoucí k ničemu, titěrný, nanicovatý, žabařský (*~ questions*) **2** snobský, nafoukaný (*a futile, ~ upper-class*

gentleman zbytečný, nafoukaný „džentlmen" z hořejších deseti tisíc) **3** zblázněný, zpitomělý, celý pryč, cvok *about* / *on* do ◆ *go* ~ zbláznit se, zfanfrnět se, zpitomět, zcvoknout
potty[2] [poti] (*-ie-*) dětský nočníček
potty-trained [potitreind] dítě chodící na nočníček
potty-training [ˈpoti͵treiniŋ] zvykání / učení dítěte na nočníček, též přen. (*this savage period of social* ~)
pot-valiant [ˈpot͵væljənt] opilý, a proto kurážný, statečný, protože posilněný alkoholem
pot valour [ˈpot͵vælə] kuráž z alkoholu, odvaha opilce
potwaller [͵potˈwo:lə] polit. hist. hospodář s volebním právem
potwalloper [͵potˈwoləpə] **1** námoř. kuchařův pomocník **2** = *potwaller*
pot washings [ˈpot͵wošiŋz] *pl* pomyje
pouch [pauč] *s* **1** vak, váček, kapsička, pytlík; zool. vak; bot. váček, tobolka **2** hist. měšec, míšek, váček, kapsář, mošna **3** pouzdro na náboje, sumka ● *v* **1** dát (jako) do váčku, shrábnout (*sold justice and* ~*ed the price of every pardon*); nosit n. shromažďovat ve tváři (*squirrels* ~*ing acorns* veverky strkající si žaludy do tváří) **2** udělat váček z (*ill health had* ~*ed the loose flesh under his eyes* chorobou se mu udělaly z volné kůže pod očima váčky); viset jako pytel; zřasit část oděvu tak, že vypadá jako pytel **3** BR slang. dát tuzér komu **4** spolknout, zastrčit si za klobouk dát si líbit
pouched [paučt] jsoucí s vakem (~ *mammals* vačnatci); tvořící váčky
pouchy [pauči] připomínající vak, podobný vaku (*a* ~ *handbag*)
poudrette [pu:dˈret] pudret práškovité hnojivo z lidských výkalů
pouf(fe) [pu:f] **1** vložka do vysokého dámského účesu; vysoký účes, vysoká rulička **2** okrouhlé sedátko, taburet, puf **3** měkká pohovka, lehátko, otoman **4** slang. buzerant, teplouš
poulard [pu:la:d] mladá vykrmená slepice, pulard
poule [pu:l] hud.: část kvadrily
poulp(e) [pu:lp] chobotnice; hlavonožec
poult[1] [pəult] kuře slepice, bažanta; krůtě
poult[2] [pu:lt], **poult-de-soie** [͵pu:ldəˈswa:] těžké matné barevné hedvábí
poulterer [pəultərə] drůbežník, drůbežář, obchodník s drůbeží
poultice [pəultis] *s* placka léčebný prostředek; teplý obklad ● *v* přiložit placku / teplý obklad na
poultry [pəultri] drůbež ◆ ~ *farm* drůbežárna; ~ *farming* drůbežnictví, pěstování drůbeže
pounce[1] [pauns] *s* **1** dráp, spár, pařát dravce, též přen. **2** prudké slétnutí, vrhnutí se střemhlav na kořist **3** přen. hovor. stíračka, setření, umytí hlavy ostrá kritika ◆ *be on the* ~ být připraven (jako) k útoku, jen jen vyletět; *make a* ~ = ● *v* **1** prudce sletět na kořist, chytnout (jako) do drápů, uchopit do spárů (*cannot* ~ *the quarry on the ground* nemůže svými drápy chytit kořist na zemi) **2** přepadnout; prudce udeřit na, vrhnout se na, skočit na (*they were suddenly* ~*d upon by a dozen or more ruffians with clubs* náhle se na ně vrhlo deset patnáct uličníků s klacky), též přen. (~*s ferociously on a trivial error of fact* zuřivě se vrhá na drobnou faktickou chybu), pustit se do, přijít na; chytit *on* co (~*s on his riding boots and begins pulling them on*); uhodit na chybu
pounce[2] [pauns] **1** tepat vzor do kovu **2** děrovat, o|zdobit děrováním látku, kůži
pounce[3] [pauns] *s* **1** posypací prášek, posypátko, písek **2** prášek z dřevěného uhlí na přenášení vzoru na látku vzorkovnicí; vzorkovnice ◆ ~ *paper* pauzovací papír ● *v* **1** poprašovat, posypávat **2** přenášet vzor posypáním vzorkovnice **3** hladit pemzou, jemným skelným papírem
pounce box [paunsboks] posypávátko
pouncet box [ˈpaunsit͵boks] zast. krabička na parfém s děrovaným víčkem
pound[1] [paund] *s* libra jednotka váhy i měny (*five* ~*s* pět liber, *five* ~ *ten* pět liber deset šilinků) ◆ ~ *of flesh* libra masa bolestivý právní nárok, co komu patří od druhého; *pay 5 s. in the* ~ platit pětadvacetiprocentní úrok ● *v* BR kontrolovat váhu mincí jejichž určitý počet má vážit libru
pound[2] [paund] *s* **1** ohrada pro zatoulaný dobytek n. domácí zvířata; kolová past, ohrada (*an old buffalo* ~, ~ *built of logs*) **2** úschovna, garáž pro auta (*tow services and* ~*s for cars tagged for obstructing traffic* odtahová služba a úschovna pro auta odtažená pro překážení v plynulosti silničního provozu) **3** sevření, omezení; nevhodné, stísněné postavení lovce **4** AM nádrž na živé langusty; obchod se živými langustami ◆ ~ *net* lapadlová síť ● *v* též ~ *up* zavřít do ohrady ◆ ~ *the field 1.* překážka být nepřeskočitelná *2.* jezdec přeskočit jako jediný plot n. jinou překážku
pound[3] [paund] **1** bít, bušit, tlouci (*she could feel her heart* ~*ing as she finished the 100 yards race*), mlátit do (~ *a typewriter*) *on* / *at* do, na (*who is* ~*ing at the piano?*) **2** odstřelovat, roz|drtit palbou, bušit střelami, prát do (*surface vessels continued to* ~ *enemy targets* hladinová plavidla dál drtila palbou nepřátelské cíle) **3** roztlouci, rozbít, rozdrtit | se (*a ship* ~*ing to pieces on the rocks*); roz|tlouci, rozmělnit, rozbít na prášek (~ *crystals in a mortar* roztlouci krystalky v hmoždíři na prášek) **4** dunět, dupat (*I could hear feet* ~*ing on the stairs*), vydávat dunivý zvuk (*the engine was* ~*ing*) **5** těžce utíkat, těžce běžet, dupat, dusat (*he* ~*ed along the road*) ◆ ~ *home* vtloukat do hlavy (*day after day the facts were* ~*ed home to them*) ***pound away 1*** neustále bušit, střílet, prát *at* do (*the two fleets* ~*ed away at each other until nightfall*) **2** dřít (*he was*

~ *ing away on his job*) ***pound out*** energicky vyťukat (~ *out a tune on the piano,* ~ *out a story on a typewriter*)

poundage [paundidž] **1** procento z každé libry šterlinků, poplatek, provize, podíl **2** poplatek za každou libru váhy **3** váha v librách

poundal [paundl] BR poundal jednotka síly udělující hmotě 1 libry zrychlení 1 stopy za sekundu

pound cake [paundkeik] dort vyrobený z přísad o stejné váze (jedné libry), dort „kolik tolik" (hovor.)

pound day [paund-dei] den, kdy dobročinný ústav dostává od každého návštěvníka libru (peníze n. množství potravin)

pounder[1] [paundə] drtič, tlouk, palička; stoupa

pounder[2] [paundə] **1** věc / člověk vážící libru, ve složeninách ... liber (*a helmet which protects a 200* ~ *surely will protect a smaller man*) **2** dělo, jehož střela váží libru, liberka, ve složeninách ... liberník (*as many as 100 guns, mostly 25* ~*s*) **3** co má cenu jedné libry; ve složeninách ... librovka (*the note was a 10*~); člověk mající ... liber šterlinků

pound lock [paundlok] hráz na vodním toku k nadržení vody s dvěma vraty

pour [po:] *v* **1** na|líti, vylíti (~ *yourself another cup of tea*); vlévat (*the river* ~*s itself into the lake*); na|sypat (~ *grain into an elevator* sypat zrní do elevátoru); vysypat; přen. vy|chrlit (*the underground stations* ~ *thousands of workers into the streets*) **2** téci, proudit; linout | se (*summer* ~*s warm sunlight, calypsos* ~*ing out of jukeboxes* kalypsa linoucí se z hracích automatů); řinout se (*the sweat was* ~*ing off him*); hrnout se, proudit (*tourists* ~ *into London during the summer months*), vy|valit se (*the crowds were* ~*ing out of the football ground*) **3** zahrnout *a t.* čím *on* co (~*ed ridicule on the elaborate analysis* pečlivý a důkladný rozbor zahrnul posměchem), zasypat čím koho **4** najednou nastřílet, napumpovat (~*ed 30 bullets into his plane*); přen. nandat, nasypat, vrazit (~*ed the barefooted doctor into the coach* vrazil bosého doktora do kočáru), navléknout (*nine sergeants were* ~*ed into plain clothes* navlékli devět seržantů do civilních šatů) **5** lít (~ *steel,* ~ *concrete*), slévat; odlít (~ *a foundation wall*) **6** líti prudce pršet (*it was raining but not* ~*ing*) ◆ ~ *cold water on a p.* dát studenou sprchu komu, ochladit žár / nadšení koho; *It never rains but (what) it* ~*s* Neštěstí nechodí nikdy samo; ~ *it on 1.* činit se dát se do toho, šlápnout na to (*companies taking it relatively easy on production may now be tempted to* ~ *it on* společnosti, které si dosud s výrobou poměrně nelámaly hlavu, teď budou třeba v pokušení, aby se do ní pustily pořádně) *2.* „vytmavit to" (*gave them a ten-minute talk in which he really* ~*ed it on*); ~ *oil on troubled waters* nalít olej na rozbouřenou hladinu, uklidnit, chlácholit; ~*ing rain* liják, lijavec; ~*ing wet day* den, kdy od rána lije ***pour down*** stékat, pršet, líti ***pour forth 1*** vylévat, rozlévat, šířit, přetékat čím (*sweet-tempered pastors* ~*ed forth comfort and learning* milí a klidní pastoři kolem sebe šířili útěchu a poučení) *2* chrlit (*travel books that our presses* ~ *forth in floods* záplavy časopisů, které chrlí naše tiskárny) ***pour in*** hrnout se, proudit dovnitř, přicházet ve velkém množství (*letters of complaint* ~*ed in* přicházelo velké množství dopisů obsahujících stížnosti) ***pour out 1*** chrlit ze sebe, vychrlit (~ *out a torrent of words* vychrlil vodopád slov) *2* vylévat starosti, city (~*s out her troubles to them,* ~*ing out his feelings in his poetry*) ● *s* **1** liják, lijavec **2** jedno lití, nalití; licí dávka

pourboire [puəbwa:] spropitné, tuzér

pourparler [ˌpuəˈpa:lei] neoficiální předběžný rozhovor před jednáním

pourpoint [puəpoint] hist. prošívaný vatovaný kabátec

pousse-café [ˌpu:skəˈfei] *pl: pousse-cafés* [ˌpu:skəˈfei] AM **1** nemíchaný koktajl ve kterém zůstávají vrstvy přísad viditelné **2** likér ke kávě

pousette [pu:ˈset] *v* taneční pár držet se za ruce a točit se dokolečka, udělat kolečko ● *s* taneční kolečko

pou sto [pu:stəu] opěrný bod, stanoviště, východisko, operační základna

pout[1] [paut] *pl* též *pout* [paut] zool. sliznatka slepá

pout[2] [paut] *v* špulit, našpulovat rty (~*ed her lips for a kiss*); špulit se, svěsit koutky úst (~*ed and almost seemed to cry*); ohrnout nos, trucovat **2** být našpulený, vystupovat dopředu ● *s* našpulení, špulivý výraz ◆ *in the* ~*s* rozmrzelý, trucující

pouter [pautə] zool. **1** voláč holub **2** treska *Gadus luscus*

povera [povərə] týkající se umění, v kterém se nápad a tvůrčí proces hodnotí výše než hotové dílo

poverty [povəti] **1** chudoba, nouze, nedostatek, bída (*live in* ~) **2** nedostatek (~ *of personal information*); chudost, nedostatečnost, nízká úroveň (*cannot hide* ~ *of form under an opulent mask of orchestral colour* nemůže hojným nánosem orchestrální barvy zamaskovat formální nedostatečnost) ◆ ~ *line* hranice chudoby; ~ *pine* bot. borovice pichlavá

poverty-stricken[ˈpovətiˌstrikn] chudý, chudobný, ubohý, ubohoučký, zejm. přen. (*the modern notion of the Elizabethan stage as a bare and* ~ *affair* moderní pojetí alžbětinského jeviště jako záležitosti holé a ubohoučké)

povertyweed [povətiwi:d] bot. černýš rolní

pow [pau] prásknutí (*heard the* ~ *of a blow-out* slyšel prásknutí, jak píchl)

powder [paudə] *s* **1** prach; prášek **2** moučka, moučkový cukr, pudr **3** kosmetický pudr **4** střelný prach **5** přen. síla, údernost, razance, razantnost (*the postponement seemed to add* ~ *to the issue* jako by odklad celému problému dodal na průraznosti) ◆ *food for* ~ kanónenfutr (hovor.); *smell of* ~ bojová zkušenost; ~ *snow* prašan; *not worth* ~ *and shot* nestojí za výstřel / za námahu ● *v* **1** zaprášit, poprášit *with* čím (*a friar stood at the door, his habit and beard* ~*ed with snow* u dveří stál mnich, kutnu i vous poprášené sněhem); práškovat; posypat jako prachem (*white chiffon* ~*ed with minute gold beads* bílý šifon posypaný drobnými zlatými korálky) **2** rozemlít / rozmělnit / rozdrtit na prach; rozpadnout se v prach (*two skeletons* ~*ed upon exposure* dvě kostry se při odkrytí rozpadly v prach) **3** na|pudrovat | se (*she pulled out her compact and* ~*ed her nose* vytáhla pudřenku a napudrovala si nos, *actors* ~ *with left hand for luck*) **4** hist. na|solit, naložit maso **5** AM slang. vzít roha, prásknout do bot (*instead of* ~*ing out of town right away, I buy some new clothes*)

powder blast [ˌpaudəˈbla:st] výšleh z hlavně

powder blue [ˌpaudəˈblu:] *s* **1** šmolka, modřilka, modřidlo **2** šmolková modř ● *adj: powder-blue* šmolkový, šmolkově modrý

powder box [paudəboks] **1** krabice na pudr, pudřenka **2** bedna se střelným prachem

powder compact [ˈpaudəˌkompækt] dámská pudřenka

powder down [paudədaun] prachové peří, prach

powdered [paudəd] **1** sušený (~ *milk*), práškový (~ *sugar*), jsoucí v prášku (~ *eggs*) **2** v. *powder, v* ◆ ~ *coal* práškové uhlí

powder flask [paudəfla:sk], **powder horn** [paudəho:n] růžek na střelný prach, prachovnice

powderiness [paudərinis] **1** prachovost, práškovitost **2** drobivost, rozmělnitelnost na prach **3** zaprášenost

powdering room [paudəriŋru:m] dámská úpravna, toaleta např. v restauraci

powder magazine [ˈpaudəˌmægəˈzi:n] skladiště prachu, muniční sklad, prachárna

powder mill [paudəmil] továrna na střelný prach, prachárna

powder monkey [ˈpaudəˌmaŋki] hist. žert. hoch nosící prach k dělům na válečné lodi

powder puff [paudəpaf] labutěnka, pudrovátko

powder room [paudəru:m] dámská úpravna, toaleta

powdery [paudəri] **1** práškový, prachový **2** drobivý, rozmělnitelný na prach **3** zaprášený ◆ ~ *mildew* padlí travní; ~ *scab of potato* strupovitost prašná

power [pauə] *s* **1** moc, síly (*it is not within my* ~ *to help you, I will do everything in my* ~ *to help*); duševní, fyzická síla (*his* ~*s are failing* ochabují mu síly, *he's a man of great intellectual* ~*s, the* ~ *of the blow* síla úderu); schopnost (*the chameleon has the* ~ *of changing its colour*); nadání, talent (*showed his* ~ *as a playwright*) **2** moc vláda (*the* ~ *of the law, Spain at the height of her* ~ Španělsko na vrcholu své moci); rozhodující vliv *over* na; potenciál (*his military* ~ *absolutely crushed* jeho vojenský potenciál úplně zlomený) **3** mocnost (*western* ~*s*), velmoc (*is the press a great* ~ *in your country?*) **4** právo, pravomoc (*the president has exceeded his* ~ prezident překročil svou pravomoc) **5** zvětšovací schopnost, zvětšení (*a telescope of high* ~) **6** fyz. síla; energie, proud (*electric* ~ elektrická energie); elektrický proud (*the shortage of* ~ *dims the streets* nedostatek energie působí, že ulice potemněly); výkon (*mechanical* ~ *of internal combustion engine* mechanický výkon spalovacího motoru) **7** mat. mocnina (*the second* etc. ~ *of x* druhá atd. mocnina x, x na druhou atd., *to the second* ~ etc. povýšeno na druhou atd.) **8** ~*s, pl* náb. mocnosti šestý kůr andělů; mocnost, bůh, bohyně (*preserve us from the* ~*s of darkness* uchraň nás před bohyní tmy) **9** hovor. moc, moře, spousta (*this stout does me a* ~ *of good* tohle pivo mi dělá moc fajn) ◆ *balance of* ~ rovnováha sil v Evropě; *Black* ~ AM černošská radikální organizace; *borrowing* ~ možnost si vypůjčit; *Great P*~ velmoc; *heating* ~ výhřevnost; *in* ~ politická strana vládní, jsoucí u moci; *merciful* ~*s!* milosrdné nebe!; *more* ~ *to your elbow* hodně zdaru; ~ *of attorney* zmocnění, podpisové právo, plná moc; ~ *of bearing* únosnost; ~ *of resistance* vzdornost, odolnost, pevnost, trvanlivost; *with* ~ *off* auto, letadlo s vypnutým motorem; *purchasing* ~ kupní síla; ~*s that be* žert.: současní mocipáni, ti nahoře; *under her own* ~ loď plující sama, samostatně, pod vlastními plachtami, s vlastním pohonem nikoli ve vleku ● *adj* **1** motorový; mechanický **2** energetický; elektrický **3** vel|mocenský ◆ ~ *base* AM mocenská základna; ~ *broker* AM kdo provádí politické machinace, politický makléř; ~ *cut* přerušení dodávky elektrického proudu; ~ *engine* motor; ~ *engineering* energetika; ~ *hammer* buchar; ~ *line* silnoproudé vedení, silové vedení; ~ *panel* rozvodná deska; ~ *politics* politika síly; ~ *structure 1.* politická struktura *2.* vládnoucí skupina; ~ *truck* elektrický vozík ● *v* **1** pohánět (*tankers fetch the fuel that* ~*s trains and trucks* tankové lodi přivážejí pohonnou hmotu, která pohání vlaky a nákladní auta) **2** opatřit motorem n. vlastním pohonem **3** plout se zapnutým motorem (*we* ~*ed cautiously into a fog* opatrně jsme vpluli do mlhy) ***power down*** snížit spotřebu pohonných látek čeho ***power up*** zvýšit spotřebu pohonných látek čeho

powerboat [pauəbəut] silný motorový člun

power brake [pauəbreik] **1** servobrzda **2** hut. ohraňovací lis

power current [ˈpauəˌkarənt] silný proud

power dive [pauədaiv] *s* let střemhlav na plný plyn ● *v: power-dive* letadlo letět střemhlav na plný plyn
power-driven [ˈpauəˌdrivn] jsoucí na motorový pohon, motorový, strojní, mechanický
powerful [pauəful] *adj* **1** mocný, silný (*~ leader*); mohutný, dynamický (*images that are always ~*); výkonný (*~ solvent* silné ředidlo); rázný (*~ stride*) **2** vlivný (*~ journal*); schopný, nadaný, talentovaný (*here is one of our most ~ performers refusing to show his power* jeden z našich nejtalentovanějších umělců odmítá ukázat, co dokáže) ● *adv* AM nář. děsně, strašně, moc (*was ~ glad to see me*)
power gas [pauəgæs] motorový plyn, pohonný plyn, generátorový plyn; laciný pohonný plyn
powerhouse [pauəhaus] *s pl: -houses* [-hauziz] **1** elektrárna **2** hovor. tank, parní válec, motor, dynamo výkonný člověk (*a ~ of a woman teacher*) ● *adj* přen. silový (*~ football*)
power-hungry [ˈpauəˌhaŋgri] bažící po moci (*~ politicians*)
power lathe [pauəleið] mechanický soustruh
powerless [pauəlis] **1** bezmocný (*~ in the hands of her remorseless enemy*) **2** neschopný (*he was ~ to make the attack*)
powerlessness [pauəlisnis] **1** bezmocnost **2** neschopnost
power loom [pauəlu:m] strojní stav, mechanický stav tkalcovský
power point [pauəpoint] zástrčka, kontakt, zdířka ve zdi
power saw [pauəso:] motorová pila
power shovel [ˈpauəˌšavl] lopatové rypadlo
power station [ˈpauəˌsteišən] elektrárna; energetická stanice
powwow [pauwau] *s* **1** u severoamerických Indiánů medicinman, kouzelník; velká slavnost např. před bojem; porada, rokování (*held a ~ with the head medicine man* rokoval s hlavním medicinmanem) **2** hovor.: zbytečně dlouhé rokování, sezení, porada, shromáždění, diskuse, konference **3** BR slang. porada štábu při manévrech ● *v* **1** léčit zaříkáváním, zaříkávat (*had one of his eyes ~ed*) **2** zúčastnit se slavnosti n. porady **3** rokovat, radit se, mít poradu (*invited them to stack their arms in the yard and come inside the shack and ~* pozval je, aby postavili na dvoře zbraně do trojhránků a šli dovnitř do srubu a rokovali)
pox [poks] *pl* též *pox* [poks] **1** neštovice; plané neštovice; osypky; mor (*~ on you*) **2** hovor. syfl příjice ◆ *catch the ~* chytit syfla
pozzolana [ˌpotsoˈla:nə], **pozzuolana** [ˌpotsuoˈla:nə] geol., stav. pucolán, pucolána, puzzolano zpevněný sopečný popel (tuf), přísada do maltovin
praam [pra:m] = *pram*[1]
practic [præktik] zast. = *practical*
practicability [ˌpræktikəˈbiləti] **1** použitelnost, upotřebitelnost v praxi, dosažitelnost; schůdnost, sjízdnost, přístupnost **2** použitelná věc
practicable [præktikəbl] **1** prakticky použitelný, upotřebitelný (*a ~ method, a ~ weapon*); dosažitelný, možný; schůdný, sjízdný, přístupný (*a mountain pass that is ~ only in summer*) **2** okno n. dveře na jevišti skutečný, reálný, otvíratelný
practicableness [præktikəblnis] použitelnost v praxi, upotřebitelnost; dosažitelnost; schůdnost, sjízdnost, přístupnost
practical [præktikəl] *adj* **1** praktický jsoucí ve vztahu k praxi (*a suggestion with little ~ value* návrh malé praktické ceny); mající pochopení pro skutečnost (*a ~ young wife*); hanl. přízemní **2** použitelný v praxi, vhodný, účelný, reálný, upotřebitelný, praktický (*your invention is ingenious, but not very ~* váš vynález je důmyslný, ale v praxi málo použitelný); skutečný (*our ~ freedom is better than your nominal liberty*), faktický (*a ~ atheist*); projevující se v praxi (*overcome the ~ difficulties of a scheme*) **3** profesionální (*the conflicting views of ~ farmers and country gentlemen*); zkušený, zkoušený, kvalifikovaný (*~ engineer*); s (dlouhou) praxí ale nepromovaný (*the duties of ~ and graduate nurses*) **4** žijící podle svého přesvědčení, ne pouze matrikový, praktikující, praktický (*a ~ Catholic*) **5** dbalý vlastního prospěchu, sobecký, bezohledný (*a ~ politician who knew which side his bread was buttered on*) **6** okno n. dveře na jevišti skutečný, reálný, otvíratelný ◆ *for (all) ~ purposes* prakticky, z praktického hlediska; *~ joke* kanadský žertík; *~ joker* šprýmař, vtipálek; *~ man* praktik; *~ politics* zejm. BR věcná politika ● *s* **1** skutečné dveře n. okno na jevišti, reál **2** praktické cvičení, praktika
practicality [ˌpræktiˈkæləti] **1** praktičnost; hanl. přízemnost **2** použitelnost v praxi, upotřebitelnost, vhodnost, účelnost, reálnost; skutečnost, faktičnost **3** profesionálnost; zkušenost **4** praktický návrh; praktický život, praxe **5** sobeckost, bezohlednost
practically **1** [præktikli] **1** téměř, skorem, bezmála, málem, prakticky (*~ worthless*) **2** [præktikəli] v. *practical, adj*
practicalness [præktiklnis] = *practicality*
practice [præktis] *s* **1** praxe činné životní dění, konání, život; obvyklý způsob jednání (*the ~ of closing shops on Sundays*); provozování svobodného povolání; praktika; obvyklá metoda (*the ~ is to use local anaesthetic, our ~ is to do* obvykle děláme); zvyk, úzus (*the ~ of rising early or working hard*); právní postup; AM *~s, pl* prováděcí předpisy, provozní / služební předpisy, směrnice **2** cvik, cvičení (*piano-playing needs a lot of ~*); trénink (*ball ~*), zkouška (*choir ~*), výcvik, též voj. **3** *~s, pl* obřady, náboženský život (*Christian ~s*) **4** *~s, pl* zast. praktiky, nesprávné / nezákonné chování, pletichy, machinace **5** praxe, klientela (*a doctor with*

a large ~) **6** mat. přepočítávání různých hodnot ♦ *be out of* ~ už dlouho necvičit, vyjít ze cviku / z formy (*please don't ask me to play the piano for you: I'm out of* ~); *good* ~ *1.* správný postup *2.* praxe; *in* ~ *1.* prakticky, ve skutečnosti *2.* ve formě (*athletes must keep in* ~); *make a* ~ *of doing a t.* zvyknout si dělat co; ~ *makes perfect* cvičení dělá mistra; ~ *of the courts* práv. judikatura; *put into* ~ *1.* začít uskutečňovat *2.* uskutečnit, zavést; *sharp* ~ praktika, machinace, nekalé jednání ● *adj* **1** cvičný (~ *trip*), školní (~ *boat*) **2** předběžný, zkušební ♦ ~ *alarm* cvičný poplach; ~ *ground 1.* cvičiště *2.* střelnice; ~ *range* střelnice ● *v* AM = *practise, v*

practician [præk'tišən] **1** praktik; profesionál **2** řidč. praktický lékař

practise [præktis] *v* **1** cvičit | se, trénovat (~ *making a new vowel sound, practising the children in penmanship* cvičící děti v krasopisu) na (~ *the piano*); zkoušet **2** mít ve zvyku, praktikovat (~ *early rising* mít ve zvyku vstávat brzo), uskutečňovat v praxi, žít / jednat / chovat se podle (*do* ~ *what you preach* jednej laskavě tak, jak hlásáš) **3** vykonávat, provozovat povolání (~ *medicine*), zabývat se čím, dělat **4** zast. zneužívat (*up*)*on* čeho, zpracovávat po svém koho, podvádět koho, pletichařit proti, kout pikle proti ● *s* AM = *practice, s*

practised [præktist] **1** zkušený, zběhlý (*a* ~ *marksman* zkušený střelec) **2** nacvičený (*sat with a* ~ *poise* seděla v nacvičené póze) **3** v. *practise, v*

practising [præktisiŋ] **1** aktivní; praktický, zabývající se běžnou praxí (~ *physician*) **2** v. *practise, v*

practitioner [præk'tišnə] praktik, profesionál, odborník; provozovatel svobodného povolání ♦ *general* ~ praktický lékař; ~ *in law* právní zástupce; ~ *in taxation* daňový poradce; *legal* ~ právní zástupce

praecipe [pri:sipi] práv. příkaz

praecocial [pri'kəušəl] pták nekrmivý

praedial [pri:diəl] = *predial*

praemunire [ˌpri:mju'naiəri] BR hist.: předvolání osoby podezřelé z prosazování papežské moci v Anglii; proces s takovou osobou; trest za takové provinění

praenomen [pri:'nəumən] *pl: prænomina* [pri:'nəuminə] antic. jméno, praenomen (např. Marcus Tullius Cicero)

praepostor [pri'postə] BR služba, pořadatel ve třídě *public school*

praesidium [pri'sidiəm] = *presidium*

praetor [pri:tə] antic. prétor římský konsul-vojevůdce; nejvyšší státní n. soudní úředník

praetorial [pri:'to:riəl] prétorský

praetorship [pri:təšip] prétorství, prétura

praetorian [pri:'to:riən] antic. *adj* prétorský; pretoriánský ● *s* pretorián člen císařské osobní stráže

pragmatic [præg'mætik] **1** pragmatický sledující příčiny událostí; dbající užitečnosti; pragmatistický **2** věcný, střízlivý, praktický **3** = *pragmatical, 1* ♦ ~ *sanction* pragmatická sankce nařízení panovníka mající povahu zákl. zákona

pragmatical [præg'mætikəl] **1** domýšlivě všetečný, šťouravý, všemu rozumějící, autoritářský **2** dogmatický, nadutý **3** řidč. pragmatický

pragmaticality [ˌprægməti'kæləti] **1** domýšlivá všetečnost, šťourovství, autoritářství **2** dogmatičnost, nadutost **3** řidč. pragmatičnost

pragmatism [prægmətizəm] **1** kompetentnost, spolehlivost pramene **2** autoritářství, přílišná horlivost; pedantérie **3** praktičnost, věcnost, střízlivost v jednání **4** pragmatismus filozofický směr pokládající za hlavní kritérium mravnosti jednání a pravdivosti poznání jeho užitečnosti

pragmatist [prægmətist] **1** domýšlivý šťoura, autoritář, dogmatik, pedant, hnidopich **2** praktický / střízlivý člověk **3** filoz. pragmatista, pragmatik zástánce pragmatismu

pragmatize [prægmətaiz] považovat, vydávat něco neskutečného za skutečné; zhmotňovat, dávat racionální výklad čemu

Prague [pra:g] *s* Praha ● *adj* pražský (~ *ham*)

Praguian [pra:giən] *adj* týkající se Pražského lingvistického kroužku ● *s* člen Pražského lingvistického kroužku

prairie [preəri] **1** prérie travnatá step **2** žlutočervená barva

prairie chicken ['preəriˌčikin] zool. kur prérijní

prairie dog [preəridog] zool. psoun stepní

prairie hen [preərihen] zool. kur prérijní

prairie oyster ['preəriˌoistə] „prérijní ústřice" ochucené syrové vejce

prairie schooner ['preəriˌsku:nə] AM koráb prérie, krytý vůz amerických pionýrů

prairie wolf [preəriwulf] *pl: -wolves* [-wulvz] kojot prérijní / americký

praise [preiz] *v* chválit, pochvalovat, vychvalovat, chvalořečit komu; velebit ♦ ~ *heaven* chvála Bohu ● *s* chvála, pochvala, chvalořečení; velebení ♦ ~ *be* chvála Bohu; *be loud in one's* ~*s* hlasitě vychvalovat; *beyond* ~ vynikající, výtečný; *in* ~ *of a p.* na počest koho; ~ *is not pudding* chvály nenajíš; *sing a p.'s* ~*s* pět chválu na koho; *speak in* ~ *of a p.* vychvalovat koho

praiseful [preizful] **1** zast. chvályhodný **2** chválící, velebící; pochvalný

praise meetings ['preizˌmi:tiŋz] náboženský zpěv a tanec plantážních černochů

praiseworthiness ['preizˌwə:ðinis] chvályhodnost

praiseworthy ['preizˌwə:ði] chvályhodný

Prakrit [pra:krit] jaz. prákrt označení indických indoevropských jazyků středního vývojového období

praline [pra:li:n] **1** pražená mandle, karamelová mandle **2** oříškový bonbón, pražený oříšek, karamelový oříšek
pram[1] [pra:m] **1** prám; pramice, též s děly **2** člun
pram[2] [præm] BR hovor. **1** dětský kočárek **2** mlékařský vozík ◆ ~ *park* úschovna kočárků např. v nákupním středisku
prance [pra:ns] *v* **1** kůň skákat, poskakovat, vyhazovat, tancovat, vzpínat se, stavět se na zadní **2** člověk vzepnout, roztancovat koně **3** též ~ *about* tancovat, poskakovat (*he ~d out of the room* tanečním krokem vyběhl z pokoje) ● *s* **1** vzpínání, vyhazování koně **2** skákání, poskakování, tancování
prandial [prændiəl] žert. obědový, obědní ◆ ~ *invitation* pozvání na oběd
prang [præŋ] BR slang. *s* **1** co se podařilo, kousek, úspěch, výkon **2** bombardování, bombardovací nálet **3** nabourání, rozbití, rozsekání, rozšvihání letadla, bouračka letadel ve vzduchu ● *v* **1** bombardovat, bombami rozsekat (*~ing shore installations* bombardující pobřežní zařízení) **2** nabourat, rozsekat, rozbít, rozšvihat letadlo n. auto; nasekat, nařezat, napráskat (*~ed his sister with a stick* nařezal sestře holí)
prank[1] [præŋk] **1** též ~ *out* vyzdobit, vyšňořit **2** o|zdobit, o|krášlit (*flowers ~ing the meadow* květiny zdobící louku) *with* čím **3** holedbat se, vytahovat se, naparovat se ***prank o.s. out*** vyšňořit se, nastrojit se, navléknout se do ozdobného (*~ed herself out in the best*)
prank[2] [præŋk] špás, šprým, šibalství, žert, žertík, zlomyslnost, nezvedený kousek, nezbednost, lumpárna, darebáctví, uličničina, uličnictví, rošťárna; špumprnákle, vylomenina, fór (hovor.)
prankful [præŋful], **prankish** [præŋkiš] šprýmovný, šibalský, špásovný, žertovný, nezvedený, darebácký, rošťácký
prankster [præŋkstə] **1** šibal, šprýmař **2** rošťák, uličník
p'raps [præps] hovor. = *perhaps*
prase [preiz] miner. prazem šedozelená odrůda křemene a chalcedonu užívaná jako drahý kámen
prat [præt] slang. zadek, zadnice, panímanda; prdel
pratal [preitl] luční
prate [preit] *v* vy|žvanit, vy|breptat, vy|brebentit, vy|kecat ● *s* žvanění, žvást, breptání, brebentění
prater [preitə] žvanil, žvanílek, žvastoun, kecal, kecka, brepta
pratfall [prætfo:l] AM slang.: směšné nabití si zadku
pratie [preiti] IR hovor. brambor, brambora, erteple
pratincole [prætiŋkəul] zool. ouhorlík
pratique [præti:k] námoř. **1** volný styk, uvolnění styku, právo volného styku se břehem / s druhými loděmi; povolení k přistání **2** zrušení karantény; osvědčení o zrušení karantény
prattle [prætl] *v* žvatlat; žvanit ● *s* dětské žvatlání; žvanění
prattler [prætlə] žvatla, žvatlal, žvanílek
pravity [prævəti] **1** špatnost, zlo, zkaženost **2** BR zkaženost potravin
prawn [pro:n] *s* zool. garnát ● *v* lovit garnáty
praxis [præksis] *pl* též *praxes* [præksi:z] **1** obvyklá praxe, úzus **2** mluvnický příklad; sbírka mluvnických příkladů
pray [prei] **1** modlit se *for* o co / za co / za koho (~ *to God for help*); orodovat **2** kniž. snažně prosit *for* o / *to do a t.* aby (*we ~ you to show mercy* snažně vás prosím o prokázání milosrdenství), vyprošovat si *to* od koho *to do* aby / *for* co **3** prosím pěkně, račte (*what is the use of that, ~?, ~ don't speak so loud* ... o něco tišeji) ◆ ~ *in aid of* žádat o pomoc koho
prayer[1] [preiə] kdo se modlí, modlící se člověk, orant, prosebník
prayer[2] [preə] **1** modlitba (*he devoted a moment to a silent ~ before beginning his task, God granted their ~s* Bůh vyslyšel jejich modlitby); modlitby, modlení; pobožnost sestávající z modliteb **2** prosba, žádost **3** hovor. nejmenší naděje *of* na / že (*he hadn't ~ to recover* neměl nejmenší naději na to, že se vzpamatuje) ◆ *Lord's P~* modlitba Páně, otčenáš; *say one's ~s* pomodlit se
prayer beads [preəbi:dz] *pl* růženec
prayer book [preəbuk] **1** modlitební kniha, modlitby **2** *P~ B~* základní anglikánská modlitební a liturgická kniha (*Book of Common Prayer*) **3** námoř. slang. malá kostka pískovce k drhnutí podlahy
prayer desk [preədesk] klekátko
prayerful [preəful] **1** zbožný, pobožný, nábožný, rád / často se modlící **2** vážný, usebraný
prayerfulness [preəfulnis] **1** zbožnost, nábožnost, náklonnost k modlitbám **2** vážnost, usebranost
prayerless [preəlis] **1** jsoucí bez modliteb (*a ~ meeting*) **2** nemodlící se, bezbožný (*a ~ family*)
prayer mat [preəmæt] = *prayer rug*
prayer meeting [ˈpreəˌmi:tiŋ] modlitební shromáždění, večerní pobožnost zejm. protestantská, shromáždění obce
prayer rug [preərag] modlicí kobereček, modlák
prayer tower [ˈpreəˌtauə] minaret
prayer wheel [preəwi:l] modlicí mlýnek
pray-in [preiˈin] protestní shromáždění v kostele apod.
praying [ˌpreiiŋ] **1** zbožný, často se modlící (*a ~ man*) **2** v. *pray* ◆ ~ *mantis* zool. kudlanka, kudlanka nábožná; ~ *shawl* círk. taleth, talis
preach [pri:č] *v* **1** kázat (~ *the Word of God*), mít kázání *on* o (*~ed on grace to a large congregation* kázal velkému shromáždění o milosti) **2** mluvit veřejně *against* | *in favour of* proti | pro (*~ed against speculation and in favour of honest investment*); hlásat, zvěstovat (~ *the doctrine of states' rights*) **3** u|dělat kázání *at* komu (*kept ~ing at his students about studying*) ***preach down*** potlačovat, odsuzovat v kázání ***preach up*** chválit, doporučovat v kázání ● *s* hovor. kázání

preachable [pri:čəbl] vhodný jako téma kázání
preacher [pri:čə] **1** kazatel **2** přen. hlasatel (*a ~ of class hatred* hlasatel třídní nenávisti)
preachership [pri:čəšip] kazatelský úřad (*appointed to a university ~* jmenován univerzitním kazatelem)
preachify [pri:čifai] (-*ie*-) zejm. AM dlouze n. nudně kázat, mít dlouhé n. nudné kázání; žvanit
preachiness [pri:činis] kazatelský tón
preaching [pri:čiŋ] v. *preach, v* ◆ *P~ Friar* kněz z řádu Kazatelů, dominikán
preachment [pri:čmənt] **1** kázání **2** hanl. nudné kázání n. exhortace
preachy [pri:či] (-*ie*-) kazatelský, mravokárný, didaktický
preacquaint [ˌpri:əˈkweint] předem se seznámit, předběžně se seznámit
preacquaintance [ˌpri:əˈkweintəns] předběžné seznámení
preadamic [ˌpri:əˈdæmik] žijící před Adamem, jsoucí z doby před Adamem
preadamite [ˌpri:ˈædəmait] *adj = preadamic* ● *s* **1** člověk z doby před Adamem **2** zastánce názoru, že lidstvo s výjimkou Židů pochází z lidí žijících před Adamem
preadmission [ˌpri:ədˈmišən] předchozí vstup páry
preadmonish[ˌpri:ədˈmoniš] předem upozornit, předem varovat
preadmonition [ˌpri:ædməˈnišən] předběžné upozornění n. varování
preadolescent [ˌpri:ædəuˈlesnt] předpubertální
preadult [pri:ˈædalt] týkající se dospívání
preadvise [ˌpri:ədˈvaiz] předem poradit, připravit radou
prealtar [pri:ˈoltə] jsoucí před oltářem
preamble [pri(:)ˈæmbl] *s* úvod, úvodní část, předmluva, preambule ● *v* **1** říci / napsat úvodem **2** udělat / napsat preambuli
pream [pri:æm] = *preamplifier*
preamplifier [pri:ˈæmplifaiə] sděl. tech. předřazený zesilovač, předzesilovač
preannounce [ˌpri:əˈnauns] předem oznámit, předem ohlásit
preanouncement [ˌpri:əˈnaunsmənt] předběžné oznámení n. ohlášení
preappoint [ˌpri:əˈpoint] předem určit, předběžně jmenovat
preappointment [ˌpri:əˈpointmənt] předběžné jmenování
prearrange [ˌpri:əˈreindž] předem ujednat, předem dohodnout, předem zařídit, předem určit, předem připravit
preatomic [ˌpri:əˈtomik] : *~ warfare* předatomové válčení vedení válek klasickými zbraněmi
preaudience [ˌpri:ˈo:djəns] BR právo být vyslechnut napřed; přednostní právo právníka
prebend [prebənd] obročí, beneficium, prebenda kanovníka, důchod i pozemek
prebendal [priˈbendl] obroční, obročný
prebendary [prebəndəri] (-*ie*-) prebendář; titulární kanovník
prebendary-stall [ˈprebəndəriˌsto:l] **1** kanovnická lavice v katedrále **2** přen. prebenda, obročí
prebiological [priˌbaiəuˈlodžikəl], **prebiotic** [ˌpri:baiˈotik] jsoucí před výskytem života na zemi (*~ times*)
prebuilt [pri:ˈbilt] prefabrikovaný, montovaný
precalculable [pri:ˈkælkjuləbl] předem vypočitatelný
precalculate [pri:ˈkælkjuleit] předem | si vy|počítat, udělat předběžný rozpočet, předkalkulovat
precalculation [ˌpri:kælkjuˈleišən] předběžný rozpočet, předběžná kalkulace, předkalkulace
pre-Cambrian [pri:ˈkæmbriən] geol. *adj* předkambrický ● *s* prekambrium
precancel [pri:ˈkænsəl] *v* (-*ll*-) znehodnotit poštovní známku orazítkováním před použitím ● *s* takto znehodnocená poštovní známka
precapitalist [pri(:)ˈkæpitəlist] předkapitalistický
precarious [priˈkeəriəs] **1** nejistý, nezaručený, pochybný (*too great dependance on one ~ crop*) **2** ošidný, všelijaký, vratký, vachrlatý (hovor.), tísnivý, zoufalý, nejistý, povážlivý, choulostivý, prekérní (*the ~ safety of an icefloe* nejisté bezpečí ledové kry); nebezpečný, riskantní (*the ~ life of a fisherman*) **3** poskytovaný z vůle jiného, závislý na vůli jiného, prekérní ◆ *~ tenure* hist. výprosa
precariousness [priˈkeəriəsnis] **1** nejistota, nezaručenost, pochybnost **2** ošidnost, vratkost, vachrlatost (hovor.), povážlivost, nejistota, tísnivost, zoufalost, prekérnost; nebezpečnost, riskantnost
precast [pri:ˈkast] (*precast, precast*) *v* ulít napřed, odlít napřed z betonu, udělat jako prefabrikát ● *adj* **1** odlitý, prefabrikovaný **2** v. *precast, v*
precative [prekətiv] **1** jaz. přací **2** prosebný, vyslovující přání (*a ~ utterance* prosebný výrok)
precatory [prekətəri] **1** prosebný, obsahující žádost **2** jaz. přací ◆ *~ trust* závazné výslovné přání v závěti; *~ words* přání vyslovené v závěti
precaution [priˈko:šən] **1** opatrnost, obezřelost, obezřetnost, ostražitost, bdělost (*need for ~*) **2** předběžný zákrok, opatření ◆ *as a ~* pro jistotu; *take ~s* udělat bezpečnostní opatření *against* proti, zajistit se proti
precautionary [priˈko:šnəri] bezpečnostní, preventivní (*~ measure*)
precautious [priˈko:šəs] opatrný, obezřelý, obezřetný, ostražitý, bdělý, rozmyslný
precede [pri:ˈsi:d] **1** předcházet *a t.* před čím (*military penetration ~d settlement* osídlení předcházelo vojenské proniknutí), čemu (*the calm that ~d the storm* klid, který předcházel bouři); předejít čemu (*must ~ this measure by milder ones* tomuto opatření musí předcházet opatření mírnější), jít před; mít přednost *a p.* před (*sons of*

barons ~ *baronets*) **2** uvést *a t.* co *by* / *with* čím, předeslat čemu co (~ *his address with a welcome to the visitors*) ◆ *be* ~*d by* jít za, být veden / uváděn kým, mít před sebou při průvodu koho např. jako znamení úřadu n. moci

precedence [pri:ˈsi:dəns], řidč. **precedency** [pri:ˈsi:dənsi] **1** přednost *of* / *over* před (*ladies always have the* ~ *of gentlemen*) **2** priorita, prvenství **3** přednostní právo, pořadí v hierarchii hodnot n. hodností, precedence (*seated the officials and diplomats according to the* ~) ◆ *order of* ~ pořádek, pořadí; *take* ~ *of* mít přednost před; *yield* ~ *to* ustoupit v pořadí komu

precedent[1] [priˈsi:dənt] předchozí, předcházející

precedent[2] [presidənt] **1** co už někdy bylo, co se už někdy stalo, předchozí případ *for* čeho (*is there a* ~ *for what you want me to do?*) **2** tradice, zvyk (*broke* ~ *when they elected a woman*); vzor, model, záminka pro budoucnost **3** práv. precedens, precedent; soudní rozhodnutí závazné i pro budoucnost ◆ *be without* ~ *1.* být vůbec poprvé, být bezpříkladný, nemít v minulosti sobě rovna *2.* práv. být bez precendentu

precedented [presidentid] podložený / podepřený / odůvodněný předchozím případem

precedential [ˌpresiˈdenšəl] precedenční (*a* ~ *case*); přednostní

preceding [ˌpri:ˈsi:diŋ] **1** předcházející **2** hvězd. pohybující se n. jsoucí proti směru zdánlivého otáčení oblohy **3** v. *precede*

precensor [ˌpri:ˈsensə] předběžně cenzurovat, podrobit předběžné cenzuře

precensorship [ˌpri:ˈsensəšip] předběžná cenzura

precent [ˌpri:ˈsent] dělat předzpěváka; předzpěvovat, intonovat žalmy

precentor [ˌpri:ˈsentə] **1** předzpěvák, kantor zejm. presbyteriánský; regenschori **2** duchovní pověřený řízením hudební složky bohoslužeb v anglické katedrále

precentorship [ˌpri:ˈsentəšip] **1** kantorství, funkce předzpěváka **2** řízení hudební složky bohoslužeb

precentrix [ˌpri:ˈsentriks] předzpěvačka, kantorka

precept [pri:sept] **1** rozkaz, nařízení, předpis, poučka, příkaz, přikázání, pravidlo, životní zásada (*the dominance of his party was the most important* ~ *of his life*) **2** písemný příkaz zejm. k volbám; platební příkaz

preceptive [ˌpri:ˈseptiv] nařizovací, předpisový, obsahující předpisy (*the* ~ *parts of the Bible*)

preceptor [priˈseptə] **1** učitel, instruktor, vychovatel, preceptor, tutor **2** ředitel školy **3** lékař zaškolující mladšího kolegu n. studenta zejm. ve své specializaci (*a* ~ *in obstetrics and gynaecology* lékař školící v porodnictví a gynekologii) **4** hist. představený domu templářů

preceptorial [ˌpri:sepˈto:riəl] **1** učitelský, instruktorský, vychovatelský, preceptorský, tutorský (~ *duties*) **2** týkající se individuálních učitelů (~ *system*)

preceptorship [priˈseptəšip] učitelství, vychovatelství

preceptory [priˈseptəri] (*-ie-*) **1** hist. nižší organizační jednotka templářů **2** řádový dům templářů, majetek k němu patřící, zboží templářů

preceptress [priˈseptris] učitelka, instruktorka, vychovatelka, preceptorka, guvernantka

precession [priˈsešən] **1** předcházení; přednost **2** hvězd. precese ◆ ~ *of the equinoxes* hvězd. precese bodů rovnodennosti

precessional [priˈsešənl] hvězd. precesní

pre-Christian [pri:ˈkristjən] předkřesťanský

precinct [pri:siŋ*k*t] **1** ohraničené posvátné místo, enkláva **2** ~*s, pl* okolí, nejbližší sousedství, areál (*women are not allowed within the* ~*s of this men's club* do areálu tohoto pánského klubu není ženám vstup dovolen) **3** hranice (*within the city* ~*s*) **4** centrum, oblast, středisko, čtvrť zejm. s vyloučením dopravy (*a shopping* ~) **5** AM policejní / volební okrsek

preciosity [ˌprešiˈosəti] afektovanost, strojenost, přepjatost, nepřirozenost, vyumělkovanost, precióznost

precious [prešəs] *adj* **1** vzácný, drahý, cenný, ušlechtilý; drahocenný, převzácný, předrahý (*her children are very* ~ *to her*) **2** hovor. pořádný, pěkný, povedený, vykutálený, vyložený, prvotřídní (*he's a* ~ *rascal*) **3** vyumělkovaný; afektovaný, strojený, přepjatý, nepřirozený, preciózní ◆ ~ *metals* drahé kovy; *a* ~ *sight more* o moc víc (*it cost a* ~ *sight more than I could afford* stálo to o hodně víc, než jsem si mohl dovolit); ~ *stone* drahokam, drahý kámen (miner.) ◆ *adv* hovor. děsně, strašně, šíleně, zatraceně, sakramentsky (*she actually has* ~ *little to say about what roles she is going to play*) ● *s* hovor. miláček, drahoušek, zlatíčko, brouček

preciousness [prešəsnis] **1** vzácnost; drahocennost **2** vyumělkovanost, afektovanost, strojenost, přepjatost, nepřirozenost, precióznost

precipice [presipis] spád, prudký svah, sráz, strmá stěna; propast, též přen.

precipitability [priˌsipitəˈbiləti] chem. srážlivost, sráživost, schopnost precipitace

precipitable [priˈsipitəbl] chem. srážlivý, sráživý, schopný precipitace

precipitance [priˈsipitəns], **precipitancy** [priˈsipitənsi] **1** velký chvat, spěch, kvap, kalup **2** ukvapenost, zbrklost, překotnost (*effected the changes with a* ~ *that stirred up resistance* provedl změny tak překotně, že to vzbudilo odpor)

precipitant [priˈsipitənt] *adj* **1** padající střemhlav **2** kvapný, střemhlavý **3** ukvapený, zbrklý, překotný ◆ *s* chem. sráždlo

precipitantly [priˈsipitəntli] rychle, prudce, spěšně, honem, nakvap, překotně, jako o překot

precipitate *s* [priˈsipitit] **1** chem. sraženina, usazenina, precipitát **2** fyz. sraženina, usazenina, kondenzát; meteor. srážka, precipitát ◆ ~ *per se* / *red* ~ červený precipitát kysličník rtuťnatý; *white* ~ bílý precipitát chlorid merkuriamonný ● *adj* [priˈsipitit] **1** srázný, strmý (*bare* ~ *cliffs* holé strmé útesy) **2** střemhlavý, ukvapený, zbrklý, překotný, potřeštěný, ztřeštěný člověk i čin ● *v* [priˈsipiteit] **1** u|vrhnout střemhlav (~ *the country into war*) **2** urychlit, uspíšit, rychle přivodit, mít rychle za následek, rychle vyvrcholit čím (*events that* ~*d his ruin*); řítit se (*Fascism* ~*d toward its agony*); jednat překotně, ukvapeně, zbrkle **3** srážet páru (*an ice-filled glass* ~*s moisture from the air* sklenice naplněná ledem sráží vlhkost ze vzduchu); chem. srážet | se, usazovat | se, sedat; projevovat se *into* v / čím (*this desire or tendency* ~*s into observable motion* tato touha či tendence se projevuje pozorovatelným pohybem) ***precipitate o.s.*** *1* vrhnout se (*in dismay he* ~*d himself once more upon his task* ze zoufalství se znovu vrhl na svůj úkol) *2* padat (*the Congo* ~*s itself between the mountains*), upadnout (*he* ~*d himself into scepticism*) *3* projevit se viditelně

precipitateness [priˈsipititnis] **1** sráznost, strmost **2** ukvapenost, zbrklost, překotnost, potřeštěnost, ztřeštěnost

precipitation [priˌsipiˈteišən] **1** srážení, sražení, vylučování, precipitace **2** meteor. srážka, srážky **3** ukvapenost, zbrklost, překotnost (*had acted with some* ~)

precipitator [priˈsipiteitə] srážeč, srážedlo; srážecí přístroj, srážecí nádoba

precipitous [priˈsipitəs] **1** velice srázný, strmý (*a* ~ *street*); téměř kolmý, prudký **2** = *precipitate, adj 2* ◆ ~ *sea* velmi vzduté moře 8. stupeň Douglasovy stupnice (s vlnami přes 36 stop)

precipitousness [priˈsipitəsnis] **1** sráznost, strmost, prudkost **2** = *precipitateness*

précis [preisi: / AM preiˈsi:] *s pl: précis* [preisi:z] **1** krátký souhrn, stručný přehled, výtah, konspekt (*a* ~ *of French history*), **2** zápis porady ● *v* **1** shrnout, udělat přehled hlavních bodů **2** udělat zápis porady

precise [priˈsais] **1** přesný (*determine the* ~ *meaning of the term* určit pravý význam výrazu, *flying in a beautiful, tight,* ~ *formation*); precizní, korektní, pedantický (*a* ~, *magisterial person* pedantická autoritativní osoba); puritánský **2** absolutní (*hit the mark with* ~ *accuracy* zasáhl cíl s absolutní přesností); správný, přesný, přesně / právě ten (*the* ~ *task for which he was born, the* ~ *moment when the traveller is passing*) **3** ostrý (*the* ~ *images in the camera finder* ostré obrazy v hledáčku fotoaparátu), jasný, zřetelný (*speaks with a* ~ *British accent*) ◆ ~ *mechanics* přesná / jemná mechanika

precisely [priˈsaisli] **1** ano, přesně tak, naprosto správně **2** v. *precise*

preciseness [priˈsaisnis] **1** přesnost, preciznost; korektnost, pedantičnost; puritánství **2** ostrost, jasnost, zřetelnost

preciser [priˈsaisə] přesný obráběcí stroj

precisian [priˈsižən] purista, puntičkář v morálce n. náboženství, formalista; puritán

precisianism [priˈsižənizəm] puntičkářství, formalismus; puritánství

precision [priˈsižən] *s* **1** přesnost; preciznost; přesné seřízení **2** jemnost, jemnůstka (*suspicious of the* ~*s of language* nedůvěřující jemnůstkám v jazyce) **3** přesné zastřílení, přesná oprava střelby ● *adj* přesný ◆ ~ *tool* přesný nástroj, nástroj na přesnou práci

precisionist [priˈsižənist] purista, formalista, puntičkář

precited [pri:ˈsaitid] shora citovaný

preclassical [pri:ˈklæsikəl] předklasický

preclear [priˈkliə] předem schválit, předem prohlásit za nezávadné

preclude [priˈklu:d] předem zamezit, vyloučit, znemožnit *from* co / aby, už napřed za|bránit čemu / v / aby (*engagements* ~ *the principal from extending this trip* závazky už napřed brání řediteli v tom, aby si tuto cestu prodloužil)

preclusive [priˈklu:siv] předem vylučující, znemožňující, bránící; preventivní ◆ *be* ~ *of* vylučovat, znemožňovat

precocious [priˈkəušəs] **1** rostlina časný, raný, brzy kvetoucí n. rodící, mající dříve květy než listy **2** předčasně vyspělý (*a* ~ *genius*); předčasný, mladistvý a zralý (*a* ~ *achievement* mladistvý, ale zralý a úspěšný výsledek)

precociousness [priˈkəušəsnis] = *precocity*

precocity [priˈkosəti] **1** časnost, ranost **2** předčasná vyspělost zejm. duševní

precognition [ˌpri:kogˈnišən] **1** vědění napřed, dřívější vědomost, jasnozřivost **2** BR předběžný výslech svědků před zahájením procesu

precognitive [pri:ˈkognitiv] dávající předem vědomost, prorocký, jasnovidný (*a* ~ *dream*); pramenící z jasnozřivosti

pre-Columbian [ˌpri:kəˈlambiən] předkolumbovský

precombustion [ˌpri:kamˈbasčən] předběžné spalování, komůrkové spalování ◆ ~ *chamber* komůrka Dieselova motoru

preconceive [ˌpri:kənˈsi:v] předjímat, udělat si předem názor na, představit si předem, udělat si napřed představu n. úsudek o

preconception [ˌpri:kənˈsepšən] předem učiněný úsudek, předsudek, předběžná zaujatost, předpojatost

preconcert [ˌpri:kənˈsə:t] předem zařídit, ujednat, dohodnout, domluvit

preconciliar [ˌprikənˈsiliə] círk. předkoncilový

precondemn [ˌpri:kənˈdem] předem odsoudit

precondition [ˌpri:kənˈdišən] předpoklad (*the indispensable ~ of success* neopominutelný předpoklad úspěchu); předběžná podmínka (*he was prepared to negotiate without any ~s* byl ochoten vyjednávat bez jakýchkoli předběžných podmínek)
preconization [ˌpri:kənaiˈzeišən] círk. veřejné potvrzení biskupa papežem
preconize [pri:kənaiz] **1** veřejně oznámit n. odsoudit **2** círk. veřejně schválit jmenování biskupa
preconqueror [pri:ˈkoŋkərə] = *preconquest*
preconquest [pri:ˈkoŋkwest] jsoucí z doby před normanským vpádem do Anglie, jsoucí z doby před rokem 1066
preconscious [pri:ˈkonšəs] předvědomý, podvědomý; jsoucí před příchodem k vědomí
preconsciousness [pri:ˈkonšəsnis] předvědomí
preconsider [ˌpri:kənˈsidə] předem uvážit
preconsideration [ˌpri:kənˌsidəˈreišən] předběžná úvaha
precontract *v* [ˌpri:ˈkontrækt] předem se dohodnout, uzavřít předběžnou manželskou dohodu, předem se závazně zasnoubit ● *s* [priˈkontrækt] dřívější smlouva, závazná manželská dohoda
precook [pri:ˈkuk] předvařit
precool [pri:ˈku:l] předchladit, podchladit
precordial [pri:ˈko:djəl] předsrdeční ◆ ~ *region* anat. krajina předsrdeční
precostal [pri:ˈkostl] předžeberní
precritical [pri:ˈkritikəl] předkrizový
precusive [pri(:)ˈke:siv] = *precursory*
precursor [pri(:)ˈkə:sə] **1** předzvěst (*headaches were the ~s of breakdown*); předchůdce (*Greek mathematics were the ~ to modern mathematics*) **2** fyz. hypotetická elementární částice
precursory [pri(:)ˈkə:səri] předběžný, předem něco ohlašující, předzvěstný
predacious [priˈdeišəs] živočich dravý; pud dravčí
predacity [priˈdæsəti] dravost
predate [pri:ˈdeit] antedatovat; časově předcházet čemu
predator [predətə] dravec
predatory [predətəri] dravý; zhoubný, ničivý, bezohledný, urputný, krutý, loupeživý (*seven years warfare* sedm let loupeživého válčení) ◆ ~ *bird* dravec
predawn [pri:ˈdo:n] jsoucí před rozbřeskem, před svítáním
predecease [ˌpri:diˈsi:s] *v* zemřít jako první; zemřít dříve než ● *s* dřívější smrt
predecessor [pri:disesə] **1** předchůdce **2** předek opak potomka **3** co předchází, předcházející návrh apod. (*is the new proposal any better than its ~ ?* je nový návrh lepší než ten ...?)
predefine [ˌpri:diˈfain] předem definovat, rozhodnout
predella [priˈdelə] predella oltářní stupeň; spodní část křídlového oltáře spočívající na mense; obraz n. socha na predelle
predestinarian [ˌpri:destiˈneiəriən] náb. *adj* predestinační, týkající se predestinace ● *s* zastánce predestinace
predestinate *v* [pri:ˈdestineit] **1** náb. predestinovat předurčit k věčné blaženosti n. záhubě **2** předurčit, předurčovat ● *s* [pri(:)ˈdestinit] predestinovaný; předurčený
predestination [pri:ˌdestiˈneišən] **1** náb. predestinace předurčení k věčné blaženosti n. záhubě; nauka o takovém předurčení **2** osud
predestine [pri:ˈdestin] předurčovat, předurčit; predestinovat ● *be ~d* být (osudem) předurčen / predestinován
predeterminate [ˌpri:diˈtə:minit] osudem před určený, predeterminovaný; předem rozhodnutý
predetermination [ˌpri:diˌtə:miˈneišən] **1** předurčení, predeterminace; predestinace **2** dřívější / původní záměr, rozhodnutí předem **3** předběžný rozpočet
predetermine [ˌpri:diˈtə:min] **1** předem určit n. vybrat; předurčit, predeterminovat **2** předem | se rozhodnout n. vyřešit (*it is impossible to ~ the specific problems he will meet*) *to* že (*he had almost ~d to assent to his brother's prayer* byl téměř předem rozhodnut souhlasit s bratrovou prosbou) **3** předem nutit *a p.* koho *to* aby, působit
prediabetes [ˌpri:daiəˈˈbi:tiz] med. stav předcházející cukrovce
prediabetic [ˌpri:daiəˈbetik] *adj* náchylný k onemocnění cukrovkou ● *s* osoba náchylná k onemocnění cukrovkou
predial [pri:diəl] *adj* zemědělský, pozemkový, týkající se půdy; otrok patřící k pozemku ● *s* otrok patřící k pozemku
predicability [ˌpredikəˈbiləti] možnost n. schopnost o něčem vypovídat
predicable [predikəbl] *adj* o čem lze něco tvrdit, o čem lze vypovídat, čemu lze přisuzovat vlastnosti ● *s ~s, pl* filoz. predikabilia souhrnný název pro obecné pojmy rodu, druhu, druhového rozdílu, vlastnosti a případnosti
predicament [priˈdikəmənt] **1** nepříjemná / kritická / krizová situace, nepříjemné dilema, tíseň, trampoty, nesnáze **2** *~s, pl* log. predikamenta souhrnný název pro kategorie
predicamental [priˌdikəˈmentl] nepříjemný, kritický, krizový, tísnivý, nebezpečný
predicant [predikənt] *adj* kazatelský (*the Dominicans are a ~ order*) ● *s* **1** kazatel; dominikán **2** protestantský kazatel, predikant
predicate *s* [predikit] **1** log., jaz. přísudek, predikát **2** vlastnost; přídomek, titul (*"Mother of God" is the ~ of Mary*) ● *v* [predikeit] **1** log., jaz. predikovat přisuzovat jako predikát **2** vyslovovat | se, vypovídat, tvrdit (*~ of a motive that it is good or bad*)

o (*we ~ goodness or badness of a motive*); přisuzovat *of* čemu **3** hlásit, naznačovat (*~s the arrival of a revolutionary situation*) ◆ *be ~d* mít za základ *upon* co, odvozovat se z, spočívat, být založen na (*any code of ethics must be ~d upon the basic principles of truth and honesty* jakýkoli mravní kodex musí být založen na základních principech pravdy a čestnosti) ● *adj* [predikit] predikativní, přísudkový

predication [ˌprediˈkeišən] **1** log. predikace; tvrzení, výpověď, výrok **2** veřejné hlásání; kázání

predicative [priˈdikətiv] **1** predikativní, přísudkový, tvořící přísudek n. jeho část **2** tvrdící, vypovídající

predicatory [predikeitəri] kazatelský, týkající se kázání

predict [priˈdikt] předpovědět, předpovídat, prorokovat (*~ a good harvest* předpovídat dobrou úrodu, *~ that there will be an earthquake* předpovídat, že bude zemětřesení)

predictability [priˌdiktəˈbiləti] předpověditelnost

predictable [priˈdiktəbl] předvídaný, předvídatelný, předpověditelný (*a ~ chaos*) ◆ *make a p. ~* předurčovat k určitému, předem známému chování

predictably [priˈdiktəbli] jak (bylo) lze tušit, jak se dalo předpokládat n. očekávat

prediction [priˈdikšən] **1** předpověď, proroctví **2** voj. dělostřelecká příprava vypočítáváním prvků ke střelbě bez zastřelování

predictive [priˈdiktiv] předpovídající, předpovědní, prorocký

predictor [priˈdiktə] **1** předpovídatel **2** voj. protiletadlový zaměřovač; ústřední zaměřovač

predigest [ˌpri:diˈdžest] **1** předem strávit; natrávit, předtrávit **2** přen. předžvýkat (*our great works even more thoroughly ~ed in the form of textbooks, condensations, summaries and the like*)

predigestion [ˌpri:diˈdžesčən] předtrávení, natrávení enzymatickým pochodem

predikant [ˌprediˈkænt] predikant protestantský duchovní, zejm. v Jižní Africe

predilection [ˌpri:diˈlekšən] zvláštní záliba *for* v, dávání přednosti čemu

predispose [ˌpri:disˈpəuz] u|činit náchylným n. způsobilým, predisponovat (*~ the miner to rheumatism* vytvářet u horníka náchylnost k reumatismu)

predisposition [pri:ˌdispəˈzišən] náchylnost, způsobilost, sklon, dispozice; predispozice, též med.

predominance [priˈdominəns] **1** převaha, přesila **2** vliv nebeského tělesa na člověka, ascendent

predominant [priˈdominənt] *adj* hlavní, silnější, vládnoucí, řídící, rozhodující, převládající, převážný, dominantní ● *s* les. předrostlík

predominate [priˈdomineit] mít převahu n. přesilu, převládat, převažovat, převyšovat, vynikat, dominovat *over* nad

predominatingly [priˈdomineitiŋli] převážně, většinou, hlavně, zejména

predoom [pri:ˈdu:m] předem odsoudit, předem určit rozsudek nad

predorsal [pri:ˈdo:səl] předhřbetní

pre-elect [ˌpri:iˈlekt] **1** předem zvolit **2** náb. předem vyvolit k spasení, predestinovat

pre-election [ˌpri:iˈlekšən] *s* **1** zvolení předem **2** náb. predestinace ● *adj* předvolební (*~ coalition*)

pre-eminence [pri:ˈeminəns] výtečnost, vynikání, prvotřídnost, předstih, přednost, vynikající postavení

pre-eminent [pri:ˈeminənt] prvotřídní, výtečný, vynikající *above* nad, předstihující koho ◆ *be ~* vysoko vynikat *for* čím (*the cuisine is ~ for its seafood* kuchyně vysoko vyniká svými pokrmy z mořských ryb a korýšů)

pre-empt [pri:ˈem*p*t] **1** získat předkupem, předkupovat **2** AM usadit se na pozemku a tím získat předkupní právo za závazek jeho zhodnocení **3** přen. získat předem, přivlastnit si (*prose has ~ed a lion's share of the territory once held by poetry* próza si dosud přivlastňuje lví podíl z území, které kdysi patřilo poezii), obsadit (*as the immigrants ~ed the central areas, the older stock moved out toward the suburbs* jak přistěhovalci obsazovali městská centra, stěhovali se starousedlíci ven na předměstí) **4** bridž: udělat takovou hlášku, která znemožní další licitaci

pre-emption [pri:ˈem*p*šən] **1** předkup; předkupní právo **2** zabrání, zábor předem (*the agency's ~ of all power and responsibility*)

pre-emptive [pri:ˈem*p*tiv] mající za úkol něco předem znemožnit, předem ochromující, zábranný, zabraňovací, preventivní (*a ~ attack*) ◆ *~ bid* bridž: hláška znemožňující další licitaci

preen [pri:n] **1** tříbit, čistit, rovnat, čechrat peří; rovnat, srovnávat, urovnávat, uhlazovat oděv; česat, uhlazovat, ulízávat vlasy **2** nadýmat se, nadouvat se, nafukovat se, pyšnit se, vypínat se ***preen o.s.*** *1* vyšňořit se, dát se do pořádku *2* gratulovat si *on* k, pyšnit se čím (*~ed himself on having put across another sharp deal* gratuloval si k tomu, že se mu podařilo udělat další lumpárnu)

pre-engage [ˌpri:inˈgeidž] **1** zavázat | se n. zaručit | se dříve n. předem n. dříve se zasnoubit **2** předem si zamluvit

pre-engagement [ˌpri:inˈgeidžmənt] **1** dřívější závazek, dřívější dohoda, dřívější zasnoubení **2** zamluvení si předem

pre-establish [ˌpri:isˈtæbliš] předem ustanovit

pre-estimate *v* [pri:ˈestimeit] předem odhadnout cenu čeho, udělat předběžný rozpočet / předkalkulaci na / čeho ● *s* [pri:ˈestimit] předběžný odhad, předběžný rozpočet, předkalkulace

pre-exilian [ˌpri:egˈziliən], **pre-exilic** [ˌpri:egˈzilik] předexilní, jsoucí z doby před babylónským zajetím Židů

pre-exist [ˌpri:igˈzist] **1** žít už dříve, existovat už dříve, preexistovat **2** být dříve než, existovat před (*monuments that ~ written history*)
pre-existence [ˌpri:igˈzistəns] **1** dřívější existence, dřívější život **2** filoz. preexistence existence předcházející pozdější formě existence
pre-existent [ˌpri:igˈzistənt] existující už dříve, preexistující
prefab [pri:fæb] hovor. *s* **1** panelák **2** montovaný dům ● *adj* **1** prefabrikovaný **2** montovaný
prefabricate [pri:ˈfæbrikeit] **1** prefabrikovat, dělat prefabrikáty n. montážní i montovatelné díly n. dílce **2** přen. zmontovat ◆ *~ed parts* panely, prefabrikáty, montovací díly n. dílce
prefabricated [pri:ˈfæbrikeitid] předem továrně vyrobený, prefabrikovaný, stavebnicový, sestavený z hotových dílců, montovaný z prefabrikátů ◆ *~ element* prefabrikovaný dílec, prefabrikát
prefabrication [pri:ˌfæbriˈkeišən] tovární výroba stavebních dílců, prefabrikace, výroba prefabrikátů
preface [prefis] *s* **1** předmluva (*write a ~ to a book*), úvod projevu **2** círk. preface modlitba před pozdvihováním ● *v* **1** opatřit předmluvou, dát / napsat předmluvu k **2** říci úvodem, uvést; zahájit *with* čím, předeslat čemu co (*her cousin ~d his speech with a solemn bow* její bratranec zahájil svou řeč slavnostní poklonou), předcházet čemu, být úvodem čeho (*the coming years will ~ a durable peace*)
prefatorial [ˌprefəˈto:riəl] týkající se předmluvy; úvodní
prefatory [prefətəri] úvodní, sloužící jako předmluva (*~ statement*) ◆ *~ note* předmluva, úvodní poznámka
prefect [pri:fekt] prefekt vysoký úředník ve starém Římě; přednosta správního úřadu např. ve Francii; student-dozorce (v některých anglických školách); děkan jezuitské koleje ◆ *~ of police* policejní prefekt náčelník pařížské policie
prefectoral [pri:ˈfektərəl], **prefectorial** [ˌpri:fekˈto:riəl] **1** prefektský **2** dozorčí ve školách
prefectship [pri:fektšip] prefektství, prefektura
prefectural [priˈfekčərəl] prefekturní
prefecture [pri:fektjuə] prefektura úřad prefekta; správní obvod řízený prefektem
prefer [priˈfə:] (*-rr-*) **1** dát přednost čemu (*which would you ~, tea or coffee?*) *over* před (*independents ~ Kennedy over Johnson*) *a p.* aby kdo (*I should ~ you not to go there alone*); mít raději *to* než (*I ~ walking to cycling*), raději dělat (*I should ~ to wait until evening* raději bych počkal do večera) *rather than* než (*I ~ to die rather than to pay blackmail* raději by zemřel, než platil vyděrači); používat s oblibou; preferovat **2** podat, přednést, vznést (*~ a charge against a motorist* udat motoristu) **3** povýšit *to* na / do stavu ◆ *~red position* přednostní, výhodné postavení za vyšší sazbu; *~red stock* AM preferenční úpis, prioritní akcie
preferable [prefərəbl] výhodnější, lepší, vhodnější
preferably [prəfərəbli] **1** raději **2** nejraději, nejlépe, nejspíš
preference [prefərəns] **1** přednost *of* čemu *to* / *over* před (*do you expect to be given ~ over everyone else?*); čemu kdo dává přednost (*what are your ~s?*), větší záliba; výběr (*a tie of my ~*), právo výběru (*gave him his ~* dal mu na vybranou) **2** přednost, výhoda, přednostní nakládání, preference **3** preferens druh karetní hry ◆ *have ~ for* mít raději co, dávat přednost čemu; *in ~ to* raději než (*I should choose this in ~ to any other*); *P~ Stock* BR preferenční úpis, preferenční akcie
preferential [ˌprefəˈrenšəl] přednostní, výhodnější, zvýhodněný, preferenční ◆ *~ duty* celní výhody; *~ shop* družstevní obchod, konzum; *~ voting* systém voleb, v nichž volič označuje na volebním lístku pořadí kandidátů
preferentialism [ˌprefəˈrenšəlizəm] poskytování zvláštních výhod (preferenčních celních sazeb) v mezinárodním obchodě
prefentialist [ˌprefəˈrenšəlist] zastánce poskytování zvláštních výhod (preferenčních celních sazeb apod.)
preferment [priˈfə:mənt] povýšení, jmenování do vyšší funkce zejm. církevní
prefiguration [pri:ˌfigjuˈreišən] zpodobnění předem, vzor, pravzor, prototyp; předzvěsť, předobraz, předobrazení, (*by that trick of lighting a ~ of age fell across her*); předběžná ukázka
prefigurative [pri:ˈfigjurətiv] **1** vzorový; napřed ukazující n. zpodobňující **2** týkající se společnosti, kde převažují názory mladší generace
prefigure [pri:ˈfigə] **1** předem zpodobnit / označit / navrhovat; být vzorem / prototypem / předzvěstí čeho; předobrazit **2** představit si předem, předvídat (*few writers care to ~ the future*)
prefigurement [pri:ˈfigəmənt] = *prefiguration*
prefix *s* [pri:fiks] **1** jaz. předpona, prefix **2** titul, označení před jménem (např. *Mr, Dr*) ● *v* [pri:ˈfiks] **1** dát na začátek *to* čeho, připojit před začátek čeho (*~ a new paragraph to Chapter Ten*) **2** jaz. spojit s předponou *to* co; prefigovat s čím *to* co
prefixion [pri:ˈfikšən] jaz. spojení předpony se slovem, prefigace
prefixture [pri:ˈfiksčə] **1** = *prefixion* **2** = *prefix, s 1*
preform [pri(:)ˈfo:m] *v* předtvarovat, předformovat ● *s* předlisek; polotovar
preformation [ˌpri:fo:ˈmeišən] tvarování předem ◆ *theory of ~* preformismus názor, že v zárodku je organismus v plné podobě předem utvořen
preformative [pri:ˈfo:mətiv] *adj* **1** tvořící, tvarující předem **2** jaz. tvořící předponu, předponový ● *s* jaz. předpona
prefrontal [pri:ˈfrantl] ležící před čelní kostí; ležící před čelním lalokem mozku

preggers [pregəz] BR slang.: jsoucí v tom těhotný (*my wife is ~ again*)
preggy [pregi] BR slang. = *preggers*
preglacial [pri:ˈgleisjəl] jsoucí před dobou ledovou, předglaciální
pregnable [pregnəbl] **1** nikoliv nedobytný, zdolatelný **2** otevřený, málo chráněný
pregnancy [pregnənsi] **1** těhotnost, těhotenství, gravidita; březost u zvířat **2** plodnost, úrodnost (*~ of the soil*) **3** výraznost, výstižnost, nápaditost, bohatství myšlenek, hloubka myšlenek, obsažnost, tvůrčí síla, pregnance, pregnantnost
pregnant [pregnənt] **1** těhotný, gravidní; zvíře březí **2** plný, naplněný *with* čím (*words ~ with meaning*), kypící (*nature ~ with life*), bohatý *with* čím / na (*political events ~ with consequences* politické události bohaté na následky); těhotný událostmi (*the 1930s were ~ years*); slibný, sugestivní **3** významný, výstižný, výrazný, obsažný, pregnantní ♦ *~ construction* jaz. mnohovýznamová vazba
preharvest [pri:ˈha:vist] doba před sklizní
preheat [pri:ˈhi:t] nahřát, ohřát, předehřát; rozehřát motor; rozpálit, vyhřát troubu
prehensile [priˈhensail] **1** chápavý, chápací (*the ~ tail of a monkey* chápavý ocas opice), též přen. (*our poets, those strangely ~ men*) **2** hrabivý, ziskuchtivý (*increased the staff of his ~ employees* zvýšit početní stav svých hrabivých zaměstnanců)
prehension [priˈhenšən] chápavost
prehistoric [ˌpri:hisˈtorik] **1** pravěký, prehistorický **2** hovor. předpotopní
prehistory [pri:ˈhistəri] pravěk, prehistorie
prehormone [pri:ˈho:məun] zárodečný hormon
prehuman [pri:ˈhju:mən] jsoucí před objevením člověka na zemi, před érou lidstva; předcházející člověku
preignition [ˌpri:igˈnišən] předzápal, předstih zapalování
preinduction [ˌpri:inˈdakšən] předvojenský (*~ training*)
preindustrial [ˌpri:inˈdastriəl] jsoucí z doby před průmyslovou revolucí
preinvasive [ˌpri:inˈveisiv] předcházející akutnímu propuknutí (*~ cervical cancer*)
prejudge [pri:ˈdžadž] předem n. předčasně od|soudit, učinit si předčasný úsudek o, předjudikovat čemu
prejudgement [pri:ˈdžadžmənt] = *prejudication*
prejudger [pri:ˈdžadžə] kdo si dělá předčasný úsudek
prejudication [ˌpri:džudiˈkeišən] **1** předčasné od|souzení, předčasný úsudek **2** práv. prejudice, prejudikát; prejudiciální otázka / spor
prejudice [predžudis] *s* **1** předsudek; zaujatost, předběžné zaujetí *against* | *in favour of* proti|pro **2** újma, škoda, poškození, úhona, úkor **3** prejudic ♦ *have a ~* být předem zaujat; *to the ~ of* ke škodě / na úkor koho; *without ~ 1.* nezaujatě, objektivně, nestranně, bez postranních myšlenek *2.* bez prejudice bez závaznosti pro budoucnost ● *v* **1** ublížit, uškodit komu, poškodit (*~ a good cause*) **2** způsobit nepříznivé zaujetí koho, (*~ a critic*), nepříznivě ovlivnit co (*it could ~ his hopes of getting liberal Europeans to join with Africans ...* že se liberální Evropané spojí s Afričany) ♦ *be ~d* být předem zaujatý, mít předsudky
prejudicial [ˌpredžuˈdišəl] škodlivý *to* čemu, poškozující co; předpojatý, vedoucí k předčasnému úsudku / předsudku, škodlivě ovlivňující
prelacy [preləsi] (*-ie-*) **1** prelátství, prelatura **2** preláti, též hanl.
prelate [prelit] círk. **1** prelát; biskup, ordinář **2** AM duchovní
prelateless [prelitlis] jsoucí bez preláta
prelatic(al) [preˈlætik(əl)] prelátský, též hanl.
prelatize [prelitaiz] být n. stát se prelátem; dostat pod vliv n. správu prelátů
prelature [preləčə] **1** prelatura, prelátství **2** preláti, prelátstvo, ordináři
prelect [priˈlekt] přednášet *to* komu *on* co / o, zejm. na univerzitě
prelection [priˈlekšən] univerzitní čtení, přednáška, prelekce (zast.)
prelector [priˈlektə] přednášející, docent na vysoké škole
prelibation [ˌpri:liˈbeišən] přen. ochutnání předem *have a ~* ochutnat předem
prelim [pri:lim] hovor. **1** přijímací zkouška; předběžná zkouška **2** *~s, pl* vstupní strany knihy
preliminary [priˈlim*i*nəri] *adj* předběžný, úvodní, přípravný, preliminární ♦ *~ examination* přijímací zkouška; *~ matter* polygr. vstupní strany ● *s* (*-ie-*) **1** přijímací zkouška **2** sport. kvalifikační zápas **3** sport. předzápas **4** *preliminaries, pl* úvod, přípravné jednání, příprava
preliminary to [priˈlim*i*nəri tu] před, dříve než (*he packed his bags ~ leaving for the station ...* než odjel na nádraží)
prelimit [pri:ˈlimit] předem vymezit
preliterate [pri:ˈlitərit] předliterární, nezanechavší po sobě písemné dokumenty
preload [pri:ˈləud] předběžné zatížení
preloaded [pri:ˈləudid] **1** předběžně zatížený **2** předpjatý, jsoucí s předpětím
prelude [prelju:d] *s* **1** předehra, úvod, začátek *to* čeho; úvodní část **2** hud. preludium ● *v* **1** být úvodem / předehrou / začátkem čeho, připravovat, uvádět **2** hud. preludovat; hrát předehru
preludial [preˈlju:djəl] úvodní; sloužící jako předehra; mající povahu preludia; preludijní
preludize [preljudaiz] hud. preludovat; skládat preludium
prelusion [priˈlju:žən] předehra, úvod, začátek; úvodní část

prelusive [priˈlju:siv] úvodní; předběžný (*a ~ warning*)
premakeready [pri:ˌmeikˈredi] polygr. předběžná příprava, předpříprava
premarital [pri:ˈmæritl] předmanželský, předsvatební (*~ illusions*)
premature [ˌpreməˈtjuə] *adj* **1** předčasný, ukvapený, unáhlený (*~ reports*) **2** dítě nedonošený ♦ *be ~* unáhlit se, ukvapit se, přenáhlit se; *~ birth / confinement / delivery / labour* med. předčasný porod ● *s* **1** nedonošené dítě **2** předčasný výbuch; předčasně vybuchnuvší granát / bomba / torpédo ● *v* předčasně vybouchnout
prematureness [ˌpreməˈtjuənis], **prematurity** [ˌpreməˈtjuərəti] **1** ranost rostliny; předčasná zralost **2** předčasnost, unáhlenost, ukvapenost **3** nedonošenost dítěte
premaxilla [ˌpri:mækˈsilə] *pl: premaxillae* [ˌpri:mækˈsili:] anat. mezičelistní kost
premaxillary [ˌpri:mækˈsiləri] anat. **1** týkající se přední části horní čelisti **2** týkající se mezičelistní kosti
premedication [pri:ˌmediˈkeišən] příprava pacienta na operaci
premeditate [pri(:)ˈmediteit] předem promyslit, předem uvážit
premeditated [pri(:)ˈmediteitid] **1** promyšlený; úkladný **2** v. *premeditate*
premeditation [pri:ˌmediˈteišən] promyšlenost, úkladnost (*purchase of poison before a murder may evidence ~* koupě jedu před vraždou může svědčit o úkladnosti)
premier [premjə] *adj* první vedoucí (*the ~ place*), nejstarší (*a ~peer is one bearing the oldest title of his degree*) ● *s* **1** BR ministerský předseda, předseda vlády, premiér (*the French ~*) **2** AM ministr zahraničí
première [premjeə] *adj: ~ danseuse* primabalerína ● *s* premiéra, první provedení ● *v* **1** poprvé uvést, mít premiéru **2** být poprvé uveden na čelném místě programu
premiership [premjəšip] **1** BR hodnost / funkce ministerského předsedy **2** AM funkce ministra zahraničí
premillenarian [ˌpri:miləˈneəriən] *adj* vztahující se k přesvědčení o druhém příchodu Kristově před začátkem druhého tisíciletí ● *s* zastánce tohoto přesvědčení
premillennial [ˌpri:miˈlenjəl] vyskytující se před miléniem
premillennialism [ˌpri:miˈleniəlizəm] přesvědčení o druhém příchodu Kristově před začátkem druhého tisíciletí
premillennialist [ˌpri:miˈleniəlist] zastánce tohoto přesvědčení
premise[1] [premis] **1** předpoklad; filoz. výchozí soud, premisa **2** *~s, pl* úvodní vylíčení daného stavu např. ve smlouvě, preambule **3** *~s, pl* budova, komplex budov, areál, celé místo, celý pozemek s budovami; provozovna, prodejna, lokál ♦ *in the ~s* práv. v této právní záležitosti
premise[2] [priˈmaiz] **1** uvést předem / úvodem (*I ~ these particulars* uvádím předem tyto podrobnosti) **2** předem předpokládat, předem postulovat
premiss [premis] = *premise*[1]*, 1*
premium [pri:mjəm] **1** zvláštní cena, odměna, plat, příplatek, prémie, ážio **2** pojistné **3** učební poplatek **4** přídavek, nádavek, prémie ♦ *be at a ~ 1.* být k dostání jen za vysokou cenu *2.* akcie být nad pari / nad nominale *3.* přen. být vysoko oceňován; *P~ (Savings) Bond* slosovatelná státní cenná listina, prémiový cenný papír státní; *put a ~ on a t. 1.* vypsat odměnu na *2.* podpořit co, sloužit jako vzpruha k čemu / pro co, být pobídkou k čemu; *stand at a ~ = be at a ~*
premium-paying [pri:mjəmˌpeiiŋ] *: ~ period* doba placení pojistného
premolar [pri:ˈməulə] *s* anat. třenový zub, premolár ● *adj* týkající se třenových zubů, premolární
premonition [ˌpri:məˈnišən] neblahé tušení, předtucha, zlá předtucha (*he felt a ~ of danger* měl předtuchu nebezpečí) ♦ *give a ~ of* dávat tušit co (*falling leaves gave a ~ of coming winter*)
premonitor [priˈmonitə] kdo n. co vzbuzuje předtuchu
premonitory [priˈmonitəri] budící předtuchu, varovný, výstražný (*~ symptoms of disease* varovné příznaky choroby)
Premonstratensian [ˌprimonstrəˈtenšən] círk. *adj* premonstrátský ● *s* premonstrát
premorse [priˈmo:s] bot. ukousnutý, useknutý
premotion [pri:ˈməušən] popud předem; božské vnuknutí k činnosti, determinování k činnosti
prenatal [pri:ˈneitl] jsoucí před narozením dítěte, prenatální
prenominat [priˈnominit] zast. výše jmenovaný
prenotion [pri:ˈnəušən] předem učiněný úsudek, předsudek, předběžná zaujatost, předpojatost
prentice [prentis] zast. *s* učedník ● *adj* nezkušený, začátečnický, učednický (*~ work*) ● *v* mít jako učedníka
prenticeship [prentisšip] zast. učednictví, učednický poměr
prenuclear [pri:ˈnju:kliə] **1** jsoucí před nukleárními zbraněmi (*~ times*) **2** nemající viditelné jádro
prenubile [pri:ˈnju:bail] jsoucí ve věku, kdy dosud nemůže vstoupit do manželství
prenuptial [pri:ˈnapšəl] předmanželský, předsvatební
preoccupancy [pri(:)ˈokjupənsi] **1** zahloubanost, zamyšlenost **2** = *preoccupation*
preoccupation [pri(:)ˌokjuˈpeišən] **1** dřívější obsazení, dřívější držení **2** předpojatost, zaujatost; roztržitost, bezmyšlenkovitost **3** velké zaujetí *with* čím / pro, hlavní zájem o, velká starost o, hlavní

myšlenka na, zaměření se na, zabývání se čím (*his ~ with business left little time for his family*)
preoccupied [pri:ˈokjupaid] **1** zamyšlený, zahloubaný, ponořený *with* do **2** ustaraný; roztržitý, bezmyšlenkovitý, duchem nepřítomný **3** bot., zool.: název už použitý **4** v. *preoccupy*
preoccupy [pri:ˈokjupai] (*-ie-*) **1** předem / dřívě obsadit **2** zcela upoutat pozornost n. zájem
preocular [pri:ˈokjulə] zool. umístěný před očima, předoční (*an insect with the antennae ~ in position* hmyz s předočními tykadly)
preoption [pri:ˈopšən] právo první volby, přednostní právo při výběru (*the king having always the ~ of the spoils of war* král mající vždycky přednostní právo výběru z válečné kořisti)
preoral [pri:ˈo:rəl] zool. předústní
preordain [ˌpri:o:ˈdein] předem nařídit, předem určit, predestinovat
prep [prep] slang. *s* **1** domácí úkol, úkoly; domácí studium, domácí příprava **2** = *prep school* **3** příprava pacienta na sál k operaci ● *adj* přípravný ◆ *~ school 1.* BR přípravka pro *public school 2.* AM soukromá střední škola
prepacked [pri:ˈpækt] zboží předem balený pro prodej v samoobsluze, prodávaný v obalu
prepaid [pri:ˈpeid] v. *prepay* ◆ *~ premium* pojistné placené předem, předplacené za více pojistných období
preparation [ˌprepəˈreišən] **1** příprava *for* na, k, pro, připravování **2** přípravek, preparát (*pharmaceutical ~s*); prostředek, lék *for* proti, na (*a ~ for colds*) **3** palebná příprava (*artillery ~*) **4** hud. anticipace v harmonii ◆ *be in ~ 1.* být připraven *2.* chystat se, připravovat se; *do one's ~s* připravovat se na; *state of ~* připravenost, pohotovost
preparative [priˈpærətiv] *adj* přípravný ● *s* **1** příprava; **2** přípravek, preparát **3** přípravný krok; vojenský / námořní signál na trubku, buben n. vlajkou „připravit se“
preparatory [priˈpærətəri] *adj* přípravný, připravovací; předběžný ◆ *~ beat* hud. předtaktí dirigentovo gesto; *~ school* = *preparatory, s* ● *adv: ~ to* před (*clean out one's desk ~ to departure*) ● *s* (*-ie-*) přípravka, přípravná škola BR soukromá škola připravující ke studiu na soukromé střední škole; AM škola připravující ke studiu na univerzitě, zejm. soukromá
prepare [priˈpeə] **1** připravovat | se, chystat | se (*~ a sermon* připravit si kázání, *~ for attack* chystat se k útoku); připravovat, upravovat, chystat, u|dělat, vyrobit pokrm n. lék; konat přípravy; nacvičit si, připravit se (*the actors ~d their parts*) **2** hud. anticipovat
prepared [priˈpeəd] **1** připravený, hotový, vybavený, ochotný **2** umělý, preparovaný **3** v. *prepare* ◆ *be ~ for* být připraven na /k; *be ~d to do a t.* být ochoten / rád udělat co (*we are ~d to supply the goods you ask for* jsme ochotni vám dodat žádané zboží)
preparedness [priˈpeədnis] připravenost, pohotovost
prepay [pri:ˈpei] (*prepaid, prepaid*) zaplatit poštovné předem, předplatit, vyplatit, frankovat ◆ *prepaid letter* vyplacený dopis; *reply prepaid* telegram jsoucí s placenou odpovědí
prepayable [pri:ˈpe*i*əbl] vyplatitelný, frankovatelný, který lze zaplatit předem
prepayment [pri:ˈpeimənt] za|placení předem, frankování ◆ *~ meter* předplatní / mincovní plynoměr n. elektroměr
prepense [priˈpens] úmyslný, záměrný ◆ *in malice ~* ve zlém úmyslu, zlovolně, dolózně
preperception [ˌpri:pəˈsepšən] pohotovost k anticipovanému vjemu
preplan [pri:ˈplæn] předem na|plánovat
preponderance [priˈpondərəns] **1** převažování, převaha *over* nad (*the immense ~ of good over evil*) **2** převážná část (*the ~ of small farms was also advantageous to the slave* převážná část malých farem byla také pro otroky výhodná); většina (*the great ~ of the animals on the road are mules*)
preponderant [priˈpondərənt] hlavní, převládající, převážný, převažující
preponderate [priˈpondəreit] převažovat, převládat (*state ownership will inevitably ~ in the heavy industries* v těžkém průmyslu bude nevyhnutelně převažovat státní vlastnictví)
preposition [ˌprepəˈzišən] jaz. předložka
prepositional [ˌprepəˈzišənl] jaz. předložkový
prepositive [priˈpozitiv] jaz. hodící se jako předložka n. předpona
prepositor [priˈpozitə] = *praepostor*
prepossess [ˌpri:pəˈzes] **1** vzbudit *a p.* u kladný vztah, příznivě ovlivnit koho, udělat dobrý dojem na koho (*I was ~ed by his appearance and manners*) **2** vzbudit v člověku *with* co, naplnit čím, vyvolat předpojatost n. předsudek u
prepossessing [ˌpri:pəˈzesiŋ] **1** příjemný, vzbuzující příjemný pocit, budící důvěru, přitažlivý, půvabný (*a girl of ~ appearance* dívka přitažlivého zjevu) **2** v. *prepossess*
prepossession [ˌpri:pəˈzešən] **1** napřed příjemný pocit **2** sklon *to / towards* k **3** předsudek *against* proti **4** soustředění *with* na, zaujetí čím, ponoření do (*an amazing ~ with financial concerns* úžasné zaujetí finančními zájmy)
preposterous [priˈpostərəs] **1** nesmyslný, absurdní, neskutečný (*so many seemingly incredible and ~ things were true nevertheless* tolik zdánlivě neuvěřitelných a absurdních věcí bylo přesto pravda) **2** směšný, komický, groteskní (*false nose and ~ spectacles*)
preposterousness [priˈpostərəsnis] **1** nesmyslnost, absurdnost **2** směšnost, komičnost, grotesknost
prepostor [pri:ˈpostə] = *praepostor*
prepotence [pri:ˈpəutəns], **prepotency** [pri:ˈpəut-

ənsi] **1** nadvláda (*not a policy of self-defence but of ~ and imperialism*); silnější / větší moc, převaha, přesila, prepotence **2** biol.: větší schopnost organismu předávat dědičné znaky

prepotent [pri:ˈpəutənt] **1** velice silný n. vlivný; silnější n. vlivnější než jiní (*the soul may be seen as ~ over mere things* duše může být chápána jako něco silnějšího, než jsou pouhé věci), prepotentní **2** biol.: mající větší schopnost předávat dědičné znaky

preppie [prepi] AM slang. student n. absolvent *preparatory school*

preprandial [pri:ˈprændiəl] jsoucí před obědem, předobědní, předobědový (*a ~ drink* dopolední aperitiv)

prepreference [pri:ˈprefərəns] BR mající přednost před prioritními akciemi

preprint [pri:print] polygr. předběžný tisk; předběžný otisk např. kapitoly knihy v časopise

preproduction [ˌpri:prəˈdakšən] zkušební výroba před zahájením sériové výroby

preprogram [priˈprəugræm] (*-mm-*) předem naprogramovat

prepublication [ˌpri:pabliˈkeišən] jsoucí před vydáním knihy (*~ price*)

prepuce [pri:pju:s] anat. předkožka, prepucium

preputial [priˈpju:šəl] anat. předkožkový, prepuciální

pre-Raphael [pri:ˈræfiəl] = *Pre-Raphaelite, adj*

Pre-Raphaelism [pri:ˈræfəlizəm] = *Pre-Raphaelitism*

Pre-Raphaelite [pri:ˈræfəlait] *adj* prerafaelitský, prerafaelistický ◆ ~ *Brotherhood* Prerafaelitské bratrstvo, prerafaelisté umělecká skupina britských malířů zal. r. 1848 ● *s* prerafaelista, prerafaelita stoupenec prerafaelismu

Pre-Raphaelitism [pri:ˈræfəlaitizəm] prerafaelismus novoromantický malířský směr 19. stol. v Anglii, navazující na umění časné italské renesance (před Raffaelem)

prerecord [ˌpri:riˈko:d] předem nahrát např. na magnetofonový pásek

prerelease [ˌpri:riˈli:s] *v* pustit / ukázat / dát předem, promítnout před veřejným uvedením film, dát gramofonovou desku před zahájením prodeje ● *s* **1** film promítaný před veřejným uvedením **2** předběžné uvolnění n. vypuštění páry z parního stroje ◆ ~ *show* předvádění, promítání filmu před jeho premiérou, neveřejná předpremiéra

prerequisite [pri:ˈrekwizit] *adj* předem / bezpodmínečně nutný *to* k / pro ● *s* nezbytná podmínka, nezbytný předpoklad, conditio sine qua non

prerogative [priˈrogətiv] *s* **1** výsada, přednost, přednostní / výsadní právo, privilegium, prerogativa např. vladaře **2** BR právo hlasovat první a tím ovlivnit ostatní hlasující ◆ ~ *court* hist. církevní soud pro věci pozůstalostní; ~ *of mercy* výsada udělovat milost ● *adj* **1** výsadní, přednostní, mající výsady, privilegovaný **2** práv. podléhající soudu pro věci pozůstalostní **3** antic. mající právo hlasovat první

preromanesque [ˌpri:rəuməˈnesk] předrománský

presage[1] [presidž] **1** znamení, předzvěst, náznak, předznamenání (*the coming of the swallow is a true ~ of the spring*) **2** předtucha, tušení (*artists whom the ~ of death stimulates*)

presage[2] [presidž, priˈseidž] **1** napřed ohlašovat, hlásat, zvěstovat, věštit, být znamením / předzvěstí čeho (*such ideas are held to ~ insanity* takové názory jsou prý předzvěstí šílenství) **2** předvídat, vy|tušit (*from the preliminaries he was only able to ~ danger and disaster* z kvalifikačních zápasů mohl pouze předvídat nebezpečí a katastrofu); předpovídat, napřed oznámit (*lands he could measure, terms and tides ~* pozemky mohl měřit, lhůty a mořské slapy předvídat)

presageful [presidžful, priˈseidžful] něco věštící / hlásající (*a ~ mood* nálada, která je něčeho předzvěstí); zlověstný (*that ~ gloom of yours* ta tvoje zlověstná chmura)

presanctified [pri:ˈsæŋktifaid] círk. proměněný při předchozí mši

presbyopia [ˌprezbiˈəupiə] med. presbyopie ubývání akomodační schopnosti oční čočky ve stáří, dalekozrakost ve stáří, vetchozrakost, starozrakost

presbyopic [ˌprezbiˈəupik] med. presbyopický, dalekozraký ve stáří, vetchozraký, starozraký

presbyter [prezbitə] círk. **1** presbyter kněz n. biskup v prvotní křesťanské církvi; kněz v episkopální církvi; starší presbyteriánské církve, starší **2** *P~* zast. presbyterián

presbyteral [prezˈbitərəl] círk. presbyterní za účasti laiků

presbyterate [prezˈbitərit] círk. rada starších, staršovstvo, presbyterstvo

presbyterial [ˌprezbiˈtiəriəl] = *presbyteral*

Presbyterian [ˌprezbiˈtiəriən] *adj* presbyteriánský ◆ ~ *Church* presbyteriánská církev řízená za účasti laiků presbyterů; *United ~ Church* součást "Church of Scotland" ● *s* presbyterián člen presbyteriánské církve; stoupenec presbyterního zřízení

Presbyterianism [ˌprezbiˈtiəriənizəm] círk. presbyterianismus, presbyteriánství

Presbyterianize [ˌprezbiˈtiəriənaiz] zavést presbyterní řízení kam (*~ the university*)

presbytership [prezbitəšip] = *presbyterate*

presbytery [prezbitəri] (*-ie-*) **1** archit. kněžiště, presbytář, presbyterium **2** církv. rada starších, staršovstvo, presbyterstvo; synod v presbyteriánské církvi **3** katolická fara

preschool [pri:ˈsku:l] předškolní, jsoucí v předškolním věku, mladší než 5 let (*a ~ child*)

prescience [presiəns] předtucha, vědění napřed; prorocký dar, schopnost předvídat, jasnozřivost, jasnovidnost

prescient [presiənt] vědoucí napřed, jasnozřivý, jasnovidný, prorocký
prescientific [pri:ˌsaiənˈtifik] předvědecký
prescind [priˈsind] **1** oddělit | se od sebe, odříznout, odloučit *from* od **2** odmyslit si *from* co, nevzít v úvahu co, úplně zapomenout na (*if we ~ entirely from any audience consideration* kdybychom úplně zapomněli brát v úvahu obecenstvo)
prescribe [priˈskraib] **1** předepsat, stanovit, nařídit, na|diktovat (*the code of a behaviour which the culture ~s for child training* kodex chování, který kultura předpisuje pro výchovu dítěte) **2** předepsat, na|ordinovat lék (*the doctor ~d quinine*) *to* / *for* komu *for* na, proti ◆ *~d book* povinná četba; *~d yield* les. předpis těžební
prescript [pri:skript] *adj* předepsaný, nařízený, předem stanovený (*a ~ form of words*) ● *s* předpis, nařízení, ustanovení (*according to the ~s of existing law*)
prescription [priˈskripšən] **1** lékařský předpis, recept **2** předpisování, stanovení (*~ of the duty of an individual towards others*); nařízení, předpis (*peremptory ~s as to the only correct use of language* autoritativní předpisy stran jediného správného jazykového úzu) **3** práv. starý zvyk platící jako norma **4** práv. vydržení, vydržené právo, lhůta např. ke stíhání ◆ *~ charges* BR poplatek za vystavení receptu; *negative ~* promlčení; *positive ~* vydržení
prescriptive [priˈskriptiv] **1** nařizující, normující, normativní (*traditional grammarians gave ~ rules of usage*); zvykový **2** zakládající se na promlčení ◆ *~ right* vydržené právo
preseason [pri:ˈsi:zn] před hlavní sezónou (*~ football training*)
preselective [ˌpri:siˈlektiv] : *~ control* řazení s voličem rychlosti
preselector [ˌpri:siˈlektə] **1** elektr. předvolič, třídič **2** volič rychlosti ◆ *~ gear box* převodovka s voličem rychlosti
presence [prezns] **1** přítomnost (*in the ~ of his friends* v / za přítomnosti jeho přátel) **2** fyzická blízkost, přítomnost krále n. jiné nadřazené osoby (*survey the secretary's humour before entering the ~* udělat si přehled o tajemníkově náladě než předstoupí před krále); BR družina, suita např. panovníka **3** přítomná osoba, někdo živý (*not as an actor on the stage but rather as a ~ behind the scenes*); duch (*before creation a ~ existed*) **4** postava, zevnějšek, vzezření, vystupování, chování, charakter (*a man of noble ~*); pěkná postava, pěkný zevnějšek, pěkné chování n. vystupování (*a small birdlike person of no ~*) **5** výskyt prvku (*carbon showed a ~ of 40 percent in the samples tested* ve čtyřiceti procentech případů se ve zkoušených vzorcích vyskytoval uhlík) **6** cizí posádka, cizí vojska v zemi ◆ *in the ~ of this danger* tváří v tvář tomuto nebezpečí; *make one's ~ felt* uplatnit se; *~ of mind* duchapřítomnost
presence chamber [ˈprezns ˌčeimbə] audienční sál
present[1] [preznt] *adj* **1** přítomný (*were you ~ at the ceremony?*); existující, trvající *to* v (*~ to the mind*); při kontrole účasti zde! **2** současný, nynější, dnešní, přítomný (*the ~ government*) **3** ten, tento, náš o němž se právě mluví (*in the ~ case*) **4** BR zast. včasný, příhodný (*a very ~ help in trouble*) ◆ *~ author* pisatel; *be ~ at* zúčastnit se čeho; *~ company* přítomní, tato společnost (*~ company excepted* přítomných se to ovšem netýká); *~ day* dnes, dnešek; *~ tense* jaz. přítomný čas slovesný, prézens; *~ time* přítomnost; *No time like the ~* Co můžeš udělat dnes, neodkládej na zítřek; *~ writer* pisatel, autor tohoto článku atd. ● *s* **1** přítomnost (*the past, the ~, and the future*) **2** dnešek, současnost (*another of those periods, much like the ~*) **3** jaz. přítomný čas slovesný, prézens; tvar přítomného času ◆ *at ~* nyní, teď, v současné době, v této chvíli, momentálně; *by these ~s* práv., žert. tímto (dokumentem) (*know all men by these ~s* tímto se dává všem na vědomí); *for the ~* pro|zatím (*that will be enough for the ~* to ... stačí)
present[2] [preznt] dar, dárek (*Christmas ~s*) ◆ *make a ~ of* darovat co *to* komu
present[3] [priˈzent] *v* **1** představit; představit oficiálně např. panovníkovi (*be ~ed at Court*); ukazovat, předvádět (*he ~ed a bold front to the world*); skýtat, poskytovat, jevit, mít, obsahovat (*this case ~s some interesting features*) **2** navrhnout, doporučit do místa; círk. doporučit biskupovi duchovního do beneficia **3** dát, po|darovat, věnovat *a p.* komu *with* co, obdarovat koho čím (*~ the village with a bus shelter* věnovat vesnici přístřešek pro stanici autobusů) *a t.* co *to* komu (*~ a bus shelter to the village* vesnici věnovat přístřešek pro stanici autobusů); podat, předložit, předat, nabídnout (*~ a petition to the Governor, ~ a cheque at the bank*), doručit, prezentovat **4** vyjádřit poklonu, pozdrav (*the captain ~s his compliments* kapitán se dává poroučet) **5** uvést hru (*The Mermaid Company will ~ "Hamlet" next week*) herce *as* v roli (*~ Tom Hill as Brutus in "Julius Caesar"*); dávat hru; hrát roli; udělit, rozdat ceny **6** žalovat, podat n. vést obžalobu, soudně projednávat **7** namířit, napřáhnout zbraň *at* na (*the intruder ~ed a pistol at me* vetřelec na mne namířil revolver) **8** voj. pozdravit zbraní (*P~ arms!* K poctě zbraň!) ◆ *~ one's apologies* omluvit se; *~ an appearance of* vypadat jako, zdát se být kým; *~ with a fait accompli* postavit před hotovou věc ***present o.s. 1*** dostavit se, přijít *at* kam (*~ oneself at a friend's house*) *for* k, za účelem (*~ oneself for examination*), objevit se u, hlásit se u **2** naskytnout se (*a good opportunity has ~ed itself for doing what you suggested* naskytla se vhodná příležitost udělat, co jsi navrhoval)

● *s* **1** pohotovostní poloha zbraně **2** postavení „k poctě zbraň!" (*soldiers standing at* ~)

presentable [priˈzentəbl] **1** žalovatelný (~ *offences* žalovatelné přestupky) **2** vyjádřitelný (*emotions* ~ *only in music*) **3** slušný, vhodný, snesitelný, příjemný (*dinner at a* ~ *restaurant*); schopný společenského styku, upravený (*give me a minute to make myself* ~), schopný uvedení na veřejnost, schopný snést společenskou kritiku (*is the girl he wants to marry* ~*?*)

presentability [priˌzentəˈbiləti] vhodnost, snesitelnost, schopnost uvedení na veřejnosti (*candidates screened for* ~ *on television* kandidáti přezkušování, jestli mohou vystupovat v televizi)

presentation [ˌprezənˈteišən] **1** předvedení, představení, předložení, prezentace, doručení, podání, nabídnutí **2** doporučení; círk. právo jmenovat do beneficia **3** darování, věnování, dar; oficiální předání, udělení **4** prohlášení; popis, popsání (*limited most novelists to the* ~ *of the life they know best*) **5** výstava, ukazování, předvádění, promítání; uvedení (*the* ~ *of a new play*); způsob uvedení na trh, balení, reklama apod. (*this soap is like all other soaps but women buy it because of the prettiness of its* ~) **6** podání žaloby **7** obraz (~ *on a radar screen* ... na stínítku radaru) **8** círk. Očišťování Panny Marie, Hromnice; Uvedení Panny Marie do chrámu svátky **9** med. poloha plodu při porodu ◆ ~ *copy* autorský výtisk, kniha darovaná autorem n. nakladatelem

presentationism [ˌprezənˈteišənizəm] filoz. prezentacionismus nauka o tom, že rozum poznává předmět pouhým vjemem

presentative [priˈzentətiv] **1** círk. podléhající jmenování patronem (*a* ~ *benefice* patronátní obročí); který musí být jmenován **2** filoz. vjemový, počitkový ◆ ~ *gift* dar představivosti

present-day [ˈpreznt͵dei] dnešní, nynější, současný, moderní

presentee [ˌprezənˈti:] **1** duchovní, jemuž bylo uděleno beneficium, beneficiát (*rob* ~*s of their tithes* sebrat beneficiátům desátky) **2** doporučený člověk do funkce, navrhovaný kandidát **3** člověk představený u dvora **4** obdarovaný, příjemce daru (*believing* ~*s in return supplied him with small sums of money*)

presenter [priˈzentə] konferenciér uvádějící televizní n. rozhlasový pořad

presentient [priˈsenšiənt] tušící *of* co, mající předtuchu čeho (*ravenous fowls* ~ *of their food* vyhladovělá drůbež tušící, že dostane nažrat)

presentiment [priˈzentimənt] nepodložené tušení, nejasná předtucha (*I have a strong* ~ *it'll prove a success*); jasnozření

presentive [priˈzentiv] jaz.: výraz konkrétní, reálný, popisný

presently [prezntli] **1** za chvilku, za okamžik, zanedlouho, za krátký čas (*we* ~ *reached the newest developments* zanedlouho jsme dospěli k nejnovějším událostem) **2** SC, AM nyní, teď, v této době (*the Secretary of State is* ~ *in Africa*) **3** zast. okamžitě (*and* ~ *the fig tree withered away* a v témže okamžiku fíkovník uschl)

presentment [priˈzentmənt] **1** obžaloba; přísežné vyjádření poroty o jí známém trestném činu **2** formální předložení, podání úřadu; prezentace cenného papíru **3** zobrazení, obraz *of* čeho (*a curious* ~ *of the Trinity occurs several times in church windows* několikrát se na kostelních oknech objevuje podivné zobrazení Trojice), vykreslení; divadelní představení, provedení; představa, pojem **4** stížnost biskupovi při jeho vizitaci

preservable [priˈzə:vəbl] uchovatelný, udržitelný, konzervovatelný

preservation [ˌprezə(:)ˈveišən] **1** záchrana, zachování, uchování (*the* ~ *of one's health, the* ~ *of peace*), záchrana *from* od, ochrana před **2** konzervace, konzervování, zavařování, mražení (*the* ~ *of food*) **3** chov a hájení lovné zvěře ◆ *in an excellent* etc. (*state of*) ~ výborně atd. zachovalý; *nature* ~ ochrana přírody

preservative [priˈzə:vətiv] *adj* **1** sloužící k uchování n. udržení, uchovávací, zachovávací; konzervační **2** ochranný ● *s* **1** konzervační prostředek / přísada / látka (*salt, sugar, and spice are common food* ~*s*); prostředek proti stárnutí, elixír (*public life seems to be a good* ~ *for congressmen*) **2** ochrana, ochranný prostředek *against* / *from* proti; zast. prezervativ

preservatize [priˈzə:vətaiz] chemicky konzervovat potravu (~*d butter*)

preserve [priˈzə:v] *v* **1** chránit, ochraňovat, zabezpečovat (*their knowledge should be put to use to* ~ *the republic*); zachovat | si, uchovat | si (~ *one's eyesight, few of his early poems are* ~*d, the right of trial by jury shall be* ~*d* bude zachováno právo být souzen porotou); ponechat; udržovat (~ *correspondence*) **2** konzervovat: nakládat vejce, zavařovat ovoce, mrazit, zpracovávat na marmeládu; vydržet nakládaný, nakládat se (*duck eggs do not* ~ *satisfactorily* s nakládáním kachních vajec nejsou dobré zkušenosti) **3** hájit zvěř, chránit přírodu; vyhradit | si pro vlastní lov (~ *a stream, the fishing in this stream is strictly* ~*d*) ◆ ~*d fruits 1.* zavařované ovoce, džemy, marmelády *2.* mražené ovoce ● *s* **1** zejm. ~*s, pl* zavařované ovoce, ovocná konzerva; džem, marmeláda, zavařenina **2** ~*s, pl* ochranné brýle **3** obora (*a game* ~), revír, hájemství, chráněná oblast, rezervace (*wildlife* ~ přírodní rezervace), též přen. (*regarded the diplomatic service as a* ~ *for their younger sons* pokládali diplomatickou službu za hájemství pro své mladší syny) ◆ *poach on*

another's ~*s* lézt druhému do zelí, pytlačit v cizím revíru; ~ *glass* / *jar* zavařovací sklenice, zavařovačka
preserved [priˈzə:vd] **1** AM nadrátovaný, nalitý opilý **2** v. *preserve, v*
preserver [priˈzə:və] **1** ochránce, zachránce před zničením (*God the creator and* ~ *of all mankind*); obhájce **2** hajný **3** konzervátor ovoce; konzervační prostředek
pre-set [pri:ˈset] (*pre-set, pre-set; -tt-*) předem určit, předem nařídit n. nastavit, naprogramovat (~ *an oven to roast a joint four hours later* ... troubu, aby za čtyři hodiny ...)
preshrunk [pri:ˈšraŋk] tkanina předsrážený
preside [priˈzaid] **1** předsedat *over* čemu (*the chief justice* ~*s over the supreme court* nejvyššímu soudu předsedá nejvyšší soudce) *at* při (~ *at a public meeting*), sedět v čele (~ *at tea*) **2** řídit *over* co, dozírat na, být vedoucí čeho (~ *over a radio programme*); řídit, vést, dirigovat (*those that were to* ~ *naval affairs*); sedět *at* u a vést, dirigovat od (~ *at the piano*); vládnout, dominovat, též přen. (*an eighteenth-century tallboy in the hall where it* ~*s in silent majesty*) ◆ *presiding judge* rozhodující soudce
presidency [prezidənsi] **1** předsednictví; vedení **2** prezidentství, hodnost / funkce / úřad / činnost prezidenta **3** hist.: jedna z oblastí Východoindické společnosti
president [prezidənt] **1** prezident hlava státu; předseda významné instituce; AM rektor vysoké školy; AM bankovní ředitel **2** předseda **3** hist. guvernér kolonie **4** BR děkan koleje ◆ *P*~ *of the Board of Agriculture* BR ministr zemědělství; *P*~ *of the Board of Education* BR ministr školství; *P*~ *of the Board of Trade* BR ministr zahraničního obchodu; (*Lord*) *P*~ *of the Council* BR předseda vládního kabinetu
president elect [ˌprezidəntiˈlekt] nově zvolený prezident n. předseda který dosud nevykonává funkci
presidentess [prezidentis] **1** prezidentka; manželka prezidenta, prezidentová **2** předsedkyně
presidential [ˌpreziˈdenšəl] **1** prezidentský **2** předsednický ◆ ~ *government* republikánské státní zřízení, v němž prezident může vládnout bez důvěry parlamentu; ~ *year* AM rok, kdy se konají prezidentské volby
presidentship [prezidəntšip] úřad prezidenta n. předsedy, prezidentství, předsednictví
presidiary [priˈsidiəri] posádkový (~ *cohorts were stationed at every threatened point* na každém ohroženém bodě byla umístěna posádkou kohorta)
presidio [priˈsidiəu] pevnost, opevněné n. posádkové město ve španělském n. jihoamerickém prostředí
presidium [priˈsidiəm] *pl* též *presidia* [priˈsidiə] předsednictvo, prezídium
presignify [pri:ˈsignifai] (*-ie-*) předem značit, předem znamenat
presoak [pri:ˈsəuk] namáčecí prostředek
presort [pri:ˈso:t] předem roztřídit (*firms which* ~ *their letters*)
press[1] [pres] *v* násilně odvádět, zabírat, rekvírovat; hist. násilně odvádět k námořnictvu n. na vojnu ● *s* hist. povinný odvod k námořnictvu
press[2] [pres] *s* **1** stisknutí, stisk (*a* ~ *of the hand,* ~ *of a button* stisknutí tlačítka), zmáčknutí, stlačení, přitisknutí, přitlačení, přimáčknutí (*a light* ~ *of the earth over the newly planted seed* lehké přimáčknutí země na čerstvě zasazené semínko) **2** dav, zástup, nával, tlačenice (*lost in the* ~) **3** lis (*a hydraulic* ~); napínák, rám (*keep one's tennis racket in a* ~); lisování, tlačení; lisovna **4** tlak (*the* ~ *of modern life*); tlačení, nátlak **5** tisknutí, tiskárenská výroba knihy; tiskařský stroj, tiskařský lis; tiskárna; nakladatelství a tiskárna (*a university* ~) **6** tisk (*the liberty of the* ~ *is a feature of democratic countries*); novináři (*the* ~ *is very apt to think in the local terms of the papers that they represent* novináři mají velice ve zvyku uvažovat v lokálních podmínkách novin, které zastupují) **7** sežehlený přehyb, záhyb, puk (*a fabric that keeps its* ~ látka, která zachovává puky) **8** skříň s přihrádkami ve zdi ◆ ~ *conference* tisková konference; *correct the* ~ číst revizi ze stroje; ~ *date* uzávěrka tisku, inzertní uzávěrka; *get ready to* ~ připravit rukopis k sazbě; *give a t. a light* ~ lehce stisknout co; *have a bad* | *good* ~ mít špatnou | dobrou odezvu v tisku, mít špatnou | dobrou kritiku, být špatně | dobře přijat kritikou v novinách, mít špatné | dobré recenze v novinách (*the book had a good* ~); *in the* ~ kniha v tisku; ~ *photographer* fotoreportér; ~ *proof* revize, náhled, poslední korektura před tiskem; ~ *of sail* námoř. všechny napjaté plachty, které loď unese; *under a* ~ *of sail* s plnými plachtami; ~ *sheet* tiskový arch; ~ *stud* tlačítko, stiskátko, patentka; ~ *stunt* tisková kampaň ● *v* **1** s|tisknout, s|tlačit, z|máčknout (~ *the trigger of a gun* stisknout spoušť revolveru); přimáčknout, přitlačit; stisknout ruku, přivinout, přitisknout (*he* ~*ed her to his side*); s|lisovat (~ *grapes,* ~ *books*), vylisovat, vymačkat, rozmačkat **2** tlačit na, doléhat na, svírat, vehnat do úzkých (~ *the enemy hard*); přen. sužovat, týrat; tlačit se, tísnit se, mačkat se (*crowds* ~*ing against the barriers*); tížit *upon* koho, dopadat na, ležet na (*his responsibilities* ~ *heavily upon him*) **3** naléhavě žádat *for* co, urgovat co (*was now* ~*ing for eight destroyers* nyní urgoval osm torpédoborců), dožadovat se naléhavě *for* čeho, naléhat na; žádat naléhavě *a p.* koho *for* / *to do* aby (~ *Patrick for an answer*);

nutit *a t.* co *on* komu (*he ~ed the money on me*), vnucovat (*don't ~ your opinions on her* nevnucuj jí svoje názory); trvat na doslovném výkladu slov **4** drát se, prodrat se kupředu; spěchat, být naléhavý, hořet (hovor.) (*let me know if anything ~es*) **5** vy|žehlit | si (*~ a skirt*), přežehlit | si **6** nalepit známku ◆ *~ action* nutit k činnosti, vyžadovat činnost; *~ an attack* podniknout soustředěný útok; *be ~ed for time* etc. mít málo / nedostatek času atd., být v časové atd. tísni; *be hard ~ed* být tísněn / svírán / sužován, být předmětem soustředěného útoku; *~ the button* přen. spustit, dát se do toho, stisknout knoflík a začít; *~ home* prosadit; *~ the issue* naléhat na řešení problému, dosáhnout řešení problému; *~ one's point* trvat na svém stanovisku; *~ the point that* zdůraznit, že; *time ~es* čas kvapí ***press forward*** hnát | se dopředu, jít neochvějně za svým cílem ***press on*** záměrně spěchat, pospíchat (*~ on with one's work* též šturmovat (hovor.))

press agency [ˈpresˌeidžənsi] **1** tisková agentura **2** výstřižková služba

press agent [ˈpresˌeidžənt] *s* **1** tiskový mluvčí **2** propagační úředník ● *v: press-agent* popularizovat, dělat reklamu čemu

press baron [ˈpresˌbærən] tiskový magnát

pressboard [presbo:d] **1** AM žehlicí prkno zejm. k žehlení rukávů, krejčovské rameno, ramínko, klopník **2** lepenka

press box [presboks] novinářská lóže na sportovní tribuně

press button [ˈpresˌbatn] *s* **1** spínací knoflík, patentka **2** tlačítko, stiskátko ● *adj: press-button* fungující po stisknutí tlačítka, tlačítkový ◆ *~ war(fare)* tlačítková válka mezikontinentálními balistickými střelami

press clipping [ˈpresˌklipiŋ] = *press cutting*

press copy [ˈpresˌkopi] (*-ie-*) recenzní výtisk

press cutting [ˈpresˌkatiŋ] výstřižek z novin ◆ *~ agency* výstřižková služba

presser [presə] **1** lisař, lisovač **2** lis **3** přítlačné zařízení

press fastener [ˈpresˌfa:sənə] spínací knoflík, patentka

press gallery [ˈpresˌgæləri] (*-ie-*) **1** novinářská galerie zejm. v Dolní sněmovně **2** parlamentní zpravodajové (*the Washington ~*)

press gang [presgæŋ] *s* skupina verbířů provádějící odvod k námořnictvu n. na vojnu ● *v: press-gang* násilně naverbovat n. odvést na vojnu, též přen.

pressing [presiŋ] *adj* **1** naléhavý, urgentní, neodkladný (*I have more ~ things to think about than girls*) **2** naléhavý, důrazný, upřímný (*a ~ invitation*) **3** přítlačný **4** v. *press²*, *v* ◆ *~ iron* žehlička ● *s* **1** výlisek gramofonová deska; jedno lisování, vydání gramofonové desky (*the first ~ of her song*) **2** odpad při lisování **3** v. *press²*, *v*

press key [preski:] tlačítko

pressman [presmən] *pl: -men* [-mən] **1** tiskař; lisař, lisovač **2** novinář, reportér, žurnalista

press mark [presma:k] signatura knihy

press office [ˈpresˌofis] tiskové středisko

press reader [ˈpresˌri:də] tiskárenský korektor

press release [ˌpresriˈli:s] tisková zpráva, oznámení pro tisk

pressroom [presru:m] strojovna tiskárny

press-show [ˌpresˈšəu] (*press-showed, press-shown*) promítnout novinářům film před jeho uvedením do distribuce

press-up [presap] BR vzpor ležmo

pressure [prešə] *s* **1** tlak; tlačení **2** stisk, stisknutí (*felt the quick ~ of her companion's hand*) **3** nátlak, tíha, tíseň; krajní nutnost **4** elektr. napětí ◆ *atmospheric ~* atmosférický tlak; *bring ~ to bear on a p.* vyvíjet na koho nátlak; *~ cabin* přetlaková / vzduchotěsná / neprodyšná / hermetická kabina v letadle; *~ drag* let. čelní odpor, odpor tlaku, tlaková složka odporu; *~ group* nátlaková skupina; *~ is on* je vyvíjen nátlak; *put ~ on a p.* naléhat na koho, tlačit na koho, vyvíjet na koho nátlak, nutit koho; *work at high ~* pracovat energicky / na plné obrátky / naplno, jet na plný plyn (přen.) ● *v* **1** vyvíjet nátlak na, hnát, nutit, štvát, násilím vehnat *into* do (*a weakling son is ~d into marriage* slabošský syn je vehnán do manželství) **2** vařit v tlakovém hrnci

pressure centre [ˈprešəˌsentə] normální tlak

pressure-cook [prešəkuk] vařit v tlakovém hrnci

pressure cooker [ˈprešəˌkukə] **1** Papinův hrnec, tlakový hrnec **2** primus vařič **3** chem. autokláv

pressure-cooking [ˈprešəˌkukiŋ] vaření za vyššího tlaku, vaření v tlakovém hrnci

pressure gauge [prešəgeidž] tlakoměr, manometr

pressure mine [prešəmain] nášlapná mina

pressure suit [prešəsju:t] kosm.: kosmonautický skafandr

pressurize [prešəraiz] **1** udržovat normální atmosférický tlak v kabině letadla; udělat leteckou kombinézu tak, aby vydržela tlak **2** dělat nátlak na, tlačit koho, přitlačovat co ◆ *~d water reactor* tlakovodní reaktor

presswork [preswə:k] **1** lisování, lisované / tlačené výrobky, výlisky **2** tisková práce

prest¹ [prest] zast. připravený

prest² [prest] zast. **1** záloha **2** půjčka

Prester [prestə] : *~ John* hist. Kněz Jan domnělý vládce Etiopie ve středověku

prestidigitation [ˌprestiˌdidžiˈteišən] kouzelnictví, eskamotérství, žonglérství

prestidigitator [ˌprestiˈdidžiteitə] kouzelník, eskamotér, iluzionista (*a sort of literary ~*), žonglér

prestige [presˈti:ž] významnost, vážnost, důstojnost, věhlas, renomé, vliv, proslulost, lesk, sláva, nimbus, prestiž (*the power and ~ of the aristocracy*) ● *adj* prestižní, dělaný za účelem oslnění

jiných, reprezentační (*this ~ car is used by government authorities*)
prestigious [presˈti:džiəs] **1** renomovaný, věhlasný, významný, proslulý, slavný, prestižní **2** dělaný pouze z prestiže, honosně samoúčelný, snobský
prestissimo [presˈtisiməu] hud. prestissimo rychleji než presto
presto [prestəu] hud. presto velmi rychle ◆ *hey ~!* čáry máry fuk!, elá hop!
prestressed [pri:ˈstrest] : *~ concrete* předpjatý beton
presumable [priˈzju:məbl] co lze předpokládat, pravděpodobný
presumably [priˈzju:məbli] podle všeho, pravděpodobně, dejme tomu
presume [priˈzju:m] **1** předpokládat *a p.* o (*that*) že je (*we must ~ him innocent* musíme předpokládat, že je nevinen); mít za to, domnívat se, mít ten dojem (*you are Dr Livingstone, I ~; let us ~* dejme tomu) **2** dovolit si, troufnout si, odvážit se (*may I ~ to advise you?* dovolíte, abych vám poradil?) **3** využít, zneužít *upon* čeho, nadužívat čeho; chovat se příliš důvěrně k; spoléhat se *on* na (*it was unsafe to ~ too much on their fidelity* bylo nebezpečné příliš spoléhat na jejich věrnost)
presumed [priˈzju:md] **1** pravděpodobný, předpokládaný **2** v. *presume*
presuming [priˈzju:miŋ] **1** osobivý, dovolený, domýšlivý, troufalý **2** v. *presume*
presumption [priˈzam*p*šən] **1** osobivost, dovolenost, domýšlivost, troufalost **2** odhad, předpoklad, pravděpodobnost, domněnka; práv. presumpce ◆ *~ of innocence* presumpce neviny
presumptive [priˈzam*p*tiv] předpokládaný, předvídaný, domnělý, presumptivní (*~ loss*) ◆ *~ evidence* důkaz z indicií; *heir ~* předpokládaný dědic, zatímní dědic
presumptuous [priˈzam*p*tjuəs] troufalý, příliš domýšlivý, drzý, arogantní
presumptuousness [priˈzam*p*tjuəsnis] troufalost, přílišná domýšlivost, drzost, arogance
presuppose [ˌpri:səˈpəuz] předem předpokládat, postulovat (*every act of ours ~s a balance of thought, feeling and will*); předem se domnívat, očekávat
presupposition [ˌpri:sapəˈzišən] předpoklad, postulát
presurmise [pri:ˈsə:maiz] předběžný dohad
pretax [pri:ˈtæks] před zdaněním (*~ profits*)
preteen [pri:ˈti:n] *s* hoch n. děvče mezi 10–12 rokem ● *adj* nedospělý, malý, ve věku od 10 do 12 let
pretence [priˈtens] **1** záminka, údajný důvod (*on / under the ~* pod záminkou); předstírání, klam, zástěrka (přen.) (*mother's affectionate ~ of his being the head of the family*) **2** nárok; neodůvodněné tvrzení ◆ *make a ~ of* předstírat, že; dělat, že; tvářit se, že; *make no ~ to* nedělat si nároky na, netvrdit, že (*I make no ~ to wit* já netvrdím, že jsem vtipný)
pretend [priˈtend] **1** předstírat (*never sincere, always ~ing, ~ sickness*) *to be / that* že, dělat že / jako by (*~ to be asleep*); hrát si na (*let's ~ we are cowboys*) **2** dělat si neprávem nárok *to* na (*the young prince ~ed to the throne*), aspirovat na, neprávem se chlubit čím (*there are not many persons who ~ to an exact knowledge of the subject*) **3** troufnout si, odvážit se (*how that vehicle got to Sydney I do not ~ to say*) **4** zast. dvořit se *to* komu, ucházet se o ◆ *it is ~ed* domněle, údajně, prý, říká se neprávem (*in cheap years, it is ~ed, workmen are generally more idle* v hubených letech prý obvykle mají řemeslníci většinou méně práce)
pretender [priˈtendə] **1** kdo si činí nárok *to* na, údajný majitel čeho; uchazeč o, pretendent **2** podvodník, šarlatán ◆ *Old | Young P~* syn | vnuk Jakuba II.
pretendership [priˈtendəšip] pretendentství
pretense [priˈtens] AM = *pretence*
pretension [priˈtenšən] **1** neoprávněný nárok *to* na (*has he any ~s to be considered a scholar?* má vůbec nějaký nárok na to, aby byl pokládán za učence?), požadavek, pretenze (kniž.) **2** aspirace, záměr, plán (*serious ~s as a writer*) **3** okázalost, honosnost, projev honosnosti (*the class which has the ~s and prejudice and habits of the rich without its money* třída, která má všechny projevy honosnosti i předsudky a zvyky bohatých, jenomže nemá jejich peníze)
pretentious [priˈtenšəs] **1** okázalý, honosný, pompézní, snobský (*a ~ country house*) **2** domýšlivý, sebevědomý (*a ~ fraud who assumes a love of culture that is alien to him* sebevědomý podvodník předstírající lásku ke kultuře, která mu je úplně cizí) **3** namáhavý, náročný
pretentiousness [priˈtenšəsnis] **1** okázalost, honosnost, pompéznost **2** domýšlivost, sebevědomí **3** namáhavost, náročnost
pretercanine [ˌpri:təˈkeinajn] dokonalejší než psí
preterhuman [ˌpri:təˈhju:mən] nadlidský
preterit(e) [pretərit] jaz. *adj* **1** preteritální **2** žert. minulý, bývalý, byvší ◆ *~ tense* préteritum ● *s* préteritum
preterition [ˌpri:təˈrišən] **1** opomenutí, přeskočení, vynechání, zamlčení, přejití **2** náb. nevyvolení ke spáse
preteritness [pretəritnis] minulost, bývalost
preterit-present [ˌpretəritˈpreznt] jaz. préteritoprézens
pretermission [pri:təmišən] **1** vynechání, opomenutí, přeskočení, přejití mlčením **2** přerušení, dočasné zastavení
pretermit [ˌpri:təˈmit] (*-tt-*) **1** vynechat, opomenout, přeskočit, přejít mlčením (*~ all personal references in an account, ~ children in a will*)

2 přerušit, dočasně zastavit (*if only reparations were temporarily ~ ted*)
preternatural [ˌpri:təˈnæčrəl] nadpřirozený (*~ powers, ~ phenomena*)
preternaturalism [ˌpri:təˈnæčrəlizəm] nadpřirozenost, víra v nadpřirozeno; nadpřirozený úkaz
pretersensual [ˌpri:təˈsensjuəl] mimosmyslový, nadsmyslný
pretext *s* [pri:tekst] předstíraný důvod, záminka, výmluva ◆ *on / under / upon the ~ of / that* pod záminkou, že ● *v* [priˈtekst] uvádět jako záminku, vymlouvat se na (*~ ing an early engagement in town next morning*)
pretone [pri:təun] předpřízvučná hláska / slabika
pretonic [pri:ˈtonik] předpřízvučný
pretor [pri:tə] = *praetor*
pre-treat [pri:ˈtri:t] předběžně zpracovat, upravit, pojednat, impregnovat
pre-trial [pri:ˈtraiəl] *adj* předsoudní ◆ *~ custody / detention* vyšetřovací vazba ● *s* předběžné líčení
prettify [pritifai] (*-ie-*) přizdobit, nazdobit, přezdobit, překrášlit, načinčat (hovor.); přikrášlit, přibarvit na růžovo (*accounts of this series of battles have often been prettified*)
prettily [pritili] **1** dět. hezky, pěkně, jako hodný chlapeček atd. (*eat ~* pěkně papat) **2** v. *pretty, adj*
prettiness [pritinis] **1** pěknost, půvab, hezkost **2** zženštilý půvab, prázdná krása muže
pretty [priti] (*-ie-*) *adj* **1** pěkný, hezký, půvabný (*a ~ girl*), hezounký (*~ little garden*); muž jalově hezký, hezounský, zženštilý, hejskovský **2** iron. pěkný (*you're a ~ sort of fellow*), pořádný, dokonalý, důkladný (*a ~ mess you've made of it!* to jsi to tedy dokonale zvoral!) **3** hovor. pěkný, hezký, pořádný (*it will cost you a ~ penny* bude vás to stát hezkých pár liber) ◆ *~ kettle of fish* pěkné nadělení (iron.); *make oneself ~* upravit se ● *adv* **1** dost, pěkně, hezky, pořádně, ohromně, hrozně (*it's ~ cold outdoors today*) **2** téměř, skorem, poměrně, dost (*the situation seems ~ hopeless*) ◆ *sit ~* být na tom dobře, mít teplé místečko, být dobře / vhodně usazen ● *s* **1** miláček, drahoušek, zlatíčko (*my ~!*) **2** BR ozdobné drážkování sklenice (*fill it up to the ~*) **3** BR golf: část hřiště bez překážek **4** AM hračka **5** AM *pretties, pl* dámské prádlo
prettyish [pritiiš] poměrně pěkný, dosti hezký
prettyism [pritiizəm] **1** ozdoba, ozdoby **2** násilná vyumělkovanost, afektovanost, strojenost
pretty-pretty [ˈpritiˌpriti] *adj* přeplácaný, nazdobený, ulízaný, chtěně hezký, nadělaný, zbytečně vyšperkovaný ● *s pretty-pretties, pl* hezké věcičky, ozdůbky
pretzel [precl] preclík
preux chevalier [prə:ˌševəˈliə] urozený rytíř
prevail [priˈveil] **1** zvítězit (*truth will ~*), triumfovat *over* nad, porazit koho (*we ~ed over our enemies*); přemoci *against* koho (*gates of hell shall not ~ against it*) **2** trvat, existovat, být běžný (*the use of opium still ~s in the South*) **3** převládat, převažovat (*link between obsolete forms of life and those which generally ~* spojovací článek mezi zastaralými formami života a těmi, které nyní všeobecně převládají) **4** přesvědčit *on / upon* koho, přemluvit koho (*~ upon a friend to lend you £ 10*) ◆ *I could not ~ on myself* nemohl jsem přenést přes srdce
prevailing [priˈveiliŋ] **1** nejobvyklejší (*windows facing the ~ winds*); obyčejný, obecný, běžný (*~ ideas*) **2** převládající, převažující, hlavní, panující (*the ~ doctrine of the age*) **3** v. *prevail*
prevailingly [priˈveiliŋli] **1** většinou **2** v. *prevailing*
prevalence [prevələns] **1** převaha, převládání, převažování, prevalence **2** obecné rozšíření, rozmach, panující zvyk, běžnost (*I'm shocked at the ~ of bribery among these officials* jsem šokován tím, jak se mezi těmito úředníky rozmohlo úplatkářství)
prevalent [prevələnt] **1** obvyklý, běžný (*the ~ fashions*); rozšířený (*is malaria still ~ in that country?*) **2** převládající, panující, převážný, hlavní
prevaricate [priˈværikeit] vytáčet se, vykrucovat se, obcházet pravdu, kličkovat
prevarication [priˌværiˈkeišən] **1** vytáčka, klička **2** kličkování, vykrucování, vytáčky
prevaricator [priˈværikeitə] **1** kdo se vytáčí n. vykrucuje **2** lhář
prevenient [priˈvi:niənt] **1** předcházející, předešlý **2** v očekávání *of* čeho; mající v úmyslu předejít čemu ◆ *~ grace* Boží milost v člověku
prevent [priˈvent] **1** za|bránit, zamezit *a p.* komu *from* v / aby ne (*who can ~ us from getting married?*) *a t.* čemu, předejít čemu (*your prompt action ~ed a serious accident*), zachránit *from* před (*she had to catch his arm to ~ herself from falling*) **2** zast. vyřídit předem **3** [pri:ˈvent] jít napřed, vést, ukazovat cestu (*God ~s us with his grace*) ◆ *if nothing ~s* když se nic nestane, když do toho nic nepřijde (*we shall come tomorow if nothing ~s*)
preventable [priˈventəbl] čemu lze předejít, nikoli nevyhnutelný, zbytečný (*conscious of ~ human suffering* uvědomující si zbytečné lidské utrpení)
preventative [priˈventətiv] = *preventive*
preventer [priˈventə] **1** kdo chrání n. zabraňuje, ochránce, strážce **2** námoř. pojistka; zamezovač **3** námoř. přídavné lano používané ke zpevnění jiného lana ◆ *backstay ~* námoř. pomocný zadní stěh; *shroud ~* námoř. přídavná úpona; *tiller ~* námoř. pomocná kormidelní páka ● *adj* pojistný, pokojný
preventible [priˈventibl] = *preventable*
prevention [priˈvenšən] **1** zábrana *of* před, ochrana

před, zamezení, zabránění čemu 2 předcházení nemocem, prevence, profylaxe ◆ *fire* ~ protipožární zábrana; *Society for the P*~ *of Cruelty to Animals* spolek pro ochranu zvířat

preventive [pri'ventiv] *adj* **1** chránící, ochranný, sloužící prevenci, předcházející, preventivní (*a* ~ *measure against rats*) **2** med. ochranný, preventivní, profylaktický, profylakční ◆ ~ *barrage* voj. palebný závěr, palebná přehrada; ~ *custody* / *detention 1.* BR ochranná vazba *2.* AM preventivní vazba; ~ *officer* důstojník pobřežní služby; *P*~ *Service* námoř. *1.* Pobřežní ochrana *2.* zast. celní pobřežní služba ● *s* ochranný prostředek, ochranné opatření, preventiva, profylaxe

prevernal [pri:'və:nl] bot. kvetoucí časně na jaře

preview [pri:'vju:] *s* **1** promítnutí n. zhlédnutí filmu před veřejným uvedením, předvádění filmu **2** divadelní předváděčka (slang.) **3** předběžná recenze knihy před vyjitím **4** AM ukázka; ukázky z chystaného filmu, foršpan (slang.); ukázky z chystaného rozhlasového n. televizního programu ● *v* **1** promítnout film před veřejným uvedením **2** vidět předem v promítačce film **3** vidět na předváděčce hru **4** recenzovat před vyjitím knihu

previous [pri:vjəs] *adj* **1** předchozí, předešlý, dřívější (*reverted to his* ~ *position* vrátil se na své dřívější místo), předcházející (*shown in the photograph on the* ~ *page*) *to* čemu (*the period just* ~ *to the war*) **2** předčasný, unáhlený, ukvapený, překotný (*it turned out that our condemnation of him had been a little* ~ ukázalo se, že jsme ho odsoudili poněkud ukvapeně); ~ *death* pojišť. předčasné úmrtí; ◆ *P*~ *Examination* BR první zkouška k dosažení bakalaureátu v Cambridgi; ~ *question* v parlamentě návrh hlasovat okamžitě o zařazení otázky a tím zabránit jejímu okamžitému projednávání AM n. tím její projednávání skončit ● *adv* před *to* čím, dříve než (*he had called* ~ *to writing*)

previously [pri:vjəsli] **1** předtím, dříve (*he had served* ~ *in the army*) **2** předčasně, unáhleně, ukvapeně, překotně

previse [pri:'vaiz] **1** předvídat, předpovídat **2** předem informovat

prevision [pri:'vižən] předvídání, předtucha, tušení něčeho budoucího (*as far as human* ~ *can go*); předpověď, předzvěst (*a* ~ *of dislike*)

previsional [pri:'vižənl] tušící, předvídající, prorocký

prevocational [ˌpri:vəu'keišənl] přípravný pro povolání (~ *courses*)

prewar [pri:'wo:] předválečný zejm. před 2. svět. válkou (~ *levels of industrial production* ... úroveň průmyslové výroby)

prexy [preksi] (*-ie-*) AM slang. **1** rektor univerzity **2** ředitel koleje

prey [prei] *s* kořist (*the eagle was devouring its* ~); oběť ◆ *be* / *become* / *fall a* ~ *to* stát se obětí čeho, padnout za kořist / oběť čemu (*the deer fell a* ~ *to the lion, he fell a* ~ *to doubts*); *beast of* ~ šelma; *bird of* ~ dravec, dravý pták; *fish of* ~ dravec, dravá ryba ● *v* **1** dravec lovit *on* / *upon* co, chytat co, živit se čím, požírat co (*cats* ~ *upon robins* kočky chytají červenky) **2** vysávat, odírat, okrádat, oškubávat *upon* koho (*gamblers and confidence men, who* ~*ed upon the construction workers* falešní hráči a podvodníci, kteří okrádali dělníky na stavbě) ◆ ~ *upon a p.'s mind* duševně sužovat, trápit, týrat, ničit, hlodat v mozku, připravovat o rozum, nejít z hlavy (*anxieties that* ~ *upon my mind* úzkosti, které mě připravují o rozum)

preying [preiiŋ] **1** trápící, týrající, hlodající, připravující o rozum (~ *anxiety* mučivá úzkost) **2** v. *prey, v*

priapism [praiəpizəm] **1** necudnost, nestydatost, oplzlost **2** med. priapismus

price [prais] *s* **1** cena hodnota v penězích (*the* ~ *of wheat is expected to rise*); výkupné (*the* ~ *of peace was more than their spirit could stomach*); za kolik se dá kdo koupit (*it is not always easy to guess a man's* ~ není vždycky snadné uhodnout, za co lze člověka koupit) **2** zast. hodnota, cena (*her* ~ *is far above the rubies* je daleko cennější než rubíny) **3** poměr sázek *of* na (*the starting* ~ *of a horse*) ◆ *abate a* ~ zlevnit, snížit cenu; *above* ~ nesmírně cenný, penězi k nezaplacení; ~ *adjustment* regulace cen; *advanced* ~ zvýšená cena; *at a* ~ *1.* jen za vysokou cenu (*housing could be obtained at a* ~) *2.* za velkých obětí, draze (*he won but only at a* ~); *at any* ~ za každou cenu; *at the* ~ *of* za cenu čeho; *bedrock* ~ nejnižší možná cena; *beyond* ~ nesmírně cenný, penězi k nezaplacení; ~ *card* cenovka; *competition* ~ konkurenční cena; *cost* ~ výrobní cena, režijní cena; *ceiling* ~ úředně stanovená maximální cena; ~ *current* seznam běžných cen, ceník; *current* ~ běžná cena; *fetch a* ~ docílit cenu; ~ *freeze* cenový stop, zmrazení cen, cenové moratorium; *have one's* ~ dát se podplatit / koupit; ~ *index* cenový index; *long* ~ *1.* plná detailní cena bez slev a srážek *2.* příliš velká cena oběť; ~ *margin* cenové rozpětí; *of* ~ drahý, vzácný, cenný, drahocenný (*things of* ~); ~ *range* cenový dosah, kupní síla, koupěschopnost (*beyond the* ~ *range of the normal purchaser*); ~ *relief* cenová intervence; *retail* ~ maloobchodní cena; *sell below* ~ prodat pod cenou, střelit; *set a* ~ *on a p.'s head* vypsat cenu / odměnu na něčí hlavu; *starting* ~ vyvolávací cena; ~ *support* cenová intervence; *there is no* ~ *for him* ten se nedá koupit / podplatit; *what* ~ *?* slang. jakou má teď cenu, k čemu je teď, jakýpak, jak to teď vypadá s, a co teď s (*what* ~ *isolation now?*); *wholesale* ~ velkoobchodní cena; *without* ~ nesmírně cenný, penězi k nezaplacení ● *v* **1** stanovit cenu; označit cenou **2** přen. o|hodnotit **3** zjišťovat cenu, ptát se na cenu čeho (*~d table linens at several stores*) ◆ *~d catalogue* katalog s cenami, ceník ***price out 1*** vytlačit ceny z trhu **2** být cenově nepřístupný *a p.* komu ◆ *~ o.s. / a t. out of market 1.* žádat příliš vysokou cenu a tím (se) vyloučit z cenové soutěže *2.* svými příliš vysokými mzdovými požadavky vyloučit možnost získat zaměstnání (*labour has virtually ~d itself out of the market*)

price-cutter [ˈprais͵katə] kdo nabízí zboží pod cenou

price-cutting [ˈprais͵katiŋ] snižování cen

priceless [praislis] **1** nesmírně cenný, drahocenný, neocenitelný, penězi k nezaplacení (*such pair of well-worn comfortable walking shoes is ~*) **2** jsoucí bez ceny; neprodejný **3** slang. za všechny prachy, báječný, legrační; fantastický, absurdní

price list [praislist] ceník

price-mark [praisma:k] označit cenou, dát cenu n. cenovku k

price tag [praistæg] **1** visačka s cenou, cenovka **2** novin.: vyčíslená cena (*put a ~ on a t.* vyčíslit cenu čeho, označit cenou, dát cenovku k)

pricey [praisi] hovor. mastný, drahý

pricing [praisiŋ] **1** cenový (*flexible ~ policy*) **2** v. *price, v*

prick [prik] *s* **1** píchnutí, pich, píchanec, vpich, v|bodnutí (*~s made by a needle* vpichy učiněné jehlou, *I can still feel the ~*); malá dírka **2** přen. bodnutí, bodání, hryzání, žraní (*he feels the ~ of conscience* hryže ho svědomí) **3** bodlina, píchák, pichlák; trn, osten, hrot; bodáček, jehla, píchadlo, šídlo; zast. otka, bodec k pohánění dobytka; zast. žihadlo **4** terč; střed terče **5** zaječí stopa **6** slang. otrava, blbec, syčák nepříjemný člověk **7** vulg. penis ◆ *kick against the ~s 1.* vyhazovat, vyvádět *2.* chtít prorazit zeď hlavou ● *v* **1** pro|píchnout (*~ a toy balloon*), píchnout | se do (*~ one's finger with a needle* píchnout se jehlou do prstu), napíchat (*~ holes in paper* ... do papíru dírky), popíchat, rozpíchat (*the thorns on these roses ~ed my fingers* trny na těchto růžích mi rozpíchaly prsty); též *~ off* odpíchnout odpichovátkem **2** brnět, svrbět (*my fingers ~* mám píchání v prstech), škrábat (*the pepper in the food ~ed the back of his throat*); přen. trápit, bodat, hryzat (*his conscience ~ed him* hryzalo ho svědomí) **3** pobízet, nutit *off* aby ne **4** přenést propichováním (*~ an embroidery pattern* přenést vyšívací vzor propichováním); rádlovat střih na látku **5** označit znamínkem, zatrhnout, zaškrtnout, odfajfkovat; BR zvolit rychtáře zaškrtnutím v seznamu **6** vztyčit se, našpicovat se (*the dog's ears ~ed up at the sound*) **7** hledat zaječí stopy; stopovat zajíce **8** nanášet barvy v tečkách pointilistickou technikou **9** víno zkysat **10** zast.: jezdec na koni pádit, cválat (*~ing through the night*) ***prick in*** vysadit, vypichovat sazeničky ***prick off*** přepichovat, pře|pikýrovat sazeničky (*~ off young cabbage plants* přepichovat sazeničky zelí) ***prick out 1*** poznamenat na námořní mapě kurs a pozici lodi **2** = *prick off* ***prick up*** vztyčovat, na|špicovat (*~ one's ears*), též přen.

prick-eared [prikiəd] jsoucí se špičatýma n. vztyčenýma ušima

prick ears [prikiəz] špičaté uši (*~ are required of most terriers by the breed standards* většina teriérů musí podle chovatelských zásad mít špičaté uši)

pricker [prikə] **1** zast. jezdec na koni, kavalerista **2** bodec, osten, hrot; šídlo **3** námoř. malý průbojník na dělání otvorů v plachtách

pricket [prikit] **1** BR špičák jelen v druhém roce **2** bodec na svíčku; vysoký svícen s bodcem n. bodci ◆ *~'s sister* BR čiplenka laň v druhém roce

prick hedge [prikhedž] živý plot

prickle[1] [prikl] BR košík na ovoce n. květiny

prickle[2] [prikl] *s* **1** osten; trn, píchák; bodlina **2** píchání, bodání, bodavá bolest; brnění, mravenčení, svrbění, svědění kůže ● *s* píchat, svědit, svrbět, působit mravenčení, brnět, cítit mravenčení

prickle back [priklbæk] zool. koljuška

prickliness [priklinis] pichlavost, ostnatost

prickling [prikliŋ] : *~ wheel* rádlo, rádlovací kolečko

prickly [prikli] (*-ie-*) **1** ostnitý, trnitý (*a ~ shrub*); ostnatý, píchavý, bodavý, ježatý **2** svědivý, svrbivý (*a ~ sensation*) **3** sršatý, naježený, ježatý ◆ *~ heat* med. potnička; *~ lettuce* bot. locika kompasová; *~ pear* bot. opuncie, nopál; *~ sedge* bot. ostřice měkkoostenná

pricksong [priksoŋ] hud. **1** zast. zpěv zapsaný v notách **2** vícehlas

pride [praid] *s* **1** hrdost *in* na (*his ~ prevented him from doing anything dishonourable*); hrdé uspokojení (*look with ~ at one's garden*); vědomí vlastní důstojnosti **2** pýcha *in* na (*the sin of ~, a girl who is her mother's ~*); nadutost, nafoukanost **3** nejlepší čas, nejlepší léta, květ, rozkvět (*in the full ~ of youth*) **4** smečka lvů; hejno pávů **5** zast. rujnost zejm. samice ◆ *false ~* pýcha; *feel a ~ at* být hrdý / pyšný na co; *P~ goes before a fall* Pýcha předchází pád; *in his ~* v erbu páv s roztaženým ocasem; *~ of the morning* ranní mlha, ranní rosa; *~ of place 1.* čestné místo *2.* povýšenost, nadutost, arogance; *proper ~* hrdost; *take (a) ~ in a t.* být hrdý na co ● *v* ***pride o.s.*** být hrdý *upon* na, pyšnit se čím, moci se chlubit čím (*he ~s himself upon his skill as a pianist*)

prideful [praidful] SC povýšený, nadutý, nafoukaný, arogantní

prideless [praidlis] skromný; bez jakékoli hrdosti n. sebeúcty

pried [praid] v *pry*[1]
prie-dieu [pri:djə:] *pl* též *prie-dieu* / *prie-dieux* [pri:-djə:] klekátko ◆ ~ *chair* židle kombinovaná s klekátkem
priest [pri:st] *s* **1** kněz; duchovní, páter, pastor **2** BR palička na ryby ◆ *high* ~ velekněz; ~*'s hood* / *pintle* = *priest-in-the-pulpit* ● *v* **1** vysvětit na kněze **2** vykonávat kněžský úřad
priestcraft [pri:stkra:ft] **1** kněžská politika; vláda kněží, hierokracie, klerikalismus, kněžourství **2** práce kněží
priestess [pri:ˈstes / AM pri:stis] pohanská kněžka
priest-hole [pri:sthəul] BR hist. úkryt, skrýše v domě, pro pronásledované kněze
priesthood [pri:sthud] **1** kněžství **2** kněží, kněžstvo jako celek (*Irish* ~)
priest-in-the-pulpit [ˌpriˈstinðəˈpulpit] bot. aron plamatý
priestless [pri:stlis] nemající žádné kněze, jsoucí bez kněží (*a* ~ *religion*)
priestlike [pri:stlaik] kněžský
priestliness [pri:stlinis] kněžství, kněžské chování, kněžský charakter, kněžskost
priestling [pri:stliŋ] kněžík, kněžíček, mladý / podřízený kněz
priestly [pri:stli] kněžský, sacerdotální ◆ ~ *code* kněžský kodex, kněžský spis ve Starém zákoně; ~ *writer* pisatel tohoto spisu
priest-ridden [ˈpri:stˌridn] ovládaný kněžími, utlačovaný kněžími
priest-vicar [ˌpri:stˈvikə] BR kapitulní kanovník
prig [prig] *s* **1** domýšlivec, ješita, ješitník, snob; mravokárce, afektovaný pedant, samolibý puntíčkář **2** slang. hmaták zloděj ● *v* (*-gg-*) slang. seknout, čajznout, šlohnout, otočit ukrást
priggery [prigəri] = *priggishness*
priggish [prigiš] **1** domýšlivý, ješitný, snobský, samolibý, afektovaný, puntíčkářský, pedantický, mravokárný **2** slang. hmatácký zlodějský
priggishness [prigišnis], **priggism** [prigizəm] domýšlivost, ješitnost, snobství, samolibost, afektovanost, puntíčkářství, pedanterie
prim [prim] *adj* (*-mm-*) **1** uspořádaný, uklizený (*a* ~ *garden*) **2** upjatý; rezervovaný, škrobený, suše korektní (*a very* ~ *and proper gentleman*) ● *v* (*-mm-*) **1** tvářit se upjatě; být rezervovaný n. škrobený **2** dát tváři upjatý výraz; stisknout upjatě rty ***prim out*** / ***up*** obléknout, uspořádat aby výsledek působil upjatě (~*med her up in an old-fashioned gown* oblékla ji do staromódní řízy)
prima [pri:mə] : ~ *buffa* první herečka / zpěvačka komických rolí; ~ *donna* (*pl:* ~ *donnas, prime donne*) primadona, též přen.
primacy [praiməsi] (*-ie-*) **1** prvenství, primát, převaha, nadřazenost (*the* ~ *of the deed over word and thought* prvenství činu před slovem a myšlenkou) **2** církev. primasství, hodnost / úřad primasa
primaeval [praiˈmi:vəl] = *primeval*
prima facie [ˌpraiməˈfeiši:] na první pohled jasný, zřejmý, evidentní, prima facie ◆ ~ *evidence* předběžný nikoliv dostatečný důkaz např. (neuznávané) rozhodnutí cizozemského soudu
primage[1] [praimidž] námoř. **1** přídavek k dopravnému za dohled nad dopravovaným nákladem **2** hist. kloboučné, kaplaky odměna kapitánovi z dopravného
primage[2] [praimidž] tech.: množství vody stržené parou z kotle
primal [praiməl] **1** první, prvotní, prvopočáteční, původní (*village life continued in its* ~ *innocence*) **2** hlavní, základní, prvotní, prvořadý (*paper money was a* ~ *necessity to the colonists*)
primarily [praimərili] **1** v první řadě, hlavně, zejména (*it has now become* ~ *a residential town*) **2** původně, zprvu, nejdříve
primary [praiməri] *adj* **1** první, prvotní, prvořadý, primární (*the* ~ *duty of safeguarding the peace* prvořadá povinnost zachovat mír); přední, nejdůležitější (*the* ~ *member of the cabinet*); hlavní, základní (~ *tools,* ~ *goods*); původní (*a* ~ *research* originální výzkum) **2** základní, elementární (~ *education*) **3** přímý, bezprostřední (*they require* ~ *assistance if they are to be kept from starving* jestli nemají umřít hladem, potřebují bezprostřední pomoc) **4** jaz. primární **5** geol. primární, původní, zast. prvohorní **6** AM týkající se primárek ◆ ~ *accent* hlavní přízvuk; ~ *amputation* med.: amputace dosud nezanícené končetiny n. jiné části těla; ~ *assembly* AM primární shromáždění v němž se volí kandidát do voleb; ~ *battery* primární baterie, baterie primárních článků; ~ *chain* zast. hnací řetěz; ~ *colour* základní barva (~ *colours* fyz. základní barvy); ~ *component* hvězd. *1.* hlavní složka *2.* hlavní hvězda dvouhvězdy; ~ *feather* letka ruční (zool.); ~ *meeting* = *primary assembly;* ~ *organ* (*of the Party*) základní organizace (strany); ~ *particle* fyz. primární částice; ~ *planet* oběžnice kolem níž jsou satelity; ~ *scholar* žák základní školy; ~ *school* základní škola, obecná škola pro žáky od 5 do 11 let; ~ *stress* hlavní přízvuk; ~ *tenses* v latinské a řecké gramatice: prézens, futurum, perfektum a futurum perfekta; ~ *tuberculosis* primární tuberkulózní ložisko ● *s* (*-ie-*) **1** AM shromáždění, při němž se volí kandidáti na prezidentský úřad; *primaries, pl* prezidentské primárky (hovor.) **2** hvězd. = *primary component* **3** zool. = *primary feather* **4** = *primary colour*
primate **1** [praimət] cirk. primas, arcibiskup **2** [praimeit] *pl: primates* [praiˈmeiti:z] zool. primát, nehetnatec ◆ *P* ~ *of England* arcibiskup yorský; *P* ~ *of all England* arcibiskup canterburský
primateship [praimətšip] primasství, hodnost / úřad primasa; arcibiskupství, hodnost / úřad arcibiskupa

primatial [praiˈmeišəl] **1** primaský, primaciální, primasovský **2** hlavní (*the ~ city of ancient Ireland*) **3** týkající se primátů

prime [praim] *s* **1** plný květ, rozkvět (*the ~ of youth*), nejkrásnější doba, nejlepší léta (*when is a man in his ~?*); vrchol, doba největšího rozkvětu (*the ~ of his musical career*) **2** nejlepší část, nejlepší díl, nejlepší kus (*~ of the flock* nejlepší kus ze stáda); prvotřídní výrobek; bezvadný plech **3** začátek, počátek (*the ~ of the year*); úsvit, rozbřesk, svítání (*the ~ of the day*); rozpuk, mládí, mladá léta (*in her ~, a laughing girl*) **4** základní dílec celku děleného dále stejným poměrem; minuta; coul, palec; chem. řidč. jednotlivý atom **5** čárka v indexu (′) (*a′ = a prime* a s čárkou) **6** zast. zlaté číslo **7** voj. roznětka, zápalka **8** šerm prima **9** mat. prvočíslo **10** hud. základní tón, tónika; prima interval **11** círk. prima první hodinka **12** polygr. lícový tisk ● *adj* **1** první, prvotní, základní, hlavní, nejdůležitější (*his ~ motive*) **2** mladický, mladistvý (*~ vigour* mladistvý elán) **3** dobytek, zboží prvotřídní, nejlepší jakosti, vynikající kvality, prima **4** mat. prvočíselný; nemající společné prvočinitele ◆ *~ coat* základní / spodní / podkladový nátěr; *~ cost* jednicové náklady výrobní, výrobní cena, režijní cena; *~ factor* mat. prvočinitel; *~mover 1.* primum movens *2.* prvotní motor; prvotní hnací stroj; *~ number* prvočíslo; *~ paint* základní nátěrová barva; *~ vertical (circle)* hvězd. první vertikál ● *v* **1** hist. nabít střelným prachem, na|ládovat (*~ a gun*) **2** předem poučit, instruovat, informovat, připravit (*the witness had been ~d by a lawyer* svědek byl předem instruován právním zástupcem); nahustit fakty, zásobit, vyzbrojit informacemi (*the candidate had been well ~d with facts by the Party headquarters*) **3** povzbudit, podnítit, dát injekci čemu (*loses money in attempting to ~ the sugar-cane industry* při pokusech o oživení třtinového průmyslu přichází o peníze) **4** natřít základní / podkladovou barvou (*~ the wall with white paint* natřel zeď bílou podkladovou barvou) **5** tech. nasát páru s vodou do parního válce; strhovat vodu z kotle párou; zalít pumpu, nalít vodu do čerpadla před spuštěním; nastříknout motor, dát motoru cucnout (hovor.) **6** označit v indexu čárkou (′) **7** hovor. lít | cpát, ládovat *a p.* do koho nápoje | pokrmy **8** voj. roznítit nálož, nasadit roznětku n. zápalku, vložit rozbušku *do* ◆ *~ the pump 1.* nalít vodu do čerpadla před spuštěním *2.* přen. dávat finanční injekce

primely [praimli] hovor. primovně, fajnově, báječně

prime minister [ˌpraimˈministə] ministerský předseda, předseda vlády, premiér

primer[1] **1** [praimə] slabikář, první čítanka, úvod, vědecký úvod do studia, katechismus (přen.) **2** [praimə] hist. modlitby, modlitební kniha **3** [primə] polygr.: velikost písma ◆ *great ~* zast.: písmo velikost ca 16 bodů; *long ~* zast.: písmo velikosti ca 10 bodů

primer[2] [praimə] **1** roznětka, zápalka, kapsle (hovor.) **2** základní / podkladový / spodní nátěr; základní nátěrová barva **3** nastřikovač motoru ◆ *~ cap* voj. zápalka; *~ mixture* zápalná směs

primero [priˈmerəu] hist. primero stará karetní hra

primeval [praiˈmi:vəl] původní, od prvopočátku, prastarý, prehistorický ◆ *~ forest* prales

priming[1] [praimiŋ] **1** střelný prach na pánvičce; nálož; nasypaný střelný prach od zápalky k náloži **2** nátěrová základní barva **3** cukerný roztok užívaný při výrobě piva **2** v. *prime v*

priming[2] [praimiŋ] narůstání mořských slapů při první a poslední čtvrti měsíce

primipara [praiˈmipərə] *pl: primiparae* [praiˈmipəri:] prvorodička, prvnička

primiparous [praiˈmipərəs] rodící poprvé

primitive [primitiv] *adj* **1** primitivní na nízkém stupni vývoje (*the opossums are ~ mammals* vačice jsou primitivní savci); nedokonalý (*a health resort with ~ facilities* lázně s primitivním vybavením); velmi prostý (*a ~ but effective enquiry* primitivní, ale účelný dotaz) **2** prvotní (*P~ Church*); prvobytný, původní, prapůvodní (*its ~ source*), pra- (*P~ Germanic* pragermánština); základní (*~ colour, ~ line*) **3** jaz. primární, prvotní (*~ verb*) **4** obraz naivní (*a ~ portrait*), malovaný naivistou ◆ *~ art* naivní umění; *P~ Methodist Connexion* círk.: metodistická obec založená r. 1810; *P~ Methodism* učení této obce; *P~ Methodist* metodista její příslušník; *~ rocks* zast. prahorní horniny, prahory; *~ soil* panenská půda ● *s* **1** primitiv **2** výtv. předrenesanční malíř n. sochař, primitivista; předrenesanční umělecké dílo; naivní malíř, naivista **3** základní tvar **4** = *Primitive Methodist*

primitiveness [primitivnis] **1** primitivnost, primitivismus, primitivita **2** původnost, prvotnost **3** umělecká naivnost

primness [primnis] **1** uspořádanost, uklizenost **2** upjatost; rezervovanost, škrobenost, korektnost

primo[1] [pri:məu] hud. první hlas, prim, primo

primo[2] [praiməu] za prvé, v první řadě, předně

primogenital [ˌpraiməuˈdženitl] = *primogenitary*

primogenitary [ˌpraiməuˈdženitəri] prvorozenecký, prvogeniturní

primogenitor [ˌpraiməuˈdženitə] praotec, nejstarší předek; předek

primogeniture [ˌpraiməuˈdženičə] prvorozenost, prvorozenství, primogenitura, prvorozenské právo

primordial [praiˈmo:djəl] **1** prvotní, původní, prapůvodní **2** bot. primordiální **3** primitivní **4** základní, elementární, primární ◆ *~ broth / soup* zárodečná hmota z níž údajně vznikl na zemi život

primordiality [praiˌmo:diˈæləti] **1** prvotnost, původnost, prapůvodnost **2** bot. primordiálnost

primordium [praiˈmo:diəm] *pl: primordia* [praiˈmo:diə] **1** začátek, počátek **2** zárodek
primp [primp] **1** zdobit, parádit, přikrašlovat; na|fintit | se (*she ~s for hours before a date, she ~s herself*) **2** dávat do pořádku, uklízet *for* kvůli (*rearrange her magazine basket as she ~s for callers* přerovnat časopisy v košíčku, protože očekává návštěvy, tak uklízí)
primrose [primrəuz] **1** prvosenka, petrklíč; bot. prvosenka bezlodyžná **2** též *evening ~* bot. pupalka dvouletá **3** jasně žlutá barva ◆ *P~ dame* BR členka sdružení *Primrose League; P~ Day* BR 19. duben, výročí smrti Benjamina Disraeliho (zemř. 1881), slavené konzervativci; *P~ habitation* sídlo sdružení *Primrose League; P~ knight* člen sdružení *Primrose League; P~ League* BR sdružení konzervativců založené na paměť Benjamina Disraeliho; *~ path* přen. *1.* cesta rozkoše *2.* cesta nejmenšího odporu; *~ peerless* bot. narcis dvoukvětý
primrosy [primrəuzi] prvosenkový, petrklíčový; žlutý jako prvosenka
primula [primjulə] prvosenka, primula
primulaceous [ˌprimjuˈleišəs] bot. prvosenkovitý, patřící do čeledi prvosenkovitých
primuline [primjulain] primulin žluté barvivo
primum mobile [ˌpraiməmˈməubili] **1** hist. hvězd. hvězdná sféra nejvzdálenější nebeská sféra nesoucí hvězdy **2** přen. primum movens, dynamický základ, první spiritus movens (*regarded self-interest as the ~ of all human activity* pokládat zištnost za základní hnací sílu veškeré lidské činnosti)
primus[1] [praiməs] *adj* BR toho jména první, nejstarši ve škole ◆ *~ inter pares* první mezi rovnými ● *s* BR círk. primus první biskup skotské episkopální církve
primus[2] [praiməs] prímus petrolejový vařič
prince [prins] **1** kníže (*the P~ of Monaco*), též přen. (*~ of the poets*) **2** vladař, panovník, vládce, pán, král (*noblemen passed from court to court, seeking service with one ~ or another*) **3** královský princ, králevic **4** cizí vysoký šlechtic, baron, mandarín (*Polynesian ~s, Chinese ~ of the first degree*); magnát; kníže zdvořilostní titul vévody, markýze, hraběte **5** též *~ of the Church* církevní kníže kardinál ◆ *P~ Albert (coat)* AM dlouhý pánský dvouřadový kabát; *P~ Albert spruce* bot. tsuga západoamerická; *~ bishop* círk. kníže biskup; *P~ Consort* princ manžel manžel královny; *Hamlet without the P~ of Denmark* přen. prázdná slupka; *~ of the air* pán vzduchu ďábel; *~ of the blood* královský princ BR syn n. vnuk krále / královny; *~ of darkness* kníže temnot ďábel; *P~ of Denmark* princ dánský Hamlet; *P~ of Peace* Kníže pokoje Ježíš Kristus; *P~ of Wales* kníže waleský (nespr. princ waleský) následník britského trůnu; *P~ of Wales's feathers* chochol ze tří per užívaný též jako dekorace; *~ of the world* kníže / pán tohoto světa ďábel; *P~ Regent* princ regent / vladař; *~ royal* korunní princ; *P~ Rupert's drops* Rupertovy kapky, batavské kapky, skleněné slzy; *~'s feather* bot. *1.* laskavec zvrhlý pravý *2.* rdesno východní; *~'s metal* mannheimské zlato mosazná napodobenina zlata; *~'s pine* bot. banksovka, borovice banksovka
princedom [prinsdəm] knížectví hodnost n. panství knížete
prince elector [ˌprinsiˈlektə] kurfiřt
princekin [prinskin], **princelet** [prinslit] knížátko, princátko
princeliness [prinslinis] **1** knížecí n. vladařský charakter (*the ~ of his outlook*) **2** vznešenost, nádhera, nádhernost, majestátnost, okázalost, skvělost, luxusnost (*the ~ of our accommodation* luxusnost našeho ubytování)
princeling [prinsliŋ] knížátko, princátko
princelike [prinslaik] *adj* knížecí; okázalý, skvělý ● *adv* knížecky, jako kníže; okázale, skvěle
princely [prinsli] knížecí, knížecký (*~ birth, ~ power*), královský (*~ gift ...* dar); majestátní, vznešený, nádherný, okázalý, skvělý, luxusní (*those ~ ships with long black hulls* ty majestátní lodě s dlouhými černými trupy)
princeps [prinseps] *pl: principes* [prinsipi:z] *s* **1** antic. hlava státu **2** hist. náčelník **3** první / původní vydání ● *adj* první, původní (*a ~ edition*)
princess [prinˈses / AM prinsəs] *s* **1** kněžna **2** vladařka, panovnice, paní, vládkyně, královna **3** královská princezna ◆ *~ of the blood* královská princezna BR dcera n. vnučka krále / královny; *P~ Regent 1.* princezna vladařka *2.* manželka prince regenta; *~ royal* korunní princezna ● *adj* princesový, princesového střihu, bez vyznačeného pasu ◆ *~ dress* princesové šaty, princes
principal [prinsəpəl] *adj* **1** hlavní (*the ~ rivers of Europe*); základní; nejdůležitější, první; ústřední (*~ workshop*) **2** ekon. jistinný, kapitálový (*invested a ~ sum*) ◆ *~ actor* div. představitel hlavní role, vedoucí herec; *~ boy* herečka hrající hlavní chlapeckou roli v pohádkové revui; *~ clause* jaz. hlavní věta; *~ girl* herečka hrající hlavní dívčí roli v pohádkové revui; *~ part* jaz. kmenový tvar; *~ sentence* jaz. hlavní věta ● *s* **1** hlava firmy, šéf, mistr, vedoucí, přednosta, zaměstnavatel **2** AM ředitel školy (*the ~ of our grade school*); BR rektor (*the vice chancellor of some British universities is known as the ~* na některých britských univerzitách má vicekancléř titul rektor) **3** zmocnitel, příkazce, komitent (*I must consult my ~* musím se poradit se svým komitentem) **4** hlavní pachatel, hlavní viník; hlavní osoba, hlavní herec, představitel hlavní role, hlavní dlužník **5** účastník souboje, duelant **6** hlavní / vazní trám krovu, vazník krovu; převaz, svírka krovu **7** ekon. jistina, kapitál **8** hud. oktávový principál, oktáva rejstřík varhan ◆ *~ and interest* jistina s úroky; *~ in the first*

degree hlavní pachatel, hlavní viník; ~ *in the second degree* spolupachatel, spoluviník

principality [ˌprinsiˈpæləti] (*-ie-*) **1** knížectví (*the ~ of Monaco*); *the P~* Wales **2** AM ředitelství školy; BR rektorství, rektorát univerzity **3** *principalities, pl* knížectva jeden z andělských kůrů

principally [prinsəpli] hlavně, zejména, v první řadě

principalship [prinsəpəlšip] řízení / vedení školy, funkce ředitele n. rektora (*will be asked to assume the ~ of the new high school* bude požádán, aby se ujal funkce ředitele nové střední školy)

principate [prinsipit] **1** antic. principát první období římského císařství **2** knížectví

principia [prinˈsipiə] základy (*the ~ of ethics*)

principle [prinsəpl] **1** základ, princip, základní myšlenka, základní pravidlo, podstata (*justice must be the ~ of a good government* základem dobré vlády musí být spravedlnost) **2** zásada (*moral ~s*) **3** zákon, věta, poučka, teorém **4** charakteristická látka (*the bark contains a bitter ~ used in medicine* kůra obsahuje hořkou látku, které se užívá v lékařství) ◆ ~ *of causality* zákon o příčině a následku; *a man of high ~* vysoce zásadový člověk, muž s velmi ušlechtilými zásadami; *in ~* většinou, zpravidla; *it is a matter of ~ with us* je naší zásadou, my zásadně; *on ~* ze zásady, zásadně, principiálně; ~ *of relativity* teorie relativity

prink [priŋk] též ~*up* vyfintit | se, naparádit | se

print [print] *s* **1** otisk, stopa (~*s of a squirrel in snow* veveří stopy ve sněhu), obtisk, pečeť, ražba, též přen. (*these sorrows left their ~ on his spirit*) **2** tisk pracovní postup; co bylo zhotoveno tištěním; vytištěná písmena; AM časopisy, noviny **3** tisk, písmo, typ (*in small ~*) **4** tisk, reprodukce, grafický list; ~*s, pl* grafika (*old Japanese ~s*) **5** otisk, nátisk, vytištěný arch; **6** fotografie, pozitiv, kontaktní kopie; negativní n. pozitivní kopie filmu **7** forma, razítko, razidlo **8** tkanina s tištěným vzorem, tisk, kartoun (~*s for your kitchen windows*) **9** v tvořítku zformovaný kus (~ *of butter*); máslo z tvořítka **10** ~*s, pl* AM tiskovina, tiskopis; časopisy, noviny ◆ *in cold ~* černé na bílém; *daily ~s* AM deníky; *glossy ~* lesklá fotografie; *in ~* kniha *1.* v tisku *2.* k dostání; *out of ~* kniha rozebraný; *rush into ~* (příliš) rychle vydat tiskem, (příliš) rychle uveřejnit ● *v* **1** u|dělat otisk|y n. stopu / stopy *a t.* na / v, otisknout | se na / v, vtisknout, otisknout *in / on* do / na (~ *his seal in wax* vtisknout svou pečeť do vosku), též přen. (*the incidents ~ed themselves on her memory*); vytisknout, vyrazit *a t.* na co *with* čím, potisknout co pomocí čeho (~ *cloth with linoleum blocks*) **2** na|tisknout (*the book is ~ing* kniha je v tisku); vytisknout knihu, reprodukci, vydat (~ *6,000 copies of a novel*); otisknout, vydat tiskem, uveřejnit v tisku (*do you intend to ~ your lectures?* chcete vydat své přednášky tiskem?); vyjít v tisku, vypadat po otištění (*this picture hasn't ~ed very well*) **3** též ~ *off / out* vy|kopírovat fotografii, udělat kopie z negativu (*how many copies shall I ~ (off) for you from this negative?*); udělat negativní kopii z negativu / pozitivu **4** psát / napsat tiskacím písmem (~ *the name and address clearly*) **5** potisknout látku **6** přenášet obtisky na porcelán ◆ *be ~ing* kniha být v tisku; ~*ed circuit* tištěný okruh, plošné spoje; ~*ed form* tištěný formulář, tiskopis, tiskopisy, tiskoviny; ~ *waste* makulovat tiskovinu, dát tiskovinu do makulatury

printable [printəbl] **1** potiskovatelný, použivatelný k tisku (~ *paper*) **2** uveřejnitelný, schopný tisku nezávadný

printer [printə] **1** tiskař; pracovník v polygrafii; typograf; majitel tiskárny; tiskárna **2** potiskovač tkanin **3** fot. kopírovací rám; film. kopírka **4** tiskací telegraf; dálnopis ◆ *master ~* ředitel n. majitel tiskárny; *P~'s Bible* vydání bible s tiskovou chybou v žalmu 119 (Printers místo Princes); ~*'s devil* hist. poslíček v tiskárně, sazeč-učedník; ~*'s error* chyba sazečova, sazečská chyba, tisková chyba, „chyba tiskárny"; ~*'s ink = printing ink;* ~*'s mark* imprint, tiráž; ~*'s metal* písmovina; ~*'s ornaments* typografické ozdoby; ~*'s proof* domácí tiskárenská korektura, korekturní otisk, obtah; ~*'s reader* tiskárenský korektor

printery [printəri] (*-ie-*) řidč. tiskárna

print hand [printhænd] tiskací písmo rukopisné

printing [printiŋ] **1** tisk, tisknutí **2** polygrafie, polygrafický průmysl **3** náklad, vydání knihy **4** ~*s, pl* tiskové papíry, grafické papíry **5** psaní velkými tiskovými (tiskacími) písmeny **6** v. *print, v* ● *adj* **1** tiskařský, tiskací, tiskový, tiskárenský, polygrafický **2** v. *print, v*

printing block [ˈprintiŋˌblok] štoček

printing down [printiŋdaun] *s* kopírování obrazu na tiskovou desku ● *adj: printing-down* kopírovací ◆ ~ *department* kopírna

printing ink [ˈprintiŋˌiŋk] tisková barva, tiskařská barva; tiskařská čerň

printing machine [ˌprintiŋməˈši:n] zejm. BR tiskový stroj, tiskařský lis

printing office [ˈprintiŋˌofis] tiskárna

printing-out paper [ˈprintiŋautˌpeipə] **1** inverzní fotografický papír **2** fotografický papír pro denní světlo

printing paper [ˈprintiŋˌpeipə] **1** tiskový papír **2** fot. kopírovací papír

printing press [ˈprintiŋˌpres] tiskový stroj, tiskařský lis zejm. ruční

printing plant [ˈprintiŋˌpla:nt] tiskárna

printing shop [printiŋšop] menší tiskárna

printing works [ˈprintiŋˌwə:ks] velká tiskárna, polygrafický závod
printless [printlis] **1** nezanechávající stopy n. otisky **2** jsoucí beze stop n. bez otisku
print letters [ˈprintˌletəz] tiskací písmena
printmaker [printmeikə] grafik
print-out [printaut] kyb. *s* výstup, výsledná soustava, tabelační papír ● *v: print out* tisknout výsledek ve výstupu
print seller [ˈprintˌselə] prodavač reprodukcí a grafických listů; majitel obchodu s reprodukcemi a grafickými listy
print shop [printšop] obchod reprodukcemi a grafickými listy
print through [printθru:] polygr. protisk, basa (slang.)
printworker [ˈprintˌwə:kə] pracovník v polygrafii, typograf
print works [printwə:ks] text. tiskárna kartounu
prior[1] [praiə] *adj* přednostní (*a ~ claim* přednostní nárok), předchozí, předcházející, dřívější (*~ consideration* dřívější úvaha) *to* než, mající přednost *to* před, důležitější než (*a responsibility ~ to all others* zodpovědnost důležitější než jsou všechny ostatní) ● *adv: ~ to* před (*existing ~ to his appointment* existující už před jeho jmenováním do funkce)
prior[2] [praiə] círk. převor, prior; probošt
priorate [praiərit] círk. převorství, priorát; proboštství
prioress [praiəris] círk. převorka, priorka; proboštka
priority [praiˈorəti] (*-ie-*) **1** přednost, přednostní postavení, přednostní právo; prvenství, priorita **2** zájem, důležitá / naléhavá věc která má přednost (*high on our list of priorities is a trip to New York* jedna z nejdůležitějších věcí pro nás ...) ◆ *enjoy ~ over a p.* mít přednost před kým
priory [praiəri] (*-ie-*) převorství klášter ◆ *alien ~, ~ alien* převorství podléhající opatu v cizině
Priscian [prišiən] : *break ~'s head* dělat hrubé gramatické chyby
prise [praiz] BR = *prize*[3]
prism [prizəm] **1** hranol, prizma **2** neodb. rozložené (bílé) světlo, spektrum; *~s, pl* duhové barvy spektra ◆ *~ binoculars* triedr, hranolové kukátko; *prunes and ~s* afektovaná řeč, afektované chování; *~ viewfinder* fot. hranolový hledáček
prismal [prizməl] = *prismatic*
prismatic [prizˈmætik] **1** hranolový, hranolovitý, prizmatický **2** barva, světlo rozložený hranolem, spektrální, duhový; pestrý, jasný ◆ *~ colours* duhové barvy, spektrum; *~ compass* hranolový kompas, busola s průzorem; *~ (gun) powder* hranolový prach dělový; *~ system* kosočtverečná soustava krystalografická
prismoid [prizmoid] geom. prizmoid těleso podobné hranolu
prismoidal [prizˈmoidl] geom. týkající se prizmoidu ◆ *~ formula* vzorec pro výpočet obsahu prizmoidu
prismy [prizmi] duhový, pestrý, jasný (*the ~ feathers of his breast* duhové peří na jeho hrudi)
prison [prizn] *s* **1** vězení; trestnice, věznice; kriminál **2** uvěznění ◆ *break ~* uprchnout z vězení; *~ editor* hist. odpovědný redaktor novin, trestaný vězením za jejich porušení zákona; *lie in ~* být ve vězení, sedět (hovor.); *put in ~* dát / vsadit do vězení, uvěznit, zavřít (hovor.); ● *v* bás. u|věznit, u|poutat, mít ve vězení
prison bird [priznbə:d] kriminálník, trestanec
prison-breach [ˈpriznˌbri:č] útěk z vězení
prison-breaker [ˈpriznˌbreikə] uprchlý trestanec n. zajatec
prison-breaking [ˈpriznˌbreikiŋ] = *prison-breach*
prison camp [priznkæmp] **1** zajatecký tábor **2** pracovní tábor vězňů; koncentrační tábor
prisoner [priznə] **1** vězeň; trestanec **2** obžalovaný při procesu **3** zajatec ◆ *~ at the bar* obžalovaný při procesu, je-li ve vazbě; *be a ~ to* přen. být upoután / připoután k / na / v (*I am a ~ to my chair*); *make a t. a ~ / make ~ of a t.* přen. uvěznit co (*made her hand a ~, made ~s of her little hands in his*); *~ of conscience* politický vězeň; *~ of war* válečný zajatec; *~ of state* politický vězeň; *~'s bars / base* dětská hra, jejíž podstatou je zajímání hráčů, kteří opustili svou základnu (jako naše „na vodníka“); *State ~* politický vězeň; *take a p. ~* zajmout koho, vzít do zajetí koho
prison house [priznhaus] *pl: houses* [hauziz] obyč. přen. vězení, žalář (*her present life was a ~* její nynější život byl žalář)
prison yard [priznja:d] vězeňský dvůr
priss [pris] hovor. cimprlína
prissy [prisi] (*-ie-*) hovor. *adj* **1** afektovaný, úzkostlivě korektní, pedantický **2** afektovaně choulostivý, nedůtklivý, cimprlich **3** překultivovaný, zženštilý (*the elevated little finger of the ~ tea-drinker* zvednutý malíček zženštilého pijáka čaje) ● *s = priss*
pristine [pristain] **1** starý, původní, primitivní **2** čistý, svěží (*a ~ dawn in spring* svěží jarní svítání)
prithee [priði] zast. prosím tě / vás, buď|te tak laskav a (*~ keep silent*)
privacy [praivəsi] soukromí (*unwilling to disturb his ~* nechtějící rušit jeho soukromí); zachování soukromí, nechání si pro sebe (*in such matters ~ is impossible*) ◆ *in ~* soukromě, důvěrně; neveřejně, tajně, s vyloučením veřejnosti (*they were married in strict ~*); *right of ~* ochrana osobnosti
privat-docent, privat-dozent [priˌva:tdəuˈtsent] soukromý docent na univerzitě německého typu

private [praivit] *adj* **1** soukromý, privátní; důvěrný, osobní, vlastní; neveřejný, pro uzavřenou společnost **2** žijící v ústraní, jsoucí v ústraní **3** *"P~"* soukromý majetek; vstup zakázán ◆ *~ act* partikulární zákon netýkající se celé veřejnosti; *~ and confidential* tajný a důvěrný, tajdův (hovor.); *~ arrangement 1.* soukromá dohoda *2.* mimosoudní smír, smírné vyrovnání; *~ bill 1.* návrh zákona podaný členem Dolní sněmovny *2.* návrh partikulárního zákona; *~ box* poštovní přihrádka; *~ branch exchange* domácí telefonní ústředna; *~ car 1.* soukromý železniční vagón *2.* osobní auto; *~ company* BR soukromá obchodní společnost mající 2–50 akcionářů; *~ document* důvěrný spis, jen pro služební účely; *~ effects* soukromé svršky; *~ enterprise* soukromé podnikání, soukromokapitalistické podnikání, soukromý podnik; *~ eye* soukromý detektiv; *~ first class* voj. svobodník; *~ gentleman* soukromník; *~ goods* soukromý majetek; *~ house 1.* soukromý dům *2.* bydliště; *in a ~ capacity* soukromě, jako soukromník, jako soukromá osoba; *keep ~* nezveřejňovat, utajit, nechat si pro sebe; *~ line 1.* železniční vlečka *2.* přímá linka telefonní; *~ means* bezpracný důchod; *~ member* BR řadový člen Dolní sněmovny bez funkce; *~ nuisance* rušení n. rušitel vlastnického práva n. držby; *~ parts, pl* přirození, ohanbí, genitálie; *~ plot* záhumenek; *~ property* soukromý majetek, soukromé vlastnictví; *~ school* BR soukromá škola bez státní subvence; *~ schoolmaster* BR ředitel soukromé školy; *~ sewer* domovní kanalizační přípojka; *~ soldier* BR vojín; *~ view* soukromá prohlídka výstavy před otevřením ● *s* **1** vojín **2** *~s, pl* přirození, ohanbí, genitálie ◆ *in ~* soukromě, privátně; důvěrně, neveřejně

privateer [ˌpraivəˈtiə] hist. *s* korzárská loď; kapitán korzárské lodi, korzár ● *v* plout po moři jako korzár

privateering [ˌpraivəˈtiəriŋ] hist. **1** korzárství zajímání lodí na moři v době války s povolením panovníka **2** v. *privateer, v*

private protector [ˌpraivitprəˈtektə] suspenzor

privation [praiˈveišən] **1** zbavení, odnětí; nepřítomnost, nedostatek *of* čeho (*cold is the ~ of heat*); negativní jev **2** odnětí hodnosti, degradování, suspendování **3** též *~s, pl* strádání, nouze, veškerý nedostatek

privatism [praivitizəm] stáhnutí do sebe, žití pro sebe, touha po soukromí, život v soukromí, nezájem o veřejný život

privatistic [ˌpraiviˈtistik] **1** samotářský, uzavřený do sebe, stranící se společenského života **2** soukromokapitalistický

privative [privətiv] **1** *adj* odnímající, zbavující, zbavovací (*~ power*) **2** negativní **3** jaz. vylučovací, privativní sloužící k popření n. vyloučení základního významu slova ● *s* jaz. privativní předpona

privet [privit] též *common ~* bot. ptačí zob obyčejný

privet hawk [privitho:k] též *~ moth* zool. lišaj šeříkový

privilege [privilidž] *s* **1** zvláštní výhoda, výsada, prerogativa, imunita, privilegium **2** výsadní právo, výhradní právo, patent, monopol **3** čest, velká pocta, vyznamenání (*to converse with him was a ~*) **4** AM základní právo člověka, právo dané ústavou ◆ *bill of ~* BR žádost peera, aby byl souzen sobě rovnými; *breach of ~ 1.* porušení poslanecké imunity *2.* překročení pravomoci n. kompetence; *~ cab* BR drožka, taxi mající právo stát na vyhrazeném místě, např. u nádraží; *~ of clergy* kněžská imunita; *~ of Parliament* poslanecká imunita; *with kitchen ~s* kuchyně k použití; *writ of ~* příkaz k propuštění privilegované osoby z vazby ● *v* dát výsadu *a p.* komu, obdařit výsadou / výhodou koho, privilegovat koho; dát výsadu *from* aby ne, ochránit výsadou před (*~ legislators from arrest*) ***privilege o.s.*** osobovat si právo *to* na, aby (*I ~ myself to believe*)

privileged [privilidžd] **1** požívající zvláštních práv, privilegovaný **2** v. *privilege, v* ◆ *~ classes* privilegované třídy; *~ communication 1.* přísně důvěrné sdělení *2.* služební tajemství

privily [privili] **1** soukromě, tajně **2** důvěrně

privity [privəti] (*-ie-*) **1** vědění, vědomí, vědomost *to* o, zasvěcení, zasvěcenost do (*mere ~ to a crime may involve legal penalties* pouhé vědění o zločinu může mít za následek trestní stíhání) **2** společenství zájmu vztah uznávaný zákonem (pokrevní, smluvní); soulad, souhlas, spolupráce **3** *privities, pl* přirození, ohanbí, genitálie ◆ *with his ~ and consent* s jeho vědomím a souhlasem

privy [privi] *adj* **1** tajný, skrytý, v ústraní (*sought a ~ place to rest and think*) **2** soukromý, osobní (*a ~ symbol*) **3** zasvěcený *to* do, mající vědomost o, znající co (*~ to their secrets*) ◆ *~ chamber 1.* vlastní obydlí, komnaty v královském paláci *2.* zast. soukromá vyhrazená místnost; *~ coat* drátěná košile; *P~ Council* BR státní rada, tajná rada; *~ councillor / counsellor 1.* osobní poradce *2.* člen státní rady; *~ parts* přirození, ohanbí, genitálie; *~ purse* BR *1.* královská apanáž vyplácená z veřejných prostředků *2.* královský pokladník; *~ seal* BR tajná pečeť královská (*Lord P~ Seal* BR lord strážce tajné pečeti) ● *s* (*-ie-*) **1** interesent, zaujatá strana **2** zast., AM suchý záchod

prix [pri:] *pl: prix* [pri:(z)] cena odměna v soutěži; soutěž

prize[1] [praiz] *s* **1** cena odměna v soutěži (*the ~s given at an agricultural show*) **2** zvláštní odměna, prémie **3** výhra; přen. výhra, cíl, životní meta, vrchol; nejlepší kus (*this puppy is the ~ of the litter* tohle štěně je nejlepší z celého vrhu), ideál, poklad (*a ~ of a wife* ideální manželka) ● *adj* **1** odměněný cenou, zasluhující si nejvyšší cenu (*a ~ essay*), pořádaný o cenu / ceny (*a ~ competition* soutěž o ceny) **2** nejcennější, hlavní (*the ~ argument*); iron. prvotřídní, jedinečný, unikátní (*a ~ idiot*) ◆ *~ fellow* BR stipendista za vynikající prospěch *~ fellowship* BR takové stipendium; *~ medal* medaile jako cena ● *v* cenit si čeho (*~ his life highly*), oceňovat co, vážit si čeho (*~ the blessings of life around us* vážit si toho, co je kolem nás v životě příjemného)

prize² [praiz] *s* **1** námořní kořist; zajatá loď; zabavená část nákladu **2** hist. halali **3** přen. poklad; štěstí, které spadne do klína ◆ *become ~ of* stát se kořistí koho, připadnout komu; *~ crew* vlastní posádka vítěze na zajaté lodi; *make ~ of* ukořistit, zajmout, zabavit loď, náklad ● *v* ukořistit, zajmout loď

prize³ [praiz] BR *v* zdvihat / posunovat / přitlačovat / zapřít pákou, páčit ◆ *~ open* vypáčit, páčením otevřít ***prize out / up*** vypáčit víko (*~d up the lid of the box*) ● *s* **1** páka; páčidlo, sochor **2** páčení

prize day [praizdei] výroční odevzdávání cen např. žákům

prize court [praizko:t] BR kořistný / kořistní soud námořní

prizefight [praizfait] rohovnický zápas, box o ceny, utkání boxerů-profesionálů

prizefighter [ˈpraizˌfaitə] profesionální boxer, rohovník

prizefighting [ˈpraizˌfaitiŋ] box, rohování zejm. profesionální

prizegiving [ˈpraizˌgiviŋ] udílení ceny; rozdílení cen

prizeless [praizlis] neodměněný cenou, který nedostal žádnou cenu, neúspěšný (*a ~ scholar*)

prize list [praizlist] seznam výherců

prizeman [praizmən] *pl: -men* [-mən] **1** nositel ceny, vítěz odměněný cenou **2** student absolvující s výborným prospěchem

prize money [ˈpraizˌmani] BR **1** hist. podíl z kořisti posádce, která zajala loď **2** peněžní ceny v soutěži

prizer [praizə] zast. odhadce

prize ring [praizriŋ] sport. ring

prizewinner [ˈpraizˌwinə] **1** vítěz v soutěži o ceny (*first ~s in the violin and piano section*) **2** laureát, nositel ceny (*Nobel ~*) **3** kniha apod. odměněná cenou

prizewinning [ˈpraizˌwiniŋ] získavší cenu, odměněný cenou (*explain ~ work to laymen* vysvětlit laikům dílo odměněné cenou)

pro¹ [prəu] : *~ bono publico* pro veřejné blaho; *~ forma 1.* jen formálně *2.* předběžný, pro-forma (*a ~ invoice*); *~ hac vice* pouze v tomto případě, pouze při této příležitosti; *~ rata* ve stejném poměru, úměrně; *~ re nata 1.* bude-li nutné, v určitém případě, podle potřeby, eventuálně, příležitostně *2.* příležitostný (*a ~ re nata meeting*); *~ tanto* dotud, do té míry; *~ tempore 1.* dočasný, prozatímní *2.* prozatím, prozatímně, dočasně

pro² [prəu] důvod pro, kladná stránka, klad *and con* pro a proti; *~s and cons* důvody pro a proti, klady a zápory

pro³ [prəu] hovor. profík profesionál

pro⁴ [prəu] BR slang. prostitutka

PRO⁵ [prəu] = *public relations officer*

proa [prəuə] prau malajský plachetní člun

pro-am [prəuˈæm] *adj* **1** přístupný amatérům i profesionálům, otevřený **2** týkající se otevřeného turnaje ● *s* otevřený turnaj

probabiliorism [ˌprobəˈbiliorizəm] náb. probabiliorismus názor, že v morálně nejistých případech se má dát přednost chování pravděpodobně vhodnějšímu

probabiliorist [ˌprobəˈbiliərist] zastánce probabiliorismu

probabilism [probəbilizəm] morální, filozofický probabilismus

probabilist [probəbilist] zastánce probabilismu

probability [ˌprobəˈbiləti] (*-ie-*) **1** pravděpodobnost, probabilita, něco pravděpodobného **2** naděje, šance, vyhlídka (*the ~ is that he will come* pravděpodobně přijde, *what are the probabilities?* jaké jsou vyhlídky?) ◆ *in all ~* pravděpodobně, se vší pravděpodobností, nejpravděpodobněji; *there is no ~ of his coming* je nepravděpodobné, že přijde; téměř určitě nepřijde

probable [probəbl] *adj* pravděpodobný (*a ~ hypothesis, a ~ candidate*); předpokládaný ● *s* **1** co je pravděpodobné; pravděpodobný kandidát, pravděpodobný vítěz **2** pravděpodobnost (*distinguish between certainties, ~s and possibles* rozlišovat mezi jistotami, pravděpodobnostmi a možnostmi) **3** pravděpodobně sestřelený letoun, pravděpodobně potopená loď (*claimed thirteen kills, nine ~s* tvrdil, že třináct letadel sestřelil určitě a devět pravděpodobně)

probably [probəbli] **1** pravděpodobně, patrně, bezpochyby, nepochybně **2** asi, možná, snad

probang [prəubæŋ] med. jícnová sonda

probate *s* [prəubit] *s* **1** soudní potvrzení závěti **2** soudně ověřený opis závěti pro dědice ◆ *~ court* soud pro věci pozůstalostní; *~ duty* dědická daň; *~ judge* pozůstalostní soudce; *take out ~* dát schválit závěť, opatřit si ověřený opis závěti ● *v* [prəubeit] AM soudně potvrdit závěť ◆ *~ a will* otevřít závěť a dát ji soudně potvrdit

probation [prəˈbeišən] **1** zkouška (*empirical ~* empirická zkouška), zkušební lhůta (*submit all candidates to a rigorous ~* podrobit všechny kandidáty přísné zkoušce) **2** podmíněné prominutí trestu, podmíněné propuštění **3** círk. noviciát ◆ *on ~* na zkoušku; *~ officer* sociální kurátor úředník dohlížející na podmíněně propuštěného odsouzence; *place a p. on ~* podmíněně propustit koho

probational [prəˈbeišənl], **probationary** [prəˈbeišənəri] **1** zkušební, na zkoušku, probatorní **2** podmíněně propuštěný ◆ ~ *period* zkušební doba při podmíněném propuštění

probationer [prəˈbeišnə] **1** kandidát přijatý na zkoušku **2** dosud nediplomovaná zdravotní sestra; studentka zdravotnické školy **3** učedník, nováček; círk. novic **4** podmíněně propuštěný odsouzenec

probationership [prəˈbeišnəšip] **1** zkušební doba **2** učednictví, nováčkovství; círk. noviciát

probative [prəubətiv] **1** zkušební, na zkoušku **2** průkazní, průkazný, průkazový, důkazní, důkazový

probatory [prəubətri] = *probative*

probe [prəub] *s* **1** med., hvězd. sonda, též přen. **2** sosák hmyzu **3** rybářský háček **4** sondáž, sondování **5** AM průzkum, zkoumání, prohledávání (*in the midst of a leisurely ~ of his pocket* zrovna když si klidně a pomalu prohledával kapsu), důkladné vyšetření, prošetření, hloubková kontrola při podezření z porušení zákona ◆ *lunar ~* měsíční sonda ● *v* **1** zkoumat sondou, sondovat, též přen. **2** hledat *for* co, zkoumat, zjišťovat, důkladně vyšetřovat, prošetřovat, prohledávat **3** proniknout (*as far as our telescopes can ~*) do (*probing the wilderness with new roads* pronikající novými silnicemi do divočiny), píchat do (*kept probing the crusty snow with a pole* neustále píchal do ledového škraloupu na sněhu tyčkou), strčit ostrým předmětem do (*~d the glow-worms with a piece of stick* strkal klacíčkem do světlušek), vrazit do ◆ *~ deep into a matter* jít věci až na kloub

probing [prəubiŋ] **1** hluboký, jdoucí věci až na kloub (*a ~ question*) **2** v. *probe, v*

probity [prəubəti] bezúhonnost, řádnost, poctivost, charakternost, upřímnost, ryzost

problem [probləm] *s* **1** problém **2** otevřená, sporná otázka (*what to do now is a ~*), hádanka **3** matematická úloha; šachová úloha, studie **4** ● *adj* **1** problémový (*a ~ novel*); těžko vychovatelný (*many ~ children* mnoho těžko vychovatelných dětí), vyžadující zvláštní péči (*~ behaviour*) **2** těžko definovatelný, nejasný, nekonkrétní (*a ~ picture*) ◆ *~ solver* řešitel problémů

problematic(a)l [ˌprobləˈmætik(əl)] **1** nejistý, pochybný, sporný, problematický **2** log. problematický

problematist [probləmətist], **problemist** [probləmist] problémista, úlohář skladatel šachových úloh a studií; řešitel šachové studie

pro-Boer [prəuˈbəuə] *adj* přátelsky nakloněný Búrům ● *s* přítel Búrů

proboscidean, proboscidian [ˌprəubəˈsidiən] *adj* chobotnatý, chobotový, chobotovitý ● *s* chobotnatec

proboscidiferous [ˌprobəsiˈdifərəs] chobotnatý

proboscidiform [ˌprobəˈsidifo:m] chobotovitý

proboscis [prəˈbosis] *pl* též *proboscides* [prəˈbosidi:z] **1** chobot slona, hmyzu **2** žert. frňák, čenich, rypák, sosák, chobot nos

proboscis monkey [prəˈbosisˌmaŋki] zool. opice nosatá

pro-British [prəuˈbritiš] probritský, anglofilský

procaine [prəuˈkein] lékár. novokain

procaryote [prəuˈkæriəut] buňka bez viditelného jádra

procaryotic [prəuˌkæriˈotik] buňka jsoucí bez viditelného jádra

procathedral [ˌprəukəˈθi:drəl] *adj* užívaný jako katedrála ● *s* farní kostel nahrazující katedrálu

procedural [prəˈsi:džərəl] týkající se postupu / řízení, procedurální; procesní

procedure [prəˈsi:džə] **1** obvyklý postup, způsob práce, pracovní pochod **2** procedura, protokol, řízení zejm. parlamentní n. právní ◆ *code of civil criminal ~* civilní trestní řád soudní; *customs ~* celní odbavování; *questions of ~* procedurální otázky

proceed *v* [prəˈsi:d] **1** pokračovat (*how shall we ~?*) *with* v (*please ~ with your work*); pokračovat v cestě, kráčet / jít / jet / plout / letět (dále) (*they ~ed from London to Leeds, we had ~ed into the next room*) **2** ubírat se, postupovat (*her thinking probably does not ~ exactly this way* její myšlení se asi přesně touto cestou neubírá); cesta, vývoj vést; vést dále, směřovat (*the highway ~s due south*) **3** přejít, postoupit, přistoupit, přikročit *to* k, pokračovat čím (*let us ~ to the next item on the agenda* přejděme k dalšímu bodu jednání) **4** podle plánu provést, uskutečnit (*this project can now ~* tento projekt se může teď rozběhnout) **5** jednání probíhat, konat, uskutečnit se, vést se (*negotiations are now ~ing in the printing trade* v polygrafii nyní probíhají jednání) **6** pocházet *from* z (*a family that ~s from a long line of royalty* rodina, která po mnoho generací pochází z královského rodu), vzniknout z, vzejít z, povstat z, z|rodit se z, mít původ v, následovat po, být následkem čeho (*famine, plague and other evils that ~ from war* hlad, mor a jiná zla, která se objevují následkem války); zvuk vycházet; kniha vycházet u (*books that ~ from the Pitt Press*) **7** soudně zakročit *against* proti za|žalovat, obžalovat koho, soudně stíhat koho; soudně projednávat *with* co (*the courts are now ~ing with the case* tímto případem se nyní zabývají soudy); zatočit s (*~ rather harshly with themselves* zatočit s nimi dosti tvrdě) **8** BR dosáhnout akademického titulu, promovat na (*he had ~ed M.A. at the age of 18*); studovat *to* na, za účelem dosažení čeho (*undergraduates ~ing to a degree in the university*) ◆ *~ to do a t. 1.* dělat dále v řadě úkonů (*he ~ed to inform me that* dále mě informoval, že) *2.* dát se, pustit se do čeho, jmout se, začít co (*he ~ed to wage the bloodiest war in history* rozpoutal nejkrvavější válku v dějinách), ● *s* [prəusi:d] *~s, pl* **1** výtěžek, výnos, zisk (*the ~s will be devoted to* *charity* výnos bude věnován dobročinným účelům) **2** příjmy

proceeding [prəˈsi:diŋ] **1** postup, krok, kroky, opatření **2** chování, jednání, akce, činnost, transakce **3** způsob chování, způsoby **4** *~s, pl* jednání, vedení procesu, soudní řízení **5** *~s, pl* v názvu publikace akta, zprávy (*P~s of the Royal Society*) **6** v. *proceed, v* ◆ *initiate | institute | take ~s* zahájit soudní řízení

proceleusmatic [ˌprosilju:sˈmætik] *adj* **1** stopa o čtyřech krátkých slabikách, čtyřstopý **2** píseň živý, svěží, rázný ● *s* čtyřstopý verš

procellarian [ˌprosəˈleəriən] zool. *adj* buřňákovitý ● *s* buřňák

process[1] [prəuses] *s* **1** postup, pochod, průběh, proces (*~es of digestion* zažívání); dění, vývoj, proces (*social ~*) **2** zpracování, způsob, metoda, proces (*a ~ of making steel*) **3** soudní řízení, spor vedený před soudem, pře, proces; předvolání k soudu **4** anat. výběžek (*a bone ~* kostní výběžek) **5** polygr. řidč. tisk ze štočku, autotypie, autotyp **6** fot. fotomontáž, vkopírování **7** mat. způsob řešení úlohy ◆ *be in ~* být v chodu, právě se konat, dít se; *in ~ of construction* budova rozestavěný, právě stavěný; *in ~ of time* během času; *in the ~ of* během čeho, při čem, v průběhu čeho (*in the ~ of governing people of so many races*); *~ of combustion* spalovací pochod; *~ of manufacture* výrobní postup ● *adj* **1** určitým způsobem zpracovaný **2** získaný jako vedlejší produkt, odpadový **3** film trikový ◆ *~ artist* retušér; *~ block* leptaný štoček; *~ camera 1.* fotografický reprodukční přístroj *2.* triková kamera; *~ cheese* tavený sýr; *~ engraving 1.* leptání štočků (*~ engraving plant* štočkárna) *2.* leptaný štoček; *~ printing* čtyřbarevný tisk; *~ steam* pára pro průmyslové účely; *~ technique* fotoreprodukční technika, tisková reprodukční technika; *~ temperature* sterilační teplota; *~ waste* výrobní odpad ● *v* **1** předvolat k soudu (*warned that they would ~ him* upozornil, že ho předvolají k soudu); zavést soudní řízení, zažalovat (*the debt for which they were ~ed* dluh, kvůli němuž byli zažalováni) **2** zpracovat (*~ing cotton by spinning* zpracovávající bavlnu předením, *~ing data radioed by a space rocket* zpracovávající údaje vysílané kosmickou raketou); zpracovat chemicky, sterilizovat mléko, impregnovat látku **3** polygr. reprodukovat autotypií **4** kyb. vložit do počítače ◆ *~ed cheese* tavený sýr

process[2] [prəˈses] hovor. jít v průvodu / v procesí *a t.* kudy, čím, po (*~ a town*); jít procesím, táhnout se (*~ed slowly through the town*)

processer [prəusesə] **1** zpracovatel **2** výrobce

processing [prəusesiŋ] **1** voj. prezentace a vybavení nováčků **2** v. *process*[1]*, v* ◆ *data ~* zpracování údajů; *~ tax* AM prvozpracovatelské zdanění

procession [prəˈsešən] *s* **1** průvod, procesí; dlouhá řada, konvoj; pohřební kondukt **2** přen. nevyrovnaný závod **3** náb. vyzařování Ducha sv. ◆ *~ caterpillar* zool. housenka bourovčíka toulavého; *~ moth* zool. bourovčík toulavý ● *v* jít v průvodu n. v procesí

processional [prəˈsešənl] *adj* procesní, procesionální (*a ~ cross*), jsoucí k procesí (*~ music*), připomínající procesí ● *s* **1** píseň pro průvod n. pro procesí; hudba k průvodu n. k procesí **2** círk. procesionál kniha zpěvů a litanií pro procesí

processionary [prəˈsešənəri] = *processional, adj*

processionist [prəˈsešənist] účastník procesí, věřící v procesí

processionize [prəˈsešənaiz] jít v průvodu n. v procesí, zúčastnit se průvodu n. procesí

processor [prəusesə] **1** zpracovatel **2** výrobce

process-server [ˌprəusesˈsə:və] soudní sluha, soudní doručovatel

proces verbal [prəuˌsei vəːˈbal] *pl: procès verbaux* [prəuˌsei vəːˈbəu] **1** protokol, záznam, zápis o jednání **2** práv. dokument obsahující ověřené skutečnosti součást žaloby ve Francii

prochein [prəušən] práv. nejbližší

prochronism [prəukronizəm] dání dřívějšího data, úmyslné posunutí do dřívější doby (*races held in June and called by a ~ the Mays*)

proclaim [prəˈkleim] **1** vyhlásit (*~ war*), provolat (*~ a republic*), veřejně oznámit; prohlásit *a p.* koho za *that* že (*he ~ed Anne his heir* prohlásil Annu svou dědičkou), proklamovat; veřejně chválit, vychvalovat, vynášet (*he had loudly ~ed the quality of his wife*) **2** prozrazovat *a p.* o kom / na koho, že je, svědčit, dosvědčovat *that* že (*his accent ~ed him a Scot*); dokazovat *a p.* o kom, že je (*such conduct ~s him a fool* takové chování dokazuje, že je blázen) **3** vyhlásit výjimečný stav v, vyhlásit stanné právo v, vydat zákaz veřejného shromažďování v (*the whole country is ~ed*) ◆ *the dress ~s the man* šaty dělají člověka; *~ a t. from the housetop(s)* křičet, troubit prozradit

proclamation [ˌprokləˈmeišən] **1** veřejné oznámení, prohlášení, provolání, proklamace **2** vyhlášení stanného práva

proclamatory [proˈklæmətəri] provolávací; proklamační (*a ~ style of speaking*)

proclitic [prə*u*ˈklitik] jaz. *s* předklonka, proklitikon ● *adj* předklonný, proklitický

proclivity [prəˈklivəti] (*-ie-*) náchylnost, náklonnost, sklon *for | to | towards* k (*man's ~ for violence* sklon člověka k násilí)

proconsul [prə*u*ˈkonsəl] **1** antic. prokonzul **2** BR kniž. místodržící, guvernér kolonie **3** zástupce konzula, náměstek konzula, bývalý konzul, prokonzul

proconsular [prəu'konsjulə] prokonzulární
proconsulate [prəu'konsjulit] prokonzulát, místodržitelství
proconsulship [prəu'konsəlšip] prokonzulství; místodržitelství, guvernérství
procrastinate [prəu'kræstineit] otálet, přešlapovat, mít stále dost času (*he ~d until it was too late*); řidč. otálet *a t.* s, odkládat co (*he ~d his return on various pretexts* odkládal svůj návrat pod různými záminkami)
procrastinating [prəu'kræstineitiŋ] **1** váhavý, otálivý, přešlapující, mající stále dost času, rád odkládající, odkládavý, vyhýbavý **2** v. *procrastinate*
procrastination [prəu͵kræsti'neišən] **1** otálení, váhání, okolkování, okolky, odkládání, odklady, průtahy **2** váhavost, odkládavost
procrastinative [prəu'kræstineitiv] = *procrastinating*
procrastinator [prəu'kræstineitə] kdo okolkuje, váhavec, louda, kunktátor
procrastinatory [prəu'kræstineitəri] = *procrastinating*
procreant [prəukriənt] bás. plodný, plodivý, plodistvý; rozplozovací
procreate [prəukrieit] **1** z|plodit, roz|množit | se, též přen. (*procreating one rumour after another* vymýšlející si jednu pověst za druhou) **2** vyvolat v život
procreation [͵prəukri'eišən] **1** plození, zplození, rozplozování, množení, rozmnožování **2** vyvolávání v život
procreative [prəukrietiv] **1** plodný (*a remarkably ~ people*) **2** rozmnožovací, rozplozovací (*~ instincts*)
procreator [prəukrieitə] ploditel; otec
Procrustean [prəu'krastiən] bezohledný, násilný, prokrustovský ◆ *~ bed* Prokrustovo / prokrustovské lože
proctor [proktə] **1** BR Cambridge, Oxford proktor univerzitní funkcionář odpovídající za kázeň studentů **2** práv. zástupce, zmocněnec, prokurátor zejm. při církevním soudu **3** zástupce diecése n. kapituly ◆ *King's / Queen's P~* BR zástupce koruny mající právo zasahovat v některých procesech (např. dědickém a rozvodovém); *~'s bulldog / dog / man* pedel doprovázející proktora
proctorial [prok'to:riəl] BR nařízený univerzitním proktorem, kázeňský, disciplinární (*in defiance of ~ regulations*)
proctorization [͵proktərai'zeišən] BR vykonávání moci univerzitního proktora, předvolání před proktora, disciplinární řízení před proktorem
proctorize [proktəraiz] BR vykonávat moc univerzitního proktora kde, předvolat před proktora, kárat, trestat
proctorship [proktəšip] BR úřad / funkce proktora, zástupce n. zmocněnce
proctoscope [proktəskəup] med. rektoskop
procumbent [prəu'kambənt] **1** ležící tváří k zemi **2** bot. poléhavý, rozprostřený
procurable [prə'kjuərəbl] opatřitelný, získatelný, dosažitelný; jsoucí k dostání, k mání (hovor.)
procural [prə'kjuərəl] zaopatření, obstarání, získání (*the ~ of new books for the library*)
procurance [prə'kjuəurəns] dosažení, získání; opatření
procuration [͵prokjuə'reišən] **1** za|opatření, obstarání, získání; dosažení **2** zastoupení, zmocnění, plná moc, prokura **3** obstarání půjčky; též *~ fee* provize za obstarání půjčky **4** kuplířství **5** círk. hist. odměna biskupovi za vizitaci ◆ *joint ~* kolektivní prokura
procurator [prokjuəreitə] **1** prokurátor císařský úředník ve starém Římě; vyšší úředník v některých italských městech **2** zástupce, zplnomocněnec, prokurátor ◆ *~ fiscal* BR oblastní státní prokurátor / návladní ve Skotsku
procuratorial [͵prokjurə'to:riəl] prokuraturní, prokurátorský
procuratory [prokjurətəri] plná moc, prokura
procuratrix [prokjuəreitriks] prokurátorka, hospodářka kláštera
procure [prə'kjuə] **1** opatřit, obstarat, zaopatřit, pořídit *a p.* komu *a t.* co (*can you ~ me some specimens?* můžete mi opatřit pár vzorků?); získat, sehnat (*the book is out of print and difficult to ~* kniha je rozebraná a těžko se shání); zjednat *for* komu *a t.* co (*the judicial qualities ~d for him universal confidence and respect* soudcovské kvality mu zjednaly všeobecnou důvěru a úctu) **2** přimět *to* aby, k, přivést k (*~ a witness to commit perjury* přimět svědka, aby křivě svědčil) **3** dosáhnout čeho, prosadit (*procuring the release of a man in jail* že prosadil propuštění uvězněného muže) **4** zast. přivodit, způsobit (*~d the downfall of the government* přivodil pád vlády), úkladně spáchat, zařídit (*he did not hesitate to ~ murder* bez váhání spáchal úkladnou vraždu) **5** kuplíř obstarat, dohodit prostitutku; provozovat kuplířství, podporovat cizí smilstvo
procurement [prə'kjuəmənt] **1** opatření, obstarání, získání, zaopatření, pořízení; dodání, dodávání, zprostředkování **2** AM zásobování vládních orgánů a podniků ◆ *~ office* zprostředkovací kancelář
procurer [prə'kjuərə] **1** kuplíř **2** opatřovatel, zásobovatel, dodavatel; zprostředkovatel
procuress [prə'kjuəris] **1** kuplířka **2** dodavatelka, zásobovatelka; zprostředkovatelka
prod[1] [prod] *v* (*-dd-*) **1** píchnout, šťouchnout, rýpnout, dorážet, strčit špičatým předmětem *at* do, koho **2** přen. pobádat, povzbudit, pobízet, pohánět, podněcovat, ponoukat *into* k ◆ *~ one's memory* pomoci své paměti ● *s* **1** píchnutí, šťouchnutí, rýpnutí, rýpanec **2** bodec, špička, šídlo **3** přen.

pobídnutí, energický podnět, ostrá připomínka ◆ *give a p. a* ~ píchnout, šťouchnout, rýpnout, strčit; *on the* ~ AM podrážděný, vzteklý

Prod² [prod] IR hanl. protestant

prodelision [ˌprəudiˈližən] jaz. elize začáteční samohlásky

prodigal [prodigəl] *adj* marnotratný (*the* ~ *son*), rozmařilý, rozhazovačný, plýtvavý, hýřivý, hýřící, plýtvající, nešetřící (*he was* ~ *of new favours*) ◆ *be* ~ *of* marnotratně utrácet co, rozhazovat co, plýtvat čím, hýřit čím ● *s* marnotratník, rozmařilec, hýřil, rozhaza

prodigality [ˌprodiˈgæləti] marnotratnost, rozmařilost, rozhazovačnost, rozhazování, hýřivost, hýření

prodigalize [prodigəlaiz] marnotratně utrácet, rozhazovat, pro|hýřit, pro|plýtvat, vyplýtvat

prodigally [prodigəli] **1** štědře, bohatě, královsky (*a man who gives* ~ *to charities* muž, který štědře přispívá na různé dobročinné účely) **2** v. *prodigal, adj*

prodigious [prəˈdidžəs] **1** fenomenální, úžasný, fantastický (*from childhood precocious and* ~ *in everything* od mládí duševně vyspělý a ve všem přímo fenomenální); **2** ohromný, obrovský, velikánský (*I have done a* ~ *amount of work*); strašně velký, děsný, strašný, šílený (*a* ~ *noise*)

prodigiousness [prəˈdidžəsnis] **1** fenomenálnost, úžasnost, fantastičnost **2** děsnost, ohromná / strašná / šílená velikost

prodigy [prodidži] (*-ie-*) *s* **1** div, zázrak, génius, úžasný příklad *of* čeho (*the* ~ *of sanctity*), fenomén **2** zázračný člověk, zázračné dítě (*a musical* ~) ◆ *infant* ~ zázračné dítě ● *adj* fenomenální, zázračný, geniální (*a* ~ *violinist*)

prodromal [prodrəməl] med. prodromální předcházející vlastní projevy nemoci

prodrome [prodrəum] **1** úvod, úvodní spis *to* k **2** med. prodrom předzvěst choroby

prodromic [prəuˈdromik] = *prodromal*

produce *s* [prodju:s] **1** těžba zejm. rudy **2** výkon (*daily* ~), výtěžek, výnos, výsledek, produkt **3** výrobek, výrobky **4** zemědělská plodina, zemědělské plodiny, ovoce, zelenina (*wagons bringing* ~ *from farms round about* vozy svážející zemědělské plodiny z okolních statků) **5** důsledek, plod, ovoce (*the* ~ *of knowledge* ovoce vědění) ◆ *colonial* ~ koloniální zboží; ~ *exchange* plodinová burza; *national* ~ domácí / tuzemský výrobek ● *v* [prəˈdju:s] **1** předložit k nahlédnutí (~ *one's railway ticket,* ~ *proofs of statement* předložit důkazy tvrzení); vytáhnout a ukázat (*the conjuror* ~*d a rabbit from his hat* kouzelník vytáhl z klobouku králíka); ukázat, vytasit se s; uvést, předvést, přivést, předvolat svědka **2** vy|tvořit, dělat, produkovat (*this artist* ~*s very little*); psát, vydávat, vy|tisknout (*he* ~*d a book of poems*) **3** uvést, dávat, inscenovat divadelní hru (*five new plays which were* ~*d*); BR režírovat hru; financovat film, být producentem filmu; vyrobit, udělat, natočit, uvést film **4** prodloužit, protáhnout čáru *to* k **5** pěstovat; dělat, vyrábět, vytvářet, zhotovovat; dobývat ze země, těžit, produkovat; nést; dávat výkon, vyvinout (*motorcycle engines producing 120 horse power*); z|plodit, z|rodit, urodit, nést, dávat, vydat, též přen. (*the greatest scientist the world has* ~*d*) **6** z|působit, vyvolat, vzbudit (*a film that* ~*d a sensation*); přivodit, přinést (*his efforts* ~*d no positive results* jeho snahy nepřinesly žádné pozitivní výsledky) ◆ ~ *alibi* prokázat se / vykázat se alibi; ~ *interest 1.* vyvolat zájem *2.* nést úroky; ~ *a spark* vykřesat jiskru ***produce o.s.*** ukazovat se, produkovat se, producírovat se

producer [prəˈdju:sə] **1** výrobce, producent; tvůrce; pěstitel, ploditel **2** AM filmový a j. producent **3** BR režisér nyní též producent **4** generátor na výrobu plynu ◆ ~ *gas* generátorový plyn; ~ / ~*'s* / ~*s' goods* výrobní statky

producibility [prəˌdju:səˈbiləti] **1** předložitelnost, ukazatelnost, uveditelnost, předveditelnost **2** hratelnost, inscenační možnosti hry **3** pěstovatelnost, vyrobitelnost, přivoditelnost

producible [prəˈdju:səbl] **1** předložitelný, ukazatelný, uveditelný, předveditelný **2** vytvořitelný, vytisknutelný **3** hra hratelný, inscenovatelný **4** čára prodloužitelný, protažitelný **5** pěstovatelný, vyrobitelný, dobyvatelný **6** přivoditelný

product [prodəkt] **1** výrobek, produkt; plod, plodina; celková výroba (*our national* ~ *has quickly risen to an enormous volume* naše celostátní výroba rychle vzrostla do obrovského objemu) **2** dílo, výtvor (*the* ~ *of genius*) **3** přen. následek, důsledek (*a* ~ *of liberal arts education* důsledek humanitního vzdělání), výsledek, ovoce, plod (*even the simplest poem is the* ~ *of much work*); syn, dítě (*he was a* ~ *of his time*) **4** mat. součin, průnik množin **5** chem. zplodina, produkt ◆ *agricultural* ~*s* zemědělské výrobky; *bakery* ~*s* pekařské výrobky, pečivo; *consumer* ~*s* AM spotřební zboží; *finished* ~ hotový výrobek, tovar; *fission* ~ fyz. produkt štěpení; ~*s guarantee insurance* pojištění odpovědnosti výrobce za jakost jeho výrobků; ~ *line* skupina příbuzných výrobků; ~ *of distillation* destilát; *service a* ~ provádět údržbu prodaného výrobku, poskytovat servis / servisní služby po prodeji výrobku; *tanning* ~*s* třísloviny; ~ *water* těžká voda

production [prəˈdakšən] **1** výroba, produkce (*increase* ~ *by using better methods and tools*); pěstování (~ *of crops*); dobývání ze země, těžba (~ *of gold*); tvoření, vytváření (~ *of smoke*); výkon, výkonnost **2** výtvor, výrobek, práce; umělecký výtvor, dílo **3** inscenace divadelní hry; BR režie hry, režijní pojetí (*he gave his performance less ~ than he usually did* tentokrát svůj výkon naležíroval méně okázale než jindy) **4** AM přen. komedie, tyátr (*to take a small child visiting can be quite a ~* vzít malé dítě na návštěvu může být úplná komedie) **5** předložení, uvedení (*the appellate court went so far as to demand ~ of the grounds for refusal* apelační soud si dokonce vyžádal předložení důvodů k odmítnutí); předvedení **6** prodloužení, protažení čáry ◆ *be in ~* být v sériové výrobě; *~ car* sériový vůz; *~ cost* výrobní náklady, pořizovací cena; *~ department 1.* výrobní oddělení, výrobní středisko *2.* technická redakce v nakladatelství; *~ engineer* závodní inženýr; *~ line* výrobní linka; *~ manager 1.* výrobní ředitel, vedoucí výrobního oddělení, vedoucí výroby *2.* vedoucí technické / výtvarné redakce nakladatelství; *~ number* div. galapředstavení celého souboru; *~ schedule* výrobní harmonogram; *~ work* sériová výroba

productive [prəˈdaktiv] **1** úrodný, plodný, plodonosný; výnosný, vydatný, dávající dobrý úlovek; stojící za dobývání n. těžení **2** tvůrčí, tvořivý (*more ~ ideas followed*) **3** produktivní, výrobní ◆ *be ~ of* plodit, vyvolávat co, vést k (*discussions that seem to be only ~ of quarrels* debaty, které jako by pouze vyvolávaly hádky); *~ power 1.* výrobní síla *2.* výkonnost, produktivita

productiveness [prəˈdaktivnis] = *productivity*

productivity [ˌprodakˈtivəti] **1** úrodnost, plodnost, plodonosnost; výnosnost, vydatnost **2** tvořivost **3** produktivita; zvýšená produktivita

pro-educational [prəuˌedju(:)ˈkeišənl] podporující vzdělání

proem [prəuem] **1** předmluva, úvod **2** přen. počátek

proemial [prəuˈi:miəl] úvodní, sloužící jako předmluva

pro-European [prəuˌjuərəˈpiən] *adj* **1** hlásající n. podporující vytvoření Spojených států evropských **2** hlásající n. podporující vstup Velké Británie do Evropského společného trhu ● *s* **1** stoupenec vstupu Velké Británie do Evropského společného trhu

prof [prof] slang. prófa, kantor profesor

profascist [prəuˈfæšist] profašistický

profanation [ˌprofəˈneišən] znesvěcení, zneuctění, profanování, profanace

profane [prəˈfein] *v* **1** znesvětit, zneuctít, znevážit, poskvrnit; vyslovovat neuctivě, brát nadarmo (*~ the name of God*); z|profanovat **2** klít, nadávat, sakrovat ● *adj* **1** světský, nenáboženský, profánní (*~ literature*) **2** nečistý, neposvěcený, pohanský (*~ rites* pohanské obřady); neuctivý, rouhavý, hrubý, sprostý (*~ language*) **3** nezasvěcený *to* čemu, nepřipuštěný k **4** zlořečící, klející, sakrující (*the ~ old rascal* ten starý sakrující ničema)

profaneness [prəˈfeinnis] světskost, světský charakter, profánnost (*church music which savoured of ~* duchovní hudba, která měla nádech světskosti)

profanity [prəˈfænəti] (*-ie-*) **1** znesvěcení, zneuctění, rouhání, profanace **2** klení, sakrování, braní jména Božího nadarmo, užívání hrubého jazyka (*banged his gavel and fined him for ~ in court* udeřil paličkou a dal mu pokutu za užívání hrubého jazyka v soudní síni) **3** *profanities, pl* kletby, nadávky, sakrování (*a string of profanities came from his lips*)

profess [prəˈfes] **1** říkat, tvrdit (*I don't ~ to be an expert on that subject*), prohlašovat o sobě *a t.* že má (*he ~es a distate for modern music* prohlašuje o sobě, že má nechuť k moderní hudbě) **2** hlásit se k, vyznávat co (*he ~es a Protestant faith* hlásí se k protestantské víře), hlásit se k víře v **3** netajit se *a t.*, čím vyznat se z (*he ~ed great admiration for his scholarship* netají se velkým obdivem k jeho učenosti), hlásit se k (*he gave me a copy of the book whose authorship he modestly ~ed*) **4** předstírat *to do* že, na oko dělat že (*they have become what they ~ to scorn* stali se tím, čím předstírali, že pohrdají) **5** dělat, provozovat jako povolání, věnovat se čemu (*~ medicine*), profesor učit, přednášet (*~ a modern language*) **6** círk. přijmout věčné sliby koho a tím i do řádu (*the abbot ~ed Brother Andrew in September* v září bratr Ondřej složil opatovi věčné sliby a ten ho přijal do řádu) ***profess o.s. 1*** prohlašovat, tvrdit o sobě *2* dělat se, stavět se na oko ◆ *be ~ed* círk. složit věčné sliby, vstoupit do řádu (*he was ~ed when he was 26 years old*)

professed [prəˈfest] **1** otevřeně hlásaný, netajený, nikoli tajný (*a ~ Christian*); otevřený, zjevný, zapřisáhlý (*a ~ enemy*) **2** předstíraný, domnělý, takzvaný (iron.) (*~ friend*) **3** kvalifikovaný, odborný (*a ~ anatomist*) **4** v. *profess* ◆ *~ monk* profes kdo složil řádový slib

professedly [prəˈfesidli] **1** prý, údajně **2** podle vlastního tvrzení, otevřeně, neskrývaně (*he is ~ a Communist*) **3** zřejmě, patrně, zjevně, očividně

profession [prəˈfešən] **1** projev (*accept my sincere ~s of regard*); prohlašování, otevřené tvrzení, ujištění, ujišťování **2** vyznání; náboženské vyznání, náboženství **3** povolání zejm. učené n. svobodné (*the ~ of a lawyer* povolání právníka), stav (*the military ~*); celý stav, všichni příslušníci stejného povolání (*an association that will reflect credit on the ~* sdružení, které bude ke cti celému stavu) **4** círk. řádový slib, profese; příslušnost k řádu **5** slang. páni a dámy od divadla, herectvo (*she lets apartments to the ~*); divadlo jako povolání ◆ *~ of faith* vyznání víry

professional [prəˈfešənl] *adj* **1** profesionální (~ *skill* profesionální zručnost, *a ~ politician*) **2** odborný (~ *education*), kvalifikovaný (*a ~ gardener*); stavovský (~ *etiquette*) **3** nacvičený, bezduchý, profesionální (*his ~ smile*) ◆ ~ *indemity insurance* pojištění profesionální odpovědnosti, pojištění odpovědnosti za odborný výkon; ~ *men* lékaři a právníci, intelektuálové, duševní pracovníci; *turn ~* přestoupit k profesionálům, stát se profesionálem ● *s* **1** profesionál **2** odborník; duševní pracovník

professionalism [prəˈfešnəlizəm] **1** profesionalismus, profesionální chování, profesionálnost **2** hanl.: profesionální rutina (*lose sight of general cultivation and fall into stark ~* pustit ze zřetele všeobecné pěstování a zvrhnout se v pouhé rutinérství)

professionalize [prəˈfešnəlaiz] zprofesionalizovat

professor [prəˈfesə] **1** profesor zejm. univerzitní **2** BR vyznavač *of* čeho **3** přen. mistr (*the artist was the unchallenged ~ of his art* umělec byl jedinečným mistrem svého oboru) **4** profesor, doktor, docent, mistr čestný titul (*P~ Smith's Boxing Dormice* Boxující plchové profesora Smitha) **5** slang. profík profesionál

professorate [prəˈfesərit] **1** profesorské místo, profesura, profesorství, katedra **2** profesoři, profesorský sbor, profesorstvo (*countless services to art history which have set you apart from the ~* nesčíslné služby prokázané dějinám umění, jimiž se lišíte od ostatních členů profesorského sboru)

professoress [prəˈfesəris] řidč. profesorka

professorial [ˌprofeˈso:riəl] **1** profesorský (~ *board, ~ duties*) **2** učený, naučný, vědecky poučný, didaktický (*eminently ~ volume* nesmírně didaktický svazek) ◆ ~ *chair* univerzitní stolice, katedra

professoriate [ˌprofəˈso:riit] profesoři, profesorský sbor, profesorstvo

professorship [prəˈfesəšip] profesura, profesorské místo, katedra, univerzitní stolice

proff [prof] slang. = *prof*

proffer [profə] *v* zdvořile nabídnout (*he was ~ed the leadership*), nabídnout se *to do* že udělá (*he ~s to go for a coach* nabídl se, že dojde pro kočár) ● *s* nabídka

proficiency [prəˈfišənsi] **1** zběhlost, odborná dokonalost, odbornost, dovednost, zdatnost, výkonnost; znalost, umění; odborný úspěch **2** pokrok **3** voj. stupeň výcviku ◆ ~ *badge* skautská odborka

proficient [prəˈfišənt] *adj* zběhlý, odborně dokonalý, dovedný, zdatný, velmi schopný *at / in* v (*an experienced person, trained and ~ at his job* zkušený člověk, ve své práci vyškolený a velmi zdatný) ◆ *be ~ in a t.* znát, umět, ovládat co; *become ~ in a t.* ovládnout co, naučit se čemu (*become ~ in the use of a gun* ovládnout střelbu z revolveru) ● *s* odborník, znalec, mistr (*Shakespeare is their ~*)

profile [prəufail] *s* **1** profil; obrys, tvar, silueta, pohled ze strany **2** odb. obrysový výkres, svislý řez, příčný řez; bokorys **3** div. plochá kulisa nepravidelného obrysu **4** liter.: životopisný medailón, portrét **5** řez, průřez **6** hrnčířská šablona, hrnčířský tvarovací / tvářecí nástroj **7** příčná část opevnění **8** výkonnostní křivka, diagram ◆ ~ *board* šablona; ~ *cutter* tvarová fréza; ~ *drag* let. tvarový odpor, profilový odpor; ~ *form* = ~ *board*; ~ *milling machine* tech. kopírovací frézka na tvarové frézování; ~ *paper* milimetrový / grafický papír ● *v* **1** na|kreslit z profilu, nakreslit obrys čeho (*try to ~ a man*) **2** odb. kreslit bokorys čeho; tvarovat, kopírovat, profilovat obráběním **3** obrátit se levým bokem k býku při býčím zápase **4** napsat medailón o ◆ ~*d iron* tvarová ocel

profilist [prəufilist] kreslíř profilů, portrétista; vystřihovač siluet, siluetář

profit [profit] *v* získat / mít prospěch, získat užitek, těžit *by / from* z; prospět komu co (*my health has ~ed greatly by it* mému zdraví to velice prospělo) **2** přinést užitek, prospívat (*nothing ~s like an inquiring mind* nic nepřináší takový užitek jako zvídavá mysl) komu (*disregard what does not seem to ~ our own existence* nevšímat si věcí, které zřejmě naší existenci nikterak neprospívají); prospět, přinést prospěch, být k užitku, být k čemu *a p.* komu (*it ~ed him nothing*) ● *s* **1** užitek, prospěch (*gain ~ from one's studies* mít ze studií užitek) **2** zisk, výdělek, přebytek, profit (*make a ~ of a shilling on every article*) ◆ ~ *and loss acount* účet zisků a ztrát, účet hospodářského výsledku, hospodářská výsledovka (*estimated ~ and loss account* odhad rozpočtu hospodářského výsledku); *clear ~* čistý zisk; *gross ~* hrubý zisk; *loss of ~* ušlý zisk; *make a ~ on* vydělat na, mít zisk z; *margin of ~* zisková přirážka, ziskové rozpětí, marže; *sell at a ~* výhodně prodat, prodat se ziskem; *turn a t. to ~* využít čeho; *what's the ~ of doing that* jakou cenu má to dělat, k čemu to dělat

profitability [ˌprofitəˈbiləti] **1** výhodnost, prospěšnost, užitečnost, blahodárnost **2** vyhlídka na zisk **3** výnosnost, lukrativnost

profitable [profitəbl] **1** výhodný, prospěšný, užitečný, blahodárný, jsoucí k něčemu *to* pro, čemu **2** výnosný, lukrativní ◆ *be ~* vyplatit se

profitableness [profitəblnis] = *profitability*

profiteer [ˌprofiˈtiə] *s* keťas, šmelinář, lichvář, vydřiduch ● *v* hrabat peníze nepoctivě, prodávat na černo, keťasit, šmelit

profiterole [prəˈfitərəul] druh pečiva z odpalovaného těsta se sladkou n. slanou náplní

profitless [profitlis] nevýnosný, málo prospěšný, neužitečný, zbytečný, marný, jsoucí k ničemu

profitlessness [profitlisnis] nevýnosnost, neužitečnost, zbytečnost, marnost
profit-mad [ˌprofitˈmæd] šíleně ziskuchtivý
profit maker [ˈprofitˌmeikə] **1** kdo vydělává, kdo má zisk **2** co přináší dobré výdělky, co přináší zisk
profit margin [ˈprofitˌma:džin] zisková přirážka, ziskové rozpětí, marže
profit-seeking [ˈprofitˌsi:kiŋ] prospěchářský (~ *materialism of West Germany's "miracle"* prospěchářský materialismus západoněmeckého „zázraku")
profit sharing [ˈprofitˌšeəriŋ] účast / podíl na zisku
profit taking [ˈprofitˌteikiŋ] realizace zisku
profligacy [profligəsi] **1** rozmařilost, zhýralost, prostopášnost **2** marnotratnost, rozhazovačnost, hýření
profligate [profligit] *adj* rozmařilý, zhýralý, prostopášný **2** marnotratný, rozhazovačný ● *s* **1** rozmařilec, zhýralec, prostopášník **2** marnotratník, hýřil, rozhaza
profluent [prəˈfluənt] řinoucí se
profound [prəˈfaund] *adj* **1** velice hluboký (*a ~ sleep, a ~ sigh, a ~ bow, ~ mysteries*) **2** vážný, těžký (~ *books*); pronikavý, důmyslný, hlubokomyslný (~ *thinkers*); opravdový, skutečný, nesmírný (~ *interest*); naprostý (~ *indifference*) ● *s* bás. **1** hlubina, hlubokost **2** mořská hlubina
profoundness [prəˈfaundnis] = *profundity*
profundity [prəˈfandəti] (*-ie-*) **1** hloubka, důkladnost (*the ~ of his knowledge*); hluboká znalost; hluboký význam **2** *profundities, pl* též iron. hlubiny myšlenek, hluboké teorie, hluboké myšlenky, hluboké problémy
profuse [prəˈfju:s] **1** hojný, vydatný, štědrý, bohatý (*contains the most valuable minerals in a ~ variety* obsahuje širokou paletu nejvzácnějších minerálů) **2** rozmařilý, přepychový ◆ *be ~ in* rozplývat se čím (*be ~ in thanks*), překypovat, dělat stokrát co (*be ~ in apologies* stokrát se omlouvat)
profuseness [prəˈfju:snis] = *profusion*
profusion [prəˈfju:žən] **1** hojnost, vydatnost, štědrost, bohatství, nadbytek, obrovská zásoba, hromada, moře (přen.) **2** rozmařilost, přepych
profusive [prəˈfju:siv] štědrý, hojný
prog[1] [prog] slang. proviant, aprovizace, žvanec potraviny na cestu
prog[2] [prog] BR slang. *s = proctor, s 1* ● *v (-gg-) = proctorize*
prog[3] [prog] slang. zejm. BR pokrokář
prog[4] [prog] (*-gg-*) slang. žebrat, chodit žebrat
progenitive [prəuˈdženitiv] plodný, plodivý, schopný plodit
progenitor [prəuˈdženitə] **1** praotec, pra|předek; ascendent **2** předchůdce **3** původce, zakladatel **4** přen. originál
progenitorial [prəuˌdženiˈto:riəl] týkající se předka, praotcovský
progenitorship [prəuˈdženitəšip] praotcovství
progenitress [prəuˈdženitris] **1** pramáti, ženský pra|předek **2** předchůdkyně
progeniture [prəuˈdženičə] **1** z|plození **2** potomci, potomstvo
progeny [prodžəni] (*-ie-*) **1** potomci, potomstvo; rod **2** mládě; přen. plod, ovoce (*the marvellous ~ of the workman's art*)
progesterone [prəuˈdžestərəun] biol. progesteron vaječníkový hormon žlutého tělíska
progestogen [prəuˈdžestədžən] biol.: látka mající podobné účinky jako progesteron
proggins [proginz] BR slang. *s = proctor, s 1* ● *v = proctorize*
proglottis [prəuˈglotis] *pl: proglottides* [prəuˈglotidi:z] proglotida, článek tasemnice
prognathic [progˈnæθik] **1** s nadměrně vystouplou dolní čelistí **2** čelist nadměrně vystouplý dopředu
prognathism [prognəθizəm] prognacie nadměrné vystupování dolní čelisti dopředu
prognathous [progˈneiθəs] = *prognathic*
prognose [progˈnəus] med. dělat prognózu čeho
prognosis [progˈnəusis], *pl: prognoses* [progˈnəusi:z] předpověď, prognóza, též med.
prognostic [progˈnostik] *s* **1** předzvěst, znamení, osudové znamení; symptom **2** předpověď, proroctví ● *adj* **1** týkající se předpovědi, hlásající, zvěstující, předpovídající **2** med. prognostický, prognózní
prognosticate [progˈnostikeit] **1** předpovídat **2** věc hlásat, znamenat, být znamením / předzvěstí čeho
prognosticative [progˈnostikeitiv] prorocký
prognostication [prəgˈnostikeišən] **1** předzvěst, znamení, předznamenání **2** předpověď, proroctví; prorokování, předpovídání **3** med. předurčení průběhu choroby, prognóza
prognosticator [prəgˈnostikeitə] kdo předpovídá, prorok ◆ *weather ~* prognózní meteorolog
prognosticatory [prəgˈnostikeitəri] **1** sloužící k předpovídání **2** připomínající znamení n. předpověď; prorocký; prognózní
prograde [prəuˈgreid] pobřeží postupovat do moře usazováním říčních nánosů (*the beach will ~*)
program [prəugræm] *s* **1** kyb. program soustava instrukcí vložených do počítače apod. **2** AM = *programme, s* ● *v (-mm-)* **1** na|programovat počítač **2** AM = *programme, v*
program-controlled [ˌprəugræmkənˈtrəuld] řízený počítačem
programeer [ˌprəugrəˈmiə] hovor. programátor
programmable [prəugræməbl] na|programovatelný
programmatic [ˌprəugrəˈmætik] **1** výhledový; programový, programatický (*a ~ speech*); programovaný (~ *intentions* programované záměry) **2** hudba programní

programme [prəugræm] *s* **1** program pořad; tištěné oznámení pořadu; plán **2** plán, záměr, cíl (*had no ~ except to retain his job* měl jen jeden jediný cíl: udržet se v zaměstnání) **3** učební osnova, rozvrh (*educational ~*) **4** taneční pořádek (*a box full of yellow ball ~s with faded ribbons* krabice plná zažloutlých plesových tanečních pořádků s vyrudlými stužkami) **5** v oznámení začátek představení n. promítání filmu ◆ *~ picture* krátký film; *what is the ~ for today* jaký je program na dnešek, co se bude dnes dělat ● *v* **1** dát program čemu, naplnit programem (*capable of programming social action*) **2** na|plánovat, zařadit na program (*the match was ~d to take place yesterday*) **3** programovat např. počítač **4** jet podle programu n. plánu, držet se programu n. plánu ◆ *~d course* systematický kurs pro samouky; *~d learning* samoučení pomocí systematického kursu

programme music [ˈprəugræmˌmjuzik] programní hudba

programmer [prəugræmə] programátor samočinných počítačů

progress *s* [prəugres] nemá *pl* **1** pokrok; vývoj, postup, růst, rozvoj *in* čeho (*~ in civilization*); průběh; zlepšování zdravotního stavu **2** postup, cesta, pochod, pohyb vpřed (*~ to the presidency, the daily ~ of the sun*) **3** cesta, turné; úřední cesta z místa na místo **4** též *Royal ~* hist. královská cesta, královská vizitace panovníka po jeho zemi ◆ *be in ~* být v chodu, právě probíhat, právě se konat (*an enquiry is now in ~* právě probíhá vyšetřování); *~ chart* výrobní diagram, výrobní harmonogram, diagram postupu práce, postupový diagram, diagram / přehled současného stavu výroby; *~ chaser* kontrolor plnění plánu, urgent; *make ~ 1.* postupovat (*the disease made rapid ~*) *2.* dělat pokroky (*make ~ in one's studies*), nemocný uzdravovat se; *~ report* zpráva / hlášení o postupu prací; *in ~ of time* během času ● *v* [prəˈgres] **1** postupovat, jít kupředu (*the work is ~ing steadily, we ~ in knowledge*); hýbat se kupředu (*the fireplace is ~ing, but not finished yet*) **2** vyvíjet se, postupovat, dělat pokroky (*science ~es*) **3** pohybovat se z místa na místo, cestovat; BR hist.: panovník cestovat po své zemi ◆ *~ towards completion* blížit se dokončení

progression [prəuˈgrešən] **1** postupný přechod, postupování, postup vpřed; pohyb vpřed **2** pokrok, vývoj, růst, progrese (*a sphere in which spiritual ~ is impossible*) **3** mat. posloupnost; řada **4** hud. progrese; sekvence

progressional [prəuˈgrešənl] postupný

progressionist [prəuˈgrešnist] **1** pokrokář **2** evolucionista

progressist [prəuˈgresist] pokrokář

progressive [prəuˈgresiv] *adj* **1** postupující, pokračující, pohybující se / směřující kupředu; postupný, progresívní **2** vzestupný, zlepšující se, vzrůstající; choroba zhoršující se, postupující, progresívní **3** pokrokový, progresívní; pokrokářský; současný, moderní (*~ music*) **4** karetní turnaj: při němž někteří hráči postupují od stolu ke stolu **5** oběd, večeře: při niž se jednotlivé chody podávají na různých místech ◆ *~ advance* stálý pokrok; *~ assembly* postupná / pásová / proudová montáž, montáž na běžícím pásu; *~ assimilation* jaz. progresívní asimilace; *~ form* jaz. průběhový tvar; *~ operations* pásová / sériová výroba, výroba na běžícím pásu; *~ paralysis* progresívní paralýza; *~ proofs* polygr. nátisky jednotlivých barev a jejich soutisky při barvotisku; *~ report* zpráva o postupu prací; *~ salary* postupně zvyšovaný plat; *~ scanning* sděl. tech. postupné řádkování; *~ step* krok kupředu; *~ taxation* progresívní zdanění; *~ total* mezisoučet ● *s* **1** pokrokář; levičák **2** *~s, pl* polygr. = *progressive proofs*

progressiveness [prəuˈgresivnis] **1** postupnost, progresívnost, progresivita **2** pokrokovost, pokrokářství, progresívnost

progressivism [prəuˈgresivizəm] = *progressiveness, 2*

progs [progz] *pl* v. *programme, s 5*

pro hac vice [ˌprəuha:kˈvaisi] pouze pro tento případ

prohibit [prəˈhibit] zakázat, zapovědět, nedovolit *from* dělat co; za|bránit, zamezit čemu, za|bránit v (*family financies ~ed his going to college*) ◆ *be ~ed* nesmět, nemít dovoleno, mít zakázáno (*tourist-class passengers are ~ed from using the promenade deck*)

prohibiter [prəˈhibitə] kdo zakazuje, kdo vydal zákaz

prohibition [ˌprəuiˈbišən] **1** zákaz *against* čeho (*a ~ against the use of contaminated water* zákaz používání znečištěné vody), postihující koho (*~s against settlers concerning trade* zákaz postihující osadníky a týkající se obchodu); zakázání, zabránění **2** prohibice zákaz výroby, dovozu a prodeje alkoholických nápojů **3** práv. příkaz vyššího soudu nižšímu k zastavení pře z důvodů nekompetence

prohibitionism [ˌprəuiˈbišnizəm] prohibice

prohibitionist [ˌprəuiˈbišnist] prohibičník, prohibicionista

prohibitive [prəˈhibitiv] znemožňující, zabraňující, prohibitivní, prohibiční (*books published at ~ prices*)

prohibitiveness [prəˈhibitivnis] prohibitivnost

prohibitor [prəˈhibitə] kdo zakazuje, kdo vydal zákaz

prohibitory [prəˈhibitəri] prohibiční, prohibitivní

project *v* [prəˈdžekt] **1** navrhnout, projektovat, udělat návrh / projekt na (*~ a new dam* projektovat novou přehradu) **2** promítnout *on* (*~ a picture on a screen*), promítnout, sestrojit průmět čeho; vrhnout stín; přen. přenést se, působit

3 postava rýsovat se (*darkly ~ed against a blaze of light* temně se rýsující proti oslnivému světlu) 4 vytvářet představu o (*do the BBC Overseas Services adequately ~ Great Britain?*); ukázat, představit, naznačit, vykreslit 5 učinit viditelným, zhmotnit 6 sdělit obecenstvu (*not only sang beautifully, but ~ed the drama very well*); dát zazvučet (*the singer who knows how to ~ our language*) 7 vrhnout, mrštit, metat, vy|střelit (*~ missiles into space*); stříkat, chrlit; vhodit chemikálii *in* / *into* do *on* / *upon* na 8 přečnívat, vyčnívat, vystupovat (*a balcony that ~s over the street*), čouhat, vyčuhovat (*the hands ~ed a little too far from the sleeves*) ***project o.s.*** vcítit se, vmyslit se *into* do (*to ~ oneself into the world of tomorrow*) ♦ *be ~ed* hlas nést se (*his voice is not great but is ~ed well*) ***project about / around*** AM toulat se, potulovat se ***project off*** AM jít se toulat (*I wouldn't go ~ing off into the woods alone*) ● *s* 1 návrh, plán, program, projekt 2 sídliště 3 praktické cvičení, úkol (*making a model of the Shakespearean stage is a good ~* dobré praktické cvičení je vyrobit model shakespearovského jeviště); výzkumný úkol

projectile *adj* [prəuˈdžektail] 1 vrhací, metací; hnací, poháněcí (*~ force*) 2 vrhatelný, metatelný, vystřelitelný; střelný ● *s* [prodžiktail] 1 střela, náboj, projektil (zast.) 2 raketa; torpédo

projection [prəˈdžekšən] 1 navrhování, na|plánování, projektování; plán, nákres, nárys, pohled 2 promítání, kartografické zobrazení, projekce; promítnutý obraz; průměr; promítání, projekce filmu 3 zhmotněná představa, obraz, stín (*it is only a ~ of his own soul which he admires* on obdivuje pouze zhmotněnou představu své vlastní duše); odhad do budoucnosti 4 psych.: přičítání vlastních vlastností jinému, zrcadlení, projekce 5 kontakt, spojení, souhra s obecenstvem (*she excels in genuine stage ~* vyniká v umění navázat skutečný kontakt jeviště s hledištěm) 6 nosnost hlasu 7 vrhání, metání, střílení; stříkání, chrlení 8 alchymistická proměna kovu ve zlato n. stříbro 9 přečnívání, vyčnívání, vystupování, vyčuhování; výčnělek, výstupek, výběžek ♦ *Mercator's ~* Mercatorův průmět, Mercatorovo válcové zobrazení; *powder of ~* alchymistický prášek proměňující kovy ve zlato n. stříbro

projection booth [prəˌdžekšənˈbu:ð] promítací kabina

projectionist [prəˈdžekšənist] 1 promítač, kino|-operatér 2 mapovač

projection lamp [prəˌdžekšənˈlæmp] 1 promítací žárovka 2 světlometná žárovka

projection printer [prəˌdžekšənˈprintə] zvětšovací přístroj

projection room [prəˌdžekšənˈru:m] promítací místnost, promítací kabina

projection screen [prəˌdžekšənˈskri:n] promítací plátno

projective [prəˈdžektiv] 1 mat. projektivní 2 promítací, projekční ♦ *~ geometry* projektivní geometrie; *~ imagination* psych. projektivní imaginace fantazie, v níž se projevují vlastní tendence jedince; *~ property* projektivní vlastnost geometrického útvaru neměnit se při promítání

projector [prəˈdžektə] 1 navrhovatel 2 promítací přístroj, promítačka 3 odpalovací rampa 4 voj. granátomet; ohňomet

projet [prəuˈžei] 1 projekt 2 návrh smlouvy

prolabour [prəuˈleibə] stranící odborovým organizacím

prolapse [prəulæps] med. *s* výhřez, prolaps ● *v* vyhřeznout

prolapsus [prəuˈlæpsəs] med. výhřez, prolaps

prolate [prəuleit] 1 podlouhlý, protáhlý 2 přen. rozšířený 3 = *prolative*

prolative [prəuˈleitiv] jaz. doplňující vazbu, doplňkový (*in "you can go", "go" is a ~ infinitive*)

prole [prəul] hovor. proletář

proleg [prəuleg] zool. panožka

prolegomenary [ˌprəuleˈgominəri] úvodní, sloužící jako úvod

prolegomenon [ˌprəuleˈgominən] *pl: prolegomena* [ˌprəuleˈgominə] úvod, úvodní spis, prolegomena

prolegomenous [ˌprəuleˈgominəs] 1 úvodní 2 zdlouhavý, obšírný

prolepsis [prəuˈlepsis] *pl: prolepses* [prəuˈlepsi:z] 1 předjímání, předjímka, předjetí; předpoklad 2 jaz. prolepse, anticipace

proleptic [prəuˈleptik] 1 předjímající, prorocký 2 jaz. proleptický, anticipující ♦ *~ experience* předjímaná zkušenost

prolétair [ˌprəuleˈteə] = *proletarian, s*

prolétairism [ˌprəuləˈteərizəm] = *proletarianismus*

proletarian [ˌprəuleˈteəriən] *adj* 1 proletářský 2 zast. hrubý, sprostý, nízký ● *s* proletář, příslušník proletariátu; pracující, dělník; chudák, chuďas

proletarianism [ˌprəuləˈteəriənizəm] 1 proletářství 2 proletarianismus, proletarismus

proletariat, řidč. **proletariate** [ˌprəuleˈteəriət] 1 proletariát, též antic.; pracující, dělnictvo 2 hanl. lumpnproletariát, lůza, chátra ♦ *black-coated ~* pracující inteligence; *dictatorship of the ~* diktatura proletariátu

proletary [prəulitəri] = *proletarian*

prolicidal [ˌprəuliˈsaidl] týkající se zabití novorozence; potratový

prolicide [prəulisaid] 1 zabití dítěte zejm. novorozence 2 umělý potrat, vyhnání plodu

proliferate [prəuˈlifəreit] 1 množit | se, rozmnožit |se (*tendency to ~ joke, fantasies ~ where facts* *are few*); rozrůstat se **2** šířit, rozšiřovat **3** vypěstovat (*it is difficult to ~ responsibility among all concerned*)

proliferation [prəuˌlifəˈreišən] **1** med. bujení množením buněk, proliferace **2** rychlé rozmnožování, rozšiřování; vyrážení, vyhánění **3** růst počtu čeho (*~ of embassies*) **4** šíření (*~ of nuclear weapons*)

proliferative [prəuˈlifəreitiv] **1** med. způsobený bujením, proliferační **2** rychle se množící

proliferous [prəuˈlifərəs] **1** vyrábějící, vyhánějící, pučící **2** prorostlý; rozmnožující se pučením **3** rychle se množící **4** med. způsobený bujením, proliferační

prolific [prəuˈlifik] **1** plodný, bohatě plodící *in / of* co, úrodný na (*the waterside is ~ of such heroes*), oplývající čím **2** hojný, rozšířený, hojně se vyskytující, ve velkém počtu, bohatý (*both books contain ~ references*) ◆ *be ~ of* bohatě rodit co

prolificacy [prəuˈlifikəsi], **prolificity** [ˌproliˈfisəti], **prolificness** [prəuˈlifiknis] **1** plodnost, úrodnost **2** hojnost, bohatost; velký počet (*the emergence of paperback books in a ~ unknown on those shores* na těch pobřežích není známo, že by se tam knihy do kapsy vyskytovaly v tak velkém množství) **3** velká rozmnožovací schopnost (*the ~ of rabbit* ... králíka)

proligerous [prəuˈlidžərəs] pučící, klíčící

prolix [prəuliks / AM prəuˈliks] **1** rozvláčný, rozvleklý, zdlouhavý **2** mluvící rozvláčně, mnohomluvný

prolixity [prəuˈliksəti] **1** rozvláčnost, rozvleklost, zdlouhavost **2** mnohomluvnost

prolocutor [prəuˈlokjutə] **1** mluvčí, předseda **2** BR círk. předseda nižšího synodu anglikánské církve

prologize [prəulədžaiz] napsat prolog; promluvit úvodem

prologue [prəulog] *s* **1** prolog; úvodní proslov **2** přen. úvod, předehra ● *v* uvést, napsat prolog k čemu (*~s and epilogues the selection*)

prologuize [prəuləgaiz] = *prologize*

prolong [prəuˈloŋ] prodloužit (*a chance of ~ing his life indefinitely*); prolongovat

prolongable [prəuˈloŋgəbl] prodloužitelný; prolongovatelný

prolongation [ˌprəuloŋˈgeišən] **1** prodloužení; zdloužení, protáhnutí **2** prolongování, prolongace

prolonge [prəˈlondž] voj. ruční tažné lano s hákem a roubíkem

prolonged [prəuˈloŋd] **1** dlouhotrvající (*~ applause* ... potlesk, *~ cheers* ... nadšení) **2** v. *prolong* ◆ *~ blast* dlouhý tón lodní sirény; *~ course* úplný běh (*~ course of academic disciplines*); *for a ~ period* delší dobu

prolusion [prəuˈlu:žən] **1** předběžný pokus, předběžná zkouška, předehra (přen.) **2** předmluva, úvod, úvodní článek; esej

prolusory [prəuˈlu:zəri] **1** předběžný **2** úvodní

prom [prom] **1** BR hovor. promenádní koncert **2** BR hovor. pobřežní promenáda, korzo **3** AM školní ples

pro-Marketeer [prəuˌma:kiˈtiə] **1** zastánce Evropského hospodářského společenství **2** zastánce vstupu Velké Británie do Evropského hospodářského společenství

promenade [ˌproməˈna:d] *s* **1** pobřežní promenáda, korzo činnost i místo **2** foyer **3** též *~ deck* námoř. promenádní paluba **4** promenádní koncert **5** AM školní ples **6** slavnostní vstup hostů na ples, polonéza ◆ *~ concert* promenádní koncert ● *v* **1** promenovat (se), promenádovat (se), korzovat **2** procházet se, projíždět se v / na / po (*he had the privilege of promenading the garden*) **3** provádět, předvádět (jako) na promenádě (*~ one's husband along the seafront*)

promenader [ˌproməˈna:də] **1** kdo se promenuje n. korzuje, host na promenádě **2** návštěvník promenádního koncertu **3** AM návštěvník školního plesu

Promethean [prəˈmi:θjən] prométheovský, promethejský týkající se / připomínající titána Prométhea

prominence [prominəns], **prominency** [prominənsi] (*-ie-*) **1** důležitost, důležité místo, důležité / vedoucí postavení, význačnost, popředí **2** výběžek, výčnělek, výstupek **3** slang. velké zvíře, pupík, prominent, papaláš **4** hvězd. protuberance ◆ *cap ~* hvězd. čepice; *come into ~* vystoupit do popředí; *give ~ to 1.* zdůraznit co, vypíchnout co *2.* uveřejnit ve výrazné úpravě, referovat na předním místě o (*great ~ has been given by most newspapers to the President's speech* většina novin uveřejnila zprávu o prezidentově projevu ve velice nápadné úpravě); *sunspot ~* hvězd. protuberance typu slunečních skvrn; *tornado ~* hvězd. tornádo

prominent [prominənt] **1** vystupující, vyčnívající (*the most ~ peak in a range* nejvýše vyčnívající štít horského pásma); dopředu čnící, vynikající, vysunutý, vystouplý **2** nápadný, budící pozornost, markantní (*the tower forms a ~ feature*); exponovaný **3** přední, vedoucí, prominentní (*~ men of the town*); význačný, vynikající (*~ singers* ... zpěváci)

promiscuity [ˌpromisˈkju:əti] (*-ie-*) **1** promíšenost, směs, směsice, míchanice **2** krátký společenský styk, krátká společná zábava, krátký společný rozhovor (*in the informal promiscuities which followed the prize distribution* při neformálním společenském setkání po rozdílení cen) **3** pohlavní promiskuita

promiscuous [prəˈmiskjuəs] **1** promíšený, promíchaný, různorodý (*~ crowd of people* zástup lidí všeho druhu) **2** nerozdělený, nerozdílný, nijak nerozlišovaný, bez rozdílu, všeobecný (*~ massacre*); společný (*~ bathing*) **3** nikoliv monogamní, nevybíravý **4** hovor. přesně neurčený, náhodný, beroucí za vděk čímkoli ♦ ~ *sexual relations* pohlavní promiskuita

promise [promis] *s* **1** slib (*the Girl Scout* ~); příslib **2** příslib do budoucna, naděje (*the book shows* ~ *of popular appeal*) ♦ *breach of* ~ porušení slibu manželství; *break one's* ~ *1.* nedodržet slib *2.* porušit slib manželství; *I claim your* ~ žádám, co jsi mi slíbil; *empty* ~*s* sliby chyby; *honour / keep a* ~ splnit / dodržet slib; *land of* ~ Zaslíbená země; *make a* ~ slíbit; *writer of great* ~ velice slibný spisovatel ● *v* **1** dát slib, při|slíbit *a p.* komu *a t. to do* udělat / že udělá co (*he* ~*d to be careful,* ~ *me that you will tell no one*) **2** slibovat, vypadat na co, vzbuzovat naděje na co (*this* ~*s to be that best game of the season*) **3** hovor. říkat, prohlašovat, ujišťovat (*I* ~ *you, it will not be easy* piš si, že to nebude snadné) ♦ *P*~*d Land* bibl. Zaslíbená země, Kanaán, též přen.; ~ *well* být slibný, budit velké naděje ***promise o.s.*** slibovat si hodně *a t.* od, těšit se na

promisee [ˌpromiˈsi:] **1** osoba přijímající slib, adresát slibu n. závazku **2** adresát dlužního úpisu

promiser [promisə] = *promisor*

promising [promisiŋ] **1** slibný, nadějný; příznivý **2** v. *promise, v*

promisor [promisə] **1** osoba činící slib **2** výstavce vlastní směnky

promissory [promisəri] slibující, obsahující slib; (~ *speech*); slibový ♦ ~ *note* vlastní směnka, dlužní úpis

promontoried [promәntrid] **1** jsoucí s mysem, s útesem, s předhořím **2** jsoucí s výběžky, s výčnělky **3** anat. mající předkostí

promontory [promәntri] (*-ie-*) **1** mys, útes, ostroh, předhoří **2** výběžek, výčnělek **3** anat. předkostí

promote [prəˈməut] **1** povýšit na (*he was* ~*d sergeant*) *to* do hodnosti (*he was* ~*d to the rank of sergeant*) **2** uvést do života, pomoci prosadit, založit, podporovat, fedrovat (~ *a new business company,* ~ *a bill in Parliament*); vzbudit, nastolit (*try to* ~ *good feelings*); uspořádat (~ *a prize fight*) **3** šachy proměnit pěšce; pěšec proměnit se v dámu n. jinou figuru (*a pawn automatically* ~*s when it reaches the eighth rank* když pěšec postoupí na osmou řadu, mění se automaticky v dámu nebo jinou figuru) **4** AM propagovat, dělat propagaci pro / čemu, dělat velkou reklamu pro / čemu **5** AM nechat postoupit, přesunout žáka do vyššího semestru **6** AM slang. zorganizovat, přemístit, opatřit (si), sehnat, schrastit pochybným způsobem (*able to* ~ *a bottle of wine* ... flašku vína)

promoter [prəˈməutə] **1** podporovatel, navrhovatel **2** profesionální zakladatel obchodní společnosti **3** hanl. kšeftsman, spekulant **4** pořadatel zápasu ♦ ~ *of the faith* círk. advocatus diaboli v kanonizačním procesu

promotion [prəˈməušən] **1** povýšení **2** uvedení do života, podpora, podporování, podpoření, fedrování, povznesení **3** šachy proměna pěšce v dámu n. jinou figuru **4** propagace, reklama ♦ ~ *tour* zájezd např. spisovatele do jiného města jako součást propagační kampaně pro jeho dílo

promotional [prəˈməušənl] **1** týkající se povýšení, nutný k povýšení (~ *civil service examinations*) **2** náborový, propagační (~ *campaings,* ~ *pamphlets*)

promotion man [prəˈməušənmæn] *pl: men* [men] zprostředkovatel, agent

promotive [prəˈməutiv] **1** povyšovací; podporovací, fedrovací **2** propagační, reklamní, náborový

prompt [prompt] *adj* **1** okamžitý; pohotový, hbitý; promptní **2** k okamžitému dodání, pohotový (~ *iron*) ♦ *for* ~ *cash* za hotové ● *s* **1** připomínka, upomínka, připomenutí, pobídka, nápověď **2** platební lhůta; den splatnosti **3** napovídání, nápověď v divadle ● *v* **1** pobídnout, ponouknout *a p.* koho *to* k, *to do* aby udělal (*his wife* ~*ed him to ask for a transfer*), našeptat komu, podnítit koho **2** inspirovat *a p.* koho *to do a t.* k, vnuknout komu, co, napovědět komu co, našeptat komu co; pohnout k, vést k (*poverty* ~*ed them to riot*); být narážkou, stát se narážkou k **3** napovídat, dělat nápovědu, být nápovědou, sledovat text, suflovat v divadle ♦ ~ *a question 1.* člověk nadhodit otázku *2.* věc vést k otázce

promptbook [prom*p*tbuk] div. nápovědní kniha

promptbox [prom*p*tboks] div. nápovědní budka

prompt copy [ˈprom*p*tˌkopi]*pl: copies* [ˈprom*p*tˌkopiz] nápovědní kniha

prompter [prom*p*tə] **1** kdo pobízí n. ponouká, našeptavač, pobízeč **2** divadelní nápověda

prompting [prom*p*tiŋ] *s* **1** pobídka, vnuknutí, podnět **2** v. *prompt, v* ♦ *No* ~*!* škol. Nenapovídat! ● *adj* **1** podnětný **2** náznakový **3** v. *prompt, v*

promptitude [prom*p*titju:d], **promptness** [pro*m*ptnis] okamžitost, pohotovost, rychlost, promptnost

prompt note [prom*p*tnəut] upomínka; účet s daným dnem splatnosti

prompt side [prom*p*tsaid] div.: strana, odkud se napovídá (viděno z hlediště) **1** BR pravá strana jeviště **2** AM levá strana jeviště

promulgate [promlgeit] rozhlásit, vyhlásit, roz|šířit, ohlásit, oznámit úředně; promulgovat

promulgation [ˌpromlˈgeišən] rozhlášení, vyhlášení, ohlášení, oznámení; promulgace

promulgator [promlgeitə] šiřitel, rozhlašovatel, rozšiřovatel, vyhlašovatel

promulge [prəuˈmaldž] zast. = *promulgate*

pronaos [prəuˈniəs] antic. chrámová předsíň, pronaos

pro natalist [prəuˈneitəlist] *adj* podporující zvýšení populace (~ *policies*) ● *s* zastánce zvyšování populace

pronate [prəuˈneit] otočit dolů dlaň

pronation [prəuˈneišən] **1** med. pronace stočení ruky s vnitřní polohou palce při volném svěšení paže; pohyb vnitřního okraje chodidla nohy **2** ležení tváří k zemi, prostrace

pronator [prəuˈneitə] anat. pronátor sval způsobující pronaci

prone [prəun] **1** ležící tváří k zemi, na břiše (*a ~ position*); ležící na zemi, natažený (*the broken column, vast and ~* obrovský přeražený sloup, ležící na zemi) **2** terén šikmý, nakloněný, svažující se; prudký, srázný **3** mající sklon *to* k, náchylný k (*man is ~ to error* člověk je náchylný k omylům); snadno / ochotně *to do a t.* dělající co (*when courts are so very ~ to stand upon their dignity* když mají soudy tak velkou tendenci dbát na svou důstojnost) ◆ *fall ~* natáhnout se jak široký tak dlouhý

pro-Negro [prəuˈni:grəu] *adj* sympatizující s černochy, pročernošský ● *s* zastánce černochů, „bílý černoch"

proneness [prəun-nis] náchylnost, náklonnost, sklon, dispozice (*~ to disease*)

proneur [prəuˈnə:] chvalořečník, oslavovatel, velebitel

prong [proŋ] *s* **1** vidle, podávky; rycí vidle; vidlice **2** hrot vidlí / vidličky; bodec; špice, hrot **3** přen. hnací síla **4** tesák, zbraň (mysl.) kance; výsada parohů ● *v* **1** nabodnout na vidle, propíchnout vidlemi; rýt rycími vidlemi **2** opatřit hroty

prongbuck [proŋbak] zool. vidloroh

pronged [proŋd] **1** jsoucí s hroty, opatřený hroty **2** v. *prong, v*

pronghoe [proŋhəu] kratec, kopáč nářadí

pronghorn [proŋho:n] *pl* též *pronghorn* [proŋho:n] zool. vidloroh

pronghorned [ˈproŋˌho:nd]: *~ antelope* zool. = *pronghorn*

pronk [proŋk] SA skákat, poskakovat, dělat skoky

pronominal [prəuˈnominl] jaz. zájmenný, pronominální

pronoun [prəunaun] jaz. zájmeno, pronomen ◆ *demonstrative ~* ukazovací zájmeno; *distributive ~* podílné zájmeno; *indefinite ~* neurčité zájmeno; *interrogative ~* tázací zájmeno; *personal ~* osobní zájmeno; *possessive ~* přivlastňovací zájmeno

pronounce [prəˈnauns] **1** prohlásit *a p.* o kom *to be* že je (*the doctors ~d him out of danger* lékaři prohlásili, že je mimo nebezpečí) koho za (*I ~ you man and wife*); oznámit, vyhlásit, vynést (*has the judgement been ~d yet?* už byl vynesen rozsudek?); svolat, udělit požehnání **2** říci svůj názor *on* na, vyjádřit se, vyslovit se *on* o, *against* | *for* / *in favour of* v neprospěch koho, nepříznivě o | ve prospěch koho, příznivě o, vynést rozsudek *against* | *for* v neprospěch | ve prospěch koho **3** vyslovovat (*the "b" in "debt" is not ~d*) co (*to ~ German well* mít dobrou výslovnost němčiny); artikulovat ◆ *pronouncing dictionary* slovník výslovnosti, ortoepický slovník

pronounceable [prəˈnaunsəbl] vyslovitelný, artikulovatelný

pronounced [prəˈnaunst] **1** vyslovený, vyložený **2** rozhodný, zřetelný, výrazný, definitivní, jasný **3** v. *pronounce*

pronouncedly [prəˈnaunstli] **1** vysloveně, vyloženě **2** důrazně

pronouncement [prəˈnaunsmənt] **1** vyjádření, vyslovený názor, vyjádřený soud (*~s of persons who know something about music*) **2** formální prohlášení, projev (*he had been making all the important ~s on government policy*)

pronto [prontəu] slang. **1** trapem, v cuku letu, na to tata okamžitě **2** elá hop, čáry máry fuk

prontosil [prontəsil] chem.: druh sulfonamidového léčiva

pronunciamento [prəˌnansiəˈmentəu] *pl* též *pronunciamentoes* [prəˌnansiəˈmentəuz] ve španělském a latinsko-americkém prostředí prohlášení zejm. oznamující změnu vlády, vyhlášení požadavku, manifest, deklarace, pronunciamento

pronunciation [prəˌnansiˈeišən] **1** výslovnost (*study the ~ of English* studovat anglickou výslovnost, *which of these three ~s do you recommend?* kterou z těchto tří variant výslovnosti doporučujete vy?) **2** fonetická transkripce

proof [pru:f] *s* **1** důkaz (*is there any ~ that the accused man was at the scene of crime?* existuje nejaký důkaz, že byl obviněný na místě činu?) *of* pro (*we shall require ~ of that statement* pro toto tvrzení budeme vyžadovat důkazy) čeho (*they gave him a gold watch as a ~ of their regard* na důkaz své úcty mu darovali zlaté hodinky); doklad; průkazný čin, průkazná skutečnost **2** svědecký protokol **3** SC práv. přelíčení před soudcem nikoli před porotou **4** vyzkoušení, zkouška, též mat., test *of* na (*laboratory ~ of the presence of gold in the sample*); vyzkoušená pevnost, neprorazitelnost, neproniknutelnost; zkušební střelba, zkušební výbuch; zkušebna střelných zbraní n. výbušnin **5** jednotka stupňovitosti lihu (ca 0,5 %) **6** = *proof spirit* **7** otisk, korekturní otisk, obtah, korektura; nátisk **8** číslovaná rytina, první tisk, originální tisk **9** řidč. zkumavka **10** řidč. neoříznutý spodní okraj knihy ◆ *artist's ~* autorský nátisk, autorská korektura ilustrace, grafického listu, reprodukce; *~ before letters* číslovaná rytina, první tisk, originální tisk pořízený před vydáním textu; *burden of ~* důkazní břemeno; *capable of ~* dokazatelný; *engraver's ~ 1.* autorský nátisk, autorská korektura rytiny; *2.* zkušební nátisk pro leptaře; *final ~* poslední korektura, revize; *first ~ 1.* první (sloupcová) korektura *2.* první nátisk; *furnish a ~* prokázat, dokázat, podat důkaz; *galley ~s* sloupcová korektura, sloupcový obtah, sloupce; *give ~* dokázat, prokázat, něčím doložit (*can you give ~ of your nationality*); *in*

~ *of* na důkaz čeho (*he produced documents in ~ of his claim* doložil svůj nárok písemnými doklady); *~ on ~ of* stále nové důkazy čeho; *over ~* lihovina obsahující více než 49 % alkoholu; *page ~ s* stránková korektura, stránkový obtah, stránky; *~ positive* přesvědčivý důkaz; *~ press* obtahovací / nátiskový lis; *press ~* revize; *the ~ of the pudding is in the eating* soudit se dá nejlépe podle praxe; *put a t. to the ~* vyzkoušet co, podrobit zatěžkávací zkoušce (přen.); *read ~ s* číst korekturu, korigovat text v obtahu; *reader's ~* domácí korektura tiskárenská; *signed ~* podepsaný číslovaný tisk grafický; *under ~* lihovina obsahující méně než 49 % alkoholu; *without ~* nedokázaný, nedoložený, nepodložený ● *adj* **1** neprorazitelný, neproniknutelný, nepropustný; impregnovaný **2** opatřený, vyzbrojený *against* proti (*they are ~ against such weather*), obrněný, odolný (*~ against temptations* obrněný proti pokušením), **3** přezkoušený, prověřený **4** standardní (*~ whisky*) ◆ *~ against bribes* nepodplatitelný; *~ against bullets* neprůstřelný; *~ against entreaties* neúprosný ● *v* **1** učinit odolným n. neprůstřelným, obrnit **2** impregnovat látku **3** u|dělat korekturu čeho (*books which I edited and ~ed* knihy, které jsem redigoval a u nichž jsem ..., *~ a galley of set type* udělat korekturu sloupce sazby); udělat nátisk čeho, obtáhnout co (*~ an etching* obtáhnout lept), z|korigovat **4** tormentovat zbraň

proof coin [pru:fkoin] zkušební mince, vzorová mince

proofing [pru:fiŋ] **1** kuch. kynutí **2** v. *proof, v* ◆ *~ dough* kynutí těsta; *over ~* překynutí

proofless [pru:flis] ničím nepodložený, nedokázaný, jsoucí bez jakéhokoli důkazu (*~ charges*)

proof mark [pru:fma:k] tormentační značka zbraně

proof plane [pru:fplein] kovový kotouček s izolovaným držadlem pro elektrostatické pokusy

proof puller [ˈpru:fˌpulə] polygr. obtahovač

proofread [pru:fri:d] (*proofread* [pru:fred], *proofread* [pru:fred]) číst korekturu čeho, z|korigovat

proofreader [ˈpru:fˌri:də] tiskárenský korektor ◆ *~'s mark* korekturní znaménko

proofreading[ˈpru:fˌri:diŋ] provádění korektur, korigování

proof sheet [pru:fši:t] **1** strojový obtah, otisk, nátisk, korektura **2** první otisk archu, náhled ze stroje

proof spirit [ˌpru:fˈspirit] lihovina obsahující ca 49 % alkoholu podle váhy

prop[1] [prop] *s* **1** podpěra, vzpěra; tyč, kůl; zarážka **2** horn. stojka **3** přen. opora (*his son was his chief ~ in old age*); podpora, subvence (*a government ~* státní subvence) ● *v* (*-pp-*) **1** též *~ up* opřít, podepřít (*~ a ladder against a wall*) **2** horn. stavět stojky **3** přen. podepřít, posílit, podpořit (*to ~ up my morale*)

prop[2] [prop] matematická věta, poučka

prop[3] [prop] hovor. vrtule ◆ *~ jet aircraft = propjet*

prop[4] [prop] div. rekvizita

prop[5] [prop] (*-pp-*) AU **1** kůň prudce se zastavit, zapíchnout se předníma nohama do země **2** náhle se zastavit a změnit směr

propedeutic [ˌprəupi:ˈdju:tik] *adj* průpravný, přípravný, propedeutický (*logic is not philosophy, it is a ~ discipline*) ● *s* **1** průprava, příprava, průpravné studium **2** *~ s, pl* úvod do studia, propedeutika

propaganda [ˌpropəˈgændə] **1** propagace, propagování, propaganda; nábor, reklama **2** *P ~* církev. hist.: kardinálská kongregace pro šíření víry ◆ *~ shell* voj. agitační střela

propagandism [ˌpropəˈgændizəm] propagování, propagace, propaganda

propagandist [ˌpropəˈgændist] **1** propagandista **2** církev. misionář; konvertita v misiích

propagandistic [ˌpropəgænˈdistik] propagační (*~ writing*); propagandistický (*~ plays*)

propagandize [ˌpropəˈgændaiz] **1** dělat / vést propagandu; propagovat, šířit propagandou; **2** přesvědčovat propagandou; útočit propagandou na (*~ a country*)

propagate [propəgeit] **1** roz|množit | se (*~ a tree vegetatively* rozmnožovat strom vegetativně, *rabbits ~ rapidly* králíci se množí rychle), roz|šířit | se (*cause the flame to ~ along the fiber* způsobit, že se plamen šíří po vlákně) **2** předat potomkům; přejít na další generaci **3** přenést *sufficient to ~ the detonation through the wet earth*); vzbudit (*~ a chain reaction* ... řetězovou reakci) **4** šířit, propagovat, dělat propagaci čeho (*rights which the French Revolution had ~ d*) *propagate o.s.* roz|šířit se, roz|množit se (*the evil ~ d itself*)

propagating frame [ˌpropəgeitiŋˈfreim] zahr. množárna

propagation [ˌpropəˈgeišən] **1** množení, rozmnožování; šíření, rozšiřování; propagace **2** přenášení; růst (*~ under stress of a flaw in glass* růst vady ve skle působený pnutím) **3** propagace, propagování **4** bot. vegetativní rozmnožování rostlin, propagace ◆ *~ of waves* šíření vln

propagative [propəgeitiv] charakterizovaný rozmnožováním, rozmnožovací; množící se

propagator [propəgeitə] **1** šiřitel, rozšiřovatel (*find the ~ of this slander* najít šiřitele této pomluvy) **2** množitel, rozmnožovatel, pěstitel **3** propagátor

propane [prəupein] chem. propan

propapist [ˌprəuˈpeipist] *adj* propapežský, prokatolický ● *s* přívrženec papežství, přítel katolíků

proparoxytone [ˌprəupəˈroksitəun] *adj* jsoucí s pří-

zvukem na třetí slabice od konce ● *s* proparoxytonon slovo s takovým přízvukem
propel [prə'pel] (*-ll-*) hnát kupředu, pohánět (*the use of steam to ~ ships*); pudit (*he has long been ~led by greed and ambition* už dlouho je puzen chamtivostí a ctižádostivostí); postrkovat; vrhat
propellant, propellent [prə'pelənt] *adj* hnací, poháněcí, pohonný (*~ fuel for submarines*) ● *s* **1** střelivina, výmetná výbušnina **2** palivo **3** pohonná látka rakety ◆ *"workhorse" ~* běžné palivo
propeller [prə'pelə] *s* **1** letecká / lodní vrtule; lodní šroub **2** pohon; poháněč, postrkovač **3** zast. vrtulové plavidlo ◆ *jet ~* námoř. vodometný propulzor; *screw ~* lodní vrtule / šroub ● *adj* vrtulový ◆ *~ aperture* vrtulové okno; *~ blade* list vrtule; *~ disk* vrtulový kruh; *~ fan* osový / axiální ventilátor; *~ pitch* stoupání vrtule; *~ post* vrtulový vaz; *~ pump* vrtulové čerpadlo; *~ shaft 1.* vrtulový hřídel lodi *2.* kloubový hřídel automobilu; *~ tunnel* karitační tunel; *~ turbine engine* turbovrtulový motor letecký
propelling [prə'peliŋ] **1** hnací, pohonný **2** v. *propel* ◆ *~ charge* hnací náplň; *~ pencil* šroubovací tužka, krejón
propensity [prə'pensəti] (*-ie-*) přirozený sklon, náklonnost, náchylnost, tíhnutí, přirozená tendence *for doing a t.* / *to* / *toward* / *do do* k / dělat co (*~ for versifying* náklonnost k veršování, *~ to alcoholic sprees* tendence chodit na tah a opíjet se)
proper [propə] *adj* **1** vlastní (*~ value, I made it with my ~ hands*) *to* čemu (*insidious ailments ~ to tropical climates* zákeřné choroby vlastní tropickým pásmům), sobě vlastní, zvláštní, charakteristický (*every animal has its ~ instincts*), charakteristický *to* pro **2** hodící se *to* pro (*books ~ to the subject*) do (*things ~ to the night*), vhodný pro; patřící k **3** obyč. za podstatným jménem vlastní, v pravém / užším smyslu toho slova (*architecture ~*) **4** vhodný, příhodný (*not a ~ time for merrymaking* teď není vhodný čas na zábavu); správný, ten pravý, příslušný, náležitý, řádný (*are you doing it the ~ way?*); normální, odpovídající (*but half its ~ price* pouze polovina jeho normální ceny) **5** slušný, způsobný, zdvořilý, podle společenských pravidel (*that's not at all a ~ thing to do in the public parks*) **6** upjatý, korektní (*she is so distressingly ~* ona je tak trapně korektní) **7** hovor. učiněný, vyložený, hotový, jaksepatří, pořádný, náramný (*the boy is a ~ terror* ten kluk je vyložený postrach) **8** herald.: jsoucí v přirozené barvě (*an eagle ~* orlice v přirozené barvě) **9** jaz. vlastní, odvozený od vlastního jména **10** zast. hezký, půvabný (*a ~ man*), počestný (*a ~ gentlewoman*) ◆ *~ fraction* pravý / ryzí zlomek; *~ motion* vlastní pohyb např. hvězdy; *~ name* / *noun* vlastní jméno; *we must do the ~ thing by him* musíme se k němu zachovat slušně, musíme být k němu spravedliví, musíme při něm stát ● *s* **1** círk.: mešní proprium, proměnlivá část mše **2** herald. přirozená barva erbovního znamení ● *adv* nář., slang. moc, děsně, strašně (*I am ~ glad*)
properispomenon [prəu,peri'spəuminən] *pl: properispomena* [prəu,peri'spəuminə] jaz. *adj* s cirkumflexem na předposlední slabice ● *s* řecké slovo s takovým přízvukem
properly [propəli] **1** hovor. pořádně, nějak, jaksepatří (*this puzzled him ~* to mu pořádně zamotalo hlavu) **2** v. *proper, adj*
propertied [propətid] **1** majetný; vlastnící majetek, zejm. nemovitosti (*~ classes of society*) **2** div. vyžadující rekvizity; jsoucí s použitím rekvizit
property [propəti] (*-ie-*) **1** vlastnost (*the chemical properties of iron*); schopnost **2** majetek, vlastnictví (*the book is his ~*); jmění; majetnictví, vlastnictví, držba (*~ has its obligations* majetnictví zavazuje) **3** realita, reality, nemovitost, nemovitosti (*he has a small ~ in Kent*); pozemek, pozemky **4** div. rekvizita ◆ *be the ~ of 1.* náležet komu, patřit komu *2.* být vlastností čeho, charakterizovat; *beneficial ~* práv. požívání, užívání; *hot ~* slang. kradená / nebezpečná věc, kradené / nebezpečné zboží; *insulating ~* izolační vlastnosti; *~ insurance* majetkové pojištění, pojištění proti škodám; *lost ~* nález, nalezená věc, *man of ~ 1.* boháč, zámožný člověk *2.* majitel realit, majitel nemovitostí; *personal ~* movitý majetek, movitost; *real ~* nemovitý majetek, nemovitosti; *~ room* div. rekvizitárna; *sliding ~* kluzkost, klouzavost, smykavost; *~ tax* AM daň / dávka z majetku
property man [propətimæn] *pl: men* [men] = *property master*
property market ['propəti,ma:kit] trh na nemovitosti
property master ['propəti,ma:stə] rekvizitář
prophase [prəufeiz] biol. profáze prvotní stadium jaderného dělení v buňkách
prophecy [profisi] (*-ie-*) **1** prorokování, věštění (*have the gift of ~* mít věštecký dar) **2** proroctví, věštba (*his ~ was fulfilled*)
prophesier [profisaiə] prorok, věštec
prophesy [profisai] (*-ie-*) věstit, věštit, prorokovat; předpovídat
prophet [profit] **1** prorok též bibl.; věštec; předpovídatel **2** *P~* Mohamed; Joseph Smith zakladatel mormonů **3** učitel, hlasatel, pionýr, zvěstovatel (*William Morris, one of the early ~s of socialism*) **4** slang. kdo dává tipy sázkařům na dostizích ◆ *~ of doom* hanl. sýček, škarohlíd; *Saul among the ~s* náhlý objev, nenadálý talent
prophetess [profitis] **1** prorokyně; věštkyně; předpovídatelka **2** učitelka, hlasatelka, zvěstovatelka
prophethood [profithud] úřad proroka, věštectví
prophetic [prə'fetik] **1** prorocký, věštecký (*~ pow-*

ers) ◆ *be* ~ *of* být předpovědí čeho, hlásat, věštit
prophetical [prəˈfetikəl] prorocký zejm. bibl. (~ *books of the Old Testament* prorocké knihy Starého zákona)
prophetship [profitšip] = *prophethood*
prophylactic [ˌprofiˈlæktik] med. ochranný, profylaktický, profylakční týkající se profylaxe; preventivní ● *s* ochranný, profylaktický prostředek, profylaktické opatření; profylaxe
prophylaxis [ˌprofiˈlæksis] med. profylaxe souhrn metod, jimiž odstraňujeme možnost chorob; předběžné ochranné opatření proti vzniku choroby; ochrana, prevence
prophyll [prəufil] bot. listen
propine [proˈpi:n] SC, zast. **1** spropitné **2** dar
propinquity [prəˈpiŋkwiti] **1** blízkost časová i prostorová **2** sousedství **3** příbuznost, pokrevenství
propitiate [prəˈpišieit] smiřovat, chlácholit; usmířit, uklidnit, uchlácholit (jako) obětí n. ústupkem; naklonit si
propitiation [prəˌpišiˈeišən] **1** smíření, smír **2** zast. smírná oběť (*he is the* ~ *for our sins* je smírnou obětí za naše hříchy)
propitiator [prəˈpišiəitə] smiřovatel
propitiatory [prəˈpišiətəri] *adj* smírný, smířlivý (*a* ~ *smile*); smírný, smírčí, na usmířenou (*a* ~ *sacrifice*) ● *s* náb. Boží trůn
propitious [prəˈpišəs] **1** příznivý, příznivě nakloněný (*the fates were* ~ sudičky mu byly příznivy) **2** příznivý, příhodný, vhodný *for* / *to* pro, čemu (*that was* ~ *for our enterprise* ... našim záměrům)
propitiousness [prəˈpišəsnis] přízeň, příznivost; příhodnost, vhodnost
propjet [propdžet] let. turbovrtulové letadlo
prop man [propmæn] *pl: men* [men] div. rekvizitář
propolis [propəlis] propolis včelí tmel
proponent [prəˈpəunənt] *s* **1** navrhovatel, proponent **2** zástánce návrhu ● *adj* navrhující, proponující
proportion [prəˈpo:šən] *s* **1** poměr (*the* ~ *of births to the population*) **2** poměrná část, poměrný díl, podíl, příděl, porce (*your* ~ *of the work*) **3** ~*s, pl* rozměry, proporce (*a building of magnificent* ~*s*), rozsah (*an export trade of substantial* ~*s*) **4** mat. úměra; trojčlenka ◆ *be in* ~ být souměrný, symetrický, dokonale vyvážený; *be in* ~ *to* být úměrný čemu; *be out of* ~ *to, bear no* ~ *to* být neúměrný čemu; *good* ~*s* souměrný tvar, harmonie (*a room of good* ~*s*); *in* ~ přiměřený, úměrný; *in* ~ *as* podle toho, jak; *in* ~ *to* úměrně k (*imports will be allowed in* ~ *to exports* dovoz zboží bude povolován úměrně k jeho vývozu); *indirect* ~ nepřímá úměrnost; *out of all* ~ zcela nepřiměřeně, neúměrně; *reciprocal* ~ nepřímá úměrnost; *rule of* ~ mat. trojčlenka; *sense of* ~ „míra", smysl pro to, co se může n. nemůže dělat; *with* ~ přiměřeně (*treat it with* ~ *and humour*) ● *v* **1** u|činit úměrným n. přiměřeným, úměrně přizpůsobit (*we must* ~ *the punishment to the crime* míru trestu musíme přizpůsobit zločinu) **2** rozdělit ve správném poměru; dávkovat **3** souměrně uspořádat, vyvážit, dát správné rozměry čemu
proportionable [prəˈpo:šnəbl] úměrný, poměrný, přiměřený, ve správném poměru k čemu
proportional [prəˈpo:šənl] *adj* **1** úměrný *to* k, přiměřený čemu (*compensation* ~ *to his injuries* bolestné přiměřené jeho zranění) **2** poměrný, proporcionální (~ *representation*) ◆ ~ *dividers* redukční kružítko; ~ *share* kvóta, podíl, příděl ● *s* mat. úměrná ◆ *mean* ~ střední úměrná
proportionalist [prəˈpo:šnəlist] **1** stoupenec poměrného zastoupení v parlamentě **2** kdo se při své práci řídí úměrností; kdo navrhuje rozměry
proportionality [prəˌpo:šəˈnæləti] poměrnost, úměrnost, přiměřenost; proporcionalita, proporcionálnost
proportionate [prəˈpo:šnit] *adj* přiměřený, poměrný, úměrný (*returns* ~ *to your efforts* výdělek úměrný vašim snahám) ● *v* = *proportion, v*
proportioned [prəˈpo:šənd] **1** vyrobený v přiměřených velikostech **2** v. *proportion, v* ◆ *well* ~ urostlý, souměrný
proportionment [prəˈpo:šənmənt] **1** úměrné přizpůsobení **2** rozdělení ve správném poměru **3** úměrné uspořádání, vyvážení
proposal [prəˈpəuzəl] **1** návrh, nabídka, nabídnutí *of* čeho / *for* na, jaký (*sincere* ~ *of friendship* upřímná nabídka přátelství, ~*s for mutual disarmament* návrh na oboustranné odzbrojení, ~ *for peace* mírový návrh); práv., obch. nabídka, oferta; BR pojistný návrh **2** nabídka k sňatku (*a girl who had five* ~*s in one week* dívka, která za jeden týden byla pětkrát požádána o ruku)
propose [prəˈpəuz] **1** navrhnout (*I* ~ *that we should start early*), předložit návrh čeho (~ *terms of peace*), nabídnout **2** navrhnout *a p.* koho *for* za, na funkci (*I* ~ *Mr John Burke for chairman*) za člena čeho (*will you* ~ *me for your club?* navrhnete mě za člena vašeho klubu?) **3** nabídnout sňatek *to* komu, udělat nabídku k sňatku komu, požádat o ruku koho (*did he* ~ *to you?*) **4** mít v úmyslu, hodlat, chystat se, zamýšlet, proponovat, plánovat (*we* ~ *leaving at noon*) **5** pronést přípitek na zdraví koho, připít komu (*I* ~ *"our absent friends"*) ◆ *Man* ~*s, God disposes* Člověk míní, Pán Bůh mění; ~ *to o.s.* rozhodnout se, usmyslit si; ~ *a p.'s health* pronést přípitek na zdraví koho; ~ *a toast* pronést přípitek
proposer [prəˈpəuzə] BR navrhovatel pojištění
proposition [ˌpropəˈzišən] *s* **1** návrh; nabídnutí, nabídka; nemravný návrh **2** výhodný návrh, přínos (*a economic* ~ ekonomický přínos) **3** tvrzení (*a* ~ *so clear that it needs no explanation*), výpověď, teze **4** mat. věta, poučka (*a* ~ *in Euclid*)

5 hovor. problém, ořech, oříšek; člověk pavouk, patron (*a queer* ~ divný patron) **6** zejm. AM projekt, záležitost, věc (*it looked as if the mine would never become a paying* ~ vypadalo to, jako by se důl nikdy neměl začít vyplácet) ◆ *altar of* ~ bibl. stůl předkladných chlebů; *easy* ~ hračka, žádný problém; *loaves of* ~ bibl. předkladné chleby; *tough* ~ *1.* tvrdý oříšek, problém, těžký případ *2.* ostrý hoch, s kým si není radno začínat ● *v* **1** chystat se, plánovat **2** dělat nemravné návrhy komu (~*ing waitresses, sales girls and secretaries* dělající nemravné návrhy servírkám, prodavačkám a sekretářkám)

propositional [ˌpropəˈzišnəl] **1** tezovitý **2** větný

propound [prəˈpaund] **1** předložit k úvaze, k diskusi; navrhnout; dát hádanku; položit otázku **2** práv. předložit závěť k úřednímu ověření

propounder [prəˈpaundə] navrhovatel; autor teorie

propraetor [prəuˈpri:tə] antic. proprétor místodržící (císařské) provincie

proprietary [prəˈpraiətəri] *adj* **1** vlastnický (~ *rights*), majetnický, majitelský (~ *classes*) **2** zákonem chráněný (*a* ~ *name*); patentovaný, speciální (~ *baby food*); soukromý (~ *medical schools*) ◆ ~ *company* akciová společnost ● *s* **1** vlastnictví, vlastnické právo (*the exclusive* ~ výhradní ...) **2** vlastníci, majitelé **3** BR hist. guvernér americké kolonie

proprietor [prəˈpraiətə] vlastník, majitel (*the* ~*s of this hotel*); držitel, nositel

proprietorial [prəˌpraiəˈto:riəl] vlastnický, majetnický (~ *rights, a* ~ *attitude*)

proprietorship [prəˈpraiətəšip] vlastnictví, majetnictví; výhradní právo *of* na (~ *of a copyright*)

proprietress [prəˈpraiətris] vlastnice, majitelka; držitelka, nositelka (~ *of a title*)

propriety [prəˈpraiəti] (*-ie-*) **1** vhodnost, příhodnost, případnost, správnost, náležitost (*I question the* ~ *of granting such a request* ptám se, jestli je vhodné tuto žádost splnit) **2** slušnost, zdvořilost, způsobnost, slušné chování (~ *of conduct* slušné chování) **3** *proprieties, pl* společensky slušné chování, společenská pravidla (*offend against the proprieties* udělat společenský přestupek) ◆ *it is not keeping with* ~ nehodí se to, není to slušné; *marriage of* ~ manželství pro peníze

proprio motu [prəupriəu məutju:] círk. motu proprio druh papežské buly

proproctor [prəuˈproktə] BR zástupce univerzitního proktora

props [props] slang. **1** rekvizitář **2** v. *prop, s*

proptosed [propˈtəuzd] **1** vyboulený, vypoulený **2** med.: oko vysunutý, exoftalmický

proptosis [propˈtəusis] **1** vyboulení, vypoulení **2** med. exoftalmus vysunutí oka z očnice

propulsion [prəˈpalšən] **1** pohon (*nuclear* ~), chod, propulze **2** přen. impuls, popud, hnací síla

propulsive [prəˈpalsiv] *adj* hnací, pohonný, propulzívní (*a* ~ *agent*), podnětný, tvůrčí (*universities have been the seats of* ~ *thought* univerzity bývaly zdrojem podnětných myšlenek) ● *s* hnací síla

propulsor [prəˈpalsə] reaktivní motor

prop word [propwə:d] jaz. zástupné slovo

propyl [prəupil] chem. propyl jednomocný radikál odvozený od propanu

propylaeum [ˌpropiˈli(:)əm] *pl: propylaea* [ˌpropiˈli(:)ə] **1** archit. propyleje vstupní brána / prostor před chrámy ve starém Řecku **2** *Propylaea* Propylaje vstupní prostor v Akropoli

propylitic [ˌpropiˈlitik] geol. propylitický, propylitový

propylite [propilait] geol. propylit hornina vzniklá přeměnou andezitu působením termálních vod

propylon [propilən] *pl* též *propyla* [propilə] = *propylaeum*

pro rata [ˈprəuˌra:tə] poměrně spočítaný

prorate *v* [prəuˈreit] AM úměrně rozdělit, rozdělit celek podle počtu členů ● *s* [prəureit] úměrná část, podíl

proration [prəuˈreišən] zejm. AM **1** rozdělování podle klíče, klíčování (slang.) **2** omezení výroby nafty na zlomek kapacity výrobce

prorector [prəuˈrektə] prorektor, zástupce rektora

prorogation [ˌprəurəˈgeišən] přerušení zasedání parlamentu a odložení na příští termín

prorogue [prəˈrəug] **1** přerušit a odložit na příští termín; zasedání: být přerušen a odložen na příští termín (*the Vermont Legislature* ~*d yesterday*) **2** řidč. odsunout, odložit na později

prosage [prəusidž] proteinový salám

prosaic [prəuˈzeiik] prozaický týkající se prózy; všední, střízlivý; suchý, monotónní

prosaicism [prəuˈzaisizəm] = *prosaism*

prosaicness [prəuˈzeiiknis] prozaičnost; monotónnost

prosaism [prəuzəizəm] prozaičnost, prozaický výraz; všednost, monotónnost

prosaist [prəuzeist] **1** prozaik, prozaista, prozatér **2** prozaický, všední člověk

proscenium [prəuˈsi:njəm] *pl* též *proscenia* [prəuˈsi:njə] **1** antic. jeviště, scéna **2** předscéna, proscénium, forbína (hovor.) ◆ ~ *arch* div. jevištní oblouk

proscribe [prəuˈskraib] **1** vyloučit ze společnosti, postavit mimo zákon, prohlásit za psance **2** veřejně odsoudit, zavrhnout, pronásledovat, zakázat, proskribovat

proscription [prəuˈskripšən] **1** odsouzení k smrti, postavení mimo zákon, vylučování ze společnosti, pronásledování **2** zákaz (*the* ~ *of solicitation* zákaz obtěžování a svádění); proskribování, proskripce

proscriptive [prəuˈskriptiv] proskripční (*a* ~ *tribunal*)

prose [prəuz] *s* **1** próza **2** všednost, monotónnost, prozaičnost **3** nudné žvanění, omílání, přetřásání ◆ ~ *writer* prozaik ● *v* **1** převyprávět prózou **2** žvanit, vykládat, mlít (*don't ~ to me about duty*)

prosector [prəuˈsektə] prosektor odborný lékař provádějící pitvy

prosecute [prosikju:t] **1** soustavně vést dále, pokračovat v (*determined to ~ the investigation* rozhodnut pokračovat ve vyšetřování); provozovat, zabývat se čím (*~ wool-growing on a large scale* zabývat se pěstěním vlny ve velkém měřítku); pěstovat, konat, dělat **2** za|žalovat, vést žalobu, zastupovat žalobce (*Mr Brown prosecuting said* prokurátor pan Brown řekl); soudně stíhat (*~ a crime* soudně stíhat zločin), soudně vymáhat / uplatňovat (*~ a claim* soudně uplatňovat nárok) ◆ *"trespassers will be ~d"* „nepovolaným vstup zakázán"

prosecution [ˌprosiˈkju:šən] **1** pokračování *of* v, provozování čeho, pěstování čeho, zabývání se čím **2** žaloba, obžaloba, soudní stíhání, trestní řízení (*start ~ against a p.*), prokuratura ◆ *counsel for the ~* veřejný žalobce, prokurátor; *Director of Public P~s* BR korunní prokurátor; *witness for the ~* svědek obžaloby

prosecutor [prosikju:tə] žalobce, prokurátor ◆*public ~* veřejný žalobce, státní prokurátor

prosecutrix [ˈprosiˌkju:triks] *pl* též *prosecutrices* [ˌprosiˈkju:trisi:z] žalobkyně, prokurátorka

proselyte [prosilait] *s* **1** nový stoupenec víry n. ideje, novověrec, neofyt, konvertita, prozelyta **2** náb. prozelyta pohan obrácený na židovskou víru ● *v* řidč. **1** získat pro novou víru, obrátit na víru, konvertovat (*the efforts of early missionaries to ~ Indians* snahy prvních misionářů obrátit Indiány na víru) **2** přetahovat, lanařit sportovce

proselytism [prosilitizəm] novověrectví, konverze, prozelytství, prozelytism; získávání pro novou ideu n. víru, konvertování

proselytize [prosilitaiz] = *proselyte, v*

proselytizer [prosilitaizə] kdo získává stoupence pro novou víru n. ideu, apoštol

proseman [prəuzmæn] *pl: -men* [-men] prozaik

prosencephalon [ˌprəusenˈsefələn] *pl: prosencephala* [ˌprəusenˈsefələ] anat. přední mozek, prosencefalon

prosenchyma [proˈseŋkimə] bot. prozenchym buněčné pletivo

prosenchymatous [ˌproseŋˈkimətəs] bot. prozenchymatický

proser [prəuzə] **1** nudný žvanil, kecal (*an insufferable ~ who bored everyone* nesnesitelný žvanil, který kdekoho nudil) **2** prozaik

prosify [prəuzifai] (*-ie-*) **1** psát prózou n. prózou (*prosifies as well as versifies*) **2** převyprávět prózou (*his summary prosifies the poem*) **3** nudně poučovat, dělat kázání komu

prosily [prəuzili] jednotvárně, nudně, zdlouhavě, monotónně, rozvláčně

prosiness [prəuzinis] jednotvárnost, monotónnost, rozvláčnost, všednost, nudnost

prosit [prəusit] na zdraví, prosit přípitek

proslavery [prəuˈsleivəri] otrokářský, prootrokářský (*the ~ states of the era before the Civil war* otrokářské státy z období před válkou Severu proti Jihu)

prosodiacal [ˌprəusəuˈdaiikəl], **prosodial** [prəˈsəudiəl], **prosodic(al)** [prəˈsodik(əl)] jaz. prozodický

prosodist [prosədist] jaz. prozodik, teoretik verše

prosody [prosədi] (*-ie-*) jaz. prozódie nauka o výstavbě verše z hlediska zvukové stránky jazyka

prosopopoeia [ˌprosəpəˈpi:ə] zosobnění, personifikace

prospect *s* [prospekt] **1** výhled, vyhlídka (*from the top of the hill there's a beautiful ~ over the valley*) **2** vyhlídka, naděje, šance *for* / *of* na (*the ~s for the wine harvest are poor this year* letos není velká naděje na dobré vinobraní, *I see no ~ of his recovery* nevidím nejmenší naději, že by se mohl uzdravit); obzory (*this opened new ~ to his mind*) **3** *~s, pl* finanční vyhlídky **4** důl, jehož hodnota není dosud známa; vzorek rudy; výtěžek vzorku. **5** eventuální zákazník, předplatitel apod.; klient, zájemce; kandidát ◆ *have a t. in ~* mít naději na, mít rozděláno co; *hold out the ~ of a t. to a p.* dělat naděje na co komu ● *v* [prəˈspekt] **1** kutat, hledat, pátrat; kutat *for* co, hledat co, pátrat po (*~ing for gold*) **2** provádět průzkum, hledat nerostná ložiska v (*~ a district*); zkoušet na obsah rudy; vzorek slibovat **3** přen. zkoumat, vyšetřovat, sondovat (*the principal tools for ~ing the brain are electrical* základní nástroje k vyšetřování mozku jsou elektrické) *for* za účelem získání čeho

prospective [prəˈspektiv] **1** prozíravý, obezřetný **2** perspektivní, prospektivní (*~ advantages*), hledící kupředu; budoucí, nastávající, in spe (*your ~ son-in-law*); eventuální, případný, možný, budoucí (*a ~ buyer*)

prospectless [prospektlis] beznadějný, jsoucí bez vyhlídek

prospector [prəˈspektə] hledač drahých rud n. nerostů, kutéř (práv.), zlatokop, prospektor ◆ *~'s pan* rýžovací pánev

prospect tower [ˈprospektˌtauə] vyhlídková věž, rozhledna

prospectus [prəˈspektəs] propagační leták, brožura, skládačka, prospekt

prosper [prospə] **1** prospívat, dobře se dařit (*is your son ~ing?*); vzkvétat, prosperovat (*the business ~ed*), povést se, mít úspěch (*his first venture into politics ~ed* jeho první odvážný zásah do politického života měl úspěch) **2** pomoci, přispět, po|žehnat komu (*may God ~ you* Bůh ti žehnej), čemu (*Heaven ~ our attempt* kéž naši snaze žehnají nebesa)

prosperity [pro|sperəti] **1** prospívání, vzkvétání, růst **2** zdar, úspěch; blahobyt, prosperita

prosperous [prospərəs] **1** prospívající, vzkvétající; úspěšný, zdárný, kvetoucí, prosperující (*a ~ business*); bohatý, tučný (*~ years*) **2** příznivý, vhodný, příhodný, dobrý (*await a more ~ moment* čekat na příhodnější okamžik)

prosperousness [prospərəsnis] **1** úspěšnost, zdárnost, prosperita **2** příznivost, vhodnost, příhodnost

prostate [prosteit] též *~ gland* anat. předstojná žláza, prostata

prostatic [pro|stætik] prostatický týkající se prostaty

prostatitis [ˌprostə|taitis] med. zánět předstojné žlázy, prostatitida, prostatitis

prosthesis [prosθisis] *pl: prostheses* [prosθisi:z] **1** jaz. proteze předsunutí hlásky na počátku slova **2** med. protetika nauka o technice protéz

prosthetic [pros|θetik] jaz., med. protetický

prostitute [prostitju:t] *s* nevěstka, prostitutka, kdo se prostituuje, prostitut, též přen. (*turns literary ~*) ● *v* dělat prostitutku (*while she was prostituting for him he married another woman*) z (*do not ~ thy daughter*), prostituovat | se, též přen.; prodávat ponižujícím způsobem (*~ one's honour*) ***prostitute o.s.*** dělat (ze sebe) prostitutku, prostituovat se, prodávat se za peníze

prostitution [ˌprosti|tju:šən] prostituce, též přen. (*political ~*)

prostrate *adj* [prostreit] **1** ležící zejm. na tváři, natažený s obličejem k zemi **2** přen.: duševně sklesly, přemožený, zničený, zlomený, zdrcený, poražený (*~ with fear*) **3** bot. rozprostřený ◆ *fall ~* padnout na tvář; *lay ~* položit na lopatky (*had laid the Tory party ~*) ● *v* [pro|streit] položit, porazit, složit (*~d his opponent with one blow* jednou ranou složil svého protivníka) ***prostrate o.s.*** padnout na tvář (*the wretched slaves ~d themselves before their master* ubozí otroci padli před svým pánem na tvář), též přen. ◆ *be ~d* být složen, přemožen, zničen, zlomen, padnout, zhroutit se (*several of the competitors were ~d by the heat* několik soutěžících se vlivem vedra zhroutilo)

prostration [pro|streišən] **1** padnutí na tvář, prostrace **2** přemožení, zničení, zlomení, zdrcení, poražení, šok (*a cry of pity or ~* výkřik plný lítosti nebo úplného zdrcení) **3** celková skleslost, úplné zhroucení, kolaps, prostrace (*two of the runners were carried off in a state of ~* dva běžci se úplně zhroutili a byli odneseni) ◆ *make a ~* padnout na tvář, vrhnout se obličejem k zemi (*a number of young girls enter, make the customary ~ of greeting*)

prostyle [prəustail] antic. *s* sloupová předsíň, prostylos před řeckým chrámem ● *adj* mající sloupovou předsíň

prosy [prəuzi] (*-ie-*) **1** nudný, zdlouhavý, jednotvárný, monotónní **2** prozaický

protagonist [prəu|tægənist] **1** herec hrající hlavní úlohu, hlavní představitel, hlavní postava, hrdina, vedoucí osobnost, protagonista **2** nespr. zastánce, přívrženec, hlasatel *of* čeho (*the ~s of big business* zastánci velkého obchodu)

protandrous [prəu|tændrəs] = *proterandrous*

protasis [protəsis] *pl: protases* [protəsi:z] **1** jaz. podmínková věta **2** protaze úvodní část řeckého dramatu

protatic [pro|tætik] jaz. podmínkový

protean [prəu|ti:ən] měnivý, pro|měnlivý, schopný stálých proměn, mnohostranný (*the company was led by a ~ actor*), proteovský jako Próteus

protect [prə|tekt] **1** chránit, ochraňovat, zaštítit, hájit *from* před, *against* proti; zvýhodnit, chránit domácí výrobky uvalením cla na dovážené zboží **2** opatřit stroj ochranným zařízením n. krytem **3** krýt, honorovat směnku **4** šachy krýt ◆ *~ed area* chráněné území, hájený / chráněný úsek lesa, přírodní rezervace; *~ed cruiser* řidč. křižník s opancéřovanou palubou; *~ed state* protektorát

protecting [prə|tektiŋ] **1** ochranný (*~ cover* ochranný porost) **2** v. *protection*

protection [prə|tekšən] **1** ochrana činnost (*travel under the ~ of a number of soldiers* cestovat pod ochranou několika vojáků); zařízení (*these tender plants need ~ against the weather* tyto citlivé rostliny vyžadují ochranu proti počasí); bytost (*a dog is a great ~ against burglars* pes je výborná ochrana proti lupičům); chránění, hájení, záštita **2** původní list, glejt, pas zaručující ochranu; AM osvědčení o americkém státním občanství námořníků **3** celní ochrana, ochranářství **4** krytí, honorování směnky **5** = *protection money* ◆ *live under the ~ of a p.* žena být vydržován kým; *~ money* AM vydíraný úplatek placený policii n. zločincům za neobtěžování

protectionism [prə|tekšənizəm] ekon. ochranářství, celní ochrana, protekcionismus

protectionist [prə|tekšənist] ekon. *s* zastánce protekcionismu, ochranář ● *adj* ochranářský, protekcionistický

protective [prə|tektiv] **1** ochranný (*~ covering* ochranný obal), též ekon. (*~ tariff*), ochranářský **2** bohatý na vitamíny a živiny, ochranný (*~ foods*) ◆ *~ barrage* voj. palebná přehrada / clona; *~ clothing* ochranný oděv; *~ colouring* ochranné zbarvení, mimikry; *~ custody* ochranná vazba; *~ fire* voj. krycí palba; *~ vaccination* preventivní očkování

protectiveness [prə|tektivnis] **1** ochranná péče (*could not escape his mother's ~* nemohl se vymanit z matčiny ochranné péče) **2** ochranná působnost léku

protector [prə|tektə] **1** strážce, ochránce, protektor; živitel družky; pasák **2** chránič, chránítko, chránidlo, ochranné zařízení, bezpečnostní zařízení **3** hist. protektor, regent v době královy nezletilosti **4** protektor, běhoun pneumatiky ◆ *Lord P~ of the Commonwealth* lord protektor Oliver Cromwell (1653–8); Richard Cromwell (1658–9)

protectoral [prəˈtektərəl] **1** protektorský **2** protektorátní

protectorate [prəˈtektərit] **1** protektorství, regentství (*succeeded to the ~*); protektorát Cromwellů **2** mezinárodní protektorát

protectorship [prəˈtektəšip] protektorství, protektorát, patronát, záštita

protectory [prəˈtektəri] (*-ie-*) katolická opatrovna, vychovatelna pro zanedbanou mládež

protectress [prəˈtektris] ochránkyně, strážkyně, protektorka

protectoscope [prəˈtektəskəup] voj. tankový periskop

protégé [prəutežei] **1** chráněnec, protežé **2** žák

protégée [prəutežei] **1** chráněnkyně, protežé **2** žákyně

proteid [prəuti:d] chem. proteid složitá bílkovina; dř. protein

proteiform [prəutifo:m] měnivý, pro|měnlivý, schopný stálých proměn, mnohotvárný, proteovský

protein [prəuti:n] chem. bílkovina, protein

proteinaceous [ˌprəuti:ˈneišəs], **proteinic** [prəuˈti:nik], **proteinous** [prəuˈti:nəs] bílkovinový, bílkovinný, proteinový, obsahující proteiny

pro tem [prəuˈtem], **pro tempore** [prəuˈtempəri:] prozatím, dočasně

proteolitic [ˌprəutiəuˈlitik] chem. štěpící bílkoviny

proterandrous [ˌprotəˈrændrəs] bot. s tyčinkami dozrávajícími dříve než pestíky, protandrický, proterandrický

proterogynous [ˌprotəˈrodžinəs] bot. s pestíky dozrávajícími dříve než tyčinky, proterogynický

protest *s* [prəutest] **1** námitka, odpor, stížnost, ohrazení, protest (*he gave way without ~* bez odporu ustoupil), stížnost, odvolání, rekurs **2** slavnostní prohlášení, ujištění, deklarace **3** ekon. směnečný protest, protestní listina **4** BR hist. menšinový protest ve sněmovně lordů ◆ *be in ~ against* protestovat proti; *do a t. under ~* dělat co nedobrovolně, dělat co a ohrazovat se proti tomu; *enter / lodge / make a ~* podat protest, protestovat, odvolat se ● *v* [prəˈtest] **1** slavnostně prohlašovat, tvrdit, ujišťovat (*he ~ed that he had never been near the scene of the crime* prohlašoval, že poblíž místa zločinu nikdy nebyl) *a t.* že má (*he ~ed his good faith*), že je jaký (*he ~ed his innocence* tvrdil, že je nevinen), že cítí (*he ~ed his friendship*) **2** vznášet, mít ostré námitky, ohrazovat se, vzpírat se, protestovat (*~ loudly* hlasitě protestovat) *against* proti / proti tomu, aby (*I ~ against being called an old fool*) **3** AM protestovat proti (*~ a witness* protestovat proti svědkovi), vznášet, mít námitky proti (*it has become customary to ~ the seating* stalo se zvykem mít námitky proti zasedacímu pořádku) **4** ekon. protestovat směnku **5** zast. ujišťovat, ubezpečovat ● *adj* [prəutest] protestní (*~ movement, a ~ march*)

Protestant [protistənt] *s* **1** protestant **2** *~s, pl* hist. protestanti něm. knížata protestující r. 1529 proti snahám omezit rozšíření luterství v Německu **3** *p~* kdo protestuje, podává protest, odpůrce, protestující ● *adj* **1** protestantský **2** *p~* protestující (*the two ~ ladies marched out*), protestní (*it is merely a ~ movement*)

Protestantism [protistəntizəm] protestantství, protestantismus, protestanti jako celek

Protestantize [protistəntaiz] obrátit na protestantskou víru koho; vyznávat protestantskou víru, řídit se protestantskými zásadami

protestation [ˌprəutesˈteišən] **1** slavnostní prohlášení, prohlašování, tvrzení, ujištění, ujišťování *of / that* že, čím (*~s of innocence* ujišťování o své nevinnosti) **2** řidč. protest, protestování

protester, protestor [prəˈtestə] **1** kdo protestuje, kdo má námitky, odpůrce **2** ekon. kdo protestuje směnku

Proteus [prəutju:s] **1** mytol. Próteus mořský bůh věštec **2** dř. měňavka, améba **3** proteus rod bakterií **4** zool. macarát **5** přen. chameleón, korouhvička, člověk kam vítr tam plášť

prothalamion [ˌprəuθəˈleimiən], **prothalamium** [ˌprəuθəˈleimiəm] *pl: prothalamia* [ˌprəuθəˈleimiə] předsvatební píseň

prothallium [prəuˈθæliəm] bot. prvoklíček, prothallium

prothesis [proθisis] *pl: protheses* [proθisi:z] **1** círk. příprava obětních darů ve východní liturgii; stolek kde se tato příprava koná, kredenc; místo, kde tato kredenc stojí **2** jaz. proteze předsunutí hlásky na počátku slova

prothetic [proˈθetik] jaz. protetický

prothonotary [ˌprəuθəˈnautəri] (*-ie-*) = *protonotary*

prothorax [ˌprəuˈθo:ræks] zool. první hrudní článek hmyzu

protista [proˈtistə] *pl* Protista souborný název pro mikroskopické, zprav. jednobuněčné rostliny i živočichy

protium [prəutjəm] chem. protium H^1 vodík o atomové hmotě 1

proto-Arabic [ˌprəutə*u*ˈærəbik] praarabský

proto-Celtic [ˌprəutə*u*ˈseltik] prakeltský

protochloride [ˌprəutə*u*ˈklo:raid] chem. chlorid kovu v nejnižším mocenství

protocol [prəutəkol] *s* **1** protokol druh méně slavnostní mezinárodní smlouvy; zápis o jednání; společenská pravidla upravující styk s cizími diplomaty; oddělení ministerstva zahraničí **2** obvyklý úvodní n. závěrečný odstavec dokumentu ◆ *record in ~* zaprotokolovat ● *v* (*-ll-*) **1** pro-

tokolárně prohlásit **2** udělat zápis čeho, napsat protokol o
protogenetic [ˌprəutədžeˈnetik], **protogenic** [ˌprəutəˈdženik] chem., geol., bot. prvotní, protogenní
protogine [prəutədžin] geol. protogin druh drcené alpské žuly
protogyny [prəuˈtodžini] bot. protorogynie, protogynie dozrávání pestíků v květech dřív, nežli dozrají jejich tyčinky
protohippus [ˌprəutəˈhipəs] zool. prakůň
protomartyr [ˌprəutəˈma:tə] prvomučedník
proton [prəuton] fyz. proton elementární částice
protonotary [ˌprəutə*u*ˈnəutəri] (*-ie-*) hist., cirk. protonotář
protophyta [prəutə*u*fitə] *pl* bot. Protophyta vývojově nejnižší rostliny
protophyte [prəutəfait] bot. protofyt jednobuněčná rostlina
protoplasm [prəutəplæz*ə*m] plazma, bioplazma, protoplazma, cytoplazma, buněčná hmota
protoplasmatic [ˌprəutəplæzˈmætik] = *protoplasmic*
protoplasmic [ˌprəutəˈplæzmik] biol. bioplazmatický, protoplazmatický, protoplazmový
protoplast [prəutəplæst] **1** první stvořený člověk **2** originál, model, pra|vzor **3** biol. protoplast obsah buňky
protoplastic [ˌprəutəˈplæstik] **1** první, původní, originální **2** biol. protoplastický
protosulphide [ˌprəutəˈsalfaid] chem. sirník kovu v nejnižším mocenství
prototypal [ˌprəutəˈtaipl] vzorový, prototypový
prototype [prəutətaip] model, původní vzor, prototyp
prototypic(al) [ˌprəutəˈtipik(*ə*l)] vzorový, prvotní, originální, prototypový, prototypický
protoxide [prəuˈtoksaid] chem. kysličník prvku v nejnižším mocenství
protozoa [ˌprəutəˈzəuə] zool. prvoci, protozoa
protozoal [ˌprəutəˈzəuəl] týkající se prvoků, protozoický
protozoan [ˌprəutəˈzəuən] *adj* protozoální ● *s* prvok
protozoic [ˌprəutəˈzə*u*ik] geologický útvar obsahující stopy života, protozoický, předkambrický
protozoology [ˌprəutəzə*u*ˈolədži] protozoologie část zoologie pojednávající o prvocích
protozoonˌprəutəˈzəuən] *pl: protozoa* [ˌprəutəˈzəuə] zool. prvok
protract [prəˈtrækt] **1** protáhnout, prodloužit, natahovat zejm. v čase; zdržovat, zpomalovat diskusi **2** narýsovat, zakreslit v měřítku, vynést
protracted [prəˈtræktid] **1** zdlouhavý, roz|vleklý **2** med. prodloužený, protrahovaný **3** v. *protract*
protractile [prəˈtræktail] **1** vymrštitelný **2** natažitelný, protažitelný, prodloužitelný
protraction [prəˈtrækšən] **1** protahování, prodlužování, natahování zejm. v čase; zdržování, zpomalování (*the ~ of a debate*) **2** zákres krajiny v měřítku, plán **3** anat. natažení; jaz. prodloužení slabiky v řecké n. latinské básni
protractor [prəˈtræktə] **1** úhloměr **2** anat. natahovač sval **3** zpomalovač, prodlužovač **4** námoř. protraktor navigační přístroj
protrude [prəˈtru:d] **1** čnít, vyčnívat, vystupovat, čouhat, vyčuhovat (*tall apartment buildings ~ from hillsides* z horských strání vyčnívají vysoké činžáky); oči lézt z důlků **2** vysunout, vystrčit úzkým otvorem; vypláznout jazyk, vypoulit oči **3** řidč. vnutit (*~ one's opinion*)
protrudent [prəˈtru:dənt] vystouplý, vyčnívající; vypoulený
protrusible [prəˈtru:səbl], **protrusile** [prəˈtru:sail] natažitelný, vysunutelný
protrusion [prəˈtru:*ž*ən] **1** vysunutí, vystoupení, předsunutí, vyčnívání, vyčuhování, vypoulení, vyboulení, vystrkování, vystrčení, vytlačování, vytlačení **2** výstupek, výčnělek (*a roof with many ~s*)
protrusive [prəˈtru:siv] **1** čnící, vyčnívající, vyčuhující, vystupující (*pull a ~ manuscript from one's pocket*); vystrčený, vystouplý, vysunutý (*a ~ jaw* vysunutá čelist) **2** nápadný, vtíravý, dotěrný (*a ~ boisterous manner* nápadné a nevázané chování)
protuberance [prəˈtju:bərəns] **1** vyčnívání, přečnívání, vysunutí **2** výčnělek, vyvýšenina; vypuklost, vyvýšenost **3** hrbol, boule, nádor (*a cancerous ~* rakovinný nádor) **4** hvězd. protuberance „oblaka" plynů ve sluneční koróně
protuberant [prəˈtju:bərənt] **1** vyčnívající, vystupující, vystouplý, vysunutý, vypouklý; vypoulený, vyvalený **2** nápadný, vtíravý
protyle [prəutail] chem.: hypotetická pralátka
proud [praud] *adj* **1** pyšný, hrdý *of* na (*he was ~ of their success*) *to do a t.* na to, aby (*he was too ~ to join our party*); vědomý si vlastní důstojnosti; opravňující k hrdosti, skvělý, nádherný (*a ~ occasion* skvělá příležitost) **2** povýšený, nadutý, povznesený, zpupný, domýšlivý, hrdý **3** honosný, okázalý, vznešený, nádherný, skvělý **4** bujný, ohnivý (*a ~ steed* bujný oř); rozvodněný (*a ~ stream*); samice běhavý **5** spoj vyčnívající (*~ jointings may have to be pared down* vyčnívající spoje bude možná nutno seříznout) ◆ *be ~ to do a t.* AM cítit se poctěn, být rád že, když (*I'm ~ to meet you, we'd be ~ to have you stay for supper*) ● *adv* zejm. BR nezarovnaně, tak že vyčnívá ◆ *do a p. ~* skvěle pohostit koho; *do o.s. ~* udělat si bene
proud flesh [ˈpraudˌfleš] = *granulation tissue*
proud-hearted [ˈpraudˌha:tid] povýšený, nadutý, zpupný, domýšlivý, hrdý
provable [pru:vəbl] dokazatelný, prokazatelný

provableness [pru:vəblnis] dokazatelnost, prokazatelnost

prove [pru:v] (*proved, proved* / zast., AM *proven*) **1** dokázat *a t.* co (*~ a p.'s guilt* dokázat vinu koho) *that* že (*I shall ~ to you that the witness is quite unreliable* já vám dokáži, že svědek je naprosto nespolehlivý); provést / předložit důkaz; prokázat, demonstrovat pravdivost n. správnost čeho **2** vy|zkoušet, ozkusit, podrobit zkoušce, provést zkoušku čeho (*~ man's worth* zkusit, jakou má člověk cenu); ověřit (*photographic copies of the check were then ~d and admitted in evidence* potom byly fotografie šeku ověřeny a připuštěny jako důkaz), testovat **3** ukázat se, projevit se (*to be*) být jaký, že je jaký (*the new typist ~d useless* ukázalo se, že nová písařka je k ničemu, *our wood supply ~d to be insufficient* zjistilo se, že nám naše zásoba dříví nestačí); též *~ o.s.* osvědčit se jako (*he ~d himself a good son*) **4** polygr. obtáhnout, zhotovit otisk / nátisk **5** nechat vykynout těsto ◆ *he ~d his case* dokázal, že má pravdu; *the exception ~s the rule* výjimka potvrzuje pravidlo; *~ fake* ukázat se, že není pravda; nepotvrdit se; *he will ~ a good father* z něho (zřejmě) bude dobrý otec; *not ~n* SC osvobozovací rozsudek pro nedostatek důkazů; *it will ~ otherwise* dopadne to jinak; *~ true* ukázat se, že je pravda; potvrdit se; *~ a will* vykázat závěť, dát závěť, dát závěť schválit soudem ***prove out*** AM splnit se, vyjít, dobře dopadnout ***prove up*** AM *1* dokázat svůj nárok na; dokázat splnění podmínek pro příděl pozemku *2 = prove out*

proveditor [pro|veditə], **provedore** [provi|do:] hist. **1** vysoký úředník benátské republiky **2** nákupčí, dodavatel potravin, proviantmistr

proven [pru:vən] v. *prove*

provenance [prəuvinəns] původ, místo původu, provenience (*vases of doubtful ~*)

Provençal [|prova:ŋ|sa:l] *adj* provensálský ● *s* **1** Provensálec **2** provensálština

provender [provində] **1** suchá píce **2** obrok **3** žert. proviant, aprovizace

provenience [pro|vi:niəns] = *provenance*

proverb [provə:b] **1** přísloví **2** div. proverb krátká, zejm. francouzská hra rozvádějící obsah nějakého přísloví **3** *~s, pl* společenská hra na přísloví ◆ *be a ~* být příslovečný, pověstný, známý *for* čím (*he is a ~ for inaccuracy* jeho nepřesnost je příslovečná); (*Book of*) *P~* (Kniha) Přísloví část Starého zákona; *to a ~* příslovečně

proverbial [prə|və:bjəl] příslovečný, pověstný, známý

proverbiality [prə|və:bi|æləti] příslovečnost, pověstnost

proviant [proviənt] potraviny, jídlo, proviant

provide [prə|vaid] **1** po|starat se *for* o, pečovat o (*he has a large family to ~ for, we ~ for the entertainment of our visitors* pečujeme o zábavu našich návštěvníků); počítat s, pamatovat na, vzít v úvahu co **2** za|opatřit *for* koho, zajistit koho (*he dies without providing for his widow*), opatřit se, zajistit se *against* proti, učinit opatření *for* pro, *against* proti (*have you ~d against coal shortage next winter?* zajistili jste se proti nedostatku uhlí příští zimu?); věnovat, darovat, poskytnout, dát (*~ military aid, ~ safeguard* poskytnout ochranu), skýtat (*olives ~ an important item of food*); dát *a p.* komu *with* co jako projev péče, obstarat komu co, poskytnout komu co, zásobovat koho čím (*~ one's children with food and clothes*); dát *a t.* do čeho *with* co, vybavit co čím (*~ the car with a new radio*) **3** finančně zajistit, hradit **4** umožňovat, dovolovat *for* co (*~d for the adoption of collective measures* umožňovalo přijetí kolektivních opatření); chránit se *against* proti, znemožnit co, zabránit čemu **5** práv. zajišťovat; určovat, stanovit *that* že, aby (*a clause in the agreement ~s that ...* jeden odstavec smlouvy stanoví, že ...) **6** hist. dosadit *to* do obročí; papež předem jmenovat *to* do neuprázdněného obročí ◆ *be ~d for* být připraven na; *be ~d with* mít co v dostatečném množství (*I am already ~d with all I need* už mám všechno, co potřebuji); *~ a hint* naznačit

provided [prə|vaidid] *conj* s výhradou, pod podmínkou, za předpokladu (*that*) že, jestliže ● *adj* v. *provide* ◆ *~ school* BR základní škola financovaná místními úřady

providence [providəns] **1** obezřetnost, prozíravost, opatrnost, prozřetelnost (zast.) (*the peasant in his traditional ~* tradičně obezřetný venkovan) **2** prozřetelnost; *P~* (Boží) Prozřetelnost ◆ *fly in the face of P~* pokoušet osud

provident [providənt] **1** obezřelý, obezřetný, opatrný, prozíravý, prozřetelný **2** prozíravě šetrný, spořivý (*he is both ~ and generous*) **3** starobní, podpůrný, zaopatřovací, penzijní (*our firm has a ~ fund for the staff* naše firma má pro své zaměstnance penzijní fond) ◆ *~ bank* spořitelna; *~ club* splátkový systém velkých obchodních domů; *~ society 1.* vzájemná pojišťovna *2. = ~ club*

providential [|provi|denšəl] **1** zast. obezřelý, opatrný, prozíravý (*the ~ raven*) **2** Boží, Prozřetelnosti (*nature operates only according to a ~ plan* příroda funguje pouze podle plánů Prozřetelnosti); řízený / způsobený prozřetelností; zázračný, šťastný (*what a ~ return to sanity* jaký to šťastný návrat ke zdravému rozumu)

provider [prə|vaidə] dárce, dodavatel, zásobovatel, obstarávatel; živitel, chlebodárce ◆ *lion's ~* šakal, též přen.; *universal ~* BR obchodník smíšeným zbožím

providing [prə|vaidiŋ] *conj* s výhradou, pod podmínkou, za předpokladu (*that*) že, jestliže (*I will* *go ~ my expenses are paid*) ● *adj* v. *provide*

province [provins] **1** provincie země připojená k nějaké říši (zejm. římské); správní jednotka v některých státech; církevní správní obvod **2** *~s, pl* oblast, venkov, venkovský kraj, provincie (*a shabby theatrical troupe which tours the ~s* ošuntělá herecká trupa jezdící po venkovských štacích) **3** obor, pole působnosti, působnost, oblast, sféra, rámec (*doesn't your question fall outside the ~ of science?* nespadá vaše otázka mimo rámec vědy?)

provincial [prəˈvinšəl] *adj* **1** provinciální **2** krajinský, venkovský, oblastní **3** maloměstský, zaostalý, méněcenný, malý (*a ~ attitude of mind* maloměstské nazírání) ● *s* **1** obyvatel provincie n. kolonie; venkovan; lokálpatriot (hovor.); balík, dacan **2** círk. provinciál; arcibiskup

provincialism [prəˈvinšəlizəm] provincialismus, provincionalismus krajový výraz; nedostatek širšího rozhledu (*intellectual ~*); lokálpatriotismus (hovor.) (*tourists shedding their ~* turisté, kteří se zbavují svého lokálpatriotismu)

provincialist [prəˈvinšəlist] **1** obyvatel provincie; venkovan **2** stoupenec autonomie provincie

provinciality [prəˌvinšiˈæləti] (*-ie-*) provincialismus, provincionalismus

provincialize [prəˈvinšəlaiz] **1** povenkovštit **2** rozdělit do provincií; udělat provincii z

proving [pru:viŋ] v. *prove* ◆ *~ ground* zkušební místo, zkušební areál; *~ stand* let. brzda na zkoušení reaktivních motorů

provision [prəˈvižən] *s* **1** za|opatření *of* čeho *for* pro koho, zaopatření koho, zajištění koho **2** obstarání *of* čeho **3** zajištění *against* proti, opatření proti, znemožnění čeho, zabránění čemu **4** zajištění (*the ~ of a play area for the children*) **5** věnování, darování, poskytnutí, dání **6** zásoby (*caravans expecting water or ~ at a designated spot* karavany očekávající na určeném místě vodu nebo zásoby), rezervy; finanční zajištění **7** *~s, pl* potrava, potraviny (*a wholesale ~s business* velkoobchod potravinami) **8** práv. ustanovení, nařízení, předpis, statut; výhrada, klauzule **9** hist. jmenování do neuprázdněného obročí ◆ *make ~ = provide; P~s of Oxford* hist.: ustanovení omezující královskou moc, formulovaná r. 1258 ● *v* vybavit potravinami; vybavit, zásobit zejm. potravinami (*~ a ship for a voyage to the Antarctic*)

provisional [prəˈvižənl] *adj* **1** prozatímní, zatímní, dočasný, přechodný, provizorní **2** poštovní známka s přetiskem ● *s* **1** prozatímní poštovní známka s přetiskem **2** též *P~* člen tzv. Prozatímního křídla Irské republikánské armády

provisionality [prəˌvižəˈnæləti], **provisionalness** [prəˈvižənlnis] prozatímnost, dočasnost, přechodnost, provizornost, provizórium

provisionless [prəˈvižənlis] jsoucí bez potravy, bez jídla

provisionment [prəˈvižənmənt] **1** vybavení, zásobení zejm. potravinami **2** potrava (*carrying little ~*)

proviso [prəˈvaizəu] *pl* též *provisoes* [prəˈvaizəuz] podmínka, výminka, výhrada (*a ~ to modify the operation of that part of the statute*) ◆ *with the ~ that* pod podmínkou, že; s výhradou, že

provisor [prəˈvaizə] **1** hist. držitel neuprázdněného obročí **2** círk. generální vikář; provizor ◆ *Statute of P~s* BR zákon z r. 1350–1 nedovolující papeži obsazovat neuprázdněná obročí

provisory [prəˈvaizəri] **1** podmíněný, podmínečný, obsahující výhradu **2** prozatímní, dočasný, přechodný, provizorní ◆ *~ care* zaopatření

provo[1] [prəuvəu] též *P~* mladý demonstrant

Provo[2] [prəuvəu] = *Provisional, s 2*

provocateur [prəˌvokəˈtə:] provokatér

provocation [ˌprovəˈkeišən] **1** podnět, popud, impuls (*~s to further thought about our own dilemmas* podnět k dalšímu přemýšlení o našich vlastních dilematech) **2** vyvolávání *of* čeho (*wilful ~ of public disorder* záměrné vyvolávání nepokojů na veřejnosti), dráždění, vyzývavé chování *of* vůči, provokování, provokace (*her every movement was a ~* každý její pohyb byl provokativní) **3** hněv, pobouření; důvod k pobouření (*she flares up at / on the slightest ~* stačí sebemenší důvod a ona ihned vyletí)

provocative [prəˈvokətiv] *adj* **1** přitažlivý, dráždivý, vyzývavý, provokativní; pobuřující **2** vyvolávající dráždění, vzbuzující *of* co, dráždící k ● *s* dráždící prostředek, afrodisiakum

provocativeness [prəˈvokətivnis] přitažlivost, dráždivost, vyzývavost

provoke [prəˈvəuk] **1** vy|dráždit, zlobit, provokovat; rozzlobit, dopálit (*enough to ~ a saint*) **2** vyvolat (*~ a smile*), podnítit, vy|provokovat (*a ~ riot* vyprovokovat nepokoj) **3** donutit, přinutit, přimět, pohnout, dohnat *to* k, *into* k tomu, že (*his impudence ~d her into slapping him on the face* jeho drzost ji dohnala k tomu, že mu dala políček)

provoking [prəˈvəukiŋ] **1** otravný, protivný, působící nepříjemnou náladu, nesnesitelný **2** v. *provoke*

provost [provəst] **1** BR děkan koleje; ředitel Eton College **2** zast. *Lord P~* SC starosta, primátor velkoměsta **3** hist. probošt **4** hlavní pastor v německém prostředí **5** voj. příslušník polního četnictva **6** zast. žalářník

provost marshal [prəˌvəuˈma:šəl] **1** náčelník vojenské n. lodní policie **2** hist. polovojenský úředník ve Francii

provost prison [prəˌvəuˈprizn] vojenské vězení

provost sergeant [prəˌvəuˈsa:džənt] poddůstojník vojenské n. lodní policie

provostship [provəstšip] **1** BR děkanství; ředitelství

2 SC starostenství, primátorství 3 hist. proboštství 4 úřad hlavního pastora v německém prostředí

prow[1] [prau] 1 příď, špička lodi, též přen. 2 bás. koráb, loď

prow[2] [prau] BR zast. statečný, chrabrý, čacký, hrdinný

prowess [prauis] 1 statečnost, chrabrost, čackost, hrdinství, hrdinský skutek (*details of their imaginary ~*) 2 zručnost, zdatnost, obratnost, dovednost, vynikající výkon (*the politician's ~ in debate, his ~ on the football field*)

prowl [praul] *v* 1 plížit se, krást se za kořistí, být na lovu, hledat kořist *a t.* kde, prohledávat co (*wolves ~ the forest*) 2 toulat se, potulovat se, potloukat se, chodit kde, po ● *s* lov, číhaná, potulka za kořistí ◆ *be on the ~ = prowl, v; ~ car* AM hlídkující policejní auto, hlídkový vůz s radiotelefonním spojením

prowler [praulə] 1 tulák, vagabund; AM hotelový zloděj 2 rádiový hlídkující vůz, policejní hlídka v autě; špión (*there may be a robot ~ from another system waiting in the neighbourhood of the Sun* v sousedství Slunce třeba číhá automatický špion jiné civilizace) 3 voj. marodér

proximal [proksiməl] anat. proximální bližší trupu n. hlavě

proximate [proksimit] 1 velice blízký, bezprostřední (*the ~ possibility of space travel* velice blízká možnost kosmických cest); první, primární, nejbližší, přímý (*one of the ~ effects will be to increase consumer spending* jeden přímý důsledek bude zvýšení výdajů spotřebitelů) 2 přibližný (*a ~ estimate*)

proxime accessit [ˌproksimiæk'sesit] *pl: proxime accesserunt* [ˌproksimiækse'siərənt] druhý v pořadí ◆ *be / get a ~* být druhý v pořadí, dostat druhou cenu

proxime fuse [ˌproksimi'fju:z] = *proximity fuse*

proximity [prok'simәti] (*-ie-*) těsná blízkost *of* čeho *to* k, u ◆ *~ of blood* pokrevenství, pokrevní příbuzenství; *~ fuse* voj. distanční zapalovač citlivý na blízkost cíle

proximo [proksimәu] příštího měsíce (*to be held on the 6th ~*)

proxy [proksi] (*-ie-*) 1 zastoupení, zmocnění, zplnomocnění, plná moc, oprávnění zastupovat 2 plnomocník, náhradník, zmocněnec; náhrada (*books were not proxies for experience*) 3 *proxies, pl* volby ◆ *by ~* prostřednictvím zástupce / zmocněnce (*marriage by ~* sňatek uzavřený ...); *stand ~ for* zastupovat koho

prude [pru:d] přepjatě mravně úzkostlivý, stydlivý člověk, prudérní člověk, puritán zejm. žena (*not a book for ~s*)

prudence [pru:dәns] 1 opatrnost, obezřelost, obezřetnost, prozíravost; šetrnost 2 chytrost, rozumnost, moudrost, rozvážnost, rozšafnost

prudent [pru:dәnt] 1 opatrný, obezřelý, obezřetný, prozíravý; šetrný 2 chytrý, rozumný, rozvážný, rozšafný, uvážlivý (*a ~ housekeeper*)

prudential [pru'denšәl] 1 diktovaný opatrností, opatrnický 2 AM zaopatřovací 3 = *prudent* ◆ *~ committee* AM finanční poradní výbor; *for ~ reasons* z praktických důvodů a po bedlivé úvaze

prudentialism [pru'denšәlizәm] opatrnictví

prudentialist [pru'denšәlist] opatrník

prudery [pru:dәri] (*-ie-*) 1 přepjatý / falešný stud, prudérie (*a ~ which wished to conceal the body* falešný stud, který si přál skrýt tělo) 2 prudérní poznámka, prudérní čin, prudérie

prudish [pru:diš] přepjatě / nemístně stydlivý, puritánský, prudérní

prudishness [pru:dišnis] přepjatý / falešný stud, prudérnost

pruinose [pru:inәus] 1 bot. ojíněný, pokrytý tenkou voskovou vrstvičkou 2 zool. chmýřitý, pokrytý bílým chmýřím 3 ojíněný, omželý

prune[1] [pru:n] 1 sušená švestka 2 modročervená barva jako švestka ◆ *~s and prisms* afektovaná řeč, afektované chování (*talk ~s and prisms* mluvit / chovat se afektovaně)

prune[2] [pru:n] řidč. = *preen*

prune[3] [pru:n] 1 prořezávat, vyvětvovat, řezat (*he ~d all the trees along the boulevard*) 2 též *~ away / off* osekat, ořezat, oklestit, též přen. (*~ an essay*) *of* od (*~d of its redundancies* vyčištěný od všech zbytečností), pročistit, vytřídit 3 snížit, seškrtat náklady

prunella[1] [pru'nelә] 1 lastingová tkanina na svršky bot 2 lehká hladká vlněná tkanina

prunella[2] [pru'nelә] 1 med.: horečnatá choroba horních cest dýchacích, mázdřivka, záškrt, diftérie 2 bot. černohlávek

prunello [pru'nelәu] prynelka, prunelka, prynela, prunela druh sušených loupaných švestek

pruner [pru:nә] prořezávač, vyvětvovač stromů

pruning hook [pru:niŋhuk] vyvětvovací hák

pruning knife [pru:niŋnaif] *pl: knives* [naivz] zahradnická žabka nůž

prunt [prant] 1 ozdobná skleněná perla např. na váze 2 nářadí na přitavování těchto perel

prunus [pru:nәs] bot. slivoň

prurience [pruәriәns], **pruriency** [pruәriәnsi] 1 chlípnost, vilnost, smilnost 2 zř. chtivost, lačnost; chorobná touha, chorobná zvědavost

prurient [pruәriәnt] 1 chlípný, vilný, smilný 2 zř. chtivý, lačný (*~ longing after anything like personal gossip* lačná touha po všem, co připomíná důvěrné klepy); chorobně toužící, chorobně zvědavý

pruriginous [ˌpruә'ridžinәs] med. svědivý, svrbivý

prurigo [ˌpruəˈraigəu] med. svrbivá vyrážka, svědění, svrbění; svědivé místo na pokožce
pruritus [ˌpruəˈraitəs] med. svědění, svrbění zejm. bez vyrážky
Prussia [prašə] Prusko
Prussian [prašən] *adj* pruský, prušácký (hanl.) ♦ ~ *blue* pruská / berlínská / pařížská modř; ~ *brown* pruská / berlínská / pařížská hněď; ~ *carp* zool. karas stříbřitý eurasijský; ~ *green* pruská / berlínská zeleň ● *s* Prus; Prušák (hanl.)
Prussianism [prašənizəm] prušáctví
Prussianize [prašənaiz] udělat prušáckým (~ *education*)
prassiate [prasiit] chem. kyanid
prussic [prasik] chem. kyanovodíkový ♦ ~ *acid* kyanovodík
pry[1] [prai] (*-ie-*) *v* zvědavě se dívat *into* do / po, slídit po, lézt do, šťourat, vrtat v / do, strkat nos do, hledat *for* co ♦ ~ *into another's affairs* strkat nos do cizích záležitostí ***pry about*** strkat do všeho nos, čmuchat kolem dokola ***pry out*** vyšťourat, vyčmuchat ● *s* **1** šťoura, všetečka **2** zvědavý pohled ♦ *Paul P*~ šťoura, všetečka
pry[2] [prai] (*-ie-*) zejm. AM *v* zdvihat / posunovat / přitlačovat / zapřít pákou, páčit ● *s* **1** páka, páčidlo, sochor **2** páčení
prytaneum [ˌpritəˈneiəm] antic. Prytaneum budova v Aténách, kde se shromažďovali prytanové; střed obce i obecního života
prytany [pritəni] (*-ie-*) antic. **1** hodnost prytana, prytanis **2** prytanové, rada prytanů
psalm [sa:m] žalm ♦ (*Book of*) *P*~*s* Kniha žalmů, Žalmy jedna z knih Starého zákona
psalmbook [sa:mbuk] žaltář
psalmist [sa:mist] **1** žalmista; *P*~ Žalmista král David **2** kantor, předzpěvák
psalmodic [sælˈmodik] psalmodický týkající se psalmodie
psalmodist [sælmədist] žalmista, zpěvák žalmů, žaltářník, psalterista
psalmodize [sælmədaiz] zpívat žalmy, zpívat duchovní písně při bohoslužbě
psalmody [sælmədi] **1** psalmodie (jednohlasý) zpěv žalmů; zpěv duchovních písní zejm. při bohoslužbě **2** sborová úprava žalmů; žalmy upravené pro sborový zpěv
psalter [so:ltə] **1** žaltář, psaltérium (liturgická) kniha žalmů **2** chorálový zpěvník **3** = *psaltery*
psalterium [so:lˈtiəriəm] *pl: psalteria* [so:lˈtiəriə] zool. kniha přežvýkavců
psaltery [so:ltəri] (*-ie-*) žaltář, psaltérium starý drnkací nástroj podobný cimbálu
psammit [sæmit] geol. psamit označení jemnozrnné, písčité horniny
pschent [pšent] antic.: dvojitá koruna egyptských faraónů
psephism [psi:fizəm] antic.: rozhodnutí odhlasované aténským shromážděním
psephologist [*p*səˈfolədžist] odborník v *psephology*
psephology [*p*səˈfolədži] průzkum volebních tendencí, nauka o volbách a hlasování
pseud [sju:d] BR hovor. *adj* **1** holedbající se, předstírající vyšší úroveň zejm. společenskou n. intelektuální **2** = *pseudo, adj* ● *s* vejtaha, podfukář
pseudechis [*p*sju:ˈdekis] zool.: australský černý had *Pseudechis porphyraceus*
pseudepigrapha [ˌ*p*sju:dəˈpigrəfə] *pl* díla přičítaná neprávem autorovi zejm. starozákonnímu
pseudepigraphal [ˌ*p*sju:dəˈpigrəfl] = *pseudepigraphic*
pseudepigraphic(al) [ˌ*p*sju:dəpiˈgræfik(əl)] dílo autorovi zejm. starozákonnímu neprávem přičítaný
pseudo [*p*sju:dəu] hovor. *adj* lživý, nepravý, falešný, předstíraný (~ *candour* předstíraná upřímnost) ♦ *that's all* ~ to je všechno švindl, podfuk, flanc ● *s* člověk, který se přetvařuje, který se jen tak dělá
pseudoarchaic [ˌ*p*sju:dəua:ˈkeiik] rádoby starobylý, pseudoarchaický
pseudoarchaismus [ˌ*p*sju:dəuˈa:keiizəm] umělá starobylost, pseudoarchaismus
pseudoartistic [ˌ*p*sju:dəua:ˈtistik] pseudoumělecký
pseudocarp [*p*sju:dəuka:p] bot. nepravý plod, pseudokarp
pseudo-Christ [ˌ*p*sju:dəuˈkraist] nepravý / falešný Kristus
pseudo-Christian [ˌ*p*sju:dəuˈkristjən] lžikřesťanský, pseudokřesťanský
pseudoclassic [ˌ*p*sju:dəuˈklæsik] pseudoklasický
pseudoevent [ˌ*p*sju:dəuiˈvent] inscenovaná událost (~, *defined as a news event planned in advance*)
pseudo-Gothic [ˌ*p*sju:dəuˈgoθik] pseudogotický
pseudograph [*p*sju:dəugræf] literární dílo autorovi neprávem přičítané
pseudolearned [ˌ*p*sju:dəuˈlə:nid] **1** rádoby učený, takzvaně učený **2** zbytečně n. mylně archaizující
pseudologer [*p*sju:ˈdolədžə] **1** žert. notorický lhář **2** med. chorobný lhář
pseudological [ˌ*p*sju:dəuˈlodžikəl] **1** chorobně lhavý **2** fantasticky n. romanticky zkreslený
pseudologist [*p*sju:ˈdolədžist] chorobný lhář
pseudomartyr [ˌ*p*sju:dəuˈma:tə] pseudomučedník
pseudomona [*p*sju:ˈdomənə] druh střevní choroby
pseudomorph [*p*sju:dəumo:f] miner. klamotvar, pseudomorfóza
pseudomorphic [ˌ*p*sju:dəuˈmo:fik] miner. klamotvorný, pseudomorfický
pseudomorphism [ˌ*p*sju:dəuˈmo:fizəm], **pseudomorphosis** [ˌ*p*sju:dəuˈmo:fəsis] miner. přeměna v klamotvary, pseudomorfie, pseudomorfóza
pseudomorphous [ˌ*p*sju:dəuˈmo:fəs] = *pseudomorphic*
pseudonym [*p*sju:dənim] pseudonym
pseudonymity [ˌ*p*sju:dəˈniməti] užívání pseudonymu, pseudonymita

pseudonymous [*p*sju:ˈdoniməs] pseudonymní vyšlý pod pseudonymem (*a ~ work*); užívající pseudonymu (*a ~ author*)

pseudopod [*p*sju:də*u*pəd] = *pseudopodium*

pseudopodium [ˌ*p*sju:dəuˈpəudjəm] *pl: pseudopodia* [ˌ*p*sju:dəuˈpəudiə] panožka, pseudopodium

pseudoprophet [ˌ*p*sju:dəuˈprofit] lžiprorok, nepravý prorok

pseudoscience [ˌ*p*sju:dəuˈsaiəns] pavěda

pseudoscope [*p*sju:dəuskəup] pseudoskop druh stereoskopu dávající obrácený prostorový obraz

pseudoscopic [ˌ*p*sju:dəuˈskopik] pseudoskopický, týkající se pseudoskopu

pshaw *inter, s* [pf:] pa, pá, pah, bah, ph, pha, pch, pcha, pchá, pche ● *v* [pšo:] pohrdat, opovrhovat *at* čím, ohrnovat nos nad, odmítat co, dělat na co pa atd.

psi [sai] psí řecké písmeno Ψ

psilanthropic [ˌsailænˈθropik] náb. obsahující nauku o nebožské podstatě Ježíše Krista

psilanthropism [saiˈlænθrəpiz*ə*m] náb. nauka hlásající, že Ježíš Kristus byl pouhý člověk

psilanthropist [saiˈlænθrəpist] náb. stoupenec nauky o nebožské podstatě Ježíše Krista

psiolocin [sailəsən] druh halucinogenní drogy

psilocybin [ˌsailəˈsaibən] druh halucinogenní drogy

psilosis [*p*saiˈləusis] med. **1** vypadávání vlasů **2** druh tropické nemoci

psittacine [*p*sitəsain] papouščí, týkající se papoušků

psittacosis [ˌ*p*sitəˈkəusis] med. papouščí nemoc, psitakóza

psoas [*p*səuæs] anat. bederní sval ◆ *~ magnus / major* bederní sval velký; *~ minor / parvus* bederní sval malý

psora [*p*so:rə] med. svrab, prašivina

psoralca [*p*soˈreiliə] bot. rostlina z čeledi vikvovitých

psoriasis [*p*soˈraiəsis] med. lupenka, psorióza

psorosis [*p*soˈrəusis] *pl: psoroses* [*p*soˈrəusi:z] bot. virová choroba citroníků

psych [saik] AM slang. **1** též *~ out* ztratit n. podlomit vůli **2** též *~ up* duševně vybičovat, našponovat **3** u|dělat psychoanalýzu koho **4** rozebírat z psychologického hlediska ***psych out*** pochopit intuicí, vycítit, vytušit (*trying to ~ out her intentions*)

psyche [saiki] *s* **1** duch, duše, psýcha **2** *P~* mytol. Psýché milá Erotova **3** zool. vakonoš motýl ● *v* AM slang. = *psych*

psychedelia [ˌsaikəˈdeliə] svět psychedelických drog

psychedelic [ˌsaikiˈdelik] *adj* **1** zintenzivňující vjemy a počitky, psychedelický **2** droga vyvolávající halucinace, halucinogenní **3** týkající se psychedelických drog **4** hovor. křiklavý, pestrý, barevný **5** hovor. děsně moderní, děsně prima ● *s* psychedelická droga

psychedelicatessen [ˌsaikiˌdelikəˈtesn] AM obchod prodávající psychedelické zboží, potřeby pro narkomany apod.

psychiatric(al) [ˌsaikiˈætrik(*ə*l)] psychiatrický

psychiatrist [saiˈkaiətrist] lékař duševních chorob, psychiatr

psychiatry [saiˈkaiətri] psychiatrie

psychic [saikik] *adj* **1** duševní, psychický (*~ balance*) **2** citlivý na okultní n. parapsychologické jevy; tíhnoucí k okultismu n. spiritismu **3** ruka štíhlý, jemný, křehký ◆ *~bid* bridž hláška založená na intuici; *~ forces* okultní síly ● *s* **1** hovor. médium **2** člověk mající okultní schopnosti **3** *~s, pl* psychologie

psychical [saikik*ə*l] **1** týkající se duševního života, duševní, mentální, psychický **2** týkající se psychiky **3** metapsychologický, parapsychologický (*~ research* parapsychologický výzkum) **4** = *psychic, 1*

psychism [saikiz*ə*m] **1** animismus **2** metapsychologie, parapsychologie

psychicist [saikisist] **1** psycholog **2** badatel v parapsychologii

psycho [saikəu] slang. *s* **1** psychoanalýza **2** cvok, psychouš psychopat, zejm. voják ● *adj* jsoucí pro cvoky, psychiatrický (*~ ward*); zcvoknutý, vzatý, praštěný

psychoactive [ˌsaikə*u*ˈæktiv] působící na psychiku

psychoactivity [ˌsaikə*u*ækˈtivəti] schopnost působit na psychiku

psychoanalyse [ˌsaikə*u*ˈænəlaiz] provést psychoanalýzu koho, léčit psychoanalytickou metodou

psychoanalysis [ˌsaikə*u*əˈnælisis] psychoanalýza teorie analyzující psychické dění se zvl. zřením k prvkům nevědomým; způsob léčení duševních chorob (zejm. neuróz) založený na této teorii

psychoanalyst [ˌsaikə*u*ˈænəlist] psychoanalytik, psychiatr léčící psychoanalytickou metodou

psychodelic [ˌsaikə*u*ˈdelik] = *psychedelic*

psychogenesis [ˌsaikə*u*ˈdženisis] psychogeneze vznik a vývoj duševna z filogenetického hlediska

psychogenetic(al) [ˌsaikə*u*džiˈnetik(*ə*l)] psychogenetický

psychogonical [ˌsaikə*u*ˈgonik*ə*l] psychogenetický; psychogenní

psychogony [saiˈkogəni] psychogeneze

psychogram [saikə*u*græm] **1** psychografická zpráva napsaná automaticky médiem **2** popis duševního života jednotlivce

psychograph [saikə*u*gra:f] **1** psychografické zařízení, tabulka **2** psychodynamicky napsaný životopis

psychography [saiˈkogrəfi] **1** popisná psychologie, psychologický životopis **2** psychografie automatické psaní média

psychokinesis [ˌsaikəukiˈni:sis] psychokinéza ovlivňování pohybu neživých předmětů silou vůle

psycholinguistics [sai͵kəuliŋˈwistiks] psycholinguistika směr jazykovědného bádání zaměřený na poměr jazyka a duševní činnosti člověka

psychological [͵saikəˈlodžikəl] psychologický týkající se psychologie jakožto vědy (~ *research* psychologický výzkum, ~ *test*); týkající se duševní stránky člověka (~ *warfare* psychologická válka); zabývající se především duševními stavy a ději (~ *drama*) ◆ ~ *moment* *1.* psychologický moment osobnost / činitel působící po psychologické stránce *2.* novin. nejvyšší čas, pravá chvíle, vhodný okamžik

psychologist [saiˈkolədžist] psycholog

psychologize [saiˈkolədžaiz] psychologizovat, vysvětlovat psychologicky (~ *religion* vysvětlovat náboženství psychologicky)

psychology [saiˈkolədži] **1** psychologie věda zabývající se duševními jevy; myšlení, způsob myšlení; duševní rozpoložení (*the* ~ *of the fighting man*) **2** psychologické pojednání; psychologický systém

psychomancy [͵saikəuˈmænsi] psychomanie, nekromanie okultní styk mezi dušemi n. s duchy

psychometric(al) [͵saikəuˈmetrik(əl)] psychometrický týkající se psychometrie; týkající se schopnosti poznat některé skutečnosti o předmětu n. jeho majiteli z pouhého styku s ním

psychometrics [͵saikəuˈmetriks] *pl* **1** psychometrika nauka o měření psychologických jevů **2** = *psychometry*

psychometry [saiˈkomitri] psychometrika, psychometrie schopnost poznat některé skutečnosti o předmětu n. jeho majiteli z pouhého styku s ním

psychomotor [͵saikəuˈməutə] psychomotorický způsobující pohyb svalů duševním pochodem

psychoneurosis [͵saikəunjuəˈrəusis] psychoneuróza; neuróza

psychoneurotic [͵saikəunjuəˈrotik] *s* psychoneurotik kdo trpí psychoneurózou ● *adj* psychoneurotický

psychopath [saikəupæθ] psychopat kdo trpí psychopatií; nenormální, nevyrovnaný člověk

psychopathic [͵saikəuˈpæθik] psychopatický týkající se psychopatie

psychopathist [saiˈkopəθist] psychiatr

psychopathology [͵saikəupəˈθolədži] psychopatologie nauka o příčinách a mechanismu duševních poruch

psychopathy [saiˈkopəθi] psychopatie lehčí duševní úchylka

psychopharmacological [͵saikəu͵fa:məkəˈlodžikəl] psychofarmakologický

psychophysical [͵saikəuˈfizikəl] psychofyzický týkající se psychofyziky; týkající se stránky tělesné a duševní i jejich vztahů

psychophysicist [͵saikəuˈfizisit] psychofyzik odborník v psychofyzice

psychophysics [͵saikəuˈfiziks] *sg* psychofyzika odvětví psychologie zabývající se vztahem mezi fyzikální vlastností podnětu a subjektivním počitkem

psychophysiological [͵saikəu͵fiziəˈlodžikəl] psychofyziologický týkající se psychofyziologie; duševní i fyzický

psychophysiologist [͵saikəu͵fiziˈolədžist] psychofyziolog odborník v psychofyziologii

psychophysiology [͵saikəu͵fiziˈolədži] psychofyziologie odvětví psychologie zkoumající fyziologický podklad duševních jevů

psychorealism [͵saikəuˈriəlizəm] liter. psychologický realismus

psychosis [saiˈkəusis] *pl: psychoses* [saiˈkəusi:z] psychóza těžší duševní porucha projevující se zkreslenou interpretací skutečnosti apod; duševní úchylka, hromadný duševní neklid (*war* ~ válečná psychóza)

psychosomatic [͵saikəusəˈmætik] psychosomatický týkající se psychosomatie (~ *research* psychosomatické zkoumání); způsobený duševními vlivy (~ *disorder* psychosomatická porucha); trpící chorobou způsobenou duševními vlivy (~ *patient*)

psychotherapeutic [͵saikəuθerəˈpju:tik] psychoterapeutický týkající se psychoterapie

psychotherapy [͵saikəuˈθerəpi] psychoterapie léčení duševních chorob psychicky

psychotic [saiˈkotik] *adj* psychotický týkající se psychózy; trpící psychózou ● *s* psychotik kdo trpí psychózou

psychrometer [saiˈkromitə] psychrometr přístroj na stanovení teploty a vlhkosti vzduchu, druh vlhkoměru

psychrophytes [saikrəfaits] bot. psychrofyty rostliny přizpůsobené chladným a vlhkým polohám

psychrotolerant [͵saikrəuˈtolərənt] rostlina schopný snášet nízké teploty

psyop [ˈsai͵op] AM voj. akce v psychologické válce

psywar [ˈsai͵wo:] AM voj. psychologická válka

ptarmigan [ta:migən] zool. bělokur

PT boat [pi:ti:bəut] AM rychlý člun

pteridophytes [*p*təˈridəfaits] bot. kapraďorosty

pteridological [*p*teridəˈlodžikəl] týkající se studia kapraďorostů

pteridologist [͵*p*teriˈdolədžist] pteridolog botanik zabývající se studiem kapraďorostů

pteridology [͵*p*teriˈdolədži] pteridologie nauka o kapraďorostech; studium kapraďorostů

pterodactyl [͵*p*terəuˈdæktil] vyhynulý ptakoještěr, pterodaktyl

pterographic(al) [͵*p*terəuˈgræfik(əl)] řidč. popisující opeření

pterography [*p*təˈrogrəfi] řidč. popis opeření

pteropod [*p*terəpod] zool. ploutvonožec

pteropus [*p*terəpas] *pl* též *pteropi* [*p*terəpai] zool. kaloň

pterosaur [*p*terəso:] vyhynulý ptakoještěr, pterosaurus

pterygoid [*p*terigoid] křídlovitý ◆ ~ *bone* kost křídlová; ~ *process* výběžek kosti křídlové

ptisan [tiˈzæn] léčivý odvar zejm. ječný, tisana

Ptolemaic [͵toliˈmeiik] Ptolemaiův, Ptolemaia ◆ ~ *system* hvězd. soustava Ptolemaiova podle níž se Slunce pohybuje kolem Země

ptomaine [təumein] biol. ptomain jed ◆ ~ *poisoning* ptomainová otrava
ptosis [təusis] med. pokles, ptóza zejm. očního víčka
ptyalin [*p*taiəlin] biol. ptyaláza, ptyalin enzym obsažený v slinách
ptyalism [*p*taiəlizəm] med. slinivost, ptyalismus
pub [pab] BR hovor. *s* hospoda, hospůdka, lokál, výčep, krčma ● *v* (*-bb-*) chodit po hospodách, vymetat hospody
pub-crawl [pabkro:l] *s* chození z jedné hospody do druhé, tah ● *v* jít na tah n. být na tahu z jedné hospody do druhé
puberal [pju:bərəl] = *pubertal*
pubertal [pju:bətl] pubertální
puberty [pju:bəti] pohlavní dospívání, puberta ◆ ~ *vocal change* mutování, mutace hlasu
pubes [pju:bi:z] *pl: pubes* [pju:bi:z] **1** podbřišek **2** ochlupení
pubescence [pju:ˈbesns] **1** dospívání, puberta, pubescence **2** ochlupení, jemné chloupky, chmýří, pýří, ochmýření
pubescent [pju:ˈbesnt] **1** dospívající, pubertální **2** ochlupený, ochmýřený, porostlý chmýřím, chmýrnatý **3** bot. pokrytý měkkými krátkými chloupky, pýřitý ◆ ~ *birch* bříza pýřitá
pubic [pju:bik] **1** stydký (~ *bone*) **2** rostoucí na genitáliích ◆ ~ *hair* ochlupení
pubis [pju:bis] *pl* též *pubes* [pju:bi:z] anat. stydká kost
public [pablik] *adj* **1** veřejný konaný za účasti širšího obecenstva (~ *hearing*); určený pro všechny (~ *library*); veřejnosti se týkající (~ *enemy*); týkající se života společnosti (~ *prosecution*) **2** státní; městský; obecní; národní (~ *assembly* národní shromáždění) **3** BR jsoucí pro celou univerzitu, univerzitní (~ *examination*) ◆ ~ *address system* místní rozhlas; ~ *appropriation* příděl z rozpočtových peněz; ~ *assistance* BR podpora z veřejných prostředků; ~ *authority* veřejná moc, úřady, vrchnost; ~ *bar* lidový výčep, bar např. v hotelu; ~ *call-office* veřejná telefonní hovorna; ~ *convenience* veřejné záchody; ~ *corporation* veřejná společnost, veřejné sdružení; ~ *exchange* BR veřejná telefonní ústředna; ~ *eye* oko veřejnosti (*be in the* ~ *eye* být středem zájmu veřejnosti); ~ *figure* známá osobnost; *go* ~ nabídnout své akcie ke koupi na burze; ~ *house* BR restaurace, hostinec; ~ *holiday* veřejný / úřední svátek, den pracovního klidu; ~ *image* představa veřejnosti o někom; ~ *liability insurance* pojištění zákonné odpovědnosti; ~ *lighting* pouliční osvětlení; *make* ~ zveřejnit, oznámit veřejnosti; ~ *man* veřejný činitel; *a matter of* ~ *knowledge* obecně známá věc; *notary* ~ veřejný notář; ~ *nuisance* *1.* veřejný zlořád, ohrožení veřejnosti, veřejné pohoršení *2.* otrava, protiva; ~ *opinion* veřejné mínění; ~ *opinion poll* anketa; ~ *opinion research* výzkum veřejného mínění; ~ *orator* BR latinský řečník na některých univerzitách; ~ *ownership* národní / státní / veřejné vlastnictví; ~ *policy* zásady slušnosti / spolužití / mravnosti / mravopočestnosti; ~ *relations* *1.* informace, informování *2.* informační oddělení vlády n. organizace, informační středisko, tiskové oddělení *3.* styk s veřejností; ~ *relations officer* informační / tiskový úředník, (tiskový) mluvčí; ~ *release* vydání, uveřejnění, oznámení na veřejnost, uvolnění pro tisk, zveřejnění; ~ *sale* dražba, aukce; ~ *school* *1.* BR soukromá internátní střední škola připravující ke studiu na univerzitě n. pro veřejný život (např. v Etonu) *2.* SC, AM státní střední škola kde žáci neplatí školné; ~ *spirit* *1.* ochota angažovat se ve veřejných věcech, společenská angažovanost, smysl pro obecné dobro *2.* vlastenectví, patriotismus; ~ *supply mains* *1.* městské rozvodné potrubí *2.* veřejná rozvodná síť; ~ *tender* soutěžní řízení, nabídka provést veřejnou práci n. veřejné dodávky; ~ *utilities* veřejně prospěšné podniky, veřejné služby, městské podniky; ~ *ward* nemocniční pokoj s více lůžky ● *s* **1** veřejnost (*the* ~ *are not admitted* veřejnosti nepřístupno) **2** určitá část veřejnosti: návštěvníci (*the* ~ *is / are requested not to leave litter in the park* návštěvníci se žádají, aby po sobě nenechávali v parku odpadky), čtenáři (*two books, different in scope and aimed at different* ~*s* dvě knihy různého rozsahu a zaměření na různé čtenáře); obecenstvo; obyvatelstvo **3** lid, národ, stát (*the European statesmen and* ~*s* státníci a národy Evropy) **4** hovor. hospoda, hospůdka ◆ *general* ~ široká veřejnost, obyvatelstvo; *in* ~ veřejně, na veřejnosti; *theatre-going* ~ divadelní návštěvnická obec, publikum, obecenstvo
publican [pablikən] **1** hist. publikán nájemce n. výběrčí státních důchodů v římských provinciích **2** BR hostinský, hospodský
publication [ˌpabliˈkeišən] **1** uveřejnění, zveřejnění, oznámení, vyhlášení, vydání, publikování, publikace **2** vydávání tiskem pro veřejnost; vyhláška; spis, dílo, kniha, publikace ◆ *new* ~ knižní novinka (*a list of new* ~*s*); ~ *price* prodejní cena, krámská cena, původní cena knihy
publicism [pablisizəm] novinářství, žurnalistika, publicistika
publicist [pablisist] **1** znalec veřejného mezinárodního práva **2** komentátor, novinář, žurnalista, publicista **3** tiskový úředník; propagační šéf, reklamní šéf
publicistic [ˌpabliˈsistik] novinářský, žurnalistický, publicistický
publicity [pabˈlisəti] **1** obecná známost, známost ve veřejnosti, zájem veřejnosti, pozornost veřejnosti, publicita (*an actress who avoids* ~ herečka, která nechce být středem zájmu veřejnosti); rozšíření ve veřejnosti, zveřejnění **2** reklama, nábor, propagace, inzerce (*commercial* ~) ◆ ~ *agent* *1.* náborář; propagační referent *2.* propagační / reklam-

ní jednatel, majitel reklamní n. inzertní kanceláře; ~ *campaign* náborová akce, propagační akce / kampaň; ~ *department* propagační oddělení, propagace; *give* ~ *to a t.* zveřejnit, uveřejnit, propagovat co; ~ *manager* reklamní šéf, vedoucí propagace

publicize [pablisaiz] **1** uvést v obecnou známost, široce zveřejnit n. uveřejnit, dát publicitu čemu **2** u|dělat reklamu / propagaci čemu, propagovat

public-minded [ˌpablikˈmaindid] **1** dbající nejdříve zájmu veřejnosti **2** = *public-spirited*

public-spirited [ˌpablikˈspiritid] **1** ochotný se veřejně / společensky angažovat; dbalý zájmu veřejnosti **2** vlastenecký

public-spiritedness [ˌpablikˈspiritidnis] **1** ochota se veřejně / společensky angažovat, společenská angažovanost; starost o zájmy celku **2** vlastenectví, patriotismus

publish [pabliš] **1** uveřejnit, zveřejnit, publikovat; veřejně ohlásit, oznámit, uvést ve známost, rozhlásit (~ *the news*), vydat provolání (~ *an edict*); práv. sdělit, říci třetí osobě (*a slander is not actionable unless it is* ~*ed to a third person* není-li pomluva sdělena třetí osobě, není žalovatelná) **2** vydat (~ *books*, ~ *LP recordings*), vydávat (*the new house will start to* ~ *next month*) *for* koho (*several firms offered to* ~ *for him*), publikovat (~ *a forgery* publikovat podvrh) ◆ *be* ~*ed* vycházet; ~*ed by the author* nákladem vlastním; *just* ~*ed* právě vyšlo

publishable [pablišəbl] uveřejnitelný, nezávadný

publisher [pablišə] **1** nakladatel, vydavatel; nakladatelství, vydavatelství; majitel / vydavatel novin **2** ~*s, pl* nakladatelství **3** rozšiřovatel

publishing [pablišiŋ] *s* **1** nakladatelské podnikání, nakladatelské povolání (*entered* ~ *with the Hamlyn Group*) **2** v. *publish* ● *adj* nakladatelský ◆ ~ *company* / *house* nakladatelská firma, nakladatelství

puccoon [pəˈku:n] **1** bot. kamejka **2** bot.: severoamerická rostlina *Sanguinaria* **3** červené barvivo z kamejky

puce [pju:s] *s* hnědofialová barva ● *adj* hnědofialový

pucellas [pjuˈseləs] sklářské kleště

puck[1] [pak] **1** zlomyslný skřítek, Puk v anglickém folklóru **2** přen. čtverák, darebák, čertík, švícko; skřítek, šotek dítě

puck[2] [pak] **1** zool. lelek lesní, kozodoj **2** zvěr. nemoc dobytka údajně způsobená lelkem

puck[3] [pak] hokejový touš, kotouč, puk

pucka [pakə] = *pukka*

pucker [pakə] *v* též ~ *up* s|vraštit | se, stáhnout | se, zvrásnit | se, zkrabatět | se, zdrhovat | se; dělat záhyby (*this coat* ~*s at the shoulders*) ● *s* vrásky, zvrásnění; záhyb, sámek, fald (hovor.)

puckery [pakəri] **1** tvořící záhyby, plný záhybů **2** stahující ústa, svíravý, trpký (*a* ~ *quince* trpká kdoule)

puckish [pakiš], **pucklike** [paklaik] zlomyslný, šibalský, čtverácký

pud[1] [pad] dět. packa, pacička, tlapka, tlapička

pud[2] [pud] hovor. nákyp; sladkost, dobrota

puddening [pudəniŋ] námoř. lodní nárazník z provazů

pudding [pudiŋ] **1** nákyp, pudink (*rice* ~ rýžový nákyp) **2** moučník **3** kaše (*semolina* ~ krupicová kaše, *pease* ~ hrachové pyré) **4** tlustý salám, tlačenka; jelito; tlustá jitrnice, klobása, též přen. **5** slang. otrávená játra apod. na otrávení hlídacích psů **4** = *puddening* ◆ *beefsteak* ~ hovězí sekaná zapečená v těstě; *black* ~ jelito; *bread and butter* ~ žemlový nákyp, žemlovka; ~ *face* hovor. kulatý hloupý obličej; *hog's* ~ krvavá tlačenka; *More praise than* ~ o odměně Samé řeči, skutek utek; ~ *pie* slané těsto plněné masem, knedlík plněný masem; *plum* ~ hrozinkový pudink; *the proof of the* ~ *is in the eating* soudit se dá nejlépe podle praxe; *treacle* ~ melasový nákyp; *white* ~ jitrnice; *Yorkshire* ~ pečené jemné těsto k hovězí pečeni

pudding cloth [pudiŋkloθ] plátenko, ubrousek v němž se vaří *pudding*

pudding head [pudiŋhed] mamlas, ťulpas, pytlík, trouba, vrták hlupák

pudding heart [pudiŋha:t] baba, bačkora, bábovka, zbabělec

pudding stone [pudiŋstəun] geol. slepenec

pudding time [pudiŋtaim] **1** čas k jídlu **2** přen. vhodný čas (*here he comes in* ~ *to resolve the question* přichází sem zrovna vhod, aby rozřešil náš problém)

puddingy [pudiŋgi] připomínající nákyp atd.

puddle [padl] *s* **1** kalužina, kaluž, louže (*a heavy rain leaves* ~*s in the road*); přen. cákance, ostrůvek (~*s of moonlight on the floor*) **2** mazanina, lepenice, jíl; hlinitá kaše **3** hovor. zmatek, nepořádek, virvál; brynda ◆ ~ *of blood* tratoliště krve ● *v* **1** máchat se, patlat se, válet se v blátě, brodit se blátem, též přen.; tvořit, na|dělat louže (*puddling on the slippery deck* tvořící louže na kluzké palubě) na / v (*cattle* ~ *the soft ground around the water hole with their hooves* dobytek rozrývá kopyty měkkou půdu kolem napajedla, až se v ní dělají louže); loužit (*baby alternately dozed and* ~*d* děťátko střídavě dřímalo a dělalo loužičky) **2** za|kalit vodu, ušpinit blátem **3** hníst hlínu, vymazat / utěsnit mazaninou n. lepenicí n. jídlem (~ *the seams* vymazat hlínou spáry) **4** hut. pudlovat

puddle ball [padlbo:l] hut. vlk při pudlování

puddle iron [padlaiən] hut. pudlovaná ocel

puddle jumper [ˌpadlˈdžampə] hovor. **1** vehikl, kára, rachotina starý vůz **2** pozorovací letoun **3** člun s přívěsným vozíkem

puddler [padlə] hut. pudlař

pudency [pju:dənsi] stud, stydlivost, stoudnost, cudnost
pudenda [pju:ˈdendə] *pl* ohanbí, přirození, zevní genitálie zejm. ženské
pudendal [pju:ˈdendl] stydký
pudendum [pju:ˈdendəm] v. *pudenda*
pudge [padž] hovor. cvalík, cvalda, pořízek, pořez
pudgy [padži] (*-ie-*) hovor. udělaný, zavalitý, podsaditý
pudic [pju:dik] stydký
pudicity [pju:ˈdisəti] cudnost, pohlavní čistota, stydlivost, stoudnost
pudsy [padzi] (*-ie-*) baculatý
pueblo [puˈebləu] **1** město, vesnice ve španělském n. mexickém prostředí **2** indiánská vesnice, pueblo **3** *P*~ severoamerický usedlý Indián **4** město na Filipínách
puerile [pjuərail] **1** chlapecký, dětský, puerilní **2** dětinský, zdětinštělý ◆ ~ *breathing* med. puerilní dýchání
puerility [pjuəˈriləti] (*-ie-*) **1** chlapectví, dětství **2** dětinskost
puerperal [pju(:)ˈə:pərəl] med. týkající se šestinedělí, puerperální ◆ ~ *fever* / *sepsis* horečka omladnic
Puerto-Rican [pwəˌtəuˈri:kən] Portoričan
Puerto Rico [pwəˌtəuˈri:kə] Portoriko
puff [paf] *s* **1** lehký závan, mírné zadutí větru, malý náraz větru (*storm which set out as a mere* ~ *of wind thousands of miles away* bouře, která začala ve vzdálenosti několika tisíců mil jako pouhý závan větru) **2** odfukování, odfouknutí, bafání (*listen to the* ~ *of a distant locomotive*); puk, tah, baf (*let ten* ~*s of his pipe eddy away* nechte rozplynout deset tahů z jeho dýmky), chomáč, kotouč dýmu, obláček (*a* ~ *of expensive scent* obláček drahého parfému) **3** nabrání, nadýchnutí, nadýchnutá látka, karnýr, volán, ryš; malý klín vsazený do plátnové vložky n. podšívky; vycpávka **4** nafouknuté pečivo z křehkého těsta, boží milosti; plněný věneček **5** chomáček, kulička něčeho měkkého; labutěnka, pudrovátko **6** příčesek **7** prošívaná pokrývka lehká **8** pýchavka houba **9** hovor. oslavný canc, pochvalný kec, dryáčnická reklama zejm. v novinách (*the play got* ~*s from several critics*), propagační canc (~*s which with booksellers sometimes embroider their catalogues* propagační cancy, jimiž občas knihkupci vyšperkovávají své katalogy) **10** slang. teplouš, buzík ◆ *be out of* ~ být bez dechu, udýchaný; *put on a* ~ nafukovat se, nadýmat se (*like housewives putting on a* ~ *at a party*) ● *v* **1** krátce fouknout (*he* ~*s lightly into the blowpipe to shape the molten glass* několikrát po sobě lehce foukne do píšťaly, aby dal roztavenému sklu tvar), foukat (*people who eat peppermint and* ~ *it in your face*); odfukovat, prudce oddechovat, lapat po dechu (*he was* ~*ing hard when he jumped on the train*) **2** pukat, bafat *at* z (~ *at a pipe*); dělat obláčky (*flak was* ~*ing all around*) **3** nadouvat se, nafukovat se (*a* ~*ing turkey cock of a man* chlap nafukující se jako krocan); kulatět **4** napudrovat labutěnkou **5** hovor. honosně / oslavně cancat, žvanit; dělat dryáčnickou reklamu čemu, nafukovat co (*traders still* ~ *their goods*) **6** BR zvednout cenu přihazováním při dražbě, přihodit při dražbě bez vážného úmyslu koupit ◆ ~ *and blow* hekat a funět ***puff away*** ***1*** odsupět, odběhnout / běžet / odjet s odfukováním *2* pukat, bafat, kouřit *at* z ***puff over*** přepudrovat, zapudrovat labutěnkou ***puff out*** ***1*** nadmout, nafouknout (*green lizards* ~ *out their throats* ještěrky zelené nadouvají svá hrdla), též přen.; nafouknout se, objevit se jako obláček (*a spin chute* ~*s out behind the hurtling plane* za řítícím se letadlem se objevuje nafouknutý protivývrtkový padák jako obláček) *2* sfouknout (~ *out a candle* sfouknout svíčku); svíčka zhasnout ***puff up*** ***1*** nafouknout | se; vynášet, vychvalovat *2* dělat obláčky čeho (*bullets* ~*ed up the white dust all around him* kulky kolem něho zvedaly obláčky bílého prachu) *3* naběhnout, otéci (*a sprained ankle* ~*s up* podvrtnutý kotník otéká)
puff adder [ˈpafˌædə] zool. zmije útočná
puffball [pafbo:l] **1** pýchavka **2** ~*s, pl* houby břichatky
puff box [pafboks] pudřenka s labutěnkou
puffed [paft] **1** jsoucí bez dechu, udýchaný **2** naběhlý, oteklý, nateklý, opuchlý (*a* ~ *face* opuchlá tvář) **3** v. *puff, v* ◆ ~ *rice* burisony
puffed-up [ˌpaftˈap] **1** nadutý, nafoukaný **2** v. *puff up*
puffer [pafə] **1** bafal, bafálek; nafukovač, foukač **2** kuřák **3** SC pobřežní parníček **4** dryáčník, cancal (*people who are not critics but simply* ~*s*) **5** zool.: ryba ježík **6** dět.: parní mašinka
puffery [pafəri] (*-ie-*) **1** dryáčnická reklama **2** nadýchnutá ozdoba, karnýr, volán, ryš
puffin [pafin] zool. papuchalk
puffiness [pafinis] **1** nadutost, nafoukanost, pompéznost **2** udýchanost **3** opuchlost, oteklost, naběhlost, otok; tloušťka, korpulentnost **4** nadýchnutí, nadýchnutost
puff paste [pafpeist] AM = *puffpastry*
puff pastry [ˈpafˌpeistri] (*-ie-*) křehké (odpalované) těsto
puff-puff [pafpaf] BR dět. ššš, mašinka, vláček
puff-shouldered [pafˈšəuldəd] mající vycpaná ramena u oděvu
puff sleeve [pafsli:v] nabíraný rukáv
puffy [pafi] (*-ie-*) **1** nadutý, nafoukaný; nafouknutý, rádoby veliký, pompézní (*the scenes are more* ~ *than pointed*) **2** udýchaný, zadýchaný, jsoucí bez dechu (*they were* ~ *long before they reached the summit* zadýchali se dlouho předtím, než dosáhli vrcholku) **3** vanoucí v krátkých porývech (*a* ~ *northeast wind* kolísavý / nárazový ...

vítr) **4** naběhlý, oteklý, nateklý, opuchlý (*a few ~ bruises* pár naběhlých šrámů) **5** tlustý, korpulentní **6** nadýchnutý (*a ~ floor-length underskirt* ... spodnička sahající až na zem)

pug¹ [pag] **1** mops, mopsl; zakrslý boxer / buldok **2** krátký tupý nos, mopslí nos, knoflík **3** BR slang. šéf, pupík vrchní služebník **4** ferina lišák, liška **5** BR malá posunovací lokomotiva

pug² [pag] *s* **1** hnětená hlína, hnětený jíl **2** hnětací stroj, hnětačka ● *v* (*-gg-*) **1** hnist, hlínu, udělat kaši z hlíny; zamazat / ucpat / utěsnit jílem n. mazaninou **2** dát zvukovou izolaci z hlíny, pilin atd. *a t.* do; omítnout maltou na tlumení zvuku

pug³ [pag] *s* stopa divoké zvěře ● *v* (*-gg-*) vy|stopovat (*~ a tiger, ~ a criminal*)

pug⁴ [pag] slang. boxer

pugaree [pagəri] = *puggaree*

pug dog [pagdog] mops, mopsl; zakrslý boxer / buldok pes

puggaree [pagəri] **1** lehký turban Indů **2** pestrý mušelínový závoj obtočený kolem klobouku a chránící týl

puggareed [pagərid] **1** jsoucí v lehkém turbanu **2** opatřený mušelínovým závojem

pugging [pagiŋ] **1** hmota na tlumení zvuku, násyp stropů na tlumení zvuku, zvuková izolace **2** v. *pug*^{2, 3}, *v*

puggish [pagiš] **1** skřítkovitý, šotkovitý; zlomyslný, nezbedný, uličnický **2** připomínající mopsla, mopslí, mopsličí; nos krátký a tupý, zvednutý, jako knoflík

puggree [pagri] = *puggaree*

puggy [pagi] (*-ie-*) připomínající mopsla, mopslí, mopsličí; nos krátký a tupý, zvednutý, jako knoflík

pugilism [pju:džilizəm] boxování, rohování

pugilist [pju:džilist] boxer, rohovník zejm. profesionální **2** přen. bojovník

pugilistic [ˌpju:džiˈlistik] boxerský, rohovnický, týkající se profesionálního boxera (*he ended his ~ career* skončil svou boxerskou kariéru)

pug mill [pagmil] hnětací stroj, hnětačka na hlínu; kolový mlýn

pugnacious [pagˈneišəs] bojovný, bojechtivý (*~ spirits*), výbojný, útočný (*~ animals*)

pugnacity [pagˈnæsəti] bojovnost, bojechtivost; výbojnost, útočnost

pug nose [pagnəuz] mopslí nos, krátký a tupý zvednutý nos, ohrnutý nos, knoflík, pršák

pug-nosed [pagnəuzd] mající mopslí nos atd.

puisne [pju:ni] *adj* **1** soudce mladší, nižší hodností **2** práv. pozdější, mladší *to* než je ◆ *~ mortage* zástava nemovitostí bez úschovy zástavní listiny ● *s* hodností mladší / nižší soudce

puissance [pju:isns] zast. **1** moc, síla (*samurai bow to the ~ of the emperor* samurajové se sklánějí před císařovou mocí) **2** vojsko (*go draw our ~ together* jděte a shromážděte naše vojsko)

puissant [pju:isnt] zast. **1** mocný, silný **2** přen. pronikavý (*a ~ colourist*)

puja [pu:džə] **1** hinduistické obřady; hinduistická náboženská slavnost **2** *~s, pl* slang. modlitby, modlení

puke [pju:k] slang. zvracet, vrhnout, blít

pukka(h) [pakə] pravý, originální, dobrý, spolehlivý, solidní, prvotřídní, bezvadný ◆ *~ sahib 1.* dř. milostpán oslovení britských koloniálních úředníků v Indii *2.* dokonalý džentlmen

pukku [pu:ku:] = *pookoo*

pulchricide [palkrisaid] **1** krasoborectví **2** krasoborec

pulchritude [palkritju:d] fyzická krása

pule [pju:l] kňourat, fňukat, pofňukávat

puling [pju:liŋ] **1** ukňouraný, ufňukaný (*~ coward* ukňouraný zbabělec) **2** v. *pule*

pulka [palkə] laponské saně

pull [pul] *v* **1** táhnout (*the horse was ~ing the cart*); též přen. (*the clearance sale is ~ing well* výprodej táhne), táhnout za sebou, vléci (*how many coaches can this engine ~?* kolik utáhne ta lokomotiva vagónů?), vtáhnout, zatáhnout *into* do (*he ~ed me into the room*), přitáhnout *to* k (*~ your chair to the table*), natáhnout, přetáhnout, stáhnout *over* přes, *on* na (*~ one's cap over one's ears*) příliš natáhnout, namoci si, pohmoždit si, napnout (*~ a muscle* pohmoždit si sval) **2** přen. pracně dostat kam / kudy, probojovat cestu komu/čemu (*the doctor will ~ the patient through the illness*) **3** tahat, zmítat, cloumat, cukat čím (*through his affection for his brother, he was ~ed, now this way, now that* pro svou lásku k bratrovi byl zmítán hned tím, hned oním směrem) **4** za|táhnout *at* za (*~ at a rope*), zatahat za (*he ~ed me by the sleeve* zatahal mě za rukáv), tahat *on* za, vytahovat co **5** stisknout, zmáčknout (*~ the wrong lever* stisknout špatnou páku, *~ the trigger* zmáčknout spoušť) **6** za|táhnout, za|bafat, pukat *at* z (*~ing at his pipe*); natáhnout si, dát si (lok) *at* z (*~ at a bottle*) **7** držet koně na uzdě; úmyslně přitáhnout uzdu koni, zpomalit koně, aby prohrál závod (*he was approached by gamblers to ~ his mount* obrátili se na něho dostihoví spekulanti, aby koni přitáhl uzdu) **8** kůň škubat, trhat udidlem **9** vytáhnout (*~ a cork, the drawer won't ~* zásuvka se nedá vytáhnout, zásuvka nejde ven); vytáhnout ze země, vyndat, vydloubat, sklidit (*ate plenty of green food, all home-grown and freshly ~ed*); vytrhnout zub (*he had two teeth ~ed*); dobývat, klučit (*~ing stumps* klučící pařezy); točit, čepovat (*~ing pints of porter* čepující pinty porteru) **10** slang. pobírat plat (*how much do you ~ a week?* kolik ti to sype týdně?) **11** AM inkasovat, shrábnout, dosáhnout, získat (*~ed more votes, ~ed an A in an English course*) **12**

AM odstranit, vzít ze hry, stáhnout zpátky (~ *a wild pitcher* vzít ze hry nepřesného nadhazovače) **13** o|trhat (~ *corn from the stalk* otrhat palice z lodyhy), na|řezat (*roses ~ed in the rain* růže řezané v dešti), o|stříhat (*as the wool is ~ed it is put into containers*) **14** slang. sebrat, zašít zatknout; vybrat provést razii na / kde **15** vochlovat (~ *hemp* vochlovat konopí); odchlupovat kůži; nář. škubat **16** složit, strhnout (*they ~ed camp and headed for home* strhli tábor a zamířili k domovu) **17** být poháněn vesly, plout pomocí vesel (*the boat ~ed for the shore*), mít kolik vesel (*that boat ~s eight oars* ta loď je osmiveslice); veslovat (*he ~ed a dinghy*) **18** táhnout se, vléci se namáhavě; označuje pohyb odkud odjet, odplout, vyjet, vyplout, odveslovat (*the rovers ~ed clear of the ship* veslaři odveslovali do bezpečné vzdálenosti od lodi; *the train was ~ing out of the station*); označuje pohyb kam přijet, odjet, vjet, připlout, odplout (*the train ~ed into the platform, he decided to ~ south to avoid pursuit* rozhodl se plout na jih, aby se vyhnul pronásledování) **19** golf: hráč hrající pravou | levou rukou zahrát (míč) daleko doleva|doprava; kriket odpálit nadhozený (míč) úhlopříčně dozadu; baseball odpálit (míč) zvnějšku šikmo u praváka vlevo, u leváka vpravo, „zatáhnout k sobě" (*some left-handed batters may ~ the ball a mile to the right* někteří pálkaři-leváci si dovedou k sobě „stáhnout" míč, který letí míli vpravo) **20** obtáhnout, udělat obtah / korekturu (~ *a proof*) **21** vyvolat stávku v (*~ed the plant*) **22** AM provádět, páchat (*he had been ~ing all this stuff for years and getting away with it* všechny tyhle věci prováděl celá léta a stále mu to procházelo), dokázat provést, spáchat, udělat (*the same bandit probably had ~ed all three hold-ups* ta tři přepadení pravděpodobně spáchal stejný bandita) **23** AM podporovat *for* koho (*nearly always ~s for the underdog* téměř vždycky podporuje slabšího) **24** AM vytáhnout *a t.* co *on* na, vytasit se s na (*he ~ed his scientific authority on me*) **25** AM slang. dělat ze sebe, zahrát (~ *a Simon Legree*) **26** AM slang. absolvovat, mít na kontě, mít odkrouceno za sebou (*~ed 23 combat missions* měl na kontě 23 bojových letů) ♦ ~ *the bell* zatahat za zvon, zazvonit; ~ *a boner* udělat botu chybu; ~ *caps* tahat se, šťouchat se, hádat se, hašteřit se, vjet si do vlasů; ~ *devil,* ~ *baker 1.* ryc sem, ryc tam, kdo s koho *2.* něco za něco (*a compromise arrived at by the familiar ~ devil, ~ baker method*); ~ *face / faces* udělat dlouhý obličej, za|šklebit se, udělat grimasu, dělat grimasy; ~ *fast one* napálit *on a p.* koho, vzít koho na hůl, zahrát to na koho, sehrát s kým habaďůru; ~ *a good oar* dobře veslovat, být dobrý veslař; ~ *a ... grin* zašklebit se, udělat jaký obličej (*he ~ed a reluctant grin as he rode away* když odjížděl, zdráhavě se zašklebil); ~ *it* hovor. odstartovat, odcestovat; ~ *leather* AM slang. držet se vší mocí v sedle; ~ *a p.'s leg* tahat koho za nos, střílet si z koho; ~ *the longbow* přehánět, nadsazovat; ~ *a lone oar* dělat všechno sám, jít svou vlastní cestou; ~ *long face* protáhnout obličej, udělat kyselý obličej; ~ *an oar* veslovat; ~ *open* táhnutím otevřít (*the major ~ed open a zipper on the corner of the oxygen tent*); ~ *a t. to pieces* roztrhat, rozškubat, rozcupovat, též přen. (*he ~ed my proposals to pieces*); ~ *one's punches 1.* neútočit ze všech sil, držet se při útoku zpátky *2.* vyjadřovat se opatrně, chodit kolem horké kaše; ~ *a raw one* utrhnout se, vyprávět neslušnou anekdotu; ~ *at the same end of the rope* táhnout za jeden provaz; ~ *shut* táhnutím zavřít (*he ~ed the door shut behind him*); ~ *stakes* AM sbalit kufry, sebrat svých pět švestek; ~ *a strike* vyvolat stávku; ~ *strings* hovor. *1.* řídit něco ze zákulisí, zařizovat všechno zpozadí, manipulovat *2.* zaonačit si, zařídit si např. protekcí; ~ *a ticket* AM dostat / inkasovat pokutu; ~ *one's weight 1.* opřít se do vesel *2.* splnit svůj díl práce *3.* opřít se do toho vší silou, nechávat si rezervu; ~ *wigs* = ~ *caps;* ~ *the wires* = ~ *strings;* ~ *the wool over a p.'s eyes* házet písek do očí komu, věšet bulíky na nos komu ***pull about 1*** strkat, postrkovat *2* špatně zacházet s, sekýrovat ***pull along*** vléci, vláčet, táhnout ***pull apart 1*** odtrhnout od sebe, roztrhnout, přetrhnout se (*a rope ~s apart*) *2* roztáhnout, otevřít odhrnutím n. trhnutím *3* odplout, odveslovat od sebe *4* přen. roztrhat, rozcupovat, roznést na kopytech (*the professor proceeded to ~ apart the student's paper*) ***pull back 1*** strhnout / stáhnout zpět; zarazit, zastavit *2* přestat dělat, zdržovat práci *3* antedatovat ***pull down 1*** zatáhnout, stáhnout dolů; stlačit cenu *2* strhnout, zbořit, provést demolici čeho *3* zdolat, oslabit, vyčerpat tělesně n. duševně (*an attack of influenza soon ~s you down* chřipkové onemocnění vás brzy vyčerpá) ***pull in 1*** přitáhnout uzdu koni, zastavit koně; omezit, zredukovat (výdaje), utáhnout si pásek (*you'll have to ~ in (your expenses) if you want to escape bankruptcy* chcete-li se vyhnout bankrotu, budete se musit omezit (v utrácení) *2* vjet, vplout; přijet, připlout, přistát, přirazit (*the boat ~ed in to the shore*); zastavit se u kraje cesty *3* hovor. zastavit se na skok *at* u *4* hovor. sebrat, zašít zatknout (*he was ~ed in for loitering* zašili ho pro potulku) ♦ ~ *in one's belt* utáhnout si opasek; ~ *in one's horns* zalézat, stahovat se, krotit se, mírnit se ***pull o.s. in*** zatáhnout břicho ***pull off 1*** vyhrát, dokázat, získat, udělat, dokázat udělat, úpěšně provést *2* stáhnout | si, svléknout | si (*she ~ed her stockings off*); smeknout; zout | si *3* rozjet se, odjet od okraje cesty *4* odejít, vypadnout *5* loď odrazit, odplout ***pull on*** natáhnout | si, navléci | si, obléknout | si, obout | si ***pull out 1*** vytrhnout (*to* *have a bad tooth ~ed out*), vytáhnout *2* odjet, vyjet (*the train ~ed out*); *3* odstěhovat se, přemístit se; vyplout, odplout (*the boat ~ed out into midstream* loď vyplula doprostřed proudu) *4* odrazit, odjet od okraje cesty *5* hovor. odejít, vystoupit, vymanévrovat, stáhnout se z podniku, vykroutit se *6* vyrovnat střemhlavý let ***pull over 1*** zajet s autem ke kraji vozovky *2* přetáhnout např. přes hlavu ***pull round 1*** sbírat se; sebrat se, vzchopit se, zotavit se (*you'll soon ~ round here in the country*) *2* vzkřísit, postavit na nohy (*have this brandy, it will ~ you round*) ***pull through 1*** protáhnout *2* čistit vnitřek hlavně *3* sebrat se, vykřesat se z toho, dostat se z toho (*the patient eventually ~ed through* nakonec se pacient z toho přece jen vykřesal) *4* prosadit, dokázat ***pull together 1*** stáhnout, zdrhnout *2* postavit na nohy, dostat organizačně dohromady *3* dát se dohromady, táhnout za jeden provaz (*learned to ~ together for the good of all*) ***pull o.s. together*** vzpamatovat se, vzchopit se (*it was only a minor accident, but the driver couldn't seem to ~ himself together* šlo jen o malou nehodu, ale řidič jako by se nemohl vzpamatovat) ***pull up 1*** pořádně zatáhnout, soustavně tahat *2* vytáhnout, vztyčit (*~ a flag*) *3* zastavit, zarazit (*the children ~ed up his pony*) *4* nehonit se, zpomalit, přibrzdit (*he was advised by his doctor to ~ up and take it easy* lékař mu doporučil, aby se přestal honit a žil klidněji); zastavit | se, zůstat stát (*he ~ed up at the petrol station*) *5* dotahovat, dohnat, dohánět (*the big horse was third but he began to ~ up and won by a nose*) *with* koho *6* podat si koho, zavolat si koho na koberec *about* kvůli *7* dotáhnout znalosti, vylepšit ♦ *~ one's socks up* přen. vyhrnout si rukávy, plivnout si do dlaní; *~ up stakes* AM hovor. sbalit kufry, sebrat svých pět švestek; *~ up trees* přen. lámat skály, dělat divy ● *s* **1** táhnutí, zatáhnutí, škubnutí; tah **2** táhlo, šňůra; rukojeť, knoflík, držátko sloužící k vytahování **3** lok, doušek *at* z; tah např. z dýmky, puk, baf, bafnutí *at* z **4** stisk, stisknutí; odpor spouště, síla potřebná k natažení **5** přitažení uzdy; zdržování koně aby nevyhrál **6** projížďka ve veslici, zaveslování, výlet na loďce, cesta po vodě (*we went for a short ~ on the lake, it takes a long ~ to get there*); veslařská směna **7** namáhavá cesta, namáhavý výstup (*it was a long ~ to the top of the mountain*) **8** sport. odpálení míče zvnějšku šikmo **9** obtah, korektura zejm. sloupcová; *~s pl* ruční obtahy zejm. sloupcové, otisky, nátisky, sloupce **10** určitá výhoda, přednost, náskok (*people who have had a classical education do start with a ~*) **11** hovor. vliv *with* na, slovo u (*he has a strong ~ with the managing director* má u ústředního ředitele velké slovo); protekce (*got that job through ~*) **12** AM ohlas na inzerát n. propagační kampaň (*a mail ~ heavy enough to make any sponsor drool* tak silný ohlas v korespondenci, že by se každému sponzorovi sbíhaly sliny) **13** přitažlivost (*box-office ~* kasovní úspěch), magnetická síla (*the ~ of humour*) **14** BR větší zásoba piva atd. než je zapotřebí ♦ *give a ~* zatáhnout, škubnout; *have the ~of* mít výhodu nad / proti; *take a ~ at 1.* dát si z, napít se z (*he took a ~ at the bottle* napil se z láhve) *2.* bafnout, zabafat (*the old man would take a ~ at his pipe* stařec zabafal z dýmky) *3.* přitáhnout uzdu (*to avoid collision our young friend has to take a ~* náš mladý přítel musí přitáhnout uzdu, aby se nesrazil)

pullback [pulbæk] **1** zdržující překážka, zádrhel (*his sickness has been a ~ to us* jeho nemoc nám udělala čáru přes rozpočet) **2** reakcionář (*the diehards, the ~s, the enemies of progress* zarytí konzervativci, reakcionáři, nepřátelé pokroku) **3** stažení, stáhnutí (*a ~ of troops from the frontier*) **4** rozpěrací háček okna; vraceč, odtahovač **5** sukně zřasená vzadu; zřasení sukně vzadu; čím se sukně takto řasí

pulled [puld] v. *pull, v* ♦ *~ bread* smažená střída bílého chleba; *~ chicken* zadělávané kuřecí maso; *~ figs* naplocho zmáčknuté fíky; *~ wool* jirchářská / jateční vlna

puller [pulə] **1** tahač, vytahovač; vytahovák, páčidlo na vytahování; vývrtka **2** tahoun kůň **3** hovor. co upoutává zájem, tahák (*this ad is an excellent ~*)

puller-in [ˌpuləˈin] AM hovor. chytač zákazníků n. hostů stojící před obchodem n. zábavním podnikem a vtahující je dovnitř

pullet [pulit] kuře, mladá slepice do jednoho roku

pulley [puli] *s* **1** kladka **2** převod, řemenice; lanovnice **3** nával na sudy ♦ *~ block / tackle* kladkostroj ● *v* táhnout, vytahovat, zvedat kladkou / kladkostrojem

pull-in [pulin] **1** parkovací místo, odpočivadlo, parking u silnice **2** = *pull-up*

Pullman [pulmən] *adj* Pullmanův (*a ~ car*) ● *s* pulman druh komfortního amerického osobního vagónu; lůžkový vůz, spací vagón

pull-off [pulof] **1** odtažení, uvolnění padáku při seskoku **2** spoušť zbraně

pull-on [pulon] *adj* jsoucí bez zapínání, navlékací přes hlavu; oblékaný natáhnutím (*a ~ sports hat*) ● *s* co se obléká bez rozepínání rukavice; návlek; korzet; svetr

pull-out [pulaut] **1** vytrhávání **2** AM vytahování písmen za tisku **3** vyklápěčka, vyklápěcí seznam, vyklápěcí ilustrace v knize **4** stažení, stáhnutí, vyklizení vojska ♦ *~ index* kartotéka

pull-over [ˈpulˌəuvə] *adj* oblékaný natáhnutím přes hlavu, jsoucí bez zapínání (*a ~ parka with hood* parka s kapucí oblékaná přes hlavu) ● *s pullover* svetr, pulovr, bluzon

pull station [ˌpulˈsteišən] požární hlásič

pull-through [pulθru:] čisticí šňůra, vytěrák pušky
pullulant [paljulənt] **1** rašící, vyrážející **2** rychle se rozmáhající, šířící se, bující
pullulate [paljuleit] **1** rašit, vyrážet **2** rodit | se rychle, bujet, množit se, rozmáhat se, šířit se; být plný *with* čeho (*the pavements of hell ~ with liars* dláždění pekla je plné lhářů), hemžit se čím
pullulation [ˌpaljuˈleišən] množení, rozmnožování
pull-up [pulap] **1** prudké zastavení **2** přitáhnutí se k bradě ve visu, shyb **3** šplh, šplhání **4** zájezdní hostinec; hostinec, restaurace, bufet, motorest u silnice (*a ~ for lorry-drivers*) **5** krátké zvednutí letadla
pully-haul [puliho:l] BR hovor. tahat semtam
pully-hauly [ˌpuliˈho:li] BR hovor. *adj* tahací ● *s* tahání sem tam; tahanice
pulmobranchiate [ˌpalməˈbræŋkiit] zool. mající žábry uzpůsobené k dýchání na vzduchu
pulmometer [palˈmomitə] med. dechoměr, spirometr, pulmometr
pulmometry [palˈmomitri] měření obsahu plic
pulmonaria [ˌpalməˈneəriə] bot. plicník lékařský
pulmonary [palmənəri] *adj* **1** plicní, pulmonární **2** mající plíce, dýchající plícemi **3** stižený plicní chorobou; choulostivý na plíce ◆ *~ artery* plicní tepna, plícnice; *~ disease* plicní choroba ● *s* (*-ie-*) bot. plicník lékařský
pulmonate [palməneit] mající plíce, dýchající plícemi
pulmonic [palˈmonik] *adj* **1** plicní, pulmonální **2** týkající se plícnice ● *s* **1** nemocný plicní chorobou, plicař (hovor.) **2** plicní lék
pulmotor [palməutə] přístroj na umělé dýchání
pulp [palp] *s* **1** dužnina, dužina, dřeň; odb. pulpa **2** masitá část těla, masíčko **3** kaše, drť, dřevovina, papírovina; beztvará hmota **4** rozdrolená ruda, rmut, kal ◆ *~ cavity* dřeňová dutina zubu; ◆ *~ engine* hadromel, holandr; *~ literature* hovor.: literární škvár; *~ magazine* hovor. plátek; *~ mill* stoupa; *to a ~* napadrť, na cimprcampr (*beat a p. to a ~* zmlátit koho, že se nemůže hýbat, *reduce to a ~* úplně zničit koho psychicky) ● *v* **1** rozmělnit, rozdrolit, rozdrtit, rozbít na kaši; dát do stoupy knihu **2** zbavit dužiny n. dřeně; loupat, vylupovat semena kávovníku
pulp board [palpbo:d] dřevitá lepenka
pulper [palpə] **1** drtič; mlýn: holandr; stoupa **2** vylupovač, loupač semen kávovníku **3** mačkadlo na ovoce
pulpify [palpifai] (*-ie-*) rozmělnit, rozmačkat, rozdrolit, rozemlít na kaši (*to ~ wood fibre*)
pulpiness [palpinis] **1** dužinatost, dužnatost; měkkost, šťavnatost **2** masitost; houbovitost **3** kašovitost
pulpless [palplis] jsoucí bez dužiny, bez dřeně
pulpit [pulpit] **1** kazatelna **2** kázání; kazatelé; kazatelství; v názvu knih sebraná kázání **3** tribuna; obsluhovací plošina; pilotní prostor **4** námoř. plošina na přídi člunu pro harpunáře; plošina na přídi sportovního rybářského člunu pro rybáře; příďový koš sportovních plavidel
pulpitarian [ˌpulpiˈteəriən] *adj* kazatelský ● *s* kazatel
pulpiteer [ˌpulpiˈtiə] hanl. *s* řemeslný kazatel ● *v* kázat, bojovat z kazatelny *against* proti
pulpous [palpəs] = *pulpy*
pulpousness [palpəsnis] = *pulpiness*
pulpy [palpi] (*-ie-*) **1** dužnatý, dužinatý; měkký, šťavnatý **2** masitý; houbovitý; měkký a třaslavý **3** kašovitý
pulque [pulki] agavové víno, pulke ◆ *~ brandy* agavový destilát / likér
pulsar [palsa:] hvězd. pulsar
pulsate [palˈseit / AM palseit] **1** pulsovat (*an artery ~s*), též přen.; krev tepat **2** pravidelně bušit (*the heart ~s*), pravidelně jít, běžet (*a motor ~s*) **3** chvět se, rozechvět se; živě se pohybovat, vibrovat; dýchat *with* čím (*the country is pulsating with beauty*) **4** vytřásat diamanty
pulsatile [palsətail] **1** pulsační; pulsující **2** chvějící se ◆ *~ instruments* bicí nástroje hudební
pulsatilla [ˌpalsəˈtilə] **1** bot. koniklec **2** lékár. anemonin
pulsating [palˈseitiŋ / AM palseitiŋ] **1** tech. tepavý, pulsující; pulsační (*~ jet engine* pulsační motor) **2** rytmický (*~ tunes*) **3** v. *pulsate*
pulsation [palˈseišən] **1** tep, tepot, tepání, žilobití pulsace **2** rytmické chvění, vibrace, pulsace; rytmický záchvěv, ráz, puls **3** elektr. tepání, pulsace
pulsative [palsətiv] = *pulsatile*
pulsator [palˈseitə] **1** co pulsuje, co se rytmicky chvěje; tepač, tepavé zařízení **2** pulsátor; stroj na vytřásání diamantů
pulsatory [palsətəri] = *pulsatile*
pulse[1] [pals] luštěnina; luštěniny
pulse[2] [pals] *s* **1** tep, puls (*the patient has an irregular ~* pacient má nepravidelný tep) počet tepů za minutu (*a resting ~ of 70* 70 tepů v klidu), též přen. (*one felt the ~ of the village in the pub*) **2** rytmický ráz, úder, záběr; rytmická doba hudební; odměřovaný rytmus, puls; rytmický impuls (*a ~ of light*) **3** pravidelný běh, chod (*the ~ of the engine*) **4** životaschopnost, vitalita, síla (*stirred the ~ of mankind* pohnulo životaschopností lidstva) **5** proudový impuls ◆ *feel a p.'s ~ 1.* nahmatat / zjistit / změřit tep komu *2.* přen. sáhnout na zoubek komu; zjistit, co obnáší kdo; *have / keep one's finger on the ~ of a period* citlivě sledovat cítění doby, citlivě reagovat na cítění doby; *main ~* hud. těžká doba; *~ rate* počet tepů za minutu; *~ train* sled impulsů; ● *v* **1** tepat, rytmicky se chvět, pulsovat, též přen.; rytmicky bít, narážet; rytmicky vydávat, vysílat **2** vytvářet impulsy; impulsově modulovat (*~ light*)
pulseless [palslis] **1** jsoucí bez tepu, bez pulsu **2** přen.

slabý, mdlý, malátný; neživý, bezúčelný, bezkrevný
pulselessness [palslisnis] přen. slabost, mdlost, malátnost; neživost, bezúčelnost, bezkrevnost
pulsimeter [palˈsimitə] med. přístroj na měření tepu
pulsometer [palˈsomitə] pulsometr tepavé parní čerpadlo
pultaceous [palˈteišəs] kašovitý, měkký
pulverizator [palvəraizeitə] = *pulverizer*
pulverizable [palvəraizəbl] **1** rozmělnitelný, rozdrolitelný na prach, pulverizovatelný **2** tekutina rozprášitelný **3** zničitelný, rozbitelný
pulverization [ˌpalvəraiˈzeišən] **1** rozmělnění, rozdrcení, rozemletí na prach, pulverizace **2** rozprášení tekutiny **3** rozbití, zničení, destrukce, likvidace (*the ~ of individual liberty and dignity* likvidace svobody a důstojnosti jednotlivce)
pulverize [palvəraiz] **1** rozmělnit, rozdrtit, rozemlít na prach, pulverizovat **2** rozpadnout se na prach **3** rozprášit tekutinu **4** přen. úplně zničit, rozbít, rozdrtit, srovnat se zemí (*a bomb that could ~ a city*)
pulverized [palvəraizd] **1** práškový (*~ coal, ~ sugar*) **2** v. *pulverize*
pulverizer [palvəraizə] **1** rozmělňovadlo, mlýn na jemné mletí, pulverizátor stroj na pulverizování **2** rozprašovač tekutiny, frčátko (hovor.) **3** brány na rozmělňování půdy
pulverulent [palˈverjulənt] **1** práškovitý; prašný; zaprášený **2** drolivý, snadno se rozpadávající
pulvinate [palvineit] **1** bot., zool. poduškovitý, polštářovitý, nepravidelně bochníkovitý **2** archit. = *pulvinated*
pulvinated [palvineitid] archit. vypuklý, vypouklý; vyvstávající
puma [pju:mə] puma zvíře i kožešina
pumelo [pamələu] = *pomelo*
pumice [pamis] *s* pemza ◆ *~ hoof* zvěř. *1.* plné kopyto, plnorohé kopyto *2.* plnorohý kůň ● *v* hladit / čistit / třít / brousit pemzou
pumiceous [pju:mišəs] pemzový, pemzovitý
pumice stone [pamisstəun] pemza
pummel [paml] (*-ll-*) bít, tlouci, bušit, bubnovat zejm. pěstmi *at* do
pummelo [pamiləu] = *pomelo*
pump[1] [pamp] **1** pánský lakový střevíc, lakýrka, pánské perko **2** dámská lodička
pump[2] [pamp] *s* **1** čerpadlo, pumpa; vývěva; stříkačka **2** přen. pumpička, motorek srdce (*the doctor said I have a good ~*) **3** čerpání, pumpování, zapumpování **4** tahání informací vhodnými otázkami, pumpování peněz; kdo umí dobře tahat z někoho informace ◆ *prime the ~* AM zvýšit státní subvenci n. výdaje na veřejné podnikání k překonání deprese; *village ~* obecní pumpa symbol malicherné lokálnosti ● *v* **1** čerpat, nasávat čerpadlem, pumpovat; hustit; vyčerpat, vypumpovat loď n. vodu z lodi **2** hnát, stříkat, vhánět (jako) pumpou (*the blood is ~ed into the muscles* krev je vháněna do svalů); foukat, dmychat měchem; přen. na|hustit, na|lít, v|tlouci (*knowledge ~ed into their skulls* vědomosti, které jsou jim vtloukány do hlavy) **3** srdce tlouci, bušit, pumpovat (*the heart ~ed hard*); prýštit, tryskat (jako) při pumpování (*blood ~s from a cut artery* krev rytmicky tryská z rozříznuté tepny) **4** pohybovat nahoru a dolů jako při pumpování, silně / energicky / okázale potřást (*he ~ed Daniel's hand*); stisknout a pustit (*just ~ the lever* stačí stisknout a pustit páku) **5** uvádět v pohyb šlapáním, šlapat (*~ a bicycle, ~ a sewing-machine treadle* šlapat šlapadlo šicího stroje); šlapat měchy **6** houpat se komíháním (*we would stand up in the swing and ~* postavili jsme se na houpačce a houpali), opakovaně snižovat těžiště na lyžích, pumpovat **7** tahat / pumpovat *a p.* z koho informace, peníze, vytáhnout informace; hledat *for* co, pátrat po čem otázkami **8** nasázet, nandat, nahustit, vehnat, napráskat nastřílet (*he ~ed bullets into five congressmen*), pálit (*rifles ~ed continuously* pušky pálily bez přestání) **9** dřít *at* na, dělat co (*he ~ed away at his homework all evening*) **10** rtuť v barometru stoupnout a okamžitě klesnout ◆ *be ~ed* být bez dechu, udýchaný, vyčerpaný, zchvácený; *~ dry* úplně vyčerpat, vypumpovat až nic nezůstane; *~ hard* úplně nahustit, přehustit pneumatiku; *~ ship* hovor. *1.* vylít špínu, čurat, vyčurat se *2.* čurání ***pump out 1*** vypumpovat, vyčerpat, vysát **2** přen. zchvátit, vyčerpat, zbavit dechu ***pump up 1*** čerpat do vyšší polohy **2** napumpovat vodu **3** nahustit pneumatiku
pump brake [pampbreik] vahadlo stojanového čerpadla, vahadlo ruční stříkačky
pumper [pampə] **1** čerpač, obsluhovatel čerpadla, pumpař **2** požární vůz s čerpadlem **3** AM naftový vrt z něhož se musí ropa čerpat
pumpernickel [pampənikl] **1** pumprnikl druh černého žitného chleba **2** perník
pump gun [pampgan] opakovačka
pump-handle [ˈpampˌhændl] zuřivě potřásat rukou nahoru a dolů
pumpkin [pam*p*kin] tykev, dýně, turek, tykev turek (bot.)
pumpkin seed [pam*p*kinsi:d] **1** semeno tykve atd. **2** americká ryba *Lepomis gibbosus*
pumpman [pampmən] *pl: -men* [-mən] pumpař
pump rod [pamprod] **1** pístnice čerpadla **2** táhlo čerpadla
pump room [pampru:m] **1** čerpací stanice **2** sál s pramenem, pramen v lázních
pumpwell [pampwel] studně s čerpadlem
pun[1] [pan] *s* slovní hříčka, kalambúr ● *v* (*-nn-*) dělat slovní hříčky, hrát si se slovy
pun[2] [pan] z|dusat, udusat, z|pěchovat ***pun up*** udusat pěchovadlem

puna [pu:nə] **1** puna náhorní plošina v peruánských Andách; vítr tam vanoucí **2** dýchací potíže ve vyšších polohách, horská nemoc

punch[1] [panč, panš] *s* **1** průbojník; děrovač prorážecí / vyrážecí / zarážecí trn; lisovník, razník, písmový razník; děrovací / prostřihovací lis **2** kleštičky na propichování jízdenek **3** dírkovač, dírkovačka **4** proražený otvor, dírka **5** kamenický oškrt, špičák ● *v* **1** probíjet, pro|razit, pro|píchnout, udělat díru / dírky do, dírkovat, děrovat; perforovat (*a postage stamp ~ed with round holes*); vyrazit, zarazit trnem; násilím prorazit (*a rocket could ~ its way out of the atmosphere*) **2** pro|štípnout, pro|píchnout, pro|cviknout jízdenku **3** píchat, šťourat, bodat např. holí (*was ~ed with an umbrella*); AM hnát dobytek ◆ *~(ed) card* děrný štítek; *~ing machine* děrovací stroj, děrovačka; *~ a time clock* píchat hodiny ***punch in 1*** zarazit, vrazit *2* píchat příchod na píchacích hodinách (*arrive at the plant before ~ing in at eight o'clock*)

punch[2] [panč, panš] *s* **1** úder, rána pěstí (*land a ~ on the jaw* ubalit ránu do zubů), též přen.: **2** přen.: úderná síla, šťáva, břitkost, říz, elán, energie (*this book has a ~, a team with terrific ~, put more science and ~ into salesmanship* dejte do prodejní techniky víc vědy a větší říz) ● *v* **1** udeřit pěstí, dát pěstí ránu *on* do (*the boxer ~ed his opponent on the nose*); udeřit, bušit, mlátit *a t.* do (*~ a typewriter*) **2** slang. dát sílu, šťávu, říz, břitkost, šmrnc, podtrhnout, vypíchnout, prodat (*lectures on how to ~ their lines*) **3** bojovat, prát se s osudem

punch[3] [panč, panš] **1** punč, horký koktail, grog; bowle nápoj i nádoba **2** punčový dýchánek **3** ovocný koktejl

punch[4] [panč, panš] **1** BR též *Suffolk ~* malý silný tažný kůň **2** BR nář. pořízek, cvalda, cvalík **3** *P~* hrbatý Kašpar s velkým nosem; název anglického humoristického týdeníku ◆ *P~ and Judy* Kašpárek a Kalupinka; *P~ and Judy show* maňáskové / bramborové / pimprlové divadlo jehož hrdina *Punch* uškrtí své dítě, ubije manželku apod.; *pleased as P~* šťastný jako blecha; *proud as P~* pyšný jako páv

punch ball [pančbo:l, panšbo:l] **1** punchingball upevněný míč používaný k výcviku rohovníků **2** terčový míček sloužící k nácviku přesných úderů

punch board [pančbo:d, panšbo:d] loterní prkénko

puch bowl [pančbəul, panšbəul] **1** punčová bowle nádoba na přípravu punče apod., měsidlo na punč **2** geol. dolina

punch card [pančka:d, panška:d] děrný štítek

punch-drunk [pančdraŋk, panšdraŋk] **1** umlácený, ranami otupělý, groggy **2** hovor. tupý, pitomý, zpitomělý

puncheon[1] [pančən, panšən] **1** krátký sloupek, krátká vzpěra **2** dřevěná krajina, krajinka, štěpina (*~ floor*) **3** ozdobný zlatnický razník **4** řidč. = *punch*[1]

puncheon[2] [pančən, panšən] **1** hist. káď **2** kvasný sud **3** dutá míra (84 galonů pro víno, 72 galonů pro pivo)

puncher [pančə, panšə] **1** probíječ, děrovač; razič **2** děrovačka, perforátor **3** AM kovboj

Punchinello [ˌpančiˈneləu, ˌpanšiˈneləu] **1** Pulcinella hlavní postava italského loutkového divadla; Kašpárek **2** bečka, tlouštík

punching ball [pančiŋbo:l, panšiŋbo:l] = *punchball*

punch ladle [ˈpančˌleidl, ˈpanšˌleidl] naběračka k bowli

punch line [pančlain, panšlain] **1** pointa vtipu, vyvrcholení vyprávění **2** klíčová věta, nejdůležitější věta / řádek např. inzerátu, slogan

punch-up [pančap, panšap] slang. rvačka, rvanice pěstmi **2** ostrá hádka

punchy [panči, panši] **1** bojovný (*~ liberal conscience* bojovně liberální svědomí); průbojný, razantní (*short, ~ one-sentence paragraphs*) **2** umlácený, ubitý, vyčerpaný, otupělý ranami, groggy (*men already ~ from combat* muži již otupělí a vyčerpaní bojem)

punctate [paŋkteit] bot., zool. tečkovaný

punctation [paŋkˈteišən] **1** bot., zool. tečkování; tečkovanost **2** práv. hist. punktace návrh písemné smlouvy v hlavních bodech

punctilio [paŋkˈtiliəu] **1** nuance pravidel slušného chování, přesný předpis; podružný detail etikety, malichernost **2** etiketa; společenský formalismus, okolkování, ceremonie, škrobenost, přehnaná korektnost

punctilious [paŋkˈtiliəs] **1** jen malicherný, pouze formální, pedantický (*uncivilized people often pay ~ attention to rules of etiquette about salutations*) **2** škrobený, přehnaně korektní (*as ~ as a Spaniel*)

punctiliousness [paŋkˈtiliəsnis] **1** malichernost, formálnost, pedantičnost **2** škrobenost, přehnaná korektnost

punctual [paŋktjuəl] **1** přesný, dochvilný, dodržující stanovený čas (*in a land of ~ trains* v zemi, kde vlaky jezdí přesně) **2** podrobný, detailní (*with ~ care*) **3** bodový (*a ~ light source* bodový zdroj světla) **4** zast. = *punctilious*

punctuality [ˌpaŋktjuˈæləti] **1** přesnost, včasnost, dochvilnost **2** podrobnost, detailnost **3** zast. = *punctiliousness*

punctually [paŋktjuəli] **1** přesně, na minutu, na vteřinu, na chlup přesně **2** v. *punctual*

punctuate [paŋktjueit] **1** udělat interpunkci, interpunkční znaménka do, psát interpunkční znaménka, interpungovat (řidč.) **2** kouskovat, přerušovat (*~ the silence*) *with* čím (*she ~d his petitions with Aments*) **3** nespr. vyzvednout, vypíchnout, podtrhnout, zdůraznit

punctuation [ˌpaŋktjuˈeišən] **1** interpunkce **2** rozdělení na části n. epochy; rozdělovací znaménko, tečka, vykřičník (přen.) (*the occasional ~ of a si-*

ren call) **3** v hebrejštině a arabštině; punktace naznačení samohlásek znaménky ◆ ~ *mark* interpunkční znaménko
punctulate [paŋ*k*tjuleit] tečkovaný, kropenatý
punctulation [ˌpaŋ*k*tjuˈleišən] tečkování; tečkovanost, kropenatost
punctule [paŋ*k*tju:l] tečička
punctum [paŋktəm] *pl: puncta* [paŋktə] bod, tečka, puntík
puncture [paŋkčə] *s* **1** píchnutí, propíchnutí, proražení zejm. pneumatiky; též med. **2** stopa po proražení, otvor, díra, píchnutí; vpich (*the ~ of a hypodermic needle* vpich podkožní jehlou) **3** elektr. průraz, probití ● *v* **1** pro|píchnout, prorazit (*~ the skin with a needle, ~d his new tire* píchl novou pneumatiku) **2** přen. způsobit, že splaskne, zbořit (*~ an illusion*) ◆ *~ voltage* elektr. průrazné napětí
puncture-proof [paŋkčəpru:f] odolný proti propíchnutí, samozalepující, samotěsnící
puncturevine [paŋkčəvain] bot. kotvičník zemní
pundit [pandit] **1** učený bráhmán **2** hovor. učenec, vědátor; papež autorita
punditry [panditri] **1** učenost, vědátorství **2** učenci, vědátoři
pung [paŋ] primitivní sáňky
pungence [pandžəns], **pungency** [pandžənsi] **1** ostrost, pichlavost, bodavost **2** čpavost, štiplavost **3** řezavost, kousavost, zžíravost; palčivost, řízn ost, průraznost
pungent [pandžənt] **1** ostrý, pichlavý, bodavý (*~ leaves of holly* pichlavé listy cesmíny, *a ~ ray on a fish* ostré paprsky ryby); pronikavý (*singers with ~ voices* zpěváci s pronikavými hlasy) **2** pronikavě vonící, čpavý, čpící, štiplavý (*the autumn's ~ smell of burning leaves* podzimní štiplavý pach páleného listí) **3** řezavý, kousavý, zžíravý (*~ humour*), palčivý (*~ truth*); řízný, průrazný (*fewer pages and shorter paragraphs help make it more ~*)
Punic [pju:nik] *adj* **1** punský, kartaginský **2** zrádný, věrolomný ◆ *~ faith* zrádnost, věrolomnost; *~ wars* punské války ● *s* kartaginské nářečí féničtiny
punily [pju:nili] v. *puny*
puniness [pju:ninis] malost, drobnost, mrňavost, titěrnost, zakrslost
punish [paniš] **1** po|trestat, ztrestat ukládat trest *a p.* komu *by* / *with* čím *for* za co (*~ a man with a fine* potrestat člověka pokutou), stíhat trestem *a t.* co (*how would you ~ lying?*); pokutovat **2** hovor. týrat, mučit, ničit (*the wife who ~ed him with frenetic fits of nerves* manželka, která ho ničila zuřivými neurotickými záchvaty); decimovat, poškodit (*the ships were considerably ~ed by the batteries*); zřídit, zrychtovat, nemilosrdně bít do soupeře v zápase, dát zabrat, dát co proto, nalinýrovat to soupeři v závodě; týrat, přetěžovat stroj **3** hovor. pořádně se podívat do, dát se do, pustit se do pokrmu, nápoje (*~ a bottle of port*) **4** sport. vrátit i s úroky, odplatit, spočítat, využít
punishability [ˌpanišəˈbiləti] trestnost, stíhatelnost
punishable [panišəbl] trestný zasluhující trest (*a ~ offence* trestný čin), podléhající trestu (*~ offenders*), stíhatelný trestem, postižitelný trestem
punishableness [panišəblnis] trestnost, stíhatelnost
punisher [panišə] **1** vykonavatel trestu, trestatel **2** slang. ďábel se železnými pěstmi boxer **3** přen. co dá zabrat, těžká práce, porod (hovor.)
punishment [panišmənt] **1** trest, trestání, potrestání **2** hovor. těžká nálož, nalinýrování, co proto (*the fighter had been subjected to heavy ~ in his losing bout* v kole, ve kterém prohrál, dostal boxer těžkou nakládačku); opotřebování (*parts in your automobile take thousands of miles of ~ without being tired* některé součásti vašeho auta snesou tisíce mil opotřebování a neunaví se)
punitive [pju:nitiv] trestný, kárný (*~ expedition*), trestní (*~ law*) ◆ *~ police* v Indii trestní policejní sbor který musí být za trest vydržován provinivší se oblastí
punitory [pju:nitəri] = *punitive*
Punjab [panˈdža:b] Paňdžáb
Punjabi [panˈdža:bi] *s* **1** obyvatel Paňdžábu **2** paňdžábština ● *adj* paňdžábský
punji [pan*d*ži] : *~ stick* / *stake* ostrý bambusový bodec část. umazaný od exkrementů nášlapná domorodá zbraň
punk[1] [paŋk] zast. panečnice, harapana
punk[2] [paŋk] AM *s* **1** nahnilé n. ztrouchnivělé dřevo; troud; zápalná hubka **2** nesmysl, pitomost, volovina **3** mládě, nováček, začátečník např. gangster, drobný zlodějíček apod.: trouba, pitomec, vůl **4** necvičené sloní mládě v cirkusu **5** mladý povaleč, výtržník; homosexuální objekt s bíle nalíčeným obličejem; pankáč (hovor.), teplouš, buzík ● *adj* **1** slang. blbý, špatný, ubohý, mizerný, uhozený **2** ovoce moučný
punk[3] [paŋk] hovor. píchnutá pneumatika
punka(h) [paŋkə] v Indii velký čtyřhranný vějíř u stropu; vějíř zejm. z palmyry ◆ *~ wallah* sluha pohybující vějířem
punner [panə] pěch, pěchovačka, pěchovadlo
punnet [panit] košíček na ovoce
punster [panstə] kdo si libuje ve slovních hříčkách, vtipálek
punt[1] [pant] *s* člun s plochým dnem, pramice, pramička, loďka poháněná odpichováním bidlem ● *v* **1** odpichovat se, odstrkovat se bidlem, bidlovat **2** převážet, dopravovat odpichováním na pramici
punt[2] [pant] sport. *v* po vhození vykopnout (míč) přímo ze vzduchu ***punt over*** slang. přihrát poslat, např. člověka ● *s* **1** kop přímo ze vzduchu, volej (hovor.) **2** výkop brankáře
punt[3] [pant] *v* **1** hrát hazardní hru proti bankéři **2** hovor.

sázet na koně ● *s* hazardní hra proti bankéři; hazardní hráč; bod v hazardní hře
punt-about [ˈpantəˌbaut] sport. **1** tréninkové kopání, nácvik přihrávek **2** tréninkový kopací míč
punter[1] [pantə] *s* **1** kdo jede na pramici, plavec **2** střelec na pramici
punter[2] [pantə] *s* **1** hazardní hráč **2** sázkař na koně, zejm. profesionální **3** burzovní spekulant
puntist [pantist] = *punter*[1]
punt pole [pantpəul] bidlo, sochor
punty [panti] (*-ie-*) sklářská náběrná tyč, palice, sklářský nabírák
puny [pju:ni] (*-ie-*) malý, drobný, mrňavý, titěrný, droubounký, nedorostlý, zakrslý
pup [pap] *s* štěně, též přen. ◆ *in* ~ fena březí; *sell a p. a* ~ vzít koho při koupi na hůl, slibovat, že kupované bude mít v budoucnosti větší cenu; ~ *tent* turistický stan, pochodový stan ● *v* (*-pp-*) vrhnout (štěňata), oštěnit se
pupa [pju:pə] *pl* též *pupae* [pju:pi:] zool. kukla, pupa
pupal [pju:pəl] zool. týkající se kukly, kukelní
pupate [pju:peit] zool. zakuklit se; projít vývojovým stádiem kukly
pupation [pju:ˈpeišən] zool. zakuklení
pupil [pju:pl] **1** žák; školák **2** práv. dítě, nezletilec, opatrovanec **3** zornice, zornička, zřítelnice, panenka, pupila
pupil(l)age [pju:pilidž] nezletilost, dětský / školní věk, dětství, žákovství, též přen.
pupil(l)ar [pju:pilə], **pupil(l)ary** [pju:pilәri] **1** žákovský **2** zornicový, zřítelnicový, pupilární
pupil(l)ize [pju:pilaiz] **1** brát žáky **2** učit, vyučovat
pupilship [pju:plšip] = *pupilage*
pupil teacher [ˈpju:plˌti:čə] *s* student vyučující na základní škole ● *adj* týkající se vztahu mezi učitelem a žákem
pupiparous [pjuˈpipərəs] zool. **1** kuklorodý, pupiparní **2** patřící mezi kuklorodky
puppet [papit] **1** loutka, též přen. (*they are not characters, they are* ~*s* to nejsou dramatické postavy, to jsou loutky), maňásek; marioneta **2** panenka na hraní **3** pimprle, tajtrlík **4** přen. papírová figura **5** koník soustruhu; dřevěné vřeteno pro cívku ◆ *glove* ~ maňásek; ~ *government* loutková vláda; *hand* ~ = *glove* ~; ~ *king* | *ruler* loutkový král | panovník ve skutečnosti nikoliv samostatný; ~ *state* loutkový stát, satelit; *stick* ~ vajang; *string* ~ marioneta
puppet clack [papitklæk] řidč. talířový ventil
puppeteer [ˌpapiˈtiə] loutkař
puppet play [papitplei] loutková hra
puppetry [papitri] (*-ie-*) **1** loutkářství, loutkařina **2** tajtrlíkování, tajtrlictví, tatrmanství **3** papírová postava, papírové postavy v románě
puppet show [papitšəu] loutková hra
puppet valve [papitvælv] talířový ventil
puppy [papi] (*-ie-*) **1** štěně, štěňátko, mládě **2** mladý tuleň **3** mladý žralok **4** hejsek, holobrádek, klacek
puppydom [papidəm] **1** věk štěněte, psí mládí **2** hejskovství, klackovství, klackovská léta **3** dětinskost; klukovina
puppy dog [papidog] psí štěně
puppy fat [papifæt] hovor. dětské sádlíčko, dětská baculatost
puppyhood [papihud] = *puppydom*
puppyish [papiiš] **1** štěněčí **2** hejskovský, holobrádkovský, klackovský, klackovitý
puppyism [papiizəm] klackovství, hejskovství
puppy love [papilav] dětská láska
pur [pə:] (*-rr-*) = *purr, v*
purana [puˈra:nə] purána posvátná sanskrtská báseň
puranic [puˈra:nik] týkající se purány n. purán
Purbeck [pə:bek] : ~ *marble* druh kvalitního tvrdého vápence; ~ *stone* druh tvrdého vápence
purblind [pə:blaind] *adj* **1** částečně slepý, téměř slepý, tupozraký **2** přen. krátkozraký, tupý (*this* ~ *policy* tato krátkozraká politika); zaslepený, slepý **3** přen. hloupý, přihlouplý, těžko chápavý ● *v* oslepit; zaslepit, otupit
purblindness [pə:blain*d*nis] **1** částečná slepota, tupozrakost **2** přen. krátkozrakost, tupost, zaslepenost, slepota **3** hloupost, přihlouplost, tupost
purchasable [pə:čəsəbl] **1** prodejný, získatelný koupí, jsoucí na prodej **2** zkorumpovaný, podplatitelný
purchase [pə:čəs] **1** kup, koupě, kupování; nákup (*he filled the car with his* ~*s*); hist. zakoupení vojenské hodnosti **2** práv. nabytí, získání jinak než dědictvím zejm. koupí **3** voj. obstarání vojenského materiálu **4** výnos, cena podle výnosu, hodnota; roční nájemné z pozemku (*sold at thirty years'* ~) **5** s neurčitým členem uchopení, u|chycení, zachycení **6** páka; kladkostroj; zařízení na překládání těžkých břemen; zdvihadlo; námoř. jednoduchý lodní kladkostroj **7** výhoda, výhodné / vlivné postavení, mocenské postavení **8** zast. kořist ◆ ~ *cost* pořizovací cena; *get a* ~ *on a t.* uchopit co, sevřít co, zachytit pevně co; *his life is not worth a day's* ~ s tím už je amen, má duši na jazyku, jeho hodiny jsou sečteny; *make a* ~ *of a t.* za|koupit co; ~ *order 1.* nákupní příkaz *2.* objednávka; ~ *price* kupní cena, nákupní cena; ~ *tax* BR daň z obratu ● *v* **1** na|koupit, zakoupit; nakupovat; vykoupit, zaplatit (*a dearly* ~*d victory*) **2** práv. nabýt, získat jinak než dědictvím **3** stačit k zaplacení (*50 dollars will not* ~ *it* na to padesát dolarů nestačí) **4** zdvíhat / spouštět kladkostrojem, použít zařízení na překládání těžkých břemen; námoř. zdvíhat pomocí lodního kladkostroje ◆ ~ *an insurance* pojistitel uzavřít pojištění
purchaseless [pə:čəslis] kde se nelze zachytit, bezedný (~ *mud*)
purchase money [ˈpə:čəsˌmani] kupní cena, nákupní cena

purchase power [ˈpə:čəsˌpauə] kupní síla
purchaser [pə:čəsə] kupující, kupec, zákazník; nákupčí
purchasing agent [ˈpə:čəsiŋˌeidžənt] nákupčí
purchasing power [ˈpə:česiŋˌpauə] kupní síla
purchasing public [ˈpə:čəsiŋˌpablik] zákazníci, spotřebitelé
purdah [pəda:] *s* **1** parda způsob života indických moslimek záležející v naprosté izolaci od všech mužů kromě vlastního manžela **2** rouška, závoj; závěs; látka na závěsy ● *adj* zastřený; konzervativní; uzavřený
pure [pjuə] *adj* **1** čistý bez kalu (*~ spring water* čistá pramenitá voda); bez skvrn (*~ fresh linens*); nesmíšený, bez příměsků (*~ silk*); neporušený, dokonalý (*the ~ religion of our fathers*); dokonalý (*he speaks ~ French*); pouhý (*~ intuition*); abstraktní (*~ science*); beztendenční (*~ literature*); čestný, poctivý, bezúhonný (*a ~ and upright man* čistý a charakterní muž); cudný, nevinný (*a ~ relationship between the sexes*); správné absolutní výšky (*a ~ tone*); s poměrem kmitočtů v přirozeném číselném poměru (*a ~ interval*) **2** čirý, průzračný (*a ~ bubbling brook* průzračný bublající potůček) **3** ryzí (*~ gold, the ~ and original text*); přirozený, přírodní (*~ food*) **4** rituálně čistý, neposkvrněný, neporušený **5** čirý, holý, prostý (*acted from ~ necessity*); abstraktní, teoretický **6** čistokrevný (*a ~ Arab horse*) **7** v řecké gramatice: samohláska následující po samohlásce; kmen končící samohláskou; souhláska nedoprovázená jinou samohláskou ◆ *~ accident* čirá / úplná náhoda; *~ nonsense* úplný nesmysl; *~ and simple* nic než ..., čirý (*laziness ~ and simple* čirá lenost); *~ poetry* liter. čirá poezie; *~ premium* ryzí pojistné; *with the ~ all things are ~* čistému vše čisté ● *adv* výhradně, jedině, zcela, naprosto, čistě
pureblood [pjuəblad] = *purebred*
purebred [pjuəbred] *adj* čistokrevný ● *s* čistokrevné zvíře
purée [pjuərei] *s* **1** pyré kaše, polévka; protlak **2** pasírovaná zelenina n. maso ◆ *fruit ~* ovocný protlak ● *v* roz|mixovat, umixovat
purely [pjuəli] **1** jedině, naprosto, výhradně, čistě **2** v. *pure, adj*
pureness [pjuənis] **1** čistota, čistost **2** čirost, průzračnost **3** ryzost; přirozenost, přírodní charakter **4** neposkvrněnost, neporušenost **5** abstraktnost, teoretičnost **6** čistokrevnost
purfle [pə:fl] *s* zast. obruba, lem, bordura ● *v* ozdobně obroubit, olemovat, opatřit bordurou, ozdobit výšivkou **2** ozdobit dům listovou ozdobou, ozdobně lemovat
purfling [pə:fliŋ] **1** vyložení, vykládání, černý dvojpruh na deskách smyčcových nástrojů **2** v. *purfle, v*
purgation [pə:ˈgeišən] **1** očista; pročištění, purgace střev, pročišťování **2** morální očista, purifikace, katarze; odpykání hříchů v očistci **3** hist. odpřisáhnutí neviny, ordálie, boží soud, očista
purgative [pə:gətiv] *adj* **1** projimavý, projímací **2** očistný (*a ~ ceremony*), očisťující, zbavující viny (*a ~ evidence*) ● *s* projímadlo, laxans, laxativum, purgans, purgativum
purgatorial [ˌpə:gəˈto:riəl] **1** očistcový **2** očistný, očisťující (*~ fires*)
purgatory [pə:gətəri] (*-ie-*) *s* náb. očistec, též přen. ● *adj* očistný
purge [pə:dž] *v* **1** očistit *of / from* od, očistit se; očistit, ospravedlnit *of* od viny, zbavit viny / podezření, prohlásit nevinným **2** též *~ away* odpykat, smýt, usmířit provinění **3** projímat způsobit rychlé vyprázdnění střev; dát projímadlo komu **4** provést politickou čistku; vyloučit čistkou např. z politické strany; vymýtit **5** tech. odkalovat; profouknout ◆ *~ one's contempt* smýt svým činem urážku soudu ***purge o.s.*** očistit se, zbavit se *of* čeho (*the committee heard his attempt to ~ himself of a charge of heresy* výbor vyslechl jeho pokus očistit se z obžaloby z kacířství) ● *s* **1** očista, očištění **2** projímadlo, laxans, laxativum, purgans, purgativum; vyprázdnění střev, purgace **3** politická čistka ◆ *Pride's P~* BR hist.: vyhnání poslanců sympatizujících s roajalisty z dolní sněmovny, které provedl r. 1648 plukovník Pride
purgee [pə:ˈdži:] oběť politické čistky
purification [ˌpjuərifiˈkeišən] **1** očista, očištění, očišťování, purifikace; náb. očišťování, purifikování **2** čeření; čištění, rafinace; zkujňování ◆ *P~* Očišťování Panny Marie, Hromnice; *~ flower* řidč. sněženka, podsněžník
purificator [pjuərifikeitə] círk. purifikatorium pláténko k utírání kalicha
purificatory [pjuərifikeitəri] očistný, očišťující
purifier [pjuərifaiə] **1** čistič **2** čistička, čisticí stroj
purify [pjuərifai] (*-ie-*) **1** o|čistit (*~ the house with soap and water* čistit dům vodou a mýdlem, *~ the heart* očistit srdce), vyčistit *of / from* od (*~ the state of traitors* vyčistit stát od zrádců); purifikovat **2** čeřit; rafinovat; zkujňovat
Purim [pjuərim] Purim židovský svátek
purin [pjuərin], **purine** [pjuəri:n] chem. purin
purism [pjuərizəm] purismus snaha o udržení čistoty jazyka, brusičství; výtvarný (zejm. architektonický) směr, který žádá jednoduchost; jazykový prostředek vyhovující puristům
purist [pjuərist] purista stoupenec jazykového n. výtvarného purismu
puristic [ˌpjuəˈristik] puristický
puritan [pjuəritən] *s* **1** *P~* puritán stoupenec náboženského reformačního směru v Anglii usilující o mravní přísnost **2** mravní purista; puritán člověk přísných mravů ● *adj* puritánský; přísný, puristický
puritanic(al) [ˌpjuəriˈtænik(əl)] puritánský
puritanicalness [ˌpjuəriˈtænikəlnis] = *puritanism*
puritanism [pjuəritənizəm] **1** *P~* puritánství, puri-

tanismus náboženský reformační směr v Anglii **2** mravní úzkoprsost, přísnost, puritánství

puritanize [pjuəritənaiz] **1** zachovávat puritánské zásady, žít životem puritána **2** dát puritánský charakter čemu, vštěpovat puritánství komu

purity [pjuərəti] **1** čistota; čirost, průzračnost **2** ryzost, neposkvrněnost, neporušenost **3** čistokrevnost

purl[1] [pə:l] *s* **1** zlatý / stříbrný dracoun; dracounový lem **2** lem, obruba; smyčkovaný lem, kličkovaná obruba **3** pletení obrace (*two plain two ~* dvě hladce dvě obrace) ◆ *~ stitch* text. rubní očko ● *v* **1** lemovat dracounem n. smyčkami **2** plést obrace

purl[2] [pə:l] *v* potok bublat, zurčet ● *s* bublání, zurčení

purl[3] [pə:l] hist. pelyňkové pivo; horké pivo s ginem

purl[4] [pə:l] hovor. *v* převrhnout | se, překotit | se, udělat se; udělat kotrmelec; sletět z koně ◆ *~ round* za|točit se kolem dokola, u|dělat piruetu ● *s* kotrmelec, pochop, pád; pád s koně

purler [pə:lə] hovor. velká rána, úder; šipka skok po hlavě; pád s koně ◆ *come a ~* sletět s koně, udělat kotrmelec; *fetch a ~* ubalit jednu komu až upadne; *go / take a ~ = come a ~*

purlieu [pə:lju:] **1** pozemek na okraji lesa; zejm. vymýcený okraj lesa vrácený původnímu majiteli **2** kraj, obvod; pole působnosti, loviště, hřiště, píseček, parketa (přen.) **3** periférie **4** *~s, pl* okolí, sousedství, okraj, okrajová část **5** *~s, pl* meze, hranice

purlin [pə:lin] stav. vaznice

purline [pə:lin] = *purlin*

purloin [pə:ˈloin] zcizit, odcizit, ukrást věc i myšlenku

purloiner [pə:ˈloinə] **1** zloděj **2** plagiátor

purple [pə:pl] *s* **1** nach, purpur, brunát barva i purpurová látka **2** přen. hodnost knížete / krále / císaře / kardinála **3** zool. nachovec plž **4** *~s, pl* med. purpura; zvěr. červenka vepřů; zeměd. rzivost, pivoňkové zrno ◆ *born in the ~* narozený z knížecího / královského / císařského rodu; *he was raised to the ~* dostal kardinálský klobouk ● *adj* **1** nachový, purpurový; brunátný **2** přen. knížecí, královský, císařský (*a ~ tyrant*); kardinálský; jsoucí v purpuru **3** okázalý, honosný; bombastický, rétorický; obhroublý, sprostý (*his language is so ~ they had to stop broadcasting the meetings*) ◆ *~ arrow root* bot. dosna; *~ beech* buk krvavý; *~ clover* jetel luční; *~ emperor* zool. batolec duhový; *P~ Heart 1.* voj. ~ medaile zraněnému v bitvě *2.* ~ *h~* BR droga ve tvaru srdíčka, drinamyl; *~ moor-grass* bot. bezkolenec modrý; *~ passage / patch 1.* skvělé místo, vynikající / slavná / často citovaná pasáž literárního díla *2.* vyumělkovaná, příliš květnatá, bombastická n. sentimentální pasáž literárního díla ● *v* obarvit na tmavočerveno, zčervenat, znachovět, z|brunátnět, z|rudnout (*purpling with fury* rudnoucí vztekem)

purple-red [pə:plred] červenofialový, červený s fialovým nádechem, tmavočervený, rudý

purplish [pə:pliš], **purply** [pə:pli] nafialovělý, červenofialový

purpoint [pə:point] = *pourpoint*

purport [pə:pət] *s* **1** zjevný, patrný smysl, záměr, význam, účel **2** tresť, obsah (*gave a ~ of their talk in a few words*) ● *v* **1** mít smysl, znamenat, mít význam, značit **2** mít za cíl, chtít *to do a t.* dělat co, dělat si nárok na co, chtít budit dojem že, dělat prý / údajně co (*a law that ~s to be in the interest of morality* zákon, který prý je v zájmu morálky); vyznít v ten smysl že

purported [pə:pətid] **1** údajný, domnělý (*~ foreign spies* domnělí zahraniční špioni) **2** v. *purport, v*

purpose [pə:pəs] *s* záměr, úmysl; účel; cíl, smysl, cena (přen.) ◆ *this will answer our ~* to nám / našemu účelu bude vyhovovat, to se nám bude hodit; *be to the ~* být na místě n. v intencích, mít váhu; *fixity of ~* cílevědomost; *honesty of ~* čestnost úmyslu; *to (very) little ~ 1.* málo platný, málo účelný *2.* málo úspěšně, s malým úspěchem; *to much ~* (velmi) úspěšně, s velkým úspěchem; *to no ~ 1.* planý, zbytečný, neúčelný, k ničemu, netýkající se věci, nepodstatný *2.* neúspěšně; *novel of ~* tendenční román; *on ~* záměrně, schválně, naschvál, za určitým cílem, just (hovor.); *on ~ to do / that* aby udělal; *for all practical ~s* prakticky (vzato), z praktického hlediska; *serve the ~* (dobře) posloužit, vyhovovat (*this will serve our ~* to nám / našemu účelu bude vyhovovat, to nám postačí, to se nám bude hodit, *serve no ~* nebýt k ničemu, nevyhovovat, být nanic); *of set ~* zcela záměrně, promyšleně, za určitým cílem (*the insult was made of set ~*); *to small ~ = to little ~; to some ~ 1.* aspoň trochu účelný, k něčemu *2.* s částečným úspěchem, dost úspěšně; *strength of ~* rozhodnost, síla vůle; *it suits his ~* to se mu hodí (do krámu), to je voda na jeho mlýn; *to the ~ 1.* účelný *2.* účelně, k věci; *for what ~?* k čemu, proč?; *without ~ 1.* bezúčelný *2.* nerozhodně, bez určitého cíle ● *v* zamýšlet, mít v úmyslu, chtít, mít záměr atd., rozhodnout se (*he ~d to change his way of life radically*)

purpose-built [pə:pəsbilt] budova účelový

purposedly [pə:pəstli] záměrně, schválně, naschvál

purposeful [pə:pəsf*u*l] **1** úmyslný, záměrný **2** k něčemu rozhodnutý, rozhodný, vedený určitým záměrem, cílevědomý (*a ~ man*) **3** funkční, účelný (*ornament is often both decorative and ~* ornament bývá často dekorativní i funkční)

purposefulness [pə:pəsf*u*lnis] **1** účelnost, funkčnost **2** úmyslnost, záměrnost **3** rozhodnost, cílevědomost

purposeless [pə:pəslis] **1** neúmyslný, nezáměrný; nerozhodný **2** bezúčelný, neúčelný, nesmyslný, jsoucí bez cíle

purposelessness [pə:pəslisnis] **1** neúmyslnost, nezáměrnost **2** bezúčelnost, neúčelnost, nesmyslnost
purposely [pə:pəsli] záměrně, schválně, naschvál
purpose novel [ˈpə:pəsˌnovəl] tendenční román
purpose-trained [ˈpə:pəsˌtreind] speciálně vyškolený
purposive [pə:pəsiv] **1** účelný, funkční (*the stings of nettles are* ~ *as stings* žahavé chlupy kopřiv jsou jako žahavý orgán funkční) **2** racionální, cílevědomý (*a* ~ *action*) **3** = *purposeful*
purpresture [pə:ˈpresčə] práv. **1** protiprávní přisvojení cizího pozemku zejm. královského lesa **2** majetek takto přisvojený
purpura [pə:pjurə] **1** med. purpura tečkovité krvácení do kůže **2** zool. nachovec plž
purpureal [pə:ˈpjuəriəl] bás. nachový, brunátný, purpurový
purpuric [pə:ˈpjuərik] **1** med. týkající se purpury, doprovázející purpuru (~ *fever* horečka doprovázející purpuru) **2** chem. purpurový (~ *acid*)
purpurin [pə:pjurin] chem. purpurin
purr [pə:] *v* **1** kočka příst; motor: spokojeně hučet, bzučet, bručet si; člověk: štěstím vrnět, broukat si, pobrukovat si (*Mrs Black* ~*ed with delight on receiving the invitation to dine with the duchess* když paní Blacková dostala pozvání poobědvat s vévodkyní, zavrněla blahem) **2** spokojeně zavrnět (*she* ~*ed her approval of the suggestion* spokojeně zavrněla, že s návrhem souhlasí) ● *s* předení; spokojené hučení, bzučení, bručení, vrnění, broukání, pobrukování
purree [pari:] indická žluť
pur sang [pə:ˈsa:ŋ] čistokrevný, par excellence (*denouncing him as a fascist* ~ obviňující jej, že je čistokrevný fašista)
purse [pə:s] *s* **1** peněženka, portmonka; váček, měšec, míšek na peníze; náprsní taška na peníze **2** přen. pokladna, peněžní fond, kapitál (*all shared the common* ~ všichni se dělili o společný kapitál); peněžní odměna, cena; peněžní sbírka; vypsaná částka **3** přen. finanční možnosti **4** váček, cysta; pytlík šourek zvířat **5** AM malá kabelka ◆ *be beyond one's* ~ být pro koho příliš drahý, být na koho finančně moc (*that car is beyond my* ~); *give a* ~ dát / věnovat / vypsat peněžní odměnu např. při sportovním utkání; *heavy* ~ bohatství; *light* ~ chudoba, nouze; *long* ~ bohatství; *one cannot make a silk* ~ *out of a sow's ear* z písku provaz neupleteš; *make up a* ~ udělat peněžní sbírku, složit se; *privy* ~ BR apanáž krále a členů královského rodu vyplácená z veřejných prostředků; *public* ~ státní pokladna, fiskus, erár; *put up a* ~ dát / věnovat / vypsat peněžní odměnu např. při sportovním utkání ● *v* též ~ *up* svraštit čelo; stáhnout, sešpulit ústa
purse bag [pə:sbæg] dámská kabelka
purse bearer [ˈpə:sˌbeərə] **1** pokladník **2** BR královský úředník nesoucí Velkou pečeť před lordem kancléřem
purseful [pə:sful] plná peněženka, plný váček atd. množství
purseless [pə:slis] **1** jsoucí bez peněženky, bez váčku atd. **2** bez peněz, bez prostředků, chudý
purse net [pə:snet] vaková síť, vlečná síť, vakový nevod
purse-proud [pə:spraud] pyšný na své bohatství, arogantní, povýšený protože bohatý
purser [pə:sə] lodní hospodář, pokladník
purserette [ˌpə:səˈret] lodní hospodářka, pokladnice
purse seine [pə:ssein] AM vakový nevod, vaková síť
purse silk [ˌpə:sˈsilk] šňůrkové / kordonetové hedvábí
purse strings [pə:sstriŋz] *pl* **1** šňůrky u váčku s penězi **2** část. přen. finance (~ *will thus continue to control the distribution of documents*) ◆ *hold the* ~ vládnout pokladnou, obhospodařovat finance; *loosen the* ~ dát z pokladny, uvolnit finanční prostředky, pustit chlup (hovor.); *tighten the* ~ omezit, zredukovat výdaje (*the budget committee is in the process of tightening the* ~ rozpočtový výbor se právě chystá omezit výdaje)
pursiness[1] [pə:sinis] **1** dýchavičnost, zadýchanost, dušnost, krátkodechost **2** tlouštka, tělnatost
pursiness[2] [pə:sinis] nadutost, nafoukanost na peníze
purslane [pə:slin] též *common* ~ bot. šrucha zelná, portulák; ~ *speedwell* bot. rozrazil cizí
pursuable [pəˈsju:əbl] **1** pronásledovatelný, stíhatelný **2** konatelný, provozovatelný, co lze dělat, proveditelný, uskutečnitelný, v čem lze pokračovat **3** sledovatelný; čeho si lze hledět, o co se lze snažit, čemu se lze věnovat
pursuance [pəˈsju:əns] konání, vykonávání, provádění, sledování, uskutečňování ◆ *in* ~ *of 1.* při konání / provádění / sledování (*when they reached London in* ~ *of their little plan*) *2.* podle, ve shodě s, na základě (*in* ~ *of his order*); *in* ~ *of truth* při hledání pravdy
pursuant [pəˈsju:ənt] *adj* **1** zast. žalující **2** pronásledující, neodbytný (*a* ~ *reek of the stable* neodbytný čpavý pach stáje) ◆ ~ *to* podle, shodně s, na základě (*acted* ~ *to their agreement* jednal podle jejich dohody) ● *adv* podle, shodně s, na základě
pursue [pəˈsju:] **1** pronásledovat, stíhat (~ *a robber* pronásledovat lupiče), též přen. (*he has been* ~*d by misfortune* stíhalo ho jedno neštěstí za druhým); ~ (*after*) *a p.* pronásledovat koho; chodit za, běhat za (*he was pursuing two girls at the time*); jít za / s (*his record as a criminal* ~*d him wherever he went*) **2** SC hledat právní cestou, žalovat **3** soustavně provádět, dělat, konat, provozovat, pěstovat, vyvíjet činnost (*the same activity it has* ~*d since the 17th century* stejnou činnost, kterou provádělo od sedmnáctého století); plnit, provádět, uskutečnit (*pursuing her tasks* plnící své úkoly); pokračovat v (~ *one's studies after*

leaving school po vychození školy pokračovat ve studiích) **4** sledovat, běžet po, držet se čeho, vést po (*U.S. 220 ~s an irregular north-south course*) **5** nastoupit cestu; vyhledávat co, dbát o, pečovat o, snažit se o, starat se o, hledět si čeho, věnovat se čemu, honit se za (*losing a pearl of great price while pursuing lesser ends* ztrácející při honbě za menšími věcmi drahocennou perlu)

pursuer [pəˈsju:ə] **1** pronásledovatel, sledovatel (*a canine ~ of the rabbit* pes pronásledující králíka); stíhač **2** pěstitel (*a devoted ~ of knowledge* oddaný pěstitel vědy) **3** SC žalobce

pursuit [pəˈsju:t] **1** pronásledování, stíhání (*spent his life in vicious ~ of his former rival* strávil život zuřivým pronásledováním svého dřívějšího soka) **2** SC žaloba; soudní spor **3** soustavná činnost; povolání, zaměstnání **4** cíl; sledování *of* čeho, snaha o získání čeho, věnování se čemu, hledání čeho (*the ~ of knowledge*); provozování čeho, honba za (*mad ~ of pleasure*) **5** *~s, pl* záležitosti, obchody, práce, studie **6** stíhačka letoun ◆ *give ~ to* pronásledovat koho; *~ pilot* stíhač, stíhací letec; *~ plane* stíhací letoun, stíhačka; *~ race* stíhací závod cyklistů

pursuivant [pə:sivənt] BR **1** perseverant nižší heroldská hodnost **2** bás. průvodce

pursy[1] [pə:si] (*-ie-*) **1** dýchavičný, zadýchávající se, dušný, krátkodechý **2** tlustý, tělnatý

pursy[2] [pə:si] (*-ie-*) **1** sešpulený, stáhnutý (*a ~ mouth*) **2** obklopený vráskami (*~ eyes*) **3** bohatý; nadutý, nafoukaný na peníze

purtenance [pə:tinəns] zast. vnitřnosti, droby zvěře

purulence [pjuərulәns], **purulency** [pjuərulənsi] hnisavost, hnisání; hnis

purulent [pjuərulənt] zhnisaný; hnisavý, purulentní (*~ meningitis*)

purvey [pə:ˈvei] dodávat, obstarávat, opatřovat zejm. potraviny, zásobovat potravinami *a t.* čím *to* koho (*a butcher ~s meat for his customers*); být dodavatelem *for* koho (*a firm that ~s for the Navy*)

purveyance [pə:ˈveiəns] **1** dodávání, obstarávání, opatřování **2** BR povinné zásobování panovníka, právo panovníka na nákup potravin a na různé služby za (nižší) ceny stanovené jím n. jeho agenty

purveyor [pə:ˈveiə] **1** dodavatel zejm. potravin **2** hist. úředník nakupující pro panovníka potraviny, dvorní nákupčí ◆ *P~ to the Royal Household* královský dvorní dodavatel

purview [pə:vju:] **1** práv. nařizovací část zákona **2** intence, rozsah; mez, obor, kompetence (*the problem of Indonesia does not fall within the ~ of the Security Council* problém Indonézie nespadá do kompetence Rady bezpečnosti); přen. zorné pole, obzor **3** rozsah vojenské pravomoci

pus [pas] hnis, matérie (hovor.)

Puseyism [pju:ziizəm] hanl. = *tractarianism*

Puseyite [pju:ziait] hanl. puseyista stoupenec E. B. Puseyho (zemř. 1882), vedoucího Oxfordského hnutí po Newmanovi

push [puš] *v* **1** tlačit (*you ~ the cart and I'll pull it* vy vozík tlačte a já ho budu táhnout); upozornění na dveřích tam, tlačte, tlačit, ven **2** sunout, posunovat, strkat; strčit, odstrčit, postrčit, též přen., přistrčit, přisunout, odsunout (*please ~ the table nearer to the wall*) **3** zatlačit, vytlačit *off/ out of* z (*a local sensation that ~ed the foreign news off the front page*); zatlačit, zahnat *into* do (*~ the enemy troops into the sea*) **4** pomoci *a p.* komu dopředu, zatlačit komu, protežovat koho (*haven't you a friend who can ~ you?*); protlačit (*~ the bill in the legislature*) **5** prosadit, uplatnit nárok, požadavky **6** tlačit se, strkat se, cpát se (*stop ~ing at the back, watched the crowd ~ against the gate*), drát se, prodrat se, pro|tlačit se *past* kolem, vedle, přes (*the rude fellow ~ed past me*) **7** proniknout (*~ as far as Paris*), prorazit (*~ into France*), vysunout vojsko (*~ed an army across the river* vysunuly armádu na druhý břeh řeky) **8** energicky propagovat, stavět na oči, strkat do popředí, strkat lidem pod nos (*you must ~ your wares if you want better sales*); vnutit *on* komu, vstrčit, podstrčit (hovor.) (*the salesman tried to ~ inferior merchandise on his customers* obchodní zástupce se snažil podstrčit svým zákazníkům podřadné zboží) **9** snažit se, usilovat *for* o (*unions ~ing for higher wages*); nutit *a p.* koho *for* k / aby, naléhat, tlačit na koho *for* na / aby (*~ a p. for payment*) *to do* aby udělal (*~ed her son to pursue a musical career* naléhala na syna, aby se profesionálně věnoval hudbě) **10** hnát, štvát koně (*~ed his horse to the front of the race*); přepínat, forsovat, forsírovat hlas (*~ed her voice a little too hard*); rozšířit, roztahovat do nejzazších mezí (*he ~es historical interpretation as far as it will go* rozšiřuje hranice historického výkladu až kam to jde) **11** dohnat *into* do / k, doštvat do / k, vehnat do (*the students frequently ~ the professors into extreme views*) **12** zvýšit výrobu (*~ the production of consumer goods to record level*) **13** blížit se čemu (*the old man was ~ing seventy-five* starci táhlo na pětasedmdesátku), čítat téměř kolik (*the crowd was ~ing 200.000* v davu bylo dobrých 200 000 lidí) **14** zmáčknout, stisknout tlačítko (*~ a button*) **15** vyrážet, rašit; vyhánět, zapouštět kořeny **16** udělat / provést strk na kulečníku **17** karty licitovat a tím donutit protivníka k riskantní hlášce **18** prodávat na černo narkotika **19** bibl. trkat **20** horn. narážet vozíky ◆ *be ~ed for money* být v peněžní tísni, mít málo peněz; *be ~ed for time* být v časové tísni, mít málo času; *~ to completion* uskutečnit přes překážky, dovést až do konce; *~ (up) daisies* ležet bradou vzhůru, být pod drnem, čichat k fialkám zespoda být mrtvý; *~ too far* vhánět do úzkých; *~ one's fortune* chtít si vynutit štěstí; *~ home 1.* zarazit, dorazit, zasunout na místo *2.* dorazit, dokončit útok; *~ a job onto someone* *else* zahrát úkol / práci na někoho jiného, hodit úkol / práci na krk někomu jinému; ~ *one's luck* příliš riskovat, přehnat to, přestřelit; ~ *open* otevřít | se zatlačením n. silou; ~ *out of the way 1.* odstrčit aby nepřekážel; *2.* ustoupit z cesty, posunout se; ~ *a taxi* jezdit s taxíkem, dělat taxikáře (*he ~es a taxi for a living*); ~ *one's way* prorazit si cestu, protlačit se, prodrat se (~ *one's way to the front of the crowd*), vniknout násilím (*he had ~ed his way into the meeting*) ***push o.s.*** přinutit se, donutit se *to do* aby udělal (*he had to ~ himself to continue doing such dull work*) ***push ahead*** energicky provést, jít za čím, věnovat se čemu; prosadit ***push around*** slang. sekýrovat, komandovat koho, točit s, vláčet s, orat s ***push aside*** odstrčit, odsunout ***push away*** odstrčit; vytlačit, odtlačit ***push back*** odstrčit, odsunout dozadu (*he ~ed back his chair*), zatlačit, vytlačit dozadu n. nazpátek (*fields that ~ back the wilderness* pole, která vytlačují divočinu nazpátek) ***push down*** stlačit, stisknout, přitlačit dolů; „tlačit" letadlo dolů ***push forward 1*** vystrčit, vysunout kupředu **2** hnát, urychlit, uspíšit ***push o.s. forward*** drát se kupředu, stavět se lidem na oči, soustřeďovat na sebe pozornost (*he never ~es himself forward*) ***push in 1*** vstrčit, vtlačit, vsunout; zastrčit, zatlačit, zasunout ***2*** vnucovat se ***3*** loď přirazit ke břehu ◆ ~ *a p.'s face in* hovor. rozbít hubu komu ***push off 1*** odstrčit, odsunout; odrazit | se od břehu ***2*** přen. zvednout se, zvednout kotvy, vypadnout, zmizet odejít ***3*** slang. jet, spustit, startovat začít ***push on 1*** jít, jet, cestovat; razit si cestu, pracně postupovat; pokračovat v cestě, hnout se z místa (*we must ~ on to our destination* musíme pokračovat v cestě za naším cílem); pracovat, dělat dál, energicky pokračovat *with* s / v ***2*** hodit sebou, pospíšit si *with* s (*we must ~ on with our work*) ***3*** přesunout, přehrát *to* na, hodit na krk komu ***4*** vést nápor, útočit ***push out 1*** odstrkat se (*took the raft pole and ~ed out into the stream* vzal z voru bidlo a odstrkal se doprostřed proudu) ***2*** vystrčit dopředu (*~ed out his lower lip*), sahat dopředu (*a dock that ~es far out into the lake*), vyrážet (*encouraged courageous Portuguese captains to ~ out into the Atlantic* podporoval statečné portugalské kapitány, aby pluli dál do Atlantiku); vyrážet, vyhánět výhonky; zapouštět kořeny ***push over*** překotit, porazit (*don't ~ me over*) ***push through*** provést až do konce, prosadit ***push to*** zavřít, zabouchnout ***push up*** vytlačit nahoru, vztlačit (*dunes that the ice ~ed up*); zvýšit, zvednout ceny ● *s* **1** strčení, náraz, postrk (*he opened the gate with one ~*); posunutí, šoupnutí; rána; strk, šťouch (slang.) na kulečníku **2** protežování, protekce **3** tlak (*the ~ of the water against the walls of the tank*), zatlačení; tlak okolností, kritická situace, krize (*he seemed a satisfactory man until it came to the ~* než došlo ke krizi, zdálo se, že je to vyhovující člověk) **4** úder, nápor, útok, ofenzíva (*on the Russian front the spring ~ had finally begun*); reklamní kampaň (*a heavy ~ on another product*) **5** energie, agilnost, průbojnost, podnikavost (*he has not enough ~ to succeed as a salesman* nemá dost průbojnosti na to, aby z něho byl úspěšný obchodní zástupce) **6** banda, tlupa, horda, gang ničemů **7** karty hláška nutící soupeře k riskantní licitaci **8** bibl. trknutí ◆ *at a ~* je-li nutné, v případě potřeby, při nejhorším, je-li skutečně zapotřebí, v nouzovém případě (*we can sleep seven or eight people in the house at a ~*); *bring to the last ~* vyhnat na ostří nože; *get the ~* slang. dostat vyhazov / padáka, vyletět z místa; *give a p. a ~* slang. vyrazit koho, dát vyhazov / padáka komu propustit z místa; *give a t. a ~ 1.* za|tlačit co, vrazit, strčit do čeho (*give the door a hard ~* pořádně do těch dveří strč) *2.* posunout dopředu; *give the ~* pustit k vodě, dát košem komu; *make a ~ 1.* hodit sebou, opřít se do toho, vzít za to (*we must make a ~ to finish the job this week*) *2.* zaútočit, udělat nápor / ofenzívu (*the enemy made a ~ on the western front* nepřítel ... na západní frontě); ~ *and pull* zmítání sem a tam

push ball [pušbo:l] sport. **1** velký míč který se válí **2** míčová hra, při níž se míč dopravuje do soupeřovy branky valením

push-bike [pušbaik] BR slang. kolo velocipéd

push boat [pušbəut] námoř. tlačný remorkér

push bolt [pušbəult] **1** zástrčka zámku **2** zastrkovací závora, zástrčka dveří

push button [ˈpušˌbatn] *s* tlačítko, knoflík ● *adj: push-button* **1** tlačítkový, fungující po stisknutí tlačítka **2** přen. okamžitý, promptní (*such spectacular ~ service*) ◆ ~ *control* tlačítkové ovládání / řízení; ~ *operation* řízení tlačítkovými ovládači; ~ *radio* rozhlasový přijímač s tlačítkovým laděním; ~ *war* „tlačítková válka"

push cart [puška:t] **1** dvoukolový vozík, kára **2** vozík, vozíček např. v samoobsluze (*loaded a self-service ~ in the supermarket*)

push chair [puščeə] dětská skládací židlička / sedačka na kolečkách

pusher [pušə] **1** kdo tlačí, strká atd.; posunovač **2** posunovací zařízení; tech. tlačka **3** nepříjemně podnikavý n. průbojný člověk, smělec, odvážlivec, kariérista; dotěrný obchodník **4** kousek chleba užívaný k podání sousta na vidličku (místo nože) **5** let. tlačná vrtule; letadlo s tlačnou vrtulí **6** postrková lokomotiva, postrk **7** námoř. tlačný remorkér **8** slang. pokoutní obchodník s narkotiky ◆ ~ *barge* tlačný nákladní člun; ~ *tug* tlačný remorkér

pushful [pušful] hovor. **1** energický, agilní, podnikavý **2** příliš se vnucující, dotěrný, neodbytný, vlezlý (*a ~ insurance agent*)
pushing [pušiŋ] **1** energický, agilní, ctižádostivý, průbojný, iniciativní **2** drzý, neodbytný, dotěrný, vlezlý **3** v. *push, v*
pushingness [pušiŋnis] **1** energičnost, agilnost, horlivost, průbojnost, iniciativa **2** drzost, neodbytnost, dotěrnost, vlezlost
push-off [pušof] **1** odražení, odstrčení od břehu **2** hovor. začátek, start
pushover [ˈpušˌəuvə] slang. **1** hračka, hotovka snadná práce **2** padavka, žádný protivník, snadný případ, hračka (*she's a ~ for rivals*); naivka, hejl, kavka lehkověrný člověk **3** tlačení letadla dolů k sestupnému letu, stlačení řídicí páky dolů **4** horizontální úchylka rakety
push-pin [pušpin] **1** vlk, mlýnek dětská stolní hra **2** AM napínáček
Pushtoo, Pushtu [paštu:] paštó afgánský jazyk
push-up [pušap] podpor ležmo, klik
pushy [puši] (*-ie-*) hovor. ctižádostivý, toužící po kariéře
pusillanimity [ˌpju:siləˈniməti] nestatečnost, neodvážnost, malomyslnost, skleslost, ustrašenost, zbabělost
pusillanimous [ˌpju:siˈlæniməs] nestatečný, neodvážný, malomyslný, skleslý, zakřiknutý, ustrašený, zbabělý
pusillanimousness [ˌpju:siˈlæniməsnis] = *pusillanimity*
puss [pus] **1** číča, čiči kočka; kočka tygr; janek, macek zajíc **2** kočka, zajíc, žába děvče (*a sly ~* lstivá žába); mrcha, bestie, čarodějnice baba (*a nasty old ~* odporná stará baba jaga) ◆ *~ in the corner* škatule, škatule, hejbejte se; *~ moth* zool. hranostajník vrbový
pussy[1] [pusi] (*-ie-*) vulg. **1** vulva **2** soulož
pussy[2] [pusi] (*-ie-*) dět. **1** číča, čičinka, čiči kočka **2** vrbová kočička ◆ *~ wants a corner* AM = *puss in the corner*
pussy-cat [pusikæt] = *pussy*[2]
pussyfoot [pusifut] slang. *s pl: ~s* [pusifuts] **1** *P~* Tichošlápek přezdívka prohibičníka W. E. Johnsona; prohibičník; tichošlápek **2** prohibice ● *v* **1** tiše chodit / našlapovat, tiše se pohybovat **2** neříkat tak ani tak, nepřiklonit se k žádné straně, přešlapovat na místě, zůstat nerozhodný
pussyfooter [pusifutə] **1** opatrník, tichošlápek **2** zastánce prohibice
pussy-willow [ˈpusiˌwiləu] bot. vrba Wimmerova
pustular [pastjulə] **1** uhrovitý, plný vřídků, puchýřkovitý **2** bot. bradavičnatý **3** zool. bradavčitý, puchýřnatý
pustulate [pastjuleit] *v* tvořit vřídky, puchýřky, neštovičky; zuhrovatět ● *adj* uhrovitý, plný vřídků, puchýřkovitý
pustulation [ˌpastjuˈleišən] tvoření vřídků n. puchýřků, zpuchýřkování
pustule [pastju:l] **1** vřídek, uher, puchýřek, neštovička, pustula **2** bradavka, bradavička ◆ *malignant ~* med. černé neštovice
pustulous [pastjuləs] uhrovitý, plný vřídků, puchýřkovitý
put[1] [put] *v* (*put, put; -tt-*)) **I.** základní významy **1** dát kam; na|lít (*did you ~ milk in my tea?*); v|hodit, na|sypat (*did you ~ sugar in my coffee?*); přišít (*will you please ~ a patch on these trousers?* dala bys mi laskavě na tyto kalhoty nějakou záplatu?); strčit, vrazit, vsunout (*he ~ his hands in his pocket*); uložit (*it's time to ~ the children to bed*); uvést (*~ the motor into working order* dát motor do pořádku); napsat, zapsat, uvést (*let's plan to ~ it on the menu for tomorrow*); svěřit (*~ him under the care of a specialist*); poslat (*~ him to school*) **2** loď dát se, vydat se, plout, veplout, odplout určitým směrem **3** dát *a p.* komu *to do* udělat, přikázat, dát příkaz, nařídit udělat, přidělit k dělání (*~ her to filing letters* přidělit ji k zakládání korespondence), nasadit koho *at* na / k; hnát, nutit (*~ the horse over the fence* hnát koně přes překážku) **4** vrazit, vbodnout, zabodnout (*~ a knife between his ribs* vrazit mu nůž mezi žebra) **5** postavit, dát (*~ the plant near the window* postavit květinu k oknu), položit (*he ~ the book on the table*), nastražit **6** klást, umístit (*the poet ~s his enemies in hell* básník umístil své nepřátele do pekla) **7** stavět, cenit, oceňovat **8** předpokládat (*~ the absurd impossible case*) **9** dát hlasovat o (*the chairman is not supposed to say anything except to ~ the motion* předseda nemá nic říkat, pouze má dát hlasovat o návrhu); předložit k hlasování (*the question was ~ and carried by a large majority* otázka byla předložena k hlasování a schválena velkou většinou) **10** říci, vyjádřit (*that can be ~ in a few words, how would you ~ this in Danish?* jak bys to řekl dánsky?); prezentovat, shrnout, definovat (*~ it so as not to offend her* prezentuj to tak, abys ji neurazil, *you have ~ the case very clearly* shrnuls případ velice srozumitelně); podat, stylizovat, formulovat (*he heard a good story well ~*) **II.** zvláštní významy podmíněné předmětem **1** zaměřit dalekohled (*~ his glasses on the group*) **2** uvalit daň (*~ a special tax on luxuries*) **3** vypustit kosmickou sondu apod. (*~ a satellite into orbit round the earth* vypustit družici na oběžnou dráhu kolem Země) **4** zapřáhnout koně (*I will ~ the horse to the cart*) **5** soustředit mysl **6** svalovat odpovědnost **7** investovat peníze (*~ his saving into stocks* investovat peníze do akcií) **8** navrhnout rezoluci **9** svalovat vinu **10** zahrnout urážkami *on* koho (*~ numerous insults on him* zahrnout ho mnoha a mnoha urážkami) **III.** spojení s předložkami **1** převézt, přenést *across* přes (*can you ~ me across the river?, the twenty-knot speed that*

would ~ a ship across the Atlantic in seven days rychlost jedenadvaceti uzlů, při níž by loď přeplula Atlantik za sedm dní) **2** odhadnout *at* na (*I would ~ her age at no more than sixty* hádal bych jí nanejvýš šedesát, *I ~ her fur coat at £ 200* podle mého odhadu má její kožich cenu dvě stě liber) **3** oznámit, předložit, dát rozhodnout *before* komu **4** podporovat *a t.* čím *behind* koho, postavit se čím za **5** spustit *down* kam (*he ~ the corpse down the well* spustil mrtvolu do studně) **6** AM rychle odejít, vydat se na cestu *for* kam, pro (*caught his squaw by one arm and ~ for timber with her* chytil svou squaw za paži a vydal se s ní pro stavební dříví) **7** odstranit, vyhnat, zahnat, zaplašit, vystrnadit *from* z (*~ the idea from his mind*) **8** přeložit *into* do cizího jazyka (*how would you ~ this into Danish?* jak bys to přeložil do dánštiny?); dosadit do rovnice; zatlouci, přibít, zapíchnout, vpíchnout *into* do (*~ a nail into the wall* natlouci do zdi hřebík); vlévat se *into* do (*the river ~s into a lake*); námoř. přistát *into* kde, zastavit se kde (*the ship ~ into Malta for stores* loď přistála na Maltě, aby nabrala zásoby) **9** AM seznámit *a p.* koho *next to* s **10** přimět, dovést, svést *on* k (*what has ~ him on this wild scheme?*); stavět, zakládat *on* na (*~s his conclusions on the evidence of the fossil remains* staví své závěry na svědectví fosilních pozůstatků); hodit na krk, přišít *a t.* co *on* komu (*I had several more lectures ~ on me*); vsadit *on* na (*~ two dollars on the favourite*); předepsat *a p.* komu *on* pokrm (*~ him on a salt-poor diet*), dát komu jíst co, nechat koho o potravě (*~ them on bread and water*); zasvětit *on to* do (*I'll ~ you on to all the local opinions* zasvětím vás do všech místních názorů); doporučit *on to* koho (*can you ~ me on to a safe man?*); spojit *on to* s (*you've ~ me on to the wrong number*); přirazit *on to* na ceně (*how much have they ~ on to the price?*) **11** vyklonit, vystrčit *out of* z (*~ one's head out of the window*); vykázat *out of* z (*he was ~ out of the room for impudence* byl vykázán z místnosti pro svou drzost), pustit, vyhodit, vyhnat z (*~ the cat out of the house*) **12** učinit vládcem *over* nad (*he ~ him over Egypt*) **13** vehnat, vpálit střelu *through* do, prohnat čím (*~ bullet through a p.'s head* prohnat komu hlavu kulkou); prorazit *a t.* čím *through* co; vsunout *through* do, protáhnout čím (*~ one's arm through the sleeve* vsunout ruku do rukávu); podrobit *through* čemu (*the police ~ him through a severe examination* policie ho podrobila přísnému výslechu pod přísahou), podrobit zkoušce, vyzkoušet z, dát pročíst a zpracovat co, dát procvičit, nacvičit, nastudovat, prostudovat co (*~ a p. through several books of the Odyssey*) **14** připojit *to* k, dávat k, přidělávat, nasazovat k / na (*he was ~ting a new handle to the knife*); přiložit *to* k (*~ glass to one's lips*); zvíře připustit, přivést, zavést za účelem připuštění *to* k (*consider ~ting some of your ewes to rams* uvažujte o připuštění některých svých ovcí k beranům); dohnat, donutit, přinutit *to* k (*you have ~ me to great expense*); osít *to* čím (*~ to wheat*) **15** složit *under* pod (*two tumblers of brandy had been enough to ~ him under the table* pouhé dva kalíšky pálenky ho dokázaly složit pod stůl); osázet *under* čím (*the field was ~ under potatoes*) **16** obtěžovat *upon* koho, využívat koho, zneužívat koho, znásilňovat koho (*I refuse to be ~ upon by my subordinates* odmítám se dát svými podřízenými zneužívat) ◆ *~ a t. across a p.* obalamutit čím koho, pověsit na nos co komu (*~ it across a p. 1.* nandat to pořádně komu, setřít koho, spočítat to komu *2.* ošidit, napálit, vyvést koho; *~ afloat* znovu dostat na vodu loď uvázlou na mělčině; *~ and take* berdej hazardní společenská hra; *~ the arm on a p.* pumpnout koho o peníze; *~ one's arm out of joint* vykloubit si ruku; *~ ashore* vysadit na břeh; *~ one's back into it* pořádně se do toho opřít; *be ~ to it* něco musit (*surprising what he can do when he is ~ to it*); *be hard ~ to it* být v těžkém / nepříjemném postavení, být v těžké / nepříjemné situaci, být v úzkých, *be hard ~ (to it) to do* musit se namáhat, lopotit se aby (*he was hard ~ to it to pay his debts* dalo mu velkou / těžkou práci, aby zaplatil své dluhy); *~ the bee on a p.* slang. vymáčknout z koho *for* co, vyždímat z koho co (*some smooth hoodlum ~s the bee on his daughter for two thousand bucks* nějaký uhlazený syčák mu z dcery vymačká dva tisíce dolarů); *~ the best face on a t.* vylíčit co v nejlepším světle; *I wouldn't ~ anything beyond you* o tobě jsem ochoten věřit všemu, u tebe by mě nic nepřekvapilo; *~ the bite on a p.* vymáčknout z koho *for* co, vyždímat z koho co; *~ the blame on a p.* dávat vinu komu, obviňovat koho, svádět to na koho (*don't ~ all the blame on me*); *~ the burden of proof on a p.* uvalit na koho důkazní břemeno; *~ one's cards on the table* vyložit karty na stůl, hrát s otevřenými kartami; *~ the case for* vyjádřit stanovisko koho (*senator Borah ~ the case for the isolationists*); *~ censure on a p.* kritizovat koho; *~ a check on a t.* zarazit co, zatrhnout co (*~ a check on his enthusiasm*); *~ the clock fast* posunout hodiny dopředu, dát hodiny napřed; *~ a false colour on a t.* špatně si vykládat co; *that ~s a new complexion on the matter* to vrhá na celou věc jiné světlo; *~ a wrong construction a t.* špatně si vykládat co, špatně po|rozumět čemu, špatně pochopit co; *~ a p. at his ease* způsobit, aby se kdo uklidnil / aby se cítil dobře; *~ all one's eggs into one basket* vsadit všechno na jednu kartu; *~ an end to a t.* skončit, skoncovat s čím, zarazit co; *~ an end to one's life* spáchat sebevraždu, vzít si život; ~ *one's faith in* věřit čemu / komu, v (*~s his faith in reason*); ~ *the fear of God into a p.* hovor. zjezdit, setřít, sepsout koho, umýt hlavu komu; ~ *the finger on a p.* slang. prásknout, ukázat policii zločince; ~ *one's finger on a t.* vyhmátnout co (~ *his finger on the cause of the trouble*); ~ *a fire* rozdělat oheň, zatopit; ~ *one's foot in(to) it* blamovat se, udělat blamáž, natrhnout to, rozškrtnout to, dát komu ránu, udělat botu společenskou chybu; *go ~ in a p.* AM slang. být do koho cvok; ~ *one's horse at a fence* snažit se přinutit koně ke skoku přes plot; ~ *the horse to the cart* zapřáhnout koně do vozu; ~ *ideas into a p.'s head* namlouvat něco komu, nakukávat něco komu, vzbuzovat v kom klamné naděje; ~ *a p. in bail* kdo dát za sebe rukojmí; ~ *in blast* zafoukat, zapálit vysokou pec; ~ *a p. in charge of a t.* pověřit koho čím, svěřit komu velení nad čím / vedení čeho; ~ *in circuit* zapojit do elektrického okruhu; ~ *a p. in the clear* hovor. ospravedlnit koho, očistit koho; ~ *a p. in communication with a p.* spojit koho s kým; ~ *a p. in a condition* uzpůsobit koho; ~ *a p. in doubt* vzbudit pochybnosti v kom; ~ *in(to) execution* provést, spustit, realizovat; ~ *in fear* zastrašit; ~ *a t. in force* uvést v platnost; ~ *a p. into a frenzy* rozčilit, rozzuřit šíleně; ~ *a t. in hand* začít dělat co, začít s čím, dát se do čeho; ~ *a p. in a hole* hovor. dostat do bryndy koho, způsobit šlamastyku komu; ~ *in jail* uvěznit, vsadit do vězení, zavřít do vězení; ~ *a p. in mind of a t.* připomenout komu co; ~ *in a bad mood* zkazit náladu komu; *I can ~ it in a nutshell* to se dá říci pár slovy, to mohu vyjádřit stručně; ~ *a t. in(to) operation* uvést v činnost, uvést do chodu, spustit, zavést v praxi; ~ *in order* dát / uvést do pořádku, uspořádat, seřadit; ~ *a p. in the picture* zasvětit koho do situace, informovat koho, říci komu co a jak, dát komu áčko; ~ *a p. in his place* odkázat na správné místo, odkázat do patřičných mezí, vysvětlit co a jak (*a lady soon ~ in place any militiaman who did not treat her with politeness* jestliže se k ní nechoval některý člen milice zdvořile, dáma mu to brzy vytmavila); ~ *in the possession of the facts* seznámit s fakty; ~ *in print* vy|tisknout, vydat tiskem; ~ *in readiness* připravit, uchystat; ~ *a p. in remembrance of a p.* připomenout komu koho; ~ *in the shade* zastínit, odsunout na druhé místo; ~ *a t. in shape* učinit schopným k něčemu (*repairs will be needed to ~ it in shape to carry such a load* bude to zapotřebí opravit, aby to uneslo takové zatížení), upravit; ~ *in tune* naladit, sladit; ~ *a t. in trust with a p.* svěřit co komu; ~ *a t. in writing* napsat, dát co písemně; ~ *a p. in the wrong* vzbudit zdání, že se kdo mýlí / že nemá pravdu; ~ *a t. into action* uvést v činnost, uvést do provozu, spustit, realizovat; ~ *a jerk in it!* hovor. svižně, mrštně, tempo, mrskněte sebou!; ~ *new life into a p.* vlít nový život do koho, vlít novou krev do žil komu; ~ *a limit on a t.* omezit co, stanovit hranici čeho (~ *a limit on the betting* omezit sázení); ~ *the lid on a t.* hovor. dodělat co, dovršit co, dát / nasadit korunu čemu; ~ *the matter in the hands of a p.* svěřit záležitost do rukou koho, předat záležitost komu; ~ *one's name to a t.* podepsat co; ~ *a p.'s nose out of joint* vytáhnout se nad koho, vzbudit u koho závist, zahanbit koho, převézt koho; ~ *a t. on a p.'s bill* zaúčtovat co komu, dát / zapsat co na účet koho, připočítat co komu; ~ *a p. on Easy Street* AM udělat z koho boháče; ~ *a p. on his feet* zajistit budoucnost koho, pomoci v začátcích komu; ~ *a p. on his guard* varovat koho; ~ *a p. on his oath* dát / postavit koho pod přísahu, nařídit přísahu komu; ~ *on points* dát na lístky / na body / na příděl, zavést přídělový systém na co; ~ *the police on to a p.* poštvat na koho policii, udat koho policii; ~ *a t. on record* zaprotokolovat; ~ *a t. on one side* nedbat čeho, nevšímat si čeho; přivézt do úzkých koho 2. oplatit dvojnásobně komu; ~ *on the track* uvést na stopu; ~ *one's mind on to a problem* soustředit se na problém, zahloubat se do problému; ~ *a t. off action* vyřadit z činnosti / z provozu, přerušit činnost čeho; ~ *a p. off his stroke* vyvést z konceptu koho, přerušit v nejlepším koho; ~ *out of action* vyřadit z činnosti, vypnout; ~ *a p. out of countenance* zahanbit; ~ *that out of your head!* to pusť z hlavy!; ~ *out of the way* odstranit (*hired a gunman to ~ his competitor out of the way* najal si pistolníka, aby odstranil svého soupeře); ~ *paid to a t.* dát co proto čemu, definitivně skoncovat s čím; *I wouldn't ~ it past you to do* ani bych se nedivil, kdybys udělal; ~ *one's pen through a t.* přeškrtnout, vyškrtnout co; ~ *the play on the stage* uvést hru na jevišti, inscenovat hru na jevišti; ~ *a polish on a t.* dodat lesku čemu, propůjčit lesk čemu; ~ *pressure on a p.* vykonávat nátlak na koho, tlačit koho; ~ *a price on a t.* 1. označit cenou co, dát cenovku k čemu / na co ocenit co 2. vypsat odměnu na co 3. odhadnout cenu čeho (*the experts refused to ~ a price on the Rubens painting* odborníci odmítli odhadnout cenu Rubensova obrazu); ~ *a p. on the retired list* dát do penze / důchodu, poslat na odpočinek; ~ *right* 1. napravit (*many of the younger generation try to ~ me right*) 2. opravit; spravit, vysvětlit, objasnit (*a short note ~ the matter right*) 3. opravit koho; srovnat, vyřídit, nařídit (*I ~ my watch right by the church clock* řídím si hodinky podle hodin na kostele), vyrovnat; ~ *the shot* sport. vrhat koulí, hodit koulí (~ *the shot 63 feet 6 inches*); ~ *one's signature to a t.* připojit svůj podpis k čemu, podepsat co; ~ *a spoke in a p.'s wheel* zatrhnout to komu, udělat komu čáru přes rozpočet, nabourat komu jeho plán; ~ *the squeeze on* *a p.* zmáčknout, stisknout koho; *stay* ~ *1.* zůstat stát, zůstat na místě, nehnout se z místa *2.* zůstat beze změny (*in a rapidly changing world you cannot expect anything to stay* ~ *for very long*); ~ *a stop to a t.* skončit, skoncovat s čím, zarazit co, učinit přítrž čemu; ~ *a stopper to a t.* zarazit co, učinit přítrž čemu; ~ *a strain on one's resources* odčerpávat rezervy energie, finanční; přivodit obrovský tlak na zdroje, způsobit napjatou situaci ve zdrojích, ~ *straight* AM = ~ *right;* ~ *stress on a t.* zdůraznit co, podtrhnout co, klást důraz na co; ~ *sugar in one's coffee* osladit si kávu; ~ *a tax on a t.* zdanit co; ~ *it there!* AM dohodnuto!, hotovo!; ~ *a p. through it* hovor. zmáčknout, stisknout koho, aby řekl, co ví; ~ *a p. through college* platit komu studie; ~ *a horse through his paces* provést s koněm všechny cviky; ~ *a tick against a name* udělat znaménko ke jménu, zatrhnout, odškrtnout, odfajfkovat jméno; ~ *it to a p. 1.* obrátit se na koho, apelovat na koho, navrhnout komu vyjádřit přání komu (*she* ~ *it to him that they should be married*) *2.* tvrdit druhému, že, rozumět tvrzení druhého tak, že, vysvětlovat si tvrzení druhého tak, že; ~ *a p. to the blush* vehnat komu ruměnec do tváře, způsobit, že se kdo začervená; ~ *to death* zabít, usmrtit, popravit člověka, utratit zvíře; ~ *to flight* zahnat na útěk, obrátit na útěk; ~ *to music* zhudebnit; ~ *to the proof* vyzkoušet, podrobit zkoušce; ~ *to the plough* zorat; ~ *a t. to good | poor purpose* dobře | špatně využít; ~ *to the rack* natáhnout na skřipec; ~ *a p. to ransom* po|držet koho až zaplatí výkupné; ~ *to rights* dát do pořádku (*a new commanding officer who* ~ *the company to rights*); ~ *to school* poslat do školy; ~ *to sea* vyplout na moře, vydat se na cestu, odplout; ~ *to shame* zostudit koho, zahanbit koho, způsobit hanbu komu; ~ *a p. to the shame of doing* způsobit, že kdo musí s hanbou udělat (~ *him to the shame of revealing his poverty* způsobil, že musil s hanbou odhalit svou chudobu); ~ *to silence* umlčet; ~ *to sleep* uspat; ~ *to* (*the*) *sword* dát stít mečem, pobít mečem; ~ *to the torture* mučit na mučidlech, vyslýchat útrpným právem; ~ *to a trade* dát na řemeslo, poslat do učení / aby se vyučil; ~ *a t. to* (*good*) *use* po|užít čeho, využít čeho; ~ *to better use* lépe využít; ~ *to the worse* utrpět škodu; ~ *one's trust in* důvěřovat v, spoléhat se na koho / co (~*s his trust in God*); ~ *under arrest* zatknout; ~ *under control* ovládat situaci, stát se pánem situace, lokalizovat požár; ~ *under an obligation* zavázat si koho; ~ *a value on a t.* cenit si čeho, přikládat cenu čemu, oceňovat co (*what value do you* ~ *on her advice?*); ~ *a veto on a t.* vetovat co; ~ *the will for the deed* vynahradit čin snahou; ~ *the wind up a p.* hovor. nahnat vítr komu; ~ *a p. wise* hovor. nalít čistého vína komu; ~ *a p. wise about | to a t.* AM zasvětit koho do čeho, vysvětlit komu co ***put o.s.*** věnovat se *to* čemu, dát se, pustit se do (~ *himself to the study of law*) ◆ ~ *o.s. into a p.'s hands* svěřit se do rukou koho; ~ *o.s. in a p.'s place | position* představit se na místě / v situaci koho; ~ *o.s. in the right* srovnávat se, vycházet (*our adroitness in* ~*ting ourselves in the right with the rest of the world* zručnost, s níž my umíme vycházet s ostatním světem) ***put about*** ***1*** loď provést obrat (*the ship* ~*s about to change its direction*); otočit např. loď ***2*** obtěžovat; znepokojovat, vzrušovat, rozčilovat, vyvést z klidu (*he was much* ~ *about by the report of his friend's death*) ***3*** rozšířit, rozhlásit, roztrušovat, pustit do veřejnosti (*who has* ~ *this lie about?* kdo pustil do světa tuto lež?) ***put across*** ***1*** převézt člunem ***2*** uskutečnit, prosadit (*prohibition had been* ~ *across against the will of the majority*); provést, vykonat (*the hours involved in planning and* ~*ting the work across properly*) ***3*** přesvědčivě podat, přesvědčit o (~ *across the idea of victory*); sdělit, najít odezvu, vzbudit pochopení pro (*the professor knew his stuff but couldn't* ~ *it across* profesor svůj obor ovládal, ale nedovedl pro něj vzbudit u studentů pochopení), uplatnit, prodat (přen.) (*we have not learned yet how to* ~ *them across* ještě jsme se je nenaučili prodávat) ***4*** AM získat *to* koho *a t.* pro co, vysvětlit komu co ◆ *you'll never* ~ *that across* to nikomu nenamluvíš, to ti nikdo neuvěří, to ti nikdo nezbaští (hovor.) ***put aside*** ***1*** odložit (~ *aside one's old clothes*), dát stranou (*he has* ~ *a good deal of money aside*) ***2*** přen. odsunout, odmítnout, nedbat na, zapomenout na (*he was unable to* ~ *aside the idea*) ***put asunder*** rozdělit, oddělit, roztrhnout, odtrhnout od sebe ***put away*** ***1*** vyplout na moře ***2*** zapudit manželku, rozvést se s (*incurring the risk of being* ~ *away by her husband* riskujíci, že se s ní dá manžel rozvést) ***3*** dávat / dát stranou, na|střádat si, našetřit | si (*he has* ~ *away a nice sum of money*); dát do zastavárny, zastavit (*we've been obliged to* ~ *away most of our things*); vzdát se čeho (*he* ~ *away all idea of be coming an M.P.*), skoncovat s čím (*when I became a man I* ~ *away childish things*) ***4*** uložit, uklidit, dát na místo, dát kam patří (~ *your books away in the locker* ukliď si knížky do skříňky); zbavit se koho, dát do ústavu (*she was excentric and her friends had to* ~ *her away*) ***5*** odklidit, odstranit, likvidovat člověka (*every man you* ~ *away has friends*); utratit zvíře (*take a dog to the vet to be* ~ *away* odvést psa k veterináři, aby ho utratil); pohřbít (~ *away their dead in seated position*) ***6*** hovor. zblajznout, sporcovat, spucnout (*they regularly* ~ *away 7 pounds of potatoes at their evening meal*); vlít do sebe, kopnout do sebe, vytáhnout (*I never did see a youngster* ~ *away the whisky he does*) ***put back*** ***1*** otočit | se, obrátit | se, dát | se na zpáteční cestu, vrátit | se do přístavu *2* vrátit, dát zpět, dát na místo (*when you've done with the book, please, ~ it back on the shelf*); obnovit *to* do původního stavu, vrátit zpátky *3* zpomalit, snížit; zadržet pokrok *for* o (*the efforts of the party succeeded only in ~ting back the reform for 50 years* úsilí té strany mělo pouze jediný výsledek: zdrželo uskutečnění reformy o padesát let) *4* znovu spojit telefonicky *to* s, vrátit na, dát zpátky na (*would you please ~ me back to the exchange*) ◆ *~ the (hands of) the clock back 1.* posunout / dát ručičky hodin nazpátek *2.* přen. jednat zpátečnicky; být reakcionář; točit kolem dějin nazpátek ***put by*** dát | si stranou, ukládat | si, schovat || si, na|šetřit | si, na|spořit | si (*~ money by for a rainy day* ukládat si peníze pro strýčka Příhodu); odložit, odsunout stranou, nedbat čeho (*he ~ the idea by until he was at leisure to consider it carefully* dokud neměl čas pořádně si nápad promyslit, tak se mu nevěnoval); odsunout na neurčito, dát k ledu; upustit od, zavrhnout co ◆ *he was ~ by in favour of his brother* jeho bratru byla dána přednost před ním, místo něho byl vybrán jeho bratr ***put down 1*** stáhnout, spustit, zavřít vysunovací okno (*~ down the window, please, there's such a draught* zavřete laskavě to okno, je strašný průvan); sesadit (*has ~ down the mighty from their seats* sesadil mocné z trůnu); vysadit z vozu *at* u / v, dovézt, odvézt do *2* položit, vysázet na dřevo, vysolit, hotově zaplatit *3* potlačit, zmařit, (*the revolt has been ~ down*), umlčet (*the interrupter refused to be ~ down* rušitel se odmítl dát umlčet); odstranit, zarazit, zlikvidovat, učinit přítrž čemu, zatrhnout (*~ down gossip* učinit přítrž klevetám) *4* napsat, zapsat, připsat, načrtnout; připsat *to* na čí účet, připočítat komu, napsat na koho (hovor.) (*~ the chops down to me* ty kotlety napište na mne); přičíst, připisovat *to* čemu (*they ~ the accident down to negligence* nehodu připisují nedbalosti); napsat *a p.* že kdo dává *for* kolik (*~ me down for £ 5*), že pojede kam; připsat, upsat, odkázat *a p.* komu *for* kolik (*his uncle ~ him down for £ 100 in his will*); přihlásit *a p.* koho *for* k / do / na (*we shall ourselves ~ down for the race*), zapsat kam; navrhnout *a p.* koho *for* za člena čeho (*he was ~ down for the Junior Club*); připsat, určit *a p.* komu *for* co (*the Fates ~ me down for this shabby part of a whaling voyage* sudičky mi přisoudily tuto nepěknou část plavby za velrybami) *5* vykládat si *a t.* co *as / for* jako, pokládat, považovat co za (*she ~ this down as a pretext for gaining time* ona to považuje za pouhou záminku k získání času) *a p.* koho *for* za (*we ~ him down for an idiot*) *6* vyloučit ze soutěže (*even the ideal cat may be ~ down if it is not shown in perfect condition*) *7* vycvičit, naučit poslouchat psa (*much practice will be needed to ~ your dog down properly*) *8* utratit zvíře (*I would always have a sufferer from this disease ~ down* když zvíře trpí touto chorobou, dal bych je vždycky utratit) *9* zaplašit ke dnu (*the noise activity quickly ~ down the fish*) **10** naložit (*~ down a whole cask of pickles* naložit celý sud malých okurek) **11** letadlo přistát (*~ down at the airport on time*); donutit k přistání letadlo **12** hovor. zporcovat, spucnout, zblajznout; obrátit do sebe (*poured a stiff jolt of whiskey and ~ it down* nalil si pořádného panáka whisky a hodil ho do sebe) **13** slang. stírat ponižovat; kritizovat ◆ *~ one's foot down* dupnout si, energicky zakročit (*the doctor has ~ his foot down and I've got to stop smoking*); trvat na svém, postavit se na zadní (přen.); *~ down one's name* přihlásit se písemně; *~ down a boy's name* zapsat chlapce do třídní knihy, dát chlapci poznámku ***put forth 1*** natáhnout, vysunout, vystrčit, vztáhnout např. ruku *2* ukázat, předvést; vyjádřit, vyslovit, navrhnout, nabídnout; vznést nárok, zvednout hlas, tvrdit *3* vydat např. tiskem *4* nasazovat, vyhánět (*the trees ~ forth buds and leaves in the spring* stromy na jaře nasazují poupata a listí); list rašit, pučet *5* vyvinout, vynaložit úsilí (*~ forth all one's energies*) *6* bás. vydat se, vyplout ◆ *~ forth one's full strength* vynasnažit se ze všech sil, napnout všechny síly ***put forward 1*** dát / posunout / postrčit kupředu (*the clock was ~ forward half an hour*); pomáhat čemu, podporovat (*~ forward business*) *2* nabídnout, nastavit (*she ~ her cheek forward for him to kiss*) *3* vznést, uplatňovat nárok, požadavek; podat, přednést návrh: navrhovat řešení, přijít s; předložit, postavit teorii ◆ *~ your best foot forward 1.* BR jděte rychle, pospěšte si *2.* AM dejte si na sobě záležet, ukažte se z té lepší stránky; *~ forward a plea of* obhajovat se čím, omlouvat se čím, vymlouvat se čím / na ***put o.s. forward*** tlačit se, drát se do popředí ***put in 1*** loď vplout do přístavu; přen. zastavit se, zapadnout (hovor.) (*let's ~ in here for lunch*), objevit se *2* strčit, vrazit např. hlavu *at* do (*he ~ his head in at the door*) *3* dát dovnitř, vsadit, vložit, vsunout, přidat; zavést, zamontovat, instalovat (*we had the telephone ~ in*) *4* vést, zasadit úder (*~ in a sudden right to the jaw* vedl náhle z pravé strany úder na čelist); zasadit, zasít (*~ in that next year's crop* zasadit tu úrodu pro příští rok) *5* přidat, přibrat (*ran a small store, starting with selling soft drinks, then he ~ in candy, cigarettes and bread* měl malý obchod: začal s prodejem nealkoholických nápojů, potom přibral cukroví, cigarety a pečivo); přijmout, zaměstnat (*~ in a butler* přijmout komorníka); přihlásit *a p.* koho *for* k / na *6* poznamenat, vmísit se do řeči *7* vy|konat práci; u|dělat, provést, podniknout (*they*

~ *in frequent counterattacks* často podnikají protiútoky); odvést, odevzdat práci (přen.) (*our air force ~ in some very good work*) ***8*** zvolit kandidáta; zapřáhnout koně; předložit listinu; vznést, uplatňovat nárok; zadat objednávku; vložit, vsadit, investovat peníze; uzavřít smlouvu; dosadit, jmenovat úředníka ***9*** zažádat si, požádat *for* o (*had to retire and ~ in for pension* musel odjet na odpočinek a zažádat si o penzi; snažit se o, pokoušet se o, usilovat žádostí o (*he's ~ting in for a travelling studentship*) ***10*** AM s|trávit (*this is nice way to ~ in a moonlit spring evening*) ◆ ~ *in an appearance* přijít, objevit, se dostavit se (*I shall just ~ in an appearance for about half an hour* já se tam objevím tak na půl hodinky); ~ *in a (telephone) call* objednat si telefonní hovor; ~ *in a distress* soudně obstavit majetek; ~ *one's foot in* blamovat se, udělat blamáž, šlápnout vedle, udělat botu společenskou chybu; ~ *in a big holler* AM hovor. udělat rambajz; ~ *in one's oar / one's two cents* AM omočit si, přisadit si; ~ *in a word (for)* ztratit slovo, přimluvit se za; ~ *in work* dělat, pracovat ***put off 1*** loď odrazit od břehu n. od jiné lodi; odplout, vyplout; vydat se (~ *off on a long journey*) ***2*** svléknout | si, sundat | si, odložit | si (*he ~ off his heavy winter coat* odložit si těžký zimník), smeknout, zout | si ***3*** odložit, odsunout (*never ~ off till tomorrow what you can do today*); zdráhat se, váhat a odkládat (~*ing off going to the doctor*), zbavit se, zhostit se čeho ***4*** nemoci uspokojit / vyhovět / dodržet slovo / splnit slib (*we are sorry to ~ you off today*); pozvat na později, přeložit na pozdější dobu, oddálit, odročit; uchlácholit, umluvit aby nenaléhal (*I will not be ~ off any longer, you must pay up*); odbýt *with* čím (~ *off with mere promises* odbýt pouhými sliby), odmítnout, odmrštit (*he won't be ~ off that easily*); vyvést z konceptu, rozptýlit, vyrušit, zarazit (*had ~ a robber off with a show of unconcern* zarazil lupiče tím, že se tvářil lhostejně), odradit, odvrátit *from* od úmyslu, zastrašit, odstrašit, odpudit (*her face quite ~s me off*) ***5*** hovor. střelit *on / upon* komu a tím podvést, udat, podstrčit padělek *on* komu (~ *off a counterfeit ten-dollar bill* podstrčil mu falešnou desetidolarovou bankovku) ***6*** vypnout, zastavit, zhasnout vypínačem ***7*** vysadit, vyložit cestou např. z auta ***8*** vypřáhnout koně ***9*** AM rozzlobit, navztekat (*this ~s Arthur off at once*) ***put on 1*** vzít na sebe, obléknout se do, obléknout, obout | si boty, navléknout | si, natáhnout | si rukavice, vzít si, dát | si na hlavu klobouk, též přen., nasadit tvář (*seems to feel the necessity of ~ting on a good deal of professional dignity* zdá se, že cítí potřebu se do značné míry tvářit profesionálně vznešeně); bás. odít se např. do květů ***2*** dělat, předstírat (~ *a saintly manner on* předstírat chování světice), nasadit (~ *on your best smile*) ***3*** na někoho to hrát, přehánět, přestřelovat, zveličovat (*he's ~ting it on when he makes such claims* když toto tvrdí, tak přehání) ***4*** využívat, zneužívat (*I do object to being ~ on* mám námitky proti tomu, abych byl zneužíván) ***5*** uvést na program, zařadit, nasadit hru, pořádat koncert ***6*** dát, nasadit, poslat, přikázat, přidělit pracovníky (~ *extra salesmen on*), nasadit, zařadit (*why don't they ~ on more carriages?, Imperial Airways ~ on special planes for returning British citizens*) ***7*** ponouknout, vybídnout, pobádat, nabádat *to* k ***8*** přivést na stopu *to* čemu, pomoci pochopit co ***9*** ukládat (*known for ~ting on heavy fines* známý tím, že ukládá těžké pokuty) ***10*** dát / posunout / postrčit hodiny / ručičky kupředu, dát hodiny napřed ***11*** postavit na oheň / plotnu (~ *the kettle on* postavit konev na oheň / plotnu, dát vařit vodu na čaj); rozsvítit světlo, zapnout spotřebič, pustit gramofonovou desku ***12*** = *put on flesh* ◆ ~ *on an act* hrát divadlo, filmovat to, předstírat, dělat; ~ *on airs (and graces)* holedbat se, dělat se lepším, předstírat vznešenost; ~ *on the brakes* za|brzdit; ~ *on flesh* baculatět, spravovat se, tloustnout; ~ *on full speed* rozjet se plnou rychlostí, dát plnou rychlost; ~ *it on* AM vytáhnout se, vytahovat se, předvádět se, producírovat se; *that ~s the lid on* to už je konec, to už je dovršení všeho, to tomu nasazuje korunu, to už přestává všechno; ~ *on one's make-up* nalíčit se; ~ *a p. on to a p.* upozornit na (*it was his suspicious manner that first ~ me on to him* první, co mě na něho upozornilo, bylo jeho podezřelé chování); ~ *on the pace* hodit sebou, mrsknout sebou; ~ *the screw on* přitáhnout šroub (přen.), zmáčknout, stisknout; ~ *on speed* nabrat rychlost; ~ *on weight* přibírat na váze, spravovat se, tloustnout ***put out 1*** loď odplout, odrazit od břehu, vyplout (*a boat ~s out with fishermen every morning*); letadlo startovat (*stop every bomber that ~s out to attack this country*) ***2*** vystrčit ven, vyhodit (~ *out the cat*), vykázat z místnosti (~ *out the troublesome boy*); dát před dveře (~ *out the boots*); vyvěsit (~ *the flag*); vypláznout (*we ~ out our tongue to and not at the doctor* vyplazujeme jazyk doktorovi a ne na doktora); vyhánět, nasazovat (*plants ~ out their leaves*); půjčit z domu, investovat (~ *money out at interest* půjčit peníze na úrok); vydat (~ *out fifty new books last season*), dát do veřejnosti, uveřejnit (~ *out an announcement* uveřejnit oznámení), rozšiřovat (~ *out rumours* rozšiřovat pověsti); dát z domu, dát udělat externě (*all work is done on the premises, nothing ~ out* veškerá práce se dělá v podniku, nic se nedává dělat externě); poslat *to* do (*why don't you ~ your girls out to service?*) ***3*** zhasnout (~ *out the light*); uhasit, sfouknout, udusit, ulít (~ *the fire out*), vypnout (~ *out the gas*); vyloučit ze hry, eliminovat ***4*** otrávit, znechutit, rozzlobit, podráždit, vyvést z klidu (*noth-*

ing ~s him out so much as a chattering bridge partner nic ho tak nevyvede z klidu, jako užvaněný partner při bridži); zmást, přivést z míry, vyvést z rovnováhy, přivést do úzkých (*he is never ~ out by unexpected problems*): urazit, dotknout se (*I shouldn't have liked to ~ you out in any way*); obtěžovat, namáhat (*will it ~ you out to take me to the station?*) *5* slang. snažit se, namáhat se (*the only GI who deserves criticizing is the one who isn't ~ting out* kritiku zasluhuje jen ten maník, který se nesnaží) *6* vyvinout, napnout, použít (*~ out all his strength to move the piano*), věnovat úsilí, práci (*when you ~ out work on something*) *7* AM soustavně dělat, vyrábět, šít (*~s out an axcellent line of inexpensive coats*), nabízet (*~ting out a table d'hôte tourist menu*) *8* AM slang.: žena válet se kde s kým ◆ *~ one's arm out* vykloubit si paži; *~ out to grass* slang. dát k ledu ***put o.s. out*** namáhat se, obtěžovat se, udělat více, než se očekává ***put over*** *1* = *put across, 2* *2* odložit, odsunout (*~ over to the next session*) *3* propagovat, dělat reklamu čemu (*you wanted a star name to ~ the play over*); vyjasnit, vysvětlit *on* / *to* komu (*we do everything to ~ over our message to the British public*) *4* AM namluvit, nabulíkovat *on* komu (*what are you trying to ~ over me?*) ***put through*** *1* telefonista spojit hovor; dostat telefonické spojení *2* AM provést, dovést do konce, dokončit, prosadit, uskutečnit (*in the latter office he ~ through a number of reforms*) ***put to*** *1* loď zajet ke břehu *2* zavřít přitažením, přivřít a nezamykat (*~ the door to*) ◆ *be hard ~ to* být těžce zkoušen, obtížně zachovávat; *be hard ~ to for a t.* naléhavě potřebovat co, těžce nést nedostatek čeho ***put together*** sestavit, složit, dát dohromady (*~ together a good dinner*), slepit (*the broken edges of the plate were ~ together with glue* rozbité části byly slepeny lepidlem) ◆ *~ two and two together* (dovést si) něco spočítat (přen.) ***put up*** *1* postavit, vztyčit; zvýšit, zvednout (*~ up the price of rubber* zvednout cenu kaučuku, *~ up productivy*); postavit dům; pověsit obraz; vylepit plakát; postavit / rozbít stan; udělat a instalovat poličky; přibít teze; otevřít / zahájit / spustit palbu; otevřít okno, deštník; zavřít okenice *2* vyplašit zvěř (*~ up a herd of eleven white deer* vyplašit stádo jedenácti bílých jelenů) *3* sbalit, zabalit, připravit (*a basket his mother had ~ up*); dát dovnitř, vložit *in* do (*~ his lunch up in a brown paper bag*) *4* ubytovat (*suggested I go to his club where he was ~ting me up*), bydlet (*two seasons ago I ~ up at a farmhouse*); ustájit koně, najít zaopatření pro koně; uschovat, garážovat auto; odložit, odstavit, postavit na špalky (*~ her car up*); zavařit, konzervovat (*~ up several kilos of peaches* zavařit několik kilo broskví), usušit a uložit (*~ up hay for wintering my horses* usušit a uložit seno na zimu pro mé koně); zastrčit, zasunout meč do pochvy *5* spokojit se *with* s, musit se spokojit s, vyrovnat se s, musit vzít za vděk čím, musit snést, vydržet co *6* předložit (*let's ~ it up to an impartial observer* předložme to nestrannému pozorovateli) *7* podat žádost; sestavit předpis, připravit lék *8* vybrat (*each man ~ up to serve on the jury* každý člověk, vybraný k tomu, aby zasedal v porotě), pověřit (*the press was ~ up to explain away the setback* tisk byl pověřen vysvětlením tohoto náhlého poklesu) *9* předložit k volbě, postavit kandidáta *10* snažit se *for* o, kandidovat na (*he ~ up for the secretaryship*) *11* věnovat, dávat, investovat peníze; finančně přispět čím, za|platit (*he was supposed to ~ up enough money*); vsadit sázku, dát zástavu *12* zveřejnit, dát na veřejnost; inscenovat hru *13* dávat dohromady, zorganizovat něco nečestného (*~ up a job to steal the jewels* zorganizoval práci: ukrást ty klenoty); vymyslit lumpárnu; vykládat *a p.* komu *to a t.* co, zasvěcovat koho do, říci komu o čem; navést (*he never intended stealing the money, but some friends had ~ him up to it* on ty peníze neměl nikdy v úmyslu ukrást, ale pár kamarádů ho k tomu navedlo), varovat *to* před (*he ~ me up to their tricks*) *14* natočit si vlasy, dát si natáčky do vlasů *15* AM hovor. něco dokázat, předložit důkazy, přestat jenom kecat; AM vyvést, provést *on a p.* komu ◆ *~ up for auction* dát do dražby, vy|dražit; *~ a p.'s back up* podráždit, dohřát, rozzlobit, rozčilit koho; *~ up banns 1.* žádat o ohlášky *2.* mít ohlášky, spadnout z kazatelny; *~ up a bet* uzavřít sázku; *~ up as candidate* kandidovat (*my brother is ~ting up as the Liberal candidate*) koho (*the local Conservative Association is ~ting up Mr Pearson as candidate*); *~ up a fight* vést boj, bojovat; *~ up a brave front* tvářit se statečně; *~ up a p.'s name for* navrhnout koho za kandidáta čeho / na místo koho (*his colleagues ~ up his name for premier*); *~ up a performance* předvést, zahrát; *~ up a prayer* po|modlit se, od|říkat modlitbu; *~ up resistance* postavit se na odpor; *~ a t. up for sale* dát do prodeje, dát oznámení, že je co na prodej; *~ a p. up to a story* balamutit, namluvit něco komu; *~ up a struggle* vést boj, bojovat ● *s* *1* sport. vrh koulí; délka vrhu koulí *2* obch. opční prodej právo prodat cenné papíry v budoucnu za smluvenou cenu

put² [pat] *v* (*-tt-*) golf zahrát (míček) blízko jamky; doklepnout / přiklepnout (míček) do jamky z jamkoviště ◆ *s* jemný úder do míčku, doklepnutí / přiklepnutí míčku do jamky z jamkoviště; délka dráhy míčku odpáleného takovým úderem

put³ [pat] slang. balík, dacan; cvok, trouba, moula, zabedněnec

putamen [pju(:)ˈteimən] bot. pecka

putative [pju:tətiv] domnělý, údajný, zdánlivý, předpokládaný (*his ~ father*); práv. putativní ◆ *~ marriage* putativní manželství
put-away [ˌputəˈwei] hovor. apetýt
put-down [putˈdaun] slang. stíračka, setření, odrovnání
pute [pju:t] zast. pouhý, čirý, absolutní (*you and I are ~ asses* vy a já jsme absolutní oslové)
puteal [pju:tiəl] antic.: kamenné roubení studně
putlock [patlok], **putlog** [patlog] pražec v lešení
put-off [putof] **1** výmluva, vytáčka **2** odklad, odkládání, odložení, odročení
put-on [puton] slang. bouda, podfuk, fígl ◆ *~ artist* kdo umí dobře na druhého ušít boudu
put-out [putaut] baseball vyloučení pálkaře
put-put [patpat] *v* (*-tt-*) dělat puf, puf, pufat ● *s* pufání
putrefaction [ˌpju:triˈfækšən] hnití, hniloba, hnilobný rozklad, též přen. (*his mind was in a state of advanced ~* jeho duch byl ve stadiu pokročilého rozkladu)
putrefactive [ˌpju:triˈfæktiv] hnilobný, působící hnilobu ◆ *~ alkaloid* mrtvolný jed, ptomain; *~ bacterium* hnilobná bakterie
putrefy [pju:trifai] (*-ie-*) **1** hnít, zahnívat, zhnisat, rozkládat se, být v rozkladu, též přen. **2** řidč. působit hnisání
putrescence [pju:ˈtresns] hniloba, zahnívání, hnisání
putrescent [pju:ˈtresnt] hnijící, nahnilý, zahnívající, hnilobný
putrescible [pju:ˈtresibl] *adj* hnilobný, podléhající hnilobě, rychle hnijící ● *s* rychle hnijící látka, látka podléhající hnilobě
putrid [pju:trid] **1** shnilý, zkažený, prohnilý, rozkládající se, též přen. (*the ~ atmosphere of the Court*); hnisavý **2** páchnoucí, zasmrádlý, smrdutý, odporný, hnusný **3** slang. mizerný, stojící za houby / za starou bačkoru, jsoucí pod psa (*from the practical aspect, it was ~ politics*) ◆ *~ fever* tyfus; *~ sore throat* hnisavá angína
putridity [pju:ˈtridəti], **putridness** [pju:tridnis] hniloba, hnilotina, shnilost, zkaženost, rozklad, prohnilost, též přen.; hnis; odpornost, hnusnost, smrdutost
putsch [puč] polit. puč
putt [pat] = *put*[2]
puttee [pati] ovinovačka
putter[1] [putə] sport. koulař
putter[2] [patə] golf **1** krátká hůl k doklepnutí míčku do jamky **2** hráč doklepávající míček do jamky
putter[3] [patə] AM = *potter*
putti [puti] *pl* amorkové, andělíčkové, putti
puttier [patiə] kdo pracuje s tmelem, kdo používá tmelu
putting green [patiŋgri:n] golf **1** jamkoviště **2** cvičný palouček
putting iron [ˈpatiŋˌaiən] = *putter*[2]*, 1*
put-to [putˈtu] *:if it comes to the ~* dojde-li k nejhoršímu
putto [patəu] v. *putti, pl*
puttoo [patu:] text.: hrubý kašmír
putty [pati] (*-ie-*) *s* **1** sklenářský, nátěrový tmel, kyt **2** štuková malta; sádrový štuk **3** klenotnický cídicí prášek, leštící prášek **4** přen. vosk (*he is ~ in her hand* je v jejích rukou jako z vosku, ona si s ním dělá, co chce) ◆ *glaziers' ~* sklenářský tmel; *jewellers' ~* cídicí / leštící prášek; *~ medal* metál, placka malé vyznamenání; *plasterers' ~* štuková malta, sádrový štuk ● *v* **1** s|tmelit, zatmelit, za|kytovat **2** nanášet štukovou vrstvu **3** cídit / leštit práškem ***putty up*** zakytovat, vykytovat, zamazat tmelem (*~ up a hole*)
putty knife [patinaif] *pl: putty knives* [patinaivz] sklenářský nůž na tmel
puttyroot [patiru:t] bot.: americká vstavačovitá rostlina *Aplectrum hyemale*
put-up [putˈap] **1** slang. tajně upečený, narafičený, nastražený, předem domluvený (*a ~ job* fígl, bouda) **2** vyvolávací (*a ~ price* vyvolávací cena při dražbě)
put-upon [ˌputəˈpon] hovor. pronásledovaný osudem
puy [pwi:] malý sopečný kužel zejm. ve francouzské Auvergni
puzzle [pazl] *s* **1** zmatení, popletení, dohadování, zmatek (*state of ~*) **2** záhada, hádanka, rébus, hlavolam; problém, hádanka (*this young man was an unaccountable ~* tenhle mladík byl neřešitelný problém) ◆ *be in a ~* být zmaten, nevědět, kudy kam; *Chinese ~* tangram; *crossword ~* křížovka; *jigsaw ~* skládanka, skládačka rozřezaný obrázek ● *v* **1** z|mást, uvést do rozpaků **2** být zmaten **3** být záhadou pro **4** lámat si hlavu *about / over* s, hloubat nad, kvůli ***puzzle out*** vyluštit, uhádnout, rozřešit, vyřešit, přijít na kloub čemu
puzzledom [pazldəm] = *puzzlement, 1*
puzzlehead [pazlhed] popleta, zmatkář
puzzleheaded [ˈpazlˌhedid] zmatený, popletený, zmatkářský
puzzle jug [pazldžag] žertovný džbánek, špásovný džbánek, špásovník
puzzle lock [puzllok] heslový zámek, kombinační zámek
puzzlement [pazlmənt] **1** zmatek, zmatení, popletení, rozpaky **2** záhada, rébus, hlavolam (*the affair will long be a ~*)
puzzle monkey [ˈpazlˌmaŋki] **1** hovor. smrček pro štěstí **2** bot. blahočet ztepilý, blahočet chilský; zahr. araukárie
puzzlepate [pazlpeit] = *puzzlehead*
puzzlepated [ˈpazlˌpeitid] = *puzzleheaded*
puzzle peg [pazlpeg] kolík pod dolní čelistí loveckého psa znemožňující mu čichat k zemi

puzzler [pazlə] **1** těžká otázka, problém, záhada, hádanka, hlavolam (přen.) **2** luštitel rébusů, hádankář, křížovkář
puzzling [pazliŋ] **1** záhadný, tajemný, nejasný; pochybný **2** v. *puzzle, v*
puzzolana [ˌpu:tsəˈla:nə] = *pozzolana*
pyaemia [paiˈi:mjə] med. přítomnost hnisavých zárodků v krvi, pyémie
pyaemic [paiˈi:mik] med. vodnatelný, prostoupený hnisem, pyémický
pycnometer [pikˈnomitə] pyknometr skleněná nádobka na stanovení hustoty kapalin
pycnometric [ˌpiknəˈmetrik] pyknometrický
pycnostyle [piknəstail] archit. *adj* jsoucí s hustým sloupovím ● *s* pyknostylos budova s hustým sloupovím
pye-dog [paidog] toulavý pes, potulný pes bez pána, potulná psí potvora zejm. v Indii
pyelitis [ˌpaiəˈlaitis] med. pyelitis, pyelitida hnisavý zánět ledvinové pánvičky
pygal [paigəl] zool. řitní (~ *plates in the carapace of the turtle* řitní štítky na vrchním krunýři želvy)
pygmean [pigˈmi:ən] pygmejský, trpasličí
pygmy [pigmi] *s* (*-ie-*) **1** Pygmej původní obyvatel středoafrického pralesa **2** trpaslík, skřítek; trpasličí druh, miniatura; zakrslík, záprtek **3** *P*~ pygmej jeden z typů černého plemene vyznačující se nízkou postavou ● *adj* trpasličí
pyjama [pəˈdža:mə] BR pyžamový, jsoucí od pyžama (~ *jacket*)
pyjamas [pəˈdža:məs] *pl* **1** pyžamo, pyžama **2** volné dlouhé kalhoty mohamedánů ◆ *the cat's* ~ slang. to pravé, „ono"
pyknic [piknik] antr. *adj* pyknický ● *s* pyknik
pylon [pailən] **1** pylon; brána **2** ocelový stožár; letecký maják **3** nosník na trupu letadla
pyloric [paiˈlorik] anat. vrátníkový, pylorický
pylorus [paiˈlo:rəs] *pl: pylori* [paiˈlo:rai] anat. vrátník, pylorus
pyogenesis [ˌpaiəˈdženisis] vytváření hnisu
pyorrhoea [ˌpaiəˈriə] hnisavý zánět; hnisotok, paradontóza
pyracanth [paiərəkænθ] bot. hlohyně
pyramid [pirəmid] **1** pyramida **2** jehlan **3** báseň tvořící grafický obraz jehlanu **4** BR ~*s, pl* druh kulečníkové hry ◆ ~ *selling* způsob prodeje, při kterém prodávající platí za právo prodávat určité zboží
pyramidal [piˈræmidl] **1** pyramidový, pyramidovitý, pyramidální **2** jehlanový, jehlanovitý ◆ ~ *poplar* bot. topol vlašský; ~ *roof* stanová střecha; ~ *system* miner. pyramidální hemiedrie / polotvárnost
pyralid [pirəlid] zool. *s* též ~ *moth* zavíječ ● *adj* zavíječovitý
pyramidist [pirəmidist] odborník / egyptolog studující egyptské pyramidy
pyre [paiə] hranice, pohřební hranice při spalování mrtvol
Pyrenean [ˌpirəˈni:ən] pyrenejský
Pyrenees [ˌpirəˈni:z] Pyreneje horstvo
pyrethrum [paiˈri:θrəm] **1** vratič, kopretina, řimbaba **2** suché kořeny petránu ◆ ~ *extract* / *powder* insekticidní pyretový prášek
pyretic [paiˈretik] *adj* **1** horečkový, febrilní; horečnatý **2** snižující horečku ● *s* lék snižující horečku, antipyretikum
Pyrex [paiəreks] ohnivzdorné sklo, varné sklo
pyrexia [paiˈreksia] *pl: pyrexiae* [paiˈreksii:] horečka, horečnatý stav
pyrexial [paiˈreksiəl], **pyrrexic(al)** [paiˈreksik(əl)] horečkový, horečnatý
pyrheliometer [ˌpirhi:liˈomitə] pyrheliometr přístroj na měření intenzity přímého slunečního záření
pyridine [pairidain] chem. pyridin heterocyklická sloučenina zásadité povahy
pyriform [pirifo:m] hruškovitý, hruškový
pyrite [paiˈrait] *pl: pyrites* [paiˈraiti:z] též ~*s, pl* miner. kyz, pyrit; bisulfid železa ◆ *copper* ~ chalkopyrit, kyz měděný, sirník železnatoměďnatý; *iron* ~ kyz železný, pyrit
pyritic [paiˈritik] miner. kyzový, pyritový; kyzovitý, pyritický
pyritiferous [ˌpaiəriˈtifərəs] miner. pyritonosný
pyritize [paiəritaiz] miner. přeměnit v kyz, pyritizovat
pyritous [paiəritəs] miner. kyzový, pyritový; kyzovitý, pyritický
pyro [paiərəu] chem. pyrogalol
pyroelectric [ˌpaiərəuiˈlektrik] pyroelektrický týkající se pyroelektřiny
pyroelectricity [ˌpaiərəuilekˈtrisəti] pyroelektřina elektřina vzbuzená teplem
pyrogallic [ˌpaiərəuˈgælik] chem. pyrogalolový ◆ ~ *acid* chem. pyrogalol, pyrogalolová kyselina
pyrogenetic [ˌpaiərəudžiˈnetik] **1** vzbuzující teplo **2** vzbuzující horečku, pyrogenní
pyrogenic [ˌpaiərəuˈdženik] = *pyrogenous*
pyrogenous [paiˈrodžinəs] **1** vzbuzující horečku, pyrogenní **2** geol. jsoucí magmatického původu, pyrogenní
pyrogallol [ˌpaiərəuˈgælol] chem. pyrogalol trojmocný prvek užívaný v lékařství a fotografickém průmyslu
pyrography [paiˈrogrəfi] = *pyrogravure*
pyrogravure [ˌpaiərəugrəˈvjuə] vypalování do dřeva n. do kůže, pyrotypie
pyrola [paiərolə] bot. hruštička ◆ *one-flowered* ~ jednokvítek
pyrolatry [paiˈrolətri] pyrolatrie uctívání ohně
pyroligneous [ˌpaiərəuˈligniəs] vzniklý suchou destilací dřeva ◆ ~ *acid* dřevný ocet
pyrolysis [paiˈrolisis] pyrolýza rozklad látky za vysoké teploty
pyromancy [ˈpaiərəuˌmænsi] věštění z ohně n. plamenů
pyromania [ˌpaiərəuˈmeiniə] pyromanie náklonnost k žhářství; chorobná záliba v ohni

pyromaniac [ˌpaiərəuˈmeiniæk] pyroman, pyromaniak člověk stižený pyromanií
pyromaniacal [ˌpaiərəuməˈnaiikəl] pyromanický
pyrometallurgy [ˌpaiərəumeˈtælədži] pyrometalurgie výroba kovů žárem
pyrometer [paiˈromitə] žároměr, pyrometr přístroj na měření vysokých teplot
pyrometric(al) [ˌpaiərəuˈmetrik(əl)] pyrometrický
pyrometry [paiˈromitri] pyrometrie měření vysokých teplot; nauka o tomto měření
pyrope [pairəup] miner. český granát, pyrop
pyrophoric [ˌpaiərəuˈforik] = *pyrophorous*
pyrophorous [paiˈrofərəs] **1** samozápalný, pyroforní, pyroforický **2** světlotvorný, světelný
pyrophorus [paiˈrofərəs] *pl: pyrophori* [paiˈrofərai] samozápalná látka, pyroforní látka
pyrophotograph [ˌpaiərəuˈfəutəgra:f] vpálená fotografie na porcelán n. na sklo
pyrophotographic [ˌpaiərəufəutəˈgræfik] vpálený na porcelán n. na sklo; týkající se vpalování fotografie na porcelán n. na sklo
pyrosis [paiˈrəusis] žáha; pálení žáhy
pyrostat [ˈpaiərəuˌstæt] požární automat
pyrotechnic [ˌpaiərəuˈteknik] *adj* **1** ohňostrojný, ohňostrojový; pyrotechnický **2** přen. oslnivý, zářivý, brilantní, senzační, připomínající ohňostroj ◆ ~ *display* ohňostroj, bengál (hovor.) ● *s: ~s, pl* **1** *sg* ohňostrojství **2** ohňostroj, též přen.
pyrotechnical [ˌpaiərəuˈteknikəl] ohňostrojný, ohňostrojový, pyrotechnický
pyrotechnist [ˌpaiərəuˈteknist] ohňostrůjce, pyrotechnik
pyrotechny [ˌpaiərəuˈtekni] ohňostrojství, pyrotechnika
pyroxene [paiərəksi:n] miner. pyroxen
pyroxylin [paiˈroksilin] chem. pyroxylin nitrát celulózy
Pyrrhic[1] [pirik] též *p~ adj* složený z pyrrhichií ◆ ~ *dance* válečný tanec starých Řeků ● *s* pyrrhichius časoměrná stopa o dvou krátkých slabikách
Pyrrhic[2] [pirik] : ~ *victory* Pyrrhovo vítězství získané s velkými oběťmi
Pyrrhonian [piˈrəuniən], **Pyrrhonic** [piˈronik] *adj* pyrrhonický, pyrrhonistický týkající se pyrrhonismu ● *s* pyrrhonik, pyrrhonista stoupenec pyrrhonismu
Pyrrhonism [piˈrəunizəm] filoz. pyrrhonismus směr založený řeckým filozofem Pyrrhonem, hlásající krajní skepsi
Pyrus [pairəs] bot. hrušeň
pyruvic [paiˈru:vik] : ~ *acid* chem. kyselina pyrohroznová
Pythagorean [paiˌθægəˈri:ən] *adj* pythagorejský ◆ ~ *proposition* / *theorem* Pythagorova věta ● *s* pythagorovec, pythagorejec
Pythian [piθiən] antic. *adj* **1** delfský **2** pythický týkající se kněžky Pýthie; týkající se boha Appolóna **3** přen. extatický, třeštící, jsoucí u vytržení ● *s* **1** delfský Apollón **2** Pýthie kněžka věštírny v Apollónově chrámu
python[1] [paiθən] **1** antic. Python nestvůrný drak, kterého zabil Apollón **2** zool. krajta, pyton
python[2] [paiθən] **1** plivník; duch který posedá člověka **2** člověk posedlý takovým duchem, věštec, prorok
pythoness [paiθənes] věštkyně, prorokyně, pýthie; vědma, čarodějnice, žena posedlá zlým duchem
pythonic[1] [paiθonik] **1** týkající se Pythona **2** týkající se krajty n. hroznýše, krajtovitý, pytonovitý **3** přen. obrovský, velikánský
pythonic[2] [paiˈθonik] věštecký, prorocký
pyuria [paiˈjuəriə] med. hnis v moči, pyurie
pyx [piks] *s* **1** círk. ciborium; pyxis schránka na proměněné hostie **2** BR schránka na vzorky stříbrných a zlatých mincí v mincovně ◆ *trial of the* ~ každoroční vážení a zkoušení mincovních vzorků ● *v* dát minci do schránky; zkoušet / vážit a hodnotit minci
pyxidium [pikˈsidiəm] *pl* též *pyxidia* [pikˈsidiə] bot. tobolka víčkatá
pyxis[1] [piksis] *pl: pyxides* [piksidi:z] **1** antic.: kulatá krabička s víčkem **2** bot. tobolka víčkatá **3** = *pyx, s 1*
Pyxis[2] [piksis] též ~ *Nautica* Kompas souhvězdí

Q

Q, q [kju:] *pl: Qs, Q's, qs, q's* [kju:z] **1** písmeno Q (*a capital / large / upper-case Q* velké Q, *a little / small / lower-case q* malé q) **2** klička, smyčka v krasobruslení **3** cokoli označeného Q, ve tvaru Q n. q ◆ *Q department* BR ubytovací oddělení; *Q grade* AM normální benzín
qanat [ka:na:t] podzemní tunel vedoucí vodu z hor do nížin
Q-boat [kju:bəut] = *Q-ship*
Qiana [ki:a:nə] tkanina z umělých vláken
qiviut [ki:vi:ut] látka z podsady pižmoně východního
Qoran [ko:ra:n] = *Koran*
Q-ship [kju:šip] námoř. slang.: obchodní loď se skrytou výzbrojí používaná v boji proti ponorkám v I. světové válce
q.t. [kju:ti:] zkr. *quiet* slang.: *on the ~ 1.* tajně (*have a drink on the q. t.*) *2.* tajně, důvěrně, pod rouškou tajemství (*tell a p. a t. on the q. t.*)
qua [kwei] jako, jakožto (*the match ~ match was a victory, but as sport it was lamentable*)
quabird [kwa:bə:d] zool. kvakoš noční
quack[1] [kwæk] *v* **1** kachna kvákat, káchat **2** člověk kvákat, kdákat, kafrat, klábosit, žvanit, pleskat, tlachat ● *s* kvák, kváknutí, kvákání; kváky
quack[2] [kwæk] *s* mastičkář, šarlatán, dryáčník, podvodník, felčar pokoutní lékař ● *adj* pokoutní ◆ *~ doctor* mastičkář; *~ remedies* dryáky ● *v* **1** mastičkařit, léčit *a p.* koho pokoutně dryáky, dávat komu lektvary **2** tvrdit *a t.* o čem že je všelék, prodávat jako všelék
quackery [kwækəri] mastičkářství, šarlatánství, dryáčnictví, podvod
quack grass [ˌkwækˈgra:s] bot. pýr plazivý
quackish [kwækiš] pokoutní; mastičkářský, šarlatánský, dryáčnický, podvodný
quack-quack [kwæk-kwæk] dět. kačenka, kachnička, kachýnka, kač kač
quacksalver [kwæksælvə] řidč. mastičkář, šarlatán, dryáčník, podvodník
quad[1] [kwod] *s* **1** hovor. dvůr, nádvoří např. v univerzitní koleji **2** hovor. čtyřče **3** polygr. čtverčík ● *v* polygr. vyplnit čtverčíky ● *adj* formát papíru čtyřnásobný ◆ *~ crown* formát papíru 30 × 40″ (76,2 × 111,6 cm); *~ demy* formát papíru 35 × 45″ (8,9 × 114,3 cm); *~ foolscap* formát papíru 27 × 34″ (68,6 × 86,4 cm); *~ imperial* formát papíru 44 × 60″ (111,8 × 154,2 cm); *~ large post* formát papíru 33 × 42″ (83,8 × 106,7 cm); *~ medium* formát papíru 35 × 46″ (91,4 × 116,8 cm); *~ post* formát papíru 30 ½ × 38″ (77,5 × 96,5 cm); *~ royal* formát papíru 40 × 50″ (11,6 × 127 cm)
quad[2] [kwod] slang. díra, lapák, loch vězení
quadrable [kwodrəbl] umocnitelný na druhou, zdvojmocnitelný
quadragenarian [ˌkwodrədžiˈneəriən] *adj* čtyřicetiletý ● *s* čtyřicátník
Quadragesima [ˌkwodrəˈdžesimə] **1** též *~ Sunday* círk. první neděle postní, neděle Invocabit **2** zast. čtyřicetidenní postní doba, půst
quadragesimal [ˌkwodrəˈdžesiməl] **1** čtyřicetidenní **2** *Q~* týkající se kvadragesimy, postní
quadrangle [kwodræŋgl] **1** čtyřúhelník **2** BR čtyřúhelníkové nádvoří např. v univerzitní koleji (částečně) uzavřené budovami
quadrangular [kwoˈdræŋgjulə] čtyřúhelný, čtyřúhelníkový
quadrant [kwodrənt] **1** kvadrant čtvrtina kruhu n. kružnice; jedna ze čtyř částí roviny rozdělené dvěma kolmicemi; jedna ze čtyř částí prostoru rozděleného dvěma rovinami; navigační přístroj k měření úhlu ve svislém směru; čtvrtkruh **2** námoř. kormidelní segment ◆ *~ angle* voj. náměr, elevační úhel; *~ davit* námoř. sklopný člunový jeřáb; *~ sight* voj. dělové hledí
quadrantal [kwodrəntl] kvadrantový, čtvrtkruhový
quadrat [kwodrət] **1** polygr. čtverčík; *~s pl* výplně, maso (slang.) **2** pokusný dílec, pokusné políčko ◆ *em ~* polygr. čtverčík; *en ~* polygr. půlčtverčík
quadrate[1] [kwodrit] *adj* čtvercový, čtvercovitý, též anat. ● *s* **1** anat. čtvercový sval; čtvercová kost **2** zř. čtverec, čtvercový n. pravoúhlý předmět
quadrate[2] [kwoˈdreit] **1** přizpůsobit a t. co *with* čemu, u|činit shodným s, být shodným s, harmonovat s **2** provést kvadraturu čeho; rozdělit do čtverců n. krychlí; povyšovat na druhou, zdvojmocnit
quadratic [kwoˈdrætik] *adj* **1** zř. čtvercový, čtverečný **2** druhého stupně, kvadratický (*~ equation* kvadratická rovnice) ● *s* **1** rovnice druhého stupně, kvadratická rovnice **2** výraz druhého stupně, kvadratický výraz **3** *~s, pl* nauka o rovnicích druhého stupně
quadrature [kwodrəčə] **1** kvadratura mat: určení obsahu n. změna obrazce na čtverec o stejném obsahu; hvězd: poloha dvou nebeských těles, při níž se délka těles liší o 90° **2** elektr. fázový rozdíl 90° ◆ *~ of the circle* kvadratura kruhu
quadrel [kwodrəl] čtvercový kámen, čtvercová cihla
quadrennial [kwoˈdreniəl] čtyřletý, opakující se každé čtyři roky
quadrennium [kwoˈdreniəm] *pl: quadrennia* [kwoˈdreniə] čtyřletí, quadriennium
quadric [kwodrik] *adj* **1** jsoucí druhého stupně, kvadratický **2** čtyřdílný, čtyřčlenný ● *s* plocha druhého stupně, kvadratická plocha, kvadrika
quadricentennial [ˌkwodrisenˈtenjəl] *adj* čtyřstý;

týkající se čtyřstého výročí ● *s* čtyřsté výročí
quadriceps [kwodriseps] *pl* též *quadricepses* [kwodrisepsiz] anat. čtyřhlavý sval stehenní
quadrichromatic [ˌkwodrikrəuˈmætik] = *quadricolour*
quadricolour [ˌkwodriˈkalə] polygr. čtyřbarevný
quadricycle [kwodrisaikl] čtyřkolka
quadrifid [kwodrifid] bot. čtyřdílný, čtyřlaločný, čtyřklaný
quadriga [kwəˈdri:gə] *pl* též *quadrigae* [kwəˈdri:dži:] kvadriga antický vůz se čtyřspřežím
quadrilateral [ˌkwodriˈlætərəl] *adj* čtyřstranný, čtyřboký, čtyřúhelný, čtyřstěnný ● *s* **1** čtyřstěn; čtyřúhelník **2** *Q*~ hist. pevnostní čtyřúhelník v severní Itálii
quadrilingual [ˌkwodriˈlingwəl] čtyřjazyčný (*a* ~ *inscription*), do / ze čtyř jazyků (*a* ~ *interpreter* tlumočník ovládající čtyři jazyky)
quadrille[1] [kwəˈdril] hist.: druh karetní hry se čtyřiceti kartami
quadrille[2] [kwəˈdril] čtverylka tanec i hudební skladba ◆ *a set of* ~*s* čtverylka
quadrille[3] [kwəˈdril] čtverečkovaný
quadrillion [kwoˈdriljən] kvadrilion BR 10^{24}; AM 10^{15}
quadrilobated [ˌkwodriləuˈbeitid] bot. čtyřlaločný
quadrinomial [ˌkwodriˈnəumial] mat. *adj* čtyřčlenný ● *s* čtyřčlen
quadripartite [ˌkwodriˈpa:tait] **1** čtyřdílný, rozdělený na čtyři díly **2** čtyřstranný (~ *agreement*) **3** jsoucí ve čtyřech vyhotoveních
quadriphonic [ˌkwodriˈfəunik] = *quadrophonic*
quadrireme [ˌkwodriˈri:m] antická čtyřveslice
quadrisect [kwodrisekt] rozdělit na čtyři stejné díly
quadrisonic [ˌkwodriˈsonik] = *quadrophonic*
quadrisyllabic [ˌkwodrisiˈlæbik] čtyřslabičný
quadrisyllable [ˌkwodriˈsiləbl] čtyřslabičné slovo
quadrivalent [kwoˈdrivələnt] chem. čtyřmocný
quadrivium [kwoˈdriviəm] hist. kvadrivium čtyři ze sedmi základních věd
quadro [kwa:drəu] čtvercová jednotka sídliště
quadroon [kwoˈdru:n] **1** čtvrtorodec, quarteron, quarternon, quadron čtvrtinový míšenec **2** kříženec, hybrid, bastard
quadrophonic [ˌkwodrəuˈfəunik] kvadrofonický zachovávající původní prostorové rozložení zvuku pomocí čtyř reproduktorů
quadrumane [kwodrumein] čtyřruký živočich
quadrumanous [kwoˈdru:mənəs] čtyřruký
quadruped [kwodruped] *s* čtyřnožec, čtvernožec ● *adj* čtyřnohý, čtvernohý
quadrupedal [kwoˈdru:pidl] týkající se čtvernožců
quadruple [kwodrupl] *adj* čtyřnásobný, čtyřikrát tak velký *of* / *to* jako, čtyřikrát větší než ◆ ~ *alliance* hist. Čtyřdohoda; ~ *counterpoint* hud. čtyřhlasý převratný kontrapunkt; ~ *measure* / *rhythm* / *time* hud. čtyřdobý / čtyřčtvrťový takt ● *s* **1** čtyřnásobek **2** čtveřice ● *v* z|násobit | se čtyřmi, zečtyřnásobit | se (*chances of survival were approximately* ~*d*)
quadruplet [kwodruplit] **1** čtyřče, jedno ze čtyřčat **2** velociped pro čtyři jezdce, čtyřsedadlové kolo **3** hud. kvartola
quadruplex [kwodrupliks] *adj* čtyřnásobný ● *s* **1** čtyřnásobná telegrafie **2** soustava n. přístroj pro čtyřnásobnou telegrafii
quadruplicate *adj* [kwoˈdru:plikit] čtyřnásobný, vyhotovený ve čtyřech exemplářích, jsoucí se třemi kopiemi ● *s* [kwoˈdru:plikit] ~*s*, *pl* čtyři stejné exempláře, originál a tři kopie ◆ *in* ~ ve čtyřech exemplářích, s třemi kopiemi ● *v* [kwoˈdru:plikeit] **1** z|násobit čtyřmi, ze|čtyřnásobit **2** vyhotovit ve čtyřech exemplářích
quadruplicity [ˌkwodru:ˈplisəti] čtyřnásobnost
quadrupole [kwodru:pəul] fyz. čtyřpól, kvadrupól
quaere [kwiəri] *v* kdoví, zajímalo by mě, je otázka *whether* jestli (*most interesting, no doubt; but* ~, *is it true*) ● *s* dotaz, otázka
quaestor [kwi:stə] kvestor vyšší finanční úředník ve starém Římě; pokladník
quaestorial [kwi:sˈto:riəl] kvestorský
quaestorship [kwi:stəšip] kvestura
quaff [kwa:f] *v* vy|pít zejm. dlouhými doušky; dlouze se napít ***quaff off*** vlít do sebe nápoj, vytáhnout ● *s* **1** pitka **2** nápoj, pití
quag [kwæg] bařina, bažina, blata, slatina
quagga [kwægə] zool. zebra kvagga
quaggy [kwægi] (*-ie-*) bažinatý, slatinový, slatinný
quagmire [kwægmaiə] **1** bařina, bažina, blata, slatina, močál, bahnisko; přen. bahno, bláto (~ *of mediocrity*) **2** kaše, brynda, šlamastyka
quahaug, quahog [kwo:hog] AM zool. zaděnka jedlý mlž
quaich [kweich] SC dvouuchá mělká miska na pití
Quai d'Orsay [keiˌdo:ˈsei] Quai d'Orsay jméno pařížského nábřeží, kde je francouzské ministerstvo zahraničních věcí; přen: toto ministerstvo
quaigh [kweich] SC = *quaich*
quail[1] [kweil] **1** za|chvět se, za|třást se, ustoupit, couvnout (*the strongest* ~ *before financial ruin*), po|klesnout (*his courage* ~*ed* ztratil odvahu); degenerovat **2** zř. zastrašit, nahnat strach komu (*thunder* ~*s the inferior creatures* nižším bytostem nahání hrom strach)
quail[2] [kweil] **1** zool. křepelka polní **2** zool. křepel kalifornský **3** AM vysokoškolačka
quail-call [kweilko:l] vábnička na křepelky
quailery [kweiləri] (*-ie-*) křepelčí líheň
quail-pipe [kweilpaip] vábnička na křepelky
quaint [kweint] **1** přitažlivý, lákavý, poutavý, atraktivní, protože zvláštní, starobylý, starodávný, kuriózní, malebný, bizarní, pitoreskní (*our* ~ *villages*) **2** po|divný, prapodivný, pra|zvláštní, legrační (hovor.) (*my stroll was marked by only one* ~ *happening* na procházce se mi přihodila jedna zvláštní věc)

quaintness [kweintnis] **1** přitažlivost, lákavost, poutavost, atraktivnost; zvláštnost, starobylost, starodávnost, kurióznost, malebnost, bizarnost, pitoresknost **2** pra|podivnost, pra|zvláštnost

quake [kweik] *v* za|třást se, za|chvět se (*the ground ~d under his feet*) *at* při (*boughs that ~d at every breath* ratolesti, které se při každém vydechnutí zatřásly), klepat se *for / with* čím (*~ing with fear or cold*) ● *s* **1** otřes, třesení; záchvěv, chvění **2** hovor. zemětřesení

Quaker [kweikə] **1** kvaker člen náboženské společnosti *Society of Friends* s kvietistickým a pacifistickým zaměřením **2** *q~* též *q~ gun* AM dřevěná maketa děla na lodi n. v přístavu ◆ *~ green* tmavozelená barva

quaker-bird [kwikəbə:d] zool.: albatros *Phoebetria fuliginosa*

quaker-collar [ˈkweikə͵kolə] široký bílý límeček na dámských šatech

Quakerdom [kweikədəm] kvakerství

Quakeress [kweikəris] kvakerka

Quakerism [kweikərizəm] kvakerství

Quakerish [kweikəriš] kvakerský

Quaker meeting [ˈkweikə͵mi:tiŋ] **1** tiché náboženské shromáždění kvakerů **2** přen. tichá společnost, nemluvná společnost, kde vázne hovor

quaker-moth [kweikəmoθ] zool. osenice můra

Quakers' meeting [ˈkweikəz͵mi:tiŋ] = *Quaker meeting*

quaking [kweikiŋ] : *~ ash / aspen* osika; *~ bog* třasovisko

quaking grass [kweikiŋgra:s] bot. třeslice

quaky [kweiki] (*-ie-*) chvějivý, třaslavý, třesoucí se

qualifiable [kwolifaiəbl] **1** ohodnotitelný, posouditelný, posuzovatelný, kvalifikovatelný **2** uzpůsobitelný, uschopnitelný, schopný, způsobilý **3** blíže určitelný, vymezitelný, omezitelný **4** zmírnitelný, zeslabitelný, oslabitelný, rozředitelný

qualification [͵kwolifiˈkeišən] **1** omezení, určité vymezení, modifikace (*~s amounting to correctives* modifikace rovnající se téměř korektivům): výhrada (*you can accept his statement with certain ~s* jeho prohlášení můžeš přijmout s určitými výhradami) **2** předpoklad, schopnost, způsobilost, kvalifikace (*physical ~s for pilots*); požadavek, postulát (*residence ~s for membership* stálé bydliště umožňující členství), oprávnění, osvědčení **3** z|hodnocení, ohodnocení (*the ~ of his policy as opportunist is unfair*) ◆ *have the necessary ~s* vyhovovat požadavkům; *~ test* psychotechnická zkouška

qualificatory [kwolifikətəri] **1** kvalifikační **2** omezující, modifikační, modifikující

qualified [kwolifaid] **1** schopný, způsobilý, uzpůsobený, kvalifikovaný (*~ to govern the country* způsobilý vládnout zemi); školený, odborný **2** nikoliv jednoznačný, omezený, s výhradami, zdrženlivý, opatrný (*the author's outlook is one of ~ optimism* autorův názor je zdrženlivě optimistický); podmíněný (*a ~ acceptance of a bill of exchange* omezená akceptace směnky) **3** v. *qualify* ◆ *~ majority* prostá n. předepsaná většina; *~ voter* oprávněný volič

qualifier [kwolifaiə] **1** kdo se kvalifikuje, kandidát **2** blíže určující slovo, vymezující přídavné jméno n. příslovce

qualify [kwolifai] (*-ie-*) **1** o|hodnotit, posoudit, posuzovat, kvalifikovat *as* jako **2** u|činit způsobilým n. schopným *for,* oprávnit, kvalifikovat *to do a t.* dělat co (*he is qualified to teach English*), dát povolení n. oprávnění (*he is qualified to practice law in this state*), vzít do přísahy a tím udělit kvalifikaci (*~ a jury*); být způsobilým n. schopným mít / získat povolení n. oprávnění, kvalifikovat se **3** blíže určit (*adjectives ~ nouns*), blíže vymezit; omezit **4** zmírnit, zeslabit, oslabit; roz|ředit, s|míchat, řezat, říznout nápoj *with* čím (*coffee qualified with cognac*)

qualifying [kwolifaiiŋ] **1** kvalifikační (*a ~ examination will be held next month* kvalifikační zkouška se bude konat příští týden) **2** v. *qualify* ◆ *~ round* sport. vylučovací kolo

qualitative [kwolitətiv] jakostní, kvalitativní ◆ *~ analysis* kvalitativní analýza

quality [kwoliti] *s* **1** jakost, hodnota, kvalita, též log.; dobrá jakost, vysoká kvalita (*we aim at ~ rather than quantity* naším cílem je spíše kvalita než kvantita) **2** charakteristický rys, typická vlastnost (*the chemical qualities of alcohol*), schopnost, povaha, co kdo dovede (*he has the ~ of inspiring confidence* on dovede vzbudit v člověku důvěru) **3** barva, zabarvení, témbr hlasu **4** exkluzívní časopis **5** zast. vyšší vrstvy, smetánka, lepší rodina, aristokracie (*several of the ~ were present*) ● *adj* **1** jakostní, kvalitní, prvotřídní **2** zast. z vyšších vrstev, aristokratický (*bring ~ people to the wedding* přivést na svatbu lepší lidi) ◆ *~ grade* les. jakostní třída

qualm [kwo:m] **1** nevolnost, nevolno, nanic, mdlo, špatně *of* z / čím (*the memory gave him almost a ~ of teror* při té vzpomínce se mu téměř udělalo špatně hrůzou); záchvat (*a little ~ of homesickness* malý záchvat stesku po domově); vlna (*a ~ of tenderness shook his unstable heart* jeho málo pevné srdce se zachvělo vlnou něhy) **2** *~s, pl* pochyby o správném jednání, pochybnosti, nejistota, ztráta jistoty, ztráta odvahy (*he had ~s about setting forth over the treacherous waters* nechtělo se mu vyplout do zrádných vln) **3** *~s, pl* hryzání / výčitky svědomí, skrupule (*he felt no ~s about borrowing money from friends*)

qualmish [kwo:miš] **1** trpící nevolností zejm. žaludeční (*my dear angel has been ~ of late* můj miláček trpí poslední dobou nevolností), působící nevolnosti, působící mdlo, dělající špatně (*a ~ nightmare* zlý sen, až se z něho dělá člověku nevolno) **2** úzkostlivý, skrupulózní, trpící výčitkami svědomí (*so ~ he refused to kill a spider* tak skrupulózní, že odmítl zabít pavouka)
quandary [kwondəri] (*-ie-*) obtížná situace, pochybnosti, nejasnost, zmatek, dilema (*I am in a ~ about what to do next* jsem na rozpacích, co dělat dál)
quand même [ka:nˈmeim] přesto, přesto přese všechno, přece, nicméně
quant [kwont] BR *s* bidlo, sochor s vidlicí na jednom konci a opěrkou n. rukojetí na druhém ● *v* odstrkávat se / odpichovat se takovým bidlem, pohánět člun takovým bidlem
quanta [kwontə] *pl* v. *quantum*
quantic[1] [kwontik] mat. homogenní algebraická funkce, forma
quantic[2] [kwontik] kvantový
quantifiable [kwontifaiəbl] **1** měřitelný, určitelný kvantitativně **2** filoz. kvantifikovatelný
quantification [ˌkwontifiˈkeišən] **1** měření, určování / stanovení množství, hodnocení co do množství, kvantitativní vyjádření **2** filoz. kvantifikování, rozdělení soudů podle kvantity
quantifier [kwontifaiə] **1** zkušený matematik **2** člověk, který všechno hodnotí co do množství **3** filoz. kvantifikátor
quantify [kwontifai] (*-ie-*) **1** měřit, určit / stanovit množství, hodnotit co do množství, vyjadřovat kvantitativně **2** filoz. kvantifikovat, rozdělit soudy podle kvantity
quantitative [kwontitətiv] **1** určující množství, podle množství, co do množství, týkající se kvantity, kvantitativní **2** liter. časoměrný
quantitive [kwontitiv] zř. = *quantitative*
quantity [kwontəti] (*-ie-*) **1** množství, počet (*what ~ do you want?*), kvantita (*I prefer quality to ~*); určitý počet, určité množství (*a ~ of cigars*), celkový počet, celkové množství (*the ~ of shoes produced by the company*), velikost (*the ~ of her devotion*) **2** *quantities, pl* velké množství (*he buys things in quantities*), spousta (*we've had quantities of rain this summer* letos v létě jsme měli spousty deště) **3** mat. veličina (*unknown ~*), též přen. (*negligible ~*) **4** filoz. kvantita; hud. délka, trvání tónu; jaz. délka hlásek, kvantita; práv. lhůta ◆ *bill of ~ / quantities* BR plán, rozpis materiálu, soupis materiálu na stavbu, projekt, rozpočet stavby; *~ surveyor, surveyor of quantities* BR stavební dozor
quantity mark [kwontətima:k] označení délky, diakritické znaménko, akcent
quantivalence [ˌkwontiˈveiləns] chem. mocenství, valence
quantization [ˌkwontiˈzeišən] fyz. kvantování
quantize [kwontaiz] fyz. kvantovat
quantizer [kwontaizə] kyb. převaděč veličin analogových a digitálních počítačů
quantum *s* [kwontəm] *pl: quanta* [kwontə] množství, kvantum ◆ *~ jump* náhlý, zásadní pokrok; *~ mechanics* kvantová mechanika; *~ theory* kvantová teorie ● *adv* [kwæntəm]: *~ libet / placet* podle libosti; *~ sufficit* v dostatečném množství
quaquaversal [ˌkweikwəˈvə:kl] geol. zapadající na všechny strany, kopulovitý, periklinální
quarantine [kworənti:n] *s* karanténa, též přen.; karanténní nemocnice ◆ *~ flag* karanténní vlajka ● *v* dát do karantény
quare impedit [ˌkweəriˈimpidit] práv. hist.: soudní příkaz odpůrci proti obsazovanému obroči
quarenden [kworəndən], **quarender** [kworəndə] odrůda anglických jablek
quark[1] [kwa:k] fyz. quark hypotetická částice
quark[2] [kwa:k] otazník v telegramu
quarrel[1] [kworəl] **1** hist. střela, šipka šíp vystřelovaný z kuše **2** kosočtvercová tabulka skla **3** čtyřúhelníkový prvek skla **4** sklenářský diamant **5** kamenické dláto
quarrel[2] [kworəl] *s* spor, hádka, svár, váda, rozpor, různice; rozepře, rozbroj, roztržka; důvod ke sporu atd. (*I have no ~ with him*) ◆ *espouse / fight a p.'s ~* zastat se koho ve sporu, stát při kom ve sporu; *in a good ~* ve spravedlivém sporu, spravedlivě; *make up one's ~* usmířit se po sporu; *pick a ~ with a p.* vyhledávat hádku s kým, pouštět se s kým do hádky, úmyslně se pohádat s kým; *take up a p.'s ~* vmísit se do sporu koho, zastat se koho, vést dál spor za koho ● *v* (*-ll-*) **1** po|hádat se, přít se, roz|vadit se, dostat se do sporu atd. (*the thieves ~led with one another how to divide the loot* zloději se mezi sebou pohádali o to, jak rozdělit kořist), vést spor atd. s, rozházet si to *with* s **2** zlobit se *with* na, stěžovat si na, mít námitky proti (*to ~ with a society* mít námitky proti společnosti) ◆ *~ with one's bread and butter* uřezávat si pod sebou větev škodit sám sobě; *~ with one's lot* být nespokojen se svým osudem
quarreller [kworələ] svárlivý člověk, svárlivec, hašteřivec
quarrelsome [kworəlsəm] hádavý, hašteřivý, svárlivý, nesnášenlivý, popudlivý
quarrelsomenes [kwərəlsəmnis] hádavost, hašteřivost, svárlivost, nesnášenlivost, popudlivost
quarrier [kworiə] = *quarryman*
quarry[1] [kwori] (*-ie-*) kořist, lovené zvíře, pronásledovaná oběť, též přen: (*thinks of a woman as a ~*)
quarry[2] [kwori] (*-ie-*) *s* **1** lom, kamenolom **2** pokladnice, pramen, zdroj informací (*other dramatists also found his books a workable ~*) ● *v* **1** lámat (kámen), těžit, dobývat na povrchu (*had quarried limestone there for decades* desítky let tam

lámali vápenec), též přen.; udělat / otevřít lom v (*they quarried the land industriously* pilně těžili ze země kámen) **2** přen. dolovat, hrabat se, hledat (~ *in old manuscripts*)

quarry[3] [kwori] (*-ie-*) *s* **1** kosočtverec skla, kosočtvercová tabulka skla **2** malá čtvercová dlaždice ● *v* dláždit lomovými dlaždicemi

quarry-faced [kworifeist] zdivo: jsoucí z kamenů s neopracovanou lícovou plochou

quarryman [kworimən] *pl: -men* [-mən] lamač, lomař, kamenolamač, kameník v lomu

quarry stone [kworistəun] lomový kámen

quart[1] [kwo:t] **1** kvart dutá míra; hrnec, láhev o obsahu jednoho kvartu **2** dvě piva, litránek piva (*still takes his* ~) ♦ *put a* ~ *into a pint pot* cpát tlusté do tenkého

quart[2] [ka:t] *s* kvarta poloha zbraní ve výzvě n. krytu v šermu; čtyři karty téže barvy jdoucí za sebou ♦ ~ *and tierce* šermířské cvičení; ~ *major* nejvyšší kvarta, kvarta v honérech ● *v* udělat kvartu v šermu; uhnout hlavou při kvartě v šermu

quartal [kwo:tl] hud. kvartový

quartan [kwo:tn] *adj* čtvrtodenní ● *s* med. čtvrtodenní zimnice

quartation [kwo:ˈteišən] hut. kvartace získávání ryzího zlata ze slitiny se stříbrem

quarter [kwo:tə] *s* **1** čtvrtina, čtvrt, čtvrtka (*a* ~ *of a mile, the first* ~ *of this century*); čtvrt měsíční fáze (*the moon at the first* ~); čtvrtina kusu poraženého dobytka (*a* ~ *of beef*); čtvrt libry, čtvrt míle, čtvrt yardu, čtvrt sáhu, půl sudu; jednotka váhy; BR dutá míra; čtvrt roku, kvartál (*pay one's rent at the end of each* ~), univerzitní trimestr; čtvrt hodiny, čtvrthodina (*the clock strikes the hours, the halfhours and the* ~*s, a* ~ *to two* třičtvrtě na dvě, *a* ~ *past six* čtvrt na sedm); čtvrť část většího města (*the Chinese* ~ *of San Francisco*); hovor. čtvrtka běh na 400 m; AM sport. čtvrtina; (první) pole čtvrceného erbu; též ~ *point* čtvrt kompasového dílce; AM čtvrťák, čtvrtdolar hodnota i mince **2** světová strana, směr (*men running from all* ~*s*), též přen. (*as his father was penniless, he could expect no help from that* ~ protože jeho otec byl bez groše, nemohl z té strany očekávat žádnou pomoc); končina, krajina, oblast (*travel in every* ~ *of the globe*); místo, instance, činitel (*the suggestion did not find favour in the highest* ~*s* pro tento návrh neměla nejvyšší místa žádné sympatie) **3** milost, pardon, slitování nad poraženým nepřítelem, život (*ask for* ~) **4** bojové stanoviště, přikázané místo (*officers and men at once took up their* ~*s*); ~*s, pl* námoř. nastoupená posádka lodi **5** ~*s, pl* ubytování, byt (*we found excellent* ~*s at a small inn*), tábor, ležení (*the Roman army went into winter* ~*s*), ubikace, ubytovna (*all troops are to return to* ~*s at once*) **6** námoř. část lodní zádi po obou bocích; část ráhna mimo smyčky **7** jednotka (£ 25) stanovení daně z příjmu na Normanských ostrovech **8** pravoúhlost, kolmost klik **9** struk, cecík (*normal milk from all four* ~*s*) **10** AM sport. zadák, obránce **11** patka kopyta; hraněný sloupek v příčce; patička svršku ♦ *close* ~*s* málo místa, malý / úzký prostor, těsno (*at close* ~*s 1.* těsně u sebe *2.* z těsné blízkosti, *live in close* ~*s* žít ve stísněném prostředí, žít v malém bytě); *a bad* ~ *of an hour* těžká chvíle, zlá minuta; *be confined to* ~*s* dostat kasárníka; *beat to* ~*s* bít na bojový poplach; ~ *bend* koleno tvarovka; ~ *cloth binding* poloplátěná vazba bez růžků; *free* ~ herald. volná čtvrť; *from a good* ~ z dobrých míst, z dobře informovaných míst, ze spolehlivého pramene, *give* ~ ušetřit nepřítele, darovat život poraženému nepříteli; ~ *of an hour* čtvrthodina; ~ *left* voj. 45° vlevo; *keep good* ~*s with* vycházet dobře s; *married* ~*s* byty n. domy ženatých příslušníků branných sil; *night* ~*s* noclehárna; *not a* ~ *as good as* ani ze čtvrtiny tak dobré jako; ~ *note* AM čtvrťová nota, čtvrtka; ~ *right* voj. 45° vpravo; ~ *sessions* BR čtvrtletní soudní zasedání; ~ *sheet* koňská houně; ~ *stuff* čtvrtcoulové prkno; *take up* ~*s* ubytovat se (*I took up* ~*s with a friend*); ~ *timber* radiálně řezané dřevo; ~ *tone* polygr. štoček s hrubou sítí; ~ *vellum binding* polopergamenová vazba; ~ *yearly* čtvrtletně ● *v* **1** čtvrtit, rozdělit na čtyři díly (~ *an orange*), rozčtvrtit (*the traitor was hanged and* ~*ed* vlastizrádce byl pověšen a rozčtvrcen); čtvrtit erb *with* čím **2** měsíc přecházet z jedné čtvrti do druhé **3** nastavit v pravém úhlu, natočit o 90° **4** ubytovat *on* / *upon* u (*the officer* ~*ed his men on the inhabitants*), nakvartýrovat kam (hovor.); bydlet *in* v, obývat co (*the family* ~*ed in a big old house*); být ubytován vojensky **5** křižovat, šněrovat, prohledávat křížem krážem (~ *more territory*), hledat křižováním (*we had to* ~ *for it*) **6** vítr vanout šikmo odzadu, vanout z boku; loď plout se zadobočním větrem **7** jet po mezkách aby kolej cesty šla mezi koly **8** lehce hřebelcovat koně

quarterage [kwo:təridž] **1** ubytování, ubikace vojska; ubytovné **2** čtvrtletní poplatek n. příjem n. mzda n. důchod atd.

quarterback [kwo:təbæk] AM sport. *s* zadák, obránce ● *v* **1** hrát zadáka n. obránce **2** řídit obranné akce svého mužstva

quarter bell [kwo:təbel] zvon odbíjející čtvrthodiny

quarter bill [kwo:təbil] ubytovací seznam

quarter-binding [ˌkwo:təˈbaindiŋ] polokožená n. poloplátěná vazba bez růžků

quarter-bound [kwo:təbaund] kniha v polokožené / poloplátěné vazbě bez růžků

quarter breed [kwo:təbri:d] míšenec, zejm. Indián mající jednoho prarodiče bělocha

quarter butt [kwo:təbat] krátké tágo

quarter day [kwo:tədei] den, kdy jsou splatné čtvrtletní poplatky, kvartál

quarterdeck [kwo:tədek] s **1** ubytovací paluba

2 přen. námořní důstojníci ● *v* procházet se (jako) po ubytovací palubě
quarterfinal [ˈkwo:təˌfainl] sport. *adj* čtvrtfinálový ● *s* **1** čtvrtfinálový zápas **2** *~s, pl* čtvrtfinále
quarterfoil [kwo:təfoil] herald. čtyřlístek
quarter-hour [ˌkwo:təˈauə] čtvrthodina, čtvrt hodiny
quarter-ill [kwo:təil] zvěr. hnisavost dobytka a ovcí
quartering [kwo:təriŋ] s **1** čtvrcený erb **2** v. *quarter, v* ● *adj* **1** vanoucí / přicházející šikmo odzadu **2** v. *quarter, v* ◆ *~ wind 1.* šikmý boční vítr *2.* vítr vanoucí z určitého směru stanoveného podle kompasu
quarter-liberal [ˈkwo:təˌlibərəl] méně než poloviční liberál
quarterlight [kwo:təlait] BR postranní větrací okénko v automobilu
quarter line [kwo:təlain] námoř. **1** stupňová sestava loďstva **2** řez ve čtvrtině šířky teoretického výkresu plavidla
quarterly [kwo:təli] *adj* **1** čtvrtletní (*a ~ notice*) **2** vanoucí šikmo odzadu, vanoucí z boku (*a ~ wind*) **3** erb dělený do čtyř n. více polí (*~ of six* ... do šesti polí) ● *adv* čtvrtletně, kvartálně ◆ *s* (*-ie-*) čtvrtletník
quarterly-quartered [ˈkwo:təliˌkwo:təd] erb dvakrát čtvrcený
quartermaster [ˈkwo:təˌma:stə] **1** námoř. kormidelní poddůstojník, vyškolený námořník pověřený službou u kormidla **2** voj. ubytovací důstojník, zásobovací důstojník, ubytovatel ◆ *Q~ General* nejvyšší ubytovatel, náčelník hlavního štábu důstojník generálního štábu pečující o ubytování a zásobování
quarter miler [ˈkwo:təˌmailə] sport. čtvrtkař závodník v běhu na 400 metrů
quartern [kwo:tən] **1** čtvrtina pinty **2** = *quartern loaf*
quartern loaf [kwo:tənləuf] *pl: quartern loaves* [kwo:tənləuvz] čtyřlibrová veka chleba
quarter pace [kwo:təpeis] stav. schodišťová mezipodesta
quarter-phase [kwo:təfeiz] elektr. dvoufázový
quarter plate [kwo:təpleit] fotografická deska, fotografie velikosti 3¼ × 4¼ palce
quarter race [kwo:təreis] AM sport. běh na 400 metrů, čtvrtka (slang.)
quarter round [kwo:təraund] archit. podporný článek, podvalek, čtvrtovál, echinus
quartersaw [kwo:təso:] (*quartersawed, quartersawn / quartersawed*) řezat radiálně
quarterstaff [kwo:təsta:f] *pl: quarterstaves* [kwo:təsteivz] hist. **1** dlouhá hůl, okovaný dlouhý klacek zbraň **2** cvičení n. boj s těmito holemi
quarter stretch [kwo:təstreč] sport. cílová rovinka
quarter tone [kwo:tətəun] hud. čtvrttón
quarter truth [kwo:tətru:θ] *pl: quarter truths* [kwo:tətru:ðz] méně než polopravda
quarter wind [kwo:təwind] **1** vítr vanoucí šikmo odzadu, zadní boční vítr **2** boční vítr **3** vítr vanoucí z určitého směru stanoveného podle kompasu
quartet(te) [kwo:ˈtet] **1** kvartet; kvarteto **2** čtveřice, čtyřka, kvarteto ◆ *piano ~ 1.* klavírní kvartet *2.* klavírní kvarteto
quartic [kwo:tik] mat. *adj* jsoucí čtvrtého stupně ● *s* rovnice čtvrtého stupně
quartile [kwo:tail] *adj* astrologie: jsoucí v kvadratuře ● *s* **1** astrologie kvadratura **2** statistika hodnota čtvrtiny proměnné
quarto [kwo:təu] kvart čtvrtarchový formát papíru n. knihy; kvartové vydání (*the First and Second Q~s of "Hamlet"*) ◆ *in ~* kvartového formátu; *~ paper* kvartový papír, čtvrtka
quart pot [kwo:tpot] přibližně litrový hrnec
quartus [kwo:təs] BR toho jména čtvrtý
quartz [kwo:ts] **1** křemen; chem. kysličník křemičitý **2** zlatonosná n. stříbronosná žíla křemenná ◆ *~ clock* křemenné hodiny; *~ crystal* křemíkový krystal, krystalický křemen; *~ lamp* křemíková lampa, „horské slunce"
quartzite [kwo:tsait] miner. křemenec, kvarcit
quasar [kweisə] hvězd. kvasar, quasar druh nebeského tělesa
quash [kwo:š] **1** z|rušit, anulovat, prohlásit za neplatný **2** roz|mačkat, roz|drtit (*cars going by would ~ them* kolemjedoucí povozy ...); potlačit (*~ a rebellion*)
Quashee [kwoši] západoafrický černoch
quasi [kwa:zi] **1** to jest, tedy (*Wilbraham, ~ Wild boar ham*) **2** též s rozdělovacím znaménkem přibližně jako, asi jako, něco jako, jakoby, polo, napůl, quasi (*in dance band orchestration the arranger becomes a ~ composer* při instrumentaci pro taneční orchestr se aranžér stává bezmála skladatelem)
quasi-contract [ˌkwa:ziˈkontrækt] smlouva na oko
quasi-official [ˌkwa:ziəˈfišl] polooúřední
quasi-stellar [ˌkwa:ziˈstelə] : *~ object = quasar*
quassia [kwošə] bot. **1** hořkoň, kvasie **2** hořká kůra, hořké dřevo, hořký kořen z hořkoně n. jiného keře
quatercentenary [ˌkwætəsenˈti:nəri] (*-ie-*) čtyřsté výročí
quaternary [kwəˈtə:nəri] *adj* **1** čtyřkový (*a ~ system*); čtyřdílný, čtyřčlenný; chem. kvartérní **2** též *Q~* geol. čtvrtohorní, antropozoický, kvartérní ● *s* **1** čtyři; čtyřka, čtveřice **2** též *Q~* čtvrtohory, antropozoikum, kvartér ◆ *the Pythagorean ~* mystický součet pythagorejců 1 + 2 + 3 + 4 = 10
quaternion [kwəˈtə:njən] **1** čtyřka, čtveřice, sada / skupina čtyř **2** dvakrát přeložený arch, kvatern (hist.), čtyřarší, kvaterna (polygr.) **3** mat. kvaternion **4** mystický součet pythagorejců
quaternity [kwəˈtə:nəti] čtverost; čtveřice, též nábož.

quatorzain [kəˈto:zein] čtrnáctiverší, čtrnáctiveršová báseň, nepravidelná znělka, volný sonet
quatorze [kəˈto:z] piket čtyři karty stejné hodnoty od desítky do esa
quatrain [kwotrein] čtyřverší, čtyřveršová sloka, kvartet, quatrain
quatre [kætrə] čtyřka na kostce
quatrefoil [kætrəfoil] archit. čtyřlist v gotické kružbě
quatrillion [kwoˈtriljən] = *quadrillion*
quattrocentist [ˌkwætrəuˈčentist] *s* představitel quattrocenta, quattrocentista ● *adj* quattrocentistický
quattrocento [ˌkwætrəuˈčentəu] quattrocento rané období italské renesance v 15. století
quaver [kweivə] *v* **1** chvět se, třást se, zachvívat se **2** za|zpívat n. za|hrát tremolo n. vibrato, tremolovat **3** též ~ *out* říci rozechvělým hlasem, za|zpívat rozechvělým hlasem (*eldest inhabitants* ~*ed out folk songs*) ● *s* **1** tremolo, vibrato v hlase, chvění v hlase **2** BR osminová nota, osmina ◆ ~ *rest* osminová pauza
quavery [kweivəri] chvějivý, rozechvělý, třaslavý, třesoucí se
quay [ki:] nábřeží, pobřežní / přístavní hráz, přístavní zeď ◆ ~ *pier* molo
quayage [ki:idž] **1** poplatek za použití nábřeží, nábřežné **2** délka nábřeží, přístavní plocha (*the total* ~ *of the port*) **3** nábřeží, přístavní hráze / zdi (*reconstructed their harbour* ~ rekonstruovali v jejich přístavu ...)
quean [kwi:n] zast. **1** drzá holka, dračice, saň, herdekbaba **2** coura, trajda, harapanna, panečnice, nevěstka **3** nář. silné děvče, pořízek **4** slang. teplouš, buzerant
queasiness [kwi:zinis] **1** nevyrovnanost, neklidnost, nejistota **2** zvedání žaludku, špatně od žaludku, nutkání k dávení; podrážděnost / choulostivost žaludku **3** vybíravost v jídle, choulostivost, delikátnost; přílišná úzkostlivost, skrupulóznost
queasy [kwi:zi] **1** nevyrovnaný, neklidný, nejistý (*last week's* ~ *market*) **2** žaludek podrážděný, choulostivý; věc zvedající žaludek, nutící k dávení, působící špatně od žaludku (*a* ~ *mess on the plate* na talíři jídlo, z kterého se zvedá žaludek, *a* ~ *motion of the waves*); člověk s choulostivým žaludkem, choulostivý na žaludek **3** člověk vybíravý v jídle; choulostivý, delikátní, příliš úzkostlivý, skrupulózní ◆ *I feel* ~ mám fádní pocit v žaludku, zvedá se mi žaludek
quebracho [keiˈbra:čəu] bot. kebračo; kebračová kůra
quebrada [keiˈbra:də] AM **1** strž **2** potok
queen [kwi:n] *s* **1** královna panovnice; choť krále; žena zaujímající nejpřednější místo (~ *of the ball*); též přen. (~ *of roses*) **2** hmyzí královna, matka; kočičí chovná samice **3** šachy dáma, královna; karty dáma, královna, svršek **4** AM hezká dívka, panenka; královna krásy **5** teplouš homosexuál ◆ *Q*~ *Anne is dead* to je stará vesta, to si povídají vrabci na střeše; *Q*~ *Anne's Bounty* fond na podporu chudého duchovenstva; *Q*~ *Anne's lace* bot. mrkev obecná; ~ *bee* včelí královna / matka; ~ *cage* Beutonova klícka pro dopravu včelí matky; ~ *consort* králova choť, královna; ~ *dowager* královna vdova; ~ *mother* královna matka; ~ *of the Adriatic* Královna Jadranu Benátky; *Q*~ *of grace* Královna milosti Panna Maria; ~ *of hearts 1.* srdcová dáma *2.* krasavice; *Q*~ *of heaven* mytol. Královna nebe Juno; *Q*~ *of love* mytol. Královna lásky Venuše; *Q*~ *Mab* Královna Mab elfů; ~ *of the meadows* bot. tužebník jilmový; *Q*~ *of night* mytol. Královna noci Diana; ~ *of the seas* Královna moří Velká Británie; *Q*~ *of Scots* Marie Stuartovna; ~ *of spades* piková dáma; ~*'s bishop* šachy střelec c 1 n. c 8; ~*'s chambers* teritoriální vody Velké Británie (vládne-li královna); ~*'s knight* šachy kůň b 1 n. b 8; ~*'s pawn* šachy pěšec d 2 n. d 7; ~*'s pincushion* květ kaliny obecné; ~*'s weather* BR krásné počasí, slunečno ● *v* **1** udělat královnou koho, udělat královnu z (*to* ~ *a woman*) **2** šachy proměnit pěšce v dámu; pěšec proměnit se v dámu ◆ ~ *it over a p.* hanl.: žena vytahovat se na koho/nad kým
queen-cake [kwi:nkeik] hrozinkový koláček ve tvaru srdíčka
queendom [kwi:ndəm] **1** království, jemuž vládne královna **2** hodnost královny
queenhood [kwi:nhud] postavení n. hodnost královny
queening [kwi:niŋ] **1** BR odrůda jablka **2** v. *queen, v*
queenless [kwi:nlis] jsoucí bez královny
queenlet [kwi:nlit] královnička
queenlike [kwi:nlaik] královský, připomínající královnu, majestátní
queenliness [kwi:nlinis] majestátnost, chování hodné královny
queenly [kwi:nli] (*-ie-*) královský, příslušející královně (*clad in her* ~ *raiment* oděná ve svůj háv královny), hodný královny, majestátní (*the* ~ *poise of her head* její majestátní držení hlavy)
queen post [kwi:npəust] stav. věšák dvojnásobného věšadla, sloupek dvojité stolice v krovu
Queensberry [kwi:nzbəri] : ~ *Rules* **1** pravidla boxu **2** džentlmenské chování
queenship [kwi:nšip] **1** panování královny **2** hodnost n. postavení královny
queen stitch [kwi:nstič] vyšívací steh tvaru čtverce ve čtverci
queen's ware [kwi:nzweə] polévaná keramika krémové barvy
queer [kwiə] *adj* **1** pra|podivný, divný, zvláštní (*a* ~ *way of talking*); podivínský; záhadný, podezřelý (*a* ~ *noise in the corridor* podezřelý hluk na chodbě); hovor. vzatý, praštěný *about* / *for* / *on* čím, pokud jde o (~ *about circus,* ~ *on the subject of*

first editions) **2** teplý, přihřátý homosexuální **3** AM falešný (~ *money*) **4** SC veselý, zábavný, komický, legrační (*told his* ~*est stories*) ◆ *feel* ~ mít divný pocit, necítit se dobře, (*I feel* ~ je mi divně / špatně); ~ *fellow* též podivín; *in Q*~ *street* BR slang. v tísni, v úzkých, v prekérní situaci zejm. finanční ● *s* slang. **1** teplouš, buzerant homosexuál **2** AM falešné peníze (*jailed for passing the* ~ ve vězení za udávání falešných peněz) ● *v* překazit, pokazit, zkazit, udělat čáru přes rozpočet čemu (*bad weather* ~*ed our plans*) ◆ ~ *the pitch for a p.* BR udělat komu čáru přes rozpočet ***queer o.s.*** zkazit si to, zvorat si to, rozlít si ocet (*he* ~*ed himself with the authorities*)

queerish [kwiəriš] dosti n. poněkud divný atd. (*a* ~ *deal in crab meat* poněkud divný obchod s krabím masem)

queerness [kwiənis] **1** podivnost, zvláštnost, nezvyklost, neobvyklost; zbláznění *about* / *for* / *on* do **2** teploušství, přihřátost, buzerantství **3** AM falešnost peněz **4** SC veselost, zábavnost, komičnost, legračnost

quell [kwel] **1** bás. potlačit, udusit, donutit ke klidu (~ *the disturbances in the city* potlačit nepokoje v městě); uklidnit, upokojit, utišit (~ *our anguish* utišit naši úzkost) **2** zast. zabít

queller [kwelə] potlačitel; utišitel

quench [kwenč, kwenš] **1** bás. u|hasit, ulít (~ *a fireplace*), zhasit (~ *a lamp*); ochladit, zchladit **2** uhasit žízeň, naději **3** zničit, potlačit, udusit (~ *a rebellion*), zmírnit (~ *luminescence* zmírnit luminiscenci), vzít chuť **3** slang. umlčet protivníka **4** za|kalit ocel ◆ ~*ing bath* kalicí lázeň; ~ *smoking flax* přen. zarazit slibný vývoj

quencher [kwenčə, kwenšə] **1** hasič; hasítko, hasidlo; hasicí přístroj **2** slang. čím se uhasí žízeň, pití; ~*s, pl* pitivo

quenchless [kwenčlis, kwenšlis] neuhasitelný

quenelle [kəˈnel] **1** masový knedlíček např. v polévce **2** telecí n. kuřecí sekaná, karbanátek osmažený v menších kouscích

quercine [kwə:sain] bot. týkající se dubu, dubový

querent [kwiərənt] = *querist*

querist [kwiərist] tazatel, tázající se, dotazovatel

quern [kwə:n] **1** ruční mlýnek na obilí **2** mlýnek na pepř

quern-stone [kwə:nstəun] mlýnský kámen, žernov

querulous [kwerulэs] hádavý, hašteřivý; kverulantský; naříkavý, žalostný, plačtivý; nevlídný, nevrlý, mrzoutský

querulousness [kweruləsnis] hádavost, hašteřivost; kverulantství; naříkavost, plačtivost; nevlídnost, nevrlost, mrzoutství

query [kwiəri] (*-ie-*) *s* **1** vznesená otázka, dotaz zejm. jako námitka (*to answer etiher* ~ *in detail would require an investigation* podrobná odpověď na kteroukoli z obou vznesených otázek by si vyžádala vyšetřování); je otázka (~, *if this would be honourable*); pochybnost **2** ediční návrh **3** polygr. otazník zejm. jako marginálie označující nejasné místo v textu ● *v* **1** ptát se, zeptat se, o|tázat se *a t.* na co *to* koho (*he queried the matter to his superiors* záležitost konzultoval se svými nadřízenými), vznést dotaz *a t.* na co; pochybovat o čem, vyjádřit pochybnost o čem, žádat vysvětlení čeho, vznést námitky proti správnosti čeho (~ *a statement*) **2** polygr. označit otazníkem zejm. text po straně

quest [kwest] *s* **1** hledání *for* čeho (~ *for gold*); rytířské hledání *of* čeho, výprava rytířů za, hledajících co (~ *of the Holy Grail*) **2** BR vulg. pátrání, šetření, ohledání mrtvoly; porota provádějící toto pátrání ◆ *in* ~ *of* hledající co, aby hledal co ● *v* **1** též ~ *about* pes hledat stopu, slídit po stopě (*the dog after a little understood and* ~*ed* za chvilku pes porozuměl a pustil se po stopě); vydávat, štěkat při stopování (~*ing like a hound on a broken trail* štěkal jako pes na přerušené stopě); prohledávat, slídit v **2** též ~ *out* bás. hledat, vyhledávat *for* / *after* co (~ *after hidden treasure* hledat skryté poklady)

question [kwesčən] *s* **1** otázka dotaz (*ask a lot of* ~*s*); problém (*success is only a* ~ *of time*) **2** věc, záležitost (*composing is a* ~ *of paper and pen full of ink* komponovat je záležitost papíru a pera naplněného inkoustem); naděje, možnost (*no longer any* ~ *of escape* žádná další naděje na únik); pochybnost (*it seemed little* ~ *that it would be able to count on government support* zdálo se téměř nepochybné, že to bude moci počítat s vládní podporou), námitka (*one* ~ *remains unanswered* jedna námitka zůstává nezodpovězena) **3** sporná otázka, o čem se hlasuje; hlasování (*loud cries for the* ~); polit. dotaz, interpelace **4** práv. výslech ◆ ~*! 1.* k věci! *2.* to snad ne! námitka při pojevu na schůzi; *be beside the* ~ netýkat se věci (*a remark that was beside the* ~ poznámka, která se netýkala věci); *be in* ~ být předmětem diskuse, být sporný (*the dates are not in* ~); *be no* | *some* ~ *of* nemluvit se | mluvit se o tom, že (*there was no* ~ *of my being invited to become Chairman*); *be out of the* ~ být vyloučen / nemožný, nepřicházet vůbec v úvahu; *beyond* (*all*) ~ nesporný; *call a t. in* ~ pochybovat o čem, mít námitky proti čemu, kritizovat co, podrobit kritice co; *come into* ~ přicházet v úvahu; *in* ~ dotyčný, zmíněný, o němž se mluví (*where's the man in* ~*?*), příslušný (*open at the page in* ~); *indirect* ~ nepřímá otázka; (*the*) ~ *is* jde o to, běží o to; *leading* ~ sugestivní otázka; *make no* ~ *of a t.* nepochybovat o čem; *obey without* ~ poslechnout bez odmlouvání; *oblique* ~ nepřímá otázka; *pop the* ~ vyslovit se, požádat o ruku, nabídnout sňatek; *put in* ~ snažit se dobrat čeho; *put a* ~ *to a p.* položit komu otázku, o|tázat / dotázat / zeptat se koho; *put a p. to the* ~ zast. vyslýchat koho útrpným právem; *put the* ~ dát hlasovat; *rhetorical* ~ řečnická otázka; *that's not the* ~ o to zde nejde, o to se tu nejedná, o to neběží; *there is no* ~ *about his honesty* jeho poctivost je nesporná; *there is no* ~ *but that he will succeed* je nesporné, že bude mít úspěch; *vexed* ~ ožehavá otázka; *vital* ~ životně důležitý problém; *without* ~ bez námitek, bez debaty (*he allowed my claim without* ~ připustil můj nárok bez debaty) ● *v* **1** ptát se, zeptat se, o|tázat se *a p.* koho, položit otázku, klást otázky komu (*they* ~*ed the Conservative candidate on his views*), ptát se *a t.* na co, položit otázku o čem (~ *the absence of a club member* ptát se, proč je člen klubu nepřítomen); vyslýchat, podrobit výslechu (*he was* ~*ed by the police*) **2** mít pochybnosti o, vyslovit pochybnosti o, pokládat za sporné co (~ *the value of compulsory games at school* mít pochybnosti o ceně povinných sportovních her ve škole), pochybovat o (*I* ~ *whether his proposal will be approved* pochybuji, že bude jeho návrh schválen) **3** zkoumat co, bádat v, hledat odpověď u (*Babylonian sages who* ~*ed the stars in their efforts to measure time* babylonští mudrci, kteří ve své snaze měřit čas hledali odpověď u hvězd); zamýšlet se nad, diskutovat, debatovat o, prodiskutovat, prodebatovat

questionable [kwesčənəbl] sporný, problematický; pochybný, podezřelý, všelijaký

questionary [kwesčənəri] (*-ie-*) dotazník

questioner [kwesčənə] tazatel, dotazovatel

question-form [kwesčənfo:m] dotazník

questioning [kwesčəniŋ] *adj* **1** tázavý (*a* ~ *look*); zvídavý (*a* ~ *mind*) **2** v. *question, v* ● *s* **1** tázání, dotazování; výslech (~*s of suspects* výslech podezřelých osob) **2** v. *question, v*

questionless [kwesčənlis] **1** nesporný, nepochybný (*its born and* ~ *leader*) **2** nekladoucí žádné otázky, o ničem nepochybující, bezvýhradný (*clear mind and* ~ *faith*)

question mark [kwesčənma:k] otazník, též přen. (*his identity is still a* ~ *to most of us*)

question master [ˈkwesčənˌma:stə] BR konferenciér, vedoucí kvizového pořadu, moderátor

questionnaire [ˌkwestiəˈneə] dotazník

question stop [kwesčənstop] otazník

question time [kwesčəntaim] **1** doba vyhrazená pro dotazy n. interpelace v parlamentě **2** doba vyhrazená diskusi po přednášce

quetzal [kwetsl / AM ketˈsa:l] **1** zool. kvesal jihoamerický pták **2** quetzal měnová jednotka Guatemaly

queue [kju:] *s* **1** fronta řada čekajících lidí, řada automobilů **2** mužský cop, copánek **3** struník strunného nástroje; praporek noty ◆ *jump the* ~ *1.* předbíhat ve frontě *2.* přen. něco udělat n. získat ● *v* **1** též ~ *up* postavit se do fronty **2** stát ve frontě, stát frontu *for* na **3** plést cop, plést vlasy do copu

quibble [kwibl] *s* **1** vytáčka, obcházení pravdy, dvojsmysl; slovní hříčka, kalambur **2** chytání za slovo, zbytečná kritická poznámka ● *v* **1** vytáčet se, užívat dvojsmyslů, obcházet pravdu; chytat za slovo, hašteřit se malicherně **2** dělat slovní hříčky; mít / dělat zbytečné kritické poznámky

quibbler [kwiblə] **1** kdo si libuje ve slovních hříčkách **2** kdo chytá za slovo

quibbling [kwibliŋ] **1** malicherný, chytající za slovo, hašteřivý **2** malicherně kritický, hnidopišský **3** v. *quibble, v*

quick [kwik] *adj* **1** rychlý (*a* ~ *response, a* ~ *worker*); čiperný, čilý, svěží, pružný, hbitý; spěšný, chvatný; kvapný, ukvapený (*we must not be too* ~ *in the experiment*); živý, pohyblivý, těkavý (*her* ~ *eyes*); lehce vznětlivý (*a* ~ *temper*) **2** vlak zrychlený, spěšný **3** prudký, ostrý (*a* ~ *turn in the road* ostrá zatáčka silnice) **4** bystrý (*a* ~ *child*) *at* na (~ *at figures*), citlivý, dobrý, jemný (*a* ~ *ear for music*) **5** zast. živý (*the* ~ *and the dead*); žhavý, žhoucí **7** geol. rychlý, sypký **8** tekutý ◆ ~ *ash* popílek; ~ *attack* náhlý útok, přepad; *be* ~ *about it* honem, pospěš si, hoď sebou, udělej to rychle; ~ *bread* pečivo z rychle kynutého těsta; ~ *to do a t.* snadno, rychle dělající co (~ *to understand* chápavý); ~ *etch* polygr. rychloleptání; *go down* ~ *into hell* přijít zaživa do pekla; ~ *fuse* mžiková zápalnice; ~ *ground* horn. tekoucí písek, kuřavka; ~ *hedge* živý plot; ~ *in stays* loď schopný rychlého obratu přes příď; ~ *march* voj. pochod v pochodové rychlosti (~ *march!* pochodem vchod!); ~ *match* tech. stopina; *have a* ~ *meal* rychle něco sníst, hodit něco do sebe; *he did a* ~ *mile* uběhl míli v dobrém čase; ~ *of foot* rychlý, pohyblivý; ~ *one* co se rychle vypije, rychlý doušek, „stoják"; ~ *sight* bystrý zrak; ~ *time* vojenská pochodová rychlost; ~ *trick* bridž *1.* rychlý zdvih první n. druhý po začátku hry *2.* karta tento zdvih umožňující; ~ *vein* produktivní žíla, rudonosná žíla; ~ *wit* bystrost, pohotovost např. v diskusi; ~ *with child* ve vyšším stupni těhotenství, v pátém a dalším měsíci; *he has* ~ *wits* je pohotový, myslí mu to dobře ● *s* **1** maso, živé maso (*bites his nails to the* ~ okusuje si nehty až do živého masa) **2** přen. dřeň, morek kostí (*he is Tory to the* ~); hloub / hloubí duše (*the insult stung him to the* ~ urážka ho pálila v hloubi duše) **3** živý plot, hlohový plot **4** AM rtuť ◆ *cut to the* ~ tít do živého; *paint a p. to the* ~ namalovat koho jako živého ● *adv* rychle, spěšně, kvapem, chvatně, honem; brzo

quick-and-dirty [ˌkwikənd ˈdə:ti] AM slang. bufet, automat

quick-change [ˌkwikˈčeindž] **1** rychle se převlékající **2** schopný rychlé přeměny z osobní na nákladovou dopravu **3** mnohoúčelový s rychlou změnou

funkce (*a ~ tool part*) ◆ *~ artist* mistr v rychlém převlékání estrádní umělec
quick-drying [ˈkwikˌdraiiŋ] rychleschnoucí
quick-eared [kwikiəd] jsoucí s dobrým n. citlivým sluchem, výtečně slyšící
quicken [kwikən] **1** oživit (*~ their interest with vivid details*), vlít nový život do, dát nový život čemu, vrátit život čemu (*warm spring days that ~ the earth*), podnítit (*~ the imagination*); oživnout (*seed that ~ s and becomes ripe again* semeno, jež ožije a znovu dozraje) **2** žena dospět do vyššího stupně těhotenství; plod začít se hýbat **3** zrychlit | se (*she ~ed her steps, her pulse ~ed at the sight*)
quickening [kwikəniŋ] **1** první pohyb plodu **2** kvas, kvásek, kvasnice, droždí **3** v. *quicken*
quick-eyed [kwikaid] mající dobrý zrak, bystrozraký
quick firer [ˈkwikˌfaiərə] rychlopalné dělo
quick-firing [ˈkwikˌfaiəriŋ] rychlopalný
quick-forgotten [ˌkwikfəˈgotn] rychle zapomenutý
quick-freeze [kwikfri:z] *adj* rychle mrazící; rychle z|mražený ◆ *s* mrazírna ◆ *v* (*quick-froze, quick-frozen*) rychle zmrazit potraviny
quickhatch [kwikhæč] AM rosomák (zool.)
quickie [kwiki] hovor. **1** cokoli rychle (a nepříliš pořádně) udělaného, zejm. rychle udělaný film; rychlovka **2** krátký film **3** = *quick one* ◆ *~ strike* AM stávka bez souhlasu odborové organizace
quicklime [kwiklaim] pálené vápno, nehašené vápno
quick-lunch [kwiklanč, kwiklanš] AM bufet, automat
quickness [kwiknis] **1** rychlost, spěšnost, chvatnost, náhlost **2** vznětlivost, ukvapenost **3** bystrost; hbitost, čilost, živost
quicksand [kwiksænd] tekoucí / plovoucí písek, pohyblivý písek, kuřavka (horn.)
quickset [kwikset] *adj* plot živý, zejm. hlohový ● *s* **1** živý plot, hlohový plot **2** keř vhodný pro živý plot, zejm. hloh **3** sazenice, sazenička
quick-setting [kwikˈsetiŋ] **1** rychletuhnoucí **2** rychleschnoucí
quicksilver [kwiksilvə] *s* **1** rtuť **2** přen. rtuťovitost ● *v* rtuťovat; amalgamovat zrcadlo
quick-sighted [ˌkwikˈsaitid] bystrozraký
quickstep [kwikstep] **1** vojenský pochodový krok **2** quickstep rychlý tanec **3** hud. rychlý pochod
quick-tempered [ˌkwikˈtempəd] vznětlivý, výbušný
quickthorn [kwikθo:n] hloh
quickwater [ˈkwikˌwo:tə] silný proud část říčního toku
quick-witted [ˌkwikˈwitid] bystrý, chytrý, inteligentní, chápavý, rychle a dobře myslící
quicumque vult [kwaiˌkaŋkwiˈvalt] círk. Athanasiovo kredo
quid[1] [kwid] *pl: quid* [kwid] BR slang. funt, libra (*at two ~ a week*)
quid[2] [kwid] *s* kus žvýkaného tabáku, žvanec tabáku ● *v* (*-dd-*) žvýkat zejm. tabák; kůň nechat vypadávat rozžvýkanou potravu z tlamy, ztrácet potravu
quiddity [kwidəti] (*-ie-*) **1** podstata, esence, bytnost; zvláštnost **2** jemný / malicherný rozdíl, malichernost, „háček"; výstřednost
quiddle [kwidl] AM hovor. proflákat n. prokecat čas
quidnunc [kwidnaŋk] všetečka, klepař, klevetník, šťoura
quid pro quo [ˌkwidprəuˈkwəu] **1** řidč. záměna dvou věcí **2** odplata, odměna, něco za to, něco za něco, půjčka za oplátku
quiscence [kwaiˈesns], **quiescency** [kwaiˈesnsi] klid, nehybnost, stav v klidu
quiescent [kwaiˈesnt] **1** klidný, nehybný, v klidu **2** jaz. nehlasný ◆ *~ state* stav klidu, klid
quiet [kwaiət] *s* ticho (*in the ~ of the night*); klid, pokoj (*a period of ~ after an election*); duševní klid, mír, pokoj ◆ *on the ~* tajně (*have a drink on the ~*) ● *adj* **1** tichý (*~ footsteps*); klidný (*a ~ sea, ~ conscience*), poklidný (*a ~ evening*); nehlučný, nerušený; vyrovnaný, jsoucí v klidu (*~ life*), rozvážný **2** decentní, nenápadný (*~ colour* tlumený barevný odstín, *~ dress, a ~ old lady*), zdrženlivý, střízlivý, nevtíravý **3** neformální, soukromý, přátelský (*a ~ dinner party*) ◆ *be / keep ~!* buďte zticha!; *keep a t. ~* utajit co, neříci co, nechat si co pro sebe ● *v* zejm. AM **1** u|tišit, uklidnit (*~ a fretful child* uklidnit neposedné dítě); uchlácholit (*~ a p'.s suspicions* uchlácholit podezření koho) **2** = ***quiet down*** uklidnit se (*the city ~ed down after the political disturbances* po politických nepokojích se město uklidnilo)
quieten [kwaiətn] zejm. BR u|tišit | se, uklidnit | se, u|chlácholit
quietism [kwaiitizəm] kvietismus náboženský etický názor hlásající trpný vztah k životu
quietist [kwaiitist] kvietista stoupenec kvietismu
quietistic [ˌkwaiiˈtistik] kvietistický týkající se kvietismu
quietness [kwaitnis] = *quietude*
quietude [kwaiitju:d] **1** ticho, tichost, klid, poklid, klidnost, poklidnost; vyrovnanost **2** nenápadnost, zdrženlivost, nevtíravost, decentnost
quietus [kwaiˈi:təs] **1** řidč. zaplacení, zapravení dluhu, stvrzenka, kvitance, potvrzení o zaplacení dluhu **2** konec, smrt, propuštění ze života, rána z milosti **3** život v ústraní, odmlčení (*after a ~ of ten years he returned*) ◆ *give ~* navždy umlčet *to* co (*give ~ to a rumour* navždy umlčet pověst); *give a p. his ~ 1.* dát komu ránu z milosti *~ 2.* ukončit či život, zabít
quiff[1] [kwif] BR **1** patka, esíčko kadeř vlasů sčesaná do čela **2** vpředu ježek účes
quiff[2] [kwif] AM slang. kurvička, kost
quill [kwil] *s* **1** brk, brko ptačí pero; psací pero; brček,

brk, brčko splávek; párátko z brku; trsátko z brku, plektrum; osten ježka n. dikobraza **2** skořicová kůra ve svitku **3** duté pouzdro, dutý hřídel, duté vřeteno, cívka **4** hud. píšťala např. z rákosu ● *v* **1** navíjet na cívku, soukat **2** na|řasit, nakrčit **3** propíchnout brkem; vytrhat brka z (~ *a goose before cooking it*)
quillbit [kwilbit] tech. dutý nebozez, dutý vrták
quill feather [ˈkwilˌfeðə] ptačí brko
quill coverts [ˈkwilˌkavəts] krycí pera brku
quill-driver [ˈkwilˌdraivə] inkoust úředník, intelektuální pracovník, škrabák
quillet [kwilit] zast. jemný rozdíl, jemnost; důvtipnost, chytráctví, zchytralost, chytračinka
quilling [kwiliŋ] **1** řasení, nabírání; krajka z tylových proužků **2** v. *quill, v*
quill pen [ˌkwilˈpen] brk, brko psací pero
quillwort [kwilwəːt] bot. šídlatka jezerní
quilt [kwilt] *s* prošívaná přikrývka; pokrývka, deka ● *v* **1** sešít, prošít, pro|štepovat, všít, zašít dovnitř, mezi; vatovat, podšívat vatou; vyrábět prošívané přikrývky **2** BR slepit, spíchnout, dát dohromady literární dílo **3** slang. dát deku komu nařezat
quilting [kwiltiŋ] **1** materiál na přikrývky **2** v. *quilt, v* ◆ ~ *bee* AM dámský dýchánek při kterém se šijí přikrývky; ~ *cotton* vata do prošívaných přikrývek
quin [kwin] hovor. = *quintuplet*
quina [kiːnə] **1** bot. china **2** chinin
quinacrine [kwinəkriːn] chem. atebrin
quinary [kwainəri] *adj* pětkový, pětičlenný, pětidílný ● *s* (*-ie-*) mat. řidč. pětičlen
quinate[1] [kwaineit] *adj* bot. pětičetný ● *s* pětičetný list
quinate[2] [kwineit] chem. chinan
quince [kwins] bot. **1** kdoule **2** kdouloň
quincentenary [ˌkwinsenˈtiːnəri] *adj* týkající se pětistého výročí ● *s* pětisté výročí
quincuncial [kwinˈkanšəl] **1** uspořádaný jako pětka na kostce (⁚·⁚) **2** sadba v pětníkovém sponu
quincunx [kwinkaŋks] **1** uspořádání v rozích a středu čtverce jako pětka na kostce (⁚·⁚) **2** pětníkový spon sadby
quincy [kwinsi] (*-ie-*) AM plochá veslice na Mississippi
quindecagon [kwinˈdekəgən] patnáctiúhelník
quingentenary [ˌkwindženˈtiːnəri] *adj* týkající se pětistého výročí ● *s* (*-ie-*) pětisté výročí
quinia [kwiniə] med. = *quinine*
quinine [kwiˈniːn / AM kwaiˈnain] **1** chinin alkaloid **2** hovor. chininový preparát, chinin
quinism [kwinizəm / AM kwainizəm] med. otrava chininem
quinize [kwinaiz] podávat chinin komu, léčit chininem koho / co
quinon [kwiˈnəun] chem. chinon
quinquagenarian [ˌkwiŋkwədžiˈneəriən] *adj* padesátiletý ● *s* padesátník padesátiletý člověk
quinquagenary [ˌkwiŋkwəˈdžiːnəri] *adj* padesátiletý ● *s* (*-ie-*) **1** padesátník padesátiletý člověk **2** padesáté výročí, půlstoletí
Quinquagesima [ˌkwiŋkwəˈdžesimə] též ~ *Sunday* círk. druhá neděle po Devítníku, poslední neděle v předpostí
quinquangular [kwiŋˈkwæŋgjulə] pětiúhelný, pětiúhelníkový
quinquecostate [ˌkwiŋkwəˈkosteit] pětižeberní, jsoucí s pěti žebry
quinquelateral [ˌkwiŋkwəˈlætərəl] pětistranný, pětiboký, pětistěnný
quinquelobate [ˌkwiŋkwəˈləubeit] pětilaločný
quinquenniad [kwiŋˈkweniəd] pětiletí
quinquennial [kwiŋˈkweniəl] *adj* pětiletý, opakující se každých pět let ● *s* páté výročí; pětiletí, quinquennium
quinquennium [kwiŋˈkweniəm] pětiletí, pětiletka, quinquennium
quinquepartite [ˌkwiŋkwəˈpaːtait] pětidílný
quinquereme [kwiŋkwəriːm] antická pětiveslice s pěti řadami vesel
quinquevalvular [ˌkwiŋkwəˈvælvjulə] bot. pětichlopňový
quinquifid [kwiŋkwifid] pětiklaný
quinquina [kwiŋˈkwainə] bot. chinovník
quinquivalent [kwiŋˈkwivələnt] chem. pětimocný
quins [kwinz] *pl* hovor. paterčata
quinsied [kwinzid] **1** mající hnisavou angínu **2** mající absces za mandlí
quinsy [kwinzi] **1** hnisavá angína **2** absces za mandlí
quint[1] **1** [kwint] hud. kvinta interval; pomocný hlas u varhan **2** [kwint] námoř. pětistěžňový škuner **3** [kint] piket sekvence pěti karet jedné barvy, kvinta ◆ ~ *major* piket sekvence eso-desítka; ~ *minor* piket sekvence kluk-sedma
quint[2] [kwint] paterče
quintain [kwintin] hist. kvintána otočný dřevěný panák s napřaženým ramenem, terč rytířů jedoucích se založeným dřevcem; rytířská hra s tímto panákem
quintal [kwintl] cent, centnýř váha 100 liber; váha 112 liber, metrický cent
quintan [kwintən] *adj* pětidenní ● *s* pětidenní zimnice n. horečka, quintana
quinte [kæ̃nt] kvinta poloha zbraně ve výzvě n. krytu v šermu
quintessence [kwinˈtesns] **1** filoz. pátá podstata v antické a středověké filozofii **2** tresť, výtažek, jádro, podstata, kvintesence **3** typický / klasický příklad, prototyp
quintessential [ˌkwintəˈsenšəl] podstatný; nejčistší, stoprocentní (~ *toryism*)
quintet(te) [kwinˈtet] **1** kvintet; kvinteto **2** pětice, pětka, kvinteto **3** basketbalové mužstvo, pětka ◆ *clarinet* ~ *1.* klarinetový kvintet *2.* klarinetové kvinteto; *piano* ~ *1.* klavírní kvintet *2.* klavírní kvinteto

quintic [kwintik] mat. *adj* pátého stupně, pátého řádu ● *s* veličina pátého stupně
quintillion [kwinˈtiljən] **1** BR kvintilion 10^{30} **2** AM trilion 10^{18}
quintuple [kwintjupl] *adj* pětinásobný, pětkrát tak velký *of* / *to* jako, pětkrát větší než ◆ ~ *counterpoint* hud. pětihlasý kontrapunkt; ~ *point* fyz. pětinásobný bod ● *s* pětinásobek ● *v* z|násobit pěti, zpětinásobit
quintuplet [kwintjuplit] **1** paterče, jedno z paterčat **2** pětka, pětice **3** velociped pro pět jezdců, pětisedadlové kolo **4** hud. kvintola
quintuplicate *adj* [kwinˈtjuplikit] **1** pateronásobný, vyhotovený v pěti exemplářích **2** pětidílný ● *s* [kwinˈtjuplikit] **1** pátá přesná kopie **2** ~*s, pl* pět stejných exemplářů, originál a čtyři kopie ● *v* [kwinˈtjuplikeit] z|násobit pěti, z|pětinásobit, z|pateronásobit, vyhotovit v pěti exemplářích
quintuplication [ˌkwintjupliˈkeišən] **1** násobení pěti, z|pětinásobení, z|pateronásobení; pateronásobnost, pateronásobek, pětinásobek **2** vyhotovení v pěti exemplářích, vyhotovení s čtyřmi kopiemi
quintus [kwintəs] BR toho jména pátý
quip [kwip] *s* **1** vtipná zejm. ironická poznámka, satirický šleh; slovní vtípek, bonmot, fórek, legrácka (*the* ~*s and puns of poor comedians* legrácky a slovní hříčky špatných komediantů) **2** hraní se slovy, chytání za slovo; slovíčkaření ● *v* (*-pp-*) dělat vtipné zejm. ironické poznámky, vtipkovat *at* na účet koho, dělat si legraci z, utahovat si z (~*ping at people making critical remarks* ... z lidí kritickými poznámkami / kteří dělají kritické poznámky)
quipster [kwipstə] vtipálek, šprýmař
quipu [ki:pu:] uzlové písmo starých Peruánců
quire[1] [kwaiə] polygr. čtyři přeložené archy papíru, kniha papíru, arch; blok o 24 listech ◆ *in* ~*s* brožovaný, v arších; ~ *spacing* ukazatel odděleného počtu výtisku novin
quire[2] [kwaiə] v. *choir*
Quirinal [kwirinəl] Kvirinál jeden ze sedmi římských pahorků; palác tam postavený; italská (královská) vláda
quirk[1] [kwə:k] **1** vtip, vtipná poznámka, vtipná odpověď; vytáčka **2** zvláštnost chování, manýra, způsob, návyk (*he is full of strange* ~*s*) **3** kudrlinka v písmu n. hudbě; klička, zákrut, knif, finta; zvrat (*he lost money by a* ~ *of fate* náhlou nepřízní osudu přišel o peníze) **4** archit.: úzká rovná drážka tvořící součást profilu; úsek, část větší plochy **5** kosočtverečná tabulka skla
quirk[2] [kwə:k] let. slang. ucho, zelenáč začátečník
quirked [kwə:kt] zkřivený, zkroucený, pokroucený (~ *mouth*, ~ *fingers*)
quirt [kwə:t] AM *s* dlouhý pletený bič ● *v* hnát n. práskat (jako) tímto bičem
quisle [kwizl] hovor. kolaborovat s okupanty
quisling [kwizliŋ] kolaborant s okupanty, zrádce, quisling
quislingite [kwizliŋait] *adj* kolaborantský, zrádcovský, quislingovský ● *s* zrádce, kolaborant
quit[1] [kwit] zbaven, prost *of* čeho (~ *of all responsibility*) ◆ *be* / *get* ~ *of a p.* zbavit se koho; *go* ~ vyváznout *for* s
quit[2] [kwit] (*quitted* / AM *quit, quitted* / AM *quit; -tt-*) **1** nechat, opustit, odejít od (*I* ~*ted him in disgust* znechuceně jsem ho opustil); odjet z (*he* ~*s the city for the seashore each summer*); nájemník vystěhovat se; vzdát se nároku (*he* ~*ted his claim to the throne* vzdal se svého nároku na trůn) **2** odejít, dát výpověď, jít od toho, praštit s tím (*he keeps threatening to* ~ stále vyhrožuje, že s tím praští) **3** AM přestat dělat co, nechat čeho, ustat od (~ *work when the siren sounds*), praštit s **4** nář., AM vypadnout, odejít **5** přestat se snažit, víc už neusilovat, vyplivnout, zhasnout (přen.) (*the engine coughed, sputtered and* ~ motor zakašlal, zaprskal a zhasl) **6** bás. srovnat, vyrovnat (*death* ~*s all scores* smrt vyrovnává všechny účty), odplatit, splatit (~ *love with hate*) ◆ ~ *hold of* pustit co; *notice to* ~ výpověď z bytu i ze zaměstnání; ~*ted trick* karty zdvih už obrácený rubem nahoru ***quit o.s.*** ***1*** zast. obstát, chovat se dobře, zachovat se (*they* ~*ted themselves like heroes*) ***2*** zast. zbavit se *of* čeho, očistit se od
qui tam [kwaitæm] BR práv.: žaloba, kterou žalobce vznáší svým jménem i jménem koruny
quitch [kwič] , **quitch grass** [kwičgra:s] bot. pýr plazivý
quitclaim [kwitkleim] *s* vzdání se nároku n. práva ● *v* vzdát se nároku n. práva *to* na
quite [kwait] **1** úplně, docela, zcela, naprosto, dočista, absolutně (*he has* ~ *recovered from his illness*); nadobro **2** poměrně, docela, dost, dosti (*he was* ~ *polite*) **3** dokonale, doopravdy, fakticky (*I believe they're* ~ *happy together, she's* ~ *a beauty*) ◆ ~*!* zcela správně, jasně, samozřejmě, pochopitelně, ovšem!; ~ *a* / *an* pěkný, pořádný, zajímavý, ale (*she's* ~ *a girl* to je ale [pěkná] holka); ~ *another* úplně jiný; ~ *a few* dost, hodně; *he isn't* ~ BR hovor. tomu chybí do slušnosti moc, to není džentlmen; *not* ~ *proper* dost neslušný, poměrně neslušný; ~ *so!* zcela správně, jasně, samozřejmě, pochopitelně, ovšem!; ~ *some* AM = ~ *a* / *an;* ~ *something* něco zajímavého n. výjimečného; ~ *the thing* hovor. co je moderní, co se nosí, co běží / letí, co frčí (*these Italian dress materials are* ~ *the thing this summer*); ~ *too delightful* hovor. tak příjemný, že se to ani nedá slovy vyjádřit
quitrent [kwitrent] malé nájemné placené místo povinné služby
quits [kwits] : *be* ~ být (si) kvit, být vyrovnán (*we're* ~ *now*); *call it* ~ nechat toho dočasně,

přestat dočasně, zabalit to (*at two o'clock he decided to call it ~ for the day*); *cry ~* účastník přerušit soutěž / zápas / hádku s nerozhodným výsledkem, spokojit se s nerozhodným výsledkem (*it became too dark to continue play and they decided to cry ~*); *get ~ with a p.* vyrovnat si účty s kým, spočítat to komu

quittance [kwitəns] **1** zast., bás. odplata, odměna, vyrovnání *from* čeho, osvobození od **2** splacení dluhu; stvrzenka, kvitance ◆ *omittance is no ~* dluh nezaniká tím, že není upomínán

quitter [kwitə] hovor. kdo hází předčasně flintu do žita, baba, bačkora; ulejvák

quiver[1] [kwivə] toulec ◆ *have an arrow / shaft left in one's ~* mít ještě želízka v ohni, mít schovaný ještě jeden trumf; *~ full of children* plné hnízdo dětí

quiver[2] [kwivə] *v* chvět se, zachvívat se *with* čím (*~ with cold*); rozechvět, rozkmitat, prudce a rychle zamávat čím, třepetat, třepotat (*the skylark ~ed its wings* skřivánek zatřepetal křídly) ● *s* chvění, rozechvění, záchvěv; třepot, třepetání, třepotání pohyb i zvuk ◆ *in a ~ of excitement* rozechvělý vzrušením

quiverful [kwivəful] plný toulec množství

qui vive [ki:ˈvi:v] : *be on the ~* být na stráži *for* před / proti, dávat pozor na (*special guards were on the ~ for trespassers* zvláštní stráže dávaly pozor na nezvané hosty)

Quixote [kwiksət] fantasta, blouznílek, donkichot

quixotic [kwikˈsotik] *adj* kichotský, kichotovský, donkichotský, donkichotovský ● *s ~s, pl* donkichotství, donkichotovské názory

quixotism [kwiksətizəm] donkichotství, donkichotiáda

quixotize [kwiksətaiz] **1** chovat se jako donkichot **2** zesměšnit

quixotry [kwiksətri] donkichotství, donkichotiáda

quiz [kwiz] *s pl: quizzes* [kwiziz] **1** zejm. AM zkouška, zkoušení ve škole; výslech; *pl* školní práce, test, písemná prověrka **2** kviz druh společenské hry s otázkami a odpověďmi **3** řidč. vtip, šprým, fór, kanadský žertík; vtipálek, šprýmař, žertéř, fórista **4** zast. pobavený pohled, arogantní pohled **5** BR řidč. podivín, divný pavouk, nastrojený panák, strašidlo (přen.) člověk ◆ *~ kid* AM velice chytré dítě ● *v* (*-zz-*) **1** dělat si legraci z, bavit se na účet koho, utahovat si z **2** dívat se pobaveně / arogantně na, dívat se monoklem / lorňonem na, zkoumavě si prohlížet **3** AM ptát se, zkoušet studenta; vyslýchat (*the police ~zed several suspects* policie vyslechla několik podezřelých)

quizable [kwizəbl] směšný, komický, legrační, svádějící k tomu, aby se z něho dělala legrace

quizdom [kwizdəm] kvizový obor, kvizové soutěžení

quiz master [ˈkwizˌma:stə] konferenciér, vedoucí kvizového pořadu, moderátor

quizzee [kwiˈzi:] soutěžící v kvizovém pořadu

quizzer [kwizə] = *quiz master*

quizzical [kwizikəl] **1** zvláštní, divný, podivný; směšný, komický, legrační **2** šibalský (*a smile*); tázavý, zmatený (*a ~ expression on her face* tázavý výraz na jejím obličeji) **3** dělající si legraci, arogantně zvědavý

quizzing glass [kwiziŋgla:s] řidč. monokl, jednookulárový lorňon

Qumran [kumra:n] zeměp. Kumrán, Qumrán

quoad [kwəuæd] : *~ hoc* co se toho týká, pokud jde o to

quod[1] [kwod] slang. *s* díra, lapák vězení ◆ *be in (the) ~* sedět, bručet být uvězněn ● *v* zašít uvěznit

quod[2] [kwod] : *~ erat demonstrandum* což se mělo dokázat; *~ erat faciendum* což se mělo udělat; *~ erat inveniendum* což se mělo nalézt; *~ vide* viz upozornění

quodlibet [kwodlibet] hud. směs

quodlibetz [kwodlibets] malovaný ornamentální motiv z písmen, karet a jiných obyčejných předmětů

quoin [kwoin] *s* **1** nároží, roh budovy; rohový kámen, rohová cihla zdi; roh, kout v místnosti; závěrný klenák **2** podpěrný klín pro dělo **3** polygr. uzavírací zámek ● *v* **1** zajistit klínem, zaklínovat **2** též *~ up* uzavřít tiskovou formu **3** stav. uzavřít klenbu závěrečným klenákem

quoit [kwoit] *s* kroužek k házení na kolík n. hák; *~s, pl* házení kroužků na kolík n. hák společenská hra ● *v* **1** hrát *quoits* **2** řidč. hodit jako kroužkem (*~ a hat across the room*)

quondam [kwondæm] bývalý, někdejší (*a ~ friend*)

Quonset [kwonsit] AM: *~ hut* větší ubikace z vlnitého plechu

quorum [kwo:rəm] kvorum nejnižší počet účastníků zasedání jako podmínka, aby mělo schopnost se usnášet ◆ *constitute a ~* být schopný usnášet se; *lack a ~* nebýt schopný usnášet se

quota [kwəutə] poměrný díl, smluvený / stanovený počet, příděl, kontingent, kvóta ◆ *~ system* přídělový systém, kontingentace

quotability [ˌkwəutəˈbiləti] citovatelnost

quotable [kwəutəbl] o|citovatelný, uveditelný v citátu (*a ~ author*), hodící se dobře jako citát (*a ~ phrase*); který se dá opakovat n. vytisknout, opakovatelný (*what he said was funny but not ~*)

quota-share [kwəutəšeə] : *~ reinsurance* pojišť. kvotové zajištění

quotation [kwəuˈteišən] **1** citát, citace (*~s from Shakespeare*) **2** kurs, kursovní záznam (*the latest ~s from the Stock Exchange*) **3** předběžný rozpočet, cenová nabídka, předkalkulace (*can you give me a ~ for building a garage?*) ◆ *~ quads* polygr. duté oříšky čtverce, vložky

quotation marks [kwəuˈteišənma:ks] *pl* uvozovky ◆ *double ~* obyčejné uvozovky (“ ”); *single ~* jednoduché uvozovky (‘ ’)

quotative [kwəutətiv] citátový; rád citující, dokládající se citáty

quote [kwəut] *v* **1** o|citovat, uvést jako citát, uvést citaci z (~ *the Bible*) *from* co / z (*is Shakespeare the author most frequently* ~*d from?*); uvést jako příklad, citovat (*can you* ~ [*me*] *a recent instance?* můžete mi uvést nějaký případ z nedávné minulosti?) **2** zaznamenat kurs n. cenu *at* jakou (*the shares are* ~*d on the Stock Exchange at 13 s* na burze zaznamenaly akcie kurs 13 s) **3** podat nabídku, nabídnout cenu, dát předběžný rozpočet čeho/na, udat cenu podle předkalkulace (*this is the best price I can* ~ *you*) ◆ ~ ... *unquote 1.* uvozovky nahoře ... uvozovky dole *2.* cituji ... konec citátu ● *s* **1** hovor. citát **2** ~*s, pl* uvozovky

quoth [kwəuθ] zast. děl jsem (*I* ~), děl, vece (*he* ~)

quotha [kwəuθə] zast. ale, prosím, medle

quotidian [kwo'tidiən] *adj* **1** denní, každodenní, opakující se každý den **2** všední, obyčejný, běžný, každodenní ● *s* každodenní zimnice n. horečka, malarická horečka, quotidiana

quotient [kwəušənt] **1** mat. podíl **2** kvocient podíl veličin jako ukazatel nějakého jevu ◆ *intelligence* ~ inteligenční kvocient

quo warranto [ˌkwəuwe'ræntəu] práv. hist.: královské nařízení, jímž musí kdo prokázat své oprávnění k výkonu úřadu; řízení proti viníkovi vykonávajícímu neprávem nějaký úřad

Q-value ['kju:ˌvælju:] fyz. energie uvolněná nukleární reakcí

R

R, r [a:] *pl: Rs Rs, r's rs* [a:z] **1** písmeno R (*a capital / large / upper-case R*, velké R *a little / small / lower-case* malé r, r **2** *R* jedno ze *three R's* (*controversy about the first R*) **3** cokoli označeného R, ve tvaru R n. r ◆ *the r months* měsíce v jejichž anglických názvech je r (září až duben) vhodné pro lov ústřic; *the three R's* trivium ve staré škole, elementární čtení, psaní, počty (tj. *reading, (w)riting, (a)rithmetic*)

ra [ro:] re solmizační slabika

rabbet [ræbit] *s* **1** tech. polodrážka prkna; drážka, zářez, žlábek, falc **2** dorazová lišta oken n. dveří **3** horn. vrtací páka na nárazové vrtání ◆ ~ *draught* námoř. konstrukční ponor, výpočtový ponor lodi ● *v* dělat polodrážky v, spojovat na polodrážky ◆ ~*ed joint* spojení na polodrážku

rabbet plane [ræbitplein] polodrážník, římsovník hoblík

rabbi [ræbai] rabín, rabbi ◆ *Chief R*~ BR vrchní rabín ve Velké Británii

rabbin [ræbin] řidč. **1** rabín **2** ~*s, pl* starověcí a středověcí rabíni

rabbinate [ræbinit] **1** rabinát, rabínství **2** rabínstvo

rabbinic [ræˈbinik] *adj* rabínský ● *s R*~ středověká rabínská hebrejština

rabbinical [ræˈbinikəl] rabínský

rabbinism [ræbinizəm] rabínství, rabínské učení, rabínský způsob řeči

rabbinist [ræbinist] talmudista, stoupenec rabínského učení

rabbit[1] [ræbit] : (*odd*) ~ *it* vulg. do prdele!

rabbit[2] [ræbit] *s* **1** králík zvíře i kožešina; králičina **2** AM též zajíc **3** BR hovor. padavka, salát, srágora neschopný sportovec (*I'm just a* ~ *at tennis* já hraju tenis jako ponocný) ◆ ~ *ball* AM rychlý baseballový míč; *Welsh* ~ *1.* druh sýrového toastu *2.* uzený sýr ● *v* (*-tt-*) **1** lovit králíky **2** též ~ *on* hovor. mlít *about* o, naříkat na (*the keeps* ~*ting on about his health*)

rabbit burrow [ˈræbitˌbarəu] králičí doupě, králičí nora

rabbiter [ræbitə] **1** lovec králíků n. zajíců **2** pes cvičený na lov králíků n. zajíců

rabbit fever [ˈræbitˌfi:və] med. tularémie

rabbit flower [ˈræbitˌflauə] bot. **1** lnice květel **2** hledík větší **3** zvěšinec zední

rabbit foot [ræbitfut] : ~ *clover* = *rabbit's foot*

rabbit hutch [ræbithač] králíkárna

rabbit meat [ræbitmi:t] bot. kerblík lesní

rabbit punch [ræbitpanč, ræbitpanš] tvrdý úder do týla hranou dlaně

rabbitry [ræbitri] (*-ie-*) **1** králíci **2** králíkárna

rabbit's flower [ræbitsflauə] bot. náprstník červený

rabbit's foot [ræbitsfut] bot. jetel rolní, jetel kočičí

rabbit's meat [ræbitsmi:t] = *rabbit meat*

rabbit-warren [ˈræbitˌworin] **1** půda plná králičích doupat **2** přen. bludiště, labyrint; dům přecpaný nájemníky, mraveniště, králíkárna, kurník

rabbity [ræbiti] **1** zamořený králíky (*a* ~ *region*) **2** králičí (~ *teeth*) **3** bázlivý, ustrašený jako králík (*a little* ~ *clerk*)

rabble[1] [ræbl] *s* hřeblo, sháňka ● *v* prohrabovat / míchat hřeblem, shánět

rabble[2] [ræbl] *s* roj, hejno (*great* ~*s of rats* velká hejna krys); změť, houští **2** dav, zástup (*a* ~ *of small children*); lůza, chátra, sběř, holota, spřež, pronárod, sebranka, chamraď (*the London* ~)

rabblement [ræblmənt] řidč. **1** = *rabble[2]* **2** zmatek / hluk způsobený lůzou atd.

rabble-rouse [ræblrauz] bouřit davy n. lůzu, agitovat mezi lůzou (*ashamed to* ~ hanbící se agitovat mezi lůzou)

rabble-rouser [ˈræblˌrauzə] demagog, demagogický agitátor

rabblework [ræblwə:k] výplň, lité zdivo, beton

Rabelaisian [ˌræbəˈleiziən] *adj* rabelaisovský týkající se Françoise Rabelaise (?1494–1553); satirický, humoristický, šťastný, obhrouble veselý ● *s* znalec n. milovník Rabelaisova díla

rabid [ræbid] **1** rozzuřený, zuřící (*he was made* ~ *by the gout* dna ho přiváděla k zuřivosti); zuřivý, divoký, vášnivý, fanatický (*a* ~ *baseball fan,* ~ *in his hatred of his rival* zuřivě nenávidějící svého soupeře); šílený (*a* ~ *hunger*) **2** med. vzteklý, trpící vzteklinou (*a* ~ *fox*)

rabidity [ræˈbidəti] = *rabidness*

rabidness [ræbidnis] rozzuřenost; zuřivost, divokost, vášnivost, fanatismus

rabies [reibi:z] *pl: rabies* [reibi:z] med. vzteklina, rabies

raccoon [rəˈku:n] = *racoon*

race[1] [reis] *s* **1** závod, rychlostní soutěž; dostih; ~*s, pl* koňské dostihy; plavba o závod **2** proud, proudění, mlýnský náhon, strouha, koryto, žlab, kanál; proud vody v tomto zařízení; tok, bystřina, úplav, kýlová brázda za lodí **3** dráha, putování, běh nebeského tělesa; přen. životní dráha, životní pouť **4** AU průchod, ulička **5** žlábek, drážka, kroužek valivého ložiska **6** let. vrtulový proud; text. kartáč na zdvíhání vlasu ◆ *armament / arms* ~ závody ve zbrojení; ~ *ball* dostihový ples; *out of the* ~ vyřazený; *play the* ~*s* AM sázet na koně při dostihu; *run a* ~ *with* běžet o závod s; *his* ~ *is run* jeho dny jsou sečteny; *a* ~ *against time* závod s časem; *a* ~ *for a train* dobíhání vlaku, kalup na vlak ● *v* **1** běžet / jet / plout / letět o závod, závodit, soutěžit *a p. / with* s v rychlosti *for* o, o jakou cenu / trofej (*eight horses will ~ for the cup*); předhánět se; běžet jako o závod, hnát se, letět (*boys racing home from school*) **2** závodit při dostihu, jet dostih, přihlásit koně k dostihu (*he ~s at all the big meetings, are you going to ~ your horse at Newmarket next week?*) **3** rychle dopravovat (*fast-sailing ships built expressly to ~ tea from China*); hnát, štvát **4** rychle se otáčet, rozletět se při odlehčení, běžet téměř na prázdno (*the propeller ~d wildly as the stern rose* jak se záď zvedla, točil se šroub téměř naprázdno) ◆ ~ *against time* běžet / dělat o závod s časem; *his mind was racing* v hlavě se mu honily myšlenky jedna za druhou

race[2] [reis] plemeno, rasa (*the Mongolian ~*); kmen, kmeny (*the Anglo-Saxon ~*); rod, původ (*a man of ancient and noble ~*); druh, odrůda; přen. národ, kasta (*the ~ of poets*) ◆ *feathered ~* žert. ptactvo; *finny ~* ryby

race[3] [reis] **1** též ~ *of ginger* zázvorový kořen, zázvor **2** pikantnost

racecard [reiska:d] dostihový program

racecourse [reisko:s] závodní dráha, dostihová dráha

raceginger [ˈreisˌdžindžə] celý zázvor, zázvorový kořen

race hatred [ˈreisˌheitrid] rasová nenávist

racehorse [reisho:s] závodní kůň, dostihový kůň

racemate [ræsəmeit] chem. racemát

raceme [ræˈsi:m] bot. hrozen květenství

race meeting [ˈreisˌmi:tiŋ] koňské dostihy

racemic [ræˈsi:mik] : ~ *acid* chem. kyselina hroznová

racemose [ræsiməus] bot.: květenství hroznovitý

racer [reisə] **1** závodník, běžec; závodní kůň, závodní jachta, závodní člun, závodní automobil, závodní kolo; rychlá loď **2** tech. běhoun stroje, točna, točnice, oběžný věnec **3** otočná plošina lafety děla

race riot [ˈreisˌraiət] rasový nepokoj

racerunner [ˈreisˌranə] ještěrka *Cnemidophorus sexlineatus*

race suicide [ˈreisˌsjuisaid] vymření rasy n. národa kdy úmrtnost je větší než porodnost

racetrack [reistræk] **1** automobilová závodní dráha **2** AM dostihová dráha

raceway [reiswei] vodní náhon

rachel [reiˈšel] kosmetika *s* světlehnědá barva ● *adj* světlehnědý

rachis [reikis] *pl* též *rachides* [reikidi:z] **1** páteř **2** bot. stonek; vřeteno listu **3** osten pera

rachitic [ræˈkaitik] med. křivičnatý, křivičný, rachitický

rachitis [ræˈkaitis] med. křivice, rachitida, rachitis

Rachmanism [rækmənizəm] BR bezcitné vykořisťování chudých nájemníků ve *slums*

racial [reišəl] rasový ◆ ~ *hatred* rasová nenávist, rasismus

racialism [reišəlizəm] rasismus

racialist [reišəlist] *adj* rasistický ● *s* rasista

racialistic [ˌreišəˈlistik] rasistický

raciness [reisinis] **1** šťavnatost, jadrnost, zemitost, plnokrevnost; svéráznost, osobitost **2** peprnost, pikantnost

racing boat [reisiŋbəut] závodní člun

racing car [reisiŋka:] závodní automobil

racing circuit [ˌreisiŋˈsə:kit] dostihová dráha

racing cyclist [ˈreisiŋˌsaiklist] cyklistický závodník

racing driver [ˈreisiŋˌdraivə] automobilový závodník

racing man [ˌreisiŋˈmæn] milovník koňských dostihů, koníčkář (slang.)

racing saddle [ˈreisiŋˌsædl] závodní sedlo

racing tail [reisiŋteil] nezastřižený ohon (jako) závodního koně

racism [reisizəm] zejm. AM rasismus

racist [reisist] zejm. AM *s* rasista ● *adj* rasistický

rack[1] [ræk] *s* táhnoucí mlhy n. páry ● *v* oblak být hnán větrem, táhnout

rack[2] [ræk] *s* **1** police, polička, přihrádka, regál, stojan, odkládací police; síť n. mřížka na zavazadla; nosič zavazadel, střešní nosič auta, zahrádka (hovor.); jesle, krmelec; mříž, mřížka, česle, brlení, žebřina **2** ozubená tyč, ozubený hřeben, ozubnice **3** námoř. trnové sedlo k uchycení lan **4** let. nosič pum; pumový závěsník ◆ *clothes ~* sušák ● *v* **1** též ~ *up* založit píci, dát (píci) do jeslí atd; přivázat koně k jeslím **2** dát / uložit na polici atd. ◆ ~ *a horse* založit koni píci ***rack up 1*** AM dosáhnout, docílit, připsat si na své konto (*~ed up his fourth victory in the season* připsal si na své konto čtvrté vítězství v této sezóně) **2** = *rack[2], v 1*

rack[3] [ræk] *v* **1** natáhnout na skřipec, též přen.; dát / poslat na mučidla, mučit, týrat, trýznit *with* čím; třást, otřásat, za|lomcovat (*cough that seemed to ~ his whole body* kašel, který se zdál lomcovat celým jeho tělem) **2** rozviklávat, roztahovat; stáhnout křížovým vázáním **3** zvýšit daně, trápit vysokými daněmi, vysávat daněmi; vyčerpat, vymrskat, unavit půdu ◆ ~ *one's brains* lámat si hlavu ● *s* skřipec mučidlo ◆ *be on the ~* být na skřipci, též přen.

rack[4] [ræk] arak ◆ ~ *punch* arakový punč

rack[5] [ræk] *s* mimochod, jinochod ● *v* jít / chodit mimochodem

rack[6] [ræk] **1** též ~ *off* stáčet víno **2** stáčet pivo do sudů, plnit sudy

rack[7] [ræk] : *be in / go to ~ and ruin* rozpadnout se, vzít za své, propadnout zkáze

rack[8] [ræk] skopové koleno s částí plecka

rack car [ˈrækˌka:] AM žel. vagón pro přepravu automobilů

racket[1] [rækit] **1** sport. raketa s pružným výpletem, pálka; *~s, pl* druh míčové hry s raketami **2** sněžnice ve tvaru rakety

racket[2] [rækit] *s* **1** směs zvuků, hluk, povyk (*the ~*

of the lunchroom), poprask, rámus, randál, rambajz, cambus, bengál, kravál, brajgl, čurbes (*the dogs set up a terrific* ~); hlučná zábava, mejdan (*used to give at least one* ~ *a year*); shon, intenzívní společenský život (*he hates the* ~ *of modern life*) **2** slang. fór, trik, finta, fígl (*fashion is a* ~ *to sell clothes*), humbuk, balamucení, fígle, šupárna, podvod (*sees through pompous* ~ *of the publicity campaign* vidí skrz ten nabubřený humbuk reklamní kampaně); šmelina, šmelinářství, šmelinaření, čachry, čachrování, kšefty, kšeftování, pokoutní obchodní organizace (*narcotics* ~); vyděračství, gangsterství **3** žert. branže (*what* ~ *are you in?* v jaké branži pracujete?) **4** nápor, těžká zkouška ◆ *be in on a* ~ zúčastnit se vydírání, mít v tom prsty; *be / go on the* ~ hovor. chodit z mejdanu na mejdan, vést nezřízený život; *stand the* ~ hovor. *1.* vydržet nápor, snést to, vydržet to *2.* zatáhnout to zaplatit ● *v* **1** též ~ *about* hýřit, žít si, užívat si, flákat se **2** udělat rámus atd. (*a machine gun would start* ~*ing in the jungle* v džungli najednou začal dělat kravál kulomet)

racket ball [rækitbo:l] sport.: tvrdý míček potažený kůží

racketeer [ˌrækiˈtiə] *s* podvodník, šíbr, čachrář; vyděrač, defraudant, hochštapler; gangster ● *v* **1** šmelinařit, čachrovat **2** organizovaně vydírat

racketeering [ˌrækiˈtiəriŋ] **1** organizované vyděračství **2** v. *racketeer, v* ◆ *political* ~ politické machinace n. čachrářství, politikaření

racket press [rækitpres] sport. lis na tenisové rakety

racket rail [rækitteil] zool. kolibřík vlajkový

rackety [rækiti] **1** hlučný, rámusivý, dělající kravál (~ *streetcar*) **2** hýřivý, rozmařilý, divoký **3** vratký, nespolehlivý (*his memory was ever more* ~)

rackle [rækl] SC **1** umíněný **2** ukradený, prudký

rack rail [rækreil] žel. ozubnice

rack railway [ˈrækˌreilwei] ozubnicová dráha

rack-rent [rækrent] *s* vysoké / přemrštěné / lichvářské nájemné ● *v* vydírat na nájemném, ždímat nájemné

rack-renter [ˈrækˌrentə] **1** nájemce platící vyděračské nájemné **2** pronajimatel žádající vyděračské nájemné, vydřiduch

rack wheel [rækwi:l] ozubené kolo pro ozubnici

rackwork [rækwə:k] ozubnicový převod

racon [reikən] AM rádiový maják, radiomaják

raconteur [ˌrækonˈtə:] dobrý, vtipný vypravěč

raconteuse [ˌrækonˈtə:z] dobrá, vtipná vypravěčka

racoon [rəˈku:n] zool. mýval

racquet [rækit] = *racket*[1]

racy [reisi] (*-ie-*) **1** šťastný, jadrný, plnokrevný; svérázný, osobitý **2** peprný, pikantní (~ *anecdotes*) ◆ ~ *of the soil* zemitý

rad[1] [ræd] BR politický radikál

rad[2] [ræd] fyz. rad jednotka absorpční dávky radioaktivního záření

radar [reida:] radar, radiolokátor ◆ ~ *beacon* radarový / radiolokační maják; ~ *navigator* radionavigátor, radionavigační zařízení; ~ *trap* „radarová past“ užití radaru při kontrole silniční dopravy

radarman [raida:mæn] *pl:* *-men* [-men] obsluhovatel radiolokátoru

raddle [rædl] *s* červený pískovec, červená hlinka ● *v* nabarvit na červeno, načervenit (~ *the floor*), našminkovat na červeno (*a* ~*d barmaid*)

radial [reidjəl] *adj* **1** paprskový, paprskovitý, paprsčitý; hvězdicovitý **2** poloměrový, radiální **3** anat. vřetenní, radiální ◆ ~ *artery* anat. radiální / vřetenní tepna; ~ *brick* radiální cihla, radiálka; ~ *drilling machine* otočná vrtačka; ~ *engine* let. hvězdicový motor; ~ *nerve* anat. radiální / vřetenní nerv; ~ *symmetry* radiální symetrie; ~ *vein* anat. radiální žíla ● *s* **1** anat. radiální nerv, radiální tepna **2** též ~ *type* radiální plášť

radialization [ˌreidjəlaiˈzeišən] paprskovité / hvězdicovité / radiální seřazení / uspořádání

radialize [reidjəlaiz] seřadit / uspořádat paprskovitě / hvězdicově / radiálně

radial-ply [ˌreidjəlˈplai] plášť radiální

radian [reidjən] geom., fyz. radián jednotka obloukové míry úhlu

radiance [reidjəns], řidč. **radiancy** [reidjənsi] (*-ie-*) **1** zář, záře, záření, zářivost, jas, třpyt; svatozář **2** intenzita záření, hustota záření

radiant [reidjənt] *adj* **1** zářící, zářicí, zářivý (*the* ~ *sun*); rozzářený (*a* ~ *face*); nádherný, oslnivý, oslňující, jasný, třpytný; vyzařující, sálající, sálavý **2** bot. radiální ◆ ~ *heat* fyz. teplo přenášené zářením; ~ *point* hvězd. radiant ● *s* **1** zářič, zdroj záření **2** hvězd. radiant místo na obloze, z něhož zdánlivě vylétají meteory určitého roje

radiate[1] [reidiit] paprskový, paprskovitý, hvězdicový, radiální

radiate[2] [reidieit] **1** zářit (*the sun would begin to as a star* slunce začne zářit jako hvězda), zářit čím (*she* ~*s joy*), vyzařovat (*the sun* ~*s light and heat, he seems to* ~ *power and vitality*), sálat (*heat* ~*s*) **2** vysílat rozhlasem n. televizí (*to* ~ *a programme*) **3** rozbíhat se paprskovitě (*the building will have three arcades radiating from a central public reception hall*) **4** létat z ústředního místa

radiation [ˌreidiˈeišən] *s* **1** záře, záření, vyzařování, ozáření; sálání, radiace **2** radiální uspořádání **3** vysílání (~ *of a radio programme*) ● *adj* radiační ◆ ~ *chemistry* radiační chemie; ~ *dose* radiační dávka, dávka záření; ~ *injury* úraz způsobený zářením; ~ *level* intenzita záření; ~ *response* reakce na záření; ~ *sickness* nemoc z ozáření; ~ *therapy* léčba zářením, ozařování

radiative [reidiətiv] zářivý, zářící

radiator [reidieitə] **1** zářič; vysílač, vysílačka; vysílací anténa **2** otopné těleso, radiátor; přenosná kamínka, teplomet **3** chladič automobilu ◆ ~ *grill* maska chladiče; ~ *mascot* figurka na chladiči

radical [rædikəl] *adj* **1** zásadní, pronikavý, důkladný, rázný, energický, rozhodný, nekompromisní, drastický, radikální (*~ changes in the scheme*) **2** krajní, politicky radikální; buřičský, revolucionářský (*the ~ music written between 1910 and 1930*) **3** základní, fundamentální, první, prvotní, podstatný (*the ~ trouble is that man is by nature a liar* základní potíž je v tom, že člověk je od přirozenosti lhář); přirozený, bytostný, vrozený (*~ rottenness of the human nature* bytostná zkaženost lidské povahy) **4** kořenový (*~ tubers* kořenové hlízy) **5** jaz. kořenný, kmenový (*a ~ verb form*) **6** mat. týkající se odmocniny **7** hud. týkající se základního tónu akordu (*~ bass*) **8** BR hist. liberálně radikální ◆ *~ chic* AM módní styk s lidmi radikálních názorů; *~ leaf* bot. přízemní list ● *s* **1** radikál zejm. politický; buřič, revolucionář (*a literary ~ at heart*) **2** základ, princip **3** jaz. kořen, kmen, radikál **4** mat. odmocnina, kořen; odmocnítko **5** chem. radikál

radical axis [ˌrædikəlˈæksis] mat. chordála

radicalism [rædikəlizəm] radikalismus zejm. politický, radikální názory, radikální postup, radikální počínání

radicalistic [ˌrædikəlˈistik] radikalistický

radicalization [ˌrædikəlaiˈzeišən] radikalizace, z|radikalizování

radicalize [rædikəlaiz] z|radikalizovat

radical sign [ˌrædikəlˈsain] mat. odmocnítko

radicant [rædikənt] bot. mající příčepivé kořeny

radicel [rædisəl] kořínek

radicidation [ˌrædisiˈdeišən] ozařování potravin za účelem zničení choroboplodných zárodků

radicle [rædikəl] **1** kořínek; klíční kořínek; nervový kořínek, cévní kořínek **2** chem. radikál

radiclib [ˌrædikˈlib] AM levicový liberál

radicular [ræˈdikjulə] kořenový, kořínkový; týkající se nervových kořínků

radii [reidiai] *pl* v. *radius*

radio [reidiəu] *s pl: ~s* [-z] **1** rozhlas, radiotelefonie, radiotelegrafie, rádio **2** rozhlasový přijímač, radiotelefonické n. radiotelegrafické zařízení, rádio ◆ *on the ~* v rozhlase, v rozhlasovém vysílání (*I heard it on the ~*) ◆ *go on the ~* mluvit v rozhlase / do rozhlasu ● *v* vysílat rádiem, sdělovat rádiem, předávat zprávy pomocí elektromagnetických vln

radioactive [ˌreidiəuˈæktiv] radioaktivní ◆ *~ contaminant* radioaktivní příměs; *~ contamination* radioaktivní zamoření; *~ decay* radioaktivní rozpad; *~ fallout* radioaktivní spad; *~ wastes* *1.* radioaktivní odpad *2.* radioaktivní odpad vody

radioactivity [ˌreidiəuækˈtivəti] radioaktivita

radio aerial [ˌreidiəuˈeəriəl] rádiová anténa

radio altimeter [ˌreidiəuˈæltimi:tə] rádiový výškoměr

radio amateur [ˌreidiəuˈæmətə] rádioamatér

radio astronomy [ˌreidiəuəˈstronəmi] radioastronomie

radio balance [ˌreidiəuˈbæləns] přístroj na měření sálání tepla

radio beacon [ˌreidiəuˈbi:kən] rádiový maják, rádiomaják

radio beam [ˌreidiəuˈbi:m] sestupový / naváděcí paprsek, signál

radiobiology [ˌreidiəubaiˈolədži] radiobiologie

radio cab [ˌreidiəuˈkæb] autotaxi s rádiovým spojením a centrálou, radiotaxi

radio cabin [ˌreidiəuˈkæbin] námoř. radiokabina, kabina radiotelegrafisty

radiocaesium [ˌreidəuˈsi:zjəm] radioaktivní cesium, radioaktivní izotop cesia

radio car [ˌreidiəuˈka:] rádiový vůz, vůz s rádiovým spojením

radiocarbon [ˌreidiəuˈka:bn] radioaktivní uhlík ^{14}C ◆ *~ dating* určování stáří pomocí radioaktivního izotopu ^{14}C

radio-carpal [ˌreidiəuˈka:pəl] týkající se vřetenní kosti a zápěstí

radiochemistry [ˌreidiəuˈkemistri] chemie radioaktivních prvků, radiochemie

radiocobalt [ˌreidiəukəˈbo:lt] radioaktivní kobalt, radioaktivní izotop kobaltu

radio compass [ˌreidiəuˈkampəs] radiokompas

radio console [ˌreidiəuˈkonsəul] **1** skříňový rozhlasový přijímač **2** hudební skříň obsahující rozhlasový přijímač, skříňové gramorádio

radio control [ˌreidiəukənˈtrəul] dálkové řízení / ovládání rádiem

radio controlled [ˌreidiəukənˈtrəuld] dálkově řízený / ovládaný rádiem

radio direction-finder [ˌreidiəudiˌrekšənˈfaində] rádiový zaměřovač, radiogoniometr

radio drama [ˌreidiəuˈdra:mə] rozhlasová hra, činohra

radioelement [ˌreidiəuˈelimənt] radioaktivní prvek

radio engineering [ˌreidiəuendžiˈniəriŋ] radiotechnika

radio fan [ˌreidiəuˈfæn] náruživý posluchač rozhlasu, rozhlasový fanoušek

radiofrequency [ˌreidiəuˈfri:kwənsi] vysokofrekvenční

radiogenic [ˌreidiəuˈdženik] **1** získaný radioaktivním rozpadem **2** vysílaný v rozhlase

radiogoniometer [ˌreidiəuˌgəuniˈomitə] rádiový zaměřovač, radiogoniometr

radiogram [reidiəugræm] **1** gramorádio, radiogramofon **2** radiografický snímek, rentgenový snímek, radiogram, rentgenogram **3** radiotelegram, radiogram

radiogramophone [ˌreidiəuˈgræməfəun] gramorádio, radiogramofon
radiograph [reidiəugra:f] *s* **1** radiograf rádiový přijímač pro záznam rádiového záření **2** radiogram **3** rentgenový snímek, rentgenogram ● *v* **1** poslat radiogram **2** zhotovit rentgenový snímek n. radiogram, rentgenovat
radiographer [ˌreidiˈogrəfə] rentgenolog, kdo zhotovuje rentgenové snímky
radiography [ˌreidiˈogrəfi] **1** radiografie pořizování snímku struktury látky ionizujícím zářením **2** rentgenografie, fotografování rentgenovými paprsky
radio interference [ˌreidiəuintəˈfiərəns] neúmyslné rušení rozhlasového příjmu zejm. jinými stanicemi
radioisotope [ˌreidiəuˈaisəutəup] radioaktivní izotop, radioizotop
radio jamming [ˌreidiəuˈdžæmiŋ] úmyslné rušení rozhlasového příjmu rušičkou
radiolaria [ˌreidiəuˈleəriə] zool. mřížovci
radiolocation [ˌreidiəuləuˈkeišən] radiolokace, radioelektrické zaměřování, zaměřování radarem
radiologist [ˌreidiˈolədžist] **1** radiolog odborník v radiologii **2** rentgenolog
radiology [ˌreidiˈolədži] **1** radiologie věda zabývající se ionizačním zářením a jeho účinky; nauka o léčbě ionizujícím zářením **2** rentgenologie nauka o záření
radiometer [ˌreidiˈomitə] radiometr přístroj na měření intenzity záření; přístroj ukazující přeměnu zářivé energie v mechanickou
radiomicrometer [ˌreidiəumaiˈkromitə] radiomikrometr, mikroradiometr přístroj na měření intenzity záření
radio monitoring [ˌreidiəuˈmonitəriŋ] odposlouchávání rozhlasových pořadů
radio newsdesk [ˌreidiəuˈnju:zdesk] = *radio newsreel*
radio newsreel [ˌreidiəuˈnju:zri:l] rozhlasové noviny
radio(-o)paque [ˌreidiəu(əu)ˈpeik] viditelný na rentgenovém snímku, neprůzářný, neprostupný pro záření
radio operator [ˌreidiəuˈopəreitə] radista
radioparent [ˌreidiəuˈpeərənt] propouštějící rentgenové paprsky
radiophony [ˌreidiˈofəni] radiotelefonie, radiofonie
radio photography [ˌreidiəufəˈtogrəfi] bezdrátové přenášení fotografie
radio pirate [ˌreidiəuˈpaiərət] černý posluchač
radio play [ˌreidiəuplei] rozhlasová hra, činohra
radio receiver [ˌreidiəuriˈsi:və] rozhlasový přijímač
radio reception [ˌreidiəuriˈsepšən] rozhlasový příjem
radio set [reidiəuset] rozhlasový přijímač, rádio
radioscopy [ˌreidiˈoskəpi] radioskopie vyšetřování pomocí záření; rentgenoskopie
radiosonde [reidiəusond] radiosonda meteorologický balón s rádiovým vysílačem, radiosondážní balón
radio source [ˌreidiəuˈso:s] hvězd. rádiový zdroj
radio station [ˌreidiəuˈsteišən] rozhlasová stanice
radio studio [ˌreidiəuˈstju:diəu] rozhlasové studio
radiotelegram [ˌreidiəuˈteligræm] radiogram, radiotelegram
radio-telegraphy [ˌreidiəutiˈlegrəfi] bezdrátová telegrafie, radiotelegrafie
radio teleprinter [ˌreidiəuˈteliˌprintə] dálnopis
radio telescope [ˌreidiəuˈteliskəup] hvězd. rádiový dalekohled, radioteleskop
radiotherapeutics [ˌreidiəuθerəˈpju:tiks] radioterapeutika nauka o léčbě ozařováním
radiotherapist [ˌreidiəuˈθerəpist] odborník v radioterapii
radiotherapy [ˌreidiəuˈθerəpi] radioléčba, léčení ozařováním, radioterapie
radiotrician [ˌreidiəuˈtrišən] AM rozhlasový mechanik, konstruktér n. opravář rozhlasových přijímačů
radio tube [ˌreidiəuˈtju:b] elektronka, elektronková lampa
radish [rædiš] ředkvička, ředkev ředkvička (bot.)
radium [reidjəm] rádium radioaktivní prvek
radium emanation [ˌreidjəmˌeməˈneišən] radiová emanace, radon
radium therapy [ˌreidjəmˈθerəpi] radioléčba, léčení ozařováním, radioterapie
radius [reidjəs] *pl: radii* [reidiai] **1** rádius poloměr; vřetenní kost **2** paprsek; paprsek kola, příčel, loukoť **3** akční rádius, poloměr působnosti, dolet (*the flying ~ of an airplane*), dosah rypadla; vyložení jeřábu; okruh (*every house within a ~ of 50 miles*), plocha; sféra, pole působnosti (*come into the ~ of his kind influence*) **4** bot. paprsek **5** tech. zaoblení ◆ ~ *of action* akční rádius, poloměr působnosti; ~ *of curvature* poloměr zakřivení; ~ *of turn* poloměr rejdování; ~ *vector* mat. průvodič, polohový vektor
radix [reidiks] *pl* též *radices* [reidisi:z] **1** bot., jaz. kořen **2** mat. základ číselné soustavy (*10 is the ~ of the common system of logarithms*) **3** zdroj, kořen
radome [reidəum] let.: aerodynamický kryt radarové antény letadla
radon [reidən] radiová emanace, radon
raff [ræf] = *riff-raff*
Raffaelesque [ˌræfeiəˈlesk] = *Raphaelesque*
raffee [ræfi:] námoř. trojúhelníková vrcholová ráhnová plachta
raffia [ræfiə] **1** bot. rafiová palma, rafie **2** rafie lýko
raffiné [ˌræfiˈnei] *adj* kultivovaný ● *s* hejsek
raffish [ræfiš] **1** zchátralý, sešlý, špatný, ubohý (*a district of ~ lodging houses*) **2** zhýralý, prostopášný, vyžilý (*~ bachelors*); hejskovský, pižlounský

raffishness [ræfišnis] **1** zchátralost, sešlost, špatnost, ubohost **2** zhýralost, prostopášnost, vyžilost; hejskovství, pižlounství
raffle[1] [ræfl] *s* tombola, věcná loterie ● *v* zúčastnit se tomboly n. věcné loterie; dát do tomboly n. věcné loterie (*~ off a sewing machine at the bazaar* dát šicí stroj do bazarové tomboly)
raffle[2] [ræfl] zbytky, odpadky, trosky, též přen. (*the ~ of conversation that a man picks up as he passes*); krámy, harampádí, haraburdí zejm. na lodi (*her decks forward covered with ~* její přední paluby plné krámů)
Raffles [ræflz] lupič-džentlmen podle hrdiny románu E. W. Hornunga
raft [ra:ft] *s* **1** vor, plť; prkna na vodě, plovoucí přístaviště, pódium, můstek, most **2** plující keře, stromy, dřevo; plující kra **3** AM moře, spousta (*assembled a ~ of facts and figures* nashromáždil spoustu věcných a číselných údajů) ● *v* **1** plavit dříví, plavit vory **2** udělat vor z (*~ the logs at hand* udělat vor z pohotových klád), plout na voru (*~ing across rivers*) *a t.* po / přes (*~ a river*) ◆ *~ lock* vorová propust, jemčina
rafter[1] [ra:ftə] **1** vorař, plťař **2** vrátný, kormidlář voru
rafter[2] [ra:ftə] *s* krokev, trám v krovu, skloněný střešní nosník ◆ *from cellar to ~* do sklepa až na půdu ● *v* **1** dělat krokve, opatřovat krokvemi **2** BR orat do hřebenů **3** kry skládat se na sebe, hromadit se
raftsman [ra:ftsmən] *pl: -men* [-mən] vorař, plťař
rag [ræg] **1** hadr (*a ~ to polish the car with* hadr na leštění auta); cár (*dressed in ~s*); *~s, pl* hadry, hadrový materiál **2** cár, cancour, cucek, chumáč, útržek, odstřižek (*flying ~s of cloud* letící cáry mraků), kousek, ždibec (*~s of bark* ždibce kůry), též přen. **3** zvadlý, zničený člověk, onuce **4** řeči, řečičky, řečánky **5** řidč. tech. otřep **6** hanl. hadr vlajka; kapesník; plachta; plátek noviny ◆ *chew the ~* hovor. *1.* kecat, žvanit *2.* nadávat, kušnit; *cook to ~s* uvařit na hadry, úplně rozvařit (*the meat was cooked to ~s*); *~ engine* papírenský hadromel; *glad ~s* slang. sváteční hadry / kvádro; *it is a red ~ to him* působí to na něho jako červený šátek na krocana; *take the ~ off* (*the bush*) AM trumfnout; *tear to ~s* rozcupovat na kousky, roztrhat na hadry / na cimprcampr, rozbít na padrť, též přen. (*tear their arguments to ~s*)
rag[2] [ræg] **1** krytinová břidlice na jedné straně hrubá **2** BR břidlice
rag[3] [ræg] *v* (*-gg-*) slang. **1** vynadat komu, setřít, umýt hlavu komu, nadávat komu, runcat proti / na, mít pifku na (*~ the government*); otravovat **2** utahovat si z, dělat si švandu z, strefovat se do (*they ~ged each other about that all day*); dělat kanadské žertíky, dělat recese / komedie, vyvádět, řádit, tropit bengál (*~ in the corridors at night*) ● *s* veselice, merenda, mejdan, karneval, komedie, řádění, vyvádění, recese, prča studentů ◆ *get one's ~ out* vyletět, vybouchnout, navztekat se
raga [ra:gə] hud. raga tradiční prvek indické hudby; skladba založená na takovém prvku
ragamuffin [ˈrægəˌmafin] syčák, obejda, vagabund, špindíra
rag-and-bone-man [ˌrægənˈbəunmæn] *pl: -men* [-men] hadrář, hadrník skupující také kosti
ragarock [ˌra:gəˈrok] rokenrol s použitím indických hudebních prvků a nástrojů
ragazza [ra:ˈga:tsə] *pl: ragazze* [ra:ˈga:tsi] italské děvče, zejm. mladá dělnice
ragbaby [ˈrægˌbeibi] (*-ie-*) hadrová panenka
ragbag [rægbæg] **1** pytel s hadry, pytel na odstřižky **2** přen. nepořádník, lempl; hadrník, hadrář, strašák ◆ *~ and bobtail* hanl. chátra
ragbolt [rægbəult] *s* šroub do zdiva se zášeky, hřeb se zášeky, zubatý svorník ◆ *v* upevnit / spojit šroubem do zdiva atd.
ragday [rægdei] studentská veselice, studentský karneval, majáles zejm. dobročinný
rage [reidž] *s* **1** vztek, zlost, zuřivost, záchvat vzteku / zlosti / zuřivosti (*livid with ~* zsinalý zlostí); zuření, bouření, bouře, běsnění živlů; poryv větru; prudký záchvat bolesti **2** vášnivá touha, vášeň, žízeň *for* po (*~ for power*) **3** velká móda, vrchol módy, to nejmodernější (*these white handbags from Italy are* (*all*) *the ~ this summer*) **4** nadšení, vytržení, extáze, trans ◆ *fly into a ~* rozzuřit se, vyletět; *have a ~ for* být zblázněn do, hořet po, dělat zuřivě / vášnivě / náruživě co (*have a ~ for collecting butterflies* vášnivě sbírat motýly) ● *v* **1** zuřit (*the storm ~d all day*), běsnit, vztekat se *against* / *at* na / proti (*he ~d against me for not letting him have his own way* vztekal se na mne, že jsem nedovolil, aby bylo po jeho); nemoc zuřit, řádit (*pestilence ~d throughout the town* v celém městě řádil mor) **2** zuřivě bolet ***rage o. s. out*** vyzuřit se, utišit se
ragee [ra:dži] = *raggee*
ragged [rægid] **1** roztrhaný, rozedraný, rozdrbaný, potrhaný (*a ~ coat*), otrhaný, jsoucí v cárech, v hadrech (*a ~ old man*) **2** střapatý, rozcuchaný (*a dog with a ~ coat of hair* pes se střapatou srstí); odřený, otřepený, roztřepený, roztřepaný, třepící se (*a sleeve with ~ edges* rukáv s otřepenými konci); obrys ostrý, čpičatý, zubatý; povrch drsný, zdrsněný, nerovný, hrbolatý, kostrbatý; zvuk chraptivý **3** nezačištěný, nasladěný, nekoordinovaný, nepravidelný; nedodělaný, nehotový, nedotažený, jsoucí plný chyb (*a ~ piece of work*); přen. rozházený, nejednotný, kostrbatý (*a ~ performance*) **4** vyčerpaný **5** zarostlý, zpustlý (*a ~ garden*) ◆ *on the ~ edge* na samém kraji propasti (přen.); *~ fire* voj. volná / neřízená palba; *~ formation* voj. rozházená / neuspořádaná skupina; *~ rhymes* kulhavé / kostrbaté rýmy; *~ robin* bot. *1.* kohoutek luční *2.* zahradní odrůda

kohoutku *3.* kakost smrdutý; ~ *school* BR hist.: škola pro děti z chudých rodin; ~ *staff* ostrev heraldické znamení; ~ *stoke* nestejnoměrný záběr vesel
raggedness [rægidnis] **1** roztrhanost, rozedranost, rozdrbanost, potrhanost, otrhanost **2** střapatost, rozcuchanost; odřenost, roztřepanost, roztřepenost; špičatost, zubatost obrysu; drsnost, zdrsněnost, nerovnost, hrbolatost, kostrbatost povrchu; chraptivost zvuku **3** nezačištěnost, nesladěnost, nekoordinovanost, nepravidelnost; nedodělanost, nehotovost, nedotaženost; přen. rozházenost, nejednotnost, kostrbatost **4** vyčerpanost **5** zarostlost, zpustlost
raggee [ra:dži:] indické proso *Panicum L.*
ragger [rægə] slang. recesista, fórista, srandista
rag-gourd [ræguəd] bot. lufa
raggle-taggle [ˌrægl ˈtægl] shluk, různorodý dav, tlupa různých mladých uličníků (*a ~ of urchins*)
raglan [ræglən] raglán ◆ ~ *sleeve* raglánový rukáv, klínový rukáv
ragman [rægmæn] *pl: -men* [-men] hadrář, hadrník
Ragnarok [ˌra:gnəˈrok] v severské mytologii soumrak bohů, konec světa
ragout [rægu:] kuch. *s* ragú ● *v* udělat ragú z (~ *a leg of mutton*)
rag paper [ˌrægˈpeipə] hadrový papír, dřevaprostý papír
ragpicker [ˈrægˌpikə] hadrář, hadrník, kdo vybírá popelnice a prodává nalezené suroviny
ragstone [rægstəun] křemenitý hrubozrnný pískovec
ragtag [rægtæg] též ~ *and bobtail* lůza, chátra, sběř
ragtime [rægtaim] hud. *s* ragtime lidový způsob nástrojové hry, zejm. klavírní, s hojnými synkopami ● *adj* operetní, směšný (~ *army*)
ragtop [rægtop] hovor. kabriolet
rag trade [rægtreid] slang. oděvní průmysl zejm. vyrábějící dámskou konfekci
rag trader [ˈrægˌtreidə] slang. obchodník s oděvy zejm. dámskými, majitel konfekce zejm. dámské
raguly [rægjuli] herald. ostrvový ◆ *cross* ~ ostrvový kříž ● *s* rameny ve tvaru ostrví
ragweed [rægwi:d] bot. ambrosie
rag wheel [rægwi:l] **1** řetězové kolo **2** hadrový lešticí kotouč, hadrovka
ragwork [rægwə:k] břidlicové zdivo
ragwort [rægwə:t] bot. starček, starček přímětník
rah [ra:] AM hovor. hip, hip; hurá
raid [reid] *s* **1** nepřátelský nájezd (*a border* ~), vpád, náhlý útok *on* na, přepad, přepadení čeho (*make a ~ upon the enemy's camp, a ~ on a bank by armed men*); nálet; výpad *upon* do (~ *upon the neighbouring shops*), nápor na **2** razie *on* na co, kde, zátah na, policejní prohlídka čeho, šťára (slang.) (*a ~ on a gambling den* razie v hráčském doupěti) ◆ *make a ~ on a t.* též svévolně přesunout, převést, sebrat částku (*the Chief Minister made a ~ on the road tax to help pay for the railways*) ● *v* udělat nájezd *into* na, udělat prudký útok atd. na, vpadnout kam, přepadnout; u|krást, vykrást, vy|loupit, vy|plenit při přepadu (*boys have been ~ing my orchard*) ◆ ~ *a market* tlačit trh
raider [reidə] **1** nájezdník, útočník, zloděj, lupič který přepadá **2** přepadová loď; přepadové / bombardovací letadlo **3** AM člen přepadového oddílu, člen speciálního oddílu námořní pěchoty ◆ ~*s past signal* konec leteckého poplachu
rail[1] [reil] zool. chřástal ◆ *common* / *water* chřástal vodní
rail[2] [reil] spílat, nadávat, láteřit, hromovat *against* / *at* komu / na, soptit proti, mluvit urážlivě o
rail[3] [reil] *s* **1** zábradlí, pažení, brlení; ~*s, pl* kovové o|hrazení, plot **2** vodorovná tyč, tyčka, konzola (*curtain* ~), vodorovný, tyčový věšák, držák **3** námoř. obrubník, zábradlí **4** mantinel, odrazník kulečníkového stolu **5** stav. pažník; vodorovný vlys dveří **6** kolejnice, železniční kolej; ~*s, pl* železniční trať, železnice, dráha; ~*s, pl* akcie železničních společností **7** AM slang. ajznboňák ◆ ~ *block signal* žel. zastavovací návěst; *by* ~ drahou, vlakem; ~ *cycle* drezína; ~ *fare* železniční jízdné; ~ *fence* AM železné zábradlí; *jump the ~s* vykolejit; *off the ~s 1.* vykolejený, též přen. *2.* na scestí; *on the ~s 1.* v chodu, v běhu *2.* na správné / dobré cestě, ne v rozporu se zákonem; *over the ~s* přes palubu; ~ *post* sloupek zábradlí; *ride a p. out on a* ~ vyhostit, vyobcovat, tvrdě potrestat; *siding* ~ vlečka; ~ *switch* výhybka, výměna; ~ *transportation* kolejová doprava; ~ *vehicle* kolejové vozidlo ● *v* **1** opatřit zábradlím, dát zábradlí k čemu **2** též ~ *off* ohradit, oplotit, přepažit zábradlím **3** klást, položit kolejnice **4** cestovat / přepravovat zboží drahou / vlakem / po železnici, cestovat / jet vlakem ***rail in*** ohradit zábradlím a tím vyhradit
railage [reilidž] **1** dopravné po železnici **2** přeprava po železnici **3** železniční doprava
railcar [reilka:] **1** železniční vůz **2** železniční motorový vůz, motorová drezína
railchair [reilčeə] kolejnicová stolička
railer [reilə] kdo spílá, nadává, láteří
railhead [reilhed] **1** čelo stavby železniční trati **2** voj. zásobovací stanice na železniční trati
railing[1] [reiliŋ] **1** též ~*s, pl* zábradlí, o|hrazení, ohrada **2** v. *rail*[3], *v*
railing[2] [reiliŋ] **1** spílání, nadávání, láteření, soptění *at* / *against* na / čemu **2** v. *rail*[2], *v*
raillery [reiləri] *(-ie-)* **1** škádlení, dělání si legrace, dobírání si, popichování **2** legrace, popichnutí, dobromyslný posměšek, škádlivá poznámka, šprým, žert, špička
railles [reillis] bez zábradlí atd.; neohrazený
railman [reilmæn] *pl: -men* [-men] železničář
railmotor [ˈreilˌməutə] železniční motorový vůz
railroad [reilrəud] AM *s* železniční trať; železnice,

dráha ● *v* **1** zavést / postavit / stavět železnici v (~ *a country*); dopravovat drahou / po železnici **2** hnát, pohnat, rychle zmanipulovat, dát / nechat rychle proběhnout (~ *a bill through legislature* prohnat návrh zákona legislativním řízením); prosadit rukopis do tisku **3** hovor. dostat obžalovaného do vězení / na elektrické křeslo / na šibenici / do plynové komory nezákonným postupem

railway [reilwei] BR *s* železniční trať; železnice, dráha ◆ ~ *accident* železniční / vlakové neštěstí; ~ *act* zákon o železnicích; ~ *bill* návrh na zavedení nové dráhy v parlamentě; ~ *bridge* železniční most; ~ *carriage 1.* vagón, železniční vůz *2.* dopravné po železnici, dovozné; ~ *centre* železniční uzel; ~ *company 1.* železniční společnost *2.* voj. železniční rota; ~ *crossing 1.* železniční křižovatka *2.* železniční přejezd; ~ *depot* nákladové nádraží; ~ *engine* lokomotiva; ~ *ferry* železniční trajekt; ~ *gate* závory na přejezdu; ~ *gauge* rozchod kolejí; ~ *guard 1.* průvodčí *2.* vlakvedoucí; ~ *guide* vlakový jízdní řád; ~ *junction* železniční uzel; ~ *line 1.* dráha *2.* železniční trať, kolej; ~ *novel* lehký / zábavný román vhodný jako četba do vlaku, vlaková četba; ~ *platform* nástupiště, perón; ~ *porter* nádražní nosič; ~ *rug* přikrývka, houně pro cestování vlakem; *at* ~ *speed* velice rychle, expres; ~ *station* nádraží; ~ *ticket* jízdenka na vlak; ~ *timetable* vlakový jízdní řád; ~ *transportation* doprava po železnici; ~ *truck* otevřený nákladní vagón ● *v* **1** cestovat vlakem **2** zavést / postavit železnici v

railway curve [reilweikə:v] křivítko na oblouky velkých poloměrů

railwayless [reilweilis] jsoucí bez železnice, bez zavedené železniční dopravy

railwayman [reilweimən] *pl: -men* [-mən] **1** železničář **2** vlastník železnic, železniční podnikatel

raiment [reimənt] bás. šat, oděv, háv, odění

rain [rein] *s* **1** déšť, dešť; deštivé počasí (*a week of* ~ deštivý týden) **2** *R* ~*s*, *pl* tropické deště, dešťové období; dešťová oblast Atlantického oceánu **3** přen. déšť, příval, záplava (~ *of congratulations*), mračno (~ *of arrows*) **4** pršení v kopii filmu ◆ ~ *awning* dešťová plachta; *get out of the* ~ *1.* schovat se před deštěm *2.* přen. jít / běžet se schovat; ~ *insurance* dešťové pojištění; *it looks like* ~ hovor. vypadá to na déšť, zdá se, že bude pršet; *it is pouring with* ~ prší jen se leje; *right as* ~ *1.* zdravý jako řípa *2.* v naprostém pořádku; ~ *or shine 1.* při každém počasí *2.* za všech okolností ● *v* **1** pršet, též přen., dštít (kniž.); sesílat déšť **2** řinout se, téci, padat jako déšť (*tears* ~*ed down her cheeks, his eyes* ~*ed tears* z očí se mu řinuly slzy); snést se jako déšť, hrnout se; zasypat, zaplavit, zahrnout *a t.* čím *upon* koho (*the people* ~*ed gifts upon the heroes* národ zahrnul hrdiny dárky) ◆ *it* ~*s* / *it is* ~*ing cats and dogs* / *pitchforks* AM leje jako z konve, padají ševci; *it never* ~*s but* (*what*) *it pours* neštěstí nechodí nikdy samo ***rain in*** zatékat (*it is* ~*ing in at the window*) ***rain out*** přerušit n. znemožnit kvůli dešti (*the afternoon's game was* ~*ed out* odpolední utkání znemožnil déšť) ***rain o. s. out*** vypršet se, přestat pršet

rainbird [reinbə:d] zool. žluna zelená

rainbow [reinbəu] *s* **1** duha **2** přen. široká paleta ◆ *in all colours of the* ~ hrající všemi / duhovými barvami; *chase* / *follow the* ~ honit se za nedosažitelným; *sea* ~ duha na vodní tříšti na moři; *secondary* ~ vedlejší duha, sekundární pás duhy ● *adj* duhový, pestrý, hrající všemi barvami ◆ ~ *hunt* honba za nedosažitelným, honba za chimérou

rainbow-tinted [ˈreinbəuˌtintid] duhový, duhově zbarvený, pestrobarevný

rainbow trout [ˌreinbəuˈtraut] zool. pstruh duhový, duhák

rainbox [reinboks] div.: technický přístroj na napodobení zvuků deště

raincheck [reinček] **1** vstupenka na náhradní utkání n. představení když první znemožnil déšť **2** přen. slib, že nabídka se odkladem neruší ◆ *take a* ~ *on a t.* nechat si co na později

raincoat [reinkəut] nepromokavý plášť / kabát, plášť / kabát do deště, pršák, pršiplášť (hovor.)

rain doctor [ˈreinˌdoktə] zaříkávač, kouzelník, šaman přivolávající déšť

raindrop [reindrop] kapka deště, dešťová kapka

rainfall [reinfo:l] **1** sprška, déšť (*there was another* ~ *that night* tu noc ještě jednou pršelo) **2** dešťové srážky; množství dešťových srážek

rainforest [ˈreinˌforist] tropický dešťový les

rain gauge [reingeidž] dešťoměr, ombrometr

rain glass [reingla:s] tlakoměr, barometr

raininess [raininis] deštivost

rainless [rainlis] bezdeštný

rainmaker [ˈreinˌmeikə] indiánský medicinman přivolávající déšť

rainmaking [ˈreinˌmeikiŋ] umělé vytváření deště

rain pie [reinpai] BR žluna zelená

rainproof [reinpru:f] *adj* nepromokavý ● *s* nepromokavý plášť / kabát, plášť / kabát do deště, pršák, pršiplášť (hovor.) ● *v* impregnovat proti dešti

rainstorm [reinsto:m] bouře doprovázená lijákem

raintight [reintait] nepromokavý

rainwater [ˈreinˌwo:tə] dešťová voda, dešťovka ◆ ~ *damage* pojišť. škoda způsobená dešťovou vodou

rainwear [reinweə] oblečení do deště

rainworm [reinwə:m] dešťovka, žížala

rainy [reini] (*-ie-*) deštivý (~ *weather*); dešťový (~ *clouds*) ◆ *for a* ~ *day* pro strýčka Příhodu

raise [reiz] *v* **1** zvednout, zvýšit (~ *prices,* ~ *temperature*), pozvednout *to* k (~ *a p.'s hopes,* ~ *one's glass to one's lips*) *from* z jaké polohy / z jakého stavu (~ *a man from his knees*); narovnat, postavit ležícího **2** povýšit *to* do (~ *a man to the peerage* povýšit člověka do stavu lordů), zlepšit (~ *one's reputation*) **3** vyzvednout, vytáhnout *to* na (~ *a sunken ship to the surface of the sea* vyzvednout potopenou loď na mořskou hladinu); pozvednout, vztýčit, též přen. (~ *the standard of revolt* pozvednout prapor vzpoury); vztyčit, vybudovat, postavit (~ *a monument*); založit, u|stanovit, nastražit uši **4** vytáhnout, zvednout (*the sound of the bugle* ~*d him from his bed* zvuk polnice ho vytáhl z postele); vehnat *in* / *into* do (~ *a blush in her cheeks* vehnat jí ruměnec do tváří), vyvolat (~ *a storm,* ~ *a good thirst*), dát podnět k, způsobit, u|dělat; rozšířit pověsti **5** vzbouřit, vzburçovat, vyburcovat; zvířit, rozvířit (~ *cloud of dust*) **6** vzkřísit mrtvé; citovat, vyvolávat, zaříkávat ducha zemřelého; vyplašit zvěř **7** Prozřetelnost, osud seslat (*a deliverer was* ~*d up* osud seslal osvoboditele) **8** opatřit | si (~ *a loan* opatřit si půjčku), dát dohromady, sehnat (~ *funds for a holiday* sehnat peníze na dovolenou), sebrat, vybrat, získat (*the government* ~*d large sums for highway construction*); vypůjčit si peníze **9** pěstovat (~ *wheat*); chovat (~ *dogs*); založit (~ *a family*), AM vychovávat (~ *children*) **10** zvednout, skončit (~ *a siege* skončit obléhání), odstranit (~ *an embargo*), zrušit zákaz **11** zvýšit teplotu čeho, zahřát, rozpálit; zjasnit, zesvětlit barvu při barvení **12** zvýšit paděláním / přepsáním hodnotu např. šeku **13** poker zvýšit sázku, přihodit; bridž zvýšit hlášku při licitaci **14** dostat rádiové spojení s, navázat rádiový styk s, (*next time you* ~ *the ship tell them I'm on my way*) **15** AM hovor. kašlat, odkašlat si; kašlat krev **16** námoř. spatřit, uvidět nad obzorem (*the ship* ~*d land the next morning*) **17** mat. povýšit, umocnit **18** horn. dovrchně rubat; vytahovat n. těžit z dolu (~ *coal*) **19** text. česat, počesávat, drastit tkaninu **20** zkypřit, dát vykynout těsto **21** AM voj. slang. vyplnit dotazník ◆ ~ *an army* zverbovat vojsko, postavit armádu; ~ *the anchor* zvedat kotvu; ~ *a blister* udělat si puchýř; ~ *Cain* slang. *1.* udělat bengál / čurbes pozdvižení *2.* způsobit paniku / poprask; ~ *claim to a t.* vznést nárok na; ~ *a p. from the dead* vzkřísit koho z mrtvých; ~ *the devil* slang. *1.* udělat bengál / kravál / čurbes *2.* způsobit paniku / poprask; ~ *a* (*lot of*) *dust* přen. *1.* způsobit (velký) rozruch *2.* přen. zamlžit, udělat kouřovou clonu; ~ *ears to listen* nastražit / našpicovat uši; ~ *one's eyes* po|zvednout oči, podívat se, vzhlédnout nahoru; ~ *the flaps* let. zavřít klapky; ~ *one's glass to a p.* pozvednout číši na čí zdraví, připít komu; ~ *one's hand to a p.* napřáhnout ruku na koho, vztáhnout ruku na koho; ~ *one's hat to a p.* pozdravit koho sneknutím; ~ *one's head* přen. ukázat se; ~ *hue and cry* spustit velký pokřik; ~ *hell* slang. *1.* udělat bengál / čurbes / kravál *2.* způsobit paniku / poprask; ~ *the issue of* vyvolat debatu o, dát na přetřes co, přivést k otázce jaké; ~ *a ladder* postavit žebřík; ~ *the landing gear* let. zatáhnout podvozek; ~ *a laugh* vyvolat smích; ~ *the mischief* slang. *1.* udělat bengál / kravál / čurbes *2.* způsobit paniku / poprask; ~ *a mortgage* vyžádat si hypotéku, vypůjčit si na hypotéku na; ~ *a new point* přijít s novou myšlenkou v diskusi; ~ *an objection* vznést námitku, namítnout, mít námitku; ~ *to n-th power* mat. povýšit na n-tou; ~ *a presumption* vyslovit domněnku; ~ *a problem* přinášet nový problém, být problémem; ~ *a protest* vznést protest, protestovat; ~ *a p. from the ranks* povýšit koho na důstojníka; ~ *the roof* = ~ *Cain;* ~ *the shout of victory* vydat ze sebe vítězný výkřik, vítězně vykřiknout; ~ *a sigh* vydat vzdech, vzdechnout; ~ *a smile* vyvolat úsměv; ~ *a song* dát se do zpěvu, spustit píseň; ~ *the speed* zvýšit rychlost / rychlost otáčení motoru; ~ *a spirit* vyvolávat ducha zemřelého; ~ *one's spirits* zlepšit / po|zvednout náladu; ~ *the standard of living* zvýšit životní úroveň; ~ *steam* připustit páru; ~ *to the throne* dosadit na trůn, zvolit za krále; ~ *one's voice 1.* zvýšit hlas, zesílit hlas *2.* promluvit, ozvat se; ~ *the wind* schrastit / opatřit si peníze vypůjčit si ***raise o.s.*** vyšvihnout se ◆ ~ *o.s. by the bootstraps* vypracovat se z ničeho ● *s* **1** AM zvýšení zejm. platu, přidáno **2** zvedání; stoupání silnice **3** zvýšení sázky; zvýšení hlášky při licitaci

raised [reizd] **1** vypouklý **2** kynutý **3** v. *raise, v* ◆ ~ *approach* rampový příjezd / výjezd; ~ *arch* převýšený oblouk v gotické architektuře; ~ *bands* pravé vazy knižní vazby; ~ *cabin* palubní kajuta; ~ *deck* zvýšená záď; ~ *footway 1.* zvýšený chodník *2.* ochoz, galerie; ~ *platform 1.* zvýšená plošina *2.* ochoz; ~ *turn* let. souvrat

raiser [reizə] **1** zdvihač; zdvihadlo; stoupačka potrubí **2** pěstitel, chovatel ◆ *moral* ~ opatření ke zvýšení morálky

raisin [reizn] **1** hrozinka; cibéba **2** tmavofialová barva

raising [reiziŋ] **1** pěstování; chov; těžba **2** kvas, kvásek, kvasnice **3** v. *raise, v* ◆ ~ *force* vztlak; *R*~ *of the Cross* Povýšení sv. Kříže svátek ◆ ~ *in pots* zahr., les. pěstování v hrnkách

raising-piece [reiziŋpi:s] podložka, podkladek

raisin-tree [reizintri:] bot. meruzalka červená

raison d'être [ˌreizo:nˈdeitr] důvod, smysl bytí / existence, opodstatnění / oprávnění existence, raison d'être

raisonneur [ˌrezo:ˈneə] komentátor v románu n. dramatu

rait [reit] = *ret*

raj [ra:dž] hist.: v indickém prostředí vláda, nadvláda, panství, panování (*the British ~ in India*)
raja(h) [ra:džə] rádža indický domorodý panovník; nižší indický / malajský / javanský úředník n. šlechtic
raja(h)ship [ra:džəšip] rádžovství
Rajpoot, Rajput [ra:džput] urozený člen hindské válečnické kasty (hodnosti Kšatrija)
rake[1] [reik] *s* **1** hrábě; hrabice; hrabička, hrabičky croupiera **2** pohrabáč; vidle na uhlí **3** hřeblo **4** škrabka, škrabák ● *v* **1** hrabat; shrabovat; uhrabat (*~ the garden path* uhrabat zahradní cestičku), pohrabovat **2** prohrabávat, přehrabávat, prohledávat, pro|šťourat, pro|šmejdit, hrabat se, hledat *among* / *in* / *into* v (*have been raking into old records*) **3** škrábnout (*the sword's tip ~d his face lightly* špička meče ho lehce škrábla do tváře), škrábat, vyškrabovat **4** postřelovat podélně / podélnou palbou / z kraje do kraje; pokropit po celé délce (*~ a trench with gunfire* pokropit palbou zákop); přen. přelétnout pohledem ◆ *~d fore and aft* zamilovaný až po uši ***rake about*** hrabat se, prohrabovat co ***rake in*** nahrabávat, nahrabat si (*he has been raking money ever since*) ***rake off*** shrabat, vyhrabat, prohrábnout aby dále nehořel (*~ out a fire*); vyhrábnout hráběmi ***rake together 1*** shrabat (*~ together dead leaves*) **2** přen. na|hrabat peníze ***rake up 1*** shrabat, uhrabat *2* rozhrabat, vyhrabat, obracet hráběmi *3* probírat se ve vzpomínkách, oživit vzpomínky
rake[2] [reik] *s* zpustlík, zhýralec, prostopášník, hýřil, nemrava, hejsek, furiant, flamendr, fláma; ztracená existence
rake[3] [reik] *v* **1** sklánět | se, naklánět | se, mít / dát sklon; být vykloněn dozadu **2** přečnívat, přesahovat ◆ *~d chair* židle n. křeslo s nakloněným opěradlem ● *s* **1** sklon, úklon, úhel stěžňů / komínů **2** div. šikma; šikmé hlediště **3** převis lodní přídě ◆ *~ angle* úhel čela např. frézy; *forward ~* sklon kupředu
rake[4] [reik] **1** sokol letět ke kořisti **2** pes lovit s čenichem u země
rakehell [reikhel] BR zast. = *rake*[2]
rakehelly [reikheli] zast. zhýralý, zpustlý, prostopášný
rake-off [reikof] hovor. **1** provize zejm. nezákonná, bakšiš **2** podíl, procenta **3** sleva
raking [reikiŋ] **1** nakloněný, šikmý **2** v. *rake, v*
rakish[1] [reikiš] **1** nakloněný dopředu; odvážný, elegantní **2** loď štíhlý, rychlý a proto podezřelý z pirátství
rakish[2] [reikiš] zpustlý, prostopášný (*a ~ appearance* zpustlý zjev); hejskovský, furiantský (*set one's hat at a ~ angle* narazit si furiantsky klobouk na stranu)
rakishness [reikišnis] zpustlost; hejskovství, furianství
rale [ra:l] med. šelest, šelesty
rallentando [ˌrælenˈtændəu] hud. pomaleji, volněji, rallentando
rallicar(t) [rælika:(t)] BR lehký dvoukolový kočár
ralline [rælain] zool. chřástalovitý
rally[1] [ræli] (*-ie-*) *v* **1** shromáždit | se, soustředit | se znovu / po boji / v nebezpečí (*the troops rallied round their leader, the leader rallied his men*) **2** sebrat | se (*~ one's strength, ~ from illness*), vzchopit se, dát se dohromady, nabrat síly, zotavit se, okřát; vzpamatovat | se **3** trh zotavit se **4** sport.: rychle vyměňovat míče např. v tenise ◆ *~ing cry* heslo; *~ point* shromáždiště ***rally round*** hovor. větší počet lidí přijít na pomoc (*her friends all rallied round when she was ill*) ● *s* **1** soustředění, shromáždění po boji, opětovné sešikování **2** sraz, sjezd, slet; AM manifestace **3** vzpamatování, vzchopení, návrat sil **4** zotavení trhu **5** rychlá výměna míčů **6** = *rallye* ◆ *hold a ~* uspořádat sjezd atd.; *mass ~* masová manifestace
rally[2] [ræli] (*-ie-*) posmívat se, zesměšňovat, dělat si legraci z *on* kvůli
rallye [ræli] hvězdicová jízda, rely zejm. automobilová
ram[1] [ræm] *s* **1** beran; SA kozel; *R~* Beran, Skopec souhvězdí zvířetníku **2** beran, beranidlo; pěchovadlo, pěchovačka, pěch; plunžr; tlouk stoupy; píst hydraulického lisu **3** námoř. kloun; klounová loď **4** vulg. páření, ramlování ◆ *~ bow* námoř. klounová příď, klounový vaz; *~ effect* let. náporový účinek ● *v* (*-mm-*) **1** dusat, pěchovat, beranit; upevnit udusáním; zarážet, vrážet, dorážet **2** cpát, nacpávat (*~med his clothes into a bag*), nabíjet, vrazit, narazit *a t.* čím *at* / *against* / *into* / *on* do (*~med his head against the wall*) **3** námoř. klounovat nepřátelskou loď, vrazit přídí n. klounem do **4** let. vrazit do nepřátelského letounu **5** hnát, štvát (*~ming his airplane across the U.S. at eight miles a minute*); pro|tlačit (*~ a bill through the Senate*) ◆ *~ home 1.* zarazit, zatlouci na doraz *2.* vtlouci do hlavy, uvědomit o, ujasnit ***ram ahead*** probíjet se vpřed ***ram dawn 1*** udusat, upěchovat; nacpat, zacpat, narazit *2* vtlouci do hlavy ◆ *~ a t. down one's throat* v|nutit co komu ***ram through*** AM protlačit, proboxovat (přen.) ***ram up*** ucpat, zacpat
ram[2] [ræm] BR celková / nejdelší délka člunu
Ramadan [ˌræməˈda:n] ramadán, ramazán devátý měsíc muslimského roku, doba jednoměsíčního postu
ramal [reiməl] bot. větvový
ramble [ræmbl] *v* **1** chodit, procházet se, chodit bez cíle / sem tam, bloudit, toulat se, potulovat se (*to ~ through the country*) po, kde (*rambling the streets of London*); bloudit, tápat (*most students ~d around among a lot of different subjects*) **2** mluvit / psát bez ladu a skladu, být neucelený n. užvaněný, přeskakovat z předmětu na předmět, nedržet se hlavní myšlenky (*this essay ~s a great deal*); blouznit, fantazírovat v horečce **3** volně růst, zarůst, plazit se, pnout se, popínat se (*the vine ~d*

over the walls and over the tree trunks); táhnout se (*little wood which ~ d up from the village* lesík, který se táhl od vesnice směrem vzhůru) **4** námoř.: loď plourat, těkat na kurse ● *s* **1** procházka, toulka, chození bez cíle, bloudění, tápání **2** krátký neucelený článek, skica (*I cannot in this short ~ give a simple and precise account of my own life*)

rambler [ræmblə] **1** kdo se prochází n. potuluje, tulák (*the woodland ~*); pěší turista **2** popínavá rostlina, zejm. sorta pěstované popínavé růže **3** AM obytný dům ranče

rambling [ræmbliŋ] **1** toulavý, těkavý; tvořící zákruty (*a ~ brook*) **2** rozlehlý, rozběhlý, nepravidelný, neudržující pevný řád n. pevnou formu, živelně stavěný (*a ~ mansion*); neucelený, nesourodý, nesouvislý, přeskakující z předmětu na předmět (*a ~ novel*) **3** bot. pnoucí, popínavý **4** v. *ramble, v* ◆ *~ club* turistický klub

rambunctious [ræmˈbaŋkšəs] AM = *rumbustious*

rambutan [ræmˈbu:tən] bot.rambutan druh malajského ovoce

ramekin, ramequin [ræmkin] **1** sýrový bochánek pečený v mušli n. ve formě **2** forma, formička na tyto bochánky **3** hašé s parmezánem **4** druh toastu se sýrem a vajíčkem

ramie [ræmi:] ramie přední surovina z rostliny *Boehmeria nivea Gaudich*

ramification [ˌræmifiˈkeišən] **1** větvení, rozvětvení, rozvětvování, ramifikace, větev, větvoví; odvětví **2** následek, důsledek (*the new tax law proved to have many ~s not foreseen by the lawmakers* ukázalo se, že nový daňový zákon má mnohé důsledky, jaké zákonodárci nepředpokládali)

ramiform [ræmifo:m] **1** větvovitý, větvový (řidč.) **2** rozvětvený

ramify [ræmifai] (*-ie-*) dělit se do větví n. odvětví, větvit se; rozvětvovat | se, rozrůstat se

Ramillies [ræmiliz] : *~ hat* třírohý klobouk; *~ wig* paruka s copem

ramjet [ræmdžet] též *~ engine* let. náporový motor, připroudový motor

rammed earth [ræmdˈə:θ] stav. lepenice

rammer [ræmə] **1** beran; beranidlo, pěchovadlo, pěchovačka, pěch; tlouk; nabiják, též voj. **2** námoř. klounová loď

rammish [ræmiš] **1** beranovitý **2** čpící, páchnoucí, zapáchající

ramose [ræˈməus] rozvětvený, větvitý, větevnatý

ramp¹ [ræmp] *s* **1** šikmá / nakloněná plošina, rampa **2** archit. výškový rozdíl mezi opěrami stoupajícího oblouku **3** ohyb madla u sloupku zábradlí **4** schůdky k letadlu **5** geol. pokles přecházející v hloubce ve zdánlivý přesmyk; svah šelfu ◆ *~ valley* geol. příkopová propadlina ● *v* **1** stát na zadních, postavit se na zadní; chystat se ke skoku **2** část. žert. bouřit, řádit, vztekat se **3** plazit se (*a boa does not ~ about the jungle*); pnout se, popínat se, růst popínavým způsobem, ovíjet se, šplhat (*roses should be allowed to grow untamed, ~ing over the rocks*) **4** použít rampy, opatřit rampou, zešikmit (*the auditorium was ~ed to better visual efficiency* hlediště bylo zešikmeno, aby se z něj zlepšila viditelnost), stoupat, klesat **5** též *~ along* námoř. plout u větru s plnými plachtami

ramp² [ræmp] BR slang. *s* švindl, podfuk při vymáhání dluhu; zlodějna, okrádání, ždímání peněz vysokými cenami (*the black-market ~ in whisky*) ● *v* o|švindlovat, podvést, podfouknout; okrást, vydřít, vyždímat peníze z

rampacious [ræmˈpeišəs] hovor. = *rampageous*

rampage [ræmˈpeidž] *v* zuřit, bouřit, vztekat se, divočet, běsnit, pobíhat jako divý, řádit, lítat; vzbouřit, rozbouřit (*~ a man's soul*) ◆ *s* zuření, zuřivost, vztek, divočení, běsnění, řádění ◆ *be on the ~ = rampage, v; go on the ~* rozběsnit se, rozbouřit se, začít řádit

rampageous [ræmˈpeidžəs] zuřivý, zuřící, bouřící se, běsnící; divoký, bujný (*vegetation is almost overwhelmingly ~*)

rampageousness [ræmˈpeidžəsnis] zuřivost, běsnění; divokost, bujnost

rampancy [ræmpənsi] **1** divokost, zuřivost; útočnost, radikálnost, agresívnost, výbojnost; bezuzdnost, nezkrotnost, nezřízenost, nespoutanost **2** přebujelost, bujnost, hojnost

rampant [ræmpənt] **1** stojící na zadních nohách; erbovní zvíře ve skoku **2** divoký, zuřivý (*a snob ~*); útočný, radikální, agresívní, výbojný; bezuzdný, nezkrotný, nezřízený, nespoutaný, vymykající se kontrole, přebujelý (*heresy was ~ among them* u nich se zuřivě rozmáhalo kacířství) **3** bujný, přebujelý ◆ *~ arch* stav. stoupající oblouk, kobylí hlava

rampart [ræmpa:t] *s* předprseň hradby; hradba, ochranný val, bašta, taras; přen. ochrana, ochranná zeď ● *v* ohradit (jako) baštou / valem

rampike [ræmpaik] zejm. CA mrtvý holý strom zejm. zničený bleskem n. požárem

rampion [ræmpjən] zahr. zvonek řepka (bot.)

rampire [ræmpaiə] BR zast. = *rampart*

ramrod [ræmrod] **1** nabiják **2** AM slang. ostrý šéf, starý ◆ *stiff as a ~* jako by spolkl pravítko

ramshackle [ˈræmˌšækl] zanedbaný, sešlý, zchátralý, na spadnutí (*a ~ house*); vratký, rozviklaný, rozhrkaný (*a ~ old bus*); sotva držící pohromadě (*the book is a ~ affair* kniha je v salátovém vydání), sotva stojící na nohou (*a ~ horse*)

ram's horn [ræmzho:n] **1** voluta ve tvaru beraních rohů **2** hák jeřábu ve tvaru beraních rohů **3** schránka na živé ryby, nádoba na mytí ryb

ramson [ramsən] bot. česnek medvědí rostlina i cibulka

ramstongue [ræmztaŋ] bot. jitrocel kopinatý

ran¹ [ræn] niť určité délky

ran² [ræn] v. *run, v*

rance[1] [ræns] belgický mramor červený, modrobíle žilkovaný
rance[2] [ræns] AM podpěra
ranch [ra:nč, ra:nš] *s* ranč, farma zejm. dobytkářská ♦ *dude* ~ AM rekreační ranč kde si hosté hrají na kovboje; ~ *house* AM čtyřhranný dům bungalovového typu; ~ *wagon* AM osobní dodávkový automobil, stejšn ● *v* **1** žít na ranči, pracovat na ranči **2** chovat na ranči zejm. dobytek
rancher [ra:nčə, ra:nšə] AM, AU **1** rančer, farmář **2** zaměstnanec na ranči **3** chovatel zejm. dobytka
ranchman [ra:nčmən, ra:nšmən] *pl: -men* [-mən] AM = *rancher*
rancho [ra:nčəu] *pl:* ~*es* [-z] **1** ubikace pro pastevce, zemědělské dělníky apod. **2** ranč
rancid [rænsid] **1** žluklý (~ *butter*), zatuchlý (*the wet* ~ *smells of a basement* vlhké, zatuchlé pachy suterénu) **2** odporný, nechutný (*a* ~ *little psychopath*)
rancidity [ræn|sidəti], **rancidness** [rænsidnis] **1** žluklost; zatuchlost **2** odpornost, nechutnost
rancorous [ræŋkərəs] zahořklý, jedovatý; zarytý, zavilý
rancour [ræŋkə] zahořklost, jedovatost; zarytá nenávist / zloba, zarytost, zavilost
rand[1] [rænd] **1** okrajek pod opatkem **2** pás země, mez **3** SA kamenitý hřbet; náhorní plošiny po stranách řečiště; *R*~ okolí Johannesburgu
rand[3] [rænd] jihoafrický rand měnová jednotka i bankovka n. mince
randan[1] [rændən] **1** smíšené veslování tří mužů párovými i nepárovými vesly **2** člun pro smíšené veslování
randan[2] [rændən] tah, flám
randem [rændəm] *adv* s třemi koňmi zapřaženými za sebou ♦ *s* takové spřežení; vůz tažený tímto spřežením
random [rændəm] *s: at* ~ bez míření, naslepo, náhodou, nesouvisle, namátkou, namátkově, nazdařbůh; *talk at* ~ žvanit, mlít páté přes deváté ● *adj* **1** nepravidelný, nesouvislý, náhodný (~ *shot* výstřel naslepo), namátkový, (~ *test* namátková zkouška) provedený nazdařbůh **2** stav. z kamene nestejných tvarů a rozměrů, nepravidelný **3** zdivo nevrstvený ♦ ~ *error* náhodná chyba; ~ *guess* pouhá domněnka, plácnutí do vzduchu; ~ *masonry* / *work* zdivo z lomového kamene nepravidelných tvarů; ~ *number* kyb. libovolné číslo
randomness [rændəmnis] nepravidelnost, nesouvislost, náhodnost, namátkovost
randy [rændi] (*-ie-*) *adj* **1** chlípný, vilný, rujný, smyslný, poživačný **2** SC hlučný, rozpustilý, rozjařený; bujný, rozjívený **3** nář. divoký, tvrdohlavý, trkavý ● *s* SC **1** neodbytný žebrák **2** štěkna, dračice
ranee [ra:ni:] rání rádžova manželka
rang [ræŋ] v. *ring, v*
range [reindž] *v* **1** seřadit, uspořádat, postavit do řady (*the general* ~*d his men along the river bank*); rovnat, srovnávat; postavit, rozmístit na určené místo; roz|třídit, zařadit do systému (~ *plants in genera*) **2** vsadit, zařadit, srovnat, zarovnat, urovnat / umístit tak, aby zařezával (~ *the author's name under the last word of the title* umístit jméno autora tak, aby zařezávalo s posledním slovem titulu knihy) **3** být ve stejné řadě n. rovině *with* s, patřit do / mezi / k (*he* ~*s with the greatest writers*), táhnout se v řadě (*the shabby houses* ~*d along the road* podél cesty se táhly oprýskané domky) **4** rozkládat se, rozprostírat se, sahat, táhnout se (*a boundary that* ~*s north and south*); přen. zahrnovat *over* co, týkat se čeho, zabíhat na, zabývat se čím (*the talk* ~*d over a veriety of matters*) **5** cena pohybovat se, být odstupňován, být v rozmezí *from*...*to* / *between*...*and* od...do (*prices ranging from 7 s. to 10 s.*); kolísat, měnit se v mezích *between* mezi (*the number of students* ~*s between 200 and 400*) **6** zamířit zbraň; zbraň nést, mít dostřel (*this gun* ~*s over six miles*), donést, doletět; najít cíl, zastřelovat se na cíl; zamířit dalekohled / dalekohledem, najít dalekohledem; mít dolet / dosah / akční rádius **7** měřit dálku / vzdálenost **8** vyskytovat se, žít, růst na určitém místě (*a plant which* ~*s from Canada to Mexico*) **9** zvěř potulovat se, toulat se, běhat, pobíhat *over* / *through* po (*animals ranging through the forests*); člověk prohledat, prochodit, projet (*they* ~*d the whole countryside*), prosít; přelétnout očima *over* co (*he* ~*d his eyes over the scene before him*); oko dohlédnout (*as far as the eye could* ~) **10** námoř.: též ~ *about* zakotvená loď kolébat se **11** AM pást dobytek ♦ *be* ~*d 1.* stát v řadě (*trees were* ~*d along the roadside*) *2.* patřit, řadit se *among, with* mezi / do / k; ~ *the cable* vyložit kotevní řetěz na palubě; ~ *a coast* loď plout podél pobřeží ***range o.s.*** *1* seřadit se, postavit se do řady n. do špalíru (*the spectators* ~*d themselves along the route of the procession*) **2** usadit se, uklidnit se, začít spořádaný život *3* zařadit se *with* do / mezi (*they* ~*d themselves with the progressive group* zařadili se do pokrokové skupiny) ♦ ~ *o.s. on the side of a p.* postavit se na stranu koho, stát za ***range up:*** ~ *up into a ship* přitlačit se k lodi ● *s* **1** řada, pásmo (*a long* ~ *of cliffs*), série **2** paleta, rejstřík (*cotton fabrics in a wide* ~ *of colours* bavlněné látky v široké barevné paletě) **3** skupina, vrstva, rovina; třída, kategorie (*at the lowest* ~ *the family, at the uppermost the state*) **4** baterie strojů **5** rozmezí, rozpětí (*the* ~ *of prices for steel*), výkyv (*the annual* ~ *of temperature*) **6** dostřel, donosnost (*a* ~ *of five miles*), vzdálenost (*fire at short* ~) **7** akční rádius; dosah (*attract fish within* ~ *of net or spear* lákat ryby na dosah sítě nebo kopí), dohled, doslech vzdálenost **8** jeden a týž směr *with* jako (*the buoys in* ~ *with*

the pier bóje souběžně s molem) **9** střelnice; palebné stanoviště; odpalovací základna (*rocket* ~ raketová základna) **10** oblast n. rozsah výskytu n. rozšíření, areál, lokalita, výskytiště (*what is the ~ of the nightingale in this country?* kde se v této zemi vyskytují slavíci?) **11** oblast, okrsek, působiště; kraj, pastva, loviště, revír zvěře **12** přen. pole, obor (*a subject that is outside my ~*), oblast (*the whole ~ of politics*), pole působení, působnost (*a faith worldwide in its ~ and power* víra, která působí a má moc v celém světě) **13** rozsah (*the ~ of her voice*) **14** sděl. tech. kmitočtové pásmo, vlnový rozsah **15** pohoří, horské pásmo; hornatá krajina **16** sporák (*a kitchen ~*) **17** průběžná vrstva kamenného zdiva **18** tlouštkoměr na sklo **19** námoř. nutná délka např. lana n. kotevního řetězu připravená k použití **20** AM neobydlené / málo obydlené pastviny **21** AM šestimílové pásmo městských obvodů ♦ ~ *of activities* rozsah činnosti; ~ *angle* záměrný úhel letecké pumy; *be within one's ~* být v něčích silách; ~ *of choice* nabízený výběr, selekce; *at close ~* z těsné blízkosti, zblízka; ~ *coal* AM hrubý ořech uhlí; ~ *elevation* voj. náměr; *find the ~* zastřelit se střelbou být připraven k přesnému zasažení cíle; ~ *of fire* dostřel; ~ *of fire engine* dostřik požární stříkačky; *gas ~* AM plynový sporák; *give free ~* popustiti uzdu), též přen. (*give free ~ to one's imagination*); ~ *lights* *1.* navigační vrcholová světla lodi udávající směr plavby *2.* vletová světla letadla; ~ *of lights* námoř. vzdálenost, na kterou lze vidět světla za normálního počasí; *out of ~* z dostřelu, mimo dostřel; *free ~ poultry* drůbež z volného výběhu; *take the ~* odhadnout vzdálenost; *take a dog for a ~* vzít s sebou psa, aby se proběhl, vyvenčit psa; *tonal ~* rozsah hustot např. reprografického produktu; ~ *of travel* brzdná dráha; ~ *of visibility / vision* dohled, viditelnost; *within ~* na dostřel

rangefinder [ˈreindžˌfaində] **1** zaměřovací zařízení **2** dálkoměr, též fot.

ranger [reindžə] **1** BR správce královské obory, královský lesník **2** AM lesník, lesní správce **3** BR oldskautka **4** AM *R~* příslušník skupiny výsadkových záškodníků; příslušník jednotky zvláštního určení záškodnické; *R~s, pl* jizda, jízdní policie

rangership [reindžəšip] BR správcovství královské obory, lesnictví

rangette [reinˈdžet] elektrický n. plynový vařič

rangy [reindži] (*-ie-*) **1** otevřený, prostorný (*our vast, unpeopled, ~ country* naše rozlehlá, nezalidněná, široká země); široký, obšírný (*~ considerations* obšírné úvahy) **2** terén členitý, plný horských pásem, hornatý **3** toulavý **4** zvíře statný; člověk štíhlý, s dlouhýma nohama

rank[1] [ræŋk] *s* **1** řada zejm. autotaxi n. drožek; stanoviště autotaxi n. drožek, štafl (slang.) **2** řada (*orchestra players arranged in ~s*), též šach.; dvojřad; šik **3** pořadí **4** *~s, pl* řadové vojsko, mužstvo **5** hodnost, šarže (hovor.) (*promoted to the ~ of captain* povýšen na kapitána), společenské postavení (*persons of high ~*), vrstva (*people of all ~s and classes*), místo, postavení (*occupied a particularly high ~ among the dramas*); vysoké postavení, přední místo **6** varhanní rejstřík ♦ *break ~* vybočit z řady, porušit formaci; ~ *and file* *1.* řadoví vojáci a poddůstojníci *2.* obecný lid, obyčejní lidé, členstvo, masy; *of the first ~* prvotřídní, prvé třídy (*a painter of the first ~*); *of (the) second* etc. ~ druhořadý apod., jsoucí druhého atd. řádu; ~ *and fashion* společenská smetánka; *join the ~s* vstoupit do armády; *keep ~* zůstat v řadě / ve formaci; *pull (one's) ~ on a p.* slang. vytahovat se svou hodností n. nadřízeným postavením na; *reduce to the ~s* degradovat; *quit the ~s* *1.* vystoupit z řady *2.* dezertovat; *rise from the ~s* *1.* vojín sloužit od píky *2.* vyšvihnout se, vypracovat se ● *v* **1** postavit do řady; vyřídit formaci, řadit se, se|řadit, zařadit, přiřadit *among* mezi / k (*would you ~ him among the world's great statesmen?*) **2** zaujímat místo v pořadí (*Canada ~s as the third country* mezi státy zaujímá Kanada třetí místo); stavět na místo v pořadí (*~ing the concerns of others as high as his own* stavějící zájmy jiných stejně vysoko jako své vlastní); být zařazen; patřit, náležet *among / with* k (*does he ~ among the failures?* patří k těm, kteří neuspěli?), počítat | se *among* do / k (*~s among the Great Powers*), kvalifikovat se *with* mezi; klasifikovat, kvalifikovat (*the officers inspected the state schools and ~ed 75,4 per cent of them as excellent*) **3** AM být hodností výš *above* než, být služebně starší než, mít vyšší hodnost než (*a major ~s above a captain*) **4** AM být služebně nejstarší, mít nejvyšší hodnost (*the colonel ~s at this camp* v tomto táboře je služebně nejstarší plukovník) **5** náležet k věřitelům při úpadku ♦ *be ~ed* *1.* stát v řadě *2.* být porostlý řadami *with* čeho (*the hills ~ed with apple trees*) ***rank off*** od|pochodovat v řadě ***rank past*** defilovat

rank[2] [ræŋk] **1** bujný, rozbujelý, přebujelý, přerostlý (*tall ~ grass*); nadměrný (*a ~ rate of interest* nadměrná úroková sazba); zarostlý, zaplevelený (*a field that is ~ with nettles and thistles* pole, které je zaplevelené kopřivami a bodláčím) **2** páchnoucí, zapáchající, čpící, smradlavý (*~ tobacco*); žluklý, zkažený, odporný, hnusný, zatuchlý (*~ air*); hnilobný, hnisající, hnisavý **3** přen. nejhorší, hnusný, odporný, ohavný (*~ traitor* odporný zrádce); absolutně / stoprocentně špatný, nebetyčný; vyložený (*these fungi are ~ poison* tyto houby jsou vyložený jed) ♦ *grow ~* hnát / vyhánět do listů (*roses are growing ~*); ~ *soil* mastná půda

rank and file [ˌræŋkəndˈfail] řadový (*a ~ member*)

rank and filer [ˌræŋkəndˈfailə] řadový člen

ranker [ræŋkə] **1** řadový vojín **2** důstojník sloužící od píky, důstojník z řad mužsva

ranking [ræŋkiŋ] *s* **1** hodnocení, klasifikace **2** v. *rank*[1], *v* ● *adj* **1** AM služebně nejstarší, mající nejvyšší hodnost (~ *officer,* ~ *executive*) **2** v. *rank*[1], *v* ◆ ~ *list* voj. pořadní seznam, schematismus důstojníků

rankle [ræŋkl] **1** zast. hnisat, podebírat se **2** trápit, pálit, bolet, působit hořkost, hryzat, žrát

rankness [ræŋknis] **1** bujnost, rozbujelost, přebujelost, přerostlost; zarostlost, zaplevelenost; nadměrnost **2** zápach, čpění, smrad, žluklost, zkaženost, zatuchlost; hnisání **3** přen. odpornost, ohavnost; nebetyčnost

ransack [rænsæk] **1** prohledat, důkladně hledat v čem *for* aby se našlo co, brakovat **2** vykrást, vy|plenit, vy|brakovat *a t.* co / *a t.* z čeho *of* co (*the house had been* ~*ed of all that was worth anything*)

ransom [rænsəm] *s* výkupné, výpalné (přen.), též přen.; výkup ◆ *hold a p. to* ~ mít v zajetí koho a žádat za něho výkupné; *king's* ~ těžké peníze, majlant (hovor.) ● *v* vykoupit, též nábož., dát / zaplatit výkupné za, žádat výkupné za, vydírat vysokým výkupným

ransom bill [rænsəmbil], **ransom bond** [ræsəmbond] výkupný list, závazek lodi, že dá za sebe výkupné

ransomless [rænsəmlis] jsoucí bez výkupného

rant [rænt] *v* **1** chvástat se, vytahovat se, chlubivě žvanit **2** chrlit slova, řečnit pompézně / pateticky / nabubřele; pateticky přednášet, deklamovat (*an actor who* ~*s his part*); pateticky kázat, vykřikovat, křičet ◆ ~ *and rave* vztekle křičet ● *s* pompézní / patetické / nabubřelé řečnění; deklamování, tiráda

ranter [ræntə] kdo nabubřele káže, zejm. metodistický kazatel

ranunculaceous [rəˌnaŋkjuˈleišəs] bot. pryskyřníkovitý

ranunculus [rəˈnaŋkjuləs] *pl* též *ranunculi* [rəˈnaŋkjulai] bot. pryskyřník, pryskyřníkovitá rostlina

ranz-des-vaches [ˌra:nsdeˈvaš] švýcarská pastýřská melodie

rap[1] [ræp] *s* **1** klepnutí, za|klepání, poklep, ťuknutí, zaťukání **2** kritická poznámka; šleh, setření **3** AM slang. co je komu hozeno na krk, co je komu přišito, obvinění (*a murder* ~); trest (*a 30 year* ~) ◆ *beat the* ~ AM slang. dostat se z toho, být osvobozen; *bum* ~ AM slang. bouda, odsouzení obětního beránka nevinného, na něhož byla svalena vina; *give a p. a* ~ *on the knuckles* dát komu přes ruce, klepnout koho přes prsty, též přen., *take a* ~ *for a p.* slang. odnést si to, vypít si to za koho ● *v* (*-pp-*) **1** za|klepat, za|ťukat, poklepat (~ *on the table,* ~ *at the door*) **2** přen. klepnout přes prsty *rap out 1* vyťukat (~ *out a message*) *2* vybafnout, vyštěknout (~ *out a command*) *3* za|klít ◆ ~ *out an oath* náhle / hlasitě zaklít

rap[2] [ræp] délková míra bavlněné příze (ca 110 m)

rap[3] [ræp] zlámaný groš, vindra (*I don't give a* ~ *for it*) ◆ *I don't care a* ~ na tom mi houby / starou belu záleží, na to kašlu

rap[4] [ræp] AM slang. *v* (*-pp-*) **1** vážně a upřímně si pokecat **2** mít pochopení *with* pro, baštit co ● *s* pokec ◆ *get into a* ~ *with a p.* začít kecat s, dát se do řeči s; ~ *group* debatní kroužek; ~ *session* organizovaný pokec; ~ *sheet* osobní trestní rejstřík

rapacious [rəˈpeišəs] chamtivý, hrabivý, lakotný; násilnický; hltavý, nenasytný; dravý

rapacity [rəˈpæsəti] chamtivost, hrabivost, lakota, lakotnost; hltavost, nenasytnost; dravost

rape[1] [reip] *s* **1** bás. únos; uloupení **2** znásilnění **3** přen. násilný zábor (~ *of Austria*) ◆ *R*~ *of the Sabines* únos Sabinek; *statutory* ~ AM práv. pohlavní zneužití osoby, jehož kvalifikace je určena zákonem ● *v* **1** bás. unést; uloupit **2** znásilnit, dopustit se znásilnění, zmrhat (kniž.)

rape[2] [reip] BR správní územní jednotka sussexského hrabství

rape[3] [reip] **1** matoliny **2** filtr při kvašení octa

rape[4] [reip] bot. brukev řepka ◆ *wild* ~ hořčice rolní

rapecake [reipkeik] řepková pokrutina; řepkový šrot

rape oil [reipoil] řepkový olej

rapeseed [reipsi:d] řepkové semeno

rape wine [ˌreipˈwain] matolinové víno, „druhák"

rapfull [ræpful] námoř. s plnými plachtami ostře po větru

Raphaelesque [ˌræfeiəˈlesk] rafaelovský, rafaelský mající charakteristické znaky tvorby malíře Raffaela

raphe [reifi:] *pl: raphes* [reifi:] bot., med. šev

raphia [ræfiə] bot. = *raffia*

rapid [ræpid] *adj* **1** rychlý, hbitý, svižný; prudký, překotný, náhlý, rapidní **2** svah příkrý, prudký, srázný, strmý ◆ ~ *eye movement* med. fáze spánku REM; ~ *film* citlivý film; ~ *steel* rychlořezná ocel; ~ *transit 1.* AM rychlá městská doprava *2.* blesková partie šachu, bleskovka (slang.) ● *s* část. ~*s, pl* peřeje, slapy

rapid-fire [ræpidfaiə] rychlopalný ◆ ~ *questions* otázky kladené rychle jedna za druhou

rapidity [rəˈpidəti] **1** rychlost, hbitost, svižnost; prudkost, překotnost, náhlost, rapidnost **2** prudkost, sráznost svahu

rapier [reipjə] rapír; kord; končíř

rapier-thrust [reipjəθrast] **1** bodnutí rapírem n. kordem **2** přen. sek, šleh, slovní šerm

rapine [ræpain / AM ræpin] kniž. lup, plen, dranc, plenění, drancování

rapist [reipist] násilník

rapparee [ˌræpəˈri:] hist.: irský partyzán, záškodník, bandita v 17. století

rappee [ræpi:] rapé nahrubo strouhaný druh šňupavého tabáku

rappel [ræˈpel] *s* **1** slanění, slaňování **2** zast. bubnování do zbraně ● *v* (*-ll-*) slanit, slaňovat

rapper[1] [ræpə] **1** klepátko **2** zast. zaklení

rapper[2] [ræpə] AM slang. diskutér, kecal

rapport [ræˈpo:] **1** spojení, vztah **2** psych. raport

rapporteur [ˌræpo:ˈtə:] zpravodaj, zapisovatel zpracovávající hlášení pro vyšší orgán

rapprochement [ˌræprošˈma:ŋ] obnovení přátelských vztahů mezi státy

rapscallion [ræpˈskæljən] zast. lotr, padouch, zlosyn, ničema

rapt [ræpt] zaujatý, pohroužený, zabraný, pohřížený, zahloubaný (~ *in thought*); zmámený, jsoucí unesen, u vytržení, v extázi *with* / *by* čím, z; nadšený, extatický (*a* ~ *smile*) ◆ *with* ~ *attention* napjatě

raptness [ræptnis] zaujetí, zaujatost, pohrouženost, pohříženost, zabrání, zahloubání, zahloubanost; vytržení, extáze

raptor [ræptə] zool. dravec

raptorial [ræpˈto:riəl] *adj* zool. dravý (~ *bird*) ◆ ~ *claw* pařát dravce ● *s* zool. dravec; šelma

rapture [ræpčə] **1** vytržení, extáze; ~*s*, *pl* nadšení, nadšené výkřiky, nadšená gesta **2** záchvat (~ *of forgetfulness*) **3** násob. řidč. nanebevzetí ◆ *be sent* / *go into* ~*s over* / *about* upadnout do vytržení nad

raptured [ræpčəd] jsoucí u vytržení, v extázi, extatický

rapturous [ræpčərəs] nadšený, bouřlivý (~ *applause*); strhující, úchvatný, ohromující (~ *surprise*)

rara avis [ˌreərəˈeivis] bílá vrána (přen.), rara avis

rare[1] [reə] *adj* **1** řídký (~ *air of the mountains; patches of green*) **2** vzácný (~ *gasses*), mimořádný, málokdy se vyskytující, výjimečný, unikátní (*a* ~ *book*); ušlechtilý, drahý **3** hovor. báječný, krásný, nádherný, senzační (*what is so* ~ *as a day in June*) ◆ ~ *earth 1.* vzácný kov *2.* kysličník vzácného kovu; *it is* ~ *for a p. to do a t.* kdo dělá jen zřídka co, je neobvyklé, aby kdo u|dělal co; ~ *and hungry* šíleně hladový ● *adv* moc, nějak (*a* ~ *good sign*)

rare[2] [reə] **1** vejce na měkko, na hniličku **2** maso zprudka opečený, nepropečený, krvavý, polosyrový (~ *steak*)

rare[3] [reə] nář. = *roar, v*

rarebit [reəbit] : *Welsh* ~ = *Welsh rabbit*

raree show [ˈreəri:ˌšəu] **1** kukátko k pozorování obrázků malým otvorem; takové obrázky **2** divadélko rarit, atrakce, podívaná **3** karneval

rarefaction [ˌreəriˈfækšən] z|ředění, zřeďování, rozředění, řídnutí

rarefactive [ˌreəriˈfæktiv] zřeďující, rozřeďující

rarefication [ˌreərifiˈkeišən] = *rarefaction*

rarefied [reərifaid] **1** exkluzívní, esoterický (*the* ~ *realm of first editions*) **2** vysoký (*newly promoted to* ~ *rank* právě povýšený do vysoké hodnosti) **3** v. *rarefy*

rarefy [reərifai] (*-ie-*) **1** roz|ředit, zředit; řídnout **2** zjemnit, zušlechtit (~ *one's spiritual life*)

rarely [reəli] zřídka, málokdy; neobvykle, mimořádně, výjimečně, vzácně

rareness [reənis] **1** řídkost **2** vzácnost, neobvyklost, výjimečnost

rareripe [reəraip] *adj* zelenina, ovoce raný ● *s* **1** raná zelenina **2** rané ovoce

rarification [ˌreərifiˈkeišən] z|ředění, zřeďování, rozředění, řídnutí

raring [reəriŋ] hovor. celý divý *to do* do toho, aby u|dělal

rarity [reərəti] (*-ie-*)**1** vzácnost, zvláštnost, rarita; neobvyklost, mimořádný / výjimečný úkaz, výjimka (*snowstorms are a* ~ *in the South* na jihu se vyskytují sněhové bouře pouze výjimečně) **2** řídkost

rascal [ra:skəl] *s* lotr, ničema, lump; dareba, darebák, rošťák, uličník, neřád, smrad, též žert. (*both the child and the puppy are* ~*s* dítě i štěně jsou stejní neřádi) ● *adj* **1** zast. patřící k lůze **2** ničemný, nepoctivý ◆ *the* ~ *rout* lůza, lumpenproletariát; ~ *trick* darebáctví, lumpárna, uličnictví

rascaldom [ra:skəldəm] lumpové, darebáci, ničemové

rascalism [ra:skəlizəm], **rascality** [ra:sˈkæləti] (*-ie-*) lotrovství, ničemnost, lumpárna, darebáctví, rošťárna, rošťačina, uličnictví (*political rascalities*)

rase [reiz] = *raze*

rash[1] [ræš] vyrážka, výkvětek na kůži, exantém (med.)

rash[2] [ræš] rychlý, prudký, ukvapený, unáhlený, nerozvážný, neuvážený, zbrklý, hr hr

rasher [ræšə] plátek slaniny n. šunky vhodný k opékání; nakrájená porce slaniny n. šunky

rashness [ræšnis] prudkost, ukvapenost, unáhlenost, nerozvážnost, neuváženost, zbrklost

rasorial [reiˈso:riəl] zool. hrabavý

rasp [ra:sp] *v* **1** škrabat, seškrabávat; odírat, obrušovat (*a cataract that* ~*s away the rock* vodopád, který obrušuje skálu); o|rašplovat, vyrašplovat (~ *off any irregularities or corners* orašplovat všechny nepravidelnosti nebo rohy) **2** drásat (*some sounds* ~ *the ear, some remarks* ~ *the nerve*); skřípat, vrzat, zaskřípět, vydat skřípavý / křaplavý zvuk (*the chalk* ~*ed across the blackboard*); říci skřípavým hlasem, za|skřehotat, křapat, chraplat ◆ ~*ing sound* = *rasp, s 2* ● *s* **1** rašple **2** skřípání, vrzání, skřípot, zaskřípění, skřípavý / skřehotavý zvuk

raspatory [ra:spətəri] (*-ie-*) med. pilník na kosti

raspberry [ra:zbəri] (*-ie-*) **1** malina; ostružiník maliník (bot.), meruzalka červená **3** slang.: zvuk / gesto vyjadřující nechuť / posměch / nesouhlas; prd, uprdnutí

4 slang. padák, vyhazov ◆ ~ *vinegar* malinová šťáva, malinový sirup
raspberry canes [ˈra:zbəriˌkeinz] maliní, malinoví
rasper [ra:spə] **1** rašplovač; rašple, struhačka, škrabák **2** vysoký plot který se obtížně přeskakuje
raspy [ra:spi] (*-ie-*) **1** skřípavý, křaplavý, vrzavý **2** chraplavý, skřehotavý (~ *voices*) **3** vznětlivý, popudlivý; podrážděný
rasse [ræs] zool. *Vivericula indica*
rassle [ræsl] AM hovor. = *wrestle*
raster [ræstə] sděl. tech. rastr
rat[1] [ræt] *s* **1** krysa, též přen. **2** potkan **3** zrádná krysa, zrádce, přeběhlík, odpadlík, renegát, dezertér; stávkokaz, mrva; udavač, čmuchal, denunciant **4** ~*s, pl* slang. starou bačkoru, nesmysl, blbost **5** AM vlasová podložka ◆ *black* ~ krysa; *brown* ~ potkan; *like a drowned* ~ urousaný jako slepice; *extermination of* ~*s* deratizace; *grey* ~ = *brown* ~; *house* ~ = *black* ~ ; *smell a* ~ větřit lumpárnu, mít pocit, že je v tom zakopaný pes ● *v* (*-tt-*) **1** lovit / zabíjet krysy / potkany **2** vystoupit z politické strany **3** nechat na holičkách *on* koho; zradit, prásknout, udat *on* koho (~*ting on the men they live with*)
rat[2] [ræt] vulg. do prdele!
rata [reitə] bot.: druh novozélandského stromu rodu *Metrosideros*
ratabiliti [ˌreitəˈbiləti] **1** zast. úměrnost **2** BR zdanitelnost místními poplatky, postižitelnost dávkami **3** zhodnotitelnost, ohodnotitelnost, odhadnutelnost
ratable [reitəbl] **1** zast. úměrný **2** BR zdanitelný místními poplatky, postižitelný dávkami **3** zhodnotitelný, ohodnotitelný, odhadnutelný
ratafee [ˌrætəˈfi:] = *ratafia*
ratafia [ˌrætəˈfia] **1** likér ochucený ovocnými jádry **2** malé mandlové pečivo, mandlové suchárky **3** odrůda třešně
ratal [reitəl] základ pro výpočet daně / dávek
rataplan [ˌrætəˈplæn] *s* za|bubnování ● *v* (*-nn-*) za|bubnovat
rat-a-tat-tat [ˈrætətærˈtæt] = *rat-tat*
ratbag [rætbæg] AU slang. **1** lump, rošťák **2** divný pavouk, podivín
rat-catcher [ˈrætˌkæčə] **1** krysař **2** slang.: neobvyklý lovecký úbor
ratch [ræč] = *ratchet, s*
ratchet [ræčit] tech. *s* **1** rohatkové ústrojí; ozubená tyč se západkou; západka rohatky **2** řehtačka ● *v* opatřit n. točit rohatkovým ústrojím; opatřit západkou
ratchet wheel [ræčitwi:l] tech. rohatka
ratchet wrench [ˈræčitˌrenč, ˈræčitˌrenš] tech. řehtačkový klíč
rate[1] [reit] *s* **1** poměr (*at the* ~ *of*... v poměru...), podíl, míra, kvota; procento, sazba (*a high* ~ *of interest on loans* vysoké zúročení půjček) **2** počet (*annual* ~) **3** poměrná / průměrná rychlost (*walk at the* ~ *of 3 miles an hour* kráčet rychlostí tří mil za hodinu), tempo (*to work at a rapid* ~) **4** sazba, tarif, cena **5** hodnota **6** námoř. klasifikování plavidla pro určité účely; stupeň, třída, druh, kategorie např. lodi **7** BR místní poplatek, dávka z nemovitosti; vodné **8** chod, zpoždění / zrychlení hodin ◆ *at any* ~ v každém případě, rozhodně, ať je tomu jakkoli, tolik je jisté, aspoň; *at all* ~*s* v každém případě, ať tak či onak; *at an easy* ~ snadno, lehce; *at a high* ~ *1.* draze, za vysokou cenu *2.* velmi rychle; *at this / that* ~ je-li tomu tak, bude-li tomu i nadále tak, půjdou-li věci takhle dál, takhle; *Bank* ~ BR oficiální diskontní sazba; *birth* ~ porodnost; ~ *of climb* rychlé stoupání, rychlá stoupavost; letadla; *conversion* ~ přepočítávací kurs, devizový kurs, *death* ~ úmrtnost; *divorce* ~ rozvodovost, počet rozvodů; ~ *of an engine* výkon motoru; *excess-baggage* ~ sazba za nadváhu, nadváha (hovor.) při cestování letadlem; ~ *of exchange* devizový kurs; ~ *fixing* úhlování; ~*of flow* průtok, rychlost / intenzita průtoku; ~ *of fuel consumption* průměrná spotřeba pohonné směsi; *insurance* ~ pojistné; ~ *of interest* úroková míra n. sazba; ~ *of the job* úkolová sazba; ~ *making* tvoření sazeb, konstrukce tarifu; *marriage* ~ sňatečnost, nupcialita; *output* ~ výkonová, výrobní norma, výkonnost; *postage* ~ poštovné, porto; ~ *setter* úkolář; ~ *of strike / striking* tempo; *subscription* ~ předplatné; ~ *of working* rychlost / intenzita práce ● *v* **1** o|hodnotit, odhadovat hodnotu (*what do you* ~ *his fortune at?* na kolik odhaduješ jeho majetek?), o|cenit, oceňovat, posuzovat; AM o|známkovat (~ *a student's class performance* oznámkovat studijní prospěch žáka); počítat, řadit *among* k, považovat, pokládat za (*do you* ~ *Mr Brown among your friends?*) **2** mít jakou cenu n. hodnotu, platit, kvalifikovat se jak (*her performance didn't* ~ *very high in the competition* její výkon se v soutěži příliš neuplatnil); zasloužit si, mít právo / nárok na (*definitely didn't* ~ *the broaching of another bottle* rozhodně nestál za to, abychom otevřeli ještě jednu láhev); mít výsadu čeho **3** odhadnout majetek jako základ pro výpočet dávek, zdanit, předepsat dávky z (*should private houses be more heavily* ~*d than factories?*) **4** vypočítat, vyměřit, upravit / stanovit sazbu, taxovat **5** klasifikovat *as* jako, zařadit do kategorie čeho (*he was* ~*d a midshipman* byl na loď zařazen jako podporučík), kvalifikovat **6** ovládat, zadržovat koně, nepustit koni uzdu **7** vyřídit hodinky ◆ ~ *a salute* námoř. mít právo na pozdrav děly ***rate down*** snížit ve třídě / hodnosti, zařadit do nižší třídy ***rate up 1*** povýšit ve třídě / hodnosti, zařadit do vyšší třídy **2** pojistit se zvýšenou sazbou / s přirážkou
rate[2] [reit] plísnit, peskovat *at* koho, lát, láteřit, spílat, vyčinit komu
rate[3] [reit] *v* = *ret*

rateability [ˌreitəˈbiləti] = *ratability*
rateable [reitəbl] = *ratable*
rated [reitid] **1** jmenovitý (~ *power* jmenovitý výkon) **2** normální **3** vypočtený **4** předepsaný, stanovený **5** v. *rate*^{1,2}, *v*
ratel [reitəl] zool. jezevec medový, ratel
rate-of-climb indicator [ˌreitəvˈklaimˌindiˈkeitə] let. sklonoměr
ratepayer [ˈreitˌpeiə] BR poplatník
rater [reitə] závodní jachta o určité tonáži (*2½–~*)
ratfink [rætfiŋk] AM hovor.: zvlášť odporná zrádná krysa, odporný skunk
ratguard [rætga:d] námoř. krysí štít kuželovitý poklop u lana znemožňující krysám dostat se po laně na kotvící loď
rath [ræθ] BR pravěká tvrz v Irsku
rathe [reið] BR bás. časný, raný
rather [ra:ðə] *adv* **1** spíš, spíše (*he is clever ~ than experienced* je spíše chytrý než zkušený) **2** správněji řečeno, přesněji, spíš, spíše (*he arrived very late last night, or ~ in the early hours of the morning*) **3** poměrně, dosti (*a ~ surprising result* dosti překvapivý výsledek); trochu poněkud, o něco (*this hat is ~ more expensive that*); jaksi, skoro, skorem (*I ~ think you may be mistaken*) ◆ *I had ~ if* mně by bylo milejší, kdyby; *I would ~ you came tomorrow than today* byl bych raději, kdybyste přišel zítra než kdybyste přišel dnes; *the ~ that* o to spíš, že ● *interj* BR hovor. to bych řekl, to bych prosil, no jestli, no ovšem, no jasně, samo, samosebou
rathripe [ra:ðraip] *adj* časný, raný ● *s* raný hrášek, raná jablka apod.
rathskeller [ra:tskelə] AM restaurace / pivnice v podzemí, sklípek
raticide [rætisaid] deratizační prostředek
ratification [ˌrætifiˈkeišən] schválení, podepsání, potvrzení, ratifikace, ratifikování
ratify [rætifai] (*-ie-*) schválit, podepsat, potvrdit dohodou, ratifikovat
ratine [ræˈti:n] text. **1** zimníková měkká suknovitá vlněná tkanina s dlouhým vlasem **2** hadrová tkanina, hrubý flauš
rating[1] [reitiŋ] **1** BR stanovení sazeb n. dávek, sazbování; tarif **2** BR námoř. školený námořník; *~s, pl* námořníci, všechny osoby stejné hodnosti **3** námoř. handikapový koeficient jachet **4** voj. hodnost, funkční zařazení poddůstojníků **5** data stroje; jmenovitý výkon **6** ohlas, hodnocení např. televizních diváků **7** v. *rate*[1], *v* ◆ *~ agreement* tarifní dohoda; *credit ~* odhad úvěryschopnosti; *~ plate* výkonový štítek; *tax ~* určení daňové sazby
rating[2] [reitiŋ] **1** plísnění, vy|peskování, vyčinění, co proto **2** v. *rate*[2]
ratio [reišiəu] **1** matematický poměr (*in the ~ of three to two*) **2** koeficient **3** procento (*the population contains a very high ~ of young people* obyvatelstvo obsahuje vysoké procento mládeže) **4** tech. převodový poměr, převod **5** poměr mezi cenou zlata a stříbra ◆ *be in inverse ~* být nepřímo úměrný; *enlargement ~* faktor zvětšení; *loss ~* pojišť. škodní poměr; škodní procento; *reduction ~* faktor zmenšení; *~ of slope 1.* stoupání, gradient *2.* sklon; *~ scale* měřítko mapy
ratiocinate [ˌrætiˈosineit / AM ˌræšiˈosineit] logicky uvažovat / diskutovat, usoudit, vy|počítat | si (přen.)
ratiocination [ˌrætiosiˈneišən / AM ˌræšiosiˈneišən] logický úsudek, soud
ratiocinative [ˌrætiˈosineitiv / AM ˌræšiˈosineitiv] rozumný, rozumový, úsudkový
ration [ræšən] *s* **1** denní dávka, příděl **2** *~s, pl* potraviny, poživatiny, proviant ◆ *be put to ~s* být pouze na příděl, zavést přídělový systém na co; *~ book / card* potravinový lístek, lístky, body v přídělovém hospodářství; *iron ~* železná zásoba potravin; *~ in kind* příděl v naturáliích; *off the ~* nejsoucí na příděl, volný; *short ~* zkrácený příděl ● *v* dát na příděl co, zavést přídělový systém na, vydávat příděl čeho; být zásobován přídělovým systémem, dostávat potraviny atd. na příděl / lístky (*the civilian population was ~ed while the war lasted*)
rational [ræšənl] *adj* **1** rozumný (*~ creature* rozumná bytost), rozumový (*literary as well as ~ education*) **2** rozumný, inteligentní, logický (*~ explanations*); racionální, též mat. ◆ *~ dress* ženský kalhotový oděv; *~ horizon* pravý horizont, pravý obzor; *~ leanings* protináboženské racionální sklony ● *s* **1** zast. rozumná bytost **2** ženský kalhotový oděv **3** mat. racionální výraz
rationale [ˌræšəˈna:l] **1** řidč. odůvodnění, logický výklad **2** základní důvod, logický základ, princip
rationalism [ræšnəlizəm] racionalismus
rationalist [ræšnəlist] racionalista
rationalistic [ˌræšnəˈlistik] racionalistický
rationality [ˌræšəˈnæləti] rozumnost, rozumovost, logické uvažování; racionálnost, racionalita
rationalization [ˌræšnəlaiˈzeišən] **1** racionální jednání; rozumné / racionální vysvětlení **2** zhospodárnění, racionalizace **3** mylné logické vysvětlení, odůvodňování; vykrucování, vymýšlení si **4** mat. odstranění iracionálních výrazů
rationalize [ræšnəlaiz] **1** jednat racionálně; učinit rozumným n. schopným racionálního vysvětlení **2** provést / provádět racionalizaci, též ekon., zhospodárnit, racionalizovat **3** též *~ away* odůvodňovat si mylně, hledat / nacházet mylné logické vysvětlení; vykrucovat se, vymýšlet si důvody **4** mat. odstranit iracionální výrazy z ***rationalize away 1*** odmítnout jako nerozumné **2** v. *rationalize, 3*
rationed [ræšənd] **1** vázaný, na lístky / body / příděl **2** v. *ration, v*

ratite [rætait] pták patřící do nadřádu Běžci
ratlin(e) [rætlin], **ratling** [rætliŋ] námoř. lanko na příčky žebříku; příčka lodního provazového žebříku
ratomorphic [ˌrætəˈmo:fik] založený na chování laboratorních krys (~ *view of man*)
rato, RATO [reitəu] *racket-assisted take-off* let. raketový start, start s pomocí rakety
ratoon [ræˈtu:n] *s* mladý výhonek cukrové třtiny, ananasu n. banánovníku ● *v* **1** cukrová třtina atd. znovu vyhánět po odseknutí, mít čerstvé výhonky **2** pěstovat z nových výhonků (~ *a pineapple field* pěstovat ananasové pole z výhonků)
rat poverty [ˈrætˌpovəti] naprostá bída
ratproof [rætpru:f] znemožňující přístup krysám, odolný proti krysám
ratproofing [ˈrætˌpru:fiŋ] námoř. = *ratguard*
rat race [rætreis] **1** bezohledná, nechutná honba za kariérou **2** začarovaný kruh
rat-racer [ˈrætˌreisə] **1** bezohledný kariérista **2** kdo musí rychle jezdit do zaměstnání a ze zaměstnání
ratsbane [rætsbein] **1** krysí jed **2** arzenik, otrušík
rat's-tail [rætsteil] jehlový, kruhový pilník
rat-tail [rætteil] *s* kůň s ocasem bez žíní ● *adj* s ocáskem, jsoucí ve tvaru myšího ocásku ◆ ~ *spoon* naběračka s držadlem prodlouženým pod misku
rat-tailed [rat-teild] kůň jsoucí s ocasem bez žíní
rattan [rəˈtæn] **1** bot. lodyhy rotanu rákosovitého, španělský rákos, rotang **2** rákosová hůlka, rákoska
rat-tat [rætˈtæt], **rat-tat-tat** [ˌrætˌtætˈtæt] ratata, ratatata, klepy klep, buch buch
ratten [rætən] BR brát / poškozovat nářadí n. stroje komu, provádět sabotáž komu; sabotovat
ratter [rætə] **1** krysař člověk i pes **2** odpadlík, přeběhlík, dezertér **3** stávkokaz
rattle[1] [rætl] *v* **1** za|chrastit, za|chřestit, za|řinčet, za|rachotit, lomozit, za|lomcovat, za|rumplovat, za|řachtat (*the windows were rattling in the wind* okna v tom větru rumplovala) čím (*the wind* ~*d the windows* vítr lomcoval okny); drnčet, drkotat, klepat, jektat **2** drkocat, drkotat, kodrcat, rachotit při jízdě **3** též ~ *along* / *away* / *on* mlít, drnčet, žvanit, sypat to ze sebe, kecat, čvaňhat, vykládat **4** chrčet, chroptět **5** hovor. poděsit, vyděsit, poplašit, vyplašit, rozrušit, otřást kým, důkladně vyvést z míry / konceptu koho (*a sudden noise* ~*d the speaker, don't get* ~*d* zachovejte klid) **6** zamíchat kostky **7** též ~ *up* vybuchovat, vzburcovat; vyplašit zvěř ◆ ~ *the sabre* chrastit zbraněmi ***rattle along 1*** rachotit (si to), drkotat (si to) jet s rachotem (*we* ~*d along briskly*) **2** hnát si to, mazat, pálit *3* v. *rattle, v 3* ***rattle down 1*** s rachotem atd. padat / jet; hnát si to, mazat **2** námoř. vázat příčky lanových žebříků ***rattle off*** / ***through*** odemlít, odpapouškovat, odvrčet, vysypat ze sebe ● *s* **1** za|chrastění, za|chřestění, za|řinčení, řinkot, rachot, za|rachocení, lomoz, lomození (*the* ~ *of bottles from a milkman's van* rachocení lahví z mlékařského vozu); rumplování, drkotání, klapání, jektání, kodrcání **2** řehtačka, chřestidlo, též hud.; dětské chrastítko, chřestítko **3** poprask, bengál, rámus, binec **4** žvanění, žvásty, kecání, prázdné kecy, cancy, čvaňhání, láryfáry; žvanil, čvaňha, kecka **5** za|chroptění, chropot, chrčení **6** chřestidlo chřestýše; chřestivý kroužek na ocase chřestýše **7** ~*s, sg* hovor. záškrt **8** bot. kokrhel
rattle[2] [rætl] námoř. opatřit příčkami
rattlebag [rætlbæg] = *rattle bladder*
rattle bladder [ˈrætlˌblædə] chrastítko, chřestítko, chřestidlo
rattlebox [rætlboks] **1** bot. kokrhel **2** = *rattlebag*
rattlebrain [rætlbrein] prázdná / tupá makovice, ťulpas, mák, zabedněnec hlupák
rattlebrained [rætlbreind] člověk tupý, který to má nahoře vykradeno, zabedněný, praštěný, cáknutý
rattlehead [rætlhed] = *rattlebrain*
rattleheaded [ˈrætlˌhedid] = *rattlebrained*
rattlemouse [rætlmaus] *pl: rattlemice* [rætlmais] zool. netopýr
rattlepate [rætlpeit] = *rattlebrain*
rattlepated [ˈrætlˌpeitid] = *rattlebrained*
rattler [rætlə] **1** chřestidlo, chřestítko, chřestič **2** hovor. co je prima, eso, senzace, fantazie, bonbónek (*a* ~ *of a storm* pěkná bouřtička) **3** hovor. prima člověk; strašný mizera **4** AM hovor. náklaďák vlak **5** AM hovor. chřestýš **6** tech. čisticí buben
rattlesnake [rætlsneik] zool. chřestýš
rattle trap [rætltræp] hovor. *adj* vůz rozhrkaný, rozviklaný, rozkodrcaný ● *s* **1** rozhrkaný vůz, kára, rachotina, kostitřes, dědeček automobil **2** žvanil, kecka, brepta **3** ~*s, pl* krámy, tretky, serepetičky
rattling [rætliŋ] **1** hovor. svižný, svěží, bystrý (*a* ~ *breeze* svěží větřík) **2** slang. báječný, fantastický, senzační (*played a* ~ *game*) **3** v. *rattle, v*
rattly [rætli] (*-ie-*) chrastivý, chrastící, chřestivý, chřestící, řinčivý, řinčící, rachotivý, rachotící
rattoon [ræˈtu:n] = *ratoon*
rattrap [rættræp] **1** past na krysy, též přen. (*troops caught in a* ~ *with the river at their backs* vojsko chycené do pasti, s řekou za zády) **2** bouda, barabizna, díra (*a* ~ *that passed for a jail* barabizna, která sloužila jako vězení) **3** hovor. brynda, šlamastyka **4** slang. klapačka, klapajzna, držka, kušna **5** pedál se zoubky u jízdního kola
ratty [ræti] (*-ie-*) **1** krysí, potkaní **2** zamořený krysami n. potkany (*a* ~ *tenement* činžák plný krys) **3** ožraný, vyžraný, rozežraný, otrhaný, odrbaný (*a* ~ *brown overcoat*); urousaný, uválený, umolousaný (*a long* ~ *moustache* dlouhý umolousaný knír) **4** připomínající svým chováním krysu, krysí, krysácký (hovor.), podlý, úskočný, mrzký; ničemný, bídný, bídácký, padoušský, bezcharakterní (~ *people*) **5** slang. otrávený; vzteklý,

naježený, ňafavý, jedovatý, kousavý, kousající kolem sebe

raucous [ro:kəs] **1** chraptivý, chraplavý, chrčivý (*a ~ voice*) **2** divoký, nevázaný, odvázaný (*a ~ entertainment* nevázaná zábava)

raucousness [ro:kəsnis] **1** chraptivost, chraplavost, chrčivost **2** divokost, nevázanost

raughty [ro:ti] BR = *rorty*

raunchy [ro:nči] **1** šupácký **2** sprostý, hulvátský v řeči

rauque [ro:k] řidč. = *raucous*

ravage [rævidž] *v* **1** z|ničit, z|pustošit, poničit (*forests ~d by fire*), též přen.; zohyzdit (*a face ~d by disease*) **2** z|pustošit, vy|plenit, vy|drancovat ● *s* **1** spoušť, zpustošení **2** *~s, pl* ničivý účinek *of* čeho (*~s of torrential waters* ničivé účinky prudce se řinoucích vod) ◆ *make a ~ of a t.* = *ravage, v; ~s of time* zub času; *~s of war* válečná spoušť

rave¹ [reiv] **1** klanice **2** *~s, pl* postranice, bočnice zvětšující objem vozu

rave² [reiv] *v* **1** blouznit, mluvit z cesty, fantazírovat (*the patient began to ~*) **1** bouřit, zuřit, běsnit, *against / at* proti, vztekat se na; vítr burácet **3** mluvit nadšeně, básnit *about / of* o (*she ~d about the food she had had in France*); dávat bouřlivě najevo ***rave o.s.:*** *~ o.s. hoarse* křičet do ochraptění vzteky ***rave o.s. out*** bouře vyzuřit se ***rave up*** slang. šíleně líčit, šílet ● *v* **1** burácení větru **2** slang. chvalozpěv, medy nadšená kritika **3** slang. šílení, bláznění po **4** slang. ohňostroj, bengál (*~ of colour*) **5** slang. mejdan

ravel [rævəl] *v* (*-ll-*) **1** motat, smotat; zaplést, zamotat, též přen. **2** přen. vyřešit se **3** též *~ out* rozplést | se, rozmotat | se, rozcupovat | se, roztřepit | se (*bind the edge of the rug so that it won't ~* svázat kraj koberce, aby se netřepil; *~ out a rope's end* rozplést konec lana) **4** koberec vozovky drolit se ● *s* smotek, uzel, zádrhel, motanice, motanina, též přen.; konec klubka; roztřepený konec

ravelin [rævlin] hist. ravelin baštový výstupek opevnění

ravelling [rævəliŋ] **1** roztřepené lano, roztřepená niť **2** obroušení n. popraskání n. rozdrolení povrchu vozovky, vyježdění dolíků v povrchu vozovky **3** v. *ravel, v*

raven¹ [reivn] *s* **1** krkavec; nepřesně havran **2** *R~* Havran souhvězdí ◆ *~'s duck* hustá plachtovina ● *adj* havraní (*~ locks*)

raven² [rævn] **1** plenit, drancovat, u|kořistit, hledat kořist; hledat při drancování *about / after* co **2** hltat, shltnout (*~ like an animal*)

ravening [rævniŋ] **1** = *ravenous* **2** v. *raven²*

ravenous [rævinəs] **1** řidč. dravý **2** palčivý (*~ eagerness* palčivá dychtivost), sžíravý, pronikavý, dravý, jako vlk (*~ hunger*) **3** velice hladový, vyhladovělý, mající hlad jako vlk

raver [reivə] **1** kdo zuří n. šílí, zuřivý šílenec **2** slang. nadšený fanda; člověk bez zábran **3** slang. teplouš, buzík

rave-up [reivap] BR slang.: divoký mejdan

ravin [rævin] bás., kniž. **1** lup, loupení; dravé shltnutí **2** kořist ◆ *beast of ~* šelma, dravec

ravine [rə'vi:n] *s* strž, průrva, rokle, rozsedlina ●*v* udělat průrvu v, vyrvat koryto v, nadělat koryta v, rozbrázdit

raving [reiviŋ] *adj* **1** šílený, nepříčetný, pominutý **2** v. *rave², v* ● *s* **1** *~s, pl* zmatené výkřiky, běsnění **2** *~s, pl* blouznění, delirium **3** v. *rave², v*

ravioli [ˌrævi'əuli] kuch. ravioli taštičky plněné masem

ravish [ræviš] **1** řidč. násilím vzít, unést, uloupit, uchvátit (*~d from the world by death*) **2** zprznit, zmrhat, znásilnit (*~ a woman*) **3** okouzlit, unést, uchvátit, uvést do vytržení / extáze

ravisher [rævišə] násilník

ravishing [rævišiŋ] **1** nádherný, úchvatný, okouzlující **2** hovor. fantasticky, šíleně jaký (*a ~ beauty* šíleně krásná ženská) **3** v. *ravish*

ravishment [rævišmənt] uchvácení, unesení, okouzlení; nadšení, vytržení, extáze

raw [ro:] *adj* **1** syrový neuvařený (*eat oysters ~*) **2** surový v přírodním stavu (*~ cotton*), nezpracovaný; čistý, neředěný (*~ spirit*); nerafinovaný (*~ sugar*); nepálený (*~ brick* nepálená cihla); nenaklíčený (*~ grain* nenaklíčené zrno); panenský, neobdělaný (*~ land awaiting the builder*); nezačistěný (*left the edges ~* nechala okraje nezačistěné); nezapošitý, neobroubený, neobnitkovaný (*a ~ buttonhole* neobnitkovaná knoflíková dírka); neosvětlený, neexponovaný (*~ photographic plates*); nezpracovaný, nevyhodnocený, hrubý (*~ data*) **3** nezkušený, neostřílený, nevycvičený, zelený (*~ recruits* neostřílení rekruti) **4** zranění živý, čerstvý, krvácející, otevřený, nezacelený, nezahojený; pokožka odřený, otlačený, opruzený, pálící **5** sychravý, vlhký, řezavý, syrový (*a ~ February morning*) **6** nekultivovaný, nevybroušený, primitivní, syrový (*his literary style is still rather ~* jeho literární styl je stále ještě dosti primitivní), hrubý (*a ~ draft of a thesis* hrubý koncept téze) **7** hovor. hanebný, sprostý, krutý nespravedlivý **8** AM nepokrytý, nezarostlý (*a ~ eroded slope* nezarostlý, erodovaný svah); nahý, nahatý (*liked to swim ~*) **9** AM hovor. košilatý, tlustý, neslušný, sprostý (*a ~ joke*) ◆ *he got a ~ deal 1.* AM provedli mu sprosťárnu, zatočili s ním nespravedlivě; *2.* měl smůlu; *~ head and bloody bones 1.* bubák, lebka se zkříženými hnáty *2.* vyprávění hrůzostrašný; *~ hide 1.* surová, nevydělaná kůže *2.* bič n. provazec ze surové kůže; *~ product* polovýrobek, polotovar; *~ stock* = *~ material; ~ tea* žert. čistý čaj bez přísad; *~ yearn* režná příze ● *s* **1** odřená kůže n.

pokožka, živé maso **2** čistý líh **3** *~s, pl* surový cukr **4** *~s, pl* syrové ústřice ◆ *in the ~* AM *1.* nepřikrášlený, syrový (*life in the ~*) *2.* nahý (*always slept in the ~*); *touch a p. on the ~* dotknout se citlivého místa koho, tít do živého koho ● *v* odřít do krve zejm. koně

rawboned [ro:bəund] kostnatý, vyzáblý

raw-head-and-bloody-bones style [ˌro:hedənd̩ˌbladibəunzˈstail] iron. strašidelný styl

rawhide [ro:haid] *adj* vyrobený ze surové kůže (*~ boots*) ● *s* lano n. bič ze surové kůže ● *v* spráskat bičem ze surové kůže

rawin [reiwin] zkoumání větrů ve vyšších vrstvách atmosféry pomocí radiosondy a radaru

rawish [ro:iš] téměř n. poměrně syrový atd.

raw material [ˌro:məˈtiəriəl] surovina, základní materiál

rawness [ro:nis] **1** syrovost **2** surovost nezpracovatelnost **3** nezkušenost, neostřílenost, nevycvičenost **4** čerstvý charakter, krvácení zranění; nezacelení, nezahojenost; odřenost, otlačenost, opruzenost pokožky **5** sychravost, vlhkost, řezavost, syrovost **6** nekultivovanost, nevybroušenost, primitivnost, hrubost **7** hovor. hanebnost, sprosťárna, krutost nespravedlivost **8** AM nahota **9** AM hovor. neslušnost, košilatost

ray¹ [rei] *s* **1** paprsek sled světelných / tepelných částic; jedna z čar rozbíhajících se ze společného středu; kostěná n. chrupavčitá výztuha rybí ploutve; okrajové květy v úboru **2** záblesk, zákmit, zásvit, paprsek **3** řidč. poloměr kružnice; polopřímka **4** zool. rameno mořské hvězdice **5** bot. koukol polní; druh lnu ◆ *Becquerel ~s* Becquerelovy paprsky; *Roentgen / X ~s* Roentgenovy paprsky, rentgenové paprsky, paprsky X ● *v* **1** o|zářit, vyzařovat, též přen. **2** paprskovitě vybíhat

ray² [rei] zool. rejnok

rayah [ra:jə] hist. rája křesťanský poddaný v osmanské říši

ray filtre [ˌreiˈfiltə] fot. barevný filtr

ray flower [ˌreiˈflauə] paprskovitá květina, chocholík

ray fungus [ˌreiˈfaŋgəs] med. plíseň paprsčitá

ray grass [reigra:s] bot. jílek vytrvalý

ray gun [reigan] fiktivní pistole střílející paprsky smrti

rayless [reilis] **1** tmavý, slepý **2** bot. jsoucí bez paprsků **3** nevyzařující žádné paprsky, nezářící (*a ~ sun*) **4** nevpouštějící žádné paprsky (*in ~ caverns*)

raylet [reilit] paprseček

rayon [reion] **1** umělé / viskózové hedvábí **2** text. rajón

razamataz [ˌræzəməˈtæz] = *razzmatazz*

raze [reiz] **1** řidč. škrábnout lehce poranit **2** též *~ out* řidč. vyhladit (*~ a p.'s name from remembrance*) **3** zbourat do základů, úplně zničit, srovnat se zemí (*a city ~d by an earthquake* město zničené do základů zemětřesením) ◆ *~ to the ground* srovnat se zemí

razee [rəˈzi:] hist. *s* loď se sníženou palubou ● *v* snížit loď o vrchní palubu

razmataz [ˌræzməˈtæz] = *razzmatazz*

razon [reizon] též *~ bomb* voj. puma řiditelná ve směru i v dohozu

razor [reizə] *s* **1** břitva **2** holicí čepelka, žiletka **3** holicí strojek, holicí přístroj, též elektrický ◆ *cut-throat ~* hovor. břitva; *~ haircut* účes provedený seříznutím vlasů břitvou; *on the ~'s edge* v kritické situaci, ve velkém nebezpečí, kde jde jen o vlásek / o chlup; *safety ~* holicí strojek na žiletky ● *v* o|holit, vyholit (*a closely ~ed beard* hladce vyholené vousy) ***razor down*** vyholit

razorback [reizəbæk] *s* **1** ostrý hřbet, vystouplý hřbet **2** zool. plejtvák **3** zool.: americký polodivoký vepř *adj* = *razor-backed*

razor-backed [reizəbækd] mající ostrý hřbet, jsoucí s vystouplým hřbetem (*a ~ horse*)

razorbill [reizəbil] *s* zool. **1** alka malá **2** morčák prostřední **3** zoboun ● *adj* = *razor-billed*

razor-billed [reizəbild] jsoucí s ostrým zobákem

razor blade [reizəbleid] **1** břit břitvy **2** holicí čepelka, žiletka

razor edge [reizəredž] **1** břit, ostří, též přen. **2** kraj, nejzazší mez; kritická situace, situace na ostří nože **3** ostrý horský hřeben

razor-fish [reizəfiš] *pl* též *razor-fish* [reizəfiš] zool. střenka

razor grinder [ˈreizəˌgraində] **1** brusič břitev **2** BR nář. lelek

razor-sharp [reizəša:p] ostrý jako břitva (*a ~ wit*)

razor-shell [reizəšel] = *razor-fish*

razor-strop [reizəstrop] obtahovací řemen

razz [ræz] AM slang. *v* utahovat si z, dělat si šprťouchlata / šoufky z (*~ed me over my friend*) ● *s* **1** posměšný zvuk, frknutí; prd, prdnutí **2** setření, sprdnutí

razzia [ræziə] otrokářský / lupičský nájezd, přepad zejm. afrických mohamedánů

razzle [ræzl] slang. **1** poprask, bengál, čurbes, vzrůšo **2** flám **3** sport. kličky, kudrlinky **4** lochneska na pouti ◆ *go on the ~* jít na flám n. tah

razzle-dazzle [ˈræzlˌdæzl] = *razzle*

razzmatazz [ˌræzməˈtæz] slang. *s* **1** bengál, vzrůšo **2** jarmareční křiklavost **3** tradiční džez ● *adj* **1** sentimentální **2** oslnivý, oslňující, závratný, fantastický (*~ career*)

razzoo [ræzu:] AM slang. šoufky, sranda

R-boat [a:ˈbəut] německá minolovka motorová

re¹ [rei] hud. **1** re solmizační slabika **2** řidč. d druhý stupeň

re² [ri:] **1** práv., obch. věc, ve věci, týká se, týkající se **2** vulg. skrze, ohledně ◆ *return re infecta* vrátit se bez dosažení úspěchu

're [ə] = *are*

reabsorb [ˌri:əbˈso:b] opět pohltit, resorbovat

reach¹ [ri:č] nář. = *retch*

reach² [ri:č] *v* **1** sahat, sáhnout *for* po (*he ~ed for the weapon* sáhnoul po zbrani); natáhnout ruku a podat (*can you ~ that book for your brother?*); dosáhnout k, na (*can you ~ the branch with those red apples?*) **2** docílit, dosáhnout cíle; dospět k; dostat se, dorazit, dojít, přijít, dojet, přijet, doplout, připlout, doletět, přiletět do (*~ London*); dočíst, dopsat k (*he ~ed the end of the chapter*); zvuk / zpráva dolehnout, proniknout k (*not a sound ~ed our ears*); oko dohlédnout (*as far as the eye can ~*); proniknout (*a telescope that ~es remote points in space* teleskop, který dokáže proniknout ke vzdáleným bodům vesmíru); zbraň donést k, (až) kam **3** dohonit, za|stihnout, chytit, spojit se s (*~ed him by phone at the office*) **4** snažit se dosáhnout *after* čeho, snažit se, usilovat o **5** dostat se blíž k, přiblížit se a působit na (*she was not sure how she could ~ a person with a background like that* nevěděla přesně, jak proniknout k člověku s takovým zázemím), získat (*men are better ~ed by kindness than by force*) **6** dát, vést úder (*a sudden punch which he ~ed at the nose of his lordship*), zasáhnout úderem / zbraní **7** sahat až kam, rozkládat se až kam (*my land ~es as far as the river*); pravidlo zahrnovat, pamatovat na (*a situation that the law certainly ~es*) **8** námoř. plout na bočním větru **9** zast.: peníze do|stačit *to* na co ***reach ahead*** dotahovat, drát se kupředu (*ship ~es ahead in the race*) ***reach down*** natáhnout ruku a sundat, podat (*he ~ed down the atlas from the top shelf*) ***reach forth 1*** ruka být natažen **2** větve rozkládat se, sahat ***reach out*** natáhnout | se (*he ~ed out his hand for the knife, he ~ed out for the dictionary*) ***reach up*** podat nahoru ● *s* **1** natažení, sáhnutí ruky (*get a t. by a long ~*) **2** dosah, co je na dosah; vzdálenost, oblast **3** dohled, doslech; nosnost, slyšitelnost zvuku; dostřel **4** oblast vlivu, okruh působnosti, moc, kompetence (*it is not within my ~*) **5** přístupnost, srozumitelnost; duševní schopnost, chápání, pochopení, rozhled, duševní obzor, inteligence (*a mind of vast ~*) **6** přímý úsek řeky / průplavu mezi dvěma zákruty, říční partie (*one of the most beautiful ~es of the Thames*) **7** námoř. vzdálenost mezi dvěma břehy řeky **8** tech. vyložení jeřábu ◆ *beyond ~* mimo dosah (*he was beyond ~ of human aid* jemu člověk už nemohl pomoci); *~ of hearing* doslech; *make a ~ for a t.* sáhnout po čem, natáhnout ruku po čem, *put a t. out of a p.'s ~* dát co tak, aby na to kdo nedosáhl, dát co z dosahu koho; *within ~ 1.* na dosah, při ruce (*books within my ~* knihy, které mám na dosah) *2.* v dosahu, dosažitelný z (*within ~ of London*); *within easy ~* v malé vzdálenosti, pár kroků / metrů / kilometrů *of* od (*the hotel is within easy ~ of the waterfront* hotel je pár kroků od pobřeží); *~ of woodland* zalesněná oblast, rozlehlé lesy

reachable [ri:čəbl] dosažitelný, kam lze dojet, doletět atd. (*all these cities are ~ in a few hours* do všech těchto měst lze ... za pár hodin)

reach-me-down [ˌri:čmiˈdaun] *adj* hotový, konfekční ● *s* **1** *~s, pl* konfekční oblek, šaty z konfekce **2** obnošené šaty

re-act [ri:ˈækt] znovu zahrát na jevišti

react [ri(:)ˈækt] **1** mít vliv, působit *on* / *upon* na, odrážet se na, ovlivňovat koho, mít odezvu u (*applause ~s upon a speaker*) **2** odpovídat *to* na podnět, reagovat na (*an orator ~s to applause* řečník reaguje na potlesk) **3** obrátit se *against* proti, vzepřít se čemu, (*will the people one day ~ against the political system that oppresses them?* jestlipak se lid jednou vzepře proti politickému systému, který jej utlačuje?) **4** burz. vrátit se zpět, vzpamatovat se **5** chem. reagovat **6** voj. klást odpor; podniknout protiútok, protiútočit ◆ *~ on* / *upon each other* vzájemně na sebe působit, ovlivňovat se navzájem (*the home and the school ~ on each other*)

reactance [ri:ˈæktəns] elektr. jalový odpor, reaktence

reaction [ri(:)ˈækšən] *s* **1** reakce odezva na popud; chemický / jaderný pochod; zvrat; odpor; zpátečnictví **2** vzájemné / zpětné působení, vliv, zpětný účinek **3** odezva, odpověď, ohlas *to* na; okamžitý dojem z **4** voj. protiútok **5** sděl. tech. zpětná vazba, reakce ● *adj* **1** reakční **2** reaktivní ◆ *~ motor* reakční motor; *~ turbine* přetlaková turbina

reactionary [ri(:)ˈækšnəri] *adj* politicky zpátečnický, reakční, reakcionářský ● *s* (*-ie-*) politický zpátečník, reakcionář, reakčník

reactionist [ri(:)ˈækšənist] = *reactionary*

reactivate [ri:ˈæktiveit] oživit, oživovat, reaktivovat

reactivation [riˌæktiˈveišən] oživování, oživení, reaktivování, reaktivace

reactive [riˈæktiv] **1** reaktivní schopný reakce **2** reagující, reaktivní, mající původ v reakci

reactivity [ˌri(:)ækˈtivəti] schopnost reakce, reaktivita, též odb.

reactor [riˈæktə] reaktor zařízení na štěpení jaderného paliva ◆ *boiling water ~* varný reaktor; *fast breeder ~* množivý reaktor; *heavy water ~* těžkovodní reaktor

read [ri:d] *v* (*read* [red], *read* [red]) **1** číst (*the servant can neither ~ nor write* sluha neumí ani číst ani psát, *~ a book* číst knihu, *the book ~s well* kniha se dobře čte), číst si (*I haven't enough time to ~* na čtení nemám dost času), přečíst | si, dočíst se (*he ~ that the marriage would take place soon*); číst z (*he can ~ the lips* dovede odezírat), vyčíst z (*~ dismay in her countenance* z výrazu jejího obličeje vyčetl náhlý strach), předčítat *to* komu **2** umět číst, pasívně umět, rozumět (*~s Spanish but can't speak*) **3** vykládat, vysvětlovat, interpretovat jak (*silence must not always be ~ as a consent*); rozumět čemu, chápat jak, vykládat si co jak (*asked him how he ~ the passage*), vysvětlit si co jak (*can ~ the situation in* *two ways*), vkládat si vysvětlení *into* do (*~ false implications into the book* vkládat si do knihy falešné podtexty) **4** předčítat, přednášet, recitovat (*~s Shakespeare with moving simplicity* recituje Shakespeara s dojemnou prostotou); podávat, interpretovat hudbu, hrát (*~s Bach with astonishing insight* interpretuje Bacha s překvapivým vnitřním pochopením) **5** sděl. tech. rozumět, slyšet (*I ~ you loud and clear*) **6** text být, mít (*in this copy the text ~s 'hurry' rather than 'harry'*), znít (*a passage that ~s differently in the older versions*) **7** číst rukopis, lektorovat; číst korekturu, korigovat **8** odčítat data na přístroji; přístroj ukazovat (*what does the thermometer ~?*); dekódovat; zakódovat **9** BR studovat na univerzitě (*he's ~ing physics at Cambridge*) *for* k dosažení titulu, poslouchat na univerzitě *in* co (*~ in classics*) **10** mít na sobě napsáno a proto platit (*this ticket ~s to London*) **11** polit. projednávat ve sněmovně (*the bill was ~ for the third time* návrh zákona byl projednáván potřetí) ◆ *~ between the lines* číst mezi řádky; *~ a p. like a book* číst v kom jako v otevřené knize; *~ cards* vykládat karty věštit z nich; *~ the clock* znát hodiny; *~ for a degree* studovat k dosažení akademického titulu; *~ q. dream* vyložit sen; *~ a p.'s fortune* věštit / předpovídat budoucnost komu; *~ a p.'s hand* číst / hádat z ruky komu; *~ a p. a lesson* přen. číst levity, udělat kázání komu; *~ a map* studovat mapu; *~ music 1.* znát noty *2.* zpívat n. hrát podle not; *~ a p.'s palm* číst / hádat z ruky komu; *~ a riddle* roz|řešit hádanku, vy|luštit rébus; *~ the riot act* AM *1.* nařídit davu, aby se rozešel *2.* varovat; kárat; protestovat; *~ a severe lecture* udělat pořádné kázání, číst levity; *~ silently* číst potichu / pro sebe; *~ the sky* věštit / předpovídat z oblohy; *~ a p.* | *o.s. to sleep* číst komu | si tak dlouho, až usne; *~ the time* znát hodiny; *~ the traffic signs* znát dopravní značky, rozumět dopravním značkám ***read o.s. in 1*** BR duchovní nastoupit do funkce **2** seznámit se četbou s doklady, vše dostupné si přečíst před začátkem činnosti ***read off 1*** sjezdit, z|trhat, setřít *2* přečíst nahlas do konce ***read out 1*** pře|číst nahlas **2** AM vyloučit, vyhodit veřejným přečtením oznámení ***read over*** přečíst | si, prostudovat | si ***read through*** přečíst si, pročíst si ***read up*** prostudovat si, najít si a přečíst ● *s* **1** co se čte, něco ke čtení, četba, počtení **2** chvilka s knihou n. časopisem ◆ *have a ~ 1.* přečíst | si (*can I have a ~ of your paper?* mohu si přečíst vaše noviny?) *2.* po|číst si (*have a good ~ in the train* něco hezkého si ve vlaku přečtěte) ● *adj* [red] **1** sčetlý, sečtělý, kovaný, honěný (hovor.) (*he is widely ~ in contemporary literature*) **2** v. *read, v*

readability [ˌri:dəˈbiləti] **1** čitelnost **2** čtivost **3** srozumitelnost mapy

readable [ri:dəbl] **1** čitelný (*~ handwriting*) **2** čtivý (*a ~ novel*), který lze přečíst (*a novel ~ at a sitting* román... na jedno posezení) **3** mapa přehledný, srozumitelný

readableness [ri:dəblnis] = *readability*

readapt [ˌri:əˈdæpt] znovu (se) přizpůsobit

readdress [ˌri:əˈdres] přepsat adresu, dát jinou / novou adresu na (*~ed and forwarded the letter* dal na dopis novou adresu a poslal jej) ***readdress o.s.*** znovu se obrátit *to* na

reader [ri:də] **1** čtenář **2** lektor; AM odborný asistent **3** BR docent *in* čeho, mimořádný profesor čeho (*~ in Roman law*) **4** nakladatelský lektor **5** tiskárenský korektor **6** čítanka; chrestomatie **7** přístroj s ukazatelem; měřidlo, ukazatel stavu **8** odčítač stavu měřidla, odečítač **9** AM cenovka, jmenovka **10** čtenářská lupa (*rectangular ~* obdélníková čtenářská lupa) ◆ *lay ~* laický lektor při bohoslužbě

readership [ri:dəšip] **1** čtenáři, čtenářská obec, publikum **2** BR docentura, docenství **3** lektorství

readily [redili] hned, ihned, rychle; ochotně; snadno, lehce, pohotově

read-in [ri:din] programový recitační večer

readiness [redinis] **1** ochota, ochotnost, svolnost (*~ to continue discussions*) **2** lehkost, hbitost, snadnost, plynulost (*a happy ~ of conversation*) **3** stav připravenosti, připravenost, pohotovost (*putting them in ~* uvádějící je do stavu pohotovosti)

reading [ri:diŋ] *s* **1** četba, čtení; sčetlost, sečtělost (*a man of wide ~*) **2** četba, recitace, recitační večer; výbor z díla **3** údaj přístroje, přečtená hodnota; *~s, pl* data **4** podání, výklad, interpretace (*my solicitor's ~ of this clause in the agreement* toto ustanovení smlouvy v interpretaci mého právního poradce) **5** text, znění, různočtení, verze, varianta textu (*the ~ of the First Folio is the true one*) **6** polit. čtení návrhu zákona ve sněmovně **7** v. *read, v* ◆ *penny ~* BR recitační večer pro chudé ● *adj* **1** čtenářský (*a small ~ group*) **2** týkající se četby; určený k četbě ◆ *~ list* seznam doporučené četby, doporučená bibliografie u článku apod., *~ man* horlivý čtenář, knihomol; *~ public* čtenáři, čtenářstvo

reading book [ri:diŋbuk] čítanka, chrestomatie

reading desk [ri:diŋdesk] čtenářský pult n. pultík, stolek, ambo

reading glass [ri:diŋgla:s] **1** čtenářská lupa, zvětšovací sklo **2** *~es, pl* brýle na čtení

reading lamp [ri:diŋlæmp] čtenářská lampička, stolní lampa na čtení

reading notice [ˌri:diŋˈnəutis] AM nenápadný krátký inzerát

reading room [ri:diŋru:m] **1** čítárna **2** tiskárenská korektorna

readjournment [ˌri:əˈdžə:nmənt] práv. opakovaný odklad

readjust [ˌri:əˈdžast] znovu upravit, přepracovat, přizpůsobit
readjustment [ˌri:əˈdžastmənt] nová úprava, přepracování; přizpůsobení
readmission [ˌri:ədˈmišən] znovupřijetí, znovupřipuštění, znovupřiznání
readmit [ˌri:ədˈmit] (*-tt-*) znovu přijmout, znovu připustit / dovolit, znovu přiznat
read-through [ri:dθru:] čtená zkouška
ready [redi] (*-ie-*) *adj* **1** připravený *for* / *to* k, udělat co (~ *for school* připravený do školy, *be* ~ *to start*); pohotový (*a* ~ *answer* pohotová odpověď); hotový (*dinner is* ~); ochotný (~ *to help his friends* ochotný pomáhat přátelům) **2** rychlý, čiperný, dělající co honem (*you are too* ~ *with excuses*); hbitý, obratný, šikovný (*a* ~ *worker*) **3** lehký, snadný, pohodlný, příhodný (*the readiest way to do a t.*) **4** sport. ready připravený ke hře ◆ ~, *present, fire!* k líci zbraň, pálit, teď!; *be* ~ *to do a t. 1.* v. *ready, adj 2.* mět už už / málem / každou chvíli udělat co (*the house looks as though it's* ~ *to fall down, she seemed* ~ *to cry* měla pláč na krajíčku); ~ *cash* hotovost; *get* ~ *1.* připravit | se / si, vypravit se, přichystat, uchystat (*get* ~ *for a journey*) *2.* připravit ke startu!; ~ *to* (*one's*) *hand* připravený při ruce, k okamžitému použití; *keep a t.* ~ mít co stále připraveného (*keep a revolver* ~); *make* ~ připravit | se, přichystat; ~ *money* hotovost; ~ *reckoner* obchodní početní tabulky, praktický kalkulátor; ~ *for the road* pohotový k odjezdu, schopný jízdy; ~ *room* místnost, kde se pilotům udílejí instrukce před letem; ~, *steady, go!* připravit ke startu, pozor, teď! ● *adv* 1 předem (*please pack everything* ~ zabalte laskavě všechno předem) **2** rychle, pohotově (*a child that answers readiest*) ● *v* připravit | se, přichystat | se, uchystat, nachystat ◆ ~ *about* námoř. *1.* povel pro přípravu lodi *2.* připravit k obratu; ~ *front* AM voj. přímo hleď! ***ready up*** BR slang. ošulit ● *s* slang. prachy v hotovosti (*planked down the* ~ vysolil prachy na dřevo) ◆ *at the* ~ voj.: puška, střelec připravený k výstřelu; *be kept at the* ~ hovor. být držen v pohotovosti
ready-built [ˌrediˈbilt] vyrobený z prefabrikovaných dílů, prefabrikovaný, panelový (*a* ~ *house*)
ready-made *adj* [ˌrediˈmeid] **1** hotový, konfekční (*a* ~ *suit*) **2** šablonovitý, konvenční, běžný (*a banal play full of* ~ *situations*) ◆ ~ *shop* obchod s konfekcí ● *s* [redimeid] **1** konfekce **2** obyčejný předmět použitý ve výtvarném umění
ready-mix [redimiks] *s* **1** hotový pokrm v prášku **2** předem namíchaný pokrm ● *adj* hotový, předem namíchaný ◆ ~ *truck* pojízdná míchačka
ready-to-cook [ˌreditəˈkuk] : ~ *foods* polotovary
ready-to-wear [ˌreditəˈweə] konfekční
ready-witted [ˌrediˈwitid] bystrý, inteligentní, duchapřítomný
reaffirm [ˌri:əˈfə:m] znovu potvrdit, znovu zdůraznit, znovu ujistit
reaffirmation [ˌri:æfəˈmeišən] nové potvrzení, znovustvrzení, nové zdůraznění, opětovné ujištění
reafforest [ˌri:æˈforist] znovu zalesnit
reafforestation [ˌri:æˌforisˈteišən] opětovné zalesnění
reagency [ri(:)ˈeidžənsi] zpětné působení
reagent [ri(:)ˈeidžənt] chem. činidlo, reagens
real[1] [reiˈa:l] reál jednotka španělské měny; platidlo představující tuto hodnotu ◆ ~ *de plata* | *de vellon* stříbrný | měděný reál
real[2] [riəl] *adj* **1** skutečný, pravý, opravdový, opravdický (*is this* ~ *silk or rayon?* je to pravé hedvábí nebo umělé?), úplný, vyložený (hovor.) (*he was a* ~ *moron* byl to vyložený pablb); pravdivý (*the events you will see in the film are* ~ *and not just made up* události, které ve filmu uvidíte, jsou pravdivé, nikoliv pouze vymyšlené); věcný (*a* ~ *statement* věcné prohlášení), reálný (*though the salary might seem a reasonable one, its* ~ *value is small* i když plat připadá rozumný, jeho reálná hodnota je malá) **2** živý, přírodní (*a bouquet of* ~ *flowers*) **3** realitní, nemovitý **4** krajka ruční **5** filoz. reálný; absolutní **6** mat. reálný ◆ ~ *answer* hud. přímá imitace; ~ *fugue* hud. přísná fuga; ~ *gas* reálný plyn; ~ *man* opravdový muž, pořádný chlap; ~ *property* nemovitý majetek; ~ *register* pozemková kniha; ~ *thing* originál, nejlepší zboží, to pravé ● *adv* hovor. **1** vážně, fakticky (*we had a* ~ *good time*) **2** AM děsně, moc (*I was* ~ *glad to see her*) ● *s* **1** realita, skutečno **2** mat. reálná veličina
real estate [ˌriəlisˈteit] *s* nemovitost, nemovitosti, realita, reality ● *adj: real-estate* nemovitý ◆ ~ *agent 1.* obchodník s nemovitostmi *2.* majitel realitní kanceláře, realitní zprostředkovatel; ~ *bank* hypoteční banka; ~ *credit* hypoteční úvěr
realgar [riˈælga:] miner. realgar sirník arzénu
realign [ˌriəˈlain] přeorientovat, přestavět (~ *American political parties*)
realism [riəlizəm] **1** filozofický, umělecký realismus 2 umělecký naturalismus
realist [riəlist] *adj* realistický ● *s* realista
realistic [riəˈlistik] **1** reálný; realistický **2** naturalistický
reality [ri(:)ˈæləti] (*-ie-*) **1** reálnost, skutečná existence; skutečnost, opravdovost, jak co je, jak se věci mají, skutečný stav věci, realita; tvrdá skutečnost (*the realities of war*) **2** podstata, pravá podoba **3** pravdivost; barvitost, autentičnost ◆ (*bring a p. to* ~ vrátit na zem koho (přen.); *in* ~ skutečně, ve skutečnosti, vlastně
realizable [riəlaizəbl] **1** uskutečnitelný, realizovaný

2 představitelný; pochopitelný, zachytitelný 3 prodejný, zpeněžitelný
realization [ˌriəlaiˈzeišən] **1** uskutečnění, realizace 2 představa, obraz; pochopení; zachycení skutečnosti **3** zpeněžení, prodej; realizace zboží
realize [riəlaiz] **1** uskutečnit, dát čemu konkrétní n. reálnou podobu, realizovat (~ *one's hopes*) **2** představit si jasně, udělat si jasnou představu *a t.* o, jak, že; pochopit, chápat, uvědomit si (*I ~ that you must have help* je mi jasné / chápu, že potřebuješ pomoci) **3** zachytit skutečnost (*a stage set that ~d the atmosphere of a colonial town perfectly* jevištní výprava, která dokonale zachytila atmosféru koloniálního města), dodat čemu zdání skutečnosti (*these details help to ~ the scene*) **4** prodat, zpeněžit; utržit, získat, vydělat kolik, realizovat (odb.); vynést (*the goods ~d 1000 dollars*); docílit cenu; **5** hud. hrát, číst číslovaný bas ◆ ~ *a fortune* nahromadit celé jmění
really [riəli] vážně, skutečně, vskutku, doopravdy, opravdu, fakticky ◆ *~!* to už přestává všechno, už je toho dost; *not ~ !*, neříkejte!, ale prosím vás!
realm [relm] kniž., práv. říše, království (*the ~ of dreams*); doména, sféra, oblast (*the ~ of physics*)
real-politik [reˈa:lpolitik] reálná / věcná / vážná politika ke hmotnému prospěchu vlastního národa
realtor [riəltə] též *R~ AM* organizovaný realitní zprostředkovatel, majitel realitní kanceláře
realty [riəlti] (*-ie-*) nemovitost
ream[1] [ri:m] **1** odb. rys jednotka počtu archů n. listů (BR 480 n. AM 500 archů) **2** stoh, halda papíru (*wrote ~s on this subject*) ◆ *imperfect ~* AM rys o 516 arších; *printer's ~* 516 archů
ream[2] [ri:m] BR nář. *s* **1** smetana **2** pěna, čepice na pivu ● *v* **1** sebrat smetanu z **2** odfouknout pěnu z
ream[3] [ri:m] **1** vystružit otvor v kovu; rozšířit vrt 2 námoř. rozevřít, uvolnit šev v obšívce pro temování
reamer [ri:mə] **1** výstružník **2** mačkátko, lis na citrón
reanimate [ri:ˈænimeit] **1** oživit, vzkřísit **2** vlít novou krev do žil komu, znovu dodat sil komu, vzpružit koho
reanimation [ˌri:æniˈmeišən] **1** oživení, vzkříšení 2 vzpružení, vzpruha, nové dodání sil
reap [ri:p] žít, žnout, sekat, síci, kosit, sklízet sklizeň, též přen. ◆ *Sow the wind and ~ the whirlwind* Kdo seje vítr, sklizí / klidí bouři; *he ~s as he has sown* jak si kdo ustele, tak si lehne, co zasel, to sklízí; *he ~s where he has not sown* sklízí, kde nesázel, tyje z cizího
reaper [ri:pə] **1** žnec, sekář **2** žací stroj, sekačka ◆*(Grim) R~* zubatá s kosou smrt
reaper-binder [ˈri:pəˌbaində] samovaz
reaper-thresher [ˈri:pəˌθrešə] žací mlátička
reaping-hook [ri:piŋhuk] srp
reaping-machine [ˌri:piŋməˈši:n] žací stroj, sekačka
reaping-thresher [ˈri:piŋˌθrešə] = *reaper-thesher*
reapparel [ˌri:əˈpærəl] (*-ll-*) znovu odít, znovu obléknout
reappear [ˌri:əˈpiə] znovu se zjevit / objevit, znovu se vyskytnout
reappearance [ˌri:əˈpiərəns] opětovné objevení / zjevení, obnovený výskyt
reappoint [ˌri:əˈpoint] znovu dosadit, znovu nastolit, znovu ustanovit, opětně jmenovat
reappointment [ˌri:əˈpointmənt] opětovné jmenování, znovunastolení
reappraisal [ˌri:əˈpreizəl] přehodnocení
rear[1] [riə] *v* **1** vztyčit, napřímit, narovnat, po|zvednout, po|zdvihnout (~ *a pillar* vztyčit sloup, ~ *one's head*, ~ *one's voice*); postavit, zbudovat (~ *a cathedral*) **2** chovat, pěstovat; vychovávat (~ *a family*) **3** vzepnout koně, zvednout koně na zadní nohy ***rear o.s.*** kůň vzpínat se, stavět se na zadní nohy
rear[2] [riə] *s* **1** zadní část, zadní trakt, zadní konec (*the garage is at the ~ of the building* garáž je v zadním traktu budovy); zadek (*got kicked in the ~* někdo ho kopl do zadku) **2** voj. týl, záď; zázemí, zápolí **3** námoř. hovor. kontradmirál **4** BR hovor. latrina, hajzl ◆ *bring / close up the ~* jít atd. poslední, nakonec, úplně vzadu, tvořit zadní konec; *move to the ~* postoupit dozadu (*the bus driver asked the passengers to move to the ~* řidič autobusu požádal cestující, aby postoupili dozadu); *take the enemy in the ~* zaútočit na nepřítele z týlu ● *adj* **1** zadní (*the ~ door of the bus*); záďový **2** voj. týlní, týlový ◆ ~ *end* zadní část, též přen.; ~ *echelon* voj. zásobovací kolona, bojový trén; ~ *view* pohled zezadu; ~ *mirror* zpětné zrcátko; ~ *projection* zadní projekce; ~ *window* okno do dvora
rear admiral [ˌriəˈædmərəl] námoř. kontradmirál
rear arch [ˌriəˈa:č] zadní oblouk dveří, oken
rearer [riərə] vzpínavý kůň
rearguard [riəga:d] **1** voj. zadní voj **2** zadní blatník automobilu ◆ ~ *action* obranný boj zadního voje zdržování pronásledujícího nepřítele, ústupová akce
rear horse [riəho:s] zool. kudlanka
rearise [ˌri:əˈraiz] (*rearose, rearisen*) znovu se zvednout, znovu povstat
rearisen [ˌri:əˈrizən] v. *rearise*
rear lamp [ˌri:əˈlæmp] = *rear light*
rear light [ˌri:əˈlait] mot. zadní světlo, brzdová svítilna, stopka (slang.)
rearm [ri:ˈa:m] **1** vyzbrojit | se znovu **2** vyzbrojit modernimi / lepšími zbraněmi
rearmament [ri:ˈaməmənt] **1** vyzbrojení moderními / lepšími zbraněmi **2** znovuvyzbrojení
rearmost [riəməust] nejzadnější, nejposlednější
rearose [riəˈrəuz] v. *rearise*
rearouse [ˌri:əˈrauz] znovu vzbudit
rearrange [ˌri:əˈreindž] **1** znovu uspořádat, znovu

sestavit, přeřadit, předělat, přestavět, nově upravit, přeskupit, též mat. **2** chem. přesmykovat | se

rearrangement [ˌri:əˈreindžmənt] **1** nové uspořádání, přeřazení, přeskupení, nová úprava **2** chem. přesmyk

rear sight [ˌri:əˈsait] hledí mířidlo

rear vault [ˌriəˈvo:lt] vnitřní klenba výklenku, vnitřní klenutí

rearview mirror [ˌriəvju:ˈmirə] zpětné zrcátko

rearward [riəwəd] *s* **1** hist. zadní voj, zadní část flotily **2** zadní část, zadek, zadnice ◆ *at* / *in the* ~ vzadu; *to the* ~ *of* za ● *adj* zadní; směřující dozadu ● *adv* = *rearwards*

rearwards [riəwədz] dozadu, zpět, zpátky, nazpět, nazpátek

reascend [ˌri:əˈsend] znovu vystoupit na ◆ ~ *the stairs* vyjít znovu po schodech nahoru

reason [ri:zn] *s* **1** důvod *why, for* čeho, pro (*is there any* ~ *why you should not help?*), příčina (*the* ~ *why he is late*), pohnutka, popud (*give me your* ~*s for doing it* uveďte mi své pohnutky, proč jste to udělal), smysl **2** rozum, intelekt, intelektuální schopnosti (*a* ~ *that is far beyond her years*); zdravý rozum; logika, logická úvaha **3** filoz. premisa ◆ *added* ~ další důvod; ~ *to believe 1.* důvodná domněnka *2.* důvodné podezření; *bring to* ~ přivést k rozumu; *by* ~ *of* pro, kvůli, z důvodu (*he was excused by* ~ *of his age*); *do anything in* ~ u|dělat cokoliv rozumného / co stojí za to; *for no* (*good*) ~ (úplně) bezdůvodně; *have neither rhyme nor* ~ nedávat vůbec žádný smysl, být naprosto nelogické; být úplný nesmysl, nemít hlavu ani patu; *hear* / *listen to* ~ dát se přesvědčit rozumnými důvody; *lose one's* ~ přijít o rozum, zbláznit se; *no* ~ jen tak, bez zvláštního důvodu; *it stands to* ~ je logické / (naprosto) jasné / očividné / samozřejmé, dá rozum; *there is* ~ *in what you say* co říkáš, má hlavu i patu; *with* ~ plným právem, zcela odůvodněně (*the government is concerned with latest crisis, and with* ~); *within* ~ cena rozumný, přijatelný; *woman's* ~ ženská logika ● *v* **1** bavit se na určité téma, debatovat, uváděním důvodů, argumentovat, polemizovat, přít se *with* s *about* o (*she* ~*ed with me for an hour about the folly of my plans* hodinu se se mnou přela o to, že mám pošetilé plány), přemlouvat koho, rozmlouvat komu co **2** uvést jako důvod, namítnout (*he* ~*ed that if we started at dawn, we could arrive before noon*) **3** logicky myslit, uvažovat, přemýšlet, usuzovat, dedukovat; logicky vyjádřit, postavit, formulovat **4** odůvodnit, vysvětlit, motivovat **5** vyvést logickými důvody *out of* z (~ *a p. out of his fears*), rozmluvit, vymluvit komu co **6** přimět logickými důvody *into* k (~ *a p. into a sensible course of action*), přemluvit k ***reason away*** oddiskutovat ***reason out*** logicky odůvodnit / odvodit, vydedukovat | si (~ *out the answer to a question*); promyslit, vymyslit (~ *out a plan*)

reasonable [ri:znəbl] **1** rozumný logicky uvažující; přiměřený; umírněný (*he is* ~ s ním se dá rozumně promluvit) **2** racionální, rozumný; logický **3** dobrý, dostatečný (~ *grounds*), mírný, slušný, přijatelný, přiměřený, za rozumnou cenu (*the coat was* ~ *but not cheap*) ◆ ~ *doubt* důvodná pochybnost o vině obžalovaného

reasonableness [ri:znəblnis] **1** rozumnost **2** racionálnost, rozumovost; logičnost **3** mírnost, přiměřenost, slušnost **4** přijatelnost ceny

reasonably [ri:znəbli] **1** poměrně, celkem **2** v. *reasonable*

reasoned [ri:znd] **1** logický, odůvodněný (*material for a* ~ *verdict*) **2** jsoucí s uvedenými důvody (*a* ~ *amendment* dodatek s uvedenými důvody) **3** v. *reason, v*

reasoner [ri:znə] **1** debatér, diskutér, argumentátor, polemik **2** logicky uvažující člověk ◆ *a subtle* ~ komu to dobře myslí, chytrá hlavička

reasoning [ri:zniŋ] **1** logika, logické myšlení **2** úvaha, argumentace, dedukce **3** v. *reason, v*

reasonless [ri:znlis] bezdůvodný, nelogický, nesmyslný

reassamblage [ˌri:əˈsemblidž] nové shromáždění, nové sejití, nová schůze

reassemble [ˌri:əˈsembl] **1** znovu se shromáždit **2** znovu smontovat, složit

reassert [ˌri:əˈsə:t] **1** znovu tvrdit / prohlašovat, znovu ujišťovat, opakovat své tvrzení **2** znovu předpokládat **3** prosadit, zajistit si (~ *one's rights*)

reassertion [ˌri:əˈsə:šən] **1** opětovné tvrzení, prohlašování, opětovné ujištění

reassess [ˌri:əˈses] znovu ocenit, znovu odhadnout, znovu ohodnotit, přehodnotit

reassessment [ˌri:əˈsesmənt] nový odhad, přezkoumání ceny n. odhadu, nové hodnocení, přehodnocení

reassign [ˌri:əˈsain] přidělit jinému, převést (zpět)

reassignment [ˌri:əˈsainmənt] zpětný převod; zpětný postup pohledávky

reassume [ˌri:əˈsju:m] = *resume*

reassurance [ˌri:əˈšuərəns] **1** opětovné ujištění **2** uklidnění, duševní posila, nový pocit jistoty

reassure [ˌri:əˈšuə] **1** uklidnit, vrátit klid, vrátit sebedůvěru komu (*his praise* ~*d me*) **2** znovu ujistit **3** = *reinsure*

reassuring [ˌri:əˈšuəriŋ] **1** uklidňující, konejšivý **2** v. *reassure*

reattack [ˌri:əˈtæk] voj. opětovný útok

Réaumur [reiəmjuə] Réaumur jméno francouzského fyzika (1683–1757) (*a temperature more than 55°* ~ teplota vyšší než 55 stupňů Réaumura)

reave [ri:v] (*reaved* / *reft, reaved* / *reft*) bás., kniž.

1 loupit, plenit, drancovat; uloupit *from* komu; zbavit *of* čeho 2 unést, odnést, vzít; vzít do nebe
reaver [ri:və] bás., kniž. plenitel, drancíř
rebab [ri:ˈba:b] druh orientálního smyčcového nástroje
reback [ri:ˈbæk] dát nový hřbet knize
rebait [ri:ˈbeit] dát novou návnadu na
rebaptism [ri:ˈbæptizəm] nový křest, opětovné pokřtění, překřtění
rebaptize [ˌri:bæpˈtaiz] znovu pokřtít, nově pokřtít, překřtít
rebarbarize [ri:ˈba:bəraiz] učinit znovu barbarským, vrátit do barbarského stavu
rebarbative [riˈba:bətiv] kniž. odpuzující, odporný
rebate[1] *v* [riˈbəit] 1 zmírnit účinek, oslabit, otupit 2 poskytnout slevu / rabat; částečně refundovat, vrátit část zaplacené částky, ● *s* [ri:beit] sleva, rabat
rebate[2] [ræbit] = *rabbet*
rebec(k) [ri:bək] hud. fidula
rebel *s* [rebl] buřič, pobuřovatel, odbojník, povstalec, vzbouřenec, rebelant, rebel ● *adj* [rebl] 1 vzpurný (*a ~ son*), odbojný, vzbouřený; vzpírající se *to* čemu, bouřící se proti (*~ to strict metrical ways*) 2 povstalecký (*the ~ army*) ● *v* [riˈbel] (*-ll-*) bouřit se, povstávat, vzpírat se, rebelovat *against* proti / *at* při pohledu na (*~led at the routine of a clerk's work* vzbouřil se při pohledu na kancelářskou rutinu)
rebeldom [rebəldəm] 1 území v moci vzbouřenců 2 vzbouřenci, rebelové 3 vzpurné chování
rebellion [riˈbeljən] povstání, odboj, vzpoura, vzbouření, revolta, rebelie ◆ *R~* americká občanská válka 1861–65; *Great R~* anglická revoluce 1642–60
rebellious [riˈbeljəs] 1 vzpurný, odbojný; vzbouřený; bouřící se, rebelující 2 povstalecký 3 věc neposlušný, nepoddajný, vzpěčující se
rebelliousness [riˈbeljəsnis] vzpurnost, odbojnost, buřičství, neposlušnost, nepoddajnost
rebellow [ri:ˈbeləu] 1 dobytče za|bučet v odpověď, ozvat se za|bučením 2 vrátit hlasitou ozvěnou, zahučet / zaburácet ozvěnou
rebind [ri:ˈbaind] *v* (*rebound, rebound*) znovu svázat, převázat zejm. knihu ● *s* nově převázaná kniha
rebirth [ri:ˈbə:θ] 1 znovuzrození; metempsychóza, reinkarnace 2 duševní znovuzrození, obnovení, obnova, obroda, renesance
rebite [ri:ˈbait] (*rebit, rebitten*) znovu vyleptat, přeleptat poškozené n. nedoleptané části štočku
reboant [rebəuənt] bás.: ozvěna burácející, hřmící, hučící
reboiler [ri:ˈboilə] chem. vařák rektifikační kolony
rebop [ri:bop] = *bebop*
rebore [ri:ˈbo:] *v* 1 převrtat, nově vyvrtat 2 znovu vybrousit válce motoru, dát nový výbrus válcům motoru ● *s* výbrus válců motoru
reborn [ri:ˈbo:n] znovuzrozený, též přen.
rebound[1] [ri:ˈbaund] 1 kniha nově svázaný, převázaný, v nové vazbě 2 v. *rebind*
rebound[2] [riˈbaund] *v* 1 odskočit, odrazit se, (*the ball ~ed from the wall* míč se odrazil od zdi); ozvěna vrátit zvuk 2 odrazit se, projevit se, padnout zpět, vrátit se odrazem 3 reagovat (*she herself had ~ed differently*); vzchopit se, vzpamatovat se (*~ from disappointment* vzpamatovat se ze zklamání) ● *s* 1 odskok, odraz, odražení 2 sport. odražený míč, odražený kotouč 3 reakce, reagování; okamžik zklamání, roztrpčení po události ◆ *on the 1.* při odrazu (*hit the ball on the ~* zasáhl odražený míč) *2.* ze zklamání (*she married Tom on the ~* protože se s ní neoženil ten, kterého milovala); *catch / take a p. at / on the ~* využít zklamání koho z neúspěchu
rebroadcast [ri:ˈbro:dka:st] *v* (*rebroadcasted / rebroadcast, rebroadcasted / rebroadcast*) 1 opakovat rozhlasový pořad 2 přenášet přes retranslační stanici ● *s* 1 opakované vysílání 2 přenos přes retranslační stanici, retranslace
rebuff [riˈbaf] *s* 1 odmítnutí, odbytí, odmrštění 2 překážka, ztroskotání, zeď (přen.) ● *v* 1 odmítnout, odbýt, odmrštit 2 zarazit, překazit, stavět do cesty překážky čemu 3 odrazit (*~ the enemy attack*)
rebuild [ri:ˈbild] (*rebuilt, rebuilt*) 1 znovu postavit, přestavět, předělat, znovu udělat (*~ a new car*) 2 dát znovu dohromady, znovu vytvořit, obnovit
rebuke [riˈbju:k] *v* po|kárat, vy|plísnit, vytýkat komu *for* co, udělit důtku komu za; být mementem n. výčitkou komu (*his industry ~s me*) ● *s* po|kárání, vy|plísnění, výtka, důtka
rebukingly [riˈbju:kiŋli] káravě
rebus [ri:bəs] 1 rébus 2 herald. mluvící erb ◆ *~ sic stantibus* za těchto okolností
rebut [riˈbat] *v* (*-tt-*) 1 odrazit 2 odmítnout, odvrhnout (*~ a p.'s offer*) 3 vyvracet důkazy, uvést protidůkazy proti
rebutment [riˈbatmənt] = *rebuttal*
rebuttal [riˈbatl] práv. vyvracení důkazů předložených odpůrcem
rebutter [riˈbatə] práv. 1 vyvracení důkazů 2 kdo n. co odráží, odmítá n. vyvrací 3 protidůkaz
recalcitrance [riˈkælsitrəns] vzpurnost, nepoddajnost, neposlušnost, vzdorovitost, odbojnost, tvrdohlavost, tvrdošíjnost, umíněnost, paličatost
recalcitrancy [riˈkælsitrənsi] = *recalcitrance*
recalcitrant [riˈkælsitrənt] *adj* vzpurný, nepoddajný, neposlušný, nezvládnutelný, vzdorný, vzdorovitý, odbojný, odporující, tvrdohlavý, tvrdošíjný, umíněný, paličatý ● *s* vzpurný atd. člověk, tvrdohlavec, umíněnec, paličák
recalcitrate [riˈkælsitrəit] 1 vzpouzet se *against / at* proti vzpírat se (proti) čemu, vzdorovat čemu, odpo-

rovat čemu **2** být vzpurný atd.; chovat se vzpurně / odbojně
recalcitration [riˈkælsitreišən] odpor, vzpouzení, vzpírání
recall [riˈko:l] *v* **1** za|volat / povolat zpět *from* z *to* kam; přivolat zpět, též přen.; odvolat z ciziny (*~ an ambassador*), vyzvat k návratu **2** odvolat, zrušit, vypovědět, anulovat **3** připomenout si, vzpomenout si na, upamatovat se na, připamatovat si, vybavit si co (*I don't ~ his name*); připomenout *a t.* co *to* komu **4** přivést k vědomí (*trying to ~ her stunned senses*) **5** vyžádat si zpět, vzít si nazpátek dar **6** kyb. vyvolat, vrátit zpět z paměti počítače ◆ *~ a p.'s attention to a t.* znovu upozornit koho na co; *~ from circulation* stáhnout, vzít z oběhu; *~ a p. to his duty* připomenout komu jeho povinnosti; *~ a t. to mind* vzpomenout si na co, vyvolat / vybavit si v paměti co; *until ~ed* až do odvolání ***recall o.s.*** vzpamatovat se, vzchopit se ● *s* **1** zavolání zpět, odvolání zejm. diplomatického zástupce; povolání nazpátek, výzva k návratu **2** signál k návratu **3** vzpomínka; vybavovací schopnost, paměť **4** zrušení, odvolání, vypovězení, vypovědění, výpověď **5** AM právo předčasně odvolat voleného úředníka z funkce ◆ *beyond / past ~ 1.* neodvolatelný, už nezměnitelný *2.* úplně zapomenutý, zapadlý; *total ~* úplné vybavení z paměti, absolutní / fotografická paměť (hovor.)
recant [riˈkænt] odvolat, vzít zpět, odřeknout se, zřeknout se čeho zejm. veřejně
recantation [ˌri:kænˈteišən] odvolání, odřeknutí, zřeknutí
recap[1] [ri:ˈkæp] hovor. *v* (*-pp-*) = *recapitulate* ● *s* = *recapitulation*
recap[2] [ri:ˈkæp] *v* (*-pp-*) AM protektorovat, navařit nový protektor na pneumatiku ● *s* nový protektor pneumatiky
recapitalization [ri:ˌkæpitəlaiˈzeišən] ekon. rekapitalizace
recapitulate [ˌri:kəˈpitjuleit] stručně / přehledně z|opakovat, shrnout, z|rekapitulovat
recapitulation [ˈri:kəˌpitjuˈleišən] **1** stručné zopakování, přehledné shrnutí, z|rekapitulování, rekapitulace **2** hud. repríza
recapitulative [ˌri:kəˈpitjuleitiv], **recapitulatory** [ˌri:kəˈpitjuleitəri] souhrnný, přehledný, provádějící rekapitulaci
recaption [ri:ˈkæpšən] práv. zmocnění se věcí neprávem zadržených n. odňatých
recaptor [ri:ˈkæptə] práv. kdo nabude zpět zboží neprávem zadržené
recapture [ri:ˈkæpčə] **1** znovu získat, znovu dobýt, znovu zajmout, znovu ukořistit; znovu dosáhnout čeho **2** (znovu) zachytit, znovu zažít, prožít (*~ ecstasy, ~ the past*) ● *s* **1** opětovné dosažení, získání zpět, znovudobytí, též voj. **2** věc atd. získaná nazpátek **3** AM zabavení nadměrných zisků např. železničních společností státem **4** = *recaption*
recast [ri:ˈka:st] *v* (*recast, recast*) **1** znovu odlít, přelít (*~ a bell*) **2** změnit, přepracovat, přepsat, předělat, jinak uspořádat (*~ a chapter*); přepočítat **3** nově obsadit, přeobsadit hru, udělat změnu v obsazení hry ● *s* **1** nové odlití, přelití, přelitý odlitek **2** změna, nový tvar, nové uspořádání, nové znění **3** nové obsazení hry
recce [reki], **recco** [rekəu], **reccy** [reki] voj. slang. = *reconnaissance*
recede [riˈsi:d] **1** ustupovat do dálky n. dozadu, vzdalovat se (*the coast slowly ~d*) **2** ustoupit *from* od, odříci se čeho, vzdát se, zříci se názoru **3** po|klesnout (*the floodwaters ~d* povodňová záplava klesala) **4** po|klesnout, zaznamenat pokles
receipt [riˈsi:t] *s* **1** přijetí, příjem (*I beg to acknowledge ~ of your book* dovoluji si potvrdit příjem vaší knihy), převzetí, obdržení (*on ~ of a postal order for 10 / – the goods will be sent* zboží bude odesláno po obdržení poštovní poukázky v hodnotě 10 šilinků) **2** stvrzenka, potvrzení, kvitance, potvrzenka, lístek, paragon potvrzující zaplacení **3** lékařský, kuchařský předpis, recept **4** *~s, pl* příjem, tržba (*took the day's ~s to the bank* odnesl denní tržbu do banky); finanční výnos (*fruit and vegetable ~s*) ◆ *~ of custom* bibl., zast. celnice ● *v* **1** napsat stvrzenku na, potvrdit příjem čeho; dát na účet razítko „zaplaceno" apod. (*~ a hotel bill*), saldovat **2** vystavit potvrzení příjmu *for* čeho
receipt book [riˈsi:tbuk] **1** kniha stvrzenek **2** kniha předpisů, receptář; kuchařská kniha, kuchařka
receipt stamp [riˈsi:tstæmp] kvitanční / stvrzenkový kolek
receivable [riˈsi:vəbl] **1** zachytitelný, slyšitelný (*a broadcast ~ over a wide area*) **2** pro soud přijatelný, přístupný (*~ evidence*) **3** poživatelný **4** nezaplacený, nevyrovnaný ◆ *accounts ~* pohledávky
receive [riˈsi:v] **1** dostat, obdržet poslané n. nabídnuté (*~ a letter, ~ many gifts* dostat mnoho dárků, *~ an honorary degree* dostat čestný doktorát); získat (*he ~d a good education* dostalo se mu dobrého vzdělání, *you will ~ a warm welcome*), nabýt čeho (*~ the impression* nabýt dojmu); dovědět se novinku **2** přijmout (*he was ~d into the Church*); přijmout otisk čeho, podržet otisk čeho (*the ground was too hard to ~ a footprint* půda byla příliš tvrdá, než aby podržela otisk šlépěje); pojmout (*this hole is large enough to ~ three men* do této jámy se vejdou tři muži, *the bowl ~d his blood* do misky tekla jeho krev) **3** za|chytit do náruče **4** přijímat hosty (*lady Snooks ~s on Monday afternoons*); dům být otevřen pro, být přístupný komu; u|vítat, přivítat, přijmout; poskytnout útočiště komu, ubytovat; vnímat (*~ new impressions* vnímat nové dojmy) **5** podchytit, podpírat, nést (*the arches have to ~ the weight of the roof*

oblouky musí nést váhu střechy) **6** uznávat, připustit; věřit čemu **7** zažít něco nepříjemného, utrpět (*he ~d the royal displeasure at one occasion* při jedné příležitosti zažil královskou nelibost); dostat políček apod., odnést si z boje, odnést si to čím, mít z toho (*~ a broken nose*) **8** přechovávat kradené zboží **9** sděl. tech. mít příjem vysílaného pořadu, chytit **10** nábož. jít k přijímání, přijímat svátost ◆ *~ advice* dát si poradit, dát si říci (*refused to ~ advice from his friends* nenechal si od přátel poradit); *~ an affront* zakusit urážku, být urážen; *be ~d* též být společensky přijatelný, být všude vítaným hostem; *be at the receiving end* odnést si to, být na tom špatně, být bit (přen.); *~ a t. as certain* pokládat co za jisté; *~ a p.'s confession* vyslechnout zpověď koho; *~ the mark* být označen, být stigmatizován, nést znamení; *~ a refusal* být odmítnut; *~ the stamp* být označen / ocejchován, nést znamení

received [ri'si:vd] **1** přijatý, obvyklý, uznávaný, normální, platný **2** pravý, autentický **3** v. *receive* ◆ *R~ Pronunciation* spisovná výslovnost britské angličtiny; *R~ Standard* spisovná britská angličtina

receiver [ri'si:və] **1** příjemce **2** výběrčí, pokladní **3** správce sporného majetku; konkursní správce; AM likvidátor **4** též *~ of stollen goods* přechovávač, překupník / přechovávatel kradeného zboží **5** nádrž, nádoba, zásobník; jímač, jímka, jímadlo **6** sluchátko telefonu **7** rozhlasový n. televizní přijímač **8** telegrafní n. dálnopisný přístroj přijímací **9** odb. pouzdro závěru pušky; zvon vývěvy

receiver general [ri,si:və'džənərəl] BR daňový úředník v hrabství

receivership [ri'si:vəšip] konkursní správcovství

receiving hopper [ri,si:viŋ'hopə] **1** násypka **2** nakládací násypka

receiving office [ri,si:viŋ'ofis] přijímací kancelář

receiving order [ri,si:viŋ'o:də] usnesení o zahájení konkursního řízení

receiving room [ri'si:viŋru:m] přijímací pokoj, audienční pokoj

receiving set [ri'si:viŋset] rozhlasový n. televizní přijímač, přijímací souprava

receiving ship [ri'si:viŋšip] námoř. školní loď, základna

receiving tube [ri,si:viŋ'tju:b] **1** elektronka přijímače **2** televizní obrazovka

recency [ri:snsi] nedávnost, novost; současnost, aktuálnost (*~ in the news* aktuálnost zpravodajství); čerstvost

recension [ri'senšən] **1** redakce, revize, verze, recenze (řidč.); z|redigovaný text **2** přehled

recent [ri:snt] **1** nedávný, nový, poslední, současný, nepříliš časově vzdálený, čerstvý, moderní **2** miner. současný, recentní vzniklý v přítomné době

recently [ri:sntli] nedávno, před nedávnem, v poslední době ◆ *as ~ as* ještě (*as ~ as Easter* ještě o velikonocích); *until quite ~* až donedávna

recentness [ri:sntnis] = *recency*

recept [ri:sept] psych. empirický pojem

receptacle [ri'septəkl] **1** nádoba, nádržka; schránka **2** řidč. útočiště **3** elektrická zásuvka **4** bot. češule; květní lůžko

receptible [ri'septibl] přijatelný; schopný příjmu

reception [ri'sepšən] *s* **1** přijetí (*prepare rooms for the ~ of guests*), přijímání, příjem **2** řidč. uznání, přijetí *of* čeho, souhlas s, příklon k (*the general ~ of the Newtonian hypothesis*) **3** oficiální přivítání (*the ~ of the delegates is arranged for Monday next* podle plánu budou delegáti oficiálně přivítáni příští pondělí); recepce **4** vnímavost, chápavost, vnímání, chápání **5** příjem, poslech rozhlasu; televizní příjem, obraz ◆ *give a cordial ~ to a p.* srdečně přivítat koho; *have a favourable ~* být přijat příznivě např. kritikou; *hold a ~* pořádat recepci ● *adj* **1** přijímací; recepční **2** sběrný (*~ camp*) ◆ *~ clerk* AM recepční úředník, informátor v hotelu; *~ order* BR poukaz pro příjem choromyslného do ústavu

reception centre [ri'sepšən,sentə] ubytovací středisko pro bezdomovce

reception desk [ri'sepšəndesk] hotelová recepce, přepážka recepce

receptionist [ri'sepšənist] recepční v hotelu, recepční úředník / úřednice, sekretář|ka v předpokoji, úřednice n. sestra u příjmu pacientů

reception room [ri'sepšənru:m] **1** přijímací pokoj, audienční pokoj, salónek **2** řidč. obývací pokoj

receptive [ri'septiv] **1** vnímavý, chápavý, receptivní **2** náchylný; přístupný, ochotný ke spolupráci **3** řidč. týkající se příjmu n. přijímání **4** anat. receptivní, vnímací ◆ *be ~* mít pro něco pochopení, být pro

receptiveness [ri'septivnis] **1** vnímavost, chápavost, receptivnost **2** náchylnost, přístupnost, ochota ke spolupráci **3** schopnost příjmu

receptivity [,risep'tivəti] = *receptiveness*

receptor [ri'septə] biol. čidlo, receptor

recess [ri'ses] *s* **1** krátké přerušení, přestávka, pauza v jednání; AM přestávka ve škole **2** ústup např. ledovce, opadnutí vody, zpětný pohyb, regrese **3** výklenek, alkovna, nika (*a ~ with a writing desk*) **4** tichý / vzdálený kout, ústraní, útulek; malá zátoka; nepřístupné / nedostupné místo, hloubí, hlubina, klín (přen.) (*the dark ~es of a cave* temná nepřístupná místa jeskyně), též přen. (*the innermost ~es of the heart* nejvnitřnější hlubiny srdce) **5** odb. zahloubení, vybrání materiálu; osazení, zápich **6** anat. záhyb, splav, sinus ◆ *~ bed* vyklápěcí postel skládaná do výklenku ve zdi; *parliamentary ~* parlamentní prázdniny; *take a ~ 1.* udělat přestávku, přerušit jednání, rozejít se *2.* udělat výklenek ◆ *v* **1** umístit do prohlubně n. jamky, zahloubit, zapustit (~*ed control knobs* zapuštěné ovládací knoflíky) **2** udělat výklenek v; dát do výklenku co **3** AM přerušit, odročit (~ *negotiations until this week* odročit vyjednávání až na tento týden); udělat přestávku (*the court will now ~ for lunch* soud přerušuje zasedání: pauza na oběd); rozejít se ◆ ~*ed arch* archit. archivoltový oblouk; ~ *shelter* voj. podzemní kryt

recession [riˈsešən] **1** ústup, ustoupení, ustupování; odchod např. celebrantů od oltáře; pohyb zpět, regrese **2** prohlubeň, jamka; výklenek, nika ve zdi **3** hvězd. úprk (~ *of the galaxies*) **4** přechodný pokles obchodu / výroby, ústup konjunktury, hospodářský pokles, deprese **5** geol. = *recess, s 2*

recessional [riˈsešənl] **1** týkající se parlamentních prázdnin **2** círk. závěrečný, zpívaný při odchodu celebrantů od oltáře ◆ ~ *hymn* = ● *s* círk. závěrečná píseň zpívaná při odchodu celebrantů od oltáře

recessionary [riˈsešənəri] týkající se hospodářského poklesu

recessive [riˈsesiv] biol. *adj* recesívní ● *s* recesivita potlačení, skrytí, ústup dědičných znaků ve fonotypu kříženců

Rechabite [ri:kæbait] přen. úplný abstinent

rechamber [ri:ˈčeimbə] boj. vyměnit nábojovou komoru děla

recharge [ri:ˈča:dž] *v* **1** znovu nabít zbraň, baterii **2** znovu obžalovat, znovu obvinit **3** znovu zaútočit na, podniknout protiútok ● *s* **1** opětovné nabití, dobití, doplnění; nové nabití **2** nový útok, opětovný útok, odvetný útok, protiútok

réchauffé [riˈšəufei] *pl: réchauffés* [riˈšəufei] **1** ohřátý pokrm, ohřívané jídlo **2** přen. stará vesta, co už tady bylo, co je znovu ohřívané, stará věc v novém kabátu

recheck *v* [ri:ˈček] překontrolovat ● *s* [ri:ček] překontrolování, nová kontrola

recherché [reˈšeəšei] **1** pečlivě volený, vybraný, exkluzívní **2** hledaný, strojený, vyumělkovaný, vyspekulovaný, vykoumaný (hovor.)

rechristen [ri:ˈkrisn] znovu pokřtít, překřtít

recidivism [riˈsidivizəm] práv. recidivnost, recidivita, recidiva páchání téhož trestného činu, pro který byl pachatel již trestán

recidivist [riˈsidivist] práv. recidivista kdo se dopouští recidivy trestného činu

recidivous [riˈsidivəs] recidivní

recipe [resipi] lékařský (řidč.), kuchařský předpis, recept, receptura *for* na, též přen.

recipe book [resipibuk] kniha předpisů, receptář; kuchařská kniha, kuchařka

recipience [riˈsipiəns], řidč. **ricipiency** [riˈsipiənsi] přijetí, příjem, přijímání

recipient [riˈsipiənt] *s* **1** příjemce; adresát; komu je co udělováno **2** fyz. recipient ◆ *be the ~ of* přijmout, přijímat ● *adj* přijímající, přejímající, vnímající; schopný přijímat

reciprocal [riˈsiprəkəl] *adj* **1** protější (*a ~ muscle*); stejný, podobný, ale obrácený (*a ~ mistake*) **2** konaný na oplátku (*I had ~ help from him*); vzájemný, oboustranný (~ *love*), reciproční, též jaz. **3** mat. převrácený, převratný, reciproký ◆ ~ *bearings* námoř. vzájemné zaměření lodi; ~ *ratio* nepřímá úměrnost; ~ *service* protislužba ● *s* mat. převrácená / reciproká hodnota

reciprocality [ˌrisiprəˈkæləti], **reciprocalness** [riˈsiprəkəlnis] vzájemnost, oboustrannost, reciprocita

reciprocally [riˈsiprəkəli] **1** vzájemně, navzájem, jeden druhého, jeden druhému, jeden na druhém, naopak stejně **2** mat. v převrácených hodnotách

reciprocate [riˈsiprəkeit] **1** pohybovat | se vpřed a zpět / sem a tam **2** vyměnit si, navzájem dát a přijmout **3** oplatit *with* čím, dát oplátkou co, revanšovat se čím, udělat oplátkou totéž, opětovat, odpovědět stejně / podobně

reciprocating [riˈsiprəkeitiŋ] **1** pístový (~ *engine,* ~ *pump*); vratný (~ *motion*); střídavě posuvný (~ *grate*... rošt) **2** vzájemný, oboustranný (~ *action*) **3** v. *reciprocate* ◆ ~ *lever 1.* vahadlo *2.* kyvná páka

reciprocation [riˌsiprəˈkeišən] **1** pohyb vpřed a zpět / sem a tam, vratný pohyb **2** vzájemná výměna (~ *of courtesies*) **3** oplácení, oplátka, opětování, revanš **4** vzájemný vztah, vzájemné působení

reciprocity [ˌresiˈprosəti] **1** vzájemnost, oboustrannost (*a ~ of influence between a writer and his public*); reciprocita, též práv. **2** vzájemná výměna, spolupráce

recision [riˈsižən] anulování, zneplatnění

recital [riˈsaitl] **1** výčet, vypočítávání, vyjmenování, vyjmenovávání; vyprávění, zpráva, popis, líčení **2** úvodní část listiny **3** přednes, recitování, recitace **4** sólový / sólistický večer (*a dance ~*), recitál

recitation [ˌresiˈteišən] **1** přednášení, přednes, deklamování, deklamace, recitování, recitace **2** vypočítávání, vyjmenovávání, výčet; zopakování faktů **3** AM odříkávání zpaměti; zkouška, výsledek zkoušky (*poor ~s in history*); hodina (*ten ~s a week*)

recitative [ˌresitəˈti:v] *s* **1** recitování, deklamace **2** hud. recitativ zpěvní deklamace ● *adj* recitativní

recite [riˈsait] **1** předvést, přednášet, deklamovat, recitovat **2** vyjmenovávat, vypočítávat; práv. uvést ve výčtu všechny skutečnosti, zopakovat fakta **3** vykládat, vyprávět (~ *anecdotes*) **4** AM odříkat zpaměti; být zkoušen z (*they could only ~ what they had copied from the blackboard*); odpovídat při zkoušce

reciter [ri|saitə] **1** přednašeč, recitátor **2** sbírka básní / úryvků vhodných k recitaci
reciting-note [ri|saitiŋnəut] hud. dlouhá nota pro recitaci na jednom tónu
recivilize [ri:|sivilaiz] znovu civilizovat
reck [rek] bás., kniž. **1** dbát *of* čeho / na / o, brát zřetel na, brát v úvahu co, dělat si starosti s, starat se o (*~ing little of the morrow*) **2** záležet na, být platné co (*it ~s little to think of that now*) ◆ *what ~s it him?* co je mu do toho?, co na tom jemu záleží?
reckless [reklis] **1** nedbající *of* čeho, nehledící na, nedělající si starosti s, nemyslící na **2** bezstarostný, nedbající, ledabylý, lehkomyslný (*~ extravagance*); neuvážený, bezmyšlenkovitý, unáhlený, riskantní, hazardní (*~ gambling* riskantní hazard); nezodpovědný, neukázněný, nebezpečný, bezohledný (*~ driving* bezohledná jízda řidiče) ◆ *be ~ of danger* nedbat nebezpečí
recklessness [reklisnis] **1** nedbání, nedbalost, nedělání si žádných starostí **2** bezstarostnost, nedbalost, ledabylost, lehkomyslnost; neuváženost, bezmyšlenkovitost, unáhlenost, riskantnost, hazardnost; nezodpovědnost, neukázněnost, bezohlednost
reckon [rekən] **1** s|počítat | si, vypočítat | si (*the child can't ~ yet, ~ the cost of a holiday*); vyčíslit; napočítat (*I ~ 53 of them* já jich napočítal třiapadesát); počítat | se *from* od *to* do / k (*the existence of the U.S. is ~ed from the Declaration of Independence*) **2** počítat *on* / *upon* s, spoléhat | se na (*~ on human foolishness and greed* spoléhat na lidskou hloupost a chamtivost) **3** zúčtovat *with* s, spočítat to komu, vyřídit koho, vyrovnat si účty s (*when the fighting is over, we'll ~ with the enemy sympathizers*) **4** počítat *with* s, vzít v úvahu koho (*he is certainly a man to be ~ed with*); vyřídit *with* co, vyřešit co (*I have to ~ with many problems*) **5** pokládat, považovat (*~ virtue of more moment than security* považovat ctnost za důležitější než bezpečnost) *a p.* koho *as* za (*we ~ them as our enemies*); počítat *among* k, řadit k (*do you still ~ him among your friends?*) **6** počítat *on* podle, odvozovat od **7** AM hovor. mít za to, mít ten dojem, počítat (*I ~* řekl bych, asi, snad, mám ten dojem); myslet si, odhadovat (*how much do you ~ she earns?* kolik si myslíš, že asi vydělává?) ◆ *be ~ed 1.* být pokládán / považován za (*she was ~ed the most handsome woman at Court*) *2.* patřit *among* k, počítat se k (*he is not ~ed among the leaders*); *~ without one's host* dělat účty bez hostinského ***reckon in*** započítat, vzít při počítání v úvahu, připočítat co k (*did you ~ in the cost of a taxi?*) ***reckon over 1*** počítat | si znovu **2** znovu | si vyjmenovávat, znovu | si vypočítávat, opakovat | si (*~ ing over her wrongs* opakovala si křivdy na ní spáchané) ***reckon up*** BR hovor. *1* sečíst, spočítat (*~ up the bill*) *2* vypočítat, vyjmenovat (*I would need several pages merely to ~ the names*) *3* odhadovat, hodnotit (*~ the boys up with her keen eyes*)
reckoner [rekənə] **1** počtář **2** početní tabulky, praktický kalkulátor
reckoning [rekniŋ] **1** účet, útrata (*an old beggar who could not pay his ~*) **2** výpočet, určení např. polohy lodi **3** z|účtování, odplata **4** v. *reckon* ◆ *be out in one's ~ 1.* přepočítat se *2.* ~ námoř. dopustit se chyby ve výpočtu kursu lodi; *day of ~* den odplaty; *dead ~* výpočet, určení např. polohy lodi bez přímého zaměřování
reclaim [ri|kleim] *v* **1** žádat zpět, žádat navrácení čeho, požadovat zpět, vymáhat náhradou, reklamovat **2** opět získat, získat zpět **3** vyrvat divoké přírodě, obdělávat, kultivovat půdu; odvodňovat, vysoušet bažiny n. mořské dno; zavlažovat, zavodňovat poušť **4** ochočit; civilizovat, vychovat; polepšit, napravit, obrátit; vyvést z neřesti n. bludu **5** tech. zpracovávat odpad; regenerovat pryž **6** řidč. namítat, protestovat (*against*) proti, vyvracet co ● *s: beyond* / *past ~* nenapravitelný, nepolepšitelný
reclaimable [ri|kleiməbl] **1** žádatelný zpět, vymáhatelný, reklamovatelný; získatelný zpět **2** obdělávatelný, kultivovatelný; odvodnitelný, vysušitelný; zavlažitelný, zavodnitelný **3** ochočitelný; civilizovatelný, vychovatelný, polepšitelný, napravitelný
reclaimant [ri|kleimənt] kdo uplatňuje reklamaci, stěžovatel
reclamation [ˌreklə|meišən] **1** žádání zpět, vymáhání; stížnost, námitka, reklamování; získání zpět **2** zúrodňování dosud neplodné půdy, obděláváním, kultivace; vysoušení, odvodňování mořského dna; zavlažování, zavodňování pouště **3** zpracování odpadu; regenerace pryže
réclame [rei|kla:m] **1** reklama, propagace **2** odezva ve veřejnosti **3** schopnost se propagovat, umění dělat si reklamu
reclassify [ri:|klæsifai] (*-ie-*) **1** přeřadit, dát do jiné kategorie **2** znovu klasifikovat, jinak klasifikovat
reclinate [reklineit] bot. převislý, dolů visící, nicí
recline [ri|klain] **1** položit | se (*~s her head a little*), lehnout si, ležet (*on a sofa ~d a pretty woman*), položit *against* na (*she ~d her head against his shoulder* položila mu hlavu na rameno) **2** opírat se, opřít se *against* o (*~ against the mantelpiece* opřít se o římsu krbu); opírat se *upon* o, pevně se spoléhat na **3** naklonit dozadu (*~d the seat a little*)
recliner [ri|klainə] **1** kdo n. co se pokládá, opírá n. naklání **2** = *reclining chair*
reclining chair [ri|klainiŋ|čeə] lehátko, chaise longue
reclosure [ri:|kləužə] **1** opětné zavření **2** elektr. opětné zapojení

reclothe [riː'kləuð] znovu n. nově obléknout, znovu odít
reclothing [riː'kləuðiŋ] v. *recloth* ◆ ~ *point* voj. výdejna výstroje
recluse [ri'kluːs] *s* člověk žijící stranou, samotář, poustevník ● *adj* odloučený, samotářský, odloučený, poustevnický
reclusion [ri'kluːžən] **1** odloučenost, samotářství **2** samovazba, samotka (slang.)
recoal [ri'kəul] dát čemu novou zásobu uhlí, zásobit uhlím (~ *a ship*); brát novou zásobu uhlí, doplnit uhelné zásoby (*travelled without* ~*ing*)
recoat [riː'kəut] znovu natřít, znovu nalakovat, přetřít, přelakovat, znovu pokovovat
recognition [ˌrekəg'nišən] **1** poznání **2** uznání **3** zjišťování, průzkum ◆ *in* ~ *of* jako projev uznání za; ~ *lights* poznávací světla lodi; *past all* ~ neznatelný, už nezjistitelný, nerozeznatelný; ~ *signal* poznávací signál lodi; *win* ~ prosadit se, získat uznání
recognitory [ri'kognitəri] řidč. poznávací, rozeznávací
recognizable [rekəgnaizəbl] **1** poznatelný, rozeznatelný, zjistitelný, zřejmý, patrný, zřetelný **2** uznatelný
recognizance [ri'kognizəns] **1** práv.: písemný závazek, písemná záruka, slib, uznání nároku před soudem **2** kauce, záruka, jistota ◆ *enter into* ~*s* podepsat závazek / záruku
recognizant [ri'kognizənt] uznávající *of* co, rozeznávající co, uvědomující si co ◆ *be* ~ *of* uznávat co
recognize [rekəgnaiz] **1** znovu poznat **2** dát najevo, že koho zná (*refused to* ~ *him when he walked into the room* když vstoupil do místnosti, dělala, že ho nezná), znát se k, mluvit s (*the Browns no longer* ~ *the Smiths*) **3** zjistit *a p.* o kom *as* že je (*he* ~*d her as a fraud* zjistil o ní, že je podvodnice); zkoumat, dělat průzkum **4** uznat (~ *a new government, he* ~*d that he was not qualified*), uznávat (*everyone* ~*d him to be the greatest authority on ancient Roman coins*) *as* za (~ *as king*); vyjádřit uznání za (~ *services*) **5** práv. uznat např. dluh, uznat za vlastní nemanželské dítě
recoil *v* [ri'koil] ucouvnout *from* před, ucuknout, stáhnout se, přikrčit se, trhnout sebou zpět, uskočit, odskočit; zarazit se **2** štítit se *from* čeho, děsit se při pomyšlení na / čeho **3** střelná zbraň trhnout zpět; dělo mít zákluz **4** pružit; přen. vrátit se zpět jako bumerang *upon* na, padnout zpět na hlavu koho, obrátit se zpět na (*their hatred* ~*ed upon themselves* jejich nenávist se na ně vrátila jako bumerang) **5** řidř. ustoupit, stáhnout se zpět (*the troops* ~*ed before the savage onslaught* vojska ustoupila před zuřivým náporem); zapotácet se zpět **6** odejít do ústraní, uchýlit se (~ *into wilderness* uchýlit se do pustiny) ● *s* [riːkoil] **1** zpětný ráz pušky; zákluz děla **2** reakce *from* za (~ *from scepticism*); zpětný účinek čeho, odpor proti
recoilless [riːkoillis] voj. bezzákluzný (~ *rifle* bezzákluzná puška)
recoin [riː'koin] **1** znovu razit mince, též přen. **2** roztavit staré mince a znovu z jejich kovu razit nové
recoinage [riː'koinidž] **1** nové n. opětovné ražení mince **2** znovu ražená mince
recollect[1] [ˌrekə'lekt] vybavit si v paměti, dát si dohromady, vzpomínat si, vzpomenout si, uvědomovat si (~*ed having seen her somewhere*) ***recollect o.s.*** *1* upamatovat se, vzpomenout si (*he* ~*ed himself just in time and addressed her by name*) *2* soustředit se, soustředit / usebrat své myšlenky (*he could not* ~ *himself in church*)
recollect[2] [ˌriːkə'lekt] znovu sesbírat, znovu dát dohromady, znovu shromáždit (~*ing the frightened chicks* znovu shromáždit vyplašená kuřata)
recollection [ˌrekə'lekšən] **1** vzpomínka *of* na, vzpomínání, pamatování, paměť, doba, na níž si kdo ještě pamatuje (*it happened within my* ~ pamatuji se, když se to stalo) **2** nábož. soustředění, usebrání, obnova, rekolekce **3** ~*s, pl* pozdravy, vzpomínky ◆ *it is within my* ~ *that* vzpomínám si, že / pamatuji se, mám v dobré paměti, že
recolonize [riː'kolənaiz] znovu osídlit, znovu kolonizovat
recolonization [riːˌkolənai'zeišən] nové / obnovené osídlení, nová kolonizace; nové / opětovné kolonizování, rekolonizace
recolour [riː'kalə] znovu obarvit, přebarvit, znovu natřít, přetřít barvou
recombination [ˌriːkəmbi'neišən] **1** nové spojení, nové zkombinování, rekombinace genů **2** chem. rekombinace zpětné složení iontů v neutrální molekuly
recombine [riː'kombain] znovu smísit, znovu spojit ◆ ~*d milk* mléko připravené ze sušeného mléka a vody
recomfort [riː'kamfət] **1** řidč. potěšit, utěšit, uklidnit **2** osvěžit, posílit, posilnit koho
recommence [ˌriːkə'mens] **1** znovu začít, začít zase od začátku **2** obnovit
recommencement [ˌriːkə'mensmənt] **1** nový / opětovný začátek, začínání zase od začátku **2** obnova, obnovení
recommend [ˌrekə'mend] **1** doporučit *a t.* co *to* komu, (*can you* ~ *Miss Hill as a good typist?*); po|radit (*I* ~ *you not to disobey your officers* radím ti, abys neodmítal poslouchat své důstojníky) **2** stavět do příznivého světla, být dobrým doporučením koho (*travelling by air has much to* ~ *it* cestování letadlem má velké výhody), u|dělat reklamu komu (přen.) (*behaviour of that sort will not* ~ *you* takovéhle chování ti žádnou velkou reklamu dělat nebude) **3** poroučet, svěřit, dát do ochrany (~ *one's soul to God*)

recommendable [ˌrekəˈmendəbl] **1** doporučitelný, zasluhující doporučení (*a highly ~ novel*) **2** obezřelý, prozíravý ◆ *it is ~* doporučuje se, je radno
recommendation [ˌrekəmenˈdeišən] **1** doporučování; doporučení, přímluva **2** rada
recommendatory [ˌrekəˈmendətəri] doporučující ◆ *~ letter* doporučující list, doporučení
recommission [ˌri:kəˈmišən] **1** reaktivovat např. důstojníka **2** znovu zařadit do služby loď
recommit [ˌri:kəˈmit] (*-tt-*) **1** vrátit návrh zákona zpět výboru **2** znovu svěřit, znovu předat *to* komu **3** znovu provést, znovu spáchat (*~ted the same offence* znovu spáchat stejný přestupek); znovu zatknout
recommital [ˌri:kəˈmitl] = *recommitment*
recommitment [ˌri:kəˈmitmənt] **1** vrácení návrhu zákona zpět výboru **2** nové / opětovné svěření **3** opětovné spáchání, recidiva; opětovné zatčení
recompense [rekəmpens] *v* **1** oplatit, odplatit, odměnit (*~ good with evil* odměnit dobro zlem); potrestat **2** vy|nahradit *a p.* komu *for* co (*~ a p. for his troubles* vynahradit komu jeho námahu), dát náhradu *a t.* za co *to* komu (*~ a loss to a p.* nahradit komu ztrátu), odškodnit za, rekompenzovat co ● *s* **1** odplata, odměna; trest **2** náhrada, odškodné
recompose [ˌri:kəmˈpəuz] **1** znovu složit, znovu spojit; znovu uvést do pořádku **2** nově seřadit, přeřadit, přeskupit **3** přen. znovu uklidit, urovnat **4** polygr. znovu vysadit, přesadit
recomposition [ˌri:kəmpəˈzišən] **1** nové složení n. spojení **2** nové seřazení, přeřazení, přeskupení **3** polygr. nová sazba, přesazba
recompound [ri:ˈkompaund] znovu složit dohromady, znovu smísit, utvořit novou směs
reconcentrate [ri:ˈkonsentreit] znovu | se soustředit
reconcentration [ri:ˌkonsənˈtreišən] opětovné / nové soustředění
reconcilability [ˌrekənsailəˈbiləti] srovnatelnost, slučitelnost; u|smířitelnost
reconcilable [rekənsailəbl] **1** srovnatelný, slučitelný *with* s čím; u|smiřitelný **2** řidč. smířlivý, smírný
reconcile [rekənsail] **1** u|smířit *a p.* koho *to* / *with* s (*~ someone to his fate* smířit někoho s jeho osudem), přivést ke smíru (*~ hostile persons* usmířit znepřátelené osoby) **2** srovnat, narovnat, urovnat, smírně vyřešit (*~ differences* smírně vyřešit rozdíly) **3** srovnat, sloučit (*cannot ~ what you say with the facts of the case*); sladit, uvést v soulad (*~ a checkbook with a bank statement* uvést šekovou knížku do souladu s bankovním výkazem) **4** nábož. přijmout zpět, přivést zpátky *with* do církve; znovu vysvětit znesvěcený kostel ◆ *be ~d* jít dohromady, hodit se k sobě, souhlasit, srovnávat se, být slučitelný, rýmovat se *with* s (*how can this decision be ~d with justice* jak se toto rozhodnutí srovnává se spravedlností); *become ~d* smířit se časem s nepříjemným *reconcile o. s.* smířit se, vyrovnat se *to* s nepříjemností
reconciliation [ˌrekənsiliˈeišən] **1** smír, smíření, usmíření **2** srovnání, narovnání, urovnání, smírné řešení **3** srovnání, sloučení, sladění, soulad, harmonie **4** nábož. smíření s Bohem; návrat do církve; nové vysvěcení kostela
reconciliatory [ˌrekənˈsiliətəri] smířlivý, smírný
recondite [riˈkondait] **1** temný, nejasný, těžko srozumitelný, výlučný (*a ~ book*); málo známý, obskurní, zapadlý (*a ~ author*) **2** řidč. skrytý, schovaný
recondition [ˌri:kənˈdišən] **1** opravit, uvést znovu do pořádku, přivést do správného stavu, znovu seřídit, vyladit; obnovit; opravit **2** přeškolit, převychovat; jinak uzpůsobit
reconduct [ˌri:kənˈdakt] vést zpět
reconfigure [ˌri:kənˈfigə] předělat, přešít (hovor.), změnit tvar n. součásti čeho
reconnaissance [riˈkonisəns] **1** průzkum, obhlídka, prozkoumání, rekognoskace **2** průzkumný oddíl ◆ *~ aircraft* průzkumný letoun; *~ flare* padáková světlice; *~ in force* násilný průzkum, ozbrojený průzkum, průzkum s bojem; *~ intelligence* výsledek průzkumu; *~ patrol* průzkumná hlídka; *~ scout* průzkumník; *~ vehicle* průzkumné vozidlo
reconnoitre [ˌrekəˈnoitə] *v* provádět průzkum čeho, prozkoumávat co, rekognoskovat co ● *s* řidč. průzkum, obhlídka, prozkoumávání, rekognoskace
reconnoitrer [ˌrekəˈnoitərə] průzkumník
reconquer [ri:ˈkoŋkə] znovu dobýt
reconquest [ri:koŋkwest] opětovné dobytí
reconsider [ˌri:kənˈsidə] **1** znovu uvážit, rozvážit, znovu si promyslet / rozmyslet (*~ one's decision* znovu uvážit své rozhodnutí) **2** polit. dát znovu na pořad jednání, dát znovu hlasovat o
reconsideration [ˈri:kənˌsidəˈreišən] **1** nová / opětovná úvaha, rozmyšlení, nové promyšlení **2** polit. nové projednávání, nové hlasování
reconstituent [ˌri:kənˈstitjuənt] potrava pro rekonvalescenty
reconstitute [ri:ˈkonstitju:t] **1** rekonstruovat (*~ a fragmentary text*), reorganizovat (*~ bankrupt company*), znovu ustavit / postavit, rekonstituovat **2** rozředit koncentrovanou ovocnou šťávu ◆ *~d milk* mléko připravené ze sušeného mléka a vody
reconstitution [ri:ˌkonstiˈtju:šən] **1** reorganizace, rekonstituce, opětovné ustavení **2** ve francouzském prostředí rekonstrukce zločinu na místě
reconstruct [ˌri:kənˈstrakt] **1** znovu postavit, znovu vybudovat, obnovit v původní podobě, opravit, rekonstruovat | si **2** předělat, přestavět, přebudovat, přeformovat; reorganizovat **3** AM získat pro nový společenský řád
reconstruction [ˌri:kənˈstrakšən] **1** obnova, opra-

va, znovuvybudování, rekonstrukce **2** předělání, přestavění, přebudování, přeformování; reorganizace **3** *R*~ AM hist.: údobí obnovy Spojených Států po občanské válce 1865–77

reconvene [ˌri:kənˈvi:n] znovu se sejít; znovu svolat

reconversion [ˌri:kənˈvə:šən] **1** přeměna zpět, zpětná přeměna, přeměna na původní stav **2** převedení podniku na mírovou výrobu, konverze zbrojního průmyslu **3** nábož. konverze zpět na původní víru

reconvert [ˌri:kənˈvə:t] **1** znovu | se změnit, změnit | se zpět **2** přeměnit na původní stav; převést na mírovou výrobu průmysl **3** nábož. konvertovat zpět na původní víru

reconvey [ˌri:kənˈvei] **1** dopravit zpět, vrátit na dřívější místo **2** vrátit dřívějšímu majiteli

record *v* [riˈko:d] **1** zapsat, zapisovat, zaznamenat, zanést, zaprotokolovat, u|dělat zápis čeho **2** popisovat, líčit, zachycovat (*this volume ~s the story of the regiment*); zápis říkat, znít (*the document ~s that the battle took place six years earlier*) **3** za|registrovat (*the earthquake has been ~ed by the seismograph* seismograf zaregistroval zemětřesení); přístroj ukazovat, naměřit (*the thermometer ~ed 40 °C* teploměr naměřil 40 °C) **4** transkribovat např. fonetickými znaky **5** zachytit hlas, podobu, u|dělat zvukový / obrazový záznam čeho (*the gramophone has ~ed his voice and the camera has ~ed his features* gramofon zachytil jeho hlas a kamera jeho podobu); nahrát na desky / na pásek / na ampex (*the company has ~ed most of Shakespeare's plays*) **6** pták zkoušet zpívat, zkoušet melodii, ladit, zkusmo trylkovat ♦ *~ing angel* anděl zapisující dobré a špatné skutky lidí ● *s* [reko:d] **1** záznam, zápis, protokol *of* o (*a ~ of road accidents*); dokument, listina; doklad *of* čeho, o (*~s of ancient civilizations are still being excavated* stále ještě jsou vykopávány doklady starých civilizací); *~s, pl* akta, spisy, archiv, rejstřík, kartotéka **2** výkaz, deník, památník, kronika **3** dosažený výsledek, celkové / souhrnné úsilí **4** dosavadní činnost (*your ~ is in your favour* vaše dosavadní činnost svědčí ve váš prospěch); pověst o činnosti (*that airline has a bad ~*); činy, skutky, minulost (*the Foreign Minister defended his ~ to thunderous applause* ministr zahraničí obhájil svou minulost a byl zato odměněn hromovým potleskem); vysvědčení (přen.) **5** úspěch; proslulost, též iron. **6** památka, vzpomínka, upomínka *of* na (*keep this souvenir as a ~ of your visit*) **7** seznam, rejstřík, kartotéka (*look at the ~ of candidates*) **8** nahrávka, zvukový / obrazový / ampexový záznam (*a disc with a ~ of a Beethoven piano sonata on each side*); gramofonová deska; váleček diktafonu; pásek magnetofonu **9** nejlepší výkon, rekord, též sport. ♦ *bear ~ to* podat svědectví o, dosvědčit co, dát vysvědčení o (*I can bear ~ to his previous good conduct* mohu dosvědčit jeho dosavadní dobré chování); *beat / break the ~* zlomit / překonat rekord; *call to ~* volat za svědka; *court ~* soudní zápis, protokol; *court of ~* soud, kde se sepisují a jsou uschovány soudní zápisy; *criminal ~ 1.* trestní rejstřík *2.* zločinecká minulost; *for the ~* žádám, aby bylo zaprotokolováno, zapište, oficiálně prohlašuji; *~ form* dotazník; *to get the ~ straight* aby nedošlo k omylu; *go on ~* veřejně prohlásit, netajit se, dát písemně, *have a ~* zločinec být už trestaný, být v policejním rejstříku; *hold the ~* být držitelem rekordu; *keep a ~ of a t.* vést záznam čeho / o; *keep to the ~ 1.* držet se dokladů *2.* přen. držet se tématu, neodbíhat; *make a good | bad ~* dosáhnout dobrých | špatných výsledků (*he made a good ~ in college*); *matter of ~ 1.* něco doloženého, autentického, fakt, skutečnost *2.* dokazatelná věc ze zápisu; *of ~ 1.* registrovaný *2.* doložený, dokazatelný, skutečný, autentický, prokazatelný (*a reversal of opinion that is of ~* dokazatelný obrat v nazírání); *off the ~* hovor. neoficiální, mimo zápis / protokol, soukromý, co nepřijde do zápisu, neprotokolovaný, důvěrný, co se nesmí zveřejnit (*what the President said at his press conference was off the ~*); *it is on ~* jsou doklady o tom, že, podle záznamů / zápisů; *a t. on a p.'s ~* co je komu připisováno, co má kdo na svědomí; *police ~* policejní rejstřík; *Public R~ Office* BR Státní archív; *put o.s. on ~* projevit se veřejně, dát se slyšet, být ochoten se dát citovat; *to put the ~ straight = to get the ~ straight; requisition ~* žádanka na materiál; *to set the ~ straight = to get the ~ straight; ~ system* lístkovnice, kartotéka; *take to ~* volat za svědka; *travel out of the ~ 1.* nedržet se (pouze) dokladů *2.* přen. nedržet se tématu ● *adj* [reko:d] rekordní (*the ~ height*)

record-breaking [ˈreko:dˌbreikiŋ] rekordní, tvořící nový rekord (*a ~ high jump*)

record-changer [ˈreko:dˌčeindžə] měnič gramofonových desek, gramoměnič

recorder [riˈko:də] **1** BR soudní úředník ve věcech občanských a trestních, městský soudce; AM soudce ve všech trestních **2** zapisovatel, zapisovač; vedoucí protokolu; inspektor **3** záznamové / nahrávací zařízení; zapisovací přístroj; registrační přístroj, zapisovač **4** zvuková kamera **5** hud. zobcová flétna; flažoletový rejstřík varhan ♦ *course ~* námoř. kursograf; *distance ~* námoř. přístroj zaznamenávající ujetou vzdálenost

recordership [riˈko:dəšip] soudcovství hodnost i údobí

record film [reko:dfilm] dokumentární film

recording [riˈko:diŋ] **1** zvukový záznam (*a B.B.C. ~*), nahrávka (*I have a good ~ of this opera*) **2** natáčení, nahrávání (*the ~ took place at the* *studio*); nahrávací frekvence **3** v. *record*, v ♦ ~ *equipment* nahrávací zařízení; ~ *instrument* zapisovací přístroj, registrační přístroj, zapisovač

recording head [riˈko:diŋhed] **1** záznamová hlava, rycí hlava **2** nahrávací hlavice magnetofonu

recording reproducer [riˌko:diŋˌri:prəˈdju:sə] řidč. magnetofon

recording tape [riˈko:diŋteip] magnetofonový pásek

record library [ˌreko:dˈlaibrəri] diskotéka, archív gramofonových desek

record player [ˌreko:dˈpleiə] gramofon zejm. malý n. s elektro-akustickou přenoskou

recount[1] [riˈkaunt] **1** podrobně líčit, popisovat, vyprávět děj **2** vypočítávat (~*ing all their victories*)

re-count[2] [ri:ˈkaunt] *v* znovu počítávat / sčítat, přepočítat ● *s* nové sčítání hlasů, přepočítávání hlasů

recountal [riˈkauntl] podrobné vy|líčení, popis, vyprávění

recoup [riˈku:p] **1** práv. srazit si, odečíst část dluhu **2** nahradit *for* ztrátu, odškodnit za, dostat / dát náhradu, odškodnění za **3** získat zpět (*attempt to* ~ *his fortunes* snažit se získat zpět svůj majetek, *try to* ~ *their strength*) **4** vzpamatovat se, zotavit se po ztrátě (*he needed time to* ~) ***recoup o.s.*** nahradit si, odškodnit se, hojit se

recoupment [riˈku:pmənt] **1** náhrada, odškodnění **2** sražení, odečtení části dluhu

recourse [riˈko:s] **1** pomoc, opora, útočiště, východisko **2** postih, regres; odvolání, rekurs; opravný prostředek ♦ *have* ~ *to* obrátit se o pomoc na, sáhnout v nouzi k, uchýlit se v nouzi k, vzít na pomoc co (*does not hesitate to have* ~ *to religion* neváhá se utíkat k náboženství); *without* ~ bez postihu doložka na směnce; *without* ~ *to* bez možnosti použít v nouzi čeho

recover[1] [riˈkavə] *v* **1** znovu získat; získat zpět, dostat nazpátek (~ *what was lost*), znovu / zpět nabýt (~ *consciousness* znovu nabýt vědomí), dohonit (*we soon* ~*ed lost time*), obnovovat, sbírat (*I am* ~*ing my strength* sbírám znovu sílu), znovu chytit (*sat down to* ~ *his breath* posadil se, aby znova chytil dech), obnovit **2** znovu najít, objevit, zachytit (~ *the trail of a fugitive* znovu zachytit stopu uprchlíka), znovu odhalit, rozluštit, příjít na (~ *the lost secrets of ancient glassblowers* rozluštit ztracená tajemství antických foukačů skla) **3** soudně získat, dobýt (~ *the title to a disputed property* rozhodnutím soudu získal nárok na sporný majetek); být odškodněn, dostat náhradu **4** refundovat **5** vy|nahradit |si (*hoped to* ~ *his gambling with a big coup* doufal, že si vynahradí ztráty z hazardní hry velkou výhrou) **6** zotavit se (~*ing from his illness*), uzdravit se (*I doubt whether he will* ~ pochybuji, že se uzdraví) **7** vzpamatovat se *from* z (*I haven't yet* ~*ed from my astonishment* ještě jsem se nevzpamatoval z překvapení), vzchopit se (*he almost fell, but quickly* ~*ed* (*himself*)); narovnat se, napřímit se **8** regenerovat; navrátit se pružně do původního stavu **9** zvednout / postavit koně na nohy, pomoci vstát koni **10** vyprostit (*National Guards* ~*ed the bodies of the victims* Národní garda vyprošťovala těla obětí); vyzvednout z vody (*the wrecked plane had been* ~*ed* ztroskotané letadlo bylo vytaženo z vody) **11** získat chemickou cestou (~ *gold from ore with cyanide* získat zlato z rudy pomocí kyanidu); rekuperovat (tech.) **12** řidč. znovu dosáhnout čeho, znovu se dostat na (~*ed the shore with difficulty*) **13** polygr. znovu vysadit, znovu odlít sazbu **14** vrátit se do krytu (~ *after a lunge in fencing* vrátit se při šermu po výpadu do krytu), připravit se (~ *for the next rowing stroke* připravit se na další záběr veslem); uložit vesla po veslování ♦ ~ *one's balance* / *composure* uklidnit se, vzchopit se, vzpamatovat se, získat zpět duševní rovnováhu; ~ *damages* dostat náhradu škody, být odškodněn; ~ *land from sea* vysoušet / obdělávat / kultivovat mořské dno; ~ *one's legs* postavit se zase na nohy, znovu vstát; ~ *to life* přivést zpět k životu, vzkřísit; ~ *one's voice* moci opět promluvit, komu vrátit se hlas; ~*sword* *1.* opět vykrýt soupeřův útok *2.* vztyčit zbraň s jílcem u brady fáze šermířského pozdravu ***recover o.s.*** *1* narovnat se; vzchopit se, vzpamatovat se, získat zpět rovnováhu, též přen. *2* zotavit se, uzdravit se ● *s* sport. vrácení do základního postavení, střeh

re-cover[2] [ri:ˈkavə] **1** znovu přikrýt **2** znovu potáhnout, dát nový potah na (~ *an upholstered couch* dát nový potah na čalouněné lehátko)

recoverable [riˈkavərəbl] **1** znovu dosažitelný / objevitelný / obnovitelný **2** získatelný nazpět; dobytný; placený, hrazený, nahrazovaný, uhrazovaný ♦ ~ *debt* žalovatelná pohledávka

recovery [riˈkavəri] (*-ie-*) **1** získání zpět: znovuzískání, znovunabytí, obnova **2** znovunajití, znovunalezení, znovuzachycení, opětné odhalení / objevení, opětné rozluštění **3** zlepšení zdravotního stavu, uzdravení, zotavení, zotavování, rekonvalescence (~ *from a heart attack*) **4** soudní dobývání nazpět, vymáhání; náhrada, odškodnění, refundace **5** narovnání, napřímení, vzchopení se, vzpamatování se **6** hospodářské zotavení **7** vyproštění, vyzvednutí z vody **8** tech. rekuperace; regenerace; výtěžek **9** sport. návrat do výchozího postavení; bod na konci záběru, kdy se veslo zvedá z vody a vrací se do počáteční polohy záběru; uložení vesel po veslování; golf vybrání **10** let. srovnání, vyrovnání polohy; vybrání vývrtky; stažení balónu **11** pojišť. postih, regres; vratka škodová ♦ *beyond* ~ *1.* nevyléčitelně nemocný *2.* nenávratně ztracený;

~ *of debts* inkaso, vymáhání dluhů; *past* ~ *1.* nevyléčitelně nemocný *2.* nenávratně ztracený; ~ *of trade* opětný vzestup obchodu
recovery party [ri|kavəri|pa:ti] záchranná četa
recovery room [ri|kavəri|ru:m] pokoj intenzívní postoperační péče
recreance [rekriəns] = *recreancy*
recreancy [rekriənsi] kniž., bás. **1** odpadlictví, odrodilství, renegátství, odštěpenectví, apostazie **2** zbabělost
recreant [rekriənt] kniž., bás. *adj* **1** odpadlý, odpadlický, odrodilecký, renegátský, odštěpenecký **2** zbabělý, sketský (řidč.), podlý ● *s* **1** odpadlík, odrodilec, renegát, odštěpenec, apostata **2** zbabělec, sketa, podlec
recreate[1] [rekrieit] **1** osvěžit, občerstvit, vzpružit **2** po|bavit, rozptýlit, potěšit, rekreovat ***recreate o.s.*** *1* osvěžit se, občerstvit se, okřát *2* oddechnout si, odpočinout si, po|bavit se, rozptýlit se, potěšit se, rekreovat se
re-create[2] [|ri:kri|eit] **1** znovu stvořit, přetvořit, obrodit, obnovit **2** vytvořit si v duchu
recreation[1] [|rekri|eišən] **1** osvěžení, občerstvení, vzpruha **2** zábava, zotavení, kratochvíle, potěšení, rekreace ◆ ~ *leave* zotavená; ~ *room* AM klubovna, společenská místnost
re-creation[2] [|ri:kri|eišən] **1** obnova, obnovení, obnova **2** opětovné stvoření
recreational [|rekri|eišənl] zábavný, zábavní, rekreační
recreation ground [|rekri|eišən|graund] dětské hřiště s houpačkami apod.
recreative [rekrietiv] zábavný, kratochvilný, pro osvěžení, rekreační (*the* ~ *literature of the day* současná ...)
recrement [rekrimənt] **1** biol.: znovu vstřebatelný výměšek, sekret **2** struska **3** řidč. odpad
recrementitious [|rekrimen|tišəs] **1** biol. vyměšovací, sekreční **2** nečistý; odpadový, nadbytečný, zbytečný
recriminate [ri|krimineit] pronést protiobvinění, obvinit žalobce, rekriminovat
recrimination [ri|krimi|neišən] protiobvinění, vzájemné obvinění, rekriminace
recriminative [ri|kriminətiv] obsahující protiobvinění, obviňující žalobce, rekriminační
recriminitory [ri|kriminətəri] = *recriminative*
recross [ri:|kros] **1** znovu | se zkřížit (*his legs* ~*ing*) **2** znovu přejít (~ *the floor*), znovu přeplout, znovu překřížit, znovu křižovat po
recrown [ri:|kraun] znovu korunovat
recrudesce [|ri:kru|des] **1** znovu se vyskytnout, znovu vyrazit, znovu vypuknout / propuknout / řádit **2** zranění znovu se otevřít, zjitřit se
recrudescence [|ri:kru|desns] **1** opětovný výskyt, opětovný úkaz negativního, opětovné vypuknutí / propuknutí **2** zjitření zranění
recrudescent [|ri:kru|desnt] **1** opakující se, znovu se vyskytující (*a* ~ *typhus*) **2** znovu propukávající (*a* ~ *discontent among the factory workers* ... nepokoj mezi továrními dělníky)
recruit [ri|kru:t] *s* **1** branec, odvedenec, nováček, rekrut **2** nový příslušník, získaný člen, nováček; začátečník **3** AM vojín **4** řidč. posila, přírůstek ● *v* **1** odvádět na vojnu, verbovat; získávat členy, rekrutovat **2** sebrat, sbírat vojsko; posílit, doplňovat, rozšiřovat, zvětšovat **3** posílit se, z|restaurovat se, z|rekreovat se, dát se do pořádku (*he has gone to the country to* ~) ◆ *be* ~*ed from* pocházet, rekrutovat se z
recruital [ri|kru:tl] posílení, osvěžení, zrestaurování
recruiting [ri|kru:tiŋ] **2** doplnění, posilnění **2** v. *recruit, v*
recruiting office [ri|kru:tiŋ|ofis] odvodní kancelář
recruiting officer [ri|kru:tiŋ|oficə] **1** verbíř, důstojník doplňovací služby, odvádějící důstojník **2** propagandista, náborář
recruiting sergeant [ri|kru:tiŋ|sa:džənt] verbíř, poddůstojník doplňovací služby
recruitment [ri|kru:tmənt] **1** posila, posilnění, doplnění, doplňování, rozšiřování **2** odvádění, verbování, získávání, nábor (*a* ~ *of teachers*); přijímání zaměstnanců
recrystallization [ri:|kristəlai|zeišən] chem. překrystalování, rekrystalizace
recta [rektə] v. *rectum*
rectal [rektəl] konečníkový, rektální
rectangle [rek|tæŋgl] obdélník, pravoúhlý čtyřúhelník
rectangled [rek|tæŋgld] pravoúhlý
rectangular [rek|tæŋgjulə] **1** pravoúhlý; pravoúhelníkový **2** obdélníkový, obdélný
rectangularity [rek|tæŋgju|lærəti] **1** pravoúhlost **2** přen. hranatost, ztrnulost, kostnatost
rectifiable [rektifaiəbl] opravitelný, spravitelný, napravitelný, korigovatelný (~ *error*)
rectification [|rektifi|keišən] **1** opravení, oprava, náprava, napravení, z|korigování, korekce **2** usměrnění, upravení, seřízení **3** elektr. usměrňování; detekce **4** rektifikace seřízení přístroje; oprava naměřených výsledků; přečištění kapaliny redestilací; stanovení délky oblouku křivky
rectifier [rektifaiə] **1** usměrňovač **2** detektor **3** námoř. přístroj k vyloučení deviace lodi
rectify [rektifai] (-ie-) opravit, spravit, napravit, korigovat, dát do pořádku (*mistakes that cannot be rectified* chyby, které ...) **2** usměrňovat, též elektr., upravit, seřídit **3** rektifikovat seřídit přístroj; opravit naměřené výsledky; přečistit kapalinu redestilací; stanovit délku oblouku křivky
rectilineal [|rekti|liniəl] = *rectilinear*
rectilinear [|rekti|liniə] **1** přímočarý, přímkový, přímý **2** archit. perpendikulární

rectilinearity [ˌrektiliniˈærəti] **1** přímočarost, přímost **2** archit. perpendikulárnost
rectitude [rektitju:d] **1** charakternost, čestnost, poctivost, rovnost, přímost (*the* ~ *of his motives*) **2** správnost, řádnost (~ *of judgement* správnost úsudku) **3** řidč. rovnost, přímost např. čáry
recto [rektəu] *pl: rectos* [rektəuz] **1** pravá stránka, lichá stránka knihy **2** první / přední stránka, líc listu papíru
rector [rektə] **1** rektor ředitel univerzity n. ředitel katolické koleje n. semináře zejm. na evropské pevnině; BR anglikánský farář požívající plné prebendy; AM hlava laické duchovní rady presbyteriánů **2** hlava farnosti, pastor, farář, administrátor **3** BR řidč. ředitel univerzitní koleje; SC ředitel školy
rectorate [rektərit] **1** rektorát hodnost, úřadovna i údobí **2** fara, farářování **3** ředitelna; ředitelování
rectorial [rekˈto:riəl] *adj* **1** rektorský; pastorský **2** panovnický, vladařský ● *s* SC volba univerzitního rektora; volba ředitele školy apod.
rectorship [rektəšip] **1** rektorství hodnost i údobí **2** farářství, farářování **3** ředitelství, ředitelování
rectory [rektəri] (*-ie-*) **1** BR prebenda anglikánského faráře **2** fara
rectress [rektris] **1** rektorka; ředitelka **2** hovor. rektorka, rektorová, farářová manželka anglikánského faráře-rektora
rectrix [rektriks] *pl: rectrices* [rekˈtraisi:z] zool. rýdovací péro
rectum [rektəm] *pl: recta* [rektə] anat. konečník, rektum
recumbence [riˈkambəns] = *recumbency*
recumbency [riˈkambənsi] **1** poloha v leže, ležení **2** naklonění, náklon, opírání **3** přen. klid
recumbent [riˈkambənt] *adj* **1** ležící zejm. na zádech, ležatý, v leže, ležmo **2** zool., bot. nakloněný, opřený **3** nečinný, zahálející ● *s* ležící postava, ležící zvíře
recuperable [riˈkjupərəbl] zotavitelný, který se může zotavit n. vzpamatovat
recuperate [riˈkju:pəreit] **1** zotavit se, sebrat síly, po|okřát; získat zpět (*recuperating health and strength after pneumonia* nabývající opět zdraví a sílu po zápalu plic) **2** zrestaurovat se, vzpamatovat se finančně **3** tech. zpětně získávat, rekuperovat **4** provádět rekuperaci
recuperation [riˌkju:pəˈreišən] **1** zotavení, pookřání, rekreace **2** zrestaurování finanční **3** tech. zpětné získávání, rekuperace shromážďování odpadních látek n. energie k opětnému použití
recuperative [riˈkju:pərətiv] *adj* posilující, osvěžující, vracející síly ● *s* hnojivo
recuperator [riˈkju:pəreitə] **1** rekuperátor **2** tech. vratník
recur [riˈkə:] (*-rr-*) **1** vrátit se, vracet se *to* k; znovu se opakovat, znovu se vyskytnout, znovu se vynořit; myšlenka znovu napadnout **2** uchýlit se k, sáhnout k
recurrence [riˈkarəns] **1** opakování, opětovný výskyt (~*s of faith and resignation* opakování víry a rezignace); opakovaná skutečnost **2** snaha o řešení problému *to* čím, hledání východiska v (*the treaty should eliminate further* ~ *to armed action* smlouva by měla vyloučit další snahy o řešení problému ozbrojenou akcí)
recurrent [riˈkarənt] *adj* **1** vracející se, opakující se zejm. periodicky, znovu se vyskytující / vynořující / objevující; stálý, trvalý, periodický **2** biol. vedoucí dozadu (*the radial* ~ *artery*) ◆ ~ *decimal* mat. periodický desetinný zlomek; ~ *fever* návratná horečka ● *s* biol. tepna / nerv vracející se dozadu
recurring [riˈkə:riŋ] v. *recur* ◆ ~ *curve* řidč. kružnice; ~ *decimal* periodický desetinný zlomek
recursive [ri:ˈkə:siv] vrátitelný, znovu použitelný
recurvate [ri:ˈkə:vit] bot.: list ohnutý dozadu n. dolů, stočený nazpátek n. dolů
recurvature [ri:ˈkə:vəčə] ohnutí dozadu n. dolů, stočení nazpátek n. dolů
recurve [ri:ˈkə:v] ohýbat se / točit se nazpátek n. dovnitř n. dolů
recusancy [rekjuzənsi] **1** hist. odmítnutí zúčastnit se protestantských bohoslužeb **2** neuposlechnutí, odpor
recusant [rekjuzənt] *adj* **1** hist. odmítající se zúčastnit protestantských bohoslužeb **2** odmítající uposlechnout *against* koho ● *s* **1** hist. disident, rekusant katolík n. puritán odmítající se zúčastnit protestantských bohoslužeb **2** odpůrce, kdo neposlouchá
recuse [riˈkju:z] řidč. odmítnout koho, mít námitky např. proti soudci
recyclable [riˈsaiklibl] **1** chem. recirkulovatelný **2** fyz. recyklovatelný
recycle [ri:ˈsaikl] **1** chem. recirkulovat **2** fyz. recyklovat
red [red] *adj* (*redder, reddest*) **1** červený; rudý; rusý, ryšavý, rezavý, zrzavý; nachový, šarlatový, brunátný **2** krvavý (~ *hands*, ~ *battle*) **3** radikální, revoluční, socialistický, marxistický, bolševický, komunistický **4** *R*~ Rudý sovětský ◆ *paint the map* ~ rozšiřovat britskou říši; *paint the town* ~ jít na flám, obrátit svým chováním město vzhůru nohama ● *s* **1** červeň, červená barva, rudá barva; nach, šarlat **2** červená kulečníková koule; barva v ruletě; červené víno; červené šaty, červený plášť, červené (*dressed in* ~) **3** republikán; radikál, levičák, socialista, marxista, revolucionář, anarchista **4** *R*~ komunista **5** rudoch, Indián **6** AM měďák, groš, haléř, groš, zlámaná grešle **7** hist. červená eskadra britského námořnictva ◆ *be in the* ~ prodělávat, ztrácet, mít dluhy, účet být pasivní; *be / come out of the* ~ dostat se z dluhů, začít vykazovat zisk, začít opět vydělávat; účet být aktivní; *see* ~ vidět rudě, zuřit, vztekat se; ~, *white and blue*

britská vlajka ● *v* (*dd-*) dostat překrvení hlavy, mít nával krve do hlavy
redact [riˈdækt] z|redigovat, u|dělat redakci čeho, z|revidovat, připravit k vydání
redaction [riˈdækšən] redakce, redigování, revize, revidování, vydání, vydávání, úprava k vydání; přepracování, nové zpracování, nové vydání
redactor [riˈdæktə] redaktor, editor, vydavatel, upravovatel
red admiral [ˌredˈædmərəl] zool. babočka admirál
red alder [ˌredˈo:ldə] bot. olše červená
red alert [ˌredəˈlə:t] nejvyšší pohotovost, bojová pohotovost, též přen. (*his antagonists are automatically on* ~)
red algae [ˌredˈældži:] bot. červené řasy, ruduchy
redan [riˈdæn] voj. klínovitá bašta
red ant [ˌredˈænt] zool. mravenec lesní
Red Army [ˌredˈa:mi] Rudá armáda
Red Army man, Red Armyman [ˌredˈa:mimæn] *pl: men* [-men] Rudoarmejec
red ash [ˌredˈæš] bot. jasan
red-baiter [ˈredˌbeitə] zejm. AM hovor. protilevicový štváč, protisocialistický štváč
red-baiting [ˈredˌbeitiŋ] zejm. AM hovor. zostouzení radikálních n. levicových politických odpůrců, protilevicové štvaní, protisocialistické štvaní
red bark [ˌredˈba:k] kůra chininovníku
red beech [ˌredˈbi:č] americký buk lesní
red belt [ˌredˈbelt] sport. **1** červený pás judisty 9–11 dan **2** judista s červeným pásem
red biddy [ˌredˈbidi] **1** druh laciného červeného vína **2** nápoj z červeného vína a denaturovaného lihu
red birch [ˌredˈbə:č] bříza černá
red-blind [redblaind] barvoslepý na červenou barvu
red-blindness [ˈredˌblaindnis] barvoslepost na červenou barvu, protanopsie
red-blooded [ˌredˈbladid] **1** energický; vitální, mužný **2** jadrný, šťavnatý
red-bloodedness [ˌredˈbladidnis] **1** energie, energičnost; vitalita, vitálnost, mužnost **2** jadrnost, šťavnatost
red book [redbuk] BR seznam šlechty
red box [redboks] krabice potažená červenou kůží na státní listiny užívaná ministry
red brass [ˌredˈbra:s] červený kov, tombak
red-breast [redbrest] zool. **1** červenka obecná **2** jespák rezavý
redbrick [redbrik] *adj* **1** univerzita nový, nově založený, moderní **2** týkající se nově založené univerzity ● *s R*~ nově založená univerzita
red bud [redbad] bot. americký strom *Cercis canadensis*
red cabbage [ˌredˈkæbidž] kuch. červené zelí
red campion [ˌredˈkæmpjən] bot. knotovka červená
redcap [redkæp] **1** skřítek, šotek s červenou čepičkou **2** zool. stehlík obecný **3** slang. člen vojenské policie, vojenský strážník **4** AM nosič zavazadel zejm. na nádraží
red carpet [ˌredˈka:pit] **1** červený koberec, červený běhoun pokládaný při příchodu vzácného hosta apod. **2** výjimečné, slavnostní n. obřadní zacházení, slavnostní pocta
red cedar [ˌred ˈsi:də] bot. **1** virginský cedr, jalovec virginský **2** jalovec skalní **3** zerav
red cent [ˌredˈsent] AM **1** hist.: měděný cent, měďák **2** přen. měďák, šesták, krejcar, halíř, zlámaný groš, zlámaná grešle ◆ *I don't care a* ~ AM to je mi úplně fuk
red chalk [ˌredˈčo:k] **1** červená křída **2** rudka, červená hlinka
red cinnabar [ˌredˈsinəba:] rumělka červená
red clover [ˌredˈkləuvə] jetel luční
redcoat [redkəut] hist. červenokabátník britský voják
red corpuscule [ˌredˈko:pasl] červená krvinka
red count [ˌredˈkaunt] počet červených krvinek
Red Crescent [ˌredˈkresnt] Rudý půlměsíc zdravotnická organizace
red cross [ˌredˈkros] **1** červený kříž svatojiřský; křižácký **2** *R*~ *C*~ mezinárodní Červený kříž **3** *R*~ *C*~ křižák; křesťanstvo reprezentované křižáky
red currant [ˌredˈkarənt] červený rybíz
red cypress [ˌredˈsaipris] bot. tisovec dvouřadý
redd[1] [red] (*redded / redd, redded / redd*) AM nář., SC též ~ *up* **1** dát do pořádku, uklidit (~ *a room for company*) **2** udělat, připravit odstraněním překážek (~ *the way*); urovnat, srovnat (~ *up the affairs of Europe*); skončit stávku **3** učesat
redd[2] [red] místo, kam obvykle kladou lososi a pstruzi jikry
red deal [ˌredˈdi:l] sekvoja dřevo
red deer [ˌredˈdiə] jelen, „červená zvěř" (řidč.)
redden [redn] **1** z|červenat, z|rudnout, z|brunátnět, z|nachovět **2** začervenat se, zapýřit se
reddish [rediš] načervenalý, narudlý, téměř / poměrně červený / rudý, červeňoučký
reddishness [redišnis] načervenalost, narudlost
reddle [redl] *s* **1** červený okr, rudka **2** suříková olejová pasta ● *v* nabarvit červeným okrem / rudkou **2** natřít suříkovou olejovou pastou
Red Duster [ˌredˈdastə] BR slang. vlajka britského obchodního loďstva
rede [ri:d] zast. *s* **1** rada **2** rozhodnutí, záměr **3** vyprávění, vypravování ● *v* **1** po|radit *to* aby **2** vyložit sen; rozluštit hádanku
redecorate [ri:ˈdekəreit] znovu vymalovat, dát nové tapety kam (*she'll* ~ *your home, the landlord is required to* ~ *every three years* domácí je povinen každý třetí rok dát vymalovat)
redecoration [ri:ˌdekəˈreišən] nové vymalování; nové tapety
redeem [riˈdi:m] **1** vyplatit (~ *a pawned watch* ... hodiny ze zastavárny), zaplatit, splatit (~ *a mortgage* splatit hypotéku), odkoupit zpět **2** umořit, amortizovat; zpeněžit **3** zachránit, vykoupit (~ *one's honour* zachránit svou čest), dát výkupné za; vykoupit ze zajetí (~ *a slave* vykoupit otroka), nábož. vykoupit, spasit; osvobodit (*the*

~ *ed land of France*) **4** obnovit (~ *ing cocoa plantations*), očistit, obrodit (*our civilization cannot survive materially unless it be ~ ed morally* jestliže se naše civilizace morálně neobrodí, nemůže přežít ani materiálně) **5** nahrazovat, vyrovnávat, vyvažovat, kompenzovat nedostatek; způsobit, že co není *from* jaký (*her eyes ~ her face from ugliness* její oči působí, že nemá ošklivý obličej), zachránit *from* před (~ *life from futility* zachránit život před marností) **6** dát / vrátit platnost čemu, učinit platným, odůvodnit **7** s|plnit, vy|konat povinnost, dostát slibu; zbavit závazků, podezření *redeem o.s.* ospravedlnit se

redeemable [riˈdi:məbl] **1** vyplatitelný, zaplatitelný, splatitelný, odkoupitelný **2** umořitelný, odpisovatelný, amortizovatelný; zpeněžitelný **3** zachránitelný; vykoupitelný, spasitelný, též náb. **4** obnovitelný, obroditelný **5** nahraditelný, kompenzovatelný, vyrovnatelný, vyvážitelný **6** odůvodnitelný **7** splnitelný, vykonatelný

redeemer [riˈdi:mə] vykupitel, spasitel zejm. nábož.

redeeming [riˈdi:miŋ] **1** kladný, světlý, vyvažující ostatní nedstatky (*the only ~ feature* jediný světlý rys) **2** v. *redeem*

red elder [ˌredˈeldə] bot. kalina topolová

redeliver [ri:ˌdiˈlivə] **1** znovu osvobodit **2** vrátit **3** znovu poslat n. dodat

redemption [riˈdem*p*šən] **1** nábož. spása, vykoupení, usmíření **2** vyplacení, zaplacení, splacení, splácení, odkoupení; zpětná koupě **3** umoření, amortizace, úmor dluhu **4** záchrana **5** náhrada, kompenzace, vyrovnání, vyvážení nedostatku **6** splnění, dodržení slibu, vykonání povinnosti **7** BR koupě, zákup ◆ *beyond / past ~* nenapravitelný, odsouzený k záhubě; ~ *by instalments* umořování dluhu splácením; *in the year of our ~* léta spásy / Páně tj. našeho letopočtu

redemptioner [riˈdem*p*šənə] AM hist.: označení přistěhovalce, který si odsluhuje v Americe poplatek za plavbu z Evropy

redemptive [riˈdem*p*tiv] týkající se vykoupení (*a detailed ~ theory about life*); spásný, spasitelný (*the ~ love of the Gospels*)

Redemptorist [riˈdem*p*tərist] círk. redemptorista

red ensign [redˈensain] BR vlajka britského obchodního loďstva

redented [riˈdentid] zubatý, pilovitý

redeploy [ˌri:diˈploi] **1** přesunout vojsko; provést přesun **2** přeřadit, převést, přemístit, přesunout (*how many men would be ~ ed from the manufacture of motocars into other export industries*)

redeployment [ˌri:diˈploimənt] **1** přesunutí, přesun vojska n. pracovních sil; přeřazení **2** zlepšení pracovního prostředí ke zvýšení výroby ◆ ~ *of labour* přesun pracovních sil do jiných odvětví; ~ *of resources* přesun zdrojů

redeposit [ˌri:diˈpozit] *v* znovu vložit n. uložit *s* opětovné vložení n. uložení

redescend [ˌri:diˈsend] znovu sestoupit, znovu se snést

redesign [ri:ˈdizain] **1** předělat návrh čeho, nově navrhnout **2** přestavět, přebudovat

redevelop [ˌri:diˈveləp] **1** znovu vyvinout **2** fot. znovu vyvolat **3** přestavět určitou plochu

redevelopment [ˌri:diˈveləpmənt] **1** nové vyvinutí **2** fot. nové vyvolání **3** přestavba; obnova rozvoje oblasti, výstavba

redevelopment area [ˌri:diˈveləpməntˈeəriə] **1** území určené pro přestavbu **2** oblast, v níž se má uskutečnit obnova rozvoje

red-eye [redai] **1** zool. perlín ostrobřichý **2** AM slang. šnába laciná whisky

red eyes [ˌredˈaiz] červené / zarudlé oči, krví podlité oči

red-faced [ˌredˈfeist] **1** mající červenou pleť v obličeji **2** brunátný, zrudlý v obličeji

red fir [ˌredˈfə:] bot. **1** smrk obecný **2** borovice lesní **3** jedle nádherná, jedle stříbrná, jedle líbezná **4** douglaska tisolistá

red fire [ˌredˈfaiə] bengálský oheň

red fish [redfiš] *pl* též *fish* [-fiš] **1** losos obchodní název **2** samec lososa v době tření

red flag [ˌredˈflæg] **1** varovný červený praporek **2** rudá vlajka symbol revoluce **3** *R~ F~* Rudá vlajka revoluční píseň

red fox [ˌredˈfoks] zool. liška obecná

red game [ˌredˈgeim] zool. sněhule skotská

red giant [ˌredˈdžaiənt] astron. rudý obr

red gold [ˌredˈgəuld] zast., bás. čisté / pravé / ryzí zlato, zlaťáky

red-green [redgri:n] též ~ *blindness* barvoslepost, daltonismus

red grouse [ˌredˈgraus] zool.: bělokur *Lagopus scoticus*

Red Guard [ˌredˈga:d] člen Rudé gardy, Rudý gardista v Číně

Red Guardism [ˌredˈga:dizəm] hnutí Rudých gard v Číně

red gum[1] [redgam] **1** bot. blahovičník *Eucalyptus rostrata;* ambroň **2** dřevo blahovičníku n. ambroně **3** akaroidová pryskyřice

red gum[2] [ˌredˈgam] zčervenalé dětské dásně při růstu zubů

red-haired [ˌredˈheəd] rusovlasý, ryšavý, zrzavý

red-handed [ˈredˌhændid] při činu (*surprised the murderer ~ in the study* překvapil vraha v pracovně při činu), in flagranti (*the preacher caught us ~ in sin* kazatel nás nachytal in flagranti při hřešení)

red hat [ˌredˈhæt] **1** červený klobouk kardinálský **2** BR přezdívka štábního důstojníka

red haw [ˌredˈho:] hloh

redhead [redhed] **1** rusovláska; zrzek **2** prchlivec **3** zool. polák velký; hvízdák obecný

redheart [redha:t] : ~ *hickory* bot.: ořechovec *Carya glabra*

red heat [redˈhi:t] červený žár, výheň, též přen.

red herring [ˌredˈheriŋ] **1** vyuzený sleď, uzenáč **2** falešná stopa ♦ *draw a ~ herring across the trail / track* odvést pozornost jinam, zmást; *neither fish, flesh, (nor fowl), nor good ~ herring* ani ryba ani rak
redhibition [ˌredhiˈbišən] práv. zrušení koupě pro vadu zboží
redhibitory [ˌredhiˈbitəri] práv. týkající se zrušení koupě
red-hot [redhot] **1** do červena rozpálený, rozžhavený **2** žhavý, vášnivý, zuřivý **3** energický, dynamický (*~ jazzband*) **4** vychvalovaný, současně nejlepší, první, jistý **5** zpráva čerstvý, poslední, nejnovější **6** pikantní, peprný (*a ~ story of a secret love affair*) ♦ *~ poker* bot. kniphofie
redid [ri:ˈdid] v. *redo*
rediffusion [ˌri:diˈfju:žən] BR **1** rozhlas po drátě; veřejný rozhlas **2** promítání televizních pořadů v kině
Red Indian [ˌredˈindjən] severoamerický Indián
redingote [redingəut] **1** redingot dlouhý uzavřený pánský kabát; dvouřadový kabát **2** dámský kabát princesového střihu; šaty s vloženým materiálově odlišným středním dílem na sukni vpředu
redintegrate [reˈdintigreit] znovu sjednotit; obnovit; znovu zřídit / ustanovit
redintegration [reˌdintiˈgreišən] opětovné sjednocení; obnova, obnovení, opětné zřízení / ustanovení
redirect [ˌri:diˈrekt] *v* **1** poslat dopis na jinou adresu, přeadresovat **2** poslat jinudy; dát nový směr čemu ● *adj* AM: *~ examination* další výslech po křížovém výslechu
redirection [ˌri:diˈrekšən] přepsání adresy, poslání na jinou adresu, doslání, dosílka
rediscount [ri:ˈdiskaunt] peněž. *v* opětně diskontovat, reeskontovat, rediskontovat ● *s* reeskont, rediskont
rediscover [ˌri:disˈkavə] znovu / nově objevit
rediscovery [ˌri:disˈkavəri] (*-ie-*) nový objev něčeho, co už bylo jednou objeveno
redistribute [ˌri:disˈtribju(:)t] nově / jinak rozdělit / přidělit (*~ income*)
redistribution [ˌri:ˌdistriˈbju:šən] nové rozdělení zejm. míst v parlamentě
redivide [ˌri:diˈvaid] nově rozdělit, jinak rozdělit
redivision [ˌri:diˈvižən] nové / jiné rozdělení
redivivus [ˌrediˈvaivəs] znovuzrozený, zmrtvýchvstalý, oživlý, oživený, redivivus
red juniper [ˌredˈdžu:nipə] bot. jalovec virginský
red lamp [ˌredˈlæmp] červené světlo noční světlo lékaře n. lékárny
red lane [ˌredˈlein] dět. krčíček ♦ *down the ~!* šup s tím do bříška! (*it's down the ~* už je to v bříšku)
red lattice [ˌredˈlætis] hist. přen. pivnice, hospoda
red lead [ˌredˈled] *s* suřík, minium ● *v: read-lead* [redled] natírat suříkem / miniem
redleg [redleg] též *~s, pl* bot. rdesno červivec
red-letter [redˈletə] den význačný, památný, sváteční; šťastný ♦ *~ day* svátek
red light [ˌredˈlait] **1** výstražné červené světlo, červená **2** červená lucerna označující nevěstinec **3** přen. nevěstinec ♦ *see the ~* uvědomit si hrozící nebezpečí
red light district [ˌredlaitˈdistrikt] AM čtvrt nevěstinců a prostitutek
red liquor [ˌredˈlikə] červený louh, červené mořidlo
red litharge [ˌredˈliθa:dž] zlatý klejt
red man [ˌredˈmæn] *pl: men* [men] rudoch, rudokožec, severoamerický Indián
red maple [ˌredˈmeipl] javor červený
red mass [ˌredˈmæs] mše, při níž je liturgická barva červená zejm. o sv. Duchu
red meat [ˌredˈmi:t] tmavé maso hovězí, skopové
red mullet [ˌredˈmalit] zool. parmice nachová
redneck [rednek] AM hanl.: bílý zemědělský dělník, nádeník na jihu Spojených států
redness [rednis] červenost, rudost; rusost, nachovost, brunátnost
redo [ri:ˈdu:] (*redid, redone*) **1** předělat, přepracovat (*Broadway success redone on radio or television* úspěšná hra z Broadwaye přepracovaná pro rádio nebo televizi) **2** nově vymalovat, dát nové tapety do (*~ the kitchen in yellow* dát do kuchyně nové žluté tapety) ♦ *~ one's hair* jinak se učesat, přečesat se
red oak [ˌredˈəuk] **1** červený dub **2** různé americké druhy dubu
red ochre [ˌredˈəukə] červený okr
redolence [redəuləns] vůně, aroma, voňavost, aromatičnost
redolent [redəulənt] **1** řidč. vonný, vonící, aromatický **2** vůně sladký, příjemný, libý **3** vonící *of* čím, zavánějící čím, načichlý čím, čpící čím (*~ with the fumes of beer* načichlý pivními výpary); nasáklý čím, prodchnutý čím, připomínající co
redone [ri:ˈdan] v. *redo*
redouble [ri:ˈdabl] *v* **1** zdvojnásobit | se (*her zeal ~d* její nadšení se zdvojnásobilo, *they ~d their efforts*) **2** zast. z|opakovat, zdvojit **3** bridž. dát „rekontra" ● *s* bridž rekontra
redoubt [riˈdaut] **1** voj. reduta část opevnění, pevnůstka, tábor **2** námoř. citadela, věž obrněné lodi
redoubtable [riˈdautəbl] **1** hrozivý, děsivý, nahánějící hrůzu; obávaný **2** slavný, proslulý, úctyhodný
redoubted [riˈdautid] zast. = *redoubtable*
redound [riˈdaund] **1** přispět, být, vést *to* k, přičítat se, připočítat se komu, být k dobru koho (*it will ~ to our advantage* to nám bude připočteno k dobru) **2** mít zpětný vliv *on* na, odrážet se na (*the child's behaviour ~s on the mother* chování dítěte má zpětný vliv na jeho matku)
redout [redaut] kosm. rudý závoj nával krve do hlavy

redowa [redəvə] rejdovák tanec
redox [redoks] chem. *adj* oxidačně redukční ● *s* oxidační redukce
red partridge [ˌredˈpa:tridž] koroptev
red-pencil [redˈpensl] (*-ll-*) **1** podtrhnout červenou tužkou chybu **2** projít text s červenou tužkou, z|korigovat
red pepper [ˌredˈpepə] **1** mletá paprika **2** cayenský pepř **3** červená paprika lusk
red phosphorus [ˌredˈfosfərəs] chem. červený fosfor
red pine [ˌredˈpain] bot. borovice smolná
redpoll [redpol] **1** zool. čečetka zimní **2** plemeno bezrohého skotu
Red Power [ˌredˈpauə] polit. Rudá moc heslo severoamerických Indiánů
redraft [ri:ˈdra:ft] *s* **1** nový projekt **2** návratná směnka, ritratta ● *v* přepsat, předělat, nově / jinak koncipovat
red rag [ˌredˈræg] **1** červený hadr dráždidlo **2** BR druh obilní rzi
red rattle [ˌredˈrætl] bot. všivec bahenní
redraw [ri:ˈdro:] (*redrew, redrawn*) **1** překreslit **2** znovu vytáhnout, znovu vylosovat **3** znovu / jinak navrhnout **4** přetočit **5** vystavit směnku na svého regresního předchůdce
redress¹ [riˈdres] *v* **1** nahradit, napravit, odčinit, dát náhradu za (*you should confess and ~ your errors* měl bys vyznat a odčinit své omyly); vyrovnat, dát zadostiučinění za **2** znovu seřídit, opravit **3** let. vybrat, vyrovnat ◆ *~ the balance* obnovit rovnováhu ● *s* odškodnění, odčinění, náprava, náhrada, zadostiučinění *of* za, odpomoc ◆ *take ~ from a p.* hojit se na kom
redress² [ri:ˈdres] **1** znovu | se obléknout atd. **2** znovu upravit, narovnat (*~ tools that show signs of wear* opravit nářadí, které má známky opotřebování) **3** převázat zranění
redrew [ri:ˈdru:] v. *redraw*
red ribbon [ˌredˈribən] BR stužka n. členství v *Order of the Bath*
red robin [ˌredˈrobin] **1** zool. červenka obecná **2** bot. druh kohoutku *Lychnis diurna* **3** bot. medospory rzi travní
Red Rose [ˌredˈrəuz] hist. červená růže znak lancasterské větve Plantagenetů
re-dry [ri:ˈdrai] (*-ie-*) přesušit, znovu usušit
red sanders [ˌredˈsa:ndəz] křídlokové dřevo, červené santalové dřevo, červený santal
Red Sea [ˌredˈsi:] Rudé moře
redshank [redšæŋk] bot. **1** rdesno červivec **2** rdesno pepřník **3** šťovík kyselý **4** šťovík tupolistý **5** kakost smrdutý
red shif [ˌredˈšift] hvězd. *s* červený posuv ● *v: red-shift* posunovat spektrální čáru směrem k červené čáře spektra
red shirt [ˌredˈšə:t] AM sport. *s* student z pátého ročníku který má prodloužená studia pro rozvinutí sportovních kvalit ● *v: red-shirt* nezúčastnit se univerzitních zápasů
red-short [redšo:t] litina lámavý za červeného žáru
redskin [redskin] rudokožec, rudoch severoamerický Indián
red snow [ˌredˈsnəu] červený sníh zbarvený řasami
red soldier [ˌredˈsəuldžə] zvěř. **1** červenka vepřů **2** vepř nemocný červenkou
red spider [ˌredˈspaidə] „červený pavouček", sviluška snovací
red spruce [ˌredˈspru:s] smrk červený
red squirrel [ˌredˈskwirəl] zool. veverka obecná
Red Star [ˌredˈsta:] pěticípá rudá hvězda symbol komunismu
redstart [redsta:t] zool. rehek zahradní
red streak [redstri:k] **1** odrůda jablek vhodná k výrobě moštu **2** jablečný mošt **3** přen. děvče s tvářemi jako jablíčko
red tab [redtæb] BR slang. lampasák
red tape [ˌredˈteip] byrokracie, byrokratický postup, šablona, úřední šiml
red-tapery [ˈredˌteipəri], **red-tapism** [ˈredˌteipizəm] = *red tape*
red-tapist [ˈredˌteipist] byrokrat, ouřada
red triangle [ˈredˌtraiæŋgl] červený trojúhelník znak organizace Y.M.C.A.
reduce [riˈdju:s] **1** zmenšit, snížit, zmírnit, omezit, z|redukovat (*~ speed* snížit rychlost, *~ pressure* zmenšit tlak, *~ one's expenses* omezit své výdaje) **2** zlevnit, snížit, srazit cenu; z|tlumit hluk; ubrat, ujímat oka při pletení; zeslabit negativ; shrnout, zjednodušit otázku *to* na / do; zkrátit, podkasat plachty; zpomalit rychlost; zúžit šířku; srazit teplotu; zkrátit vzdálenost; krátit, zjednodušit, redukovat zlomek **3** zmenšit, udělat v menším měřítku; zkrátit, prokrátit (*great body of lyrics skillfully ~d and edited*) **4** u|dělat z pouhé co (*historical reporting ~s the novel to a news supplement* historická reportáž dělá z románu obyčejný dodatek ke zprávám) **5** degradovat **6** hovor. snažit se zhubnout, shazovat kila, štíhlet, dělat redukci dietou (*she has been reducing for the last few weeks*) **7** proměnit dobré *to* v špatné, větší v menší apod. (*a recent earthquake ~d the cathedral almost to a heap of rubble* nedávné zemětřesení proměnilo katedrálu téměř v hromadu sutin) **8** převést, přepočítat *to* na (*~ a sum to shillings and pence*); převést, přeměnit, proměnit *to* v (*~ time to space* převést čas na prostor) **9** rovnat se, odpovídat; **10** tlakem přimět, donutit *a p.* koho *to* k, přivést (*he was ~d to the necessity of selling his books*); donutit tísní, nutit použít čeho (*they were ~d to the knee holds and body clings detested by all mountaineers*) **11** podrobit | si, podmanit | si, dobýt čeho (*after a long siege he ~d Alexandria* po dlouhém obléhání dobyl Alexandrie); zatlačit, zahnat (*the Indians were ~d to a small fragment of their former domain* Indiáni byli zatlače-

ni na zlomeček svých bývalých území), překonat (~ *by kindness*) **12** rozmělnit, rozmačkat, rozemlít, rozdrtit; rozpustit, roz|ředit (*rising sun quickly ~d the fog* vycházející slunce rychle rozptýlilo mlhu) **13** chem. redukovat; rozložit (~ *water by electrolysis*) **14** hut. vy|tavit kov z rudy redukcí, redukovat **15** vypéci, vydusit šťávu při tepelné přípravě masa **16** vést zpět, uvést opět v držbu **17** uvést do správné polohy, vkloubit vykloubeninu; narovnat, reponovat zlomeninu **18** zpracovávat komerčně *in* | *to* na (~ *pilchards into oil and meal* zpracovávat sardinky na olej a moučku) ◆ *be ~d to* též *1.* musit dělat co *2.* scvrknout se na; *be ~d* (*almost*) *to a skeleton* být (téměř) vyhublý na kost; ~ *a t. to an absurdity* přivést co ad absurdum; ~ *an equation* roz|řešit rovnici; ~ *to its simplest form* co nejvíce zjednodušit; ~ *to despair* přivést k zoufalství; ~ *to laws* uvést do systému, v čem objevit zákony; ~ *to obedience* přivést k poslušnosti; ~ *to order* uklidnit, donutit zachovávat řád / pořádek, srovnat do normálních mezí, přivést do normálních kolejí, uvést do pořádku, znormalizovat; *be ~d to poverty* zchudnout, přijít o všechno, začít třít bídu; ~ *to pulp* rozmačkat / rozemlít / rozdrtit / rozmělnit na kaši; ~ *to the ranks* degradovat na hodnost vojína; ~ *to silence* umlčet, utišit; ~ *a t. to* (*its*) *former shape* vrátit čemu původní tvar; ~ *to tears* dohnat k slzám, rozplakat; ~ *one's weight* z|hubnout, spadnout se; ~ *to writing* dát na papír, napsat; *in ~d circumstances* ve stísněných poměrech, nuzně, v tísni;

reduced [riˈdju:st] **1** zlevněný, snížený (~ *prices, fare*) **2** v. *reduce*

reducer [riˈdju:sə] **1** fot. zeslabovač **2** snižovač, zmenšovač; chem. redukovadlo, redukční činidlo, ředidlo **3** tech. reduktor

reducible [riˈdju:səbl] **1** zmenšitelný, snížitelný, zmírnitelný, omezitelný, zredukovatelný **2** cena zlevnitelný, snížitelný; hluk ztlumitelný; negativ zeslabitelný; otázka shrnutelný, zjednodušitelný; rychlost zpomalitelný; zúžitelný, z|kratitelný **3** proměnitelný, převeditelný, přepočítatelný **4** potlačitelný, podmanitelný, překonatelný **5** rozmělnitelný, rozmačkatelný, rozdrtitelný; rozpustitelný, rozpustný, rozředitelný **6** chem. redukovatelný; rozložitelný, vytavitelný ● *be ~ to 1.* dát se zredukovat na *2.* dát se odvodit z

reducing [riˈdju:siŋ] *adj* **1** redukční, odtučňovací 2 tech. přechodný **3** v. *reduce* ● **1** odtučňovací kúra **2** v. *reduce*

reducing glass [riˌdju:siŋˈgla:s] zmenšovací sklo

reductase [riˈdakteis] biol. reduktáza enzym způsobující redukci látek

reductio ad absurdum [riˌdakšiəuædəbˈsə:dəm] dovedení ad absurdum

reduction [riˈdakšən] *s* **1** zmenšení, snížení, zmírnění, omezení, redukce; zmenšování, snižování, zmírňování, omezování, zredukování **2** sleva, zlevnění ceny; z|tlumení zvuku; ubrání při pletení; zeslabení, zeslabování negativu; shrnutí, zjednodušení, zjednodušování; zkrácení, podkasání plachet; srážka, odečet z platu; zpomalení rychlosti; zúžení šířky; sražení teploty; z|krácení, zkracování vzdálenosti, zlomku **3** zmenšenina **4** degradace, degradování **5** hubnutí, štíhlení dietou **6** proměna dobrého ve špatné, velkého v menší apod. **7** převedení, přepočítání, přeměnění, převod, přepočet, přeměna **8** donucení; zatlačení, zahnání, podrobení, podmanění, dobytí, překonání **9** rozmělnění, rozmačkání, rozemletí, rozdrcení, rozpuštění, roz|ředění **10** chem. odkysličení, odkysličování; rozložení, rozklad **11** uvedení do správné polohy, vkloubení vykloubeniny; narovnání, reponování zlomeniny **12** zpracování, zpracovávání pro trh *in* / *to* na (~ *of fish and waste to oil* zpracovávání ryb a rybích odpadků na olej) ◆ ~ *to absurdity* dovedení ad absurdum; *at a ~* se slevou; ~ *of class* snížení třídy lodi; ~ *gear* redukční soukolí, reduktor; ~ *for latitude* oprava zeměpisné šířky; ~ *into possession* opětné nabytí tržby; ~ *in train schedules* omezení vlakové přepravy, omezení vlaků ● *adj* **1** redukční (~ *valve*) **2** přepočítací (~ *table*)

reductive [riˈdaktiv] *adj* **1** zmenšující *of* co **2** chem., mat. redukující *of* co ● *s* redukční prostředek

reduit [rəˈdwi:] voj. jádro pevnosti, vnitřní pevnost

redundance [riˈdandəns] **1** nadměrnost, nadbytečnost, přebytečnost, zbytnost, redundance **2** nadbytek, přebytek, hojnost

redundancy [riˈdandənsi] (*-ie-*) **1** přílišná obšírnost, mnohomluvnost (*the many redundancies of his style*) **2** zejm. BR nadbytečnost, přebytečnost dělníka n. dělníků v zaměstnání, nadstav dělníků **3** dostatečná zásoba n. rezerva jevů, bohatost, košatost **4** kosm. zdvojení funkcí apod. **5** odb. redundance ◆ ~ *pay* / *payment* doplatek ke mzdě pracovně nevytíženého dělníka

redundant [riˈdandənt] **1** nadměrný, nadbytečný, přebytečný, přebývající, zbytný, redundantní **2** zejm. BR dělník pracovně nevytížený, nadbytečný pro zaměstnavatele **3** hovor. zbytečný **4** hojný, mající hojnost *of* / *with* čeho, oplývající čím, bohatý na, překypující čím

reduplicate [riˈdju:plikeit] z|opakovat, zdvojovat, zdvojit, reduplikovat, též jaz.

reduplication [riˌdju:pliˈkeišən] opakování, zdvojení, zdvojování, reduplikování, reduplikace, též jaz.

reduplicative [riˈdjuplikeitiv] zdvojovací

red valerian [ˌredvəˈliəriən] bot. navuň červená

red-veined [ˌredˈveind] mající červené žilky ◆ ~ *dock* bot. šťovík krvavý

red ware [ˌredˈweə] **1** bot. hnědá mořská řasa *Laminaria digitata* **2** AM červená keramika
red-water [ˌredˈwo:tə] zvěř. krvavá moč, krvavé močení
red weed [ˌredˈwi:d] mák vlčí
red-wood [redwud] bot. **1** vždyzelená sekvoja strom i dřevo; mamutí strom **2** druh blahovičníku
red worm [ˌredˈwə:m] dešťovka, žížala, rousnice, červ rybářská návnada
redye [ri:ˈdai] přebarvit
ree [ri:] zool. samička jespáka bojovného
reebok [ri:bok] africká antilopa rodu *Redunca*
re-echo [ri(:)ˈekəu] *v* **1** znovu za|zvučet, zaznít **2** znovu opakovat ozvěnou, mnohonásobně opakovat ● *s pl: re-echoes* [ri(:)ˈekəuz] ozvěna zejm. mnohonásobná
reed [ri:d] *s* **1** rákos, rákosí, rákosina **2** rákosové pletivo, rákosová krytina; BR došek, došková krytina **3** bás. šíp **4** bás. rákosová píšťala, flétna **5** bás. pastorální poezie **6** hud. jazýček; plátek; *~s, pl* dřeva; *~s, pl* jazýčkové píšťaly, jazyky (slang.) varhan **7** text. paprsek; dostava ◆ *broken* / *bruised ~* přen. *1.* nalomená / zlomená třtina; *2.* nespolehlivý člověk, nespolehlivá věc; *~ fibre* třtinové vlákno; *~ horn* jazýčkový mlhový roh; *lean on a ~* chytat se slámy, stavět na písku ● *v* **1** pokrýt rákosem, rákosovat, dávat rákosovou krytinu **2** dělat došky, dělat doškovou krytinu **3** hud. dát (nový) jazýček do varhanní píšťaly, dát / nasadit (nový) plátek do hudebního nástroje **4** text. navádět do paprsku
reed babbler [ˈri:dˌbæblə] zool. rákosník
reedbuck [ri:dbak] *pl* též *reedbuck* [ri:dbak] zool. bahnivec kaferský
reed bunting [ˈri:dˌbantiŋ] zool. strnad rákosní
reed grass [ˌri:dˈgra:s] bot. **1** zblochan vodní **2** lesknice rákosovitá **3** třtina
re-edify [ri:ˈedifai] (*-ie-*) **1** znovu postavit, znovu vybudovat budovu **2** přen. obnovit
reediness [ri:dinis] ostrost, mečivost, řezavost hlasu
re-edit [ri:ˈedit] **1** znovu vydat, nově redigovat, z|revidovat **2** film. znovu sestřihnout
re-edition [ˌri:iˈdišən] **1** nové vydání, nová redakce **2** nový sestřih filmu
reedling [ri:dliŋ] zool. sýkořice vousatá
reed mace [ri:dmeis] BR bot. orobinec
reed organ [ˌri:dˈo:gən] harmonium
reed pheasant [ˈri:dˌfeznt] = *reedling*
reed pipe [ri:dpaip] **1** rákosová píšťala **2** jazýčková píšťala varhan
reed sparrow [ˈri:dˌspærəu] = *reed bunting*
reed stop [ri:dstop] hud. jazýčkový rejstřík varhan
re-educate [ri:ˈedju(:)keit] **1** znovu vychovat, převychovat **2** med. rehabilitovat
reed warbler [ˈri:dˌwo:blə], **reed wren** [ri:dren] = *reed babbler*
reedy [ri:di] **1** zarostlý rákosím **2** rákosový, jsoucí z rákosu **3** slabý / křehký / silný jako rákos **4** hlas ostrý, mečivý, řezavý
reef[1] [ri:f] námoř. *s* kasací pás ◆ *take in a ~ 1.* podkasat pás, zkrátit plachtu o pás *2.* přen. opatrně našlapovat ● *v* **1** podkasávat / krátit plachtu zmenšovat plochu plachty **2** zkrátit stěžňovou čnělku **3** zkracovat lopatky kolesa ◆ *single* | *double* | *treble ~ed sail* jednou | dvojmo | trojmo podkasaná plachta, plachta podkasaná / zkrácená o 1 | 2 | 3 pásy ***reef away*** uvolnit kasací pásy, odkasat ***reef down / in*** zkasat plachtu
reef[2] [ri:f] *s* **1** úskalí, útes, rif těsně nad / pod hladinou n. u hladiny **2** rudní, zejm. zlatonosná žíla ● *v* najet na útes n. písčinu
reef band [ri:fbænd] námoř. kasací pás s kasacími otvory, opatřený kasacími lanky
reefer[1] [ri:fə] námoř. **1** skasávač **2** hovor. kadet **3** = *reefing jacket* **4** = *reef knot*
reefer[2] [ri:fə] námoř. mrazírenská loď, chladírenská loď
reefer[3] [ri:fə] marihuana, marihuanová cigareta
reefer[4] [ri:fə] AM hovor. lednička
reefing bowsprit [ˈri:fiŋˌbəusprit] námoř. zatahovací posuvný čeleň
reefing jacket [ˈri:fiŋˌdžækit] dvouřadový lodní kabátec
reef knot [ri:fnot] ambulanční uzel, plochá spojka
reef point [ri:fpoint] námoř. kasací lanko, kasací šňůra
reef tackle [ˈri:fˌtækl] námoř. kasoun kasací zařízení
reek [ri:k] *s* **1** SC, kniž. dým, mlha; kouř, pára, výpary, mlha **2** čoud, čmoud; puch, zápach ● *v* **1** kouřit, dýmat, pařit se (*a marsh ~ing in the sun* močál, z něhož na slunci stoupá dým) **2** čpět, páchnout, zapáchat, být cítit, být načichlý *of* / *with* čím (*~ of garlic* páchnout česnekem, *his manner ~s of prosperity* z jeho vystupování je cítit blahobyt, *he ~ed of beer* čpěl pivem) **3** mokvat, být zbrocený *with* čím **4** přen. být plný *with* nepříjemného (*historical bestsellers ~ with sentimentality* z historických bestsellerů přímo kape sentimentalita)
Reekie [ri:ki] : *Auld ~* Edinburgh
reeky [ri:ki] (*-ie-*) **1** čpavý, čpící, páchnoucí, zapáchající **2** zakouřený, začazený
reel[1] [ri:l] *s* **1** cívka, na|viják, moták, motovidlo, navíječka, válec, váleček na navíjení **2** buben žacího stroje; na kabely **3** BR cívka, špulka (hovor.) nití **4** kolo, svitek drátu; role, kotouč papíru **5** kotouč, díl, svitek filmu 300 m dlouhý ◆ *off the ~* přen. hbitě, hladce, jako když bičem šlehne ● *v* **1** navíjet, svíjet, odvíjet; motat, namotávat, smotávat **2** kobylka cvrkat, crkat ***reel in*** *1* navíjet *2* přitahovat / vytahovat rybu navijákem ***reel off*** *1* odmotávat, odvíjet **2** odříkávat jako když bičem mrská ***reel up*** = *reel in*

reel[2] [ri:l] *v* **1** hlava točit se, motat se **2** za|potácet se, za|motat se, za|vrávorat; za|kymácet se, za|-chvět se, o|třást se **3** roztočit, zatočit, rozkymácet **4** řádit, vyvádět, dělat tanec ◆ *his eyes ~ed* všechno se mu točilo před očima; *he went ~ing down the street* šel vrávoravě / vrávoral po ulici ● *s* **1** vrávorání, vrávoravý pohyb **2** přen. mela, vřava, zmatek, tanec

reel[3] [ri:l] *s* rejdovák, skotská, skotský druh tance ●*v* tančit rejdovák / skotskou

re-elect [ˌri:iˈlekt] znovu zvolit

re-election [ˌri:iˈlekšən] znovuzvolení, opětovná volba

reeler [ri:lə] **1** navíječ, motáč, smotávač **2** zool. cvrčilka zelená

re-eligible [ri:ˈelidžəbl] schopný znovuzvolení

re-embark [ˌri:emˈba:k] **1** znovu se nalodit **2** znovu nakládat na loď

re-embarkation [ri:ˌemba:ˈkeišən] **1** zpětné nalodování **2** zpětné nakládání na loď

re-emerge [ˌri:iˈmə:dž] znovu se objevit, znovu se vynořit, opět se hlásit ke slovu

re-emergence [ˌri:iˈmə:džəns] opětovné objevení, opětovné vynoření se, nový výskyt

re-emergent [ˌri:iˈmə:džənt] znovu se objevující, opět se vynořující, opět se hlásící ke slovu

reen [ri:n] nář.: široký otevřený příkop

re-enable [ˌri:iˈnəibl] znovu umožnit *a p.* komu *to do* udělat

re-enact [ˌri:iˈnækt] **1** znovu za|hrát (*the actor will ~ the role he made famous*), znovu ukázat / předvést; rekonstruovat děj, ukázat, jak se stalo co (*to ~ the murder* provést rekonstrukci vraždy); zopakovat **2** znovu nařídit, převzít ustanovení dřívějšího zákona

re-enactment [ˌri:iˈnæktmənt] **1** opětovné zahrání / ukázání / předvedení; zopakování **2** opětovné ustanovení

re-enforce [ˌri:inˈfo:s] **1** znovu uvést v platnost, obnovit **2** znovu vynutit **3** = *reinforce*

re-engine [ri:ˈendžin] vyměnit stroje

re-enlist [ˌri:inˈlist] znovu se dát na vojnu, znovu vstoupit do armády

re-enlistment [ˌri:inˈlistmənt] **1** opětovné vstoupení do armády **2** doba vojenské služby po opětovném vstoupení do armády **3** voják, který opět vstoupil do armády

re-enslave [ˌri:inˈsleiv] znovu zotročit

re-enter [ri:ˈentə] **1** znovu vstoupit, vrátit se **2** znovu zanést / zapsat **3** znovu vstoupit v držení čeho **4** protáhnout, obtáhnout, prohloubit vyrytou čáru

re-entrance [ri:ˈentrəns] **1** opětovné vstoupení, návrat **2** opětovné zanesení / zapsání **3** opětovné nastoupení v právo **4** protažení, obtažení, prohloubení vyryté čáry

re-entering [ri:ˈentəriŋ] v. *re-enter* ◆ *~ angle* úhel dovnitř, *~ polygon* mnohoúhelník s úhlem dovnitř

re-entrant [ri:ˈentrənt] *adj* **1** směřující dovnitř **2** = *re-entering* ● *s* úhel dovnitř zejm. v opevnění

re-entry [ri:ˈentri] (*-ie-*)**1** opětovný vstup, návrat zejm. kosmické lodi do zemské atmosféry **2** práv. návrat, opětné nastoupení v právo ◆ *card of ~* bridž plukovník (slang.) karta zaručující další vynášení

reepschnur [ri:pšnuə] horolezectví pomocné lanko

reeve[1] [ri:v] hist. správce, náměstek, zástupce koruny, fojt **2** v Kanadě starosta, předseda vesnického n. městského výboru

reeve[2] [ri:v] zool. samice jespáka bojovného

reeve[3] [ri:v] (*reeved / rove, reeved / rove*) námoř. **1** provléknout např. lano (*through*) čím; lano procházet, probíhat, být provlečen **2** upevnit, ovázat (*they rove a rope over the yard* upevnili lano kolem ráhna) **3** loď prodírat se čím, razit si namáhavě cestu čím; opatrně proplouvat čím (*the ship ~d the shoals* loď opatrně proplouvat mělčinami)

re-examination [ˌri:igˌzæmiˈneišən] nový / druhý výslech vlastního svědka, kontrolní výslech po výslechu odporující stranou; nové vyšetřování

re-examine [ˌri:igˈzæmin] podrobit vlastního svědka novému / druhému výslechu po křížovém výslechu, položit kontrolní otázky komu

re-exist [ˌri:igˈzist] znovu být / žít / existovat

re-export *v* [ˌri:eksˈpo:t] znou vyvézt dovezené, reexportovat ● *s* [ri:ˈekspo:t] opětovný vývoz dovezeného, reexport

re-exportation [ri:ˌekspo:ˈteišən] = *reexport, s*

ref [ref] slang. *s* **1** fotbalový sudí, soudce **2** reference, doklad, doporučení ● *v* (*-ff-*) pískat, soudcovat sportovní utkání

reface [ri:ˈfeis] **1** dát novou fasádu čemu, opravit fasádu čeho (*~ a church*); obnovit průčelí čeho **2** zevně vyložit, obložit, znovu olemovat, dát novou lemovku čemu **3** tech. čelně přebrousit, čelně přesoustružit

refashion [ri:ˈfæšən] **1** znovu udělat **2** předělat, přetvořit, přeměnit, změnit; přešít šaty; přeformovat klobouk

refashionment [ri:ˈfæšənmənt] předělání, přetvoření, přeměna, změna, předělávka

refection [riˈfekšən] občerstvení nápoj n. jídlo

refectory [riˈfektəri] (*-ie-*) klášterní refektář; jídelna ◆ *~ table 1.* úzký stůl na dvou nohách *2.* úzký rozkládací stůl

refer [riˈfə:] (*-rr-*) **1** uvádět ve vztah *to* k, vztahovat k / na, uvádět v souvislost / spojitost s; přičítat, připisovat, přisuzovat (*the discovery of gunpowder is usually ~red to China* objevení střelného prachu se obvykle přisuzuje Číně); odvozovat co *to* z (*~ superstition to ignorance* odvozovat pověrčivost z hlouposti) **2** řadit *to* k, přiřazovat, zařazovat k, počítat *to* k (*to ~ lobsters to the crustaceans* řadit langusty ke korýšům); umísťovat do, vročovat do, datovat do (*to ~ the lake dwellings to the sixth century* vročovat kolové stavby do šestého století) **3** předložit, předat postoupit k řešení / k rozhodnutí (*the dispute was ~red to the United Nations*); odkázat *to* k / na (*I was ~red to the manager*); odvolat se *to* na (*you may ~ to me in your application* ve své žádosti se můžete odvolat na mne) **4** obracet se o radu; po|dívat se pro informace / ověření správnosti *to* do / na (*the speaker often ~red to his notes*) **5** myslit, mínit, mít na mysli při řeči *to* koho, dělat narážku na (*when I said that some people are stupid I was not ~ring to you*); mluvit, zmiňovat se (*don't ~ to this matter again*) **6** platit *to* komu, týkat se koho, vztahovat se na (*does that remark ~ to me?*) ◆ *~ to* obch. naše značka, v odpovědi uveďte jednací číslo; *~ to drawer* odeslat zpět výstavci směnky ***refer back 1*** vrátit k novému projednání *to* komu (*we ~red the matter back to the Finance Committee*) **2** vrátit se zpět *to* k, znovu se podívat na / do (*they had to ~ back to the minutes of the previous meeting* museli se znovu podívat do zápisu z minulé schůze)

referable [riˈfə:rəbl] přisouditelný, připsatelný *to* čemu ◆ *a t. is ~ to a t.* co lze připisovat čemu / na vrub čeho (*is lung cancer ~ to excessive smoking of cigarettes?* lze připisovat rakovinu plic nadměrnému kouření cigaret?)

referee [ˌrefəˈri:] *s* **1** rozhodčí, soudce, arbitrátor, arbiter **2** referent, odborný znalec, expert připravující rozhodnutí **3** ručitel, garant **4** sportovní rozhodčí, soudce ● *v* soudcovat, pískat (*~ a football match*)

reference [refrəns] *s* **1** zmínka *to* o, narážka, odkaz na (*the book si full of ~s to places that I know well* v knize je spousta narážek na místa, která dobře znám) **2** odvolání (*otherwordly ~* odvolání na nadpřirozený svět), odkaz, odvolávka, poukaz *to* na **3** vyhledávání informací, ověřování faktů (*books more suitable for ~ than for reading*); zjišťování odkazu; pohled *to* na (*~ to a map*), podívání se do (*~ to an almanach, without ~ to his watch* aniž se podíval na hodinky), hledání (*items arranged alphabetically for ease of ~* jednotlivé druhy seřazeny abecedně, aby se usnadnilo hledání v seznamu), použití, potřeba (*the report was filed for future ~* zpráva byla uložena pro další použití) **4** předání, předložení; postoupení k rozhodnutí n. řešení; obrácení se o pomoc k **5** kompetence, příslušnost, pravomoc (*outside our ~*) **6** vztah *to* k (*the parts of a machine all have ~ to each other*), něco společného s (*success has little ~ to merit*) **7** dobrozdání, doporučení, posudek, reference (*~s from former employers* doporučení od dřívějších zaměstnavatelů); nespr. svědectví; *~s, pl* reference, vysvědčení **8** osoba, která může podat reference; ručitel, garant ◆ *~ beam* holografie referenční svazek; *book of ~ = reference book; cross ~* odkaz na jiné místo v téže knize; *~ frame* soustava souřadnic; *have ~ to* týkat se čeho; *have no ~ to* netýkat se čeho, nemít nic společného s; *~ line* mat. vztažná / základní / srovnávací čára, nulová čára; *in ~ to your letter* obch. s odvoláním na Váš dopis, odpovídajíce na Váš dopis; *~ number 1.* jednací číslo, číslo spisu *2.* odvolací číslo *3.* značka dopisu *4.* číslo odkazu; *~ point 1.* mat. vztažný / základní / výchozí bod *2.* voj. orientační bod; *terms of ~* kompetence, příslušnost, pravomoc (*is this question outside our terms of ~?*); *with ~ to* též pokud jde o, co se týká čeho (*with ~ to his suggestion* pokud jde o jeho návrh, *with ~ to your letter = in ~ to your letter*); *without ~ to* též bez ohledu na, bez přihlédnutí k ● *v* opatřit knihu odkazy, dát bibiliografické odkazy do knihy

reference book [refrənsbuk] příručka, informační dílo, slovník, encyklopedie

reference library [ˌrefrənsˈlaibrəri] příruční knihovna

reference line [ˌrefrənsˈlain] nulová čára

reference mark [refrənsma:k] odkazovací znaménko

reference temperature [ˌrefrənsˈtemprəčə] základní teplota pro měření

referendary [ˌrefəˈrendəri] (*-ie-*) BR řidč. **1** rozhodčí; zpravodaj, referent, inspektor; referendář **2** hist. člen královské komise

referendum [ˌrefəˈrendəm] referendum přímé hlasování občanů o zákonných opatřeních

referential [ˌrefəˈrenšəl] **1** vztahující se *to* k / na **2** odkazový, týkající se odkazu

referral [ri:ˈfə:rəl] pacient který byl poslán na konsiliární vyšetření do nemocnice

referred [riˈfə:d] v. *refer* ◆ *~ to* zmíněný, jmenovaný

refill *v* [ri:ˈfil] znovu naplnit ● *s* [ri:fil] **1** náhradní náplň, tuha, bombička s inkoustem **2** vložka do kroužkového bloku

refine [riˈfain] **1** čistit, rafinovat (*~ sugar*) **2** pročistit, prodchnout, oduševnit **3** zjemnit, kultivovat, uhladit|se, vy|tříbit se, vy|pilovat, vy|pulírovat, vy|brousit (*~ a poetic style*) **4** dále rozvíjet, propracovávat, zlepšovat *upon* co (*~ upon an invention* zlepšovat vynález) **5** mluvit / myslit vyumělkovaně *upon* o, rozebírat co

refined [riˈfaind] **1** čistý, čistěný, rafinovaný **2** jemný, kultivovaný (*a ~ face*), uhlazený, vybroušený, elegantní, vytříbený (*a painfully ~ accent* pracně vytříbený přízvuk) **3** přesný, exaktní (*~ calculations*) **4** v. *refine*

refinement [riˈfainmənt] **1** čistění, rafinace **2** zjemnění, zjemňování, kultivování, tříbení, vybrušování; jemnost, kultivovanost, vytříbenost, vybroušenost, elegance **3** propracovanost, promyšlenost **4** rafinovanost, rafinérie **5** jemnůstka, jemnost, finesa (*all the ~s of luxury*); vymože-

nost, zlepšení, zdokonalení, vylepšení (*introduce ~s into a machine*)
refiner [riˈfainə] **1** čistič, rafinér **2** rafinační mlýn, rafinér
refinery [riˈfainəri] (*-ie-*) čistírna, rafinérie
refining [riˈfainiŋ] *s* **1** rafinace, čistění, zjemňování **2** v. *refine* ● *adj* rafinační, čisticí, zjemňovací **2** v. *refine*
refit [ri:ˈfit] *v* (*-tt-*) **1** znovu seřídit, dát znovu do pořádku, obnovit, opravit **2** přezbrojit ● *s* **1** nové seřízení, zlepšení, vylepšení **2** přezbrojení
refitment [ri:ˈfitmənt] **1** opětovné seřízení, nové vybavení, obnova, oprava **2** přezbrojení
reflation [riˈfleišən] reflace návrat k měně ustálené deflací
reflect [riˈflekt] **1** odrážet paprsky; zrcadlit **2** zrcadlit se, odrážet se, vrhat svůj odraz (*the trees ~ed in the lake*) **3** odrážet, obrážet, vyjadřovat, zobrazovat, ukazovat, projevovat (*does the literature of a nation ~ its manners and morals*?) **4** pochybovat *upon* o dobrém (*I do not wish to ~ upon your sincerity* nechci pochybovat o vaší upřímnosti), vrhat špatné světlo na, stavět do špatného světla, sloužit k hanbě komu (*your rude behaviour ~s only upon yourself* tvá hrubost vrhá špatné světlo pouze na tebe); zdiskreditovat koho **5** uvažovat, přemýšlet, přemítat; vzpomenout si, uvědomit si **6** řidč. zahnout, přeložit (*~ the corner of the paper*); odhrnout ◆ *~ credit* | *discredit upon* sloužit | nesloužit ke cti komu, vrhat dobré | špatné světlo na; *shine with ~ed light* přen. nechat na sebe padat odlesk něčí slávy
reflectible [riˈflektibl] schopný odrazu n. zrcadlení
reflecting [riˈflektiŋ] *s* **1** odražení, zrcadlení **2** v. *reflect* ● *adj* **1** odrážející, odrazový, odrazný, reflexní **2** v. *reflect*
reflecting telescope [riˌflektiŋˈteliskəup] zrcadlový hvězdářský dalekohled, reflektor
reflection [riˈflekšən] **1** odraz, zrcadlení; odlesk, též přen. **2** odraz, odražený obraz, reflex (*see one's ~ in a mirror*); ohlas (*~s of ancient Celtic legends in Italian literature*) **3** uvažování, rozmýšlení, zamýšlení, přemítání, vzpomínání, vzpomínky **4** úvaha, rozjímání (*~s on the delights of being idle* úvahy o rozkoších lenošení) **5** hana, pohana *on* čeho, pokárání, znevážení čeho, pochybnost o, výtka čemu (*I intended no ~ on your character* nechtěl jsem tím znevažovat vaši pověst); stín, špatné světlo (přen.) **6** zahnutá / ohnutá část, záhyb ◆ *cast ~s on* | *upon 1.* člověk pochybovat o, špinit koho / co, pomlouvat koho / co, mít znevažující poznámky o *2.* událost, čin vést ostatní k pochybování o; *~ factor = ~ power; on ~* po zralém uvážení, po zralé úvaze; *~ power* odrazivost
reflectional [riˈflekšənl] odrazový
reflectionless [riˈflekšənlis] jsoucí bez odrazu n. odlesku
reflective [riˈflektiv] **1** odrazový, zrcadlový, zrcadlící, odrážející, odrazný, odrazivý, reflexní; řidč. odražený **2** jaz. řidč. zvratný, reflexívní **3** řidč. vzájemný, oboustranný **4** přemýšlivý, přemítavý, hloubavý, rozjímavý, reflexívní (*~ reading, ~ temperament*)
reflectiveness [riˈflektivnis] **1** odrazovost, odraznost, odrazivost; řidč. odraženost **2** jaz. řidč.. zvratnost, reflexívnost **3** řidč. vzájemnost, oboustrannost **4** přemýšlivost, přemítavost, hloubavost, rozjímavost, reflexívnost
reflector [riˈflektə] **1** reflektor zařízení sloužící k odrazu paprsků; součást směrové antény; část jaderného reaktoru; odrážeč, odrazná plocha **2** zrcadlový hvězdářský dalekohled, reflektor **3** kniha / člověk odrážející vědomě n. nevědomě *of* co, zrcadlo čeho ◆ *~ studs* odrazová světélka tvořící dělící pruh na vozovce
reflet [rəˈflei] listr, kovový lesk zejm. na keramice
reflex [ri:fleks] *s* **1** odraz, odražený obraz; odlesk, odezva, reflex **2** výraz, vyjádření (*legislation should be a ~ of public opinion* zákonodárství má být vyjádřením veřejného mínění) **3** řidč.: v malířství odraz světla / barvy; předmět osvětlený odrazem **4** bezděčná reakce, reflex (*doctor tested the patient's ~es*) **5** = *reflex camera* ● *adj* **1** řidč. odražený, reflexívní; ohnutý / stočený dozadu **2** myšlenka do sebe obrácený, introspektivní, reflexívní; vliv zpětný **3** fyziol. mimovolný, bezděčný, neuvědomělý, reflexívní **4** jaz. řidč. zvratný, reflexívní ◆ *~ action* reflexívní pohyb, reflex; *~ circuit* reflexívní zapojení; *conditioned ~* podmíněný reflex
reflex angle [ˌri:fleksˈæŋgl] tupý úhel
reflex camera [ˌri:fleksˈkæmərə] zrcadlovka fotoaparát
reflexed [riˈflekst] **1** bot. ohnutý zpět n. dolů **2** geol. překocený (*~ fold* překocená vrása)
reflexible [riˈfleksəbl] odrazitelný
reflexion [riˈflekšən] = *reflection*
reflexive [riˈfleksiv] *adj* **1** jaz. zvratný, reflexívní **2** = *reflective* ● *s* jaz. zvratné zájmeno / sloveso, reflexívum
refloat [ri:ˈfləut] **1** stáhnout loď z mělčiny; učinit loď znovu schopnou plavby **2** zdvihnout potopenou loď **3** loď znovu plout
refluence [refluəns] zpětný tok, zpětné proudění
refluent [refluənt] tekoucí / proudící nazpět (*~ blood*); vracející se, opadávající ◆ *~ tide 1.* odliv *2.* zpětný tok
reflux [ri:flaks] *s* **1** zpětný tok, zpětné proudění **2** odb. flegma, reflux, refluxe **3** odliv ◆ *flux and ~* příliv a odliv, též přen. ● *v* téci zpět, refluxovat (odb.)
refoot [ri:ˈfut] našít / naplést nové chodidlo na punčochu
reforest [ri:ˈforist] AM znovu zalesnit
reforestation [ri:ˌforisˈteišən] AM nové / opětné zalesnění, znovuzalesnění

reform[1] [ri:ˈfo:m] **1** přetvořit | se, přeskupit | se, předělat | se; nově (se) utvořit **2** vojsko znovu | se sešikovat, přemístit se, dát do nové formace
reform[2] [riˈfo:m] *v* **1** zlepšit (~ *news writing*), napravit, polepšit (~ *a sinner* napravit hříšníka), reformovat (~ *calendar*) **2** odstranit špatné ***reform o.s.*** polepšit se ● *s* **1** zlepšení, náprava, polepšení, reformování, reforma **2** odstranění špatného ◆ ~ *Act* / *Bill* hist. parlamentní reforma 1831–32; ~ *school* polepšovna
reformable [rifo:məbl] napravitelný, polepšitelný (*a* ~ *type of a criminal offender* polepšitelný typ pachatele trestných činů)
reformation[1] [ˌrefəˈmeišən] **1** přetvoření, přeskupení, předělání; nové / opětovné utvoření **2** přemístění, nové sešikování, uspořádání do nové formace, přestavení (~ *of a regiment*)
reformation[2] [ˌrefəˈmeišən] **1** reforma, reformování **2** *R*~ hist. náboženská reformace
reformational [ˌrefəˈmeišənl] reformační (~ *zeal*)
reformative [riˈfo:mətiv] *adj* **1** reformní, reformační **2** nápravný (~ *work*)
reformatory [riˈfo:mətəri] *adj* **1** reformní, reformační **2** nápravný ● *s* (*-ie-*) nápravné zařízení, polepšovna
reformed [riˈfo:md] : ~ *churches* evangelické / protestantské / reformované církve; ~ *drunkard* vyléčený alkoholik, bývalý pijan
reformer [riˈfo:mə] reformátor; reformista
reformist [riˈfo:mist] *s* reformista; reformátor ● *adj* reformistický; reformační
refound[1] [ri:ˈfaund] znovu založit
refound[2] [ri:ˈfaund] **1** znovu odlévat **2** přetavit
refract [riˈfrækt] **1** fyz. lámat světelné paprsky; působit lom světelných paprsků; lámat vlny **2** med. vyšetřovat lom světelných paprsků v oku
refracting [riˈfræktiŋ] **1** fyz. lámající, lámavý **2** v. *refract* ◆ ~ *angle* úhel lomu
refracting telescope [riˌfræktiŋˈteliskəup] = *refractor, 2*
refraction [riˈfrækšən] lom paprsků, vln, refrakce ◆ ~ *correction* hvězd. oprava o refrakci
refractional [riˈfrækšənl] refrakční týkající se lomu paprsků
refractive [riˈfræktiv] lámavý ◆ ~ *index* index lomu
refractor [riˈfræktə] **1** fyz. refraktor **2** hvězd. čočkový hvězdářský dalekohled, refraktor
refractoriness [riˈfræktərinis] **1** vzdornost, nepoddajnost, vzdorovitost, vzpurnost **2** odolnost, úpornost, urputnost **3** žárovzdornost; nespalitelnost; nesnadná tavitelnost
refractory [riˈfræktəri] **1** vzdorující, nepoddajný, vzdorný, vzpurný; odolávající *to* čemu; refrakterní (kniž., odb.) **2** nehojící se, vzdorující léčbě, nereagující *to* na, nezabírající na co **3** žárovzdorný, ohnivzdorný, nespalitelný, nesnadno tavitelný ◆ ~ *brick* žárovzdorná cihla, šamotová cihla, šamotka; ~ *concrete* žárovzdorný beton, žárobeton ● *s* (*-ie-*) žárovzdorná hmota, žárovzdorný materiál
refrain[1] [riˈfrein] refrén
refrain[2] [riˈfrein] **1** držet se *from* čeho, neudělat co, nevykonat co, vyhnout se čemu, upustit od **2** nechat toho, upustit od toho **3** zast. ovládnout | se, zarazit |se, potlačit cit ***refrain o.s.*** ovládnout se
reframe [ri:ˈfreim] **1** znovu zarámovat (~ *a picture*) **2** znovu / jinak formulovat, přeformulovat, udělat nový / jiný koncept čeho, překoncipovat (~ *a statement* jinak formulovat prohlášení)
refrangibility [riˌfrændžəˈbiləti] **1** lámavost, lomivost paprsků **2** tříštitelnost
refrangible [riˈfrændžəbl] **1** lámavý, lomivý, lomný **2** roz|tříštitelný
refresh [riˈfreš] **1** osvěžit, občerstvit, posílit, posilnit, vrátit sílu čemu, vzpružit **2** doplnit (zásoby), odlít; nabít elektrickou baterii; přiložit do ohně; loď nabrat čerstvé zásoby **3** osvěžit | se nápojem **4** obnovit, opravit, oživit **5** řidč. ochladit ◆ ~ *one's memory* osvěžit paměť ***refresh o.s.*** osvěžit se, občerstvit se, posilnit se, dodat si vzpruhy
refresher [riˈfrešə] *s* **1** další záloha, mimořádná odměna právnímu zástupci v dlouhém sporu **2** hovor. něco napít, sklenička něčeho, drink ● *adj* opakovací, doplňkový, doplňovací (~ *course*)
refreshing [riˈfrešiŋ] **1** svěží, osvěžující, povzbudivý, příjemně neotřelý; velice milý, roztomilý **2** v. *refresh*
refreshment [riˈfrešmənt] **1** osvěžení; povzbuzení **2** též ~*s, pl* občerstvení jídlo a nápoj ◆ *be a* ~ *to a p.* osvěžit koho; ~ *car* bufetový vůz; ~ *room* nádražní restaurace / bufet; *R*~ *Sunday* čtvrtá neděle postní
refrigerant [riˈfridžərənt] *adj* **1** chladivý, chladící, ochlazující; snižující teplotu / horečku **2** osvěžující ● *s* **1** chladicí prostředek, chladivo (tech.) **2** chlazený nápoj **3** lék snižující horečku
refrigerate [riˈfridžəreit] o|chladit, z|mrazit, podchladit
refrigerated [riˈfridžəreitid] **1** chem. chlazený **2** v. *refrigerate* ◆ ~ *cargo vessel* / *carrier* chladírenská loď; ~ *truck* AM chladírenský vůz
refrigeration [riˌfridžəˈreišən] chlazení, mražení, zmrazování ◆ ~ chladírenský průmysl, mrazírny
refrigerator [riˈfridžəreitə] **1** chladnička, lednička (hovor.) **2** chladič, chladicí zařízení
refrigeratory [riˈfridžərətəri] *s* (*-ie-*) **1** chladič destilačního přístroje **2** chladírna, lednice, mrazírna ● *adj* chladicí, mrazicí
refringent [riˈfrindžənt] lámavý
reft [reft] v. *reave*

refuel [ri:ˈfjuəl] (*-ll-*) **1** doplnit zásobu pohonných hmot, natankovat (*they* ~*led at Paris and flew on*) **2** doplnit zásobu pohonných hmot čeho (~ *an aeroplane*... letadla) **3** nalít pohonnou hmotu do nádrže
refuelling point [ri:ˌfjuəliŋˈpoint] let. tankovací místo
refuge [refju:dž] *s* **1** útočiště; záchrana, spása (*seek* ~ *in a flight*); úkryt **2** útulek **3** horolezecká útulna, bouda **4** ostrůvek pro chodce, refýž ◆ ~ *beacon* námoř. úkrytový / záchranný plavební znak; *harbour of* ~ nouzový přístav; *house of* ~ útulek; *take* ~ *from* ukrýt se před, hledat / najít útočiště před; *take* ~ *in* utéci se k / kam, uchýlit se do / kam, zachránit se kde ● *v* řidč. **1** poskytnout útočiště komu **2** utéci se, uchýlit se, hledat útočiště
refugee [ˌrefju(:)ˈdži:] *s* uprchlík zejm. politický, utečenec, běženec, přesídlenec, emigrant ● *adj* **1** uprchlý (*a* ~ *slave*) **2** jsoucí v exilu (~ *government*) ◆ ~ *capital* únikový / migrační kapitál
refulgence [riˈfaldžəns], **refulgency** [riˈfaldžənsi] záře, lesk, jas, jasné světlo
refulgent [riˈfaldžənt] zářivý, zářící, lesklý, jasný, svítivý
refund *v* [ri:ˈfand] platit, zaplatit, vplatit, na|hradit, vrátit peníze, refundovat, dát peněžitou náhradu, provést refundaci ● *s* [ri:fand] = *refundment* ◆ *claim* ~ pojišť. škodová vratka
refundment [riˈfandmənt] náhrada, splacení, vrácení peněz, peněžitá náhrada, refundace
refurbish [ri:ˈfə:biš] **1** znovu naleštit **2** opravit, dát do pořádku, renovovat (~ *an old house*); nově zpracovat (~ *an old legend*)
refurnish [ri:ˈfə:niš] **1** znovu | nově zařídit, dát nové zařízení do **2** přeroubovat
refusable [riˈfju:zəbl] odmítnutelný, zamítnutelný
refusal [riˈfju:zəl] **1** odmítnutí, zamítnutí **2** odepření poslušnosti; zdráhání, dání košem **3** karty nepřiznání barvy ◆ *give* | *have the* (*first*) ~ *of* dát | mít přednostní / předkupní právo na; *right of* ~ předkupní právo, opce; *he will take no* ~ nedá se odbýt, nestrpí odmítnutí
refuse[1] [riˈfju:z] **1** odmítnout (~ *an office* odmítnout funkci), neschválit, zamítnout, zavrhnout (~ *advice* zavrhnout radu) **2** neuposlechnout (~ *an order* neuposlechnout rozkazu), odpírat, vzpírat se (*he never* ~*d his help before*); nedat se (*he* ~*d to be bullied* nedal se šikanovat), nechtít (*it* ~*d to work* nechtělo to fungovat), vypovědět poslušnost; dát košem **3** kůň zdráhat se skočit, odepřít poslušnost **4** karty nepřiznat barvu ◆ ~ *a chance* promarnit příležitost, nevyužít příležitosti; ~ *stays* loď selhat při obratu
refuse[2] [refju:s] *adj* odpadový, odpadkový; vyřazený, zmetkový; nepoužitelný ◆ ~ *removing car* vůz / automobil na odvoz odpadků; ~ *water* odpadní voda ● *s* **1** odpad; odpadky, smetí **2** zmetek
re-fuse[3] [ri:ˈfju:z] přetavit
re-fuse[4] [ri:ˈfju:z] dát novou pojistku do, vyměnit pojistku v
refuse bin [refju:sbin] krytá nádoba na odpadky
refuse dump [ˌrefju:sˈdamp] horn. odval
refuser [riˈfju:zə] kůň, který odmítá skákat přes překážku
refutability [ˌrefjutəˈbiləti] vyvratitelnost
refutable [refjutəbl] vyvratitelný
refutal [riˈfju:tl], **refutation** [ˌrefju(:)ˈteišən] vyvracení, vyvrácení důkazu, popření
refute [riˈfju:t] vyvrátit, dokázat nesprávnost čeho; dokázat omyl koho
regain [riˈgein] *v* znovu získat, znovu nabýt (~*ed his position in society*); znovu dosáhnout čeho (~ *the shore* znovu se dostat na pobřeží) ◆ ~ *consciousness* přijít opět k vědomí; ~ *one's feet* / *footing* / *legs* postavit se opět pevně, narovnat se, najít ztracenou rovnováhu; ~ *one's place* znovu zaujmout své místo ● *s* **1** opětovné získání n. nabytí, opětovné dosažení **2** text. přírůstek ve váze tkaniny pohlcením normální vlhkosti, přírůstek vlivem vlhkosti
regal [ri:gl] *adj* **1** královský, též přen. **2** žena vznosný, elegantní ◆ ~ *lily* bot. lilie královská ● *s* hud. regál, portativ
regale[1] [riˈgeil] *s* **1** hody, kvas, hostina **2** řidč. lahůdka; vybraná chuť pokrmu **3** občerstvení ● *v* **1** po|hostit, po|častovat, zasypávat lahůdkami; hodovat **2** přen. oblažovat, obšťastňovat **3** osvěžit
regale[2] [riˈgeili] *pl: regalia* [riˈgeiljə] **1** hist. výhradní právo krále / státu / vrchnosti, regál **2** *regalia, pl* znaky královské moci, korunovační klenoty, regália, regálie; odznaky / symboly svobodných zednářů; insignie ● *Sunday* ~ nedělní úbor
regalement [riˈgeilmənt] **1** hoštění, hodování **2** oblažování, obšťastňování
regalism [ri:gəlizəm] nauka o nejvyšší moci krále v církevních záležitostech
regality [riˈgæləti] (*-ie-*) **1** královská hodnost **2** královská moc; suverenita **3** výhradní právo krále, regál **4** království, monarchie **5** SC hist. právo jurisdikce propůjčené králem, regál
regard [riˈga:d] *v* **1** upřeně pozorovat, dívat se pozorně na; všímat si čeho, dívat se jak na, brát co jak (*don't* ~ *this very seriously*); pozorovat, sledovat (*I* ~ *his behaviour with suspicion* sleduji jeho chování s jistým podezřením) **2** vypadat (*the hills and woods* ~ *like shapes in an enchanter's glass* kopce a les připomínají přízraky v čarodějném zrcadle) **3** cenit si jak, mít v jaké úctě, vážit si (*we all* ~ *him highly*); pohlížet na, po|dívat se na *with* s / jak (~ *a person with favour* dívat se na člověka příznivě); považovat *a p.* koho *as* za (~ *a p. as a hero*), pokládat, mít **4** dát na, dbát čeho, všímat si čeho (*he seldom* ~*s my advice* málokdy dbá na mou radu); mít ohled na **5** týkat se koho (*this does not* ~ *me at all* do toho mi vůbec nic

není) 6 zast. brát v úvahu 7 zast. střežit ◆ *as* ~*s* pokud jde, co se týká, stran ● *s* 1 pohled zejm. dlouhý n. upřený (*his* ~ *was fixed on the horizon* pohled měl upřený na obzor) 2 pozornost 3 ohled, zřetel (*more* ~ *must be paid to safety on the roads* je nutno brát větší zřetel na bezpečnost na silnicích); hledisko; důvod, motiv 4 poměr, vztah člověka k člověku; úcta, ocenění, hodnocení 5 BR hist. prohlídka lesů 6 zast. vzhled, vzezření ◆ *in his* ~ pokud jde o něho; *in this* ~ v tomto ohledu / směru, z tohoto hlediska; *in* ~ *to* / *of* *1.* vzhledem k *2.* pokud jde o, co se týká čeho, stran čeho; *I have little* ~ *for him* jeho si vážím pramálo; *hold a p. in high* ~ mít koho ve veliké úctě, vysoko si cenit koho; *give one's best* / *kindest* ~ *s to a p.* pozdravovat co nejsrdečněji koho; *kind* ~*s* srdečné pozdravy, (uctivé) poručení; *pay no* ~ *to a t.* nedbat čeho; *with* ~ *to 1.* vzhledem k *2.* pokud jde o, co se týká čeho, stran čeho

regardant [riˈga:dənt] 1 pozorný, bdělý, upřeně pozorující 2 heraldické zvíře otáčející hlavu nazad, zpět hledící

regardful [riˈga:dful] 1 pozorný, dbalý *of* čeho / na 2 ohleduplný ◆ *be* ~ *of 1.* dbát na *2.* mít ohled na, respektovat co

regardfulness [riˈga:dfulnis] pozornost, ohleduplnost

regarding [riˈga:diŋ] 1 pokud jde o, co se týká čeho, stran čeho, kvůli čemu, vzhledem k (*he knew nothing* ~ *the lost watch* o ztracených hodinkách nic nevěděl) 2 v. *regard, v*

regardless [riˈga:dlis] *adj* 1 neopatrný, nepozorný, nedbalý, ledabylý, lhostejný, bezmyšlenkovitý; bezohledný 2 řidč. bezvýznamný ● *adv* hovor. přes to přese všechno, ať to stojí co stojí, bez ohledu na následky (*everything had been done* ~)

regardlessness [riˈga:dlisnis] neopatrnost, nepozornost, nedbalost, ledabylost, lhostejnost, bezmyšlenkovitost; bezohlednost

regardless of [riˈga:dlisov] přes, bez ohledu na, nehledě na (*he pursued his way* ~ *danger* šel svou cestou ... nebezpečí)

regatta [riˈgætə] 1 regata veslařské / jachtařské závody 2 závody gondol v Benátkách 3 text.: barevná proužkovaná bavlněná tkanina keprové vazby

regelate [ri:džəleit] ledová tříšť znovu zmrznout do pevné vrstvy

regelation [ˌri:džiˈleišən] opětné zmrznutí, zamrznutí ledové tříště

regency [ri:džənsi] (*-ie-*) *s* 1 řidč. vláda 2 vladařství, regentství místo panovníka, správcovství země 3 *R*~ BR hist. regentství pozdějšího Jiřího IV (1811–20) ◆ *adj* typický pro začátek 19. století, ve stylu panujícím v létech 1811–20 ◆ *R*~ *stripes* stejně široké barevné proužky na tkanině; *R*~ *style* sloh začátku 19. století odpovídající empiru na kontinentu

regenerate *v* [riˈdženəreit] 1 obrodit | se, zlepšit | se, udělat nově / lépe, obnovit | se, přetvořit | se, oživit | se, reformovat | se, znovu zřídit / utvořit | se na lepších základech 2 dorůst, znovu vyrůst, regenerovat | se 3 nábož. znovu se zrodit duchovně 4 tech. regenerovat, rekuperovat ● *adj* [riˈdženərit] 1 obrozený, zlepšený, reformovaný 2 obnovený, oživený, omlazený; regenerovaný 3 nábož.: duchovně znovuzrozený

regeneration [riˌdženəˈreišən] 1 zlepšení, obrození, obroda, obnovení, obnova, přerod, přetvoření, oživení, reforma; regenerace, též biol. 2 tech. regenerace, rekuperace 3 sděl. tech. kladná zpětná vazba, regenerace 4 nábož.: duchovní znovuzrození

regenerative [riˈdženərətiv] 1 vedoucí k zlepšení, oživující, obrozující, obrodný (*a* ~ *influence* obrodný vliv) 2 regenerační, regenerativní; rekuperační ◆ ~ *capacity* regenerační schopnost; ~ *circuit* sděl. tech. zpětnovazební okruh, okruh zpětné vazby; ~ *furnace* regenerativní pec

regenerator [riˈdženəreitə] 1 obroditel, obnovitel 2 regenerátor tepla v peci

regenesis [ri:ˈdženisis] znovuzrození, obnovení, obnova

regent [ri:džənt] *s* 1 řidč. vláda; vládnoucí zásada 2 regent, vladař, správce 3 BR hist. hlava disputace na oxfordské a cambridžské univerzitě 4 AM člen řídícího sboru státní univerzity ◆ *R*~*'s Park* přen.: londýnská zoologická zahrada ● *adj* vládnoucí místo krále ◆ *Prince R*~ princ regent

regerminate [ri:ˈdžə:mineit] znovu vyrazit, znovu vyrůst / dorůst

regermination [ri:ˌdžə:miˈneišən] nové / opětné vyražení, nový / opětný růst, dorůstání

reggae [regei] též *R*~ hud. druh rockové hudby původně západoindické

regicidal [ˌredžiˈsaidl] královražedný

regicide [redžisaid] 1 královrah 2 královražda 3 ~*s, pl* účastníci soudu a popravy Karla I

régie [reiˈži:] státní správa, státní monopol, režie např. tabáková

regild [ri:ˈgild] (*regilt, regilt*) 1 nově / opětně pozlatit 2 osvěžit, dodat nového lesku čemu (~*ing his renown with fresh triumphs* dodávající své slávě nového lesku čerstvými triumfy)

régime, regimé [reiˈži:m] způsob vládnutí, vláda, zřízení, systém, vládnoucí systém, režim ◆ *ancien régime 1.* předrevoluční francouzská monarchie *2.* stará vláda, starý systém už překonaný

regimen [redžimən] 1 řidč. vláda, systém, zřízení, režim 2 med. režim; životospráva, dieta 3 jaz. řízenost, rekce 4 vod. režim ledovce

regiment *s* [redžimənt] 1 řidč. vláda, vládnoucí systém, zřízení, režim 2 voj. pluk, regiment; jednotka, oddíl, brigáda 3 ~*s, pl* přen. dav, spousta, batalión, regiment ● *v* [redžiment] 1 voj. rozdělit do pluků, utvořit pluky z, zařadit do pluku, přidělit k pluku 2 seřadit, systematicky z|organizovat / s|rovnat, rozškatulkovat; sešněrovat (*an education that ~s children*) **3** polit. dát pod státní kontrolu, reglementovat (*~ed industries*)

regimental [ˌredži'mentl] *adj* **1** plukovní, pluku (*~ officers*) **2** tuhý, který sešněrovává ● *s ~s, pl* tradiční uniforma pluku

regimentation [ˌredžimen'teišən] **1** rozdělení do skupin, systematické seřazení, rozškatulkování **2** podrobení tuhé disciplíně, sešněrování **3** polit. státní kontrola, reglementace, zavedení úředního dozoru

Regina [ri'džainə] **1** oficiální titul britské královny **2** královna; práv. koruna (*~ versus Jones*)

reginal [ri'džainl] královny, královnin, připomínající královnu, jako královna; královský, vznosný

region [ri:džən] **1** oblast; kraj, končina, země; pásmo, pole; vrstva (*the upper ~s of the air*) **2** správní oblast, okres, kraj; okrsek, rajón **3** část, partie (*in the dark ~s of the night sky*) **4** přen. sféra, oblast, obor **5** med. krajina (*abdominal ~* břišní krajina) ◆ *be in the ~ of* přen. dělat asi, pohybovat se kolem (*salary will be in the ~ of £ 1400 p.a.* plat se bude pohybovat kolem £ 1400 ročně); *dark ~* hvězd. moře planety n. Měsíce; *~ beyond the grave* záhrobní říše; *light ~* hvězd. pevnina planety n. Měsíce; *lower ~s 1.* peklo *2.* podsvětí; *upper ~s* nebe, nebesa

regional [ri:džənl] **1** oblastní; pásmový, krajový, regionální (*~ differences in pronunciation*) **2** oblastní, okresní, krajský; okrskový **3** umění krajinský, regionální **4** med. místní, lokální (*~ anaesthesia*); regionální

register [redžistə] *s* **1** rejstřík, seznam, soupis (*R~ of voters*); katalog; katastr; registr; matrika (*a parish ~*) **2** práv. protokol, rejstřík **3** index, rejstřík; obsah v knize **4** zapisovací přístroj, počitadlo, paměť počítače; kontrolní pokladna **5** zápis, záznam **6** hud. rejstřík zařízení pro rozezvučení řady píšťal; soubor tónů stejného zabarvení; uměle stanovená řada tónů lidského hlasu; registr; poloha **7** hradítko, šoupátko kouřové n. k regulaci vzduchu **8** polygr. krytí stránek n. barev, rejstřík; soutisk barev **9** fot. souhlasná poloha, krytí **10** stužka jako knižní záložka **11** = *Medical Register* ◆ *be in ~* polygr. zařezávat, držet rejstřík, krýt; *be out of ~* polygr. nezařezávat, barvy nekrýt, být rozpasovaný, nedržet rejstřík; *cash ~* kontrolní pokladna; *class ~* třídní kniha, třídnice; *chest ~* hud. prsní rejstřík; *head ~* hud. hlavový rejstřík; *hotel ~* hotelová kniha hostů; *mark the ~* kontrolovat prezenci, zapsat prezenci do třídní knihy; *port of ~* domovský přístav; *ship's ~* lodní rejstřík; *~ of shipping* námoř. klasifikační organizace; *~ ton* námoř. rejstříková / registrovaná / prostorová tuna (2,83 m³); *~ tonnage* námoř. prostornost ● *v* **1** dát | se zapsat, zapsat | se do rejstříku atd., přihlásit se zápisem *with* kde (*must I ~ (myself) with the police?* musím se přihlásit na policii?); zanést do rejstříku atd., za|registrovat, též námoř; práv. zaprotokolovat, registrovat **2** zapsat | se do školy, provést zápis koho **3** poslat doporučeně dopis, podat doporučenou zásilku; BR podat zavazadlo k železniční přepravě **4** ukazovat, zaznamenat (*the thermometer ~ed only two degrees above freezing point* teploměr ukazoval pouze dva stupně nad bodem mrazu); evidovat **5** vyjadřovat (*his whole bearing ~ed intense fear* z celého držení těla bylo možno vyčíst velký strach, *her face ~ed surprise* na jejím obličeji se zračilo překvapení); herec herecky se vyjadřovat, vyjádřit / dávat najevo city apod. mimikou n. gesty, zahrát **6** udělat / zanechat (určitý) dojem, projevit se (*my plea didn't ~ on him at all* má obhajoba na něm nezanechala vůbec žádný dojem) **7** hud. rejstříkovat **8** polygr. zařezávat; držet rejstřík; být proti sobě, krýt se, nastavit / seřídit tak, aby se co krylo, seřizovat krytí stránek, barev, seřizovat soutisk barev **9** voj. zastřelovat se na pomocný cíl ◆ *~ed design* užitkový vzorek; *~ed letter* doporučený dopis, doporučená zásilka, rekomando; *~ed player* tenis registrovaný hráč profesionál; *~ shares / stock* akcie na jméno; *~ed ton* = *register ton*

registered nurse [ˌredžistəd'nə:s] diplomovaná ošetřovatelka, diplomovaná zdravotní sestra

registrable [redžistrəbl] **1** zapsatelný, zaznamenatelný do rejstříku apod.; registrovatelný **2** dopis který lze podat doporučeně **3** ukazatelný, vyjádřitelný, zahratelný

registrar [ˌredži'stra:] **1** matrikář; oddávající úředník **2** zapisovatel, registrátor osoba **3** tajemník školy, univerzitní notář, školní archivář **4** BR med. odborný lékař, specialista v nemocnici ◆ *R~ General* BR vedoucí civilního úřadu, vedoucí státní statistiky, hlavní matrikář; *get married before the ~* mít civilní sňatek, dát se oddat na úřadě / na radnici; *~s' office* matrika

registrarship [ˌredži'stra:šip] matrikářství, zapisovatelství, registrátorství; tajemnictví funkce i údobí

registrary [redžistrəri] (*-ie-*) BR tajemník cambridžské univerzity

registration [ˌredžis'treišən] **1** zapsání, zaznamenání do rejstříku atd., zaprotokolování; přihlášení; registrace, zápis, přihláška **2** zápis, záznam **3** údaj samočinného počítadla **4** podání doporučeného dopisu; BR podání zavazadla k železniční přepravě **5** hud. rejstříkování, registrace ◆ *~ book* technický průkaz automobilu; *~ card 1.* přihláška, přihlašovací list *2.* členská legitimace; *compulsory ~* přihlašovací povinnost; *~ fee 1.* zápisné *2.* poplatek za rekomando, doporučné; *~ fire* voj. zastřelování na pomocný cíl; *~ form* přihláška formulář; *~ number* evidenční číslo, poznávací značka

registration office [ˌredžisˌtreišən'ofis] ohlašovna, ohlašovací úřad

registry [redžistri] (*-ie-*) **1** zapsání, zápis, registrace

2 rejstřík, seznam, soupis, katalog, registr **3** civilní úřad, matriční úřad, matrika **4** zast. zprostředkování služeb, vývěsková služba, zprostředkovací kancelář **5** podatelna **6** námoř. klasifikační osvědčení, rejstříkový záznam ◆ *be married at the* ~ mít svatbu na radnici, mít civilní sňatek; ~ *office = registry 3,4; port of* ~ domovský přístav; *servant's* ~ (*office*) zprostředkovací kancelář pro pomocníky / pomocnice v domácnosti; *R*~ *of Shipping* lodní klasifikační organizace

Regius [ri:džjəs] *adj* BR jmenovaný královským patentem, vyučující na katedře založené králem zejm. Jindřichem VIII. ● *s* SC titul profesora vyučujícího na katedře založené králem

reglet [reglit] **1** lišta, úzký pásek **2** polygr. proložka (6–12 bodů)

regnal [regnl] královský ◆ ~ *year* rok počítaný od (výročí) nastoupení krále; ~ *day* výročí nastoupení na trůn

regnant [regnənt] panující, vládnoucí, též přen. ◆*Queen R*~ královna panovnice nikoli manželka krále

regorge [ri:ˈgo:dž] **1** vyvrhnout, zvrátit **2** téci zpět, valit se zpět **3** řidč. opět spolknout / pohltit

regrade [ri:ˈgreid] **1** zmenšit podélný profil **2** přeřadit do jiné kategorie (~ *stored apples*) **3** přeskupit, zařadit do jiné skupiny n. skupin (~ *students*)

regrant [ri:ˈgra:nt] *v* opět povolit, znovu schválit, potvrdit výsadu ● *s* opětovné povolení / schválení, potvrzení výsady

regrate [ri:ˈgreit] **1** hist. skupovat zejm. potraviny pro prodej se ziskem, kupčit **2** prodávat skoupené zboží se ziskem, prodávat v drobném **3** oškrabávat zdivo, odstranit vnější povrch, nově opracovat

regrater, regrator [ri:ˈgreitə] hist.: kdo nakupuje zejm. potraviny, aby je se ziskem prodal, překupník

regress *s* [ri:gres] **1** ústup, návrat, regrese; pokles **2** práv. rekursní právo, postih, regres **3** hvězd. zpětný / retrográdní pohyb ● *v* [riˈgres] **1** hvězd. mít zpětný / retrográdní pohyb **2** vrátit se do původního stavu

regression [riˈgrešən] **1** ustupování, ústup; krok zpět; pokles **2** zpětný pohyb, návrat **3** odb. regresse ◆ ~ *coefficient* součinitel regrese

regressive [riˈgresiv] **1** ustupující, zpětný, návratný, vracející se, regresívní, též filoz., med.; retrográdní **2** zpátečnický, konzervativní

regressiveness [riˈgresivnis] **1** regresívnost **2** zpátečnictví

regret [riˈgret] *v* (*-tt-*) litovat *a t.* čeho / *that* že, želet *a p.* koho, rmoutit se pro (*I* ~ *my mistakes* mrzí mě mé chyby) ◆ *I* ~ *to say* musím bohužel říci, musím s politováním říci; *it is to be* ~*ted* bohužel, škoda, pohříchu, je politováníhodné ● *s* **1** lítost, žal, smutek, politování *for* nad; projev lítosti **2** odmítavá odpověď, odmítnutí s politováním ◆ *have no* ~(*s*) nelitovat, nemít žádné výčitky svědomí; *to my* ~ k mé (veliké) lítosti, bohužel, pohříchu

regretful [riˈgretful] žalostný, lítostivý, žalostivý

regrettable [riˈgretəbl] **1** politováníhodný (~ *attitude*) **2** žalostně malý (*a* ~ *attendance*)

regrettably [riˈgretəbli] bohužel, pohříchu

regrind [ri:ˈgraind] (*reground, reground*) **1** přemlít **2** přebrousit (*he had his valves reground*)

reground [ri:ˈgraund] v. *regrind*

regroup [ri:ˈgru:p] **1** překupit, jinak seřadit **2** přeskupit (vojsko), udělat jinou formaci (vojska)

regs [regz] *pl* slang., zejm. AM = *regulations*

regulable [regjuləbl] **1** ovladatelný, řiditelný **2** regulovatelný

regular [regjulə] *adj* **1** pravidelný souměrný (~ *teeth,* ~ *features* pravidelné rysy); stejnoměrný, stejný (*a* ~ *pulse, walking up and down with* ~ *steps*); pravidelně se opakující (*a* ~ *income* pravidelný příjem); odpovídající příslušnému vzoru n. typu (*the verb "go" is not* ~) **2** obvyklý, obyčejný, běžný, normální; zákonný, odpovídající předpisům / právu, pravidelný, regulérní; člověk mající pravidelnou stolici n. pravidelné menses; AM velikostí obyčejný, normální (*do you want king size cigarettes or* ~ *size?*) **3** řádný, profesionální (*a* ~ *physician* lékař-profesionál, *a* ~ *cook* profesionální kuchař) **4** voják sloužící v pravidelné armádě, v aktivní službě; z povolání; bojující z hlediska mezinárodního práva **5** hovor. vyložený, úplný, dokonalý, hotový, učiněný (*he's a* ~ *rascal* on je vyložený uličník); pořádný (*I had a* ~ *sore throat*) **6** AM stranický; člen strany věrný, spolehlivý, neodchylující se od stranické linie **7** AM hovor. správný, poctivý, prima, báječný (*a* ~ *fellow*) **8** círk. řeholní, řádový (*the* ~ *clergy*) **9** mat. pravidelný, regulární; miner. krychlový ◆ ~ *army* pravidelné vojsko; *be* ~ *in one's diet* dodržovat přesně dietu; ~ *bedding* geol. souhlasné vrstvení; ~ *coffee* AM bílá káva se smetanou; ~ *customer* stálý zákazník; ~ *doctor* domácí lékař; ~ *flower* bot. pravidelný květ; ~ *officer 1.* aktivní důstojník *2.* důstojník z povolání; ~ *nomination* řádné jmenování; ~ *marriage* BR civilní sňatek; ~ *people* normální / obyčejní lidé; ~ *sateen* text. pravý / čistý atlas; ~ *solid* pravidelný mnohostěn (*five* ~ *solids* čtyřstěn, šestistěn, osmistěn, dvanáctistěn, dvacetistěn); ~ *student* řádný student ● *adv* vulg. **1** pravidelně (*he comes* ~) **2** děsně, šíleně (*he is* ~ *angry*) ● *s* **1** aktivní voják; voják z povolání, voják pravidelného vojska; ~*s, pl* pravidelné vojsko, pravidelná armáda **2** řeholník, řádový kněz (*seculars and* ~*s*) **3** sport. pravidelně soutěžící atlet, závodník základní sestavy **4** hovor. stálý zákazník, stálý host, štamgast **5** hovor. člověk s řádným zaměstnáním **6** AM normální velikost oděvu (*the*

~ *s are hanging over here*) **7** AM spolehlivý člen strany

regularity [ˌregjuˈlærəti] (*-ie-*) **1** pravidelnost **2** pravidelný jev / tvar **3** pořádek, správnost, řádnost ◆ *for ~'s sake* pro pořádek

regularization [ˌregjuləraiˈzeišən] **1** podřízení pravidlům **2** úprava, srovnání, uvedení do pořádku; sjednocení **3** zákonná úprava, uzákonění

regularize [regjuləraiz] **1** podřídit pravidlu **2** udělat pravidelným, upravit, srovnat, uvést do pořádku; sjednotit **3** upravit směrnicemi / zákonem, uzákonit

regulate [regjuleit] **1** řídit, usměrňovat, regulovat (~ *the traffic* řídit dopravu, ~ *the industries of the country*) **2** nastavit, seřídit přístroj; nařídit / seřídit hodiny, vy|regulovat **3** upravit, usměrnit, učinit pravidelným, zpravidelnit (~ *one's life*) **4** přizpůsobit *to* čemu **5** stanovit pravidla ◆ ~*d items* AM voj. přidělované věci

regulating [regjuleitiŋ] **1** regulační **2** v. *regulate*

regulation [ˌregjuˈleišən] *s* **1** nařízení, směrnice, statut, ustanovaní, předpis; ~*s, pl* stanovy; pravidla, řád **2** úprava, srovnání, zpravidelnění; zavedení pořádku n. pravidelnosti *of.* do **3** nastavení, seřízení přístroje; nařízení / seřízení hodin, regulování **4** řízení, usměrňování, regulování, regulace, též vod. ◆ ~ *of bowels* med. úprava stolice ● *adj* **1** předepsaný, provedený podle předpisu, předpisový (*the ~ cap of a nurse* předepsaný čepec zdravotní sestry), služební (~ *sword* služební mečík) **2** obvyklý, normální ◆ ~ *uniform* voj. předepsaný stejnokroj

regulative [regjulətiv] **1** regulační **2** filoz. regulativní

regulator [regjuleitə] **1** kdo řídí, usměrňuje n. reguluje **2** AM samozvaný strážce zákona **3** regulační zařízení, regulátor **4** vodítko, pravidlo, regulativ **5** elektr. potenciometr; reostat **6** chem. ústojný roztok, pufr

reguline [regjulain] hut. regulusový, týkající se regulu

regulus [regjuləs] *pl: reguli* [regjulai] **1** *R*~ Regulus nejjasnější hvězda v souhvězdí Lva **2** hut. regulus kulička / hrudka kovu vytvořená vytavením pod struskou **3** mat. kvadratická zborcená řada, kvadratická osnova **4** zool. králíček pták

regurgitate [riˈgə:džiteit] **1** vy|vrhnout, vy|dávit; vy|chrlit zpět **2** řinout se zpět, hnát se zpět, vracet se

regurgitation [riˌgə:džiˈteišən] **1** vrhnutí, dávení, zvracení **2** med. regurgitace; opačný tok krve

rehab [ri:hæb] slang. = *rehabilitation*

rehabilitate [ˌri:əˈbiliteit] **1** ospravedlnit, ospravedlňovat, rehabilitovat; podrobit rehabilitaci **2** učinit znovu použitelným, obnovit, opravit, asanovat; napravit **3** med. vy|léčit rehabilitací, vyléčit léčebným nácvikem

rehabilitation [ˈri:əˌbiliˈteišən] **1** ospravedlnění, rehabilitace **2** obnovení, obnova, oprava; asanace; náprava **3** med. rehabilitace léčebný nácvik onemocnělého údu

rehandle [ri:ˈhændl] **1** přepracovat, nově zpracovat (~ *a legend*) **2** vzít znovu do ruky, přehazovat, znovu manipulovat s **3** AM znovu projednávat, vyřídit

rehang [ri:ˈhæŋ] (*rehung, rehung*) **1** převěsit, jinak pověsit (~ *the portraits in a gallery*) **2** dát nové n. jiné tapety na / do

rehash [ri:ˈhæš] *v* **1** znovu rozsekat **2** znovu omílat, ohřívat (~*ed all their propaganda charges* znovu omílali všechny své propagandistické útoky); předělat, přešít, opakovat v jiném rouše (~ *an old tale*) ● *s* **1** literární předělávka, předělání, přešití, jiné zpracování, odvar (*his second book is a ~ of his first*) **2** omílání, ohřívání

rehear [ri:ˈhiə] (*reheard, reheard*) konat / mít nové přelíčení / nové stání; znovu projednat

rehearing [ri:ˈhiəriŋ] **1** nové přelíčení, nové stání; nové projednání **2** v. *rehear*

rehearsal [riˈhə:səl] **1** zkouška; nácvik **2** výčet, vypočítávání (~ *of grievances* výčet stížností) ◆ *dress / final ~* generální zkouška, generálka; *first ~* první / čtená zkouška; *take ~s* zkoušet, řídit zkoušky

rehearse [riˈhə:s] **1** zkoušet, nazkoušet, mít zkoušku; nacvičovat, cvičit **2** opakovat (*no need to ~ here in detail the familiar story*); vypočítávat (*an address which ~ed the wrongs suffered by the army* řeč vypočítávající všechny křivdy, které armáda utrpěla)

reheat [ri:ˈhi:t] znovu ohřát

rehoboam [ˌriəˈbəuəm] obří láhev zejm. šumivého vína (ca 4,8 litru)

rehouse [ri:ˈhauz] přestěhovat do nového bytu (~ *the slum dwellers*), též přen. (~ *the hens*)

rehumanize [ri:ˈhju:mənaiz] znovu / nově polidštit n. zlidštit

Reich [raik] německá říše ◆ *First ~* První říše (962–1806); *Second ~* Druhá říše (1871–1918); *Third ~* Třetí říše, reich, rajch (hanl.) (1933–1945)

Reichswehr [raiksweə] říšská branná moc, nacistická armáda

Reichstag [raiksta:g] hist. říšský sněm

reification [ˌri:ifiˈkeišən] zhmotnění, zkonkrétnění, hmotná podoba

reify [ri:ifai] (*-ie-*) zhmotnit | si, učinit | si konkrétním, konkretizovat | si (~ *both space and time* konkrétizovat si prostor i čas)

reign [rein] *s* vláda, panování, kralování **2** bás. království ◆ ~ *of terror* hrůzovláda ● *v* **1** vládnout, panovat, kralovat, též přen. (*a complete silence ~ed inside*) **2** převládat (*fir trees ~ in the Black Forest* ve Schwarzwaldu převládají jedle) ◆ ~*ing beauty* nejkrásnější a nejvlivnější žena své doby; ~*ing winds* panující větry, převládající větry

reignite [ˌri:igˈnait] znovu | se zapálit

reillusion [ˌri:iˈlu:žən] vrátit víru v, vrátit iluze o
reimburse [ˌri:imˈbə:s] **1** nahradit *a p.* komu *for* co, krýt / uhradit komu co, odškodnit koho za **2** refundovat, vrátit peníze, splatit
reimbursement [ˌri:imˈbə:smənt] **1** náhrada, odškodnění, úhrada *for* za co; krytí čeho **2** refundace, vrácení, splacení
reimport *v* [ˌri:imˈpo:t] zpětně dovézt, reimportovat ● *s* [ri:impo:t] zpětný dovoz, reimport
reimpose [ˌri:imˈpəuz] znovu uložit / vyhlásit / zavést (~ *the ban on parking* znovu zavést zákaz parkování)
reimposition [ri:ˌimpəˈzišən] opětné uložení / vyhlášení / zavedení (~ *of taxes*)
rein [rein] *s* též ~*s, pl* otěž, otěže; uzda ◆ *assume the* ~*s of government* převzít otěže vlády, ujmout se vlády; *draw* ~ *1.* zpomalit n. zastavit koně *2.* přen. přitáhnout uzdu; *drop the* ~*s of government* pustit z rukou otěže vlády; *give (the)* ~*s* přen. popustit uzdu; *give horse the* ~*(s)* povolit koni uzdu, pustit otěže, pustit koně; *with a loose* ~ přen. jemně, nenásilně; *take the* ~*s* ujmout se vedení; *throw the* ~*s* přen. povolit uzdu; *tight* ~ přen. krátká uzda ● *v* **1** řídit otěží, zarazit otěží koně **2** přen. držet na uzdě, brzdit, krotit ◆ ~ *one's tongue* držet jazyk na uzdě; ~ *to a halt* zarazit otěží ***rein back / in / up*** zadržet, zarazit, zastavit otěží
reincarnate *adj* [ˌri:inˈka:nit] znovu vtělený, převtělený ● *v* [ri:ˈinka:neit] znovu se vtělit, převtělit se
reincarnation [ˌri:inka:ˈneišən] nové vtělení, převtělení, převtělování, reinkarnace
reincarnationist [ˌri:inka:ˈneišənist] zastánce názoru o převtělování
reincorporate [ˌri:inˈko:pəreit] znovu vtělit, znovu včlenit
reindeer [ˈreinˌdiə] *pl* též *reindeer* [ˈreinˌdiə] zool. sob ◆ ~ *moss* bot. lišejník sobí
reinforce [ˌri:inˈfo:s] *v* **1** zesílit, posílit, též voj., poslat posily komu; vy|ztužit, zpevnit **2** přen. podtrhnout (~ *our words*), podepřít (~ *our arguments*) **3** posílit reakci na podnět, zejm. odměnou při správné reakci; odměnit za správnou reakci ● *s* **1** výztuha **2** voj. zadní zesílená část hlavně
reinforced concrete [ˌri:inˌfo:stˈkonkri:t] ocelový / vyztužený / armovaný beton, železobeton
reinforcement [ˌri:inˈfo:smənt] **1** výztuha, vyztužení, výztuž; zesílení **2** ~*s, pl* vojenské posily
reingratiate [ˌri:inˈgreišieit] znovu se zavděčit *with* komu
reink [ri:iŋk] znovu načernit / nabarvit / napustit / navlhčit inkoustem / černí
reinless [reinlis] **1** jsoucí bez otěží (~ *steeds* oři...), bezuzdný, též přen. **2** bezohledný (~ *speed*)
reins¹ [reinz] *pl* zast. **1** ledviny **2** ledví, útroby; nitro
reins² [reinz] *pl* v. *rein, s*
reinsert [ˌri:inˈsə:t] znovu vložit / vsunout / vstrčit (~ *a letter in an envelope*)
reinsman [reinzmən] *pl: -men* [-mən] **1** zkušený kočí, vozka spřežení **2** zkušený žokej
reinstall [ˌri:inˈsto:l] znovu dosadit do funkce, znovu nastolit
reinstallment, reinstalment [ˌri:inˈsto:lmənt] znovudosazení, opětné dosazení do funkce, znovunastolení, opětovné nastolení
reinstate [ˌri:inˈsteit] **1** znovu dosadit *in* do funkce **2** uvést do původního stavu, znovu zřídit; znovu zavést, obnovit (~ *law and order* obnovit zákon a pořádek) **3** uzdravit, postavit opět na nohy
reinstatement [ˌri:inˈsteitmənt] **1** opětné dosazení do funkce **2** uvedení do původního / předchozího stavu, znovuzřízení, opětovné zavedení, obnovení, obnova; návrat; oprava **3** uzdravení **4** ekon. nahrazení / odčinění vzniklé škody ◆ ~ *value insurance* pojištění nové hodnoty bez srážky za opotřebení
reinsurance [ˌri:inˈšuərəns] ekon. zajištění ◆ ~ *company* zajišťovna; ~ *deposit* zajistná záruka, kauce; ~ *premium* zajistné; ~ *treaty* zajistná smlouva
reinsure [ˌri:inˈšuə] ekon. znovu pojistit, pojistit pojišťujícího, zajistit, zajišťovat
reinsured [ˌri:inˈšuəd] *s* zajistník, cedent ● *v* v. *reinsure*
reinsurer [ˌri:inˈšuərə] zajistitel
reintegration [ˌri:intiˈgreišən] **1** opětovné spojení n. sloučení, opětovná integrace **2** opětovné včlenění **3** obnovení
reintegrate [ri:ˈintigreit] **1** znovu spojit n. sloučit, znovu integrovat **2** znovu včlenit *into* do **3** obnovit
reinter [ˌri:inˈtə:] *(-rr-)* znovu pohřbít, převézt nebožtíka
reinvest [ˌri:inˈvest] **1** ekon. znovu uložit, znovu investovat **2** znovu dosadit *in* do funkce **3** znovu obléknout *with* do, dát čemu nové co (*great poetry searches how to* ~ *words with meaning* velká poezie se snaží dát slovům nový význam)
reinvestigate [ˌri:inˈvestigeit] znovu vyšetřit
reinvestiture [ˌri:inˈvestičə] opětovné dosazení do funkce, opětovné nastolení
reinvestment [ˌri:inˈvestmənt] ekon. nová / opětovná investice, opětné uložení, opětné investování
reinvigorate [ˌri:inˈvigəreit] znovu posílit, dodat nových sil komu
reis¹ [reis] *pl: reis* [reis] velitel, náčelník
reis² [reis] *pl:* reis [reis] reis dř. portugalská n. brazilská drobná mince
reissue [ˌri:ˈisju:] *v* znovu vydat, znovu publikovat ● *s* nové vydání; nová emise známek
reissueable [ri:ˈisju:əbl] znovu vydatelný, způsobilý k novému vydání, vhodný pro nové vydání
reiterate [ri:ˈitəreit] **1** znovu opakovat **2** zdůraznit opakováním

reiteration [ri:ˌitəˈreišən] **1** opětovné opakování **2** zdůraznění opakováním

reiterative [ri:ˈitərətiv] *adj* opakovaný, opětovací, iterativní; zdvojovaný ● *s* jaz. iterativum

reive [ri:v] = *reave*

reiver [ri:və] nájezdník, lupič (*defence against sea ~s* obrana proti námořním lupičům)

rejaser [ri:ˈdžeisə] AM slang. kdo pěstuje *rejasing*

rejasing [ri:ˈdžeisiŋ] AM slang. upotřebení starých vyhozených předmětů (*"R~" — Reusing Junk As Something Else — is gaining in popularity*)

reject *v* [riˈdžekt] **1** odmítnout (*~ a counsel*), zamítnout (*~ a bill*), nepřijímat (*~ food*); odvrhnout, zavrhnout (*~ a child*) **2** vyřadit (*~ fruit that is overripe* vyřadit přezrálé ovoce), neuznat schopným (*~ed by the recruiting station*), zmetkovat **3** med. vrhnout, dávit, kálet; ◆ *be ~ed* též *1.* dostat košem *2.* divadelní hra propadnout ● *s* [ri:džekt] **1** mladík neschopný vojenské služby, neodvedenec **2** co je vrácené / vyřazené, zboží s vadou; zmetek ◆ *export ~s* vrácený export vadné zboží neschopné vývozu

rejectable [riˈdžektəbl] **1** odmítnutelný, zamítnutelný, zavrhnutelný **2** vyřaditelný; zmetkový, vadný, defektní

rejectamenta [riˌdžektəˈmentə] *pl* **1** odpadky, odpad; odpadový materiál, zmetky **2** co vyplavilo moře, trosky, odpadky **3** med. výkaly, exkrementy

rejectant [riˈdžektənt] ochranný prostředek odpuzující hmyz z rostlin

rejectee [ˌridžekˈti:] branec neschopný vojenské služby

rejecter [riˈdžektə] kdo odmítá, zavrhuje, vyřazuje; vyřazovač

rejection [riˈdžekšən] **1** odmítnutí, zamítnutí, odvrhnutí **2** vyřazení zboží, zmetkování; zmetek, zmetky, zboží s vadou **3** *~s, pl* výkaly **4** med. snaha těla vypudit ze sebe cizí, zejm. transplantovaný orgán ◆ *~ number* počet vadných výrobků při kontrole jakosti; *~ slip* tištěné oznámení nakladatele, že nepřijímá nabízený rukopis

rejector [riˈdžektə] **1** sděl., tech. zádrž, filtr **2** = *rejecter* ◆ *~ circuit* sděl. tech. odlaďovač, obvod pro potlačení určitého kmitočtu

rejig [ri:ˈdžig] slang. *v* (*-gg-*) přestavět / modernizovat stroje / továrnu ● *s* přestavba, modernizace

rejoice [riˈdžois] **1** udělat / způsobit radost komu, rozradostnit, velice potěšit (*the boy's success ~d his mother's heart* chlapcův úspěch velice potěšil matčino srdce) **2** cítit / mít velkou radost, radovat se, mít velké potěšení *at* / *in* z (*~at a p.'s success* radovat se z úspěchu koho) *over* nad (*~ over a victory*); těšit se čemu, mít tu čest a mít co, též žert. (*he ~s in the name of Boggs*); radovat se, veselit se ◆ *be ~d* velice se radovat *by* z

rejoicing [riˈdžoisiŋ] **1** *~s, pl* veselí, radování, veselice, radovánky, oslavy, sláva, slavnost **2** v. *rejoice*

rejoin[1] [riˈdžoin] **1** odvětit, opáčit, odpovědět **2** práv. odpovědět na odpověď žalovaného **3** vrátit se k, znovu se přidružit k, opět se připojit k (*~ one's regiment*... k svému pluku)

rejoin[2] [ri:ˈdžoin] znovu spojit ◆ *~ bones* med. na|rovnat zlomené kosti

rejoinder [riˈdžoində] práv. odpověď na žalobní odpověď, replika

rejuvenate [riˈdžu:vineit] **1** omladit | se, vrátit mládí komu; geol. omladit např. povrchový relief **2** opravit že vypadá jako nový (*~ four tired chairs*) **3** elektr. zotavit napětí

rejuvenation [riˌdžu:viˈneišən] omlazení, navrácení mládí, zmlazení

rejuvenator [riˈdžu:vineitə] kdo omlazuje; omlazující prostředek

rejuvenescence [ˌri:džu:viˈnesns] omlazení, též biol.

rejuvenescent [ˌri:džu:viˈnesnt] omlazující | se

rejuvenize [riˈdžu:vinaiz] = *rejuvenate*

rekindle [ri:ˈkindl] **1** znovu | se vznítit, znovu | se zapálit, znovu rozdmychat **2** znovu vzplanout, též přen.

relabel [ri:ˈleibl] (*-ll-*) dát novou nálepku na, jinak označit, přejmenovat

re-laid [ri:ˈleid] v. *re-lay*

relapse [riˈlæps] *v* **1** znovu upadnout *into* do, v (*~ into obscurity* znovu upadnout v zapomenutí); znovu propadnout staré chybě (*reformed drunkards often ~* vyléčení opilci často znovu propadají alkoholu) **2** náb. odpadnout **3** med. dostat recidivu ● *s* **1** opakování (*a ~ of old errors*) **2** opětné zhoršení zdravotního stavu, návrat nemoci, recidiva (*he had a ~* jeho zdravotní stav se opět zhoršil)

relate [riˈleit] **1** vyprávět, vykládat, líčit, popisovat (*she is ~d to have said* ona prý řekla) **2** uvést do vztahu / ve vztah *to* / *with* s, uvést do spojitosti / souvislosti, spojovat (*it is difficult to ~ these results with any known causes* je těžké spojovat tyto výsledky s některou ze známých příčin); najít souvislost *a t.* mezi čím a čím (*~ poverty and crime* nacházet souvislost mezi bídou a zločinem); zjistit vzájemnou souvislost čeho (*unable to ~ these two facts*) **3** týkat se *to* koho, souviset s ◆ *relating to* pokud jde o, co se týká / týče, vzhledem k; *strange to ~* je to zvláštní, ale..., vy tomu nebudete věřit, ale... (*strange to ~, I once met Smith in Katmandu*)

related [riˈleitid] **1** příbuzný, spřízněný **2** v. *relate* ◆ *be ~* též souviset; *~ by blood* pokrevně příbuzný; *~ by marriage* sešvagřený

relatedness [riˈleitidnis] příbuznost, příbuzenství, příbuzenský vztah

relation [riˈleišən] **1** vyprávění, líčení, popis (*the of his adventures* vylíčení jeho dobrodružství); příběh, zpráva, výčet, relace (*the Jesuit ~s* *of missionary work in the New World*) **2** vztah, poměr (*the ~ between mother and child*); spojitost, souvislost, souvztažnost (*discovered a ~ between dreams and waking actions* objevil souvislost mezi sny a činy v bdělém stavu) **3** *~s, pl* styky, vztahy, záležitosti (*foreign ~s*); pohlavní styky **4** příbuzný; *~s, pl* příbuzní, příbuzenstvo, přízeň; kniž. přen. příbuzenství, příbuznost **5** práv. oznámení veřejnému prokurátorovi **6** práv. zpětná platnost *to* od (*have ~ to April 1st*) **7** odb. relace; sděl. tech. spojení, spoj ◆ *be out of all ~ to* nebýt vůbec přiměřený čemu, *bear no ~ to 1.* nemít nic společného s *2.* = *be out of all ~ to; Community R~s Service* AM pomocný policejní sbor; *enter into ~s with* navázat styk s, vstoupit do styku s; *entertain ~s with / to* udržovat styky s; *have ~ to* vztahovat se na, týkat se čeho, *in ~ to* pokud jde o, co se týká čeho; *public ~s* styk s veřejností (*public ~s officer* tiskový referent); *strained ~s* napjatá situace ve vzájemných vztazích, napjatý / neurovnaný / nevyjasněný vztah; *with ~ to* pokud jde o, co se týká čeho

relational [ri|leišənl] **1** příbuzenský (*~ duties*) **2** týkající se vztahů, vztahový, relační ◆ *~ words* vztažná slova

relationless [ri|leišənlis] samostatný, bez jakéhokoli vztahu

relationship [ri|leišənšip] **1** vztah, poměr; spojitost, souvislost, souvztažnost **2** příbuznost, příbuzenství, příbuzenský vztah ◆ *degree of ~* stupeň příbuzenství

relatival [|relə|taivəl] jaz. týkající se vztažných zájmen n. vět (*~ construction*); vztažný

relative [relətiv] *adj* **1** poměrný (*~ velocity* poměrná rychlost), srovnávatelný, vzájemný, relativní (*the ~ advantages of two methods* relativní přednosti dvou metod) **2** částečně pravdivý, nikoli absolutní, podmíněný, relativní (*happiness is ~*) **3** úměrný, odpovídající (*value is ~ to demand* hodnota je úměrná požadavku) **4** týkající se *to* čeho, související s, vztahující se k / na (*the papers ~ to the case*) **5** jaz. vztažný **6** příbuzný (*magnetism and ~ phenomena* magnetismus a...jevy) **7** hud. paralelní (*G major and E minor are ~ keys* G dur a e moll jsou...tóniny) ◆ *~ clause* jaz. vztažná věta; *~ displacement* vzájemné posunutí, vzájemný posun; *~ major* hud. paralelní durová tónina; *~ minor* hud. paralelní mollová tónina; *~ position* vzájemná poloha; *~ pronoun* jaz. vztažné zájmeno; *~ worship* náb. nepřímé uctívání ● *adv* vzhledem k nám (*unidentified ship bearing zero nine zero ~*) ◆ *~ to* ve věci čeho ● *s* **1** příbuzný **2** relativní pojem **3** jaz. vztažné zájmeno, relativum **4** hud. paralelní tvrdá n. měkká stupnice **5** chem. řidč. příbuzný derivát

relativism [relətivizəm] filoz. relativismus názor nepokládající poznání a hodnocení za objektivně pravdivé, ale jen za relativní, podmíněné

relativist [relətivist] filoz. relativista stoupenec relativismu

relativity [|relə|tivəti] **1** poměrnost; relativnost; závislost *of* čeho *to* na, podmíněnost čeho čím (*~ of human thought to historical conditions*) **2** relativita, Einsteinova teorie relativity

relator [ri|leitə] **1** vypravěč **2** práv. veřejný žalobce

relax [ri|læks] **1** uvolnit | se, povolit (*~ the muscles* uvolnit svaly); polevit, zmírnit | se, zeslabit; polevit v (*~ one's efforts* polevit v úsilí) **2** rysy obličeje rozjasnit se, roztát (*his face ~ed in a smile*) **3** ochabnout, též med. **4** uvolnit se, odpočinout si, rekreovat se, vypnout, vypřáhnout, dát si pohov, nabrat dech (*~ for an hour* hodinku si odpočinout), chovat se nenuceně (*found it hard to ~ in the presence of his social inferiors* bylo mu obtížné chovat se v přítomnosti společensky níže postavených lidí nenuceně); uklidnit, uvolnit napětí v, uklidnit nervy komu (*a shampoo soothed and ~ed him* umyl si vlasy a tím se uklidnil a zbavil napětí) ◆ *~ed atmosphere* nenucené ovzduší; *~ the bowels 1.* jít na stolici, defekovat *2.* dát projimadlo komu, odstranit zácpu; *~ing climate* klima působící celkovou ochablost; *~ one's pace* zpomalit tempo; *~ed throat* med. katar hrtanu

relaxation [|ri:læk|seišən] *s* **1** uvolnění, povolení; zeslabení, zmírnění **2** částečné prominutí, zmírnění pokuty / trestu / podmínek **3** odpočinutí, odpočinek, zábava, uklidnění nervů, rekreace (*gardening is my ~*) **4** med. ochabnutí, ochablost **5** fyz. relaxace ● *adj* tech. relaxační (*~ time*... doba)

relaxor [ri|læksə] AM kosmetický prostředek pro narovnávání přirozeně kudrnatých vlasů

relay[1] [ri:lei] **1** čerstvý potah, čerstvá přípřež, čerstvé spřežení k přepřáhnutí **2** přepřahací stanice; zájezdní hospoda **3** střídání, vystřídání, nová směna, nová šichta **4** voj. řada spojek ◆ *~ attack 1.* útok provedený v několika vlnách *2.* vlnovitý nálet; *work in ~s* pracovat na směny

relay[2] [ri:|lei] *s* **1** tech. relé **2** sport. štafetový běh, štafeta; úsek trati při štafetovém běhu **3** sděl. tech. přenos ● *v* (*relaid relaid*) **1** vystřídat, vyměnit potah, připravit čerstvou přípřež, rozestavit spřežení; přepřáhnout, dostat čerstvé spřežení **2** dát dál, dát od úst k ústům, donést **3** sděl. tech. přenášet, vysílat přenosem; znovu vysílat; předávat dále zprávu rozhlasem

re-lay[1] [ri: |lei] (*re-laid, re-laid*) **1** znovu položit **2** znovu vydláždit (*~ the pavement*... chodník); znovu pokrýt (*~ a roof*... střechu); přeložit, vyměnit (*~ the rails* vyměnit koleje)

relay baton [|ri:lei|bætən] sport. štafetový kolík

relay race [ˈri:leiˌreis] sport. štafetový / rozestavný běh, štafeta
relay runner [ˈri:leiˌranə] sport. štafetový běžec
relay station [ˈri:leiˌsteišən] retranslační stanice rádiová, zesilovací rádio|reléová stanice
releasable [riˈli:səbl] **1** uvolnitelný **2** vydatelný, uveditelný na trh; promítatelný
release [riˈli:s] *v* **1** pustit, uvolnit (*~ a bent bow* ... napjatý luk); pustit na svobodu, vypustit (*~ a caged bird*... ptáčka z klece), propustit (*~ a man from prison*... člověka z vězení); spustit (*~ a catapult*) **2** shazovat letecké pumy **3** zprostit *from* čeho (*~ a monk from his vows*... mnicha slibů); zbavit čeho (*~ a p. from his debt*); vysvobodit od / z (*~ a p. from his suffering* vysvobodit koho z utrpení); ulevit, ulehčit komu od **4** uvolnit k uveřejnění (*~ an article for publication*), dát souhlas k uveřejnění zprávy; zveřejnit, otisknout, vydat zprávu; uvolnit film k veřejnému promítání, uvést do kin, dát do distribuce; uvést na trh, dát do prodeje (*~ gramophone records*) **5** práv. převést, přepsat, postoupit (*~ a property*); vymazat (*~ a mortgage*... hypotéku) **6** práv. vzdát se nároku; škrtnout **7** zast. odpustit dluh / hřích ◆ *be ~d* film běžet v kinech, promítat se veřejně; *~ the brake* povolit brzdu, odbrzdit ● *s* **1** propuštění (*an order for a p.'s ~ from prison* rozkaz, aby byl kdo propuštěn z vězení), propuštění ze závazku; vypuštění (*a sudden ~ of oxygen caused the explosion* výbuch způsobil náhlé vypuštění kyslíku); spuštění **2** shazování leteckých pum **3** zproštění, zbavení *from* čeho; uvolnění, osvobození, vysvobození od / z **4** uvolnění k uveřejnění, vydaná zpráva, otisknutý článek; uvedení do kin; distribuční film **5** cenzurní povolení; písemné povolení k reprodukci **6** spoušť, též fot. **7** práv. vzdání se nároku **8** práv. přepsání, převod, postoupení, postup; převáděcí listina ◆ *~ cord* uvolňovací lanko, šňůra padáku; *on general ~* film daný do distribuce; *deed of ~* listina o propuštění ze závazku; *~ lever* uvolňovací páka, vypínací páka; *new ~* novinka film, gramofonová deska; *~ of pressure* snížení tlaku; *~ valve* odlehčovací ventil, vypouštěcí ventil, odvzdušňovací ventil
release² [ri:ˈli:s] *s* obnovení nájmu n. pachtu *v* znovu pronajmout, znovu si propachtovat
releasee [riˌli:ˈsi:] práv. **1** nový majitel na něhož je převáděn majetek **2** osoba propuštěná ze závazku
releasor [riˈli:sə] práv. **1** kdo se vzdává převodem majetku **2** kdo uděluje propuštění ze závazku
relegable [religəbl] postupitelný, předatelný
relegate [religeit] **1** vypovědět, vyhostit, vykázat, vyobcovat, zapudit (*~ religion out of one's life* vymýtit ze svého života náboženství); relegovat **2** poslat, odkázat, odsoudit (*~ this sofa to the trash heap* odsoudit tuto pohovku na smetiště); odsunout na podřadnější místo, degradovat (*he was ~d to fourth place, the club was ~d* klub sestoupil) **3** metodologicky zařadit *to* do (*~ details to footnotes* podrobnosti uvést v poznámkách pod čarou) **4** předat, přepustit, postoupit (*much of the work was ~d to special committees*); určit, přidělit ◆ *~ to the sphere of legend* odkázat do říše bájí
relegation [ˌreliˈgeišən] **1** vypovězení, vyhoštění, vyobcování, vykázání, zapuzení **2** poslání, odkázání, odsouzení, odsunutí, degradování **3** zařazení **4** předání, postoupení, odevzdání
relent [riˈlent] *v* **1** povolit, změknout; dát se obměkčit, smilovat se, slitovat se (*when a second appeal was dispatched to him, he ~ed* když mu byla odeslána druhá prosba, tak se smiloval) **2** polevit, zmírnit se (*the wind blast would have to ~* to by musela vichřice polevit) ● *s* povolení *on* komu
relentingly [riˈlentiŋli] povolně, ze soucitu
relentless [riˈlentlis] nepovolný, neoblomný; vytrvalý, houževnatý, zarytý
relentlessness [riˈlentlisnis] nepovolnost, neústupnost, přísnost, tvrdost, neobměkčitelnost, neoblomnost; vytrvalost, houževnatost, zarytost
relet [ri:ˈlet] (*relet, relet; -tt-*) dát do podnájmu, dále pronajmout najaté
relevance [relivəns] **1** závažnost, významnost, důležitost pro danou věc, relevance (odb.) **2** zájem o důležité problémy současnosti
relevancy [relivənsi] (*-ie-*) = *relevance, 1*
relevant [relivənt] **1** významný, důležitý, závažný pro danou věc, relevantní (odb.) **2** týkající se *to* čeho, vztahující se na **3** věcný, příslušný, náležitý (*~ information*); týkající se předmětu, odborný (*read all ~ literature* číst všechnu odbornou literaturu týkající se určité věci) **4** týkající se důležitých problémů současnosti
relevé [ˌreliˈvei] bot. fytocenologický snímek
reliability [riˌlaiəˈbiləti] spolehlivost ◆ *~ test / trial* zkouška spolehlivosti automobilu
reliable [riˈlaiəbl] **1** spolehlivý **2** bezpečný; jistý, hodnověrný ◆ *~ authority* spolehlivý pramen informací
reliableness [riˈlaiəblnis] spolehlivost
reliance [riˈlaiəns] **1** spoléhání, spolehnutí, důvěra **2** opora, naděje, jistota (*the dogs were their chief ~*) ◆ *place / put ~ in / on* vkládat důvěru v, spoléhat | se na
reliant [riˈlaiənt] **1** odkázaný *on* na (*he is working now and no longer ~ on money from home* teď už má zaměstnání a není odkázaný na peníze z domova) **2** spoléhající se *on* na, důvěřující v; důvěřivý, lehkověrný **3** samostatný
relic [relik] **1** památka zejm. historická **2** pozůstatek, zbytek, přežitek (*a custom which is a ~ of paganism* obyčej, který je pozůstatkem pohanství) **3** ostatek, relikvie **4** *~s, pl* tělesné pozůstatky,

se **2** AM svést dohromady, shromáždit na určené místo

rendition [renˈdišən] **1** řidč. vydání města / zajatce **2** převod, překlad, přetlumočení **3** umělecké zpodobnění, ztvárnění, vyjádření, provedení; interpretace, přednes

renegade [renigeid] *s* odpadlík, odrodilec, renegát; zrádce ● *v* odpadnout, odrodit se, stát se zrádcem; zradit

renegado [ˌreniˈgeidəu] *pl: renegadoes* [ˌreniˈgeidəuz] zast. = *renegade, s*

renegation [ˌreniˈgeišən] odpadnutí, odpad

renege [riˈni:g] = *renigue*

renigue [riˈni:g] **1** karty nectít / nepřiznat barvu; porušit pravidla **2** zast. zapřít, zříci se čeho **3** AM hovor. švindlovat při, ošvindlovat co

renew [riˈnju:] **1** obnovit (~ *an attack*, ~ *correspondence*); znovu pokračovat v (~ *the game*); znovu získat (~ *one's strength*); oživit, dát nový život čemu, obrodit **2** opravit, spravit, restaurovat, renovovat **3** doplnit (~ *a garrison* doplnit posádku, ~ *a stock of goods*) **4** prodloužit smlouvu; prolongovat směnku; prodloužit výpůjční lhůtu **5** řidč. obnovit se ◆ ~ *the tyres* vyměnit pneumatiky za nové

renewable [riˈnju(:)əbl] **1** obnovitelný, v čem lze pokračovat; oživitelný, obroditelný **2** opravitelný, restaurovatelný **3** prodloužitelný, prolongovatelný

renewal [riˈnju(:)əl] **1** obnovení, obnova, obroda **2** opakování (*the 15th* ~ *of the winter carnival* patnácté opakování zimního karnevalu) **3** prodloužení, prolongace **4** ekon. reprodukce např. investice; ~*s, pl* náklady na obnovu **5** výměna; náhradní součástka ◆ ~ *commission* pojišť. inkasní provize; ~ *premium* následné pojistné

renewed [riˈnju:d] **1** obnovený, nový, čerstvý (*to act with* ~ *energy*) **2** v. *renew*

reniform [ri:nifo:m] bot. ledvinovitý

renig [riˈnig] AM = *renegue*

renin [ri:nin] renin enzym produkovaný ledvinami

renitence [renitəns] = *renitency*

renitency [renitənsi] **1** odpor proti tlaku **2** vzdorovitost, vzpurnost

renitent [renitənt] **1** vzdorující tlaku **2** vzdorovitý, vzpurný

rennet[1] [renit] syřidlo

rennet[2] [renit] BR reneta sorta zimních jablek

renominate [ri:ˈnomineit] znovu jmenovat

renounce [riˈnauns] *v* **1** vzdát se čeho oficiálně (~ *a claim* vzdát se nároku) **2** zřeknout se čeho, odřeknout se čeho (~ *his errors*, ~ *his son*) **3** zapřít, přestat uznávat (~ *the authority of the church*) **4** vypovědět smlouvu **5** karty nectít / nepřiznat barvu, nemoci přiznat barvu ● *s* karty nikoli chybné nepřiznání barvy; možnost nepřiznat barvu

renouncement [riˈnaunsmənt] **1** vzdání se **2** odřeknutí se **3** zapření; sebezápor, sebezapření

renovate [renəuvəit] **1** obnovit; restaurovat, renovovat (~ *a house*); opravit, zmodernizovat **2** zmladit stromy; oživit půdu

renovation [ˌrenəuˈveišən] **1** obnovení, obnova; restaurování, renovace; oprava, modernizace **2** zmlazení stromů; oživení půdy

renovator [renəuveitə] obnovitel, restaurátor, renovátor

renown [riˈnaun] dobrá pověst, sláva, proslulost, dobré jméno, věhlas, uznání, renomé

renowned [riˈnaund] slavný, proslulý, věhlasný, uznávaný, renomovaný

rent[1] [rent] v. *rend*

rent[2] [rent] **1** trhlina, díra vzniklá roztržením, skoba (hovor.) **2** trhlina; puklina, prasklina; skulina, štěrbina **3** rozkol, roztržka

rent[3] [rent] *s* **1** nájemné, činže **2** pachtovné, pacht **3** půjčovné; poplatek za půjčení n. najmutí ◆ *for* ~ AM k pronajmutí; *let for* ~ propachtovat; *take at* ~ propachtovat si; ~ *tax* domovní / činžovní daň ● *v* **1** pro|najmout | si, dát / vzít do nájmu; vy|půjčit | si za poplatek **2** propachtovat si **3** požadovat nájemné n. pachtovné od, počítat nájemné n. pachtovné komu

rentable [rentəbl] nájemný, pronajmutelný, propachtovatelný

rent-a-car [ˈrentəˌka:] : ~ *company* AM půjčovna aut

rental [rentl] *s* **1** nájemné, nájem, činže; pachtovné, výnos z nájemného **2** zejm. AM půjčovna **3** půjčování za poplatek **4** nájemní seznam / výkaz; soupis nájemného ● *adj* **1** AM vypůjčený z půjčovny (*a* ~ *car*, ~ *books*) **2** nájemní, pachtovní, půjčovní ◆ ~ *fee* nájemné

rental library [ˌrentlˈlaibrəri] AM soukromá půjčovna knih

rent-charge [rentča:dž] reálné břemeno, dědičné nájemné

rent-collector [ˈrentkəˌlektə] výběrčí daní

rent control [ˌrentkənˈtrəul] ochrana nájemníků

rent day [rentdei] den splatnosti nájemného n. pachtovného

rente [ra:nt] renta; důchod

renter[1] [rentə] **1** nájemce, najímatel, pachtýř **2** vypůjčovatel, zákazník půjčovny; pronajímatel, půjčovatel **3** BR distributor filmu

renter[2] [rentə] **1** scelovat látku **2** sestehovat látku

rent-free [rentˈfri:] *adv* bez nájemného, bez činže, zdarma ● *adj* nepodléhající povinnosti platit nájemné n. půjčovné

rentier [rontiei] rentiér kdo žije z úroků, z důchodů plynoucích z cenných papírů, ze státních rent

rent rebate [ˌrentˈri:beit] sleva na nájemném

rent-roll [rentrəul] **1** nájemní seznam / výkaz **2** soupis nájemného **3** celkový příjem z nájemného

rent service [ˈrentˌsə:vis] **1** pachtovné spojené s ostatními službami **2** pachtovné jako náhrada za ostatní služby
rent strike [rentstraik] hromadné neplacení nájemného
renumber [ri:ˈnambə] **1** přečíslovat; znovu očíslovat **2** přepaginovat stránky v knize
renunciant [riˈnansiənt] *s* kdo se odřekl světa, asketa ● *adj* odříkavý
renunciation [riˌnansiˈeišən] **1** odříkání, odřeknutí, zřeknutí se, vzdání se; odmítnutí, zapření; sebezapření, sebezápor **2** vypovězení, zrušení smlouvy
renunciative [riˈnansiətiv], **renunciatory** [riˈnansiətəri] odříkavý, zříkající se, odmítavý, odmítající; odevzdaný, smířený, rezignující, rezignovaný
renvoi, renvoy [renˈvoi] práv. **1** vyhoštění, vypovězení ze státu **2** postoupení pře jinému soudu nikoliv místně příslušnému
reoccupation [ri:ˌokjuˈpeišən] nová / opětovná vojenská okupace, nový zábor
reoccupy [ri:ˈokjupai] (*-ie-*) nově / znovu okupovat, znovu obsadit zejm. vojensky
reopen [ri:ˈəupən] **1** znovu / nově otevřít (~ *a shop*); být znovu / nově otevřený **2** znovu zahájit (~ *fire*), obnovit, znovu zavést (~ *a discussion,* ~ *the case* obnovit řízení)
reorder [ri:ˈo:də] *v* **1** znovu objednat **2** přiobjednat ● *s* další objednávka stejného zboží
reorganization [ri:ˌo:gənaiˈzeišən] **1** nová úprava, nové uspořádání, přestavba, přebudování, reorganizace **2** ekon. sanování
reorganize [ri:ˈo:gənaiz] **1** nově upravit / uspořádat, přestavět, přetvořit, přebudovat, reorganizovat **2** ekon. sanovat
reorient [ri:ˈo:rient] přeorientovat
reorientation [ri:ˌo:riənˈteišən] přeorientování, jiná orientace
reorientate [ri:ˈo:rienteit] = *reorient*
rep[1] [rep] text. ryps
rep[2] [rep] slang. **1** nabiflovaná / našprtaná básnička apod. **2** co se má našprtat, opáčko
rep[3] [rep] slang. syčák, sígr; sviňák
rep[4] [rep] hovor. soubor n. divadlo hrající repertoárovým systémem
rep[5] [rep] *s* **1** hovor.: obchodní zástupce, obchodní cestující **2** AM slang. kovboj zastupující určitý ranč ● *v* (*-pp-*) AM jezdit *for* za určitý ranč
rep[6] [rep] AM slang. pověst
repack [ri:ˈpæk] přebalit
repaganize [ri:ˈpeigənaiz] učinit znovu pohanským koho, opět nastolit pohanství v
repaid[1] [ri:ˈpeid] v. *repay*[1]
repaid[2] [ˌri:ˈpeid] v. *repay*[2]
repaint *v* [ri:ˈpeint] přemalovat, přebarvit, přelakovat; znovu natřít barvou ● *s* [ri:peint] **1** přemalování, přebarvení, přelakování, opětovné natření barvou **2** přemalovaná, přebarvená n. přelakovaná věc, zejm. přelakovaný golfový míček
repair[1] [riˈpeə] *v* **1** odebrat se, uchýlit se *to* kam; velký počet lidí chodit, navštěvovat **2** zast. vrátit se ● *s* zast. útočiště, útulek; oblíbené n. často navštěvované místo ◆ *have* ~ *to 1.* uchýlit se kam *2.* hodně navštěvovat; *a place of great* | *little* ~ hodně | málo navštěvované n. vyhledávané místo
repair[2] [riˈpeə] *v* **1** (dát se) opravit, spravit, vyspravit, reparovat **2** podrazit boty; zašít, sešít trhlinu **3** napravit, odčinit (~ *an injury* odčinit nespravedlnost); nahradit (~ *a loss* nahradit ztrátu) **4** vrátit zdraví, uzdravit, vyhojit ● *s* **1** úprava ke zlepšení, oprava, správka, vy|spravení (*shop is closed during* ~*s* „zavřeno–adaptace") **2** posílení, zlepšení zdravotního stavu **3** (dobrý) stav k používání ◆ *in bad* ~ budova ve velice špatném stavu, na spadnutí; ~ *gang* opravářská četa; *in good* ~ budova pečlivě udržovaný; *keep in* ~ udržovat v dobrém stavu; *out of* ~ *1.* ve špatném stavu *2.* nefungující; ~ *outfit* brašna s nářadím; *running* ~*s* drobná údržba; ~ *shop* správkárna, opravna, opravárna
repairable [riˈpeərəbl] = *reparable, 1*
repairer [riˈpeərə] opravář, správkař (*boot and shoes* ~*s*)
repairman [riˈpeəmən] *pl: -men* [-mən] zejm. AM automechanik
repair timber [riˌpeəˈtimbə] přímětkové dřevo, přímětky
repand [riˈpænd] **1** bot.: jsoucí s jemně vlnitým okrajem **2** zool.: jsoucí s vlnitým okrajem
repaper [ri:ˈpeipə] znovu / nově vytapetovat
reparable [repərəbl] **1** opravitelný, spravitelný; napravitelný (*a* ~ *mistake*... omyl) **2** nahraditelný (~ *loss*... ztráta)
reparation [ˌrepəˈreišən] **1** opravení, oprava, opravy, správka, reparace, reparatura **2** odškodnění, odčinění, náhrada, kompenzace; část. ~*s, pl* reparace nahrazení škod způsobených válkou ◆ *make* ~ *for* odčinit co
reparative [repərətiv] **1** opravný **2** odškodňující, odčiňující, nahrazující, kompenzační; reparační **3** hojivý, regenerační (~ *process*)
repartee [ˌrepa:ˈti] *s* rychlá / vtipná / pohotová odpověď, pohotové odpovědi; pohotovost v odpovědi ◆ *quick at* ~ pohotový v odpovědi ● *v* řidč. pohotově odpovědět, parírovat (hovor.)
repartition [ˌri:pa:ˈtišən] **1** rozdělení, repartice (*the relative* ~ *of land and water*) **2** nové / opětovné rozdělení; rozvržení, rozvrh
repass [ri:ˈpa:s] **1** při návratu znovu projít (~ *the desert*... poušť) čím (~ *the gate*... branou); znovu přeplout (~ *the ocean*); znovu jít kolem (~ *the house*) **2** znovu píchnout, znovu prostrčit (~ *the needle through the cloth* znovu propíchnout jehlou látku) **2** znovu přijmout, znovu schválit

(*~ed the bill over the presidential veto* přes prezidentovo veto znovu schválili návrh zákona)
repassage [ri:ˈpæsidž] cesta zpět, návrat
repast [riˈpa:st] kniž. **1** jídlo, pokrm **2** denní jídlo; svačina; oběd; večeře ◆ *evening ~* večeře
repatriate [ri:ˈpætrieit] *v* **1** repatriovat navracet do vlasti **2** přen. vracet kam co patří ● *s* navrátilec, repatriant
repatriation [ˌri:pætriˈeišən] repatriace odvolání zpět n. návrat do vlasti
repay[1] [ri:ˈpei] (*repaid, repaid*) **1** vrátit, splatit peníze; vyrovnat dluh **2** opětovat, oplatit (*~ a visit*) **3** odplatit *to* komu *for* co, vrátit komu co, pomstít se komu za **4** odškodnit, odměnit *with* čím **5** stát za (*~ reading*); stát za to, vyplatit se ◆ *~ a p. in the same coin* oplatit komu stejnou mincí
repay[2] [ˌri:ˈpei] (*repaid, repaid*) znovu za|platit
repayable [ri:ˈpeiəbl] **1** splatný **2** oplatitelný, co se má oplatit n. opětovat
repayment [ri:ˈpeimənt] **1** zaplacení, splacení, proplacení půjčky; vyrovnání dluhu **2** opětování, oplácení **3** odplácení, odplata, odměna, též iron. **4** ekon. vratka ◆ *~ of principal* ekon. úmor jistiny
repeal [riˈpi:l] *v* odvolat, zrušit; prohlásit za neplatné ● *s* odvolání, prohlášení za neplatné (*the ~ of a too hasty resolution* odvolání ukvapené rezoluce); zrušení (*the ~ of a law*)
repeat [riˈpi:t] *v* **1** opakovat, zopakovat; být / udělat / říci ještě jednou **2** znovu zažít / zakusit, zopakovat si (*~ the years of practical banishment* zopakovat si léta praktického vyhnanství) **3** znovu vysílat **4** říkat jinde / jinému, prozradit (*you must not ~ what I've told you*) **5** recitovat zpaměti (*she ~ed the poem beautifully*) **6** znovu / opětovně dodat (*we regret that we cannot ~ this article*) **7** opakovat ve škole (*he had to ~ fourth grade*) **8** puška opakovat, repetovat **9** číslice, vzorek, refrén opakovat se (*the last two figures ~*) **10** hodiny opakovat při každé čtvrti bít i hodinu **11** pokrm jít zpátky, vracet se (*that meat is ~ing on me* to maso mi jde zpátky) **12** AM víckrát hlasovat při volbách ***repeat o.s.*** opakovat se (*history sometimes ~s itself*) ***repeat back*** námoř. opakovat přijatý rozkaz např. lodním telegrafem ● *s* **1** opakování **2** opakované číslo, opakovaný vzorek, opakovaný motiv, raport **3** opakované číslo programu, opakovaný program **4** opakovaná objednávka, doobjednávka; další odvolávka; opakovaná dodávka **5** hud. repetice znaménko; opakovaná část skladby **6** text. střída, raport ● *adj* opakovaný (*~ performance* opakované představení) ◆ *~ order* dodatečná / opětovná objednávka, doobjednávka
repeatable [riˈpi:təbl] opakovatelný
repeated [riˈpi:tid] **1** opakovaný, opětovný, opakující se, stálý, častý (*~ absences*) **2** v. *repeat, v*
repeatedly [riˈpi:tədli] znovu a znovu, opětovně
repeater [riˈpi:tə] **1** kdo něco opakuje n. dělá totéž znovu **2** AM kdo volí vícekrát při stejných volbách **3** AM recidivista **4** kdo stále vypráví totéž; vypravěč (*a ~ of old stories*) **5** repetent ve škole **6** opakovačka puška **7** opakovačky hodiny, repetýrky (hovor.) **8** mat. periodický desetinný zlomek **9** sděl. tech. zesilovač; opakovač, retranslační relé **10** námoř. opakovací vlajka Mezinárodního signálního kódu ◆ *~ compass* vedlejší kompas
repeating [riˈpi:tiŋ] **1** opakovací **2** v. *repeat, v* ◆ *~ coil* elektr. translátor; *~ decimal (fraction)* mat. periodický zlomek; *~ gun / rifle* opakovací puška, opakovačka; *~ watch* opakovací hodiny, opakovačky, repetýrky (hovor.)
repêchage [ˌrəpiˈša:ž] sport. opravná rozjížďka závodních lodí
repel [riˈpel] (*-ll-*) **1** zahnat, zapudit; odpudit, odpuzovat (*water and oil ~ each other*) **2** odrazit útok, odrážet vlny **3** odmítnout, odvrhnout, zamítnout **4** odehnat od sebe; odolat pokušení
repellent [riˈpelənt] *adj* odpudivý, odpuzující ● *s* **1** odpuzující prostředek, odpuzovadlo, repelent **2** impregnační látka
repent[1] [ri:pənt] bot. plazivý
repent[2] [riˈpent] **1** litovat (*of*) čeho, cítit lítost nad (*I ~ a t.* co mě mrzí) **2** zast. kát se *of* z
repentance [riˈpentəns] lítost, pokání; kajícnost
repentant [riˈpentənt] kající, kajícný, týkající se lítosti (*~ tears*)
repeople [ri:ˈpi:pl] **1** znovu osídlit, znovu zalidnit **2** znovu osadit zvěří
repercussion [ˌri:pəˈkašən] **1** zpětný odraz, vliv, ohlas, ozvěna, ozvuk; reakce; přen. část. *~s, pl* reakce (*the widespread ~s of the ambassador's speech were unexpected* dalekosáhlá reakce na velvyslancův projev byla neočekávaná) **2** hud. reperkuse
repercussive [ˌri:pəˈkasiv] **1** zvučící, znějící, dunící ozvěnou **2** odražený ozvěnou (*~ roar*); odrážející ozvěnu (*~ caves*)
repertoire [repətwa:] repertoár
repertory [repətəri] (*-ie-*) **1** seznam, index, katalog **2** sbírka, pokladnice (přen.) (*my father is a ~ of useful information*); sklad, skladiště, zásoba **3** repertoár **4** = *repertory theatre*
repertory company [ˌrepətəriˈkampəni] soubor hrající repertoárovým systémem
repertory theatre [ˌrepətəriˈθiətə] divadlo hrající repertoárovým systémem
reperuse [ˌri:pəˈru:z] znovu | si prohlédnout
repetend [repitend] **1** mat. občíslí, perioda zlomku **2** refrén
repétiteur [ˌrepetiˈtə:] korepetitor
repetition [ˌrepiˈtišən] **1** opakování **2** škol. opakování; co se má naučit zpaměti, domácí ústní cvičení, ústní úkol zejm. k memorování **3** kopie, replika **4** repríza koncertu, představení **5** hud. schopnost např. klavíru opakovat stejný tón **6** geol. opakování vrstev;

opakované otřesy, doznívání otřesů ♦ ~ *work* sériová práce

repetitional [ˌrepiˈtišənl], **repetitionary** [ˌrepiˈtišənəri] stále se opakující, opakovaný; stejný

rephrase [ri:ˈfreiz] znovu n. jinak formulovat (*he ~d the statement to give it greater clarity* dal prohlášení jinou formulaci, aby bylo jasnější)

repiece [ri:ˈpi:s] znovu dát dohromady, sesadit, smontovat

repine [riˈpain] bručet, hubovat, reptat, brumlat *at* na / *against* proti, stěžovat si na

repining [riˈpainiŋ] **1** nespokojený, reptající **2** v. *repine*

repique [ri:ˈpi:k] piket *s* devadesátka ● *v* udělat devadesátku

replace [riˈpleis] **1** nahradit (~ *a broken dish*); vyměnit *by* za / čím, zaměnit za (~ *meat by plenty of fruit*) **2** nahradit, vystřídat, vytlačit (*electricity has ~d gas* elektřina vytlačila plyn) **3** vrátit, splatit (~ *a sum of money*) **4** (opět) dát na původní místo, vrátit; znovu dosadit *in* / *to* do funkce **5** položit sluchátko telefonu ♦ *~d crystal* miner. spojka; ~ *losses* doplnit ztráty

replaceable [riˈpleisəbl] **1** nahraditelný **2** vyměnitelný, výměnný

replacement [riˈpleismənt] **1** náhrada *for* za; nahrazování; výměna **2** vystřídání, vytlačení **3** vrácení, splacení dluhu **4** uložení na původní místo, vrácení, vracení **5** voj. doplnění, záloha, posila doplňující ztráty **6** náhradní síla přijatá na přechodnou dobu za jiného, zástupce (*get a ~ while he is away on holiday*) **7** med. protéza **8** geol. nahražení jedné rudy jinou, metasomatóza ♦ ~ *in kind* náhrada in natura

replant [ri:ˈpla:nt] **1** znovu zasadit; přesadit **2** nově osadit (rostlinami) (~ *the flower bed* nově osadit záhon)

replantation [ˈri:ˌpla:nˈteišən] **1** nové / opětovné zasazení / osazení, přesazení **2** med. implantace zubu do lůžka

replay *v* [ri:ˈplei] **1** za|hrát ještě jednou, přehrát **2** opakovat hru / utkání **3** v televizi ukázat, pustit ještě jednou, z|opakovat ze záznamu ● *s* [ri:plei] **1** opakovaný zápas, opakované utkání **2** televize opakování ze záznamu, záznam

replenish [riˈpleniš] **1** znovu plnit, naplnit, doplnit (*I must ~ my wardrobe*) *with* čím **2** dobíjet akumulátor ♦ ~ *a fire* přiložit do ohně; ~ *a glass* znovu nalít n. dolít do sklenice

replenished [riˈpleništ] **1** plný *with* čeho, zásobený, naložený čím **2** v. *replenish* ♦ *keep a p.'s glass ~* stále komu dolévat do sklenice

replenishment [riˈplenišmənt] **1** opětovné naplnění, doplnění **2** doplněk, náhrada; nová zásoba ♦ ~ *ship* námoř. zásobovací loď

replete [riˈpli:t] **1** naplněný, nacpaný, vyplněný *with* čím, plný čeho; prosycený čím **2** plný, nasycený, sytý, přecpaný (*could not face the thought of being ~ in a starving world* nedovedl se vyrovnat s myšlenkou, že v hladovějícím světě je on sytý); tlustý, vykrmený (*richly and healthily ~*) **3** hutný (*the text is too ~ to be used* text je tak hutný, že se ho nedá použít)

repletion [riˈpli:šən] **1** naplnění, vyplnění, plnost **2** nasycenost, sytost, nacpanost; přemíra, přesycenost, přecpání, přecpanost **3** uspokojení, spokojenost, plnost **4** med. překrvení ♦ *eat to ~* cpát se, nacpat se jídlem, jíst, najíst se k prasknutí; *fill to ~* naplnit do posledního místa; *full to ~* *1.* plný až k prasknutí *2.* nalitý až po okraj

replevin [riˈplevin] *s* **1** vrácení zabavených věcí proti jistotě; vydání obstaveného majetku proti kauci **2** žaloba o takové vrácení n. vydání **3** soudní proces z této žaloby ● *v* AM = *replevy, v*

replevy [riˈplevi] (*-ie-*) *v* získat zpět proti kauci žalobou o vrácení zabavených věcí n. o vydání obstaveného majetku ● *s* = *replevin, s 2*

replica [replikə] **1** přesná kopie, reprodukce, duplikát, faksimile **2** výtv. replika vlastní umělcova kopie **3** hud. opakování **4** přen. věrný obraz, věrná podoba

replicate[1] [replikit] hud. zdvojení v oktávě; spodní / svrchní oktáva

replicate[2] [replikit] **1** opakovaný; několikanásobný **2** bot. přeložený, přehnutý

replicate[3] [replikeit] řidč. **1** hud. zdvojovat v oktávě **2** opakovat; kopírovat; udělat repliku čeho **3** přeložit, přehnout nazpátek

replication [ˌrepliˈkeišən] **1** odpověď **2** přen. odraz, ohlas, ozvěna **3** práv. replika žalobce **4** z|opakování **5** reprodukce, autorská kopie, faksimile, replika; reprodukování, kopírování

reply [riˈplai] (*-ie-*) *v* **1** odpovědět, odvětit, opáčit *for* za / namísto / jménem *to* komu, na **2** práv. namítat, odporovat, replikovat **3** voj. opětovat (palbu), odpovědět palbou na ● *s* **1** odpověď **2** voj. ohlas část hesla ♦ *in ~ of* v odpověď na, odpovídajíce na, *in anticipation of ~* očekávajíce odpověď; ~ *bell* *1.* námoř. odvětný zvonek *2.* žel. odhlášková návěst; ~ *card* zpáteční dopisnice; *deliver a ~* podat odpověď na obranu žalovaného; *make a ~* odpovědět, dát odpověď; ~ *telegraph* námoř. lodní (strojní) telegraf s možností podání zpětných povelů či odpovědí

repoint [ri:ˈpoint] znovu za|spárovat, znovu zamazávat spáry

repolish [ri:ˈpoliš] **1** přeleštit, znovu naleštit **2** přen. dodat nového lesku čemu

repopulate [ri:ˈpopjuleit] znovu osídlit n. zalidnit

report [riˈpo:t] *v* **1** oznámit, o|hlásit (~ *a fire*) *to* komu; oficiálně oznámit, ohlásit (*the company ~ed a sales total of over a million dollars*) **2** zapsat např. těsnopisně, zapisovat, u|dělat zápis z / o (~ *a speech,* ~ *a trial* udělat zápis ze soudního přelíčení) **3** podat zprávu / zprávy *on* / *upon* o, psát do novin o, referovat o, přinášet zprávy o (~ *upon a matter*); dělat novinového zpravodaje / reportéra, reportovat (~ *for the "Times"*) **4** dělat reportáž o, líčit formou (rozhlasové) reportáže, reportovat (*a commentator ~ ing a baseball game*); hlásit, říkat zprávy (*~ s the news every evening at seven*) **5** vypravovat, líčit, referovat (*he did not simply ~, he criticized and reflected*); ohlásit, sdělit, tlumočit *to* komu (*the ambassador ~ ed the president's answer to his government*) **6** hlásit (se) u, dostavit se k (*the officer was told to ~ (himself) to headquarters* důstojník dostal rozkaz hlásit se na velitelství) **7** podat hlášení *a p.* o, udat koho, stěžovat si, žalovat na *to* u (~ *an official for insolence* stěžoval si na drzost úředního činitele) **8** učinit (stenografický) záznam, pořídit zápis ze schůze n. projevu (~ *a Parliamentary debate*) **9** znovu předložit návrh zákona (*the committee ~ ed the bill with amendments* výbor znovu předložil návrh zákona s dodatky) **10** AM podléhat *to* komu (*he ~ s to the company secretary*) ♦ ~ *aboard 1.* dostavit se na loď *2.* hlásit se po návratu na loď; ~ *for duty* hlásit se do služby, dostavit se do služby; *it is ~ ed* též *1.* podle zpráv *2.* říká se, prý; *move to ~ progress* BR navrhnout přerušení debaty v parlamentě; ~ *progress* podat zprávu o tom, co se udělalo; ~ *sick* hlásit se nemocným; *~ ed speech* nepřímá řeč ***report o.s.*** = *report, v 6* ***report back*** *1* vrátit se se zprávou *2* vrátit se a o|hlásit ● *s* **1** zápis, záznam např. ze schůze n. projevu; výkaz (*the annual ~ of a business company*), raport (hovor.) **2** zpráva, přednesený příspěvek; referát; posudek (~ *of an expert*) **3** lékařský buletin **4** školní vysvědčení, výroční zpráva **5** řeči, pověst, pověsti (*mere ~ is not enough to go upon*) **6** zast.: dobrá n. špatná pověst, dobré n. špatné jméno **7** stížnost *against* na, hlášení o, udání na (*the monitor submitted ~ s against three boys* žák pověřený dozorem nahlásil tři chlapce) **8** rána, třesk, exploze (*it went off with a loud ~*); výstřel (~ *of a distant cannon*) **9** *~ s, pl* práv. sbírka rozhodnutí ♦ *annual ~* výroční upráva; *be of evil | good ~* zast. mít špatnou | dobrou pověst, mít špatné | dobré jméno; *by mere ~* pouze z doslechu; *draw up a ~* sepsat protokol; *expert's ~* znalecký posudek, dobrozdání, expertiza; *a false newspaper ~* novinářská kachna; ~ *goes* říká se, prý; ~ *has it that* říká se, povídá se, vypráví se, že; *law ~ s* práv. sbírka rozhodnutí; *periodic ~* pravidelné hlášení; *personal ~* osobní / evidenční list zaměstnance, osobní dotazník; *preliminary ~* předběžná zpráva; *reader's ~* lektorský posudek; *school ~* školní vysvědčení; ~ *stage* BR projednávaný návrh zákona před třetím čtením

reportable [ri'po:təbl] **1** hlásitelný; zasluhující oznámení, stojící za oznámení (*no ~ results*) **2** podléhající povinnosti oznámení / hlášení, který nutno hlásit nadřízeným úřadům (*a ~ accident*)

reportage [ˌrepo:'ta:ž] **1** reportáž **2** novinářský styl **3** zprávy, dokumenty, literatura faktu

report card [riˌpo:t'ka:d] AM vysvědčení

reportedly [ri'po:tidli] jak se hlásí, jak hlásí zpravodajové

reporter [ri'po:tə] **1** reportér; zpravodaj; referent **2** hlasatel; komentátor **3** zapisovatel schůze, projevu

reportorial [ˌripo:'to:riəl] reportážní, týkající se novinářských zpravodajů

reposal [ri'pəuzəl] zast. vložení důvěry

repose[1] [ri'pəuz] **1** klást, skládat, vkládat důvěru *in* / *on* v **2** vložit do rukou *in* komu, podřídit komu (*~ s the judicial power in a supreme court* vkládá soudní moc do rukou nejvyššího soudu)

repose[2] [ri'pəuz] *v* **1** ležet, spočívat (*a girl reposing in a hammock*); lehnout si, odpočinout si (*go and ~ on the cushion* běž si lehnout na podušku) **2** klást, položit *on* na, opřít se čím o, podepřít co (~ *one's head on a cushion* položit si hlavu na podušku) **3** uklidnit, utišit **4** odpočívat být pohřben (*below this stone ~ the mortal remains of Shakespeare* pod tímto kamenem odpočívají Shakespearovy tělesné pozůstatky); zesnulý být vystaven (*his body will ~ in the chapel for two days* jeho tělo bude dva dny vystaveno v kapli) **5** záležet *on* / *upon,* v, spočívat, být založen na (*medieval justice ~ d so greatly on the system of fines*) ***repose o.s.*** dopřát si klid ● *s* **1** odpočinek, odpočinutí; spánek **2** klid, pokoj, poklid; klidná atmosféra; vnitřní klid **3** výtv. vyváženost, harmonie, harmoničnost **4** církev. smrt světce ♦ *Altar of R ~* círk. „getsemanská zahrada“

re-pose [ri:'pəuz] znovu n. jinak formulovat (~ *a question*)

reposeful [ri'pəuzful] klidný, poklidný, uklidňující, pokojný

reposit [ri'pozit] **1** dát / postavit na místo, vrátit **2** uložit, uschovat, deponovat (*the original copy is ~ ed in the museum* originál je uložen v muzeu)

reposition [ri'pozišən] med. reponování, repozice vpravení vychýlených orgánů do normální polohy

repository [ri'pozitəri] (*-ie-*) **1** schránka; skříň, police sloužící k úschově **2** řidč. kabinet, muzeum **3** sklad, skladiště **4** hrobka **5** přen. pramen, studna, pokladnice **6** důvěrník, kdo dovede mlčet, komu je svěřeno tajemství, komu lze svěřit tajemství, zpovědník (přen.)

repossess [ˌri:pə'zes] **1** znovu mít / vlastnit / držet **2** znovu si přivlastnit, znovu se zmocnit čeho (*a young playwright seeking a way to ~ the great classical tradition of comedy* mladý dramatik hledající způsob, jakým se lze znovu zmocnit velkých klasických komediálních tradic); znovu zaujmout co

repossession [ˌri:pəˈzešən] opětovné přivlastnění nezaplaceného zboží
repost[1] [riˈpəust] = *riposte*
repost[2] [ri:ˈpəust] vhodit znovu do schránky, znovu poslat poštou
repot [ri:ˈpot] (*-tt-*) přesadit zejména do většího hrnce
repoussé [rəˈpu:sei] *adj* vytlačený, vylisovaný ● *s* vytlačený vzor, výlisek; vytlačování
repp [rep] text. ryps
repped [rept] text. **1** rypsový **2** tkanina žebrovaný
reprehend [ˌrepriˈhend] po|kárat, napomínat, plísnit; kritizovat
reprehensible [ˌrepriˈhensəbl] hodný pokárání; hanebný, ohavný, trestuhodný
reprehension [ˌrepriˈhenšən] napomenutí; pokárání; výtka
represent[1] [ˌrepriˈzent] **1** reprezentovat zastupovat; představovat; znamenat **2** představovat, znázorňovat (*this painting ~s a hunting scene*); zpodobnit, vypodobit, zachytit (*he is ~ed in a hunting costume*); vystihnout **3** znamenat, označovat, vyjadřovat (*phonetic symbols ~ sounds*); ztělesňovat, symbolizovat, značit (*each figure ~s one thousand people*) **4** zastupovat, být *a t.* namísto, tvořit protějšek (*the llama of the New World ~s the camel of the Old World* v Novém světě je lama totéž, co velbloud ve světě Starém) **5** zastoupit, zastupovat (*many countries were ~ed by their ambassadors*); zastupovat, být zástupcem v parlamentě, být poslancem za (*~ Welsh constituencies* zastupovat waleské volební obvody) **6** vypodobnit, vysvětlit (*could you ~ relativity to an audience of school-children?* dovedl bys vysvětlit školákům, co je to relativita?) **7** snažit se vzbudit představu *o.s.* / *a p.* o *that* že, vydávat *as* za, tvrdit, prohlašovat (o sobě) *as* / *that* že je (*he ~ed himself as an expert, he ~ed that he had served in the R.A.F*) **8** představovat, hrát, pojmout, ztvárnit roli; dávat, předvést divadelní hru **9** řidč. protestovat *against* proti ◆ *~ to o.s.* představit si ***represent o.s.*** vydávat se *as* za
represent[2] [ˌri:priˈzent] znovu poslat n. předložit (*~ a bill for payment*)
representation [ˌreprizenˈteišən] **1** reprezentace, reprezentování **2** znázornění, zpodobnění, vypodobnění, zachycení; ztělesnění **3** podoba, postava (*an allegorical ~*) **4** představa **5** symbol, symbolizace; znak, značka, znamení **6** zpodobnění; vysvětlení; vyjádření **7** vy|líčení; vylíčení věcí, výklad, rozklad (*his ~ influenced the president to investigate* jeho výklad ovlivnil prezidenta natolik, že dal celou věc vyšetřit) **8** údaj, údaje; tvrzení, prohlašování; oficiální zejm. protestní prohlášení, protest **9** reprezentace, zastoupení (*demand ~ on a board of directors* žádat zastoupení ve správní radě), zastoupení v parlamentě (*no taxation without ~*) **10** reprezentanti, poslanecký sbor: poslanci volebního okresu **11** pojetí, ztvárnění, výklad, interpretace, chápání role; představení, inscenace (*an unusual ~ of "Hamlet"*) **12** práv. ujištění, záruka; podání / předání informací při podpisu smlouvy ◆ *false ~* falešné údaje; *make ~s* protestovat; *proportional ~* poměrné zastoupení
representational [ˌreprizenˈteišənl] **1** obrazový, zobrazující, obrazný (*~ art*) **2** parlamentní, daný poměrným zastoupením (*~ government*)
representative [ˌrepriˈzentətiv] **1** zastupující, představující *of* co **2** znázorňující; ztělesňující, symbolizující, symbolicky představující *of* co **3** reprezentativní (*a ~ selection of Elizabethan plays* reprezentativní výbor alžbětinských her); typický, charakteristický *of* pro; přinášející typické ukázky *of* čeho (*manuscripts ~ of monastic life* rukopisy přinášející typické ukázky řeholního života) **4** zastupitelský, poslanecký, týkající se reprezentantů (*a ~ assembly* shromáždění reprezentantů); parlamentní (*a ~ government*) ◆ *~ money* papírové peníze, státovky; *R~ Peers of Scotland* BR zástupci Skotska v Horní sněmovně ● *s* **1** zástupce; pověřenec, zplnomocněnec, představitel, reprezentant **2** AM poslanec, reprezentant **3** obchodní zástupce **4** delegát, náhradník, zástupce; dědic **5** typický příklad, typický zástupce, zástupce druhu, typická ukázka, typ, reprezentant ◆ *authorized ~* zplnomocněnec; *natural ~* dědic, nástupce; *personal ~ 1.* osobní zástupce *2.* vykonavatel poslední vůle, správce dědictví; *real ~ = natural ~; travelling ~* obchodní cestující
representativeness [ˌrepriˈzentətivnis] **1** symbolický charakter, symboličnost **2** typičnost
repress[1] [riˈpres] **1** potlačit (*~ a revolt*); přemoci, překonat (*~ a desire*) **2** ovládnout, z|krotit dítě
re-press[2] [ri:ˈpres] udělat nové výlisky
repressed [riˈprest] **1** trpící potlačením pudu n. myšlenek, zakřiknutý **2** v. *repress*[1, 2]
repression [riˈpresən] **1** potlačení, potlačování, represe; přemáhání, překonání, překonávání **2** ovládání, ovládnutí, z|krocení dítěte **3** psych. vytěsnění
repressive [riˈpresiv] **1** potlačovací **2** donucovací, represívní
reprieve [riˈpri:v] *v* **1** odložit výkon trestu, zejm. popravu; dát milost, omilostnit **2** prozatím / dočasně / na chvíli zachránit *a p.* koho, dovolit oddychnout komu, dopřát / poskytnout oddech komu, na chvíli ulevit komu ● *s* **1** odklad, odložení zejm. popravy; omilostnění, milost **2** úleva, oddech; záchrana v poslední chvíli
reprimand [reprima:nd] *v* ostře po|kárat, udělit, zejm. oficiální důtku komu *for* za ● *s* po|kárání, důtka, zejm. oficiální

reprint *v* [riːˈprint] **1** znovu o|tisknout, přetisknout **2** udělat dotisk čeho, vydat v novém nezměněném vydání ● *s* [riːprint] **1** dotisk; přetisk **2** nové nezměněné vydání, reprint **3** AM separát
reprisal [riˈpraizəl] **1** odveta, odvetné opatření; čast. *~s, pl* represálie **2** odškodnění, náhrada, kompenzace ◆ *letters of ~* hist. kořistný patent; *make ~ on / upon a p.* hojit se na
reprise [riˈpraiz] **1** řidč. opakování; nové uvedení, repríza **2** hud. repríza opakování tématu n. části skladby **3** *~s, pl* roční odvod, roční nájem, roční úrok z nemovitosti **4** řidč. pokračování v přerušené činnosti
reproach [riˈprəuč] *v* **1** vyčíst, vytknout, vyčítat, vytýkat *a p.* komu *for / with* co, předhazovat co (*~ one's wife with extravagance* vytýkat manželce výstřední chování) **2** přátelsky po|kárat, vy|plísnit *for* za **3** odsuzovat, hanobit, nacházet vinu na *reproach o.s.* dělat si výčitky *with* pro, kvůli, vyčítat si co ◆ *we have nothing to ~ ourselves with* nemusíme si nic vyčítat ● *s* **1** výtka, výčitka **2** hana, pohana (*live in ~ and ignominy* žít v potupě a hanbě); ostuda, hanba *to* či (*the bad paving is a ~ to the town* ostudou města je jeho špatná dlažba) **3** *~es, pl* círk. improperie ◆ *bring ~ on a p.* dělat komu ostudu, dělat komu malou čest; *heap ~es on a p.* zahrnovat koho výčitkami; *knight without fear and ~* rytíř bez bázně a hany; *look of ~* vyčítavý pohled; *term of ~* hanlivé slovo, nadávka
reproachful [riˈprəučful] **1** vyčítavý; káravý **2** zast. ostudný, hanebný ◆ *~ word* hanlivé slovo, nadávka
reproachingly [riˈprəučiŋli] řidč. vyčítavě, s výčitkou
reproachless [riˈprəučlis] bezvadný, na kterém nelze najít žádnou chybu, kterému se nedá nic vytknout
reprobate [reprəubeit] *v* přísně odsoudit; zavrhnout, zatratit, též náb. ● *adj* **1** zavržený, zatracený **2** bohaprázdný, bezbožný, ničemný, zvrhlý ● *s* **1** zavržený / zatracený člověk **2** zvrhlík, černá ovce (přen.) (*the ~ of his family*)
reprobation [ˌreprəuˈbeišən] **1** přísné odsouzení, zavržení **2** řidč. náb. věčné zatracení
reprocess [riːˈprəuses] znovu zpracovat, znovu zužitkovat
reprocessing [riːˈprəusesiŋ] **1** přepracování **2** v. *reprocess*
reproduce [ˌriːprəˈdjuːs] **1** reprodukovat opakovat; předvést; provést; přednést ze zvukového záznamu; napodobit / rozmnožit tiskem; vybavit; vytvářet **2** reprodukovat | se, množit | se, rozplozovat | se, šlechtit; regenerovat **3** opakovat (*~ an experiment*); dělat, napodobovat (*~ the sound of running horses by pounding pillows* napodobit zvuk pádících koní boucháním do polštářů); (znovu) předvést, ukázat, napodobit (*~ a former civilization*); znovu vzkřísit (přen.) (*Napoleon tried to ~ the glories of Rome*); připomenout si v duchu, znovu prožít (*~ an experience*) **4** zobrazit (*~ a face on canvas*... na plátně obličej); znovu (si) vybavit představu **5** znovu předvést (*~ a witness*... svědka) **6** kopírovat; rozmnožit; otisknout **7** dopadnout v reprodukci **8** znovu inscenovat hru; znovu vydat knihu ◆ *~ happiness* znovu přinést štěstí
reproducer [ˌriːprəˈdjuːsə] **1** řidč. amplión, tlampač, reproduktor **2** kyb. duplikátor děrných štítků
reproducible [ˌriːprəˈdjuːsəbl] **1** schopný reprodukce, reprodukovatelný **2** opakovatelný
reproduction [ˌriːprəˈdakšən] **1** reprodukce opakování; provádění; zvukový přenos; napodobení / rozmnožení tiskem; vybavení představy **2** množení, rozmnožení, rozmnožování **3** obnova, zmlazení lesa **4** kopírování; otisk; napodobenina, kopie (*a ~ of the Elizabethan theatre*... alžbětinského divadla)
reproductive [ˌriːprəˈdaktiv] **1** množivý, množící se, týkající se množení; rozmnožovací **2** regenerační **3** vybavovací, reproduktivní
reprographic [ˌriːprəˈgræfik] reprografický
reprography [riːˈprogrəfi] reprografie
reproof[1] [riˈpruːf] výtka, výčitka; pokárání
reproof[2] [riːˈpruːf] znovu impregnovat látku, znovu učinit vodotěsným
repro proof [ˌriːprəuˈpruːf] dokonalý otisk schopný další reprodukce v tisku
reprove [riˈpruːv] **1** po|kárat, vy|plísnit **2** odsuzovat, kritizovat (*it is not for me to ~ popular taste* není na mně, abych odsuzoval všeobecný vkus) **3** zast. vyvrátit, odmítnout
re-prove [riːˈpruːv] znovu / nově dokázat
reprovingly [riˈpruːviŋli] káravě
reprovision [ˌriːprəˈvižən] dát nové / další zásoby jídla / krmiva komu, opatřit proviantem koho
reps [reps] text. ryps
reptant [reptənt] zool., bot. plazivý
reptile [reptail] *s* **1** plaz; reptilie (kniž.) **2** přen. had, úhoř, plaz ● *adj* **1** plazí **2** plazivý, plazící se; podlézavý, reptilní ◆ *~ press* servilní plátek podlézající vládě, reptilní tisk
reptilian [repˈtiliən] *adj* **1** plazí, týkající se plazů, charakteristický pro plazy, připomínající plazy **2** plazivý, plazící se, podlézavý, podlézající, reptilní ◆ *~ age* geol. věk plazů, druhohory, mezozoikum ● *s* plaz
reptiliferous [ˌreptiˈlifərəs] zkamenělina obsahující zbytky plazů
reptiliform [repˈtilifoːm] jsoucí ve tvaru plaza / plazů
republic [riˈpablik] **1** republika **2** přen. obec, svět ◆ *~ of letters 1.* spisovatelská obec, literární svět *2.* literatura; *People's ~* lidová republika; *R~ Day* Den republiky 26. leden, indický státní svátek
republican [riˈpablikən] *adj* **1** republikánský, republikový **2** *R~* AM republikánský **3** zool. společenský ● *s* **1** republikán **2** *R ~* AM republikán člen republikánské strany **3** zool. společenský hnízdoš

republicanism [riˈpablikənizəm] **1** republikánství, republikanismus **2** republikánské zřízení, republikánská vláda **3** AM zásady n. politika republikánské strany
republicanize [riˈpablikənaiz] zejm. AM **1** učinit republikánským **2** provádět republikánskou politiku, mít republikánské smýšlení
republication [ri:ˌpabliˈkeišən] **1** opětovné vydání knihy apod. **2** znovu vydaná kniha, další vydání knihy, reedice
republish [ri:ˈpabliš] znovu publikovat, znovu zveřejnit, znovu uveřejnit
repudiate [riˈpju:dieit] **1** zapudit manželku, rozvést se s manželkou **2** neuznat, odmítnout, popírat, nehlásit se k, neznat se k (~ *authorship of an article*); zavrhnout, odřeknout se čeho, zříci se čeho (~ *a son*); nepřijmout, nepřevzít (~ *a gift*) **3** vypovědět pojistku **4** odrazit, odvrátit útok **5** odmítnout zaplatit státní dluh
repudiation [riˌpju:diˈeišən] **1** zapuzení, rozvod **2** neuznání, odmítnutí, popírání, popření; zavrhnutí, odřeknutí se, nepřevzetí **3** vypovězení pojistky **4** odražení, odvrácení útoku **5** odmítnutí zaplatit státní dluh
repudiator [riˈpju:dieitə] **1** AM hist. zastánce hnutí proti převzetí státních závazků po občanské válce **2** odpůrce; kdo neuznává atd. *of* co
repugn [riˈpju:n] řidč. bojovat *against* proti, odporovat čemu, stavět se proti, odmítat co
repugnance [riˈpagnəns] = *repugnancy*
repugnancy [riˈpagnənsi] **1** odpor, nechuť, antipatie *to* / *against* k proti; hluboký / nepřekonatelný odpor **2** rozpor, nesoulad, konflikt *between* mezi; neslučitelnost *of* čeho *to* / *with* s
repugnant [riˈpagnənt] **1** odporující *to* čemu, neslučitelný *to* / *with* s, v rozporu s **2** bás. nepřátelský, vzdorující, odporující **3** odporný, protivný, příčící se *to* čemu, nesnesitelný pro (~ *to moral sense* příčící se morálnímu citu) ◆ *be* ~ *to* odpuzovat koho
repullulate [riˈpaljuleit] řidč. **1** bot. vyhánět, vyrážet, růst **2** med.: příznak choroby znovu vyrazit, znovu se objevit
repullulation [riˌpaljuˈleišən] řidč. **1** bot. růst, vyrážení, vyhánění **2** med. recidiva choroby
repulp [ri:palp] **1** dát znovu do stoupy, udělat znovu papírovinu z **2** znovu rozmělnit, znovu rozdrtit
repulse [riˈpals] *v* **1** odrazit útok, zahnat útočníka **2** odstrčit, odvrhnout; zmařit **3** odmítnout nápadníka, prosbu, nabídku **4** vyvrátit žalobu ● *s* **1** odražení, odrážení, zahnání; odpor **2** odmítnutí, odstrčení; repulze; zmaření; vyvrácení
repulsion [riˈpalšən] **1** řidč. odrážení, zahnání **2** nevole, silná nechuť, odpor **3** fyz. odpudivá síla, odpudivost, repulze ◆ ~ *motor* elektr. repulzní motor
repulsive [riˈpalsiv] **1** zast. chladný, rezervovaný **2** odporný, protivný, ohavný, odpudivý **3** kniž. odpuzující **4** fyz. odpudivý ◆ ~ *force* / *power* odpudivá síla, odpudivost
repump [ri:ˈpamp] přečerpat
repurchase [ri:ˈpə:čəs] *v* znovu koupit, od|koupit (zpět) ● *s* zpětná koupě, výkup, odkup, odkupování
repurchaser [ri:ˈpə:čəsə] kdo znovu kupuje, výkupčí
repurify [ri:ˈpjuərifai] (*-ie-*) znovu čistit, přečistit
reputability [ˌrepjutəˈbiləti] **1** získání úctyhodnosti **2** uznávanost, vážnost, renomovanost
reputable [repjutəbl] **1** ceněný, oceňovaný, uznávaný, mající dobrou pověst, vážený, renomovaný, úctyhodný (*a* ~ *wine merchant*); slušný (~ *conduct*... chování) **2** všeobecně používaný n. použitelný, slušný; spisovný (*no* ~ *speech at all but jargon*)
reputation [ˌrepjuˈteišən] pověst, jméno, reputace, renomé ◆ *enjoy a good* ~ mít dobrou pověst; *have a* ~ *for 1.* být znám jako co (*have the* ~ *of being the best shot*) 2. být pověstný čím; *justify one's* ~ dělat čest svému jménu; *live up to one's* ~ žít tak, jak se u člověka jeho pověsti předpokládá, splnit očekávání dané svou pověstí
repute [riˈpju:t] *v* řidč. pokládat, oceňovat ◆ *be* ~*d* být pokládán, považován za, platit za (*he is* ~*d the best doctor* říká se o něm, že je to ten nejlepší lékař, *Mr Macmillan was once* ~*d to have murmured* pan Macmillan prý jednou reptal); *be well* ~*d* mít dobrou pověst ● *s* **1** pověst, dobré jméno, reputace, renomé, obecná úcta **2** všeobecný názor, všeobecné mínění
reputed [riˈpju:tid] **1** údajný, údánlivý, domnělý (*his* ~ *father*) **2** v. *repute, v* ◆ ~ *pint* BR přibližně pinta nepřesná míra
reputedly [riˈpju:tidli] údajně, domněle, jak se říká, prý (*he is* ~ *the best heart specialist*)
requeening [ri:ˈkwi:niŋ] výměna včelí matky
request [riˈkwest] *s* **1** žádost, prosba, přání, požádání, zdvořilý požadavek (*your* ~ *that I should lecture*) **2** poptávka ◆ *by* ~ na přání, na žádost (*no flowers by* ~ prosíme, aby se upustilo od květinových darů); *make* ~ požádat, poprosit; *come into* ~ být více žádán (*oil came into* ~ stoupla poptávka po naftě); *in (great)* ~ / *much in* ~ velice žádaný; *I have obtained my* ~ moje přání se splnilo, mé žádosti bylo vyhověno; ~ *programme* koncert na přání posluchačů; ~ *stop* zastávka na znamení / na požádání ● *v* po|žádat o, po|prosit o *to* / *that* aby, vyžádat si od ◆ *visitors are* ~*ed not to touch the exhibits* nedotýkejte se vystavených předmětů
requicken [ri:ˈkwikən] vzkřísit k novému životu
requiem [rekwiəm] **1** zádušní mše, rekviem **2** hud. rekviem skladba pro tuto mši **3** přen. smuteční zpěv, žalozpěv

requiescat [ˌrekwiˈeskæt] círk. modlitba za zemřelé

require [riˈkwaiə] **1** žádat, požadovat, chtít *of* od, po, na (*what do you ~ of me?, all passengers are ~d to show their ticket* cestující jsou povinni předložit jízdenku) **2** vyžádat si, vyžadovat, potřebovat jako nutnost (*it ~s an article to itself* to si vyžaduje samostatný článek, *this does not ~ repeating* to se nemusí opakovat) **3** BR být zapotřebí, být nutný (*do not tie it more tightly than it ~s* neutahuj to více, než je nutné) ◆ *if ~d 1.* je-li nutné, když je zapotřebí *2.* na požádání; *~d reading* zejm. AM povinná / předepsaná četba; *~ studies* AM povinné přednášky; *in the ~d time* v předepsaném čase

requirement [riˈkwaiəmənt] **1** požadavek **2** nárok **3** podmínka (*~s for admission to college*) **4** potřeba ◆ *meet the ~s 1.* splnit požadavky, vyhovět požadavkům *2.* krýt potřebu; *place ~s* ovládat požadované jazyky

requisite [rekwizit] *adj* **1** žádaný, vyžadovaný, nutný, potřebný, nepostradatelný, nezbytný **2** požadovaný, předepsaný ● *s* **1** požadavek, potřeba, nezbytnost (*intellectual freedom is the prime ~ for a free people* pro svobodný národ je intelektuální svoboda prvním a nezbytným požadavkem) **2** *~s, pl* potřeby, náčiní (*fishing ~s*)

requisiteness [rekwizitnis] nutnost, nezbytnost

requisition [ˌrekwiˈzišən] *s* **1** písemná / oficiální žádost *for* o, požadavek na **2** žádanka **3** úřední výzva, vyzvání; rekvizice (práv.) **4** nutná podmínka, požadavek, nezbytnost (*~ of science*) **5** voj. vymáhání, zabírání, zabrání, rekvírování, rekvizice ◆ *be in (constant) ~* být v (stálé) permanenci, stále sloužit, stále fungovat (*the hotel bus was in constant ~ for bringing visitors from the railway station* hotelový autobus musel stále vozit hosty z nádraží); *call / put to ~ 1.* nasadit, použít *2.* vymáhat, rekvírovat ● **1** *v* žádat, vyžadovat, nárokovat **2** voj. vymáhat, rekvírovat *a place* na, kde *for* co (*~ a town for motor lorries* vymáhat na městě nákladní automobily) *a t.* co *for* pro, provádět rekvizici čeho pro (*~ food for the troops*) ◆ *~ a p.'s services* vymáhat pro sebe čí služby

requital [riˈkwaitl] **1** odměna *for* za; odplata, trest za **2** odškodnění, kompenzace *for* za

requite [riˈkwait] **1** splatit, oplatit (*~ kindness with ingratitude* za laskavost se odměnit nevděkem); odměnit stejné stejným, opětovat (*will she ever ~ my love?*) **2** odškodnit, kompenzovat, být odškodněním za, být odměnou za, vyvážit

reradiation [ri:ˌreidiˈeišən] opětné n. druhotné záření

re-rail [ri:ˈreil] **1** žel. nakolejit **2** přen. přivést zpět na dřívější kolej (*~ the conversation*)

re-ran [ri:ˈræn] v. *re-run, v*

re-read [ri:ˈri:d] (*re-read* [ri:ˈred], *re-read* [ri:ˈred]) znovu číst, znovu si přečíst

rere-arch [riəˈa:č] zadní oblouk dveří n. oken

rerebrace [riəˈbreis] hist. chránič horní části paže část brnění, loketník

re-record [ˌri:riˈko:d] opětovně nahrát na nahraný pásek ◆ *~ing room* mixážní místnost

reredorter [riədo:tə] záchod, latrína za klášterní ložnicí

reredos [riədos] círk., výtv. retábl, retabulum

re-reel [ri:ˈri:l] znovu navíjet, převíjet, přemotávat

re-route [ri:ˈru:t] **1** směřovat jinou tratí **2** vést jinudy, vést objížďkou dopravu

re-run [ri:ˈran] *v* (*re-ran, re-run; -nn-*) **1** znovu uvést film, znovu vysílat rozhlasový pořad **2** řidč. předestilovat **3** dát znovu do výroby **4** z|opakovat, též kyb. ● *s* znovu uvedený starý film, opakování, repríza televizního filmu

res [ri:z] *pl: res* [ri:z] věc, záležitost ◆ *~ adjudicata* práv. věc rozsouzená, definitivně vyřízená věc; *~ angusta* chudoba; *~ gestae 1.* vyřízená / dosažená věc *2.* skutkové okolnosti *3.* skutková podstata

re-saddle [ri:ˈsædl] znovu osedlat, přesedlat koně

resale [ri:ˈseil] opětný prodej, prodej koupeného zboží, prodej z druhé ruky ◆ *~ price 1.* maloobchodní cena navržená výrobcem *2.* státní maloobchodní cena

rescind [riˈsind] **1** zrušit, odvolat, anulovat, prohlásit neplatným **2** odstoupit od (*~ a contract*)

rescission [riˈsižən] **1** zrušení, odvolání, prohlášení neplatným, anulování **2** odstoupení

rescissory [riˈsisəri] odvolací

rescript [ri:skript] **1** hist. reskript list panovníka n. papeže, někdy i zákonné povahy **2** výnos, rozhodnutí **3** přepsání, přepsaná věc **4** palimpsest

rescue [reskju:] *v* **1** zachránit, zachraňovat *from* před **2** vytrhnout *from* z, vyrvat čemu **3** protiprávně / násilím osvobodit, vysvobodit **4** znovu se zmocnit, dobýt nazpátek protiprávně / násilím ● *s* **1** zachránění, záchrana; záchranná akce **2** pomoc **3** protiprávní / násilné osvobození, vysvobození; pomoc při takové činnosti **4** protiprávní / násilné osvojení zadržených věcí, dobytí nazpátek, zmocnění se kořisti **5** = *rescue bid* ◆ *come to a p.'s ~* přijít na pomoc komu ● *adj* záchranný ◆ *~ bid* bridž: hláška pomáhající partnerovi z úzkých; *~ breathing* umělé dýchání z úst do úst; *~ grass* bot.: sveřep *Bromus unioloides*; *~ home* útulek pro mravně narušené dívky; *~ party 1.* záchranná četa *2.* záchranná výprava; *~ service* záchranná služba; *~ tug* záchranný remorkér; *~ work* též péče o padlé dívky

rescuer [reskjuə] **1** zachránce **2** osvoboditel, vysvoboditel

reseal [ri:ˈsi:l] **1** znovu zalepit (*the letter was opened and ~ed*) **2** znovu pevně uzavřít ◆ *~ a defensive line* voj. zlikvidovat prolomení obrany

re-search [ri:ˈsə:č] znovu prohledat, znovu prozkoumat (*search and ~ the ancient manuscripts* znovu a znovu zkoumat staré rukopisy)

research [ri|sə:č] *s* **1** pečlivé pro|hledání, prohledávání *after* / *for* čeho, pro|zkoumání čeho, průzkum čeho, pátrání po **2** též *~es, pl* bádání; výzkum, výzkumy *on* čeho; výzkumnictví ◆ *~ assistant* mladší vědecký pracovník; *~ institute* výzkumný ústav; *~ method* výzkumná metoda; *~ professor* univerzitní profesor mající dovolenou od přednášek, aby se mohl věnovat bádání n. výzkumu ● *v* **1** pečlivě hledat, pátrat *into* po, pro|zkoumat, pro|bádat, provádět průzkum čeho **2** dělat vědecký výzkum *into* čeho ◆ *be ~ed* kniha být výsledkem bádání

researcher [ri|sə:čə] badatel, výzkumník, vědecký pracovník ve výzkumu

research library [ri|sə:č|laibrəri] odborná knihovna

reseat [ri:|si:t] **1** zabrousit sedla ventilů **2** dát nové sedadlo na (*the chair needs to be ~ed*); dát nová sedadla do (*~ the theatre*) **3** znovu posadit / vsadit *on* / *upon* na, znovu dosadit kam **4** vysadit (*~ an old pair of trousers*)

réseau [re|so] *pl: reseaux* [re|so] **1** meteorologická síť **2** hvězd. síť souřadnic, souřadnicová síť, souřadnicová mřížka **3** krajkářství: podkladová síťka, mřížka

resect [ri|sekt] med. vyříznout, vyjmout část čeho, provést resekci čeho, resekovat

resection [ri|sekšən] med. resekce vyjmutí části tkáně n. orgánu

reseda [residə] *s* **1** bot. rýt; rýt barvířský; rýt vonný, (rýt) rezeda **2** rezedově světlezelená barva ● *adj* = *réséda, adj*

réséda [|reze|da] *adj* rezedově světlezelený ● *s* = *reseda, s*

resedaceous [|resi|deišəs] bot. rýtovitý

re-seek [ri:|si:k] (*resought, resought*) znovu hledat

resegregation [ri:|segri|geišən] obnovení rasové segregace

reseize [ri:|si:z] znovu uchopit, znovu zabavit, znovu se zmocnit čeho

reseizure [ri:|si:žə] opětné uchopení, zabavení, zmocnění se

resell [ri:|sel] (*resold, resold*) znovu prodat, dále prodat

reseller [ri:|selə] **1** překupník

resemblance [ri|zembləns] **1** podoba, podobnost *to* s, ke **2** vnější vzhled, postava ◆ *bear* / *have* / *show ~* být | si podobný

resemblant [ri|zemblənt] řidč. podobný *to* komu, připomínající koho

resemble [ri|zembl] **1** podobat se, být podobný komu, připomínat podobou koho, být celý kdo (hovor.) (*she ~s her mother* je celá maminka) **2** být si podobný, mít stejnou podobu **3** zast. přirovnávat, připodobňovat

resent [ri|zent] zazlívat, brát ve zlé, mít za zlé, nesnášet, cítit odpor k, mít vztek na (*~ criticism*) ◆ *I ~ a t.* zlobí mě co, štve mě co, je mi protivné co, otravuje mě co

resentful [ri|zentful] **1** rozčilený, rozzlobený, nasupený, naštvaný (hovor.), nakrknutý (slang.) *against* / *of* na **2** podrážděný, rozmrzelý, otrávený **3** slovo jedovatý, zlý, vzteklý, žlučovitý

resentment [ri|zentmənt] **1** zášť, záští, odpor *against* / *at* k, zlost, dopal, vztek na **2** rozmrzelost, otrávenost *of* kvůli

reserpine [resəpin] lékár. reserpin alkaloid

reservation [|rezə|veišən] **1** zadržení, ponechání si, dání stranou, vyhrazení, rezervování **2** výhrada, omezení (*accept a plan with ~s*), výhrady (*accept a t. without ~*); postranní myšlenka **3** AM indiánská rezervace **4** zamluvení, zajištění, obstarání, objednání, rezervování, rezervace míst / místenek / lůžka / sedadla / letenky / stolu / kabiny / pokoje apod.; rezervované místo atd. **5** práv. výhrada; klauzule obsahující výhradu **6** círk. práv. (papežský) rezervát **7** círk. uchování části proměněné hostie ◆ *make a ~* zamluvit si místo atd.; *mental ~* tajná výhrada nevyslovená, skrytá myšlenka; (*seat*) *~ ticket* místenka; *with ~ as to* s výhradou čeho; *without ~* bezvýhradně

reserve [ri|zə:v] *v* **1** po|nechat | si, dát | si stranou, uschovat | si pro příští použití, určit pro jiný účel, rezervovat | si (*ground ~d for gardening*); ponechat v záloze; utvořit zálohu **2** šetřit si, šetřit čím (*~ your strength for the climb* šetři si síly na výstup) **3** odročit, odsunout na pozdější dobu, počkat, čekat s na pozdější dobu; chystat, připravovat, určovat na později (*a great future is ~d for you* vy máte před sebou velkou budoucnost) **4** vyhradit, rezervovat (*the first three rows of the hall are ~d for special guests* první tři řady v sále jsou vyhrazeny pro zvláštní hosty) **5** práv. nechat / vyhradit si právo *for* na *to do* udělat později co (*I ~ to speak*) **6** zamluvit, zajistit, předem objednat, rezervovat (*~ rooms at a hotel*); obložit si místo ve vlaku **7** malovaná keramika mít původní podkladovou barvu **8** círk. dát stranou, ponechat ve svatostánku, uchovat část proměněné hostie ◆ *all seats ~d* vstupenky pouze v předprodeji; *be ~d for* připadnout až komu, být až na (*it was ~d for him to make the discovery*); *comment is being ~d* zatím nejsou žádné komentáře; *~ one's judgement 1.* nevyjádřit se, nechat si svůj úsudek pro sebe *2.* nechat si vyslovení soudu / rozsudku na pozdější dobu; *~ the privilege* vyhradit si právo ***reserve o.s.*** šetřit se, šetřit silami *for* na ◆ *~ yourself for better days* hlavu vzhůru, bude lépe! ● *s* **1** rezerva zásoba; záloha; zdrženlivost; též ekon. **2** zásoba (*a ~ of food*); biol. přebytek, nadbytek, **3** voj., sport. záloha, zálohy, rezerva (zast.); *R~* záložní vojsko; záložník, rezervista **4** náhrada; náhradní cena, prémie bude-li vítěz soutěžní výstavy diskvalifikován; sport. náhradník **5** výhrada, omezení, rezervace (hovor.) (*we accept your statement without ~* vaše prohlášení přijímáme bez výhrad) **6** zamlčení, smlčení, nezveřejnění, zadržení pravdy **7** přírodní rezervace, chráněné území **8** opatrnost, obezřetnost, zdrženlivost, chladnost, upjatost, odměřenost, rezervovanost, rezerva (hovor.) (*break through a p.'s* ~) **9** cenový limit (*he has placed a ~ on the painting*) **10** chránidlo, rezerva (text.) **11** původní barva pozadí ◆ *auction without* ~ dražba bez stanovení cenového limitu; ~ *of buoyancy* námoř. zásoba plovatelnosti; *buried* ~ ekon. tichá rezerva; *contingency* ~ rezerva pro případ nepředvídaných ztrát n. nákladů; *depreciation* ~ oprávka; *exercise* ~ projevit zdrženlivost; *have in* ~ mít stranou, mít v rezervě (*I have a little money in* ~); *hidden* ~ skrytá rezerva; *observe* ~ zachovat zdrženlivost; *place to the* ~ voj. převést do záložního stavu, dát do zálohy; *publish with all* ~ uveřejnit bez záruky; *true* ~ rezervní fond; ~ *for unexpired risks* přenášky pojistného; *valuation* ~ oprávka; *without* ~ bez výhrad, bezvýhradně ● *adj* **1** rezervní; záložní; zásobní, náhradní **2** cena limitní ◆ ~ *army* záložní vojsko; ~ *bud* bot. spící očko, pupen; ~ *buoyancy* rezerva vztlaku lodě; ~ *card* oznámení předznamenané knihy; ~ *cruise* cvičná plavba se záložníky; *R~ Fleet* BR záložní loďstvo; ~ *fund* rezervy; ~ *funds* úspory; ~ *library* AM prezenční knihovna; ~ *list* BR seznam záložních námořních důstojníků válečného loďstva; ~ *part* náhradní díl; ~ *ration* voj. železná zásoba, nedotknutelná zásoba; ~ *service* voj. záloha; ~ *speed* AM maximální rychlost lodi; ~ *stocks* / *supplies* rezervní zásoby; ~ *tank* zásobní nádrž, pomocná nádržka

reserved [riˈzə:vd] **1** zdrženlivý, chladný, upjatý, odměřený, rezervovaný **2** zaměstnání válečně důležitý, osvobozující od vojenské služby **3** v. *reserve, v* ◆ ~ *list* BR = *reserve list;* ~ *occupation* zaměstnání osvobozující od vojenské služby; ~ *seat* rezervované místo na něž se vstupenka získává v předprodeji

reserve price [riˌzə:vˈprais] (nejnižší) vyvolávací cena při dražbě, cenový limit

reservist [riˈzə:vist] záložník, rezervista

reservoir [rezəvwa:] *s* **1** nádrž, nádržka, jímka, rezervoár **2** přehrada, přehradní jezero **3** zásobník, zásobárna; pokladnice (přen.) ◆ ~ *pen* řidč. plnicí pero; ~ *rock* porézní hornina, sběrač, kolektor ● *v* **1** uchovávat / mít (jako) v nádrži n. rezervoáru **2** dát nádrž do, udělat jímku v

reset[1] [ri:ˈset] (*-tt-*) SC práv. přechovávat (kradené zboží)

reset[2] [ri:ˈset] *v* (*reset, reset; -tt-*) **1** přesadit, nově zasadit rostlinu **2** nově zasadit, nově zafasovat drahokam **3** znovu srovnat, narovnat špatně srostlou zlomeninu **4** kyb. smazat, vymazat **5** polygr. přesadit, nově vysadit **6** znovu nabrousit / naostřit / rozvést pilu ◆ ~ *a clutch* seřídit spojku ● *s* **1** přesazení; přesazená n. nově vsazená rostlina **2** nově vsazený drahokam **3** polygr. přesazba, nová sazba

resetter [ri:ˈsetə] SC práv. překupník

resettle [ri:ˈsetl] **1** nově / opět osídlit / osadit; nově se usídlit / usadit **2** obnovit klid; znovu uklidnit, obnovit pořádek, konsolidovat | se; uklidnit se *resettle o.s.* znovu se posadit, znovu usednout (*the supper party ~d themselves*)

resettlement [ri:ˈsetlmənt] **1** nové / opětovné osídlení n. usídlení **2** obnovení klidu n. pořádku; nový pořádek, konsolidace

resh [reš] bot.: různé druhy rodu sítina

reshape [ri:ˈšeip] přestavět, přebudovat, přetvořit, dát nový tvar / formu čemu

reship [ri:ˈšip] (*-pp-*) **1** znovu naložit na loď; přeložit náklad z lodi na loď **2** dopravovat dále, dále / znovu zasílat ◆ ~*ping carton* návratný obal kartonová krabice

reshipment [ri:ˈšipmənt] **1** opětovné naložení nákladu na loď; přeložení nákladu z lodi na loď **2** doprava / dopravování dále, znovuzaslání

reshuffle [ri:ˈšafl] *v* **1** znovu zamíchat karty **2** přeskupit, přehodit; jinak rozdělit funkce *v* ● *s* **1** nové zamíchání **2** přeskupení, přehození; nové rozdělení funkcí ve vládě; přeměna / výměna křesel

reside [riˈzaid] **1** sídlit, bydlit, mít trvalé bydliště kde (~ *at 10 Railway Terrace*); příslušet, být příslušný **2** přen. být, tkvít, spočívat, ležet *in* / *with* v, na (*burden of proof* ~*s with the plaintiff* důkazní břímě nese žalobce); patřit, příslušet komu (*the power of decision* ~*s in the electorate* moc rozhodovat patří voličstvu)

residence [rezidəns] **1** bydliště; obydlí; sídlo podniku **2** pobyt (*a* ~ *of four months* čtyřměsíční pobyt) **3** sídlo, sídelní budova, rezidence **4** AM studentská kolej, internát ● *be in* ~ sídlit v místě úřadu n. působení; *have one's* ~ sídlit, bydlit; *official* ~ *1.* úřední sídlo *2.* služební byt *3.* úřední adresa; *permanent* ~ trvalé bydliště; *permit of* ~ povolení k pobytu; *take up one's* ~ usídlit se, usadit se; *take up one's* ~ *with a p.* ubytovat se u koho jako nájemník

residency [rezidənsi] (*-ie-*) **1** sídlo, sídelní budova, rezidence **2** hist. rezidenství, rezidentura oblast v jihovýchodní Asii; sídlo britského rezidenta u dvora indického panovníka **3** AM stáž studijní pobyt

resident [rezidənt] *adj* **1** sídlící, usídlený, usedlý, trvale bydlící **2** bydlící v místě svého působení, sídelní, domovní, domácí; konaný na místě (~ *study*); školní, ústavní (~ *tutor*); nemocniční (~ *surgeon*) **3** přen. tkvící, vězící, spočívající, přítomný v, vlastní čemu (*a right* ~ *in the people*) **4** pták nestěhovavý, přezimující v místě ◆ *be* ~ sídlit, bydlit, mít bydliště, být příslušný; ~ *buyer* nákupčí sídlící v jiné zemi než firma, pro niž pracuje; ~ *population* místní obyvatelstvo ● *s* **1** místní občan, obyvatel, usedlík **2** rezident diplomatický zástupce; zástupce britské vlády u dvora indického panovníka; zástupce holandské vlády v jihovýchodní Asii; vedoucí agent špionážní rozvědky pro určité území **3** nemocniční lékař bydlící v nemocnici **4** duchovní sídlící v místě svého působení

residential [ˌreziˈdenšəl] **1** obytný, sídelní, bytový **2** vilový (~ *district*); panský **3** týkající se sídel / bydliště / pobytu; místní ◆ ~ *heating* vytápění bytů; ~ *hotel* bytový hotel, obytný hotel, penzión pro dlouhodobé ubytování; ~ *town* sídelní město

residentiary [ˌreziˈdenšəri] *adj* **1** bydlící, sídlící **2** sídlící v místě svého úřadu, sídelní ◆ *canon* ~ = *residentiary, s 1* ● *s* (-*ie*-) **1** sídelní kanovník **2** místní občan, usedlík

residua [riˈzidjuə] *pl* v. *residuum*

residual [riˈzidjuəl] *adj* **1** zbytkový, zbývající, zbylý, reziduální **2** geol. zbytkový, reziduální ◆ ~ *deformation* trvalé přetvoření, trvalá deformace; ~ *error* reziduální chyba rozdíl mezi hodnotami z pozorování a jejich aritmetickým průměrem; ~ *fuel 1.* zbytkový topný olej *2.* zbytkové palivo; ~ *insecticide* zbytkový insekticid s delší působností; ~ *solution* zbytkový roztok ● *s* **1** zbytek; zůstatek; pozůstatek, reziduum **2** AM tantiema pro herce **3** = *residual error*

residuary [riˈzidjuəri] **1** zbytkový **2** zbývající ◆ ~ *estate* práv. zůstatek pozůstalosti po zaplacení dluhů a odkazů; ~ *legatee* práv. univerzální legatář

residue [rezidju:] **1** zbytek, zůstatek **2** pozůstatek, přežitek **3** práv. zůstatek **4** usazenina, sedlina, sraženina, reziduum ◆ ~ *of combustion* chem. popel; ~ *evaporation* odparek

residuent [riˈzidjuənt] chem. reziduum

residuum [riˈzidjuəm] *pl: residua* [riˈzidjuə] **1** zbytek; přežitek **2** usazenina, sedlina, sraženina, reziduum **3** sedlina (přen.), spodina, lůza, chátra

resign[1] [riˈzain] **1** odstoupit, poděkovat se, vzdát se funkce, podat demisi, abdikovat, rezignovat *from* z funkce, vystoupit z, složit co, zanechat, vzdát se čeho *to* ve prospěch koho **2** vzdát se, odříci se čeho, rezignovat na (~ *all claims* vzdát se všech nároků) **3** svěřit, odevzdat do péče *to* komu (*they* ~*ed the child to the care of an aunt*) ***resign o.s.*** *1* svěřit se, odevzdat se, poddat se *to* čemu, smířit se s, rezignovat **2** přen. oddat se *to* čemu, pohroužit se do, ponořit se do (~ *o.s. to meditation* oddat se meditaci)

re-sign[2] [ri:ˈsain] znovu podepsat

resignation [ˌrezigˈneišən] **1** odstoupení, poděkování se, vzdání se funkce, demise, abdikace, rezignování, rezignace *from* z funkce, vystoupení z, složení čeho, zanechání čeho; písemná rezignace **2** trpná odevzdanost v osud, rezignace ◆ *give / send in one's* ~ podat demisi

resigned [riˈzaind] **1** odevzdaný do vůle osudu, smířený, rezignovaný **2** bývalý, mimo službu, ve výslužbě (~ *major*) **3** v. *resign*

resile [riˈzail] **1** pružné těleso vrátit se pružností do původní podoby, stáhnout se, smrsknout se **2** odskočit, odrazit se, odtáhnout se; odstoupit (~ *from a contract*... od smlouvy)

resilience [riˈziliəns] = *resiliency*

resiliency [riˈziliənsi] **1** odrazová pružnost, elastičnost, též přen. **2** odraz, odražení, odskočení, odskok, odtáhnutí se

resilient [riˈziliənt] **1** pružný, elastický; pohyblivý, mrštný **2** nezdolný, houževnatý, nezlomný, rychle se vzpamatovávající

resiliometer [ˌriziliˈomitə] přístroj na měření odrazové pružnosti

resin [rezin] *s* **1** pryskyřice; smůla, smola **2** kalafuna ◆ ~ *bee* zool. včela bavlnice; ~ *flux* bot. smolotok, rezinóza ● *v* **1** zpracovávat / povlékat / napouštět pryskyřicí; vysmolit **2** na|kalafunovat

resinaceous [ˌreziˈneišəs] dávající pryskyřici, pryskyřičný

resinate [rezinit] *s* pryskyřičné mýdlo, rezinát ● *v* napouštět / aromatizovat pryskyřicí

resinic [rezinik] pryskyřičný

resiniferous [ˌreziˈnifərəs] dávající pryskyřici, pryskyřičný

resinifaction [ˌrezinifiˈkeišən] **1** z|pryskyřičnění (~ *of oil*) **2** zpracování pryskyřicí

resiniform [reˈzinifo:m] obsahující pryskyřici, smolnatý, smolný

resinify [reˈzinifai] (-*ie*-) **1** z|pryskyřnatět **2** zpracovávat pryskyřicí

resino-electric [ˌrezinəuiˈlektrik] záporně elektrický

resinoid [rezinoid] *adj* pryskyřicovitý; pryskyřnatý; pryskyřičitý ● *s* syntetická pryskyřice, vytvrzená pryskyřice

resinous [rezinəs] **1** pryskyřičný; pryskyřičnatý 2 záporně elektrický

resin tapping [ˌrezinˈtæpiŋ] les. těžba pryskyřice

resipiscence [ˌresiˈpisəns] **1** změna názoru, uznání omylu, návrat ke zdravému rozumu **2** lítost

resipiscent [ˌresiˈpisənt] vracející se ke zdravému rozumu

resist [riˈzist] *v* **1** vydržet náraz čeho **2** odporovat, klást odpor komu / čemu, u|bránit se (proti) (~ *the enemy*) **3** vzdorovat, odolávat (*a kind of glass that* ~*s heat,* ~ *temptation* odolávat pokušení); odolat, nepodlehnout čemu (~ *an influence* nepodlehnout vlivu); být odolný / imunní proti (*a constitution that* ~*s disease* konstituce, která je imunní proti chorobě) **4** protivit se komu, vzepřít se komu (~ *authority*), u|bránit se čemu **5** odepřít si, odříci si (*she can't* ~ *chocolates*), odpustit si (*she couldn't* ~ *making jokes about his baldness* nedokázala si odpustit dělat vtipy o jeho pleši) ● *s* chránidlo, rezerva (text.)

resistance [riˈzistəns] **1** odpor, též elektr., vzdor, rezistence *to* proti **2** stálost, pevnost; chemická odolnost; reakce **3** odboj, odbojové hnutí ◆ ~ *of colour*

stálost barvy, stálobarevnost; *in ~ to* z odporu proti; *~ to light* světlostálost; *meet with ~* narazit na odpor; *offer ~* klást odpor; *passive ~* trpný odpor, pasívní rezistence; *take the line of least ~* jít cestou nejmenšího odporu
resistance coil [riˈzistəns ˌkoil] elektr. odporová cívka
resistance movement [riˌzistənsˈmu:vmənt] odbojové hnutí, odboj
resistance thermometer [riˌzistənsθəˈmomitə] odporový teploměr
resistance welding [riˌzistənsˈweldiŋ] odporové svařování
resistant, resistent [riˈzistənt] *adj* **1** odolný, imunní *to* proti (*~ to DDT*), vzdorující čemu; stálý, rezistentní **2** odolávající, kladoucí odpor, vzdorný ● *s* odpůrce, protivník, opozičník; látka / člověk kladoucí odpor, odolný materiál
resister [riˈzistə] odpůrce, protivník ◆ *passive ~* zastánce pasivního odporu
resistibility [riˌzistəˈbiləti] **1** schopnost klást odpor **2** odolnost, stálost, imunita
resistible [riˈzistəbl] **1** schopný klást odpor **2** odolný, vzdorující, stálý
resistive [riˈzistiv] **1** odbojný, vzdorný **2** odolný **3** elektr. odporový
resistivity [ˌrezisˈtivəti] elektr. měrný odpor
resistless [riˈzistlis] **1** kterému není kladen žádný odpor **2** nekladoucí žádný odpor, bezbranný, bezmocný **3** neodolatelný
resistor [riˈzistə] elektr. odporník
re-sit BR *v* [ri:ˈsit] (*re-sat, re-sat; -tt-*) opakovat (písemnou zkoušku) ● *s* [ri:sit] opakovaná písemná zkouška
re-site [ri:ˈsait] změnit stanoviště čeho, umístit jinde, dát jinam, přemístit na jiné místo
resold [ri:ˈsəuld] v. *resell*
re-sole [ri:ˈsəul] znovu podrazit boty, dát novou podrážku na boty
resoluble [riˈzoljubl] **1** řešitelný **2** rozložitelný *into* na, rozštěpitelný, roztavitelný; rozpustný
resolute [rezəlu:t] pevný, rozhodný, cílevědomý, rázný, energický, rezolutní; rozhodnutý snažit se *for* o, jít za (*~ for peace*)
resoluteness [rezəlu:tnis] = *resolution, 6*
resolution [ˌrezəˈlu:šən] **1** rozklad, rozpuštění, roztavení, rozložení; rozklad síly **2** rozeznání, rozlišení; rozlišovací schopnost, rozlišitelnost **3** roz|řešení, vyřešení, rozluštění, vyluštění (*~ of a problem*); rozplynutí, vyjasnění (*~ of a doubt* vyjasnění pochybnosti) **4** usnesení, prohlášení, rezoluce **5** předsevzetí, pevné odhodlání / rozhodnutí **6** pevnost, rozhodnost, odhodlanost, cílevědomost, ráznost, energie, energičnost, rezolutnost (*a man who lacks ~*) **7** liter.: náhrada dvou krátkých slabik za jednu dlouhou **8** hud. rozvedení akordu **9** med. rozptýlení nemoci; spadnutí, zmizení, splasknutí otoku **10** polygr. roz|sířování (*~ of a picture*) ◆ *adopt a ~* usnést se, přijmout rozhodnutí; *~ chart* televizní zkušební obrazec, monoskop; *~ of lines* rozlišení čar spektra; *make a ~* rozhodnout se; *method of ~* analytická metoda
resolutioner [ˌrezəˈlu:šənə] **1** kdo souhlasí s prohlášením n. rezolucí **2** kdo podepsal prohlášení n. rezoluci
resolutionist [ˌrezəˈlu:šənist] = *resolutioner*
resolutive [rezəl*j*u:tiv] *adj* **1** med. rozpouštějící, rozptylující **2** práv. rezoluční; vyvazující ● *s* med. rozpouštějící n. rozptylující lék, lék proti otokům
resolutive condition [ˌrezəl*j*u:tivkənˈdišən] práv. podmínka, po jejímž splnění končí smlouva
resolvable [riˈzolvəbl] **1** rozložitelný *into* na; rozpustný, roztavitelný **2** rozeznatelný, rozlišitelný **3** roz|řešitelný, roz|luštitelný
resolve [riˈzolv] *v* **1** rozpustit | se, roztavit | se, rozštěpit | se, rozložit | se, rozdělit | se; rozložit na jednotlivé složky (*a powerful telescope can ~ a nebula* silný teleskop dovede rozložit mlhovinu na jednotlivé složky) *into* na (*resolving the nation into warring sections* rozložit národ na složky bojující proti sobě) **2** vyjasnit, rozptýlit pochybnosti **3** vy|řešit, rozřešit, vy|luštit, rozluštit, přijít na kořen čemu (*~ a problem*); dohodnout, najít řešení pro (*determined to ~ all disputed points* rozhodnut najít řešení pro všechny sporné body) **4** rozhodnout se, předsevzít si *to do* udělat co, *that* že; přimět *on / upon doing a t.* koho udělat co **5** usnést se, odhlasovat, vydat / přijmout usnesení / rezoluci *that* že **6** hud. rozvést akord **7** med. rozpustit, rozehnat otok ◆ *be ~d into dust* rozpadnout se v prach; *be ~d into tears* rozplývat se v slzách, rozplakat se ***resolve o.s. 1*** rozpadnout se, rozložit se, rozštěpit se ***2*** přesvědčit se, ujistit se ***3*** změnit se usnesením *into* v, sejít se znovu jako (*House ~d itself into a committee*) ● *s* **1** rozhodnutí, pevné předsevzetí **2** AM usnesení, rezoluce **3** bás. rozhodnost, pevnost, odvaha; pevnost charakteru
resolved [riˈzolvd] **1** rozhodný, pevně rozhodnutý *on* k, *to do* dělat **2** rozřešený, vyřešený, vyjasněný **3** bylo usneseno *that* že (začátek rezoluce) **4** v. *resolve, v*
resolvedness [riˈzolvidnis] rozhodnost
resolvent [riˈzolvənt] *adj* med., chem. rozpouštějící ● *s* **1** chem. rozpustidlo, rozpouštědlo **2** lék odstraňující otok
resolving power [riˈzolviŋˈpauə] fyz. rozlišovací schopnost
resonance [rezənəns] **1** ozvuk, ozvěna, souznění, rezonance **2** schopnost rezonovat, ozvučnost, rezonantnost **3** fyz.: nestálá elementární částice s krátkou životností ◆ *~ box* rezonanční skříň; *~ cavity* rezonanční dutina v hlavě; *~ test* zvuková zkouška materiálu
resonant [rezənənt] *adj* **1** zvučný (*a ~ voice*), zvučí-

cí *with* čím, ozvěnový, vracející ozvěnu, souzvučný, souznějící, spoluznějící, rezonující **2** ozvučný, rezonantní, rezonanční **3** přen. halasný; křiklavý (*~ colours*) ◆ *~ circuit* fyz. rezonanční obvod ● *s* jaz. **1** samohláska **2** znělá souhláska
resonate [rezəneit] znít, zvučet; souznít, spoluznít, znít ozvukem, rezonovat
resonator [rezəneitə] **1** fyz. rezonátor zařízení založené na rezonanci **2** rezonanční těleso / korpus / deska
resorb [riˈso:b] **1** znovu pohltit / vsát / nasát / vstřebat, resorbovat **2** geol. rozpustit nerost
resorbent [riˈso:bənt] **1** znovu pohlcující / sající / nasávající / vstřebávající, resorbující **2** geol. rozpouštějící nerost
resorbence [riˈso:bəns] **1** opětné pohlcení / vsání / nasání / vstřebání, resorbování **2** geol. opětné rozpuštění nerostu
resorcin [riˈzo:sin] chem. rezorcín organická látka užívaná zejm. k výrobě barev a léků
resorption [riˈso:pšən] **1** opětné pohlcení, vstřebání, resorpce **2** geol. rozpuštění nerostu
resort [ri:zo:t] *v* **1** uchýlit se *to* k, utéci se k, sáhnout k, rozhodnout se z nutnosti pro, použít jako východisko čeho (*I'm sorry you have ~ed to deception* škoda, že jste se uchýlil k úskoku) **2** chodívat často / ve velkém počtu, navštěvovat, vyhledávat *to* koho (*visitors ~ed to him*); vydat se *to* kam **3** být, přebývat, zdržovat se **4** řidč. uchýlit se *to* k, hledat útočiště u, obrátit se na *for* kvůli, o **5** řidč. poslechnout, následovat *to* co ● *s* **1** poslední prostředek, pokus, jediná pomoc, východisko z nouze, jediná možnost, jediné útočiště **2** vyhledávané / oblíbené místo, středisko zábav / rekreace, eldorado **3** příliv návštěvníků, zástup, dav ◆ *bathing ~* přímořské lázně; *have ~ to force* použít síly; *health ~* lázně; *holiday ~ 1.* výletní místo *2.* rekreační středisko; *in the last ~* nakonec, z nutnosti, z nouze, jako poslední možnost / pokus když ostatní selhalo; *make ~ to a p.* obrátit se na, utéci se k; *mountain ~* horské klimatické lázně; *seaside ~* přímořské lázně; *summer ~* letovisko; *winter ~* středisko zimních sportů
re-sort [ri:ˈso:t] znovu / jinak roztřídit
resound [riˈzaund] **1** za|znít, zvučet *with* čím, rozezvučet se; znít ozvukem, vracet zvuk, rezonovat **2** přen. slavně znít, být opěvován (*his name ~s in the pages of history*); sláva šířit se *through* čím **3** bás. zvěstovat, hlásat, šířit (*~ a p.s' praises* pět chvály na koho)
re-sound [ri:ˈsaund] znovu rozezvučet
resounding [riˈzaundiŋ] **1** zvučný, halasný **2** hovor. pronikavý, obrovský (*a ~ success*) **3** v. *resound*
resource [riˈso:s] **1** nový / rezervní zdroj; zásoba, záloha; zajištění **2** část. *~s, pl* zdroje, prostředky, fondy, možnosti (přen.); bohatství, majetek, aktiva (*the book value of a company's ~s*) **3** poslední útočiště, jediná možnost, východisko (*flight was his only ~* měl jen jednu jedinou možnost: dát se na útěk); trik, úskok (*her usual ~ was confession* obvykle se uchýlila k tomu, že se přiznala) **4** vynalézavost, duchapřítomnost, pohotovost, schopnost poradit si / vědět si rady v každé situaci, nápaditost; talent, nadání, důmysl, důvtip **5** rekreace, oddechová činnost, zábava, kratochvíle (*reading is a great ~*); koníček (*a man of no ~s*) **6** řidč. naděje na záchranu ◆ *be left / thrown on one's own ~s* být odkázán sám na sebe; *without ~* beznadějně, bezvýchodně, natrvalo
resourceful [riˈso:sf*u*l] **1** pohotově vynalézavý, pohotový, duchapřítomný, nápaditý, důmyslný, důvtipný **2** jsoucí s velkým přírodním bohatstvím
resourcefulness [riˈso:sf*u*lnis] pohotová vynalézavost, pohotovost, duchapřítomnost, nápaditost, důmysl, důmyslnost, důvtip, důvtipnost
resourceless [riˈso:slis] **1** jsoucí bez prostředků **2** nevynalézavý, jsoucí bez fantazie
resow [ri:ˈsəu] (*resowed, resowed / resown*) znovu zasít n. osít
respect [riˈspekt] *s* **1** zřetel, ohled; vztah; stránka, hledisko **2** stranění *of* komu, stranickost, stranictví pokud jde o **3** vážnost, úcta *for* k, respekt před **4** *~s, pl* pozdrav, poručení ◆ *be held in ~* být vážený / ctěný; *give him my ~s* pozdravujte ho ode mne; *have ~ to* vztahovat se na, k; *have no ~ for* nemít úctu před, pohrdat čím; *in all ~s* v každém ohledu, po všech stránkách; *in ~ of* pokud jde o co, co se týká čeho, co do, stran; *in this ~* po této stránce, z tohoto hlediska; *in ~ that* zast. vzhledem k tomu, že; *pay one's ~s to a p. 1.* složit poklonu komu *2.* vykonat zdvořilostní návštěvu u; *with ~ to* pokud jde o, co se týká čeho, co do, stran ● *v* **1** ctít, mít v úctě / ve vážnosti, vážit si, mít úctu před, respektovat (*~ one's elders*) **2** dbát čeho, na, mít ohled na, brát ohledy na (*I wish people would ~ my desire for privacy* kéž by lidé brali ohledy na mou touhu po soukromí); zachovávat (*do you ~ the laws of your country?*), uznávat **3** nechat dělat co / být jakým, respektovat (*~ neutrality*) **4** zast. týkat se čeho, vztahovat se na ◆ *~ persons* zast. dělat rozdíly mezi lidmi, neměřit každému stejně ***respect o.s.*** dbát na sebe, chovat se, jak se sluší a patří
respectability [ri͵spektəˈbiləti] (*-ie-*) **1** slušnost, pořádnost, úctyhodnost; váženost **2** bezúhonnost, čestnost, poctivost, počestnost, serióznost, solidnost **3** část. *respectabilities, pl* lepší lidé, panstvo, noblesa, honorace; fajnovky **4** *respectabilities, pl* slušnost, pravidla slušnosti; konvence, etiketa
respectable [riˈspektəbl] **1** slušný, pořádný, vzbuzující úctu, úctyhodný, vážený třebas prostý (*a ~ citizen*) **2** bezúhonný, čestný, poctivý, seriózní (*~ motives*); solidní, nóbl (hovor.) (*~ neighbourhood* solidní sousedství) **3** konvenční, korektní, společensky přijatelný / únosný **4** po-

měrně slušný, obstojný, ucházející (*a ~ but undistinguished performance* poměrně slušné, ale nijak pozoruhodné představení) **5** iron. nóbl, fajnový
respecter [riˈspektə] : *no ~ of persons* kdo nečiní žádné rozdíly mezi lidmi, kdo se nedá ovlivnit v ničí prospěch (*death is no ~ of persons*)
respectful [riˈspektful] zdvořilý, uctivý (*at a ~ distance*)
respectfully [riˈspektfuli] : *~ yours* s úctou, s projevem dokonalé úcty závěr dopisu
respectfulness [riˈspektfulnis] zdvořilost, uctivost
respecting [riˈspektiŋ] **1** pokud jde o, co se týká čeho, co do, stran, ve věci, ohledně **2** v. *respect, v*
respective [riˈspektiv] **1** vztahující se podle pořadí k jednotlivci (často bez českého ekvivalentu) (*A and B contributed the ~ sums of 4 d. and 3 d.* A přispěl částkou 4 pence a B částkou 3 pence); příslušný, vlastní, svůj (*we all went off to our ~ rooms* všichni jsme se rozešli, každý do svého pokoje) **2** vlastní, osobní, individuální (*the three men were given work according to their ~ abilities* těm třem mužům byla přidělena práce podle jejich individuálních schopností); jednotlivý (*the election depends on the popularity of ~ candidates* zvolení závisí na popularitě jednotlivých kandidátů)
respectively [riˈspektivli] podle uvedeného pořadí (často bez českého ekvivalentu) (*training colleges for men and women ~ are to be built at Leeds and Hull* budou se stavět učitelské ústavy, mužský v Leedsu a ženský v Hullu); v tomto pořadí, a to, každý jinak, samostatně, jednotlivě, co se každého týče
re-spell [ˌriːˈspel] (*re-spelled / re-spelt, respelt*) **1** znovu hláskovat **2** jinak napsat, přepsat zejm. foneticky
respirable [respirəbl] **1** dýchatelný **2** schopný dýchání
respiration [ˌrespəˈreišən] dýchání, jeden dech, vdech a výdech, respirace
respirator [respəreitə] **1** jednoduchá dýchací maska **2** BR protiplynová maska **3** dýchací přístroj, respirátor; kyslíkový přístroj
respiratory [riˈspaiərətəri] dýchací, respirační, respiratorický, respiratorní
respire [riˈspaiə] **1** dýchat; vdechovat **2** oddechnout si; nadýchnout se, nabrat odvahu, načerpat naději **3** přen. řidč. dýchat čím, vydechovat co
respirometer [ˌrespiˈromitə] **1** respirátor **2** dýchací přístroj potapěče
respite [respait / AM respit] *s* **1** odklad; odložení, odročení; posečkání, lhůta **2** práv. milost odsouzenému k smrti, odklad popravy **3** přestávka, pauza, oddech; dočasná úleva, krátký odpočinek ◆ *give / grant ~* poskytnout lhůtu *of* jak dlouho; *put in ~* odložit, odročit ● *v* **1** odložit, odročit, posečkat; dát lhůtu, povolit odklad **2** práv. omilostnit, dát milost odsouzenému k smrti; povolit odklad popravy **3** poskytnout oddech komu, dát úlevu komu, ulehčit, ulevit komu **4** voj. hist. zadržet plat komu
resplend [riˈsplend] řidč. zářit, oslňovat, lesknout se, jiskřit, třpytit se, skvít se
resplendence [riˈsplendəns] = *resplendency*
resplendency [riˈsplendənsi] zář, záře, třpyt, jas, lesk, jiskření
resplendent [riˈsplendənt] zářivý, zářný, oslnivý, lesknoucí se, jiskřivý, třpytivý, v plném lesku, skvoucí, blyštivý
respond [riˈspond] *v* **1** odpovědět, odvětit, dát odpověď *to* na; odpovídat při střídavém zpěvu **2** sport. odpovědět, oplatit *with* čím, udělat na to co **3** za|reagovat *to* na; zejm. kladně reagovat *to* na, poslouchat co **4** hud.: nástroj jít lehce, lehce se ozývat **5** řidč. odpovídat čemu **6** AM zast. dát dostiučinění za; být zodpovědný za, ručit za ● *s* **1** stav. sloup dvojsloupu, podpírající oblouk; krajní sloup kolonády; polosloup pro podpírání oblouku **2** stav. hloubka vnějšího ostění **3** círk. hud. responsorium **4** odpověď, odezva, reakce
respondence [riˈspondəns] = *respondency*
respondency [riˈspondənsi] **1** odpověď, odezva, reakce *to* na, ohlas čeho **2** souhlas, souhlasnost
respondent [riˈspondənt] *adj* **1** odpovídající, reagující *to* na, poslouchající co **2** práv. žalovaný, obžalovaný ● *s* **1** kdo odpovídá; obhájce téze **2** odpůrce, obžalovaný zejm. v rozvodovém řízení **3** kdo n. co reaguje na podnět
respondentia [ˌrisponˈdenšiə] zápůjčka na lodní náklad
responder [riˈspondə] kdo odpovídá atd.
response [riˈspons] **1** odpověď **2** odezva, ohlas; reakce, schopnost reagovat **3** citlivost přístroje **4** přiměřenost **5** círk. hud. odpověď; responsorium **6** stav. polosloup pro podpírání oblouku ◆ *meet with a good ~* mít dobrý ohlas; *~ time* časová konstanta, vlastní čas přístroje
responsibility [riˌsponsəˈbiləti] (*-ie-*) **1** odpovědnost, zodpovědnost (*the ~ for this mess is yours* zodpovědnost za tento zmatek padá na tebe, za tento zmatek jsi zodpovědný ty) **2** spolehlivost zejm. v placení; solventnost, solidnost; ručení, záruka (*assume ~ for another man's debt* přijmout ručení za dluh jiného člověka) **3** část. *responsibilities, pl* povinnost, povinnosti, závazky, funkce, úkoly, tíha zodpovědnosti ◆ *on one's own ~* na vlastní vrub, na vlastní zodpovědnost; *decline / disclaim ~ for* odmítnout zodpovědnost za; *take the ~ for* převzít zodpovědnost za, vzít na sebe co
responsible [riˈsponsəbl] *adj* **1** odpovědný, zodpovědný **2** uvážlivý, rozvážný (*a ~ man*) **3** závažný, významný, důležitý (*a ~ office*) **4** kdo / co se musí zodpovídat zejm. parlamentu, demokratický (*~ ruler*), parlamentní (*~ government*) **5** AM spolehlivý zejm. platebně, solventní, solidní ◆ *be*

~ *for a t. 1.* být zodpovědný za, nést odpovědnost za, ručit za *2.* způsobit, vyvolat co, nést vinu za, být vinen čím (*termites are often ~ for the collapse of wooden foundations* za zhroucení dřevěných základů často nesou vinu termiti, *trade was ~ for her wealth* za své bohatství děkovala / vděčila obchodu); *be made ~ for a t.* být činěn zodpovědným za (*he cannot be made ~ for the views* jemu nelze přičítat na vrub tyto názory); *hold a p. ~ for a t.* činit zodpovědným za, klást komu za vinu co ● **1** *~s, pl* div. malé důležité role, figurky **2** *~s, sg* herec hrající takové role, figurkář

responsions [riˈsponšənz] BR hist.: na oxfordské univerzitě první ze tří zkoušek k dosažení bakalaureátu

responsive [riˈsponsiv] **1** odpovídající *to* na, reagující; citlivý, vnímavý **2** kladně reagující *to* na, poslouchající co, přístupný čemu **3** círk. hud. střídavý, antifonální, responsoriální

responsiveness [riˈsponsivnis] **1** citlivost přístroje **2** schopnost reagovat; vnímavost, citlivost, senzibilita; přístupnost

responsory [riˈsponsəri] (*-ie-*) círk. hud. responsorium střídavý zpěv mezi duchovním a sborem zpěváků n. věřícími

respray [ri:ˈsprei] *v* **1** znovu postříkat **2** (dát) nově nastříkat např. auto ● *s* **1** nový postřik **2** nové nastříkání např. auta

respring [ri:ˈspriŋ] (*resprang* /*resprung, resprung*) dát nové pérování do (*~ a mattress*)

ressentiment [rəˌsa:ŋti:ˈma:ŋ] všeobecný odpor, všeobecná zášť zejm. hůře situovaných proti lépe situovaným

rest¹ [rest] *v* 1 odpočívat; odpočinout si, oddechnout si, pohovět si, dát si pohov *from* od; přen. odpočívat, ležet, spát (*he ~s in the churchyard*) **2** mít klid, dát si pokoj (*he will not ~ until he knows the truth*); zůstat stát (*the matter cannot ~ there*) **3** voj. stát v pohovu, stát „pohov" **4** nechat odpočinout, dopřát odpočinku, poskytnout odpočinek komu (*he stopped to ~ his horse*); dát věčné odpočinutí komu (*God ~ his soul*) **5** uklidnit, neunavovat, zbavit únavy, šetřit (*these dark glasses ~ my eyes*) **6** zastavit, vypnout stroj; stroj být v klidu, být nečinný **7** úhorovat pole **8** práv. skončit obhajobu / obžalobu **9** ležet, spočívat *upon* na, být podepřen čím (*the roof ~s upon eight columns* střecha spočívá na osmi sloupech); opřít *against* / *on* o (*she ~ed her elbows on the table* opřela se lokty na stůl), podepřít o, zapřít o (*~ the ladder against the wall* podepřít žebřík o zeď); spočívat, být umístěn, stát *on* na (*a column ~s on its pedestal* sloup stojí na podstavci); ležet, být rozložen (*one wing of the army ~s on the hills* jedno křídlo armády je rozloženo po kopcích) **10** být založen *on* / *upon* na, být odůvodněn čím (*a charge ~ing upon one man's unsupported statement* obžaloba založená na nepodloženém prohlášení jednoho člověka), být podepřen *on* / *upon* čím; stavět *on* na, odůvodňovat čím, zakládat na **11** spočinout, spočívat, utkvět, tkvít (*her gaze ~d on his face* její pohled spočinul na jeho tváři), upřít (*she let her glance ~ on me* upřela na mne svůj pohled); do|padat (*a sunbeam ~s upon the altar* na oltář dopadá sluneční paprsek); zůstávat, dlouho být, viset (*look at the clouds ~ing upon the mountain top*) **12** spoléhat *upon* na (*I ~ upon your promise* spoléhám na tvůj slib); vkládat svou důvěru *in* v, plně důvěřovat komu ◆ *~ on one's oars 1.* založit vesla *2.* přen. odpočívat, dát si chvíli pohov po namáhavé práci; *let land ~* nechat půdu odpočinout, nechat ležet půdu úhorem; *let a quarrel ~* nechat spor sporem, pohřbít spor ***rest o.s.*** odpočinout si, oddechnout si ***rest up*** AM důkladně si odpočinout, zrekreovat se ● *s* **1** odpočinek, odpočinutí; oddech, oddechnutí; pohovění, pohov; klid, též fyz. **2** těl. klik **3** věčné odpočinutí, smrt **4** přestávka sloužící k odpočinku, pauza **5** místo odpočinku / pro odpočinek, útočiště, koutek; útulek, útulna, ubytovna, noclehárna, nocležna; hostinec; hotel, motel **6** hud. pomlka, pauza; odmlka, přerývka, césura **7** opora, podstavec; podložka, podpěra, opěra **8** tech. suport; opěra; luneta soustruhu **9** med. podložka zubního můstku **10** kobylka oblouk ve středu brýlí ◆ *at ~ 1.* v klidu *2.* odpočívající, spící *3.* mrtvý; *bring a machine to ~* zastavit, vypnout stroj; *chin ~* podbradek houslí; *come to ~* zastavit se; *day of ~* den odpočinku, den pracovního klidu; *eighth ~* osminová pomlka; *foot ~* podnožka; *give me a ~* nechte mě v klidu, nerušte mě; *go to ~* jít spát; *half ~* půlová pomlka; *have ~* odpočinout si (*she had a good night's ~* dobře se v noci vyspala, *patient must have complete ~* pacient musí zůstat v absolutním klidu); *~ home* sanatorium pro rekonvalescenty; *lay to ~* uložit k věčnému odpočinku, pohřbít; *~ period* sport. přestávka v utkání; *put at ~* uklidnit; *receiver ~* vidlice telefonního přístroje; *quarter ~* čtvrťová pomlka; *set a p.'s mind at ~* uklidnit koho; *set a question at ~* vyřešit otázku; *whole ~* celá pomlka

rest² [rest] *v* **1** zast. zbývat (*whatever ~s of hope*) **2** zůstat jakým, zůstávat, stále ještě být, být i nadále co / čím (*the affair ~s a mystery* záležitost zůstává i nadále tajemstvím) **3** záležet *with* na, být na, zůstávat na (*it ~s with you to decide* je na vás, abyste se rozhodl); být v rukou koho (*the management of affairs ~ed with Wolsey* vedení záležitostí měl v rukou Wolsey) ◆ *~ assured* buďte ujištěn, spolehněte se ● *s* **1** ostatek, zbytek, ostatní část, druhá část, zbývající část *of* čeho (*I didn't like the ~ of the book*), ostatní, zbývající (*the ~ of the students are in the corridor* ostatní studenti jsou na chodbě) **2** BR rezervní fondy, bankovní rezervy, aktivní saldo, aktivní zůstatek zejm. Anglické banky **3** tenis: dlouhá řada vrácených míčů, dlouhá „výměna míčů“ ◆ *the ~ of us* etc. my atd. ostatní; *and the ~ of it* a mnoho jiného, a všechno ostatní, atakdále; *for the ~* pokud jde o ostatní

rest³ [rest] voj. hist. též *lance ~* opora pro dřevce ◆ *lay / set one's lance in~* založit dřevce k útoku

restamp [riːˈstæmp] znovu orazítkovat, přerazit, přerazítkovat

restant [restənt] bot. vytrvalý

restart [riːˈstaːt] *v* **1** znovu spustit, znovu začít **2** znovu vyplašit zvěř ● *s* **1** nový začátek **2** nové / opětovné spuštění

restate [riːˈsteit] nově / lépe formulovat, přeformulovat

restatement [riːˈsteitmənt] nová / lepší formulace

restaurant [restərɔːŋ] restaurace, restaurant ◆ *open-air ~* zahradní restaurace

restaurant car [ˈrestərɔːŋˌkaː] jídelní vůz

restaurateur [ˌresto(ː)rəˈtəː] restauratér majitel / nájemce restaurace

rest balk [restbɔːk] nezoraný pruh země mezi brázdami, oplaz

rest cure [restkjuə] léčba klidem např. na lůžku

rest day [restdei] **1** den pracovního klidu **2** řidč. neděle

restful [restf*u*l] **1** klidný, poklidný, mírný, pokojný **2** uklidňující, utišující

restfulness [restf*u*lnis] klid, pokoj

restharrow [ˈrestˌhærəu] bot.: různé druhy rodu jehlice ◆ *spiny ~* jehlice trnitá

resthouse [resthaus] *pl: -houses* [-hauziz] v Indii noclehárna, útulek na přepřažní stanici

restiff [restif] BR zast. = *restive*

resting-place [ˈrestiŋˌpleis] **1** místo odpočinku / oddechu **2** též *last ~* místo posledního odpočinku, hrob **3** odpočivadlo na schodech

restitute [restitjuːt] **1** navrátit majiteli **2** odškodnit; rehabilitovat **3** obnovit, obnovovat, znovuzřídit, restituovat

restitution [ˌrestiˈtjuːšən] **1** náhrada, odškodnění za ublížení, bolestné **2** rehabilitace **3** na|vrácení, obnovení, obnova, znovuzřízení, restituce **4** návrat pružného tělesa do původního tvaru ◆ *make ~* odškodnit, provést restituci, rehabilitovat; *~ of conjugal rights* práv. žaloba o obnovu manželských práv úvod k rozvodovém řízení

restive [restiv] **1** tvrdohlavý, umíněný, nepoddajný, nezvládnutelný, neukázněný, neukáznitelný **2** kůň vzpurný, tvrdohlavý, zarytě stojící, odmítající jít kupředu **3** nespr. neklidný, netrpělivý, nedočkavý, nervózní

restiveness [restivnis] tvrdohlavost, nepoddajnost, nezvládnutelnost, neukázněnost

restless [restlis] **1** roztěkaný, nesoustředěný, neklidný, netrpělivý, neposedný, nedočkavý, nespokojený, nervózní **2** neznající klid, stále se pohybující, stále se převalující (*the ~ sea*); agilní, aktivní **3** noc jsoucí beze spánku, bezesný **4** křeslo nepohodlný ◆ *~ cavy* zool. morče peruánské

restlessness [restlisnis] **1** roztěkanost, neklidnost, neklid, netrpělivost, neposednost, nedočkavost, nespokojenost, nervózita **2** nespavost

rest mass [ˌrestˈmæs] fyz. klidová hmota

restock [riːˈstok] **1** znovu naplnit sklad čím, znovu se zásobit čím, doplnit zásoby čeho **2** znovu zarybnit vodu, znovu nasadit ryby do vodního toku

restorable [riˈstoːrəbl] **1** znovu zaveditelný **2** obnovitelný, opravitelný, restaurovatelný **3** napravitelný

restoration [ˌrestəˈreišən] **1** na|vrácení **2** obnovení, obnova, opětovné zavedení, restaurace; opětovné uvedení do funkce **3** vyléčení, uzdravení **4** renovování, restaurování, rekonstruování; renovace, restaurace, rekonstrukce **5** *R~* hist. restaurace Stuartovců v Anglii r. 1660; Bourbonů ve Francii r. 1814; období restaurace Stuartovců v Anglii (1660–1685/88) ◆ *final / universal ~* obnova Božího království na zemi

restorationism [ˌrestəˈreišənizəm] nábož. nauka o konečném vykoupení a štěstí všech věřících

restorationist [ˌrestəˈreišənist] nábož. zastánce nauky *restorationism,* v. toto

restorative [riˈstoːrətiv] *adj* **1** obnovující **2** med. výživný, posilující ● *s* med. posilující strava; posilující / regenerační prostředek

restore [riˈstoː] **1** na|vrátit majiteli, na původní místo (*~ stolen property* vrátit ukradený majetek, *~ borrowed books*) **2** obnovit, znovu zavést, vzkřísit, restaurovat (*~ old customs*) **3** vyléčit, uzdravit, z|restaurovat (*I feel completely ~d*) **4** vrátit *to* do původní funkce, uvést zpět, restituovat (*~ an employee to his old post*) **5** opravit, obnovit, renovovat; restaurovat (*~ a ruined abbey* restaurovat trosky opatství), rekonstruovat (*~ an extinct kind of animal*); revidovat aby se dosáhlo původního znění (*~ a text*) ***restore o. s.*** pružné těleso vrátit se do původního tvaru ◆ *~ to blood* znovu uznat krevní příbuznost koho a obnovit práva s tím spojená; *~ to the crown* dosadit zpět na trůn; *~ to health* uzdravit, vyléčit, vrátit zdraví komu; *~ to life* oživit, vzkřísit, též přen. *~ to liberty* vrátit svobodu komu

restorer [riˈstoːrə] **1** obnovitel **2** restaurátor **3** též *hair ~* prostředek pro růst vlasů

restrain¹ [riˈstrein] **1** překážet *from* v, bránit v, zdržovat od **2** držet na uzdě, krotit, potlačovat, držet pod kontrolou, kontrolovat (*~ one's temper* krotit svůj temperament) **3** omezit, snižovat (*~ trade with Cuba*) **4** zavřít, dát do vězení; dát do ústavu pro duševně choré

re-strain² [riːˈstrein] *v* **1** znovu utáhnout, znovu natáhnout **2** znovu prosít, přesít

restrainable [riˈstreinəbl] zvládnutelný, zkrotitelný, potlačitelný, udržitelný na uzdě / pod kontrolou
restrained [riˈstreind] **1** umírněný, zdrženlivý, mírný, ukázněný **2** v. *restrain*[1]
restrainer [riˈstreinə] fot. zpomalovač
restraining order [riˌstreiniŋˈo:də] soudní zákaz styku manželů během rozvodového řízení
restraint [riˈstreint] **1** omezení *upon* čeho (~ *upon the press*) **2** omezení svobody, vazba, zajištění **3** zábrana, překážka; bránění, překažení, znemožnění, zabránění **4** zdržení, zadržení; zpomalování; potlačování, potlačení **5** sebeovládání; sebekázeň; zdrženlivost, rezerva; kázeň, ukázněnost, umělecká cudnost **6** obch. embargo ◆ *be under* ~ být zbaven svéprávnosti, být dán pod poručenství pro duševní chorobu (*be put under* ~ být dán do ústavu pro duševně choré); *lay* ~ *on a p.* omezit koho, držet zkrátka koho; ~ *of prices* zast. embargo; *without* ~ *1.* neomezeně, svobodně *2.* bez zábran, otevřeně *3.* hojně, často; *under* ~ též pod exekucí
restrict [riˈstrikt] omezit *to* na ◆ ~ *a road* omezit dovolenou rychlost na silnici
restricted [riˈstriktid] **1** omezený (~ *traffic* omezená doprava) **2** soukromý, vyhrazený, nikoliv obecně přístupný, určený jen pro určitou skupinu lidí (~ *hotels*); jsoucí pro omezený oběh n. okruh, pouze pro služební potřebu, interní (*a* ~ *publication*), důvěrný, utajovaný (~ *data*) **3** v. *restrict* ◆ *be* ~ *to advising* muset se omezit na pouhé dávání rady
restricted area [riˌstriktidˈeəriə] **1** voj. zakázaná oblast, zakázané pásmo ve vojenském objektu; prostor omezení bojové činnosti vlastních vojsk **2** oblast s omezenou dopravní rychlostí
restriction [riˈstrikšən] **1** omezení, omezování; omezovací opatření, zákaz **2** zmenšení, snížení zejm. počtu, restrikce **3** výhrada (*without* ~) **4** vymezení pojmu
restrictive [riˈstriktiv] omezující, omezovací *of* co, restriktivní
rest room [restru:m] **1** odpočívárna, klubovna **2** zejm. AM veřejně přístupný záchod, umývárna
re-stuff [ri:ˈstaf] znovu nacpat, dát novou náplň do (~ *old cushions*)
re-style [ri:ˈstail] **1** přemodelovat, přeformovat **2** přeformulovat
result [riˈzalt] *s* **1** výsledek, též mat. **2** následek, důsledek, rezultát, ovoce (přen.) **3** ~*s, pl* sportovní výsledky (*the race* ~*s are on the back page* dostihové výsledky jsou na zadní straně) **4** dobrý výsledek, úspěch (*get* ~*s from a new treatment* mít úspěchy s novou léčbou) ◆ *in* ~ následkem čehož (*the dam broke and in* ~ *the land was flooded* hráz se protrhla, což mělo za následek zatopení půdy) ● *v* **1** plynout, vyplývat, pocházet, být následkem *from* čeho (*an injury* ~*ing from a fall* zranění způsobené pádem), mít za následek, plodit *in* co, vést k, s|končit, dopadnout jak / čím **2** práv. vrátit se (*the estate will* ~ *to him* majetek se vrátí jemu)
resultant [riˈzaltənt] *adj* výsledný, z toho vyplývající, rezultativní (~ *measure* výsledné opatření) ◆ ~ *buoyancy* námoř. výsledná plovatelnost; ~ *note* = *resultant tone* ● *s* **1** výslednice, rezultant, rezultanta **2** chem. reakční zplodina, reakční produkt
resultant tone [riˌzaltəntˈtəun] hud. kombinační tón diferenční n. sumační
resultful [riˈzaltful] přinášející výsledek, úspěšný, produktivní, plodný (~ *investigation* úspěšné vyšetřování)
resultless [riˈzaltlis] bezvýsledný
resume [riˈzju:m] **1** pokračovat po přerušení *a t.* v (~ *a journey,* ~ *painting,* ~ *work*); znovu začít, po přerušení dále dělat (~ *reading where you left off* začni číst tam, kde jsi přestal) **2** vrátit se na, k, znovu zaujmout (*she* ~*d her place in society*); vrátit se k (~ *one's maiden name* vrátit se k svému dívčímu jménu); znovu nabýt čeho, znovu získat (~ *liberty*); znovu si vzít (~*d our coats and hats*), znovu převzít (~ *power*), znovu se ujmout čeho (~ *one's duties*) **3** vzít zpět, opět odejmout (~ *a grant* opět odejmout stipendium) **4** shrnout, rekapitulovat, resumovat ◆ ~ *courage* znovu si dodat odvahy, vzchopit se; ~ *one's pipe* vrátit se ke kouření dýmky
résumé [rezju(:)mei / AM ˌrezjuˈmei] shrnutí, souhrn, souhrnný závěr, rekapitulace, resumé
resummons [ri:ˈsamənz] práv. hist. druhé / opětovné předvolání k soudu
resumption [riˈzampšən] **1** pokračování po přerušení; opětovný začátek, opětovné zahájení **2** vrácení se na / k, zaujetí čeho, opětovné nabytí / získání čeho, opětovné převzetí čeho **3** voj. znovuobsazení
resumptive [riˈzamptiv] **1** shrnující, souhrnný **2** opakovaný
resupinate [riˈsju:pinit] bot. obrácený na druhou stranu
resupination [riˌsju:piˈneišən] bot. obrácená poloha
resurface [ri:ˈsə:fis] **1** obnovit povrch čeho (~ *a tool...* nářadí) **2** dát nový povrch čemu, vydláždit (~ *a street*) **3** ponorka znovu vyplout na hladinu; potápěč znovu se vynořit
resurge [riˈse:dž] **1** řidč. znovu vzkřísit **2** žert. utéci hrobařovi z lopaty
resurgence [riˈsə:džəns] opětovné vzkříšení, obroda, obnova, oživení (*the* ~ *of religious life*)
resurgent [riˈsə:džənt] budící k životu, křísící, obnovující, obrozující, oživující
resurrect [ˌrezəˈrekt] hovor. **1** řidč. vstát z mrtvých **2** křísit, vzkřísit (přen.), přivést k novému životu **3** vykopávat mrtvoly, exhumovat **4** žert.: znovu vyhrabat (*a dog* ~*ing a buried bone*)
resurrection [ˌrezəˈrekšən] **1** též *R*~ náb. vzkříšení

2 vykopání / vyzdvižení mrtvoly z hrobu, exhumace 3 vzkříšení, obnovení, obrození, obnova, nové přivedení k životu ◆ ~ *man* vykopavač mrtvol k anatomickým účelům; ~ *pie* BR hovor. hašé „co týden dal" jídlo ze zbytků; ~ *plant* bot. *1.* vraneček *2.* růže z Jericha *3.* kosmatec hvězdník
resurrectionist [ˌrezəˈrekšənist] **1** kdo věří ve vzkříšení mrtvých **2** vykopavač mrtvol k anatomickým účelům
resurvey [ri:ˈsə:vei] **1** nový / opětovný přehled **2** nové / opětovné přeměření
resuscitate [riˈsasiteit] **1** křísit, přivést k životu n. k vědomí, vrátit život n. vědomí komu **2** nabýt vědomí, přijít k sobě, ožít, oživnout, oživět **3** oživit, obnovit, křísit
resuscitation [riˌsasiˈteišən] **1** křísení, vzkříšení, přivádění k životu n. vědomí, resuscitace (~ *by means of artificial respiration*) **2** obnova, obnovení
resuscitative [riˈsasiteitiv] křísicí (*basic* ~ *methods* základní metody křísení)
resuscitator [riˈsasiteitə] **1** křísicí přístroj, resuscitátor **2** obnovitel, křisitel, probuditel
ret [ret] (*-tt-*) **1** máčet, močit, rosit např. len **2** seno provlhnout, nasáknout vodou, močit se; shnít
retable [riˈteibl] círk., výtv. retabulum, retábl část oltáře nad menzou s výtvarnou výzdobou
retail *s* [ri:teil] **1** prodej / obchod v drobném ◆ *at* ~ AM za maloobchodní cenu, v malém, v drobném ● *adj* [ri:teil] **1** jsoucí v drobném, v malém (~ *trade*) **2** maloobchodní ● ~ *business* maloobchod, obchod v malém / drobném; ~ *ceiling price* nejvyšší maloobchodní cena; ~ *dealer* maloobchodník, obchodník v malém, detailista; ~ *margin* maloobchodní rozpětí, přirážka; ~ *price* maloobchodní cena; ~ *store* AM vlastní / reprezentační prodejna např. koncernu ● *v* [ri:ˈteil] **1** prodávat v malém / drobném (~ *groceries*); prodávat se v malém *at* za, stát v drobném kolik (*it* ~*s at 50 cents* maloobchodní cena je 50 centů) **2** podrobně vyprávět rozhovor, reprodukovat (~ *a conversation*); vykládat, všude vyprávět, roznášet (~ *a gossip* roznášet klepy)
retailer [ri:teilə] **1** obchodník v drobném / v malém, maloobchodník, detailista **2** vykládač, šiřitel, roznašeč ◆ ~ *of gossip* klepna, klevetnice
retain [riˈtein] **1** u|držet, nepropouštět obsah (*this vessel won't* ~ *water* v této nádobě se voda neudrží), zadržet, zachytit, nadržet (*this dyke was built to* ~ *the flood water* násep byl postaven proto, aby zachytil povodňovou záplavu) **2** podržet si, udržet si (*a person does not always* ~ *his human form*), uchovat si, zachovat si, neztrácet (*this cloth* ~*s its colour*), po|nechat | si (~ *part of the money*) **3** za|pamatovat si (~ *a tune*) **4** najít si, mít za honorář, platit si zejm. právního zástupce (~ *a lawyer*) ◆ *be* ~*ed* udržet se, zůstat (*some of the terms are* ~*ed today because of constant use*)
retainer [riˈteinə] **1** záloha právnímu zástupci; na honorář **2** kdo / co zdržuje, zadržovač, přidržovač, zachycovač; nádržka, schránka **3** práv. zdržení, právo zadržet **4** práv. požádání o pomoc právního zástupce; smlouva s právním zástupcem **5** hist. poddaný, dvořan, člen družiny / dvora / domácnosti velmože **6** žert. sluha (*an old family* ~) **7** AM civilní zaměstnanec vojska **8** tech. stahovací třmen pružnice; klec valivého ložiska; odstřikovací kroužek na hřídeli ◆ *general* ~ *1.* paušální honorář *2.* plná moc při vedení procesu
retaining [riˈteiniŋ] v. *retain* ◆ ~ *device* zádržné zařízení, uzávěr; ~ *pawl* západka; ~ *wall* opěrná zeď; ~ *weir* jez
retake [ri:ˈteik] *v* (*retook, retaken*) **1** znovu vzít, znovu dobýt, dobýt zpět **2** znovu natočit / vyfotografovat, opakovat záběr čeho ● *s* [ri:teik] **1** opakovaný záběr (~ *of a scene in a motion picture*... scény ve filmu) **2** opětovné dobytí, opětovné získání
retaken [ri:ˈteikən] v. *retake*
retaliate [riˈtælieit] oplatit nepříjemné *against* / *upon* komu, pomstít se *for* za, sáhnout k odvetě / k represáliím, podniknout protiopatření, konat odvetné akce, provést odvetný úder (voj.)
retaliation [riˌtæliˈeišən] odplata, odveta, protiopatření, odvetné opatření, represálie ◆ *in* ~ na oplátku
retaliative [riˈtælieitiv] = *retaliatory*
retaliatory [riˈtæliətəri] odvetný, represívní
retama [reiˈta:mə] bot. kručinka
retard [riˈta:d] *v* **1** zpomalovat, zdržovat, zpožďovat, brzdit, bránit ve vývoji čeho, zpožďovat vývoj čeho, působit retardačně na, retardovat **2** mít zpoždění / zdržení, zpomalovat se, zpožďovat se ● *s* **1** zdržení, zpoždění, zpomalení **2** AM slang. duševně zaostalý člověk ◆ ~ *ignition* pozdní zážeh motoru; ~ *of tide* / *high water* zpožďování slapů, zpoždění přílivu
retardation [ˌri:ta:ˈdeišən] **1** zpoždění, zpožděnost, zpožďování, zpomalení, zpomalování, ubývání rychlosti, brzdění; bránění ve vývoji, opoždění ve vývoji, retardace **2** hud. průtah opak anticipace
retardative [riˈta:dətiv] = *retardatory*
retardatory [riˈta:dətəri] působící zpoždění n. zpomalení, brzdící, bránící ve vývoji, retardační
retarded [riˈta:did] **1** zpožděný, opožděný **2** opožděný ve vývoji, duševně zaostalý **3** v. *retard, v*
retardee [ˌrita:ˈdi:] duševně zaostalý člověk
retarder [riˈta:də] chem. zpomalovač, retardér
retardment [riˈta:dmənt] = *retardation*
retaste [ri:ˈteist] znovu ochutnat
retch [reč] *v* **1** být stižen zvedáním žaludku (*he* ~*ed* zvedl se mu žaludek) **2** dávit, vrhnout, zvracet ● *s* **1** zvedání žaludku, nevolnost od žaludku **2** záchvat dávení / vrhnutí / zvracení

rete [ri:t] síť, síťka
retell [ri:ˈtel] (*retold, retold*) převyprávět, nově / opět / jinak vyprávět, zpracovat, opakovat
retelling [ri:ˈteliŋ] **1** převyprávění, nové / jiné zpracování (*a charming* ~ *of the great myths*) **2** v. *retell*
retention [riˈtenšən] **1** zadržení, zadržování, retence, retenze, též med. **2** vlastní vrub pojistníka ♦ *colour* ~ stálobarevnost
retentive [riˈtentiv] **1** zadržující, podržující, nepropouštějící, obsahující *of* co; zadržovací, retenční **2** zadržující vodu, stále vlhký, těžko vysýchající **3** paměť dobrý, výborný, trvalý, snadno si vybavující **4** řidč. s dobrou pamětí, nezapomínající **5** obvaz upínající, udržující v místě
retentiveness [riˈtentivnis] **1** zádržnost, zádržná síla, přidržovací síla **2** schopnost podržet n. uchovat např. v paměti
retenue [retˈnu:] odměřenost, upjatost, ukázněnost, zdrženlivost, rezervovanost, rezerva
retest [ri:ˈtest] *v* znovu zkoušet, přezkoušet ● *s* opakovací / opakovaná zkouška
rethink [ri:ˈθiŋk] *v* (*rethought, rethought*) znovu promyslit, rozmyslit si; přehodnotit ● *s* hovor. opětovné promyšlení, rozmyšlení (*you'd better have a* ~ měl by sis to nechat ještě jednou projít hlavou)
retiary [ri:šəri] *adj* **1** síťový, síťařský **2** bojující se sítí, obratně zamotávající / zaplétávající jako do sítě ♦ ~ *gladiator* antic. retiarius; ~ *spider* = ● *s* (*-ie-*) pavouk spřádající sítě
reticence [retisəns] **1** mlčenlivost, nemluvnost, diskrétnost **2** zdrženlivost, rezervovanost, rezerva **3** tvůrčí n. umělecká střízlivost, cudnost, zdrženlivost
reticent [retisənt] **1** zdrženlivý, rezervovaný; mlčenlivý, nemluvný, diskrétní **2** střízlivý, cudný v uměleckém projevu
reticle [retikl] optická síť, vláknová síť, vláknová mřížka, nitkový kříž v optickém přístroji, ohnisková destička
reticula [riˈtikjulə] *pl* v. *reticulum*
reticular [riˈtikjulə] síťovitě uspořádaný, retikulární
reticulate *v* [riˈtikjuleit] síťovat, síťkovat, mřížkovat, pokrýt sítí *by* čeho (*a plain* ~*d by canals* pláň pokrytá sítí kanálů) ♦ ~*d glass* filigránové sklo ● *adj* [riˈtikjulət] **1** síťovitý, síťkovitý, mřížkovaný **2** bot. síťovitý, síťnatý, žilnatý
reticulation [riˌtikjuˈleišən] síťování, síťkování, mřížkování; síťovina
reticule [retikju:l] **1** optická síť, vláknová síť, vláknová mřížka, nitkový kříž **2** dámská taška zejm. síťová, síťovka **3** kabelka, váček, taštička, kapsička **4** *R*~ hvězd. Síť souhvězdí ♦ *fixed* ~ pevná síť vláken; *movable* ~ pohyblivá síť vláken
reticulose [riˈtikjuləuz] síťovaný, síťkovaný, mřížkovaný, se síťovitou strukturou, síťovitě uspořádaný
reticulum [riˈtikjuləm] *pl: reticula* [riˈtikjulə] **1** čepec druhý žaludek přežvýkavců **2** biol. sítivo, retikulární pletivo, retikulum
retiform [retifo:m] ve tvaru sítě n. síťky, retikulární
retina [retinə] *pl* též *retinae* [retini:] sítnice, retina
retinal [retinl] *adj* sítnicový, retinový ● *s* žlutý sítnicový pigment
retinitis [ˌretiˈnaitis] zánět sítnice, retinitida, retinitis
retinue [retinju:] družina, suita, dvořanstvo, komonstvo
retiral [riˈtaiərəl] **1** odchod **2** odchod do důchodu (~ *from a directorship*)
retire [riˈtaiə] *v* **1** odejít ze společnosti (*the ladies* ~*d and the men went on drinking and smoking*), stranou n. jinam (~*d to comb his hair*), z hřiště (*the batsman* ~*d hurt* zraněný pálkař opustil hřiště); uchýlit se, odebrat se, stáhnout se na delší dobu (*he* ~*d to his cabin*); poodejít, poodstoupit **2** jít spát, jít si lehnout, uložit se k odpočinku / ke spánku (*my wife usually* ~*s at 10 o'clock*) **3** jít / odejít / poslat / dát na odpočinek / do výslužby / do důchodu / do penze (*he will* ~ *on a pension at 65,* ~ *the head clerk*) **4** vojsko stáhnout se, ustoupit (*our forces* ~*d to prepared positions* naše vojska se stáhla do předem připravených pozic); stáhnout vojsko, odvést, vést zpět; vzdát se **5** vyřadit loď, stroj definitivně; odebrat, vzít *from* čemu, vyloučit, vyčlenit z užívání (~ *this poor land from agriculture*) **6** protáhnout zpět, vytáhnout (~ *a needle* protáhnout jehlu nazpátek) **7** stáhnout z oběhu bankovku; zaplatit, vyplatit, proplatit a tím stáhnout z oběhu **8** ustupovat do pozadí (*the background does not* ~ *as it should* pozadí neustupuje dozadu, jak by mělo) **9** šerm ustoupit o krok n. o několik kroků ♦ ~ *to bed* jít spát, jít si lehnout, uložit se ke spánku; ~ *a p. from the active list* vyškrtnout ze seznamu aktivních důstojníků; ~ *from the world 1.* stáhnout se do ústraní *2.* stát se poustevníkem, vstoupit do kláštera; ~ *into oneself* uzavřít se do sebe, stát se uzavřeným ● **1** ústup, znamení k ústupu **2** šerm odsun ♦ *sound the* ~ troubit k ústupu
retired [riˈtaiəd] **1** jsoucí mimo službu, ve výslužbě, v důchodu, v penzi, na penzi (~ *general*), na odpočinku (~ *merchant*) **2** jsoucí v ústraní (*my* ~ *walks*), vzdálený světa (~ *life*); odlehlý, zapadlý (~ *village* zapadlá vesnice) **3** v. *retire, v* ♦ ~ *allowance* penze; *to be placed on the* ~ *list* být poslán do výslužby; ~ *pay* penze; ~ *pension* důchod od zaměstnavatele
retiredness [riˈtaiədnis] zapadlost, odlehlost
retirement [riˈtaiəmənt] **1** odchod na odpočinek / do výslužby / do důchodu / do penze; odpočinek, výslužba, důchod, penze **2** soukromí, ústraní, samota **3** voj. ústup **4** stažení bankovky z oběhu; zaplacení, proplacení, vyplacení ♦ ~ *age* důchodový věk

retiring [riˈtaiəriŋ] **1** uzavřený, nesdílný, samotářský **2** tlumený, nenápadný, decentní (~ *colours*); spořádaný, slušný, nevinný (~ *pleasures*) **3** týkající se penze (~ *pay*) **4** v. *retire, v*

retiringness [riˈtaiəriŋnis] **1** uzavřenost, nesdílnost, samotářství **2** tlumenost, nenápadnost, decentnost; slušnost, nevinnost

retiring room [riˈtaiəriŋru:m] úpravna, toaleta

retold [ri:ˈtəuld] v. *retell*

retool [ri:ˈtu:l] **1** vybavit továrnu novými obráběcími stroji n. nástroji, přestavit nástroje v **2** přestavět, přebudovat, reorganizovat (~ *our academic structure*)

retook [ri:ˈtuk] v. *retake*

retort[1] [riˈto:t] *v* **1** odseknout, ostře / ironicky odpovědět, dát to *on* / *upon* komu, šlehnout, tít koho **2** oplatit, splatit, vrátit urážku *on* komu **3** odpovědět, odvětit **4** obrátit argument *against* proti ● *s* **1** odseknutí, ostrá / ironická odpověď, šleh **2** vrácení, obrácení argumentu **3** odplata, odveta

retort[2] [riˈto:t] *s* křivule; retorta ● *v* destilovat v křivuli n. v retortě ◆ ~ *furnace* tech. retortová pec, muflová pec

retorted [riˈto:tid] **1** zkroucený, otočený, obrácený dozadu **2** v. *retort*[1,2], *v*

retortion [riˈto:šən] **1** obrácení, otočení se dozadu **2** práv. odvetné opatření, odveta, retorze

retouch [ri:ˈtač] *v* **1** opravit, pozměnit dotekem např. štětce **2** retušovat fotografii, provést retuš fotografie **3** obarvit kořínky vlasů ● *s* **1** oprava, změna provedená dotekem např. štětce **2** retuš, retušování **3** obarvení kořínků vlasů

retoucher [ri:ˈtačə] retušér

retrace[1] [riˈtreis] *v* **1** sledovat nazpátek / dozadu, vy|stopovat (~ *one's family line* vysledovat svůj rodokmen); jít zpět v (~ *one's steps* jít / vrátit se stejnou cestou) **2** přen. odčinit, napravit, nahradit **3** v duchu si zopakovat / přehlédnout / znovu vybavit, z|rekonstruovat, z|rekapitulovat ◆ ~ *one's course* námoř. plout opačným kursem, nastoupit zpětný kurs ● *s* **1** opačný směr **2** sděl. tech. zpětný běh paprsku na obrazovce

retrace[2] [riˈtreis] **1** obtáhnout, obkreslit (~ *a drawing*) **2** znovu nakreslit

retract [riˈtrækt] **1** stáhnout zpět (~ *one's tongue*), odtáhnout zpět (*the surgeon* ~*s skin with an instrument* chirurg odtahuje pokožku nástrojem); zatáhnout | se, vtáhnout | se (*the snail* ~*s his horns* hlemýžď zatahuje růžky, *cat's claws* ~ kočičí drápky se vtahují dovnitř); smrštit se **2** vzít zpět, odvolat názor, zřeknout se omylu, odřeknout se bludu, zrušit slib, revokovat, anulovat; odstoupit *from* od názoru / rozhodnutí (~ *from a resolve*), odklonit se

retractable [riˈtræktəbl] **1** stažitelný, stahovatelný, odtažitelný; zatažitelný, vtažitelný, zasouvatelný; zatahovací, sklápěcí (~ *landing gear* zatahovací podvozek) **2** odvolatelný

retractation [ˌri:trækˈteišən] odvolání, vzetí zpět, zřeknutí se; odstoupení

retractible [riˈtræktibl] = *retractable*

retractile [riˈtræktail] zatažitelný, vtažitelný dovnitř (*the claws of a cat are* ~ kočičí drápky jsou zatažitelné); odtažitelný, stáhnutelný, stažitelný

retractility [ˌri:trækˈtiləti] zatažitelnost, vtažitelnost; odtažitelnost, stažitelnost

retraction [ritrækšən] **1** stažení, stahování, odtažení zpět; zatažení, vtažení dovnitř; smrštění, smršťování **2** odvolání, vzetí zpět, zřeknutí se, odřeknutí se *of* čeho, odstoupení od, odklon od, zrušení

retractive [riˈtræktiv] stahovací, zatahovací, odtahovací

retractor [riˈtræktə] *s* **1** kdo / co stahuje / zatahuje / odtahuje **2** anat. odtahovač sval **3** med.: chirurgický nástroj k odtahování pokožky při zákroku ● *adj* sklápěcí

retrain [ri:ˈtrein] **1** přeškolit *in* na, nově zapracovat do (*the workers were* ~*ed in the new techniques*) **2** med. rehabilitovat sval

retral [ri:trəl] **1** zadní **2** směřující dozadu, zpáteční

retransfer *v* [ˌri:trænsˈfə:] (*-rr-*) přenášet zpět / dále ● *s* [ri:ˈtrænsfə] zpětný přenos

retransform [ˌri:trænsˈfo:m] změnit, přeměnit, proměnit zpět / ještě jednou / dále

retranslate [ˌri:trænsˈleit] znovu / jinak přeložit, přeložit z překladu; přeložit zpět

retranslation [ˌri:trænsˈleišən] **1** nový, jiný n. zpětný překlad **2** překlad z překladu

retransmission [ˌri:trænzˈmišən] sděl. tech. opětný přenos, opakované vysílání, retranslace

retread[1] [ri:ˈtred] *v* (*retrod, retrodden*) znovu kráčet / šlapat po ● *s* AM slang. stará vojna účastník obou světových válek

retread[2] [ri:ˈtred] *v* **1** opatřit plášť pneumatiky novým běhounem / protektorem, navařit nový běhoun na plášť pneumatiky, protektorovat **2** klást nový koberec vozovky ● *s* **1** plášť / pneumatika s novým běhounem / protektorem; nový běhoun, protektor **2** slang. kdo jen zpracovává / omílá staré nápady, plagiátor

retreat[1] [riˈtri:t] *v* **1** vojsko ustoupit, dát se na ústup, táhnout zpět, odtáhnout, stáhnout se, couvnout (*force the enemy to* ~ donutit nepřítele k ústupu) *on* směrem k (~ *on the capital*) **2** být tvarově posunut zpět, ustupovat dozadu (*a* ~*ing forehead*); mít zpětný sklon **3** od|vést / od|táhnout zpět, vzdalovat; vzdalovat se, odjíždět, mizet v dálce (*stared after the* ~*ing cab* dívala se upřeně za odjíždějící drožkou) **4** šachy ustoupit s figurou, táhnout zpět figurou ◆ ~ *within oneself* uzavřít se do sebe ● *s* **1** ústup; ustoupení, ustupování; odtáhnutí, couvnutí **2** ústup! zpět! vojenský signál **3** večerka; čepobití; stahování vlajky při večerce **4** ústraní; útulek, zátiší, tuskulum (*a quiet country* ~); domov, ústav **5** úkryt, útočiště; skrýše, doupě, (*the robbers had their* ~ *in the hills*), hnízdečko (přen.), kutloch **6** náb. duchovní obnova, duchovní cvičení, exercicie ◆ *beat a* ~ přen. nechat toho, vykašlat se na to, zahodit flintu do žita; *be in* ~ *1.* být na ústupu, ustupovat *2.* být tvarově posunutý dozadu, ustupovat, být vzadu; *be in full* ~ ustupovat na celé čáře; ~ *from drill* konec cvičení; *go into* ~ stáhnout se do ústraní zejm. kvůli duchovní obnově; *in* ~ archit. tvarově posunutý dozadu / zpět, ustupující (*a façade in* ~); *make* ~ ustupovat; *make good one's* ~ dát se úspěšně na strategický ústup, včas zmizet; *sound the* ~ za|troubit / bubnovat k ústupu

re-treat² [riːˈtriːt] opětovně upravit

retreating [riˈtriːtiŋ] **1** táhnoucí se dozadu, mizící v dáli (~ *hills*) **2** ustupující dozadu (~ *chin*) **3** v. *retreat¹, v*

retrench [riˈtrenš, riˈtrenč] **1** snížit plat, omezit (výdaje), šetřit (*the lords are* ~*ing visibly* Horní sněmovna očividně...) **2** oddělit, odečíst; zkrátit (~ *a long speech*... dlouhý projev), seškrtat, proškrtat knihu; vynechat, vyškrtnout (~ *a paragraph*) **3** voj. opevnit (dalším) zákopem; zakopat se (za zákopem)

retrenchment [riˈtrenšmənt, riˈtrenčmənt] **1** snížení / omezení výdajů / nákladů *of* na, šetření na **2** z|krácení, seškrtání, proškrtání; vynechání, vyškrtnutí **3** zákop zejm. vnitřní

retrial [riːˈtraiəl] **1** nová zkouška, nový pokus **2** práv. obnova řízení; nový proces

retribalization [riːˌtraibəlaiˈzeišən] návrat ke kmenovému zřízení

retribalize [riːˈtraibəlaiz] vrátit ke kmenovému zřízení

retribution [ˌretriˈbjuːšən] **1** odplata, odveta; trest **2** řidč. odměna ◆ *Day of R*~ den odplaty, poslední soud

retributive [riˈtribjutiv] **1** oplácející křivdu, mstící (~ *murderer* vrah-mstitel) **2** kárný, trestající, oplácející stejné stejným, odvetný ◆ ~ *justice* spravedlnost odměňující i trestající

retributivism [riˈtribjutivizəm] názor, že zločinců trest má být odplatou za jím spáchaný čin

retrievable [riˈtriːvəbl] **1** získatelný zpět; zachranitelný **2** napravitelný, nahraditelný, odčinitelný

retrieval [riˈtriːvl] **1** získávání, hledání, rešerše (~ *of information*) **2** náprava, odčinění (*any* ~ *of his error became more and more difficult* napravit jakýmkoli způsobem jeho omyl bylo čím dál tím obtížnější) **3** záchrana (*beyond* ~)

retrieve [riˈtriːv] *v* **1** lovecký pes hledat a přinášet, aportovat; vystavovat koroptve **2** opět získat / dostat, získat zpět, opět najít / nabýt ztracené, též přen. (~ *one's honour* získat zpět ztracenou čest); obnovit **3** zachránit, vytáhnout *from* z (~ *a p. from ruin*); zachránit od zapomenutí, oživit, znovu zpřítomnit (~ *the heroic past*); připomenout **4** opravit, napravit, odčinit (~ *a defeat* odčinit porážku), nahradit (~ *a loss*), rehabilitovat **5** odstranit, vyoperovat např. žlučový kamínek **6** ryb. opět vytáhnout navijákem; zkrátit šňůru navijákem **7** námoř. znovu zvednout na palubu záchranný člun **8** sport. vybrat, vy|dolovat míč ***retrieve o.s.*** vzpamatovat se, získat novou chuť k životu ● *s* **1** záchrana, možnost záchrany **2** ryb. navíjení navijákem **3** sport. vybrání míče ◆ *he is beyond / past* ~ už je ten tam, tomu se už nedá pomoci

retriever [riˈtriːvə] **1** přinášeč, aportér **2** retriver plemeno psa **3** zachránce, kdo zachraňuje, sběratel zahozených věcí **4** pracovník v dokumentaci, dokumentátor **5** sport. kdo vybírá nechytatelné míče ◆ ~ *boat* záchranný člun; *trolley* ~ zachycovač tyče sběrače při vypadnutí

retrim [riːˈtrim] (*-mm-*) **1** dát znovu do pořádku, znovu naleštit **2** nově / jinak oříznout, přiříznout stránku, pořiznout **3** dát novou ozdobu na klobouk

retro [retrəu] brzdicí raketa

retroact [ˌretrəuˈækt] **1** zpětně působit, reagovat **2** působit v opačném směru

retroaction [ˌretrəuˈækšən] **1** zpětné působení, reakce; působení v opačném směru **2** sděl. tech. zpětná vazba, reakce

retroactive [ˌretrəuˈæktiv] **1** práv.: zákon zpětný, působící zpětně **2** med. působící obráceně ◆ ~ *effect* sděl. tech. zpětná vazba; *with* ~ *effect / force from* se zpětnou účinností od

retroactivity [ˌretrəuækˈtivəti] = *retroaction*

retro-burnout [ˌretrəuˈbəːnaut] vyhoření brzdicí rakety

retrocede [ˌretrəuˈsiːd] **1** navrátit, znovu postoupit, odstoupit původnímu majiteli **2** ustupovat, couvat **3** med.: choroba vyrazit dovnitř

retrocedence [ˌretrəuˈsiːdəns] = *retrocession*

retrocedent [ˌretrəuˈsiːdənt] **1** hvězd. zpětně se pohybující, retrográdní **2** med. vyrážející dovnitř

retrocession [ˌretrəuˈsešən] **1** zpětný postup **2** návrat, navrácení, opětné postoupení, odstoupení **3** potvrzení nároku původního majitele **4** med. vyražení dovnitř

retrocessive [ˌretrəuˈsesiv] **1** ustupující, vracející se; postupující zpět, odstupující **2** med. vyrážející dovnitř

retrochoir [ˌretrəuˈkwaiə] círk. archit. prostor za hlavním oltářem n. za chórem

retrod [riːˈtrod] v. *retread¹, v*

retrodden [riːˈtrodn] v. *retread¹, v*

retroengine [ˌretrəuˈendžin] raketové brzdicí zařízení

retrofire [ˌretrəuˈfaiə] zažehnutí brzdicí rakety

retroflected [ˌretrəuˈflektid], **retroflex** [retrəufleks], **retroflexed** [retrəuflekst] bot. zahnutý / ohnutý zpět, přehnutý

retrogradation [ˌretrəugrəˈdeišən] **1** hvězd.: zdánlivý zpětný pohyb, retrográdní pohyb oběžnic **2** chem. retrogradace

retrograde [retrəugreid] *adj* **1** hvězd. zpětný, retrográdní (~ *motion*) **2** med. ustupující zpět, retrográdní **3** hud.: jsoucí v protipohybu, zrcadlový, rači **4** zpětný, vedený v opačném směru (*a ~ step*), obrácený (~ *order*); psaný zprava doleva (*a ~ alphabet*) **5** upadající, úpadkový, zpátečnický, zaostalý (~ *ideas*) **6** kosm. brzdicí ♦ ~ *amnesia* med. retrográdní amnézie ztráta paměti pro události před rušivou příhodou; ~ *dictionary* retrográdní slovník v kterém jsou slova abecedně seřazena podle pořadí písmen od konce slova ● *s* řidč. **1** zaostalý / degenerovaný člověk **2** zpětný vývoj ● *v* **1** hvězd. pohybovat se zdánlivě nazpět, obíhat retrográdně **2** ustupovat stejnou cestou, pohybovat se zpět **3** rekapitulovat si **4** upadat, degenerovat *to* na **5** chem. retrogradovat

retrogress [retrəugres] **1** vracet se, jít zpět; upadat, horšit se **2** hud. být / vést v protipohybu

retrogression [ˌretrəuˈgrešən] **1** zpětný vývoj, úpadek **2** biol. degenerace **3** hud. protipohyb

retrogressive [ˌretrəuˈgresiv] **1** biol. zpětný **2** úpadkový, degenerativní svým návratem **3** otáčející se retrográdně, obíhající retrográdně, pohybující se nazpět ♦ ~ *metamorphosis* geol. zpětná přeměna hornin

retroject [retrəudžekt] **1** hodit / vrhnout zpět / dozadu **2** promítat do minulosti

retropulsion [ˌretrəuˈpalšən] med. **1** vrácení plodu do dělohy **2** pronikání choroby směrem dovnitř

retroreflective [ˌretrəuriˈflektiv] odrážející zpět světelný paprsek

retroreflector [ˌretrəuriˈflektə] odražeč laserových paprsků

retrorocket [ˌretrəuˈrokit] brzdicí raketa

retrorse [riˈtro:s] bot. ohnutý / obrácený dozadu

retrospect [ˌretrəuˈspekt] *s* **1** pohled zpět *of* / *on* na **2** ohled *to* na minulé (*we may introduce a song without ~ to the old comedy*) **3** zamyšlení nad minulostí, přehled minulých událostí, rekapitulace, retrospekce (*a short ~ is now necessary*) ♦ *in ~* při pohledu nazpět, po úvaze ● *v* zamýšlet se nad minulostí, vzpomínat na minulost

retrospection [ˌretrəuˈspekšən] pohled nazpět / do minulosti, zamyšlení nad minulostí, retrospektiva, retrospekce

retrospective [ˌretrəuˈspektiv] *adj* **1** zaměřený do minulosti, vzpomínající na minulost (~ *octogenarian* osmdesátník vzpomínající na minulost), vzpomínkový, retrospektivní (*a ~ exhibit* retrospektivní výstava) **2** pohled zadní **3** práv.: jsoucí se zpětnou účinností ● *s* **1** retrospektivní výstava, retrospektiva **2** retrospektivní koncert

retrospectivist [ˌretrəuˈspektivist] kdo se věnuje retrospektivě

retrosternal [ˌretrəuˈstə:nl] anat. umístěný za hrudní kostí

retroussé [rəˈtru:sei / AM ˌretruˈsei] : ~ *nose* zvednutý nosík, pršáček

retroversion [ˌretrəuˈvə:šən] **1** úpadek, degenerace (*these political and moral ~s, the totalitarian states*) **2** zpětný překlad do původního jazyka **3** med. retroverze přehnutí dělohy dozadu

retrovert [ˌretrəuˈvə:t] med.: děloha přehnout dozadu

retry [ri:ˈtrai] (*-ie-*) soudit ještě jednou, obnovit řízení proti, znovu projednat při

retsina [retˈsinə / AM retsinə] retsina, resinato řecké víno s pryskyřicí

rettery, rettory [retəri] (*-ie-*) máčírna, močírna lnu

return[1] [riˈtə:n] *v* **1** na|vrátit odevzdat na původní místo n. původnímu majiteli (*when will you ~ me the book I lent you?*); poslat zpět (*in case of nondelivery ~ to sender* nelze-li doručit, vraťte odesilateli); oplatit (*he ~ed the blow smartly*); uvést zpět v předešlý stav (*these lands will be ~ed to forest* tyto původní plochy budou vráceny lesu) **2** na|vrátit se *to* k, do, na, přijít / přijet / připlout / přiletět zpět (~ *to London*); něčím se znovu zabývat (*I shall ~ to this point later in my lecture*); dostat se znovu do nějakého stavu (*he has ~ed to his old habits* vrátit se ke svým starým zvykům); opakovat se (*the same themes ~ing later in the movement* stejná témata, která se dále ve větě vracejí) **3** odpovědět, opáčit, odvětit (*"Not this time," he ~ed*); opětovat (~ *a p.'s love*) **4** obrátit se, změnit se, proměnit se zpět *in* v (*after death animal bodies ~ to dust* po smrti se živočišná těla mění v prach) **5** vy|nést, poskytovat, přinášet, dávat (*an investment that ~s a good interest* investice nesoucí dobrý úrok) **6** BR volební okres zvolit většinou hlasů **7** karty vy|nést, přihodit *to* na vynesenou kartu, přiznat barvu čím na (~ *a seven of spades to partner's spade lead* na partnerovy vynesené piky přihodit pikovou sedmičku) **8** na výzvu předložit úředně (~ *a list of jurors* předložit seznam porotců); o|hlásit, oznámit na výzvu (~ *the names of all residents* oznámit jména všech obyvatel), dát / podat výčet čeho, úředně přiznat na výzvu (~ *the details of one's income*), uvést *at* že je, ve výši (*he ~ed his income at £ 5 000*) **9** prohlásit, označit po přezkoumání (*be ~ed unfit for work*); porota vyhlásit ♦ ~ *the compliment 1.* revanšovat se *2.* nechat rovněž pozdravovat; ~*ed empties* vrácené prázdné obaly / láhve k dalšímu použití; ~ *a p.'s fire* opětovat palbu koho; ~ *to health* uzdravit se; ~ *to one's muttons* přen. žert. znovu rajtovat na svém (oblíbeném) koni, vrátit se k oblíbenému tématu; ~*ing officer* volební komisař oznamující jméno zvoleného kanditáta; ~ *the salute* opětovat dělový pozdrav stejným počtem výstřelů; ~ *to one's sheep* = ~ *to one's muttons;* ~ *a soldier killed* prohlásit vojáka za padlého;

~ *the stubble* podmítat; ~ *thanks 1.* poděkovat např. po přípitku *2.* pomodlit se před jídlem; ~ *a verdict of guilty* | *non guilty* porota vyhlásit výrok „vinen“ | „nevinen“ ● *s* **1** návrat (~ *of spring*) *to* k, do (~ *to civilian life*); navrácení (*arranged for the* ~ *of the toppled statue to its pedestal* zařídili, aby byla povalená socha znovu vrácena na podstavec) **2** obnova, obnovení (*the* ~ *of monarchy after a generation*) **3** odpověď (*a responsive* ~ citlivá odpověď); odměna, oplátka, odplata (*a poor* ~ *for kindness*) **4** ~*s, pl* odezva, ohlas inzertní akce (~*s on the mailing were running about 3 %* odezva na nábor poštou byla průběžně asi tříprocentní) **5** též ~*s, pl* zisk, výdělek, výtěžek, výnos (*get a good* ~ *on an investment*), tržba (*box-office* ~*s*), obrat (*small profits and quick* ~*s*) **6** ~*s, pl* výsledek, výsledky sčítání (*election* ~*s* výsledky voleb, *census* ~*s* výsledky sčítání obyvatel); zvolení (*his* ~ *to parliament*) **7** práv. určený termín pro projednání n. kontrolu volebních výsledků **8** přiznání k dani *of* z (*make one's* ~ *of income*); seznam, výkaz zdanitelného majetku **9** úřední zápis, výkaz, hlášení, zpráva, protokol **10** BR zpráva na obsílce kterou podává sheriff **11** karty přiznání barvy v bridži **12** opětovný příznak, opětovný záchvat, recidiva (~ *of rheumatism*) **13** ohyb, záhyb, zákrut **14** odbočení zdi zejm. kolmé, vedlejší průčelí budovy; ústupek v průčelí; zakončení okapnice **15** BR zpáteční jízdenka (*first--class* ~ *to Leeds*) **16** ~*s, pl* odpadový tabák, lehký světlý tabák **17** ~*s, pl* remitenda **18** div. stojka **19** elektr. zpětné vedení **20** horn. výdušná větrní chodba **21** peněž. storno **22** sport. vrácení, odpálení, odkopnutí míče, return v tenisu; odsek, odbod v šermu **23** sport. žlábek jímž se vrací kuželková koule **24** voj. předkluz dělové hlavně ◆ *by* ~ (*of post* / *mail*) obratem pošty; *file a* ~ vyplnit přiznání k dani; *in* ~ za to, za odměnu, na oplátku, na revanš; *in* ~ *for* za (*in* ~ *for improved working conditions*); *many happy* ~*s* (*of the day*) mnoho štěstí a zdraví k narozeninám blahopřání; *point of no* ~ *1.* kritický bod cesty, místo, odkud začíná nemožnost návratu pro nedostatek pohonných hmot, místo, odkud je blíže dojít apod. k cíli, než se vrátit *2.* přen. slepá ulička při jednání; *on sale or* ~ zboží v komisi; *send goods on* ~ dát zboží do komise; *tax* ~ daňové přiznání; *without* ~ bez náhrady, zdarma ● *adj* **1** zpáteční (*the* ~ *voyage* zpáteční plavba), zpátky, nazpět; zpětný (~ *flow* zpětný tok, ~ *motion* zpětný pohyb) **2** týkající se návratu (~ *orders*) **3** odvetný (*a* ~ *match*) **4** vedlejší, přilehlý v jiném směru, kolmo přisedající ◆ ~ *ball* míček s gumičkou hračka; ~ *bell* žel. odhláška; ~ *bend 1.* tech. dvojitý oblouk tvarovka *2.* vlásničková zatáčka, serpentina, ostrý ohyb, vlásenka (slang.); ~ *card* odpovědní lístek; ~ *cargo 1.* zpětný náklad *2.* vracející se nevyloděná zásilka; ~ *coupling* sděl. tech. zpětná vazba; ~ *crank* tech. protiklika; ~ *half* zpáteční polovina jízdenky; ~ *migration* reemigrace; ~ *motion* zpětný pohyb, zpětný chod; ~ *postage* zpáteční porto; ~ *receipt* doručenka (~ *receipt requested* potvrďte příjem doručenkou); ~ *service* protislužba; ~ *spring* vratná pružina; ~ *wall* krátká zeď spojená s koncem delší zdi; tvořící úhel s průčelní zdí budovy přisedající

return[2] [ri:ˈtə:n] přesoustružit

returnable [riˈtə:nəbl] vrátitelný zpět, opětovatelný ◆ ~ *container* návratný obal / kontejner / bedna / láhev / krabice / sud

return day [ri:tə:ndei] práv. určený termín pro projednávání n. pro kontrolu volebních výsledků

returning officer [riˌtə:niŋˈofisə] BR volební komisař

returnless [riˈtə:nlis] odkud není návratu

return ticket [riˌtə:nˈtikit] BR zpáteční jízdenka n. letenka

return trade wind [riˌtə:nˈtreidwind] antipasát

retuse [riˈtju:s] bot. tupý

re-type [ri:ˈtaip] opsat, přepsat na psacím stroji, přepsat na čisto

Reuben sandwich [ˌru:binˈsænwidž] AM obložený chléb s hovězím masem, ementálským sýrem a kyselým zelím

reunion [ri:ˈju:njən] **1** opětovné sjednocení, opětovné spojení **2** zasedání, schůze (~ *of the National Assembly*); schůzka, shledání, setkání, sešlost (*family* ~), slezina (slang.) **3** u|smíření

reunionism [ri:ˌju:njəˈnizəm] snaha o spojení anglikánské a katolické církve, unionism

reunionist [ri:ˈju:njənist] stoupenec tohoto hnutí, unionista

reunite [ˌri:juˈnait] **1** opět | se spojit, sjednotit | se **2** sejít se, setkat se; přivést dohromady

re-up [ri:ap] (*-pp-*) AM slang. upsat se jim dál, podepsat jim to dál k vojenské službě

reurge [ri:ˈə:dž] **1** znovu uvést názor **2** znovu naléhat, znovu tlačit na

reusable [ri:ˈju:zəbl] znovu použitelný

reuse *v* [ri:ˈju:z] opět použít čeho ● *s* [ri:ju:s] opětovné použití

rev[1] [rev] hovor. *s* otáčka výbušného motoru (*300* ~*s per minute*) ● *v* (*-vv-*) **1** motor otáčet se, běžet **2** túrovat motor ***rev down*** *1* ubrat rychlost snížením počtu otáček *2* přestat túrovat motor *3* motor běžet pomaleji ***rev up*** *1* přidat otáčky, zvýšit rychlost motoru *2* začít túrovat motor, rozeřvat motor *3* motor běžet na vyšší otáčky, rozeřvat se (*a bomber* ~*ved up on the hangar apron* na manipulační ploše před hangárem se rozeřvalo bombardovací letadlo) *4* AM slang. vyhecovat (*bunch of idealistic youths who had been* ~*ved up by a bunch of politicians in Germany*) **5** zrychlit, dát větší tempo čemu (*the symphonic postludes have been* ~*ed up*)

rev² [rev] hovor. **1** velebníček, páter **2** velebná matka představená kláštera
revaccinate [ri:ˈvæksineit] med. znovu očkovat, přeočkovat
revaccination [ˌri:væksiˈneišən] med. nové očkování, přeočkování, revakcinace
revalenta [ˌrevəˈlentə] též ~ *Arabica* pokrm z čočky a ječné mouky pro nemocné
revalorization [ri:ˌvælərai'zeišən] revalvace, revalorizace opětné zhodnocení měnové jednotky
revaluation [riˌvæljuˈeišən] **1** přehodnocení **2** revalvace (~ *of the currency* revalvace měny)
revamp [ri:ˈvæmp] hovor. **1** znovu vylepšit, opravit, předělat, aby vypadal jako nový, vyštafírovat (~ *old cars*); oprášit, přepracovat, přešít např. divadelní hru; postavit na nohy (přen.) **2** dát nové svršky na obuv
revanche [rəˈva:nš] **1** odplata **2** revanšismus
revanchism [rəˈva:nšizəm] revanšismus
revanchist [rəˈva:nšist] *s* revanšista ● *adj* revanšistický
revascularize [ri:ˈvæskjulərαiz] dát nové cévy komu / čemu
reveal¹ [riˈvi:l] **1** odhalit, odkrýt skryté (*the dress ~s nearly everything*), ukázat (*the rising curtain ~ed a street scene* po vytažení opony se objevila na scéně ulice) **2** prozradit (*the painting ~s the painter*), vyzradit, vyjevit (~ *a secret* vyzradit tajemství) **3** náb. zjevit ◆ *~ed religion* zjevené náboženství
reveal² [riˈvi:l] **1** stav. ostění, špaleta dveří / okna **2** lem okna u automobilu
reveille [riˈvæli] vojenský budíček
revel [revl] *v* (*-ll-*) **1** bavit se, veselit se, slavit hlučně; hodovat, hýřit, bendit **2** libovat si *in* v, těšit se z, vychutnávat co, nadměrně se oddávat čemu (*she ~led in her unhappiness*) ***revel away*** prohýřit, probendit (*they ~led the night away*); rozházet hýřením peníze ● *s* též *~s, pl* hlučná zábava, oslava, hlučné radovánky, veselí; hodování, hýření, bendění ◆ ~ *rout* parta hýřilů, veselí kumpáni, kamarádi z mokré čtvrtě
revelation [ˌrevəˈleišən] **1** odhalení, odkrytí, ukázání, objev **2** hovor. úplné zjevení, jedna báseň, úplná pohádka (*her dress was a ~*) **3** prozrazení, vyzrazení, vyjevení **4** náb. zjevení; *R~* n. *R~s* Zjevení sv. Jana, Apokalypsa ◆ *it was a ~ to me* náhle mi bylo všechno jasné, šupiny mi spadly z očí
revelational [ˌreviˈleišənl] týkající se zjevení, zjevený (~ *religion*)
revelationist [ˌrevəˈleišənist] **1** *R~* náb. autor Apokalypsy, sv. Jan Evangelista **2** kdo věří ve zjevené náboženství
revelator [revileitə] zjevovatel
reveller [revlə] kdo se hlučně baví, veselý kumpán; hýřil, flamendr
revelry [revlri] (*-ie-*) hlučná zábava, oslava, hlučné radovánky, veselí, hodování, hýření, bendění (hovor.), orgie
revenant [revənənt] **1** navrátilec **2** duch, přízrak, zjevení zesnulého
revendication [riˌvendiˈkeišən] **1** polit.: formální územní požadavek **2** práv. věcná žaloba; získání zpět, opětovné nabytí
revenge [riˈvendž] *v* po|mstít koho / co (~ *his father's murder* pomstít otcovu vraždu) *on / upon a p.* na kom ◆ *be ~d 1.* být pomstěn *2.* pomstít se *for* za *on / upon* komu / na ***revenge o. s.*** po|mstít se *on|upon* komu|na *for* za ● *s* **1** msta, pomsta; odplata; **2** mstivost, pomstychtivost **3** oplátka, revanš při hře ◆ *give a p. his ~* nabídnout revanš soupeři, který prohrál; *in ~* ze msty; *just ~* spravedlivá odplata; *take one's ~* pomstít se
revengeful [riˈvendžful] mstivý, pomstychtivý
revengefulness [riˈvendžfulnis] mstivost, pomstychtivost
revenger [riˈvendžə] mstitel
revenge seeker [riˈvendžˌsi:kə] revanšista
revenue [revinju:] **1** příjem, důchod; výnos, tržba; *~s, pl* celkový důchod **2** státní / veřejný důchod **3** finanční / berní úřad **4** kolek ◆ ~ *account* účet ztráty a zisku; ~ *act* daňový zákon; ~ *authority* finanční / berní úřad; *Board of Inland R~* BR úřad pro daně s výjimkou cel a spotřebních daní; *Bureau of Internal R~* AM daňový odbor ministerstva financí; *customs ~* výnos cel, příjem z celních poplatků; *federal ~* AM příjmy z federálních daní; *public ~* veřejný důchod
revenue cutter [ˌrevinju:ˈkatə] celní člun
revenue officer [ˌrevinju:ˈofisə] celní / finanční úředník, celník, finančník
revenue stamp [ˌrevinju:ˈstæmp] AM kolek
revenue tariff [ˌrevinju:ˈtærif] finanční cla, fiskální cla
revenue vessel [ˌrevinju:ˈvesl] celní loď patrolující v teritoriálních vodách
reverb [riˈvə:b] = *reverberate*
reverbatory [riˈvə:bətəri] = *reverberatory*
reverberance [riˈvə:bərəns] = *reverberation*
reverberant [riˈvə:bərənt] bás. **1** zvučný, rezonující, vracející ozvěnu; sytý, dunivý **2** odrážející světlo, zrcadlící, zrcadlový
reverberate [riˈvə:bəreit] *v* **1** zvuky, paprsky odrážet se *from* od; znít ozvěnou *through* po celém **2** řidč.: nálada šířit se; odrážet se *on* na **3** řidč.: míč odskočit, odrazit se **4** zpracovat / tavit v plamenné peci ● *adj* odražený
reverberating [riˈvə:bəreitiŋ] : ~ *furnace* hut. plamenná pec, pálací pec
reverberation [riˌvə:bəˈreišən] **1** odražení, odraz; ozvuk, dozvuk, ozvěna, rezonance, hal, nachhal (slang.); dunění, halas (*the ~ of voices in the corridor*... hlasů na chodbě) **2** odražený zvuk,

odražené světlo / teplo **3** zpracování / tavení v plamenné peci

reverberation time [ri|və:bə|reišən|taim] fyz. doba dozvuku

reverberative [ri|və:bəreitiv] odrážející, odrážívý; dozvukový, halový

reverberator [ri|vəbəreitə] **1** odrážeč **2** reverberátor zařízení pro umělý dozvuk **3** zrcadlová žárovka; světlomet, reflektor

reverberatory [ri|və:bərətəri] *adj* odrážející se, odražený ◆ ~ *furnace* = ● *s* (*-ie-*) hut. plamenná pec, pálací pec

revere [ri|viə] ctít, uctít, chovat v úctě, velice si vážit

reverence [revərəns] *s* **1** úcta, vážnost (*regard with* ~ pohlížet s úctou); uctivost (*the rising generation lacks* ~ nastupující generaci chybí uctivost) **2** obřadná / hluboká poklona, reverence **3** *R*~ zast., IR žert. důstojnost, velebnost titul duchovního (*your* ~ Vaše důstojnost) ◆ *have* / *hold in great* ~ mít ve velké úctě; *feel* ~ *for* cítit úctu k; *pay* ~ *to* složit poklonu komu; *saving your* ~ zast. s prominutím ● *v* ctít, uctít, chovat v úctě

reverend [revərənd] *adj* **1** ctihodný, velebný **2** *R*~ ctihodný, dvojctihodný titul anglických duchovních **3** duchovní; kněžský, týkající se kléru **4** zast. uctivý ◆ *R*~ *Mother* velebná matka představená kláštera; *Most R*~ titul arcibiskupa; *Right R*~ titul biskupa; *Very R*~ titul děkana ● *s* ~*s, pl* kněží, kněžstvo, duchovní, duchovenstvo, pastoři, faráři ◆ ●*s and right* ●*s* kněžstvo a biskupský sbor

reverent [revərənt] uctivý

reverential [|revə|renšəl] uctivý ◆ ~ *awe* posvátná bázeň

reverie [revəri] **1** snění, zasnění, reverie **2** zast. pouhá idea, teorie, fantazie, vzdušný zámek **3** hud. sen, snění název skladby

revers [ri|viə] *pl: revers* [ri|viəz] klopa, revér ukazující podšívku; převěs tkaniny

reversal [ri|və:sl] **1** obrácení, převrácení polohy / směru; obrat v, změna v opačné, zvrat (~ *of opinion* změna názoru); opačnost, převrácenost, protichůdnost (*the* ~ *of the seasons in the two hemispheres*) **2** fot. změna negativu v pozitiv n. naopak, solarizace **3** práv. obrat, zvrat; zrušení, změna (~ *of a decision*) **4** div. zvrat, obrat, peripetie ve hře ◆ ~ *film* inverzní film; ~ *speed 1.* zpáteční rychlost auta *2.* zvrácená rychlost letadla

reverse [ri|və:s] *adj* **1** opačný, obrácený (*came back in the* ~ *order*); převrácený **2** zpáteční; zpětný, vratný, zvratný **3** pro zpětný chod (~ *pedal* pedál pro zpětný chod, ~ *push button*) **4** spodní, zadní, rubový **5** geol. protisledný, obsekventní (*a* ~ *river*) **6** voj. zadní, týlový **7** polygr. negativní ◆ ~ *battery* voj. dělostřelecká baterie pálící na nepřítele odzadu; ~ *belt* tech. zkřížený řemen pro zpětný chod; ~ *curve* křivka tvaru S, protisměrný oblouk, protioblouk, oblouk opačného směru; ~ *fault* geol. přesmyk; ~ *fire* voj. palba na týl nepřítele; ~ *flank* voj. vnější / zatáčející se křídlo oddílu; ~ *flying* let. let na zádech; ~ *gear* mot. zpáteční rychlost; ~ *gradient* opačný sklon, protispád; ~ *imitation* hud. převrat; ~ *motion* hud. protipohyb; *in* ~ *order* v obráceném pořadí; ~ *painting* malba na rubu skla; ~ *Q* sport. kružnice s protizvratem v krasobruslení; ~ *racism* AM nezamýšlená rasová diskriminace bělochů jako následek integrace černochů; ~ *side* rub; ~ *shot* film. záběr při odjezdu kamery; ~ *slope* odvrácený svah; ~ *speed 1.* zpáteční rychlost auta *2.* zvratná rychlost letadla; ~ *turn* let. překrut ● *v* **1** obrátit, otočit na druhou stranu; naruby; zrcadlově (~ *a picture in reproduction*) **2** pře|vrátit se **3** přehodit, převrátit (*the printer accidently* ~*d two chapters of the book* v tiskárně omylem přehodili dvě kapitoly knihy) **4** jít / běžet / točit se nazpátek / v obráceném směru; dát / nařídit zpět a znovu spustit přístroj; dát zpětný chod čemu, uvést do zpětného chodu, obrátit chod čeho, reverzovat (tech.); jet zpátečkou, za|couvat co / s (~ *one's car into the garage*) **5** diametrálně změnit (~ *one's policy*) **6** práv. změnit, zvrátit, zrušit (~ *a degree*) **7** polygr. negativně vybrat *into* z (~ *lettering into a colour panel* do barevné plochy vybrat negativně text); negativně vytisknout **8** ekon. zrušit, stornovat **9** točit se vlevo / na druhou stranu (*she* ~*s well*) ◆ ~ *arms* voj. držet pušku hlavní k zemi při vojenském pohřbu; ~ *the charge* účtovat telefonní hovor volanému; ~ *the engine 1.* obrátit chod motoru *2.* dát zpětnou páru; ~ *the magnetization* přemagnetizovat ***reverse o. s.*** AM změnit úplně svůj názor *about* na / o (~*d himself about the superiority of mother's cooking*) ● *s* **1** převrácení, převrat, obrácení, zvrácení, zvrat; přehození; otočka; obrat *of* v, diametrální změna čeho (*an unexpected* ~ *of plans*); pravý opak (*do the* ~ *of what one is expected to do* dělat pravý opak toho, co se od člověka očekává) **2** zpáteční rychlost, zpětný chod, za|couvání **3** vratné ústrojí, vratný mechanismus **4** změna směru při obvazování **5** spodní strana, zadní strana, rub; revers mince / medaile / karty **6** nepříznivý obrat, neúspěch; též ~*s, pl* nezdar, porážka zejm. v bitvě **7** zrcadlový obraz; negativ **8** polygr. negativní písmo **9** voj. týl **10** variace vlevo při společenském tanci ◆ *take in* ~ napadnout z týlu; *written in* ~ řidč. napsaný obráceně / zrcadlově

reversed [ri|və:st] **1** obrácený, otočený, převrácený **2** negativní (~ *image*) **3** bot. obrácený, resupiální, inverzní **4** zool. levotočivý **5** tech.: jsoucí s ohnutou hranou, přeložený **5** v. *reverse, v* ◆ ~ *arch* archit. obrácený / hvězdový oblouk; ~ *charge* účtování poplatku volanému účastníkovi (~ *charge call* hovor na účet volaného); ~ *fault* geol. přesmyk; ~ *image 1.* převrácený obraz *2.* negativní obraz; ~ *line* hvězd. absorpční čára spektra; ~ *stress* střídavé namáhání / napětí

reversi [riˈvə:si] **1** druh karetní hry při niž vyhrává hráč s nejnižším počtem bodů **2** druh společenské hry hrané na šachovnici s dvojbarevnými kameny

reversibility [ri͵və:səˈbiləti] obratitelnost, převratitelnost, změnitelnost, z|vratnost, zvrátitelnost; reverzibilita

reversible [riˈvə:səbl] *adj* **1** obratitelný, převratitelný, změnitelný, z|vratný **2** film. inverzní **3** chem. reverzibilní **4** tkanina oboustranný, obojlícní, reverziblový; kabát oboustranný ◆ ~ *process* vratný děj ● *s* **1** oboustranná / obojlícní tkanina, reverzíbl **2** oboustranný kabát

reversing [riˈ:və:siŋ] **1** obracecí, převracecí; vratný **2** v. *reverse, v* ◆ ~ *gear* vratné ústrojí, reverzní ústrojí; ~ *lamp* / *light* zpáteční zadní světla auta na couvání

reversion [riˈvə:šən] **1** změna chodu / směru, obrácení, obrat; převrácení, zvrat **2** zrušení **3** práv. navrácení majetku původnímu majiteli n. jeho dědicům, restituce; zpětný nápad **4** práv. návrat do dřívějšího právního stavu; čekatelství **6** biol. reverze návrat k původnímu typu; atavismus **7** důchod na přežití

reversional [riˈvə:šənl] = *reversionary*

reversionary [riˈvə:šnəri] **1** práv. týkající se budoucího práva n. práva, které v budoucnosti zpět napadne **2** biol. týkající se reverze, reverzní; atavistický **3** z|vratný, rezervní ◆ ~ *annuity* pojišť. důchod na dožití; ~ *heir* práv. substituční / následný dědic

reversioner [riˈvə:šənə] práv. **1** následný / substituční dědic **2** čekatel

reverso [riˈvə:səu] levá / sudá strana otevřené knihy

revert [riˈvə:t] *v* **1** na|vrátit se *to* k dostat se znovu do nějakého stavu (~ *to cannibalism*); začít se znovu zabývat čím (~ *to a topic* vrátit se k tématu); řidč.: přijít zpátky **2** opět zdivočet **3** práv. opět připadnout *to* komu, přejít zpět na, vrátit se komu, spadnout na **4** obrátit, otočit zpět (~ *the eyes*) ◆ ~ *to type* vrátit se k svému původnímu vzoru n. původnímu stavu ● *s* kdo se vrátí ke své původní víře

reverter [riˈvə:tə] práv. zpětný nápad, návrat do dřívějšího právního stavu

revertible [riˈvə:tibl] majetek který může na někoho připadnout n. přejít zpět

revet [riˈvet] (*-tt-*) obkládat, obezdít, vyzdít, betonovat svah n. val

revetment [riˈvetmənt] **1** obložení, obezdění, vyzdění, betonování svahu n. náspu **2** opěrná zeď; nábřežní hráz / zeď, navigace **3** voj. ochranný val z pytlů s pískem proti střepinám

revictual [ri:ˈvitl] (*-ll-*) znovu | se zásobit potravinami / proviantem

review [riˈvju:] *s* **1** práv. přezkoušení, přezkoumání, revize, dovolání, odvolání; obnova **2** vojenská přehlídka; slavnostní přehlídka loďstva **3** novinový posudek, kritika, recense; zpráva, zprávy, přehled *of* čeho / o (~ *of the market*) **4** revue časopis, v názvech rozhledy **5** revue, show, estráda **6** zpětný pohled, pohled do minulosti (*pass one's life in* ~ trávit život přehlížením minulosti); opětovný pohled *of* na, kontrola čeho **7** opakování probraného učiva **8** řidč. oprava, revize (*an author's* ~ *of his works*) **9** revize rozsudku, prominutí zbytku trestu (*he could even have been up for* ~ *in a couple of years*) ◆ *be subject to* ~ rozhodnutí podléhat přezkoumání / revizi; ~ *copy* recenzní výtisk, redakční výtisk; *court of* ~ odvolací soud; *judicial* ~ přezkoumání ústavnosti rozsudku; *keep a question under* ~ pečlivě sledovat otázku; *at* ~ *order 1.* ve slavnostní uniformě *2.* přen. v plné parádě, v gala; *pass in* ~ *1.* přehlížet, vykonat přehlídku čeho *2.* pochodovat na přehlídce; *year under* ~ rok, který právě posuzujeme ● *v* **1** znovu prohlédnout, podívat se znovu na (*the officers viewed and* ~*ed the fortifications* důstojníci si znovu a znovu prohlíželi opevnění) **2** práv. přezkoumat, přezkoušet, revidovat rozhodnutí **3** vykonat přehlídku čeho (~ *a regiment*) **4** posuzovat, recenzovat, kritizovat, psát / napsat článek o / recenzi čeho (~ *a new book*); být recenzentem / kritikem z povolání **5** znovu probrat, přehlédnout (*on* ~*ing the circumstances* po přezkoumání okolností); prohlížet, kontrolovat záznamy (*in* ~*ing our books*) **6** opakovat, procvičovat probrané učivo **7** řidč. prohlédnout, revidovat rukopis pro nové vydání

reviewer [riˈvju:ə] **1** recenzent, kritik **2** kontrolor

revile [riˈvail] spílat, zlořečit, lát, nadávat (~ *at* / *against* komu, láteřit / nadávat na (~ *one's persecutors* zlořečit svým pronásledovatelům)

revilement [riˈvailmənt] spílání, zlořečení, láteření, nadávání, nadávky

reviler [riˈvailə] kdo spílá atd.; nespokojenec, hanobitel, hrubec, hrubián, grobián

revisable [riˈvaizəbl] **1** z|revidovatelný, z|kontrolovatelný, z|korigovatelný **2** přepracovatelný, upravitelný, opravitelný

revisal [riˈvaizl] revize, kontrola, korigování (*the* ~ *of the manuscript*)

revise [riˈvaiz] *v* **1** znovu prohlédnout / přehlédnout, z|revidovat, provést revizi čeho, z|kontrolovat, z|korigovat (~ *a transcript*) **2** přepracovat, upravit, opravit, připravit k novému / opravenému / přepracovanému vydání (~ *a dictionary*) **3** polygr. číst poslední / druhou korekturu, provést náhled před tiskem ● *s* **1** polygr. poslední / druhá korektura, náhled před tiskem, revize **2** řidč. revize, revidování, kontrola, kontrolování

revised [riˈvaizd] v. *revise, v* ◆ ~ *edition* nové / opravené / přepracované vydání; ~ *routing* změna směru cesty; *R*~ *Version* bible překlad z r. 1611, revidovaný 1870–84

reviser [riˈvaizə] polygr. korektor provádějící náhled před tiskem, revizor
revision [riˈvižən] **1** přezkoušení, přezkoumání, revidování, revize, též práv. **2** korigování; změna, reforma **3** nové / opravené / přepracované vydání
revisional [riˈvižənl] revizní
revisit [ri:ˈvizit] znovu navštívit, přijít znovu na návštěvu k
revisory [riˈvaizəri] **1** kontrolní, revizní (*a ~ function*) **2** opravný (*~ power* opravná pravomoc)
revitalize [ri:ˈvaitəlaiz] znovu oživit, vzpružit, posílit
revivable [riˈvaivəbl] **1** oživitelný, obnovitelný; osvěžitelný **2** křísitelný, vzkřísitelný; znovu uveditelný **3** práv. restituovatelný **4** chem. regenerovatelný
revival [riˈvaivəl] **1** obnova, obnovení, oživení; obroda, obrození, renesance **2** nové uvedení staré hry; nové vydání knihy **3** práv. opětné vstoupení v platnost; restituce **4** náb. duchovní obnova / probuzení / obroda; duchovní shromáždění; kampaň k oživení a probuzení náboženského života; evangelizace ◆ *~ of architecture* / *Gothic* novogotika v 19. století; *R~ of Learning* / *Letters* / *Literature* renesanční humanismus
revivalism [riˈvaivəlizəm] **1** náboženská obroda; náboženská kampaň; evangelizační činnost **2** obrozenectví
revivalist [riˈvaivəlist] **1** stoupenec evangelizační činnosti, kazatel **2** obrozenec
revive [riˈvaiv] **1** ožít, oživit; obnovit; vyhrabat, vykopat (hovor.) (*~ old feuds*); osvěžit **2** křísit, vzkřísit; vrátit život čemu (*we ~d him with artificial respiration* vzkřísili jsme ho umělým dýcháním): znovu uvést (*~ an old play*) **3** zvyk znovu se objevit, znovu se vyskytnout; naděje svitnout **4** práv. restituovat **5** ekon. vzpamatovat se **6** chem. oživit, avivovat, regenerovat např. rtuť
reviver [riˈvaivə] **1** kdo / co oživuje n. křísí **2** regenerační prostředek k oživení vybledlých barev **3** slang. cloumák, lomcovák, životobudič alkoholický vzpružující nápoj
revivification [ri(:)ˌvivifiˈkeišən] **1** oživení, vzkříšení, obnova, obroda; posílení **2** chem. obnovení, regenerování, regenerace
revivify [ri(:)ˈvivifai] (*-ie-*) **1** oživit, vzkřísit, obnovit, obrodit, posílit **2** chem. obnovit, regenerovat
reviviscence [ˌreviˈvisns] **1** oživení, vkříšení, posílení **2** probuzení ze zimního spánku **3** nový výskyt choroby
reviviscent [ˌreviˈvisnt] oživující, posilující
revivor [riˈvaivə] BR práv. obnova řízení
revmeter [revmi:tə] otáčkoměr
revocable [revəkəbl] odvolatelný; zrušitelný, stornovatelný
revocation [ˌrevəˈkeišən] odvolání; zrušení, stornování
revocatory [revəkətəri] odvolávací
revoke [riˈvəuk] *v* **1** odvolat, vzít zpět, zrušit **2** zříci se, odříci se bludu **3** karty nepřiznat barvu, renoncovat **4** řidč. zrušit slib n. zákon ◆ *until ~d* až do odvolání ● *s* **1** karty nepřiznání barvy, renonc **2** řidč. odvolání ◆ *make a ~* karty udělat renonc nepřiznat barvu
revolt [riˈvəult] *v* **1** vzepřít se, vést odboj, vzbouřit se, bouřit, povstat, revoltovat *against* proti *to* a přejít k **2** odtrhnout se vzpourou, odpadnout *from* od **3** cítit odpor *against* k, vzpírat se / bouřit se proti (*his nature ~s against this treatment* jeho povaha se bouří proti takovému zacházení); pobuřovat, vzbuzovat odpor v, být odporný komu, hnusit se komu (*his bad manners ~ed me* z jeho nevychovanosti se mi zvedal žaludek) ● *s* **1** odboj, vzpoura, vzbouření, povstání, revolta **2** vnitřní odpor, nechuť (*she bore this injustice with ~ in her heart* srdce se v ní bouřilo, že musí snášet tuto nespravedlnost) ◆ *in ~* vzbouřený
revolting [riˈvəultiŋ] **1** odporný, hnusný, nechutný, zvedající žaludek (hovor.) **2** v. *revolt, v*
revolute[1] [revəlu:t] bot. stočený, zavinutý, podvinutý
revolute[2] [ˌrevəˈlu:t] slang. **1** dělat revoluce **2** stát projít revolucí
revolution [ˌrevəˈlu:šən] **1** otáčení, obíhání, kroužení, otočení, obrátka (hovor.), oběh; oběžná doba, rotace **2** revoluce; státní převrat ◆ *American R~* Americká revoluce svržení britské nadvlády r. 1775; *~ counter* počitadlo otáček, otáčkoměr; (*English*) *R~* Anglická revoluce svržení Jakuba II. r. 1688; *French R~* Francouzská revoluce r. 1789; *~ indicator = ~ counter; quell a ~* potlačit revoluci; *~s per minute* počet otáček za minutu; *solid of ~* rotační těleso; *start a ~* udělat revoluci
revolutionary [ˌrevəˈlu:šnəri] *adj* **1** revoluční, revolucionářský **2** převratný **3** řidč. rotační ● *s* (*-ie-*) revolucionář
revolutionism [ˌrevəˈlu:šnizəm] revolucionářství, revolucionismus
revolutionist [ˌrevəˈlu:šnist] *s* revolucionář, revolucionista ● *adj* revoluční
revolutionize [ˌrevəˈlu:šnaiz] **1** u|dělat revoluci v, provést / uskutečnit revoluci v, udělat zásadní převrat v **2** vzbouřit, bouřit, podnítit k revoluci, zrevolucionizovat **3** projít revolucí
revolve [riˈvolv] **1** obíhat, kroužit *around* / *round* kolem (*the planets ~ round the sun*), obíhat co, točit | se, otáčet | se *about* kolem (*the whole household ~s about the baby*) **2** obírat se čím, uvažovat o, převracet v duchu, obracet na všechny strany (*~ed the story in his mind as he waited*) ◆ *~ round one's axis* otáčet se kolem vlastní osy; *an idea ~s in my mind* v hlavě mi vrtá myšlenka
revolver [riˈvolvə] bubínkový revolver ◆ *~ loom* text.

revolverový stav; *policy of the big* ~ hrozba uvalení odvetných cel

revolving [riˈvolviŋ] **1** otáčející | se, otáčivý, otočný, rotační **2** v. *revolve* ◆ ~ *credit* dlouhodobý úvěr poskytovaný na základě krátkodobě disponovaných částek; ~ *door* otáčecí / otočné dveře, turniket; ~ *light* otáčivé / otočné světlo majáku; ~ *pencil* šroubovací tužka, krejón; ~ *shutter* roleta, žaluzie; ~ *stage* div. otáčivé jeviště, točna; ~ *storm* tropický cyklón, uragán

revue [riˈvju:] div. **1** revue, show **2** kabaret

revulsion [riˈvalšən] **1** med. odvedení, odvádění; odváděcí léčba **2** odtáhnutí se, odtažení se, distancování se *from* od (*public* ~ *from such political cynicism* veřejné distancování se od takového politického cynismu); prudký obrat *of* v, náhlá změna čeho (*a* ~ *of mood* náhlá změna nálady) **3** ošklivost, odpor, hnus (*she met his advances with* ~ jeho dotěrnosti u ní narazily na odpor) **4** náhle stažení (*the* ~ *of capital from other trades* ... kapitálu z jiných obchodních odvětví)

revulsive [riˈvalsiv] med. odvádějící jinam

reward [riˈwo:d] *s* **1** odměna odplata; cena **2** odplata, náhrada; mzda, výdělek; prémie, remunerace **3** nálezné **4** užitek, prospěch ◆ *announce a* ~ *for* vypsat odměnu za ● *v* odměnit | se, odplatit *a t.* za / *a p.* komu, *a p. for a t.* komu za; vynahradit *for* co; odměnit dobro, potrestat zlo

rewarding [riˈwo:diŋ] **1** prospěšný, užitečný, úspěšný (*a most* ~ *meeting*); vyplácející se, který stojí za to / za podniknutou námahu, např. za přečtení, vděčný (*a* ~ *book*) **2** v. *reward, v* ◆ *be* ~ vyplatit se (*the experience will be most* ~ tato zkušenost se velice vyplatí)

rewardless [riˈwo:dlis] zbytečný, bezúspěšný, neužitečný, neprospěšný, marný; bez jakékoli odměny

rewin [ri:ˈwin] (*rewon, rewon; -nn-*) **1** znovu vyhrát, znovu získat **2** získat zpět

rewind [ri:ˈwaind] *v* (*rewound, rewound*) **1** přetočit, převinout zpět např. magnetofonový pásek **2** znovu natáhnout např. hodinky ● *s* převíjecí stroj, převíječ, převíječka

rewire [ri:ˈwaiə] dát nové elektrické vedení (k) čemu / do

reword [ri:ˈwə:d] **1** opakovat stejnými slovy **2** přeformulovat, přestylizovat

rewrite [ri:ˈrait] *v* (*rewrote, rewritten*) **1** přepsat, přepracovat, předělat (*he has to* ~ *the entire second act*) **2** AM přestylizovat, zpracovat pro noviny zprávu ● *s* **1** přepsání, přepracování, předělání (*a complete* ~ *of the first draft of a novel* úplné přepracování prvního znění románu); nová verze **2** AM novinový článek, reportáž, zpráva ◆ ~ *man* AM hovor. = *rewriter*

rewriter [ri:ˈraitə] redaktor, stylista přepisující v redakci časopisu např. reportáže apod.

Rex [reks] *pl: reges* [ri:dži:z] panující vladař, král oficiální titul

rexine [reksi:n] koženka

Reynard [renəd] lišák Ferina; lišák

Reynolds number [ˌrenldzˈnambə] fyz. Reynoldsovo číslo bezrozměrná veličina charakterizující stav proudění tekutiny

rhabdomancy [ræbdəmænsi] proutkařství

rhachis [reikis] = *rachis*

Rhadamanthus [ˌrædəˈmænθəs] řec. mytol: přísný, ale spravedlivý soudce podsvětí

rhadamanthine [ˌrædəˈmænθin] soudce rhadamanthovský, přísný a spravedlivý

Rhaetian [ri:šjən] *adj* **1** rétský **2** rétorománský ◆ ~ *Alps* Rétské Alpy ● *s* Rét

Rhaetic [ri:tik] geol. *adj* rétský ● *s* rét nejmladší oddíl Niasu

Rhaeto-Romance [ˌri:təurəˈmæns] = *Rhaeto-Romanic*

Rhaeto-Romanic [ˌri:təurəˈmænik] *adj* rétorománský ● *s* rétorománština

rhapsode [ræpsəud] antic. rapsód starořecký pěvec

rhapsodic(al) [ræpˈsodik(əl)] **1** rapsodický **2** přen. nadšený, extatický (*sent* ~ *greetings*)

rhapsodist [ræpsədist] **1** antic. rapsód **2** přednašeč, recitátor; pěvec, zpěvák, bard **3** kdo pěje chvalozpěvy *of* na, nadšený obdivovatel čeho (*any* ~ *of motocars*)

rhapsodize [ræpsədaiz] básnit *about* / *on* o, bájit o, opěvat co, pět chvalozpěvy na (~ *about a new book*)

rhapsody [ræpsədi] (*-ie-*) **1** rapsódie **2** bájení, básnění, nadšený chvalozpěv (*a speech that bordered on* ~)

rhatany [rætəni] **1** bot. ratanka, ratankia **2** lékár. ratankový / ratankiový kořen

rhea [ri:ə] zool. nandu pštrosovitý pták

Rheims [ri:mz] Remeš

Rhemish [ri:miš] remešský ◆ ~ *Bible* Remešská bible překlad pořízený angl. katolíky v Remeši, vyd. r. 1582

Rhenish [ri:niš] zast. *adj* rýnský ● *s* rýnské, rýnské víno, rýňák (hovor.)

rhenium [ri:niəm] chem. rhenium

rheology [ri:ˈolədži] reologie obecná nauka o deformačním chování látek

rheometry [ri:ˈomitri] měření elektrických proudů

rheostat [riəstæt] elektr. proměnný odporník, reostat

rhesus [ri:səs] zool. makak rhesus opice ◆ *R*~ *factor* = *Rh-factor*

rhetor [ri:tə] zejm. antic. řečník, rétor

rhetoric [retərik] **1** řečnictví, rétorika; výřečnost, výmluvnost *of* o **2** AM styl; řeč, jazyk **3** řečnický traktát **4** prázdné / plané řeči, fráze, krásné řečičky, klišé, floskule

rhetorical [riˈtorikəl] **1** řečnický, rétorický **2** pouze formální (*the offer was* ~) **3** AM stylistický (~ *changes*) **4** krasořečný, krasomluvný, rétorický,

libující si v rétorismu; bombastický ◆ ~ *question* řečnická otázka
rhetorician [ˌretəˈrišən] **1** řečník, rétor **2** AM dobrý stylista **3** krasořečník, frázista, rétorik
rheum [ru:m] BR **1** zast. slzy; sliny; hleny **2** rýma; kašel **3** ~*s, pl* revmatismus
rheumatic [ru(:)ˈmætik] *adj* revmatický; hostcový ◆ ~ *fever 1.* revmatická horečka *2.* hostec kloubní; ~ *walk* těžká chůze při údech stižených revmatismem ● *s* **1** revmatik **2** ~*s, pl* hovor. revma, regma
rheumaticky [ru(:)ˈmætiki] hovor. reumatický, regmatický
rheumatism [ru:mətizəm] med. revmatismus ◆ *acute / articular* ~ hostec kloubní; *lumbar* ~ bederní ústřel, houser (hovor.); *muscular* ~ svalový revmatismus
rheumatiz [ru:mətiz] hovor. revma, regma
rheumatoid [ru:mətoid] med. podobný revmatismu, připomínající revmatismus ◆ ~ *arthrosis* med. artritida revmatoidní
rheumy [ru:mi] BR zast. **1** slzící, uslzený; zahleněný **2** vzduch vlhký, syrový
Rh-factor [ˌa:reičˈfæktə] med. rhesus faktor, činitel RH, Rh-systém, Rh-faktor
rhinal [rainl] anat. nosní, týkající se nosních dutin
Rhine [rain] Rýn ◆ ~ *wine* rýnské víno, rýnské
Rhineland [rainlænd] Porýní
rhinestone [rainstəun] **1** bezbarvá napodobenina drahokamu, sklíčko **2** rýnský oblázek
rhinitis [raiˈnaitis] med. rinitida zánět sliznice nosní; rýma
rhino[1] [rainəu] slang. též *ready* ~*s, pl* prachy, fiňáry v hotovosti
rhino[2] [rainəu] **1** hovor. nosorožec **2** AM voj. slang. vyloďovací ponton
rhinoceros [raiˈnosərəs] *pl* též *rhinoceros* [raiˈnosərəs] nosorožec ◆ ~ *beetle* zool. nosorožík kapucínek; ~ *bird / hornbill* zool. zoborožec velký
rhinocerotic [raiˌnosəˈrotik] nosorožčí; připomínající nosorožce
rhinolalia [ˌrainəuˈleiliə] med. huhňavost, rinolalie
rhinopharyngeal [ˌrainəufæˈrindžiəl] anat. nosohltanový
rhinopharyngitis [ˈrainəuˌfæriŋˌdžaitis] med. zánět nosohltanu
rhinoplastic [ˌrainəuˈplæstik] med. týkající se plastické operace nosu
rhinoplasty [rainəplæsti] med. plastická operace nosu
rhinoscope [rainəskəup] med. rinoskop zrcátkový přístroj k vyšetřování nosní dutiny
rhizic [raizik] mat. kořenový
rhizocarp [raizəka:p] bot.: rostlina z čeledi marsilkovitých
rhizophagous [raiˈzofəgəs] zool. živící se kořeny
rhizoid [raizoid] bot. *s* orgán tvarem i funkcí podobný kořenu, vláščitý kořen ● *adj* kořenový; podobný kořenu
rhizome [raizəum] oddenek
rhizopod [raizəpod] zool. kořenonožec
Rh-negative [ˌa:reičˈnegətiv] med. mající negativní Rh-faktor
rho [rəu] ró řecké písmeno P, ϱ
Rhode Island [ˈrəudˌailənd] též ~ *Red* rodajlendka plemeno červenohnědých slepic
Rhodes [rəudz] Rhodos ostrov ◆ ~ *scholar* stipendista v Oxfordu na nadaci založené Cecilem J. Rhodesem
Rhodian [rəudjən] *adj* rhodský ● *s* **1** obyvatel Rhodu **2** círk. johanita, maltán, maltézský rytíř
rhodic [rəudik] **1** chem. rhoditý **2** rhodiový, ze rhodia
rhodium[1] [rəudjəm] *s* chem. rhodium prvek ze skupiny platinových kovů ◆ ~ *pen* ocelové pero s rhodiovým hrotem
rhodium[2] [rəudjəm] *s* = *rhodiumwood*
rhodiumwood [rəudjəmwud] bot. kanárské růžové dřevo ◆ *oil of* ~ silice z tohoto dřeva
rhodo [rəudəu] SC pěnišník
rhodochrosite [ˌrəudəˈkrəusait] miner. dialogit, rodochrozit nerostný uhličitan manganatý
rhodocyte [rəudəsait] červená krvinka
rhododendron [ˌrəudəˈdendrən] rododendron (zahr.), pěnišník (bot.)
rhodolite [rəudəlait] miner. rodolit odrůda pyropu
rhodopsin [rəuˈdopsin] anat. rhodopsin oční purpur
rhodous [rəudəs] chem. rhoditý
rhomb [rom] **1** geom. kosočtverec **2** miner. klenec, romboedr
rhombic [rombik] **1** geom. kosočtvercový **2** miner. = *rhombohedral*
rhombohedral [ˌrombəˈhedrəl] miner. klencový, rombický
rhombohedron [ˌrombəuˈhedrən] miner. klenec, romboedr
rhomboid [romboid] *adj* **1** kosodélníkový **2** kosočtvercový ◆ ~ *muscle* anat. sval trapézový, trapéz ● *s* **1** kosodélník **2** anat. sval trapézový, trapéz
rhomboidal [romˈboidəl] kosodélníkový, kosodélníkovitý
rhombus [rombəs] *pl* též *rombi* [rombai] **1** geom. kosočtverec **2** miner. klenec, romboedr **3** zool. platýs, platejs
rhotacism [rəutəsizəm] **1** med. ráčkování, rotacismus **2** jaz. rotacismus změna některých hlásek v r
Rh-positive [ˌa:reičˈpozitiv] med. mající pozitivní Rh-faktor
rhubarb [ru:ba:b] *s* **1** bot. reveň, rebarbora **2** bot. reveň lékařská, též jako projímadlo **3** binec, brajgl, bengál hádka zejm. při baseballu **4** div. hluk za scénou **5** AM slang.: řídce osídlený zapadákov, díra ● *adj* žlutohnědý
rhubarbing [ru:ba:biŋ] *adj* bručící, mumlající ● *s* hluk, šum
rhubarby [ru:ba:bi] **1** žlutohnědý **2** připomínající reveň / rebarboru

rhumb [ram] **1** jakýkoli kompasový dílec, čárka kompasu **2** = *rhumb line*
rhumb line [ramlain] zeměp. loxodorma
rhumba [rambə] = *rumba*
rhyme [raim] *s* **1** rým zvuková shoda na konci verše; verš / verše v rýmech **2** též *~s, pl* verše, básně, poezie v rýmech; říkadlo, říkánka, rýmovačka, rýmovánka **3** rytmus, harmonie ♦ *caudate ~* střídavý rým; *double ~* ženský rým; *female / feminine ~* ženský rým; *give ~s* rýmovat se, tvořit rým; *imperfect ~ 1.* asonance, asonanční rým (např. *phase — race*) *2.* rým existující pouze opticky (např. *love — move*); *male / masculine ~* mužský rým; *there is neither ~ nor reason in that* to nemá hlavu ani patu, to nedává vůbec žádný smysl; *nursery ~* dětské říkadlo, říkánka, říkačka; *~ royal* strofa sedmi pětistopých jambických veršů, rýmovaná *ababbcc;* *~ scheme* rýmový vzorec; *single ~* mužský rým; *tailed ~* střídavý rým; *treble / triple* etc. *~* bohatý rým v němž je zvuková shoda tří atd. slabik na konci verše; *without ~ or reason* nesmyslný, nepochopitelný, bezdůvodný, nelogický ● *v* **1** psát / skládat verše v rýmech, rýmovat, veršovat v rýmech; z|veršovat, z|básnit v rýmech **2** rýmovat *with* s, a (*~s "law" with "four"*); slovo, verš rýmovat se *to / with* na, s, a **3** hodit se k sobě, shodovat se, jít harmonicky k sobě, harmonovat ***rhyme away*** trávit čas rýmováním
rhymed [raimd] **1** rýmovaný, jsoucí v rýmech **2** v. *rhyme, v*
rhymeless [raimlis] nerýmovaný
rhymelessness [raimlisnis] nerýmovanost
rhymer [raimə], **rhymster** [raimstə] rýmař, veršovec, veršotepec
rhyming [raimiŋ] v. *rhyme, v* ♦ *~ dictionary* slovník rýmů, rýmovník; *~ slang* londýnský „Cockney" slang záležející v nahrazování výrazů slovy, které se s vhodným výrazem rýmují (např. *up the stairs* se změní v *apples and pears*) n. slovy, tvořícími součást ustálených spojení, původně se rýmujících (např. *gloves* se změní v *turtles* přes *turtle doves*)
rhymist [raimist] **1** veršovec, veršotepec; básník **2** kdo píše / dělá dobré / špatné rýmy
rhythm [riðəm] **1** rytmus **2** hud.: též takt (*six-eight ~*) **3** jaz.: též metrum (*Sapphic ~*) **4** fyziol.: též tep, puls (*an irregular ~*) **5** střídání prvků, rytmus, tempo ♦ *~ band* hud. *1.* rytmická skupina *2.* dětský orchestr Orffova „Schulwerku"; *~ and blues* hud. směs rokenrollu a blues; *double ~* hud. dvoudobý takt; *have ~* mít smysl pro rytmus; *~ method* fyziol. metoda dočasné zdrženlivosti ke kontrole porodnosti; *~ section* rytmická skupina tanečního orchestru, bicí, šlágwerk (slang.); *three-four ~* hud. tříčtvrteční / tříčtvrťový takt
rhythmic [riðmik], **rhythmical** [riðmikəl] rytmický (*~ prose*)
rhythmics [riðmiks] rytmus, rytmika
rhythmist [riðmist] **1** kdo rytmizuje, studuje rytmus n. má smysl pro rytmus **2** hráč na rytmický nástroj
rhythmless [riðəmlis] jsoucí bez rytmu, nerytmický, nepravidelný
Rialto [riˈæltəu] **1** burza; tržiště **2** AM divadelní čtvrť města, středisko divadel zejm. na Broadwayi
riant [raiənt] **1** tvář, oči úsměvný, usměvavý, veselý **2** krajina líbezný, zářící, rozzářený, optimistický
rib [rib] *s* **1** žebro obloukovitá kost obepínající prsní dutinu obratlovců; maso na žebru; část stropní klenby; ztužovací součást konstrukcí; zvětšená tloušťka materiálu; příčný vaz tvořící boky lodi; nejsilnější nerv žilnatiny čepele listové; protáhlá, úzká vyvýšenina na svahu **2** vlna, hrb, hřebínek písku na pobřeží **3** drát kostry deštníku; lub smyčcového nástroje; klenbový pás mostu; plastický proužek pletené tkaniny; spojka hlavní dvouhlavňové pušky; stvol ptačího péra **4** horn. ochranný uhelný pilíř, sloup; proplástek **5** ker. stěrka **6** kuch. hovězí žebro **7** námoř. mřížová tyč **8** text. ryps **9** zeměd. pás / pruh skýv; hřeben **10** žert. lepší polovička, sedmá svátost manželka ♦ *~ of beef* etc. hovězí atd. žebro / žebírko; *crooked ~* žert. stará, drak, stíhačka manželka; *dig in the ~s* dloubnout do žeber, po|šťouchnout; *~ fabric* text. *1.* chytové / lemové / okrajové zboží *2.* oboulícní úplet, žebrový úplet; *false ~* anat. žebro nepravé; *floating ~* anat. žebro volné; *~ pattern* text. chytový vzor, žebrový vzor; *poke in the ~s* dloubnout do žeber, po|šťouchnout; *~ of a radiator 1.* topné žebro *2.* chladicí žebro; *short ~* anat. žebro volné; *smite a p. under the fifth ~* bodnout mezi žebra zabít; *sternal / true ~* anat. žebro pravé ● *v* (*-bb-*) **1** žebrovat, opatřit / vyztužit žebry; sloužit jako žebro čemu **2** plést pravidelně jednu řadu hladce, jednu obrace **3** orat do hřebenů **4** slang. utahovat si z, dělat si šoufky z
ribald [ribəld] *s* sprosťák, nemrava, necuda, prasečkář v řeči ● *adj* sprostý, oplzlý, neslušný, necudný (*a ~ mind*), košilatý (*a ~ tale*)
ribaldry [ribəldri] (*-ie-*) sprosťárna, prasečinka, sprosté vtipy, oplzlosti
riband [ribənd] = *ribbon*
ribanded [ribəndid] = *ribboned*
ribband [ribənd] **1** námoř. ohebná lať pro kreslení žebrorysek **2** námoř. senta **3** stav. trám; kleština
ribbed [ribd] **1** žebrový (*~ arch, ~ vault*... klenba); žebrovaný (*~ cylinder, ~ plate*... deska) **2** rypsový (*~ carpet, ~ plush*... plyš) **3** v. *rib, v* ♦ *~ cloth* text. ryps; *~ flutings* archit. žlábkování, kanelura; *~ glass* žlábkové sklo, rýhovací sklo; *~ velveteen* text. vroubkovaný aksamit, manšestr, pruhovaný kord
ribbing [ribiŋ] **1** žebrování, žebroví **2** bot. žebrování, žilkování **3** spojení / vyztužení žebry **4** text. patent pleteniny **5** v. *rib, v*
ribbon [ribən] *s* **1** stuha, stužka, pentle, pentlička, fábor, mašle; kaloun, tkanice **2** řádová stuha, stuž-

ka, též jako odznak n. cena; trikolóra **3** pruh, proužek, pás, pásek, páska; laťka; přen. pouto **4** barvicí páska psacího stroje **5** *~s, pl* cáry, hadry, cancoury **6** *~s, pl* zast. otěže **7** herald. úzký šikmý pruh napříč štítem, páska ◆ *~ brake* pásová brzda; *~ building / development* městská zástavba podél výpadových silnic, pásové zastavení podél komunikací; *handle the ~s* držet otěže, řídit, též přen.; *~ road* silnice s mnoha zákruty / serpentinami; *~ saw* pásová pila; *R~ Society* hist. tajná organizace irských katolíků; *~ strip* stav. ližina hrázděné zdi; *take the ~s* převzít otěže / řízení, též přen. ● *v* **1** ozdobit stuhami, opentlit, vypentlit (*gaily ~ed schoolgirls*) **2** rozstříhat do stuh (*~ material for bandages* rozstříhat látku na pásy na obvazy) **3** roztrhat na cáry / na cucky (*a flag ~ed by the wind* vlajka roztrhaná větrem) **4** roztavený vosk apod. táhnout se v páskách n. šňůrách

ribbonfish [ribənfiš] *pl* též *ribbonfish* [ribənfiš] zool. název ryb rodu *Eques* a *Equetus*

ribbon grass [ribəngra:s] bot. lesknice

Ribbonism [ribənizəm] hist. zásady n. praktiky tajné organizace irských katolíků

Ribbonman [ribənmən] *pl: -men* [-mən] hist. příslušník tajné organizace irských katolíků

ribbon tree [ribəntri:] bot. bříza bělokorá

ribes [raibi:z] **1** bot. meruzalka; meruzalka rybíz; srstka angrešt **2** hovor. rybíz

ribgrass [ribgra:s] = *ribwort*

ribless [riblis] jsoucí bez žebra / žeber atd.

riboflavin [ˌraibəuˈfleivin] chem. laktoflavín, riboflavín vitamín B_2

ribbon stitch [ribənstič] pletení obrace

Ribston pippin [ˈribstənˌpipin] zahr. ribstonský jadernáč sorta zlaté renety

ribwort [ribwə:t] též *~ plantain* bot. jitrocel kopinatý

Ricardian [riˈka:diən] *adj* ricardovský týkající se politické ekonomie Davida Ricarda ● *s* ricardovec stoupenec učení Davida Ricarda (1772–1823)

rice[1] [rais] AM protlačovat sítem, pasírovat vařené brambory

rice[2] [rais] rýže, rýže setá (bot.) ◆ *break ~* zlomková rýže; *polished ~* hlazená / leštěná rýže; *precooked ~* předvařená rýže; *puffed ~* puffovaná rýže, burisony; *shelled ~* loupaná rýže

rice bird [raisbə:d] zool. vlhovec rýžový

rice crispies [ˈraisˌkrispiz] rýžové vločky

rice flour [raisflauə] rýžová moučka

rice milk [raismilk] rýžová kaše

rice paper [ˈraisˌpeipə] areliový papír, „rýžový papír" malířský

rice pudding [ˈraisˌpudiŋ] **1** rýžový nákyp **2** rýžová kaše

ricer [raisə] AM lis na vařené brambory

ricercare [ričeəka:] hud. ricercar instrumentální imitační skladba, předchůdce fugy

rice water [ˈraisˌwo:tə] rýžový odvar

rich [rič] **1** bohatý **2** bohatý *in* čím / na, oplývající čím, vynikající bohatstvím čeho (*a kingdom ~ in forests and mines*), obsahující množství čeho (*a mixture ~ in lime* směs obsahující množství vápna); bohatě zdobený *with* čím **3** velice zámožný, majetný (*~ bankers*) **4** velký, slavnostní (*a ~ military funeral*); nádherný, okázalý, drahý, drahocenný, těžký (*~ tapestries*); cenný, vzácný (*~ jewels* vzácné drahokamy) **5** nábytek umělecky zdobený **6** hojný, vydatný, opulentní (*a ~ banquet*) **7** hustý, bujný (*~ foliage*... listoví), úrodný, žírný (*~ soil*) **8** hlína / malta / beton mastný **9** pokrm oplývající nutriční kvalitou; hutný, těžký, tučný, kořeněný; maso tučný, prorostlý; sýr pronikavě páchnoucí; víno tělnatý **10** významově bohatý **11** silný (*~ words, ~ humour*) **12** vůně silný, sytý, pronikavý **13** hudba plný, hutný, hlučný **14** barva / hlas sytý **15** příběh legrační, veselý, k popukání **16** nadávka hrubý, šťavnatý

Richard [ričəd] : *~ Roe* práv.: smyšlené jméno v právním jednání; *~'s himself again* už (jsem) se zase vzpamatoval

richen [ričən] řidč. **1** obohatit (*~ a mixture*... směs) **2** obohatit se, zbohatnout

riches [ričiz] *pl* bohatství, hojnost

richly [ričli] **1** zasloužit si úplně, naprosto, stoprocentně, rozhodně, vydatně, bohatě (*~ deserve a thrashing* bohatě si zasloužit výprask) **2** v. *rich*

richness [ričnis] **1** bohatost **2** zámožnost, majetnost **3** okázalost, slavnostnost, nádhera, nádhernost, drahocennost, cennost, vzácnost **4** hojnost, vydatnost, opulentnost **5** bujnost vzrůstu **6** hustost, hustota **7** úrodnost, žírnost **8** mastnost hlíny / malty / betonu **9** nutriční hodnota pokrmu, hutnost, tučnost, kořeněnost pokrmu; tučnost, prorostlost masa **10** pronikavý pach, vůně sýra **11** tělnatost vína **12** významová bohatost, významové bohatství **13** síla slov; sytost, pronikavost vůně **14** hlučnost hudby **15** sytost barvy / hlasu **16** humornost, směšnost, veselost příběhu

Richter scale [ˌrichtəˈskeil] Richterova stupnice síly zemětřesení

rick[1] [rik] *v, s* = *wrick*

rick[2] [rik] *s* **1** krytý stoh, krytá kupa, kupka, kopice **2** hranice dříví ● *v* **1** dávat / rovnat / vršit do stohu / kupy; kopit **2** skládat / rovnat dříví do hranice

rick barton [ˈrikˌba:tn] BR = *rick yard*

rick cloth [rikkloθ] plachta na přikrytí nehotového stohu / nehotové kupy

ricketiness [rikitinis] **1** med. křivičnatost **2** vratkost, roztřesenost, viklavost, rozviklanost, rozhrkanost

rickets [rikits] med. křivice, rachitis

rickety [rikiti] **1** med. křivičnatý, rachitický **2** vratký, na vratkých nohou, roztřesený, vrávorající, kymácející se (*a ~ old man*); viklající se, rozviklaný; hrkavý, rozhrkaný

rickey [riki] AM druh koktejlu

rickle [rikl] SC *s* halda, hromada, stoh ● *v* udělat haldu, hromadu n. stoh z
rickrack [rikræk] úzký zubatý prýmek jako lemovka
ricksha [rikšə], **rickshaw** [rikšo:] hovor. = *jinricksha*
rick stand [rikstænd] podklad n. kostra / lešení pro stoh
rick yard [rikja:d] hospodářský dvůr se stohy
ricky tick [rikitik] AM slang. zastaralý, nemoderní
ricky-ticky [ˈrikiˌtiki] *adj* brnkavý ● *s* brnkání
ricochet [rikəšei/AM ˌrikəˈšei] *s* **1** odraz střely po malém úhlu dopadu; kamene od vodní hladiny; odražená střela **2** hud. hozený smyk, ricochet ● *v* (též *-tt-*) **1** střela odrazit, odrážet se (*a ~ ting bullet*) **2** střílet odrazmo / odraženými střelami ◆ *~ free kick* sport. nepřímý volný kop
rictus [riktəs] *pl* též *rictus* [riktəs] **1** otevřený zobák; otevřená ústa **2** med. výška otevřených úst **3** bot. jícen dvoupyské koruny
rid [rid] (*ridded* / *rid, rid* / *ridded* (řidč.); *-dd-*) **1** zbavit *a t.* co *of* čeho, vy|čistit co od (*I want to ~ the house of mice*) **2** zast. zachránit, vysvobodit *from* / *out of* od (*~ him from his enemies*) ◆ *be* / *get ~ of* zbavit se čeho
ridable [raidəbl] **1** na němž je možno jezdit, jízdní **2** sjízdný
riddance [ridəns] odstranění, vyčistění; hubící účinek ◆ *he is a good ~* je nejlepší, když tu není; je dobře, když odejde; jeho je nejlépe se zbavit; *their departure was a good ~* zaplať Pán Bůh, že je máme z krku
reddel [ridl] círk.: boční závěs oltáře
ridden [ridn] v. *ride*
riddle[1] [ridl] *s* hádanka; šaráda, rébus, též přen. ● *v* **1** dávat / luštit hádanky **2** mluvit v hádankách / šarádách; postavit koho před hádanku ◆ *~me* hádej, uhádni a řekni mi
riddle[2] [ridl] *s* **1** řešeto, síto; prosévačka, prohazovačka **2** vochle na rovnání drátu ◆ *a ~ of claret* třináct lahví klaretu ● *v* **1** prosívat řešetem / sítem, vy|čistit, vy|třídit přes síto / řešeto, prohazovat **2** pronikat (*cold winds ~ through the thin walls*); prostřílet *a t.* co *with* čím, nadělat díry do čím udělat řešeto z čím **3** přen. rozcupovat, zničit (*~ a hypothesis*); porazit na lopatky
riddling [ridliŋ] **1** hádankovitý, nejasný, dvojsmyslný, enigmatický **2** v. *riddle, v*
ride [raid] *v* (*rode, ridden*) **1** jet / jezdit, zejm. na koni; rajtovat **2** jet / jezdit *in* / *on* prostředkem hromadné dopravy (*we ~ in/on a bus*) na (*rode a bicycle daily to a ripe age*) **3** projet, projezdit, najet, najezdit (*he rode hundreds of miles*); přejet *over* **4** sedět obkročmo na, posadit obkročmo na (*shall I ~ you on my knees?*), vozit, nosit; vézt se; svézt, provézt, vyvézt; nést, odnést, přinést (*~ the youngster on his back*); odvézt, přivézt (*rode a shipment of castings to the plant* přivezl do závodu zásilku odlitků) **5** objet, projet co / kolem a zkontrolovat (*~ a fence* objíždět ohradu); jet na obhlídku / na nájezd; patrolovat na koni **6** plavit se, plout lodí / člunem **7** přen. vznášet se, plout, putovat (*a blood-red moon rode in the cloudless sky* na bezoblačné obloze plul krvavý měsíc) **8** řídit koně *at* kam / na / proti, řídit auto; plavit, řídit klády **9** nechat se nést / unášet *on* čím (*the bird ~s on the wind*) **10** pohybující se spočívat *on* na, točit se, otáčet se kolem (*the great globe of the world riding on its axis*); záviset, být závislý na (*his future success ~s on this merger's going through* jeho budoucí úspěch záleží na tom, jestli dojde ke sloučení firem) **11** loď kotvit, být zakotven; zakotvit loď **12** přen. spočinout *on* na, sednout na, u|tkvět na **13** též *~ out* vydržet, přestát (jako) na kotvách (*a large sailing vessel riding the storm* velká plachetnice, která přestála bouři na kotvách), též přen., přenést se přes (*~ an adverse situation*... přes nepříznivou situaci) **14** týrat, trápit, soužit, sužovat, vozit se po, rajtovat po; tyranizovat *over* koho; přen. panovat, vládnout *among* mezi, šířit se mezi, doléhat na (*distress is riding among the people* mezi lidmi se šíří tíseň) **15** AM utahovat si z (*the boys keep riding him about his poor grades* kluci si z něho neustále utahují kvůli jeho špatným známkám) **16** otravovat, buzerovat **17** vážit kolik v jezdeckém odění (*he ~s 12 stone*) **18** hnát, štvát závodního koně **19** půda vyhovovat jezdeckým účelům jak, být jaký (*the ground rode hard after the frost* po mrazu byla půda na ježdění tvrdá) **20** vložit jako sázku, vsadit (*his money is riding on the favourite* vsadil peníze na favorita); stát, pokračovat, trvat, platit dál (*he decided to let the bet ~* rozhodl se, že nechá sázku stát) **21** přesahovat, přečnívat např. při fraktuře (*bone ~s* je to otevřená zlomenina) **22** příliš dlouho mířit na pohyblivý cíl, prostřílet **23** samec pokrývat, oskakovat, skákat na samici **24** improvizovat v džezu ◆ *~ at anchor* loď kotvit; *~ the anchor in a gale* loď přestát bouři na kotvě; *be ridden by* být pronásledován čím (*was ridden by a veritable devil*... úplným ďáblem); *~ the beam* let. letět podle rádiového signálu; *~ the brake* automobilista mít stále nohu na brzdě; *~ to death 1.* uštvat k smrti *2.* přen. zprotivit opakováním; *~ easy* loď lehce proplouvat; *~ for fall 1.* jet hlava nehlava *2.* přen. koledovat si o neštěstí; *~ the gain* zvukový technik ručně řídit hlasitost na reprodukčním zařízení; *~ the goat* AM hovor. stát se členem tajného spolku; *~ hard* jet rychle n. daleko; *~ hawse full* námoř.: loď zarývat se přídí do vody při kotvení; *~ the herd* AM *1.* hlídat na koni stáda dobytka *2.* dávat bacha na (*here comes an officer to ~ the herd on us*); *~ a hobby* pěstovat svého koníčka; *~ to hounds* štvát lišku na koních a se psy; *let it ~!* AM *1.* nevšímejte si toho *2.* dejte tomu vůli, nechte to běžet, jak chce; *~ the line* AM objíždět stáda dobytka na koni; *~ the marches* zast. objíždět a kontrolovat / hlídat hranice; *nightmare ~s the sleeper*

spáče tlačí noční můra; ~ *pillion 1.* jet za jezdcem na koni jako druhý jezdec *2.* jet na tandemu motocyklu; ~ *a race* jet závod / dostih; ~ *on rail* posadit na tyč druh mučení; ~ *the rods* tulák jezdit na spodku vagónu; ~ *roughshod over a p.* přen. zničit, zdeptat, zdecimovat; ~ *in single file* cyklisté jet v řadě za sebou; *he is riding along on his friend's success* nese se na vlně přítelova úspěchu; ~ *and tie* zast. střídat se v jízdě na koni zatímco druhý jezdec jde pěšky; ~ *on the vents* připravit ponorku k ponoření; *he let his winnings* ~ použil výhry jako další sázky ***ride down*** *1* přejet *2* dohonit (~ *down the escaping bank robber* dohonit prchajícího bankovního lupiče) *3* námoř. stáhnout dolů, zatížit dole ***ride off*** *1* při pólu na koních vytlačit na kraj *2* odbočit *on* na vedlejší téma, ujet na, uklouznout čím ***ride out*** *1* námoř. přestát bouři na kotvách *2* vydržet, přestát, přežít ***ride over*** hladce vyhrát při dostihu ***ride through*** vydržet ***ride up*** vysoukat se, lézt nahoru, vylézt (*my skirt had ridden up above the knees* sukně mi vylezla nad kolena) ● *s* **1** jízda, cesta na koni / dopravním prostředkem; vyjížďka **2** jezdecká cesta zejm. lesem **3** AM pozornost, publicita (*the newspapers gave the case a big* ~) **4** AM hovor. kolotoč; horská dráha; lochneska; ruské kolo a jiná pouťová atrakce, na níž se návštěvníci vozí **5** voj. jízdní oddíl nováčků **6** voj. slang. zkušební let nováčka **7** les. průsek ◆ *give a p. a* ~ *1.* svézt koho např. autem *2.* AM tahat koho za nos, kulit koho; *go for a* ~ = *take a* ~; *go on a* ~ jet na výlet ve skupině; *take a* ~ jet se projet, vyjet si; *take a p. for a* ~ *1.* AM slang. odvézt / unést v autu a zavraždit *2.* vystřelit si z, tahat za nos, balamutit, kulit

rideable [raidəbl] **1** kůň na kterém se dá jezdit **2** cesta sjízdný, průjezdný; řeka ap. splavný

ridel [ridl] = *riddel*

rident [raidnt] **1** smějící se **2** usměvavý

rider [raidə] **1** jezdec, zkušený / dobrý jezdec (*George is no* ~); špatný jezdec **2** řidič motocyklu n. velocipédu; žokej; krasojezdec v cirkuse; jízdní dozorce na koni; honák, kovboj **3** brzdař železničář **4** horn. průvodčí soupravy důlních vozíků **5** jezdec, ukazatel v kartotéce; závaží, jezdec vah **6** námoř. trámek, zesilující žebro u dřevěných lodí **7** podpěra plotu **8** dodatek, doplněk, klauzule, poznámka, příloha, vložka na zvláštním listě; BR doporučení poroty přiložené k jejímu výroku; výhrada, doplněk zákona **9** peněž. změna klauzulí pojistky, pojistný dodatek, doplňovací pojistné podmínky; přívěsek, alonž směnky **10** hist. zlatá mince s obrazem jezdce; holandská zlatá / stříbrná mince **11** ~*s, pl* vrchní vrstva např. sudů v podpalubí **12** SC kámen, který vyráží jiný kámen v lední metané **13** mat.: doplňující, kontrolní cvičení, příklad na základní vzorce **14** horn. slabá uhelná sloj nad mocnou slojí; hornina mezi dvěma žílami / slojemi **15** námoř. lanový ohoz, horní závit lana na pacholeti

riderless [raidəlis] jsoucí bez jezdce

ridge [ridž] *s* **1** hřeben svrchní podélná vyčnívající část (*the* ~ *of a roof*); táhlá vyvýšenina; slemeno (zeměp., stav.); hřebenová vaznice **2** hřbet záda; horská vyvýšenina **3** hřbet velryby **4** podmořský / podhladinový skalní hřbet **5** meteor. hřeben vysokého tlaku anticyklóny **6** zeměd. hrůbek, záhon pro lepší vývin hlíz **7** plastický šev, spoj; vaz knižní vazby **8** zeměp. hřbet, horský předěl **9** stav. vrcholová hrana silniční koruny ● *v* **1** zeměd. orat do hřebenů, dělat / tvořit hřebeny, oborávat **2** označit hřebenem / švem **3** táhnout se v hřebenech **4** sázet do hrůbku např. okurky **5** svraštit čelo (*his forehead was* ~*d with anxiety*)

ridgepiece [ridžpi:s] stav. hřebenová vaznice, slemeno

ridgepole [ridžpəul] **1** hřebenová tyč stanu **2** = *ridgepiece*

ridge roof [ridžru:f] sedlová střecha

ridge tent [ˌridžˈtent] stan ve tvaru A, áčko

ridge tile [ridžtail] hřebenovka, hřebenáč

ridgeway [ridžwei] cesta po hřebenech hor

ridgey [ridži] **1** tvořící hřeben n. hřbet; mající hřeben n. hřbet **2** brázditý, rozbrázděný

ridicule [ridikju:l] *s* **1** výsměch, posměch **2** zast. něco směšného, směšnost ◆ *escape* ~ ujít výsměchu; *hold a p. up to* ~ zesměšnit koho veřejně; *lay o. s. open to* ~ zesměšnit se; *turn in / into* ~ zesměšnit ● *v* smát se čemu, posmívat se čemu, vysmívat se čemu, zesměšňovat, karikovat, dělat si legraci z

ridiculous [riˈdikjuləs] směšný, komický, legrační, absurdní, zasluhující výsměch; nestojící za řeč, k smíchu ◆ *make* ~ zesměšnit

ridiculousness [riˈdikjuləsnis] směšnost, komičnost, legračnost; absurdnost

riding[1] [raidiŋ] *s* BR jeden ze tří yorkshireských okresů (do r. 1974) **2** kraj, okres zejm. na Novém Zélandě

riding[2] [raidiŋ] *s* **1** jezdecká cesta zejm. lesem n. kolem lesa **2** v. *ride, v* ◆ ~ *anchor* kotva uchycená ve dnu; ~ *qualities* jízdní vlastnosti vozidla

riding breeches [ˈraidiŋˌbričiz] jezdecké kalhoty, rajtky (hovor.)

riding coat [raidiŋkəut] jezdecký kabát

riding habit [ˈraidiŋˌhæbit] dámský jezdecký úbor

riding hall [raidiŋho:l] jízdárna

Riding Hood [raidiŋhud] : *Little Red* ~ Červená karkulka pohádková postava

riding lamp [raidiŋlæmp] námoř. kotevní svítilna

riding lessons [ˈraidiŋˌlesnz] : *take* ~ učit se jezdit na koni

riding light [raidiŋlait] námoř. kotevní světlo

riding school [raidiŋsku:l] jízdárna

ridotto [riˈdotəu] reduta, bál

Riesling [ri:sliŋ] ryzlink suché bílé víno

rifacimento [ˌri:fa:čiˈmentəu] *pl: rifacimenti* [ˌri:fa:čiˈmenti:] **1** převyprávění, nové / jiné zpracování literárního díla **2** přepracování, nová verze hudebního díla

rife [raif] **1** běžný, rozšířený, hojný, četný; početný, převládající; převážný, bujný **2** všeobecně známý ◆ *be ~ with* být plný / plničký čeho, oplývat čím, hemžit se čím; *grow / wax ~* začít převládat, množit se, být čeho stále víc a více

Riff[1] [rif] *s* Ríf Marokánec ● *adj* rífský

riff[2] [rif] vlna, vlnka

riff[3] [rif] prolétnout pohledem, rychle prohlédnout / probrat, prolistovat (*~ through the pages of the book*)

riff[4] [rif] *s* charakteristická figurace v džezu ● *v* hrát n. improvizovat charakteristické figurace v džezu

riff[5] [rif] propustit z vládních služeb zejm. z důvodů hospodárnosti

Riffian [rifiən] = *Riff*[1]

riffle [rifl] *s* **1** rýha, drážka, žlábek; rýžovací splav při rýžování zlata **2** peřej, práh v řece **3** vlna, vlnka, zčeření moře **4** míchání karet vsouváním dvou balíčků do sebe ● *v* **1** voda z|čeřit se; vlajka třepetat se **2** přejíždět palcem okraje listů **3** rychle listovat *through* čím, rychle prolistovat co **4** míchat karty vsouváním dvou balíčků do sebe ***riffle through*** promíchat, pořádně zamíchat karty vsouváním dvou balíčků do sebe

riffler [rifle] žlábkovací pilník, rýhovací pilník

riff-raff [rifræf] **1** lůza, chátra, spodina (*the ~ of the city*) **2** lump, ničema, sígr **3** hadr, krámy, harampádí

rifle[1] [raifl] vy|krást, vy|loupit, vy|drancovat, vy|plenit, vy|kramařit, vy|brakovat, prohledat a odnést

rifle[2] [raifl] *v* **1** drážkovat, rýhovat hlaveň pušky **2** střílet, prásknout (jako) z pušky ● *s* **1** puška; ručnice; dělo (*a single great fourteen-inch ~*) **2** zast. drážka, vývrt v hlavni **3** voják ozbrojený puškou, střelec; *~s, pl* pěchota ozbrojená puškami, střelci **4** div. bodový reflektor **5** též *~ green* tmavá olivová zeleň ● *R~ Brigade* BR střelecký pluk britské armády; *good* etc. *~* dobrý atd. střelec

riflebird [raiflbə:d] zool. australská rajka

rifle corps [raiflko:] *pl: rifle corps* [raiflko:z] oddíl ostrostřelců dobrovolníků

rifle green [raiflgri:n] tmavě olivově zelený

rifle gun [raiflgan] zast. ručnice

rifle grenade [ˌraiflgriˈneid] voj. granát střílený z pušky

rifleman [raiflmən] *pl: -men* [-mən] **1** voják ozbrojený puškou **2** dobrý střelec

rifle pit [raiflpit] střelecký zákop

rifler [raiflə] **1** lupič, drancíř, plenič, plenitel, rabovač **2** kdo drážkuje hlavně, puškař

rifle range [raiflreindž] **1** střelnice pro střelbu z pušky **2** dostřel z pušky (*within ~*)

riflery [raifləri] střelba z pušky / pušek

riflescope [raiflskəup] dalekohled na pušce, puškový dalekohled, teleskopická muška

rifle shot [raiflšot] **1** dobrý střelec **2** výstřel z pušky **3** dostřel z pušky

rifling [raifliŋ] **1** drážkování, rýhování, žlábkování; závit, vývrt hlavně **2** v. *rifle, v*

rift [rift] *s* **1** trhlina, štěrbina, puklina, prasklina, spára (*a ~ in the ice*) **2** průrva, rozsedlina, soutěska **3** mezera, průhled, průzor (*~s in the dense fog*); přen. záblesk (*had one of those ~s of lucidity*) **4** přen. rozpor, rozepře (*this little ~ it was that had widened to a now considerable breach* právě tato malá rozepře se rozrostla do nynějšího povážlivého rozkolu) **5** radiálně štípané n. řezané dřevo (*~ flooring*) **6** geol. linie zlomu **7** odlučnost horniny ◆ *there is a (little) ~ in the lute* už to mezi námi neklape, už si přestáváme rozumět ● *v* **1** štípat | se (*mica ~ed into sheets*); pukat, dělat trhliny / mezery, trhat se (*the clouds ~ed*) **2** radiálně řezat kmen

rift saw [riftso:] kotoučová pila na radiální řezání kmenů

rift valley [ˈriftˌvæli] geol. příkopová propadlina

rig[1] [rig] *v* (*-gg-*) **1** námoř. vybavit, olanit, vystrojit lanovím; opatřit takeláží n. plachtami **2** též *~ out / up* vyzbrojit, vybavit, vystrojit, opatřit příslušenstvím, obléknout se vším všudy (*~ged him out in garments like the British noblemen wore* vystrojili ho do šatů, jaké nosili britští šlechtici) **3** upravit do správné polohy, urovnat, srovnat, instalovat, přetáhnout apod. (*~ the tarpaulin over the stakes* přetáhnout plachtu přes kůly); zařídit, uzpůsobit (*alarm clocks are ~ged to turn on radios* budíky jsou uzpůsobeny k tomu, aby zapínaly rádia) **4** s|montovat, sesadit dohromady letadlo ***rig down*** sejmout, odstranit lana / takeláž z lodi ***rig out*** *1* vyložit, vysunout *2* = *rig up, 3* **3** v. *rig*[1], *v* **2** ***rig up*** *1* vztyčit, instalovat do výšky (*~ged up a Christmas tree in the town hall*) *2* narychlo / provizorně smontovat / sbít / stlouci / slepit dohromady *3* hovor. vyštafírovat, vyfiknout, ohodit *4* v. *rig*[1], *v 2* ● **1** námoř. takeláž, lanoví, oplachtování **2** výbava, výstroj, výzbroj; příslušenství, zařízení **3** přen. úbor, ústroj, paráda, vnější vzhled **4** souprava, kompletní zařízení s příslušenstvím; vrtací souprava; sekací souprava; traktor s valníkem; požární stříkačka; amatérská vysílačka; souprava hi-fi apod. **5** AM kočár, ekvipáž s koněm, povoz ◆ *in full ~* hovor. v gala, v plné parádě, vyfiknutý, prima ohozený; *~ of the day* hovor. nařízený úbor v daný den

rig[2] [rig] *s* **1** podvod, švindl, trik, bouda **2** obch. podvodná cenová machinace; seskupení firem za účelem vyhnání cen do výše **3** kanada, fór, žert, šprým ● *v* (*-gg-*) **1**, napálit, podvést, ošvindlovat, ušít boudu na, narafičit to na **2** podvodně z|manipulovat, ovládnout machinacemi, podvádět při provádění čeho (~ *the election* zmanipulovat volby), podvodně upravit (~ *the scales* zfalšovat váhy); upéci (hovor.) ♦ ~ *a market* obch. podvodně opanovat / ovládat trh, působit machinacemi stoupání a klesání kursů; *run a* ~ provést kanadský žert

rig[3] [rig] BR nedochůdče, záprtek málo vyvinutý / zpola vykleštěný samec

rig[4] [rig] nář. *v* (-*gg*-) spustit se, candat, kroutit se ● *s* coura, trajda

rig[5] [rig] nář. hromobití, fujavice, čina bouře, vichřice

Riga [ri:gə] *s* Riga ● *adj* rižský ♦ ~ *balsam* chem. limbový balzám; ~ *deal* bot. borovice lesní; ~ *hemp* ruské konopí

rigadoon [ˌrigəˈdu:n] hud. rigaudon druh starého francouzského tance; hudba k tomuto tanci

rigamajig [rigəmədžig] AM tentononc, věc, krám na jehož pojmenování si mluvčí nevzpomíná (*the* ~ *they keep track of the rooms on* takový ten krám, na kterém sledují obsazení pokojů)

rigatoni [ˌri:gəˈtəuni] *pl* kolínka těstoviny

rigescence [riˈdžesəns] bot. z|tuhnutí, z|tvrdnutí

rigescent [riˈdžesnt] bot. tuhnoucí, tvrdnoucí; polotuhý

rigged-out [ˌrigdˈaut], **rigged-up** [ˌrigdˈap] **1** hovor. vymóděný, vyparáděný, vyfiknutý, naparáděný, ohozený **2** v. *rig*[1], *v*

rigger [rigə] **1** námoř. takelážník; ~*s, pl* oddíl, četa námořníků **2** montér, loďařský specialista pro montáž určitých konstrukčních prvků **3** loď vystrojená pro určitou cestu / určitým způsobem vybavená **4** let. mechanik; montér; montážník (slang.); kdo skládá n. balí padáky **5** ochranné bednění, lešení k ochraně chodců při opravě domu **6** tech. široká řemenice **7** tenký štětec ze sobolích chlupů **8** = *outrigger*

rigger[2] [rigə] kdo provádí burzovní machinace, burzovní spekulant

rigging [rigiŋ] **1** námoř. výstroj lodi, takeláž; lanoví, ráhnoví, oplachtování **2** zavěšovací šňůry padáku; lanoví balónu **3** let. seřízení draka letounu **4** vybavení, výbava, výstroj, příslušenství **5** řemení sněžnice **6** v. *rig, v* ♦ ~ *out* námoř. *1.* vystrojení lodi *2.* příprava lodi k plavbě

rig loft [rigloft] **1** námoř. takelážní dílna **2** div. provaziště

right [rait] *adj* **1** pravý na druhé straně těla, než je srdce; jsoucí po této straně pozorovatele; opravdový; správný; konzervativní **2** správný, vhodný, hodící se (*what is* ~, *what is wrong*); přesný, náležitý, ten pravý, patřičný, řádný (*knew he said the* ~ *thing*); pravdivý (*a* ~ *account of facts* pravdivý popis skutečnosti) **3** spravedlivý, ryzí (*a* ~ *man*) **4** společensky vyhovující / vhodný, patřičný, příslušející stavu n. povolání (*a* ~ *school, a* ~ *club*) **5** skutečný, nefalšovaný, opravdový, opravdický (*a* ~ *deer* opravdový jelen), originální (*an ounce of* ~ *Virginia tobacco*) **6** vnější, lícní (*the* ~ *side of velvet* lícní strana sametu) **7** zdravý, normální (~ *mind*), jsoucí v pořádku, v dobrém stavu (*the patient does not look quite* ~) **8** kolmý, v pravém úhlu; vzpřímený, vztyčený **9** pravotočivý **10** konzervativní, pravicový, pravičácký, **11** ochočený, otočený kolem prstu, podplacený zločinci (*a* ~ *official*); bezpečný pro zločince, správný (*a* ~ *territory*) **12** zast. rovný, přímý **13** zast. právoplatný (*they slew their* ~ *king*) ♦ *all* ~ v pořádku, v bezpečí, v pohodlí, bezvadný, zdravý, nevinný (*all's* ~ *with the world* nic se neděje, všechno je v nejlepším pořádku, *I'm all* ~, *Jack* mně se daří prima, tak proč reptáš?, *be all* ~ být v pořádku, cítit se dobře, *a bit of all* ~ slang. něco příjemného / někdo příjemný, žůžo, bašta); *am I* ~ *for ...?* jdu dobře do ...?; *be* ~ *to do a t.* udělat právem, naprosto správně co (*it's* ~ *for you to do a t.* hovor. prosím, ty si můžeš klidně dělat co); *be* ~ *as rain 1.* mít absolutně pravdu *2.* být naprosto v pořádku, být v nejlepším pořádku; *be on the* ~ *side of 50* etc. být mladší než padesát atd.; *be on the* ~ *side of the law* mít zákon na své straně, držet se v mezích zákona, nedělat nic trestného; *be* ~ *as a trivet 1.* být zdravý jako řípa *2.* být naprosto v pořádku, být v nejlepším pořádku; ~ *bumps in the* ~ *places* slang. správné křivky u ženy; *come out* ~ dopadnout dobře; ~ *cognac* originál koňak; ~ *driving* jízda vpravo, jízda po pravé straně; ~ *face!* vpravo v bok!; *make* ~ napravit, opravit, spravit, dát do pořádku omyl; ~ *man in the* ~ *place* pravý muž na pravém místě; *she comes out in all the* ~ *places* slang. je dobře stavěná, ta si to nese, co k ní patří; *that proved him* ~ to mu dalo za pravdu; *put a t.* ~ dát do pořádku, spravit; *put a p.* ~ vyléčit, dát do pořádku; *set* ~ = *make* ~; ~ *side* též líc, *get on the* ~ *side of* hovor. udělat si oko u, mít to vyžehlené u; *turn* ~ *side out* obrátit na líc / lícem ven; ~ *stage* pravá strana jeviště z hlediska herce; *that's* ~ správně, ano, přesně tak!; ~ *thing* to pravé, to správné; ~ *turn! 1.* vpravo v bok! *2.* vpravo zatočit!; ~ *you are! 1.* máš pravdu, ano, správně, bravo, přesně tak! *2.* dobře, tak to udělám; *are you* ~ *now?* už je vám dobře, už jste se vzpamatoval?; *is your watch* ~*?* jdou vám hodinky dobře?, ukazují vám hodinky správný čas?; *do a t. in a* ~ *way* u|dělat co správně ● *v* **1** narovnat, postavit (~ *a fallen lamp*); opět se vztyčit / postavit **2** námoř. vzpřímit | se, vyrovnat | se, narovnat | se (~ *a capsized boat* narovnat překocený člun, *the ship slowly* ~*ed again*); let. vyrovnat | se **3** upravit, vyrovnat; napravit, spravit, opravit **4** pomoci komu k právu, rehabilitovat; dát zadostiučinění; pomstít **5** uvést do pořádku (~ *one's accounts*); též ~ *up* uklidit, dát do pořádku (*air the beds and* ~ *the room* vyvětrat postele a uklidit pokoj) **6** pravdivě informovat ♦ ~ *the helm* námoř. dát, natočit kormidlo přímo postavit je do osy lodi; ~ *all wrongs* napravit / odčinit všechny křivdy ***right o.s.*** *1* narovnat se, vzpřímit se **2** ospravedlnit se (*felt the need to* ~ *himself at court*) *3* samo se spravit / napravit / vyřešit (*that is a fault that will* ~ *itself* to je nedostatek, který se sám spraví) ● *s* **1** morální / přirozené / zákonné právo *of* koho (~*s of the people*) *of* / *to* na (~ *of liberty*); nárok na **2** oprávnění; přednostní / předkupní právo; ~*s, pl* zákonná práva (*sold the film* ~*s of the novel*) **3** pravda (*mixture of* ~ *and wrong in their reasoning* směs pravdy a nepravdy v jejich úvahách) **4** část. ~*s, pl* pravý stav, pravé znění, pravé vysvětlení (*I have never heard the* ~*s of that story*) **5** pravá ruka, pravice, pravička; pravá strana (*on our* ~ *was a large house*); pravá část, pravé křídlo; pravý z páru: pravá rukavice, pravý střevíc, pravá bota **6** *R*~ politická pravice, konzervativci, pravicové / konzervativní názory **7** ~*s, pl* mysl. lodyhy, špice dolejší **8** nář. dostatečný důvod, možnost, pravděpodobnost (*a* ~ *to fall in if you skate on thin ice* možnost, že se při bruslení na tenkém ledě proboříte) **9** nář. povinnost (*you have a* ~ *to behave better* máte povinnost se chovat lépe) **10** sport. pravý hák (*a hard* ~ *to the jaw* tvrdý pravý hák na čelist) ♦ *abuse the* ~ zneužívat výlučného práva; *all* ~*s reserved* všechna práva vyhrazena; ~ *of assembly* právo shromažďovací; *assert one's* ~*s* uplatnit své právo, trvat na svém právu; *bang to* ~*s* BR slang. při činu; *be in the* ~ *1.* být v právu *2.* mít pravdu; *be within one's* ~*s to do* mít plné právo udělat; *Bill of R*~*s* BR Prohlášení práv z r. 1689; *by* ~ právem, oprávněně; *by* ~*s* správně, vlastně (*I should not by* ~*s have told you*); *citizenship* ~*s* státní občanství, občanská práva; *civil* ~*s* občanská práva; *dead to* ~*s* AM slang. při činu; *Declaration of R*~*s* = *Bill of Rights;* ~ *of disposal* dispoziční právo; *do a p.* ~ přiznat všechna práva komu, učinit komu po právu, chovat se k / zacházet s, jak má na to nárok; ~*s and duties* práva a povinnosti; *enforce the* ~*s* uplatňovat nárok např. exekučně; *in* ~ *of* právem, jménem, z titulu (*claiming the dukedom in* ~ *of his wife* dělající si z titulu své manželky nárok na vévodství); *in one's own* ~ *1.* tak nazvaný plným právem, specifický (*an excellent novel in its own* ~); *2.* vlastní (*she has a little money of her own* ~); *infringe the* ~*s* porušit práva; *it is your* ~ *to know* máš právo vědět; ~ *now* okamžitě, ihned; *of* ~ *1.* plným právem, podle práva (*all land belongs of* ~ *to the Crown*) *2.* zákonný, stanovený zákonem, náležitý (*bail in misdemeanours is of* ~ žádat kauci za přestupky je v rámci zákona); *peeress in her own* ~ šlechtična rodem; *prescriptive* ~ právo vzniklé promlčením / vydržením, vydržené právo; ~ *of priority* přednostní právo; *put a t. to* ~ *1.* uspořádat, urovnat *2.* dát do pořádku, uzdravit; ~ *of recovery* pojišť. právo postihu; ~ *of sanctuary* právo azylu; *set a t. to* ~ *1.* uspořádat, urovnat *2.* dát do pořádku, uzdravit; *stand on one's* ~ / ~*s* trvat na svém právu / právech; *take the* ~ dát se vpravo na rozcestí; *turn to the* ~ otočit se vpravo; ~ *of vote* hlasovací právo; *two wrongs don't make one* ~ chybu / bezpráví není možno napravit jinou chybou / bezprávím; *woman's* ~*s* ženská práva zejm. rovnoprávnost žen; ~ *of way* *1.* služebnost cesty, veřejná cesta na soukromém pozemku, dovolený průchod *2.* přednost v jízdě; *on* / *at* / *to the* ~ napravo, vpravo, po pravé straně; ~*s and wrongs* fakta, skutečnosti ● *adv* **1** přímo, rovnou (*his tea came* ~ *from China*); právě, přesně, zrovna (~ *where you are*) **2** ihned, okamžitě, hned, rovnou (~ *after his marriage*) **3** dobře, správně, vhodně, náležitě, příslušně (*my boys dress* ~) **4** správně, poctivě, počestně (*live* ~) **5** velmi, velice, ohromně, nějak (*it's* ~ *pleasant sitting here*) **6** úplně, zcela, docela, dočista, až (*windows coming* ~ *down to the floor*); kompletně (*take his ships* ~ *round the world*) **7** v oslovení vysoce **8** napravo, doprava, vpravo (*he looked neither* ~ *nor left*), též polit. ♦ ~ *abeam* námoř. přímo v boku / na úrovni / bočně; ~ *aft* námoř. přímo vzad / vzadu; ~ *ahead* námoř. přímo vpřed / vpředu; *all* ~ dobře, dobrá, prosím, no tak, tedy; ~ *along* bez přestání, stále, v jednom kuse; ~ *at* AM asi, kolem, přibližně (*fetched* ~ *at three hundred dollars apiece* vynesl asi tři sta dolarů za kus); ~ *away* AM hned, ihned, okamžitě; *behave* ~ chovat se slušně; *come* ~ osvědčit se, vyplnit se; *do quite* ~ zachovat se naprosto správně; ~ *enough!* naprosto správně!; *eyes* ~! vpravo hleď!; ~ *face*! vpravo v bok!; *nothing goes* ~ *with me* mně se nic nedaří, já mám ve všem smůlu; *guess* ~ uhodnout; ~ *here* (tady) na místě; ~ *and left* ze všech stran, odevšad (*he was abused* ~ *and left* uráželi ho ze všech stran); ~, *left and centre* prostě všude / odevšad; ~ *oh!* hovor. dobře, prima, fajn!; ~ *off* AM ihned, okamžitě, rovnou; *put* ~ *1.* srovnat, opravit, napravit *2.* vyléčit *3.* opravit, vysvětlit, vyjasnit; *put o. s.* ~ *with a p.* vyžehlit si to u koho, udělat si dobré oko u koho, shodnout se, spřátelit se s kým; *serves him* ~ dobře mu tak; *set* ~ = *put* ~; (*rotten*) ~ *through* skrz naskrz (prohnilý); *turn* ~ obrátit se vpravo / doprava; *turn out* ~ dobře dopadnout

rightable [raitəbl] napravitelný, odstranitelný

right about [raitəbaut] *s* **1** postavení čelem vzad **2** opačný směr ♦ *put* / *send a p. to the* ~(*s*) vyhodit koho, poslat koho ke všem čertům ● *adv* v opačném směru

right about face [ˌraitəbautˈfeis] úplný zvrat, obrat o 180 stupňů, kotrmelec (hovor.) (*another change in the party line, pretty nearly a* ~)

right about turn [ˌraitəbautˈtə:n] **1** obrat čelem vzad **2** = *right-about-face*
right-and-left [ˌraitənd'ˈleft] *adj* vhodný pro pravou i levou stranu, oboustranný ♦ ~ *nut* | *screw* matice | šroub s pravým i levým závitem ● *s* **1** výstřel z obou hlavní dvouhlavňové pušky **2** box rána pravičkou i levičkou v těsném sledu
right angle [raitˈæŋgl] pravý úhel ♦ *at* ~*s* v pravém úhlu, pravoúhlý (*at* ~*s to* kolmo k / na)
right-angled [raitˈæŋgld] **1** pravoúhlý **2** kolmý, kolmo stojící ♦ ~ *triangle* pravoúhlý trojúhelník
right arm [ˌraitˈa:m] přen. pravá ruka nejlepší pomocník
right ascension [ˌraitəˈsenšən] hvězd. rektascense ♦ ~ *of the meridian* místní hvězdný čas
right away [ˌraitəˈwei] zejm. AM hned, ihned, okamžitě
rightback [ˌraitˈbæk] sport. pravý zadák, pravý obránce
Right boy [ˌraitˈboi] hist.: člen tajné organizace v 18. stol.
right cone [ˌraitˈkəun] přímý / kolmý / rotační kužel
right cylinder [ˌraitˈsilində] přímý / kolmý rotační válec
rightdown [raitdaun] *adv* úplně, naprosto, skrz naskrz (*a regular* ~ *bad'un* skrz naskrz mizera) ● *adj* pravý, čistý, nefalšovaný, čistokrevný (*a* ~ *New York trotter*)
righten [raitn] zast. napravit, opravit, uvést do pořádku
righteous [raitšəs] spravedlivý, poctivý, počestný, řádný (*a* ~ *man*); oprávněný (~ *indignation* oprávněné rozhořčení)
righteousness [raitšəsnis] **1** spravedlivost **2** oprávněnost (*the* ~ *of his claim*)
rightful [raitful] **1** oprávněný, spravedlivý (~ *cause*); zákonitý, zákonný, legitimní (~ *king*) **2** správný, vhodný, příslušný, patřičný, přiměřený
rightfulness [raitfulnis] **1** oprávněnost, zákonitost, legitimnost **2** správnost, vhodnost
right half [ˌraitˈha:f] sport. pravý záložník
right hand [raithænd] *s* **1** pravice, pravá ruka **2** šikovná ruka **2** přen. pravá ruka (*Mary is her mother's* ~) ♦ *at* / *on to one's* ~ po či pravé ruce / straně, vpravo, napravo od; ~ *of fellowship* obřadné podání pravé ruky při přijímání nových členů do obce věřících ● *adj: right-hand* **1** pravý, po pravé straně **2** vedený pravičkou (~ *blow* úder pravičkou), týkající se pravé ruky (*a* ~ *dexterity* obratnost pravé ruky), pro pravou ruku (~ *glove*) ♦ ~ *airscrew* let. pravotočivá vrtule; ~ *man 1.* voják po pravé straně *2.* pravá ruka, pomocník, asistent; ~ *rule* elektr. pravidlo pravé ruky; ~ *side* pravá strana; ~ *turn* let. zatáčka vpravo
right-handed [ˌraitˈhændid] **1** dělaný / vedený pravou rukou, pro pravou ruku **2** tech. pravochodý, pravotočivý, pravý ♦ ~ *crystals* miner. pravotočivé krystaly; ~ *cutter* pravotočivá fréza; ~ *man* pravák, pravičák; ~ *rotation* otáčení doprava; ~ *tool* nářadí pro pravou ruku, pravý nůž soustružnický
right-hander [ˈraitˌhændə] **1** pravák, pravičák **2** úder pravou rukou
right heart [ˌraitˈha:t] anat. pravá část srdce
right heir [ˌraitˈeə] pravý dědic
rightist [raitist] politický pravičák, konzervativec
right lane [ˌraitˈlein] pravý jízdní pruh, pravá strana vozovky
right lay [ˌraitˈlei] pravé vinutí, pravý zákrut lana
rightless [raitlis] bezprávný, zbavený práv
right line [ˌraitˈlain] přímka, přímá čára
right-lined [ˈraitˌlaind] přímkový
rightly [raitli] **1** právem, plným právem, po právu, po zásluze, naprosto správně (~ *proud of its ancient buildings* právem hrdý na své starobylé budovy) **2** dobře, správně, přesně (*could* ~ *identify her*)
right-minded [ˌraitˈmaindid] poctivý, přímý, spravedlivý
right-mindedness [ˌraitˈmaindidnis] poctivost, přímost, spravedlivost
rightness [raitnis] **1** správnost, přesnost **2** řádnost, vhodnost, přiměřenost **3** ryzost, čistota, poctivost **4** zast. rovnost, přímost
righto [ˌraitˈəu] BR slang. prima!, fajn
right of search [ˌraitəvˈsə:č] námoř.: právo válčící strany prohledávat neutrální lodi, nevezou-li kontraband
right of way [ˌraitəvˈwei] **1** služebnost cesty, veřejná cesta na soukromém pozemku, dovolený průchod **2** přednost v jízdě
right on [ˌraitˈon] AM slang. *adv* správně, prima ● *adj* správný, prima (*a* ~ *lawyer — he defends blacks*)
right prism [ˌraitˈprizəm] kolmý hranol
right sailing [ˌraitˈseiliŋ] námoř. plavba po souřadnicích
right section [raitˈsekšən] kolmý řez
right sort [ˌraitˈso:t] hovor. **1** prima chlap **2** správná holka
right-to-work [ˌraittuˈwə:k] AM týkající se práva na práci i bez členství v odborové organizaci
right triangle [ˌraitˈtraiæŋgl] pravoúhlý trojúhelník
rightward [raitwəd] *adj* nakloněný politické pravici, pravicový, pravičácký ● *adv* = *rightwards*
rightwards [raitwədz] doprava, vpravo
right whale [ˌraitˈweil] velryba
right wing [ˌraitˈwiŋ] *s* **1** sport. pravé křídlo **2** přen. pravé křídlo, pravice politické strany ● *adj: right-wing* pravicový, pravičácký (~ *views*)
right-winger [ˌraitˈwiŋə] **1** polit. pravičák **2** sport. pravé křídlo

righty [raiti] (*-ie-*) BR politický pravičák, konzervativec

rigid [ridžid] *adj* **1** tuhý, též přen. (*a ~ totalitarian system*); ztuhlý, nehybný, znehybnělý, strnulý (*his face was ~ with pain* tvář mu strnula bolestí) **2** neohebný, nepoddajný, pevný, stabilní, rigidní **3** přísný, nesmlouvavý, nekompromisní, rigorózní (*a ~ Catholic*); tvrdý (*a ~ treatment* tvrdé zacházení) ◆ *~ airship* vyztužená / tuhá vzducholoď; *~ body* tuhé / pevné těleso; *~ economy* naprostá šetrnost, úzkostlivé šetření; *~ helicopter* vrtulník, helikoptéra; *~ pine* bot. borovice tuhá; *~ suspension* pevný závěs ● *s* vyztužená vzducholoď

rigidity [riˈdžidəti] **1** tuhost; ztuhlost, nehybnost, strnulost **2** neohebnost, nepoddajnost, pevnost; rigidita **3** přísnost, nesmlouvavost, nekompromisnost; tvrdost

rigmarole [rigmərəul] **1** žvanění, žvásty, drmolení, nesmysly **2** *~s, pl* ceremonie, ciráty (*mysterious ~s of industrial laboratories* tajuplné ceremonie průmyslových laboratoří)

rigor [raigo: / AM rigə] med. **1** zimnice, třesavka před horečkou **2** posmrtná ztuhlost, rigor mortis

rigorism [rigərizəm] **1** přílišná přísnost, asketičnost, puritánství **2** strohost, střízlivost **3** filoz. rigorismus přísné pojímání mravních příkazů

rigorist [rigərist] **1** přísný člověk, dogmatik, asketa, puritán **2** filoz. rigorista zastánce rigorismu

rigor mortis [ˌraigo:ˈmo:tis / AM ˌrigəˈmo:tis] rigor mortis

rigorous [rigərəs] **1** úzkostlivě pečlivý, přesný, přísný, nekopromisní, rigorózní **2** tvrdý, přísný (*~ laws*); drsný, zlý (*~ climate*) **3** přesný, úzkostlivý (*~ accuracy* úzkostlivá přesnost)

rigour [rigə] **1** přísnost, tvrdost, nemilosrdnost **2** *~s, pl* přísná opatření; bezohlednost zákona **3** nevlídnost, nepřízeň, drsnost počasí **3** přesnost, důkladnost, preciznost (*~ of his argument*) **5** asketičnost, rigoróznost, rigorismus (filoz.)

rigout [rigˈaut] BR hovor. ohoz, kvádro oblek

Rigsdag [ri:gzda:g] dánský parlament

Rig-Veda [rigˈveidə] liter. Rg-véda první část staroindických véd

Riksdag [ri:ksda:g] švédský parlament

rile [rail] slang. na|vztekat, nakrknout, nasáknout, jít na nervy komu, zvednout mandle komu (*we cannot get at the men who ~ us*)

rilievo [ˌriliˈeivəu] *pl: rilievi* [ˌriliˈeivi] reliéf

rill [ril] *s* **1** pramínek, potůček **2** = *rille* ● *v* **1** téci potůčkem / pramínkem, pramenit **2** téci jako pramínek / potůček

rille [ril] hvězd. brázda, rýha, zlom na měsíčním povrchu

rillet[1] [rilit] pramínek, potůček

rillets[2], **rillettes** [riˈlets] *pl* kuch. **1** ragú **2** paštička jako chuťovka

rim [rim] *s* **1** kraj, okraj, hrana, lem zejm. okrouhlého (*~ of a cup*), obruba **2** střecha, krempa klobouku; obruba síta; rámeček, obruba brýlí **3** bás. vínek **4** ráfek kola; loukoť kola vozu; věnec ozubeného kola **5** námoř. hladina, povrch **6** sport. obruč koše pro košíkovou ◆ *~ ash* bot. břestovec západní; *~ of the belly* BR zast. pobřišnice; *~ tool* montážní páka k nasazení pneumatiky ● *v* (*-mm-*) **1** lemovat, vroubit (*high mountains which ~med the region*) **2** opatřit loukotí / ráfkem **3** u|tvořit okraj čeho **4** sport.: míč točit se po obruči a nespadnout do koše; golfový míček točit se po okraji jamky

rime[1] [raim] *s, v* = *rhyme*

rime[2] [raim] puklina, prasklina, trhlina

rime[3] [raim] *s* **1** též *~ frost* jíní, jinovatka **2** ojínění **3** tenká slupka, tenká vrstva, povlak ● *v* **1** pokrýt jinovatkou, ojínit, též přen. (*age had ~d his beard*) **2** vytvořit povlak

rimer [raimə] = *reamer*

rimester [raimstə] = *rhymester*

rimland [rimlænd] pomezní území

rimless [rimlis] **1** jsoucí bez kraje atd. **2** jsoucí bez obrouček (*~ glasses*)

Rimmon [rimən] mytol. Rimmon božstvo uctívané v Damašku ◆ *bow down in the house of ~* jednat proti svému přesvědčení, zapřít své názory, ustoupit

rimose [raiməus], **rimous** [raiməs] bot. rozpukaný, rozpraskaný (*the ~ bark of a tree* rozpukaná kůra stromu)

rimy [raimi] (*-ie-*) ojíněný

rind [raind] *s* **1** kůra (*~ of a tree, grated lemon ~* strouhaná citrónová kůra), slupka (*watermelon ~*) **2** kůže (*~ of ham* kůže na šunce) **3** přen. slupka, obal (*atmosphere, the earth's invisible ~* atmosféra, ten neviditelný obal zeměkoule) ● *v* o|loupat, sloupnout kůru atd.

rinderpest [rindəpest] zvěr. dobytčí mor

ring[1] [riŋ] *s* **1** kroužek (*key ~*); kruh *of* čeho / na (*a ~ of water*); kulatá stopa, kroužek, kolečko (*coffee cup ~s on a table*); *~s, pl* kruhy tělocvičné nářadí **2** kruh, okruh; kulatý pás, věnec, prstenec (*a ~ of hills* věnec kopců) **3** mezikruží (geom.), okruh (mat.) **4** prsten (*diamond ~*), prstýnek; prstenec např. planety Saturn **5** malá obruč, obrouček, obroučka; článek řetězu **6** kotouč, kulatý svitek (*noodle ~*) **7** kolo např. drátu **8** kolo, kruh, halo (hvězd.), halový kruh **9** prstenec, prstýnek, kučera, lokna, lokýnka **10** prstenec dopřádacího stroje **11** bot. letokruh, roční kruh stromu; prstenec, annulus např. na stěně výtrusnice kapradin **12** kulatá ohrada, aréna; býčí aréna; kolbiště, zápasiště; boxerský / zápasnický ring; cirkusová manéž **13** AM volební boj **14** kóje pro bookmakery na dostizích; přen. bookmakeři **15** menší společnost, kroužek; skupina, skupinka, parta osob majících společný zájem, zejm. nepoctivý; svaz, kartel, koncern, syndikát, ring; klika, banda, tlupa, gang, bunt **16** stočený salám (*Polish ~*) **17** chem. kruh, uzavřený řetězec; benzenové jádro **18** *~s,* *pl* námoř. strážní koš na velrybářské lodi **19** sport. kroužek, kolečko na spodku lyžařské hole **20** stav. vrstva cihel položených na bok **21** tech. pístní kroužek **22** zool.: kroužkovací kroužek ◆ ~ *compound* chem. cyklická sloučenina; *engagement* ~ zásnubní prsten; *form a* ~ *about* / *around* = *make a* ~ *about* / *around; have* (*livid*) ~*s round one's eyes* mít (tmavé) kruhy pod očima; *hold the* ~ nečinně přihlížet, stát se založenýma rukama; *make a* ~ *about* / *around* postavit se do kruhu kolem; *make* ~*s round* = *run* ~*s round;* ~ *nebula* hvězd. prstencová mlhovina; ~ *pattern* hvězd. prstencová struktura; ~ *rot of potato* bot. bakterijní kroužkovitost brambor; *run* ~*s round a p.* strčit do kapsy koho; *he threw his hat in the* ~ AM oznámil, že bude kandidovat ve volbách; *wedding* ~ snubní prsten ● *v* **1** u|dělat kruh / kroužek kolem, zakroužkovat; zahnat zvěř obklíčením v kruhu; věnčit, obklopovat v kruhu, oběhnout do kruhu **2** dát kroužek do nosu zvířeti **3** o|kroužkovat ptáka; kroužkovat strom **4** sokol kroužit výš a výše, stoupat v kruzích; štvaná liška běžet dokola / v kruhu **5** uvádět / ukázat, předvádět v aréně co, cvičit v manéži s **6** na|krájet cibuli na kolečka **7** přihlásit koně k dostihu pod falešným jménem **8** AM porazit, setřít, utřít, hladce zvítězit nad

ring[2] [riŋ] *v* (*rang* / řidč. *rung, rung*) **1** za|zvonit (*the bell* ~*s*) *a t.* čím / na (~ *the church bells*) *for* na / aby přišel kdo (*she rang for the servant*), aby se stalo co (*she rang for the tea things to be cleared away* zazvonila, aby odnesli nádobí po čaji); vydávat jasný / zvonivý tón, zvonit, vyzvánět **2** zvonek cinknout, zacinkat; elektrický zvonek crnknout **3** sezvánět *to* / *for* k (~ *to prayers* sezvánět k modlitbám), při|volat za|zvoněním k **4** znít, mít jaký zvuk, vydávat jaký zvuk; mít v hlavě / v uších (*his last words still* ~ *in my ears*); znít, zvučet *with* čím, halasit čím (*the children's playground rang with happy shouts* dětské hřiště halasilo šťastnými výkřiky), být plný zvuku, chvály (*the village rang with praises of the brave boy* celá vesnice pěla chvály na toho statečného chlapce) **5** opakovat, hlásat, vytrubovat (~ *denunciations* neustále denuncovat) **6** hodiny bít, odbíjet, tlouci (*the church bell* ~*s the hours*) ◆ ~ *the alarm* zvonit / bít na poplach; *this* ~*s a bell* hovor. to mi něco připomíná, to mi připadá nějak známé, na to si matně vzpomínám; ~ *the bell* hovor. mít úspěch, dokázat to, svést to; ~ *the changes 1.* zvonit variačně na kostelní zvony, vyzvánět variace *2.* přen. provádět neustálé změny, střídat to; ~ *the changes on a t.* stále opakovat co se změnami, dělat variace na co, stále omílat co (*our parson* ~*s the changes on the same few sermons* náš pastor stále omílá s malými změnami pár stejných kázání); ~ *a coin* zazvonit mincí o desku a tím provést zkoušku její pravosti; *the coin rang true* | *false* podle zvuku to byla dobrá | falešná mince; ~ *at the door* zazvonit u dveří; *my ears are still* ~*ing* dosud mi zvoní v uších; ~ *false* znít nepravděpodobně; ~ *the knell* zvonit hranu / umíráčkem; ~ *the knell of a t.* odzvonit čemu, být / znamenat konec čeho; ~ *true* znít pravděpodobně; *his voice rang true 1.* zdálo se, že mluví pravdu *2.* zdálo se, že mluví upřímně; *his words rang hollow* zdálo se, že mluví neupřímně ***ring down:*** ~ *down the curtain* dát znamení ke spuštění opony (~ *down the curtain on a t.* udělat konec čemu, znamenat konec pro) ***ring in*** oslavovat vyzváněním začátek čeho, vítat vyzváněním (~ *in the New Year*) ***ring off*** odzvonit, zavěsit skončit telefonní rozhovor ***ring out*** *1* zaznít, ozvat se (*a shot rang out*) *2* oslavovat vyzváněním konec čeho, loučit se vyzváněním s (~ *out the Old Year*) ***ring up 1*** zazvonit, zavolat, brnknout zatelefonovat komu **2** zaznamenat, na|markovat na kontrolní pokladně cenu zboží ◆ ~ *up the curtain* dát znamení k vytažení opony (~ *up the curtain on a t.* začít, zahájit, otevřít (přen.)) ● *s* **1** za|zvonění, zvuk zvonku, zvonek (*there was a* ~ *at the door* někdo zazvonil u dveří); vyzvánění, sezvánění **2** zatelefonování, zazvonění (hovor.) **3** zvuk jako zazvonění (*this coin has a good* ~), jasný tón (*there was a* ~ *of sincerity in his promise* v jeho slibu se ozýval jasný tón upřímnosti), jasný zvuk, zvučení, halas (*the* ~ *of happy voices*); zvukový charakter (*the* ~ *of natural speech*) **4** sada zvonů zejm. k variačnímu vyzvánění ◆ *two* ~*s for the chambermaid* na pokojskou zvoňte dvakrát; *give a p. a* ~ zazvonit, zavolat, brnknout zatelefonovat komu

ring armour [ˌriŋˈa:mə] kroužkové brnění

ringbark [riŋba:k] kroužkovat stromy

ring binder [ˈriŋˌbaində] kroužkový blok

ringbolt [riŋbəult] šroub s okem

ringbone [riŋbəun] zvěr. spár; ganglion, kostnatění

ring cartilage [ˈriŋˌka:tilidž] anat. chrupavka prstenčitá, prstencovitá chrupavka hrtanu

ringcraft [riŋkra:ft] boxerská zručnost, boxerské umění

ring cup [riŋkap] tech. manžeta

ring dance [riŋda:ns] **1** kolový tanec **2** kroužení, víření

ring defense [ˌriŋdiˈfens] protiletadlová dělostřelecká clona

ringdove [riŋdav] zool. (holub) hřivnáč

ring dropper [ˈriŋˌdropə] slang. podfukář

ringed [riŋd] **1** kroužkový, o|kroužkovaný; jsoucí s prstenem **2** obehnaný kruhem **3** s prstencem, samý prsten (~ *wife*) **4** v. *ring[1], v* ◆ ~ *snake* zool. užovka obojková

ringent [rindžənt] anat., bot. široce otevřený

ringer[1] [riŋə] **1** házecí kroužek zejm. takový, který padl na cíl **2** liška prchající v kruhu při lovu **3** kroužkovač

ringer[2] [riŋə] **1** zvoník, vyzváněč **2** táhlo zvonku **3** spoj. tech. vyzvánějící okruh **4** spoj. tech. vyzváněcí induktor **5** slang. závodník n. kůň přihlášený pod

falešným jménem aby se utajily jeho schopnosti **6** slang. kdo druhému vypadl z oka, dvojník, dvojče *for* koho **7** AU hovor. nejrychlejší stříhač; eso, kanón
ring fence [riŋfens] plot kolem dokola, ohrada kolem rozsáhlého pozemku
ring finger [ˈriŋˌfiŋgə] prsteník
ring goal [riŋgəul] hra záležející v házení obrouček na tyčkový cíl
ring hunt [riŋhant] kruhový hon, kruhová leč lov, při němž se zvěř nadhání kruhem zapálených ohňů
ringing [riŋiŋ] v. *ring*[1,2], *v* ◆ ~ *engine* ruční beranidlo; ~ *tone* vyzváněcí tón v telefonu
ring leader [ˈriŋˌli:də] vůdce např. vzbouřenců
ringless [riŋlis] jsoucí bez kruhu, bez prstenu atd.
ringlet [riŋlit] **1** řidč. kroužek, kolečko např. odlišně zbarvené trávy na louce **2** prstenec, prstýnek, kučera, lokna, lokýnka
ringleted [riŋlitid], **ringlety** [riŋliti] prstencovitý, prstenčitý
ringlock [riŋlok] kombinovaný permutační prstencový zámek
ringmail [riŋmeil] kroužkové brnění
ringman [riŋmən] *pl: -men* [-mən] BR úředník přijímající sázky, sázkař, bookmaker
ringmaster [ˈriŋˌma:stə] cirkusový ředitel
ring-neck [riŋnek] zool. **1** polák *Aythya collaris* **2** (holub) hřivnáč
ring-necked [riŋnekt] jsoucí s kroužkem / páskem kolem krku ◆ ~ *duck* = *ring-neck, 1;* ~ *pheasant* bažant obecný obojkový; ~ *snake* druh amerického hada se žlutým páskem za hlavou
ring net [riŋnet] **1** síť na chytání lososů **2** síťka na motýly **3** kroužková krajka
ring ouzel [ˈriŋˌu:zl] kos horský, kolohřivec
ring-pull [riŋpul] plechovka s kroužkovým uzávěrem
ring road [riŋrəud] okružní silnice, okružní komunikace, vnější / odlehčovací okruh
ringside [riŋsaid] *adj* sedadlo / místo jsoucí v první řadě, u ringu, u manéže, nejblíže parketu (*a* ~ *table at a nightclub*) ● *s* první řada sedadel např. u ringu atd.
ringsnake [riŋsneik] užovka obojková
ring stand [riŋstænd] **1** stojan na prsteny **2** chem. univerzální laboratorní stojan
ringster [riŋstə] AM hovor. člen kliky zejm. politické, klikař
ring-streaked [riŋstri:kt] pruhovaný kolem dokola
ringtail [riŋteil] zool. **1** mládě / samička motáka pilicha **2** mládě skalního orla do třetího roku
ring-tailed [riŋteild] jsoucí s kroužky na ocase
ring-taw [riŋto:] druh hry v kuličky
ring-the-bull [ˌriŋðəˈbul] vrhání / házení kroužků na hák hra
ring vaccination [riŋˌvæksiˈneišən] očkování všech osob, které přišly do styku s nemocným neštovicemi apod.
ring wall [riŋwo:l] **1** zeď kolem dokola, ohrada kolem rozsáhlého pozemku **2** ~ *s, pl* hvězd. kruhové valy, valy kráteru
ring way [riŋwei] BR = *ring road*
ringworm [riŋwə:m] med. trichofycie kožní onemocnění
ringwormed [riŋwə:md] med. stižený trychofycií
rink [riŋk] *s* **1** (umělé) kluziště; zimní stadión **2** dráha / kluziště pro kolečkové brusle, bruslařská aréna **3** kuželkářská dráha **4** hřiště pro lední metanou **5** mužstvo pro lední metanou n. kuželky ◆ *v* **1** bruslit na (umělém) kluzišti **2** bruslit / jezdit na kolečkových bruslích
rinker [riŋkə] bruslař (na kolečkových bruslích)
rinky-dink [riŋki:diŋk] AM slang. staromódní člověk n. věc a proto nepříliš velké ceny
rinse [rins] *v* **1** též ~ *out* vypláchnout (~ *out one's mouth*) **2** vy|máchat, promáchnout prádlo; opláchnout ruce / nádobí / ovoce **3** proprat, vymýt **4** tónovat vlasy, udělat přeliv na vlasy ***rinse away*** vymáchat, vypláchnout, spláchnout ***rinse down*** zapít, spláchnout potravu nápojem ● *s* **1** vypláchnutí, propláchnutí, opláchnutí **2** vymáchání, promáchnutí **3** proprání, propírání, vymytí, vymývání **4** přeliv; tekutina k tónování vlasů ◆ *give a t. a good* ~ dobře vypláchnout / vymáchat co
rinsings [rinsiŋz] *pl* **1** voda po vymáchání **2** zbytek *of* v (*the* ~ *of an unwashed wineglass*), též přen.
riot [raiət] *s* **1** hýření, prostopášné n. rozmařilé chování, prostopášnost, rozmařilost **2** hlučná zábava, orgie, vylomenina (hovor.) **3** přen. neovládnutelný výbuch (*a* ~ *of emotion*); orgie (*a* ~ *of colour*) **4** sběh, shluk, srocení lidu; bouře, nepokoj, nepokoje, povstání, výtržnost; demonstrace s výtržnostmi; vzpoura **5** mysl.: neukázněné sledování falešné stopy **6** hovor. eso, číslo, numero (*that girl is a* ~); bašta, senzace (*the show is a* ~) ◆ *R*~ *Act* BR hist. zákon zakazující srocování z r. 1715; *read the R*~ *Act 1.* hist. vyzvat účastníky srocení, aby se pod hrozbou trestu rozešli *2.* žert. uklidnit, srovnat neposlušné děti, vytmavit to, umýt hlavu komu; ~ *call* AM všeobecný poplach; ~ *gun* AM brokovnice s krátkou hlavní pro boj s výtržníky; *run* ~ *1.* pes sledovat neukázněně falešnou stopu *2.* člověk vyvádět, řádit, uličničit (*the neighbours let their children run* ~) *3.* člověk utrhnout se / zapomenout na všechno / odhodit všechny ohledy a spustit *4.* plevel rozbujet se, všechno přerůstat; ~ *squad* AM přepadový policejní oddíl, lítačka (hovor.) ● *v* **1** hýřit, rozhazovat, žít prostopášně / rozmařile, pořádat orgie **2** bouřit, vyvádět, uličničit, vy|řádit se, vyžívat se *in* v **3** dělat výtržnosti, rušit veřejný pořádek; srocovat se, účastnit se výtržností / srocení lidu / politických demonstrací; vzbouřit se ***riot away*** / ***out*** prohýřit, promarnit rozmařilostmi čas / peníze / život
rioter [raiətə] **1** hýřil, prostopášník, rozmařilec **2** výtržník, buřič, vzbouřenec, demonstrant
riotous [raiətəs] **1** neukázněný, rozmařilý, prostopášný (*lead a* ~ *life*) **2** hlučný, bouřlivý, orgiastický (~ *laughter*) **3** výtržnický, buřičský,

vzpurný ◆ ~ *assembly* práv. srocení více než 12 osob; ~ *conduct* výtržnictví
riotousness [raiətəsnis] **1** neukázněnost, rozmařilost, prostopášnost **2** hlučnost, bouřlivost **3** výtržnictví, buřičství, vzpurnost, bouřliváctví
rip[1] [rip] **1** řidč. slang. herka, kobyla, hajtra, remunda **2** divoch; fláma, flamendr, pásek, budižkničemu
rip[2] [rip] *v* (*-pp-*) **1** též ~ *out* vytrhnout, odtrhnout, vyškubnout **2** též ~ *off* sedřít, strhnout, odtrhnout, vytrhnout, servat, urvat, odervat **3** též ~ *up* rozpárat, roztrhnout, rozervat, vyrvat (~ *up a p.'s back* za zády pomlouvat koho) **4** lámat, trhat, štípat dřevo / kámen **5** podélně řezat **6** puknout, prasknout, rozpárat se **7** rozdírat starou ránu; též přen. **8** přen. ohřívat, vyhrabat starý spor **9** řítit se, letět, mazat, běžet, hnát si to **10** tech. strhnout a přeložit krytinu střechy **11** AM slang. = *rip off* ◆ *let her* ~ slang. pusť to na plné pecky, šlápni na to, dupni na to jeď rychle; *let things* ~ nenech se omezovat, nech události klidně se řítit ***rip away*** *1* sedřít, strhnout | se, servat | se, *2* odtrhnout | se ***rip off*** AM slang. o|krást ***rip open*** roztrhnout, rozervat, násilně / trhnutím otevřít ***rip out*** *1* chrlit (~*ped out vituperation* chrlil urážky); vychrlit ze sebe *with* co *2* = *rip*[2], *v 1* ● *s* **1** trhlina; roztržení, vytržení **2** rozpárání, rozparek
rip[3] [rip] **1** zčeřená voda setkáním dvou proudů **2** zčeřený tok po nerovném dnu, peřej
riparian [raiˈpeəriən] *adj* pobřežní, rostoucí / žijící na břehu řeky ◆ ~ *rights* právo rybolovu a koupání ● *s* pobřežní obyvatel; majitel říčního břehu
ripcord [ripko:d] **1** pojistné / tažné lanko padáku **2** lano strhovacího pásu balónu
ripe [raip] *adj* **1** zralý který dokončil proces zrání (~ *grain*); tělesně vyvinutý (*a* ~ *woman*); duševně vyspělý (*a* ~ *scholar* zralý vědec); dokonalý (*a* ~ *wisdom* zralá moudrost); který dosáhl žádoucích vlastností (~ *beauty*); již schopný (~ *to hear the truth*) **2** uzrálý, dozrálý, vyzrálý **3** uleželý (~ *cheese*, ~ *venison* uleželá zvěřina) **4** pohotový k zpracování **5** vysoký, požehnaný (*lived to the* ~ *age of 90*) **6** jako stvořený *for* k, schopný čeho, vhodný pro, zralý na / k **7** připomínající zralé ovoce (~ *young lips*) **8** hovor.: vtip neslušný, košilatý, „závoznický" ◆ *soon* ~ *soon rotten* práce kvapná, málo platná ● *v* bás. = *ripen*
ripen [raipən] **1** zrát, dozrát, uzrát, vyzrát **2** sýr uležet se **3** dospět časem / vývojem *into* k, vyvinout se v **4** dát / nechat uzrát n. uležet ◆ ~*ed cream* zakysaná smetana
ripeness [raipnis] **1** zralost, dozrálost, vyzrálost, **2** uleželost **3** dospělost, dokonalost ◆ ~ *of meat* zrání (odležení) masa
ripieno [riˈpiənəu] hud. tutti smyčce v concerto grosso
ripoff [ripof] AM slang. **1** zlodějna **2** zloděj
ripost, riposte [riˈpəust] *s* **1** sport. odveta, riposta v šermu **2** přen. odpověď, odveta; parírování *v* **1** sport. provést odvetu / ripostu v šermu **2** házet po sobě slovy; parírovat **3** vést protiútok; rychle oplatit útok
ripper [ripə] **1** trhač, roztrhovač, odtrhovač, rozrývač silnic **2** párač, rozparovač; páradlo **3** rozmítací pila, rozmítačka **4** páčidlo na vytahování hřebíků **5** slang. sekáč, číslo, numero, eso, fantastický kus, senzace ◆ ~ *act* AM čistkový zákon umožňující drastické osobní změny ve vládním aparátě ze stranických důvodů
ripping [ripiŋ] **1** BR zast. slang. senza, senzační, fantastický, obrovský, hogofogo, prima, bašta **2** v. *rip*[2], *v*
ripple[1] [ripl] *s* drhlen, drhlice ● *v* drhnout len n. konopí
ripple[2] [ripl] *s* **1** čeření, zčeření, vlnění vody; vlnka, vlnky **2** měkký záhyb, zvlnění; kudrlinka **3** tichý šum (*a* ~ *of conversation*), tiché zavlnění, prška, kaskáda (*a* ~ *of laughter*) **4** geol. čeřina ● *v* **1** čeřit | se, vlnit | se drobnými vlnkami **2** spadnout / snést se / sesout se v záhybech (*the cloth* ~*d to the floor*) **3** perlit se, za|šumět (*laughter* ~*d over the audience* v obecenstvu zašuměl smích) **4** rozehrát, rozvlnit (~ *the muscles*); zahrát (jako) kadenci (*rippling a boogie-woogie beat on the piano*)
ripple cloth [riplkloθ] text. cibelín
ripple mark [riplma:k] geol. čeřina
rippler [riplə] **1** kdo drhne len n. konopí **2** drhlen, drhlice
ripplet [riplit] malá vlnka, malé zčeření
ripply [ripli] **1** čeřící se, rozčeřený **2** šumící, zurčící, šplouchající, šplounající
riprap [ripræp] AM *s* kamenný zához ● *v* **1** udělat kamenný zához **2** zpevnit kamenným záhozem
rip-roaring [ˈripˌro:riŋ] hovor. hlučný, halasný, rozkřičený, rozřehtaný **2** báječný, fantastický
ripsaw [ripso:] rozmítací pila, rozmítačka; ocaska s neztuženým hřbetem
ripsnorter [ˈripˌsno:tə] slang. uragan, bomba (přen.)
ripsnorting [ˈripˌsno:tiŋ] slang. = *rip-roaring*
riptide [riptaid] bouřlivý příliv a odliv, silné dmutí
Ripuarian [ˌripju(:)ˈeəriən] hist. *adj* týkající se Franků usedlých ve 4. stol. po obou březích Rýna (poblíž dnešního Kolína) ● *s* takový Frank
Rip van Winkle [ˌripvænˈwiŋkl] kdo zaspal svou dobu, kdo je sto let za opicemi podle hrdiny povídky Washingtona Irvinga
rise [raiz] *v* (*rose, risen*) **1** vstát, povstat, zvednout se, postavit se, vzpřímit se, napřímit se např. po pádu (*the wounded man was too weak to* ~ zraněný muž byl tak slabý, že se nemohl postavit na nohy); vzchopit se a vstát; vstávat probudit se a opustit lože (*he* ~*s very early*); vlasy zježit se, vstát např. hrůzou **2** vstát a tím přerušit / skončit zasedání (*Parliament will* ~ *on Thursday next*) **3** vstát

z mrtvých (*he looks as though he had* ~*n from the grave* vypadá, jako kdyby vstal z hrobu) **4** nebeské těleso vyjít, vycházet nad obzor (*the sun* ~*s in the East*) **5** vyvěrat, pramenit (*where does the Nile* ~?); vzniknout *from* z (*the quarrel rose from a mere trifle* hádka vznikla z úplné hlouposti) **6** hladina vody / cena stoupnout, zvýšit se o (*the river has* ~*n 2 feet* řeka stoupla o dvě stopy, *sugar has* ~*n a penny a pound* cukr stoupl o penci za libru) **7** barometr jít nahoru, stoupat (*the mercury is rising*) **8** hlas zvýšit se, zvednout se, stoupnout (*his voice rose in anger* hněvivě zvýšil hlas) **9** zvedat se, vzmáhat se, sílit, být stále větší / silnější, nabývat na intenzitě, mohutnět, stupňovat se (*the wind is rising*) **10** objevit se, ukázat se, zvednout se nad okolím (*a range of hills rose on our left* po naší levici se objevil nízký horský hřeben); tyčit se, čnít, strmět, zvedat se *above* nad, převyšovat co; být postaven / zbudován, stát **11** jít / letět vzhůru, stoupat, vznášet se vzhůru, zvedat se, vystupovat (*the smoke from our fire rose straight up in the still air* kouř z našeho ohně stoupal v klidném vzduchu přímo vzhůru); vylétnout, rozlétnout se vzhůru (*birds rose all around in alarm* **12** vůně linout se (*perfume rose from the flower*) **13** kynout nabývat kvašením na objemu (*the bread won't* ~) **14** povznést se, být povznesen (~ *above petty jealousies* být povznesen nad malicherné řevnivosti) **15** vést nahoru (*stairways rising diagonally across the porch* schody vedoucí nahoru napříč verandou), vést do vrchu, stoupat (*rising ground*) **16** stát se, přihodit se, objevit se, vyskytnout se, udát se (*then rose a little circumstance that was to have far-reaching results* potom se objevila malá okolnost, která měla mít dalekosáhlé následky); vzniknout; vyrůst (*weeds rose overnight* plevel vyrostl přes noc), vzrůst (~ *to heights unusual for other trees*) **7** puchýř udělat se na povrchu, naskočit (*blisters* ~ *on his skin* na kůži mu naskočily puchýře) **18** loď objevit se nad obzorem **19** při|plavat, vyplavat, vznést se z hloubky k hladině / na hladinu (*they say a drowning man* ~*s three times* topící se člověk prý vyplave třikrát na hladinu), vynořit se (*a diver rose near him in the water* blízko něho se ve vodě vynořil potápěč), vystupovat na hladinu (*bubbles rose from the bottom of the lake* ze dna jezera vystupovaly bublinky) **20** ryba plout, plavat, vznášet se, stoupat, vystupovat k hladině za potravou; přilákat rybu k hladině návnadou **21** obecenstvo odměnit potleskem *to* co, projevit nadšení nad, vděčně přijmout co, kladně reagovat na **22** ukázat se práv *to* čemu, ukázat se schopný řešit co; ukázat se, vzchopit se, vyznamenat se, vytáhnout se při příležitosti (*he rose to the emergency* v kritické situaci se vyznamenal); odpovídat čemu, dorůst čemu (~ *to the requirements* dorůst požadavkům) **23** dotáhnout to *to* na, přivést to až na (~ *to the rank of brigadier general* dotáhl to na brigádního generála); přen. dosáhnout vyšší úrovně / roviny *to* charakterizované čím **24** vzbouřit se, povstat *against* / *on* proti (*the town rose on its garrison* město se vzbouřilo proti posádce) **25** skočit, naletět *to* na, zbaštit co (hovor.) **26** vidět, jak se co objeví např. nad obzorem ◆ ~ *again* vstát z mrtvých, opět ožít, obživnout; ~ *in arms* udělat ozbrojené povstání; ~ *to arms* chopit se zbraně a povstat; ~ *at bait 1.* ryba brát, zabrat *2.* přen. skočit na něco, zbaštit něco, naletět; *his colour rose* dostal lepší barvu, zčervenaly mu tváře; *she felt the colour rising in her face* cítila, že se začíná červenat; *the curtain* ~*s on a scene* při zvednutí opony se objeví scéna; ~ *at dawn* vstávat za úsvitu; *dawn* ~*s* svítá; ~ *to one's feet* vstát, povstat, postavit se, stoupnout si; ~ *to a fence* kůň zvednout se ke skoku přes překážku; *my gorge* ~*s against it* = *my stomach rises against it;* ~ *to greatness* vypracovat se, vyšvihnout se, udělat kariéru; ~ *to the occasion* ukázat se, vytáhnout se, předvést své znalosti n. umění při dané příležitosti; *the land* ~*s to view* nad obzorem se objevuje země; ~ *with the lark* vstávat za kuropění; ~ *on the hind legs 1.* pes zapanáčkovat *2.* kůň stavět se na zadní; *morning* ~*s* svítá; *a picture* ~*s in my mind* na mysli mi tane obrázek, vybavuje se mi obrázek; ~ *from the ranks* dotáhnout to z vojína na důstojníka; ~ *to a higher rank* být povýšen, ~ *in rebellion* vzbouřit se, povstat, udělat vzpouru; ~ *and shine* vstávat!, vesele z postele!; *my whole soul* ~*s against it* to je mi z duše odporné; *spirits rose as the danger passed* jak minulo nebezpečí, nálada se zlepšila; *my stomach* ~*s against this* z toho se mi dělá špatně, nad tím se mi zvedá žaludek; ~ *from table* vstát od stolu po jídle; *thoughts* ~ *in my mind* napadají mě myšlenky, vybavují se mi myšlenky; *the tower* ~*s to a height of 80 yards* věž dosahuje výšky / tyčí se do výšky osmdesáti yardů; ~ *vertically* let. startovat kolmo, mít kolmý start; ~ *in the world* udělat společenskou kariéru, dotáhnout to daleko, mít v životě úspěch, získat společensky výborné postavení ● *s* **1** východ nebeského tělesa **2** stoupání (*came to a* ~ *in the road*); výstup **3** pahorek, malý / nízký kopec, kopeček, návrší, vyvýšenina, výšinka (*a cottage situated on a* ~) **4** zvednutí, zdvíhání, zdvih **5** povýšení, postup, vzestup; kariéra **6** vzestup, stoupání, stoupnutí *in* čeho (~ *in prices*); zdražení, zvýšení cen, nákladů, jízdného **7** hud. zvýšení (*a* ~ *of a tone or semitone* zvýšení o tón nebo o půltón); zesílení, zesilování **8** BR zvýšení, přídavek platu **9** zvýšení hladiny, stoupnutí, vzedmutí (*the* ~ *of the river was six feet*); zvýšení počtu, přírůstek *in* čeho (~ *in population*) **10** zřídlo, pramen, zdroj; počátek, začátek, objevení se (*the* ~ *of tin mining in the* *more recent years* počátek těžby cínu v nedávných létech); nástup (*a ~ of a new talent*) **11** stoupání, vyplouvání ryby k hladině (*not a sign of a ~* ani známky, že by ryby stoupaly k hladině) **12** vy|kynutí těsta **13** náb. vzkříšení, vstání z mrtvých **14** obch. haussa, vzestup cen na burze **15** výška měřená od paty (*the ~ of a tower*); výška stupně schodu **16** stoupací trubka, stoupačka **17** sbíhavost kmene **18** námoř. kýlovitost dna lodi **19** vzdálenost od rozkroku po pás pánských kalhot; vzdálenost od pasu po horní okraj dámské sukně ◆ *ask for a ~* žádat o zvýšení platu; *~ of arch* stav. vzepětí oblouku; *be on the ~* stoupat, být na vzestupu; *~ and fall 1.* vzestup a pád *2.* zvyšování a snižování, zesilování a zeslabování *3.* námoř. příliv a odliv; *get a ~* BR dostat přidáno; *get a ~ out of a p.* dobírat si a tím rozzlobit koho; *give ~ to* způsobit co, vzbudit co, dát vzniknout čemu, dát podnět k, způsobit, aby vzniklo co (*such conduct might give ~ to misunderstandings* takové chování by mohlo dát podnět k nedorozumění); *have a ~ in wages* BR dostat vyšší plat / přidáno, mít zvýšenou mzdu; *river has / takes its ~ in the hills* řeka vyvěrá / pramení v kopcích; *~ of roof* výška střechy; *~ of steps* schodiště; *take a ~ out a p.* = *get a ~ out of a p.*; *~ of (the) tide* příliv, výška přílivu; *~ of vault* vzepětí klenby; *~ of water* vzdutí vody, zvýšení vodní hladiny

risen [rizn] v. *rise, v*

riser [raizə] **1** kdo vstává, vstávající (*the first ~s were in the bathroom*) **2** povstalec, vzbouřenec **3** podložka, podstavec; praktikábl **4** stoupací trubka, stoupací potrubí, stoupačka **5** podstupnice schodů **6** nálitek na odlitku ◆ *early ~* ranní ptáče; *main ~* stoupající potrubí, stoupačka

risibility [ˌriziˈbiləti] (*-ie-*) **1** též *risibilities, pl* AM náklonnost ke smíchu, smysl pro humor / komické vidění světa (*~ is an indication of a cheerful nature* smysl pro humor je příznakem optimistické povahy) **2** smích **3** řidč. směšnost

risible [rizibl] **1** mající náklonnost ke smíchu, humorný, komický, humoristický **2** směšný, legrační, komický (*my salary is ~* můj plat je úplně směšný) **3** týkající se smíchu, smíchový

rising [raiziŋ] *s* **1** vzpoura, povstání **2** AM kvasnice, droždí; část těsta určená k vykynutí **3** nář. vřídek, uher, nežit, furunkl **4** námoř. podpěrné výztuhy boků člunu **5** náb. vzkříšení, vstání z mrtvých **6** herald. vzlétající pták s částečně rozevřenými křídly, kreslený ze strany **7** v. *rise, v* ● *adj* **1** rostoucí, nastupující, nový (*~ generation*) **2** herald.: pták vzlétající **3** v. *rise, v* ◆ *be ~ 5* etc. BR komu jít na pátý atd. rok; *~ cupboard* kuchyňský výtah; *~ gust* náhlý stoupající závan větru; *~ of a hundred men* AM o něco víc než sto mužů; *~ vote* hlasování povstáním

rising-again [ˌraiziŋəˈgen] znovuvzkříšení, vstání z mrtvých

risk [risk] *s* **1** nebezpečí škody, riziko; riskování, risk **2** riziko ohrožený předmět ◆ *at ~ 1.* v nebezpečí, ohrožený (*that policy is now at ~*) *2.* v nebezpečí otěhotnění; *at all ~s* za každou cenu, nehledě na nebezpečí; *at one's own ~* na vlastní nebezpečí; *at the ~ of his life* s nasazením vlastního života; *beat the ~* nést riziko; *incur a ~* převzít riziko; *run / take a / the ~ of* riskovat co, mít/nést riziko za, vydávat v nebezpečí co ● *v* **1** riskovat (*~ sprained ankle* riskovat vymknutý kotník); dát v sázku, nasazovat (*~ one's life*) **2** odvážit se čeho (*~ a battle* odvážit se bitvy), podstoupit riziko čeho

riskful [riskful] = *risky*

riskiness [riskinis] **1** riskantnost, hazardnost, nebezpečnost **2** odvážnost, choulostivost, lascívnost, košilatost

riskless [risklis] jsoucí bez rizika / nebezpečí; spolehlivý, jistý, bezpečný (*relatively ~ financial arrangements* poměrně bezpečná finanční ujednání)

risk money [ˈriskˌmani] **1** kauce **2** hotovost, příspěvek pokladníkovi na krytí náhodného manka v pokladně, ztratné pokladníka

risky [risky] (*-ie-*) **1** riskantní, hazardní, nebezpečný **2** odvážný, choulostivý, lascívní, košilatý (*a ~ story*)

risotto [riˈzotəu] rizoto

risqué [riskei / AM risˈkei] = *risky, 2*

rissole [risəul] smažená masová kulička, karbanátek, též rybí; sekaná

ritardando [ˌrita:ˈdændəu] hud. postupně volněji, zpomaleně, ritardando

rite [rait] **1** obřad, ritus, ceremonie, též přen. **2** liturgie ◆ *receive the ~s of the church* náb. být zaopatřen

riteless [raitlis] jsoucí bez obřadu atd.

ritornel(le) [ˌritəˈnel], **ritornello** [ˌritəˈneləu] hud. 1 ritornel instrumentální mezihra **2** tutti **3** opakování, da capo; refrén

ritual [ritjuəl] *adj* **1** rituální (*a ~ dance*) **2** obřadní, obřadný, ceremoniální (*~ tea parties*) ◆ *~ talk* slang, žargon ● *s* **1** rituál obřadní úkony; kniha obsahující obřadní předpisy **2** ritus, obřad, obřady, ceremonie (*the elaborate ~s of a present-day medicine* komplikované ceremonie současné mediciny)

ritualism [ritjuəlizəm] **1** rituálnost **2** přehnané obřadnictví, pedantství v rituálu **3** náb. anglokatolicismus

ritualist [ritjuəlist] **1** znalec rituálu, liturgik **2** stoupenec přehnaného obřadnictví; kdo pečlivě dodržuje rituál **3** náb. anglokatolík

ritualistic [ˌritjuəˈlistik] **1** rituální **2** náb. anglokatolický

ritualize [ritjuəlaiz] **1** dát rituál čemu, zavést rituál v; věnovat se rituálu, vyžívat se v rituálu **2** učinit anglokatolickým

ritz [rits] AM slang. *s* honění vody, vytahování ♦ *put on a* ~ / *R*~ honit vodu, vytahovat se majetkem ● *v* jednat / mluvit spatra *a p.* s, přehlížet (*the star* ~*ed the reporters*)
ritziness [ritsinis] slang. **1** velefajnovost, přepyšnost **2** nafoukanost
ritzy [ritsi] (*-ie-*) AM **1** slang. velefajnový, velenóbl, hogofogo, přepyšný hypermoderní **2** nafoukaný, nóbl snobský
rivage [rividž] BR bás., zast. břeh, pobřeží, poříčí
rival [raivəl] *s* **1** sok, soupeř, protivník, rival **2** konkurent, konkurence ♦ *be without a* ~ nemít sobě rovna, být bez konkurence, být jedinečný ● *adj* **1** soupeřící, soupeřský, soupeřivý **2** konkurující, konkurenční **3** závodící ● *v* (*-ll-*) **1** soupeřit mezi sebou (*friends* ~*ling in good deeds*) **2** soupeřit s, konkurovat čemu; vyrovnat se čemu **3** řidč. být v nepřátelství *with* s
rivalry [raivəlri] (*-ie-*) = *rivalship*
rivalship [raivəlšip] soupeřství, soupeření, rivalita (~ *and even antagonism between the two nations*)
rive [raiv] (*rived, riven* / řidč. *rived*) **1** zast., bás. též ~ *away* / *off* odtrhnout, odloupnout, odštípnout, odervat, urvat **2** drásat city; rvát, svírat, rozpoltit srdce **3** štípat dřevo / kámen
rivel [rivl] (*-ll-*) BR zast. svraštit, zvrásčit, zvrásnit
riven [rivən] v. *rive*
river[1] [raivə] **1** trhač, štípač, rozštěpovač, poltič **2** štípačka stroj
river[2] [rivə] **1** řeka (*the* ~ *Thames* řeka Temže, *Hudson R*~ řeka Hudson) **2** proud; proudy, potoky, záplava (*a* ~ *of tears*) ● ~ *cottonwood* bot.: americký topol *Populus heterophylla; down the* ~ po proudu řeky; *sell a p. down the* ~ slang. nechat koho v bryndě / v rejži / ve štychu; ~ *mouth* ústí řeky; ~ *pine* bot. blahočet Cunninghamův; ~ *poisonous tree* bot.: *Excoecaria agallocha L.*, rostlina s prudce jedovatým mlékem; ~ *traffic* říční doprava; *up the* ~ *1.* proti proudu řeky *2.* AM slang. do / v chládku vězení (*he was sent up the* ~ *for bank robbery, thirty years up the* ~)
riverain [rivərein] *adj* **1** říční, poříční **2** žijící u řeky ● *s* kdo žije na řece / na břehu řeky
riverbank [rivəbæŋk] břeh řeky
river basin [ˈrivəˌbeisn] povodí, úvodí
river beauty [ˈrivəˌbju:ti] (*-ie-*) bot. vrbovka *Epilobium latifolium*
riverbed [ˌrivəˈbed] řečiště
river channel [ˌrivəˈčænl] řečiště
river dam [ˌrivəˈdæm] přehrada na řece
river driver [ˌrivəˈdraivə] AM vorař
rivered [rivəd] zavodněný řekami
river god [ˌrivəˈgod] bůh řek
riverhead [rivəhed] pramen řeky
river horse [ˌrivəˈho:s] hroch
riverine [rivərain] **1** říční, poříční **2** žijící u řeky **3** připomínající řeku
riverless [rivəlis] jsoucí bez řeky / řek
river novel [ˌrivəˈnovl] sága román
riverscape [rivəskeip] krajina s řekou obraz
riverside [rivəsaid] *s* břeh řeky, místo podél řeky, poříčí ● *adj* poříční, umístěný na řece, u řeky (*a* ~ *villa* vila na břehu řeky) ♦ ~ *vegetation* pobřežní vegetace
river water [ˈrivəˌwo:tə] říční voda
rivet [rivit] *s* nýt ● *v* **1** s|nýtovat, přinýtovat **2** přen. upevnit; přibít (*stood* ~*ed to the earth*); zavrtat pohled; upoutat, upřít pozornost; zafixovat chybu ♦ ~*ed hatred* zakořeněná nenávist ***rivet down*** roznýtovat, rozklepat hlavu nýtu ***rivet up 1*** snýtovat *2* obložit nýtovanými ocelovými plechy
riveter [rivitə] **1** nýtovač, nýtař **2** nýtovací kladivo **3** = *riveting machine*
riveting [rivitiŋ] **1** ohromující, strhující, fantastický, od čeho se člověk nemůže odtrhnout **2** v. *rivet, v* ♦ ~ *machine* nýtovačka stroj
Riviera [ˌriviˈeərə] Riviéra
rivière [riˈvjeə] riviéra náhrdelník z několika řad drahokamů
rivulet [rivjulit] **1** říčka **2** přen. pramínek, potůček
rix-dollar [ˌriksˈdolə] hist.: stříbrný tolar mince i měnová jednotka (v Nizozemí, Německu, Dánsku aj)
riyal [riˈo:l] rial mince / bankovka i měnová jednotka (v Jemenu a Saúdské Arábii)
roach[1] [rəuč] **1** = *cockroach* **2** slang. špaček, vajgl marihuanové cigarety
roach[2] [rəuč] **1** výkroj spodní strany ráhnové plachty **2** vodní clona, vějíř za plovákem hydroplánu **3** uhlazený pramen vlasů
roach[3] [rəuč] *pl* též *roach* [rəuč] zool. **1** plotice **2** slunečnice ♦ *sound as a* ~ zdravý jako rybička
roachback [rəučbæk] AM medvěd grizzly
roach-backed [rəučbækt] jsoucí s kulatými zády
roach-bellied [ˈrəučˌbelid] jsoucí s kulatým břichem
road[1] [rəud] *v* pes stopovat lovného ptáka po zemi podle pachu běhů
road[2] [rəud] **1** silnice, cesta; jízdní dráha, vozovka; třída v názvech ulic **2** dráha, směr, cesta (~ *to York*), též přen. (~ *to success*); způsob **3** čast. ~*s, pl* rejda **4** AM železniční trať, dráha, koleje; ~*s, pl* železnice **5** horn. těžná / směrná chodba, střída ♦ *any* ~ hovor. každopádně; *be in a p.'s* ~ stát komu v cestě, překážet komu; *be on the* ~ AM být obchodním cestujícím ~ *carpet* koberec vozovky; *for the* ~ na cestu (*a final glass for the* ~, *have one for the* ~ vypít ještě skleničku před odchodem), na rozloučenou; ~ *foundation* silniční štět; ~ *fund* fond na výstavbu a údržbu silnic a mostů; *gentleman of the* ~ zast. lapka, loupežník; *get out of a p.'s* ~ jít komu z cesty, uhnout komu / před kým; *get a t. out of the* ~ uklidit / vyklidit co z cesty; *give a p.* ~ uhnout komu z cesty, pustit koho před sebe, dovolit komu předjet; *hit the* ~ AM slang. vyrazit na cestu (*we hit the* ~ *before sunrise* vyrazili jsme před svítáním); *knight of the* ~ zast. lapka, loupežník; *main*

~ *ahead!* pozor, ~ hlavní silnice!; ~ *narrows!* zúžená vozovka!; ~ *network* silniční síť, komunikační síť, komunikace; *on the* ~ *1.* na cestách, na pravidelné objížďce zákazníků *2.* na turné, na zájezdu (*the team is on the* ~); *out of the* ~ nezvyklý, neobvyklý; *over the* ~ do vězení; *private* ~ soukromá cesta; *professional* ~ AM (zastávky na) turné profesionálních zejm. newyorských sportovců n. divadelníků; *Royal* ~ snadná cesta, snadný způsob (*there is no Royal* ~ *to it* to se nedá udělat snadno a rychle); *rule of the* ~ *1.* dopravní řád / pravidla, pravidla silničního provozu *2.* mezinárodní pravidla / řád o námořní plavbě, ~ *sign* dopravní značka; *take the* ~ vydat se na (obchodní) cestu; *take to the* ~ *1.* BR hist. stát se lapkou / loupežníkem, začít přepadávat cestující na silnici *2.* stát se tulákem *3.* = *take the* ~; ~ *traffic* silniční ruch, doprava po silnici; ~ *traffic act* BR silniční řád, zákon o silničním ruchu; ~ *up* na silnici se pracuje, vozovka je rozkopaná; ~ *works* silniční práce

roadability [ˌrəudəˈbiləti] jízdní vlastnosti automobilu

roadable [rəudəbl] vhodný n. určený k silničnímu provozu

road agent [ˌrəudˈeidžənt] AM lapka, lupič, loupežník přepadávající cestující na silnici

roadbed [rəudbed] **1** silniční spodek **2** koberec silnice **3** vozovka

roadblock [rəudblok] *s* **1** zátaras silnice, překážka na silnici **2** přen. kámen úrazu ● *v* udělat zátaras *a t.* na

road board [rəudbo:d] správa silnic

road book [rəudbuk] **1** automobilistický průvodce **2** autoatlas, knižní automapa, silniční mapy

road checks [rəudčeks] *pl* kontroly na silnicích

roadcraft [rəudkra:ft] BR schopnost řídit auto, řidičská dovednost

roaded [rəudid] **1** jsoucí s vybudovanou komunikační sítí **2** v. *road*[1], *v*

roader [rəudə] = *roadster, 1*

road fund [rəudˈfand] BR hist. silniční fond ◆ ~ *licence* hovor. potvrzení o zaplacení motoristické daně

road fork [rəudfo:k] rozcestí

road gang [rəudgæŋ] **1** pracovní četa cestářů **2** AM cestářská pracovní četa vězňů

road hog [rəudhog] **1** bezohledný jezdec, bezohledný řidič na silnici, pirát silnic **2** AM řidič, který se na silnici motá a překáží

roadhouse [rəudhaus] *pl: -houses* [-hauziz] **1** hostinec u silnice **2** motorest

road junction [ˌrəudˈdžaŋkšən] **1** silniční uzel, křižovatka cest **2** přípojka silnice

roadless [rəudlis] jsoucí bez silnic, bez komunikační sítě

roadman [rəudmən] *pl: -men* [-mən] cestář

roadmanship [rəudmənšip] ovládání vozidla na silnici, řidičská zručnost

road map [rəudmæp] automobilová mapa, automapa, mapa silniční sítě, silniční mapa

road mender [ˈrəudˌmendə] cestář

road metal [rəudmetl] **1** štěrkování silnice, silniční štěrk **2** žel. loživo

road post [rəudpəust] silniční ukazatel

road races [ˌrəudˈreisiz] *pl* silniční závody cyklistické

roadroller [ˌrəudˈrəulə] silniční válec

road sense [rəudsens] **1** přirozené respektování dopravních předpisů, schopnost dobře se orientovat na silnici **2** vrozená schopnost vyhnout se nebezpečí na silnici, pohybovat se bezpečně na silnici (*Harry's dog has no* ~)

road show [rəudšəu] divadelní představení souboru na zájezdě, pohostinské představení

roadside [rəudsaid] *s* okraj silnice ● *adj* umístěný u silnice; rostoucí u silnice

road sign [ˌrəudˈsain] dopravní značka

roadstead [rəudsted] námoř. rejda

roadster [rəudstə] **1** námoř. loď kotvící na rejdě **2** cestovní kůň **3** BR cestovní kolo n. motocykl **4** zast. sportovní automobil, roadster (tech.) **5** zkušený cestovatel **6** hist. silniční lupič, lapka **7** tulák, vandrák

road test [rəudtest] *s* **1** zkouška k získání řidičského průkazu **2** zkušební jízda ● *v: road-test* jet zkušební jízdu

road toll [rəudtəul] mýto, mýtné, poplatek

roadway [rəudwei] vozovka s krajnicemi; mostovka

roadwork [rəudwə:k] tréninkový běh např. boxera

road works [rəudwə:ks] práce na silnici

roadworthiness [ˈrəudˌwə:ðinis] **1** způsobilost člověka k jízdě, schopnost jízdy **2** způsobilost dopravního prostředku k účasti na silničním provozu

roadworthy [ˈrəudˌwə:ði] **1** člověk způsobilý / schopný jízdy **2** dopravní prostředek způsobilý k jízdě na silnici

roam [rəum] *v* toulat se, potulovat se, chodit si, chodit sem tam, chodit bez cíle, procházet se, potloukat se, bloumat, bloudit zejm. pro zábavu *about / in / a t.* po (~*ing the street*), též přen. ● *s* toulka, procházka zejm. pro zábavu (*a half-hour's* ~)

roamer [rəumə] kdo se toulá zejm. pro zábavu atd., tulák (přen.), větroplach, světoběžník

roan[1] [rəun] *adj* **1** šedočervený **2** kůň strakatý, grošovaný ● *s* pstružák, mušák, grošák, strakoš, strakáč kůň; straka, stračena, kropka kráva

roan[2] [rəun] koželčrawn. skopovice vydělaná škumpou, horší safián

roar [ro:] *v* **1** řvát (*the lions* ~*ed*) *at a p.* na koho; silně křičet, řičet; zařvat **2** burácet (*the sea* ~*s*) **3** hulákat (*songs* ~*ed in the forests*); hučet, hlučet, supět, hřmotit, dunět *with* čím; výstřel za|hřmět, za|rachotit **4** hnát se s řevem n. burácením, supět (*rivers ~ed*) **5** rozeřvat, rozburácet (*pressed on the accelerator, savagely ~ing the engine* šlápl na akcelerátor, čímž divoce rozeřval motor) **6** válet se smíchy, popadat se za břicho, řvát / řičet smíchy (*the audience ~ing at the pantomime*) **7** zvěř.: kůň chrčet, chroptět při dýchání ♦ *set a table in a ~* rozesmát stolovníky; *the river ~ed him to sleep* hučení řeky ho uspalo ***roar down*** seřvat ***roar in*** přisupět, přihnat se s řevem (*desperadoes from the hills regularly ~ed in to take over the town*) ***roar out 1*** odsupět, odjet s řevem / burácením **2** zařvat, zaječet ***roar up*** AM hovor. seřvat, sprdnout (vulg.) ● *s* **1** řev, řvaní; silný křik, řičení, halas, tartas; zařvání, vyřvávání **2** burácení **3** hulákání, hukot, hučení, hlučení, hřmot, supot, supění, supání; za|dunění, za|hřmění; rachot, zarachocení

roarer [ro:rə] **1** zvěř. kůň, který při dýchání chrčí **2** otevřhuba, chvastoun; řvoun **3** AM hřmotící naftový vrt

roaring [ro:riŋ] *s* **1** zvěř. chrčení, chraptění koně při dýchání **2** v. *roar, v* ● *adj* **1** řvoucí, rozeřvaný, burácející; hlučící, dělající rámus / randál; bouřlivý (*a ~ night*) **2** prohýřený, probenděný **3** kvetoucí, plný života, báječný, fantastický (*~ success*) **4** v. *roar, v* ♦ *~ blade* zast. hýřil, kavalír, kumpán; *~ game* lední metaná; *~ forties* řvoucí čtyřicítky mořské pásmo mezi 40°–50° severní / jižní šířky charakterizované bouřlivým mořem a silnými větry ● *adv* hovor. strašně, děsně, moc (*~ drunk*)

roast [rəust] *v* **1** péci maso na rožni; v troubě; opékat; péci brambory v popelu **2** pražit kávu, oříšky, opražit, upražit **3** tech. pražit **4** rozpalovat (*when the sun no longer ~ed the valley*) **5** rozcupovat, rozsekat, rozdrtit, roznést na kopytech (přen.), zesměšnit, setřít, utřít, strefovat se do (*the critics ~ed the elaborately staged work* kritikové se strefovali do komplikovaně inscenovaného díla) **6** péci se, opékat se, pražit se **7** opalovat se ♦ *fit to ~ an ox* oheň jako na pečení vola velký ● *s* **1** pečeně **2** AM roštěnec; pečínka **3** pečení, pražení, opékání **4** AM piknik / večírek, při němž se pečou pokrmy na otevřeném ohni, barbecue **5** AM zesměšnění, výsměch, ostrá kritika ♦ *rule the ~* vládnout; *stand the ~* být terčem vtipů n. kritiky ● *adj* pečený (*~ goose*) ♦ *~ beef* hovězí pečeně, rostbíf; *~ meat* pečeně; *~ pork* vepřová (pečeně)

roaster [rəustə] **1** pražicí pec **2** pražič, pražidlo, pražička např. na kávu **3** co se dobře hodí k pečení n. rožnění: sele, pulard **4** rožeň, pec **5** AM hovor. pařák, pekáč horký den

roasting [rəustiŋ] **1** parný, žhavý, horký **2** v. *roast, v*

roasting jack [rəustiŋdžæk] zařízení na otáčení rožněm, obrtlík

rob [rob] (*-bb-*) **1** oloupit, okrást *a p.* koho (*~ a messenger* oloupit posla) *of* o; spáchat loupež **2** vyloupit, vykrást (*~ a safe*); ukrást, vybrat, vyfouknout (hovor.) *a t.* z *of* co (*~ a hive of honey* vybrat med z úlu) **3** přen. vzít *a t.* čemu *of* co, zbavit co čeho (*air power had ~bed sea power of its sovereign values*) **4** horn. plenit, rabovat; těžit ochranné pilíře ♦ *~ the cradle* vzít si příliš mladého společníka / příliš mladou ženu za manželku; *~ Peter to pay / clothe Paul* vytloukat klín klínem, brát z jedné kapsy a dávat do druhé

roband [rəubənd] námoř. ráhnové lano

robber [robə] **1** lupič, loupežník **2** též *~ bee* včela-zlodějka

robber ant [ˌrobəˈænt] zool. **1** mravenec loupeživý **2** mravenec otrokářský

robber baron [ˌrobəˈbærən] **1** loupeživý rytíř **2** americký kapitalista 19. stol.

robber fly [ˌrobəˈflai] (*-ie-*) zool. roupec

robbery [robəri] (*-ie-*) **1** lupičství, oloupení **2** loupež **3** zlodějství, zlodějna ♦ *daylight ~* hovor. zlodějna (*20p for a cup of coffee is daylight ~!*); *~ with violence* loupežné přepadení

robbin [robin] = *roband*

robe [rəub] *s* **1** bás.: dlouhý šat, háv, roucho, říza **2** též *~s, pl* hábit, talár, obřadní šat **3** dámská róba; dámské šaty vcelku; dlouhé dětské šatečky **4** AM župan; koupací plášť **5** AM teplá / kožešinová přikrývka na nohy; pléd (*warm woollen auto ~s*) **6** skříň, šatník (*double-door cedar ~* dvoudveřový cedrový šatník) ♦ *gentlemen of the ~* právníci; *the long ~ 1.* duchovní šat, hábit, sutana *2.* právnický plášť, talár ● *v* obléknout | se, odít | se, zahalit | se (*bathers must immediately ~ themselves upon leaving the water po* vykoupání se musí koupající vždy okamžitě zahalit) čím / do; zejm. do slavnostního roucha, též přen.

robe-de-chambre [ˌrobdəˈša:mbə] *pl: robes-de-chambre* [ˌrobdəˈša:mbə] župan

Robert [robət] **1** *r~* bot. kakost smrdutý **2** hovor. polda, bobík

Robin, robin [robin] **1** bot. kohoutek *Lychnis diurnia* **2** bot. kakost lesklý **3** bot. kakost smrdutý **4** zool.: též *~ redbreast* červenka obecná, čermáček (hovor.) **5** AM zool. drozd stěhovavý **6** zool. trupiál oranžový **7** zool.: název jiných amerických a asijských ptáků **8** též *round ~* psaná žádost s podpisy seřazenými do kruhu aby se nemohlo určit pořadí, v němž byla podepsána

Robin Goodfellow [ˌrobinˈgudˌfeləu] šotek, Puk

robing room [ˌrəubiŋˈru:m] **1** oblékárna **2** sakristie

Robin Hood [ˌrobinˈhud] **1** Robin Hood legendární postava středověkého zbojníka **2** bot. sasanka *Anemona coronaria* **3** bot. kohoutek luční **4** bot. kohoutek *Lychnis diurnia* **5** bot. kakost smrdutý

robinia [roˈbiniə] bot. trnovník

Robin-run-the-hedge [ˈrobinˌranðəˈhedž] bot. **1** popenec břečťanovitý **2** svízel přítula **3** opletník plotní **4** lilek potměchuť

Robin's eye [robinzai] bot. kakost

Robins [robinz] = *Robin 1, 2, 3*
roborant [rəubərənt] med. *adj* posilující ● *s* posilující lék, roborans
robot [rəubot] *s* **1** robot **2** AF světelný semafor automatický **3** též ~ *bomb* V-1, V-2 raketová zbraň za 2. svět. války ● *adj* automatický, automaticky / na dálku řízený
robotics [rəuˈbotiks] robotová technika
robotomorphic [ˌrəubotəˈmo:fik] založený na chování robotů
Rob Roy [ˌrobˈroi] = *Rob Roy canoe*
Rob Roy canoe [robˌroikəˈnu:] lehká kánoe
roburite [rəubərait] roburit bezpečnostní trhavina
robust [rə*u*ˈbast] **1** tělesně silný, mohutný, zdatný, statný, masívní, hřmotný, robustní **2** přímočarý, přímý (*a ~ thinker*) **3** zdraví pevný, železný, kvetoucí **4** práce namáhavý, těžký, tvrdý, hrubý **5** rostlina odolný, tuhý **6** pokrm silný, hutný, výživný **7** humor jadrný, drsný, silácký, hrubý ◆ ~ *man* hromotluk, lamželezo
robustious [rəuˈbasčəs] **1** člověk divoký, hlučný, chlubivý, rozkřičený, drsný **2** počasí drsný; bouře divoký, prudký, zuřivý **3** zast. = *robust, 1*
robustness [rəuˈbastnis] **1** mohutnost, zdatnost, statnost, masívnost, hřmotnost, robustnost **2** přímočarost, přímost **3** pevnost zdraví **4** namáhavost práce **5** odolnost, tuhost **6** hutnost, výživnost pokrmu; síla nápoje **7** drsnost, jadrnost, hrubost, hrubozrnnost vtipu
roc [rok] **1** legendární pták Roch z pohádek „Tisíce a jedné noci" **2** voj. raketová zbraň s vestavěnou televizní kamerou
rocaille [rəuˈkai] výtv. práce z kamínků a lastur
rocambole [rokəmbəul] bot. česnek ořešec
Rochelle powder [roˌšelˈpaudə] šumivý prášek
Rochelle salt [roˌšelˈso:lt] rochelleská sůl projímadlo
rochet [ročit] círk. rocheta bílé krátké roucho
rock[1] [rok] **1** skála; skalní / skalnatý tes, útes, výběžek; skalnatý rif; přen. pevný základ, fundament **2** balvan, valoun; AM, AU kámen, kamínek, šutr (hovor.) **3** geol. hornina **4** *R~* Gibraltar **5** tvrdé cukroví, cukrátko, tvrdý bonbón, špalek; cukrová tyčinka; AM kandysový cukr, kandys, cukrkandl **6** též *Blue ~* holub skalní **7** *~s, pl* slang. drahokamy, diamanty, brilianty **8** AM slang. dolar, dolarová bankovka; *~s, pl* prachy **9** AM blbost, kravina, volovina hloupá chyba ◆ *R~ of Ages* Skála věků Ježíš Kristus; *built on the ~* postavený na skále, přen. pevný; *effusive ~* geol. výlevná / efuzívní / vulkanická hornina; *R~ English* gibraltarská angličtina; *founded on the ~* založený na skále; *~ maple* javorový cukr; *~ mass* příkrá skalní stěna; *needle of ~* skalní jehla; *Neptunian ~* geol. ve vodě vzniklá hornina; *of the old ~* drahokam vyzrálý; *on the ~s 1.* alkoholický nápoj (pouze) s ledem neředěný (*whisky on the ~s*) *2.* hovor. na dně, na suchu, na mizině, černý, dutý, švorc, plajte; *~ pine* bot. borovice těžká; *pull a ~* AM udělat blbost / volovinu; *run upon the ~s* najet na skály, ztroskotat (na skále), též přen.; *R~ scorpion* přezdívka člověka narozeného v Gibraltaru, obyvatel Gibraltaru; *secondary ~s* geol. druhotné horniny; *see ~s ahead* přen. vidět úskalí, narazit na úskalí; *~ shelter 1.* skalní úkryt *2.* převislá skála, převis; *~ stream* horská kamenná suť, „kamenné / skalní moře"; *~ vegetation* skalní vegetace; *~ of water* bibl.: skála, do níž udeřil Mojžíš a vytryskla z ní voda
rock[2] [rok] hist. přeslice
rock[3] [rok] *v* **1** kolébat | se, houpat | se; ukolébat (*~ him to sleep*); houpat se v houpací židli **2** roz|kývat | se, roz|kymácet | se, zakymácet | se, za|třást | se, roztřást | se, roz|kolísat, klátit | se; kolísat, kmitat, pohybovat se mezi dvěma mezemi (*the speedometer was ~ing between sixty and sixty-five* tachometr se pohybovat mezi šedesáti a pětašedesáti) **3** hnát (*~ a mule*), hnát to, hnát se, štípat si to, mést si to (*~ed around the town*); hnát to rychle zpívat / tančit / hrát **4** horn. rýžovat v kolébavém žlabu **5** let. za|mávat vztlakovými klapkami **6** výtv. zdrsnit povrch grafické desky ◆ ~ *the boat* přen. přivést do riskantní situace; *~ with laughter* válet se smíchy; *~ wings* let.: též mávat křídlem na potvrzení příjmu signálu ● *s* houpání, kolébání; zhoupnutí, zakolébání
rock[4] [rok] = *rock'n'roll*
rockaway [ˌrokəˈwei] lehký čtyřkolový kočár krytý
rock-a-bye [rokəbai] **1** spinkej! **2** tiše, pst!
rock basin [ˌrokˈbeisn] geol. kar
rock bed [rokbed] **1** skalnatý základ, skalnaté dno **2** štět, štětový podklad silnice; skalní podklad
rock bend [ˌrokˈbend] geol. vrása
rock bird [rokbə:d] zool. **1** skalňák **2** papuchalk
rock bottom [ˌrokˈbotəm] *s* **1** základ, jádro (přen.) **2** nejnižší bod, úplné dno (přen.) ◆ *get down to ~* přijít tomu na kloub; *his supplies touched ~* jeho zásoby byly téměř vyčerpány ● *adj rock-bottom* cena nejnižší možný
rock-bound [rokbaund] obklopený / uzavřený / sevřený skalami
rock brake [rokbreik] bot. jinořadec
rock cake [rokkeik] hrudky, pečivo s griliášem
rock candy [ˌrokˈkændi] **1** kandys, cukrkandl **2** tvrdé cukroví, „špalek"
rock climbing [ˈrokˌklaimiŋ] horolezectví po skalách
rock cork [rokko:k] miner. skalní korek odrůda chryzolitu n. polygorzkitu
rock cress [rokkres] bot. huseník
rock crystal [ˈrokˌkristl] miner. křišťál
rock dove [rokdav] zool. holub skalní
rock drill [rokdril] **1** vrták, vrtačka na tvrdé horniny **2** vrtací kladivo
rocker[1] [rokə] **1** kolébač; oblouk kolébky **2** AM houpací židle / křeslo / lenoška; dětská houpací

židlička **3** houpačka **4** horn. kolébavý rýžovací žlab; zkušební necičky; miska na propírání zlata **5** tech. kyvná páka, vahadlo; kývavý hřídel; kyvná tyč **6** brusle s vypuklou skluznou plochou **7** sport. zvrat v krasobruslení ◆ *be off one's* ~ slang. být (úplný) cvok

Rocker[2] [rokə] BR chuligán na motocyklu zejm. v kožené bundě

rocker arm [ˌrokəˈa:m] tech. kývavé rameno; kyvná páka; vahadlo

rockery [rokəri] (*-ie-*) skalka, alpínum

rocket[1] [rokit] bot. **1** roketa setá **2** večernice vonná ◆ *base* ~ rýt barvířský; *blue* ~ *1.* oměj *2.* stračka *3.* ladoňka; *eastern* ~ hulevník východní; *tall* ~ hulevník nejvyšší; *yellow* ~ barborka obecná

rocket[2] [rokit] *s* **1** raketa **2** prskavka, rachejtle (hovor.) **3** slang. setření, umytí hlavy, sprdunk ● *v* **1** bombardovat raketami, střílet / pouštět rakety na, z|ničit raketovými střelami; vynést raketou (~ *a satellite into orbit* vynést družici raketou na oběžnou dráhu) **2** prudce vy|skočit nahoru, vy|letět, vznést se, vy|stoupnout jako raketa, též přen. (~*ed to stardom almost overnight* téměř přes noc se z něho stala hvězda) **3** bažant vyletět kolmo nahoru, vytahovat

rocket base [rokitbeis] odpalovací raketová základna

rocket booster [ˌrokitˈbu:stə] první stupeň vícestupňové rakety

rocketdrome [rokitdrəum] raketodrom

rocketeer [ˌrokiˈtiə] **1** raketový odborník / technik, stavitel raket **2** odpalovač rakety

rocket engine [ˌrokitˈen*dž*in] reaktivní motor, raketový motor

rocketer [rokitə] kolmo vzlétající pták, zejm. bažant

rocket gun [ˌrokitˈgan] **1** raketometná zbraň, raketnice, raketomet **2** raketová puška, tarasnice; pancéřová pěst

rocket jet [rokitdžet] = *rocket engine*

rocket launcher [ˌrokitˈlo:nčə, ˌrokitˈlo:nšə] raketomet

rocket launching site [ˌrokitˌlo:nčiŋˈsait, ˌrokitˌlo:nšiŋˈsait] odpalovací raketová základna, raketodrom

rocket motor [ˈrokitˌməutə] = *rocket engine*

rocketor [rokitə] raketový odborník

rocket-propelled [ˌrokitprəˈpeld] jsoucí na raketový pohon

rocket propulsion [ˌrokitprəˈpalšən] raketový pohon

rocket range [rokitrein*dž*] raketová střelnice, odpalovací raketová základna

rocketry [rokitri] (*-ie-*) **1** raketová technika **2** spoléhání na raketovou techniku **3** závod v raketovém zbrojení

rocket salad [ˌrokitˈsæləd] bot. roketa setá

rockfish [rokfiš] *pl* též *-fish* [-fiš] zool. ropušnice

Rock fever [ˌrokˈfi:və] med. maltská horečka

rock garden [ˈrokˌga:dn] skalka, alpínum

rock goat [rokgəut] zool. kozorožec

rock-hewn [rokhju:n] vytesaný ze skály / z kamene

Rockies [rokiz] hovor. Skalisté hory

rockily [rokili] **1** nejistě, málo slibně, vachrlatě **2** cáknutě, praštěně **3** v. *rocky*[2]

rockiness[1] [rokinis] **1** skalnatost, kamenitost **2** pevnost, tvrdost; tvrdohlavost

rockiness[2] [rokinis] **1** nejistota, vratkost, vachrlatost **2** cáknutost, praštěnost

rocking [rokiŋ] **1** houpací **2** tech. kyvný; kývavý **3** v. *rock, v*

rocking chair [rokiŋčeə] houpací židle / křeslo

rocking horse [rokiŋho:s] houpací kůň

rocking plant [rokiŋpla:nt] skalnička, alpínka

rocking stone [rokiŋstəun] viklan

rocking turn [rokiŋtə:n] sport. zvrat v krasobruslení

rock leather [ˈrokˌleðə] = *rock cork*

rockless [roklis] jsoucí bez skal / bez skály

rocklike [roklaik] jsoucí jako skála, skálopevný

rockling [rokliŋ] *pl* též *rockling* [rokliŋ] zool. hlubinná treska

rock'n'roll [ˌroknˈrəul] *s* rokenrol ● *v* tančit rokenrol

rock oil [rokoil] ropa

rock paper [ˈrokˌpeipə] = *rock cork*

rock pigeon [ˈrokˌpidžin] zool. holub skalní

rock plant [rokpla:nt] skalnička, alpínka

rock rabbit [ˈrokˌræbit] zool. pišťucha

rock ribbed [rokribd] **1** skalnatý, přerušovaný skalami (*a* ~ *coast*) **2** AM tvrdý, tuhý, neoblomný, rigorózní, konzervativní, skalní

rockrose [rokrəuz] bot. **1** devaterník penízkový **2** trávnička přímořská

rock salmon [ˈrokˌsæmən] karasovitá ryba *Seriola folcata*

rock salt [rokso:lt] kamenná sůl

rock shaft [rokša:ft] tech. kývavý hřídel kol osy; hřídel vahadla

rock silk [roksilk] = *rock cork*

rock staff [roksta:f] vahadlo kovářského měchu

rock sucker [ˈrokˌsakə] zool.: druh minohy

rock tar [rokta:] ropa

rock thrush [ˈrokˌθraš] zool. skalník; skalník zpěvní

rock whistler [ˈrokˌwislə] zool. svišť horský

rock wood [rokwud] **1** miner. skalní dřevo druh polygorskitu n. chryzolitu **2** geol. zkamenělé dřevo

rock wool [rokwul] izolační skalní vlna

rockwork [rokwə:k] **1** skalka, alpínum **2** skalní stěna **3** stav. rustikované zdivo

rocky[1] [roki] (*-ie-*) **1** skalní, též přen.; skalnatý, připomínající skálu **2** AM kamenitý, kamenný, též přen. (*the* ~ *road to stardom* kamenitá cesta k herecké slávě, *a* ~ *heart* kamenné srdce)

rocky[2] [roki] (*-ie-*) **1** slang. nejistý, málo slibný, pochybný, vachrlatý, vošajslich **2** AM slang. praštěný, cáknutý

Rocky Mountain Douglas fir [ˈroki ˌmautin ˌdagləs ˈfə:] bot. douglaska sivá
Rocky Mountain fir [ˈroki ˌmauntin ˈfə:] bot. jedle balzámová plstnatoplodá pravá
Rocky Mountain juniper [ˈroki ˌmauntin ˈdžu:nipə] bot. jalovec skalní
Rocky Mountain penderosa pine [ˈroki ˌmauntin ˌpendə ˌrəusə ˈpain] bot. borovice těžká
Rocky Mountain red cedar [ˈroki ˌmauntin ˈred ˌsi:də] bot. jalovec skalní
Rocky Mountains [ˈroki ˌmauntinz] *pl* Skalisté hory
rococo [rə*u*ˈkəukəu] *s* rokoko ● *adj* **1** rokokový **2** styl květnatý, příliš ozdobný, samá kudrlinka 3 zast. zastaralý
rod [rod] *s* **1** prut **2** výhonek, šlahoun, odnož **2** též *fishing* ~ rybářský prut **4** též *dowsing* ~ proutek, virgule k proutkařství **5** válcovaný drát nad 5 mm **6** zast. jezdecký bičík **7** rákoska; metla; přen. potrestání rákoskou / metlou, výprask; kázeň, disciplína **8** hůl, klacek; kyj **9** hůl jako odznak moci, maršálská hůl, žezlo, berla **10** tyč, tyčka, tyčinka; lať, laťka **11** tyčkový věšák **12** měřící / měřičská lať **13** též *lightning* ~ hromosvod, bleskosvod **14** anat. tyčinka **15** tyčinková bakterie, bacil **16** tech. táhlo, pístnice, ojnice; spona (žel.) **17** tyč délková míra, cca 503 cm; čtverečná tyč plošná míra 25,95 m² **18** rybář chytající na udici **19** slang. bouchačka revolver **20** obsc. penis ◆ ~ *adaptation* tyčinková / skotopická adaptace oka na tmu; ~ *bolt* svorník na pruty bez hlavy udice; ~ *gate* závora přes cestu; *give a p. the* ~ dát rákoskou / metlou / holí komu, uštědřit výprask, nařezat rákoskou atd. komu; *have a* ~ *in pickle for a p.* mít spadeno na koho (*I have a* ~ *in pickle for him* má to u mne schované, má vroubek); *kiss the* ~ *1.* podrobit se *2.* pokorně / ochotně přijmout trest; *make a* ~ *for one's own back* navařit si pěknou kaši, zavařit si to; ~ *rigging* námoř. pevné lanoví u něhož jsou ocelová lana stěhů a úpon nahražena ocelovými pruty; *Spare the* ~ *and spoil the child 1.* Stromek se musí ohýbat, dokud je mladý *2.* Škoda každé rány, která padne vedle; *ride the* ~*s* AM slang.: tulák jezdit pod vagónem ● *v* (*-dd-*) **1** opatřit hromosvody co, dát hromosvody na **2** protáhnout / prorazit tyčí
rode[1] [rəud] v. *ride, v*
rode[2] [rəud] pták táhnout večer z vody na břeh / při toku
rode[3] [rəud] námoř. kotevní lano malého člunu
rodent [rəudənt] *adj* **1** živočich: jsoucí z řádu hlodavců **2** hlodající, hlodavý; působící hlodavou bolest (~ *ulcer*) ● *s* hlodavec
rodential [rə*u*ˈdenšəl] hlodavčí
rodenticide [rə*u*ˈdentisaid] prostředek hubící hlodavce
rodeo [rə*u*ˈdeiəu / AM rəudiəu] **1** shromážďování dobytka např. před značkováním; louka, ohrada, kde je dobytek shromážděn **2** rodeo slavnost kovbojů spojená se zápasnickým krocením divokých koní a býků **3** exhibice, závody (*parachute* ~)
rod iron [ˈrod ˌaiən] tyčová ocel, prutová ocel
rodless [rodlis] jsoucí bez prutu atd.
rodman [rodmæn] *pl: -men* [-men] **1** rybář chytající na udici, udičkář (slang.) **2** kdo chodí s tyčí n. holí; figurant **3** slang. bandita / gangster s bouchačkou, pistolník
rodlike [rodlaik] tyčovitý, tyčinkovitý
rodomontade [ˌrodəmonˈta:d] *adj* nabubřelý, chvástavý ● *s* rodomontáda nabubřelá, chvástavá řeč ● *v* mluvit nabubřele, chvástat se, holedbat se
rodomontader [ˌrodəmonˈta:də] nabubřele hovořící chvastoun
rodster [rodstə] řidč. rybář chytající na udici, udičkář (slang.)
roe[1] [rəu] *pl* též *roe* [rəu] srnčí zvěř, srnčí; srnec; srna, srnka
roe[2] [rəu] *s* **1** též *hard* ~ jikry **2** též *soft* ~ mlíčí
roebuck [rəubak] srnec
roe corn [rəuko:n] jikra
roe deer [rəudiə] *pl* též *roe deer* [rəudiə] srnec
roentgen [rontjən / AM rentgən] = *Röntgen*
roe stone [rəustəun] miner. jikrovec, oolit
rogation [rə*u*ˈgeišən] **1** čast. ~ *s, pl* círk. prosby, přímluvy; litanie, prosebné procesí; litanie ke všem svatým; triduum před svátkem Nanebevstoupení Páně **2** antic. návrh zákona; zákon (*Licinian* ~*s* zákony navržené Liciniem) ◆ *R*~ *days* triduum před svátkem Nanebevstoupení Páně; ~ *flower* bot. vitod obecný; *R*~ *Sunday* pátá neděle po velikonocích
rogational [rə*u*ˈgeišənl] prosebný
roger[1] [rodžə] *interj* **1** sděl. tech. slyšel jsem a rozuměl, potvrzuji příjem **2** hovor. fajn, prima souhlasím ● *v* obsc.: muž souložit s
Roger[2] [rodžə] též *Sir* ~ *de Coverley* starý angl. lidový tanec; hudba k tomuto tanci ◆ *Jolly* ~ černá pirátská vlajka s bílou lebkou a zkříženými hnáty
rogue [rəug] *s* **1** zast. tulák, vandrák, povaleč **2** lotr, ničema, ničemník, lump, dareba, darebák, mizera, rošťák, uličník, podvodník, gauner **3** nevyvinutá sazenice, rostlina odlišná od ostatních např. barvou **4** zlý samec-samotář, zejm. slon **5** neposlušný kůň ◆ ~*'s gallery* / ~*s' gallery* fotografie hledaných zločinců, fotografický archív zločinců, galerka; ~*'s march* hist. víření bubnu při vylučování vojáka z pluku; ~*'s salute 1.* hist. dělový výstřel oznamující začátek zasedání soudu *2.* hovor. výstřel naslepo; ~*'s yarn* barevná jutová příze v rostlinném lanu zhotoveném pro brit. válečné loďstvo ● *v* **1** toulat se **2** podvést, podvádět **3** lumpačit, uličničit, provádět lotrovství **4** protrhávat, čistit pole, vytrhávat nežádoucí rostliny ● *adj* **1** zlý, samotářský (~ *elephant*) **2** nebezpečný; připomínající zlého, samotářského samce
roguery [rəugəri] (*-ie-*) **1** lotrovství, ničemnost, da-

rebáctví, rošťáctví, uličnictví, gaunerství; lotrovina, lumpárna, rošťárna, gauneřina **2** šibalství, šelmovství, šprým, šprýmaření, žertík, uličničina, klukovina

roguish [rəugiš] **1** ničemný, lotrovský, darebácký, nepoctivý; nepočestný, nepoctivý (*~ intentions* nepočestné záměry) **2** šelmovský, šibalský, zábavně uličnický, rošťácký (*a ~ wink* uličnické mrknutí)

roguishness [rəugišnis] **1** ničemnost, lotrovství, darebáckost, darebáctví; nepoctivost, nepočestnost **2** šelmovství, šibalství, šibalstvo, zábavné uličnictví, rošťáctví, zábavná uličničina, rošťárna

roi [rwa:] : *~ fainéant* pouze nominální vladař / předseda; pouhá figura, loutka; *le ~ le veult | s'avisera* král si přeje | se ještě rozmyslí forma královského souhlasu | nesouhlasu s navrhovaným zákonem

roil [roil] AM *v* roz|vířit, zvířit (*~ed water*) **2** vyvést z klidu, rozzlobit, pobouřit (*don't let her ~ you*) ● *s* víření; zvířený úsek řeky (*steely ~ of slick water*)

roily [roili] **1** zvířený **2** zakalený, zkalený

roinek [roinek] = *rooinek*

roister [roistə] *v* hlučně hýřit, řádit, nevázaně hodovat; chlubit se, holedbat se, vytahovat se ● *s* zast. = *roisterer*

roisterer [roistərə] hýřil, fláma, chlubil, vejtaha (slang.)

Roland [rəulənd] : *die like ~* umřít hlady n. žízní; *give a ~ for an Oliver* odplatit stejnou mincí

role, rôle [rəul] **1** herecká role, úloha **2** přen. postavení, funkce, poslání, role (*the ~ of the teacher in the educational process*)

roll[1] [rəul] **1** role útvar vzniklý svinutím něčeho do tvaru válce; válec, cylindr; rolička, rulička **2** stočený balík, stuček, štůček, stůčka, též text., štůček, kotouč; cívka, špulka (*~ of twine* špulka nití)) **3** svazek, smotek, vích, věchet (*~ of straw*) **4** ukroucený kus, kousek (*~ of tobacco*), též válcovitého n. nepravidelného tvaru, hrouda másla, roubík síry, spěrek (*~ of soap*) **5** rulička pramen vlasů stočených do válečku **6** sbalená pokrývka, sbalený spací pytel, bandalír (slang.) **7** pečivo ve tvaru válečku: rovný rohlík, šiška, ruláda, závin, štola; masová rolka, šiška, veka; svitek, rolované maso, španělský ptáček **8** AM složené / stočené peníze; *~s, pl* slang. prachy, finance **9** archit. voluta v jónské hlavici **10** pergamenový svitek, pergamen; listina; písemný dokument, materiál, úřední zápis, protokol, matrika, rejstřík, registr **11** oficiální seznam, katalog (*the ~ of registered voters* seznam zapsaných voličů), řada (přen.) (*belongs in the ~ of great actors*); seznam žáků / studentů / členů zákonodárného sboru; nájemní seznam / výkaz; soupis nájemného; daňový seznam **12** též *~s, pl* BR advokátní rejstřík advokátů nižšího stupně **13** *R~s, pl* BR státní archiv **14** nástup, apel pro kontrolu podle seznamu; zjišťování prezence / absence **15** válec, válcovací stolice; váleček nářadí i vzor; válec psacího stroje; hud. váleček pro mechanické piano **16** kožené kulaté pouzdro, trubka, trubice na dokumenty **17** záhyb, fald, váleček (*great ~s of fat around his middle* velké tukové faldy kolem pasu) **18** ohrnovací límec kabátu; co je určeno k ohrnutí, např. patent (*~ of a stocking*) **19** tech. valení **20** archit. obloun ◆ *apple ~* jablkový závin; *breakfast ~* kávový rohlík, loupáček; *call the ~* zjišťovat prezenci / absenci vyvoláváním jmen; *~ of carpet* svinutý koberec; *crescent ~* zahnutý rohlík; *Frankfurter ~* špička pečivo; *~ of honour* listina cti seznam padlých ve válce; *Master of the R~s* BR státní soudní archivář, předseda státního soudního archívu; *rye ~* dalamánek, kornšpic; *~ sulphur* válečková síra; *strike off the ~s* BR vyloučit / vyškrtnout z advokátního rejstříku; *Swiss ~* ruláda s náplní ze zavařeniny

roll[2] [rəul] *v* **1** valit | se; vyvalit, přivalit **2** převalovat (*he was ~ing a marble between his palms* převaloval si mezi dlaněmi kuličku); povalovat se, převalovat se (*a porpoise ~ing in water* ve vodě se převalovala mořská sviňucha); převalit se na záda (*the mule tried to ~* mezek se snažil převalit na záda) *over* přes (*a flood of terror ~ed over Europe* přes Evropu se převalila záplava teroru) **3** válet, připravovat válení (*the farmer was ~ing pills for his horses*), roz|válet těsto **4** z|válcovat, uválcovat, převálcovat, přejet válcem; rozmělňovat mezi válci **5** navalit / nanést válečkem **6** koulet | se, kutálet | se, kulit | se **7** vkutálet se, zakutálet se, překulit se *over* přes **8** koulet očima; oči koulet se **9** s|vinout, s|motat (*~ wool into a ball*), s|rolovat (*~ a carpet*); s|balit, stočit, ovázat, omotat, namotat (*~ed the bandage around his leg*) **10** u|kroutit | si, u|balit | si, s|rolovat | si cigaretu **11** navalit, udělat kouli z, uválet *a t.* z *into a t.* co (*~ snow into a ball*) **12** roztáhnout, rozložit, rozbalit (*we ~ed our beds on the ground and slept in the open*) **13** loď kolébat se podél podélné osy, houpat se (odb.), rozhoupat, rozkolébat (*~ed the great bomber like a jet fighter* rozkolébal velký bombardér jako tryskový bojový letoun); kolébat se, houpat se, pohupovat se při chůzi **14** let. u|dělat plný výkrut **15** vozit | se, jezdit, projet | se; absolvovat v kolovém vozidle (*the hardest miles were ~ed*); vézt, tlačit, strkat kolové vozidlo (*~ed the baby carriage to the store* dotlačila dětský kočárek k obchodu); let. pojíždět, rolovat (slang.) **16** dát se do pohybu, vyjet (*the fire engines ~ed while the alarm bell was still ringing* zvonek ještě řinčel na poplach a vozy hasičů se už daly do pohybu) **17** vézt / sunout / stěhovat, odstěhovat, přestěhovat na válcích (*had the log house ~ed to its present site* dal si srub přestěhovat na nynější místo) **18** přen. rozjet se (*~ed to a fourth term*),

roller skating [ˈrəuləˌskeitiŋ] **1** jízda / bruslení na kolečkových bruslích **2** v. *roller-skate, v*
roller shutter [ˌrəuləˈšatə] = *roller blind*
roller towel [ˈrəuləˌtauəl] nekonečný ručník zavěšený na tyči
rolley [roli] = *rulley*
roll film [ˌrəulˈfilm] svitkový film
rollick [rolik] *v* **1** být uvolněný / žoviální, chovat se nenuceně, bezstarostně se veselit, dělat si legraci **2** zvíře hrát si, dovádět **3** člověk užívat života, bavit se, vyhazovat si z kopýtka, řádit; dovádět *in* s, vyvádět s (*~ in women*) ● *s* **1** švanda, nevázaná legrace (*filled the English theatre with such ~ as it had scarcely known before*) **2** žoviálnost; dovádění, vyvádění, nevázanost, řádění; nevázaný kousek, kanada, fór
rollicking [rolikiŋ] **1** nenucený; nevázaný, dovádivý, rozdováděný **2** v. *rollick, v*
rolling [rəuliŋ] *s* **1** kolébání lodi **2** v. *roll, v* ● *v ~!* kamera jede! ● *adj* **1** slang. nalitý, nadrátovaný **2** v. *roll, v*
rolling barrage [ˌrəuliŋˈbæra:ž] voj. pohybová přehradová palba
rolling bridge [ˌrəuliŋˈbridž] pojezdný most, posuvný most
rolling chair [ˌrəuliŋˈčeə] židle na kolečkách, pojízdná židle
rolling kitchen [ˌrəuliŋˈkičin] voj. převozná kuchyně, polní kuchyně
rolling machine [ˌrəuliŋməˈši:n] tech. kalandr
rolling mill [rəuliŋmil] **1** válcovna **2** válcovací trať **3** válcovací stolice
rolling pin [rəuliŋpin] válek, váleček na těsto
rolling press [ˌrəuliŋˈpres] polygr. rotačka
rolling stock [rəuliŋstok] **1** železniční park lokomotiva a vozy **2** vozový park, vozy, vozidla
rolling stone [ˌrəuliŋˈstəun] hovor. **1** nestálý člověk, tulák **2** člověk stále měnící své zaměstnání n. bydliště ◆ *A ~ gathers no moss* Devatero řemesel, desátá bída
roll moulding [ˈrəulˌməuldiŋ] archit. obloun
roll neck [rəulnek] mající ohrnovací límec, mající rolák (hovor.) (*a turquoise ~ pullover*)
roll off [ˌrəulˈof] z kterého se sjíždí n. vyjíždí
roll on [ˌrəulˈon] *adj* **1** na který se vjíždí **2** opatřený nanášecím válečkem n. kuličkou (*first ~ deodorant*) ● *s* elastický podvazkový pás, návlek
rollout [ˌrəulˈaut] let. pojíždění na ranveji po přistání
roll-top [rəultop] **1** roleta, rolo, žaluzie na psací stůl **2** též *~ desk* americký psací stůl se stahovací roletou
roll up [rəulap] AU shromáždění
rollway [rəulwei] AM **1** místo, kde se něco dopravuje na válcích, válcovací dráha **2** smyk pro přibližování dřeva **3** klády, dřevo připravené k přepravě u vodního toku
roly-poly [ˌrəuliˈpəuli] *s* (*-ie-*) **1** též *~ pudding* vařená roláda se zavařeninou, pečená omeleta se zavařeninou **2** cvalík, bumbrlíček dítě **3** AM vstaváček loutka ● *adj* dítě baculatý, buclatý, boubelatý ● *v* (*-ie-*) válet sudy
Rom [rom] *pl: Roma* [rəumə] cikán, Rom muž
Roma [rəumə] v. *Rom*
Romaic [rəuˈmeik] jaz. *s* novořečtina, dimotiki ● *adj* novořecký
romaika [rəuˈmeiikə] novořecký národní tanec
Roman [rəumən] *s* **1** Říman obyvatel Říma; občan římské říše; římský katolík **2** papeženec **3** *R ~ s, pl* bibl. Římané římští křesťané **4** jaz. latina **5** polygr. antikva, latinka ● *adj* **1** římský; římanský (řidč.) **2** starořímský, antický, z dob starého Říma, postavený Římany (*a ~ road*) **3** archit. románský **4** římskokatolický, papeženský
roman à clef [roˌma:naˈklei] *pl: romans à clef* [roˌma:naˈklei] liter. klíčový román
Roman arch [ˌrəumənˈa:č] románský oblouk
Roman balance [ˌrəumənˈbæləns] **Roman beam** [ˌrəumənˈbi:m] římské / běhounové váhy, mincíř, přezmen
Roman candle [ˌrəumənˈkændl] raketa, rachejtle pro ohňostroj vybuchující barevnými koulemi
Roman canvas [ˌrəumənˈkænvəs] malířské plátno natřené na jedné straně
Roman Catholic [ˌrəumənˈkæθəlik] *s* římský katolík latinského obřadu ● *adj* římskokatolický
Roman-Catholically [ˌrəumənkəˈθolikli] římskokatolicky
Roman-Catholicism [ˌrəumənkəˈθolisizəm] římskokatolictví
romance [rəˈmæns] *s* **1** románský jazyk **2** stará francouzština **3** liter., hud. romance **4** rytířský román, dobrodružný / milostný román **5** kouzlo, romantická myšlenka, romantický nápad, romantika, dobrodružství, dobrodružnost, román (přen.) **6** pohádka, fantazie, fantastický příběh, přehánění, nadsázka **7** láska, milostný vztah / poměr, milostné dobrodružství ● *adj* **1** *R ~* jazyk románský **2** romantický; dobrodružný, milostný ● *v* **1** psát romance; básnit, skládat, psát příběhy **2** přen. vyprávět pohádky / román, bájit, básnit, lhát, vymýšlet si **3** být zamilovaný *with* do, chodit s
Roman cement [ˌrəumənsiˈment] románský cement, románské vápno
romancer [rəˈmænsə] **1** autor (středověké) romance **2** fantastický lhář
Roman Empire [ˌrəumənˈempaiə] říše římská ◆ *Holy ~* Svatá říše římská
Romanes [romənis] jaz. cikánština, romani
Romanesque [ˌrəuməˈnesk] *adj* jaz., archit. románský ● *s* **1** románský styl **2** románský jazyk
Roman fever [ˌrəumənˈfi:və] med. druh malárie vyskytující se převážně v Kampánii
Roman holiday [ˌrəumənˈholidei] zábava na úč jiného
Romanian [rəuˈmeiniən] *adj* rumunský ● *s* **1** R mun **2** rumunština

yjet (*they went home after the late edition had ~ed*) **19** AM ztlumit couvnutím *with* co (*~ed with the punch, but it caught his nose nevertheless* ztlumil direkt couvnutím, ale přesto ho chytil na nos) **20** obíhat *around* co / kolem, kroužit, točit se kolem (*the planets ~ around the Sun*) **21** roztočit (*~ the cameras*) **22** terén stoupat a klesat, vlnit se **23** též *~ away* táhnout se do dálky **24** ozývat se dlouho / silně / hlubokým tónem, dunět, za|znít, nést se; zvučně pronášet / zpívat, hlaholit (*~ed the psalm to wintry skies* hlaholil žalm k zimní obloze); varhany burácet, hřmět; buben vířit; pták trylkovat, klokotat, rolovat **25** hud. za|hrát rozloženě akord **26** hra v kostky hodit kolik, házet si (kostkou) *a p.* s kým (*I'll ~ you to see who pays*) **27** AM okrást, vykrást kapsy opilé / spící / bezvědomé oběti ◆ *be ~ing* mít spoustu peněz, topit se v penězích; *be ~ing in a t.* přen. tonout, topit se v (*be ~ing in money*), nevědět kam s / co s; *~ the bones* AM hrát v kostky; *~ door* posuvné dveře; *~ flat* přen. srovnat jako válcem, usměrnit, zglajchšaltovat (*minds ~ed flat by academism*); *~ed gold* zlatá folie; *some heads will ~ in the government* ve vládě budou padat hlavy, několik členů vlády padne; *~ one's hoop* AM slang. hledět si svého, starat se o své; *~ my log and I'll ~ yours* ruka ruku myje; *~ into one* přen. spojit, sloučit, zkombinovat; *~ed into one* v jednom (*saint and philosopher ~ed into one*); *~ed oats* ovesné vločky; *~ one's r's* vyslovovat důrazně písmeno *r*; *~ your own* AM namáhej se laskavě sám; *send a p. ~ing* povalit koho (až se kutálí); *start a t. ~ing* způsobit / spustit co, dát podnět k čemu; *start the ball ~ing* přen. rozhýbat diskusi, „hodit kámen do hospody"; ***roll o. s.*** svinout se, stočit se do klubíčka (*hedgehog ~s itself into a ball* ježek se stáčí do klubíčka) ***roll away*** odjet, odplout; odvalit se, valit se pryč, odkolébat se ***roll back*** *1* opět svinout, opět stočit *2* vytlačit jako válec *3* AM snížit ceny pomocí státní subvence ***roll by*** míjet, plynout, utíkat, běžet ***roll down*** *1* stáhnout, svinout, srolovat *2* vyválcovat na menší tloušťku ***roll forth*** varhany zaburácet, zahřmět ***roll in*** *1* valit se v množství, přicházet, přijíždět (*offers of help are ~ing in* přichází velké množství nabídek pomoci); objevit se *2* hrnout se (*the money was ~ing in*); přihrnout se *3* valit se vlnivým pohybem (*the waves ~ed in to the beach* vlny se valily na pobřeží) *4* hovor. jít na kutě ***roll on*** *1* navléci | si, natáhnout | si srolované (*she ~ed her stockings on*) *2* vlnit se dál (*the waves ~ on* vlny se valí dál a dál) *3* = *roll by* ◆ *time ~s on* čas běží / utíká ***roll out*** *1* vyvalit *2* rozvinout, roztáhnout, rozbalit svinuté (*~ out the red carpet*) *3* vyválet těsto na placku *4* důrazně pronášet (*~ out the words so that everyone can hear*) ***roll over*** převalit, svalit, povalit, složit ***roll round*** *1* otočit (*he ~ed his head round in the direction of the curtained window*) *2* uplynout ***roll up*** *1* hromadit se, kupit, růst, vršit se (*my debts are ~ing up* dluhy rostou) *2* přijet, přijít, objevit se, přihrnout (*two or three latecomers ~ed up* přihrnuli se dva tři opozdilí návštěvníci); *R~ up! R~ up!* tady je to, tady je to!, pojďte sem a vyberte si! vábení zákazníka *3* vyhrnout, vykasat, vytáhnout *4* svinout (*he ~ed up his umbrella*), srolovat těsto *5* přijít houpavým / kolébavým krokem (*the drunken man ~ed up to me* opilec se ke mně přikolébal) *6* voj. obchvátit nepřátelské křídlo dozadu a dokola; svinout postavení ◆ *~ up one's sleeves* vyhrnout si rukávy, dát se do toho ***roll o. s. up*** zabalit se (*he ~ed himself up in the blanket* zabalit se do pokrývky převalováním) ● *s* **1** koulení; kutálení; valení; válení sudů (přen.) (*a ~ on the grass*) **2** valení ve vlnách, vlnění, příboj (*the ~ of the waves* zvedání a klesání vln); vlna, zvlnění terénu **3** plynulý tok rytmicky členěný (*the heavy ~ of the Latin periods*); rachot, za|rachocení, za|burácení, za|dunění (*the ~ of the cannon*) za|hučení, hukot, bouření (*the ~ of the surf* hukot příboje) **4** víření, virbl na buben **5** ptačí trylek, trylkování, klokot, klokotání, rolování **6** kymácení, kolébání lodi / vlaku / letadla podél podélné osy, hourácení (odb.), houpání, pohupování při chůzi (*she walks with a slight ~, walk with a nautical ~* kolébat se při chůzi jako námořník) **7** roz|točení; otočka v tanci **8** rokenrol **9** hud. rozložený akord **10** let. naklonění, klonění; plný výkrut

rollable [rəuləbl] **1** valitelný; válcovatelný **2** sbalitelný, svinutelný, srovnatelný

rollbar [rəulba:] ocelová výztuž ve střeše auta, chránící cestující při převrácení vozidla

rollblock [rəulblok] voj. betonový zátaras

roll book [ˌrəulˈbuk] prezenční kniha

roll call [rəulko:l] **1** vyvolávání jmen, čtení prezence, zjišťování prezence n. absence, jmenovitá kontrola stavu **2** vojenský nástup; signál k nástupu; apel

roll collar [ˈrəulˌkolə] ohrnovací límec, rolák (hovor.)

roller [rəulə] **1** válec; váleček; kolečko **2** valcíř **3** vysoká dlouhá vlna která se obvykle láme na vrcholu **4** obinadlo **5** natáčka na vlasy **6** zool. mandelík; harcký kanár; rejdič ◆ *common ~* zool. mandelík hajní

roller bandage [ˌrəuləˈbændidž] obinadlo

roller bearing [ˈrəuləˌbeəriŋ] tech. **1** válečkové ložisko **2** válcové ložisko mostu

roller blind [ˌrəuləˈblaind] žaluzie, roleta

roller coaster [ˈrəuləˌkaustə] **1** tobogan, lochneska, horská dráha **2** vozík tobogánu / horské dráhy

roller curtain [ˈrəuləˌkə:tn] = *roller blind*

roller skate [rəuləskeit] *s* kolečková brusle ● *v: roller-skate* jezdit / bruslit na kolečkových bruslích

Romanic [rəu'mænik] *adj* románský ● *s* románský jazyk
Romanish [rəuməniš] římanský, papežský, papeženecký
Romanism [rəumənizəm] **1** náboženské římanství, římskokatolický postoj **2** politika / zvyky římskokatolické církve
Romanist [rəumənist] *s* **1** katolík latinského obřadu **2** jaz., hist., práv. romanista ● *adj* **1** římský, papežský **2** jaz., hist. romanistický **3** práv. římský, týkající se římského práva
Romanistic [ˌrəumə'nistik] romanistický
Romanity [rəu'mænəti] řidč. stará římská civilizace, římanství
Romanization [ˌrəumənai'zeišən] pořímštění, pořímšťování, romanizace, romanizování
Romanize [rəumənaiz] **1** pořímštit, romanizovat **2** pokatoličtit; konvertovat ke katolicismu **3** psát latinkou **4** paginovat římskými číslicemi
Romanizer [rəumənaizə] kdo pořímšťuje n. pokatoličťuje
Roman lace [ˌrəumən'leis] hvězdicová / síťová krajka, reticella
Roman laurel [ˌrəumən'lorəl] bot. vavřín, bobek
Roman law [ˌrəumən'lo:] římské právo
Roman letters [ˌrəumən'letəz] polygr. antikva, latinka
Roman nettle [ˌrəumən'netl] bot. kopřiva kulkonosná
Roman nose [ˌrəumən'nəuz] římský nos s vyklenutým hřbetem, orlí / supí nos
Roman-nosed ['rəumənˌnəuzd] jsoucí s římským nosem
Roman numerals [ˌrəumən'nju:mərəlz] římské číslice
Roman order [ˌrəumən'o:də] archit. **1** římský sloh **2** složený / kompozitní řád z řádu jónského a korintského
Roman plant [ˌrəumən'pla:nt] bot. **1** merlík všedobr **2** čechřice vonná
Roman rite [ˌrəumən'rait] římská / latinská liturgie
Romans [rəumənz] **1** epištola sv. Pavla k Římanům **2** v. *Roman, s*
Roman school [ˌrəumən'sku:l] výtv. Raffaelova škola
Romansh [rəu'mænš] románština, rétorománština jazyk Rétorománů ve švýcarských Alpách
Roman snail [ˌrəumən'sneil] zool. hlemýžď zahradní
Roman steelyard [ˌrəumən'stilja:d] = *Roman balance*
romantic [rəu'mæntik] *adj* **1** romantický, též lit., hud., výtv. **2** fantastický, dobrodružný, snílkovský, blouznivý, nepraktický, nerealistický **3** div. milovnický (*he played the ~ lead* hrál hlavní milovnickou roli) ◆ *be ~ about* mít romantický vztah k; *~ movement* lit., hud., výtv. romantismus ● *s* **1** též *R~* romantik stoupenec romantismu **2** fantasta, blouznivec, snílek, romantik **3** *~s, pl* romantismus, romantické názory / nápady; romantické řeči; romantika
romanticism [rəu'mæntisizəm] **1** romantika, romantičnost **2** též *R~* romantismus
romanticist [rəu'mæntisist] **1** romantik stoupenec romantismu **2** fantasta, blouznílek, snílek, romantik
romanticize [rəu'mæntisist] **1** romantizovat (*romanticizing of gangsterism*) **2** uvažovat / jednat / mluvit / psát romanticky (*~d a great deal about Indians*) ◆ *she tends to ~* je romanticky založená
Roman type [ˌrəumən'taip] = *Roman letters*
Roman vitriol [ˌrəumən'vitriəl] chem. skalice modrá, vodnatý síran měďnatý, chalkanthit
Roman willow [ˌrəumən'wiləu] šeřík obyčejný
Roman wormwood [ˌrəumən'wə:mwud] bot. ambrózie
Romany [rəuməni] *adj* cikánský ● *s* **1** (*-ie-*) *pl* též *Romany* [rəuməni] Rom, cikán; cikáni, cikánstvo **2** cikánština, romani
romaunt [rə'mo:nt] zast. rytířský román, dvorský román
Rome [rəum] **1** Řím **2** antic. Řím, římské impérium, římská říše **3** přen. Řím, římská církev, katolicismus, katolictví ◆ *~ was not built in a day* to se neudělá přes noc, a proto to chce klid a zhluboka dýchat, žádný učený s nebe nespadl; *Do in ~ as ~ does / as the Romans do, When in ~ do as the Romans do 1.* Jaký kroj, tak se stroj *2.* Kdo chce s vlky býti, musí s nimi výti
Rome penny [ˌrəum'peni] círk. haléř sv. Petra
Romeward [rəumwəd] *adj* nábožensky orientovaný na Řím, římský, římanský, katolicizující (*~ tendencies*) ● *adv* = *Romewards*
Romewards [rəumwədz] směrem k Římu, na Řím
Romish [rəumiš] hanl. římanský, papeženský
Romney [romni] též *~ Marsh* ovce romneyská plemeno domácí ovce
romp [romp] *v* **1** děti dovádět, skotačit, běhat, utíkat, honit se; vesele nahnat (*~ the children to bed*) **2** slang.: snadno běžet, utíkat, vzít, předběhnout *past* koho; hravě pro|letět **3** opatřit píseň / hudbu ozdobnou melodií, cifrovat ***romp home / in*** kůň snadno zvítězit při dostihu ***romp through*** proletět ● *s* **1** uličnice, diblík, hravá kočička (přen.) **2** dovádění, skotačení, honička (*a joyful ~ rather than a dogfight* spíše veselé dovádění než pranice); za|dovádění milenců **3** hladké vítězství **4** řetěz epizod ◆ *win in a ~* hladce zvítězit, vyhrát snadno a rychle
romper [rompə] **1** též *~s, pl* dětská kombinéza, kalhoty do hraní **2** kdo skotačí, dovádí n. se honí
rondavel [ˌrondə'vel] SA kulatý dům o jedné místnosti s doškovou krytinou
rondeau [rondəu] liter. rondó lyrická báseň o třech slokách a dvou rýmech, v níž se opakuje třikrát začátek prvního verše

rondel [rondl] liter. rondel lyrická báseň o třech slokách a dvou rýmech, v níž se opakují třikrát první dva verše první sloky
rondo [rondəu] hud. rondo hudební forma, v níž se návraty hlavní myšlenky střídají s vložkovými mezivětami
rondure [rondjə] bás. oblina, oblost, okrouhlost
rone [rəun] SC okap
Roneo [rəuniəu] BR s cyklostyl ● *v* cyklostylovat
Röntgen [rontjen / AM rentgən] fyz. rentgen jednotka ozáření ◆ *R~ rays* Roentgenovy / rentgenové paprsky, paprsky X
röntgenize [rontgenaiz / AM rentgənaiz] z|rentgenovat
röntgenogram [ˌrontgenəˈgræm / AM ˌrentgenəˈgræm] **1** rentgenový snímek, rentgenogram, skiagram
röntgenography [ˌrontgəˈnogrəfi / AM ˌrentgəˈnogrəfi] **1** rentgenová fotografie **2** med. snímkování, skiagrafie
röntgenopaque [ˌrontgenəˈpeik / AM ˌrentgenəˈpeik] nepropouštějící rentgenové paprsky
röntgenoscopy [ˌrontgəˈnoskəpi / AM ˌrentgəˈnoskəpi] prosvěcování lidského těla rentgenovými paprsky
röntgenotherapy [ˌrontgenəˈθerəpi / AM ˌrentgenəˈθerəpi] ozařování rentgenovými paprsky
roo [ru:] AU hovor. klokan
rood [rud] **1** zast. kříž na němž zemřel Ježíš Kristus **2** kříž, krucifix **3** plošná míra 10,1 arů **4** přen. políčko, zahrádka (*not a ~ remained to him*) ◆ *by the R~* zast. přísahám při svatém Kříži!; *R~ day* hist. *1.* svátek Povýšení sv. Kříže 14. září *2.* svátek Nalezení sv. Kříže 3. května
rood arch [ru:da:č] archit. oblouk mezi chórem a chrámovou lodí
rood beam [ru:dbi:m] archit. příčný trám s krucifixem mezi chórem a chrámovou lodí
rood cloth [ru:dkloθ] rouška k zahalení krucifixu v postě
rood loft [ru:dloft] archit. ochoz, kůr mezi chórem a chrámovou lodí
rood screen [ru:dskri:n] archit. stěna mezi chórem a chrámovou lodí
rood tree [ru:dtri:] = *rood, 1*
roof [ru:f] *s* **1** střecha domu, vozu **2** střešní krytina **3** klenba; strop, též přen. **4** námoř. palubní přístřešek **5** horn. nadloží, strop ◆ *cover a ~* pokrývat střechu; *~ of heaven* nebeská klenba; *hit the ~* slang. chytat se stropu, vyletět; *~ of the mouth* anat. patro; *raise the ~* slang. *1.* burácet až okna drnčí *2.* vyletět (*he'll raise the ~ when he sees that bill* až uvidí účet, bude oheň na střeše); *retile a ~* dát novou krytinu na střechu z tašek; *under a p.'s ~* pod čí střechou, u koho v domě; *~ of the world* střecha světa Pamír ● *v* **1** též *~ in / over* zastřešit **2** dát pod střechu, přikrýt střechou
roofage [ru:fidž] střešní krytina
roof brick [ˌru:fˈbrik] stav. klenák
roof covering [ˌru:fˈkavəriŋ] střešní krytina
roofer [ru:fə] **1** tesař na stavbu střechy **2** pokrývač **3** BR hovor. děkovný dopis hosta hostiteli po návratu domů
roof garden [ˈru:fˌga:dn] zahrada na střeše, střešní zahrada
roof guard [ru:fga:d] ochranný plech proti sněhu nad okapem střechy
roofing [ru:fiŋ] *s* **1** střešní krytina **2** střecha, kryt, přístřešek **3** pokrývačské práce; materiál na pokrývačské práce **4** v. *roof, v* ● *adj* **1** krytinový **2** v. *roof, v*
roofless [ru:flis] **1** jsoucí bez střechy; nezastřešený, otevřený **2** člověk: jsoucí bez domova, bez střechy nad hlavou
rooflike [ru:flaik] střechovitý
roof rack [ru:fræk] BR nosič, ohrádka, zahrádka na střeše automobilu
roof-raising [ˌru:fˈreiziŋ] : *~ ceremony* zdvižná
roof spar [ˌru:fˈspa:] krokev
rooftop [ru:ftop] střecha zvenku
rooftree [ru:ftri:] hřebenová vaznice střechy
rooinek [ro:inek] SA **1** nováček, přistěhovalec do Jižní Afriky, zejm. z Evropy **2** SA hanl. Anglán **3** britský voják v búrské válce
rook[1] [ruk] věž šachová figurka
rook[2] [ruk] *s* **1** havran polní **2** falešný hráč ● *v* **1** obrat, oškubat, ošulit, ožulit, svléknout zejm. falešnou hrou **2** okrást zákazníka
rookery [rukəri] (*-ie-*) **1** havraní hnízdiště **2** hnízdiště, sídliště, osada, kolonie např. tučňáků n. tuleňů **3** chudá kolonie, barabizny; činžák; přen. sídlo, hnízdo, líheň
rookie [ruki] AM voj. slang. bažant; uchál, zelenáč nováček
rooklet [ruklit], **rookling** [rukliŋ] mladý havran
rook rifle [ˈrukˌraifl] flobertka, malorážka
rooky[1] [ruki] plný havranů
rooky[2] [ruki] (*-ie-*) hovor. **1** těžká figura v šachu **2** vynikající šachista
rooky[3] [ruki] (*-ie-*) = *rookie*
room [ru:m] *s* **1** místo část prostoru; prostor **2** místnost; pokoj, světnice, komora **3** *~s, pl* byt, apartmá; podnájem (*live in ~s*) **4** kajuta, kabina; lodní oddělení **5** přen. lidé v místnosti, společnost (*set the ~ laughing*) **6** příležitost, důvod, prostor, místo *for* pro, možnost čeho ◆ *we'd rather have his ~ than his company* byli bychom raději, kdyby zmizel; *in my ~* místo mne; *in the ~ of a p.* místo koho; *little ~* málo místa; *make ~* udělat místo, uhnout, ustoupit, jít z cesty; *take up too much ~* zabírat příliš mnoho místa; *no ~ to turn in* těsno, málo místa, kde se člověk nemůže ani hnout; *there was no ~ to swing a cat* tam nebylo k hnutí, tam by jablko na zem nepropadlo; *share a ~ with a p.* bydlet v jednom pokoji s; *small ~* komůrka, kamrlík; *~ and space* mezistění, žeberní vzdálenost u dřevěných lodí; *~ tem-*

perature pokojová teplota ● *v* AM bydlet v jedné místnosti (*the students* ~ *together in the dormitory* studenti bydlí pohromadě v jediné koleji) *with* s; ubytovat v pokoji, dovést do pokoje

roomage [ru:midž] AM místo

roomer [ru:mə] AM nájemník

roomette [ru:m'et] AM žel. oddělení s jedním lůžkem, soukromé spací kupé

roomful [ru:mf*u*l] plný pokoj, plná místnost, světnice množství; společnost v místnosti

roominess [ru:minis] prostornost

rooming house [ru:miŋhaus] *pl: houses* [hauziz] AM činžovní dům, činžák; penzión

roommate [ru:mmeit] spolubydlící

room service [ˌru:m'sə:vis] **1** podávání jídel atd. hotelovému hostu v jeho pokoji **2** hotelový číšník podávající jídla atd. hotelovým hostům v jejich pokoji **3** číšník označení zvonku v hotelovém pokoji

roomy [ru:mi] (*-ie-*) prostorný, s velkou kapacitou (*a* ~ *ship*)

roorback [ruəbæk] AM předvolební lež

roose [ru:z] SC chválit

roost[1] [ru:st] BR proud v úžině; slapové proudění u Orkneyského a Shetlandského souostroví

roost[2] [ru:st] *s* **1** hřad, hřada; hřadiště **2** přen. ložnice, postel **3** útočiště, útulek; shromaždiště, kolonie, hnízdo (přen.) ◆ *at* ~ *1.* slepice na hřadě *2.* člověk v posteli, v hajanech; *come home to* ~ vrátit se zpět na hlavu strůjce jako bumerang (*Curses come home to* ~ Kdo jinému jámu kopá, sám do ní padá); *go to* ~ jít na kutě; *rule the* ~ vládnout, panovat, být hlavou rodiny ● *v* **1** slepice hřadovat, jít / vyletět na hřad **2** jít spát / na kutě; pře|nocovat zejm. improvizovaně **3** sedět, posadit se, uvelebit se jako na hřadě **4** uložit (jako) na hřad

rooster [ru:stə] AM kohout samec kura domácího

root[1] [ru:t] **1** též ~ *about* vepř rýt v zemi, rozrývat půdu, hledat rytím v zemi *for* co (*pigs* ~*ing for truffles* vepři ryjící v zemi a hledající lanýže); slepice hrabat | se v zemi, vyhrabat, hrabáním vy|hledat v zemi *for* co (*chickens* ~ *about in the rubbish* kuřata hrabou na smetišti); ryba vrtat | se v bahně, zavrtáním vy|hledat co (*fish* ~*ing the mud for food* ryby vrtající v bahně a hledající potravu) **2** přen. vy|hrabat, vy|dolovat, vy|štrachat (*he* ~*ed the bill from under a pile of letters*); hrabat se, štrachat se *among* / *in* v **3** slang. povzbuzovat při utkání *for* koho (*the crowd* ~*ed for the home team*), fandit komu ◆ ~, *hog* / *pig, or die* kanárku, žer, nebo chcípni

root[2] [ru:t] *s* **1** kořen **2** bulva, hlíza, oddenek **3** kořenová zelenina; např. červená řepa, mrkev, brambor, ředkev **4** kořen nosu, jazyka; kořínek vlasu, nervu; lůžko; žlábek závitu **5** mat., hvězd. kořen, radix; odmocnina; astrologický aspekt **6** jaz. kořen **7** pata hráze, jezu, zubu kola; úpatí (~ *of a hill*); dno (~*s of the sea*) **8** přen. pramen, základ, podstata, jádro, fundament, kořen (*the love of money is the* ~ *of all evil* kořen všeho zla je láska k penězům) **9** bibl. výhonek, odnož rodu (*a* ~ *of Jesse*) **10** hud. základ, základní tón **11** mat. odmocnina **12** matné lůžko drahokamu **13** slang. kopanec (*caught him a great* ~ *with his boot on the backside* kopl ho botou strašně do zadku) ◆ *adventitious* ~*s* bot. příčepivé / adventivní kořeny, kořenonosce; *aerial* ~*s* vzdušné kořeny; ~ *cause* základní / hlavní příčina; *cube* / *cubic* ~ třetí odmocnina; *destroy* ~ *and branch* zničit i s kořeny, úplně vymýtit, vyhubit; *Dutch* ~*s* cibulky květin; ~ *extraction* odmocňování; ~ *fallacy* základní omyl; ~ *fiber* kořenové vlákno; *get at the* ~ *of a t.* dostat se čemu až na kloub / na kořen; *lay axe to the* ~ *of tree 1.* přiložit sekyru ke kořenům stromu, vytnout strom *2.* přen. podkopávat, začít ničit / kácet / bourat, vy|mýtit; *lie at the* ~ *of* být základní příčinou čeho; ~ *of the matter* jádro věci; ~ *pruning* les. podřezávání kořenů; *pull up by the* ~*s 1.* vytáhnout i s kořeny, vytrhnout z kořenů, vykořenit *2.* přen. vy|mýtit, vykořenit, vyhubit; ~ *reason* hlavní důvod; *second* etc. ~ *of* druhá atd. odmocnina čísla; *square* ~ druhá odmocnina; *strike* ~ = *take* ~; *strike deep* ~*s* zapustit hluboké kořeny; *strike at the* ~ *of evil* jít na kořen zla, hubit zlo od kořene; ~ *system* bot. kořenový systém; *take* ~ ujmout se, vkořenit se, pustit kořeny, zakořenit se, též přen.; ~ *timber* pařezové stavební dříví; *this is the* ~ *of the trouble* tady je zakopaný pes; ~ *tuber* kořenová hlíza; ~ *wood* pařezové dříví ● *v* **1** zasadit, sázet s kořeny, přepichovat (~ *the seedlings in the hotbed* přepichovat sazenice v pařeništi) **2** za|pustit kořeny / kořínky, ujmout se (*seedlings* ~ *quickly with plenty of water and sunlight* sazenice rychle zapouštějí kořínky, mají-li dosti vláhy a slunečního světla) **3** být zakořeněn (*the stock of freedom* ~*s*); tkvít, vězet, spočívat **4** přen. přibít, přimrazit (*fear* ~*ed him to the ground* strach ho přimrazil k zemi) **5** tahat, vytáhnout, vytrhnout (jako) kořen; vymýtit, vykořenit **6** AM povzbuzovat výkřiky n. potleskem *for* koho, hlasitě fandit komu ***root about*** tvrdnout (přen.) v očekávání *for* koho ***root away / out / up*** vytrhat; přen. vymýtit

rootage [ru:tidž] **1** bot. kořenový systém, koření **2** přen. kořeny, původ (*all these philosophies had a Greek* ~) ◆ *have* ~ být zakořeněn, hluboko tkvět (*repentance has a deep* ~ *in the spirit of man* lítost je hluboce zakořeněna v charakteru člověka); *take* ~ ujmout se, zakořenit se, za|pustit kořeny (*all superstitions take* ~ *and flourish* všechny pověry se ujmou a začnou rozkvétat)

root beer [ˌru:t'biə] AM sladký šumivý nápoj z extraktu různých kořenů

root cap [ˌru:t'kæp] bot. čepička kořene

root crop [ru:tkrop] **1** kořenová zelenina **2** kořenová plodina
root diameter [ˌru:tdaiˈæmitə] **1** průměr jádra šroubu **2** malý průměr závitu **3** průměr patní kružnice ozubení
rooted [ru:tid] **1** zakořeněný, vkořeněný; přen. zafixovaný **2** vrostlý, přirostlý kořeny *to* k (*lichen is ~ on the rock* lišejník je přirostlý ke skále), též přen. **3** v. *root,*[1,2] *v* ◆ *stand ~ to the spot* zůstat stát jako přibitý
rootedness [ru:tidnis] zakořeněnost, vkořeněnost; pevnost
rootery [ru:təri] (*-ie-*) zahr. záhon s kořeny
root hair [ˌru:tˈheə] kořenové vlášení
rootle [ru:tl] BR = *root*[1], *v*
rootless [ru:tlis] jsoucí bez kořene / kořenů atd.
rootlet [ru:tlit] **1** kořínek, vedlejší kořen **2** kuch. kořínek, pajšl (hovor.)
rootstock [ru:tstok] **1** bot. oddenek **2** zahr. odnož, řízek **3** přen. původ, základ, pramen (*the ~s of economic thoughts*)
rooty[1] [ru:ti] (*-ie-*) kořenový, kořenatý
rooty[2] [ru:ti] BR voj. slang. komisárek
roove [ru:v] námoř. *s* měděná podložka ● *v* zajistit hřeb měděnou podložkou
ropac [rəuˈpæk] kerný led
rope [rəup] *s* **1** lano nejméně 8 mm silné; provaz, provazec; šňůra (*a ~ of pearls*) **2** *~s, pl* námoř. lanoví **3** provazolezecké / horolezecké lano; horolezci na laně **4** *~s, pl* provazy boxerského ringu **5** smyčka, oprátka, provaz **6** spletený svazek (*a ~ of onions* svazek cibule), pletenec (*~s of hair*) **7** pletený drát, drátěné lano **8** řemínek, (pletený) bič **9** švihadlo **10** AM lano **11** hlen, kal, šlem např. v pivu **12** staniolový proužek shazovaný z letadla a rušící radarové pozorování ◆ *on the ~* horolezec připoután k (jednomu) lanu; *on the ~s 1.* box v provazech *2.* přen. hotový, na dně, u konce, grogy (*financially I was on the ~s*); *come down on a double ~* horol. slaňovat; *come to the end of one's ~* zločinec být konečně chycen; *give a p. ~* dát komu volnost k jednání; *give a p. ~ enough to hang himself* dát komu dost dlouhý provaz, aby se sám oběsil; *his hands are on all the ~s* má všechny nitky v ruce, všechno řídí; *on the high ~s* hovor. *1.* nadšený, u vytržení *2.* nadutý, nafoukaný, namyšlený *3.* navztekaný, vzteklý; *know the ~s* vědět co a jak, znát jak to chodí, umět se orientovat, znát všechny figle; *learn the ~s* naučit se jak to chodí / v tom chodit, zapracovat se, zaběhnout se, naučit se znát figle, ovládnout knify; *money for old ~* hovor. peníze zadarmo; *put on the ~* horol. připoutat se k lanu; *show a p. the ~s* zasvětit koho, zapracovat koho, ukázat komu, jak to chodí, prozradit figle komu, ukázat knify komu, *put a p. up to the ~s = show a p. the ~s; wire ~* drátěné lano ● *v* **1** s|vázat / uvázat / ovinout / omotat lanem / provazem **2** připoutat k lanu / lanem **3** táhnout lanem / na laně **4** též *~ off* oddělit provazem / lanem co, natáhnout provaz / lano a tak uzavřít přístup do (*~ of a piece of land*) **5** přen. zatáhnout, zavléci (*the conspirators ~d into their scheme a whole network of the magnates* spiklenci zatáhli do svého spiknutí celou síť velmožů) **6** horol. šplhat na laně **7** AM chytit do lasa **8** BR zdržovat (koně) při dostihu, aby nevyhrál **9** BR závodník držet se zpátky, nenamáhat se, záměrně prohrát závod **10** tvořit hlen / kal / šlem; kapat / téci / stékat jako hlen (*the saliva roping from his jowls* od huby mu tekly sliny) ◆ *~ a sail* olemovat plachtu ***rope down*** horol. slaňovat ***rope in 1*** BR hovor. přitáhnout např. do hry n. k práci *2* AM slang. ulovit snoubence
ropeable [rəupəbl] **1** svázatelný n. ovinutelný lanem / provazem **2** AU zvíře divoký, nezkrotný **3** AU hovor. vzteklý, nakrknutý
ropedancer [ˈrəupˌda:nsə] provazolezec, provazochodec, tanečník na provaze
ropedancing [ˈrəupˌda:nsiŋ] provazolezectví, provazochodectví, provazolezecký výkon, provazolezecká exhibice, chůze / tanec na laně
rope drill [rəupdril] voj.: cvičení, při němž natažené lano nahrazuje a představuje oddíl
rope drilling [ˈrəupˌdriliŋ] horn. lanové vrtání, vrtání lanem, vrtání na laně
rope end [rəupend] = *rope's end*
rope ladder [ˈrəupˌlædə] provazový žebřík, lanový žebřík
ropemanship [rəupmənšip] zručnost v chození n. šplhání po laně
rope moulding [ˈrəupˌməuldiŋ] architektonický článek tvaru lana, provazec
rope quoit [rəupkoit] lanový kroužek k házení
rope railway [rəupˈreiwəi] = *ropeway*
rope's end [rəupsend] **1** hist. konec lana užívaný k trestání námořníků **2** konec běhounu kladkostroje **3** kus lana **4** oprátka
ropewalk [rəupwo:k] provaznická dráha; provazárna
ropewalker [ˈrəupˌwo:kə] provazolezec, provazochodec
ropewalking [ˈrəupˌwo:kiŋ] provazolezectví, provazochodectví
ropeway [rəupwei] visutá lanovka, lanová dráha
ropework [rəupwə:k] = *ropewalk*
rope yarn [rəupja:n] **1** lanová příze, příze na lana **2** přen. maličkost
ropeyard [rəupja:d] provazárna
ropiness [rəupinis] **1** kalnost; hlenovitost, šlemovitost **2** lepkavost
roping [rəupiŋ] **1** lanoví **2** v. *rope, v*
ropy [rəupi] (*-ie-*) **1** kalný, s hlenem n. šlemem (*~ wine*); tvořící šmouhy **2** lepkavý, tahavý (*~ syrup*) **3** provazovitý, provazcovitý, připomínající

provaz, jako provaz|y **4** hovor. vadný, nekvalitní ♦ ~ *bread* oslizlý chléb
roque [rəuk] sport.: americký druh kroketu
Roquefort [rokfo: / AM rəukfərt] též ~ *cheese* rokfór
roquelaure [rokəlo:] rokelor, rokolor někdejší dlouhý kabát po kolena
roquet [rəuki] kroket *v* krokovat odrazit soupeřovu kouli ● *s* krokování
roral [rorəl] zast. rosný, rosnatý
roric [rorik] rosný
ro-ro ship [ˈrəurəuˈšip] nákladní loď pro dopravu nákladních aut s náklady
rorqual [ro:kwəl] zool. plejtvák velryba
rort [ro:t] AU hovor. **1** trik, podfuk **2** flám, mejdan
rorty [ro:ti] slang. fajn, bašta, senza (*had a ~ time*)
rosace [rəuzeis] archit. růžice, rozeta
rosacean [rəuˈzeišən] bot. růžovitý
rosaceous [rəuˈzeišəs] **1** bot. růžovitý **2** připomínající růži **3** růžový
rosaniline [rəuˈzænilain] chem. rosanilin, fuchsin
rosarian [rəuˈzeəriən] **1** pěstitel n. milovník růží, růžař **2** círk. člen Růžencového bratrstva
rosarium [rəuˈzeəriəm] růžový sad, růžová zahrada, rozárium
rosary [rəuzəri] (*-ie-*) **1** růžový keř; růžový záhon, růžový sad, růžová zahrada **2** též *R~* růženec souhrn modliteb; pomůcka k jejich počítání ♦ *lesser ~* malý růženec o 55 kuličkách
Roscian [rošiən] **1** rosciovský podle římského herce Roscia **2** herec geniální, výborný
rose[1] [rəuz] v. *rise, v*
rose[2] [rəuˈzei] rosé, růžák víno
rose[3] [rəuz] *s* **1** bot. růže keř; květ tohoto keře **2** růžová vůně; růžový olej, růžová silice; růžová barva **3** růžicové / rozetové okno **4** routa, růžice, rozeta výbrus diamantu; takto vybroušený diamant **5** větrná růžice; kompasová růžice **6** rozeta prýmek / odznak / distinkce ve tvaru růžice; kokarda **7** kropáč, cedník konve; sprcha; sací koš čerpadla **8** přen. perla, královna, bohyně (~ *of X* nejkrásnější dívka / žena v / z X) **9** část. *~s, pl* přen. příjemnost, hladká práce, piánko, med, samé hedvábí **10** *~s, pl* přen. růže, růžičky, ruměnec (*she has ~s in her cheeks*) **11** archit. růžice, rozeta; elektr. růžice; herald. růže; hud. růžice, rozeta vyřezávaný otvor na přední desce loutny; med. růže, erysipel; mysl. růže perlovitý okolek na spodní části lodyhy parohu; výtv. růžice, rozeta ♦ *it is not all ~s* ono to není tak růžové, jak to vypadá; *attar of ~* růžový olej; *no bed of ~s* žádné potěšení, žádný med (přen.); *be reposed on a bed of ~s* mít na růžích ustláno; *come up ~s* všechno vycházet, všechno dobře dopadnout; *~ diamond* routa, rozeta; *gather* (*life's*) *~s* užívat života, vyhledávat pouze příjemné stránky života; *Golden R~* círk. zlatá růže papežské vyznamenání; *~ of May* bílý narcis; *~ nail* hřebík s růžicovou hlavou; *otto of ~* růžový olej; *path strewn with ~s* cesta sypaná květy, cesta lemovaná růžemi; *under the ~* důvěrně, jako tajemství, pod pečetí mlčení, sub rosa; *~ vinegar* růžový ocet proti bolení hlavy; *no ~ without thorns* není růže bez trní; *War of the R~s* hist. válka růží boj dvou plantagenetovských větví, Lancasterů (s červenou růží) a Yorků (s bílou růží); *white ~* přen. lilie, bílá růže symbol panenství a nevinnosti; *wind ~* větrná růžice ● *adj* růžový ● *v* z|růžovět, z|nachovět, z|červenat jako růže
rose-apple [ˈrəuzˌæpl] bot. **1** hřebíčkovec **2** hřebíček koření
roseate [rəuziit] **1** růžový, též přen. (*~ hopes, ~ views*) **2** růžovitý ♦ *~ tern* zool. rybák rajský
rose bay [rəuzbei] bot. **1** vrbovka úzkolistá **2** zast. oleandr, rododendron, azalka
rose beetle [ˈrəuzˌbi:tl] = *rose chafer*
rosebud [rəuzbad] *s* **1** růžové poupě **2** přen. poupátko děvče **3** AM debutantka ● *adj* jsoucí jako růžové poupátko (*~ mouth*)
rosebush [rəuzbuš] růžový keř, růže
rose campion [ˈrəuzˌkæmpjən] bot. kohoutek věncový
rose chafer [ˈrəuzˌčeifə] zool. zlatohlávek zlatý
rose colour [ˈrəuzˌkalə] **1** růžová barva **2** přen. příjemnosti, legrace, zábava, med (*life is not all ~* život není peříčko)
rose-coloured [ˈrəuzˌkaləd] růžově zbarvený, růžový, též přen. ♦ *see things through ~ spectacles* vidět svět růžovými brýlemi; *he takes ~ views / a ~ view* dívá se na věci růžově / optimisticky
rose-cut [rəuzkat] drahokam broušený do rozety, rozetový
rose drop [rəuzdrop] **1** růžový bonbón **2** med.: druh trudoviny
rose engine [ˈrəuzˌendžin] gilošovací stroj na rytí jemných čárových ozdob
rose gall [rəuzgo:l] bot. houba růžová
rose garden [ˈrəuzˌga:dn] růžová zahrada, růžový sad, rozárium
rosehip [rəuzhip] šípek
rosella [rozelə] zool. rozela papoušek
rose leaf [rəuzli:f] *pl: rose leaves* [rəuzli:vz] **1** růžový plátek **2** růžový list keře **3** růžová barva ♦ *crumpled ~* přen. kapka žluči ve všeobecné radosti
roseless [rəuzlis] jsoucí bez růže, bez růží
roselike [rəuzlaik] jsoucí jako růže
rose-lipped [rəuzlipt] jsoucí s červenými rty, mající rty červené jako růže
rose mallow [ˈrəuzˌmæləu] bot.: ibišek *Hibiscus moscheutos*
rosemary [rəuzməri / AM rəuzmeri] (*-ie-*) bot. **1** rozmarýna lékařská **2** mléč rolní ♦ *wild ~ 1.* kyhanka sivolistá *2.* svízel syřišťový
rose noble [ˌrəuzˈnəubl] hist. zlatá mince s ražbou růže
roseocobalt [ˌrəuziəukəˈbo:lt] chem. roseokobalt červený kobaltový lak
rose of Jericho [ˌrəuzəvˈdžerikəu] bot. růže z Jericha

rose of Sharon [ˌrəuzəvˈšeəron] bot. **1** třezalka **2** ibišek

roseola [rəuˈzi:ələ] med. rozeola plošná kožní vyrážka jasně červené barvy

roseolar [rəuˈzi:ələ], **roseolous** [rəuˈzi:ələs] med. rozeolový, týkající se rozeoly

rose rash [rəuzræš] plošná červená vyrážka, rozeola (med.)

rose-red [rəuzred] *adj* červený jako růže ● *s* červená barva jakou má růže

rose root [rəuzru:t] bot. rozchodnice růžová

rosery [rəuzəri] (*-ie-*) **1** růžový záhon **2** růžový sad, rozárium

rose tree [rəuztri:] **1** růžový keř **2** vysokokmenná / stromková růže

rosette [rəuˈzet] **1** růžice, rozeta, též archit., kokarda **2** rozetové / růžicové okno **3** routa, růžice, rozeta výbrus diamantu; diamant takto vybroušený **4** co tvarem připomíná květ rozkvetlé růže, růžice např. mědi **5** skvrna na levharti kůži **6** druh choroby listů

rosetted [rəuˈzetid] **1** mající růžice / rozety, ozdobený růžicemi **2** ve tvaru růžice, tvořící růžice

rose-water [rəuzwo:tə] *s* **1** růžová voda, voda s růžovou silicí **2** přen. afektovanost, delikátnost, poklonkování, něžné zacházení n. zpracování (*revolutions are not made with* ~) ● *adj* opatrný, delikátní, konaný v rukavičkách ♦ ~ *surgery* bezbolestná chirurgie

rose window [ˈrəuzˌwindəu] archit. růžicové / rozetové okno

rosewood [rəzwud] růžové dřevo dřevo různých tropických stromů; strom toto dřevo poskytující (např. *Dalbergia, Amyris balsamifera* aj.)

rosewort [rəuzwə:t] bot. rozchodnice růžová

Rosicrucian [ˌrəuziˈkru:šjən] *s* hist. rozikrucián, bratr Růžového kříže člen tajné společnosti Růžového kříže ● *adj* rozikruciánský

rosily [rəuzili] **1** růžově **2** radostně, vesele, příjemně, optimisticky, slibně, nadějně

rosin [rozin / AM rozn] *s* **1** kalafuna **2** přírodní pryskyřice ♦ ~ *rose* bot. třezalka tečkovaná; ~ *soap* kalafunové mýdlo ● *v* na|kalafunovat smyčec

Rosinante [ˌroziˈnænti] **1** Rosinanta sešlý kůň **2** herka, chromák, hajtra

rosines [rəuzinis] **1** růžovost, též přen.; růžová barva **2** veselost; slibnost, nadějnost, optimismus

rosiny [rozini] kalafunový, obsahující / připomínající kalafunu / pryskyřici / terpentýn; páchnoucí po kalafuně / pryskyřici / terpentýnu

rosoglio, rosolio [roˈzəuliəu] rossoglio bylinný likér; rosolka

ross [ros] *s* vrchní drsná vrstva kůry, borka ● *s* zbavovat vrchní drsné vrstvy kůry, zbavovat borky, odkorňovat

roster [rəustə] **1** voj. rozpis služeb, rozpiska (*guard* ~) **2** seznam, soupis (*a* ~ *of famous scientists*); přehled (*a* ~ *of coming events*)

rostra [rostrə] *pl* **1** též *R*~ antic. řečniště na Foru Romanu ozdobené zobci z ukořistěných lodí **2** v. *rostrum*

rostral [rostrəl] **1** zobákovitý, zobanovitý **2** námoř. klounovitý **3** anat.: část míchy krční; část mozku zadní ♦ ~ *column* vítězný / pamětní sloup ozdobený lodními zobci

rostrate [rostrit] **1** zobákovitý, zobanovitý **2** = *rostrated*

rostrated [rostreitid] zakončený zobákem n. zobákovitým výrůstkem

rostriferous [roˈstrifərəs] mající zobák, opatřený zobákem

rostriform [rostrifo:m] zobákovitý, mající zobák

rostrum [rostrəm] *pl* též *rostra* [rostrə] **1** řečniště, řečnická tribuna, pódium; kazatelna; pódium vydražovatele při dražbě **2** = *rostra* **3** antic. *pl: rostra* lodní kloun **4** zool. zobák; ostruha; sosák hmyzu **5** bot. zobákovitý výrůstek, ostruha

rosulate [rozjulit] bot. růžicovitý

rosy [rəuzi] (*-ie-*) **1** růžový, též přen.; červený jako růže **2** růžolící, červeňoučký; kvetoucí (přen.) **3** zarůžovělý, červenající se, rdící se **4** ozdobený růžemi **5** slibný, nadějný, optimistický, dívající se na svět růžovými brýlemi ♦ *R*~ *cross* hist. Růžový kříž odznak rozikruciánů

rosy-coloured [ˈrəuziˌkaləd] růžový, zbarvený do růžova; mající barvu růže, červený

rosy-fingered [ˈrəuziˌfiŋgəd] růžovoprstý (~ *dawn* zora růžovoprstá)

rot[1] [rot] **1** hnití, hniloba, hnilobný rozklad (*the* ~ *begins as soon as the fish are killed* jakmile se ryby zabijí, začíná hnilobný rozklad) **2** tlení; trouchnivění, práchnivění; puchření; teření, týření (les.) **3** shnilotina, hniloba; trouchnivina, troucheň (kniž.), práchnivina **4** zvěr.: ovčí motolice, motoličnost **5** slang.: též *tommy* ~ kec, kecy; pitomost, pitomina (*what tommy* ~ *that it is not open on Sundays*); volovina, kravina, blbina, blbost **6** sport. řetěz smůly, série kiksů, série průšvihů, pech zejm. v kriketu (*a* ~ *set in*) ♦ ~ *of clover* rakovina jetele, hlízenka jetelová; *perfect* ~ slang. úplná blbost, hotová kravina, šílená volovina; ~ *proofing* úprava / napouštění / impregnace dřeva proti hnilobě; *liver* ~ zvěr. jaterní nekróza; *talk* ~ kecat, říkat voloviny (*don't talk* ~ nekecej); *what* ~ *that we cannot go* to je pitomé, že nemůžeme jít

rot[2] [rot] (*-tt-*) **1** s|hnít, též přen. (~ *in jail*... ve vězení), rozkládat | se hnilobně, způsobit hnití čeho (*the heavy rains* ~*ted the wheat*) **2** ze|tlít, z|trouchnivět, z|práchnivět, z|puchřet, z|kazit se; hornina zvětrat **3** morálně upadnout, degenerovat (*a civilization which* ~*ted and disappeared* civilizace, která degenerovala a zmizela), přivést k úpadku **4** ovce dostat motolice / motoličnatost **5** máčet, močit, rosit len **6** slang. zvorat, zblbnout (*has* ~ *ted* *the whole plan*) 7 BR slang. kecat; dělat si legraci (*I was only ~ting*) z, utahovat si z *rot off* uhnít, upadnout následkem hnití / trouchnivění

rota [rəutə] **1** seznam, soupis jmen a úkolů, rozpis povinností; turnus, střídání směny **2** *R* ~ círk. Posvátná Rota nejvyšší soud katolické církve **3** hud. kánon; píseň s refrénem ♦ *on a ~ basis* střídavě, s pravidelným střídáním, na střídačku (*free weekends on a ~ basis* střídavě volné víkendy)

rotameter [rəuˈtæmitə] křivkoměr

Rotarian [rəuˈteəriən] *adj* rotariánský týkající se Rotaryklubu ● *s* rotarián člen organizace zednářského charakteru nazv. Rotaryklub

rotary [rəutəri] *adj* **1** točitý, otáčivý, otočný, rotační **2** pravidelně střídavý, cirkulující **3** polygr. rotační, tištěný na rotačce ♦ ~ *acceleration* úhlové zrychlení; ~ *motion / movement* otáčivý pohyb, otáčení, rotace ● *s* (*-ie-*) **1** rotační tiskařský stroj, rotačka **2** elektr. synchronní konvertor, jednotkový měnič **3** AM kruhový objezd

rotary beater [ˌrəutəriˈbi:tə] ruční šlehač mechanický

rotary cleaner [ˌrəutəriˈkli:nə] koukolník, triér

Rotary Club [ˌrəutəriˈklab] Rotaryklub organizace zednářského charakteru

rotary crane [ˌrəutəriˈkrein] otočný jeřáb

rotary cultivator [ˌrəutəriˈkaltiveitə] půdní fréza

rotary current [ˌrəutəriˈkarənt] elektr. několikafázový proud

rotary drier [ˌrəutəriˈdraiə] sušicí buben

rotary drill [ˌrəutəriˈdril] rotační vrták, otáčivý vrták

rotary machine [ˌrəutərimaˈši:n] polygr. rotační stroj, rotačka

rotary plough [ˌrəutəriˈplau] **1** sněhová fréza **2** půdní fréza

rotary press [ˌrəutəriˈpres] polygr. rotační tiskový stroj, rotačka

rotary saw [ˌrəutəriˈso:] kotoučová pila, pilový kotouč, cirkulárka

rotary shears [ˌrəutəriˈšiəz] kotoučové nůžky

rotary transformer [ˌrəutəritrænsˈfo:mə] konvertor

rotary valve [ˌrəutəriˈvælv] hud. otáčivý ventil žesťového nástroje

rotatable [rəuˈteitəbl] otáčivý, otočný

rotate[1] [rəuteit] bot. kulatý, okrouhlý; koruna kolovitý

rotate[2] [rəuˈteit/AM rəuteit] **1** točit | se, otáčet | se; roztočit | se zejm. pravidelnou rychlostí; kroužit, obíhat; krouživě pohybovat; rotovat **2** střídat | se postupně / pravidelně (~ *in office*); být ve střídavém použití, střídavě fungovat ♦ ~ *crops* střídavě osívat pole; ~ *duties* střídat se ve službě; ~ *a telescope through an angle of 90°* otočit teleskop o 90°; ~ *a wheel by hand* roz|točit kolo rukou

rotation [rəuˈteišən] **1** o|točení, otáčení, kroužení, víření, obíhání; otáčivý pohyb, rotace, rotování **2** oběh, otočka **3** pravidelné střídání (*the ~ of seasons*); vystřídání **4** karty směr pořadí hráčů např. pro rozdávání karet **5** les. doba obmýtní, obmýtí ♦ ~ *axis* osa otáčení; *by ~* po řadě, po pořadě, střídavě, na střídačku; ~ *of crops* střídání plodin, střídavý osevní postup; *in ~ = by ~*

rotational [rəuˈteišənəl] **1** točivý, otáčivý, otočný, vířivý; rotační **2** střídavý

rotation number [rəuˌteišənˈnambə] číslo série zboží

rotative [rəutətiv] **1** otáčivý, otočný, točivý, rotační **2** střídavý; střídací, pro střídání (*the ~ plan of rectorship*)

rotator [rəuˈteitə] **1** *pl* též *rotatores* [ˌrəuˈteitəri:z] anat. rotátor sval, který působí otáčivé pohyby **2** otáčedlo, otáčecí ústrojí

rotatory [rəutətəri / AM rəutətori] **1** otáčivý, otočný, rotační **2** působící otáčivé pohyby **3** pravidelně se střídající ♦ ~ *motion* otáčivý pohyb, rotace; ~ *muscle* anat. rotátor

rotch(e) [roč] zool. alkoun malý

rote[1] [rəut] : *by ~* bezmyšlenkovitě zpaměti, mechanicky (*learn by ~* nadřít, navrčet, našprtat); ~ *song* píseň naučená podle sluchu bez not

rote[2] [rəut] AM zvuk příboje na pobřeží

rotgut [rotgat] slang. žert. *adj* likér špatný, působící špatně od žaludku ● *s* poblión, utrejch špatný likér

rôti [rəuti] pečená drůbež n. zvěřina, pečeně

rotifer [rəutifə] zool. vířník

rotisserie [rəuˈtisəri] **1** gril **2** gril, rottisserie restaurace

rotagraph [rəutəgra:f] fot. **1** rotační kopírka; snímek z rotační kopírky **2** přímá kopie, fotostat

rotogravure [ˌrəutəgrəˈvjuə] **1** polygr.: válcový hlubotisk zejm. rotační **2** AM obrázková příloha tištěná hlubotiskem

rotor [rəutə] **1** rotor otáčivá část stroje, zejm. elektrického motoru n. parní turbiny; otočný válec využívající síly větru k pohonu lodi **2** kotva strojů na stejnosměrný proud **3** nosná vrtule, nosný šroub, rotor vrtulníku

rotocraft [rəutəkra:ft] vrtulník

rotovate [rəutəveit] obdělávat půdní frézou

rotovator [rəutəveitə] půdní fréza

rotten [rotn] **1** shnilý (*a ~ tomato*), prohnilý, zkažený, též přen.; prolezlý *with* čím (~ *with prejudices* prolezlý předsudky) **2** zetlelý, ztrouchnivělý, zpuchřelý, zpráchnivělý, zteřelý; zvětralý (~ *ice*) **3** rozmazlený (*a ~ child*) **4** ovce trpící motoličností **5** mizerný, otravný, pod psa, pro kočku, na houby, stojící za starou belu, blbý (*a ~ day*); sprostý (*a ~ trick*) ♦ ~ *borough* hist. volební okres s malým počtem obyvatel ale stejně důležitý jako hustě zalidněný okres; *he is ~ to the core* je prohnilý skrz naskrz; *go ~* úplně se zkazit; ~ *egg* zkažené / smradlavé vejce; ~ *failure* úplný průšvih, propadák; *feel ~* cítit se mizerně (*I feel ~* je mi nanic / blbě); ~ *luck* smůla, pech; *R ~ Row* jezdecká cesta v Hyde Parku; ~ *tooth* zkažený / děravý zub

rottenness [rotnnis] **1** shnilost, prohnilost **2** zetlelost, ztrouchnivělost, zpuchřelost, zpráchnivělost, zkaženost; stupeň zvětralosti horniny **3** morální úpadek, degenerovanost, zkorumpovanost

rottenstone [rotnstəun] tripel, tripl břidlice používaná k leštění

rotter [rotə] BR slang. lump, prevít, hajzl, šuft, šufťák

rotula [rotjulə] **1** anat. čéška **2** lékár. tabletka, pilulka, dražé

rotund [rəuˈtand] **1** řidč. okrouhlý, kulatý, oblý **2** člověk kulatý, kulaťoučký, obtloustlý **3** hlas plný, zvučný, sytý (*a deep ~ voice*); výraz nabubřelý, pompézní

rotunda [rəuˈtandə] **1** archit. rotunda **2** kulatý salón, kulatá hala **3** polygr. oblé gotické písmo

rotundate [rəuˈtandit] zakulacený

rotundity [rəuˈtandəti] **1** okrouhlost, kulatost, zakulacenost, oblost, zaoblenost **2** obtloustlost **3** plnost, zvučnost hlasu **4** přen. plnost, dokonalost, vyváženost

roturier [ˌrotju:ˈrjei] *pl: roturiers* [ˌrotju:ˈrjei] plebejec, plebej

rouble [ru:bl] rubl

roucou [ru:ku:] **1** bot. oreláník barvířský **2** orelán, ruku barvivo

roué [ru:ei / AM ru:ˈei] *pl: roués* [ru:ei / AM ru:ˈei] zhýralec, hejsek, roué

rouge[1] [ru:dž] BR etonské ragby **1** mlýn **2** bod

rouge[2] [ru:ž] *s* **1** rtěnka, růž **2** kosmetické líčidlo, kosmetická barva zejm. červená ● *v* **1** líčit | se, malovat | se růží, červenit si zejm. tváře **2** vehnat červeň do tváří; za|červenat se, za|rdět se ● *adj:* ◆ *~ Croix* herald. herold s červeným svatojiřským křížem; *~ Dragon* herald. herold s červeným drakem

rouge et noir [ˌru:žeiˈnwa:r] trente-et-quarante, rouge et noir, trenta (slang.) hazardní karetní hra

rouge-royal [ru:žroiəl] : *~ marble* druh belgického mramoru

rough [raf] *adj* **1** hrubý mající nerovný povrch (*~ surface*); nezdvořilý (*~ behaviour* hrubost); přibližný (*~ sketch*); fyzicky namáhavý (*~ work*) **2** drsný nerovný; neslušný **3** nerovný, zvrásněný, zdrsněný; hrbolatý **4** pokožka rozpukaný, rozpraskaný **5** zarostlý (*a face ~ with two day's beard* dva dny neholená tvář), kosmatý, chlupatý (*~ satyrs*), chundelatý, huňatý (*~ sheep*) **6** divoký, neproniknutelný, zarostlý (*a ~ country*), rozervaný, rozeklaný (*a ~ landscape*), pustý (*~ coast*) **7** neklidný (*a ~ voyage*), bouřlivý, rozbouřený (*the ~ waters of the channel*) **8** syrový, sychravý, ostrý, řezavý (*~ winds*) **9** namáhavý, zlý, nepříjemný, obtížný, těžký, plný nepříjemností (*a ~ day, a ~ assignment* nepříjemný úkol) **10** zvuk nemelodický, neartikulovaný; skřípavý, vrzavý, pisklavý, chrčivý, harašivý, chraptivý, chraplavý **11** nešlechtěný, nekultivovaný, nevzdělaný; drsný, neomalený, nevlídný, nevrlý, neotesaný, nevycválaný, humpolácký; neslušný, sprostý, obhroublý, vulgární (*~ languge*) **12** drsně přátelský, neobratný, nestrojený, neohrabaný ale přátelský **13** chuť trpký; ostrý (*~ whiskey*), trpký, drsný, nevyzrálý (*a ~ red wine*) **14** surový, v surovém stavu; nebroušený, nečištěný, nehlazený, neobrobený, neohoblovaný, neleštěný, neomítnutý, neoříznutý, neotesaný, nezpracovaný **15** neuhlazený, nešikovný, neobratný, kostrbatý, těžkopádný (*~ rhymes*) **16** primitivní (*~ hospitality*... pohostinství), improvizovaný (*a ~ wigwam fashioned of fir boughs* improvizovaný indiánský přístřešek z jedlových větví), nepohodlný **17** přibližný, celkový, povšechný, hrubý (*a ~ estimate* hrubý odhad) **18** na hrubo opracovaný; předrobený, předtvarovaný, předkovaný, předvrtaný **19** slang. špatný, chudý, mizerný; BR slang. zkažený **20** jaz. souhláska aspirovaný ◆ *~ accommodation* primitivní ubytování; *be ~ on a p.* být nepříjemný pro koho, být smůla pro koho; *~ book* obch. příruční obchodní kniha; *~ brick work* režné / neomítnuté cihlové zdivo; *~ calculation* cenový odhad, přibližný rozpočet, předkalkulace; *~ carpenter* tesař, který opracovává na hrubo; *~ circle* přibližný kruh, zhruba kruh; *~ cloth* surové sukno, loden; *~ coal* těžné / netříděné uhlí; *~ coat* základní nátěr; *~ coating* hrubá omítka; *~ comfrey* bot. kostival drsný; *~ copy* koncept, náčrtek rukopisu, rukopis psaný nanečisto; *cut up ~ 1.* zuřit, divočet *2.* být vyveden z klidu; *~ diamond 1.* nebroušený diamant *2.* přen. dobré jádro pod drsnou skořápkou; *~ drawing* náčrtek, skica; *~ edges* nepořiznuté strany knižního bloku; *~ element of the population* nevzdělané lidové masy; *~ estimate* přibližný / hrubý odhad; *feel ~* cítit se mizerně; *~ file* hrubý pilník, uběrák; *give a p. ~ handling* zacházet s kým brutálně; *~ guess* hrubý odhad; *~ handling* špatné / nevhodné / hrubé zacházení; *~ hands* rozpukané / rozpraskané ruce; *~ house* slang. *1.* rambajs, bugr, bengál *2.* rvačka, řežba, pranice *3.* skandál, hanba, ostuda; *~ knot* slang. zelenáč nezkušený námořník; *~ leaf* BR bot. první pravý list; *~ lock* brzdný řetěz u saní; *~ logs* kulatina dříví; *~ music* harašení, rachocení, hřmot, hlomoz, též jako posměšné dostaveníčko; *the horse has ~ pace* kůň stále shazuje jezdce; *~ passage* bouřlivá plavba, plavba po bouřlivém moři; *~ plate* nebroušené tabulové sklo; *~ play* sprosťárna; *~ proof* polygr. první domácí korektura; *~ remedies* drastické léky, „koňská kůra“; *~ rice* neloupaná rýže; *~ sea* námoř. neklidné moře vlnění 4. stupně Douglasovy stupnice; *~ setter* zedník; *give a p. lick with the ~ side of one's tongue* s kým si ostře promluvit, sjet koho; *in a ~ state* v hrubém stavu, nehotový, nedodělaný; *~ stone 1.* lámavý / neopracovaný kámen *2.* nebroušený drahokam; *~ temper* prchlivost;

~ *timber 1.* neodkorněné dřevo *2.* neohoblované řezivo; ~ *to the touch* drsný na omak; *have a ~ tongue* mluvit hrubě, být sprostý; ~ *tree* neotesaný kmen; ~ *weather* drsné / špatné počasí, sychravo, nepohoda; ~ *welcome* nevlídné přijetí ● *adv* **1** zhruba, nahrubo; nanečisto **2** hrubě, drsně, tvrdě (*play* ~) ● *s* **1** divoký terén, zarostlá nerovná půda, neobdělaná půda; porost na takové půdě **2** golf tráva, porost úmyslně neupravená část hřiště podél *fairway* **3** nepříjemnost, nepříjemná stránka zejm. života **4** surovina; surový stav **5** nebroušený drahokam **6** náčrt, náčrtek, skica **7** polygr. první domácí korektura **8** násilník, neurvalec, grobián, výtržník, chuligán, bandita, apač **9** ozub; ostrý zub do podkovy ◆ *in* ~ zhruba, všeobecně (*the question has been discussed in* ~): *in the* ~ *1.* v surovém stavu, nezpracovaný, neopracovaný, nebroušený, nevybroušený, též přen. *2.* jen tak, neformálně (*you must take us in the* ~ musíte nás brát, jací jsme); necivilizovaně (*eat fried chicken in the* ~ jíst smažené kuře rukama); *take the* ~ *with the smooth* brát věci, jak jsou, špatné i dobré, příjemné i nepříjemné ● *v* ***rough it*** *1.* chovat se hrubě *2.* protlouci se *3.* žít velice primitivně (*we ~ed it all month long*)

roughage [rafidž] **1** zdrsnění **2** hrubý materiál, hrubé zboží **3** lůžková sláma, podestlaná sláma, stelivo **4** nestravitelné látky podporující trávení, např. celulóza; strava pro povzbuzení činnosti střev, vláknina **5** AM objemové krmivo

rough-and-ready [ˌrafən'redi] **1** zhruba udělaný, nedodělaný, nouzový, spíchnutý, splácaný, přibližný, udělaný od oka ale vyhovující (~ *estimate* přibližný odhad) **2** člověk drsný, hrubý ale spolehlivý (*a* ~ *leader*); pracující nepřesně, ale rychle (*a* ~ *worker* pracovník...)

rough-and-tumble [ˌrafən'tambl] *adj* **1** neuspořádaný, neklidný, divoký, prudký, tvrdý, neúprosný (*a* ~ *fight*) **2** nouzový, splácaný, sprásknutý ze všeho možného (*a* ~ *fence* improvizovaný plot) ● *s* rvačka, pranice, pračka (*a* ~ *among the boys*), boj o život (*a* ~ *of politics*)

roughcast [rafka:st] *s* **1** hrubá / ostrá omítka **2** hrubý náčrtek / model / odlitek ● *adj* **1** hrubě omítnutý **2** zhruba navržený, naskicovaný ● *v* (*roughcast, roughcast*) **1** hrubě omítat **2** zhruba navrhnout odlitek čeho (~ *a clay model* udělat hrubý odlitek hliněného modelu); hodit na papír bez propracování (~ *a poem*)

rough-drill [rafdril] předvrtat

rough-dry [rafdrai] *v* (*-ie*) pouze usušit bez mandlování n. žehlení ● *adj* pouze usušený, suchý ale nevyžehlený ◆ ~ *clothes* prádlo, které po usušení není třeba žehlit, prádlo s nežehlivou úpravou

roughen [rafən] **1** zhrubnout, zdrsnit, učinit hrubým (*he hands were ~ed by work*) **2** stát se drsnějším / divočejším / rozervanějším (*the scenery ~ed at every step*)

rough-footed [ˌraf'futid] rousnatý, rousný

rough-grind [rafgraind] (*rough-ground, rough-ground*) **1** brousit na hrubo, předbrousit **2** hrubě mlít, šrotovat obilí

rough-ground [rafgraund] v. *rough-grind*

rough-handle [ˌraf'hændl] hrubě zacházet s, trýznit, týrat, maltretovat

rough-hew [ˌraf'hju:] (*rough-hewed, rough-hewed / rough-hewn*) **1** zhruba otesat / vytesat (~ *a statue out of a block of marble*) **2** rychle hodit na papír rychle napsat nanečisto

rough-hewn [ˌraf'hju:n] **1** drsný, nevzdělaný, nevycválaný, neotesaný **2** v. *rough-hew*

roughhound [rafhaund] zool.: druh žraloka

roughhouse [rafhaus] *s pl: -houses* [-hauziz] slang. náhlý bengál, brajgl, bugr, randál, odvaz, náhlá výtržnost (*the horseplay turned to a* ~ legrácka se najednou proměnila v brajgl) ● *v* **1** podávat si, tlouci koho, mydlit | se se smíchem **2** dělat bengál / brajgl / bugr (*got to roughhousing and nobody got any sleep*)

rough-legged [raflegd] rousný, rousnatý; jsoucí s chlupatýma nohama

roughish [rafiš] poněkud / téměř hrubý, drsný atd.; přihroublý

roughly [rafli] **1** zhruba, přibližně **2** surově, brutálně **3** v. *rough, adj*

rough-machine [ˌrafmə'ši:n] zhruba opracovat

roughneck [rafnek] slang. **1** grázl **2** AM naftař

roughness [rafnis] **1** hrubost, drsnost **2** nerovnost, hrbolatost **3** chlupatost, chundelatost, huňatost **4** divokost, neproniknutelnost, rozervanost přírody, rozeklanost terénu **5** neklidnost, bouřlivost, rozbouřenost **6** syrovost, sychravost; řezavost, ostrost tónu, větru **7** nekultivovanost, nevzdělanost, drsnost, neomalenost, nevlídnost, nevrlost, neotesanost, nevycválanost, humpoláckost **8** neobratnost, kostrbatost, těžkopádnost (*the ~es remaining after the first revision of an essay*)

roughrider ['rafˌraidə] **1** krotitel / cvičitel koní zejm. v britském jezdectvu **2** jezdec zvyklý na nepohodlnou jízdu **3** AM hovor. příslušník nepravidelného jezdectva, dobrovolník-kavalerista

roughscuff [rafskaf] AM lůze, chátra (*the political ~ of Europe*)

roughshod [rafšod] **1** kůň okovaný proti klouzání **2** nelidský, krutý, tyranský (~ *reign*) ◆ *ride* ~ jet bezohledně / přes mrtvoly; *ride* ~ *over a p.* zamávat / zatočit s někým (přen.), odrovnat koho

rough-spoken [ˌraf'spəukən] hrubý v řeči, hulvátský, neurvalý (*a* ~ *sailor*)

rough-up [rafap] slang. brajgl, bugr, bengál, rvačka, rvanice

rough-wrought [rafro:t] zhruba opracovaný / zpracovaný, předpracovaný
roulade [ru:ˈla:d] **1** hud. ruláda druh koloratury **2** kuch. masová ruláda
rouleau [ru:ˈləu] *pl:* též *rouleaux* [ru:ˈləuz] **1** zabalená rolička mincí **2** sloupec červených krvinek **3** rulička ozdoba na dámských šatech
roulette [ru(:)ˈlet] **1** ruleta **2** výtv. zrnítko, zrnidlo, ruleta **3** perforace mezi známkami **4** mat. kotálnice, trochoida **5** rulička, natáčka ◆ ~ *wheel* ruleta zařízení
Roumania [ru(:)ˈmeinjə] = *Rumania*
Roumanian [ru(:)ˈmeinjən] = *Rumanian*
Roumansh [rəuˈmænš] = *Romansh*
Roumelia [ru(:)ˈmiliə] Rumélie
Roumeliote [ru(:)ˈmiliot] obyvatel Rumélie
rouncival [raunsivəl] též ~ *pea* bot. velkozrnný druh hrachu
round¹ [raund] zast. na|šeptat,. pošeptat *a p.* komu; ~ *in a p.'s ear* pošeptat do ouška komu
round² [raund] *adj* **1** kulatý **2** kruhový, okrouhlý, zakulacený, oblý, zaoblený, kulový, sférický **3** válcový, cylindrický **4** půlkruhový **5** jízda / cesta okružní **6** tanec kolový **7** celý, plný (*a ~ dozen* rovný tucet), plných, celých čeho (*a ~ million men*) **8** ryba nevykuchaný **9** postava plný, zaoblený, boubelatý, baculatý **10** plastický, trojrozměrný (*the characters and their motives are as ~ and deep as those we might hope to find in a serious novel*) **11** částka zaokrouhlený (*a ~ figure*) **12** hrubý, přibližný, přibližně správný (*a ~ guess* přibližně správný odhad) **13** zvučný, sytý, sonorní **14** pořádný, pěkný, hezký, důkladný (*gave him a ~ hiding* důkladně mu nařezal); hezky vysoký, značný (*at a good ~ price*); rychlý, hbitý, svižný, pořádný, značný (*set a ~ pace* udat svižné tempo) **15** jasný, otevřený (*a ~ assertion* jasné prohlášení); jasně srozumitelný, otevřený, poctivý, pořádný, silný, mocný (*a ~ oath* mocná přísaha) **16** zast. otevřený, poctivý, čestný (*a ~ dealing* čestné jednání) **17** hotový, dodělaný, dokončený, kompletní **18** vedený celou paží (*a ~ blow* úder celou paží) **19** jaz. zaokrouhlený ◆ ~ *eyes* velké oči; ~ *unvarnished tale* čistá pravda ● *s* **1** kruh něčeho n. vytvořený v něčem; kolo, kroužek, vínek; prsten, prstenec; kružnice; kruhovitost, okrouhlost, zaokrouhlenost, oblina **2** kroužek lidí, parta (*a jolly ~*) **3** otáčka, obrátka; otočení, otáčení, kolotání, kroužení, víření **4** okruh; objížďka **5** okružní cesta / jízda **6** kolo okruh závodní dráhy **7** kolový tanec, kolo **8** plátek, krajíc zejm. oválný, přes celou veku, kolečko **9** kulatý předmět, koule; válec **10** oblý příčel, oblá příčka žebříku; oblý trnož židle **11** kulatá tyč, kulatina (též *pl*) (*~s up to 2¼ inches in diameter*) **12** kulatá věž, kulatá zeď / budova **13** oblá součást stroje, oblá tyč **14** držadlo pádla **15** výtv. kulatý štětec **16** kulatý hřbet knihy **17** řada kolem dokola pletená / háčkovaná **18** běh, koloběh, opakování stále dokola (*the ~ of the hours*) **19** celá řada, série (*a long ~ of talks*), kolotoč (přen.) (*life for them is one ~ of committees and council meetings*) **20** návštěva *of* jednoho za druhým (*a ~ of nightclubs after the play*); řada (společenských) návštěv, společenský program (*a busy ~ of dances and parties*); zájezd, turné **21** cesta za donáškou / roznáškou, donáška, roznáška zejm. mléka n. novin **22** vojenská obchůzka, patrola; vojenská stráž, patrola, hlídka, inspekce **23** *~s, pl* pochůzka, obchůzka, obhlídka, inspekce; pravidelná cesta, dráha, trasa, štreka **24** *~s, pl* návštěva, vizita lékařů u pacientů v nemocnici (*Grand ~s* velká vizita) **25** *~s, pl* chození po práci od sedláka k sedlákovi **26** výstřel, rána, ostrý náboj náplň i střela **27** hromadný výstřel, salva, dávka **28** salva, bouře potlesku (*repeated ~s of applause* opakované bouře potlesku) **29** kolo část utkání n. soutěže; partie hry **30** karty: jedna sehrávka, partie **31** runda (hovor.) (*this ~ is on me* tuhle rundu platím já) **32** zadní kýta (*a roast ~ of beef*), hovězí plátek ze zadní kýty **33** pivovarská kvasná káď **34** *~s, pl* základní pořadí zvonů pro variační vyzvánění **35** horn. skupina vývrtových náloží **36** hud.: trojhlasý / čtyřhlasý kánon **37** námoř. vydutý zadní lem ráhnové plachty ◆ ~ *after ~ of applause* nekonečná bouře potlesku, neutuchající potlesk; ~ *of beef 1.* kulatá (loupaná) plec z hovězího *2.* „ořech" z kýty hovězího; ~ *bread* krajíc chleba přes celý bochník; *daily ~* denní koloběh, koloběh každodenního života (*politics exist that men may live the daily ~ in security*); *earthly ~* zeměkoule; *go the ~s* vtip / zpráva povídat se, vykládat se *of* od jednoho ke druhému / po všech; *in ~* kniha *1.* s kulatým hřbetem *2.* ve vazbě s kulatým hřbetem; *in the ~ 1.* zpracovaný jako socha, ne pouze reliéfně (*an athlete superbly represented in the ~*) *2.* celkově, plasticky, komplexně (*a wise physician who saw his patients in the ~* moudrý lékař, který vidí své pacienty komplexně) *3.* ryba nevykuchaná *4.* přen. skrz naskrz, absolutní (*a villain in the ~* padouch skrz naskrz); *make ~s 1.* lékař chodit po návštěvách pacientů *2.* obchodník roznášet své zboží *3.* listonoš doručovat / roznášet poštu *4.* herec obcházet režiséry; spisovatel obcházet redaktory; *make the ~s of* obejít co, navštívit jedno za druhým (*hurriedly made the ~s of his customers* rychle obešel své zákazníky); *out of ~* ne zcela kulatý, zkřivený, šišatý, zašišatělý; *theatre in the ~* divadlo s arénovým jevištěm uprostřed hlediště, kruhové divadlo; *visiting ~* inspekční cesta / jízda / po řadě míst ● *adv* 1 též ~ *about* dokola, kolem dokola v objemu (*a tree 30 inches ~*) **2** všem po řadě, každému, jednomu po druhém (*hand ~* rozdávat, roznášet) **3** podle obvyklého pořadí n. střídání; často bez českého ekvivalentu (např. *summer comes ~* nastává opět léto) **4** dozadu, nazpátek, opačným směrem, na druhou stranu; kolem,

zadem, zajížďkou, objížďkou, oklikou, nepřímo **5** v okolí, na všech stranách (*made frequent excursions in the country* ~ podnikal časté výlety do okolí (*search* ~ hledat) **6** sem, tam, k sobě, k nám, k němu, na známé místo apod. často bez českého ekvivalentu (*sent* ~ *for the doctor* poslal pro lékaře k němu; *called* ~ *his car* dal si přivézt zaparkované auto, zavolal si svůj vůz; *sent* ~ *for more beer* poslal do hospody pro další pivo) **7** asi, kolem, zhruba, přibližně (*it will cost* ~ *about £ 40*); někde, poblíž (*it happened at the corner or* ~ *there*) ◆ *all* ~ dokola, kolem, všude, ze všech stran; ~ *and* ~ kolem dokola; *ask a p.* ~ pozvat si koho k sobě; *I'll be* ~ *in a minute* hned se vrátím, hned tam přijdu; *sleep the clock* ~ spát celý den, spát 12 n. 24 hodin než oběhne malá ručička ciferník; *enough to go* ~ dost pro všechny, tolik, že pro všechny vystačí; *talk* ~ přemluvit, přesvědčit řečí o opaku; (*all*) *the year* ~ v roce, po celý rok, celý dlouhý rok, jak je rok dlouhý; *wrong way* ~ špatným způsobem, špatně ● *prep* **1** kolem, okolo čeho místně (*planets move* ~ *the sun*), časově (~ *1900* kolem roku 1900) **2** podél, po zakřivené dráze (*it was a mile by water, four miles* ~ *the shore*) **3** postupně po (*took his way* ~ *the city*), sem tam v (*asking a few simple questions* ~ *the class*) ◆ ~ *the corner* za rohem; *write a book* ~ *a subject* napsat knihu o tématu / na téma ● *v* **1** zakulatit | se, zaoblit | se; baculatět **2** svinout, složit jako do klubíčka **3** stáhnout, našpulit, zaokrouhlit rty **4** jaz. vyslovovat zaokrouhleně, se sešpulenými rty **5** zaokrouhlit číslo (*9.419* ~*ed to two decimals is 9.42* 9,419 zaokrouhleno na dvě desetinná místa je 9,42) **6** kroužit, kolotat; obejít, obíhat **7** obklopovat **8** obcházet, být na obchůzce, jít na obchůzku **9** vést kolem / za (*the raiload had* ~*ed the hill* železnice vedla kolem kopce) **10** obejít, objet, obeplout, obletět; jít, jet, plout, letět kolem; jít, jet za roh; jít, jet, plout, letět, vést oklikou **11** jet, blížit se, vyjíždět zakřivenou dráhou (*jockeys* ~*ing into the home stretch*) **12** otočit | se, obrátit | se jiným směrem (~*ed on his heel to look at me* obrátil se na podpatku a podíval se na mne) **13** dokončit, dovést ke konci, dovršit, zakončit, uzavřít, korunovat, vyrůst, do|zrát *into* do, vyvinout se v, dospět do (*the century* ~*ed into its third decade*) **14** vypilovat, vybrousit styl **15** vrhnout se *on* na, skočit na; udat koho, prásknout koho **16** kruponovat kůži; ořezávat podrážky; kupírovat psí uši; o|stříhat vlasy ◆ *moon is* ~*ing* měsíc dorůstá; ~ *a rope* omotávat lano ***round down 1*** námoř. povolovat / spustit lano **2** zaokrouhlit směrem dolů např. cenu ***round in*** námoř. táhnout, vtahovat, stahovat ***round off 1*** zakulatit, zaoblit (*the carpenter* ~*ed off the edges of the table* tesař zaoblil hrany stolu) **2** vhodně zakončit, uzavřít, korunovat, dovršit, završit (~ *off a lifetime of work with a masterpiece* dovršit celoživotní práci mistrovským dílem) **3** zaokrouhlit číslo; učinit celistvým, zarovnat, zcelit (~ *off one's estate* spojit své panství do jednoho územního celku) **4** obtáčet loď ***round out 1*** doplnit, uzavřít (*the new coin* ~*ed out his collection*); vhodně zakončit, dovršit (*the republic had* ~*ed out a century of independence*) **2** zakulatit se, baculatět, boubelatět ***round to*** námoř. stočit se po větru ***round up 1*** sehnat / nahnat / svézt dohromady, shromáždit; přen. shrnout (~ *up the news in a nightly 11 o'clock broadcast*) **2** udělat razii na, zatáhnout, vybrat (*police* ~*ed up members of a gambling ring* policie udělala razii na členy gangu hazardních hráčů) **3** námoř. vyrovnat průvěs / průhyb lana **4** zaokrouhlit směrem nahoru např. cenu

roundabout [raundəbaut] *s* **1** oklika **2** opis, nepřímé vyjádření, perifráze (jaz.) **3** křižovatka s kruhovým objezdem **4** BR kolotoč **5** AM krátký těsný kabát ◆ *lose on the swings what you make on the* ~*s* nic nevydělat, být na tom zase stejně jako na začátku; *make up on the swings what you lose on the* ~*s* uhradit ztrátu, vynahradit si ● *adj* **1** vyjadřující se nepřímo, opisný; nepřímý (~ *methods*); rozvleklý, rozvláčný **2** kulatý, baculatý, boubelatý ◆ ~ *chair* AM křeslo s kulatým lenochem; *in* ~ *way* nepřímo, oklikou, objížďkou

round angle [ˌraundˈæŋgl] plný úhel

round arch [ˌraundˈa:č] archit. půlkruhový oblouk

round-arm [ˌraundˈa:m] **1** vedený obloukem celou paží **2** kriket vedený horizontálním obloukem

round bale [ˌraundˈbeil] válcový balík bavlny

round bar [ˌraundˈba:] **1** kruhová / tyčová ocel **2** kruhová tyč

round cheese [ˌraundˈči:z] bochníkový sýr

round dance [ˌraundˈda:ns] **1** kolový tanec, kolo **2** valčík

rounded [raundid] **1** kulatý, zakulacený, oblý, zaoblený **2** zaokrouhlený, též jaz. **3** dobře zakončený, dovršený **4** přen.: zralý, vyzrálý **5** přen.: dramatická postava plastický, živý, nikoliv papírový **6** v. *round, v*

roundel [raundl] **1** kruh, kroužek; kruhový útvar, round, rondel; kotouček, medaile **2** kulatý podnos / tác; kulatý stůl **3** kruhové okno, rondel; kruhový výklenek **4** liter. rondel lyrická báseň o třech slokách a dvou rýmech, v níž se opakují třikrát první dva verše první sloky **5** barevný filtr divadelního reflektoru **6** BR voj. kulatá poznávací značka vojenského letadla

roundelay [raundilei] **1** prostý popěvek, prostá písnička, zpěvánka zejm. s refrénem **2** kolečko tanec **3** ptačí zpěv

rounder [raundə] **1** někdo kulatý / zakulacený; něco kulatého / zakulaceného **2** zaoblovač, zakulacovač, zaoblovací nástroj **3** fláma, flamendr, kdo vytlouká noční podniky (*nightclub* ~*s and pool players*) **4** ~*s, pl* BR pasák pálkovací hra

round file [ˌraundˈfail] kruhový pilník

round game [ˌraundˈgeim] společenská hra pro více hráčů z nichž každý hraje samostatně
round hand [ˌraundˈhænd] *s* okrouhlé písmo ● *adj: round-hand* [raund hænd] kriket vedený horizontálním obloukem
round handwriting [ˈraundˈhændˌraitiŋ] = *round hand, s*
Roundhead [raundhed] BR hist. „ostříhanec" přezdívka puritánů n. přívrženců parlamentu za občanské války (pro jejich krátce přistřižené vlasy)
roundhouse [raundhaus] *pl: -houses* [-hauziz] **1** hist. věž, vězení ve věži **2** AM žel. kruhová výtopna, kruhové depo, rotunda **3** námoř.: záďová nástavba, záďový přístřešek **4** hovor. palubní hajzl **5** AM úder s širokým rozmáchnutím
roundish [raundiš] téměř / poměrně kulatý atd.
round jacket [ˌraundˈdžækit] sako bez šůsků dole rovně zastřižené
roundlet [raundlit] kolečko
roundly [raundli] **1** pořádně, naplno (*go ~ to work*); úplně, dokonale, kompletně (*feeling he had been ~ snubbed* mající pocit, že byl dokonale setřen) **2** tvrdě, ostře, naplno, bez obalu, nemilosrdně, otevřeně, bez ubrousku **3** v. *round, adj*
roundness [raundnis] **1** kulatost **2** kruhovost, okrouhlost, zakulacenost, oblost, zaoblenost, kulovitost, sféričnost **3** plnost, úplnost, **4** plnost postavy, boubelatost, baculatost; zaokrouhlenost částky **5** plastičnost, trojrozměrnost; souměrnost **6** zvučnost, sytost hlasu **7** důkladnost, značnost; hbitost, svižnost **8** jasnost, otevřenost, srozumitelnost **9** komplexnost
round number [ˌraundˈnambə] mat. zaokrouhlené / okrouhlé číslo
round nut [ˌraundˈnat] tech. kruhová matice
round plane [ˌraundˈplein] okrouhlík druh hoblíku
round robin [ˌraundˈrobin] **1** psaná žádost s podpisy seřazenými do kruhu aby se nemohlo určit pořadí, v němž byla podepsána **2** žádost, rezoluce s mnoha podpisy **3** AM sport. turnaj hraný systémem každý s každým
round shot [ˌraundˈšot] hist. dělová koule dělostřelecký náboj
round-shouldered [ˌraundˈšəuldəd] jsoucí kulatými rameny / zády, nahrbený
round shoulders [ˌraundˈšəuldəz] kulatá záda nahrbená
roundsman [raundzmən] *pl: -men* [-mən] **1** BR roznašeč, doručovatel (*milk ~*) **2** AM policista, pochůzkář, policejní kontrolor v hodnosti seržanta; hlídač
round stone [ˌraundˈstəun] valoun
round table [ˌraundˈteibl] *s* kulatý stůl (*R~ T~* kulatý stůl krále Artuše) ● *adj: round-table* [raundteibl] konaný u kulatého stolu (*a ~ conference*)
round-the-clock [ˌraundðəˈklok] čtyřiadvacetihodinový, konaný ve dne v noci (*the police kept up a ~ watch for the suspect*)
round timber [ˌraundˈtimbə] kulatina dřevo
round top [raundtop] námoř. stěžňový koš
round towel [ˌraundˈtauəl] nekonečný ručník zavěšený na tyči
round trip [ˌraundˈtrip] **1** okružní cesta **2** cesta tam a zpět **3** AM zpáteční cesta ◆ *~ ticket* AM zpáteční jízdenka / letenka
round turn [ˌraundˈtə:n] námoř. jedno ovinutí, smyčka lana na pacholeti apod. ◆ *bring up with a ~* náhle zarazit, zatrhnout
roundup [raundap] **1** AM sehnání stád dobytka; sehnaná stáda dobytka; shromážděný dobytek **2** hovor. šťára, zátah, razie *of* na, vybrání, hromadné zatýkání koho (*a ~ of criminals*) **3** výtah, přehled (*he heard it on the 11 o'clock news ~*) **4** námoř. průhyb např. palubníku
roundworm [raundwə:m] škrkavka, zejm. škrkavka dětská
roup[1] [rəup] *v* SC dražit, prodávat v dražbě ● *s* dražba
roup[2] [ru:p] *s* **1** zvěř. tuberkulóza drůbeže **2** zvěř. tipec, tipek **3** chrapot, skřehotání
roupy [ru:pi] **1** drůbež tuberkulózní; mající tipec n. tipek **2** chraptivý, chraplavý, skřehotavý
rouse[1] [rauz] BR zast. doušek nápoj, sklenka, číše, pohár vína; pitka ◆ *give a ~ 1.* pronést přípitek *2.* připíjet, pít na něčí zdraví; *take a ~* hodovat, pít
rouse[2] [rauz] nasolovat ryby
rouse[3] [rauz] *v* **1** vy|plašit zvěř (*the boat ~s ducks* loď plaší kachny) **2** též *~ up* vz|budit | se, probudit | se, vy|burcovat ze spánku / z netečnosti **3** vzrůstat, stupňovat se (*our indignation ~s* naše rozhořčení se stupňuje) **4** vyvolat, rozpoutat (*such wars ~ passions* takové války rozpoutávají vášně); rozohnit, rozvášnit; hnout žlučí komu **5** piv. vystírat; míchat, vhánět vzduch do mladiny ***rouse o.s.*** vzchopit se ***rouse out*** vyburcovat ● *s* **1** zvednutí, pozdvižení, zvednutá vlna (*a ~ of voices*) **2** voj. budíček
rouseabout [ˌrəuzəˈbaut] AU pomocník, nádeník na ovčí farmě
rouser [rauzə] **1** kdo budí / burcuje, budič **2** nehorázná lež, lež jako věž **3** piv. michadlo; vystírací káď s michadlem
rousing [rauziŋ] **1** vzrušující, vzbuzující nadšení (*a ~ song*) **2** velký, živý (*a ~ trade*) **3** nehorázný (*a ~ lie* nehorázná lež) **4** v. *rouse, v*
Rousseauan [ru:ˈsəuən], **Rousseaunian** [ru:ˈsəuniən], **Rousseauish** [ru:ˈsəuiš] rousseauovský
Rousseauism [ru:ˈsəuizəm] rousseauovství, rousseauismus filozofie J. J. Rousseaua
Rousseauist [ru:ˈsəuist], **Rousseauite** [ru:ˈsəuait]

adj rousseauovský ● *s* rousseauovec stoupenec rousseauismu

roust [raust] **1** nář.: též ~ *up* vytáhnout (jako) z postele (*the sound of another boat ~ed him out again, the bartender ~ed up an odd bottle of port* barman ještě vyštrachal láhev portského) **2** AU vyvolat, rozpoutat; rozohnit, rozvášnit

roustabout [ˌraustəˈbaut] **1** AM přístavní dělník, nábřežní dělník **2** AM tenťák **3** = *rouseabout*

rout[1] [raut] *s* **1** srocení více než tří lidí; výtržnost, zmatek (*make such a ~*) **2** houf, sešlost, zástup, dav, srocení **4** lidská chamraď, sběř, holota, sebranka, pakáž **4** množství, spousta **5** bezhlavý útěk; úplná porážka, pohroma, zkáza, katastrofa, debakl **6** BR zast. hostina, večírek, soaré, recepce, raut (odb.) (*a diplomatic ~*) ◆ *put to ~* zahnat na útěk, porazit na hlavu, též přen. ● *v* **1** porazit na hlavu, zahnat na útěk (*the army had been ~ed*); rozprášit (*~ the cavalry*) **2** rozdrtit, roznést, rozcupovat (*the team ~ed their traditional rivals 41–0*) **3** vyhnat, vyhostit

rout[2] [raut] **1** vy|rýt v zemi; vy|hrabat, vy|štrachat (*~ed in a corner and came back with thread and needle* zaštrachala v koutě a vrátila se s jehlou a nití, *~ed out a bottle* vyštrachal láhev) **2** též ~ *out* vypovědět, vyhodit (*whole families are ~ed out of house and home*); vytáhnout zejm. z postele **3** polygr. rýt, odrývat, vyhlubovat bílá místa na štočku

route [ru:t] *s* **1** cesta; směr cesty, trať, dráha, trasa; přen. cesta *to* k, způsob dosažení čeho **2** voj. rozkaz k přesunu pochodem, rozkaz k pochodu; pochodový směr **3** trať dostihu delší než jedna míle ◆ *column of ~* pochodová kolona, pochodující setnina; *en ~* na cestě, po cestě, při cestě; *get | give ~* dostat | určit pochodový směr; *go the ~* vydržet až do konce ● *v* **1** určit / stanovit / předepsat cestu / směr (*~ed volunteers to the guerilla frontiers* předepsat dobrovolníkům cestu k hranicím partyzánů); směrovat, instradovat (odb.) **2** stanovit výrobní postup

route column [ˌru:tˈkoləm] pochodová kolona

route forecast [ˌru:tˈfo:ka:st] let. předpověď počasí pro trasu letu

routemarch [ru:tma:č] **1** volný pochod bez dodržování kroků **2** cvičný pochod

route order [ˌru:tˈo:də] pochodový pořad

router [rautə] **1** rydlo, rycí nástroj / stroj **2** kocour hoblík

routine [ru:ˈti:n] *s* **1** obvyklá / běžná praxe, obvyklý / běžný postup, normální praxe / procedura, předepsaný postup **2** voj. denní zaměstnání **3** mechanická šablona, rutina **4** fráze, floskule; macha, šarže (div.) **5** obvyklé číslo část programu **6** taneční figura ● *adj* obvyklý, normální, běžný, všední; prováděný jako součást běžné praxe, pravidelný, rutinní (*hundreds of ~ flights over the same country* stovky rutinních letů nad stejnou krajinou)

routinier [ˌru:ti:ˈnjei] rutinérský dirigent

routinism [ru:ˈti:nizəm] rutinérství

routinist [ru:ti:nist] rutinér

rout seat [ru:tsi:t] BR zast.: lehká přenosná lavice

roux [ru:] *pl: roux* [ru:(z)] jíška

rove[1] [rəuv] *v* **1** též ~ *about* toulat se bez cíle, bloudit, těkat, brousit, potloukat se, potulovat se (*criminals roving about freely*) kde (*permit their progeny to ~ the forest* dovolit dětem, aby se toulaly po lese); zatoulat se **2** pohled přelétat, těkat, bloudit po (*her eyes ~ the room* její oči bloudí po místnosti) **3** zast. chytat na živou návnadu *for* co ◆ *roving commission 1.* práv. pověření / zplnomocnění pro neohraničenou oblast *2.* námoř. rámcový rozkaz ke křižování; *roving sailor* bot. zvěšinec zední ● *s* **1** toulka **2** těkavý pohled (*~ of the eye*)

rove[2] [rəuv] *s* hrubý přást, hrubá nit ● *v* předpřádat, česat např. vlnu

rove[3] [rəuv] námoř. delší konec smyčky

rove[4] [rəuv] v. *reeve*[3]

rovebeetle [ˈrəuvˌbi:tl] zool. drabčík

rover[1] [rəuvə] text. **1** jemná křídlovka na předení česané vlny **2** přadlák u křídlovky

rover[2] [rəuvə] **1** též *~s, pl* lukostřelba příležitostný cíl v nestanovené vzdálenosti, vzdálený cíl **2** tulák, toulavý člověk; přelétavý člověk (*my true love is a ~*) **3** auto, vozidlo **4** kroket: míč, který po projití branek zůstane stát před cílovým kolíkem; hráč, jehož míč toto udělá **5** rover starší skaut **6** ragby křídlo **7** korzár, námořní lupič **8** *R~* běžné jméno psa ◆ *at ~s* zast. nazdařbůh; *~ ticket* denní síťový lístek na veřejné dopravní prostředky

roving [rəuviŋ] text. **1** hrubý přást **2** v. *rove, v*

roving ambassador [ˌrəuviŋæmˈbæsədə] osobní vyslanec

row[1] [rəu] *s* **1** řada, též sedadel v divadle n. ok při pletení; řada, řádek **2** vrstva **3** ulice, též v názvech rovných ulic (*Coconut R~*); centrum, středisko, ulice jako středisko činnosti n. obchodu ◆ *a hard | long ~ to hoe 1.* těžká práce, dřina, těžký úkol (*I'd like to be a surgeon, but it's a long ~ to hoe* rád bych se stal chirurgem, ale je to dřina) *2.* těžký život ● *v* **1** též ~ *up* seřadit do řady **2** opatřit řadou *with* čeho

row[2] [rəu] *v* **1** veslovat; dopravovat veslovým člunem, převézt, po|vozit na veslici; veslovat v závodě (*against*) s (*~s [against] the champions in the regatta*) **2** být určitým číslem v osádce veslice (*~s 5 in the Oxford crew* je pětkou na oxfordské osmiveslici) **3** člun mít kolik vesel (*the ceremonial barge ~ed 14 oars* slavnostní loď měla 14 vesel) ◆ *~s 30 a minute* dělá vesly 30 záběrů za minutu ***row down*** předstihnout při veslování ***row out*** vysílit / vyčerpat veslováním ● *s* **1** projížďka ve veslovém člunu **2** veslařská směna

row[3] [rau] hovor. *s* **1** hádka; vzrůšo, rámus, bengál, cambus, kravál, rambajs **2** průšvih (*I shall get into a ~* budu mít průšvih, umyjí mi hlavu) **3** pranice, rvačka **4** klapajzna; huba (*she gave him a big apple to shut his ~*) ◆ *make / kick up a ~* dělat kravál ● *v* **1** setřít, sjezdit, vypucovat žaludek komu **2** hádat se

rowan [rəuən / AM rauən] **1** jeřáb; bot. jeřáb ptačí **2** jeřabina

rowanberry [ˈrəuənˌberi] (*-ie-*) jeřabina

rowan tree [rəuəntri:] = *rowan, 1*

rowboat [rəubəut] zejm. AM veslový člun, veslice, loďka, šinágl

row crop [rəukrop], **row culture** [ˈrəuˌkalčə] řádková kultura, okopanina

row-de-dow [ˌraudiˈdau] rámus, povyk, bengál, cambus

rowdiness [raudinis] neurvalost, hulvářství, sprostota, sprosté chování

rowdy [raudi] (*-ie-*) *s* neurvalec, sprosťák, výtržník, syčák, uličník, sígr, hulvát, otevřhuba, halama ● *adj* neurvalý, sprostý, hulvátský

rowdy-dowdy [ˈraudiˌdaudi] hulvátský, sprostý, vulgární

rowdyism [raudiizəm] neurvalost, sprostota, sprosťáctví, hulvátství

rowel [rauəl] *s* **1** kolečko ostruhy **2** zvěř.: kožený / hedvábný drén pro koně ● *v* (*-ll-*) **1** pobízet / bodat ostruhou **2** zvěř. zavést drén pod kůži koně

rowen [rauən] nář., AM otava

rower [rəuə] veslař

row house [rəuhaus] *pl: houses* [hauziz] řadový dům, dům v řadové zástavbě

rowing boat [ˈrəuiŋˌbəut] BR veslový člun, veslice, loďka, šinágl

rowing club [ˌrəuiŋˈklab] veslařský klub

row-lock [rolək / AM rəulok] **1** námoř. veslová vidlice, havlinka **2** stav. vrstva cihel položených na bok; řádek zdiva z prvků kladených na ostro ◆ *~ arch* archit. oblouk složený ze soustředných oblouků

Roxburgh(e) [roksbərə] druh knižní vazby (zlacená polokůže s blokem oříznutým pouze nahoře)

royal [roiəl] *adj* **1** královský vlastní panovnici n. panovníkovi s královským titulem (*~ power, ~ crown*); z královského rodu (*a ~ prince*); daný králem (*~ warrant* královský patent); založený králem, existující pod jeho ochranou (*a ~ society*); sloužící králi n. království, zejm. britskému (*R~ Air Force*); připomínající krále (*the lion is a ~ beast*) **2** panovnický, vladařský, majestátní **3** zvěř vyhrazený panovníkovi, který lze lovit / chytat pouze s panovníkovým svolením **4** skvělý, nádherný, skvostný, vznešený, důstojný, královský **5** velký, obrovský, úžasný, impozantní (*~ dimensions*) **6** hojný, štědrý, královský (*gave us a ~ entertainment* královsky nás pohostili) **7** drahý, vzácný, ušlechtilý (*~ metals*) **8** námoř. nadbramový, královský (zast.) **9** hovor. výtečný, báječný, prima, fajnový (*in ~ spirits, coffee ~ with brandy or whiskey mixed up in it*) **10** zast. vybraný (*the ~ dynasty of the apostles*) ◆ *R~ Academician* člen Královské Akademie; *battle ~* velká bitva při níž bojují všechny složky armád; *~ burgh* královské město ve Skotsku; *~ charter* královský majestát dokument; *~ colony* korunní kolonie; *R~ Courts of Justice* Nejvyšší soud, Odvolací soud budova v Londýně; *R~ Engineers* ženijní oddíl britské armády; *R~ Exchange* burza; *R~ Highness* Královská Výsost titul prince / princezny; *R~ Institution* Královský ústav pro šíření přírodních věd; *R~ Marine* BR *1.* voják námořní pěchoty *2.* *R~ Marines, pl* námořní pěchota; *R~ Navy* královské loďstvo anglické válečné loďstvo; *R~ oak* hist. královský dub v němž se skryl Karel II. po porážce r. 1651; *~ octavo* formát knihy (ca 6½ × 10 palců); *~ paper 1.* formát dopisního papíru (24 × 19 palců) *2.* formát tiskařského archu (25 × 20 palců); *R~ Psalmist* bibl. Žalmista král David; *~ road* snadná a rychlá cesta / metoda (*R~ Road to Card Magic* název knihy Karetní kouzla snadno a rychle); *~ speech* polit. trůnní řeč; *~ standard* královská vlajka / standarta / korouhev; *~ "we"* plurál majestatikus ● *s* **1** hovor. člen královské rodiny; *~s, pl* královská rodina, královi **2** *R~s, pl* BR Královský skotský pluk, pěší pluk, pěchota; námořní pěchota **3** velký royal formát tiskového papíru (20 × 25 palců); malý royal formát psacího a kreslicího papíru (19 × 25 palců) **4** námoř. nadbramová plachta, nadbramová čnělka **5** jelen s mohutným parožím aspoň dvanácterák **6** opěrák třetí výsada jeleního parohu **7** pruská / berlínská / pařížská modř **8** variační vyzvánění na deset zvonů **9** hist. reál mince

royal agaric [ˌroiəlˈægərik] bot. císařka houba

royal antelope [ˌroiəlˈæntiləup] zool.: druh malé antilopy

royal antler [ˌroiəlˈæntlə] **1** opěrák třetí výsada jeleního paroží **2** kapitální paroží

royal arch [ˌroiəlˈa:č] vysoká zednářská hodnost

royal bay [ˌroiəlˈbei] bot. vavřín, bobek

royal blue [ˌroiəlˈblu:] pruská / berlínská / pařížská modř

royal bracken [ˌroiəlˈbrækən] bot. podezřeň královská

royal coachman [ˌroiəlˈkəučmən] ryb.: umělá pestrá muška návnada na losy a pstruhy

royal evil [ˌroiəlˈi:v] skrofulóza (med.)

royal fern [ˌroiəlˈfə:n] bot. podezřeň královská

royal flush [ˌroiəlˈflaš] poker královská sekvence čistá sekvence ukončená esem

royal icing [ˌroiəlˈaisiŋ] kuch. bílková poleva, cukrová poleva

royalism [roiəlizəm] monarchismus, roajalismus

royalist [roiəlist] *s* **1** roajalista, monarchista, též hist. **2** AM konzervativec, reakcionář, bonz ● *adj* = *royalistic*

royalistic [ˌroiəˈlistik] monarchistický, roajalistický

royal jelly [ˌroiəlˈdželi] včelí mateří kašička
royal lily [ˌroiəlˈlili] (*-ie-*) bot. lilie královská
royal mast [ˌroiəlˈma:st] námoř. nadbramová čnělka, královská čnělka (zast.)
royal sail [ˌroiəlˈseil] námoř. nadbramová plachta, královská plachta
royal stag [ˌroiəlˈstæg] jelen s mohutným parožím aspoň dvanácterák
royalty [roiəlti] (*-ie-*) **1** královská hodnost, královská moc; koruna, žezlo, trůn (přen.) (*gain ~ by conquest* dobýt si korunu) **2** vznešenost, majestát, majestátnost, velebnost, výsostnost (*the inward ~ of spirit* niterná vznešenost ducha) **3** královská osoba, člen / členové královské rodiny / královského rodu (*how to address royalties* jak oslovovat členy královského rodu) **4** království, monarchie **5** smetánka, hořejších deset tisíc **6** královské privilegium, mincovní / horní regál **7** poplatek stanovený procenty ze základu n. výnosu; procento, tantiéma, podíl ze zisku, honorář, dávka, licenční poplatek, licence ◆ *author's royalties* autorský honorář daný procenty z prodaných výtisků; *~ free* bez licenčního poplatku, volný; *get a ~ on a t.* získat tantiémy / procenta z čeho; *insignia of ~* odznaky panovnické hodnosti, majestát; *inventor's ~* licenční poplatek, poplatek z patentu
royal walnut [ˌroiəlˈwo:lnat] bot. ořešák královský
royal water lily [ˌroiəlˈwo:təˌlili] (*-ie-*) bot. viktorie královská
Royston Crow [ˌroistənˈkrəu] BR zool. vrána obecná šedá, šedivka
Rozinante [ˌroziˈnænti] = *Rosinante*
rozzer [rozə] BR slang. polda, stráža policista
rub[1] [rab] *v* (*-bb-*) **1** třít, dřít; mnout **2** zpracovat třením: na|třít, potřít, vy|drhnout, vy|cídit, vy|leštit, naleštit, vy|brousit, na|mazat, vy|gumovat, napustit, na|mořit *with* čím; vetřít, vemnout *a t.* co *in* do; přetřít, přeleštit *a t.* čím *over* co (*~ wax polish over a table top*), natřít co; protírat, propasírovat *through* čím **3** dřít se, drhnout *against / on / upon* o (*the boat ~s against the ground*) **4** látka, kůže odřít se, prodřít se **5** tlouci se, protloukat se *through* čím (*he ~s through the world*) **6** sušit, osušovat třením, vy|drbat a tím usušit, frotovat, frotýrovat **7** masírovat koho, dávat masáž komu **8** výtv. udělat otisk např. náhrobního reliéfu tím, že se pokryje papírem, který se pak tře rudkou / barevnou křídou **9** sport.: koule vzít faleš pro nerovnost dráhy při hře bowling ◆ *~ a t. dry* vytřít / vydrbat do sucha; *~ elbows with a p.* = *~ shoulders with a p.*; *~ one's hands* (*together*) *over a t.* za|mnout si ruce nad čím; *~ noses* třít nosem o nos druh pozdravu; *~ a t.* (*down*) *to powder* rozetřít na prášek; *~ shoulders with a p.* důvěrně se stýkat s kým; *the stag ~s his horns* jelen čistí / vytlouká paroží (mysl.); *~ through a sieve* pro|pasírovat sítem; *~s me the wrong way* to je mi proti srsti, to mě zlobí; *~ a p. the wrong way* dráždit koho, být komu solí v očích, jít komu proti srsti (*a manner that seemed to ~ everyone the wrong way* způsob, který jako by šel každému proti srsti) ***rub along*** hovor. *1* protloukat se životem (*he ~s along quite well*); držet se nad vodou (*the system still ~s along*) *2* táhnout to *with* s, žít svorně s ***rub away*** *1* utřít, otřít (*she ~bed her tears away*) *2* sedřít, odřít; odrhnout; rozemnout *3* odstranit leštěním, vycídit ***rub down*** *1* osušit třením, vyfrotovat, vyfrotýrovat *2* vytřít koně *3* setřít, sedřít; smazat; ohladit, obrousit (*~ a chair down with sandpaper* obrousit židli skelným papírem) *4* masírovat, udělat masáž komu *5* hovor. udělat osobní prohlídku u koho ***rub in*** *1* vtírat *2* stále opakovat nepříjemné, stále připomínat, vtloukat do hlavy, rozmazávat (*the situation was embarrassing enough without having you ~ it in* situace byla dosti trapná sama o sobě, nemusíš to rozmazávat) ***rub off*** *1* otřít, utřít, odtřít, odrhnout, vycídit, obrousit, ubrousit, odemnout, vymnout *2* přen. odložit stud *3* AM hovor. zmizet, vzít roha ◆ *the book has ~bed off in a great style* AM kniha šla na dračku; *a t. ~s off onto them* poznamenává je to, padá na ně co jako stín ***rub out*** *1* vymazat, smazat, vygumovat **2** vytřít, vydřít, vydrhnout, vycídit, vybrousit, vymnout *3* hovor. sprovodit se světa, oddělat, odkráglovat ***rub up*** *1* roztírat a tím smíchat *2* vyleštit, vycídit *3* přen. osvěžit znalosti *4* slang. onanovat ● *s* **1** tření, mnutí **2** masáž **3** nerovnost půdy **4** obtíž, potíž, komplikace, nesnáz, překážka, háček, zádrhel (*we'd like to travel but the ~ is we have no money*) **5** co se nepříjemně dotkne: šleh, posměch, sarkastická poznámka, tvrdá kritika **6** drsné / odřené / vydřené místo ◆ *give a t. a ~* hovor. = *rub*[1], *v; have a ~ with the towel* vydrhnout se ručníkem do sucha; *~ of / on the green* golf. neúmyslné porušení dráhy / postavení míčku; *there's the ~* v tom je právě háček
rub[2] [rab] bridž vyhraný robber
rub-a-dub [ˌrabəˈdab] *s* ratatatam, bumtarata zvuk bubnu ● *v* bubnovat na buben
rubato [ru(:)ˈba:təu] hud. *adv* s výrazně změněným tempem, silou i akcentem přednesu, rubato ● *s* rubatová pasáž, rubato ● *adj* rubatový
rubber[1] [rabə] karty robber tři partie např. v bridži; dvě vyhrané partie; třetí partie při dvou nerozhodných
rubber[2] [rabə] **1** kaučuk **2** pryž, guma pružná hmota; výrobek z této hmoty; pryž na vymazávání; pružná tkanice, guma, gumička **3** *~s, pl* AM galoše, gumové přezůvky **4** též *~ tyre* pryžová obruč, pneumatika, guma, obutí na automobil **5** hokej puk, kotouč, touš **6** slang. špéca, guma prezervativ **7** těrka, roztěrka; utěrka; lešticí hadr / kartáč; brus, obtahovací brousek, hladidlo **8** uběrací pilník, uběrák **9** třecí plocha na zápalkové krabičce **10** měkká cihla **11** námoř. oděrka, oděrkový trám **12** třídlo, hladidlo

13 leštič, tříč 14 masér; lázeňský masér v parních lázních ◆ *India* / *india* ~ pryž, guma, též na vymazávání; ~ *for packing* těsnicí pryž ● *v* 1 udělat z kaučuku / pryže / gumy 2 pryžovat, pogumovat, napouštět / impregnovat pryžovým roztokem (~ *cloth*) ● *adj* 1 kaučukový, pryžový, gumový 2 kaučukodárný

rubber band [ˌrabəˈbænd] 1 pryžový pás 2 gumový kroužek, guma, gumička

rubber boat [ˌrabəˈbəut] nafukovací gumový člun

rubber boot [rabəbu:t] gumová holínka, gumovka, přezůvka

rubber cheque [ˈrabəˌček] nekrytý šek

rubber coating [ˈrabəˌkəutiŋ] 1 pryžový povlak 2 pryžování

rubberize [rabəraiz] 1 u|dělat z kaučuku / pryže / gumy 2 pryžovat, pogumovat, napouštět pryžovým roztokem ◆ ~*d pliers* izolační kleště

rubberlike [rabəlaik] gumovitý, kaučukovitý

rubberneck [rabənek] AM *s* 1 zevloun, čumil (*two cars had smashed together and a cluster of* ~*s has gathered around* srazila se dvě auta a kolem se shromáždil hlouček čumilů) 2 turista při hromadném zájezdu ◆ ~ *car* turistický / zájezdový autokar ● *v* 1 zevlovat, čumět (*the* ~*ing patients at the windows*) 2 prohlížet otáčením hlavy ze strany na stranu jako turista při hromadném zájezdu, očumovat 3 otáčet se zpět, vykrucovat hlavu zpět

rubber plant [rabəpla:nt] 1 bot. fikus, fíkovník kaučukodárný (bot.) 2 kaučukárna

rubber ring [ˌrabəˈriŋ] gumový plovací kruh

rubber sheath [ˌrabəˈši:θ] prezervativ

rubber stamp [ˌrabəˈstæmp] *s* 1 gumové razítko 2 přen. kdo na všechno kývá ● *v: rubber-stamp* [rabəstæmp] 1 o|razítkovat, přerazítkovat, přetisknout razítkem, dát razítko na a tím schválit n. zrušit 2 odkývat, pouze schválit, mechanicky souhlasit s (*citizen committees which expect the board to* ~ *their findings* občanské výbory, které očekávají, že předsednictvo jejich rozhodnutí prostě odkývá) ● *adj: rubber-stamp* vždycky mechanicky souhlasící, který všechno odkývá, poslušný, kývalský, loutkový (*he was summoning his* ~ *parliament into a special session* svolal svůj loutkový parlament k mimořádnému zasedání)

rubber tree [rabətri:] bot. kaučukovník, gumovník

rubbery [rabəri] 1 gumovitý, kaučukovitý 2 pružný, elastický 3 tahavý, přilnavý, mazavý, vazký

rubbing [rabiŋ] 1 výtv. otisk, kopie reliéfního obrazu získaná přejížděním rudky / barevné křídy po papíru položením na tento reliéf 2 v. *rub*[1], *v*

rubbish [rabiš] 1 odpadky, úlomky na stavbě, rum; smetí, též přen.; suť, hlušina, jalovina (horn.) 2 umělecký brak 3 absurdní nápad, nesmysl, nesmysly, hovadina (*talk* ~), hovadiny, konina, koniny, blbost, blbosti ◆ *a good riddance of bad* ~ dobře, že vypadl / že jsme se ho zbavili tj. neoblíbeného člověka; ~ *heap* rumiště, smetiště, skládka odpadků; *household* ~ odpadky z domácnosti; *shoot no* ~*!* skládka (odpadků) zakázána!

rubbishing [rabišiŋ] 1 připomínající rumiště / smetiště, sloužící jako skládka odpadků 2 brakový, bezcenný

rubble [rabl] *s* 1 drobná horninová drť, hrubý štěrk; 2 hromada lomového kamene; zdivo z lomového kamene 3 ledová tříšť 4 rumiště, hromada rumu / trosek, padrť (*bombing reduced the town to* ~ po bombardování zůstala z města hromada trosek) ◆ ~ *car* ruční pracovní vozík ● *v* rozbít na padrť

rubble stone [ˌrablˈstəun] lomový kámen

rubblework [rablwə:k] zdivo z lomového kamene, kamenný zához (stav.)

rubbly [rabli] kamenitý, štěrkovitý, připomínající drť / lomový kámen ◆ ~ *coal* kusové uhlí

rub-down [rabdaun] 1 otření, utření, ofrotování, vyfrotýrování 2 sport. masáž ručníkem

rube [ru:b] AM hovor.: vesnický bulík, balík, dacan ◆ *do a* ~ *act* dělat ze sebe bulíka

rubefacient [ˌru:biˈfeišjənt] *adj* působící zrudnutí např. pokožky ● *s* med. přípravek působící zrudnutí např. hořčičná placka

rubefaction [ˌru:biˈfækšən] zrudnutí, zčervenání pokožky

rubefy [ru:bifai] (*-ie-*) 1 učinit červeným 2 med. způsobit zčervenání / zrudnutí pokožky

rubella [ruˈbelə] med. spalničky, osypky

rubeola [rubiələ] med. 1 zarděnky, rubeola 2 spalničky, osypky

rubescent [ru:besnt] červenající | se, rdící se

rubicelle [ruˈbisel] miner. rubicell odrůda spinelu

Rubicon [ru:bikən] *s* 1 Rubikon 2 *r*~ piket vyhraná sehrávka při níž protivník nedosáhl 100 bodů ◆ *cross* / *pass the* ~ překročit Rubikon učinit důležité rozhodnutí / rozhodující krok ● *v* piket vyhrát sehrávku tak, že protivník nedosáhne 100 bodů

rubicund [ru:bikand] obličej červený, zardělý, brunátný, zdravě červený, zdravý, svěží

rubicundity [ˌru:biˈkandəti] červenost, zardělost, brunátnost, zdravá červeň, červený / zdravý / svěží vzhled

rubidium [ru(:)ˈbidiəm] chem. rubidium

rubifacient [ˌru:biˈfeišjənt] = *rubefacient*

rubifaction [ˌru:biˈfækšən] = *rubefaction*

rubify [ru:bifai] (*-ie-*) = *rubefy*

rubiginous [ru:ˈbidžinəs] rezavě červený, rezavý

rubious [ru:biəs] bás. rubínový, rubínově červený / rudý

ruble [ru:bl] = *rouble*

rubric [ru:brik] *s* 1 záhlaví červeně n. jinak výrazně vytištěné; nadpis, titul takto tištěný 2 důležitá pasáž v textu odlišeně vytištěná, zejm. červeně, rubrika 3 círk. rubrika v liturgických knihách: červeně tištěné předpisy pro vykonávání obřadů 4 pojem, kategorie 5 poznámky, marginálie 6 zvyk, móda 7 řidč. kalendář světců; červené

heslo v kalendáři světců ● *adj* = *rubrical*
rubrical [ru:brikəl] **1** červený, červeně vyznačený, rubrikovaný **2** círk. rubrikový, konaný přesně podle rubrik
rubricate [ru:brikeit] **1** červeně omalovat / vyznačit, rubrikovat **2** círk. svázat liturgickými předpisy
rubrication [ˌru:briˈkeišən] **1** omalování / vyznačení červenou barvou, rubrikování; takto vyznačené písmeno / pasáž v textu, rubrum, rubrika **2** círk. svázání liturgickými předpisy
rubricator [ru:brikeitə] knih. malíř / písař rubrik, rubrikátor
rubrician [ru:ˈbrišən] círk. přísný liturgik; liturgický pedant
rubricism [ru:brisizəm] círk. lpění na přesné liturgii, přesné dodržování rubrik
rubricist [ru:brisist] = *rubrician*
rubstone [rabstəun] brus na ostření, obtahovací kámen / brousek; hladicí kámen
ruby [ru:bi] (*-ie-*) *s* **1** rubín drahokam; výrobek z pravého / syntetického rubínu; rubínové sklo; rubínová barva; červené víno; velikost písma (5 ½ bodu) **2** červený nos, červená bradavka, červená tvář **3** sport. slang. červená krev **4** zool. = *ruby-throated hummingbird* ◆ *above rubies* nezměrné ceny; *balas* ~ miner. balasový rubín; *Bohemian* ~ český granát; *Oriental* ~ pravý rubín; *spinal* ~ miner. rubínový spinel; *true* ~ pravý rubín ● *adj* rubínový, rubínově červený ◆ ~ *red* rubínová červeň; ~ *wedding* rubínová svatba čtyřicáté výročí sňatku ● *v* červenit do rubínova, učinit rubínově červeným
ruby copper [ˌru:biˈkopə] červená měděná ruda, kuprit
ruby glass [ˌru:biˈgla:s] rubínové sklo, rubín
ruby tail [ru:biteil] zool. zlatěnka ohnivá
rudy-throated hummingbird [ˈru:biˌθrəutidˈhamiŋbə:d] zool.: kolibřík *Archilochus colubris*
ruby window [ˌru:biˈwindəu] kontrolní okénko u fotografických přístrojů na svitkový film
ruche [ru:š] krejč. ryš, ryšek, náběra, karnýr, volán
ruched [ru:št] ozdobený ryšem, jsoucí s karnýrem, volánový
ruching [ru:šiŋ] krejč. nabírání, volány
ruck[1] [rak] **1** množství, stoh, halda, kupa, hora, hromada **2** průměrný dav, plebs (*the common* ~) **3** sport. hlavní skupina závodníků např. při dostihu, houf, peloton ◆ *rise out of the* ~ vyšvihnout se nad průměr, vyniknout
ruck[2] [rak] *s* přehyb, záhyb, fald, vráska ● *v* též ~ *up* s|vraštit | se, z|vrásnit | se, pomačkat | se, zmuchlat | se, složit | se do nežádoucích záhybů
ruckle[1] [rakl] BR = *ruck*[2]
ruckle[2] [rakl] *v* chroptět ● *s* chropot
rucksack [raksæk] batoh, ruksak
ruckus [rakas] AM hovor. = *ruction*
ruction [rakšən] též ~*s*, *pl* hovor. bengál, binec, cambus, brajgl (*the losers are sure to raise a* ~ poražení určitě spustí cambus, *there will be* ~*s if you don't do what you're told*)
rudbeckia [radˈbekiə] bot. třepatka dřípatá, rudbekie
rudd [rad] zool. perlín ostrobřichý, červenopeřice
rudder [radə] **1** námoř. kormidlo **2** let. směrové kormidlo, směrovka **3** úhel vychýlení kormidla / směrovky **4** přen. zásada, princip, řídicí páka **5** piv. kopist, mísidlo ◆ ~ *angle* úhel vychýlení kormidla / směrovky; *under* ~ pod vlivem kormidla / směrovky ● *v* **1** kormidlovat **2** opatřit kormidlem
rudderfish [radəfiš] *pl též -fish* [-fiš] zool. lodivod, pilot ryba
rudderhead [redəhed] námoř. hlava pně kormidla
rudderless [redəlis] jsoucí bez kormidla / směrovky
rudderpost [radəpəust] námoř. peň kormidla
ruddily [radili] načervenale, červenohnědě, ruměně
ruddiness [radinis] červenost, brunátnost, načervenalost, červenohnědost, narudlost, ruměnost
ruddle [radl] *s* rudka, červená hlinka; červený okr ● *v* o|barvit rudkou / hlinkou / červeným okrem
ruddock [radək] zool. červenka
ruddy [radi] *adj* (*-ie-*) **1** zdravě červený, červeňoučký, brunátný, ruměný (*stout* ~ *countryman*) **2** červený, načervenalý, červenohnědý, narudlý **3** BR hovor. zatracený, sakramentský (*a* ~ *lie* zatracená lež) ◆ *what's the* ~ *matter?* o co (k sakru) jde? ● *adv* zatraceně, zpropadeně, sakramentsky
rude [ru:d] **1** hrubý (*a* ~ *sketch, a* ~ *estimate* hrubý odhad, *a few* ~ *benches* několik hrubých lavic) **2** divoký, rozervaný (*a* ~ *country of forests*); ostrý, řezavý (*winter's* ~ *winds*); rozbouřený, bouřlivý (~ *seas*) **3** nerovný, neobrobený; kostrbatý (~ *verses*) **4** zvuk drsný, skřípavý, nemelodický **5** surový (~ *cotton* surová bavlna), též přen. **6** primitivní (*peasants use* ~ *wooden ploughs* venkované užívají primitivních dřevěných pluhů), prostý, jednoduchý, elementární (~ *white, black and deep brown* elementární bílá, černá a tmavohnědá barva) **7** přímý, otevřený, upřímný, nelíčený (~ *truth* ničím nepřikrášlená pravda) **8** nevzdělaný, nekultivovaný, drsný (~ *dialects of the illiterate* drsná nářečí analfabetů); necivilizovaný, divoký, barbarský (*during* ~ *times*) **9** nezkušený (*a* ~ *scholar* nezkušený vědec); dělník nezapracovaný, pomocný **10** prudký (*bright* ~ *sun*) **11** pevný (*the* ~ *health of their children*) **12** tvrdý, chmurný (~ *realities* chmurné skutečnosti) **13** hrubý, drsný, neurvalý; neomalený, nevycválaný, neotesaný, hulvátský, drzý **14** neslušný, sprostý, nestydatý, nemravný (*a* ~ *picture*) ◆ *be* ~ *to a p. 1.* být drzý ke komu *2.* být hrubý / sprostý na koho; *be in* ~ *health* pŕckypovat zdravím; *a* ~ *hand* nevypsaná ruka, školácké písmo; ~ *observer* povrchní pozorova-

tel; ~ *plenty* hrubě materiální blahobyt; ~ *path* zarostlá cesta; ~ *products* polotovary

rudeness [ru:dnis] **1** hrubost **2** divokost, rozervanost; ostrost, řezavost větru; rozbouřenost, bouřlivost moře **3** nerovnost, neobrobenost, kostrbatost **4** drsnost, skřípavost, nemelodičnost zvuku **5** surový stav **6** primitivnost, primitivita; prostota, jednoduchost, elementárnost **7** přímost, otevřenost, upřímnost, nelíčenost **8** nevzdělanost, nekultivovanost, drsnost, necivilizovanost, divokost, barbarství **9** nezkušenost **10** prudkost světla **11** pevnost zdraví **12** tvrdost, chmurnost podmínek **13** hrubost, drsnost, neurvalost, neomalenost, nevycválanost, neotesanost, hulvátství, drzost **14** neslušnost, sprostota, sprostá poznámka, nestydatost, nemravnost

ruderal [ru:dərəl] bot. ruderální rostoucí na rumištích

rudery [ru:dəri] (*-ie-*) = *rudeness*

Rudesheimer [ru:dəzhaimə] rüdesheimer, rüdesheimské rýnské víno

rudiment [ru:dimənt] **1** základ, základní zásada, základní prvek (*the single leaf is the ~ of beauty in the landscape* základním prvkem krásy v krajině je jeden jediný list) **2** *~s, pl* základy (*the ~s of law, mere ~s of common-school education*) **3** začátek, počátek, zárodek (*~s of the human type of intelligence in the chimpanzee* zárodky inteligence lidského typu u šimpanze) **4** biol. rudimentární orgán

rudimental [ˌru:diˈmentl], **rudimentary** [ˌru:diˈmentəri] **1** základní, elementární, rudimentární (*~ truths*) **2** primitivní, nevyvinutý, zárodečný (*a ~ sort of building*) **3** začáteční, počáteční **4** biol. zakrnělý, rudimentární

rue[1] [ru:] bot. routa vonná ◆ *meadow ~* žluťucha

rue[2] [ru:] *v* litovat, želet *a t.* čeho (*I ~ that day*) ● *s* zast. lítost, smutek

rueful [ru:ful] smutný, žalostný, žalostivý ◆ *Knight of the ~ countenance* Rytíř smutné postavy Don Quijote

ruefulness [ru:fulnis] lítost, smutek, žal, žalostnost

rue-raddy [ru:rædi] (*-ie-*) BR popruh, trak přes záda na vlečení břemen

rufescent [ru:ˈfesənt] zool. načervenalý, červenavý

ruff[1] [raf] *s* **1** okruží; krejzl, krejzlík; manžeta **2** zool. límec (*the ~ of a Persian cat*); náprsenka, zástěrka **3** jakobín plemeno domácího holuba s pérovým límcem **4** tech. stavěcí kroužek na hřídeli

ruff[2] [raf] zool. jespák bojovný

ruff[3] [raf] zool. ježdík obecný

ruff[4] [raf] *s* karty **1** trumfování, zabíjení / přebíjení trumfem **2** zast.: hra podobná whistu ● *v* pře|trumfovat, zabít / přebít trumfem ◆ *cross / double ~* jeden spoluhráč druhému nést pod trumf umožnit mu trumfování

ruff[5] [raf] vochlovat len na hrubé vochli

ruffe [raf] = *ruff*[3], *s*

ruffian [rafjən] *s* surovec, rváč, násilník, brutální člověk ● *adj* = *ruffianly*

ruffianly [rafjənli] surový, brutální, násilnický, hrubý

ruffle[1] [rafl] *v* **1** z|čeřit, rozvlnit hladinu; moře čeřit se, vlnit se **2** z|drsnit povrch **3** na|čepýřit, na|čechrat peří; roz|cuchat, prohrábnout vlasy, hrábnout do vlasů; vlasy na|ježit se, též přen. **4** z|mačkat papír **5** vyvést z klidu / z míry, po|zlobit, po|dráždit, rozrušit, „nadzvednout" (*she said this to ~ her husband* řekla to proto, aby podráždila manžela); být vyveden z klidu, být podrážděn **6** holedbat se, chvástat se, vytahovat se, honit se, honit vodu **7** složit do záhybů, nadrhnout, sdrhnout, nabrat, z|řasit látku; plisovat, plisírovat; vlajka třepetat se, třepotat se, vlát v záhybech **8** svraštit čelo **9** listovat v, prolistovat (*ruffling the pages to find the place*) **10** za|obroubit volánem / karnýrem, našít volán / karnýr na ◆ *~ one's feathers* naježit se, načepýřit se; *don't ~ your feathers* uklidni se, nevzrušuj se, zachovej klid; *~ it* vytahovat se, holedbat se, honit vodu; *~ a p.'s temper* zkazit komu náladu, vyvést koho z klidu / z míry, rozzlobit koho ● *s* **1** z|čeření, z|vlnění vodní hladiny **2** vyvedení z klidu / z míry, dopálení; rozruch, vzrušení, rozčilení (*recuperate after the ~ of breakfast*); řidč. spor, rozepře, hádka **3** potyčka, rvačka **4** volán, karnýr, ryš, krejzlík, okruží; nabíraná náprsenka, fiší **5** zool. límec, náprsenka, zástěrka **6** tech. manžeta, límec ◆ *without ~ or excitement* bez rozčilování, klidně

ruffle[2] [rafl] *s* dlouhé tiché víření na buben, dlouhý slabý virbl ● *v* dlouze a tiše vířit na buben, tiše virblovat na buben

ruffled [rafld] **1** bot. se zvlněným okrajem **2** v. *ruffle*,[1,2] *v*

ruffler [raflə] **1** chvástal, chlubil, vejtaha, honimír, sekáč; rušitel, narušovač **2** nadrhovač, sdrhovač **3** řasovací patka šicího stroje

rufous [ru:fəs] hnědočervený, červenohnědý, ryšavý, rezavý, rezovatý

rug [rag] **1** hrubá vlněná pokrývka; houně; pléd **2** koberec, kobereček **3** předložka, též kožešinová (*bearskin ~*) **4** AM slang. paruka, tupé

rugate [ru:git] vrásčitý, svrasklý, krabatý, drsný

Rugbeian [ragˈbi(:)ən] *adj* rugbyjský, z Rugby, patřící do Rugby ● *s* žák / absolvent školy v Rugby

Rugby, rugby [ragbi] : *~ football* sport. ragby; *~ union* svaz ragbyových klubů

rugged [ragid] **1** nerovný, hrbolatý, kostrbatý (*~ ascent*); rozsochatý, rozervaný, divoce rozeklaný (*a ~ mountain range* divoce rozeklaný horský hřeben) **2** obličej ostře řezaný, zbrázděný vráskami (*Lincoln's ~ features* ostře řezané rysy Lincolnova obličeje); vzhled energický **3** počasí bouřlivý, nevlídný; strava obyčejný, prostý, domácí; styl kostrbatý, nevybroušený, nevypilovaný; verš kulhavý; zvuk nemelodický, drsný **4** hrubý, drsný (~ *manners*, ~ *character*) **5** tvrdý, těžký, namáhavý, náročný, drsný (*the ~ conditions of frontier life* tvrdé podmínky života na hranicích) **6** silný, robustní, chlapský, chlapácký (~ *men*); masívní (*the ~ steel sections* masívní ocelové díly); pevný, trvanlivý, solidní (~ *floor covering* trvanlivá podlahová krytina)

ruggedness [ragidnis] **1** nerovnost, hrbolatost, kostrbatost, rozervanost, rozeklanost povrchu **2** ostré rysy, zbrázdění obličeje; energičnost vzhledu **3** bouřlivost, nevlídnost počasí; prostota, obyčejnost stravy; kostrbatost, nevybroušenost, nevypilovanost stylu; kulhavost verše; nemelodičnost, drsnost zvuku **4** hrubost, drsnost; tvrdost, těžkost, namáhavost, náročnost **5** chlapskost, chlapáckost, robustnost, masívnost; pevnost, trvanlivost, solidnost

rugger [ragə] sport. slang. ragby

rugose [ru:gəus] vráščitý, svrasklý (~ *cheeks*); krabatý (~ *leaf*); drsný

rugosity [ru:ˈgosəti] vráščitost, svrasklost; krabatost; drsnost

rugous [ru:gəs] = *rugose*

ruin [ruin] *s* **1** pád, zkáza, záhuba, zánik, zmar, zhouba příčina i následek (*drink was his ~, the ~ of Oedipus*) **2** ztroskotání, zničení, krach (*risked his own political ~*), úpadek, škoda, škody *of* způsobené čím (*the ~ of misspent years cannot be quickly undone* škodu způsobenou promarněnými roky nelze rychle odčinit) **3** zřícenina, rozvalina, trosky, ruina; lidská troska, ruina; *~s, pl* trosky, zřícenina, zříceniny, ruiny, rozvaliny, rozpadlé zbytky (*the ~s of ancient Greece*) **4** zkažení, svedení, morální pád (*a daughter's ~ unhinged the old man's mind* morální úpadek dcery připravil starce o rozum) ♦ ~ *agate* miner. zříceninový achát; *it will be his ~ / the ~ of him* to bude jeho konec, to ho úplně zničí; *be on the brink of ~* být na pokraji zkázy / záhuby / úpadku; *be on the road to ~* řítit se do zkázy / do záhuby, též přen.; *be on the verge of ~ = be on the brink of; ~*; *blue ~* špatný gin; *bring a p. to ~ 1.* zkazit, zničit *2.* přivést na mizinu; *fall to ~* rozpadnout se v trosky, zřítit se a zůstat v rozvalinách (*the building fell to ~*); *gone to ~ 1.* zničený, rozbitý, ležící v rozvalinách *2.* zkrachovaný; *lie in ~* být / ležet v troskách; ~ *marble* miner. zříceninový mramor; *mother's ~ = blue ~* ● *v* **1** z|ničit, strhnout, roz|bořit, z|měnit / obrátit v trosky, z|demolovat; po|kazit, zkazit, obrátit vniveč, z|ruinovat (*an illness that ~ed his chances of promotion* choroba, která mu zkazila naději na kariéru) **2** znetvořit, zohyzdit, zohavit vzhled **3** přijít / přivést ke krachu / na mizinu; zkrachovat, z|ruinovat se **4** zkazit, svést dívku **5** bás. padnout, zřítit se střemhlav ♦ *be ~ed* též zkrachovat, přijít na mizinu, položit se (*was ~ed during the great crash* při velkém krachu přišel na mizinu); ~ *one's eyes* kazit / ničit si oči; ~ *a p.'s plans* udělat komu čáru přes rozpočet ***ruin o.s.*** z|ničit se, z|ruinovat se

ruinate [ruineit] *v* z|ničit, z|demolovat ● *adj* zničený, zdemolovaný, rozpadlý, v troskách, v rozvalinách

ruination [ruiˈneišən] **1** zničení, zmaření, ztroskotání, zkrachování **2** příčina zkažení, co úplně zkazí *of* co (*the olive is the ~ of martini*)

ruinous [ruinəs] **1** polorozpadlý, na spadnutí, na rozpadnutí; zničený, rozpadlý, zřícený, v troskách, v rozvalinách (*mossy and ~ posts of an old gateway* trosky mechem porostlých nosníků staré brány) **2** bořivý, ničivý (~ *war*); zhoubný, škodlivý *to* pro, škodící komu, ničící, ruinující, přivádějící na mizinu koho (*excessive wages were ~ to the farmer* nadměrně vysoké mzdy přivedly farmáře na mizinu) ♦ ~ *prices* horentní ceny, ceny vedoucí k úpadku; *prove ~ to a p.* činnost do|vést nakonec k úpadku / ke zkáze koho

ruinness [ruinnis] **1** zničenost, rozpadlost **2** zhoubnost, škodlivost

rule [ru:l] *s* **1** pravidlo předpis; poznaná zákonitost; poučka ji vyjadřující; *~s, pl* sport. pravidla (*~s of professional basketball*) **2** předpis, nařízení, zákon, řád, norma, směrnice, regule; bod stanov; soudní výnos, nález, nařízení, směrnice, zásada; obch. zvyklost, obyčej, uzance **3** zásada, zákon, pravidlo (*the ~s of perspective, the ~s of harmony*) **4** círk. řád, řehole (*the ~ of St Dominic*) **5** pravítko, měřítko; logaritmické pravítko; skládací metr **6** řízení, vláda, nadvláda, panování činnost i údobí (*under his firm ~ conditions quickly improved, during the ~ of Caesars*); režim, též přen. **7** *~s, pl* hist. vyhrazené okolí vězení, kde směli někteří vězňové např. dlužníci za určitých podmínek bydlet **8** hvězd. Pravítko souhvězdí **9** polygr. linka ♦ ~ *absolute 1.* práv. platný výnos po vypršení doby pro případnou revokaci *2.* absolutní moc / vláda; *according to ~* podle předpisu; ~ *of the air* mezinárodní pravidla letecké dopravy, mezinárodní předpisy pro leteckou dopravu; *as a ~* obvykle, zpravidla (*as a ~ sick people recover without treatment* nemocní lidé se obvykle uzdraví i bez léčení); *be the ~* být pravidlem; *become the ~* stát se pravidlem; *break a ~* porušit pravidlo / řád; *~ border* polygr. rámeček z linek; *by ~* pouze podle pravidel, mechanicky; *by all the ~s* podle všech pravidel; *carpenter's ~* tesařský metr; *code of ~s* stanovy, směrnice; *conflicting ~s* navzájem si odporující předpisy; *em ~* polygr. dlouhá / čtverčíková pomlčka; *en ~* polygr. krátká / půlčtverčíková pomlčka; ~ *of evidence* práv. pravidla důkazního řízení před soudem; *exception to the ~* výjimka z pravidla; *fixed ~* pevné / neměnné pravidlo; *folding ~* skládací metr měřítko; ~ *of force* vláda násilím; *~s of the game 1.*

pravidla hry, též přen. *2.* herní řád; *~s which govern a t.* předpisy, jimiž se řídí co; *golden ~* výtv. zlatý řez; *hard and fast ~* pevný předpis, formule, zákon, norma; *hold ~ over* vládnout komu, panovat nad; *~ of the house* domovní řád; *lay down a ~* stanovit pravidlo; *make it a ~ to do a t.* učinit pravidlem / zvyknout si dělat pravidelně co; *~ nisi* práv. výnos, který nabude platnosti až po určité době umožňující jeho případnou revokaci, podmíněně; *~ of port helm* námoř. hist. pravidlo o vyhýbání vpravo k zamezení srážky; *prisoner on ~* hist. vězeň např. dlužník bydlící v okolí vězení; *~ of procedure* jednací řád; *~ of proportion* mat. trojčlenka, úměra; *~ of the road 1.* dopravní předpisy, silniční řád, pravidla silničního provozu *2.* řád plavební bezpečnosti; *standing ~* stanovy; *~ of trial and error* mat. regula falsi, metoda postupného přibližování; *work to ~ 1.* práce pouze podle předpisů, striktní dodržování předpisů druh nestávkové protestní akce zaměstnanců *2.* takto pracovat ● *v* **1** vládnout (*over*) komu / čemu (*he ~d the Assembly with a rod of iron* vládl shromáždění železnou holí, *~d wisely over his subjects* vládl moudře nad svými poddanými), panovat nad / komu; spravovat (*the territory is ~d by a high commissioner* území spravuje vysoký komisař); právo platit **2** ovládnout, zvládnout, udržet na uzdě (*she went on a diet but found it difficult to ~ her appetite* začala držet dietu, ale bylo jí zatěžko ovládnout chuť k jídlu); převládat **3** vést, řídit (*be ~d by me*); přen. určovat charakter čeho, řídit (*the monsoon seasons which ~ the climate* monsunová období, která určují charakter počasí) **4** soud / soudce rozhodnout, předepsat, nařídit (*the judge ~d that he should be exiled* soudce ho odsoudil do vyhnanství); prohlásit *a t. ...* co za co *a p.* koho za koho (*the risk of really being ~d a dissenter* riziko, že bude skutečně prohlášen za disidenta) **5** na|linkovat papír, kreslit, rýsovat linky; sčesat / upravit jako podle pravítka **6** být celkem / v průměru (*in the islands the temperature and humidity ~ higher than on the mainland* na ostrovech bývá v průměru vyšší teplota a vlhkost než na pevnině) ◆ *~ in a p.'s favour* soudce rozhodnout v čí prospěch; *~ a p. out of order* zakázat komu mluvit, odejmout slovo ***rule off*** oddělit linkou ***rule out 1*** vyloučit (*after ruling out gastric and duodenal ulcer* až se vyloučí, že nejde o žaludeční a dvanácterníkový vřed) **2** znemožnit, zabránit čemu (*heavy rain ~d the picnic out for that day* hustý déšť znemožnil ten den piknik)

rule joint [ru:ldžoint] tech. kloub

ruleless [ru:llis] jsoucí bez zákona, bez pravidel

rule of three [ˌru:lofˈθri:] mat. trojčlenka

rule of thumb [ˌru:lofˈθam] *s* pravidlo pouze ze zkušenosti, čistě praktická zásada (*by ~* zkusmo, pouze ze zkušenosti) ● *adj: rule-of-thumb* [ˌru:lofˈθam] ryze praktický, jednoduchý, primitivní

ruler [ru:lə] **1** vladař, vládce, panovník **2** přen. řídící princip **3** pravítko; měřítko **4** polygr. sázítko **5** linkovač, linkovačka

rulership [ru:ləšip] vládcovství, vladařství, panství, vláda, nadvláda

ruling [ru:liŋ] *s* **1** soudní nařízení, nález, rozhodnutí, usnesení, výnos **2** pravidlo, předpis **3** v. *rule, v* ● *adj* **1** hlavní, rozhodující (*~ factor*) **2** existující, nynější, běžný (*~ prices*) **3** panující, královský (*~ family*); vládnoucí, u vlády, vládní (*a ~party*) **4** v. *rule, v*

ruling machine [ˈru:liŋməˌši:n] linkovací / rastrovací stroj

ruling pen [ru:liŋpen] rýsovací pero

rulley [rali] BR čtyřkolový vozík, valník

rum[1] [ram] **1** rum **2** koktejl z rumu a ovocné šťávy **3** AM hanl. kořalka, alkohol ◆ *~ row* AM hovor. postavení pašeráckých lodí pašujících alkoholické nápoje mimo zakázané pásmo

rum[2] [ram] (*-mm-*) BR slang. divný, podivný, nepříjemný ◆ *~ customer* nebezpečný člověk, nebezpečné zvíře, koho je lepší si nevšímat, pěkný ptáček; *~ go / start* (zast.) slang. divná / zvláštní věc

Rumania [ru(:)ˈmeinjə] Rumunsko

Rumanian [ru(:)ˈmeinjən] *adj* rumunský ● *s* **1** Rumun **2** rumunština

Rumansh [ruˈmænš] = *Romansh*

rumba [rambə] rumba kubánský tanec; druh moderního tance; hudba k němu

rumble[1] [rambl] *v* **1** hřmět, rachotit, dunět, temně / vzdáleně burácet, též vlak apod. při jízdě **2** bručet, kručet, škrundat v žaludku **3** překodrcat, převézt s rachotem (*~ a wagon over a ground*) **4** hučet, mumlat, bručet (*heard him rumbling to himself as they went out*), zahučet (*~ a command*) **5** čistit v bubnu **6** AM slang.: chuligáni rvát se, servat se na ulici (*rival gangs ~ on Saturday night*) ***rumble along / by*** pře|jet (kolem) s rachocením / duněním ***rumble forth / out*** zahučet, zabručet, zamumlat ● *s* **1** za|hřmění, hřmot, rachocení, rachot, za|dunění, temné / vzdálené burácení (*the ~ of tanks across a bridge*) **2** kufr auta / kočáru; též *~ seat* nouzové / odklopné sedadlo v zavazadlovém prostoru auta **3** čisticí / lešticí buben **4** AM slang. pouliční bitka, rvačka mezi chuligány

rumble[2] [rambl] BR slang. prokouknout, posvítit si na, přijít čemu na kloub

rumble-tumble [rambltambl] **1** rachotina, hrkáč, hrkačka vozidlo **2** kodrcání, hrkání **3** nouzové sedadlo v zavazadlovém prostoru auta

rumbly [rambli] **1** hřmící, rachotící, dunící **2** kodrcající

rumbustious [ram'bastjəs] hovor. hlučný, rozkřičený, divoký, bouřlivý
Rumeliote [ru(:)'mi:ljət] = *Roumeliote*
rumen [ru:mən] *pl:rumina* [ru:minə] zool. bachor
ruminant [ru:minənt] zool. *adj* přežvýkavý ◆ ~ *animal* přežvýkavec; ~ *stomach* žaludek přežvýkavců ● *s* přežvýkavec
ruminate[1] [ru:mineit] *v* **1** zool. přežvykovat **2** uvažovat, přemítat *about* / *of* / *on* / *over* / *upon* *c*, rozebírat, přebírat, přemílat co
ruminate[2] [ru:minit] bot.: endosperm rozbrázděný
rumination [ˌru:mi'neišən] **1** zool. přežvykování u skotu **2** uvažování, přemítání, rozebírání, přemílání
ruminative [ru:minətiv] **1** přemýšlivý, rozvážný, hloubavý, uvážlivý **2** pečlivě uvážený, rozvážený, rozmyšlený, promyšlený
ruminator [ru:mineitə] uvážlivý člověk, hloubal, hloubavec
rummage [ramidž] *v* **1** důkladně prohledat, pro|šťourat, hledat mezi **2** též ~ *out* / *up* vyhrabat, vyšťourat **3** vykonat důkladnou celní prohlídku **4** též ~ *about* roz|krámovat, roz|kramařit ● *s* **1** důkladné prohledání zejm. lodě celními úředníky, důkladná prohlídka **2** krámy, harampádí, haraburdí, veteš *of* skládající se z **3** dobročinný bazar; věci prodávané v bazaru; výprodej nevyzvednutých oprav n. nevyzvednutého zboží např. v přístavu; partiové zboží
rummage sale [ramidžseil] **1** dobročinný bazar **2** výprodej neprodaného zboží n. zabaveného kontrabandu **3** partiový prodej
rummer [ramə] pohár, velká číše
rumminess [raminis] slang. divnost, zvláštnost, uhozenost
rummy[1] [rami] (*-ie-*) = *rum*[2]
rummy[2] [rami] (*-ie-*) *adj* rumový (~ *taste*) ● *s* kořala, kořalkář, kořalečník
rummy[3] [rami] remy, žolíky, rummy druh karetní hry
rumness [ramnis] = *rumminess*
rumour [ru:mə] *s* co se všude šeptá / říká / vykládá; zpráva šířená vyprávěním, zvěst, pověst, pověsti, šeptanda, hláška, latrína (zhrub.) ◆ *circulate* ~*s* šířit zvěsti atd.; ~ *has it that* vykládá se, říká se, že; ~ *puts the amount as 5000 kegs* podle nezaručených zpráv je toho asi 5000 soudků ● *v* šířit zprávy / pověsti, rozhlašovat ◆ *be* ~*ed* vykládat se, říkat se; (*he is* ~*ed* o něm se vykládá / říká / šeptá, o něm kolují pověsti, (podle pověstí) on prý; *it is* ~*ed* říká se, vykládá se, (podle pověstí) prý, nezaručené zprávy tvrdí)
rump [ramp] **1** zadek, kýta, kýty zvěře; biskup drůbeže **2** zbytek, oklestek (~ *of faithful souls* zbytek věrných duší) ◆ *R*~ *Parliament* hist. neúplný sněm r. 1648; ~ *steak* kuch. ramstek
rumple [rampl] *s* vráska, záhyb ● *v* **1** z|mačkat, z|muchlat, z|krabatit, svraštit **2** roz|cuchat vlasy
rumpless [ramplis] drůbež bez biskupa
rumpus [rampəs] hovor. kravál, bengál, brajgl, cambus ◆ ~ *room* místnost vyhrazená pro hlučnou zábavu např. dětí
rumpy [rampi] (*-ie-*) BR zool. bezocasá kočka manx
rum runner ['ramˌranə] podloudník, podloudnická loď pašující alkoholické nápoje
rum shrub [ramšrab] **1** koktejl z rumu a ovocné šťávy **2** nápoj z rumu
rum-tum [ramtam] lehký veslový člun na dolní Temži
run [ran] *v* (*ran, run; -nn-*) **I.** základní významy: **1** běžet, utíkat; běhat, pobíhat (*liked to* ~ *barefoot in the summer* ráda běhala v létě bosa), obíhat, probíhat **2** sport. účastnit se závodu, závodit, závodit v běhu, zúčastnit se běžeckých závodů; doběhnout při závodu na určitém místě, umístit se jako kolikátý (*he ran second* skončil na druhém místě, získal druhé místo při běžeckém závodu) **3** spěchat, pospíchat, pádit, mazat, běžet, utíkat, chvátat, skočit (hovor.) (~ *and fetch the doctor* běž pro lékaře); ~! slang. koukej mazat a neotravuj! **4** golfový míček ještě běžet, ještě se kutálet po dopadu (*ran some 10 yards onto the green*) **5** hnát se, štvát se; prchnout, utéci, dát se na útěk, vzít nohy na ramena (*he dropped his gun and ran*) **6** rychle jet, klouzat, smýkat se, pohybovat se (*drawers* ~*ning on ball bearings* zásuvky pohybující se na kuličkových ložiskách); vysunovat se, jít ven (*the drawer does not* ~ *easily* zásuvka jde těžko vytáhnout) **7** valit se, točit se, kroužit, vířit, kutálet se, koulet se **8** motor být zapnutý, běžet, otáčet se (*let the motor* ~ *until it warms up*) **9** podnik být v provozu, být otevřený, fungovat, pracovat; přen. být jaký, chodit / běžet jak (*things are* ~*ning smoothly at the office now* teď jde všechno v kanceláři hladce) **10** téci; vytékat, odtékat; řinout se; rychle téci, proudit **11** tonout, potápět se **12** řeka, verš plynout; oblaka, ryba táhnout, plout **13** voda téci v / z potrubí (*someone left the hot water* ~*ning* někdo nechal puštěnou horkou vodu); kohoutek kapat, téci; nádoba téci; prosakovat, nebýt nepropustný **14** bolák mokvat, být otevřený, pouštět hnis **15** půda mokvat, rozbředávat, mazat se **16** dámská punčocha pouštět očka; očko na punčoše téci **17** tát, tavit se, téci **18** tát, roztávat (*the icing had begun to* ~ námraza začala roztávat); rozehřívat se a téci (*ice cream is* ~*ning*); roztékat se (*candle that* ~*s*); příliš spouštět, téci, dělat kaňky (*pen that* ~*s*) **19** barva splývat, pouštět, roztékat se do sebe, rozpíjet se **20** lano kroutit se, zkrucovat se **21** kůň běžet, klusat, běžet klusem **22** loď plout po větru, plout se zadním větrem **23** zpráva letět, vyprávět se, říkat se, roz|šířit se, jít od úst k ústům, dostat se do oběhu, kolovat (*the story* ~*s that they have been secretly married for months*) **24** mít určitý kurs: vést, běžet, jít, probíhat určitým směrem (*the boundary line* ~*s east from the stone* hraniční čára vede na východ od kamene);

pokračovat, postupovat, stoupat / klesat (*the house numbers in this block ~ in odd numbers from 3 to 57* v tomto bloku jsou lichá čísla a stoupají od 3 do 57); vést, sahat (*born of a line ~ning back to King Alfred*) **25** odhad pohybovat se, sahat (*guesses at his real age ~ from 39 to 45 or higher* odhad jeho skutečného stáří se pohybuje od 39 do 45 či výš) **26** pozemek ležet jakým směrem, být situován / orientován jak, směřovat kam (*the garden ~s east*) **27** činnost směřovat, nést se určitým směrem (*his action ~s counter to prevailing practice* jeho činnost směřuje proti převažující praxi) **28** nástroj vyběhnout ze správné polohy **29** text znít (*his letter ~s as follows*) **30** pravidelně jezdit / plout, konat pravidelné cesty / plavby (*a ferry ~s to the island each hour* převoz na ostrov jezdí každou hodinu); dopravní spoj jezdit, projíždět podle jízdního řádu (*there is a train ~ning every hour* vlak jede každou hodinu) **31** čas míjet, plynout, jít kupředu, pokračovat, postupovat; trvat (*school ~s from 8 to 12* vyučování trvá od 8 do 12) **32** drama hrát se, být / udržet se na programu (*the piece ran for six months*); film běžet, promítat se, být / udržet se na programu **33** trest trvat, počítat se; smlouva platit, zůstávat / být v platnosti (*the contract has two months to ~*); dluh narůstat, nabíhat (*interest on the loan ~s from July 1st* úrok z půjčky se počítá od 1. července) **34** rostlina pnout se, popínat se; vyrážet úponky **35** mléko srazit se **II.** bezpředložkové spojení s předmětem: **1** běžet, proběhnout, projít, dát se kudy; nepozorovaně projít čím, proklouznout, projet, proplout kolem (*~ a guard* proklouznout kolem stráže); pro|plout čím (*~ rapids*) jakou rychlostí (*~ 20 knots* plout rychlostí 20 uzlů) **2** u|prchnout, utéci, dát se na útěk, vzít nohy na ramena odkud (*ran the country after the robbery* po loupeži uprchl ze země) **3** běžet (jako) o závod s, soutěžit, měřit se s **4** hnát, rychle pohánět zvíře (*~ cattle to pasture* hnát dobytek na pastvu), honit (*the dog was caught ~ning sheep and had to be shot*) **5** honit, lovit, pronásledovat zvěř; sledovat stopu, běžet po stopě čeho **6** dohnat, doštvat, uštvat **7** přen. vystopovat (*ran the rumour to its source* vystopoval pověst až k jejímu zdroji) **8** pást dobytek; pastvina uživit, dát / poskytnout pastvu čemu (*land that will ~ three hundred to the acre*); přen. vy|pěstovat, vy|produkovat, vyrobit (slang.) (*~ 2,000.000 chicken a year*) **9** přetékat, být plný čeho (*the streets ran blood* v ulicích tekly potoky krve, *all the brooks ran gold* ve všech potocích byla spousta zlata) **10** potrubí vést (*this tap ~s hot water* z tohoto kohoutku teče horká voda); pustit vodu otočením kohoutku; nechat téci / odtékat **11** roz|tavit, vytavit; lít do formy, formovat, tvarovat litím (*~ concrete* lít do formy beton), lít, odlévat (*~ bullets* odlévat kulky); formovat ze sádry **12** zalévat spáry čím (*~ tar* zalévat spáry dehtem) **13** destilovat, čistit, rafinovat (*~ oil*) **14** zkoušet, analyzovat v laboratoři **15** obsahovat (*tailing ~s 2 percent zinc* hlušina obsahuje 2 procenta zinku) **16** nanést barvu tak, aby stékala; pokrýt plochu stékající vrstvou barvy (*~ a wall*) **17** prolomit, pro|razit chodbu **18** pašovat, podloudně dopravovat **19** vést čáru, vyznačit, označit, stanovit; nakreslit, narýsovat čáru kde, vyznačit čárou co **20** odpálit golfový míček tak, že se po dopadu kutálí **21** dopravovat, vozit, dovážet, transportovat **22** pravidelně vynášet, dávat výnos, nést (*this ~s as high as 200 dollars to the ton*) **23** ujet, uplout, urazit, absolvovat vzdálenost **24** pouštět, promítat, uvést film **25** sport. za|hrát, uhrát v řadě / bez přerušení **26** karty stále nést tutéž barvu, odehrát barvu **27** řídit co, jezdit s (*~ a taxi*), vozit, manévrovat s, manipulovat s (*~ a lawn mower*), plavit (*~ logs* plavit klády); na|řídit, na|jet s, sjet s (*ran his car off the road*) **28** řídit, vést, vládnout čemu (*the men who ~ things in this city*); dělat vedoucího / ředitele kde, ředitelovat, šéfovat čemu (*~ a travel bureau*), mít a zároveň řídit (*~ a factory*) **29** pořádat, organizovat (*~ a dance every Saturday evening* každou sobotu pořádat taneční večírek) **30** obch. vést, prodávat **31** polygr. vy|tisknout, s|jet (*a book to be ~ on a lightweight paper* kniha, která má být vytištěna na tenkém papíru); použít k tisku, tisknout z (*you may stereotype these woodcuts but do not ~ them* z těch dřevorytů si můžete udělat štočky, ale netiskněte z nich); uveřejnit, otisknout, přinést v novinách (*every newspaper ran the story*) **32** stehovat, protkávat síť **33** peněž. udělat run na banku **34** kroket napálit kouli co, strefit se koulí do, prohnat kouli čím **35** elektr. napájet, nabíjet baterii / akumulátor **36** krejč. se|šít předním stehem, při|stehovat, nastehovat **III.** spojení s předložkami: **1** pobíhat, courat se, potloukat se *about* po / kde (*~ about the streets*) **2** potkat náhodou *across* koho, narazit na, setkat se náhodou s; náhodou najít, objevit *across* co **3** běhat *after* za, chodit za, namlouvat si koho (*old enough now to start ~ning after the girls*); pronásledovat *after* koho, honit koho, stíhat koho (*~ning after a pickpocket* pronásledující kapsáře); honit se *after* za, jít s (*~s after every new fashion* honí se za každou novou módou) **4** narazit *against* na, vrazit do; loď najet, narazit *against* na (*~ against a rock*); přen. být, jít, pracovat *against* proti (*time is now ~ning against us in this affair* v této záležitosti čas pracuje proti nám) **5** přejet *a t.* čím *along* po / co (*ran his fingers along the shelf* přejel prsty po polici) **6** řítit se *at* na, za|útočit / vrhnout se při běhu na (*the bull ran at the toreador* běžící býk se vrhl na toreadora) **7** dopravní spoj spojovat *between* co *and* s, udržovat spojení mezi a čím (*a bus ~s between Waterloo and Aldwych*) **8** být známý *by* pod jménem **9** rychle se uchýlit *for* kam; smlouva platit, mít trvání / platnost *for* jak dlouho, být uzavřen na jak dlouhou dobu (*the lease* ~*s for 7 years* pronájem je uzavřen na 7 let); provozovat *for* za účelem / pro (*schools* ~ *for profit*); kandidovat na funkci / úřad **10** běžet, vběhnout, v|kutálet se *into* do; zarazit, zatlouci hřebík, zašroubovat šroub *into* do; v|strčit | si, vsunout | si *into* do (*ran his hand into his pocket*), přejet, porazit autem *into*; vrazit | si *into* do (*ran a splinter into his toe* vrazil si třísku do prstu u nohy); vrazit, narazit, nabourat co / čím *into* do, uhodit se do o co (*ran his head into a post* narazil hlavou na sloup); náhodou potkat *into* koho, náhodou se srazit / sejít / setkat s (*ran into an old classmate* náhodou potkal starého spolužáka); uvést do určité polohy / určitého sestavení, seřadit, sestavit *into* do; dohnat *a p.* / *a t. into* k (~ *a town into acts of rebellion*); vlévat se *into* do (*little lakes that all* ~ *into one another*); slévat se *into* v jeden celek, přecházet jeden do druhého; zabíhat *into* do, přecházet v (*reverence for law and prescription which* ~*s sometimes into pedantry* úcta k zákonům a nařízením, která někdy zabíhá do hnidopišství); ~ *into* vyjadřuje změnu stavu: dostat se do, spadnout do **11** stékat *off* po / s, též přen. (*her scoldings ran off him like water off a duck's back* její hubování se ho vůbec nijak nedotklo, nadávala mu, ale jako by hrách na stěnu házel) **12** jezdit, pohybovat se, klouzat *on* po: týkat se *on* čeho, zabývat se čím, být zaměřený na, točit se kolem (*the conversation ran on politics*); být poháněn *on* čím, jezdit na (*an engine that* ~*s on gasoline* motor na benzinový pohon); založit volební kampaň *on* na (*candidates who* ~ *on a strong antiwar platform* kandidáti, kteří zakládají svou volební kampaň na silném protiválečném postoji) **13** přeběhnout, přeletět *over* co (*fire ran swiftly over the sea* požár rychle přeletěl přes moře); přejet a t. čím (~ *your hand over the tabletop to see if the varnish is dry* přejeďte rukou přes desku stolu a přesvědčete se, jestli je už lak suchý) **14** pro|táhnout, provléknout *through* čím (~ *a rope through a pulley* provléknout lano kladkou); uvést do určitého pohybu: prohnat, projet co *through* čím (~ *sheets through a wringer* vy|ždímat prostěradla válečkovou ždímačkou); být provlečen *through* čím, být navlečen na (*rope* ~*s through the pulley* lano je provlečeno kladkou); prohledat, prošacovat *through* co (*he ran through his pockets*); probodnout, proklát *a t.* čím *through* co, prohnat co čím, vrazit co do (*ran the spear through his body* prohnal mu kopí tělem); objevovat se stále / pravidelně, vracet se *through* v, vinout se čím, prostupovat co (*a note of despair* ~*s through the whole narrative* celým vyprávěním se vine zoufalý tón); přečíst, přezkoušet | si, přejet | si bez zastavování *through* co (*the cast ran through the whole play once without lights or scenery* všichni herci si projeli celou hru bez osvětlení a bez výpravy) **15** dosáhnout *to* čeho, nakonec mít co; trvat jak dlouho, mít jaký rozsah / jaké trvání; stačit *to* na (*my salary won't* ~ *to holidays abroad* můj plat nestačí na dovolenou v cizině); tíhnout, mít sklon *to* k charakteristickému, mívat charakteristické (*they* ~ *to big noses in that family, this tree* ~*s to quite tart fruit* ten strom má většinou úplně trpké ovoce); utéci *to* na (*refrained from doubling four spades for fear he would* ~ *to five clubs* neflekoval čtyři piky ze strachu, že by se musel uchýlit k pěti trefám); vykázat se *to* čím (*those few who could not quite* ~ ~ *to a permanent internal ailment* těch pár, kteří se nemohli plně vykázat, že trpí stálou vnitřní chorobou); BR svézt, odvést, vzít autem *to* kam (*a neighbour offered to* ~ *us to the station* soused se nabídl, že nás odveze na nádraží) **16** být spokojen *with* s, váznout na, tkvít jako břemeno na ◆ ~ *an account* mít otevřený účet (~ *an account at the grocery* mít otevřený účet v obchodu s potravinami); ~ ~ *aground* loď najet na mělčinu, uváznout na mělčině; ~ *into a certain amount* etc. příjem / vydání dosahovat určité částky atd. (*his yearly income often* ~*s into six figures* jeho roční příjem často dosahuje několika set tisíc); ~ *ashore* loď najet na břeh, uváznout na břehu; *what does the bill* ~ *to?* kolik dělá celkem ten účet?; ~ *like blazes* upalovat, mazat; ~ *the blockade* prolomit blokádu; ~ *in the blood* mít v krvi, být rodinným / národním znakem / rysem; *my blood ran cold* krev mi stydla v žilách; *the book* ~*s to just over 300 pages* kniha má něco málo přes 300 stran; ~ *a car* BR *1.* mít vlastní auto (*it is expensive to* ~ *a car*) *2.* jezdit vlastním autem (*I do not* ~ *my car during the winter*); ~ *a good chance of* mít naději na, mít dobré vyhlídky na, být velice pravděpodobné, že; ~ *at check* lovecký pes balamutit pronásledovat drobnou lovnou zvěř; *chills ran up his spine* mráz mu běhal po zádech; ~ *a large circle* opsat velký kruh; ~ *a p. close* být komu v patách; *things must* ~ *their course* všechny věci musí mít svůj průběh; ~ *off the course* sjet z kursu, odchýlit se od kursu; ~ *to cover* uchýlit se do bezpečí, zachraňovat se, též přen.; ~ *cunning* = ~ *false; cut and* = ~ *for it;* ~ *the danger of* vystavit se jakému nebezpečí, riskovat, že; ~ *to debts* dostat se do dluhů, na|dělat dluhy; ~ *a firm into debts* zadlužit firmu; ~ *like (the) devil* = ~ *like blazes;* ~ *into difficulties 1.* dostat se do potíží / do maléru *2.* narazit na obtížnou pasáž, uvíznout; *disease has* ~ *its course* průběh nemoci skončil; ~ *division* zast. *1.* dělat variace na *2.* stále omílat co; ~ *dry 1.* přestat dávat vodu / mléko, vyschnout *2.* být prázdný *3.* vypustit zdymadlovou komoru; ~ *to earth* přen. doběhnout, dohonit, najít, objevit;

~ *empty* běžet naprázdno; ~ *an engine* nechat běžet motor, mít zapnutý motor; ~ *errands for* dělat poslíčka / doručovatele komu, být zaměstnán jako poslíček / doručovatel u (~ *errands for a bank* dělat bankovního doručovatele); *we must not* ~ *to extremes* nesmíme zacházet do krajností, nesmíme hnát věci na ostří; *her eyes were* ~*ning* měla oči plné slz; ~ *to fat* přibývat na váze, z|tloustnout; *my face* ~*s with sweat* z obličeje se mi řine pot; ~ *false* lovecký pes běžet přímo za zvěří nikoliv přesně po její stopě, nadběhnout si; *it* ~*s in their family* to je u nich v rodě / v rodině, to se u nich dědí; *feeling ran high* bylo velké vzrušení; ~ *one off one's feet* BR / ~ *one's feet off* AM hovor. ušoupat si nohy pochůzkami n. prací; *he ran his fingers over the keys* zahrál na klaviatuře pár rychlých pasáží; ~ *things fine* hovor. jentaktak chytit např. vlak; ~ *flat* jet po prázdné pneumatice; ~ *for it* hovor. vzít do zaječích, vzít roha; ~ *foul of a t. 1.* srazit se s, narazit na, najet na (*ran foul of a hidden reef* narazil na zatopený rif) *2.* dostat se do konfliktu s (~ *foul of the law*); ~ *one's fortune* zast. zkusit štěstí; ~ *free 1.* = ~ *empty 2.* loď odplouvat po větru směrem od pevniny; ~ *the gauntlet 1.* voj. hist. běžet „uličkou" *2.* být terčem soustředěných nepříjemností (*he did not relish appearing among his friends and* ~*ning the gauntlet of their criticism or censures*); ~ *into heavy going* dostat se do úzkých / do slepé uličky; ~ *heelway* lovecký pes běžet po stopě zvěře obráceně; ~ *like hell* = ~ *like blazes;* ~ *to help* běžet na pomoc; ~ *high 1.* potok rychle téci při vysokém stavu vody; přen. stoupat, držet se vysoko (*profits were* ~*ning high*) *2.* city stoupat, být vzbouřený, kypět (*feelings were* ~*ning high on both sides of the dispute* na obou stranách se vášnivě diskutovalo); ~ *hot* motor zahřát se při chodu; *hotel is* ~*ning again* hotel je opět v provozu, hotel je znovu otevřen; ~ *idle* = ~ *empty; keep* ~*ning 1.* udržovat v chodu *2.* běž / utíkej dál *3.* stále znít (*tune kept* ~*ning in his head*); ~ ~ *down the latitude* námoř. plout po poledníku (od severu k jihu) k cílové rovnoběžce; *a lawsuit* ~*s against him* je proti němu vedeno soudní řízení; ~ *to leaves* rostlina vyhnat listy; *let* ~ též s|pustit / zapnout stroj / motor; ~ *on full load* běžet při plném zatížení; ~ *low* docházet, končit se, vyčerpávat se; ~ *a line through* proškrtnout, přeškrtnout (~ *a line through the word to be deleted* přeškrtnout slovo, které se má vynechat); ~ *for your lives!* zachraň se kdo můžeš!, ~*mad* pes pominout se, dostat vzteklinu; *apparatus that* ~*s off the mains* přístroj, který je napájen ze sítě; ~ *to meet one's troubles* dělat si napřed; ~ *messages* dělat poslíčka / doručovatele; *my money will not* ~ *to that* na to mi peníze nestačí; ~ *into money* být nákladný, jít do peněz; *that makes one's mouth* ~ na to / při tom se člověku sbíhají sliny v ústech; ~ *a newspaper* vydávat noviny; *his nose was* ~*ning* teklo mu z nosu, měl rýmu (*Tommy, your nose is* ~*ning* Tome, máš nudli u nosu); ~ *a parallel too far 1.* srovnávat příliš podrobně *2.* učinit příliš odvážné srovnání; ~ *to pattern* dělat to, co se očekává, běžet podle schématu, držet se schématu, zachovávat schéma; ~ *races* uspořádat běžecké závody; ~ *a p. ragged* úplně utahat, vyčerpat (*children and housework were* ~*ning her ragged*); ~ *a t. ragged* učinit otřelým, zevšednit, otřískat (*the word "character" has been* ~ *ragged* slovo „charakter" je už otřískané); ~ *off the rails 1.* vlak vykolejit *2.* přen. jančit; *her acting ran the whole range of emotions* při svém hereckém výkonu rozehrála celou škálu citových vztahů / stavů; *he who* ~*s may read* to je snadno srozumitelné i při letmém přečtení; ~ *rife* být rozvířený, kypět, být vzbouřený (*speculation ran rife on who the candidate would be* horečně se uvažovalo o tom, kdo bude kandidátem); ~ *rings round* BR / *around* AM *a p.* strčit koho do kapsy; ~ *the risk* podstoupit riziko, riskovat; *the river* ~*s, clear* v řece teče čistá voda; ~ *scared* AM polit, slang. napnout všechny síly, udělat vše možné (jako) ze strachu; *the sea* ~*s high* moře je vzbouřené; ~ *before the sea* loď prchat před vlnami; ~ *to seed 1.* zakládat na semeno *2.* začít vadnout, přestat růst, zakrnět; *that* ~*s to sentiment* to bere za srdce; ~ *short* docházet, menšit se, blížit se vyčerpání *of* čeho, nedostávat se čeho (*army ran short of provisions* vojsku došly zásoby); ~ *the show* mít hlavní slovo, hrát prim, být kápo, o všem rozhodovat; ~ *a traffic signal* automobilista projet na červenou; ~ *a stand* mít prodejní stánek, prodávat v kiosku; ~ *straight* hovor. *1.* nezahýbat být věrný v manželství *2.* sekat dobrotu; *the streets ran with wine* po ulicích teklo víno; *your talent does not* ~ *that way* k tomu ty nemáš nadání, na to ty nejsi nadaný; *my taste does not* ~ *that way* nemám pro to pochopení; ~ *a temperature* mít / dostat teplotu / horečku; *a thought ran through my head* hlavou mi prolétla myšlenka; ~ *the whole thing* hovor. = *the show;* ~ *a thorn into one's finger* vrazit si trn do prstu, píchnout se trnem do prstu; *tide* ~*s strong* je silný příliv; ~ *full time* být v nepřetržitém provozu; ~ *one's tongue over one's lips* olíznout si rty; *her tongue* ~*s continually* stále něco vykládá, stále mele jazykem; ~ *from one topic to another* přeskakovat z předmětu na předmět při hovoru; ~ *track* sport. soutěžit v běhu, běžet; *they are ~ning an extra train* zařazují zvláštní vlak; *~ a trial* provést zkušební jízdu; *~ out of true 1.* ztratit opotřebením kruhový tvar *2.* hřídel házet; *~ true to from / type* splnit očekávání, zachovat se podle očekávání; *~ a tunnel* razit tunel; *~ the water cold* odtočit vodu až teče studená; *~ the water hot* nechat téci vodu např. z průtokového ohřívače, až teče horká; *Still waters ~ deep* Tichá voda břehy mele; *~ wild 1.* přestat být pod kontrolou, libovolně stoupat / klesat (*prices were ~ning wild all over Miami*) *2.* přerůstat, bujet, zplanět, zarůstat plevelem (*paths and roads neglected and ~ning wild* pěšiny a cesty zanedbané, zarůstající plevelem) *3.* zvrhnout se, zdivočet *4.* nebýt k ukrocení; *words ran high* padala ostrá slova; *the works have ceased ~ning* továrna zastavila provoz; *a place were writs do not ~* oblast, kde neexistují žádné psané zákony **run o.s.:** *~ o.s. out of breath* schvátit se při běhu; *~ o.s. to death* uhonit se, uštvat se, uběhat se k smrti; *o.s. into total exhaustion* po běhu se plně zhroutit **run about 1** chodit, běhat, pobíhat (*caught cold ~ning about with no overcoat*) **2** děti běhat venku, honit se **run along** jít, odejít, běžet pryč, zmizet (*it's late, I must ~ along*) **run around 1** někde chodit, běhat, courat (*never home evenings, always ~ning around*); stále poskakovat, stále někoho obskakovat **2** zahýbat, zanášet být nevěrný (*suspected her husband of ~ning around* podezírala manžela, že jí zahýbá) **3** polygr. zalomit sazbu kolem něčeho **run away 1** utéci zejm. z domova (*ran away with a man twice her age*), též přen. (*~ away from a subject*); prchat, dát se na bezhlavý útěk, uprchnout **2** hovor. utíkat, běžet, jít pryč (*~ away and play* běž si hrát) **3** kůň splašit se a běžet stále dopředu **4** utéci *with* s, ukrást co **5** dominovat *with* nad / kde, strhnout na sebe pozornost při, stát se středem čeho (*in the minor role of the hero's uncle he succeeded in ~ning away with the play*) **6** dát se unést *with* čím, dát se strhnout čím *7* hovor. stát / žrát *with* čas / peníze, jít do peněz (*not only is smoking bad for your health, it also ~ away with your money*) ◆ *~ away from school* utéci ze školního internátu; *~ away with the idea that* nenamlouvejte si že, ne abyste si vzal do hlavy že; *he let his imagination ~ away with him* dal se unést svou fantazií **run back 1** dívat se zpátky *over* na, přehlížet co, zrekapitulovat co (*~ back over the past*) **2** přetočit, převinout nazpátek např. magnetofonový pásek n. film **run down 1** běžet, utíkat, hnát se, téci, plynout dolů; stékat, řinout se dolů **2** uštvat (*~ down a stag* uštvat jelena), též přen.; dohonit, doběhnout, zatknout po honičce (*finally ran fugitive down in blind alley* nakonec uprchlíka dohonili ve slepé ulici); vyhledat, vystopovat, objevit, najít, zjistit po hledání, vypátrat (*~ down the technical term*) **3** dojíždět, dojít, dobíhat setrvačností (*that clock ran down hours ago* ty hodiny se zastavily už před několika hodinami); snížit hodnotu, činnost; po|klesnout, zaznamenat pokles, snížit svou úroveň, upadnout; způsobit pokles např. cen; přivést k úpadku podnik; rozvodněná řeka opadnout, klesnout na normál; vyčerpat, vybít baterie / akumulátor; motor zastavit se **4** porazit, srazit na zem autem (*ran down an old man in the rain*); srazit se s lodí, narazit na loď; potopit loď nárazem (*ran a fishing boat down*); umlčet, pře|trumfnout; stírat, očerňovat, usadit, pomlouvat, kritizovat koho **5** předběhnout, předhonit při závodu **6** zašroubovat ◆ *be / feel ~ down* být / cítit se utahaný / vyčerpaný **run in 1** zarazit, zapíchnout, zabořit např. do země **2** zajet na návštěvu, zaběhnout si, odskočit si na návštěvu (*lived close by and was used to ~ning in whenever he liked*) **3** vtáhnout dovnitř (*~ a wire in from the antenna*) **4** polygr. zatáhnout řádek, přelomit text bez odstavců, zalomit titulek; přisadit **5** zabíhávat, mít v záběhu motor; zajíždět auto **6** předvést, zavřít, zašít, zabásnout za přestupek (*got drunk the other night and the coppers ran me in* tuhle v noci jsem se opil a poldové mě zašili) *7* blížit se *with* (k) čemu (*~ in with the land*) **8** zalít *with* čím (*~ in with lead*) **9** ragby naběhnout do pozice ◆ *R~ning in!* auto v záběhu **run off 1** utéci, běžet pryč, uprchnout; odplout; vytéci, odtéci; odbíhat od tématu **2** vyhnat (*ran off the Chinese proprietor* vyhnal čínského majitele), odehnat (*most of his stock was ~ off by Indians* většinu stád mu odehnali Indiáni) **3** rychle odříkat, odemlít, odvrčet, rychle napsat / naklepat na stroji (*~ off a letter*); stroj vychrlit (*ran off 10,000 copies of the first edition*) **4** provést / udělat laboratorní zkoušku **5** odstartovat (rozhodující) závod; dohrát do konce utkání / turnaj **6** klesnout na ceně; směnka propadnout *7* hut. vypustit roztavený kov z pece, odpíchnout vysokou pec, provést odpich vysoké pece **8** polygr. (dát) vytisknout, vyjet **run on 1** běžet, utíkat, plout, téci dál; pokračovat, jít dál, trvat dál, zůstávat v platnosti *to* až do **2** čas míjet, utíkat, běžet **3** dlouze vykládat, mlít, mít spoustu řečí, žvanit zejm. nepřetržitě (*ran on endlessly about his family*) **4** polygr. zatáhnout, přiřadit nový text k předchozímu; pokračovat / sázet bez odstavce; začít tisknout; pokračovat v tisku; psát se dohromady ◆ *~ on solid* polygr. *1.* sázet bez odstavců a bez prokládání *2.* sázet do sloupců hladkou sazbu **run out 1** vyběhnout, vyplout, vytéci; vybíhat např. do moře (*where the land ~s out to form a cape*); spustit, vypustit zevnitř např. lano; přen. roz|šířit se, vyniknout **2** dojít, vyčerpat se, být vyčerpán (*food supplies had ~ out toward the end of the trip* ke konci cesty jim došly zásoby potravy); vyčerpat *of* co, už nemít další co (*ran out of gas a mile from home* míli od domova mu došel benzín, *we have ~ out of this article* tento druh zboží jsme už vyprodali); vyčerpat se / unavit se během, schvátit se (*ran himself out in the first mile* po první míli mu došel dech) *3* dojít, doběhnout; s|končit, vypršet (*the lease ~s out next month* pronájem příští měsíc končí); dokončit, dodělat *4* dobytek ztratit charakteristické plemenné rysy; vymrskat půdu *5* vyhnat, vyhodit, vyvést, vyběhnout s (*if the gamblers don't leave town they will be ~ out* jestli hazardní hráči neopustí město sami, tak s nimi vyběhneme) *6* opustit *on* koho, nechat na holičkách / v bryndě koho (*his former allies ran out on him*); pustit k vodě, nechat plavat koho (*if the boy senses that his girl is ~ning out on him* jestli chlapec vycítí, že ho jeho děvče pouští k vodě) *7* vytáhnout do délky; rozvinout cívku *8* sport. porazit v běžeckém závodu; rozhodnout při běžeckém závodu; skončit jako co (*~ out a winner*) *9* polygr. doplnit / vyplnit řádek např. ornamenty; vysadit se zarážkou; sazba vydat víc, než se spočítalo, být delší *10* rozházet majetek *11* hřídel házet; ložisko vytéci, vytavit se, vyběhat se *12* kriket vyautovat, vyřadit ze hry pálkaře sražením branky ◆ *be ~ out 1.* být schvácený / bez dechu, nemoci už dál při běhu *2.* být vyprodán, už nebýt na skladě; *~ out and indent* polygr. sázet podraženě první řádka bez zarážky, ostatní řádky se zarážkou ***run o.s. out*** schvátit se, nemoci už dále ***run over*** *1* přejet vědomě *2* přetékat, překypovat; trvat déle, než je vymezený čas, být překročen / přetáhnut / protáhnut (*delay caused by the radio programme ~ning over* zpoždění způsobené tím, že se rozhlasový pořad protáhl) *3* projít si, přezkoušet si, zopakovat si (*let's ~ this song over a couple of times*); zběžně prohlédnout / přečíst, prolistovat, přeletět *4* předjet, předhonit např. v autě *5* zaběhnout, zaskočit (*just ran over to borrow some sugar*) *6* přeběhnout, přejít, přestoupit *to* k ***run round*** doběhnout, skočit (*~ round to the neighbours* skoč k sousedům) ***run through*** *1* probodnout, prohnat, proklát zejm. mečem *2* pro|škrtnout, přeškrtnout slovo *3* pustit, nechat projet bez zastavení vlak; vlak projíždět, nestavět ve stanici *4* dát zpracovat počítači, dát do počítače *5* utratit, rozházet, promrhat (*inherited a fortune but ran through it in no time* zdědil velký majetek, ale zakrátko ho promrhal) ***run up*** *1* běžet / utíkat / jet nahoru / vzhůru / do kopce *2* vytáhnout, vztyčit (*~ up a flag* vztyčit vlajku); napnout (*~ up a sail* napnout plachtu) *3* rychle postavit, vyhnat do výšky (*~ up a circus tent* rychle postavit cirkusový stan); rychle vyrůst / vzrůst, prudce stoupnout (*his debts ran up alarmingly* jeho dluhy povážlivě rychle stoupaly); vyhnat nabídkou, našponovat cenu (*professional traders had ~ the price up* profesionální obchodníci vyhnali cenu do výšky); rychle sečíst sloupec čísel *4* rychle za|hrát / za|zpívat, proletět, přeletět | si (*~ up the scale*) *5* přiběhnout, přijet, připlout, přitéci *to* k čemu / ke komu *6* vy|sledovat do minulosti, vy|stopovat; sahat do minulosti až *to* k *7* rychle sešít, spíchnout (*~ up a dress in a morning*), též přen. (*~ up choreography*) *8* látka srazit se při praní *9* zkoušet běh motoru letadla, spustit motor letadla *10* namíchat karty *11* sport. skončit na druhém místě v závodu, umístit se jako druhý *12* též *~ up the ink* polygr. napustit, naplnit barevnici tiskovou barvou ◆ *~ up an account with a p.* kupovat u koho na účet, mít u koho otevřený účet; *~ up against a p.* dostat se s kým do hádky, narazit na koho; *~ the boat up* zdvihnout člun na loď

● *s* **1** běh, též sport. **2** proběhnutí (*let the dogs out for a ~* pusťte psy, ať se proběhnou); oběh; rozběh; schopnost běžet, síla běhu (*the first two laps took most of the ~ out of him* první dvě kola ho téměř úplně vyčerpala); odběhnutí, návštěva na skok, odskočení si; procházka; poklus; přen. rychlý poklus, cval, trap **3** tah ryb; hejno táhnoucích ryb **4** stádo **5** plavba lodí **6** nepřerušovaná cesta, jízda, plavba podle jízdního řádu (*a ship on her regular ~ to Europe*) **7** trať, trasa (*the ~ of the "Twentieth Century Limited" between New York and Chicago*) **8** mysl. ochoz, stezka, pěšinka zvěře, veksl (slang.); krtčí / králičí chodba **9** kriket: bod docílený úspěšně dokončeným během pálkaře, takový běh; golf vzdálenost, kterou se ještě míček dokutálí po dopadu na zem **10** vyběhnutí nástroje, zaběhnutí pily při řezání **11** rychlý pohyb; rychlý příliv, rychlý slapový proud **12** proud, proudění vzduchu **13** prudký pokles cen / atmosférického tlaku **14** spadnutí těžní klece **15** vlna, zvlnění, rozbouření, silně zčeřený povrch hladiny (*there was a ~ of sea in the harbour* v přístavu se vařilo moře (přen.)); tok, tečení, řinutí, ronění, pohyb bubliny ve vodováze; přílišné stékání / roztékání / rozlévání / rozpíjení barvy **16** spád, tok, kadence, rytmus verše **17** kanál, odtoková roura, strouha, stružka; výtok, odtok **18** hlavní potrubí **19** AM potok, pramen, vodní tok **20** nepřetržitý chod stroje; pracovní operace **21** chod, běh (*~ of events* běh událostí) **22** údobí, doba, trvání **23** série *of* čeho, jeden co za druhým (*a ~ of poor poker hands* série špatných listů v pokeru); nepřerušená řada, šňůra (přen.) představení; sport.: nepřetržitá řada, sada, série úspěšných zásahů / bodů **24** karty postupka, sekvence **25** hud. běh rychlých not stejné hodnoty; rychlá pasáž, lauf (slang.) **26** AM puštěné očko na punčoše; řada puštěných oček **27** horn. souprava vozíků **28** zkouška, test (*a laboratory* ~); průběh zkoušky **29** jednoduchá destilace ropy; plynová n. parní perioda **30** sklon; skluz, smyk; průhyb dolní části lodního trupu; šikmá dráha, šikmý terén, sjezd, sjezdovka; sáňková dráha; let. rozjezdová dráha **31** sešikmená ulička v hledišti divadla **32** drážka v níž se něco pohybuje (*sash ~ in a window frame* drážka v okenním rámu, v níž se pohybuje okenní křídlo) **33** šikmá spojovací chodba v dole, šikmá přepážka, svážná **34** AM dráha mezi metami část baseballového hřiště **35** geol. vrstevní ložisko; horn. směr žíly **36** směr, orientace (*the ~ of the hills is northwest* kopce se táhnou k severozápadu) **37** druh, typ, kategorie (*the general ~ of modern fiction*), sorta, odrůda (*this ~ of corn is poor* tato odrůda obilí je špatná) **38** tendence, móda; trend (*general ~ of the stock market* všeobecný trend akciového trhu) **39** výběh (*hog ~* výběh pro prasata, *fowl ~* výběh pro drůbež), pastvina **40** AU velká pastvina; farma, ranč, chovatelská stanice **41** přen. oblast, svět, život (*cover the labour ~* psát o odborářském světě) **42** volné použití *of* čeho **43** rychlost plavby; ujetá vzdálenost, kolik *of* co ujede (*the day's ~ of the ship* vzdálenost, kterou urazí loď za jeden den) **44** vzdálenost měřená horizontálně, délka; vzdálenost mezi dvěma stupni teodolitu; vzdálenost udaná ve vteřinách stupně; šířka stupně; rozpon schodů; délka základny trojúhelníku **45** délka, prodloužení, kus určité délky (*a 500 ft ~ of pipe* potrubí dlouhé 500 stop) **46** délková míra pro přízi: BR 1,600 yardů; AM 1 000 yardů **47** množství řeziva z kmene; množství ropy proteklé potrubím; vytékající dávka, část, várka, množství (*a ~ of must in winemaking* množství vytékajícího moštu při výrobě vína); příchovek, přírůstek dobytka; výkon stroje za určitou dobu; náklad tisku, tisk, sjíždění nákladu **48** nával; sběh lidí; vzpoura, vzbouření, všeobecný odpor, odboj *against* proti **49** silná poptávka *on* po, náhlý zájem o (*book has a considerable ~* o knihu je značný zájem); nával objednávek v tiskárně, nezvykle velká objednávka v tiskárně **50** peněž. run překotné, náhlé vybírání vkladů **51** mysl. štvanice **52** AM volební boj **53** let. přímý let na cíl při bombardování; bombardovací nálet **54** pár mlýnských kamenů, mlýnské složení **55** *~s, pl* vulg. běhavka, sračka průjem ♦ *at the ~ = on the ~; be on the ~ 1.* být na útěku *2.* být stále na nohou, stále běhat, být stále v poklusu, nemít chvilku klid, být v jednom kole; *break into a ~* dát se do běhu, začít utíkat, rozběhnout se; *by the ~ = with a ~; ~ of cable* délka kabelu; *common ~ 1.* obvyklost, průměrnost *2.* průměrný / obyčejný člověk; *common ~ of man* průměrný / obyčejný člověk; *general ~ = common ~; general ~ of writers* většina spisovatelů; *give the motor a ~* zkusit motor, pustit motor na zkoušku; *go for a ~ 1.* zúčastnit se běžeckých závodů *2.* jít na procházku; *~ of gold* bohatý pruh v rýžovišti; *have a good ~* mít dobrou cestu např. vlakem / plavbu; *have a ~ for one's money 1.* přijít si za své peníze na své *2.* dostat aspoň něco, být odškodněn; *have the ~ of a t.* mít volný přístup kam, mít k dispozici co (*has the ~ of his friend's house*); *let him have his ~* hovor. nech ho dělat, co chce, ať si dělá, co chce; *have a p. on the* hovor. prohánět koho, dělat nohy komu, *~ of hill* geol. suť, osyp; *have a long ~ 1.* divadelní inscenace / film hrát se dlouho večer co večer *2.* být dlouho ve funkci; *in the long ~* nakonec, jak ukáže čas / zkušenost; *mile* etc. *~* sport. běh na jednu atd. míli; *of mile 1.* těžná ruda *2.* netříděné těžné uhlí; *on the 1.* poklusem, trapem, tempem *2.* v jednom kole; *ordinary ~ = common ~; out of the common ~* neobvyklý, nezvyklý, mimořádný; *~ of pipes / piping* potrubí; *~ on the red* karty nepřetržitá série červených; *take a ~* rozběhnout se; *~ of one's teeth* strava zdarma; *~ of validity* doba platnosti; *with a ~* najednou, prudce, vážně; *I live within a few seconds' ~ of the station* bydlím pár kroků od nádraží ● *adj* **1** roztavený; máslo rozpuštěný; med rozehřátý **2** litý; vylitý; zalitý *with* do (*~ with lead* zalitý do olova) **3** pašovaný (*~ diamonds*) **4** ryba vytřený po tahu (*a fresh ~ salmon* čerstvě vytřený losos) **5** uhnaný, schvácený **6** v. *run, v* ♦ *~ bearing* vyběhané ložisko; *~ coal* netříděné těžné uhlí; *~ gravel* naplavený štěrk; *~ piping* hlavní potrubí

runabout [ranæbaut] **1** malé auto, autíčko, vozítko, dvousedadlový vůz; lehký vozík; „ještěrka"; malý rychlý motorový člun; malé letadlo **2** tulák, pobuda, vagabund **3** dítě, které už běhá ♦ *~ ticket 1.* legitimace na železnici *2.* týdenní síťovka na londýnskou městskou dopravu

runagate [ranəgeit] zast. **1** tulák, pobuda, vagabund **2** uprchlík **3** odrodilec, renegát

run-around [ranəraund] **1** objížďka, obcházka **2** polygr. text zalomený kolem štočku **3** vzdálenost ujetá skrejprem při práci **4** AM slang. vytáčka, výmluva ♦ *~ block* polygr. zalomený štoček, textem oblomený štoček; *give a p. the ~* AM posílat od čerta k ďáblu, posílat od Pontia k Pilátovi

runaway [ranəwei] *s* **1** uprchlík, utečenec, psanec, člověk na útěku; útěk **2** poplašený kůň **3** proběhnutí turbíny ● *adj* **1** uprchlý, prchající, na útěku (*~ slave* uprchlý otrok); spojený s útěkem (*~ marriage*) **2** odpojený (*~ railroad car*) **3** překotný

runback [ranbæk] **1** americký fotbal útok po zachy

cení kopu soupeře **2** tenis rozběh **3** zpětné potrubí
runch [ranč] bot. **1** ředkev ohnice **2** hořčice polní
runcible [ransibl] : ~ *spoon* salátová n. kompotová vidlička
runcinate [ransinit] bot. kracovitý
runcivals [ransivəlz] bot.: odrůda hrachu *Pisum sativum*
rundale [randeil] BR rozdělení pozemků zejm. v Irsku a ve Skotsku tak, že lány patřící jednomu majiteli se střídají s lány jiného majitele
rundlate [randlit] = *runlet*[1]
rundle [randl] **1** příčel žebříku **2** kolo
run-down [randaun] *adj* **1** člověk vyčerpaný, utahaný, uhoněný; ve špatném zdravotním / nervovém stavu **2** budova zchátralý, na spadnutí, hrozící sesutím **3** hodiny stojící protože došly **4** akumulátor vybitý ● *s* **1** omezení, snížení počtu ozbrojených sil, restrikce / snížení posádky (*the ~ of the British base in Cyprus*) **2** AM stručný přehled; podrobný průzkum, podrobný přehled, podrobný rozbor *on* / *of* čeho (*his ~ of the kinds of people who read a newspaper*)
rune [ru:n] **1** runa litera starogermánského písma; sloka (finské) písně / básně **2** přen. magický znak, muří noha, hieroglyf
rune staff [ru:nsta:f] **1** hůl s runami; kouzelnická hůlka s runami **2** runový kalendář
rung[1] [raŋ] v. *ring*[2], *v*
rung[2] [raŋ] **1** příčka, příčel, stupeň žebříku **2** trnož židle; loukoť, paprsek, špice kola **3** rukojeť kormidelního kola
runged [raŋd] opatřený příčkou / příčkami atd.
rungless [raŋlis] jsoucí bez příček, trnožů atd. (*a ~ chair*)
runic [ru:nik] *adj* **1** runový (~ *inscription*... nápis) **2** runský (~ *poetry*) **3** ornament spletitý, připomínající ornamenty na památkách skandinávských národů **4** kouzelný; magický; záhadný, tajuplný ● *s* **1** runový nápis **2** polygr. ozdobné, tučné a úzké písmo **3** zool. šípověnka můra
run-in [ranin] **1** vsuvka, vpiska; vložené heslo **2** BR doběh, vběh, závěr honu n. dostihu **3** AM hovor. hádka zejm. s policií n. úřadem **4** zajíždění vozu, záběh stroje **5** sport. finiš závodu
run-in groove [ˌraninˈgru:v] naváděcí drážka gramofonové desky
r-unit [a:ˈju:nit] fyz. rentgen jednotka záření
runlet[1] [ranlit] zast. soudek dutá míra různého obsahu
runlet[2] [ranlit] pramínek, potůček, bystřina, říčka
runnable [ranəbl] mysl. lovitelný
runnel [ranl] **1** potok, říčka, pramen **2** korýtko vymleté pramínkem vody, ne vlnami
runner [ranə] **1** běžec, též sport. **2** závodník v běhu, sprinter **3** doručovatel, posel, poslíček, poselák; sluha, posluha, lokaj běžící před nosítky n. kočárem, běžec, běhoun; vojenská spojka, kurýr, zvěd; zběh; AM náborář; AM hovor. obchodní zástupce, obchodní cestující **4** hist. policista, strážník **5** AM řidič; strojvůdce **6** podloudník, pašerák (*dope ~* pašerák drog) **7** prorývatel námořní blokády loď **8** kůň přihlášený k dostihu (*eight ~s in the final race of the day* osm koní přihlášených k poslednímu dostihu toho dne) **9** běhavý pták; poraněný pták, který nemůže vzlétnout; zool. chřástal **10** zool.: druh okounkovité ryby (rod Oligoplites) **11** rychlá loď **12** co běží, co jde rychle na odbyt, obchodní šlágr **13** bot. výhonek, šlahoun, odnož, úponek; popínavá rostlina, zejm. fazol šarlatový (bot.) **14** kluzná lišta zásuvky, vodicí lišta; váleček k posunování těžkých předmětů; saně, sanice např. bruslí, skluznice saní; kluzátko, kluzadlo **15** pojízdná kladka; volná kladka kladkostroje; lano kladkového běžce na lodi **16** licí kanál, vtok; vypouštěcí žlab; vodicí žlábek; vodítko **17** stav. podélník nosník **18** běhoun koberec; stolní pokrývka ve tvaru pruhu; nástolník **19** běhoun, běžec, jezdec posuvná součástka; posunovací kroužek deštníku **20** tmelka na broušení čoček; brousicí hlava na broušení plochého skla **21** svrchní mlýnský kámen, běhoun **22** rotor turbíny; oběžné kolo ventilátoru **23** utržená těžní klec **24** AM puštěné očko na punčoše **25** kriket pálkař n. náhradník zraněného pálkaře usilující o oběh domů; ragby hráč, který má míč **26** vrhcáby kámen postupující z protivníkova pole **27** div. rohož, koberec jako zvuková izolace v portálu **28** horn. jehla, pažina hnané výdřevy **29** námoř. námořník poslaný na přístavní zeď jako vyvazovač; člen pomocné posádky; *~s, pl* = *~ crew* **30** polygr. *marginální* / *poznámková* číslice ◆ *bank ~ 1.* bankovní posel *2.* bankovní výběrčí / pokladník; *~ bean* fazol šarlatový (bot.); *Bow-street ~* hist.: londýnský policista, strážník v 18. století; *~ crew* námoř. pomocná posádka najatá pouze k přesunu lodi; *~ stone* běhoun svrchní mlýnský kámen; *velvet ~* zool. chřástal vodní
runner-up [ˌranərˈap] *pl: runners-up* **1** sport. druhý, kdo se umístil na druhém místě, kdo získal druhé místo v závodu **2** pes, který získal druhé místo v dostihu **3** semifinalista např. v tenise
running [raniŋ] *s* **1** běh; síla k běhu (*still had a lot of ~ left in him at the finish* ve finiši měl v sobě stále ještě dostatek sil k běhu) **2** chod; práce, činnost, provoz stroje **3** *~s, pl* kondenzát při destilaci **4** v. *run, v* ◆ *be in* | *out of the ~ 1.* mít | nemít naději na úspěch / vítězství *2.* přicházet | nepřicházet v úvahu *for* na; *have ~ of a t.* mít na starosti co, pečovat o, starat se o provoz čeho, *make the ~* udávat tempo, vést; *put a p. out of the ~* vyřadit / vytlačit koho ze soutěže, odsunout stranou / na vedlejší kolej (přen.); *take* (*up*) *the ~* převzít vedení, postavit se do čela ● *adj* **1** běžný drobný (*~ repairs* běžná údržba); obvyklý

(~ *practice*); letmý (~ *glance* běžný pohled); délkový (*cost of lumber per* ~ *foot* cena dřeva za běžnou stopu) **2** průběžný (*the text forms a* ~ *comment on the pictures*) **3** plynulý, plynný (*pronunciation of a word in* ~ *speech* výslovnost slova v plynulé řeči) **4** neustálý, trvalý, neutuchající, nepřestávající **5** mokrý, mokvavý, rozbředlý (*a* ~ *bog*); slzící (~ *eyes*) **6** v. *run, v* ◆ ~ *account* běžný účet; ~ *average* ekon. klouzavý průměr; ~ *bowline* námoř. dračí smyčka uzel; ~ *cable* nosné lano lanovky; ~ *commentary* přímá reportáž, přímý reportážní popis, souběžný popis, souběžný hlasitý komentář; ~ *conditions* provozní podmínky; ~ *down liability* pojišť. odpovědnost plavidla za srážku; ~ *end* volný konec např. lana; ~ *expenses* běžné výdaje / výlohy; ~*fight* ústupový boj, boj na ústupu; ~ *fire* palba ráz na ráz (voj.); ~ *hand* plynulý rukopis, vypsaná ruka; ~ *hours 1.* provozní hodiny *2.* životnost stroje; ~ *knot* volná smyčka; ~ *number* běžné / pořadové číslo; ~ *powers* svolení železniční společnosti, aby jiná společnost používala její tratě; ~ *rhythm* pravidelné střídání přízvučné slabiky s jednou n. dvěma nepřízvučnými; ~ *shoe* sport. tretra; ~ *speed 1.* rychlost chodu, provozní rychlost *2.* rychlost jízdy; ~*spikes* hovor. tretry; ~ *start 1.* sport. letmý start *2.* přen. rychlý / mocný start, rozběh, odpich; ~*story* příběh / článek uveřejněný na pokračování; ~ *trap* vodní uzávěr, koleno proti zápachu; ~ *track* běžecká závodní dráha; ~ *water* tekoucí voda ● *adv* nepřetržitě, v nepřerušované řadě, po sobě (*won the championship 3 years* ~ vyhrál šampionát tři roky po sobě)

running board [raniŋbo:d] **1** stupačka auta **2** ochoz lokomotivy **3** lávka pro kominíka

running costs [ˌraniŋˈkosts] provozovací výdaje, režie

running dog [ˌraniŋˈdog] hanl. nohsled, oddaný stoupenec

running fit [ˌraniŋˈfit] tech. točné uložení

running gear [ˌraniŋˈgiə] **1** podvozek **2** pojezdové ústrojí **3** chodové ústrojí hodinek

running head [ˌraniŋˈhed] = *running headline*

running headline [ˌraniŋˈhedlain] polygr. záhlaví knihy

running high jump [ˌraniŋˌhaiˈdžamp] skok do výšky s rozběhem

running hour [ˌraniŋˈauə] provozní hodina

running-in test [ˌraniŋinˈtest] tech. běh na zkoušku

running jump [raniŋdžamp] skok s rozběhem

running mate [ˌraniŋˈmeit] **1** kůň běžící v dostihu proto, aby pomohl vyhrát jinému koni ze stejné stáje **2** AM kandidát na úřad viceprezidenta **3** AM hovor. kámoš

running myrtle [ˌraniŋˈmə:tl] bot. **1** brčál menší **2** plavuň vidlačka

running pine [ˌraniŋˈpain] bot. plavuň obecná

running rigging [ˈraniŋˌrigiŋ] námoř. pohyblivé lanoví

running sand [raniŋsænd] horn. tekoucí písek, kuřavka

running shed [ˌraniŋˈšed] žel. remíza na lokomotivy

running stone [ˌraniŋˈstəun] mlýnský kámen

running time [ˌraniŋˈtaim] promítací doba filmu

running title [ˌraniŋˈtaitl] = *running head*

running-up [ˌraniŋˈap] záběh, zaběhávání stroje

runny [rani] (*-ie-*) tekutý, tekoucí, řídký, roztékající se, polotuhý ◆ ~ *nose 1.* nos, z kterého teče *2.* přen. rýma

run-off [ranˈof] **1** sport. rozhodující utkání, rozhodující závod **2** AM odtékající potoky dešťové vody

run of the mill [ˌranəvðəˈmil] *s* průměrné / obyčejné zboží, průměrný / obyčejný / sériový / řadový výrobek ● *adj: run-of-the-mill* **1** průměrný, obyčejný **2** sériový, řadový

run-on [ranon] pokračující na příští řádce (~ *line*)

runover [ˌranˈəuvə] pokračování novinového článku

run-proof [ranpru:f] **1** punčocha nepouštějící očka **2** barva neroztékající se

runrig [ranrig] SC = *rundale*

runt [rant] **1** vůl / kráva malého velšského / skotského plemene **2** plemeno holuba **3** nejmenší podsvinče z vrhu **4** vulg. zakrslík, zakrnělec, krňous, záprtek **5** SC pařez

run-through [ranθru:] **1** prohlédnutí, přelétnutí pohledem, zběžné přečtení, prolistování **2** přehled, souhrn **3** div. zkouška celé hry od začátku do konce

run-up [ranap] **1** sport. rozběh před skokem **2** BR předehra, úvod (*the* ~ *to the elections*)

runway [ranwei] **1** přechoz, ochoz, pěšinka, stezka zvěře k vodě; výběh (*a* ~ *for dogs*) **2** přibližovací dráha, smyk, skluz, skluzavka na spouštění klád **3** jízdní dráha např. jeřábu, příjezdová dráha; visutá dráha; let. rozjezdová / přistávací dráha, rolovací plocha (slang.), ranvej **4** AM koryto řeky, řečiště **5** kuželky žlab, žlábek na vracení koulí

rupee [ru:ˈpi:] rupie měnová jednotka indická, pákistánská, srílanská aj.; platidlo představující tuto hodnotu

rupia [ru:ˈpiə] indonéská rupie

ruption [rapšən] = *rupture, s*

rupture [rapčə] **1** roztržka, rozkol (*they came to a* ~ došlo mezi nimi k roztržce) **2** natržení, přetržení (~ *of a muscle* natržení svalu); protržení, roztržení, puknutí, prasknutí, zlomení, prolomení, průlom (voj.) **3** med. roztržení, trhlina v tkáni, ruptura; kýla, hernie, pruh (nespr.) ◆ *diplomatic* ~ přerušení diplomatických styků; ~ *support* kýlní pás; ~ *by torsion* ukroucení ● **1** přetrhnout, protrhnout, roztrhnout, prolo-

mit, zlomit **2** rozvrátit, způsobit roztržku v / mezi (~ *Arab unity*) **3** med. způsobit komu / udělat si kýlu ***rupture o.s.*** udělat si kýlu
rupture-wort [rapčəwə:t] bot. průtržník
rural [ruərəl] **1** venkovský; vesnický, působící n. pěstovaný na venkově, jsoucí z venkova **2** přen. prostý, bukolický, pastorální **3** zemědělský
rural dean [ˌruərəlˈdi:n] círk. děkan spravující venkovské farnosti
rural district [ˌruərəlˈdistrikt] okres
rural economy [ˌruərəli(:)ˈkonəmi] zemědělství
rurality [ruəˈræləti] venkovskost, venkovanství
ruralization [ˌruərəlaiˈzeišən] **1** povenkovštění **2** život na venkově
ruralize [ruərəlaiz] **1** povenkovštit se **2** žít na venkově
ruridecanal [ˌruəridiˈkeinl] týkající se děkana spravujícího venkovské farnosti n. takového děkanství
Ruritania [ˌruəriˈteinjə] Ruritánie vymyšlené středoevropské království, dějiště romantických a dobrodružných příběhů v románu *Zajatec na Zendě* (Anthony Hope)
Ruritanian [ˌruəriˈteinjən] přen. romantický, románový (*a ~ flirtation with the Queen*... flirt s královnou)
rusa [ru:zə] zool. sambar druh východoindického jelena
ruse [ru:z] **1** lest, úskok, šalba, trik; válečná lest **2** *~s, pl* klamné zemní práce ◆ *~ de guerre* válečná lest
rusé [ru:zei] lstivý, úskočný, vychytralý, mazaný
rush[1] [raš] *s* **1** bot. sítina, sítí; skřípina; sítinovitá rostlina **2** bot. bahnička **3** zbož. rákos ◆ *I don't care a ~* na tom mi nezáleží ani za mák, na tom mi houby záleží; *it is not worth a ~* to nestojí ani za zlámanou grešli / za starou bačkoru; *~ ring* prstýnek ze sítiny, prstýnek z trávy; *~ ring wedding* přen. nejisté spojení ● *v* **1** vyplétat rákosem židle **2** dát sítinu na podlahu; poházet podlahu sítinou
rush[2] [raš] *v* **1** spěchat, chvátat **2** hrnout | se, hnát | se, štvát | se, řítit se prudce / bezhlavě (*~ into certain death* řítit se do jisté smrti); útočit *at* na; přihnat se, přiřítit se (*up*) *on* na, přepadnout koho; přen. zavalit koho (*tenderness ~ed upon him* zavalil ho pocit něhy); rychle transportovat, rychle odvézt / přivézt (*~ed her into hospital*); voda valit se, řítit se, padat *from* odkud **3** pobízet, honit, štvát (*he ~ed his wife to get to the party on time*), nahnat, rychle prohnat *through* čím, též přen. **4** přeskočit, vzít skokem **5** myšlenka náhle napadnout **6** napadnout, přepadnout, rychle zaútočit na; vyrazit (*~ the door*); rychle zabrat / obsadit; voj. ztéci, vzít ztečí, přepadnout **7** zrychlit, urychlit, zkrátit termín čeho (*decided that the work was to be ~ed* rozhodl, že se má práce urychlit) **8** kopaná za|útočit; ragby nést míč přes čáru; obránce zastavit útočníka **9** hovor. vzít na hůl zákazníka, požadovat zlodějskou cenu / zlodějské vstupné **10** AM hovor. tancovat kolem koho, uhánět ◆ *blood ~ed to her face* krev se jí nahrnula do tváře; *~ one's car to London* řítit se autem do Londýna; *~ a p. off his feet 1.* uhonit prací *2.* přemluvit, zbalamutit, zbulíkovat; *~ the growler* AM hovor. přinést pivo z hospody zejm. ve džbánu; *his mind ~ed over a t.* rychle si v myšlenkách promítl co; *~ into one's mind* náhle co napadnout koho; *~ a p. into marriage* vehnat koho do manželství; *~ into print 1.* dát rychle do sazárny, rychle vytisknout *2.* přijít předčasně na veřejnost s; *refuse to be ~ed* nedat se honit, nedat se vyrušit z obvyklého pracovního tempa; *~ the show* AM dostat se někam na černo / bez placení; *tears ~ed to her eyes* oči se jí náhle zalily slzami ***rush in*** vehnat se, vrhnout se, nahrnout se, vevalit se, vřítit se, vedrat se dovnitř (*the gate was open and the Indians ~ed in*) ***rush out 1*** vyhrnout se, vyřítit se ven *2* vytrysknout ***rush up 1*** hnát se vzhůru **2** rychle přisunout / přivézt (*~ up reinforcements* rychle přivézt posily) *3* plamen vyšlehávat ◆ *~ up prices* AM hnát / vyhnat ceny do výšky, rychle vyšroubovat ceny nahoru ● *s* **1** spěch, chvat, kvap; rychlý pohyb vpřed, vyřícení **2** zvuk vydávaný rychlým pohybem: šum křídel, hluk, hřmot vodopádu; svist, svištění **3** shon (*Saturday morning ~*); sháňka, poptávka *for* po, velký zájem o, nákupní horečka; zlatá horečka (*the great California ~*) **4** nával, příval, nápor, výbuch, záchvat (přen.) (*a quick ~ of sympathy*); nápor, náraz větru; příboj vody **5** med. nával / nahrnutí krve **6** voj. nápor; zteč; přískok **7** *~es, pl* film. promítání denní práce **8** vír, tanec společenského života **9** sport. útok, útočení; prudký únik, rush; útočník **10** AM škol. boj, zápas studentských družstev **11** AU nově objevené naleziště zlata ◆ *at a ~* rychle, kvapem, tempem; *box-office ~* nával u pokladny, fronta na lístky u pokladny; *~ of current* elektr. náraz proudu, proudový náraz; *make a ~ at a t.* vrhnout se na; *with a ~* náhle, rychle; *~ order* spěšná / naléhavá zakázka
rush bearing [ˈrašˌbeəriŋ] BR hist. posvícení, venkovská slavnost o výročí posvěcení místního kostela, při níž farníci zdobí jeho podlahu a stěny
rush candle [ˌrašˈkændl] svíčka vyrobená namočením rákosové duše do loje
rushen [rašən] **1** sítinový, skřípinový **2** zbož. rákosový
rush hour [rašauə] *s* část. *~s, pl* doba největšího provozu, dopravní špička ● *adj* týkající se dopravní špičky (*we were caught in the ~ traffic* dostali jsme se do dopravní špičky)
rush job [ˌrašˈdžob] práce, která nestrpí odklad, kvaltovka (hovor.)
rushlight [rašlait] **1** přen. nula (*good scholars were looked upon here as mere ~s* na dobré vědce se tady dívali jako na úplné nuly) **2** přen. záblesk inteligence **3** = *rush candle*

rushlike [rašlaik] připomínající sítinu, skřípinu n. rákos
rush line [rašlain] americký fotbal útočná / obranná čára
rush print [ˌrašˈprint] film. kopie denní práce
rush ship [ˌrašˈšip] rychle zaslat n. odeslat zboží
rush telegram [ˌrašˈteligræm] AM pilný telegram
rushy [raši] sítinový, skřípinový, rákosový, zarostlý rákosím
rusine [ru:sain] : ~ *antler* třívýsadový paroh
rusk [rask] **1** tvrdá topinka, znovu pražený krajíček chleba **2** suchar **3** křupavé pečivo
Ruskinese [ˌraskiˈni:z], **Ruskinesque** [ˌraskiˈnesk] *s* ruskinovský způsob psaní podle Johna Ruskina (1819–1900) ● *adj* ruskinovský
Ruskinian [rasˈkiniən] *s* ruskinovec ● *adj* ruskinovský
Ruskinism [raskinizəm] = *Ruskinese, s*
Ruskinize [raskinaiz] **1** hlásat názory Johna Ruskina **2** přesvědčovat o správnosti Ruskinových názorů
Russ [ras] zast. *s* **1** Rus **2** ruština ● *adj* ruský
Russell [rasl] též ~ *cord* text.: druh kordu
russet [rasit] *s* **1** hist. hrubá šedá / šedočervená látka po domácku tkaná, šerka **2** červenohnědá / červenošedá / sivorudá barva **3** kožená reneta, koženáč s hnědočervenou slupkou, červenáč sorta jablek ● *adj* **1** červenohnědý, červenošedý, sivorudý **2** zast. šerkový, oblečený v šerce **3** zast. přen. koženkový, venkovský, hrubý; domácký, prostý, obyčejný ◆ ~ *leather* nebarvená useň
russety [rasəti] **1** načervenalý, nahnědlý **2** = *russet, adj*
Russia [rašə] *s* **1** Rusko **2** též *r* ~ juchta ● *adj* ruský ◆ ~ *calf* = *Russia leather;* ~ *duck* ruská plachtovina hrubá lněná látka
Russia leather [ˌrašəˈleðə] juchta
Russian [rašən] *s* **1** Rus **2** ruština ● *adj* ruský ◆ ~ *Byron* básník A. S. Puškin
Russian bath [ˌrašənˈba:θ] parní lázeň, sauna
Russian boot [ˌrašənˈbu:t] dámská holínka, vysoká kozačka
Russian Church [ˌrašənˈčə:č] ruská pravoslavná církev
Russianize [rašənaiz] poruštit, rusizovat, rusifikovat
Russian larch [ˌrašənˈla:č] bot. modřín sibiřský
Russian roulette [ˌrašənru(:)ˈlet] ruská ruleta, sebevražedný hazard, hra se smrtí při níž se vloží jeden náboj do revolverového bubínku, který se pak roztočí, revolver se přitiskne ke spánku a zmačkne se spoušť
Russian salad [ˌrašənˈsælæd] zeleninový salát s majonézou
Russian thistle [ˌrašənˈθisl] bot. slanobýl draselný
Russian wolfhound [ˌrašənˈwulfhaund] ruský chrt, barzoj
russification [ˌrasifiˈkeišən] poruštění, poruštování, rusizování, rusifikace
russify [rasifai] (*-ie-*) poruštit, rusizovat, rusifikovat
russism [rasizəm] jaz. rusismus
Russki [raski], **Russky** [raski] (*-ie-*) hanl., žert. Rusák, Rusáček
russles [raslz] bot. meruzalka červená
Russniak [rasniæk] *s* **1** Rusín **2** rusínština ● *adj* rusínský
Russophil [rasəufail] rusofil
Russophilism [ˌrasəuˈfilizəm] rusofilství
Russophobe [rasəufəub] *s* rusofob nepřítel / odpůrce Rusů a všeho ruského ● *adj* mající strach z Rusů
Russophobia [ˌrasəuˈfəubiə] **1** rusofobie nepřátelský postoj k Rusům a ke všemu ruskému, rusofobství **2** strach z Rusů
rust [rast] *s* **1** rez; rezavá skvrna; koroze **2** rezavá barva **3** tělesné a duševní z|chátrání, z|rezivění, sešlost z nečinnosti **4** též ~ *fungus* bot. rez cizopasná houba ◆ *gather* ~ pokrýt se rzí, z|rezavět; *free from* ~ odrezit ● *v* **1** z|rezavět, z|rezivět, z|rezovatět, též přen., chytnout rez, zarezavět, z|korodovat **2** dostat rezavou barvu, zbarvit rezavě **3** chátrat, scházet nečinností **4** bot. být napaden rzí ◆ *better wear out than* ~ *out* je lepší být ve stáří činný do poslední chvilky než zchátrat nečinností ***rust in*** zrezavět ***rust through*** prorezavět
rustable [rastəbl] snadno rezavějící
rusted [rastid] **1** zrezivělý, rezavý **2** v. *rust, v*
rust fungi [ˌrastˈfaŋgai] bot. rzi
rustic [rastik] *adj* **1** venkovský, jsoucí z venkova **2** venkovský, selský, lidový, rustikální; bezelstný, prostý (~ *nature*) **3** neotesaný, drsný, obhroublý **4** vyrobený z neopracovaného dřeva; stav. rustikovaný ◆ ~ *entertainment* nenáročná zábava, lidová zábava; ~ *house* selské stavení; ~ *people* venkované ● *s* **1** venkovan; bezelstný, prostý člověk (*simple* ~) **2** obhroublý člověk, neotesanec, hrubec **3** zdrsnělý povrch; archit. rustika zdivo z kvádrů, jejichž přední strana je jen hrubě opracována **4** zool. osenice můra
rusticate [rastikeit] **1** žít na venkově; přimět k venkovskému životu **2** škol. na čas vyloučit, relegovat **3** rustikovat, opatřit rustikou
rustication [ˌrastiˈkeišən] **1** život na venkově n. v ústraní **2** škol. dočasné vyloučení / relegování **3** archit. rustikování, rustika
rusticity [rasˈtisəti] **1** neotesanost, malá elegance (~ *of gait*) **2** obhroublost, neomalenost, hrubost v řeči **3** neznalost, hloupost, zabedněnost, nevzdělanost **4** venkovský charakter
rustic tobacco [ˌrastiktəˈbækəu] bot. tabák selský, machorka
rustic work [rastikwə:k] **1** archit. rustika zdivo z kvádrů, jejichž přední strana je jen hrubě opracována **2** srub; srubová stavba **3** nábytek z neopracovaného dřeva, sroubený nábytek, sroubená židle apod.

rustiness[1] [rastinis] **1** rezavost, rezivost, rezovatost, rezovitost, rezatost, rzivost **2** nakřáplost, skuhravost hlasu **3** sešlost, zchátralost, zastaralost, zaprášenost, zašlost, zrezivělost **4** vybledlost, vyrudlost, vyšisovanost černé barvy; ošumělost, utahanost oděvu; sešmajdanost, ukopanost obuvi
rustiness[2] [rastinis] **1** neklid, neklidnost **2** nevrlost
rustiness[3] [rastinis] žluklost zejm. slaniny; ztuhlost, zatuchlost
rustle [rasl] *v* **1** za|šustět, za|šustit, za|šelestit (*he ~d the papers nervously*); za|šumět **2** pohybovat se se šustotem **3** AM hovor. otáčet se, hodit sebou, vzít za to, pustit se do toho pracovat energicky **4** AM též ~ *up* hledat si (potravu), obstarat, opatřit, sehnat, nahonit, splašit, schrastit (*I'll ~ up the money somehow*) **5** AM krást (dobytek / koně) ● *s* šelest, šustot, šum; za|šelestění, za|šustění, za|šumění
rustling [rasliŋ] **1** = *rustle, s* **2** v. *rustle, v*
rustler [raslə] **1** co / kdo šelestí, šustí n. šumí **2** AM ras na práci **3** AM zloděj dobytka / koní **4** domácí zvíře, které si samo umí najít potravu
rustless [rastlis] **1** nerezavějící, nerez (hovor.) (~ *steel*) **2** nezrezivělý, jsoucí bez skvrn od rezu
rust-proof [rastpru:f] rezuvzdorný, odolný proti rezavění, nerezavějící
rustre [rastə] herald. routa, calta s kruhovým otvorem
rusty[1] [rasti] (*-ie-*) **1** rezavý, rezivý, rezovatý, rezovitý, rzivý pokrytý rzí i červenohnědý; zrezavělý, zrezivělý **2** hlas nakřáplý, skuhravý **3** starý, sešlý, zchátralý, zastaralý, zaprášený, zašlý, zrezivělý **4** černá barva vybledlý, vyrudlý, vyšisovaný (hovor.) (*a ~ black robe* vybledlý černý talár); oděv ošumělý, utahaný; obuv sešmajdaný, ukopaný ◆ *get ~* zrezivět; *his Latin is a little ~* jeho znalost latiny potřebuje oprášit
rusty[2] [rasti] (*-ie-*) **1** neklidný (~ *horses*) **2** nevrlý
rusty[3] [rasti] (*-ie-*) slanina žluklý, starý, zatuchlý
rusty-back [rastibæk] též ~ *fern* bot. kyvor lékařský
rut[1] [rat] *s* **1** vyježděná kolej; vyhloubená stopa, brázda, rýha **2** přen. vyježděná kolej, rutina, zavedená praxe ◆ *be in a ~* pohybovat se ve vyježděných kolejích; *get into a ~* vjet do starých, vyježděných kolejí ● *v* (*-tt-*) rozrýt, nadělat koleje v, rozjezdit
rut[2] [rat] *s* říje, říjení ● *v* (*-tt-*) říjet, být v říji; běhat se, honit se; hárat se, honcovat se, kaňkat, boukat se, prskat se, bekat se
rutabaga [ˌru:təˈbeigə] AM tuřín (kolník)
rutaceous [ru(:)ˈteišəs] bot. routovitý
ruth [ru:θ] zast. soucit, milosrdenství
Ruthenia [ru(:)ˈθiniə] Zakarpatská Ukrajina, Podkarpatská Rus (dř.)
Ruthenian [ru(:)ˈθiniən] *s* **1** Rusín **2** rusínština *adj* rusínský
ruthenium [ru(:)ˈθiniəm] chem. ruthenium prvek
ruthless [ru:θlis] nemilosrdný, bezohledný, tvrdý, neznající soucit; necitelný, krutý, brutální
ruthlessness [ru:θlisnis] nemilosrdnost, bezohlednost, tvrdost; necitelnost, krutost, brutálnost, brutalita
rutilant [ru:tilənt] řidč. lesknoucí se, třpytící se, zářící červeně n. zlatě
rutile [ru:til] chem. rutil, kysličník titaničitý
ruttish [ratiš] **1** říjící, jsoucí v říji, říjný **2** smyslný, rujný
rutty [rati] (*-ie-*) rozježděný (*a ~ track*); vyježděný
rux [raks] BR stud. slang. vztek
rye[1] [rai] **1** žito; žito seté (bot.) **2** žito obilky jako krmivo; žitná mouka **3** AM žitná, režná kořalka, žitná whisky; AM žitný chléb, černý chléb ◆ ~ *whisky* žitná whisky
rye[2] [rai] pán, mladík cikánsky
rye-grass [raigra:s] bot. jílek vytrvalý ◆ *perennial* jílek ozimý
rye-peck [raipek] BR okovaný kůl k přivázání loďky
rymer [raimə] BR ochranný sloup v jezu n. u vrat plavební komory
ryokan [riˈəuka:n] japonský hostinec, hotel v tradičním stylu
ryot [raiət] sedlák, pachtýř, zemědělec v Indii

S

S, s[1] [es] *pl: S's, Ss, s's, ss* [esiz] **1** písmeno s (*a capital / large / upper case S* velké S, *a small / little / lower case s* malé S) **2** esovka, esovitý ornament **3** škol. dostatečná **4** cokoli označeného S, ve tvaru S

's[2] [z, po *p, t, k, f, θ* s] hovor. **1** = *is* (*he's here*) **2** = *has* (*she's just come*) **3** = *does* (*what's he think about it*) **4** = *us* (*let's go*) **5** zast. = *God's*

Sabaean [səˈbi(:)ən] *adj* **1** sábský, jsoucí ze Sáby **2** nespr. = *Sabian* ● *s* **1** Sáb **2** nespr. = *Sabian*

Sabaism [seibəizəm] uctívání hvězd

Sabaoth [sæˈbeioθ] *:Lord of ~* náb. Pán zástupů

sabayon [ˌsæbaiˈjon] sladká poleva např. na piškot

sabbat [sæbət] AM = *sabbath, 3*

sabbatarian [ˌsæbəˈteəriən] náb. též *S~ s* **1** žid dodržující přísně předpisy o svěcení soboty **2** člen křesťanské sekty světící jako sváteční den sobotu, svatý sedmého dne **3** kdo hlásá, že neděle se má světit stejným přísným způsobem jako u židů sobota ● *adj* vztahující se k přísnému svěcení soboty n. neděle

sabbatarianism [ˌsæbəˈteəriənizəm] přísné dodržování předpisů o svěcení soboty n. zejm. neděle

sabbath [sæbəθ] **1** též ~ *day* náb. sobota, sobotní den, sabat, šábes (žarg.) **2** též ~ day náb. zejm. u protestantů sváteční den, svátek, neděle, den Páně, přen. sváteční den, den klidu, doba odpočinku **3** též *witches'* ~ slavnost čarodějnic a zlých duchů, sabat, Valpuržina noc ◆ *keep | break* ~ světit | znesvětit / porušit sváteční den; ~ *of the tomb* věčný odpočinek

sabbath breaker [ˈsæbəθˌbreikə] kdo ruší /znesvěcuje sváteční den, znesvěcovatel /rušitel sobotního dne

sabbath-day's [ˈsæbəθˌdeiz] : ~ *journey* vzdálenost 2 000 loket, kterou směl od města k městu ujít žid o sabatu (asi 2/3 míle)

sabbathless [sæbəθlis] neznající / nemající oddech (~ *Satan*)

Sabbath school [sæbəθsku:l] nedělní škola

sabbatic [səˈbætik] = *sabbatical*

sabbatical [səˈbætikəl] *adj* sabatový, týkající se soboty / sabatu (~ *laws*); sváteční, nedělní (~ *peace*)◆ ~ *river* legendární židovská řeka, která v sobotu přestává téci ● *s* roční volno, vědecká dovolená univerzitního profesora opakující se nejdříve po šesti létech (*studied in Europe on his* ~)

sabbatical year [səˈbætikəlˈjə:] **1** náb.: sedmý rok klidu a odpočinku u židů **2** = *sabbatical, s*

sabbatize [sæbətaiz] světit (co jako) sobotu / sváteční den

Sabean [səˈbi(:)ən] = *Sabaean*

Sabbelian[1] [səˈbeliən] antic. *adj* sabbelský ● *s* Sabbel člen starořímských kmenů

Sabbelian[2] [səˈbeliən] náb. *adj* sabbeliánský ● *s* sabbelián přívrženec biskupa Sabbelia

saber [seibə] AM = *sabre*

Sabian [seibiən] náb. *adj* týkající se Sabiánů, sabijský ● Sabijec člen sekty, k níž je korán tolerantní

sabicu [ˌsæbiˈku:] bot. **1** kubánský strom *Lysiloma sabicu* **2** cenné tvrdé dřevo z tohoto stromu

Sabine [sæbain] antic. *adj* sabinský ● *s* Sabinec, Sabinka

sable[1] [seibl] *s* **1** sobol; kuna sobol (zool.) **2** sobolí kožešina, sobolina **3** štětec ze sobolích chlupů ● *adj* sobolí, ze soboliny

sable[2] [seibl] *adj* **1** herald. černý **2** bás., kniž. černý, černě oděný; temný, tmavý, chmurný, pochmurný ◆ *his* ~ *Majesty* Kníže temnoty ďábel ● *s* **1** herald. černá, černá barva **2** bás., kniž. černá barva; ~*s, pl* černý oděv, smuteční oděv, smutek **3** = *sable antelope*

sable antelope [ˌseiblˈæntiləup] zool. kozoroh tmavý, hřívnatec šavlorohý

sabled [seibld] černě oděný, ve smutečním oděvu

sabot [sæbəu] **1** dřevák **2** kožený pásek přes nárt u střevíce; střevíc s páskem **3** voj. kroužek u dělostřeleckého náboje n. granátu **4** tech. botka

sabotage [sæbəta:ž] *s* sabotáž ● *v* sabotovat, provádět sabotáž proti; přen. zničit, potopit, sabotovat (~ *a scheme*)

saboteur [sæbətə:] sabotážník, sabotér

sabra [seibrə] rodilý Izraelec, Izraelita

sabre [seibə] *s* **1** šavle, též sport. **2** přen. vojsko, vojáci; vojenská nad|vláda **3** voj. hist. jezdecká jednotka, jízda, kavalerie; jízdní voják, kavalerista **4** tech. sklářská lžíce ◆ *rattle one's* ~ harašit /řinčet zbraněmi ● *v* rozsekat / zabít šavlí, rozšavlovat

sabre-bill [seibəbil] zool. koliha

sabre-cut [seibəkat] sek / seknutí šavlí činnost i zranění; jizva, šrám po seku šavlí

sabre-rattler [ˈseibəˌrætlə] **1** militarista **2** válečný štváč

sabre-rattling [ˈseibəˌrætliŋ] *adj* vyvolávající válečnou hysterii ● *s* **1** vyvolávání válečné hysterie **2** harašení / řinčení zbraněmi, vyhrožování válkou

sabretache [sæbətæš] torba u šavle

sabre-toothed [ˈseibəˌtu:θt] : ~ *lion / tiger* zool. tygr šavlozubý, smilodon

sabreur [sæˈbrə:] **1** jízdní voják ozbrojený šavlí, kavalerista **2** též *beau* ~ švihácký jezdecký důstojník

sabre-wing [seibəwiŋ] zool.: druh jihoamerického kolibříka

sabulous [sæbjuləs] písčitý, písečný, pískovitý ◆ ~ *urine* med. močový písek

saburra [sæˈbarə] med. zrnitá usazenina v žaludku

sac[1] [sæk] **1** bot., zool. měchýřek, váček, vak **2** pytel druh dámských volných šatů

sac[2] [sæk] práv. soudní pravomoc statkáře

saccade [sæka:d] kmitání oka
saccate [sækeit] bot. váčkovitý, vakovitý, jsoucí ve váčku / vaku
saccharate [sækəreit] chem. cukran, sacharát
saccharic [sæˈkærik] chem. cukrový ◆ ~ *acid* kyselina cukrová
sacchariferous [ˌsækəˈrifərəs] chem. obsahující /dávající cukr
saccharification [ˌsækərifiˈkeišən] chem. cukernění, z|cukernatění
saccharify [sækərifai] chem. zcukernit, zcukřovat; napojit / nasytit cukrem
saccharimeter [ˌsækəˈrimitə] sacharimetr polarimetrický přístroj k měření obsahu cukru v cukerném roztoku
saccharimetry [ˌsækəˈrimitri] sacharimetrie měření obsahu cukru
saccharine *s* [sækərin] též *sacharin* sacharín, cukerín, umělé sladidlo ● *adj* [sækərain] **1** cukrový, nasládlý, sladký (~ *taste*); cukronosný (~ *vegetables*); týkající se cukru (~ *fermentation*) **2** sacharínový, cukerínový, též přen. (~ *poetry*)
saccharoid [sækəroid] geol. *adj* zrnitý a krystalický, cukrovitý ● *s* hmota s cukrovitou strukturou
saccharometer [ˌsækəˈromitə] sacharometr hustoměr pro stanovení množství cukru v cukrovém roztoku
saccharose [sækərəus] sacharóza řepný / třtinový cukr
sacciform [sæksifo:m] , **saccular** [sækjulə] vakovitý, váčkovitý
sacculate [sækjuleit] , **sacculated** [sækjuleitid] med. jsoucí s víčkem, vytvořený z váčků; ležící (jako) ve váčku, zapouzdřený
sacculation [sækjuleišən] **1** tvoření váčků **2** uložení do váčků, zapouzdření
saccule [sækju:l] med. váček; pytlík, pytlíček; cysta
sacerdocy [sæsədəusi] **1** kněžstvo, klérus, duchovenstvo **2** kněžství, kněžský úřad; kněžskost
sacerdotage [sæsədəutidž] žert., hanl. **1** kněžourství, klerikalismus **2** vláda velebníčků, kněžovláda, klerikální stát
sacerdotal [ˌsæsəˈdəutl] **1** kněžský, církevní, sacerdotální **2** hlásající posvátnost / nadpřirozený charakter kněžského úřadu; věřící v posvátné kněžství **3** požadující pro kněžstvo výjimečnou moc
sacerdotalism [ˌsæsəˈdəutlizəm] **1** kněžství; klerikalismus, kněžourství **2** názor, že vysvěcení kněží mají mimořádnou moc
sacerdotalist [ˌsæsəˈdəutlist] zastánce tohoto názoru
sacerdotalize [ˌsæsəˈdəutlaiz] **1** učinit kněžským **2** podřídit kněžím
sachem [seičəm] **1** titul indiánského náčelníka **2** AM přen. velké zvíře; vůdce politické strany
sachet [sæšei] **1** váček, pytlík zejm. z plastiku (*a ~ of shampoo, handkerchief ~*) **2** váček s parfémovým práškem **3** parfémový prášek **4** slang. klapačka, huba

sack[1] [sæk] *s* **1** pytel obal, obsah i množství; sak **2** AM papírový sáček, pytlík; poštovní pytel **3** hovor. vyhazov, padák výpověď; koš odmítnutí nápadníka **4** přehoz, krátký volný kabát; vlečka z ramen; hist. kontuš dlouhý volný kabát **5** hist. poprava zašitím do pytle a utopením **6** AM baseball základna ◆ *get the ~ 1.* dostat padáka, vyletět ze zaměstnání *2.* dostat košem; *give the ~ 1.* dát padáka, vyrazit ze zaměstnání *2.* dát košem nápadníkovi; *hold the ~* AM hovor. všechno slíznout za ostatní; ● *v* **1** dávat do pytle / pytlů, pytlovat **2** hovor. vyhodit, vyrazit ze zaměstnání, dát padáka komu **3** hovor. pobít, potřít, roznést, porazit v zápase n. v boji **4** AM též ~ *up* nahrabat (~ *an enormous profit* nahrabat obrovské peníze)
sack[2] [sæk] *v* **1** vítězné vojsko vy|plenit,vy|drancovat, vy|rabovat; velitel dát rozkaz k vy|plenění atd. **2** vykrást, vyloupit ● s **1** vy|rabování, vy|plenění, vy|drancování vítězným vojskem **2** kořist, lup ◆ *put to ~* vydat v plen
sack[3] [sæk] hist.: suché bílé víno dovážené ze Španělska a Kanárských ostrovů ◆ *Canary ~* víno z Kanárských ostrovů; *sherry ~ = sherry*
sack[4] [sæk] slang. postel ◆ *hit the ~* jít na kutě
sackage [sækidž] řidč. rabování, plenění, drancování
sackbut [sækbat] **1** hud. hist.: snížcový pozoun **2** bibl.: druh harfy
sackcloth [sækkloθ] pytlovina ◆ ~ *and ashes 1.* smutek, zármutek, truchlení *2.* lítost nad spáchaným skutkem (*in ~ and ashes* přen. v duchu pokory a smutku (*this is an essay about education by a layman and it is not written in ~ and ashes*))
sack coat [ˌsækˈkəut] volný kabát, volný plášť
sackful [sækful] plný pytel množství
sacking[1] [sækiŋ] **1** pytlovina 2 v. *sack*[1]*, v*
sacking[2] [sækiŋ] **1** plen, dranc; plenění, drancování, rabování 2 v. *sack*[2]*, v*
sackless [sæklis] zast. **1.** nevinný, neprovinivši se *of* čím **2** slabý, chabý, ochablý; neškodný **3** SC prostoduchý, hloupý
sack–race [sækreis] závod v pytlích
sacque [sæk] **1** kabátek pro miminko **2** = *sack 1, s 4*
sacral[1] [seikrəl] **1** posvátný, sakrální **2** bohoslužebný
sacral[2] [seikrəl] *adj* anat. týkající se křížové kosti, sakrální ● *s* anat. **1** obratle křížové kosti **2** sakrální nerv
sacrament [sækrəmənt] náb. *s* **1** svátost **2** *S~* Tělo Páně, Nejsvětější svátost, Eucharistie, sv. Hostie **3** znak, symbol *of* čeho; mystérium; něco posvátného / mystického; posvátné pouto **4** slavnostní přísaha, slavnostní slib ◆ *administer the ~ 1.* podat Tělo Páně *2.* udělit svátost; *~ of the altar* Svátost oltářní; *Blessed / Holy ~* Nejsvětější svátost, sv. přijímání; *last ~* svátost nemocných, poslední pomazání; *receive / take the ~ to do a t. / upon a t.* přijmout Tělo Páně na / jako součást slibu udělat co ● *v* zavázat slavnostní přísahou

sacramental [ˌsækrəˈmentl] *adj* **1** náb. svátostný; týkající se svátostí, posvátný, svatý **2** nauka kladoucí důraz na svátosti **3** zavázaný přísahou **4** symbolický ♦ ~ *obligation* svatá povinnost; ~ *wine* mešní víno ● *s* **1** posvátný obřad; posvátné znamení **2** svátostina, sakramentálie
sacramentalism [ˌsækrəˈmentəlizəm] náb. nauka kladoucí důraz na svátosti
sacramentalist [ˌsækrəˈmentəlist] zastánce nauky kladoucí důraz na svátosti
sacramentality [ˌsækrəmənˈtæləti] **1** svátostnost, posvátnost, svatost **2** symboličnost, symbolika
sacramentarian [ˌsækrəmənˈteəriən] náb. *s* **1** hist. odpůrce názoru, že v Eucharistii je živé Tělo a Krev Páně **2** = *sacramentalist* ● *adj* **1** hist. týkající se názoru, že v Eucharistii je živé Tělo a Krev Páně **2** kladoucí důraz na svátosti
sacramentarianist [ˌsækrəmənˈteəriənist] = *sacramentarian, s 1*
sacrarium [sæˈkreəriəm] *pl: sacraria* [sæˈkreəriə] **1** círk. oratoř, chór **2** círk. sakrárium jímka v zemi blízko hlavního oltáře sloužící k vylévání použité křestní vody **3** antic. svatyně
sacred [seikrid] **1** posvátný (*Jerusalem's ~ soil* posvátná půda jeruzalémská); svatý (*the ~ name of Jesus*); chovaný v posvátné úctě (*~ ibis*); posvěcený (*~ elements of the Eucharist*) **2** zasvěcený *to* komu / čemu (*a tree ~ to Jupiter*); výlučně věnovaný (*a fund ~ to charity* fond výlučně charitativní) **3** duchovní, církevní (*~ music*), náboženský (*~ poetry*); přen. svatý (*~ duty*), nedotknutelný, nezadatelný (*the ~ right to insurrection* nezadatelné právo se vzbouřit) ♦ ~ *history 1.* biblické dějiny *2.* biblická dějeprava *3.* církevní dějiny; *Her S~ Majesty* Její posvátné veličenstvo titul britské královny; *no place was ~ to him* jemu nebylo žádné místo svaté
sacred articles [ˌseikridˈa:tiklz] devocionálie
sacred baboon [ˌseikridbəˈbu:n] zool. pavián pláštíkový, hamadryas
sacred beetle [ˌseikridˈbi:tl] skarabeus
sacred college [ˌseikridˈkolidž] kardinálský sbor, posvátné kolegium
sacred cow [ˌseikridˈkau] hovor. posvátná kráva nedotknutelný člověk; nedotknutelná věc
sacred monkey [ˌseikridˈmaŋki] zool. hulman posvátný, hanuman
sacredness [seikridnis] **1** posvátnost, svatost; posvěcenost **2** zasvěcenost
sacred weed [ˌseikridˈwi:d] bot. sporýš lékařský
sacrifice [sækrifais] s **1** oběť **2** náb. Kristova oběť na kříži **3** ztráta ♦ *fall a ~ to* padnout za oběť komu / čemu; *great ~* nejvyšší oběť života za vlast; *at (a) great / large ~* obch. s velkou ztrátou; *last ~ = great ~; make a ~ of a t.* obětovat co; *make a p. a ~* přinést komu oběť; *S~ of the Mass* mešní oběť, oběť mše sv.; *by the ~ of his principles* obětováním svých zásad, tím, že se vzdal svých zásad ● *v* **1** obětovat, přinést za oběť, vzdát se čeho smířit se se ztrátou čeho **3** obch. prodat se ztrátou ***sacrifice o. s.*** obětovat se
sacrificer [ˈsækriˌfaisə] obětní kněz, obětník
sacrificial [ˌsækriˈfišəl] obětní
sacrilege [sækrilidž] svatokrádež
sacrilegious [ˌsækriˈlidžəs] svatokrádežný
sacrilegist [ˌsækriˈli:džist] kdo se dopouští svatokrádeže, svatokrádce (kniž.)
sacring [seikriŋ] **1** zast. proměňování obětních darů při mši **2** svěcení biskupa, krále apod.
sacring-bell [seikriŋbel] **1** oltářní zvonek kterým se při mši zvoní k pozdvihování **2** vyzvánění kostelního zvonu při pozdvihování
sacrist [sækrist] círk. = *sacristan, 1*
sacristan [sækristən] círk. **1** sakristán, sakristian laik / kněz mající na starosti sakristii **2** zast. kostelník
sacristy [sækristi] (*-ie-*) círk. sakristie
sacrosanct [sækrəusæŋkt] **1** svatý, posvátný, nejsvětější, svatosvatý, a proto neporušitelný, nezrušitelný, nedotknutelný **2** svatouškovský
sacrosanctity [ˌsækrəuˈsæŋktəti] **1** svatost, posvátnost, svatosvatost **2** nezrušitelnost, neporušitelnost **3** svatouškovství
sacrum [seikrəm] *pl: sacra* [seikrə] anat. křížová kost, kříž
sad [sæd] (*sadder, saddest*) **1** smutný *at* z / nad **2** vážný, truchlivý, žalostný, sklíčený, nešťastný, těžký zármutkem **3** zarmucující, sklíčující, politováníhodný (*~ disappointment* sklíčující zklamání) **4** melancholický, chmurný, těžkomyslný **5** hanl., část. žert. pěkný, pořádný, těžký, zlý, ošklivý, nenapravitelný, nepolepšitelný, beznadějný **4** barva temný, tlumený, nevýrazný **5** pečivo špatně vykynutý, těžký, tuhý, sražený, sedlý **6** zast. pevný ♦ ~ *accident* politováníhodné neštěstí; ~ *dog* pěkný lotr; *in ~ earnest* naprosto vážně, doopravdy, bez legrace; *with a ~ heart* s těžkým srdcem; *make ~* zarmoutit; ~ *to say* bohužel, pohříchu; *a ~der and wiser man* člověk, který se už jednou spálil a proto si dává pozor
sadden [sædn] **1** zarmoutit, sklíčit; rmoutit se *at* nad **2** zhoršit, ztížit, učinit smutnějším, zkalit (*his old age was ~ ed by the dissoluteness of his eldest son* rozmařilost nejstaršího syna mu zkalila stáří) **3** z|barvit na tmavo, ztlumit tón barvy; barva tmavnout
saddhu [sa:dhu:] = *sadhu*
saddish [sædiš] téměř / poměrně smutný atd.
saddle [sædl] *s* **1** sedlo, též zeměp., sedélko, sedýlko; část tažného postroje koně **2** kuch. hřbet, cemr (hovor.); ledvina zadní část hřbetu s ledvinou **3** tech. podložka, poduška, opora, suport, sedlo; práh; opěrný trám, opěrná vidlice; vahadlo mostu; podélné saně, suport soustruhu **4** med. můstek zubní protézy **5** geol. sedlo, antiklinála, klenba **6** námoř. opěra, vratipňová n. vratiráhnová vidlice; člunové sedlo **7** zool. ptačí kostrč **8** žel. podkladnice ♦ *be*

in the ~ 1. sedět pevně v sedle (přen.) *2.* být v pevném postavení / u moci, třímat otěže (přen.) *3.* být nahoře při souloži; *be thrown from the ~* být vyhozen ze sedla; *boot and ~* nasedat! rozkaz k odjezdu jízdního vojska; *get into the ~ = take the ~; ~ of mutton* kuch. skopový hřbet; *put the ~ on the right | wrong horse* strefit se s obžalobou na správnou | špatnou adresu; *rise in the ~* postavit se ve třmenech; *~ stitching* šití drátem „na stříšku" n. ve hřbetu knihy; *take the ~* vyšvihnout se do sedla ● *v* **1** též *~ up* o|sedlat (koně); nasednout do sedla **2** postavit / položit napříč jako sedlo **3** obtížit, zatížit koho *with* čím, hodit komu na krk co; hodit *on / upon* komu na krk co, přišít ◆ *be ~d with* mít na krku (*be ~d with a woman he does not want*)

saddleback [sædlbæk] *s* **1** archit. sedlová střecha; sedlová krycí deska **2** horské sedlo **3** zool. samec tuleně **4** zool. sedlatka, tuleň grónský **5** zool.: novozélandský pěvec *Philesturnus carunculatus* **6** zool. řidč. vrána obecná šedá; racek mořský; racek žlutonohý skandinávský **7** normalizovaný formát balicího papíru (36 × 45 palců) ● *adj = saddlebacked*

saddlebacked [sædlbækt] **1** sedlový **2** sedlovitý, sedlatý **3** kůň jsoucí se vpadlými slabinami **4** zool.: jsoucí s barevným sedlem na hřbetu

saddle-backing [ˌsædlˈbækiŋ] námoř. sedlovatost, prošlup paluby

saddlebag [sædlbæg] **1** sedlová / jezdecká brašna **2** brašna na nářadí u jízdního kola **3** text. koberec z pytloviny

saddle blanket [ˈsædlˌblæŋkit] vlněná pokrývka, vlněný podklad pod sedlo

saddleboiler [ˈsædlˌboilə] sedlový kotel

saddlebow [sædlbəu] rozsocha jezdeckého sedla

saddlecloth [sædlkloθ] pokrývka pod sedlo, čabraka

saddlefast [sædlfa:st] sedící pevně v sedle

saddle gall [sædlgo:l] otlak od sedla

saddle graft [sædlgra:ft] sedlový roub

saddle horse [sædlho:s] **1** jezdecký kůň **2** podsední kůň

saddleless [sædllis] jsoucí bez sedla, neosedlaný

saddlepin [sædlpin] nasazovací čep u sedla jízdního kola

saddler [sædlə] **1** sedlář **2** jezdecký kůň **3** samec tuleně **4** kdo sedlá **5** voj. správce postrojů

saddle roof [sædlru:f] archit. sedlová střecha

saddlery [sædləri] (*-ie-*) **1** sedlářství **2** jezdecký postroj

saddle shoe [sædlšu:] AM kombinovaný střevíc

saddle soap [sædlsəup] mýdlo na sedla

saddle sore [sædlso:] otlačený od sedla

saddletree [sædltri:] **1** kostra jezdeckého sedla **2** bot. liliovník

Sadducean [ˌsædjuˈsi:ən] náb. saducejský

Sadduceanism [ˌsædjusiˈænizəm] náb. saducejství

Sadducee [sædjusi:] náb. saducej, saduceus člen šlechtické starožidovské náb. skupiny

sadhu [sa:du:] mystik, asketa, svatý muž, v Indii

sadiron [ˈsædˌaiən] žehlička loďkovitého tvaru a odpojovacím držadlem

sadism [seidizəm] sadismus

sadist [seidist] sadista

sadistic [səˈdistik] sadistický; krutý, zvrhlý

sadly [sædli] *adv* **1** pořádně, velice **2** v. *sad* ● *adj* BR nář. špatný, churavý (*the master's well but the missus is very ~* pánovi se vede dobře, ale s paní je to moc špatné)

sadness [sædnis] **1** smutek, žal **2** vážnost, truchlivost, sklíčenost, tíha zármutku; smutná stránka (*~ of nature*); politováníhodnost, chmurnost, těžkomyslnost

sadoerotic [ˌsædəuiˈrotik] sadisticko-erotický (*~ temple carvings*)

sado-Fascist [ˌsædəuˈfæšist] sadisticky fašistický

sadomasochism [ˌsædəuˈmæsəukizəm] sadomasochismus

sadosexuality [ˈsædəuˌsæksjuˈæləti] sexuální sadismus

sadosnobbism [ˌsædəuˈsnobizəm] snobský sadismus

sad sack [ˌsædˈsæk] AM slang. hlupák, který to myslí dobře, dobrý vůl zejm. voják

safari [səˈfa:ri] **1** karavana lovců a nosičů, lovecká výprava, safari v Africe **2** dobrodružná výprava (*arctic ~*)

safari park [səˈfa:ripa:k] safari druh zoologické zahrady

safe [seif] *s* **1** spížka, špížka skříň na uložení potravin, almárka (hovor.) **2** bezpečnostní / pancéřová schránka, sejf, safe, trezor **3** miska zachycující kapky např. pod nádržkou **4** AM prezervativ **5** AM baseball rozhodnutí rozhodčího o získání mety běžcem ● *adj* **1** bezpečný, jsoucí v bezpečí, nevystavený nebezpečí, nespojený s nebezpečím, jsoucí bez rizika, nikoliv riskantní **2** jistý (*a ~ winner*) **3** jistý, bezpečný, zachráněný *from* před **4** nepoškozený, neporušený, jsoucí v pořádku **5** neškodný, nikoho neohrožující **6** opatrný, spolehlivý (*a ~ guide*) **7** chovající se podle očekávání, neškodný, poslušný **8** politik / kritik opatrný, obezřetný, nic neriskující **9** téměř přesný v mezích tolerance, s dovolenou tolerancí (*~ estimate* prakticky přesný odhad) **10** zajištěný **11** hrana pilníku hladký; hrana po řezu obroušený **12** AM baseball doběhnuvší na čáru; umožňující pálkaři doběhnout na čáru ◆ *~!* baseball „sedí"! tj. běžec na metě; *~ bathing* koupání bez nebezpečí; *be ~* být bezpečný, nebýt spojen s žádným nebezpečím, nebýt riskantní (*is it ~ to go there?* není riskantní tam jít?; *the matter is in ~ hands* záležitost je v dobrých rukou; *rope is ~* lano drží pevně; *it is ~ to say* může se klidně říci; *you are ~ in trusting him* jemu můžete klidně věřit; *this dog is not ~ to touch* toho psa je nebezpečné se dotýkat; *he is ~ to win* on určitě vyhraje); *be ~ back* být šťastně nazpátek; *~ berth* kotviště, místo s dobrým dnem pro zachycení kotvy; *with a ~ conscience* s čistým svědomím; *~ as houses* hovor. na beton úplně jistý; *keep a t. ~* bezpečně uchovat / uschovat; *~ margin* tolerance, rozpětí; *~ load* dovolené zatížení, dovolený náklad; *not ~* nebezpečný, riskantní; *play ~* neriskovat, držet se v bezpečí; *~ range 1.* bezpečná dálka *2.* bezpečnostní vzdálenost při střelbě; *be on the ~ side* držet se v bezpečí, neriskovat; *~ and sound* v naprostém pořádku, zdravý na těle i na duchu; *~ stress* dovolené namáhání / napětí

safeblower [ˈseifˌbləuə] lupič otevírající pokladny pomocí výbušnin

safebreaker [ˈseifˌbreikə] kasař

safe-conduct [ˌseifˈkondakt] průvodní list, glejt, pas

safe-cracker [ˈseifˌkrækə] zejm. AM kasař

safe-deposit [ˈseifˌdipozit] **1** bezpečné místo např. trezor, bezpečnostní schránka **2** banka pronajímající bezpečnostní schránky ◆ *~ company* společnost zabývající se pronájmem bezpečnostních schránek

safeguard [seifga:d] *s* **1** úschova, správa, ochrana, záštita **2** záruka; zabezpečení, bezpečnostní opatření / zařízení / klauzule, pojistka **3** námoř. ochranný doprovod, konvoj **4** pojistná matice šroubu, kontramatka (hovor.) **5** zast. průvodní list, glejt ● *v* zabezpečit, zajistit; chránit, ochraňovat

safekeeping [ˌseifˈki:piŋ] úschova, správa, ochrana

safelight [seiflait] fot. bezpečné světlo pro práci v temné komoře

safeness [seifnis] bezpečnost, bezpečí

safety [seifti] (*-ie-*) **1** jistota, bezpečí, bezpečnost, zabezpečení **2** spolehlivost přístroje **3** pojistka střelné zbraně; puška / revolver s pojistkou **4** jízdní kolo **5** sport.: akce provedená z bezpečnostních důvodů, obranný manévr **6** též *~ man* ragby zadák ◆ *~ appliance* bezpečnostní zařízení; *carry a piece at ~* nést zajištěnou pušku; *coefficient of ~ = factor of ~; ~ device / equipment* bezpečnostní zařízení, pojistka; *factor of ~* koeficient / míra bezpečnosti; *~ first!* opatrně!, bezpečnost především!, opatrnost je matka moudrosti; *~ load* dovolené zatížení; *~ loading* pojišť. bezpečnostní přirážka k pojistnému; *~ margin 1.* míra bezpečnosti, tolerance *2.* pojišť. bezpečnostní marže; *~ measures* bezpečnostní / ochranná opatření; *play for ~* vyhnout se riziku při hře / zápase, hrát „na jistotu"; *road ~ rules* pravidla bezpečného silničního provozu; *seek ~ in flight* hledat záchranu v útěku, snažit se spasit útěkem; *for ~'s sake* pro jistotu; *~ test* zkouška bezpečnosti

safety arch [seiftia:č] stav. **1** odlehčovací oblouk **2** záklonek

safety belt [seiftibelt] bezpečnostní / ochranný / upínací pás

safety bolt [seiftibəult] **1** pojistný šroub **2** zástrčka dveří

safety brake [seiftibreik] nouzová / záchranná brzda

safety bicycle [ˈseiftiˌbaisikl] zast. jízdní kolo, velociped se stejně velkými koly

safety catch [seiftikæč] pojistka střelné zbraně

safety chain [seiftičein] pojistný / ochranný řetěz, řetízek

safety coating [ˌseiftiˈkəutiŋ] ochranná vrstva, ochranný plášť

safety code [seiftikəud] bezpečnostní pravidla

safety curtain [ˈseiftiˌkə:tn] div.: asbestová n. železná bezpečnostní opona

safety door [seiftido:] **1** nouzový východ **2** horn. samočinné větrací dveře

safety factor [ˌseiftiˈfæktə] součinitel / stupeň / míra bezpečnosti

safety film [seiftifilm] nehořlavý film zejm. úzký

safety-first [ˌseiftiˈfə:st] hanl. opatrnický

safety fuse [seiftifju:z] **1** zápalnice **2** elektr. bezpečnostní pojistka

safety glass [seiftigla:s] **1** bezpečnostní sklo **2** nerozbitné sklo, netříštivé sklo

safety goggles [ˈseiftiˌgoglz] ochranné brýle

safety grid [seiftigrid] smetadlo lokomotivy

safety hook [seiftihuk] karabinka

safety island [ˈseiftiˌailənd] AM ostrůvek pro pěší, refýž

safety lamp [seiftilæmp] horn. bezpečnostní lampa, bezpečnostní svítilna, důlní větérka

safety lock [seiftilok] bezpečnostní zámek

safety match [seiftimæč] švédská zápalka, sirka vyžadující škrtátko se zápalnou látkou

safety nut [seiftinat] pojistná matice

safety pin [seiftipin] **1** zavírací / spínací špendlík **2** závlačka **3** voj. dopravní pojistka ručního granátu; pojistka spušťadla

safety razor [ˈseiftiˌreizə] holicí strojek na žiletky

safety spectacles [ˈseiftiˌspektəklz] ochranné brýle

safety valve [seiftivælv] **1** pojistný ventil, pojistná záklopka **2** přen. ventil (*wit is the best ~ modern man has evolved* humor je nejlepší ventil, který moderní člověk vyvinul) ◆ *sit on the ~ / on ~s* provádět útlak

safety zone [seiftizəun] AM ostrůvek pro pěší, refýž

saffian [sæfiən] safián kozí n. ovčí kůže jemně vydělaná ◆ *~ leather* safiánová kůže, safián

safflower [sæflauə] **1** světlice (bot.), saflor (zeměd.) **2** sušené květy safloru jako lék n. barvivo ◆ *~ cake* saflorová pokrutina

saffron [sæfrən] *s* **1** též *~ crocus* šafrán setý (bot.), krokus (zahr.) **2** šafrán sušené blizny šafránu jako koření **3** šafránová žluť / červeň ◆ *bastard / false ~* světlice barvířská; *~ thistle 1.* světlice vlnatá *2.* světlice barvířská ● *adj* šafránový; šafránově žlutý / červený ◆ *~ cake 1.* šafránový koláč *2.* šafránová tabletka ● *v* o|barvit / o|kořenit šafránem

saffrony [sæfrəni] šafránový; šafránově žlutý / červený

safranin [sæfrənin] **safranine** [sæfrəni:n] safranin fenazinové barvivo

sag [sæg] *v* (*-gg-*) **1** prohýbat se, prověšovat se, mít průvěs, dělat průvěsy, být uprostřed prohnutý, viset prohnutě; vyboulit se dolů zejm. uprostřed; dělat oblouk / oblouky dolů; prohnout nesprávným rozložením nákladu **2** být sklesly / zplihlý, viset dolů, být svěšený; nátěrová barva tvořit závěsy **3** být křivý, viset / stát nakřivo, být šišatý / našišato **4** sesednout se, po|klesnout vlastní tíhou; zhroutit se, svést se vlastní tíhou; z|bortit se, propadat se **5** cena po|klesnout, spadnout **6** přen. polevit, upadnout, nebýt už tak dobrý **7** námoř. být snášen, odchylovat se od kursu; odvracet se od větru, do závětří ◆ *~ging bight* námoř. průvěs lana; *~ (down) to leeward* odvracet se od větru / do závětří, být snášen větrem, proudem apod.; *~ging market* trh s klesajícími cenami ● *s* **1** průvěs, průhyb, prohnutí, vyboulení směrem dolů **2** horské sedlo **3** sesednutí, propadlina, prohlubeň, proláklina, prohlubenina **4** pokles cen **5** námoř. snášení po větru, odvracení od větru, uchylování do závětří

saga [sa:gə] **1** sága staroseverská epická próza o životě hrdinů; román sledující historii jednoho n. více rodů a jejich doby **2** hrdinský příběh, vyprávění, legenda, sága

sagiciate [səˈgeišieit] AM nář. **1** mít se **2** myslit, mít ten dojem

sagacious [səˈgeišəs] chytrý, bystrý, inteligentní; ostrovtipný

sagaciousness [səˈgeišəsnis] = *sagacity*

sagacity [səˈgæsəti] chytrost, bystrost, inteligence, ostrovtip

sagamore [sægəmo:] indiánský náčelník

sage[1] [seidž] *s* **1** mudrc **2** iron. mudrlant, rozumář, vědátor, filozof ◆ *S~ of Chelsea* Thomas Carlyle; *S~ of Concord* Ralph Waldo Emerson; *S~ of Monticello* Thomas Jefferson; *S~ of Samons* Pythagoras ● *adj* **1** hluboce moudrý **2** iron. mudrlantský, vědátorský, mudrácký

sage[2] [seidž] *s* **1** bot. šalvěj **2** šalvějové listy **3** šedozelená barva ◆ *~ of Bethlehem* bot. *1.* máta klasnatá *2.* plicník lékařský; *~ cheese* šalvějový sýr; *~ and onions* kuch. nádivka z cibule a šalvěje; *~ tea* šalvějový čaj

sagebrush [seidžbraš] bot. pelyněk

sagecock [seidžkok] zool.: sameček amerického tetřívka *Centrocercus urophasianus*

sage Derby [seidžˈda:bi] šalvějový sýr vyráběný v Derby

sage-green [seidžgri:n] šedozelená barva

sage-hare [seidžheə] zool.: americký králík *Silvilagus nuttatti*

sagene [sæžən] sažeň starý ruský sáh

sageness [seidžnis] **1** hluboká moudrost **2** iron. mudrlantství, vědátorství, mudráctví

sageship [seidžšip] mudrctví

saggar, sagger [sægə] *s* **1** ker. pouzdro, „kapsle" **2** šamotová hmota na pouzdra ● *v* ker. dát do pouzdra / „kapsle"

saggy [sægi] (*-ie-*) **1** prohnutý, vyboulený dolů; způsobený prohnutím **2** pokleslý, svěšený, visící, zplihlý **3** křivý, šišatý

sagitta[1] [səˈdžitə] *pl: sagittae* [səˈdžiti:] **1** mat. výška, vzepětí oblouku **2** stav. závěrný klenák, závěrník klenby **3** zool. ploutvenka

Sagitta[2] [səˈgitə] hvězd. Šíp souhvězdí

sagittal [sædžitl] **1** šípový; šípovitý **2** anat. sagitální, předozadní ◆ *~ suture* šípový šev

Sagittarius [ˌsædžiˈteəriəs] **1** hvězd. Střelec souhvězdí; znamení zvířetníku **2** člověk narozený ve znamení Střelce

sagittary [sædžitəri] (*-ie-*) kentaur

sagittate [sædžiteit], **sagittated** [sædžiteitid] bot. šípovitý, střelovitý

sago [seigəu] **1** ságová palma, ságovník pravý (bot.) **2** ságo zrnka vyráběná z dřeně kmene n. hlíz některých rostlin ◆ *~ flour* ságová moučka; *~ palm = sago, 1*

saguaro [səˈgwa:rəu] bot.: vysoký kaktus *Carnegia gigantea*

sahaa [səˈha:] BR sbohem maltézsky

Sahara [səˈha:rə] Sahara, též přen. (*~ of medieval scholarship*)

Saharan [səˈha:rən] saharský

Saharian [səˈha:riən], **Saharic** [səˈha:rik] saharský

Sahib [sa:hib] **1** sáhib pán, velitel; oslovení Evropana; zdvořilé oslovení vůbec (*Colonel ~, Raja ~*) **2** *s~* hovor. džentlmen (*pukka ~*)

saice [sais] = *syce*

said[1] [sed] **1** řečený, (výše) zmíněný (*the ~ witness*) **2** v. *say*[2], *v*

Said [seid] = *Seid*

saiga [seigə] zool. sajka, sajga

sail [seil] *s* **1** lodní plachta; plachtoví **2** *~s, pl* plachty, plachtoví; námoř. slang. plachtář **3** *pl: sail* plachetní loď, plachetnice; loď **4** plavba cesta; její trvání; vzdálenost absolvovaná plavbou (*ten days' ~ from Plymouth*) **5** větrací plachta, větrnice **6** rameno křídla, lopatka větrného mlýna **7** velitelská věž ponorky **8** bás., mysl. peruť **9** zool. hřbetní ploutev žraloka; tykadlo loděnky ◆ *douse a ~ = lower a ~; a fleet of twenty ~* loďstvo o dvaceti lodích; *full ~* plná / táhnoucí plachta; *furled ~* svinutá plachta; *~ ho!* plachta / loď na obzoru!; *hoist a ~* vytáhnout plachtu; *lower a ~* spustit plachtu; *make ~* rozvinout plachty; *press ~* rozvinout víc plachet; *set ~ 1.* odplouvat *2. = make ~; shorten ~* zkrátit / podkasat plachtu; *strike ~* spustit plachty; *take in (a) ~ 1.* zkrátit / podkasat plachtu *2.* přen. snížit nároky; *take (the) wind out of ~s* vzít vítr z plachet, též přen.; *under ~* s rozvinutými / napnutými plachtami, pod plachtami ● *v* **1** loď plout, vyplout, odplout; plavit se kde, na / po (*the first man to ~ these waters*);obeplout *round* co, plavit se kolem (*~ round the Cape*) **2** též *~ along* oblaka plout, žena plout, vznášet se při chůzi **3** plachtit na vodě i ve vzduchu: plachtařit **4** řídit loď / větroň; dopravovat po moři zboží; hodit co tak, aby se nesl vzduchem (~ *a discus*) **5** pouštět si lodičku **6** slang. navézt se, nabourat se *into* do **7** slang. pustit se *in* / *into* do jídla, spucovat co (*coffee and sandwiches which I* ~*ed into with gratitude* káva a obložené chleby, do nichž jsem se vděčně pustil) **8** přen. proplout *through* čím, lehce absolvovat co (~*ed through examinations*) ◆ ~ *near* / *close to the wind 1.* plout ostře proti větru *2.* přen. držet se jen tak tak v dovolených mezích; ~ *the Seven Seas* plavit se po všech mořích světa; ~ *under convoy* plout v konvoji ***sail in*** hovor. *1* veplout, vnést se, nakráčet *2* pustit se energicky do toho ***sail up*** hovor. přijít / přijet a tím vzbudit pozornost, přihasit se

sailarm [seila:m] rameno křídla, lopatka větrného mlýna

sailaxle [ˈseilˌæksl] lopatková hřídel větrného mlýna

sailboat [seilbəut] AM plachetní člun, plachetnice

sailboard [seilbo:d] malá plachetnice

sailcloth [seilkloθ] plachtovina

sailed [seild] **1** jsoucí s plachtou / plachtami **2** v. *sail, v*

sailer [seilə] plachetnice, plachetník určitých vlastností (*bad* ~ špatná plachetnice, *good* ~ dobrá plachetnice, *fast* ~ rychloplachetník)

sailfish [seilfiš] *pl* též *-fish* [-fiš] zool. **1** plachetník **2** žralok veliký

sailing [seiliŋ] **1** umění řídit loď, navigace **2** plachtění, plachtařský sport **3** mořeplavby **4** plavební podmínky (*the* ~ *was excellent last month*) **5** plavební předpisy **6** v. *sail, v* ◆ ~ *orders* rozkaz k vyplutí, příkaz k plavbě (*under* ~ *orders* přen. chystající se k cestě na onen svět); *plain* ~ jednoduchá záležitost; *plane* ~ námoř. plavba po loxodormě; ~ *regatta 1.* závod plachetnic n. jachet *2.* soutěž plachetnic; ~ *training ship* plachetnice, školní loď

sailing boat [seiliŋbəut] plachetní člun, plachetnice

sailing master [ˈseiliŋˌma:stə] navigační důstojník, navigátor

sailing ship [seiliŋšip] , **sailing vessel** [seiliŋvesl] plachetní loď, plachetník, plachetnice

sailless [seillis] jsoucí bez plachty / plachet

sail maker [ˈseilˌmeikə] výrobce plachet, plachtař

sailor [seilə] **1** námořník; lodník, plavec; matróz **2** člověk, který snáší jak cestu po moři (*bad* ~ člověk, který při cestování po moři trpí mořskou nemocí, *good* ~ člověk, který při cestování po moři netrpí mořskou nemocí) **3** = *sailor hat* ◆ ~ *blue* námořnická modř; ~ *collar* matrózový límec; ~ *'s home* námořnický domov, námořnická noclehárna; *what kind of a* ~ *are you?* jak snášíte cestu po moři?; ~ *'s knot 1.* ambulanční uzel, plochá spojka, křížová spojka *1.* hovor.: obyčejný uzel *3.* bot. kokost skvrnatý; ~ *suit* dětské námořnické šatečky; ~ *'s tobacco* bot. pelyněk černobýl

sailor hat [seiləhæt] matróz, slamák, matrózový / námořnický klobouk kulatý s rovnou střechou

sailoring [seiləriŋ] život / práce / povinnosti námořníka, námořničení

sailorly [seiləli] **1** elegantní **2** schopný

sailorman [seiləmæn] *pl: -men* [-men] žert. námořník

sailplane [seilplein] *s* bezmotorový letoun, větroň, kluzák ● *v* létat v bezmotorovém letounu, plachtit

sail-winged [seilwiŋd] bás. **1** loď mající křídla **2** pták mající křídla podobná plachtám

sailyard [seilja:d] natáčecí ráhno, ráhno plachty

sain [sein] BR zast. **1** pokřižovat, požehnat **2** zachránit božskou mocí / modlitbou / kouzlem *from* před

sainfoin [sænfoin / AM seinfoin] ligrus, vičenec ligrus (bot.) pícnina

saint *adj* [seint, ve spojení se jménem sən*t*, sin*t*, sn*t*] zprav. zkracováno *St, pl: Sts* / *S., pl: SS* svatý kanonizovaný křesťanskou církví (*St Peter* sv. Petr, *SS. Peter and Paul* svatí Petr a Pavel, *St Peter's* chrám sv. Petra) *St Andrew* sv. Ondřej patron Skotska; *St Anthony's fire* = *St Elmo's fire; St Bartholomew's* / *St Bart's* nemocnice sv. Bartoloměje v Londýně; *massacre of* ~ *St Bartholomew* hist. bartolomějská noc vyvraždění hugenotů v Paříži 24. srpna 1572; *St David* sv. David patron Walesu; *St Denis* sv. Dionysius patron Francie; *St Elmo's fire* oheň sv. Eliáše, Eliášovo světlo, ráhnové světlo; *St George* sv. Jiří patron Anglie a skautů; *St George's 1.* nemocnice sv. Jiří v Londýně *2.* londýnský kostel sv. Jiří místo honosných svateb; *St George's cross* řecký kříž jehož čtyři ramena jsou všechna stejně dlouhá; *St Germain* Saint-Germain aristokratická čtvrť v Paříži; *St Gotthard 1.* sv. Gothard *2.* svatogothardský průsmyk / tunel v Alpách; *St Helena 1.* sv. Helena *2.* ostrov sv. Heleny *3.* přen. vyhnanství; *St James's 1.* též *Court of St James's* / *St James* britský dvůr *2.* londýnská čtvrť boháčů blízko svatojakubského paláce; *St Leger* dostih v Doncasteru pro tříleté koně; *St Lubbock's day* svátek, den pracovního volna; *St Luke's summer* babí léto kolem 18. října; *St Martin's-le-Grand* přen. londýnská hlavní pošta; *St Martin's summer* pozdní babí léto kolem 11. listopadu; *St Michael 1.* sv. archanděl Michael *2.* druh pomeranče; *St Monday* hovor. modré pondělí; *St Patrick* sv. Patrik patron Irska; *St Paul's* katedrála sv. Pavla v Londýně; *St Peter's* chrám sv. Petra v Římě; *St Peter's chair* stolec sv. Petra, Petrův stolec úřad a hodnost papeže; *St Sophia* Hagia Sofia chrám Boží Moudrosti v Cařihradě; *St Stephen's* BR přen. parlament; *St Swithin's* svátek sv. Swithina 15. července (prší-li na tento den, bude pršet 40 dní); přen. Medardova kápě / krápě; *St Thomas's* nemocnice sv. Tomáše v Londýně; *St Valentine's day* svátek sv. Valentina 14. února, kdy si zamilovaní vyměňují dárky; *St Vitus's dance* tanec sv. Víta, posunčina, chorea (med.) ● *s* [seint] **1** kanonizovaný světec, svatý **2** blažená duše, svatý v nebi **3** světec adventista, svatý Posledního dne; puritán **4** socha světce, svatý, svaťák (vulg.) ◆ *departed* ~ v Pánu zesnulý; *patron* ~ svatý patron, ochránce; *it is enough to provoke / try the patience of a* ~ to by dohnalo i svatého k šílenství; *young* ~*s old devils / sinners 1.* ať se mládí vydovádí *2.* kdo je v mládí příliš hodný, může se později o to víc zkazit ● *v* [seint] prohlásit za svatého, kanonizovat, zapsat do seznamu světců ◆ ~ *it 1.* žít životem světce *2.* hrát si na svatého

St Bernard [sn*t*ˈbəːnəd / AM ˌseinbəːˈnaːd] **1** sv. Bernard **2** Svatobernardský průsmyk v Alpách **3** též ~ *dog* bernardýn

saintdom [sein*t*dəm] svatost, svědectví

sainted [seintid] **1** posvěcený, posvátný **2** řidč. blažený, v Pánu zesnulý; svatý **3** zbožný **4** v. *saint, v* ◆ *my* ~ *aunt!* pro všechno na světě!

sainthood [seinthud] **1** svatost **2** světci a světice, sbor svatých

St-John's-wort [sn*t*džonzwəːt] bot. třezalka

saintlike [seintlaik] = *saintly*

saintliness [seintlinis] **1** svatost, svatý život; zbožnost **2** posvátnost

saintling [seintliŋ] **1** mladý světec **2** nedůležitý světec

saintly (*-ie-*) **1** svatý, žijící životem světce, zbožný **2** svatý, posvátný (~ *relics* svaté ostatky)

saint's day [seintsdei] **1** svátek určitého světce **2** pouť

saintship [seintšip] svatost

Saint-Simonian [sn*t*ˌsiˈməuniən] *adj* saintsimonistický týkající se saintsimonismu ● *s* saintsimonista, saintsimonovec (řidč.) stoupenec saintsimonismu

Saint-Simonism [sn*t*ˈsaimənizəm] saintsimonismus učení francouzského utopistického socialisty Saint-Simona (1760–1825)

Saint-Simonist [sn*t*ˈsaimənist], **Saint-Simonite** [sn*t*ˈsaimənait] = *Saint-Simonian, s*

sais [sais] sluha v Indii

saith [seθ] v. *say*², *v*

saithe [seiθ] SC zool. treska tmavá

saitic [seiˈitik] antic. saiský, saitický týkající se staroegyptského města Saïs ◆ ~ *dynasties* XXVI. – XXX. dynastie egyptských králů

sake¹ [seik] : *for the* ~ *of a p.* | *a t., for a p.'s* | *a t.'s* ~ kvůli komu | čemu; pro koho | co, v zájmu koho | čeho, komu | čemu kvůli (*for old acquaintance'* ~ ze staré známosti; *for any* ~ v naléhavé prosbě pro všechno na světě; *art for art's* ~ umění pro umění, l'art-pour-l'artismus; *for both our* ~*s* kvůli nám oběma, pro nás oba, v zájmu nás obou; *for conscience'* ~ pro klidné svědomí; *for God's* ~ proboha; *for goodness'* ~ pro všechno na světě, pro Boha věčného; *for heaven's* ~ pro nebesa, proboha; *for his name's* ~ kvůli svému jménu, v zájmu zachování dobrého jména; *for old* ~*s'* ~ pro vzpomínku na staré časy, na památku starých časů; *persecuted for opinion's* ~ pronásledovaný pro své přesvědčení; *for my own* ~ *as well as yours* kvůli nám oběma, v zájmu nás obou; *for peace'* ~ v zájmu zachování míru; *for sentiment's* ~ ze sentimentálních důvodů

sake², **saké** [saːki] saké, saki japonský alkoholický nápoj z rýže

saker [seikə] **1** zool. raroh velký zejm. jeho samička **2** hist. starý druh děla

sakeret [seikərit] sameček raroha velikého

Sakhalin [ˌsækəˈliːn] Sachalin

saki¹ [saːki] = *sake*²

saki² [saːki] zool. chvostan bělohlavý opice

sakia, sakieh [sæki*j*ə] korečkové vodní kolo v arabském prostředí

sal¹ [saːl] bot. **1** též ~ *tree* indický strom *Shorea robusta* **2** dřevo z tohoto stromu

sal² [sæl] chem., lékár. sůl ◆ ~ *ammoniac* = *sal ammoniac;* ~ *soda* krystalová soda; ~ *volatile* = *sal volatile*

salaam [səˈlaːm] *s* **1** salaam (alejkum) orientální pozdrav **2** hluboká úklona s dlaní pravé ruky přiloženou na čele ● *v* pozdravit koho; hluboce se uklonit komu / před

salability [ˌseiləˈbiləti] prodejnost (~ *of a product*)

salable [seiləbl] **1** dobře schopný odbytu, dobře jdoucí na odbyt, prodejný (*write a* ~ *story*); nakupovaný, vykupovaný (~ *bottles* vykupované láhve) **2** prodejní (~ *skills* umění prodávat) ◆ ~ *price* přiměřená prodejní cena za kterou se bude zboží dobře prodávat n. kterou zákazníci budou ochotni zaplatit

salacious [səˈleišəs] **1** erotický, pře-erotizovaný, oplzlý, kluzký, lascívní (*a collection of* ~ *poems*) **2** chlípný

salaciousness [səˈleišəsnis] = *salacity*

salacity [səˈlæsəti] **1** erotičnost, pře-erotizovanost, oplzlost, kluzkost, lascívnost, obscénnost **2** chlípnost

salad [sæləd] **1** salát **2** rostlina vhodná k přípravě salátu; hlávkový salát, locika salát (bot.) **3** přen. salát, mišmaš, galimatyáš

salad burnet [ˈsælədˌbəːnit] bot. krvavec obecný

salad days [sæləddeiz] období mladické nezkušenosti, zelené mládí

salad dressing [ˈsælədˌdresiŋ] zálivka na salát, též např. majonéza apod.

salad oil [sælədoil] salátový olej

salamander [ˈsæləˌmændə] **1** zool. mlok, salamandr **2** salamandr bytost žijící v ohni; duch ohně (podle Paracelsa) **3** kdo dovede snášet žár; voják, který se žene do nepřátelské palby; polykač ohně artista **4** rozžhavené železo k roznícení střelného prachu; dopékačka svrchní strany omelet **5** též ~ *stove* stav. vysoušecí / ohřívací kamínka **6** stav. osinkové obkládací desky **7** hut. slitek, svině (slang.)

salamandrian [ˌsæləˈmændriən] zool. mlokovitý

salamandrine [ˌsæləˈmændrain] **1** jako mlok, připomínající mloka, mlokovitý **2** žárovzdorný

salamandroid [ˌsæləˈmændroid] zool. *adj* mlokovitý ● *s* mlokovitý obojživelník, mlok, čolek
salame, salami [səˈla:mi] salám zejm. pikantní
sal ammoniac [ˌsæləˈməuniæk] chem. salmiak, chlorid amonný
salangane [sæləŋgein] zool. salangana pták stavějící si jedlá hnízda
salariat [səˈleəriət] třída pracujících odměňovaná stálým platem na rozdíl od dělnictva odměňovaného mzdou, technické kádry, administrativa
salaried [sælərid] **1** mající stálý plat, odměňovaný pevným platem, jsoucí s pevným platem, v zaměstnaneckém poměru **2** spojený s pevným platem (*a ~ position*) **3** v. *salary, v*
salary [sæləri] (*-ie-*) *s* stálý plat úředníků, služné (zast.) ◆ *fixed ~* pevný plat ● *v* dávat plat; honorovat platem ◆ *be salaried by* dostávat plat od
sale [seil] **1** prodej **2** odprodej; poptávka, trh **3** dražba, aukce **4** výprodej, výprodejní okaze **5** též *contract of ~* kupní smlouva **6** *~s, pl* odbyt **7** *~s, pl* tržba; obrat zboží / peněz ◆ *~s approach* prodejní taktika; *~ on approval* prodej „na zkoušku"; *auction ~, ~ by* BR / *at* AM *auction* dražba, aukce, prodej v dražbě / aukci; *bargain ~ 1.* zvláštní prodej za zlevněné ceny, doprodej, výprodej *2.* okaze, „bílý týden" apod.; *bill of ~* kupní / zástavní smlouva, písemná smlouva o prodeji; *~s campaign* prodejní kampaň, náborová akce; *clearance ~* doprodej, výprodej „zbytků", okaze („bílý týden" apod.), *credit ~* prodej na úvěr; *~s discount* prodejní skonto, skonto poskytované odběratelům; *domestic ~s* prodej na domácím / vnitřním trhu; *exclusive ~* výhradní prodej; *for ~* na prodej; *foreign ~s* vývoz, prodej do zahraničí; *~s line 1.* prodávaný druh zboží *2.* obchodní obor / odvětví, branže; *~s objective* prodejní cíl / úkol; *on ~ 1.* na prodej *2.* v prodeji, k dostání *3.* AM z výprodeje, při výprodeji; *point of ~* místo prodeje / plnění kupní smlouvy; *~s policy* prodejní zásady / politika; *public ~* dražba, aukce; *put up for ~ 1.* nabídnout ke koupi, dát do prodeje *2.* dát do dražby, prodat v aukci; *~s representative* prodejní / obchodní zástupce firmy, podniku; *~s resistance* prodejní odpor, obtíž při prodeji, odpor / zdrženlivost / nezájem kupujících; *~ and / or return* komisionářský prodej; *~s territory* prodejní území, obchodní teritorium; *white-goods ~* bílý týden; *~ of work* dobročinný bazar
saleability [ˌseiləˈbiləti] = *salability*
saleable [seiləbl] = *salable*
Salem [seiləm] BR přen. modlitebna, modlitební síň, kaple nonkonformistů
salep [sæləp] salep výživný pokrm ze sušených a rozemletých hlíz některých vstavačovitých rostlin
saleratus [ˌsæləˈreitəs] AM chem. užívací soda jako kypřící prášek do pečiva
sale ring [seilriŋ] zájemci, kupující při dražbě / aukci
sale room [seilru:m] = *sales room*
sales [seilz] obchodní, prodejní
sales chat [ˌseilzˈčæt] = *sales talk*
salesgirl [seilzgə:l] mladá prodavačka v obchodě
saleslady [seilzleidi] (*-ie-*) = *saleswoman*
salesman [seilzmən] *pl: -men* [-mən] **1** prodavač **2** obchodní cestující / zástupce
salesmanship [seilzmənšip] **1** schopnost, umění prodávat, prodávání **2** přen. propagace (*bad ~ was mainly responsible for the party's defeat* hlavní vinu na porážce strany měla špatná propagace)
salespeople [ˈseilzˌpi:pl] prodavači
sales resistance [ˌseilzriˈzistəns] **1** nechuť něco koupit **2** schopnost nepodlehnout prodejnímu náboru
sales room [seilzru:m] **1** prodejní místnost **2** dražební místnost
sales slip [ˌseilzˈslip] účtenka, paragon
sales talk [ˌseilzˈto:k] řeč prodávajícího mající za cíl přesvědčit zákazníka, aby koupil nabízené zboží
sales tax [ˌseilzˈtæks] AM daň z obratu
saleswoman [ˈseilzˌwumən] *pl: -women* [-wimin] **1** prodavačka **2** obchodní cestující / zástupkyně
Salian[1] [seiliən] antic. sálijský týkající se kněží boha Marta
Salian[2] [seiliən] hist. *adj* salický ● *s* salický Frank
Salic [sælik] hist. salický, sálský ◆ *~ code / law* hist. sálský zákon zákon sálských Franků; zákon vylučující ženy z dědického nároku na trůn (zejm. ve Francii)
salices [sælisi:z] *pl* v. *salix*
salicet [sælisit] = *salicional*
salicin [sælisin] chem. salicín
salicional [səˈlišənl] hud. salicionál jmenný rejstřík varhan
salicyl [sælisil] chem. salicyl
salicylate [sæˈlisileit] chem. salycilát, salycilan sůl / ester kyseliny salycilové ● *v* působit kyselinou salycilovou
salicylic [ˌsæliˈsilik] salicylový ◆ *~ acid* kyselina salicylová (chem.), salicyl (zbož.); *~ parchment* pergamenový papír
salicylism [səˈlisiləzəm] med. salicylismus otrava preparáty obsahujícími salicyl
salicylize [səˈlisilaiz] působit / léčit kyselinou salicylovou
salicylous [səˈlisiləs] = *salicylic*
salience [seiljəns], **saliency** [seiljənsi] (*-ie-*) **1** vyčnívání, vybíhání, výčnělek, výběžek **2** význačný (hlavní) charakteristický rys **3** důraz ◆ *give ~ to a t.* zdůraznit co
salient [seiljənt] *adj* **1** dopředu vyčnívající, vybíhající, vynikající, nápadný **2** význačný, hlavní, charakteristický (*~ features* charakteristické rysy) **3** kniž., žert. skákající, skákavý, pohybující se skokem; vyskakující, tančící **4** kniž. tryskající, vytryskující, vyvěrající **5** heraldické zvíře jsoucí ve skoku stojící na obou zadních nohou **6** zool. patřící k řádu Žáby ◆ *~ angle* mat. vypuklý úhel; *~ point 1.*

hlavní věc, o co hlavně jde *2* voj. předsunutá část opevnění n. fronty; klín; předmostí *3* **S**~ voj. hist. předmostí u Ypres za I. světové války
saliferous [sæˈlifərəs] **1** obsahující sůl, bohatý solí **2** solinosný, solitvorný
salify [sælifai] (*-ie-*) chem. **1** napouštět solí **2** tvořit sůl, převést v sůl
saline *adj* [seilain] solný (*a ~ deposit* solné ložisko), slaný (*a ~ taste*), salinický (odb.) ◆ *~ meadow* slaná louka, slanisko ● *s* [səˈlain] **1** solné jezero, solná bažina, solný pramen, solná pánev **2** salina; solivar, solivarna **3** med. fyziologický roztok; druh projímadla
salinity [səˈlinəti] slanost, salinita (geol.)
salinometer [ˌsæliˈnomitə] salinometr přístroj k stanovení obsahu minerálních solí ve vodě n. v půdě
Salique [sælik] = *Salic*
saliva [səˈlaivə] slina, sliny
salivary [səlivəri] slinný ◆ *~ glands* slinné žlázy
salivate [səliveit] **1** slinit, vylučovat sliny zejm. nadměrně **2** med. vyvolat slinění / salivaci / ptyalismus u
salivation [ˌsæliˈveišən] slinění zejm. nadměrné, salivace, ptyalismus (med.)
salix [sæliks] *pl: salices* [sælisi:z] bot. vrba
sallal [sælæl] bot. libavka
salle [sæl] pokoj, místnost
salle-á-manger [ˌsæləma:nˈžei]] jídelna
salle-d'attente [ˌsældæˈta:ŋt] čekárna
sallenders [sæləndəz] zvěr. mušky
sallet[1] [sælit] voj. hist. druh přilby s hledím
sallet[2] [sælit] zast. = *salad*
sallow[1] [sələu] **1** vrba, zejm. vrba jíva (bot.) **2** vrbový prut, vrbová ratolest; vrbové dřevo, vrba
sallow[2] [sæləu] *adj* pokožka **1** nažloutlý **2** bledý, sinavý, sinalý ● *s* **1** nažloutlost pokožky **2** bledost, sinavost, sinalost pokožky ● *v* **1** sežloutnout; zblednout, zesinat **2** způsobit nažloutlou barvu / sinavost / sinalost
sallowish [sæləuiš] **1** lehce nažloutlý **2** pobledlý, poměrně / téměř sinalý n. sinavý
sallowness [sæləunis] **1** nažloutlost pokožky **2** bledost, sinavost, sinalost
sallow thorn [ˌsæləuˈθo:n] bot. řešetlák
sallowy [sæləui] porostlý / zarostlý vrbami
sally[1] [sæli] (*-ie-*) *s* **1** výpad; protiútok obležených **2** příval, déšť (*~ of kisses*), výbuch, bouře (*sallies of passion so common in princes* výbuchy vášně tak běžné u knížat) **3** přen. výlet do neznáma; řidč. nerozvážný čin, kousek, eskapáda (*~ of youth*) **4** vtipný nápad, vtipná poznámka, vtip **5** archit. výčnělek, výběžek **6** stav. zářez na osedlání krovu ● *v* **1** též *~ out* učinit vojenský výpad, vyrazit proti nepříteli **2** řidč. vytrysknout, vyrazit **3** rozhoupat loď **2** ***sally forth*** vyrazit, vydat se ***sally out*** *1 = sally, v 1 2 = sally forth*
sally[2] [sæli] (*-ie-*) **1** výchozí poloha zvonu před zvoněním, první zhoupnutí zvonu **2** dolní konec provazu ke zvonu uzpůsobený k držení s vlepenou vlnou
Sally[3] [sæli] (*-ie-*) Sally, dom. Sára ◆ *Aunt ~* pouťová soutěž, při níž se soutěžící strefují do dýmky v ústech dřevěné ženské hlavy
sallyhole [sælihəul] otvor ve stropu zvonice, jímž prochází provaz ke zvonu
Sally Lunn [ˌsæliˈlan] BR kynutý bochníček který se jí teplý s máslem
sally nixon [ˌsæliˈniksən] Glauberova sůl
sallyport [sælipo:t] **1** výpadová brána **2** námoř. úniková branka na zápalných lodích
salmagundi [ˌsælməˈgandi] **1** kuch. ragú, směs pikantních, hojně kořeněných mas **2** míchanice, slátanina, mišmaš, galimatyáš
salmi [sælmi(:)] kuch. ragú z pernaté zvěře, dušené na víně
salmon [sæmən] *s pl: salmon* [sæmən] **1** losos, losos obecný (zool.) **2** lososovitá ryba **3** = *salmon pink, s* ● *adj* **1** lososí **2** lososový, lososově růžový ◆ *~ peal / peel 1.* v Irsku strdlice mladý losos *2.* v Anglii losos obecný; *~ steak* kuch. pečený losos; *~ tail* námoř. dunajské / suezské kormidlo, přídavné kormidlo
salmon berry [ˈsæmənˌberi] bot. ostružník moruška
salmon colour [ˈsæmənˌkalə] lososová barva
salmon-coloured [ˈsæmənˌkaləd] lososový, lososově růžový
salmonella [ˌsælməˈnelə] *pl: salmonellae* [ˌsælməˈneli:] biol. salmonela druh baktérií vyvolávající střevní choroby
salmonelosis [ˌsælmənəˈləusis] med. salmonelóza střevní choroba vyvolaná salmonelami
salmon ladder [ˈsæmənˌlædə], **salmon leap** [sæmənli:p] komůrkový rybovod, rybí schůdky, rybí přechod, rybochod
salmonoid [sæmənoid] zool. *adj* lososovitý ● *s* lososovitá ryba
salmon pink [ˌsæmənˈpink] *s* lososová barva, lososově růžová barva ● *adj* lososový, lososově růžový
salmon pass [sæmənpa:s], **salmon stair** [sæmənsteə] = *salmon ladder*
salmon trout [sæməntraut] zool. pstruh obecný
Salomonian [ˌsæləˈməuniən], **Salomonic** [ˌsæləˈmonik] šalamounský
salon [sælon] **1** salón místnost k přijímání hostí; výstava; výstavní síň; lepší provozovací místnost některých živností **2** *S*~ Pařížský salón každoroční výstava děl žijících umělců ◆ *beauty ~* salón krásy, kosmetický ústav; *~ music* salónní hudba; *shoe ~* obchod luxusní obuví
Salonica **1** [səˈlonikə] moderní město Soluň **2** [ˌsæləˈnaikə] hist. Soluň
salonist [səˈlonist], **salonnard** [səˈlona:d] návštěvník salónů, lev salónů
saloon [səˈlu:n] **1** společenská místnost, sál, hala, vestibul, salónek např. v hotelu **2** jídelna, společenská místnost, klubovna, herna, salón na lodi; salónek v letadle **3** BR též *~ car / carriage* žel. salonní vůz **4** BR luxusní provozovna, salón **5** AM hostinec, hospoda, výčep, nálevna

saloon bar [səˌlu:nˈba:] BR salónek s barem. bar v anglickém hostinci
saloon car [səˌlu:nˈka:] **1** žel. salónní vůz **2** BR limuzína
saloon deck [səˌlu:nˈdek] paluba I. třídy
saloon keeper [səˈlu:nˌki:pə] AM hostinský, hospodský, výčepní, barman
saloon pistol [səˌlu:nˈpistl] sport. terčová pistole
saloon rifle [səˌlu:nˈraifl] sport. terčovnice
saloop [səˈlu:p] **1** bot. sassafras **2** dř. horký nápoj ze salepu n. z práškovaného sassafrasu náhražka kávy prodávaná dříve na londýnských ulicích
Salop [sæləp] = *Shropshire*
Salopian [səˈləupiən] *adj* **1** shropshirský **2** týkající se *Shrewsbury Grammar School* ● *s* **1** obyvatel Shropshiru **2** žák / absolvent *Shrewsbury Grammar School*
salpiglossis [ˌsælpiˈglosis] bot. jazylka
salse [sæls] bahenní sopka
salsify [sælsifi] (*-ie-*) bot. kozí brada fialová
salt[1] [so:lt] *s* **1** sůl, též chem. **2** sůl ve slánce, slánka (*pass me the* ~, *please* podejte mi laskavě sůl) **3** část. ~*s, pl* med. sůl; čichací sůl; epsomská sůl projímadlo **4** přen. sůl, koření, ostrost, peprnost, štiplavost, pikantnost, říz; hutnost, jadrnost, zemitost (*the speech with the most* ~ *and the least jargon*) **5** solná bažina **6** ~*s, pl* neobvyklé vniknutí mořské vody do řeky **7** též *old* ~ starý / ostřílený / zkušený námořník ◆ *above* | *below the* ~ na horním | dolním konci stolu, na čestnějším | méně čestném místě stolu; *Attic* ~ jemný vtip; *be worth ones's* ~ člověk stát za něco, mít cenu, být něco platný; *not to be worth one's* ~ člověk nemít žádnou cenu, nestát vůbec za nic; *drop* (*a pinch of*) ~ *on the tail of a bird* žert. nasypat vrabci sůl na ocásek; ~ *of the earth* bibl. sůl země; *eat a p.'s* ~ *1.* být hostem koho *2.* být závislý na kom; *eat* ~ *with a p.* přen. být hostem koho; *like a dose of* ~ slang. v cuku letu; *with a grain of* ~ přen. s určitou výhradou, s rezervou, ne tak docela doslova, cum grano salis; *in* ~ nasolený, naložený v soli; *I am not made of* ~ nejsem z cukru / ze soli mně déšť neuškodí; *table* ~ stolní / jemná sůl; *white* ~ rafinovaná kamenná sůl ● *adj* **1** slaný **2** solený, osolený, nasolený **3** solný **4** rostlina mořský; rostoucí na solné bažině; slanomilný, slanobytný **5** slzy, žal palčivý, hořký **6** vtip jadrný, zemitý, řízný; anekdota pikantní, košilatý, hambatý, choulostivý **7** slang.: cena mastný, přešvihnutý přemrštěný ◆ ~ *acid* kyselina solná, chlorovodík; ~ *brine* solný roztok, solanka; ~ *garden* salina; ~ *horse* námoř. slang. *1.* nasolené maso zejm. hovězí **2.** přen.: důstojník s nedokončeným kursem pro lodní specialisty; ~ *junk* = ~ *horse, 1.*; ~ *meadow* slaná louka, slanisko; ~ *solution* solný roztok, solanka; ~ *steppe* slaná step ● *v* **1** o|solit, přisolit, posypat / potřít solí, vetřít sůl do, dát sůl do / čemu; naložit do soli, nasolit **2** po|sypat jako solí (~ *ing clouds with silver iodine crystals* sypající mraky krystalky jodidu stříbrného); přen. postříbřit (*experience has* ~*ed his hair* zážitky mu postříbřily vlasy) **3** přen. o|kořenit, o|pepřit, o|solit, připepřit **4** dát tajně cenné nerosty např. do dolu, podvodně uměle zvyšovat obsah drahého kovu v dole, „přisolovat" rudu **5** falšovat, falzifikovat např. účetní knihu aby se zdála vykazovat větší příjmy **6** otužit, zvyknout člověka / koně na nepohodu, přizpůsobit, připravit, aklimatizovat **7** fot. zpracovat ustalovací solí ***salt away** / **down** 1* nasolit, naložit do soli *2* hovor. ulít, schovat pro strýčka Příhodu (~ *down a lot of money*)
SALT[2] [so:lt] *s* = *Strategic Arms Limitation Talks* ◆ *adj* polit. týkající se sovětsko-amerických jednání o omezení strategických zbraní (~ *talks*, ~ *negotiations*)
saltant [sæltənt] herald.: jsoucí ve skoku
saltarello [ˌsæltəˈreləu] *pl: saltarelli* [ˌsæltəˈreli] **1** saltarelo rychlý třídobý tanec italský a španělský; hudba k tomuto tanci **2** brk v mechanice čembala
saltate [sælteit] řidč. skákat, vyskakovat
saltation [sælˈteišən] **1** skákání, poskakování, vyskakování, tančení, tanec; posunčina **2** skočná **3** skok, skočení; náhlá změna při postupu / vývoji **4** biol. mutace **5** med. stříkání krve z tepny
saltatorial [ˌsæltəˈto:riəl], **saltatory** [sæltətəri] **1** taneční (~ *art*) **2** skákavý dějící se ve skocích; skákající; uzpůsobený ke skoku
saltbox [so:ltboks] slánka, solnička ◆ ~ *house* AM typ domku, vpředu jednopatrového, se sedlovou střechou
salt bush [so:ltbuš] bot. lebeda
salt cake [so:ltkeik] surový bezvodý síran sodný
salt cat [so:ltkæt] solný koláč, solná hrouda k přilákání domácích holubů
saltcellar [ˈso:ltˌselə] **1** slánka, solnička **2** ~*s, pl* jámy za klíčními kostmi zejm. u hubené ženy
salter [so:ltə] **1** solař, výrobce soli, obchodník se solí **2** obchodník s chemikáliemi, pryskyřicemi, mořidly, konzervami apod. **3** nasolovač
saltern [so:ltə:n] solivar
salt-free diet [ˌso:ltfri:ˈdaiət] med. neslaná dieta
salt glaze [so:ltgleiz] ker. solná poleva / glazura
saltigrade [sæltigreid] zool. *adj* skákavkovitý ● *s* skákavka pavouk
saltimbanco [ˌsæltimˈbæŋkəu] mastičkář, šarlatán
saltiness [so:ltinis] **1** slanost (*the* ~ *of the sea air*) **2** přen. kořeněnost, peprnost, zemitost, jadrnost
salting [so:ltiŋ] **1** pobřeží zaplavované za přílivu slanou vodou **2** v. *salt, v*
saltire [so:ltaiə] herald. ondřejský kříž úhlopříčný ◆ *in* ~ herald.: úhlopříčně zkřížený (*two crosiers in* ~); *per* ~ štít dělený úhlopříčným křížem
saltirewise [so:ltaiəwaiz] křížem, zkříženě, překříženě
saltish [so:ltiš] téměř / poměrně slaný atd.
saltless [so:ltlis] **1** neslaný **2** přen. jednotvárný, fádní, neslaný nemastný

salt lick [so:ltlik] mysl. slanisko, solisko, liz
saltmaker [ˈso:ltˌmeikə] vařič soli, solař
salt marsh [so:ltma:š] solná bažina
salt mine [so:ltmain] solný důl, důl na sůl
salt pan [so:ltpæn] **1** odparka na sůl; solivar **2** geol. solná pánev
saltpeter [ˈso:ltˌpi:tə] ledek, salnitr, sanytr, salpitr; ledek draselný (chem.) ◆ ~ *rot* zední ledek, ledek vápenatý
saltpeter paper [ˌso:ltˌpi:təˈpeipə] pyrotechnický ledkovaný papír
salt pit [so:ltpit] **1** mořská salina **2** solný důl
salt pond [so:ltpond] **1** solné jezero **2** salina
salt rheum [so:ltru:m] AM ekzém
salt shaker [ˈso:ltˌšeikə] **1** sypací slánka **2** slang. malý mikrofón
salt spoon [so:ltspu:n] lžička na sůl do slánky
salt spring [ˈso:ltˌspriŋ] solný / slaný pramen, slané zřídlo
saltus [sæltəs] *pl: saltus* [sæltəs] skok náhlá změna v postupu zejm. myšlení
salt water [so:ltwo:tə] *s* **1** slaná voda, mořská voda **2** přen. slzy ● *adj: salt-water* slanovodní
salt well [so:ltwel] vrt se solankou
salt works [so:ltwə:kz] solivar; salina
saltwort [so:ltwə:t] bot **1** slanobýl, zejm. slanobýl draselný **2** slanorožec, zejm. slanorožec bylinný
salty [so:lti] (*-ie-*) **1** slaný (~ *tears*), solený (~ *butter*) **2** pikantní; košilatý, hambatý, choulostivý; peprný, zemitý, jadrný **3** zkušený, ostřílený
salubrious [səˈlu:briəs] vzduch, podnebí zdravý, zdraví prospěšný / příznivý
salubriousness [səˈlu:briəsnis] zdravost, salubrita (kniž.)
salubrity [səˈlu:brəti] = *salubriousness*
saluki [səˈlu:ki] plemeno psa
salutariness [sæljutərinis] **1** zdravost **2** prospěšnost, užitečnost
salutary [sæljutəri] **1** řidč. zdravý, zdraví prospěšný / příznivý; zdravotní **2** prospěšný, užitečný
salutation [ˌsælju(:)ˈteišən] **1** pozdrav, po|zdravení **2** šermířský pozdrav **3** v dopise oslovení **4** zdravice, pocta **5** zast. pozdrav, vzdání pocty vlajkou / výstřely ◆ *Angelic S*~ Pozdravení andělské modlitba Zdrávas Maria
salutational [ˌsælju(:)ˈteišənl] = *salutatory*
salutatorian [səˌlju:təˈto:riən] druhý nejlepší žák který pronáší pozdravnou řeč
salutatory [səˈlju:tətəri] *adj* pozdravný; vítací, uvítací, zahajovací ● *s* (*-ie-*) AM zahajovací projev, vítací řeč zejm. v americké škole
salute [səˈlu:t] *v* **1** zdravit, pozdravit (~*d him cheerfully by his name*), též přen. (*the lark* ~*s the dawn* skřivan zdraví úsvit); pozdravit obřadně / podle předpisu / zbraní; uklonit se, poklonit se; vzdát poctu **2** za|salutovat **3** pronést pozdrav / zdravici **4** přivítat, uvítat *with* čím **5** naskytnout se, vyskytnout se, objevit se, dát se slyšet / vidět / cítit komu/čemu (*a strange sight* ~*d the eye* oku se naskytl zvláštní pohled) **6** zast. pozdravit koho *a p.* jako koho (~ *him a king* pozdravit ho jako krále) **7** zast., bás. políbit na pozdrav / na uvítanou ◆ *saluting battery* pozdravná dělostřelecká baterie; ~ *by laying on oars* vzdát poctu vztyčenými vesly ● *s* **1** pozdrav; pozdravení; vzdání pocty **2** obřadný / šermířský pozdrav; vojenský pozdrav; vzdání pocty; pozdrav rukou / zbraní / vlajkou; výstřely, salva **3** zdravice **4** zast., žert políbení, polibek **5** salut stará zlatá mince s ražbou Zvěstování ◆ *chaste* ~ cudné políbení; ~ *of 7 guns was fired* bylo vypáleno 7 ran na pozdrav; ~ *to the nation* námoř. teritoriální pozdrav 21 dělových ran; *return a* ~ opětovat pozdrav, odpovědět na pozdrav; *stand at* (*the*) ~ voj. zdravit, salutovat; *take the* ~ *1.* přijmout pozdrav / poctu *2.* vykonat přehlídku např. čestné roty
salutiferous [ˌsæljuːˈtifərəs] řidč. zdravotní; vracející zdraví, občerstvující (*fell into a* ~ *sleep*)
salvable [sælvəbl] **1** spasitelný, vykupitelný **2** zachránitelný
salvage [sælvidž] *s* **1** poplatek / odměna za záchranu lodi / nákladu, záchranné **2** záchranné práce; záchrana lodi / nákladu zejm. na moři; záchrana zboží při požáru; zachránění, zachraňování **3** zachráněná loď, zachráněné zboží, zachráněný náklad (~ *from the stricken vessel lay on the deck* zachráněný náklad z postižené lodi ležel na palubě) **4** voj. sebraný materiál, kořist sebraná na bojišti **5** zachráněné pojistné hodnoty **6** výrobě vrácený / zachráněný odpad, zužitkované vadné / poškozené zboží, kovový šrot, sběr (hovor.) **7** pojišť. vratka ◆ ~ *archeology* předstihový výzkum rychlý archeologický průzkum budoucích stavenišť, oblastí přehradních jezer apod.; ~ *charges* poplatek za záchranu; ~ *company* podnik zabývající se záchrannou činností; ~ *lorry* záchranný vůz na odvlečení poškozených vozidel; ~ *operations* záchranné práce; ~ *and rescue service* záchranná služba; ~ *re-use* znovupoužití starého materiálu; ~ *ship* záchranná loď; ~ *and towage contractor* podnikatel záchranné služby a remorkáží; ~ *tug* záchranný remorkér; ~ *value 1.* hodnota materiálu / šrotu *2.* zbytková / vetešní hodnota ● *v* **1** zachránit loď / náklad / zboží (~ *torpedoed vessels, materials* ~*d from crashed airplanes*), též přen. (~ *a marriage, a* ~*d cancer patient*) **2** sbírat zanechaný materiál n. kořist **3** odklizovat sestřelené n. havarované letouny **4** znovu zpracovat starý materiál
salvarsan [sælvəsən] lékár. salvarsan druh arzénového léku užívaného zejm. k léčbě příjice
salvation [sælˈveišən] **1** spása, spasení, vykoupení zejm. náb. **2** záchrana (*tourism is their only economic* ~); záchrana, obrana *from* před, osvobození od (*seeks in religion* ~ *from the evils and dangers of the times* hledá v náboženství záchranu před zlořády a úskalími doby) ◆ *find* ~ *1.*

dojít spásy *2.* obrátit se na spasitelnou víru *3.* žert. najít výmluvu k opuštění dosavadních zásad; *S~ Army* Armáda spásy
salvationism [sælˈveišnizəm] **1** *S~* učení a činnost Armády spásy **2** evangelizační / charitativní činnost **3** náb. nauka o spáse / zdůrazňující spásu
salvationist [sælˈveišnist] **1** *S~* člen Armády spásy **2** evangelizační / charitativní pracovník **3** náb. zastánce nauky o spáse
salve[1] [sælv] *s* **1** hojivá / léčivá mast, pomáda **2** přen. hojivá mast, hojivá náplast, balzám *for* / *to* na (*a ~ to wounded feelings* balzám na zraněné city) **3** dehtová mast pro ovce **4** zast. líčidlo, krášlicí prostředek ● *v* **1** uklidnit, ukonejšit cit, svědomí (*~ one's consience* uklidnit svědomí); zmírnit, otupit ostré; napravit, zahladit nespravedlivé; vyrovnat nesnesitelné; odstranit potíž, rozpaky; vrátit čest **2** zast. pomazat hojivou mastí
salve[2] [sælv] **1** zachránit loď / náklad **2** zvednout potopenou loď
salve[3] [sælvi] též *S~ Regina* [ˌsælviriˈdžainə] círk. antifóna Zdrávas Královno / Salve Regina
salver [sælvə] tác, tácek, podnos
salvia [sælviə] bot. šalvěj
salvo[1] [sælvəu] **1** výhrada, vyhrazení, též práv.; vnitřní výhrada, mentální rezerva **2** výmluva, vytáčka **3** zast. vysvětlení **4** záchrana, záchranný prostředek, možnost záchrany **5** přen. hojivá mast / náplast, hojivý balzám
salvo[2] [sælvəu] *s pl* též *salvoes* [sælvəuz] **1** hromadný výstřel, salva **2** hromadné svržení leteckých pum; pumy takto svržené **3** přen. výbuch, bouře, salva (*a stirring ~ of applause* vzrušující bouře potlesku) **4** AM čtverečky, bitva, lodičky hra na čtverečkovaném papíře napodobující námořní bitvu ● *v* **1** vystřelit salvu **2** po|zdravit salvami
sal volatile [ˌsælvəˈlætəli] lékár. uhličitan amonný, čichací sůl, „spěšná sůl"
salvor [sælvə] **1** zachránce zboží **2** záchranná loď
Sam[1] [sæm] slang.: *stand ~* zatáhnout, zacvaknout zaplatit zejm. nápoj; *upon my S~* BR ajcemtrajcem
SAM[2] [sæm] *surface-to-air missile* raketa země-vzduch
Samaria [səˈmeəriə] bibl. Samařsko, Samaří
Samaritan [səˈmæritn] **1** Samaritán obyvatel Samaří **2** milosrdný samaritán ◆ *good ~* milosrdný samaritán
samba [sæmbə] *s* samba druh moderního tance ● *v* tančit sambu
sambo [sæmbəu] **1** dítě černocha a mulatky **2** hanl. černá huba, negr
Sam Browne [ˌsæmˈbraun] též *~ belt* BR důstojnický opasek s řemenem, dohoda
sambuk [sæmbu:k] sambuk druh indického člunu
sambur [sæmbə] zool. sambar druh asijského jelena
same [seim] *adj* **1** stále stejný, jednotvárný, monotónní, fádní (*the life is perhaps a little ~*) **2** stejný, shodný; totožný, týž, tentýž ◆ *one and the ~* jeden a tentýž; *he is no longer the ~ man* velice se změnil, už to není ten starý kdo; *at the ~ price* za stejnou cenu; *~ (old) thing* stále totéž, stará písnička (přen.); *it comes to the ~ thing* vyjde to na stejně, je to prašť jako uhoď; *~ thing with* totéž co / jako; *this / that ~* část. hanl. takový nějaký, tenhle, tenhleten, takovýhle o němž se mluví (*what is the use of this ~ patience?* k čemu je vůbec tahle trpělivost dobrá,); *at the ~ time* zároveň, současně; *very ~* přesně týž ● *pron* **1** týž, tentýž, stejný **2** s určitým členem totéž (*we must all do the ~*) **3** zast., práv. s určitým členem ten, on, onen, týž (*he that shall endure unto the end, the ~ shall be saved* ten, jenž vydrží až do konce, bude spasen) **4** vulg., obch. ve funkci osobního zájmena týž (zast., nespr.) (*6 shillings for alterations to ~* 6 šilinků za předělání téhož) ● *adv* stejně ◆ *~ again!* ještě jednu / jednou! objednávka stejného nápoje v restauraci; *all the ~* nicméně; *feel the ~ toward(s) a p.* mít stejný (dobrý) vztah ke komu; *~ here 1.* já také *2.* mně totéž (*she said she wanted a coke and I said ~ here* řekla, že chce Colu a já řekl „mně taky"); *just the ~* přes to přese všechno; *think the ~ of a p.* mít stejný názor na koho; *~ to you* vám také, nápodobně odpověď
samel [sæməl] cihla nedopálený
sameness [seimnis] **1** jednotvárnost, monotónnost, fádnost (*~ of food*) **2** stejnost, naprostá podobnost, totožnost
Samian [seimiən] *adj* samoský ◆ *~ Sage* Pythagoras; *~ ware* antic. jemná terakotová keramika ● *s* obyvatel ostrova Samosu
samisen [sæmisən] šamizen japonský strunový nástroj
samite [sæmait] zast. text. zlatem protkávaný aksamit
samlet [sæmlit] strdlice mladý losos
Sammy [sæmi] (*-ie-*) přezdívka amerických vojáků
Samnite [sæmnait] hist. *adj* samnitský ● *s* Samnit
Samoan [səˈməuən] *adj* samoyský ● *s* **2** obyvatel Samoy **2** samoyština
samovar [ˌsæməuˈva:] samovar
Samoyed **1** [ˌsæmoiˈed] Samojed, Něnec **2** [ˌsæmoiˈed] samojedština **3** [sæˈmoied] samojedský špic
Samoyedic [ˌsæmoiˈedik] samojedský
samp [sæmp] AM **1** kukuřičná krupice **2** kaše z kukuřičné krupice
sampan [sæmpæn] sampan druh čínského říčního člunu, zprav. obyvatelný
samphire [sæmfaiə] bot. **1** slanorožec bylinný **2** motar podmořský, strači nožka mořská
sample [sa:mpl] *s* **1** vzorek, ukázka zboží, mustr (ob.) **2** přen. ukázka, příklad (*if that is a fair ~ of his proceedings* je-li to správná ukázka jeho postupu) **3** náhodná / namátková zkouška, namátkový průzkum ◆ *be up to ~* zboží odpovídat vzorku; *fair ~* odpovídající vzorek; *full range of ~s*

celá vzorkovnice, celá paleta vzorků; ~ *only* obch. vzorek bez ceny; *random* ~ namátkový vzorek, namátková ukázka, namátkový příklad; *sale by* ~ prodej podle vzorků; *trade* ~*s* obchodní vzorky ● *v* **1** vzorkovat; dát / brát / odebírat vzorek / vzorky; zkoušet vzorky **2** vy|zkoušet | si, zkusit | si, vy|sondovat, okusit, ochutnat, též přen. (~ *the pleasures of the simple life*) **3** prohlížet, nahlížet do, číst / uvádět ukázku / ukázky z (~ *the literature of social science*), vybírat si ukázky z čeho (*surrounds himself with books and* ~*s them* obklopuje se knihami a vybírá si z nich ukázky) **4** provést namátkový průzkum čeho (~*d the electorate at intervals* vždy po určité době dělali namátkový průzkum mezi voliči) ● *adj* **1** vzorkový, sloužící jako vzorek **2** ukázkový, na ukázku; typický **3** zkušební, sondovací (~ *tunnels* zkušební štoly) **4** týkající se (namátkového) průzkumu (*a random* ~ *week* kterýkoliv týden namátkového průzkumu) ◆ ~ *case* vzorkovnice; ~ *fair* vzorkový veletrh; ~ *order* zkušební / vzorková objednávka; ~ *parcel* vzorková zásilka; ~ *plot* les. zkusná plocha; ~ *room* vzorkovna; ~ *tasting room* ochutnávárna; ~ *tree* les. vzorník

sampler-card [sa:mplka:d] vzorkovnice

sampler [sa:mplə] **1** vzorkař; kontrolor zboží podle vzorku, zkoušeč vzorků; manipulant **2** zařízení na braní vzorků **3** ukázka vyšívání, výšivkový vzor, vzorník výšivek **4** AM vzorník, kolekce vzorků **5** výstavek strom ponechaný při mýcení lesa na pasece **6** kdo provádí namátkový průzkum

Sampson [sæm*p*sn], **Samson** [sæmsn] **1** Samson biblický hrdina proslulý velkou silou **2** přen. silák, lamželezo, Herkules, Samson ◆ ~*'s post* námoř. *1.* nakládací stožár, výložník *2.* sloupek podpírající palubník *3.* zesílený úvazník k němuž se přivazuje lano harpuny *4.* jednoduché pachole pro kotevní lano, umístěné těsně před stěžněm

samurai [sæmurai] *pl* též *samurai* [sæmurai] **1** samuraj příslušník nižší japonské vojenské šlechty **2** důstojník japonské armády

sanable [sænəbl] vyléčitelný

sanative [sænətiv] **1** léčivý, hojivý (*bright* ~ *light of day*) **2** léčebný (~ *process*)

sanatorium [ˌsænəˈto:riəm] *pl* též *sanatoria* [ˌsænəˈto:riə] **1** sanatorium; ozdravovna **2** plicní sanatorium, horské sanatorium

sanatory [sænətəri] = *sanative*

sanbenito [ˌsænbeˈnitəu] hist. **1** roucho kajícníků; **2** roucho odsouzených španělskou inkvizicí na smrt

sancho [sæŋkəu] hud. primitivní černošská kytara

sancta [sæŋktə] v. *sanctum*

sanctification [ˌsæŋ*k*tifiˈkeišən] **1** náb. svěcení, posvěcení **2** svatost, stav posvěcující milosti

sancified [sæŋ*k*tifaid] *adj* **1** svatouškovský (~ *airs* ... chování) **2** v. *sanctify* ● *s* světec; světci, svatí

sanctify [sæŋ*k*tifai] (*-ie-*) **1** po|světit **2** učinit svatým / posvátným; vést k svatosti ◆ *the end sanctifies the means* účel světí prostředky; ~ *the vow* potvrdit přísahu

sanctimonious [ˌsæŋ*k*tiˈməunjəs] svatouškovský, pokrytecký, licoměrný

sanctimoniousness [ˌseŋ*k*tiˈməunjəsnis] svatouškovství, pokrytectví, licoměrnost

sanctimony [sæŋ*k*timəni] = *sanctimoniousness*

sanction [sæŋ*k*šən] *s* **1** sankce **2** dovolení *of* čeho, podpora čeho, svolení k, souhlas s, řídící morální princip (*poetry is one of the* ~*s of life*) **4** protiopatření, odveta, sankce ◆ *give* ~ *to* trpět, dovolovat, souhlasit s; *punitive* ~ trestní sankce; *remuneratory* ~ odměna; *vindicatory* ~ = *punitive sanction; take* ~*s against a p.* učinit odvetné opatření proti komu ● *v* **1** schvalovat, schválit, potvrzovat, potvrdit, uznávat, uznat, učinit závazným, sankcionovat (kniž.) **2** prohlásit za mravné n. legální, dovolit, trpět, souhlasit s **3** připojit k zákonu klauzuli o sankcích ◆ ~*ed rights* základní neporušitelná práva

sanctionless [sæŋ*k*šənlis] **1** jsoucí bez sankce / sankcí **2** ničím / nikým nepotvrzený, neuznávaný, bez pověření

sanctitude [sæŋ*k*titju:d] zast. svatost

sanctity [sæŋ*k*təti] (*-ie-*) **1** svatost **2** posvátnost, nezrušitelnost, neporušitelnost **3** *sanctities, pl* svatá / posvátná práva atd.

sanctuarize [sæŋ*k*tjuəraiz] řidč. poskytnout útočiště / azyl komu

sanctuary [sæŋ*k*tjuəri] (*-ie-*) **1** svatyně **2** svatostánek, tabernákulum, tabernakl, sanktuář, sanktuárium **3** archit. kněžiště, presbytář, presbyterium za oltářní mřížkou **4** útočiště, útulek, azyl (*London, the* ~ *of political refugees* Londýn, útočiště politických uprchlíků); zejm. na církevní / posvátné půdě (*the ancient privilege of* ~ *was transferred to the Christian temples* stará výsada azylu se přenesla na křesťanské chrámy); právo poskytnout útočiště, právo azylu **5** přen. útočiště, útulek *from* před (*his quest is the* ~ *from the modern world* jeho snahy jsou útočiště před moderním světem) **6** mysl. rezervace zejm. ptačí **7** mysl. doba hájení ◆ *break* ~ porušit právo azylu; *seek* ~ hledat útočiště; *take* ~ uchýlit se do azylu zejm. na církevní půdě; *violate* ~ = *break* ~

sanctum [sæŋ*k*təm] *pl* též *sancta* [sæŋ*k*tə] **1** svatyně, velesvatyně, vnitřní svatyně **2** přen. srdce **3** soukromý pokoj, soukromá pracovna, doupě (žert.) (*an editor's* ~) **4** intimní život člověka

sanctum sanctorum [ˈsæŋ*k*təmˌsæŋ*k*ˈto:rəm] **1** velesvatyně, vnitřní svatyně **2** = *sanctum, 2*

sanctus [sæŋ*k*təs] círk. sanktus zpěv při katolické mši na konci preface; anglikánská modlitba

sanctus bell [ˌsæŋ*k*təsˈbel] sanktusník, sanktusáček zvonek, jímž se zvoní při mši

sand [sænd] *s* **1** písek, též med. **2** hist. posýpátko jemný písek **3** též *~s, pl* písčina; pláž **4** *~s, pl* zrnka písku v přesýpacích hodinách; písky, písčiny **5** písková barva **6** AM hovor. kuráž, gajst odvaha (*he hasn't got ~ enough to talk back to her*) **7** krouživý a šoupavý pohyb nohou při tanci ◆ *build on ~* stavět na písku; *grain of ~* zrnko písku; *numberless as the ~s* bezpočet jako mořského písku; *plough ~* nabírat vodu sítem, orat oblohu, dělat z písku povřísla dělat marnou práci; *~s are running out / low* končí stanovená doba, dochází čas, blíží se konec (*his ~s are running out* jde to s ním zdravotně s kopce, jeho dny jsou sečteny) ● *v* **1** po|sypat pískem, po|pískovat, vypískovat **2** pokrýt / zanést pískem; smísit s pískem **3** o|hladit / o|brousit / pře|leštit pískem n. pískovým papírem, o|šmirglovat (hovor.) ***sand out*** vybrousit pískem n. pískovým papírem

sandal¹ [sændl] *s* **1** opánek **2** sandál **3** řemínek, pásek přes nárt u obuvi **4** nízká přezůvka / galoše ● *v* (*-ll-*) **1** obout / zavázat opánky / sandály **2** opatřit / připevnit řemínkem / páskem přes nárt obuv

sandal² [sændl] santál, santálové dřevo vonné dřevo z tropického stromu

sandalled [sændld] **1** obutý v opánky n. sandály (*~ feet*) **2** v. *sand, v*

sandal tree [sændltri:] bot. santál bílý; hantol indický

sandal wood [sændlwud] santálové dřevo, santál

sandarac [sændəræk] **1** bot. chvojka sandaraková **2** sandarak pryskyřice **3** zast. chem. realgar, sirník arzénatý

sandbag [sæn*d*bæg] *s* **1** pytel s pískem součást opevnění; ochrana při explozi; přítěž balónu **2** pytlík s pískem zbraň k omráčení oběti; zdravotnická pomůcka; těsnění ● *v* (*-gg-*) **1** upevnit / obložit / zahradit / vyztužit pytli s pískem **2** udeřit / omráčit pytlíkem s pískem; utěsnit / vyplnit pytlíkem s pískem **3** AM hovor. donutit *into* k, navézt do (*she was really too young to come out but had ~ged her family into it*) **4** poker blufovat a tím nachytat protivníka

sandbagger [ˈsæn*d*ˌbægə] AM lupič který používá pytlíku s pískem k omráčení své oběti

sandbank [sæn*d*bæŋk] písčina, nános písku, jesep, písečná mělčina

sand bar [sæn*d*ba:] úzká písčina, písečný práh v řece

sandbath [sæn*d*ba:θ] *pl: sandbaths* [sæn*d*ba:ðz] písková lázeň

sand bed [sæn*d*bed] **1** písečné dno; písečná vrstva **2** žel. pískové lože

sandblast [sæn*d*bla:st] *s* **1** trysk / tryskání písku **2** pískování, otryskávání pískem, mdlení, matování skla pískem ● **1** pískovat, tryskat písek **2** sklář. mdlít / matovat sklo tryskáním písku

sand-blind [sæn*d*blaind] zast. téměř slepý, tupozraký

sandbox [sæn*d*boks] **1** hist. posýpátko, posypadlo nádobka na jemný písek **2** žel. písečník na lokomotivě **3** hut.: licí písková forma **4** bedna s pískem k dětským hrám ◆ *~ tree* bot.: strom *Hura crepitans*

sandboy [sæn*d*boi] : *happy / jolly / merry as a ~* šťastný jako blecha

sandcast [sæn*d*ka:st] (*sandcast, sandcast*) hut. lít do pískové formy

sandcastle [sæn*d*ka:sl] **1** hrad z písku, dětská stavba z písku, „tunel" **2** přen. domek z karet

sand clay [ˌsæn*d*klei] *s* písčitá hlína ● *adj: sand-clay* písčitohlinitý

sand cloth [sæn*d*kloð] pískové plátno, smirkové plátno

sand cloud [sæn*d*klaud] **1** písečný oblak v písečné bouři **2** oblak zvířeného prachu

sand crack [sæn*d*kræk] **1** zvěr. rozštěp, rozštěpené kopyto **2** rozpukaná kůže na chodidlech způsobená chůzí na horkém písku **3** trhlina v nevypálené cihle

sand dab [ˌsæn*d*ˈdæb] zool. kambala

sand dollar [ˌsæn*d*ˈdolə] zool.: ježovka *Echinarachnius parma*

sand drift [sæn*d*drift] **1** písková návěj **2** = *sand dune*

sand dune [sæn*d*dju:n] písečný přesyp, duna

sanded [sændid] **1** obalovaný v pískovém cukru **2** v. *sand, v*

sand eel [sændi:l] zool. smáček mořská ryba

sander [sændə] **1** pískovač, též žel. **2** dmychadlo na písek **3** bruska s pískovým papírem

sanderling [sændəliŋ] zool. jespák písečný

sanders [sa:ndəz] **1** BR santálové dřevo, santál **2** křídlokové dřevo, červený santál

sand flea [sæn*d*fli:] = *sand hopper*

sandfly [sæn*d*flai] (*-ie-*) zool. koutule; pakomárec; muchnička ◆ *~ fever* med. papatači

sand furnace [ˈsæn*d*ˌfə:nis] písková lázeň

sandglass [sæn*d*gla:s] pískové / přesýpací hodiny, sutky

sandgrouse [sæn*d*graus] zool. stepokur

sandhi [sændhi] jaz. sandhi hlásková změna na hranicích dvou slov ve větné souvislosti

sand hill [sæn*d*hil] **1** písečný přesyp, duna **2** písečný pahorek

sand hog [sæn*d*hog] AM **1** dělník pracující v písku **2** dělník pracující pod vodou

sand hopper [ˈsæn*d*ˌhopə] zool. blešivec pobřežní

Sandhurst [sændhə:st] BR Královská vojenská akademie

sandiness [sændinis] **1** písečnost, pískovatost, písčitost **2** písková barva

sandiver [sændivə] sklář. skleněná pěna

sand lance [sændla:ns], **sand launce** [sændlo:ns] zool. smáček mořská ryba

sandling [sæn*d*liŋ] zool. malá kambala

sand lizard [ˈsæn*d*ˌlizəd] zool. ještěrka obecná

sandman [sæn*d*mæn] *pl: -men* [-men] pohádkový uspavač, skřítek zavřiočko který hází dětem písek do očí, aby je pálily oči

sand martin [ˈsænd̩ma:tin] zool. břehule říční
sand mould [sænd̩məuld] hut. písková forma
sand painting [ˈsænd̩peintiŋ] ornament z různobarevných písků amerických Indiánů
sandpaper [ˈsænd̩peipə] *s* pískový papír, pískové plátno ● *v* o|čistit / o|hladit / o|brousit / pře|leštit pískovým papírem n. plátnem, o|šmirglovat (hovor.)
sand pillar [ˈsænd̩pilə] písečná tromba
sandpiper [ˈsænd̩peipə] zool. **1** pisík obecný **2** vodouš
sandpit [sænd̩pit] **1** pískovna **2** sport. doskočiště s pískem **3** BR dětské pískoviště, písek
sand pump [sænd̩pamp] čerpadlo na písek
sandshoes [sænd̩šu:z] *pl* plátěnky, plážové střevíce vhodné k chůzi po písku
sand sink [ˌsænd̩ˈsiŋk] rozstřikování písku s vodou na mořskou hladinu znečištěnou naftou
sand skipper [ˈsænd̩skipə] = *sand hopper*
sand spout [sænd̩spaut] **1** písečný vír v písečné bouři **2** písečná smršť; písečná tromba
sandspurry [ˈsænd̩spəri] (*-ie-*) bot. kuřinka, zejm. kuřinka červená
sandstone [sænd̩stəun] **1** pískovec **2** pískovcová barva
sandstorm [sænd̩sto:m] písečná bouře, samum
sand trap [sænd̩træp] AM golf písková překážka
sandwich [sænwidž] *s* **1** sendvič dva plátky bílého chleba, mezi ně se vkládá maso, sýr atd. **2** co připomíná sendvič, proložení (*a ~ of good and bad*) **3** = *sandwich man* ● *v* **1** vložit mezi dvě vrstvy, stisknout mezi, proložit **2** vtěsnat, nacpat, vecpat *in* / *into* / *between* mezi, doprostřed
sandwich bar [ˌsænwidžˈba:] automat, bufet v kterém se prodávají zejm. sendviče
sandwich board [ˌsænwidžˈbo:d] jedna ze dvou reklamních tabulí, které nosí *sandwich man*
sandwich boat [ˌsænwidžˈbəut] BR veslařský sport.: člun, který tentýž den je ve vyšší kategorii poslední a v nižší kategorii první
sandwich course [ˌsænwidžˈko:s] teoretický kurs, škola, teorie střídání s praktickým zaměstnáním
sandwich man [sænwidžmæn] *pl: men* [men] nosič reklam který má vpředu i vzadu na těle zavěšenou tabuli
sandwicheria [ˌsænwiˈdžeəriə] = *sandwich bar*
Sandy[1] [sændi] (*-ie-*) přezdívka Skota
sandy[2] [sændi] (*-ie-*) **1** písčitý, písečný, pískový, pískovatý, pískovitý; posypaný pískem **2** pískové barvy, nazrzlý, žlutočervený; s rezavými / nazrzlými / žlutočervenými vlasy **3** přen. nejistý, nepevný (*the foundation was too ~* základ byl příliš nejistý); suchý, nezáživný (*long ~ stretches* dlouhé nezáživné pasáže) **4** AM odvážný, statečný (*the cool and ~ regular army man*) **5** zrnitý, jsoucí se zrnitou strukturou, krystalový
sand yacht [sændjot] plážové vozítko s plachtou, plážová plachetnice
sand yachting [ˈsænd̩jotiŋ] jízda n. závod plážových plachetnic
sandyish [sændiiš] téměř / poměrně písčitý atd.
sane [sein] **1** duševně zdravý **2** návrh, názor rozumný, logický (*~ criticism*)
Sanforize [sænfəraiz] sanforizovat upravit tkaninu tak, aby se při praní nesrážela
sang [sæŋ] v. *sing*
sanga, sangar [sæŋgə] voj. kamenná poprsní hradba indických horských kmenů
sangaree [ˌsæŋgəˈri:] druh koktejlu (z vína, pálenky, vody, cukru a muškátu)
sang-de-boeuf [ˌsa:ŋdəˈbə:f] *s* tmavá červeň, modročervená barva na starém čínském porcelánu ● *adj* tmavočervený, modročervený
sang-froid [sa:ŋˈfrwa:] chladnokrevnost
sanglier [sæŋliei] herald. divoký kanec
sangraal, sangrail [sænˈgreil], **sangreal** [sæŋˈriəl] též *S~* svatý grál
sanguification [ˌsæŋgwifiˈkeišən] **1** tvoření krve **2** přeměna potravy v krev
sanguinaria [ˌsæŋgwiˈneəriə] bot. americká rostlina *Sanguinaria canadensis*
sanguinariness [sæŋgwinərinis] **1** krvavost **2** krvelačnost, krvežíznivost
sanguinary [sæŋgwinəri] **1** krvavý (*a ~ stream* potok krve, *a ~ war*) **2** krvelačný, krvežíznivý (*a ~ person*); neštítící se krveprolití, krvavý (*~ laws*) **3** BR euf. zatrackaný, podělaný ◆ *~ language* řeč prošpikovaná nadávkami
sanguine [sæŋgwin] *adj* **1** krvavě rudý (*~ colour*); zool. rudý; červený **2** řidč. krvavý (*~ rain*, *~ slaughter* krvavá jatka) **3** sangvinický, veselý, živý, vervní, vznětlivý, horkokrevný, optimistický, plný naděje (*too ~ about* / *of success* n. *that we shall succeed* příliš optimistický, že budeme mít úspěch) **4** pleť krevnatý, svěží, ruměnný, zdravé barvy ● *s* **1** červená hlinka, rudka **2** rudková kresba, rudka **3** herald. krvavá (tmavočervená) barva ● *v* bás. **1** potřísnit krví **2** učinit krvavě červeným, zbarvit na rudo
sanguineness [sæŋgwinnis] **1** veselá povaha, optimismus **2** řidč. krvavě červená barva
sanguineous [sæŋˈgwiniəs] **1** med. týkající se krve, krevní **2** krvavě červený, rudý zejm. bot. **3** krevnatý, plnokrevný **4** vervní, optimistický **5** krvelačný, krvežíznivý, krvavý (*~ histories of queens*)
sanguinivorous [ˌsæŋgwiˈnivərəs], **sanguivorous** [sæŋˈgwivərəs] hmyz sající krev, živící se krví
Sanhedrim [sænidrim], **Sanhedrin** [sænidrin] círk., hist. velerada, sanhedrin
sanicle [sænikl] bot. žindava
sanies [sænii:z] med. hnis
sanify [sænifai] (*-ie-*) učinit zdravějším, ozdravět např. prostředí
sanious [sæniəs] med. hnisavý
sanitaria [ˌsæniˈteəriə] *pl* v. *sanitarium*
sanitarian [ˌsæniˈteəriən] *s* **1** zdravotník, zdravotnický odborník; hygienik **2** propagátor zdravého života ● *adj* zdravotní, zdravotnický, sanitární, sanitní, hygienický

sanitariness [sænitərinis] zdravost, hygieničnost
sanitarist [sænitərist] = *sanitarian, s*
sanitarium [ˌsæniˈteəriəm] *pl* též *sanitaria* [ˌsəniˈteəriə] AM ozdravovna, sanatorium
sanitary [sænitəri] *adj* zdravotní, zdravotnický, hygienický, sanitní, sanitární ♦ ~ *cordon* sanitární kordón; ~ *door* hladké dveře; ~ *engineer* popelář; ~ *facility* sociální zařízení; ~ *police* zdravotní policie; ~ *wallpapers* omyvatelné tapety; ~ *ware* zdravotní keramika ● *s* (*-ie-*) hygienické zařízení, klozet, pisoár
sanitary belt [ˌsænitəriˈbelt] menstruační pásek
sanitary napkin [ˌsænitəriˈnæpkin] AM, **sanitary towel** [ˌsænitəriˈtauəl dámská vložka
sanitate [sæniteit] **1** učinit zdravým, ozdravovat, asanovat, provést hygienická opatření **2** vybavit hygienickým zařízením, zavést hygienická zařízení do
sanitation [ˌsæniˈteišən] **1** ozdravění, ozdravování; zdravotnické opatření, sanitace **2** asanování, asanace; hygiena **3** hygienická zařízení v budovách
sanitationist [ˌsæniˈteišənist] = *sanitarian, s*
sanitationman [ˌsæniˈteišənmən] *pl: -men* [-mən] AM kdo odváží odpadky, popelář
sanitize [sænitaiz] **1** asanovat; dezinfikovat **2** přen. vylepšit, přikrášlit
sanitorium [ˌsæniˈto:riəm] *pl* též *sanitoria* [ˌsæniˈto:riə] AM ozdravovna, sanatorium
sanity [sænəti] **1** duševní zdraví / zdravost, zdravý rozum **2** rozumnost, logičnost, rozvážnost
sanjak [sændžæk] hist. sandžak správní území, část vilájetu v Turecku
San Jose scale [ˌsænhəuzeiˈskeil] zool. štítenka zhoubná, „červec San José"
sank [sæŋk] v. *sink, v*
sank work [sæŋkwə:k] zast. hovor. šití vojenských šatů n. prádla
sannyasi [sanˈja:si:], **sannyasin** [sanˈja:sin] žebravý hinduistický mnich
sans [sænz] zast. bez
Sanscrit [sænskrit] = *Sanskrit*
sansculotte [ˌsænskjuˈlot] **1** hist. sansculotte, bezkalhotník (řidč.) odpůrce feudalismu na počátku Velké francouzské revoluce **2** politický radikál, extrémista
sansculotterie [ˌsænskjuˈlotri] **1** sansculotství zásady a praxe sansculottů **2** sansculoti
sansculottic [ˌsænskjuˈlotik] sansculotský
sansculottism [ˌsænskjuˈlotizəm] = *sanscullloterie, 1*
sanserif [sænˈserif] polygr. *adj* jsoucí bez patek, groteskový ● *s* písmo bez patek, grotesk
sans-gêne [sa:nˈžein] nenucenost, familiárnost
Sanskrit [sænskrit] *s* sanskrt, sanskrit starý spisovný indický jazyk ● *adj* sanskrtský, sanskritský, psaný sanskrtem
Sanskritic [ˌsænsˈkritik] sanskrtský
Sanskritist [sænskritist] znalec sanskrtu, odborník v sanskrtu
sans serif [ˌsænˈserif] = *sanserif*
sans-souci [sa:nˈsu:si:] bezstarostnost, lehkomyslnost
Santa Claus [ˌsæntəˈklo:z / AM sæntəklo:z] postava nadělující o vánocích dárky, Ježíšek, Mikuláš
santon[1] [sæntən] mohamedánský mnich / poustevník
santon[2] [sæntən] soška světce, figurka z jesliček
santonica [sænˈtonikə] bot. pelyněk *Artemisia pauciflora*
santonin [sæntənin] chem., lékár. santonin derivát naftalénu užívaný proti střevním parazitům
sanyasi [sanˈja:si:] = *sannyasi*
Saorstat Eireann [seəˌstæt eəˈrən] Irská republika
sap[1] [sæp] **1** bot. míza; šťáva **2** přen. svěžest, míza (~ *of youth*), šťáva (*there is no ~ in a written constitution*) **3** bělové dřevo, běl, splint dřeva **4** slang. moula, pytlík, trouba, trumbera, kavka hlupák **5** zvětralý vnější kámen v lomu; vlhkost v (čerstvě) dobytém lomovém kameni **6** AM obušek, pendrek (*his ~ made of rocks in a sock* jeho obušek z kamení v ponožce) ● *v* (*-pp-*) **1** brát mízu, vysušit od mízy **2** přen. vysát sílu, podlomit zdraví, podkopat důvěru
sap[2] [sæp] *s* **1** voj. přibližovací zákop, průkop, sapa; podkopávání nepřátelské pevnosti; podkop **2** přen. podkopání, podlomení ● *v* (*-pp-*) **1** voj. podkopávat, dělat zákopy, přibližovat se sapou **2** podkopávat, podrývat, podemílat, podebírat (*the cliffs were ~ped by the tide* útesy byly podemlety mořským přílivem), též přen. (*his strength was ~ped by the bad climate* jeho síla byla podkopána špatným podnebím)
sap[3] [sæp] BR zast. stud. slang. *v* dřít | se, šprtat | se, biflovat, vrčet se ● *s* **1** dříč, šprt, šprtoun, bifloun **2** dřina
sapajou [sæpədžu:] zool malpa
sapanwood [sæpənwud] sapanové dřevo
sapful [sæpful] míznatý, šťavnatý
sap green [sæpgri:n] *s* šťávní zeleň barvivo ● *adj: sap-green* šťavnatě zelený
saphead [sæphed] **1** hovor. trouba, ťulpas, pytlík, meloun hlupák **2** voj. čelo sapy
sapid [sæpid] **1** chutný, lahodný **2** příjemný, zajímavý
sapidity [səˈpidəti] **1** chutnost, lahodnost **2** příjemnost; zajímavost
sapience [seipjəns] **1** iron. chytrost, mudrlantství, rozumářství, vědátorství, mudráctví **2** řidč. moudrost, chytrost
sapient [seipjənt] *adj* **1** čast. iron.: jsoucí plný moudrosti, samá moudrost, chytrý, mudrlantský, rozumářský, vědátorský, mudrácký **2** řidč. moudrý ● *s* **1** zast. mudrc **2** pračlověk, pravěký člověk chytrý
sapiential [ˌseipiˈenšəl] moudrý, obsahující moudrost ♦ ~ *books* bibl. Poučné knihy Starého zákona (Přísloví, Kazatel, Píseň písní, Kniha moudrosti a Kniha Ježíše Siracha)

sap lath [sæpla:θ] splintová laťka, laťka z bělového dřeva

sapless [sæplis] **1** jsoucí bez mízy, suchý, uschlý, vyschlý **2** chabý, ochablý, zvadlý (*her body looked ~*); přen. chabý (*a somewhat ~ tale of a poor little rich girl and a rich little poor boy*)

sapling [sæpliŋ] **1** stromek, mladý strom, též les. **2** les. chmelovka **3** les. odrostek **4** přen. mládě, mladík, zelenáč **5** chrt do stáří jednoho roku ♦ *~ growth* les. dorost

sapodilla [ˌsæpəˈdilə] **1** bot. severoamerický strom *Achras zapota* **2** též *~ plum* jedlý plod tohoto stromu

saponaceous [ˌsæpəuˈneišəs] **1** mýdelný, mýdlový, mýdelnatý **2** přen. žert. hladký; vyhýbavý

saponifiable [səˈponifaiəbl] zmýdelnitelný

saponification [səˌponifiˈkeišən] zmýdelnění, zmýdelnatění, zmýdelňování, saponifikace ♦ *~ number* chem. číslo zmýdelnění

saponify [səˈponifai] (*-ie-*) zmýdelnit; zmýdelnatět

sapor [seipə] **1** chuť jeden z pěti smyslů; vlastnost (např. pokrmu) vnímaná tímto smyslem; chuťový pocit **2** příchuť

sappanwood [sæpənwud] = *sapanwood*

sapper[1] [sæpə] **1 1** kdo podkopává / podhrabavá / podrývá **2** voj. zákopník; ženista, sapér **3** voj. pyrotechnik, minér **4** AM průzkumník ♦ *Royal S~s and Miners* Královský ženijní a minérský sbor

sapper[2] [sæpə] **1** odšťávovač **2** hmyz nabodávající rostliny

Sapphic [sæfik] *adj***1** sapfický týkající se řecké básnířky Sapfó **2** též *s~* sapfický, lesbický ♦ *~ stanza* sapfická strofa forma antické lyriky; *~ verse* sapfický verš klasické metrum antické lyriky; *~ vice = sapphism* ● *s ~s, pl* sapfické verše, sapfické strofy

sapphire [sæfaiə] *s* **1** miner. safír modrá odrůda korundu **2** safírová modř **3** zool.: kolibřík z rodu *Hylocharis* **4** herald. zast. modrá barva ● *adj* **1** safírový **2** safírově modrý

saphirine [sæfirain] *adj* safírový ● *s* safirín, křemičitan hlinito-hořečnatý

sapphism [sæfizəm] med. sapfická / lesbická láska, sapfismus, sapfinismus

sappiness [sæpinis] **1** šťavnatost, míznatost **2** bělovost dřeva; mastnost vlny **3** síla, živost, energičnost, jadrnost **4** slang. zženštilost, sentimentálnost, hloupost

sappy [sæpi] (*-ie-*) **1** šťavnatý, míznatý **2** dřevo bělový; vlna mastný **3** BR přen. silný, živý, energický, jadrný **4** AM slang. zženštilý, sentimentální; hloupý

sapraemia [sæˈpri:miə] med. sepse, otrava krve (neodb.)

sapraemic [sæˈpri:mik] med. septický

saprogenic [ˌsæprəuˈdženik] biol. saprogenní způsobující hnití ústrojných látek; způsobený takovým hnitím; vyskytující se v takovém hnití

saprogenous [ˌsæprəuˈdženəs] = *saprogenic*

sap roller [ˈsæpˌrəulə] voj.: velký koš s hlínou chránící čelo sapy

saprophile [sæprofail] biol. *adj* saprofilní vyživující se rozkládajícími se ústrojnými látkami ● *~s* saprofilní baktérie

saprophyte [sæprəfait] biol. hniložijná rostlina, saprofyt

sap rot [sæprot] **1** bot. bělová hniloba, hniloba dřevní běli **2** hniloba běle

sapsago [sæpsəgəu] komonicový sýr

sapwood [sæpwud] bělové dřevo, běl, blána, alburnium, splint dřeva

saraband, sarabande [særəbænd] hud. sarabanda starý třídobý španělský tanec volného tempa; hudební skladba podobného typu

Saracen [særəsin] *s* Saracén středověký název Arabů při Středozemním moři; vůbec názem muslimů ♦ *~'s comfrey / consound* bot. starček poříční; *~'s head* hlava saracéna / mohamedána erbovní znamení; hospodský vývěsní štít ● *adj* saracénský

Saracen corn [ˌsærəsinˈko:n] bot. pohanka obecná, rdesno

Saracenic [ˌsærəˈsenik] saracénský

Sarah [seərə] Sára

sarangi [sa:rəŋgi:] hud.: indický nástroj připomínající housle

sarape [səˈra:pi] = *serape*

Saratoga [ˌsærəˈtəugə] též *~ trunk* velký cestovní kufr zejm. dámský

sarcasm [sa:kæzəm] **1** kousavý / bodavý výsměch, sžíravý / trpký vtip, sarkasmus **2** jízlivost, uštěpačnost, kousavost, jedovatost, sarkasmus

sarcastic [sa:ˈkæstik] jízlivý, uštěpačný, kousavý, jedovatý, sarkastický

sarcelle [sa:ˈsel] zool. čírka

sarcenet [sa:snit] = *sarsenet*

sarcode [sa:kəud] biol. protoplazma prvoků

sarcology [sa:ˈkolədži] zast. anatomie měkkých částí těla

sarcoma [sa:ˈkəumə] med *pl* též *sarcomata* [sa:ˈkəumətə] sarkom zhoubný nádor pojivové tkáně

sarcophagus [sa:ˈkofəgəs] *pl* též *sarcophagi* [sa:ˈkofəgai] sarkofág kamenná / kovová schránka k uložení mrtvého

sarcoplasm [sa:koplæzəm] biol. sarkoplazma obsah svalových vláken

sarcous [sa:kəs] masitý; svalový

sard [sa:d] miner. sardit odrůda chalcedonu

Sardanapalian [ˌsædənəˈpeiliən] hýřivý, divoký, bezuzdný, sardanapalský připomínající hýření asyrského krále Sardanapala

sardelle [sa:ˈdel] zool. **1** sardel obecná **2** sardel, sardelka

sardine[1] [sa:ˈdi:n] *s* **1** sardinka; sardinka obecná (zool.) **2** olejovka **3** *~s, pl* druh hry na schovávanou ♦ *packed like ~s* namačkáni jako sardinky ● *v* namačkat jako sardinky; nacpat jako sardinkami

sardine[2] [sa:dain] miner. = *sard*

Sardinia [sa:ˈdinjə] **1** Sardinie ostrov **2** hist. Sardinsko, sardinské království

Sardinian [sa:ˈdinjən] *adj* sardinský, sardský ● *s* **1** Sardiňan **2** Sardin obyvatel sardinského království

sardonic [sa:ˈdonik] *adj* zatrpklý, trpký, cynický (~ *laughter*), křečovitý (~ *smile*), sardonický (kniž.) ● *s* ~*s, pl* trpké / cynické poznámky
sardonyx [sa:dəniks] miner. sardonyx hnědě n. červeně a bíle pruhovaný achát
saree [sa:ri(:)] = *sari*
sargasso [sa:ˈgæsəu] *pl* též *sargassoes* [sa:ˈgæsəuz] bot. sargas druh hnědé řasy ◆ *S~ Sea* sargasové moře oblast v Atlantickém oceáně; ~ *weed* sargas
sargassum [sa:ˈgæsəm] = *sargasso*
sarge [sa:dž] AM slang. = *sergeant*
sari [sa:ri(:)] sárí oděv Indek z jednoho kusu látky
sarissa [sæˈrisə] *pl: sarissae* [sæˈrisei] hist. dlouhé kopí starých Makedonů
sark [sa:k] SC pánská / dámská košile
sarking [sa:kiŋ] **1** text lněná košilovina **2** bednění pod krytinu
sarky [sa:ki] (*-ie-*) BR slang. jízlivý, uštěpačný, kousavý, jedovatý
Sarmatia [sa:ˈmeišjə] hist. Sarmatie území obývané Sarmaty
Sarmatian [sa:ˈmeišjən] **1** Sarmat příslušník starověkého nomádského kmene ve východní Evropě **2** bás. Polák ● *adj* **1** sarmatský **2** bás. polský
sarmentose [sa:mentəus], **sarmentous** [sa:ˈmentəs] bot. plazivý
saros [sa:rəs] hvězd. saros období (18 let a 11 dnů), po němž se téměř přesně opakují zatmění
sarong [saˈroŋ] sarong malajský mužský i ženský oděv (od pasu dolů) z jednoho kusu látky
sarsaparilla [ˌsa:səpəˈrilə] **1** bot. přestup, smilax **2** med. sušené kořínky přestupu **3** nápoj s přestupovou příchutí
sarsen [sa:sən] pískovcový valoun zejm. na jižním pobřeží Anglie
sarsenet [sa:snit] text. jemná hedvábná tkanina, podšívkové hedvábí
sartin [sa:tn] nespis. = *certain*
sartor [sa:to:] krejčí
sartorial [sa:ˈto:riəl] **1** krejčovský (*sit in ~ fashion* sedět po krejčovsku) **2** jako z pánského módního žurnálu **3** týkající se oblečení, též např. pokrývky hlavy
Sarum [seərəm] círk. Salisbury ◆ ~ *use* salisburská liturgie
sash¹ [sæš] *s* šerpa ● *v* ovázat / ozdobit šerpou ***sash in*** stáhnout šerpou (~*ed in at the waist* stažený v pase šerpou)
sash² [sæš] *s* **1** posuvný rám okenního křídla; posuvné okenní křídlo **2** posuvné pařeništní okno **3** námoř. sklopné okno palubního světlíku **4** rám rámové pily **5** řidč. okenní křídlo křídového okna: křídlové okno ● *v* zasadit okenní křídlo do čeho, opatřit posuvným okenním křídlem
sashay [sæˈšei] AM hovor. *v* **1** tančit doprava a doleva, dělat přísun při tanci **2** sunout se, jít, procházet, klouzat, proklouznout, šinout se **3** nést se, jít honosně, plout **4** šněrovat (*the drive ~s from one side of a mountain to the other*) ● *s* **1** přísunný krok v tanci, chassé **2** výlet (*a ~ I took with friends*), též přen.
sash cord [sæško:d] tech. lanko svisle posuvného okna s protizávažím
sash curtain [ˈsæšˌkə:tn] okenní záclonka, vitrážka
sash door [sæšdo:] dveře se zasklenou horní částí
sashimi [sæšimi] kuch.: pokrm z nakrájené a obložené syrové ryby
sash line [sæšlain] **1** lano na vztyčování telegrafních sloupů **2** = *sash cord*
sash pocket [ˈsæšˌpokit] kapsa svisle posuvného okna pro protizávaží
sash pulley [ˈsæšˌpuli] kladka v kapse svisle posuvného okna
sash saw [sæšso:] **1** ocaska na okenní rámy **2** jednolistová rámová pila
sash tool [sæštu:l] štětec na okenní rámy
sash weight [sæšweit] protizávaží svisle posuvného okna
sash window [ˈsæšˌwindəu] svisle posuvné okno zejm. dvoudílné, padací okno, vysunovací okno, spouštěcí okno
sasin [seisin] zool. antilopa jelení
sasquatch [sæskwoč] domnělý sněžný muž v Severní Americe
sass¹ [sæs] AM = *sauce*
sass² [sæs] AM *s* odmlouvání (*takes no ~ from her pupils*); drzost ● *v* odmlouvat komu (*did not yell or ~ their mothers*); být drzý k (*don't ~ me*)
sassaby [sæəbi] (*-ie-*) zool antilopa sasaby
sassafras [sæsəfræs] **1** bot. sassafras **2** sušená kůra kořenů sassafrasu
Sassanian [sæˈseinjən], **Sassanid** [sæsənid] hist. *adj* sasanovský týkající se Sasanovců ● *s* Sasanovec člen perské vládnoucí dynastie
Sassenach [sæsənæk] SC, IR hanl. *s* typický Angličan ● *adj* typicky anglický (*a dreadful ~ concoction* příšerná, typicky anglická břečka)
sassinger [sæsin*džə*] nář. = *sausage*
sassy [sæsi] hovor. **1** odmlouvavý, drzý (~ *kids*) **2** kypící zdravím (*fat and ~ plutocrat*) **3** módní, prudce elegantní (*a ~ black-and-white bow tie* módní černobílý motýlek)
sastrugi [saˈstru:gi] *pl* vlnky zmrzlého sněhu vytvořené větrem na sněhové pláni
sat [sæt] v. *sit, v*
Satan [seitən] zast. **Satanas** [sætənæs] bibl. kníže pekel, Lucifer, ďábel, Satan ◆ ~*'s mushroom* hřib satan
satang [sæˈtæŋ] *pl: satang* [sæˈtæŋ] satang thajská jednotka měny a mince (setina bahtu)
satanic [səˈtænik / AM seiˈtænik] satanský, ďábelský, diabolický, pekelný, démonický ◆ *his ~ majesty* žert. jeho pekelné veličenstvo; *S~ school* literární směr, k němuž patřil Byron a Shelley
Satanism [seitənizəm] **1** ďábelství, ďábelskost, satanství **2** uctívání / kult satana, satanství, diabo-

lismus **3** liter. satanismus kult satana jako principu zla, v literatuře období dekadence, zejm. ve Francii
Satanist [seitənist] satanista stoupenec satanismu
Satanize [seitənaiz] **1** učinit ďábelským / satanským **2** posednout ďáblem (*a thirst for blood is the characteristic of a ~d man* ďáblem posedlého charakterizuje krvežíznivost)
Satanology [ˌseitəˈnolədži] **1** nauka o ďáblu **2** dějiny / sbírka učení o ďáblu
satara [səˈta:rə] text.: druh vlněné látky s příčným vroubkem
satchel [sæčəl] **1** kabela, mošna nošená přes rameno **2** školní brašna, aktovka; ramenovka, žebradlo (hovor.) **3** přen. váček, pytlík
satchelled [sæčəld] jsoucí s kabelou atd. přes rameno
satcom [sætkom] kosm. středisko pro sledování družic
sate[1] [seit] **1** úplně nasytit, přesytit, dát víc než dost **2** uspokojit, ukojit (*~ people's desire to understand the past* ukojit touhu lidu po pochopení minulosti) ◆ *be ~d with* být přesycen čím / přejeden čeho, mít už čeho plné zuby
sate[2] [seit] v. *sit, v*
sateen [sæˈti:n] text. satén, osnovní atlas
sateless [seitlis] bás. nenasytný
satellite [sætəlait] *s* **1** stálý průvodce, strážce, člen družiny, nohsled, trabant, drabant, souputník, satelit **2** hvězd. měsíc, měsíček, družice, satelit; umělá družice **3** polit. satelitní stát, satelit **4** satelitní město, satelit **5** AM předměstí **6** pomocné / nouzové / záložní letiště **7** fyz. trabant, satelit vedlejší spektrální čára ● *adj* satelitní ◆ *~ state* polit. satelitní stát, satelit
satellite town [ˌsætəlaitˈtaun] satelitní město, satelit
satellitic [ˌsætəˈlitik] satelitní
satellization [ˌsætəlaiˈzeišən] přeměna v politického satelita, změna v satelitní stát
satelloid [sætəloid] sateloid umělá družice s raketovým motorem
sati [sati(:)] = *suttee*
satiable [seišjəbl] řidč. uspokojitelný, ukojitelný, usmiřitelný
satiate [seišieit] *v* = *sate*[1] ● *adj* zast. přesycený
satiation [ˌseišiˈeišən] **1** přesycení, přesycování, přejídání se, přecpávání se (*the fundamental precept of the fight for longevity is avoidance of ~* základním příkazem boje o dlouhověkost je vyhýbat se přejídání) **2** uspokojení, uspokojování (*~ of wants* ... potřeb)
satiety [səˈtaiəti] **1** přesycenost, přejedenost, přecpanost **2** znechucení *of* čím, odpor k **3** řidč. přemíra ◆ *to ~* víc než dost, až k znechucení
satin [sætin] *s* **1** text. satén, osnovní atlas **2** hladký povrch **3** slang. jalovcová, gin ◆ *white ~ 1.* bot. měsíčnice *2.* zool.: pojmenování lesklých bílých nočních motýlů, např. bekyně vrbové *3.* slang. jalovcová, gin ◆ *Denmark ~* atlas na dámské střevíčky ● *adj* saténový, atlasový, hladký jako satén / atlas ◆ *~ beauty* zool. různorožec orlíčkový, *~ carpet* zool. různorožec jedlový; *~ cloth* atlasové sukno; *~ finish* lesk stříbra po leštění kovovým kartáčem; *~ gypsum* miner. vláknitý sádrovec; *~ moth* zool. bekyně vrbová; *~ paper* hlazený papír; *~ pug* zool. páskokřídlec; *~ sheeting* text.: volně tkaná dekorační látka z bavlny a hedvábí; *~ white* saténová běloba ● *v* **1** hladit / leštit povrch např. papíru **2** sklář. satinovat jemně leptat slabou kyselinou
satinet, satinette [ˌsætiˈnet] text. **1** tenký satén **2** napodobenina saténu, bavlněný satén **3** tkanina z vlněné česané příze
satinflower [ˈsætinˌflauə] bot. **1** měsíčnice; měsíčnice trvalá; měsíčnice roční, „Jidášův peníz" **2** ptačinec velkokvětý
satinpod [sætinpod] = *satinflower, 1*
satin spar [sætinspa:] miner. vláknitá odrůda vápence, selenit
satin stitch [sætinstič] klikatý steh
satin stone [sætinstəun] miner. vláknitý sádrovec
satin straw [sætinstro:] jemná lesklá sláma na výrobu klobouků
satinwood [sætinwud] atlasové dřevo, saténové dřevo, hedvábné dřevo
satire [sætaiə] **1** satira báseň; satirická literatura **2** posměch; výsměch *upon* čemu (*our lives are a ~ upon our religion*)
satiric [səˈtirik] satirický vztahující se k literární satiře
satirical [səˈtirikəl] posměšný, výsměšný, kousavý, jízlivý, jedovatý, satirický, též liter.
satirist [sætərist] satirik autor satir; kdo rád užívá satiry
satirize [sætəraiz] **1** vysmívat se čemu, psát / mluvit satiricky o, satirizovat **2** napadat / deptat / pranýřovat satirou, stíhat výsměchem, zesměšňovat, satirizovat
satis [sætis] dost, dosti ◆ *jam ~* už dost, to stačí; *~ superque* víc než dost
satisfaction [ˌsætisˈfækšən] **1** satisfakce omluva, odčinění např. soubojem **2** odčinění viny; splnění povinnosti / podmínky; zaplacení, vyrovnání, splacení dluhu **3** uspokojení, ukojení; spokojenost *at / with* s / nad **4** náb. smírná oběť *for* za (*Christ is the ~ for our sins* Kristus je smírná oběť za naše hříchy) **5** zadostiučinění, dostiučinění (náb.) ◆ *to the ~ of all* ke spokojenosti všech; *enter ~* práv. zapsat zaplacení např. dluhu; *give ~ 1.* dát satisfakci *2.* poskytnout zadostiučinění **3** uspokojit
satisfactoriness [ˌsætisˈfæktərinis] **1** uspokojivost, dostatečnost **2** přiměřenost
satisfactory [ˌsætisˈfæktəri] **1** náb. smírný, konaný jako zadostiučinění **2** uspokojivý, dostatečný, dostačující, postačující, přijatelný **3** vyhovující, přiměřený, splňující všechny podmínky (*a number of fountain-pens had been patented previously, but to his mind none of them was ~* řada plnicích per byla patentována už dříve, ale podle jeho názoru žádné z nich nebylo zcela vyhovující)

satisfiable [sætisfaiəbl] **1** odškodnitelný; odčinitelný **2** uspokojitelný **3** ukojitelný, utišitelný **4** pochybnost odstranitelný
satisfy [sætisfai] (*-ie-*) **1** uspokojit, vyhovět *a p.* komu (*in the position to having to ~ teachers and critics*); lahodit, být příjemný komu / čemu (*a picture should ~ the eye* obraz má lahodit oku) **2** ukojit, nasytit, utišit touhu (*satisfied his appetite for reading* utišil svou touhu po četbě); splnit, vyplnit přání; odstranit pochybnost **3** přesvědčit, ujistit (*are you satisfied that I am telling the truth?* už jste přesvědčen, že mluvím pravdu?); uspokojivě odpovědět (*a question which nothing can ever ~* otázka, na kterou nelze nikdy najít uspokojivou odpověď); uspokojivě vysvětlit **4** splňovat, vyhovovat čemu, též mat., odpovídat čemu (*~ conditions*); stačit komu (*mere words do not ~ me* mně pouhá slova nestačí) **5** vykonat zadostiučinění, u|činit zadost, zadost-učinit, odčinit **6** náb. být smírnou obětí za hříchy **7** zaplatit, uhradit povinný poplatek / dluh (*he has not money to ~ court fees* nemá peníze na úhradu soudních poplatků); odškodnit, nahradit škodu komu (*conclude a treaty to ~ Indians* uzavřít dohodu, aby se nahradila Indiánům škoda) ◆ *be satisfied that* dojít k závěru, být přesvědčen že / o (*I am satisfied that he is wrong*); *be satisfied with a t.* být s čím spokojen; *~ one's conscience* uklidnit své svědomí; *~ the examiners* udělat zkoušku na dostatečnou, projít; *he is hard to ~* jemu se těžko zavděčíš; *rest satisfied* spokojit se, být spokojen, dál už nic nepodnikat ***satisfy o. s.*** dojít k přesvědčení / závěru, být přesvědčen, přesvědčit se
satisfying [sætisfaiiŋ] **1** = *satisfactory* **2** v. *satisfy*
satori [sæ'to:ri] náhlé osvícení v buddhismu
satrangi [sæ'trandži] levný indický bavlněný koberec
satrap [sætrəp / AM seitrəp] **1** hist. satrapa vládce provincie v někdejší říši perské **2** místokrál, guvernér, vladař (*~s who represented the king in Ireland*) **3** hanl. despota, tyran, satrapa; pohůnek (*political ~s who battled for senators in the legislature* političtí pohůnkové, kteří v legislatuře bojovali za senátory)
satrapy [sætrəpi / AM seitrəpi] (*-ie-*) **1** hist. satrapie území spravované satrapou **2** přen. hanl. říše, oblast, království, satrapie (*the most unappetizing man in the Hitler ~* nejnechutnější člověk v hitlerovské satrapii)
Satsuma [sætsumə] **1** též *~ ware* japonská keramika smetanové barvy **2** *s~* druh mandarinky
saturable [sæčərəbl] nasytitelný; saturovatelný
saturant [sæčərənt] *adj* syticí, nasycovací ● *s* sytidlo, nasycovadlo
saturate *v* [sæčəreit] **1** fyz., chem., ekon. sytit, nasycovat, saturovat **2** cukr. provést saturaci, saturovat **3** napouštět, impregnovat *with* čím, úplně namočit do **4** přen. prosytit, proniknout, nasáknout, prosáknout *with* čím **5** voj. provést kobercový nálet na ◆ *~d felt* krycí lepenka, dehtová lepenka; *~d steam* nasycená pára, sytá pára ***saturate o.s.*** *1* ponořit se, zahloubat se *2* nasáknout *in* čím ● *adj* [sæčərit] **1** bás. nasycený, prosycený, prosáknutý, nasáknutý **2** barva sytý
saturation [ˌsæčə'reišən] **1** fyz., chem., ekon. nasycení, saturování, saturace, též cukr. **2** napuštění, napouštění, nasáknutí, impregnování, impregnace **3** přen. prosycení, proniknutí, prosáknutí, nasáknutí **4** voj. proniknutí a obsazení (*a logical target for quick ~ by parachute troops* logický cíl pro rychlé dobytí a obsazení padákovým výsadkem) **5** rozložení, soustředění, koncentrace *with* v **6** sytost barvy ◆ *~ bombing* voj. kobercový nálet; *~ current* elektr. mezní proud, nasycený proud; *~ point* bod nasycení
saturator [sæčəreitə] **1** sytič, sytidlo, sytící stroj / přístroj, saturátor **2** zvlhčovač vzduchu
Saturday [sætədi] sobota ◆ *Holy ~* Bílá sobota; *Hospital ~* sobota, o které se koná pouliční sbírka ve prospěch místní nemocnice; *on ~* v sobotu; *on ~s* vždycky v sobotu, každou sobotu
Saturdays [sætədiz] zejm. AM = *on Saturdays*
Saturn [sætən] **1** mytol., hvězd. Saturn **2** zast. olovo **3** herald. zast. černá
saturnalia [ˌsætə'neiljə] **1** *S~* saturnálie (ve starém Římě) slavnosti na počest boha Saturna po skončení polních prací **2** též *S~* bujná zábava, orgie, saturnálie
saturnalian [ˌsætə'neiljən] **1** týkající se saturnálií **2** bujný, rozverný, divoký, orgiastický
Saturnian [sæ'tə:njən] *adj* **1** saturnský týkající se boha Saturna **2** hvězd. Saturnův ◆ *~ age / era* zlatý / saturnský věk; *~ verse* saturnský verš druh přízvučného verše staré latinské poezie ● *s* **1** domnělý obyvatel Saturnu, Saturňan **2** chiromantie člověk se silně vyvinutým pahorkem Saturnovým **3** saturnský verš **4** zool. martináč; paví oko
saturnic [sæ'tə:nik] med. trpící otravou olovem
saturniid [sæ'tə:niid] zool. *s* martináč ● *adj* patřící do čeledi martináčovití
saturnine [sætə:nain] **1** zast. zrozený pod vlivem Saturnu **2** zasmušilý, chmurný, zachmuřený, temný; tmavý, černý, ďábelský (*~ philosophical laughter*) **3** med. olovnatý (*~ poultice ...* obklad); způsobený olovem (*~ poisoning*); trpící otravou olovem (*~ patients*); týkající se otravy olovem (*~ symptoms*) ◆ *~ red* ohnivě červený
saturnism [sætə:nizəm] med. otrava olovem, saturnismus
satyagraha ['satjəˌgrahə] polit. satjagraha politika pasívního odporu, vyhlášená Gandhim v r. 1919
satyr [sætə] **1** antic. satyr bytost polozvířecí podoby **2** velmi smyslný člověk, chlípník, satyr, faun **3** zool. okáč **4** zool. řidč. orangutan
satyriasis [ˌsæti'raiəsis] med. satyriáza, satyriasis chorobně zvýšený pohlavní pud u mužů

satyric [səˈtirik] satyrský, faunovský ◆ ~ *drama* liter. satyrské drama řecká tragikomedie, v níž vystupuje sbor satyrů
sauce [so:s] *s* **1** omáčka **2** tech. roztok, lák, mořidlo, jícha zejm. na tabák **3** AM kompot (*blueberry* ~ borůvkový kompot); příloha k masu; pyré; poleva (*lemon* ~) **4** přen. koření (*the piquant* ~ *of extreme danger* pikantní koření nejvyššího nebezpečí) **5** drzost, hubatost, odmlouvání, drzé chování (*none of your* ~! nech si ty drzosti!) ◆ *garden* ~ AM příloha k masu, zelenina, brambory; *Hunger is the best* ~ Hlad je nejlepší kuchař; *jus* ~ slabý masový vývar za studena rosolovitý; *what is* ~ *for the goose is* ~ *for the gander* každému se má měřit stejným loktem, každému stejně zejm. muži i ženě; *serve with the same* ~ *1.* zacházet stejně, traktovat stejně *2.* odplatit stejnou mincí; *tomato* ~ *1.* kečup *2.* rajská omáčka; *white* ~ kuch. bílá omáčka, bešamelová omáčka, bešamel ● *v* **1** o|kořenit, též přen. **2** vulg. mít hubu, být drzý na
sauce alone [ˌso:səˈləun] bot. česnáček lékařský
sauce boat [so:sbəut] omáčník
saucebox [so:sboks] hovor. drzoun, držka, sprosťák
sauceless [so:slis] **1** jsoucí bez omáčky atd. **2** jsoucí bez chuti, mdlý, fádní
saucepan [so:spən / AM so:spæn] **1** kuchyňská pánev, pánvička, rendlík **2** hluboká pánev, kastrol ◆ *cook in a double* ~ vařit ve vodní lázni
saucepot [so:spot] kuchyňský kastrol, hrnec
saucer [so:sə] **1** talířek, miska, podšálek (nespr.) **2** tech. mísa zařízení na výrobu kyseliny sírové **3** cokoliv miskovitého, co připomíná misku n. talířek ◆ *flying* ~ létající talíř, UFO
saucer eye [ˌso:səˈai] velké kulaté oko
saucer-eyed [so:səaid] mající velké kulaté oči
saucerful [so:səful] plný talířek, plná miska množství
saucerless [so:səlis] jsoucí bez talířku atd.
saucerman [so:səmən] *pl: -men* [-mən] cestující v létajícím talíři, návštěvník z jiného světa, „Marťan", ufon
saucily [so:sili] v. *saucy*
sauciness [so:sinis] drzost k nadřízeným, hubatost
saucy [so:si] (*-ie-*) **1** drzý k nadřízeným, hubatý (*a* ~ *remark* ... poznámka, *a* ~ *person* ... člověk) **2** slang. slušivý, šik, epesní, hogofogo (*a* ~ *automobile*)
Saudi Arabia [ˌso:diəˈreibjə] Saúdská Arábie
sauerkraut [sauəkraut] kyselé zelí
sauger [so:gə] zool.: americká ryba *Stizosteidon canadense*
saul [so:l] = *sal*[1]
saul [so:lt] AM peřej
sauna [saunə] sauna
saunders [sa:ndəz] = *sanders*
saunter [so:ntə] *v* procházet se, potulovat se, potloukat se, jít, chodit bezstarostně n. bez cíle, těkat, též přen. (~ *through life*) ● *s* **1** potloukání, chození, procházka bez cíle, těkání **2** volný procházkový krok
saunterer [so:ntərə] kdo chodí bez cíle, tulák
saurian [so:riən] zool. *adj* **1** patřící k řádu ještěrů **2** ještěrovitý, ještěrkovitý, ještěří, ještěrčí ● *s* **1** ještěr **2** ještěrka, plaz
saury [so:ri] (*-ie-*) zool. sajra
sausage [sosidž] **1** salám **2** klobás, klobása, jelito, jitrnice; vuřt, párek **3** též ~ *baloon* let. upoutaný balón, pozorovací balón ◆ *Bologna* ~ boloňský salám, mortadela; ~ *poisoning* med. otrava klobásovým jedem, botulismus
sausage dog [sosidžodog] hovor. jezevčík
sausage filler [ˈsosidžˌfilə] narážecí stroj, narážečka na plnění střev
sausage grinder [ˈsosidžˌgraində] **sausage machine** [ˌsosidžməˈši:n] mlecí stroj, mlečka na rozemílání salámové náplně
sausage meat [sosidžmi:t] **1** prejt **2** náplň do salámu atd.
sausage roll [sosidžrəul] **1** zapékaná klobása v těstíčku **2** palačinka plněná masovou směsí
sauté [səutei] *adj* rychle opečený / osmažený / opražený na malém množství tuku ● *v* rychle opéci / osmažit / opražit na malém množství tuku ● *s* takto připravený pokrm
Sauterne, Sauternes [səuˈtə:n] Sauterne bílé francouzské víno
sautillé [səutiei] hud. hozeným smykem, sautillé
sauve-qui-peut [ˌsəuki:ˈpə:] úprk, bezhlavý útěk na všechny strany, zachraň se kdo můžeš
savable [seivəbl] zachranitelný
savage [sævidž] *adj* **1** divoký necivilizovaný; nezdomácnělý; surový **2** primitivní, ještě barbarský, divošský (~ *tribes* divošské kmeny) **3** nezkrocený, nezkrotitelný (~ *beasts* nezkrocená zvířata) **4** surový, neurvalý, neotesaný, nevycválaný (~ *behaviour* neurvalé chování); hrubý, sprostý, zuřivý (~ *invectives* hrubé urážky); zarytý (~ *persecutor* ... pronásledovatel); šíravý, jedovatý, ničivý (~ *criticism*); prudký, tvrdý (~ *blow* tvrdý úder); krutý, brutální, bestiální (~ *revenge* brutální pomsta) **5** zast. drsný, rozeklaný, rozervaný, divoký (~ *scene*) **6** hovor. zuřivý, zuřící, vzteklý, naštvaný *with* na ◆ ~ *man* herald. divý muž vousatý s dubovým listím kolem boků ● *s* **1** divoch, primitiv, příslušník divošského kmene, necivilizovaný domorodec, barbar **2** surovec, hrubec, grobián, neurvalec **3** divoké / kousavé zvíře; kousavý kůň, necuda ● *v* **1** kůň po|kopat, po|dupat, po|šlapat, po|kousat (*he was* ~*d by his horse*); pes po|kousat, roz|trhat; býk nabrat na rohy, podupat **2** udělat divocha z (*the bitterness that had* ~*d him* zahořklost, jež z něho udělala divocha)
savagedom [sævidždəm] **1** divoši **2** = *savageness*
savageness [sævidžnis] **1** divokost **2** primitivnost, necivilizovanost, divošství **3** nezkrotnost, nezkrocenost, nezkrotitelnost **4** surovost, neurvalost, neotesanost, nevycválanost; hrubost, sprostota, zuřivost; zarytost; šíravost, jedova-

tost, ničivost; prudkost, tvrdost; krutost, brutálnost, bestiálnost **5** divokost, rozeklanost, rozervanost

savagery [sævidžəri] (*-ie-*) **1** divoši, divoké kmeny **2** divoká zvířata **3** = *savageness*

savanna, savannah [səˈvænə] savana

savant [sævə:nt / AM sæˈva:nt] učenec, vědec

savate [saˈva:t] sport.: druh boxu, při kterém lze vést údery též hlavou a nohama

save[1] [seiv] *prep* krom, kromě, s výjimkou, mimo, vyjma, nehledě na, až na ◆ ~ *that* krom toho, že (*I am well ~ that I have a cold* až na to, že mám rýmu, jsem úplně zdravý) ● *conj* zast. leda, ledaže, pokud ne, jestli ne (~ *they could be plucked asunder* ledaže by je šlo od sebe odtrhnout)

Save[2] [seiv] Sáva řeka v Jugoslávii

save[3] [seiv] *v* **1** zachránit *from* před / od (~ *one's friend from drowning* zachránit přítele před utopením); chránit *from* před (~ *the paint from cracking* chránit nátěr před opryskáním), ochránit, uchránit (*vaccinate children to ~ them from smallpox* očkovat děti proti neštovicím); nenamáhat, šetřit | si (~ *one's eyes*); zachovat, uchovat, neztratit, nepřijít o (~ *his honour,* ~ *his credit*) **2** chránit, zachovat (*God ~ the Queen*) **3** u|šetřit, u|spořit peníze / námahu / čas (*would rather ~ than spend,* ~ *several dollars a week by careful shopping, it ~s a 50-mile detour* ušetří se tím padesátimílová objížďka) *on* na (~*s on food by using leftovers*) **4** šetřit | si, nechávat | si (~*s his best suit for special dates*); dát stranou (~*s part of his salary each week* každý týden si dává stranou část svého platu), rezervovat (~*d a seat for his wife*); u|schovat (*his outgrown clothing was ~d for his younger brother* šaty, z nichž vyrostl, schovávali pro jeho mladšího bratra), nechat | si v záloze / pro příště (~*d his most convincing point for the end of his speech* nejpřesvědčivější argument si nechal na konec svého projevu); potrava vydržet, skladovat se (*does not buy as much bread as she used to, because it doesn't ~*) **5** zast. ušetřit, u|šanovat **6** náb. spasit **7** nezmeškat, chytit (~ *the train,* ~ *the mail*) **8** sport. zachránit před úspěchem soupeře, zabránit porážce / brance / úspěchu soupeře (*the visiting goalie went to the ice to ~* hostující brankář vyjel na led zabránit porážce) ◆ ~ *appearances* zachovat zdání; ~ *one's bacon* zachránit život / živobytí / pověst; ~ *your breath* šetři si dech na horkou polévku, nemluv zbytečně okřiknutí; ~ *one's face* neztratit tvář, zachránit čest / prestiž; *God ~ me from my friends* Pán Bůh mě chraň před přáteli, Pán Bůh mi pomoz od přátel; (*God*) ~ *the mark* s prominutím, promiňnte ten výraz; (*God*) ~ *you* pozdrav Pán Bůh, zdař Bůh; ~ *ground* závodní kůň držet se při vnitřní straně (oblouku) závodní dráhy; ~ *the situation* zachránit situaci; *stitch in time ~s nine* malá námaha na začátku ušetří pozdější velkou námahu; *you may ~ your pains* můžete si ušetřit námahu; ~ / *saving your presence* / *reverence* s prominutím omluva za neslušný výraz; ~ *time* získat čas, ušetřit čas; ~ *us!* Pane na nebi! výkřik překvapení ***save up*** našetřit si, ušetřit si (*started to ~ up for a trip abroad*) ● *s* sport. zabránění soupeři v úspěchu, záchrana, zachránění, obrana; záchranné opatření aby soupeř nevyhrál

save-all [seivo:l] **1** zařízení na zachycování odpadu k dalšímu zpracování; usazovací jáma / káď / nádrž; lapač **2** hist.: pohyblivý trn ve svícnu umožňující, aby svíčka shořela **3** nář. lakomec, držgrešle **4** AM dětská pokladnička **5** nář. pracovní oděv, kombinéza, montérky

saveloy [sæviloi] **1** mozečková klobása **2** velmi kořeněná uzenka sušená, připravená ze soleného vepřového

saver [seivə] **1** spořič; šetřil, spořil, spořitel, šetřílek, kdo / co šetří **2** zachránce

savin [sævin] bot. jalovec chvojka klášterská

saving [seiviŋ] *s* **1** spása, záchrana **2** úspora *in* / *on* v / na (*a ~ of ten percent in maintenance costs* úspora deseti procent na režii) **3** ~*s, pl* úspory, našetřené peníze (*keeps her ~s under the mattress* má úspory schované pod matrací) **4** v. *save*[3], *v* ● *adj* **1** spásonosný, vedoucí ke spáse (~ *faith* spásonosná víra) **2** obsahující výhradu / výminku **3** zachraňující, vyvažující nepříjemné (*an unpleasant subject, but treated with a ~ sense of humour* nepříjemné téma, ale zachraňuje je to, že je traktováno s humorem) **4** v. *save*[3], *v* ◆ ~ *apparatus* / *appliance* záchranný prostředek; ~ *clause* výhrada / výminka; ~ *grace* klad částečně vyvažující nějaký nedostatek ● *prep* = *save*[1], *prep*

savings bank [saiviŋzbæŋk] spořitelna ◆ *Post Office ~* poštovní spořitelna

savings book [seiviŋzbuk] spořitelní knížka

savings stamp [seiviŋzstæmp] spořitelní známka

saviour [seivjə] **1** zachránce **2** *S~* náb. Spasitel, Vykupitel

savoir faire [ˌsævwa:ˈfeə] společenská obratnost, taktnost, společenský takt

savoir vivre [ˌsævwa:ˈvi:vrə] umění žít, životní elegance

savory [seivəri] (*-ie-*) bot. **1** též *summer ~* saturejka zahradní **2** též *winter ~* marulka lesní

savour [seivə] *s* **1** chuť zejm. lahodná; příchuť; pikantnost **2** přen. charakter, rys; příchuť **3** říz, břitkost (*the sprightliest wit may lose its ~* i nejříznější vtip může ztratit břitkost) **4** bás. pověst ● *v* **1** zast. chutnat, lahodit **2** ochutnat, zkusit (~ *politics*), vychutnat, pochutnat si na (~ *the succulent watermelon* vychutnat šťavnatý meloun), též přen. (*this is a book to ~ on leisurely summer days*) **3** chutnat *of* čím, mít chuť / příchuť čeho, působit dojmem čeho, zavánět čím, nést stopy čeho (*the argument ~s of cynicism*) **4** řidč. okořenit, dodávat chuti / příchuti čemu

savouriness [seivərinis] **1** chutnost **2** voňavost **3** pikantnost, ostrost chuti, slanost **4** příjemnost, lákavost
savourless [seivəlis] jsoucí bez chuti, fádní, neslaný nemastný
savorous [seivərəs] zejm. AM = *savoury, adj*
savoury [seivəri] *adj* **1** chutný, příjemně chutnající, lahodný (~ *fruit*) **2** vonný, voňavý, vonící (*a ~ wooden tray*) **3** pikantní, ostré chuti, ostrý, pálivý; slaný (*sweet or ~ omelette*) **4** příjemný, lahodný, lákavý **5** v negativním spojení slušný, příjemný, ušlechtilý, mravný (*his partner has proved to be none too ~ a character* ukázalo se, že jeho partner není příliš ušlechtilý charakter), povznášející (*scandals don't make very ~ reading*) ● *s* (*-ie-*) BR pikantní předkrm, chuťovka; pikantní dezert
savoy [səˈvoi] **1** *S~* Savojsko **2** též ~ *cabbage* kapusta kadeřavá, kadeřábek, jarmuz **3** kadeřavý špenát
Savoyard [səˈvoia:d] *s* **1** obyvatel Savojska, Savojec, Savojan **2** člen / režisér / návštěvník londýnského divadla Savoy kde byly premiéry operet Gilberta a Sullivana ● *adj* savojský
savvy [sævi] slang. *v* kapírovat, rozumět, pochopit ◆ *no ~ ? 1.* je ti to jasné? *2.* došlo ti to, chápeš? ● *s* (*-ie-*) fištron (*political ~*) ● *adj* fikaný, honěný ◆ ~ *fellow* koumes, vykuk
saw[1] [so:] v. *see*[2], *v*
saw[2] [so:] staré rčení, úsloví, pořekadlo, přísloví, okřídlená věta
saw[3] [so:] *s* **1** pila, pilka **2** zool. pilovitý orgán např. pilovité kladélko pilatky n. protáhlá ozubená horní čelist pilouna ◆ *annular ~* válcová pila; *circular ~* kotoučová pila, cirkulárka; *crown ~* válcová pila; *cylinder ~* válcová pila; *musical ~* hud. hudební pila; *reciprocating ~* strojní pila s listem pohybujícím se sem a tam; *singing ~ = musical ~* ● *v* (*sawed, sawn* / řidč. *sawed*) **1** roz|řezat / přeříznout / odříznout / pře|pilovat **2** polygr. též ~ *in* vyříznout zářezy ve hřbetu knižního bloku **3** přen. sem tam šermovat **4** přen. fidlat smyčcem (*the cellist ~ed away*) ◆ ~ *alive / through and through* roz|řezat kmen podélně na deskové řezivo; ~ *wood 1.* řezat dřevo *2.* AM slang. hledět si svého *3.* chrápat, jako když pilou řeže ***saw down*** skácet, pokácet za použití pily (~ *down a tree*) ***saw off*** odříznout pilou (~ *off a branch* ... větev) ***saw out 1*** opatřit po okraji drážkou, lícovat, z|falcovat (~ *out boards* falcovat prkna) **2** zafidlat (~ *out a tune on the violin*) ***saw up*** nařezat / rozřezat pilou ◆ ~ *up the air* rozmachovat se rukama, silně gestikulovat
sawback [so:bæk] zubatý horský hřeben
sawbill [so:bil] zool. morčák
sawblock [so:blok] špalek na rozřezání, kmen pod pilu
sawbones [so:bəunz] zejm. AM slang. felčar, řezník, chirurg
sawbuck [so:bak] AM **1** koza na řezání dříví **2** slang. desetidolarová bankovka
sawder [so:də] *s* hovor. též *soft ~* lichotky, medy, šmajchlování ● *v* lichotit, šmajchlovat, mazat med kolem pusy
sawdoctor [ˈso:ˌdoktə] **1** stroj na řezání zubů pil **2** pilník na broušení zubů pil
sawdust [so:dast] *s* piliny ◆ *let the ~ out of* ukázat bezcennost / povrchnost čeho ● *v* po|sypat pilinami ● *adj* **1** posypaný pilinami **2** cirkusový (~ *performer* ... artista), manéžový; týkající se stanu n. manéže (*a ~ preacher* kazatel učící ve stanu) **3** přen. nanicovatý, nesolidní, nic neříkající (*a ~ answer*); dutý, papírový, loutkový (*a ~ Caesar*) ◆ *hit the ~ trail* AM hovor. obrátit se na víru
sawed-off shotgun [ˌso:dofˈšotgan] AM puška s krátkou hlavní
sawfish [so:fiš] *pl* též *-fish* [-fiš] zool. piloun
saw fitter [ˈso:ˌfitə] seřizovač pil
sawfly [so:flai] (*-ie-*) zool. pilatka
sawframe [so:freim] = *sawgate*
sawgate [so:geit] rám rámové pily
sawgrass [so:gra:s] bot. mařice pilovitá
sawhorse [so:ho:s] koza na řezání dříví
sawing [so:iŋ] **1** chraplavý, řezavý (*a ~ voice*) **2** v. *saw*[3], *v*
sawlog [so:log] kláda vhodná na rozřezání na prkna
sawmill [so:mil] pilařský závod, pila
Sawney [so:ni] **1** přezdívka Skota **2** přen. pitomec
sawn [so:n] v. *saw*[3], *v*
sawn-off shotgun [ˌso:nofˈšotgan] puška s krátkou hlavní
saw-pit [so:pit] jáma pro řezání rozmítací pilou pro dělníka stojícího dole
saw set [so:set] rozvodka na pily
saw-tooth [so:tu:θ] *pl: saw-teeth* [so:ti:θ] **1** zub pily, pilový zub **2** též ~ *roof* pilová střecha
saw-toothed [so:tu:θt] zubatý jako pila
sawwort [so:wə:t] bot. srpice barvířská
sawwrack [so:ræk] bot. chaluha pilovitá
saw wrest [so:rest] rozvodka na pily
sawyer [so:jə] **1** dělník na pile, pilař; dělník pracující pilou **2** AM vyvrácený strom (plovoucí) v řece, obrácený kořeny nahoru **3** též ~ *beetle* zool. tesařík; kozlíček
sax[1] [sæks] **1** sekyra s hrotem na osekávání a děrování krytinové břidlice **2** sax krátký meč z doby stěhování národů
sax[2] [sæks] hovor. saxík saxofon
saxatile [sæksətail] bot., zool. skalní
saxboard [sæksbo:d] obrubnice člunu, opasnice, horní pás lodní obšívky
saxe [sæks] *adj S~* saský ◆ ~ *blue* ● *s* **1** saská modř, nová modř **2** BR druh fotografického papíru
saxhorn [sæksho:n] hud. Saxův roh, saxhorn

saxicoline [sæksikəlain], **saxicolous** [sæksikələs] **1** bot. skalní **2** zool. skalní, obývající skály
saxifrage [sæksifridž] bot. lomikámen, saxifrága (zahr.)
Saxon [sæksn] *s* **1** starý Sas příslušník starogermánského kmene **2** hovor. Anglosas **3** Sas obyvatel Saska **4** též *Old* ~ stará (dolní) saština; hovor. anglosaština **5** jaz. germánský prvek v angličtině **6** druh ohňostrojové rakety ● *adj* **1** saský **2** hovor. anglosaský ◆ ~ *architecture* raně románská architektura; ~ *blue* saská modř, nová modř; ~ *genitive* saský genitiv; ~ *words* germánská / anglosaská slova
Saxondom [sæksndəm] **1** anglosaství, anglosaský původ, anglosaský svět, Anglosastvo **2** Anglosasové
Saxonism [sæksnizəm] anglosaské slovo, anglosaský výraz
Saxonist [sæksnist] **1** znalec saštiny n. anglosaštiny **2** obhájce anglosaských výrazů v angličtině
Saxonize [sæksnaiz] po|anglosaštit | se
Saxony [sæksni] **1** (Dolní) Sasko **2** *s*~ též ~ *cloth* jemná vlněná tkanina **3** *s*~ též ~ *yarn* jemná vlněná pletací / háčkovací příze
saxophone [sæksəfəun] hud. saxofon
saxophonist [sæk'sofənist / AM sæksəfəunist] hráč na saxofon
saxtuba [sækstju:bə] hud. basový Saxův roh, Saxova tuba
say[1] [sei] řidč. jemná seržová tkanina
say[2] [sei] zast.: *take the* ~ ochutnat pokrm n. nápoj na důkaz, že není otrávený
say[3] [sei] *v* (*said, said*) **1** říci, říkat, pravit, dít (*you say* / *thou say(e)st* zast. říkáš, *he says* / *saith* zast. říká, dí, vece (zast.), *you said* / *thou saidst* zast. říkal jsi); odříkat (~ *a lesson*) **2** povědět, povídat, mluvit, promluvit *of* / *about* o, pronést (*ask a p. to* ~ *a few words*) **3** povídat si mezi sebou, vykládat (*people* ~) **4** prohlásit, slíbit, tvrdit (*you said you would come*) **5** vyjádřit slovy (*that was well said* to je hezky řečeno, to jste hezky řekl) **6** sdělovat, vyjadřovat, říkat (*wanted to produce sculpture which really said something* chtěl udělat skulptury, které by doopravdy něco vyjadřovaly) **7** text znít (*the Bible* ~*s* bible učí, v bibli stojí (psáno), *the letter* ~*s* v dopise stojí, v dopise se píše, podle dopisu, *signpost that* ~*s "London"* ukazatel, na kterém je napsáno „Londýn") **8** od|říkat, po|modlit se modlitbu; sloužit, celebrovat mši **9** ukazatel, hodiny ukazovat (*the clock* ~*s five minutes after twelve*) **10** řekněme, například, třeba, dejme tomu (*a period of* ~ *20 years*) **11** slovy (*500 $,* ~*, five hundred dollars*) ◆ ~ *again* říci ještě jednou, z|opakovat; *when all is said and done* koneckonců, nakonec, vlastně; *when all was said* podle toho, co se řeklo; *and so* ~ *all of us* a to je názor nás všech; ~ *away!* ven s tím, tak to řekni, tak mluv!; *he is said to be* říká se, že on je, on prý je; *I don't care what you* ~ *1.* říkejte si, co chcete *2.* mně je to jedno, co si myslíte; *you don't* ~ *(so)* hovor. neříkejte, ale prosím vás; *easier said than done* to se snadno řekne; ~ *for oneself* říci na svou obhajobu (*what have you got to* ~ *for yourself?*); ~ *good morning* etc. dát dobré jitro atd., pozdravit; ~ *a good word for a p.* přimluvit se za koho, ztratit slovo za koho; ~ *grace* po|modlit se před jídlem n. po jídle; (*I*) ~ AM *1.* jářku, hej, hola, hele, podívej, moment (*I* ~*, didn't you forget the book?*) *2.* jářku, páni, no ne, tedy (*I* ~*, this is wonderful*); *said* / ~*s I* hovor. já na to, já zase při vyprávění o rozhovoru; *I cannot* ~ též já prostě nevím; *the less said the better* čím méně se o tom bude mluvit, tím lépe; *before one can* ~ *Jack Robinskon* na to tata, dřív než řekneš „švec"; *as I said in my letter* jak jsem vám napsal v dopise; (*let us*) ~ řekněme, dejme tomu, předpokládejme (*let us* ~ *that such an offer is made* předpokládejme, že někdo takovou nabídku udělal); *you don't mean to* ~ neříkejte, že, nechcete mi snad namluvit, že; *one might as well* ~ dalo by se také říci; *there is much to be said for this invention* tento vynález má mnoho kladů, tento vynález lze z mnoha důvodů doporučit; *that doesn't* ~ *much for his intelligence* to o jeho inteligenci příliš nesvědčí; *I can't* ~ *much for his mathematics* pokud jde o jeho znalost matematiky, je lépe pomlčet; *there is much to be said on both sides* na obou stranách je hodně pravdy, obě strany mají v mnoha věcech pravdu; ~ *a p. nay* odmítnout to komu; *needless to* ~ není třeba podotýkat; *I wouldn't* ~ *no to a glass of beer* dal bych si říci na sklenici piva; ~ *no more* přestat mluvit; *not to* ~ abychom neřekli, ne-li dokonce (*his manner was discourteous, not to* ~ *offensive* jeho chování bylo nezdvořilé, ne-li dokonce urážlivé); *he has nothing to* ~ *for himself* je to zdrženlivý / skromný / bezvýznamný člověk; *nothing to* ~ *of* nehledě na co, nemluvě o čem; *sad to* ~ bohužel, pohříchu; *so to* ~ aby se řeklo, takřka; ~ *something* pronést krátkou řeč, něco říci, chvíli mluvit; *have something to* ~ *to* mít co říci k čemu; *no sooner said than done* řečeno a uděláno; *that is to* ~ *1.* to jest, totiž, a to *2.* celkem, to dělá (*three shirts at fifteen shillings, that is to* ~ *forty-five shillings*); *that is* ~*ing a great deal* / *a lot* to znamená mnoho; *they* ~ říká se, vykládá se (že) prý (*they* ~ *he is ill*); ~ *uncle* AM vzdát se, přiznat porážku; *shall we* ~ řekněme, dejme tomu; *you may well* ~ *so* to můžete klidně říci, máte úplně pravdu; *what* ~ *you to a theatre?* co byste tomu řekl jít do divadla?; *what do you* ~ *to a visit to the theatre?* co byste řekl návštěvě divadla?; *that's what I* ~ hovor. to je má řeč; ~ *when* říci „dost" při nalévání nápoje; ~ *the word* stačí říci naznačit, poručit; ~ *yes* | *no to an invitation* přijmout | odmítnout pozvání; ~*s you!* hovor. nevymýšlej si, nekecej, to

jsou kecy!; *you said it* zejm. AM hovor. správně! ***say out*** říci přímo / bez obalu / upřímně / na rovinu ***say over*** z|opakovat ● *s* **1** názor který chce kdo říci, mínění, co chce kdo říci, co má kdo na srdci (*that gentleman said his* ~) **2** příležitost promluvit (*he should resign before having his* ~ měl by se vzdát své funkce dřív než bude mí příležitost promluvit) **3** právo rozhodovat, poslední slovo (přen.) (*they will have the* ~ *about what shall be done*) ◆ *it is my* ~ *now* teď je řada na mně, abych promluvil; *have no* ~ *about* / *in* nemít co mluvit do čeho (*he had no* ~ *in the upbringing of his son* do výchovy svého syna neměl co mluvit)

Sayid [seiid] = *Seid*

saying [seiiŋ] **1** rčení, pořekadlo, úsloví, přísloví **2** slavný výrok, slavná věta, aforismus (*a collection of* ~*s of great statesmen*) **3** v. *say*[2], *v* ◆ *as the* ~ *goes* / *is* jak se říká; *it goes without* ~ to se rozumí samo sebou; *there is no* ~ člověk nikdy neví

say-so [seisəu] hovor. **1** pouhé ujištění, tvrzení (*you think the jury will find him guilty just on your* ~? vy si myslíte, že ho porota shledá vinným jenom na základě vašeho tvrzení?); prohlášení, výrok (*on the* ~ *of the physicians* na základě výroku svých lékařů) **2** právo rozhodovat, právo mluvit *in* do, pravomoc (*the federal government no longer has any* ~ *in the island's internal affairs*)

Sayyid [seiid] = *Seid*

S-band [es|bænd] sděl. tech. pásmo S od 5,77 do 19,35 cm

S-bend [es|bend] **1** tech. odskok tvarovka **2** vodní uzávěr

sbirro [zbirəu] *pl: sbirri* [zbiri:] italský policejní agent, špicl

'sblood [zblad] zast. = *God's blood* zaklení

scab [skæb] *s* **1** strup, stroupek; uschlý opar na rtu, škvarek (hovor.) **2** med. svrab, prašivina **3** zvěr. prašivina zejm. ovčí **4** bot.: druh strupovitosti způsobené cizopasnou houbou **5** zast. prašivec, krysa, lump, šunt, mizera **6** stávkokaz; kdo odmítá vstoupit do odborové organizace; kdo je ochoten pracovat za nižší mzdu **7** tech. nárost, zálup ve slévárenství ● *v* (*-bb-*) **1** pokrýt se / zavřít se strupem, zaschnout a utvořit strup **2** též ~ *it* rušit stávku prací; pracovat za nižší mzdu **3** odlomit vzadu část terče proti místu zásahu

scabbard [skæbəd] **1** pochva chránící čepel bočních zbraní **2** pouzdro (*leather* ~) ◆ *fling* / *throw away the* ~ dát se do boje až do konečného rozhodnutí

scabbard fish [skæbədfiš] *pl* též *fish* [fiš] zool. šupinoploutvec

scabbed [skæbd] řidč. = *scabby*

scabbiness [skæbinis] **1** strupatost, strupovitost **2** zvěr. prašivina **3** přen. prašivost, odpornost, ohavnost, mizernost

scabble [skæbl] = *scapple*

scabby [skæbi] (*-ie-*) **1** strupatý, strupovitý (~ *skin*) **2** zvěr. prašivý, stižený prašivinou (*a* ~ *animal*) **3** přen. prašivý, odporný, ohavný, mizerný (~ *trick*)

scabies [skeibii:z] med., zvěr. svrab, prašivina

scabietic [|skeibi|etik] med., zvěr. stižený svrabem n. prašivinou

scabious [skeibjəs] *adj* strupatý, strupovitý (~ *eruptions*); prašivý ● *s* bot. hlaváč, skabióza; čertkus lesní; chrastavec

scabrous [skeibrəs / AM skæbrəs] **1** zool., bot. drsný, hrubý na omak, hrbolatý, strupovitý **2** olezlý, plesnivý, prašivý (*shell of the house is* ~ *with lichen* skořepina domu je olezlá lišejníkem) **3** odrazující, odporný; obtížný, zapeklitý (*a* ~ *problem*) **4** choulostivý, lechtivý, košilatý; dvojsmyslný, lascívní, oplzlý; nemravný (*a* ~ *book*)

scabrousness [skeibrəsnis / AM skæbrəsnis] **1** drsnost, hrubost, hrbolatost, strupovitost **2** olezlost, plesnivost, prašivost **3** odpornost; obtížnost, zapeklitost **4** choulostivost, lechtivost, košilatost; dvojsmyslnost, lascívnost, oplzlost; nemravnost

scabwort [skæbwə:t] bot. oman pravý

scad[1] [skæd] *pl* též *scad* [skæd] zool. kranas druh mořské ryby

scad[2] [skæd] AM hovor. **1** část. ~*s, pl* fůra, hora, halda, moře velké množství (*costs a* ~ *of money,* ~*s of time*) **2** ~*s, pl* zast. mince, dolary

scaffold [skæfəld] *s* **1** lešení **2** popravní lešení; přen. poprava **3** stanoviště, hlediště, jeviště sroubené z prken a trámů; tribuna, podium **4** konstrukce, skelet, kostra **5** anat. kostra, skelet **6** AM seník; sýpka, špýchar **7** hut. uvázlá zavážka, nasazenina na stěnách vysoké pece ● *v* **1** postavit lešení / na lešení; zavěsit na lešení **2** opatřit / postavit lešení k / u / kolem, obehnat lešením **3** přen. vyztužit jako pevnou konstrukcí (*the book could well be* ~*ed more strongly with explanation and comment*), podšprajcovat (hovor.)

scaffoldage [skæfəldidž] **1** lešení **2** jednoduché jeviště z prken

scaffolding [skæfəldiŋ] **1** stavební lešení; materiál na lešení **2** stanoviště, hlediště, jeviště sroubené z prken a trámů; tribuna, podium **3** kostra, základní konstrukce (*use of the epic as a* ~ *for his stories*); výztuž

scag [skæg] AM slang. heroin

scaglia [skæljə] miner.: druh červeného italského vápence

scagliola [ska:|ljo:la] stav. pestrý xylolit, umělý mramor, scagliola

scalable[1] [skeiləbl] **1** oškrábatelný **2** o|loupatelný, vyloupatelný **3** zubní / kotelní kámen odstranitelný

scalable[2] [skeiləbl] vážitelný

scalable[3] [skeiləbl] **1** zlezitelný **2** odstupňovatelný **3** zmenšitelný / zvětšitelný v určitém měřítku, uzpůsobitelný, přizpůsobitelný **4** souměřitelný **5** hudební nástroj naladitelný

scalar [skeilə] *adj* **1** bot. žebříkovitý, žebříčkovitý **2** fyz. skalární charakterizovaný jen velikostí ● *s* fyz. skalár veličina charakterizovaná jen velikostí

scalaria [skəˈleəriə] zool. skalárka akvarijní rybka z Brazílie
scalariform [skəˈlærifo:m] **1** bot. stupňovitý **2** zool. žebříčkovitý
scalawag [skæləwæg] **1** zakrnělé / vyhublé / podvyživené zvíře, nedochůdče **2** hovor. lump, rošťák, uličník **3** AM hist.: bělošský kolaborant v jižních státech po občanské válce
scald[1] [sko:ld] skald národní pěvec severský
scald[2] [sko:ld] *v* **1** o|pařit (~ *a hog* pařit prase); spařit se **2** u|vařit v páře; zahřát pod bod varu **3** též ~ *out* vypařit, vyvařit, sterilizovat **4** přen. spálit, sežehnout (*tears that* ~ *the cheek* slzy spalující líčka) ◆ *be* ~*ed to death* zemřít na opařeniny ● *s* **1** opařenina; opaření **2** skvrnitost / flekatost ovoce vzniklá zapařením ◆ *get a good* ~ *on* AM hovor. mít úspěch s
scalder [sko:ldə] **1** pařič **2** pařák
scald-head [sko:ldhed] med. prašivá / stupatá hlava
scaldic [sko:ldik] skaldický týkající se skaldů
scalding [sko:ldiŋ] **1** horký, palčivý (~ *tears*) **2** šíravý (*a* ~ *reply* ... odpověď) **3** v. *scald*[2], *v* ◆ ~ *hot* vřelý, vařící
scale[1] [skeil] *s* **1** šupina, šupinka; šupiny, šupinky; bot. šupina, šupinka **2** přen. bělmo, šupiny (*the* ~*s fell from my eyes* šupiny mi spadly z očí, prohlédl jsem) **3** slupka, tenká kůra; rezavý povlak **4** kotelní kámen **6** střenka nože **7** hut. okuje **8** med. šupinatost **9** zool. červec ◆ ~ *carp* šupinatý kapr, šupináč ● *v* **1** zbavit šupin, oškrábat od šupin (~ *a fish*) **2** oloupat, vyloupat, loupat | se, odlupovat | se **3** odstranit zubní kámen **4** odstranit / otlouci kotelní kámen **5** tvořit šupiny, šupinatět **6** tvořit zubní / kotelní kámen, pokrýt se zubním / kotelním kamenem **7** hodit např. kámen tak, aby se odrážel od povrchu, hodit žabkou ***scale off*** *1* oloupat, vyloupat, loupat | se, odlupovat | se *2* odprýskávat, způsobit odprýskání *3* zbavit šupin, oškrábat od šupin
scale[2] [skeil] *s* **1** miska vah; ~*s*, *pl* i *sg* váhy **2** váha, váhy (*bathroom* ~) **3** *S*~*s* Váhy souhvězdí **4** vážení před dostihem a po něm **5** živá váha, velikost zvířete ◆ *be in the* ~*s* být na vážkách; *hold the* ~*s even* měřit stejným loktem, soudit spravedlivě; ~*s of Justice* váhy spravedlnosti; *pair of* ~*s* dvoumiskové váhy; *throw one's sword into the* ~ přen. podepřít svůj nárok zbraní; *tip the* ~*(s)* *1.* mít větší váhu, převážit, zvrátit *2.* příznivě ovlivnit *3.* vážit *at* kolik; *turn the* ~*(s)* *1.* způsobit rozhodující obrat *2.* hovor. vážit ● *v* **1** vážit | se **2** rozdělovat vážením, rozvažovat *into* na ***scale in*** sport. být jak těžký, vážit kolik (*scaling in at over 200 pounds*)
scale[3] [skeil] *s* **1** stupnice, odstupňování; tarif; stupeň na stupnici **2** mat., zeměp. měřítko pomůcka i rozměr, též přen. (*on a large* ~) **3** měřidlo; logaritmické pravítko **4** hud. stupnice, škála; rozsah hudebního nástroje; menzura varhanní píšťaly **5** mat. soustava, systém, stupnice **6** poměrný rozměr (*harmony of* ~ *in a room*); poměrná velikost, poměr velikostí **7** zast. žebřík; schodiště **8** přen. cesta vzhůru (~ *to success*) **9** voj. hledí; epoleta ◆ *at a* ~ v určitém měřítku; ~ *of additional charges* tarif vedlejších poplatků; *enlarged* ~ zvětšené měřítko; ~ *of fees* tarif, sazebník poplatků; *Gunter's* ~ Gunterovo logaritmické pravítko; *live on a big / grand / great* ~ žít na vysoké noze; *major* ~ hud. tvrdá / durová stupnice; *minor* ~ hud. měkká / mollová stupnice; ~ *model* přesný model v určitém měřítku; ~ *of notation* mat. řada, systém, stupnice; *play one's* ~*s* hud. cvičit stupnice na hudebním nástroji; *social* ~ společenský stupeň, společenská úroveň; *reduced* ~ zmenšené měřítko (*on reduced* ~ ve zmenšeném měřítku); *sliding* ~ *1.* klouzavá stupnice mezd *2.* posuvné měřítko, logaritmické pravítko; *on a small* ~ v malém měřítku, skromně; *weighing* ~ škála, odstupňování vah ● *v* **1** zlézt pomocí žebříků (~ *a castle wall*), ztéci (~ *a walled town* ... hrazené město); vy|lézt, vy|šplhat se po žebříku kam (*scaling the girl's bedchamber* šplhající po žebříku do dívčiny ložnice); zlézt, ztéci, dobýt horu; vystoupit / vyšplhat se po žebříku (*firemen were given the command to* ~ hasiči dostali rozkaz, aby vystoupili po žebříku) kam (*firemen* ~*d the building* hasiči se vyšplhali po žebříku na budovu) **2** odstupňovat **3** zmenšit / zvětšit v určitém měřítku, např. v reprodukci; uzpůsobit, přizpůsobit poměrně podle potřeby (*a production schedule* ~*d to actual need* výrobní harmonogram přizpůsobený skutečné potřebě) **4** být souměřitelný **5** naladit hudební nástroj na určitou stupnici **6** krychlit dříví ***scale down*** *1* zmenšit v daném měřítku *2* snížit ceny ***scale up*** *1* zvětšit v daném měřítku *2* vystoupit, vyšplhat se, vy|letět do výšky *3* zvýšit, vyhnat, vyšroubovat ceny
scale armour [ˈskeilˌa:mə] šupinové brnění
scale beam [skeilbi:m] vahadlo vah
scale board [skeilbo:d] silnější dýha
scale borer [ˈskeilˌbo:rə] přístroj na odstraňování kotelního kamene z trubek
scaled[1] [skeild] **1** šupinatý (~ *herring*) **2** zbavený šupin, oškrábaný od šupin **3** v. *scale*[1], *v*
scaled[2] [skeild] **1** opatřený stupnicí, kalibrovaný **2** v. *scale*[2], *v*
scale fern [skeilfə:n] bot. kyvor lékařský
scale insect [ˈskeilˌinsekt] zool. červec
scale leaf [ˌskeilˈli:f] *pl: scale leaves* [ˌskeilˈli:vz] bot. šupinový list
scaleless [skeillis] hladký, jsoucí bez šupin atd.
scalemoss [skeilmos] bot. listnatá játrovka
scalene [skeili:n] *adj* **1** mat.: různostranný trojúhelník obecný; kužel, válec kusý **2** anat. týkající se šikmého svalu ● *s* **1** mat.: obecný trojúhelník **2** anat. sval šikmý
scaler [skeilə] **1** ometač / odstraňovač okují **2** fyz. reduktor

scale-winged [skeilwiŋd] motýl šupinokřídlý
scaliness [skeilinis] šupinatost
scaling factor [ˈskeiliŋˌfæktə] fyz. součinitel velikosti
scaling ladder [ˈskeiliŋˌlædə] **1** hist., herald. obléhací žebřík, žebřík na zteč **2** požární žebřík
scall [sko:l] med. zast. strupy, strupovitost na hlavě ◆ *dry* ~ svrab; *moist* ~ mokvavý lišej, ekzém
scallawag [skæləwæg] = *scalawag*
scallion [skæljən] **1** šalotka, česnek šalotka (bot.) **2** pór, pórek, (česnek) ošlejch, (česnek) pór pravý (bot.) **3** ~*s, pl* výhonky cibule
scallop [skoləp] *s* **1** zool. hřebenatka; jedlý sval hřebenatky **2** lastura, lasturka zejm. hřebenatky; též kuch. **3** vlnitý okraj, zoubkování, kroužkování, kroužek (*pillowcases with small* ~*s* povlaky na polštáře s malým kroužkováním) **4** hist. lastura hřebenatky svatojakubské odznak poutníka ● *v* **1** kuch. zapékat v omáčce; péci / zapékat v lasturkách **2** ob|kroužkovat; zdobit vlnitým okrajem, zoubkovat, vlnitě vyříznout kraj plechu **3** vroubit, lemovat **4** péci v ulitě např. ústřice
scallop-edged [ˈskoləpˌedžd] **1** ob|kroužkovaný, o|zdobený vlnitým okrajem, zoubkovaný; kraj plechu vlnitě vyříznutý **2** vroubený, lemovaný
scallop shell [skoləpšel] **1** mušle, lastura, lasturka, též kuch. **2** hist. lastura hřebenatky svatojakubské symbol poutníka ◆ ~ *of oysters* kuch. ústřice v ulitě
scallywag [skæliwæg] = *scalawag*
scalp [skælp] *s* **1** anat. kůže na temeni hlavy s vlasy **2** skalp indiánská trofej, též přen. **3** zvířecí ucho, ocas důkaz o zabití zvířete, kůže z hlavy zvířete **4** velrybí hlava bez spodní čelisti **5** lysé temeno kopce **6** vysévací síto na oddělování nejhrubší pšeničné mouky ◆ *be out for* ~*s* být na válečné stezce, mít bojovou náladu ● *v* **1** skalpovat **2** sebrat / obrat / vybrat vršek čeho, oholit (přen.) **3** rozdrtit kritikou **4** prosévat **5** AM slang. porazit, vyšoupnout, odrovnat **6** AM hovor. prodávat na černo (*speculators were* ~*ing tickets at double the going price*) **7** AM hovor. rychle nakupovat a prodávat akcie
scalpel [skælpəl] med. skalpel
scalper [skælpə] **1** rytecké dlátko **2** dělník na jatkách stahující kůži z hlavy **3** AM spekulant např. se vstupenkami
scalping knife [skælpiŋnaif] skalpovací nůž
scalp lock [skælplok] skalpová kadeř na oholené hlavě Indiána
scalpless [skælplis] **1** jsoucí bez skalpu atd. **2** holý
scalpriform [skælprifo:m] řezák dlátovitý
scaly [skeili] (*-ei-*) **1** šupinatý **2** odprýskávající **3** slang. ohavný, mizerný (*a* ~ *fellow*)
scaly anteater [ˌskeiliˈæntˌi:tə] zool. luskoun
scaly weaver [ˌskeiliˈwi:və] zool. africký snovač *Spropiper squamifrous*
scam [skæm] AM slang. bouda, švindl, habaďůra
scammony [skæməni] (*-ie-*) **1** bot. svlačec asijský druh **2** kořen n. pryskyřice této rostliny jako projimadlo

scamp[1] [skæmp] rošťák, uličník, též žert.
scamp[2] [skæmp] odflinknout, odfláknout práci
scamper [skæmpə] *v* **1** lítat, běhat, skákat, pelášit (*a gray squirrel is* ~*ing from limb to limb* šedá veverka poskakuje z větve na větev) **2** prolítnout *through* co / čím, přelétnout co, přečíst na přeskáčku co **3** dát se na útěk, vzít do zaječích ● *s* **1** lítání, běhání, skákání **2** cval na koni **3** rychlá projížďka, rychlá cesta *through* čím, proletění čeho (~ *through Norway*) **4** zběžné pro|čtení, čtení na přeskáčku (~ *through Dickens*)
scampi [skæmpi] *pl* kuch. krevety zejm. smažené
scan [skæn] *v* (*-nn-*) **1** podrobně / pečlivě / kriticky prohlédnout, bedlivě pro|zkoumat (~*ned closely the claims of individuals* pečlivě zkoumal nároky jednotlivců) **2** přehlížet, pozorovat, obzírat, dívat se na co posunováním přístroje (~*ning the forest with binoculars* pozorující celý les dalekohledem); prohledávat radarem **3** sděl. tech. rozkládat, snímat televizní obraz **4** hledat informaci v samočinném počítacím stroji **5** zběžně prohlédnout, přeletět (*read several and* ~*ned the rest*) **6** liter. zkoumat rytmus verše; verš mít správný rytmus, odpovídat rytmickému vzorci **7** recitovat s rytmickým důrazem, skandovat ● *s* **1** podrobné prohlédnutí, pozorování, obzírání **2** obzor, přehled (přen.) (*the author's* ~ *was limited*) **3** zobrazení, obraz radaru **4** med. rentgenový obraz při radioizotopové diagnostice ◆ *make a* ~ *of* udělat si prohlédnutím přehled o (*the captain spins the periscope, making a quick* ~ *of the situation* kapitán zatočí periskopem a udělá si rychlý přehled o situaci)
scandal [skændl] **1** hanba, hanebné chování, veřejná ostuda, veřejné pohoršení, skandál jev i příčina (~*s on the Stock Exchange* skandály na burze, *it is a* ~ *that such thing should be possible* to je hanba, že je taková věc možná, *a grave* ~ *occurred* přihodila se těžká ostuda) **2** pomluva, pohana, kleveta, klepy, drby, osočení, očernění, po|špinění, špína **3** pohoršení, rozhořčení (*to the* ~ *and grief of her sisters made up her mind not to got to church any more* k pohoršení a zármutku svých sester se rozhodla, že přestane chodit do kostela) **4** práv. pohoršení; urážlivé chování v soudní síni, osočování
scandalize[1] [skændəlaiz] **1** pohoršit koho **2** zast. po|hanit, zostudit, po|špinit, osočit
scandalize[2] [skændəlaiz] námoř. **1** podkasat / uvolnit vratiplachtu n. hlavní plachty jachty **2** povolit rozsochový závěsník
scandalmonger [ˈskændlˌmaŋgə] klepař, pomlouvač, klevetník; drbna
scandalous [skændələs] **1** pohoršlivý, pohoršující, budící pohoršení (~ *passages*) **2** ostudný, hanebný, skandální (~ *treatment of the native population*)
scandalousness [skændələsnis] **1** pohoršlivost **2** ostudnost, hanebnost, skandálnost

scandalum magnatum [ˈskændələmˌmægˈneitəm] - práv. hist. nactiutrhání vysoce postaveným osobám, urážka vedoucích činitelů
Scandinavia [ˌskændiˈneivjə] Skandinávie poloostrov
Scandinavian [ˌskændiˈneivjən] *adj* skandinávský ● *s* **1** Skandinávec **2** skandinávský jazyk
scanner [skænə] snímač, snímací zařízení ◆ *radar* ~ radarová anténa
scanning [skæniŋ] **1** sděl. tech. snímání obrazu, rozklad v televizi **2** med. radioizotopová diagnostika **3** v. *scan, v* ◆ ~ *line* obrazový řádek
scansion [skænšən] rytmický rozbor, veršová analýza
scansorial [skænˈso:riəl] zool. **1** šplhavý (~ *foot*) **2** patřící k řádu šplhavců
scant [skænt] *adj* **1** skrovný, omezený, v nedostatečném množství, pramalý, nedostatečný (*likely to pay* ~ *attention to proportion or design* pramalá pozornost bude věnována proporcím nebo nákresu) **2** necelý, ani ne, pouhý, stěží, sotva (*a* ~ *three miles*) **3** zast., bás. mající málo *of* čeho (~ *of breath* zadýchaný), nedostatečně vybavený *in* čím (*this small book is a good bit too* ~ *in documentation* tato knížečka je dosti málo vybavená dokumentací) ◆ ~ *wind* námoř. těsný vítr ● *v* **1** zast. mít / dát málo *of* čeho, zadržet, nedat, neposkytnout **2** věnovat malou pozornost čemu, letmo se dotknout čeho (*a subject* ~*ed in too many grammars*) **3** námoř. vést loď těsně na větru
scanties [skæntiz] *pl* dámské kalhotky, slipy
scantily [skæntili] v. *scanty*
scantiness [skæntinis] **1** skrovnost, omezenost, nedostatečnost **2** těsnost prostoru
scantle [skæntl] *s* měřidlo na břidlicové desky ● *v* přiříznout
scantling [skæntliŋ] **1** zast. ukázka, vzorek **2** trocha, troška *of* čeho **3** trám do tloušťky 5 palců; řezivo tlusté 2–5 palců a široké až 8 palců; kameny nad 6 stop délky **4** rozměr / rozměry kamenů / řeziva **5** též ~*s, pl* základní rozměry lodní konstrukce **6** kantýř ◆ ~ *number* námoř.: označení klasifikační organizace charakterizující rozměry lodní konstrukce
scanty [skænti] (*-ie-*) **1** skrovný, omezený, pramalý, nedostatečný **2** prostor malý, těsný
scape[1] [skeip] **1** bot. stvol **2** zool. brk; spodní část tykadla, násadec **3** archit. dřík sloupu, apofyga
scape[2] [skeip] zast. *s* únik ◆ *hairbreadth* ~ únik o vlas ● *v* uniknout, u|prchnout
scape-gallows [ˈskeipˌgæləuz] hovor. šibeničník
scapegoat [skeipgəut] **1** bibl. kozel na jehož hlavu velekněz vložil hříchy národa **2** přen. obětní beránek
scapegrace [skeipgreis] nepolepšitelný lenoch, ničema, uličník
scapement [skeipmənt] = *escapement*
scaphander [skæˈfændə] korkový pás
scaphoid [skæfoid] anat. *adj* loďkovitý, člunkovitý (~ *bone*) ● *s* loďkovitá / člunkovitá kost
scapple [skæpl] hrubě otesat, opracovat kámen
scapula [skæpjulə] *pl* též *scapulae* [skæpjuli:] anat. lopatka kost
scaphocephalous [ˌskæfoˈsefələs] med. mající člunkovitou / klínovitou lebku, skafocefalický
scapular [skæpjulə] *adj* **1** anat. ramenní, lopatkový **2** paletkový, malířský (mysl.) (~ *feathers*) ● *s* **1** círk. škapulíř část mnišského roucha; odznak příslušnosti k řádu **2** med. náramenní obvaz **3** mysl. paletkové / malířské pero, pírko, paletka
scapulary [skæpjuləri] (*-ie-*) = *scapular, s 1*
scar[1] [ska:] *s* **1** jizva; šrám **2** přen. šrám, skvrna, vada, kaz (*a* ~ *upon one's reputation*) **3** bot. jizva, stopa ● *v* (*-rr-*) **1** zjizvit **2** přen. trvale poznamenat, nechat trvalou stopu na **3** též ~ *over* srůst, zajizvit se
scar[2] [ska:] *s* **1** strmá skála, útes **2** přihladinové úskalí
scarab [skærəb] **1** zool. vruboun posvátný, skarab **2** skarab, skarabeus gema i šperk představující tohoto posvátného brouka **3** zool. chrobák
scarabaeid [ˌskærəˈbi:id] *s* vrubounovitý brouk ● *adj* vrubounovitý
scarabaeoid [ˌskærəˈbi:oid] *adj* připomínající skaraba n. jiného vrubounovitého brouka ● *s* stylizovaný / napodobený skarab, pečeť v podobě skaraba
scarabaeus [ˌskærəˈbi(:)əs] *pl: scarabaei* [ˌskærəˈbi:ai] řidč. = *scarab*
scaramouch [skærəmauč] **1** též *S*~ scaramouche postava italské commedie dell'arte **2** zbabělý tlučhuba, chvástal, chlubil
Scarborough [ska:brə]: ~ *warning* BR *1.* upozornění / varování na poslední chvíli / za pět minut dvanáct *2.* upozornění post festum, vůbec žádná výstraha
scarce [skeəs] *adj* **1** vyskytující se v malém / skromném / omezeném / množství / počtu, skromný, omezený (*food was* ~ potravy bylo málo) **2** vyskytující se zřídka, řídký, vzácný, nevšední (*collects* ~ *Japanese prints* sbírá vzácné japonské tisky) ◆ ~ *commodities* nedostatkové zboží; *make o. s.* ~ zmizet, ztratit se, vypadnout, zdejchnout se ● *adv* kniž., bás., zast. = *scarcely*
scarcely [skeəsli] **1** sotva, stěží, ani ne (*he is* ~ *5 years old* není mu ještě pět), skoro ne, téměř ne (*he* ~ *ever wore this mantle* tento plášť téměř nikdy nenosil) **2** jen, sotva ... *when* (už) ... (*had* ~ *rung the bell when the door flew open* sotva zazvonil, dveře se rozletěly) **3** sotva asi ne; určitě ne ◆ ~ *anything* téměř vůbec nic; *I* ~ *know her* já ji ani pořádně neznám, skoro ji (ani) neznám; *you will* ~ *maintain* přece nebudete tvrdit
scarcement [skeəsmənt] archit. ústup, ústupek zdi / náspu
scarceness [skeəsnis], **scarcity** [skeəsəti] **1** malý počet, malé množství **2** nedostatek (~ *of teachers*), nedostatek potravin (*a drought-struck area suffers* ~ oblast postižená suchem trpí nedostat-

kem potravin), zdražování potravin; zast. bída, nouze, tíseň 3 vzácnost, řídkost, řídký výskyt (*the ~ of radium*)

scarcity [skeəsəti] (*-ie-*) = *scarceness*

scare [skeə] *v* 1 od|strašit, postrašit | se, vy|děsit | se, poděsit | se, polekat | se, vylekat | se, vzbudit / mít / dostat (panický) strach, nahánět / mít hrůzu (*a woman who ~s easily at the sight of a mouse, rattlesnakes used to ~ me to death* já jsem se k smrti bával chřestýšů) 2 za|plašit, vyplašit, zahánět ptáky ◆ *~ the pants off a p.* nahnat šílený strach komu; *~ stiff* k smrti vyděsit, způsobit, že je kdo strachem ztuhlý *scare away* zaplašit, zahnat, vyplašit a zahnat na útěk (*a scream that ~d away the burglar* výkřik, který zahnal lupiče na útěk) *scare out / up* vyplašit zvěř z úkrytu *scare up* hovor. splašit, schrastit (*~ up a light supper for unexpected guests* dát narychlo dohromady lehkou večeři pro neočekávané hosty) ● *s* 1 hrůza; leknutí, poděšení 2 panika (*war ~* válečná panika) 3 strašák na ptáky ◆ *give a ~* vylekat, polekat, poplašit; *throw a ~ into* nahnat hrůzu komu ● *adj* poplašný, hrůzostrašný (*~ stories about war*)

scarecrow [skeəkrəu] 1 strašák na ptáky 2 přen. strašák, strašidlo, hastroš hubený / špatně oblečený člověk

scare-head [skeəhed], **scare-heading** [ˈskeəˌhediŋ] **scare-headline** [ˈskeəˌhedlain] senzační titulek v novinách

scaremonger [ˈskeəˌmaŋgə] panikář

scarf [ska:f] *s pl* též *scarves* [ska:vz] 1 šátek, šál, šála kolem krku, na hlavu, kolem ramen; štóla, přehoz kolem ramen; vlňák 2 široká vázanka, kravata 3 šerpa; břišní pás 4 nástolník, běhoun ● *v* 1 dát šátek atd.; zakrýt, zahalit, zavázat, svázat, omotat, ozdobit (jako) šátkem atd. 2 lehce přehodit

scarf² [ska:f] *s* 1 úkos; šikmé seříznutí, zkosení 2 šikmý styk, šikmý spoj 3 šikmý plát, plátování ● *v* 1 šikmo seříznout, skosit 2 spojit šikmým plátováním

scarf joint [ska:fdžoint] 1 šikmý styk, šikmý spoj 2 spoj šikmým plátováním

scarf loom [ska:flu:m] tkalcovský stav na tkaní malých šířek; pletací stroj na šály

scarf pin [ska:fpin] jehlice do kravaty

scarf ring [ska:friŋ] kroužek, kulatá spona na spojení dvou konců šátku

scarf skin [ska:fskin] 1 pokožka, epiderm (biol.) 2 kůžička na nehtu

scarf weld [ska:fweld] tech. šikmý svar, kovářsky přeplátovaný svar

scarfwise [ska:fwaiz] šikmo přes prsa

scarification [ˌskeərifiˈkeišən] 1 med. nařiznutí povrchu kůže, skarifikace 2 zeměd. rozrušování půdního povrchu, trhání luk, skarifikace 3 les. zraňování půdy pro nálet 4 rozrývání silnice

scarificator [skeərifikeitə] 1 med. skarifikátor nástroj k provádění skarifikace 2 osoba, která provádí skarifikaci

scarifier [skeərifaiə] 1 zeměd. rozrývač, trhadlo, skarifikátor 2 med. skarifikátor 3 rozrývač na silnice

scarify [skeərifai] (*-ie-*) 1 med., zeměd. rozrývat, skarifikovat provádět skarifikaci 2 přen. roztrhat, rozcupovat, zdrtit, zdeptat kritikou 3 rozrývat silnice 4 naříznout těžko klíčivá semena

scarious [skeəriəs] bot. suše blanitý, membránovitý

scarlatina [ˌska:ləˈti:nə] med. spála, skarlatina

scarless [ska:lis] 1 nezjizvený, bez jizev 2 nezanechávající jizvy

scarlet [ska:lit] *s* 1 jasně červená barva, šarlatová barva, šarlat, šarlach 2 šarlatový šátek, šarlatové roucho 3 círk.: kardinálský purpur ● *adj* jasně červený, šarlatový, šarlachový ◆ *~ hat 1.* červený kardinálský klobouk *2.* přen. kardinálská hodnost; *~ rash* červená skvrnitá vyrážka, rozeola; *~ whore* = *scarlet woman*

scarlet admiral [ˌska:litˈædmərəl] zool. babočka admirál

scarlet bean [ska:litbi:n] = *scarlet runner*

scarlet berry [ˈska:litˌberi] (*-ie-*) bot. (lilek) potměchuť

scarlet clover [ˌska:litˈkləuvə] bot. jetel nachový, inkarnát

scarlet fever [ˌska:litˈfi:və] med. spála, skarlatina

scarlet grain [ska:litgrein] zool. červec kermesový n. nopálový

scarlet hawthorn [ˌska:litˈho:θo:n] bot. červený

scarlet letter [ˌska:litˈletə] šarlatové písmeno A, tj. *adultery*

scarlet lychnis [ˌska:litˈliknis] bot. kohoutek maltézský

scarlet pimpernel [ˌska:litˈpimpənel] bot. drchnička rolní

scarlet runner [ˌska:litˈranə] bot. fazol šarlatový

scarlet woman [ˌska:litˈwumən] 1 bibl. nevěstka babylonská 2 pohanský Řím, svět 3 hanl. papežský Řím, katolická církev

scaroid [skeəroid] zool. *s* zlak ● *adj* ryba zlakovitý

scarp [ska:p] *s* 1 sráz 2 voj. eskarpa, eskarpová stěna, parapetní strana příkopu opevnění ● *v* 1 udělat srázným 2 voj. opatřit eskarpní stěnou

scarped [ska:pt] 1 strmý, srázný 2 v. *scrap, v*

scarper [ska:pə] slang. zahnout, vzít roha / draka utéci

scarpment [ska:pmənt] = *escarpment*

scarred [ska:d] = *scarry¹*

scarry¹ [ska:ri] (*-ie-*) zjizvený; zajizvený

scarry² [ska:ri] (*-ie-*) skalnatý, rozeklaný (*the ~ flank of the mountain* rozeklaná stěna hory)

scart¹ [ska:t] SC *v* škrábat ● *s* škrábanec; přen. škrábanice

scart² [ska:t] SC zool. kormorán

scarus [skeirəs] zool. zlak

scarves [ska:vz] *pl* v. *scarf, s*

scary [skeəri] (*-ie-*) 1 děsivý, vzbuzující hrůzu, nahánějící strach (*a ~ picture story*) 2 plachý, lekavý (*~ half-wild cattle*); vyplašený, vyděšený

scat[1] [skæt] **1** pozemková daň odváděná koruně na Shetlandských a Orknejských ostrovech **2** hist. poplatek, daň, tribut
scat[2] [skæt] hovor. *interj* zmiz, vypadni, koukej zmizet, ztrať se, kšc, jedeš! ● *v* (*-tt-*) **1** zahnat, odehnat **2** mazat, fištět, hnát se, žíhat si to, přímo letět
scat[3] [skæt] hud. *s* zpívání džezové melodie na slabiky bez určitého významu ● *v* (*-tt-*) takto zpívat
scat[4] [skæt] zvířecí lejno, trus, bobky
scathe [skeið] *v* **1** řidč. ublížit, zranit, spálit, sežehnout **2** těžce / tvrdě napadnout, setřít, z|ničit kritikou (*bombarding her with rhetoric and scathing her with sarcasm*) ● *s* zejm. v negativním spojení škoda, poškození, zranění, pohroma (*all the British bombers returned to their base without* ~ všechny britské bombardéry se vrátily na základnu nepoškozené)
scatheless [skeiðlis] jsoucí bez pohromy, se zdravou kůží (*they got away* ~ unikli se zdravou kůží)
scathing [skeiðiŋ] ostrý, sžíravý; kousavý, jedovatý, zničující, zpražující
scatological [ˌskætoˈlodžikəl] **1** skatologický týkající se skatologie **2** týkající se studia výkalů (~ *data*)
scatology [skəˈtolədži] (*-ie-*) **1** skatologie druh pornografie **2** studium výkalů
scatophagous [skəˈtofəgəs] živící se výkaly
scatt [skæt] = *scat*[1]
scatter [skætə] *v* **1** rozptýlit (*heirs who* ~*ed his library* dědici, kteří rozprodali jeho knihovnu); rozprášit, rozehnat (*approaching cars that* ~*ed the players to both sides of the street* blížící se vozy, které rozehnaly hráče na obě strany ulice), rozfoukat (*a gust that* ~*ed the pile of leaves in all directions* poryv větru, který rozfoukal hromadu listí na všechny strany); rozsévat (~ *seed*), rozhazovat (~ *tracts from train windows* rozhazovat pamflety z oken vlaku); rozdávat prospekty, roz|házet, nechávat ležet rozházené (*a child who* ~*s his toys all over the house*); způsobit rozptyl / rozsev **2** roz|trousit, po|sypat *a t.* čím *on* co, poházet čím co (~ *gravel on a road* trousit štěrk na silnici) *a t.* co *with* čím (~ *a road with gravel* poházet silnici štěrkem) **3** rozptýlit světlo **4** oslabit rozptýlením n. rozdělením, rozmělnit (přen.); zmařit naději / plány **5** rozptýlit se, rozprchnout se, rozletět se (*a flock of pigeons feeding that* ~*ed when a dog appeared* hejno zobajících holubů, které se rozletělo, když se objevil pes) **6** protrhat se, rozpustit se (*clouds* ~ *after a storm* mračna se po bouři protrhávají) **7** být n. ležet porůznu **8** zast. rozhazovat, pro|mrhat ● *s* **1** rozptýlení, rozprášení, rozehnání, rozfoukání; rozsévání, rozhazování **2** rozptyl; rozsev **3** malá spŕška (*a* ~ *of rain*), též přen. (*a* ~ *of applause* ... potlesku, řídký potlesk)
scatterbrain [skætəbrein] roztržitý člověk, popleta, zmatkář
scatterbrained [skætəbreind] roztžitý; popletený, zmatený
scattercushion [ˈskætəˌkušən] pestrobarevný polštářek
scattered [skætəd] **1** izolovaný, samostatně stojící, osamocený, odtržený od ostatních, jednotlivý (~ *individuals*), ojedinělý (~ *remarks on the subject*); místní (~ *showers* ... přeháňky) **2** místně rozptýlený, roztažený po velké ploše (*a* ~ *village*, ~ *population*) **3** roztržitý, roztěkaný (~ *thoughts*) **4** v. *scatter, v* ◆ ~ *radiation* fyz. rozptýlené záření
scattergood [skætəgu:d] rozhaza
scatter gun [skætəgan] AM brokovnice
scattering [skætəriŋ] **1** pár, hrstka jednotlivých (*a* ~ *of visitors*) **2** fyz. rozptyl **3** v. *scatter, v*
scatterometer [ˌskætəˈromitə] sděl. tech.: druh radarového přístroje
scatter pin [skætəpin] AM ozdobný špendlík ozdoba dámských šatů
scatter rug [skætərag] vyplňovací koberec, kobereček
scattersite [skætəsait] AM státně podporovaná individuální výstavba v různých částech města
scatty [skæti] (*-ie-*) slang. praštěný, cáknutý, cvoklý
scaup [sko:p], **scaup duck** [sko:pdak] zool. polák; (polák) kaholka
scauper [sko:pə] = *scalper*
scaur [sko:] = *scar*[2]
scavenge [skævindž] **1** odklízet, čistit od zbytků (*sea gulls* ~ *the remains of the daily fish market*) **2** čistit, zametat, mést, vymetat (ulice) **3** čistit roztavený kov **4** odsávat olej z klikové skříně **5** vyplachovat, proplachovat, splachovat **6** hledat si potravu ◆ ~ *pump* odsávací čerpadlo
scavenger [skævin*dž*ə] **1** čistič, zametač, metař, počisťovač ulic; kdo sbírá odpadky; kdo vybírá odpadky z košů **2** zool. saprofág **3** přen. spisovatel n. novinář libující si ve skandálech a nechutných tématech
scavenger beetle [ˈskævin*dž*əˌbi:tl] zool. mrchožravý brouk, zejm. hrobařík
scavenger crab [skævin*dž*əkræb] zool. krab živící se zdechlinami
scavenger pump [skævin*dž*əpamp] námoř. proplachovačka
scavengery [skævin*dž*əri] **1** čištění n. zametání ulic **2** odvoz odpadků
scazon [skeizən] liter. **1** choliamb, kulhavý jamb (slang.) **2** kulhavý verš, kulhavý rytmus
scena [šeinə] hud. **1** scéna, výjev, výstup, číslo v opeře **2** (recitativ a) árie operní i koncertní
scenario [siˈna:riəu] *pl:* ~*s* [-z] **1** div., film. scénář, scenario **2** div. dějová kostra commedie dell'arte **3** operní libreto **4** varianta plánu n. činnosti
scenarist [si:nərist] scenárista
scend [send] námoř. *s* **1** zvedání přídě na vlnách **2** kymácení lodi ve svislém směru, ponořování a vynořování přídě ◆ ~ *of the sea* nastávající pohyb vlny, vzdutí vlny ● *v* najíždět přídí na vlnu

scene [si:n] **1** jevištní výstup, výjev, scéna; (recitativ a) árie operní i koncertní **2** dekorace, kulisy, scéna, jevištní výprava; antic. jeviště **3** krajina, vzhled krajiny, partie, scenérie; pohled, obraz (přen.) **4** místo děje / události, scéna (*the ~ of this disaster* místo této katastrofy), dějiště (*the ~ of a historic event* dějiště historické události); prostředí, milieu **5** přen. pole, oblast (*the mineral ~s*) **6** filmová / televizní scéna, epizoda, sekvence; záběr, šot; příběh, epizoda, událost, obraz, obrázek (*~s of clerical life* obrázky z kněžského života) **7** bouřlivý / nechutný výstup, scéna (*a tempestous ~ of tears and remorse* bouřlivý výstup plný slz a výčitek), divadlo, tyjátr (hovor.) **8** slang. prostředí, životní styl ◆ *arrive on the ~ 1.* vstoupit na jeviště *2.* objevit se na scéně; *be on the ~* přen. být přítomen, být při tom; *behind the ~s 1.* div. za scénou, za jevištěm, v portále *2.* přen. v zákulisí (*a decision reached behind the ~s* rozhodnutí, k němuž se dospělo v zákulisí); *change of ~ 1.* div. proměna *2.* změna prostředí; *the ~ is laid in London* děj se odehrává v Londýně; *make a p. a ~* u|dělat / ztropit scénu / scény komu, vyvolat scénu před kým; *the ~ opens on a room* scéna začíná v pokoji, při otevření opony se objeví pokoj; *quit the ~* odejít ze scény zemřít; *set ~* div. výprava, kterou je nutno stavět, dekorace; *silvan ~* lesní krajinka, lesní partie; *shift the ~s* stavět kulisy; *the world is a ~ of strife* svět je místem věčných bojů

scene designer [ˈsi:ndiˌzainə] **1** jevištní výtvarník **2** = *scene painter, 1*

scene dock [si:ndok] div. skladiště dekorací, kulisárna

scene painter [ˈsi:nˌpeintə] **1** malíř dekorací, divadelní malíř **2** kdo umí dobře popisovat prostředí

scene painting [ˈsi:nˌpeintiŋ] **1** malování dekorací, divadelní malířství **2** popisování prostředí

scenery [si:nəri] **1** div. dekorace, kulisy, výprava, scenérie **2** krajina, příroda (*preferred ~ to historical landmarks* dával přednost přírodě před historickými památkami); ráz krajiny, scenérie (*mountain ~*)

scene shifter [ˈsi:nˌšiftə] div. kulisář, kulisák (slang.)

scenic [si:nik] *adj* **1** jevištní, scénický (*~ effects*), dramatický (*~ writers*), divadelní (*~ carpenter* ... truhlář) **2** týkající se jevištního výtvarnictví: výtvarný, scénický, scénografický (*~ triumph*) **3** týkající se přírodní scenérie, přírodní, krajinný (*~ beauties*), bohatý na přírodní krásy, malebný (*~ valley* malebné údolí) **4** vyjadřující nějaký děj, dějový, epický, dramatický (*a ~ bas-relief*) **5** AM vyhlídkový ◆ *~ railway* vláček projíždějící namalovanou krajinou pouťová atrakce; *~ road* AM vyhlídková cesta / trasa ● *s* **1** tapety zobrazující nějaký děj **2** přírodní snímek film **3** fotograf zabývající se krajinářskou fotografií

scenograph [si:nəgra:f] **1** perspektivní zobrazení **2** = *scenographer*

scenographer [si:ˈnogrəfə] jevištní výtvarník, scénograf

scenographic [ˌsi:nəˌgræfik] **1** perspektivní **2** scénografický

scenography [si(:)ˈnogrəfi] **1** perspektivní zobrazení **2** scénografie jevištní výtvarnictví

scent [sent] *v* **1** u|cítit, čichat, čít, vy|čenichat **2** pes z|větřit, vy|čenichat; pátrat / slídit čichem *after* po, stopovat čichem co (*dogs ~ after rabbits* psi stopující čichem králíky) **3** přen. tušit, předvídat, předpokládat, čít, vy|cítit (*~ treachery* vycítit zradu) **4** navonět, provonět, parfemovat (*the rose ~s the air* růže provoňuje vzduch) **5** být cítit *of* čím, vonět čím, páchnout čím (*this ~s of sulphur* tohle páchne sírou); zavánět *of* čím ***scent out*** zvětřit, vyčenichat ● *s* **1** vůně **2** pach; zápach **3** čich zejm. zvířecí; přen. čich, nos *for* na co (*a ~ for heresy*) **4** stopa vnímaná čichem, navětřená stopa; též přen. **5** papírky stopa při sportovní hře **6** stopa, známka, náznak zdání, tucha, tušení (*~ of trouble* náznak potíží) **7** voňavka, parfém **8** navětřovací prostředek, větřidlo (mysl.) ◆ *be on the wrong ~* být na falešné stopě; *cold ~* slabá / stará stopa; *follow up the ~* jít / běžet po stopě, sledovat stopu; *hot ~* silná / čerstvá stopa; *lose the ~* ztratit stopu; *put off the ~* svést ze stopy; *put on the ~* přivést na stopu; *recover the ~* opět najít stopu; *false ~* falešná stopa, též přen.

scent bag [sentbæg] **1** pižmová žláza; pižmový váček **2** váček s parfemovaným práškem **3** sport. váček s anýzovými semeny umělá „liška" při honu na lišku

scent bottle [ˈsentˌbotl] lahvička, flakón na voňavku

scented [sentid] **1** vonný, voňavý (*a ~ flower*), vonící **2** navoněný, provoněný, parfemovaný **3** v. *scent, v* ◆ *~ caper* druh čaje; *~ tea* jasmínový čaj

scented fern [ˌsentidˈfə:n] bot. **1** kapradiník horský **2** vratič obecný

scented mignonette [ˈsentidˌminjəˈnet] bot. (rýt) rezeda

scent gland [sentglænd] pižmová žláza

scentless [sentlis] **1** jsoucí bez pachu, nezapáchající **2** půda: jsoucí bez jakékoli stopy

scentometer [senˈtomitə] analyzátor dechu

scent organ [ˈsentˌo:gən] pižmová žláza; pižmový váček, „bobří stroj"

scepsis [skepsis] filoz. skepse; skepticismus

sceptic [skeptik] *s* **1** nedůvěřivý / pochybovačný člověk, cynik, skeptik **2** náb. pochybovač, nevěřící, agnostik; ateista **3** *S~* filoz. skeptik ● *adj* skeptický

sceptical [skeptikəl] **1** nedůvěřivý, pochybovačný, skeptický (*~ smile*) **2** filoz. skeptický

scepticism [skeptisizəm] **1** nedůvěra, nedůvěřivost, pochybovačnost, skepticismus, skepse **2** filoz. skepticismus, pyrrhonismus

sceptre [septə] *s* **1** žezlo **2** panovnická moc, vláda ♦ *wield the* ~ mít žezlo pevně v rukou, vládnout ● *v* předat žezlo / vládu komu

sceptered [septəd] **1** třímající žezlo, vládnoucí **2** přen. královský **3** v. *sceptre, v*

sceptreless [septəlis] **1** jsoucí bez žezla **2** nepoddaný žádnému vladaři

schadenfreude [ša:dənfroidə] škodolibost

schappe [šæp] text. hedvábná příze; tkanina z česané hedvábné příze

schedule [šedju:l / AM skedžl] *s* **1** seznam, soupis, tabulka, tabela (~ *of creditors* seznam věřitelů); rozpis, inventář **2** termín *for* na / dokončení čeho (*a* ~ *for the construction of a building* termín dokončení výstavby budovy) **3** pracovní program (*my* ~ *for tomorrow*) **4** zejm. AM jízdní řád; letový řád; plavební řád **5** blanket, formulář; sčítací arch; BR formulář k přiznání daně z příjmu **6** práv. dovětek, dodatek, doložka, příloha zákona **7** zast. listina, dokument ♦ *behind* ~ se zpožděním, pozdě, po termínu; *on* ~ přesně podle časového plánu, včas, v termínu, na den, na minutu, na vteřinu; *production* ~ výrobní harmonogram; ~ *speed* průměrná cestovní rychlost vlaku; ~ *work* práce dle rozvrhu / plánu ● *v* **1** pořídit / udělat seznam atd. z (~*d his income and debts* udělal si soupis příjmu a dluhů); přehledně sestavit; zanést / zapsat do seznamu **2** zavést, zařadit do jízdního řádu (~ *a new train*) **3** na|plánovat (~*d meeting for the next week*) **4** BR dát stavební památku do seznamu chráněných objektů

scheduled [šedju:ld / AM skedžld] **1** určený podle plánu (~ *pilots*) **2** v. *schedule, v* ♦ *be* ~ *on* být programem určen na (*the session is* ~ *on May 3* zasedání se má podle plánu konat 3. května, *the ship is* ~ *to start on May 27* podle plavebního řádu má loď vyplout 27. května); ~ *territories* sterlingová oblast

scheduling [šedju:liŋ / AM skedžliŋ] **1** časové plánování **2** v. *schedule, v*

Scheelite [ši:lait] miner. scheelit, wolframan vápenatý

scheik [seik] = *sheik*

schema [ski:mə] *pl* též *schemata* [ski:mətə] **1** jednoduché znázornění, náčrtek, obrazec, nárys, diagram, schéma **2** nástin, plán postupu, osnova, schéma **3** filoz. úsudková figura, figura sylogismu **4** filoz. schéma v kantovské filozofii **5** liter. řečnická figura

schematic [ski(:)ˈmætik] *adj* **1** pouze v obrysech, naznačený schématem, názorný, schematický (*a* ~ *diagram of the eye*) **2** udělaný podle vzoru, šablonovitý, schematický; užívající konvenčních symbolů ● *s* ekon. diagram

schematism [ski:mətizəm] **1** schematické uspořádání **2** řidč. vnitřní struktura

scheme [ski:m] *s* **1** plán, návrh, program, projekt (*irrigation* ~) **2** intrika, pleticha, pikle, úskok, machinace (*a* ~ *to get control of a government*) **3** iluzorní nápad, představa, vize, fantazie (*a head full of* ~*s and wild ideas* hlava plná fantazií a divokých nápadů) **4** nárys, diagram, plán, plánek, skica, schéma (*sketched a small* ~ *of the watershed* načrtl malý plánek vodního předělu) **5** liter. vzorec (*the metrical* ~ *of a sonnet*) **6** řád, soustava, systém, metoda (*a* ~ *of philosophy*), styl (~ *of life*), paleta (přen.) (~ *of colour*) **7** tabulka, přehled, seznam; osnova, pevná kostra ● *v* **1** též ~ *out* navrhnout, vymyslit, vyspekulovat, osnovat chytře / úkladně (~ *out a plot against the king* vymyslit spiknutí proti králi) **2** intrikovat, pletichařit, kout pikle **3** systematicky uspořádat, seřadit, srovnat

schemer [ski:mə] **1** projektant, navrhovatel, plánovač **2** pletichář, intrikán

scheming [ski:miŋ] **1** pletichářský, intrikánský **2.** v. *scheme, v*

schemozzle [šemozl] AM slang. **1** šlamastika, bengál **2** rvačka

scherzando [skeəˈtsændəu] hud. *adj* žertovně, rozmarně, laškovně, scherzoso, scherzando ● *s* taková hudební pasáž n. věta

scherzo [skeətsəu] hud. scherzo skladba rozmarného laškovného rázu, součást symfonii, kvartet ap.

Schiedam [ski(:)ˈdæm] holandský gin

schilling [šilink] jednotka rakouské měny; mince představující tuto hodnotu

schipperke [šipəki] holandský luxusní psík

schism [sizəm] **1** rozkol **2** náboženský rozkol, schizma; odpadnutí od katolické církve **3** rozkolnictví, odpadlictví; odštěpenci, odpadlíci **4** příčina rozkolu; odštěpenecké názory

schisma [sizmə] hud.: rozdíl mezi pytagorejským a syntonickým kommatem

schismatic [sizˈmætik] *adj* rozkolnický, odštěpenecký, schizmatický ● *s* odštěpenec, rozkolník, schizmatik

schismatical [sizˈmætikəl] rozkolnický, odštěpenecký, schizmatický

schist [šist] geol. břidlice krystalická

schistose [šistəuz] **1** zbřidličnělý **2** břidličnatý

schizanthus [skaiˈzænθəs] bot.: okrasná rostlina *Schizanthus*

schizogenesis [ˌskitsəˈdženisis] bot. nepohlavní rozmnožování spór, dělení, štěpení, schizogeneze

schizoid [skitsoid] med. *adj* schizofrenní, schizofrenický, schizoidní ● *s* schizofrenik, schizoidní člověk

schizomycete [ˌskitsə*u*maiˈsi:t] **1** med. baktérie, poltivka **2** bot. schizomycet

schizophrenia [ˌskitsəuˈfri:njə] med. schizofrenie duševní onemocnění, rozpad osobnosti

schizophrenic [ˌskitsəuˈfrenik] med. *adj* schizofrenní, schizofrenický týkající se schizofrenie ● *s* schizofrenik kdo trpí schizofrenií

schlemiel, schlemihl [šlǝˈmi:l] slang. smolař
schlep [šlep] AM slang. moula, trouba, houžvička, šlejška
schlock [šlok] AM slang. *adj* laciný, fórový, ● *s* brak, šmejd, šmízo
schlockmeister [ˈšlokˌmaistǝ] AM slang. kramář, vetešník 2 kšeftman, kšeftař zejm. zadavatel televizního pořadu
schlocky [šloki] (*-ie-*) AM slang. = *schlock, adj*
schmaltz [šmo:lts] slang. **1** cajdák, omejvárna sentimentální hudba **2** nasládlost, limonádovost, slaďáctví v umění, sladký kýč
schmaltz-artist [ˈšmo:ltsˌa:tist] AM slang. kýčař dělající sladké kýče
schmaltzy [šmo:ltsi] (*-ie*) nasládlý, sacharinový, sentimentální, limonádový, kýčovitý
schmear [šmiǝ] slang. krám, záležitost
schnaps, schnapps [šnæps] **1** silný holandský gin **2** kořalka zejm. jalovcová; pálenka, brandy, šnaps
schnauzer [šnauzǝ] knírač, hrubosrstý pinč
Schneider Trophy [ˌšnaidǝˈtrǝufi] Schneiderova cena pro lety hydroplánů
schnitzel [šnitsǝl] telecí řízek zejm. smažený
schnorkel [šno:kǝl] vzdušnice, šnorkl akvalungu i ponorky, dýchací trubice potápěče s akvalungem; větrací trubice ponorky
schnorrer [šnorǝ] židovský žebrák, šnorer
schnozzle [šnozǝl] AM slang. frňák
scholar [skolǝ] **1** učenec, vědec, badatel, odborník (*a noted Shakespeare* ~) **2** hovor. školák, žák, student **3** zast. scholár **4** žák, student, adept, učedník (*he is a quick* ~ učí se rychle) **5** kdo umí číst a psát; vzdělanec **6** stipendista, fundatista ◆ *a* ~ *and a gentleman* vzdělaný a dobře vychovaný člověk
scholarly [skolǝli] učený, vědecký; teoretický, odborný; týkající se výzkumu
scholarship [skolǝšip] **1** nadace, stipendium **2** učenost, vzdělanost, odborné vzdělání **3** bádání, věda ◆ *classical* ~ klasické / humanistické vzdělání
scholastic [skǝˈlæstik] *adj* **1** učený, vědecký, badatelský; humanistický, akademický (~ *education*) **2** školní (~ *holidays*), žákovský (~ *competitions* ... soutěže), učitelský (~ *profession*) **3** scholastický týkající se scholastiky **4** strnulý, neživotný, pedantický, školometský, scholastický ● *s* **1** filoz. scholastik stoupenec scholastiky **2** hist. magister, scholastik učitel na nižší škole **3** círk. scholastik, student jezuitské koleje **4** školomet, pedant **5** ~*s, pl* scholastika, scholastická filozofie n. metoda **6** ~*s, pl* školometství, scholastičnost (*dry and lifeless* ~*s*)
scholasticism [skǝˈlæstisizǝm] **1** filoz. scholastika školská církevní filozofie; středověký filozofický směr **2** školometství, scholastičnost
scholiast [skǝuliæst] scholiasta autor scholií
scholium [skǝuljǝm] *pl* též *scholia* [skǝuljǝ] scholion gramatická, exegetická, historická aj. kritická poznámka připisovaná na okraj starých textů řeckých a latinských
school[1] [sku:l] *s* hejno ryb (*a* ~ *of dolphins* ... delfínů) ● *v* ryba plavat a pást se v hejnu
school[2] [sku:l] *s* **1** škola vzdělávací instituce (*boys'* ~, *girls'* ~, *fencing* ~ šermířská škola); budova pro takovou instituci (*the most beautiful* ~ *in the area*); vyučování, školní povinnost (*there will be no* ~ *on Friday*); žactvo a zaměstnanci (*the new teacher is liked by the whole* ~); školení, výchova (*the* ~ *of experience* škola zkušenosti); učební metoda / soustava, učebnice (*piano* ~, *S*~ *of Counterpoint* škola kontrapunktu); skupina stoupenců, následovníků, žáků jednoho směru (*he left no* ~ *behind him*) filozofického (*Hegelian* ~), uměleckého (*romantic* ~), vědeckého (*the radical* ~ *of economists*) **2** učiliště; odborná škola, odborné učiliště; ústav, institut, akademie, vysoká škola (*S*~ *of Economics*) **3** třída, školní stupeň (*boys in the upper* ~); třída, učebna v jezuitské škole **4** hist. posluchárna středověké univerzity **5** fakulta (*the* ~ *of medicine at the state university* lékařská fakulta státní univerzity); AM univerzita, kolej (*the excellent east coast* ~*s*) **6** BR samostatný studijní obor jehož studium končí zkouškami **7** BR zkušebna, zkušební místnost / sál na oxfordské univerzitě **8** BR ~*s, pl* závěrečné zkoušky **9** ~*s, pl* scholastikové; scholastika **10** filozofický, umělecký, vědecký směr **11** voj., námoř. výcvik, výcvikové předpisy, pravidla výcviku **12** jezdecká škola, jezdecký výcvik ◆ *I arrived ten minutes before* ~ přišel jsem deset minut před vyučováním; *be at / in* ~ být ve škole; *be in for one's* ~*s* BR být v období závěrečných zkoušek, podstupovat závěrečné zkoušky; *continuation* ~ pokračovací škola; *elementary* ~ základní škola, obecná škola; *free* ~ škola v níž se neplatí školné; *gentleman of the old* ~ džentlmen ze staré školy staromódní; zásadový; *go to* ~ jít / chodit do školy; *go to* ~ *to a p.* napodobovat koho, naučit se to od koho; *Greats* ~ BR humanistický obor, zakončený zkouškami „Greats" (v Oxfordu); ~ *of gunnery* dělostřelecké učiliště; *high* ~ škola druhého stupně, měšťanka, gymnázium; *infant* ~ *1.* první dvě třídy základní školy *2.* mateřská školka; *keep a* ~ mít soukromou školu, být ředitelem a majitelem školy; *laissez-faire* ~ ekon., polit. liberální směr, ekonomický liberalismus; *leave* ~ absolvovat, vychodit školu, vyjít ze školy; *lower* ~ *1.* nižší třídy *public school 2.* škola nižšího stupně; *Medical S*~*s* kliniky; *S*~ *of Motoring* autoškola; *S*~ *of Music* konzervatoř, hudební škola; ~ *of musketry* pěchotní učiliště; *national* ~ BR základní škola založená *National Society; preparatory* ~ soukromá přípravná škola, přípravka pro *public school;* ~ *of printing* grafická škola, odborná škola polygrafická; *public* ~ v. *public, adj.; secondary* ~ všeobecně vzdělávací škola druhého stupně; *a severe* ~ tvrdá škola života; *technical* ~ průmyslová škola, průmyslovka;

tell tales out of ~ vykládat důvěrné věci, říkat, co se nemá; *theology of the* ~*s* scholastická teologie; *trade* ~ odborná škola, odborné učiliště ● *v* **1** chodit do školy **2** vy|školit, dát / poskytnout vzdělání, vzdělat **3** naučit *in* čemu, naučit ovládat co, vycvičit v čem, vtlouci do hlavy co **4** po|kárat **5** cvičit, drezírovat koně ◆ *be* ~*ed in* mít dobré vzdělání v, být zběhlý v. ovládat co (*well* ~*ed in languages*) ***school o. s.*** zvyknout si *to a t.* na, naučit se *to do a t.* dělat co ● *adj* **1** školní (~ *studies,*) žákovský (~ *concert*), školácký (*amateurish* ~ *French*) **2** scholastický (~ *theology*) **3** nacvičený, týkající se výcviku koně (~ *gait* nacvičený krok) ◆ ~ *divine* scholastický teolog; ~ *doctor* školní lékař; ~ *hall* aula školy; *old* ~ *tie* BR *1.* kravata v barvách školy, školní kravata *2.* přen. sentimentální lokálpatriotismus, lpění na příslušnosti např. ke své vyšší společenské třídě

schoolable [sku:ləbl] **1** školou povinný (~ *children*) **2** učelivý, učenlivý (*a quiet* ~ *beast* tiché, učenlivé zvíře)

school age [sku:leidž] **1** školní věk, věk povinné školní docházky **2** povinná školní docházka

school attendance [ˌsku:ləˈtendəns] školní docházka

schoolbag [sku:lbæg] školní brašna

school board [sku:lbo:d] **1** místní školská komise, školní rada **2** BR hist. úřad zodpovědný za základní školy (1870–92)

schoolbook [sku:lbuk] *s* školní učebnice ● *adj* zejm. AM čítankový (*a* ~ *hero*)

schoolboy [sku:lboi] *s* školák, žák ● *adj* **1** školní, žákovský (~ *slang*) **2** klukovský (~ *mischief*... nezbednost)

schoolboy howler [ˈsku:lboiˌhaulə] školní perlička

school child [sku:lčaild] dítě školou povinné

school dame [sku:ldeim] BR zast. ředitelka školy, zejm. ředitelka soukromé základní školy

schooldays [sku:ldeiz] *pl* **1** školní léta **2** doba, kdy se chodí ještě do školy, mládí (*in my* ~ za mého mládí)

schooldesk [sku:ldesk] školní lavice

school divinity [ˌsku:ldiˈvinəti] scholastická teologie

school edition [ˌsku:liˈdišən] školní vydání

school fee [sku:lfi:] školné

schoolfellow [ˈsku:lˌfeləu] spolužák, kolega ze školy

schoolfish [sku:lfiš] *pl* též *-fish* [-fiš] zool. **1** jakákoli ryba tvořící hejna **2** = *menhaden*

schoolgirl [sku:lgə:l] školačka, žákyně

schoolhouse [sku:lhaus] *pl: -houses* [-hauziz] **1** školní budova zejm. na venkově **2** BR obytný dům ředitele základní školy, zejm. hned vedle školy **3** hlavní budova *public school*

schoolie [sku:li] námoř. slang. lodní praporčík vyučující předměty všeobecného vzdělání

schooling [sku:liŋ] **1** výuka, vyučování ve škole, školení, školní vzdělání, školy (přen.); vyučovací hodiny **2** výcvik koně **3** v. *school²*, *v*

school inspector [ˈsku:linˌspektə] školní inspektor

school-leaving age [ˈsku:lˌli:viŋˈeidž] věk dítěte, ve kterém mu končí povinná školní docházka

school ma'am [sku:lma:m] hovor. **1** paní ředitelka **2** paní učitelka, kantorka **3** přen. metr přísná žena

schoolman [sku:lmən] *pl: -men* [-mən] **1** učitel, pedagog **2** hist. mistr, profesor středověké univerzity **3** scholastik

school marm [sku:lma:m] = *school ma'am*

schoolmaster [ˈsku:lˌma:stə] **1** ředitel školy; zástupce ředitele školy **2** učitel **3** námoř. lodní praporčík vyučující předměty všeobecného vzdělání

schoolmastering [ˈsku:lˌma:stəriŋ] **1** ředitelování školy **2** učitelování

schoolmate [sku:lmeit] spolužák, kolega ze školy

school miss [sku:lmis] nezkušená / stydlivá dívenka, panenka, žabec

schoolmistress [ˈsku:lˌmistris] **1** ředitelka školy **2** učitelka

school pence [sku:lpens] BR sobotales

school report [ˌsku:lriˈpo:t] BR školní vysvědčení

schoolroom [sku:lru:m] učebna, třída

school ship [sku:lšip] školní loď

school staff [sku:lsta:f] učitelský sbor

schoolteacher [ˈsku:lˌti:čə] učitel zejm. základní školy

schoolteaching [ˈsku:lˌti:čiŋ] učitelování

school time [sku:ltaim] **1** vyučovací doba ve škole i doma vyučování **2** školní léta

schoolwork [sku:lwə:k] **1** práce do školy **2** práce ve škole

schoolyard [sku:lja:d] školní dvůr n. nádvoří

school year [ˌsku:lˈjə:] školní rok

schooner [sku:nə] **1** námoř. škuner **2** též *prairie* ~ krytý vůz amerických pionýrů **3** AM vysoká sklenice, pohár na pivo **4** velká sklenka na sherry **5** BR dutá míra pro pivo (asi $^1/_3$ l)

schooner brig [ˌsku:nəˈbrig] škunerová briga

schooner rig [ˌsku:nəˈrig] škunerové oplachtění, škunerová takeláž

schooner-rigged [ˌsku:nəˈrigd] loď mající podélné oplachtění

schorl [šo:l] miner. černý turmalín, skoryl

schottische [šoˈti:š] hud. skotská, skotský, šotyš (hovor.) lidový tanec ve dvoučtvrťovém taktu; hudba k tomuto tanci

schuss [šus] sport. slang. *s* šus ● *v* sjíždět šusem

schussboom [šusbu:m] slang. šusovat

schussboomer [ˈšusˌbu:mə] slang. lyžař, který šusuje

schwa [šwa:] ə písmeno fonetické abecedy; zvuk, který představuje

sciagram [ˌskaiəˈgræm] = *skiagram*

sciagrammatic [ˌskaiəgrəˈmætik] = *skiagrammatic*

sciagraph [skaiəgra:f] = *skiagraph*

sciagrapher [ˌskaiˈægrəfə] = *skiagrapher*

sciagraphy [skaiˈægrəfi] = *skiagraphy*

sciamachy [saiˈæməki] (*-ie-*) stínový boj, boj

s myšleným soupeřem, boj s větrnými mlýny (přen.)

sciatic [saiˈætik] med. **1** sedací **2** ischiadický, ischiatický (~ *pains*); trpící ischiasem ◆ ~ *stay* námoř. nakládací stěh

sciatica [saiˈætikə] med. ischias, zánět sedacího nervu

science [saiəns] **1** věda; nauka **2** vědní obor, vědecká disciplína **3** též *natural* ~ přírodní věda, přírodní vědy (*study* ~) **4** ovládání, znalost *of* čeho; umění, odbornost, odborná znalost **5** sport. zručnost, obratnost, trénovanost; šermířské n. rohovnické „umění"; šerm, šermování, box, boxování, rohování **6** zast. vědomost, vědomosti (*I speak from* ~, ~ *crowns my age*) ◆ *dismal* ~ žert. politická ekonomie; ~ *of gardening* zahradnictví; *historical* ~ dějepis, historie vědní obor; *man of* ~ vědec, badatel; *pure* ~ abstraktní věda; *theory of* ~ gnoseologie, teorie poznání

science fiction [ˌsaiənsˈfikšən] vědecko-fantastické romány, povídky, filmy a pod., sci-fi

scienter [saiˈentə] práv. *adv* vědomě ● *s* vědomý čin, vědomé jednání

sciential [saiˈenšəl] **1** vědomostní, vědní **2** chápající, rozumný, dovedný

scientific [ˌsaiənˈtifik] **1** přírodovědecký (~ *studies*); vzdělaný v přírodních vědách **2** vědecký **3** exaktní, systematický, racionální **4** přen. odborný, odborně prováděný, promyšlený, důmyslný; postupující / pracující vědecky / promyšleně / důmyslně **5** sport. vy|trénovaný; technicky dobře vybavený, precizní ◆ ~ *management* vědecké řízení práce; ~ *stone* zast. umělý rubín n. safír

scientologist [ˌsaiənˈtolədžist] odborník v scientologii

scientology [ˌsaiənˈtolədži] scientologie domněle vědecký nábožensko-psychologický směr

scientism [saiəntizəm] **1** vědeckost **2** filoz. scientismus názor hlásající, že zdokonalením vědy se mohou řešit všechny společenské problémy

scientist [saiəntist] **1** vědec **2** přírodovědec **3** náb. stoupenec hnutí *Christian Science*

sci-fi [saifai] hovor. vědecko-fantastický, týkající se *science fiction*, sci-fi

scilicet [sailiset] a to, to jest, totiž, scilicet

scilla [silə] bot. ladoňka

Scillonian [siˈləunjən] *adj* týkající se souostroví Scilly n. jeho obyvatel ● *s* obyvatel souostroví Scilly

scimitar, scimiter [simitə] orientální zakřivená šavle, turecká šavle

scintilla [sinˈtilə] **1** jiskra **2** zrnko, špetka *of* čeho, stopa, zdání čeho / po (*not a* ~ *of wisdom* ani špetka moudrosti)

scintillant [sinˈtilənt] jiskřivý, jiskrný, třpytící se, sršící

scintillate [sintileit] **1** jiskřit, třpytit se **2** přen. sršet čím (~ *witticism*)

scintillation [ˌsintiˈleišən] **1** jiskření, třpyt, sršení; zajiskření **2** hvězd. třpyt hvězd, scintilace; chvění vzduchu, neklid vzduchu ◆ ~ *counter* fyz. scintilační počítač; ~ *detector* chem. scintilační detektor

sciolism [saiəulizəm] povrchní znalost, polovičaté / mělké vědomosti, pavěda

sciolist [saiəulist] polovzdělanec, kdo něco zná jen povrchně, pavědec, nedouk

sciolistic [ˌsaiəˈlistik] povrchní, mělký, pavědecký, polovzdělanecký (~ *arguments*)

sciolto [šoltəu] hud. *adv* **1** libovolně ve výrazu **2** staccato ● *adj* **1** výraz libovolný **2** staccatový

sciomachy [saiˈoməki] = *sciamachy*

scion [saiən] **1** bot. odnož, výhon; řízek; roub **2** přen. potomek, odnož, syn / dcera zejm. šlechtického rodu

sciopticon [saiˈoptikon] promítací přístroj pro diapozitivy, skioptikon

sciosophy [saiˈosəfi] pavěda

Sciot(e) [saiot] *adj* týkající se ostrova Chiosu n. jeho obyvatel ● *s* obyvatel ostrova Chiosu

scire facias [ˌsaiəriˈfeišæs] též *writ of* ~ práv.: soudní příkaz k provedení n. zrušení rozsudku atd.

scirroco [siˈrokəu] = *sirocco*

scirrhoid [siroid] med. připomínající rakovinný nádor

scirrhosity [siˈrosəti] med. ciróza; ztvrdnutí žláz

scirrhous [sirəs] med. svraštělý a ztvrdlý

scirrhus [sirəs] *pl* též *scirrhi* [sirai] med. tvrdý rakovinný nádor

scissel [sisl] odstřižky z plechu, odpad při vystřihování z pásu

scissile [sisil] **1** stříhatelný **2** lehce štípatelný, štěpný

scission [sižən] **1** stříhání **2** štípání, rozštípnutí, štěpení, rozštěpení **3** řezání, řez **4** přen. rozštěpení, rozkol

scissiparity [ˌsisiˈpærəti] biol. rozmnožování dělením

scissor [sizə] **1** stříhat, vystřihnout, zastřihnout, přistřihnout nůžkami **2** být spojen na způsob nůžek; pohybovat se jako nůžky, stříhat si to (*long legs* ~*ing down the street*) ***scissor off*** odstřihnout ***scissor out*** *1* vystřihnout **2** u|dělat výstřižky z ***scissor up*** rozstřihat

scissor-and-paste [ˌsizə-ən*d*peist] kompilační (*a* ~ *method*) ◆ ~ *work* pouhá kompilace

scissor bill [sizəbil] **1** zool. zoboun **2** AM hlupák; brzdař–začátečník

scissor bird [sizəbə:d] zool. americký lejsek z čeledi *Tyrannidae*

scissors [sizəz] **1** též *pair of* ~ nůžky (*the* ~ *are sharp, took a pair of* ~ *and cut the plant*) **2** klíšťky, kleštičky **3** též ~ *kick* sport. nůžky; střihový záběr, střih nohou při plavání na boku ◆ *lamp* ~ kratiknot; *nail* ~ nůžky na nehty; ~ *truss* nůžkový vazník

scissors and paste [ˈsizəzən*d*peist] kompilace zejm. literární

scissors tail [sizəzteil] = *scissor bird*
scissors tooth [sizəztu:θ] *pl: scissors teeth* [sizəzti:θ] zool. trhák šelmy
scissorswise [sizəzwaiz] na způsob nůžek, nůžkovitě
scissure [sižə] zast.: podélná rýha, trhlina, spára, štěrbina
sciurine [saujuərin] zool. *adj* veverkovitý ● *s* veverka
sciuroid [saijuəroid] **1** zool. veverkovitý **2** bot. připomínající veverčí ocas, esovitě zvednutý a huňatý, hustý
sclaff [sklæf] golf *v* udeřit golfovou holí do země před úderem do míčku ● *s* úder do země před úderem do míčku
Sclav [skla:v] = *Slav*
Sclavonic [sklə'vonik] = *Slavonic*
sclera [skliərə] anat. bělima, skléra
sclerenchyma [ˌskliə'reŋkimə] sklerenchym buněčné pletivo tvořené tlustoblannými buňkami
scleariasis [ˌskliə'raisis] med. tvrdnutí, kornatění
scleritis [ˌskliə'raitis] med. skleritida, skleritis zánět bělimy
scleroderm [skliərədə:m] zool. **1** tvrdá / rohovitá kůže **2** tvrdé pletivo korálů **3** tvrdokožec
scleroderma [ˌskliərə*u*'də:mə] med. sklerodermie zbytnění a ztvrdnutí kožního vaziva
sclerodermatous [ˌskliərə*u*'də:mətəs] zool.: jsoucí s tvrdou / rohovitou kůží
sclerogen [skliərədžən] bot. sklerenchymatické pletivo
scleroid [skliəroid] bot. *s* sklereida soubor buněk se ztlustlými stěnami v pletivu jiných vlastností ● *adj* sklerechymatický, sklereoidní
scleroma [ˌskliə'rəumə] *pl* též *scleromata* [ˌskliə'rəumətə **1** med. ztvrdlina **2** bot. ztvrdnutí
scleromeninx [ˌskliərə*u*'mi:niŋks] = *dura mater*
scleroproteins [ˌskliərə*u*'prəuti:ns] *pl* zool. skleroproteiny bílkoviny tvořící podstatu tvrdých útvarů
sclerosal [sklə'rəuzl] sklerotický
sclerosed [skliərəuzd] ztvrdlý
sclerosis [ˌskliə'rəusis] med. z|kornatění, skleróza
scleroskeleton [ˌskliərə*u*'skelitn] anat. sezamské kůstky
sclerosteous [ˌskliə'rostiəs] zool. sezamský
sclerotic [ˌskliə'rotik] *adj* sklerotický (~ *patient*); zkornatělý, sklerózní (~ *arteries* zkornatělé tepny) ● *s* bělima, skléra
sclerotitis [ˌskliərə'taitis] med. skleritida zánět bělimy
sclerotomy [ˌskliə'rotəmi] med. sklerotomie chirurgický řez do bělimy
sclerous [skliərəs] tvrdý, ztvrdlý, zkornatělý, sklerózní
scobiform [skobifo:m] pilinovitý, připomínající piliny
scobs [skobz] *pl* tvrdé piliny, třísky, hobliny
scoff¹ [skof] slang. *s* bašta, žvanec, žraso ● *v* **1** žrát, sežrat, hltat, shltnout, schlamstnout, zblajznout **2** seknout, štípnout, otočit, vybrakovat vy|krást
scoff² [skof] *s* **1** posměch, posměšek, výsměšek, výsměch, úšklebek **2** terč / předmět posměchu ● *v* **1** posmívat se, vysmívat se *a p.* / *at* komu, dělat si / tropit si posměšky z
scoffer [skofə] posměvač, posměváček zejm. který se posmívá náboženství
scold [skəuld] *v* nadávat (*at*) *a p.* komu, spílat, vyhubovat, vynadat komu, hubovat koho, láteřit na (~ *the younger generation of writers for their sins* spílat mladší spisovatelské generaci za jejich hříchy) ● *s* **1** kdo hubuje atd., grobián **2** štěkna, štěkula hubující žena
scolding [skəuldiŋ] vynadání, vyhubování ◆ *to get a good* ~ dostat pořádně vynadáno
scolex [skəuleks] *pl: scoleces* [skə*u*'li:si:z] n. *scolices* [skolisi:z] hlava tasemnice
scoliosis [ˌskoli'əusis] *pl: scolises* [ˌskoli'əusi:z] med. skolióza chorobné vychýlení páteře do strany
scoliotic [ˌskoli'otik] med. skoliózní týkající se skoliózy; trpící skoliózou
scollop [skoləp] = *scallop*
scolopacous [ˌskolə'peišəs], **scolopacine** [skoləpəsin] zool.: pták slukovitý
scolopendrine [ˌskolə'pendrain] zool. stonohovitý, stonožkovitý
scolopendrium [ˌskolə'pendriəm] bot. jelení jazyk
scomber [skombə] *pl: scombri* [skombrai] zool. řidč. makrela
scombrid [skombrid], **scombrid** [skombroid] zool. *adj* makrelovitý ● *s* ryba z čeledi makrelovitých
scon [skon] = *scone*
sconce¹ [skons] svícen; nástěnný svícen; svícen na klavíru
sconce² [skons] zast. žert. kokos, kebule, šiška temeno hlavy
sconce³ [skons] **1** voj.: ochranný val, bašta; pevnůstka, bunkr **2** zast. ochrana, kryt, zástěna, paravan
sconce⁴ [skons] BR *v* **1** na oxfordské univerzitě stíhat pokutou (např. zaplacením piva) za přestupek proti slušnému chování při stole (*Jones was* ~*d* Jones dostal pokutu, *Latin quotations are* ~*d* za latinské citáty se platí pokuta) **2** hist. pokutovat za porušení kázně / předpisů na univerzitě (*the Vice Chancellor* ~*d all that were without their hoods*) ● *s* **1** pivo zaplacené jako pokuta na oxfordské univerzitě **2** pokuta
sconcheon [skončən] archit. vnější ostění
scone [skon / AM skəun] **1** malý čajový koláček, neslazený koláček k čaji, nemastná placička k čaji **2** malý sladký bochánek se sušeným ovocem
scoop [sku:p] *s***1** naběrák, naběrač, naběračka, sběračka, hluboká lopata, např. na uhlí, na vodu apod.; lopatka; velká lžíce, čerpák, vylévačka nástroj i množství **2** sýrařská / zmrzlinářská lžíce **3** koreček rypadla **4** kapsa, naběrák kapsového výtahu **5** nabrání, nabírání, vybrání, vybírání **6** přen. ráz **7** vybrané místo, dolík, jamka **8** též ~ *neck* hluboký kulatý výstřih **9** slang. náhlý / velký zisk, výdělek, profit, terno **10** nálevkovitý otvor v masce automobilu s chlaze-

ním vzduchem **11** slang. výhradní zpráva získaná pro noviny, sólokapr ◆ ~ *chain* korečkový řetěz; ~ *dredger* korečkový bagr; *make a* ~ udělat terno, rychle zbohatnout; ~ *vane* koreček ● *v* **1** též ~ *up* nabrat, načerpat, vybrat (jako) naběračkou **2** též ~ *out* vybrat, vyhloubit, vydloubnout (~ *out the centre of a melon*) **3** též ~ *in* slang. shrábnout, náhle získat (~ *in a good profit*) **4** slang. vyfouknout před nosem komu výhradní zprávu pro sebe / pro svůj časopis ◆ ~ *a boat dry* vybrat z lodi všechnu vodu lopatou na vodu apod.

scooper [sku:pə] **1** nabírač, vyběrač, čerpač, vyčerpávač, hloubič **2** duté řezbářské dlátko, dlabátko **3** zool. tenkozobec

scoop net [sku:pnet] keser, čereň

scoop wheel [sku:pwi:l] korečkové / čerpací kolo na zdvíhání vody

scoot [sku:t] *v* **1** hovor. mazat, letět, proletět, vyletět, mazat si to, natírat to, žíhat si to, kalit to **2** po|stříkat

scooter [sku:tə] *s* **1** koloběžka **2** též *motor* ~ skútr **3** rychlý motorový člun **4** AM plachetnice schopná pohybu po vodě i na ledě **5** rádlo; oboravadlo ● *v* jet na koloběžce n. na skútru

scop [skop] bard, básník

scopa [skəupə] *pl* též *scopae* [skəupi:] zool. chomáček chloupků zejm. na noze včely

scopate [skəupeit] připomínající chomáček chloupků na noze včely

scope[1] [skəup] **1** pole, celková oblast, rámec, sféra působnosti / možnosti, možnost, možnosti, působnost **2** rozhled, duševní obzor (*a man of wide* ~) **3** volný prostor, volnost (*the essay gives him* ~ *for his imagination*) **4** uplatnění, ventil (přen.) (*he seeks* ~ *for his energies*) **5** rozsah (~ *of obligation* ... povinnosti), šíře (~ *of view*); dosah, dostřel (*the* ~ *of a bow* dostřel z luku) **6** námoř. délka vypuštěného kotevního lana n. kotevního řetězu **7** velká plocha, pole, lán, lány **8** zast. záměr, cíl, účel ◆ *that is beyond my* ~ to se vymyká z rámce mých možností, na to nestačím, to není v mé kompetenci; *free* ~ volnost; *full* ~ úplná volnost (*give one's fancy full* ~ pustit své fantazii volnou uzdu); *it lies outside the* ~ *of this book* to se vymyká z rámce této knihy; *an undertaking of wide* ~ široce založený podnik

scope[2] [skəup] hovor. **1** obrazovka radiolokátoru **2** mikroskop **3** teleskop **4** periskop

scopiferous [skə|pifərəs] zool. s kartáčkovitým porostem chlupů

scopiform [skəupifo:m] kartáčkovitý

scopolamine [sko|poləmi:n] lékár. skopolamin alkaloid používaný jako utišující a uspávající léčivo

scopula [skopjulə] *pl* též *scopulae* [skopjuli:] zool. kartáček na nohou pavouka

scopulate [skopjuleit] kartáčkovitý

scopuliform [skopjulifo:m] = *scopiform*

scorbutic [sko:|bju:tik] med. *adj* kurdějový, skorbutický; trpící kurdějemi ● *s* člověk nemocný kurdějemi

scorbutical [sko:|bju:tikəl] = *scorbutic, adj*

scorch [sko:č] *v* **1** sežehnout, ožehnout **2** opálit | se, připálit | se, spálit | se (*a bottom of the roast* ~*ed by the cook* spodek pečeně připálený kuchařem, *cotton and linens may* ~ *at high temperatures* bavlněné a lněné látky se mohou při vysokých teplotách spálit), propálit | se (*a shirt* ~*ed by a careless laundress* košile propálená nepozornou pradlenou, *the scarlet letter which forthwith seemed to* ~ *into her breast* šarlatové písmeno, které jako by se jí ihned propalovalo do hrudi) **3** sežehnout, vysušit, vypražit, zpražit, vyprahnout, dát vyprahnout **4** zpražit, z|ničit, z|deptat, setřít kritikou **5** slang. pálit to, kalit to, žíhat si to (~*ing by on a motorcycle*) ◆ ~*ed earth* (*tactics* / *policy*) voj. taktika / politika spálené země ● *s* **1** sežehnutí, ožehnutí **2** opálení, připálení, spálení, propálení **3** popálení, popálenina; spálené místo **4** vysušení, vyprahnutí **5** hnědá skvrna na ovoci **6** slang. let, fofry rychlá jízda

scorcher [sko:čə] **1** hovor. pařák, hic horký den **2** jedovatá / kousavá poznámka / kritika, zpražení **3** slang. senzace, bomba **4** slang. kdo jede rychle, blázen za volantem apod. **5** sport. slang. dělovka, bomba

scorching [sko:čiŋ] **1** vše spalující, připalující, parný, horký (~ *heat*) **2** jedovatý, kousavý, sžíravý (~ *indictment of the foreign policies* sžíravá obžaloba zahraniční politiky) **3** v. *scorch, v*

scordatura [sko:dətuərə] hud. skordatura jiné ladění strunného nástroje než obvyklé

score [sko:] *s* **1** vrub, vroubek; řez, zářez; rýha, drážka; vryp; prasklina, puklina **2** rýha pro přehyb papíru, rilování **3** námoř. vrub, zářez, žlábek dřevěné kladky **4** dlouhá podlitina, pruh, jelito (*the wrip left* ~*s on his back* bič zanechal na jeho zádech dlouhé podlitiny) **5** čárka, značka, znamínko, znamení **6** účet (*drink a pint on his* ~ vypít půllitr na jeho účet), útrata, cech (zast.) (*leaving other to pay the* ~) startovací / cílová čára **8** sport. stav utkání, skóre; počet bodů / zásahů; výsledek, umístění v konečném výsledku **9** sport.: dosažený bod, branka, gól **10** psych. skór kvantitativní výsledek psychologického testu **11** BR slang. šleh, šleha, rána, úder (*the remark was not intended as a* ~ *against him*) **12** dvacet, dvacítka, dvě desítky (*his years were four* ~ bylo mu osmdesát) **13** ~*s, pl* několik desítek, mnoho, spousta, stovky (~*s of people made homeless by a storm* stovky lidí, které bouře zbavila domovů) **14** hovor. štístko, terno; úspěšná krádež, rána (*what a* ~!) **15** hud. partitura; notový zápis **16** scénická / filmová hudba **17** choreografický zápis **18** jednotka váhy pro vepře n. skot (20 n. 21 liber) ◆ *by the* ~ ve velkém množství, na tucty (*they are to be found by the* ~); *close* / *compressed* ~ partitura vokálního díla, v níž jsou soprán a alt zapsány v jedné osnově a tenor a bas v druhé; *full* ~ velká partitura; *go off at a* ~ *1.* spustit, dát se rychle do toho *2.* pustit se ze řetězu *3.* vypálit od startu; *in* ~ hud. v partituře, v partiturním znění, spartovaný; *keep* ~ *1.* sledovat průběh utkání zapisováním bodů, zapisovat stav utkání, zapisovat, být zapisovatelem *2.* karty zapisovat, psát; *know the* ~ *on a t.* AM vědět, co znamená co; *know what the* ~ *is* AM vědět, zač je toho loket; *make a good* ~ docílit pěkného výsledku při sportovním utkání; *no* ~ sport. bez bodů, bez branek, nula nula; *on more* ~*s than one* z mnoha důvodů, z mnoha příčin; *on that* ~ z toho důvodu, proto; *on the* ~ *of* z důvodu, pro, kvůli; *orchestral* ~ hud. velká partitura; *over a* ~ několik desítek, desítky, velká řada (*over a* ~ *of smaller exhibitions*); *piano* ~ hud. klavírní výtah, transkripce pro klavír, klavírní úprava, úprava pro piano v níž jsou pro klavír přepsány i event. vokální party; *pocket* ~ hud. kapesní partitura; *run up a* ~ mít / udělat sekyru dluhy např. v hostinci; *settle old* ~*s* vyrovnat / vyřídit si staré / nevyřízené účty; *short* ~ hud. = *close* ~; *three* ~ *and ten 1.* sedmdesát, sedmdesátka *2* normální délka lidského života; ~*s of times* stokrát; *vocal* ~ hud. klavírní výtah vokálního díla, v němž jsou vokální party ponechány v původním znění; *what is the* ~ *now?* jaký je teď stav utkání?, jak to hrajeme? ● *v* **1** vrubovat, značkovat vrubem / zářezem, dělat zářezy; rýhovat, drážkovat, žlábkovat, též polygr.; z|brázdit, vyrýt, rýhy; udělat rovnoběžné rýhy do (*peels cucumbers,* ~*s them with the tines of a fork* oloupá okurky, udělá do nich hroty vidličky rovnoběžné rýhy); poškrábat; naříznout maso **2** udělat bičem pruhy / jelita komu **3** udělat rýhu v přehybu papíru, rilovat papír **4** připsat / udělat čáru / čárku; počítat se, přičítat se, připsat se *for* komu (*that* ~*s for us*) **5** označit, vyznačit čárami (*pavements were* ~*d with chalk marks for hopscotch* na chodníkách byly křídou namalovány čáry na nebe-peklo-ráj); linkovat (*jet planes* ~ *the heavens with their vapour trails* trysková letadla linkují nebe sraženými parami) **6** proškrtnout, přeškrtnout *through* co (~*s through a figure that is wrong* přeškrtnout chybnou číslici) **7** zatrhnout, odsouhlasit, odfajfkovat (hovor.) **8** zapsat, zapisovat, zaznamenávat; sport. zaznamenávat průběh utkání, sledovat a zapisovat stav **9** posoudit, ocenit, ohodnotit, vyhodnotit (~ *candidates for a job*); zhodnotit, zpracovat výsledky čeho (~ *a test or examination*)**10** AM vyhubovat, vynadat *a p.* komu, setřít koho (*my predecessors were equally* ~*d for expressing personal opinion* stejně setřeni byli i moji předchůdci, protože vyjádřili svůj osobní názor) **11** získat bod / body, docílit bodu, docílit čeho, úspěšně provést a tím docílit bodu (~ *a home run*) **12** zaznamenat, mít úspěch, docílit, dosáhnout, doznat úspěchu (~ *a theatrical success*); mít úspěch (*an actor who* ~*s in a play*), mít štěstí **13** vyhrát, vyhrávat to *over* nad., též přen. (*nylon also* ~*s over cotton and wool in being resistant to moths* nad bavlnou a vlnou to vyhrává nylon také tím, že ho moli nežerou) **14** platit, počítat se kolik / jako **15** docílit vysoké ceny **16** hud. instrumentovat, orchestrovat, aranžovat pro orchestr (*one refrain takes two and a half hours to* ~ *and copy* instrumentovat a načisto opsat jeden refrén trvá dvě a půl hodiny); spartovat hlasy; zapsat v notách; připsat / dopsat filmovou hudbu k **17** vodit těsně před závodem koně; přivést ke startovní čáře koně; kůň blížit se ke startovní čáře **18** psí smečka vydávat při nalezení stopy **19** slang. na|kupovat drogy ◆ ~ (*up*) *a t. against* / *to a p.* připsat dluh na účet koho, připsat co komu; ~ *a goal* dát branku, skórovat; ~ *a hit* zasáhnout cíl; ~ *a victory* vyhrát ***score off 1*** přeškrtnout, proškrtnout, vyškrtnout **2** BR hovor. setřít, utřít, zavřít hubu komu ***score out 1*** vyrýt (*the flood has* ~*d out a deep channel in the middle of the lane* povodeň vyhloubila uprostřed polní cesty hluboké koryto) **2** přeškrtnout, proškrtnout ***score under*** podškrtnout ***score up 1*** zapsat dluhy / na dluh, poznamenat na dluh, připočítat, napsat na futro (hovor.) *2* přen. pamatovat si *a t.* co *against* / *to* na

scoreboard [sko:bod] sport. tabule ukazující skóre

scorebook [sko:buk] sport. blok na zapisování výsledků zejm. při kriketovém utkání

scorecard [sko:ka:d] **1** lístek na zapisování výsledků (*the judge's* ~ *at the dog show* rozhodčího lístek na zapisování výsledků na výstavě psů) **2** zápis o utkání

score-playing [ˈsko:ˌpleiiŋ] hra z partitury na klavír

scorer [sko:rə] **1** zapisovač, zapisovatel výsledků, též sport. **2** polygr. drážkovací / rýhovací stroj, rilovačka (slang.)

scoresheet [sko:ši:t] **1** blanket na zapisování výsledků **2** zápis o utkání

scoria [sko:riə] *pl: scoriae* [sko:rii:] **1** struska, škvára **2** geol. struskovitá láva ◆ ~ *moraine* geol. lávová moréna

scorification [ˌsko:rifiˈkeišən] **1** ze|struskování, ze|struskovatění **2** získávání zlata / stříbra z rudy tavením v kelímku

scorifier [sko:rifaiə] kelímek na zkoušení / hutnické zpracování drahých kovů

scorify [sko:rifai] (*-ie-*) **1** ze|struskovat, ze|struskovatět **2** zanést struskou **3** získávat zlato / stříbro z rudy tavením v kelímku

scoring [sko:riŋ] **1** hud. orchestrace, instrumentace (*not likely to allow the conductor to alter his* ~ nedovolí dirigentovi měnit jeho instrumentaci) **2** rýhy, drážky, škrábance (~ *made on a rock by glaciers* rýhy způsobené na skále ledovcem) **3** v. *score, v*

scoring area [ˈsko:riŋˌeəriə] sport. trestné území

scorn [sko:n] *s* **1** pohrdání, opovržení, neúcta, despekt (*the public's attitude toward his work changing from ~ to veneration during his lifetime* vztah veřejnosti se za jeho života změnil z opovržení k uctívání) **2** posměch, výsměch **3** terč posměchu, posměch (*he was the ~ of the whole village*) ◆ *hold a p. in ~* mít koho v opovržení; *laugh a p. to ~ 1.* vysmívat se komu *2.* zesměšnit koho; *think ~ of a p.* pohrdat kým, opovrhovat kým ● *v* **1** pohrdat, opovrhovat kým / čím, ohrnovat nos nad (*~ the committee's report*) **2** pokládat pod svou důstojnost *to do* dělat (*accepted advertisements which other publishers ~ed to print* přijímat inzeráty, které ostatní vydavatelé pokládali pod svou důstojnost otisknout) **3** zast. posmívat se, vysmívat se *at* komu / čemu, dělat si legraci z (*you have ~ed at my gifts* vy jste se vysmívala mým dárkům)

scorner [sko:nə] kdo pohrdá n. opovrhuje *of* čím. pohrdavec, opovrhovač, opovrhovatel

scornful [sko:nf*u*l] pohrdavý, opovržlivý (*~ smile*); pohrdající, opovrhující *of* kým / čím (*~ of the conventions that he esteemed* pohrdající konvencemi, kterých si on vážil)

scornfulness [sko:nf*u*lnis] pohrdavost, pohrdlivost, opovržlivost

Scorpio [sko:piəu] **1** hvězd. Štír souhvězdí zvířetníku **2** člověk narozený ve znamení Štíra

scorpioid [sko:pioid] *adj* **1** bot. připomínající ocas štíra **2** zool. štírovitý ● *s* **1** zool. živočich z řádu štírů n. veleštírů **2** bot.: druh cymosního květenství

scorpion [sko:pjən] **1** zool. štír, škorpion **2** hovor. ještěrka, žába, „štír" **3** bibl. důtky s kovovými trny **4** voj. druh vrhacího stroje, prak **5** = *Scorpio*

scorpion broom [sko:pjənbru:m] bot.: kručinka *Genista scorpius*

scorpion fish [sko:pjənfiš] *pl* též *fish* [fiš] zool. **1** ryba z čeledi ropušnicovitých **2** ropušnice

scorpion fly [sko:pjənflai] (*-ie-*) zool. srpice

scorpion grass [sko:pjəngra:s] bot. pomněnka

scorpion plant [sko:pjənpla:nt] **1** bot. orchidej *Arachnis flos-aëris* **2** = *scorpion broom*

scorpion senna [ˌsko:pjənˈsenə] bot. čičorka křovitá

scorpion shell [sko:pjənšel] zool. křídlatka

scorpion's tail [sko:pjənzteil] bot. štírovka

scorpion thorn [sko:pjənθo:n] = *scorpion broom*

scorzonera [ˌsko:zəˈniərə] bot. hadí mord, černý kořen

scot¹ [skot] *s* **1** zast. poplatek **2** hist. daň, dávka ◆ *pay ~ and lot* zaplatit do haléře; *pay (for) one's ~* platit dávku, přispět na daně ● *v* (*-tt-*) zast. zdanit

Scot² [skot] Skot obyvatel Skotska; člen keltského kmene

Scotch¹ [skoč] *adj* skotský; týkající se Skotů n. skotštiny ● *s* **1** jaz. skotština; anglická nářečí ve Skotsku **2** skotská, skotská whisky **3** Skotové ◆ *~ and soda* sklenka skotské whisky se sodovkou; *Broad ~* skotština nářečí, jímž se mluví v jižním a středním Skotsku *Lowland ~* skotské nářečí jímž se mluví v jižním Skotsku

scotch² [skoč] zast. **1** naseknout, lehce poranit / zmrzačit **2** zastavit, zarazit škodlivé, zneškodnit; umlčet pomluvy ● *s* **1** lehké poranění, naseknutí **2** čára pro dětskou hru „nebe-peklo-ráj"

scotch³ [skoč] *s* podkladek, zarážka pod kola / sud ● *v* podložit a tím zarazit kolo / sud

Scotch asphodel [ˌskočˈæsfədəl] bot. kohátka nízká

Scotch barley [ˌskočˈba:li] ječné kroupy

Scotch blackface [ˌskočˈblækfeis] skotská černohubka ovce

Scotch bluebell [ˌskočˈblu:bel] bot. zvonek okrouhlolistý

Scotch broth [ˌskočˈbroθ] hustá zeleninová polévka s kroupami

Scotch cap [ˌskočˈkæp] skotská čapka lodička

Scotch catch [ˌskočˈkæč] hud. obrácený tečkovaný rytmus

Scotch collops [ˌskočˈkoləps] kuch. pečený steak s cibulkou, hovězí sekaný řízek

Scotch douche [ˌskočˈdu:š] med. skotský střik při kterém se střídá teplý proud se studeným

Scotch egg [ˌskočˈeg] kuch.: obalovaný karbanátek plněný natvrdo vařeným vejcem

Scotch fir [ˌskočˈfə] bot. borovice lesní

Scotch Gaelik [ˌskočˈgeilik] gaelské nářečí v severním Skotsku, gaelština

Scotch hands [ˌskočˈhændz] dřevěné lopatky na zpracování másla

Scotch heath [ˌskočˈhi:θ] bot. **1** vřesovec **2** AM vřes obecný

Scotch kale [ˌskočˈkeil] bot. červenavá odrůda jarmuzu

Scotchman [skočmən] *pl: -men* [-mən] **1** zast. Skot **2** profesionální hráč golfu **3** též *~s* námoř. oděrková lať, oděrka na stěhách a úponách chránící pevně lanoví ◆ *~'s cinema* náměstí Piccadilly

Scotch mist [ˌskočˈmist] **1** hustá mlha **2** žert. trvalý déšť, mrholení, mžení

Scotch pebble [ˌskočˈpebl] oblázek z achátu / jaspisu / kouřového krystalu

Scotch pine [ˌskočˈpain] = *Scotch fir*

Scotch rose [ˌskočˈrəuz] bot. růže bedrníkolistá

Scotch snap [ˌskočˈsnæp] = *Scotch catch*

Scotch tape [ˌskočˈteip] lepicí páska, izolepa

Scotch terrier [ˌskočˈteriə] skotský teriér, smeták (hovor.)

Scotch thistle [ˌskočθisl] bot. (ostropes) trubil

Scotch whisky [ˌskočˈwiski] skotská whisky, skotská

Scotch woodcock [ˌskočˈwudkok] kuch. skotský toast míchané vajíčko se sardelkou na toastu

scoter [skəutə] zool. turpan černý

scot-free [skotfri:] **1** řidč. nezdaněný, bez poplatků, bez platební povinnosti **2** jsoucí bez úhony, se zdravou kůží (*walking ~ in the place of torment* procházející místem utrpení bez úhony) **3** bez trestu, nepotrestaný (*all his clients were guilty*

and all of them got off ~ všichni jeho klienti byli vinni a všichni se z toho dostali bez potrestání)
scotia[1] [skəušə] fabion, obrácená podbrádka paty sloupu
Scotia[2] [skəušə] bás. Skotsko ◆ *Nova* ~ Nové Skotsko kanadská provincie
Scotice [skotisi:] = *Scottice*
Scoticism [skotisizəm] = *Scotticism*
Scoticize [skotisaiz] = *Scotticise*
Scotism [skəutizəm] filoz. učení J. Dunce Scota (zemř. 1308)
Scotist [skəutist] filoz. stoupence učení J. Dunse Scota
Scotland [skotlənd] Skotsko
Scotland Yard [ˌskotlənd ˈja:d] Scotland Yard velitelství londýnské kriminální policie; londýnská kriminální policie
scotodinia [ˌskotəˈdainiə] med. závrať spojená s bolestmi hlavy a poruchami zraku
scotograph [skotəgra:f] **1** skotograf přístroj pro psaní ve tmě **2** rentgenový snímek
scotoma [skəˈtəumə] *pl: scotomata* [skəˈtəmətə] fyziol. skotom tmavá skvrna v zorném poli
scotophobia [ˌskotəˈfəubjə] med. chorobný strach před temnotou, skotofobie
scotopic [skəˈtəupik] fyziol. skotopický umožňující vidět za šera
Scots [skots] *adj* osobnost skotský ● *s* skotština, skotský dialekt angličtiny
Scotsman [skostsmən] *pl: -men* [-mən] Skot ◆ *Flying* ~ rychlík Londýn – Edinburgh
Scotswoman [ˈskotsˌwumən] *pl: -women* [-wimin] Skotka
Scottice [skotisi:] ve skotštině, skotským nářečím
Scotticism [skotisizəm] skotský prvek, skotský idiom v angličtině
Scotticize [skotisaiz] **1** poskotštit, dát skotský charakter čemu **2** převést do skotštiny
Scottie [skoti] (*-ie-*) hovor. **1** smeták pes **2** Skot
Scottish [skotiš] skotský ◆ ~ *terrier* skotský teriér, smeták (hovor.)
scoundrel [skaundrəl] ničema, bídák, lotr, mizera, lump
scoundreldom [skaundrəldəm], **scoundrelism** [skaundrəlizəm] ničemnost, bídáctví, lotrovství, lumpárna
scoundrelly [skaundrəli] ničemný, bídácký
scour[1] [skauə] *v* **1** též ~ *about* procházet, probíhat, pobíhat, projíždět a přitom hledat; běžet, letět, hnát se, proletět, proběhnout *through* čím **2** prohledat; hledat *a t.* v čem *for* co (~ *a book for quotations*) ◆ ~ *the sea* námoř. prohledávat moře, dělat námořní průzkum ● *s* námoř. prohledaná n. vyčistěná n. vyhloubená oblast
scour[2] [skauə] *v* **1** vy|cídit, vy|leštit, vy|čistit (~ *knives*), vy|drhnout (~ *steps*), s námahou prát, vyprat (~ *clothes*) **2** vypláchnout, propláchnout; smýt, vymýt **3** vy|hřebelcovat koně **4** radikálně pročistit střeva; dobytek mít průjem **5** zahnat, vyhnat **6** voda vymlít, podemlít **7** loupat obilí **8** mízdřit kůži ***scour away* / *off*** vycídit, odstranit cíděním skvrnu, též přen. ● *s* **1** cídění, čištění, drhnutí; praní **2** vypláchnutí, propláchnutí; čisticí účinek vody (~ *off the tide* čisticí účinek mořských slapů) **3** vymleté koryto, vymletý kanál **4** prací prostředek pro vlnu, odmašťovač **5** ~*s, pl* průjem dobytka
scourer[1] [skauərə] **1** hledač **2** hist. uličník potulující se po ulicích v noci
scourer[2] [skauərə] **1** čistič sukna n. potrubí **2** mízdřič kůži **3** loupací stroj, loupačka obilí
scourge [skə:dž] *s* **1** zast. bič, důtky **2** přen. bič, metla, pohroma, rána ◆ *white* ~ souchotiny ● *v* **1** zast. z|bičovat **2** přen. po|trestat, z|deptat; z|pustošit (*barbarians* ~*d the land and destroyed all civilization* barbaři zpustošili zemi a zničili veškerou civilizaci); tepat, ostře kritizovat, drtit (~ *schools for their standards*) **3** SC vymrskat půdu
scouring rush [skauəriŋraš] bot. přeslička rolní
Scouse [skaus] BR slang. *s* **1** též *s*~ liverpoolský dialekt **2** = *Scouser* ● *adj* = *Scousian*
Scouser [skausə] BR slang. obyvatel Liverpoolu
Scousian [skausiən] BR slang. liverpoolský
scout[1] [skaut] *v* **1** podrážděně odmítnout s posměchem n. opovržením **2** zesměšňovat, dělat si legraci *at* / *a t.* z (~*ed the stories as he told them*)
scout[2] [skaut] *s* **1** voj. zvěd, průzkumník, člen průzkumné rozvědky, špeh **2** hledač talentů (*a* ~ *of the motion-picture industry*) **3** sport. pozorovatel hry soupeře **4** BR na oxfordské univerzitě sluha **5** BR zast. polař v kriketu **6** AM baseball sběrač míčů při nácviku pálkování **7** BR silniční hlídka automobilového klubu **8** skaut; skautka **9** zvědy, průzkum, rozvědka, špeh, špehy (*set myself upon the* ~ *as often as possible* vydal jsem se na zvědy tak často, jak to bylo možné) **10** zool. alka malá; alkoun ◆ *boy* ~ skaut; *Girl S*~ AM skautka; *good* ~ slang. prima kluk / holka, fajn chlap / ženská ● *v* **1** dělat zvěda / průzkumníka, pátrat, vy|zvídat, provádět průzkum, zejm. voj. **2** prozkoumat, propátrat (*had his dragoons to* ~ *the territory ahead of him*) **3** hledat talentovaného herce n. sportovce; vyhledat, najít (~*s his own material*)
scouter [skautə] **1** zvěd, průzkumník **2** rover aktivní skaut starší osmnácti let
scouting party [ˈskautiŋˌpa:ti] voj. průzkumná hlídka
scoutmaster [ˈskautˌma:stə] **1** voj. vedoucí průzkumného oddílu **2** skautský vedoucí
scout ship [ˌskautˈšip] průzkumná loď, průzkumné plavidlo
scout vehicle [ˌskautˈvi:ikl] průzkumné vozidlo
scow [skau] námoř. pramice, prám
scowl [skaul] **1** za|mračit se, za|kabonit se, za|chmuřit se, za|škaredit se zlostně *at* na **2** vyjádřit mračením / kaboněním ***scowl down 1*** chmurně shlížet (*the mountain* ~*ed down over the valley*) **2** zamračit se atd. a tím donutit *to* k (~ *a p. down*

to silence) ● *s* za|mračení, za|kabonění; zamračený / zachmuřený / zakaboněný / chmurný výraz / pohled
scrabble[1] [skræbl] *v* **1** bibl. na|škrábat, na|čmárat **2** počmárat **3** škrábat / poškrábat *a t.* co, škrábat na / po, hrabat (*hens scrabbling the muddy cobbles* slepice hrabající po zabláceném dláždění) čím (*heard the dog scrabbling his nails on the door* slyšel jak pes škrábe drápy na dveře) **4** též ~ *about* hrabat a tím hledat *for* co (*began to ~ in her handbag for a handkerchief*), nahrabat co **5** též ~ *up* sehnat, dát dohromady (~ *up a supper out of leftovers*) ♦ ~ *a living* žít z ruky do úst, dát pracně dohromady živobytí ● *s* **1** škrábanice, čmáranice **2** škrábání (*a ~ of squirrels on the roof* škrábání veverek na střeše) **3** bitva, sháňka, hon (přen.) (*a ~ for tickets to the game*)
Scrabble[2] [skræbl] druh deskové hry spočívající v sestavování slov z písmen
scrag [skræg] *s* **1** hubeňous, hubeňour, vyžle, vychrtlý člověk **2** křivý strom; pokroucená větev **3** kuch. kosti, žebírka; BR skopová krkovička **4** slang. krk, chřtán, vaz **5** sport. slang. skládání hráče sevřením za krk při ragby ● *v* (*-gg-*) **1** hovor. zakroutit krk komu; uškrtit koho; oběsit koho **2** sport. slang. chytit za krk při ragby **3** stud. slang. zmáčknout krk loktem
scrag-end [ˌskræg'end] kuch. skopová n. telecí krkovička
scragged [skrægd] **1** hubený, vyzáblý, vychrtlý **2** v. *scrag, v*
scragginess [skræginis] **1** divokost, rozervanost, rozeklanost **2** hubenost, vyzáblost, vychrtlost
scraggle [skrægl] hubený chomáč, trs (*~s of grass* trsy trávy)
scraggly [skrægli] (*-ie-*) **1** neudržovaný, nepěstěný (~ *little path to his door* neudržovaná cestička k jeho dveřím) **2** řídký (~ *beard*); občasný (*two years of ~ border warfare* dva roky nepravidelné pohraniční války)
scraggy [skrægi] (*-ie-*) **1** divoký, rozervaný, rozeklaný (~ *cliffs* rozeklané útesy) **2** hubený, vyzáblý, vychrtlý, kost a kůže
scram [skræm] *v* (*-mm-*) zmizet, vypadnout, táhnout ● *s* náhlé / nouzové odstavení jaderného reaktoru
scramble [skræmbl] *v* **1** lézt po čtyřech, hrabat se, drát se, škrábat se, drápat se, namáhavě šplhat (~ *over the rocks*), přelézt po čtyřech (~ *a cliff* ... útes), vyhrabat se např. z postele **2** rozprostírat se, táhnout se nepravidelně na všechny strany (*scrambling frontier town* nepravidelně rozložené pohraniční město); rostlina pnout se, šplhat **3** tahat se, drát se, prát se, rvát se *for* o. štvát se, honit se za (~ *for wealth*); tlačit se do místa; shánět **4** rozhodit peníze, aby se ostatní o ně prali **5** pomíchat, promíchat (~ *cards*), přeházet, zamíchat čím (*bad weather ~d the air schedules* nepříznivé počasí zamíchalo letovými řády) **6** u|míchat vejce **7** letecká peruť rychle vzlétnout při poplachu; dát povel k okamžitému startu letadel při poplachu **8** sděl. tech. utajit hovor kódováním **9** ragby běžet s míčem sólově ♦ ~ *to one's feet* namáhavě vstát, zvednout se, postavit se na nohy s námahou; ~ *up for a living* honit živobytí jak se dá ● *s* **1** lezení po čtyřech, hrabání (*near the top of the hill the climb became a ~* před vrcholem kopce se výstup proměnil v lezení po čtyřech) **2** strkání, tahanice; rvačka, boj *for* o (*a ~ for a place at the rail* boj o místo u bariéry); hon, honba za **3** honička, zmatek (*careful to keep the rapid finale of the symphony from becoming a ~* dbající na to, aby se z rychlého finále symfonie nestal zmatek) **4** hromada, neuspořádaná snůška, halda (*that crazy ~ of letters*) **5** terénní závod / zkouška motocyklů **6** start letadel při poplachu **7** BR letecký souboj
scrambled egg [ˌskræmbld'eg] **1** míchané vajíčko **2** BR slang. vyšší letecký důstojník
scramble net [skræmblnet] námoř.: boční šplhací síť pro hromadnou záchranu n. hromadný výsadek
scrambler [skræmblə] **1** popínavá rostlina **2** sděl. tech. utajovač telefonního rozhovoru **3** ragby zadák, obránce který běží sólově s míčem **2** = *scramble net*
scramjet [skræmdžet] let **1** náporový motor **2** letadlo s náporovým motorem
scran [skræn] slang. **1** žvanec jídlo **2** zbytky jídla **3** chléb s máslem ♦ *bad ~ to you* IR čert tě vem!
scrannel [skrænl] **1** zast.: zvuk slabý, pisklavý, nemelodický **2** slabý, hubený (*a ~ crop* slabá úroda)
scranny [skræni] (*-ie-*) zejm. nář. hubený, vychrtlý
scrap[1] [skræp] slang. *s* hádka; rvačka, pranice (*got into a ~ in a bar-room*); boj, zápas ● *v* (*-pp-*) hádat se; prát se, rvát se, dostat se do rvačky, servat se
scrap[2] [skræp] *s* **1** zbytek potravy (*fed the dog on ~s* krmil psa zbytky); drobek **2** kousek, kousíček, ždibec; útržek, cár **3** část, kousek, úryvek, útržek (*read ~s of a letter*) **4** liter. výbor, výtah, zlomek, fragment (*~s of poetry*) **5** výstřižek k nalepení, vystřižený obrázek z časopisu **6** odpadový kov; staré železo, šrot **7** zmetek, vyřazený předmět, výmět, brak **8** *~s, pl* odřezky, odpad, odpadový materiál, nepoužitelné zbytky **9** část. *~s, pl* škvarky (*pork ~s*) **10** krmná moučka; moučka na hnojivo **11** *~s, pl* zlomkový tabák ♦ *not a ~ of* ani ždibec čeho, ani za mák čeho, ani to nejmenší co (*not a ~ of evidence*); ~ *of paper* hanl. cár papíru porušená smlouva ● *v* (*-pp-*) **1** vyřadit do odpadu, dát do starého železa / šrotu, zešrotovat, dát na zlom (námoř.) (~ *a battleship*) **2** přen. odhodit, hodit přes palubu, odepsat, zbavit se čeho **3** vypéci škvarky z čeho ● *adj* **1** odpadový, vyřazený **2** ze zbytků (~ *dinner*) ♦ ~ *glass* skleněná drť, skleněné střepy

scrapbook [skræbuk] kniha / sešit k nalepování výstřižků
scrap cake [skræpkeik] lisovaná rybí krmná moučka
scrape [skreip] *v* **1** škrabat, vyškrabat; oškrabat *a t.* co *off* z / od (~ *shoes off mud* oškrabat bláto z bot), seškrabat z (~ *scales off a fish* seškrabat z ryby šupiny); odřít; vyškrabat nehty **2** se|škrabat pryskyřici ze stromů **3** mízdřit kůži **4** přejet skrejprem **5** lehce rozetřít **6** dřít se, drhnout, třít se, škrabat *a t.* o (*the keel* ~*d the stony bottom* kýl se dřel o kamenité dno), odřít (~*d a fender in a collision* odřel si při srážce nárazník) *on* o (~*d his knee on the pavement*), *against* o **7** proběhnout / projet / proletět těsně *against* / *along* u, *over* nad (*the airplane* ~*d over the housetops* letadlo proletělo těsně nad vrcholky domů) **8** prolézt *through* čím, s námahou / jen tak tak absolvovat co (~ *through examinations*), pro|tlouci se čím **9** hlasitě šoupat (*scraping the chair on the floor*); šoupnout nohou při pokloně **10** poklonkovat, službičkovat **11** za|skřípat (*his chalk* ~*d on the blackboard* křída mu skřípala na tabuli); za|vrzat, za|skřípat *a t.* čím (~ *the bow across the fiddlestrings* vrzal smyčcem po strunách houslí) na (~ *the violin*); vrzat na housle, fidlat **12** pracně shánět / dávat dohromady peníze; u|škudlit, u|šetřit, utrhnout si od úst (*scraping and saving to educate their children*) **13** sluka otavní, bekasina mečet, mekat, mekotat ◆ ~ *alongside* loď třít se bokem; ~ *(an) acquaintance with* vynutit si seznámení s; ~ *one's boots* očistit si boty z bláta / od sněhu o škrabku, oškrábat si boty; ~ *ship's bottom* o|škrábat lodní dno od nárůstů; ~ *one's chin* hovor., žert. oškrábnout se, o|holit se; ~ *on food* šetřit na jídle; ~ *home* dosáhnout s námahou cíle; ~ *one's plate* vytřít / vylízat talíř; *wine that* ~*s the throat* víno, které škrábe v hrdle ***scrape along*** / ***by*** vytloukat klín klínem, tlouci se životem, živořit (*scraping along on a small income* protloukat se životem s malým příjmem) ***scrape off*** oškrabat, seškrabat ***scrape out*** vyškrabat ***scrape through*** prolézt při zkoušce, pro|tlouci se životem, nějak to vydržet / absolvovat ***scrape together*** / ***up*** dát dohromady, sehnat, schrastit (~ *up money for the rent*) ● *s* **1** škrábání, dření, drhnutí (*rocks worn by the* ~ *of glaciers* skály odřené ledovci); vyškrábnutí (*took up the remaining mortar with a* ~ *of his trowel* vyškrábl hladítkem zbývající maltu) **2** holé vyškrabané / nahrabané místo (*the tern's nest is a* ~ *in the sand* hnízdo rybáka je vyhrabané místo v písku); odřenina, oděrka **3** škrabák, škrabka, škrabadlo; archeol. škrabadlo **4** skřípot, skřípání (~ *of the wheels*); hlasité šoupání (~ *of footsteps on the stairs*) **5** úklona, poklona se zanožením **6** přen. čárka, řádka (*not a* ~ *from you since your card at Christmas*) **7** malér, šlamastika, průšvih (*his brother was continually helping him out of* ~*s at school*) **8** boj, bitva, řežba (*got into a shooting* ~ *with a political oponent*) **9** pryskyřice na stromech ◆ *bread and* ~ tence namazaný chléb; ~ *of the pen 1.* škrt perem *2.* napsání důležitého slova *3.* podškrábnutí podpis *4.* přen. čárka, řádka, slovíčko
scrape penny [ˈskreipˌpeni] (*-ie-*) škudlil, škrťa, držgrešle
scraper [skreipə] **1** škrabač **2** škrabací nástroj / zařízení / nářadí, škrabák, škrabka, škrabačka, škrabadlo; škrabka na boty; pohrabáč na vyhrabávání popela **3** hřeblo **4** kuch. stěrka, lízátko (hovor.) **5** tech. korový škrabač, skrejpr **6** zejm. hanl. pucifous, odřivous, chlupodravec holič **7** vrzal na housle **8** škrťa, škudlil, držgrešle **9** zool. hrabavý pták **10** zool.: hrabací část nohy některého hmyzu
scrapheap [skræphi:p] **1** skládka (kovového) odpadu **2** odpad, haraburdí, smetiště, šrot (přen.) ◆ ~ *policy* zvyk hned zahazovat starší / nepotřebné věci
scrapie [skreipi] med. svědivka, svrbivka
scraping [skreipiŋ] **1** výškrabek, oškrabek **2** kousek másla co nůž seškrábne **3** v. *scrape, v*
scrap iron [ˈskræpˌaiən] **1** staré železo, šrot **2** zlomková litina; odpadová ocel
scrap material [ˌskræpməˈtiəriəl] odpadový materiál, šrot
scrap merchant [ˌskræpˈmə:čənt] obchodník se starým železem
scrap metal [ˈskræpˌmetl] kovový šrot zejm. železný
scrapper [skræpə] slang. bojovník, rváč
scrappiness [skræpinis] útržkovitost, kusost, nesouvislost, zlomkovitost
scrapple [skræpl] AM kuch.: opékaná sekaná z (vepřového) masa a zeleniny
scrappy [skræpi] (*-ie-*) **1** útržkovitý, kusý, nesouvislý, zlomkovitý (~ *education*) **2** připravený ze zbytků (~ *dinner*)
scrap yard [ˌskræpˈja:d] šrotiště, sklad šrotu
Scratch[1] [skræč] : *Old* ~ hovor. čert, satanáš
scratch[2] [skræč] *v* **1** škrábat, škrabat, drápat rýt nehty n. drápy (*the cat will* ~) **2** po|škrábat (*to* ~ *glass*); poškrábat se, po|drbat se, po|drápat se *a t.* co / kde (~*d his head in bewilderment* poškrabal se rozpačitě na hlavě); rozškrabat, rozdrásat; naškrábat (~ *a note*) **3** zdrsnit škrábáním, nadělat rýhy na (~*d his boot soles to prevent slipping* nadělal si na podrážkách bot rýhy, aby neklouzaly) **4** nakreslit / napsat vyrytím (~*ed a map on the wet sand*), lehce vyrýt (~*ed his initials on the silver cover*), popsat, počmárat vyrytím (*stones* ~*ed with rude letters or pictures*); pero skřípat **5** škrtnout čím (~ *a match*) **6** přeškrtnout, proškrtnout slovo **7** lehce rozrýt, obdělat půdu **8** čistit drátěným kartáčem (~ *a casting* ... odlitek) **9** hrabat a tím hledat, vyhrabávat, hledat hrabáním v zemi *for* co (~ *for stray seeds*) **10** sehnat,

splašit, dát dohromady, schrastit peníze; šetřit, škudlit **11** BR stáhnout, odvolat závodního koně z dostihu (*his horse was ~ed in the third race*); vzdát soutěž / závod před začátkem, nedostavit se ke startu; nepřijít, nedostavit se např. na večírek **12** AM škrtnout kandidáta na volebním lístku **13** kulečník udělat chybný strk; získat bod náhodným karambolem / náhodnou trefou **14** sport. slang. pobízet koně kopáním do slabin střídavě vpředu a vzadu ◆ ~ *a p.'s back* přen. *1.* mazat med kolem úst *2.* prokazovat laskavost za protislužbu (*you ~ my back and I'll ~ yours* ruka ruku myje); ~ *for o. s.* starat se sám o sebe, ohánět se sám; ~ *the surface 1.* pouze se dotknout problému, naťuknout, nejít do hloubky čeho *2.* začít s řešením, zkoumáním apod. ***scratch along*** pro|tlouci se (životem), živořit, u|držet se nad vodou ***scratch off*** vyškrtnout, přeškrtnout ***scratch out 1*** vyškrábat (*~ed out the eyes of the owl* vyškrábal sově oči) **2** vyškrtnout, několikrát přeškrtnout ***scratch through*** proškrtnout ***scratch up*** nahrabat peníze ● *s* **1** škrábnutí (*came through the battle without a ~*), šrám, škrábanec; drápnutí, drápanec; rýha, vryp **2** drápanice, drápanina, škrábanice, mazanina **3** skřípání, skřípot pera; povrchový šum, šelest gramofonové desky **4** sport. startovní čára **5** sport. hist. čára uprostřed ringu pro základní postavení rohovníků před začátkem utkání **6** přen. nula, nic (*task of organizing a major institution of learning almost from ~*) **7** zkouška odvahy **8** kůň / chrt přihlášený k závodu, který pak v závodě neběží **9** sport. účastník v handicapovém závodu, začínající bez výhod n. trestných bodů; normální startovní podmínky, čisté počáteční konto **10** baseball nepřesně odpálený ale platný míč **11** *~es, pl* zvěr. podlom nemoc koní **12** tupé, tupet, příčesek **13** zeměď. zrní pro slepice, hrabání **14** *S~* námoř. hovor. tajemník kapitána **15** kulečník chybný strk; bod docílený náhodným karambolem / náhodnou trefou ◆ *be up to ~* být v dobré formě, být v kondici, splňovat předepsané podmínky; *bring a p. to the ~* postavit před rozhodnutí koho; *build from ~* postavit na zeleném trávníku (*two whole towns have had to be built almost from ~*); *come (up) to the ~* 1. netlačit se, postavit se do fronty *2.* = *toe (up) to the ~*; *~ of the pen 1.* škrt / škrtnutí pera *2.* podpis; *start from ~* začít úplně od začátku, začít z ničeho; *toe (up) to the ~ 1.* objevit se v pravou chvíli *2.* nedat se, neuhnout, necouvnout ● *adj* **1** náhodný, neúmyslný, bezděčný (*~ shot*) **2** náhodně sestavený (*~ team*), narychlo n. porůznu sehnaný, nesourodý, smíchaný, různorodý, pestrý (*~ crew* různorodá posádka); narychlo připravený, improvizovaný (*~ meal*) **3** udělaný na zkoušku, zkušební (*~ map*) **4** sport. startující bez zvýhodnění n. trestných bodů (*~ golfer* hráč s vyrovnáním nula) **5** polygr. = *scratch comma*

scratch awl [ˌskræčˈo:l] rýsovací jehla

scratchboard [skræčbo:d] AM polygr. křídový papír pro rytí

scratch cat [ˌskræčˈkæt] divous, vztekloun, ršán, sršatec

scratch coat [ˌskræčˈkəut] **1** zdrsněná omítka **2** podkladní omítka, jádro **3** první / spodní vrstva třívrstvé omítky

scratch comma [ˌskræčˈkomə] polygr.: značka / užívaná dř. k oddělení šilinků od pencí

scratch cradle [ˌskræčˈkreidl] bot. jitrocel kopinatý

scratcher [skræčə] **1** škrabač **2** škrabák na omítku **3** drátěný kartáč **4** zool. hrabavý pták **5** AM hovor. obchodní deník **6** AM slang. padělatel

scratch feed [ˌskræčˈfi:d] zeměd. zrní pro slepice, hrabání

scratch grass [ˌskræčˈgra:s] bot. **1** název druhů truskavce **2** svízel (přítula)

scratch hit [skræčhit] baseball nepřesně odpálený ale platný míč

scratchiness [skræčinis] **1** poškrábat, podrápanost; naškrábanost, nadrápanost **2** skřípavost, rozskřípanost **3** řídkost **4** štípavost, štiplavost **5** různorodost, smíšený charakter

scratch line [skræčlain] sport. **1** startovací čára **2** odrazová čára

scratch man [ˌskræčˈmæn] sport. účastník v handicapovém závodu, začínající bez výhod n. trestných bodů

scratch pad [skræčpæd] zejm. AM poznámkový blok

scratch paper [ˈskræčˌpeipə] zejm. AM konceptní papír, šmírák (hovor.)

scratch race [skræčreis] sport. závod n. dostih bez handicapu

scratch wig [skræčwig] tupé, tupet, příčesek

scratch work [skræčwə:k] výtv. sgrafitto

scratchy [skræči] (*-ie-*) **1** poškrábaný, podrápaný; naškrábaný, nadrápaný (*~ drawing*); vyrytý **2** skřípavý (*a ~ tune came from the phonograph*), rozskřípaný (*a ~ pen*) **3** řídký (*~ mane* ... hříva); špatný, nehezký (*played ~ golf through the first nine*) **4** štípavý, štípající, kousavý (*~ wool sweater*); štiplavý (*~ gas*) **5** narychlo n. porůznu sehnaný, nesourodý, náhodně sestavený, různorodý, pomíchaný, smíchaný, pestrý **6** zvěr. trpící podlomem (*horse with ~ feet*)

scrawl [skro:l] *v* na|škrábat, na|drápat, na|čmárat (*~ a brief note*); počmárat ● *s* škrábanice, drápanice, čmáranice, mazanice, klikyháky (*deciphered the ~* rozluštil ty klikyháky)

scrawny [skro:ni] (*-ie-*) AM hubený, vychrtlý, kost a kůže (*a ~ ill-favoured little girl*)

scray [skrei] zool. rybák obecný

scream [skri:m] *v* **1** vyrazit ze sebe výkřik, náhle vykřiknout (*~ed and fainted* vykřikla a omdlela) **2** za|ječet, za|vřískat, za|vřeštět, za|pištět, vypísknout **3** vítr výt, skučet **4** lokomotiva ostře za|-

pískat 5 hlasitě / hystericky se domáhat *for* čeho, volat po, křičet o (*growing industries are ~ ing for water* rostoucí průmyslová odvětví se hlasitě domáhají vody) **6** přen. bít do očí *a p.* komu, křičet na (*the obviousness fairly ~ s at the reader* je to tak zřetelné, až to bije čtenáře do očí) **7** hnát se, vy|řítit se, vy|letět s ječením apod. ◆ ~ *oneself hoarse* křičet do ochraptění; ~ *with laughter* řvát smíchy ***scream out*** vykřiknout, zaječet, zavřísknout, zavřeštět ● *s* **1** náhlý výkřik **2** za|ječení, zavřísknutí, zavřeštění, za|pištění, vypísknutí; ~ *s, pl* vřískání, vřískot **3** vytí, skučení větru **4** ostrý hvizd, zapísknutí lokomotivy **5** hovor.: s kým je velká legrace: fórista, kanaďan, srandista; co budí salvy smíchu, co je k popukání: prča, junda, kanada, hlína, sranda (*the instructions are a ~ from start to finish*)

screamer [skri:mə] **1** kdo křičí, ječí apod. **2** slang. kanon, sekáč **3** = *scream, s 5* **4** polygr. slang. vykřičník **5** AM slang. senzační titulek, palcový titulek v novinách **6** zool. kamiš pták

screaming [skri:miŋ] hovor. **1** barva křiklavý, nápadný **2** ohromně legrační, k popukání, srandézní (~ *snapshots* fotky k popukání) **3** slang. fantastický, senzační **4** v. *scream, v* ◆ ~ *celluloid* AM slang. zvukový film

scree [skri:] **1** oblázek, kámen **2** též ~ *s, pl* hromada kamení zejm. na svahu, štěrk, suť, též geol.

screech [skri:č] *v* **1** za|vřískat, za|vřeštět, za|ječet **2** za|skřípat, za|vrzat ● *s* **1** za|vřísknutí, za|vřeštění, za|ječení, výkřik **2** skřípot, za|skřípání **3** jekot, za|vytí (*the ~ of fire sirens*)

screech owl [skri:čaul] zool. **1** výreček **2** sova pálená

screed [skri:d] **1** dlouhý seznam, dlouhý výčet zejm. stížností, litanie (přen.) dlouhý výklad, tiráda; dlouhý citát; dlouhý dopis, traktát (přen.) **2** též *floating ~* BR stav. omítník

screen [skri:n] *s* **1** stěna; přepážka; zástěna, plenta; španělská stěna, paraván; clona (*a ~ of ivy across the windows* břečťanová clona přes okna) **2** archit. stěna mezi chórem a chrámovou lodí **3** sport. stěna mimo hřiště za brankou v kriketu **4** přen. plášť, pláštík, rouška, krycí manévr, maska (*petty larceny ... only a ~ for something bigger* drobná krádež ... pouhý pláštík pro něco většího) **5** voj. maskování, kamufláž; ochrana, záštita, ochranná clona, umělá i přirozená kouřová clona; ochranný oddíl, krycí jednotka; předsunuté obranné postavení **6** námoř. ochranná lodní sestava, ochranný konvoj **7** ochranný štít motocyklu; přední sklo auta **8** větrolam **9** síto, též přen., řešeto; prohazovačka na písek **10** síťové / drátěné pletivo, drátěná síť; síť proti hmyzu do okna **11** tech. mřížka (*optical ~, magnetic ~*) **12** polygr. mřížka, rastr, autotypická síť **13** fot. filtr **14** sport. kvalifikační závod v atletice, kvalifikace **15** promítací plátno, promítací plocha, též přen. **16** televizní obrazovka, stínítko obrazovky; štít rentgenového přístroje **17** film; kino, biograf; filmový průmysl **18** text., polygr. filmový tisk ◆ ~ *actor* filmový herec; ~ *advertising* filmová reklama; ~ *analysis* třídící zkouška koksu; ~ *enlargement* polygr. gigantotypie; ~ *grid* sděl. tech. stínicí mřížka elektronky; ~ *of hair* žíněné síto; ~ *reporter* filmový zpravodaj; ~ *time* promítací doba, trvání filmu, délka filmu vyjádřená v časových hodnotách; *wide ~* široké promítací plátno v kině ● *v* **1** chránit, krýt před nebezpečím (~ *the bandits*); schovat, ukrýt u|tajit, skrýt *from* před (~ *her identity from the customers* utajit před zákazníky její totožnost) **2** za|stínit, za|clonit (~ *ed his eyes with his hand*), krýt (voj.) **3** přen. znemožnit činnost překážkou **4** sport. bránit soupeři ve hře postavením se mezi něho a jeho cíl; stínit míč útočníkovi v kopané **5** elektr. odstínit **6** prosévat, třídit na sítech **7** prosévat (přen.), probrat a třídit, pro|zkoumat (*carefully ~ s all visa applications*); pro|kádrovat (*the students were ~ ed before leaving their home countries*); z|kontrolovat, z|cenzurovat (~ *literature sold in the city*); hledat tříděním / proséváním *for* koho / co **8** BR dát na nástěnku **9** dát síť proti hmyzu do okna **10** promítnout na promítací plátno **11** z|filmovat (~ *ed an abbreviated version of the book* zfilmoval zkrácenou verzi knihy, *he ~ s well* vyjímá se dobře na plátně, na plátně působí dobrým dojmem); zpracovat pro televizi **12** obsadit do filmové role (*was ~ ed in the male leads of several westerns* v několika westernech byl obsazen do hlavní mužské role) **13** prosvítit rentgenovými paprsky, rentgenovat ze štítu, snímkovat ze štítu **14** text., polygr. po|tisknout filmovým tiskem ***screen in*** námoř. chránit při vplutí ***screen off*** odstínit ***screen out*** ***1*** zachytit (jako) na sítě (*moisture in the air ~ s out much of the solar heat radiation* značnou část slunečního tepelného záření zachycuje vlhkost ve vzduchu) **2** námoř. chránit při vyplutí

screened [skri:nd] **1** polygr. síťovaný (~ *positive*) **2** v. *screen, v* ◆ ~ *coal* tříděné uhlí, prosévané uhlí

screening [skri:niŋ] **1** síťové / drátěné pletivo, drátěná síť **2** ~ *s, pl* zbytky / výmět při prosévání **3** v. *screen, v*

screenplay [skri:nplei] filmový scénář

screen print [skri:nprint] text. potiskovat filmovým tiskem

screenwash [skri:nwoš] motor. umytí předního skla automatickým ostřikovačem

screenwasher [ˈskri:nˌwošə] motor. automatický ostřikovač

screenwriter [ˈskri:nˌraitə] scenarista, autor scénáře

screen wiper [ˈskri:nˌwaipə] stěrač skla auta

screeve [skri:v] slang. malovat na chodníky a vybírat peníze

screever [skri:və] slang. kdo maluje na chodníky

screw [skru:] *s* **1** šroub; šroubek **2** tech. šnek; vřeteno **3** šroubovnice, šroubový závit; spirála, vint (hovor.) **4** za|šroubování, jedno otočení šroubu **5** vývrtka **6** = *female* ~ **7** klíč **8** lodní šroub / vrtule; vrtulová / šroubová loď, vrtulový / šroubový parník **9** let. vrtule **10** šroub, utahování šroubu (přen.), tlak (*they feel the* ~); z|kroucení, pokroucení, zkřivení pod tlakem (*a kind of* ~ *in her face and carriage, expressive of suppressed emotion*) **11** ~*s, pl* palečnice mučidlo na svírání prstů **12** kousek, špetka množství, které se vejde do zatočeného papíru, zejm. tabáku **13** sport. faleš rotace míče, kulečníkové koule apod.; točený míč v ragby **14** utahaný kůň, herka, hajtra **15** šejdíř, vydřiduch **16** strážník, policista; vulg. bachař **17** kovboj **18** slang. blbec, vůl (*the old* ~ *took that for a compliment*) **19** BR slang. prachy plat, mzda **20** obsc. koitus; partner|ka při koitu ♦ *apply the* ~ přen. přitáhnout šroub, utáhnout; *common* ~ šroub do dřeva, vrut; *differential* ~ diferenciální šroub; *endless* ~ nekončitý šroub, šnek; *external* ~ šroub; *female* ~ matice; *give a t. a* ~ sport. dát míči n. kulečníkové kouli faleš; *have a* ~ *at a p.* BR mrknout na, rychle se podívat; *Hunter's* ~ diferenciální šroub; *internal* ~ matice; *interrupted* ~ šroub s přerušovaným závitem; *left-handed* ~ šroub s levým závitem; *there is a* ~ *loose* přen. tady něco nehraje, tady není něco v pořádku; *he has a* ~ *loose* hovor. nemyslí mu to, nemá to v hlavě v pořádku, má o kolečko víc; *male* ~ šroub; *perpetual* ~ nekončitý šroub, šnek; *put the* ~ *on a p.* zmáčknout, stisknout koho (přen.); *right-and-left* ~ stahovací šroub s pravým a levým závitem na opačných koncích; *turn the* ~ přen. přitáhnout šroub; *turn of the* ~ *1.* jedno otočení šroubu *2.* přen. zmáčknutí, stisknutí, neustálý / zvyšující se tlak; ~ *valve* šroubový ventil ● *v* **1** šroubovat; připevnit šroubem / šrouby; stáhnout / sevřít šroubem; zašroubovat, přišroubovat *on* na (~ *a lock on a door*), našroubovat, zašroubovat *a t.* co *into* do (~ *one piece of the fishing rod into the other* našroubovat jednu část rybářského prutu na druhou) **2** o|točit vřetenem lisu **3** naladit / přitáhnout / povolit strunu (jako) šroubem **4** mučit palečnicí **5** přen. vystavit tlaku, tlačit na, utlačovat, utiskovat, dřít; setřít, sprdnout (vulg.) **6** vy|mačkat, vy|ždímat, vy|sát (~*ing the last penny from their poor tenants* ždímající z ubohých nájemníků poslední šesták); nerad za|platit, vy|klopit, vy|solit, vypláznout peníze **7** škrtit, škudlit, šetřit **8** slang. o|šidit, okrást, ošulit, vzít na hůl, oblafnout **9** pohybovat se pomocí šroubu / vrtule; hnát / pohánět šroubem / vrtulí **10** šroub točit se, otáčet se (~ *to the right*); točit se, kroutit se **11** též ~ *up* zkřivit, zkroutit **12** při|mhouřit oko (~*ed her eyes and tried to read the lettering* přimhouřila oči a snažila se přečíst písmo) **13** sport. zatočit mlýnem v ragby **14** BR sport. dát faleš např. míči; míč apod. mít / dostat faleš **15** slang. vloupat se pomocí paklíče kam, vyloupit **16** slang. vypadnout, zmizet, vzít roha (*let's* ~ *out of here*) **17** obsc. souložit s ♦ *his head is* ~*ed (on) the right way* hovor. to je hlavička, jemu to myslí, ten to má v hlavě v pořádku; ~ *a promise out of a p.* vynutit slib z koho ***screw o. s.*** *1* z|kroutit se, točit se jako šroub *2* zast. vetřít se, vlichotit se *into* do *3* plést se, míchat se *into* do ***screw down*** *1* přišroubovat *2* přimět ke snížení ceny / nájemného (~*ed the landlady down to a shilling*); sešroubovat ceny ***screw on*** našroubovat ***screw open*** odšroubovat, rozšroubovat ***screw out*** zamáčknout cigaretu otočením např. v popelníku ***screw together*** sešroubovat ***screw up*** *1* vyšroubovat ceny *2* napnout strunu *3* napnout, našponovat, vytáhnout *4* stáhnout, svraštit; zmačkat *5* zkřivit, zkroutit; stočit oko, zašilhat okem *6* překroutit, udělat *a t.* z překroucením *into* co *7* slang. zvorat, zmršit, zblbnout ♦ ~ *up courage* sebrat odvahu; ~ *up one's mouth* zkřivit ústa, ušklíbnout se

screw anchor [ˈskru:ˌæŋkə] námoř. vrtná kotva

screwball [skru:bo:l] slang. *s* fantasta, mák, pitomec, cvok ● *adj* praštěný, cvoklý (*a* ~ *campaign*); ztřeštěný (~ *comedy*)

screw blade [skru:bleid] list vrtule, vrtulový list

screw cap [ˌskru:ˈkæp] šroubovací uzávěr

screw coupling [ˈskru:ˌkapliŋ] **1** trubková závitová objímka, nátrubek **2** žel. šroubové spřáhlo

screwcutter [ˈskru:ˌkatə] nástroj na řezání závitů, závitnice, závitová čelist

screwdriver [ˈskru:ˌdraivə] **1** šroubovák **2** druh míchaného nápoje z vodky a pomerančové šťávy

screwed [skru:d] **1** BR slang. nalitý, nadrátovaný, na mol **2** v. *screw, v*

screw eye [skru:ai] **1** oko šroubu **2** šroub s okem

screw gear [ˌskru:ˈgiə] **1** šroubové kolo n. soukolí **2** šnekové soukolí, šnekový převod

screw hook [skru:huk] háček n. skobička na zašroubování

screw jack [skru:džæk] šroubový zdvihák, hever

screw log [skru:log] námoř. mechanický rychloměr

screw pile [skru:pail] šroubová pilota

screw pine [skru:pain] bot. pandán

screw pitch [ˌskru:ˈpič] stoupání vrtule

screw plate [skru:pleit] závitové želízko; závitnice; souprava závitníků a závitnic

screw plug [skru:plag] **1** voj. závěrový šroub děla **2** šroubová zátka

screw pod [skru:pod] bot. luštinatá rostlina *Prosopis pubescens*

screw press [skru:pres] **1** vřetenový lis **2** polygr. ruční šroubový lis

screw propeller [ˈskru:ˌprəˈpelə] lodní / letecká vrtule, lodní šroub

screws [skru:z] *pl* **1** hovor. revma **2** v. *screw, s*

screw shaft tunnel [ˈskru:ša:ftˌtanl] námoř. hřídelový tunel

screw ship [ˌskru:ˈšip] námoř. vrtulová loď

screw socket [ˈskru:ˌsokit] závitová objímka trubek, nátrubck

screw steamer [ˌskru:ˈsti:mə] vrtulová paroloď
screw tap [skru:tæp] závitník na řezání vnitřních závitů
screw thread [skru:θred] šroubový závit
screw top [skru:top] šroubovací uzávěr, šroubovací víčko
screw-topped [skru:topt] láhev apod. jsoucí se šroubovacím uzávěrem, na zašroubování
screwup [skru:ap] AM slang. něco zvoraného, kravina, blbá bota
screw valve [ˌskru:ˈvælv] šroubový ventil
screw wrench [skru:renč] **1** klíč na šrouby / matice **2** stavitelný klíč, francouzský klíč
screwy [skru:i] (*-ie-*) **1** šroubovitý, kroutící se, zkroucený **2** tvrdý po obchodní stránce, vydřidušský, zlodějský (přen.) **3** BR cvoklý, praštěný **4** AM směšný, absurdní, nezvyklý, excentrický (*unusual chords and odd slips in the tune and ~ forms*) **5** BR nalíznutý podnapilý
scribacious [skraiˈbeišəs] řidč. psavý, psavecký
scribal [skraibəl] písařský (*~ error*)
scribble[1] [skribl] *v* **1** psát nečitelně, napsat, popsat nečitelně, na|čmárat, na|škrábat, počmárat (*a ~d envelope*); psát klikyháky **2** novinář psát slátaniny **3** iron. být pisálek, psát, dělat do literatury ● *s* **1** nečitelný rukopis, čmáranina, čmáranice, klikyháky; načmáraná poznámka **2** mazanina, slátanina
scribble[2] [skribl] text. česat vlnu
scribblement [skriblmənt] mazanina, škrábanice, čmáranice
scribbler[1] [skriblə] **1** čmáral, mazal, škrabal **2** pisálek, psavec, škrabal
scribbler[2] [skriblə] text. česací stroj
scribbling block [skribliŋblok] poznámkový blok
scribbling diary [ˈskribliŋˌdaiəri] (*-ie-*) poznámkový kalendář, diář
scribbling pad [skribliŋpæd] BR = *scribbling block*
scribbling paper [ˈskribliŋˌpeipə] poznámkový papír, konceptní papír, šmírák (hovor.)
scribe [skraib] *s* **1** písař; opisovač, kopista **2** humor. pisatel, spisovatel, autor **3** bibl.: starožidovský zákonník **4** tajemnice dívčího skautského oddílu **5** řidč. kdo umí (dobře) psát (*I am not a great ~*) **6** = *scribe awl* ● *v* **1** písařit **2** na|rýsovat, orýsovat, předkreslit rýsovací jehlou
scribe awl [skraibo:l] rýsovací jehla, nádrh (tech.)
scriber [skraibə] = *scribe awl*
scribing compass [ˈskraibiŋˌkampəs] kružítko na orýsování
scribing iron [ˈskraibiŋˌaiən] tech. tesařský nádrh, rejsek
scrim [skrim] **1** text. řídké, hrubě tkané bavlněné plátno, dekorační kreton; řídká podkladová tkanina, mul **2** div. tylová opona, průsvitná opona; průsvitná kulisa
scrimmage [skrimidž] *s* **1** šarvátka, půtka, potyčka, srážka, bitka **2** sport.: ragby mlýn; americká kopaná zápas o míč ● *v* **1** usilovně hledat **2** dostat se do šarvátky atd. **3** sport. vhodit míč: bojovat o míč v americké kopané
scrimp [skrimp] **1** nemístně šetřit, škudlit *on* na (*in restoring the place they ~ed on plumbing* když to místo opravovali, šetřili nemístně na instalačním potrubí); odtrhovat si od úst (*office girls who ~ all year to pay for their vacations*) **2** odměřovat, lakotit na čem (*~ food*); držet zkrátka, držet u úst (*~s his family*)
scrimpy [skrimpi] (*-ie-*) **1** malý, krátký, těsný, nedostatečný (*her ~ white petticoat* její krátká bílá spodnička) **2** šetrný, šetřivý nemístně, lakotný
scrimshank [skrimšæŋk] BR voj. slang. ulejvat se
scrimshanker [skrimšæŋkə] BR voj. slang. ulejvák
scrimshaw [skrimšo:] *v* zdobit malbou / rytinou (kel, mušli, velrybí zub apod.) ● *s* kel, mušle, velrybí zub apod. s malovanou / rytou ozdobou
scrinium [skrainiəm] *pl: scrinia* [skrainiə] antic.: válcové pouzdro na rukopisy
scrip[1] [skrip] BR zast.: žebrácká / poutnická mošna, ranec, uzel
scrip[2] [skrip] **1** ekon. prozatímní stvrzenka upisovateli akcií; prozatímní certifikáty akcií **2** *~s* nehodnotná papírová měna **3** okupační peníze za 2. světové války **4** AM hist.: papírová bankovka v hodnotě jednoho dolaru
script [skript] *s* **1** práv. originál zejm. psaný na stroji **2** rukopis, manuskript; písmo; spis **3** polygr. tištěné psací písmo; *~s, pl* písma psací, scripty **4** text divadelní hry; filmový / televizní scénář **5** text rozhlasového komentátora **6** BR písemná práce odevzdávaná jako součást zkoušky ◆ *~ girl* film. skriptérka ● *v* **1** napsat text k, napsat scénář k **2** zdramatizovat; zpracovat pro film / rozhlas / televizi (*~ a novel into a movie*)
scripted [skriptid] **1** projev napsaný, čtený **2** v. *script, v*
scripter [skriptə] **1** scénárista **2** textař
scriptorium [skripˈto:riəm] *pl* též *scriptoria* [skripˈto:riə] hist. skriptorium písařská dílna
scriptural [skripčərəl] **1** též *S~* biblický, týkající se Písma svatého **2** písemný
scripturalism [skripčərəlizəm] též *S~* náb.: názor, že je třeba chápat bibli doslovně
scripturalist [skripčərəlist] **1** znalec bible; písmař, písmák **2** též *S~* náb.: zastánce názoru, že je třeba bibli chápat doslovně
scripturalness [skripčərəlnis] bibličnost
scripture [skripčə] **1** *S~* též *S~s, pl* Písmo svaté, bible **2** posvátná kniha (*Buddhist ~*), bible (přen.) (*his critical essays provide the ~ of the movement* jako bible celého hnutí slouží jeho kritické eseje) **3** písmo, něco napsaného (*the primitive man's awe for any ~* strach primitivního člověka před čímkoliv psaným) **4** BR zast. nápis
scripture reader [ˈskripčəˌri:də] předčítač bible docházející k chudině
script scene [skriptsi:n] záběr v technickém scénáři

scriptwriter [ˈskriptˌraitə] autor textu; scenárista
scrivener [skrivnə] **1** hist. písař **2** notář **3** finanční agent, makléř, bankéř; půjčovatel peněz **4** pisálek, škrabal ♦ *~'s palsy* písařská křeč
scrobiculate [skroˈbikjulit], **scrobiculated** [skroˈbikjuleitid] zool., bot. dolíčkovatý, dolíčkovaný, jamkovitý
scrofula [skrofjulə] med. skrofulóza tuberkulóza mízních krčních uzlin, krtice (zast.)
scrofulous [skrofjuləs] **1** med. skrofulózní způsobený skrofulózou (*~ ulcers* ... vředy); trpící skrofulózou (*~ Quaker*), krtičnatý (zast.) **2** nemorální, morálně zkažený
scrofulousness [skrofjuləsnis] **1** med. skrofulóza, krtice (zast.) **2** nemorálnost, zkaženost
scrod [skrod] AM mladá treska zejm. vykuchaná
scroll [skrəul] *s* **1** svitek; závitek; role **2** závitnice, spirála, voluta (odb.) **3** svitkový papír, psací svitek pergamenu, svitkový rukopis, pergamen; listina, seznam (*his name was placed high upon the ~ of the world's great*); ozdobná listina, diplom, adresa (*the guest of honour received a framed ~* čestný host dostal zarámovaný diplom) **4** herald. stuha, pás, též přen. **5** vinutá / točená / kroucená čára, kudrlinka, též přen. (*a ~ from the wind instruments* kudrlinka hraná dechovými nástroji) **6** šnek na hlavici houslí atd. **7** spirálové žebro; spirálová drážka, krátký šnek **8** zahnutý konec půleliptické pružnice **9** spirálová skříň turbíny **10** mat. zborcená plocha ● *v* **1** stáčet | se do spirály, tvořit spirálu, svinout | se **2** zahnout se, vinout se (*the long hourly routine ~ed ahead*) **3** ozdobit volutami **4** napsat (jako) na svitek atd. **5** řidč. zapsat do seznamu
scroll bone [skrəulbəun] anat. hlemýžď
scroll gear [ˌskrəulˈgiə] spirálově stočená ozubnice s bočními zuby
scroll head [skrəulhed] námoř. lodní příď ozdobená volutou n. jiným ornamentem
scroll lathe [skrəulleið] soustruh na voluty, soustruh na spirály a závitnice na dřevo
scroll saw [skrəulso:] lupenková pila, vyřezávací pila
scroll wheel [skrəulwi:l] = *scroll gear*
scrollwork [skrəulwə:k] **1** spirálové ozdoby, spirály (*gilt ~ on hand-painted china* zlaté spirály na ručně malovaném porcelánu) **2** ozdobné vyřezávání vyřezané lupenkovou pilou (*wide veranda with a ~ along its roof* široká veranda s ozdobným vyřezáváním podél střechy)
scrooge [skru:dž] též *S~* hanl., žert. lakomec, držgrešle
scroop [skru:p] *s* **1** vrznutí, vrzání, skřípání, skřípot **2** šelest hedvábí ● *v* **1** vrzat, skřípat **2** dř. upravovat hedvábí na vrzavý omak
scrophulariaceous [ˌskrofjuleəriˈeišəs] bot. krtičníkovitý
scrotal [skrəutl] anat. šourkový, skrotální
scrotitis [skrəuˈtaitis] med. zánět šourku
scrotocele [skrəutəsi:l] med. šourková kýla
scrotum [skrəutəm] *pl* též *scrota* [skrəutə] anat. šourek, skrotum
scrounge [skraun*dž*] hovor. **1** též *~ up* schrastit, sehnat, vyšťárat **2** vyžebrat, vymačkat, vyždímat (*money they can ~ out of local communities*) **3** též *~ around* candat a hledat, poflakovat se **4** seknout, štípnout, otočit ukrást: vyhandlovat, vyčenžovat
scrounger [skraun*dž*ə] **1** slang. gauner, podvodník, **2** chmaták
scrub[1] [skrab] **1** křovinný porost, v horách kosodřevina, kleč **2** zákrsek, zakrslý strom **3** zakrslý živočich, zakrslík **4** záprtek, pinďous, pinďour, pindík, malé pivo; nula, nýmand **5** kartáček knírek
scrub[2] [skrab] *v* (*-bb-*) **1** vy|drhnout kartáčem **2** prát plyn **3** vy|gruntovat **4** slang. skrečovat **5** lékař mýt si (ruce a předloktí) před operací (*the surgeon was preparing to ~*) **6** sterilizovat chirurgické nástroje **7** hovor. dřít se, lopotit se *for* na (*must ~ and clean for you the rest of my life*) ● *s* **1** vydrhnutí, drhnutí kartáčem **2** kartáč na drhnutí, rejžák (hovor.); kartáček (*a square military ~ of a moustache*) **3** čistič, uklízeč, podomek (*hotel ~s and chambermaids*) **4** praní plynu **5** mytí rukou před operací **6** AM hovor. neregulérní baseballové utkání jehož se zúčastní menší počet hráčů než je stanoven pravidly; náhradník; mužstvo složené z náhradníků, druhé mužstvo, B mužstvo ● *adj* sterilní (*~ shoes, ~ suit*)
scrubber [skrabə] **1** čistič **2** tvrdý kartáč, rejžák (hovor.) **3** tech. pračka na plyn, skrubr **4** hanl. kurvička ♦ *~'s delight* přen. díra, špeluňka špinavý hotel
scrubbiness [skrabinis] **1** zakrslost; ubohost **2** mizernost, ucouranost, ošumělost, ošuntělost **3** ježatost
scrubbing board [skrabiŋbo:d] valcha
scrubbing brush [skrabiŋbraš] tvrdý kartáč, rejžák (hovor.)
scrub board [skrabbo:d] = *scrubbing board*
scrub brush [skrabbraš] = *scrubbing brush*
scrubby [skrabi] (*-ie-*) **1** zakrslý; mrňavý, ubohý (*small ~ farms*) **2** mizerný, ucouraný, ošumělý, ošuntělý (*wears a ~ old tweed coat*) **3** ježatý **4** pokrytý křovím
scrub nurse [skrabnə:s] **1** sálová instrumentářka před operací **2** sanitářka po operaci
scrub oak [skrabəuk] bot. **1** kongonka **2** přesličník
scrub woman [ˈskrabˌwumən] *pl: women* [wimin] AM uklízečka
scruff [skraf] **1** zátylek; kůže na zátylku **2** přen. límec kabátu, zadní díl kalhot, flígr (hovor.)
scruff[2] [skraf] **1** škraloup **2** hut. stěr **3** BR hovor. špindíra, hadrník, hadrnice
scruffiness [skrafinis] ubohost; špinavost
scruffy [skrafi] (*-ie-*) hovor. ubohý, otrhaný; špinavý

scrum [skram] = *scrimmage* ◆ ~ *cap* helma hráče ragby; ~ *half* ragby zadák, mlýnová spojka
scrummage [skramidž] *s* ragby mlýn, skrumáž ● *v* **1** utvořit mlýn v ragby **2** způsobit skrumáž, být ve skrumáži
scrumptious [skram*p*šəs] slang. prima, fajnový, hogofogo, epesní
scrumpy [skrampi] (*-ie-*) zejm. BR nář. silné jablečné víno
scrunch [skranč, skranš] **1** roz|drtit, rozmačkat, rozšlapat **2** vrzat, skřípat, křupat, chrastit pod nohama **3** z|mačkat (*don't ~ my dress*); mačkat se, tísnit se, smáčknout se ***scrunch out*** zašlápnout cigaretu ● *s* vrzání, skřípot, křupot (*a ~ of wheels on the gravel outside* skřípání kol venku na štěrku)
scruple [skru:pl] *s* **1** morální ohled bránící v činnosti, zábrana; úzkostlivá pochyba, vnitřní úzkostlivost, pochybnost; rozpaky, váhání, skrupule; výčitka / námitka svědomí **2** lékárnická váha (asi 1,3 g) **3** antic. skrupul malá měnová n. váhová jednotka **4** přen. kousíček, vlásek, chlup ◆ *have ~s about doing a t.* dělat si svědomí / skrupule z; *make no ~ to do a t.* u|dělat co bez výčitek svědomí / bez skrupulí, nedělat si svědomí z; *man of no ~s* bezohledný člověk, člověk bez jakýchkoli zábran; *without ~s* bez (nejmenších) výčitek svědomí ● *v* rozpakovat se z morálních důvodů, váhat, rozmýšlet se, dělat si výčitky svědomí / skrupule *about* s. mít výčitky svědomí / skrupule kvůli, trápit se kvůli (*did not ~ about lying* kvůli lhaní si žádné výčitky svědomí nedělal)
scrupulosity [ˌskru:pjuˈlosəti] svědomitost, úzkostlivost, pře|pečlivost, zásadovost, skrupulóznost
scrupulous [skru:pjuləs] svědomitý, úzkostlivý, přepečlivý, zásadový (*a more ~ court would disqualify itself* zásadovější soudní dvůr by sám sebe prohlásil za nezpůsobilého), skrupulózní
scrupulousness [skru:pjuləsnis] = *scrupulosity*
scrutable [skru:təbl] vyzkoumatelný, vyzpytatelný
scrutator [skru:ˈteitə] **1** zkoušeč, kontrolor **2** pozorovatel zejm. jako podpis dopisovatele v novinách
scrutin [skruˈteiŋ] : ~ *d'arrondissement* | *de liste* volební systém, podle něhož volič hlasuje pro (jednoho) zástupce malého obvodu | větší počet zástupců velkého obvodu
scrutineer [ˌskru:tiˈniə] BR skrutátor, kontrolor při sčítání hlasů
scrutinize [skru:tinaiz] podrobně prohlédnout, pro|zkoumat (*~d herself eagerly and long in the mirror* bedlivě a dlouho se prohlížela v zrcadle)
scrutinizingly [skru:tinaiziŋli] zkoumavě, pátravě, pozorně, podrobně, důkladně
scrutiny [skru:tini] (*-ie-*) **1** práv. skrutinium sčítání hlasů při volbách; kontrola, zkoumání volebního výsledku **2** podrobné pro|zkoumání, přezkoumání, podrobná prohlídka; dohled, kontrola (*public officials under constant public ~*) **3** zkoumavý pohled
scry [skrai] zast. (*-ie-*) věštit budoucnost z křišťálové koule
scryer [skraiə] jasnovidec, věštec používající křišťálové koule
scuba [skju:bə] akvalung
scud [skad] *v* (*-dd-*) **1** hnát | se, prchat, běžet, letět, klouzat, mést to **2** šíp letět příliš vysoko **3** loď plout po větru; prchat před silným větrem n. před bouří ● *s* **1** úprk, spěch, let **2** větrný poryv, húlava **3** mraky hnané větrem, deštivá / sněhová přeháňka hnaná větrem **4** oblaka špatného počasí
scuddle [skadl] nář. zachránit se útěkem
scudo [sku:dəu] *pl: ~s* [-z] hist. skud stříbrná n. zlatá italská mince
scuff[1] [skaf] *v* **1** šoupat nohama při chůzi, o|šoupat nohy (*~ed my feet on the mat* očistil jsem si nohy o rohožku); odšoupnout nohou; ošoupat, odřít **2** rozhrnovat nohama (*~ing the leaves* rozhrnující při chůzi listí) *at* co (*farmers ~ed at the powder-dry earth* sedláci rozhrnovali nohou suchou prašnou zem); rozšlapat (jako) šoupáním (*the world ~s them underfoot like dirty snow* svět je rozšlapává jako špinavý sníh) **3** odřít **4** dát pěstí, natlouci, též přen. ● *s* **1** šoupání činnost i zvuk **2** odírání, odření **3** SC slabá rána pěstí, štulec **4** pantofel ◆ ~ *resistance* polygr. odolnost papíru proti obrušování
scuff[2] [skaf] zátylek
scuffle [skafl] *v* **1** rvát se, prát se, strkat se **2** odbýt / odflinknout práci **3** šoupat nohama; tiše cupitat; brouzdat se (*~d through the layer of dust*), rozhrnovat nohama ● *s* **1** rvačka, rvanice, pračka, pranice, strkání, dračka, dranice; tahanice, potyčka, šarvátka **2** šoupání (*the ~ of feet*)
scug [skag] BR škol. slang. zast. bábovka, salát, bačkora
sculduddery [skalˈdadəri], **sculduggery** [skalˈdagəri] (*-ie-*) AM sviňačinka, oplzlost, nemravnost, sprostota
scull [skal] námoř. *s* **1** jedno párové (jednoruční) veslo; záďové veslo **2** veslování párovými vesly; veslování záďovým veslem **3** veslový člun na párová vesla, skul **4** *~s, pl* sport. skulérské závody ● *v* **1** veslovat párovými vesly **2** veslovat (jako) záďovým veslem, křidélkovat **3** plavat na zádech bez záběru paží
sculler [skalə] **1** veslař veslující na párové lodi, skulér (sport.) **2** plátový veslový člun s jedním párem vesel, skul
scullery [skaləri] (*-ie-*) kuchyňská umývárna a úschovna nádobí, přípravná komora při kuchyni ◆ ~ *maid* kuchyňská pomocnice k ruce kuchařce, ficka
sculling [skaliŋ] **1** námoř. veslování párovými vesly; veslování záďovým veslem **2** v. *scull, v*
scullion [skaljən] BR zast., bás., kniž. chlapec myjící v kuchyni nádobí, kuchyňský pomocník
sculp [skalp] hovor. = *sculpture*

sculpin [skalpin] zool. vrankovitá ryba
sculpsit [skalpsit] *pl: sculpserunt* [skalpˈsiərənt] před podpisem výtvarníka vy|tesal, vy|ryl, vy|řezal, vy|modeloval
sculpt [skalpt] **1** vy|řezat, vy|tesat, vy|modelovat sochu **2** být sochařem, sochařit, sochat (hovor.)
sculptor [skalptə] sochař
sculptress [skalptris] sochařka
sculptural [skalpčrəl] **1** sochařský, skulpturní, skulpturální **2** sošný
sculpture [skalpčə] *s* **1** socha; sousoší **2** sochařské dílo, skulptura, plastika **3** zast. rytina **4** sochařství, sochařina, výtvarné modelářství **5** zool., bot. plastický vzor na povrchu pylu n. mušle apod. ● *v* **1** vy|tesat, vy|řezat, vy|modelovat sochařské dílo **2** ozdobit skulpturami / reliefy, skulptovat, skulpturovat (kniž.) **3** výtvarně zpracovat / pojednat aby výsledek působil dojmem sochařského díla (*an automobile body of ~d metal*) **4** být sochařem, sochařit **5** geol. modelovat, přetvářet povrch země
sculptured [skalpčəd] **1** zool.: jsoucí s plastickým vzorem (*a ~ conch* ulita...) **2** v. *sculpture, v*
sculpturesque [ˌskalpčəˈresk] sošný
scum [skam] *s* **1** nečistá pěna plovoucí na vařící se tekutině; povlak, film, šlem, kal **2** hut. stěr, struska **3** přen. odpad, bahno, spodina (*the ~ of society*) vyvrhel (*he is not a ~*) ◆ *~ of the earth* bahno společnosti, spodina ● *v* (*-mm-*) **1** sebrat pěnu z, odpěnit **2** tvořit pěnu na, pokrýt se pěnou
scumble [skambl] výtv. *v* **1** přemalovat lazurou **2** kreslit těrkovací technikou; změkčit / roztírat těrkou čáru / obrys ● *s* **1** lazura **2** měkkost barvy / obrysu
scumming [skamiŋ] **1** polygr. tónování **2** v. *scum, v*
scummy [skami] (*-ie-*) **1** pokrytý pěnou; pokrytý stěrem **2** pěnový; stěrový **3** hovor. podlý, hanebný, nízký, sprostý (*a ~ trick*); bezcenný
scuncheon [skančən] archit. **1** podpěry v konstrukci osmihranné věže **2** vnější ostění; neomítnutý bok otvoru; neodeštěný sloupek zárubně
scunner [skanə] SC *s* prudký odpor, zaujetí, antipatie *at / against* proti ◆ *take a ~ at / against* být zaujat proti ● *v* budit odpor u, zvedat žaludek komu; cítit odpor *at / with* k
scupper[1] [skapə] **1** námoř. palubní odtok **2** též *~ hole* námoř. bouřkový otvor ve štítnici **3** stav. odpadní díra na dešťovou vodu, okapová roura; drenážní trubka
scupper[2] [skapə] BR slang. **1** přepadnout a pobít posádku **2** poslat ke dnu, potopit přepadnout loď ◆ *be ~ed* hovor. být v rejži
scuppernong [skapənoŋ] AM **1** bot. réva okrouhlolistá **2** víno z této révy
scurf [skə:f] **1** šupinky kůže, lupy **2** slupičky, šupinky, loupající se kůra **3** přen. bahno, odpad, spodina společnosti
scurffiness [skə:finis] **1** šupinatost, lupovitost **2** zkornatělost
scurfy [skə:fi] (*-ie-*) **1** šupinatý, šupinovitý **2** plný lupů **3** zkornatělý
scurril [skaril], **scurrile** [skarail] zast. = *scurrilous*
scurrility [skəˈriləti] (*-ie-*) **1** sprostota, oplzlost, hrubost, vulgárnost v řeči **2** sprostý vtip, sprosté vtipkování
scurrilous [skariləs] **1** sprostý, oplzlý, hrubý, vulgární v řeči **2** libující si ve sprostých vtipech; lacině vtipný
scurrilousness [skariləsnis] = *scurrility*
scurry [skari / AM skə:ri] (*-ie-*) *v* **1** cupat, cupkat, cupitat, rychle capkat, dupkat **2** zahnat, rozehnat ● *s* **1** cupkání, cupitání, capkání, dupkání, cupot **2** sport. krátký klus, vysezený klus **3** přeháňka (*huge snow scurries*)
scurvied [skə:vid] med. trpící kurdějemi
scurviness [skə:vinis] podlost, nízkost, odpornost, hanebnost, nízkost
scurvy [skə:vi] *adj* **1** podlý, nízký, odporný, hanebný, hnusný (*a ~ fellow*) **2** zast. plný šupin / lupů ● *s* med. kurděje, skorbut
scurvy cress [skə:vikres], **scurvy grass** [skə:vigra:s] bot. lžičník lékařský
'scuse [skju:z] hovor. promiňte, pardon
scut [skat] **1** pírko ocas zajíce **2** kelka ocas parohaté zvěře
scuta [sku:tə] *pl.* v. *scutum*
scutage [sku:tidž] voj. hist. rytířská daň náhradou za vojenskou službu
scutal [skju:tl] štítový, plátový
scutate [skju:teit] **1** zool. šupinatý, pokrytý šupinami **2** bot. ve tvaru štítu, štítový **3** = *scutal*
scutch [skač] *v* text. **1** potěrat len **2** rozmotat ● *s* **1** text. potěrač, potěračka, potěradlo, potěrák **2** zednické kladivo **3** též *~ grass* bot. pýr plazivý
scutch blade [skačbleid] text. potěrák, potěráček
scutcheon [skačən] **1** štítek, tabulky, destička s nápisem n. jménem **2** klíčový štítek zámku **3** herald. štít
scutcher [skačə] text. potěradlo
scutch grass [skačgra:s] bot. **1** pýr plazivý **2** troskut prstnatý **3** psineček výběžkatý
scutching-sword [ˈskačiŋˌso:d] text. potěrák, potěráček
scute [skju:t] zool. štítek, plát, destička, velká šupina
scutellar [skju:telə], **scutellate** [skju:teleit] zool., bot. štítkovitý, připomínající štítek
scutellation [ˌskju:təˈleišən] zool. **1** šupinatost; šupinaté seskupení / uspořádání **2** šupinatá kůže na noze ptáka **3** pokrytí šupinami n. rohovými pláty
scutelliform [skju:təlifo:m] = *scutellar*
scutellum [skju:teləm] *pl: scutella* [skju:telə] bot., zool. štítek
scutter [skatə] BR *v* cupat, cupkat, cupitat, rychle capkat, dupkat ● *s* cupkání, cupitání, capkání, dupkání, cupot
scuttle[1] [skatl] **1** ošatka, opálka **2** násypka, násypník, kbelík na uhlí
scuttle[2] [skatl] **1** slepice **2** chobotnice
scuttle[3] [skatl] *v* **1** cupkat, cupitat (*~ across the road*) **2** též *~ away / off* utéci, prchnout před nebezpečím, též přen. (*scuttling out of responsibilities*)

● *s* **1** cupkání, cupitání **2** rychlý útěk, spurt do bezpečí, též přen.

scuttle[4] [skatl] *s* **1** světlík; průduch, větrací otvor **2** námoř. lodní otvor v boku n. na palubě opatřený poklopem **3** motor. čelní stěna mezi motorem a řidičem automobilu ◆ *ship ~* lodní kruhové okno ● *v* **1** námoř. prorazit otvory v boku n. ve dnu lodi aby se potopila; otevřít dnové zaplavovací ventily / kingstony **2** potopit zejm. vlastní loď proražením otvorů **3** přen. poničit, zničit (*war was in full swing and this effectually ~d my family's travel plans* válka zuřila naplno a tím prakticky zničila cestovní záměry mé rodiny); vynechat, potopit (přen.)

scuttlebutt [skatlbat] **1** námoř. sud na pitnou vodu **2** AM slang. chýra, latrína

scuttlecask [skatlka:sk] námoř. sud na pitnou vodu

scutum [skju:təm] *pl* též *scuta* [skju:tə] **1** antic.: vojenský štít **2** anat. čéška, patela **3** zool. štít hmyzu

Scylla [silə] mytol. Scylla netvor na skále Scylla naproti Charybdě (v úžině mezi Sicílií a Itálií) ◆ *between ~ and Charybdis* mezi Scyllou a Charybdou, mezi dvěma ohni (přen.)

scyphiform [saififo:m] bot. kalichovitý, kalíškovitý, pohárovitý, trubkovitý

scyphose [saifəus] bot. mající kalichy

scyphus [saifəs] *pl: scyphi* [saifai] **1** antic.: dvouuchý pohár **2** bot. kalichovitý, trubkovitý

scythe [saið] *s* **1** kosa **2** antic. kosa na válečném voze ● *v* po|kosit

scythed [saiðd] **1** antic.: válečný vůz ozbrojený kosami **2** v. *scathe, v*

Scythian [siðiən] *adj* skytský, skythský týkající se Skytů ● *s* **1** Skyt, Skyth příslušník íránského kmene kočovníků, kteří žili v prostoru od dolního Dunaje k severnímu Donu **2** skytština, skythština

'sdeath [zdeθ] BR zast. mordyje

sea [si:] *s* **1** moře **2** oceán **3** v některých zeměp. názvech jezero (*S~ of Galilee*) **4** pohyb mořské hladiny (*the ~ sits southward* moře proudí k jihu); rozbouřenost moře, vlnění (*mild breezes and little ~* mírné brízy a malé vlnění); mořská vlna, mořské vlnobití (*heavy ~s nearly swamped the boat* silné vlnobití málem zaplavilo člun) **5** povolání námořníka **6** též *~s, pl* moře přen. (*an endless ~ of sandy plain, lost in the ~s of time*) ◆ *arm of the ~* mořský chobot; *at ~ 1.* na moři, v plavbě, při plavbě *2.* též *all at ~* úplně bezradný, bez pomoci, v nejistotě, vedle (hovor.) (*be at ~* přen. tápat / tonout v nejistotě); *at the ~* u moře, na mořském pobřeží (*spent the summer at the ~*); *beyond (the) ~s* v zámoří, do zámoří; *by ~ and land* po moři a po souši; *by the ~ 1.* po moři, lodí *2.* u moře, na mořském pobřeží (*holidays by the ~*); *Caspian S~* Kaspické moře; *closed ~* uzavřené moře; *custom of the ~s* námořní zvyklosti, námořní obyčej; *Dead S~* Mrtvé moře; *follow the ~* být námořníkem; *four ~s* čtyři moře obklopující Velkou Británii (Lamanšský průliv, Irské moře, Atlantský oceán, Severní moře ledové); *go to ~* jít na moře, stát se námořníkem; *half ~s over* slang. nadrátovaný, nalitý; *heavy ~ 1.* bouřlivé moře *2.* silné vlnobití; *high ~s 1.* širé moře, oceán *2.* moře za hranicemi teritoriálních vod; *high ~s fleet* námořní flotila; *inland ~* vnitrozemní moře; *~ like looking-glass / a sheet of glass* zrcadlově hladké moře; *long ~* dlouhé vlny mořské; *Mediterranean S~* Středozemní moře; *mistress of the ~(s)* vládkyně moří nejsilnější námořní velmoc; *North S~* Severní moře ledové; *on the ~ 1.* na moři, na lodi *2.* u moře; *open ~* volné / širé moře; *over ~(s)* v zámoří, do zámoří; *put to ~* vyplout na moře; *rough ~* rozbouřené moře, vysoké moře; *seven ~s* sedmero moří, všechna moře i oceány; *ship a ~* člun nabrat vodu okrajem, být zaplaven vodou; *short ~* krátké vlny mořské; *smooth ~* klidné moře; *when the ~ gives up its dead* až moře vydá své mrtvé při posledním soudu ● *adj* **1** mořský, týkající se moře (*~ smells* vůně a pachy moře), zpodobňující moře (*~ painter*), jsoucí o moři (*~ poems* poezie...) **2** námořní (*~ traffic* pravidelný námořní provoz); námořnický **3** pomořský, přímořský (*~ dwellers* obyvatelé přímoří), pobřežní (*~ cobbles* kamení na břehu moře)

sea acorn [ˌsi:ˈeiko:n] zool. vilejš stvolnatý

sea air [si:eə] mořský vzduch

sea anchor [ˌsi:ˈaŋkə] **1** námoř. plovoucí kotva **2** let. vodní kotva hydroplánu

sea anemone [ˌsi:əˈneməni] zool. sasanka

sea angel [ˈsi:ˌeindžəl] zool. polorejnok křídlatý

sea animal [ˌsi:ˈænimǝl] mořský živočich

sea arrow [ˌsi:ˈærəu] zool.: hlavonožec rodu *Ommatostrephes*

sea asparagus [ˌsi:əsˈpærəgəs] zool.: mořský krab *Callinectes hastatus*

sea aster [ˌsi:ˈæstə] bot. hvězdice slanitá

seabag [si:bæg] lodní / námořnický pytel

sea bank [si:bæŋk] **1** nábřeží u moře **2** mořské pobřeží

sea barrow [ˈsi:ˌbærəu] skořápka rejnočího vejce

sea batching [ˈsi:ˌbeiðiŋ] koupání v moři

sea bear [si:beə] zool. **1** lední medvěd **2** lachtan medvědí

seabed [si:bed] mořské dno

sea bells [si:belz] *pl* bot. **1** svlačec pobřežní **2** povijnice pomořská

sea belt [si:belt] bot. **1** čepelatka cukrová **2** čepelatka prstnatá

seabird [si:bə:d] mořský pták

sea biscuit [ˌsi:ˈbiskit] lodní suchar

seaboard [si:bo:d] **1** námořní loď **2** záchranný námořní člun

sea-born [si:bo:n] **1** narozený na moři n. v moři; pocházející z moře **2** vystupující z moře (*~ rocks*) **3** bás. z moře zrozený (*~ sea nymphs*)

seaborne [si:bo:n] **1** dopravovaný po moři (*~ supplies* zásoby dopravované po moři); plovoucí po

moři **2** vedený z moře, námořní (~ *invasion*) **3** lodní, námořní, oceánský (~ *trade*)
seabound [si:baund] **1** přímořský, ohraničený mořem **2** směřující k moři
sea bow [ˌsi:ˈbəu] duha, duhový efekt na stříkající mořské pěně
sea breach [ˌsi:ˈbri:č] prolomení pobřežní hráze mořskou vodou
sea bread [ˌsi:ˈbrəd] = *sea biscuit*
sea breeze [si:bri:z] **1** mořská bríza vanoucí od moře na pevninu **2** mořský vánek, mořský větřík, větřík na moři
sea buckthorn [ˌsi:ˈbakθo:n] keř *Hippophaë rhamnoides*
sea butterfly [ˌsi:ˈbatəflai] zool. ploutvonožec zádožábrový
sea cabbage [ˌsi:ˈkæbidž] bot. katrán přímořský
sea calf [si:ka:f] *pl: sea calves* [si:ka:vz] tuleň obecný
sea canary [ˌsi:kəˈneəri] zool. běluha mořská
sea captain [ˌsi:ˈkæptin] **1** námořní kapitán, kapitán řadové lodi hodnost **2** kapitán dálné plavby
sea change [ˌsi:ˈčein*dž*] **1** změna způsobená mořem **2** přen. velká změna
sea chest [si:čest] dř. lodní kufr námořníka
sea chestnut [ˌsi:ˈčesnat] zool. ježovka mořská
sea cloth [si:kloθ] div. moře, mořské pobřeží kulisa
sea coal [ˌsi:ˈkəul] BR zast. kamenné uhlí na rozdíl od dřevěného
sea coast [ˌsi:ˈkəust] mořské pobřeží
seacock [si:kok] **1** námoř. zaplavovací ventil, zaplavovací záklopka, dnový ventil, Kingstonův ventil, kingston **2** zool. štítník
sea colander [ˌsi:ˈkaləndə] bot.: chaluha *Agarum turneri*
sea cook [ˌsi:ˈkuk] lodní kuchař ◆ *son of a* ~ námoř. slang. lump, gauner
sea cow [si:kau] zool. **1** ochechule **2** mrož **3** řidč. hroch
sea craft [ˌsi:ˈkra:ft] námořní plavidlo
sea crow [ˌsi:ˈkrau] zool. racek chechtavý
sea cucumber [ˌsi:ˈkju:kambə] zool. mořská okurka
sea devil [ˈsi:ˌdevl] zool. **1** rejnok; polorejnok křídlatý **2** chobotnice
seadog[1] [si:dog] **1** zool. tuleň obecný **2** zool.: malý druh žraloka: ostroun, máčka **3** / bývalý námořník, mořská krysa, mořský vlk, též jako přezdívka alžbětinských mořeplavců **4** lodní dělo
sea dog[2] [si:dog] námoř. světelný bod v mlze poblíž obzoru
sea dragon [ˈsi:ˌdrægən] zool. vřetenka
seadrome [si:drəum] plovoucí letiště
sea eagle [ˌsi:ˈi:gl] zool. orel mořský
sea ear [ˌsi:ˈiə] zool. ušeň mořská
sea elephant [ˌsi:ˈelifənt] zool. rypouš sloní
sea fan [si:fæn] zool. rohovitka korál
seafarer [ˈsi:ˌfeərə] řidč. kdo se často plaví po moři, námořník, mořeplavec
seafaring [ˈsi:ˌfeəriŋ] *s* častá plavba po moři, mořeplavectví, námořnictví ● *adj* plavící se často po moři, námořnický, mořeplavecký ◆ ~ *man* námořník
sea farming [ˌsi:ˈfa:miŋ] pěstování mořských rostlin a živočichů
sea fennel [ˌsi:ˈfenl] bot. motar pomořský, stračí noha mořská
sea fight [si:fait] námořní bitva
sea fish [si:fiš] *pl* též *fish* [fiš] mořská ryba
sea floor [ˌsi:ˈflo:] mořské dno
sea flower [ˈsi:ˌflauə] zool. sasanka
sea foam [ˌsi:ˈfəum] **1** mořská pěna **2** min. mořská pěna, sepiolit
sea fog [ˌsi:ˈfog] mořská mlha, pobřežní mlha
seafood [ˌsi:ˈfu:d] mořské ryby, mořští korýši n. měkkýši jako potrava
sea forces [ˌsi:ˈfo:siz] námořní síly
sea fowl [si:faul] mořský pták
sea fox [si:foks] zool. žralok liščí
seafront [ˌsi:ˈfront] průčelí domů obrácené směrem k moři
sea furbelow [ˌsi:ˈfə:biləu] bot.: chaluha *Laminaria bulbosa*
sea gauage [si:geidž] námoř. **1** ponor lodi **2** hloubkoměr **3** měrná / měřicí tyč
sea gherkin [ˌsi:ˈgə:kin] zool. mořská okurka, holoturie
sea gilliflower [ˌsi:ˈgiliflauə] bot. trávnička
sea girdle [ˌsi:ˈgə:dl] bot. **1** čepelatka cukrová **2** čepelatka prstnatá
sea girt [si:gə:t] bás., kniž. obklopený mořem
sea god [si:god] bůh moře, mořský bůh
sea goddes [ˈsi:ˌgodis] bohyně moře, mořská bohyně
seagoing [ˈsi:ˌgəuiŋ] *adj* **1** způsobilý k plavbě po širém moři, oceánský (~ *tug*) **2** námořní, mořský, mořeplavecký (~ *chronometer*) **3** často se plavící po moři ● *s* mořeplavectví, mořeplavba
sea goose [ˌsi:ˈgu:s] zool.: druh lyskonoha
sea grape [ˌsi:ˈgreip] **1** bot. slanorožec **2** bot. chvojník dvouklasý **3** bot.: chaluha *Sargassum bacciferum* **4** zool. hrozen sépiových vajíček
sea grass [ˌsi:ˈgra:s] mořská tráva, chaluha, řasa
sea green [ˌsi:ˈgri:n] *s* mořská zeleň, zelenomodrá barva ● *adj* modrozelený
sea gull [si:gal] zool. **1** racek mořský **2** racek žijící na pobřeží
sea hawk [si:ho:k] zool. chaluha
sea hedgehog [ˌsi:ˈhed*žh*og] zool. ježovka
sea hog [si:hog] zool. sviňucha pobřežní
sea horse [si:ho:s] zool. mořský koník **2** zool. mrož **3** pohádkový mořský kůň napůl kůň a napůl ryba **4** velká mořská vlna se zpěněným hřbetem
sea hound [ˌsi:ˈhaund] zool. máčka skvrnitá
seal island [ˈsi:ˌailənd] též ~ *cotton* západoindická bavlna, bavlna Sea Island
sea kale [ˌsi:ˈkeil] bot. katrán přímořský
sea kidney [ˌsi:ˈkidni] zool.: korál rodu *Renilla*
sea king [si:kiŋ] hist. **1** vikingský náčelník **2** krétský král

seal[1] [si:l] *s* **1** *pl* též *seal* [si:l] zool.: živočich z řádu ploutvonožců: tuleň, lachtan; rypouš sloní; lvoun hřívnatý **2** tulení kůže / kožešina, síl, sílskin **3** žlutočervená hněď ◆ *common* ~ tuleň; *eared* ~ lachtan ušatý ● *v* lovit / chytat tuleně atd.

seal[2] [si:l] *s* **1** pečeť **2** otisk pečetě **3** pečetítko, pečetidlo; pečetní prsten **4** polygr. razidlo; značka vydání novin **5** úřední razítko; zvláštní / ozdobné poštovní razítko **6** nálepka, zálepka, etiketa v podobě pečeti **7** plomba kovová pečeť **8** cejch, též přen. **9** přen. neklamné znamení, znak **10** hermetický uzávěr; těsnicí šev, těsnění, utěsnění, ucpávka, uzávěr, izolace; zatavení **11** zpečetění *of* čeho, záruka, garance; ujištění, pevný příslib **12** tech. sifón, vodní uzávěr **13** vydří stopa ◆ *advertising* ~ propagační / reklamní zálepka; *common* ~ *of a firm* firemní razítko; *dry* ~ suchá pečeť, razidlo, pečeť provedená slepotiskem; *embossed* ~ reliéfová etiketa / pečeť; *Fisher's S*~ papežská pečeť; *Great S*~ BR velká královská pečeť; *hood* ~ kuklová pečeť plastický přebal hrdla láhve: *leaden* ~ olověná plomba; *Lord Keeper of the Great S*~ hist. lord strážce pečeti; *make a* ~ těsnit; *remove the* ~*s* odstranit pečeť; ~ *press* polygr. stroj pro tisk a ražení etiket; *remove the* ~*s from a t. 1.* odpečetit co, odplombovat co, otevřít zapečetěné co; *resign the* ~*s* složit úřad, resignovat; *set one's* ~ *to a t. 1.* dát na co svou pečeť, zapečetit co svou pečetí *2.* přen. povolit, potvrdit, autorizovat; *shrink-on* ~ příčné přelepení zátky láhve lepicí páskou; *under* ~ opatřeno pečetí / razítkem; *under* ~ *of confession* pod pečetí zpovědního tajemství; *under a p.'s hand and* ~ opatřeno podpisem a pečetí koho; *under* ~ *of secrecy* pod pečetí tajemství ● *v* **1** opatřit pečetí, za|pečetit, dát / vtisknout svou pečeť na; přen. vtisknout svou pečeť komu **2** za|plombovat olověnou pečetí **3** opatřit značkou, o|cejchovat **4** ratifikovat, povolit, autorizovat **5** dokázat, potvrdit, stvrdit, zpečetit pravost *with* čím (~ *one's devotion with one's life* dokázat svou oddanost svým životem) **6** též ~ *up* uzavřít, utěsnit, zalepit neprodyšně / vzduchotěsně / hermeticky **7** zalepit obálku, pneumatiku **8** zalít a tím vzduchotěsně uzavřít (~ *each jam pot with hot wax* každou nádobu s džemem zalít horkým voskem); zatavit; za|cementovat, zamazat otvory např. sádrou **9** izolovat např. důlní požár **10** natřít plničem na dřevo **11** tech. uzavřít sifónem trubku, opatřit vodním uzávěrem **12** elektr. spojit elektrický okruh, zapojit **13** admiralita oficiálně přijmout / schválit / předepsat ◆ *S*~*ed Book 1.* domněle bezvadný exemplář *Book of Common Prayer* autorizovaný královskou pečetí r. 1662 *2. s*~*ed book* přen. uzavřená kniha; *he is* ~*ed for damnation* je určen k věčnému zatracení; *death has* ~*ed her for his own* poznačila ji smrt, smrt na ni vtiskla svou pečeť; ~ *a p.'s fate* zpečetit osud koho, ~*ed language* neznámý jazyk; ~ *with lead* za|plombovat olověnou pečetí; ~ *a p.'s lips 1.* zavřít ústa komu, aby nemohl mluvit *2.* zavázat mlčením koho, nedovolit mluvit komu; ~*ed orders* námoř. zapečetěný plavební rozkaz který se smí otevřít až po vyplutí z přístavu; ~*ed pattern* BR předepsaný vzor výstroje, oděvu apod., též přen.; *a vessel* ~*ed in ice* zamrzlá loď v ledu ***seal in*** obklopit a tím pevně uzavřít (*ice may* ~ *in the boats as early as September* loď může uvíznout v ledu už v září)

Sealab [si:læb] AM podmořská laboratoř

sea lace [ˌsi:ˈleis] bot.: chaluha *Chorda filium*

sea ladder [ˈsi:ˌlædə] lanový žebřík, schůdky

sea lane [ˌsi:ˈlein] mořská trať / trasa

sealant [si:lənt] těsnicí prostředek, těsnivo, tmel

sea lawyer [ˌsi:ˈlo:jə] **1** hovor. žralok **2** námoř. hanl. námořník, který sežral všechnu moudrost, vejtaha **3** hovor. kverulant

sea legs [si:legz] přen. **1** zdatnost na moři / na palubě zejm. při zmítání lodě, schopnost bezpečně chodit po palubě (*he has not yet got his* ~) **2** odolnost proti mořské nemoci ◆ *get one's* ~ *back,* též přen. vzpamatovat se, být zase normální v obtížné situaci

sea lemon [ˌsi:ˈlemən] zool. hvězdnatka

sea leopard [ˌsi:ˈlepəd] zool. tuleň levhartí

sealer[1] [si:lə] **1** lovec tuleňů **2** loď na lov tuleňů

sealer[2] [si:lə] **1** kdo pečetí n. plombuje, pečetič **2** zejm. AM cejchmistr, cejchovač **3** těsnič; dělník na zavíracím stroji **4** cejchovačka **5** zavírací stroj, zavíračka **6** plnič na dřevo

sealery [si:ləri] (*-ie-*) **1** lovení / chytání tuleňů **2** loviště tuleňů

sealette [si:ˈlet] mohérový plyš, imitace tulení kožešiny, sílskin

sea letter [ˈsi:ˌletə] průvodní list, námořní pas pro neutrální loď

sea level [ˌsi:ˈlevl] výška hladiny moře ◆ *above* ~ nad mořem u údaje nadmořské výšky; *mean* ~ střední úroveň moře

seal fishery [ˈsi:lˌfišəri] (*-ie-*) **1** lovení / chytání tuleňů **2** loviště tuleňů

sea lift [ˌsi:ˈlift] zásobování loděmi

sea lily [ˌsi:ˈlili] zool. lilijice

sea line [ˌsi:ˈlain] **1** pobřežní čára **2** obzor na moři

sealing [si:liŋ] **1** = *seal fishery,* **2** v. *seal, v*

sealing wax [si:liŋwæks] pečetní vosk

sea lion [ˌsi:ˈlaiən] zool. lvoun hřívnatý

sea loch [ˌsi:ˈloch] úzký mořský záliv

Sea Lord [ˌsi:ˈlo:d] BR Námořní lord člen admiralitní rady

seal pipe [si:lpaip] ponorná trubka sifónu

seal ring [si:lriŋ] pečetní prsten

seal rookery [ˈsi:lˌrukəri] (*-ie-*) místo, kde se rodí tuleni, tulení sídliště

sealskin [si:lskin] tulení kůže / kožešina, síl, sílskin

seal wort [si:lwət] bot. **1** kokořík **2** úrazník poléhavý

Sealyham [si:liəm / AM si:lihæm] též ~ *terrier* druh hrubosrstého teriéra

seam [si:m] *s* **1** šev **2** lem, obruba **3** spára; šev, spoj, svar, sdrápek (tech.) **4** anat. šev, sutura **5** jizva, šrám **6** vráska, rýha **7** geol.: uhelná sloj, rudní lože **8** horn. proplástek **9** tech. trhlinka v kovu způsobená bublinkou ◆ *ship's ~s want caulking* lodní spáry / švy potřebují utěsnit ● *v* **1** sešít **2** o|lemovat, vroubit, obroubit **3** u|plést svislý řetízek např. na punčoše **4** o|zdobit ozdobnými švy **5** praskat (jako) ve švech **6** spojovat, sešívat **7** zjizvit, rozrýt, nadělat šrámy na

seamaid [si:meid], **seamaiden** [ˈsi:ˌmeidn] bás. **1** mořská panna **2** bohyně moře, mořská nymfa

seaman [si:mən] *pl: seamen* [si:mən] námořník povolání; hodnost; plavec ◆ *able-bodied* ~ námořník I. třídy hodnost; *ordinary* ~ námořník II. třídy hodnost

seamanlike [si:mənlaik] skutečně námořnický, pravý námořnický

seamanship [si:mənšip] námořnictví, námořnické umění, umění řídit / plavit loď, plavební nauka

sea mark [si:ma:k] **1** plavební / navigační znak, bóje na moři **2** orientační znak / bod na pobřeží **3** čára vrcholu přílivu

sea mat [si:mæt] zool. mechovka

seam bowler [ˌsi:mˈbəulə] kriket nadhazovač, který hází falšované míče

sea melon [ˌsi:ˈmelən] zool. mořská okurka

seamer [si:mə] **1** lemovač, obrubovač **2** šička na šicím stroji **3** lemovačka, obrubovačka; sešívací stroj **4** = *seam bowler*

sea mew [si:mju] zool. racek bouřní

sea mile [ˌsi:ˈmail] námořní míle 1 852 n. 1 853 m

seaming lace [si:miŋleis] lemovací stužka, lemovka

sea mist [ˌsi:ˈmist] mlha z moře

seam lace [si:mleis] lemovací krajka

seamless [si:mlis] **1** bezešvý **2** jsoucí bez spár

sea monster [ˌsi:ˈmonstə] **1** zool. chiméra **2** mořská obluda

sea moss [ˌsi:ˈmos] bot. **1** mechovka **2** mech irský / rosolový

sea mount [si:maunt] podmořská hora nad 920 m.

sea mouse [ˌsi:ˈmaus] zool. afroditka

seam presser [ˈsi:mˌpresə] **1** žehlička na švy, těžká krejčovská žehlička **2** válec na stlačování brázd za pluhem

seamstress [semstris] **1** švadlena **2** šička

sea mud [si:mad] mořské bahno užívané jako hnojivo

seam welding [ˈsi:mˌweldiŋ] tech. švové svařování

seamy [si:mi] (*-ie-*) **1** ukazující švy, jsoucí se švy, rubový **2** vrásčitý, zbrázděný, rozrytý (*a ~ face*) **3** přen. méně příjemný, nepříjemný, negativní, stinný ◆ *~ side 1.* rubová strana, rub *2.* přen. rub, stinná stránka

Seanad Eirann [ˌšenədˈeərən] senát Irské republiky

seance, séance [seia:*n*s / AM seiæns] **1** zasedání, sedění, sezení **2** spiritistická seance

sea necklace [ˌsi:ˈneklis] šňůra skořápek vajíček surmovky

sea needle [ˌsi:ˈni:dl] zool. jehla mořská

sea nettle [ˌsi:ˈnetl] zool. talířovka

sea nymph [si:nimf] mytol. mořská nymfa

sea oak [ˌsi:ˈəuk] bot. **1** chaluha bublinatá **2** chaluha pilovitá

sea onion [ˌsi:ˈanjən] bot. mořská cibule, urginea mořská

sea ooze [ˌsi:ˈu:z] mořské bahno užívané jako hnojivo

sea orange [ˌsi:ˈorin*dž*] zool.: sumýš *Psolus fabricii*

sea orb [si:o:b] zool. ježík tygrovaný

sea otter [ˌsi:ˈotə] zool. vydra mořská

sea owl [si:aul] zool. hranáč šedý, mořský zajíc

sea ox [si:oks] zool. mrož lední

sea pad [si:pæd] zool. hvězdice

sea painter [ˈsi:ˌpeintə] námoř.: dlouhé lodní lano používané při spouštění člunů

sea parrot [ˈsi:ˌpærət] zool. papuchalk

sea pass [si:pa:s] průvodní list, námořní pas pro neutrální lodě

sea pay [si:pei] mzda za plavby, plat námořníka za službu na moři

sea peach [ˌsi:ˈpi:č] zool.: sumka rodu *Ascidia*

sea pear [ˌsi:ˈpeə] zool.: sumka rodu *Boltenia*

sea pen [si:pen] zool. mořské pero, pérovník

sea pie [ˌsi:ˈpai] **1** námoř. námořnický koláč plněný soleným masem **2** BR zool. ústřičník

sea piece [ˌsi:ˈpi:s] krajina s mořem, moře obraz

sea piet [ˈsi:ˌpaiət] zool. ústřičník

sea pig [si:pig] **1** zool. kapustňák **2** zool. delfín, plískavice **3** námoř. bóje / břevno sloužící jako vodič **4** námoř. slang námořní oficír

sea pike [si:paik] zool.: mořská ryba připomínající svým tvarem štiku, zejm. barakuda

sea pilot [ˌsi:ˈpailət] zool. ústřičník

sea pincushion [si:ˈpinˌkušən] zool. skořápka rejnočího vajíčka

sea pink [ˌsi:ˈpiŋk] bot. **1** trávnička přímořská **2** silenka nadmutá **3** statice

seaplane [si:plein] hydroavion, hydroplán

sea poacher [ˌsi:ˈpəučə] zool. broník hranatý

seaport [si:po:t] **1** námořní přístav **2** přístavní město

sea power [ˌsi:ˈpauə] **1** námořní moc / velmoc / mocnost **2** síla a velikost námořnictva

sea pumpkin [ˌsi:ˈpam*p*kin] zool. mořská okurka

sea purse [si:pə:s] skořápka rejnočího vejce

seaquake [si:kweik] podmořské zemětřesení

sear[1] [siə] *adj* květina suchý, uschlý, zvadlý, uvadlý ◆ *the ~, the yellow leaf* přen. stáří ● *v* **1** řidč. spálit zejm. mrazem **2** med. vypálit ránu, po|leptat, kauterizovat **3** vypálit znamení komu, o|značkovat, o|cejchovat **4** opálit, popálit, spálit, ožehnout, sežehnout **5** kuch. prudce opéci; vysušit **5** přen. otupit, zlhostejnit, učinit necitlivým ● *s* **1** vypálená značka, cejch **2** spálenina **3** jizva

sear[2] [siə] *s* = *sere*[1]

sea raven [ˌsi:ˈreivn] zool. kormorán velký

search [sə:č] *v* **1** hledat *for* koho / co, pátrat po; důkladně hledat *a p.* / *a t.* v. *for* koho / co, provádět prohlídku *for* aby se našel kdo / našlo co (*~ing the apartment building for the suspect*), prohledávat *for* aby našel co, pátrat *a t.* v *for* po (*~ing the woods for the lost child*); pátrat, hledat, dělat rešerši v matrikách n. zápisech **2** vykonat osobní prohlídku u, prohledat, perlustrovat (*the police ~ed the suspect* policie perlustrovala podezřelého), pro|šacovat a hledat *for* co **3** prozkoumat; podrobně zkoumat *into* co; probádat, bádat v **4** též *~ out* vyzkoumat, vysondovat **5** med. sondovat, též přen. **6** příboj dorážet na; zima proniknout, vnikat do, prolézt **7** voj. střílet rozsevem do hloubky, postřelovat **8** snažit se *after* o, prahnout po **9** ponořit se *into* do (přen.) **10** svítit, osvětlovat světlometem ◆ *~ one's conscience* zpytovat svědomí; *~ me!* AM vím já?, copak vím?, já nevím! ● *s* **1** důkladná prohlídka; pátrání *for* po, hledání čeho **2** průzkum, též voj., zkoumání; rešerše **3** pátrač, pátrací skupina **4** zast. zpytování svědomí **5** voj. hloubkové postřelování ◆ *I am in ~ of* pátrám po, snažím se najít co; *~ antenna* rámová anténa goniometrická; *go in ~ of* jít / jet atd. hledat, snažit se najít koho / co; *~ plane* průzkumný letoun, zvědný letoun; *~ of premises* ohledání na místě samém

searcher [sə:čə] **1** hledač, pátrač; prohledavač; pátrací úředník **2** med. sonda

search-and-destroy [ˌsə:čən*d*diˈstroi] voj. mající za cíl zlikvidovat partyzány v určité oblasti (*~ operations*)

searching [sə:čiŋ] *adj* **1** důkladný, podrobný **2** zkoumavý, pátravý, pronikavý **3** vítr, zima pronikavý **4** v. *search, v* ● *s* **1** *~s, pl* přen. tíseň, úzkost (*~s of the heart*) **2** v. *search, v*

searchless [sə:člis] nevyzpytatelný

searchlight [sə:člait] světlomet, reflektor

search party [ˈsəčˌpa:ti] (*-ie-*) pátrací četa / skupina

search warrant [ˈsə:čˌworənt] rozkaz k domovní prohlídce

sea road [ˌsi:ˈrəud] AM mořská trať / trasa

sea robber [ˌsi:ˈrobə] námořní lupič, pirát

sea robin [ˌsi:ˈrobin] AM zool. kohout mořský

sea rocket [ˌsi:ˈrokit] bot. pomořanka přímořská

sea room [si:ru:m] manévrovací prostor na moři

sea route [ˌsi:ˈru:t] mořská trať / trasa

sea rover [ˌsi:ˈrəuvə] **1** námořní lupič, pirát **2** pirátská loď, pirát

seascape [si:skeip] **1** moře obraz **2** pohled na moře

Sea Scouts [ˌsi:ˈskauts] námořní skauti

sea serpent [ˌsi:ˈsə:pənt] **1** zool. vodnář **2** obrovský mořský had známý jen z vyprávění námořníků

seashell [si:šel] lastura, mušle mořského mlže

seashore [si:šo] mořský břeh, pobřeží; přímoří

seasick [si:sik] trpící mořskou nemocí

seasickness [si:siknis] mořská nemoc

seaside [si:said] mořské pobřeží, přímoří; pláž ◆ *at the ~* u moře; *to the ~* k moři

sea silk [ˌsi:ˈsilk] hedvábí z mušlí, hedvábí byssus, mořské hedvábí

sea slug [ˌsi:ˈslag] zool. mořská okurka

sea snail [ˌsi:ˈsneil] zool. **1** zubatka, bezpupečnice **2** terčovka

sea snipe [ˌsi:ˈsnaip] zool. **1** jespák obecný **2** klunatka kopinatá

season [si:zn] *s* **1** doba, období, údobí; etapa, perioda **2** určitý čas, určitá doba; vhodná doba, příhodný čas (*this is not the ~ for such arguments*); vhodná příležitost (*agreed to wait for a ~*) **3** společenská, divadelní, lázeňská, sportovní sezóna (*the London ~ lasts from May to July*) **4** roční doba, roční období (*the four ~s of the year*) **5** deště v tropech **6** *~s, pl* kniž., bás. léta, jara při udávání věku (*a boy of seven ~s* sedmiletý hoch) **7** údobí církevního roku; období svátků, svátky, zejm. vánoce a Nový rok **8** říje zvěře; doba toku / tahu ptáků **9** sport. sezóna; výsledky utkání za jednu sezónu (*an unbeaten ~* sezóna bez porážky) **10** hovor. legitka, permanentka předplatní lístek na určité období **11** zast. nečas, nepohoda **12** zast. koření **13** zast. zasedací údobí soudního dvora **14** jeden z kamenů hry mah-džong ◆ *close ~* doba hájení; *come in ~* též začít říji; *compliments of the ~* blahopřání k svátkům zejm. vánočním a Novému roku; *~ crack 1.* výsušná trhlina ve dřevě *2.* sezónní trhlinka z vnitřního pnutí kovu; *~'s greetings = compliments of the ~; high ~* největší / nejlepší sezóna, konjunktura; *holiday ~ 1.* doba prázdnin, prázdniny *2.* BR doba dovolených vánoce, velikonoce, svatodušní svátky; srpen *dead ~* společensky mrtvá sezóna, okurková sezóna; *dry ~* údobí sucha v tropech; *dull ~* mrtvá / okurková sezóna obchodní; *endure a t. for a ~* snášet co celou dlouhou dobu; *in ~ 1.* časem, příležitostně (*you will know in ~*) *2.* včas, brzo (*arrived in ~*);*be in ~ 1.* nebýt už hájen (*trout is in ~ for another month* pstruhy lze lovit ještě měsíc, doba hájení pstruhů začne až za měsíc) *2.* zvěř být v říji, říjet *3.* ovoce, zelenina, sýr být zralý, být (všude) k dostání, být nejvíce vhodný k poživání, být nejchutnější; *in and out of ~* včas i nevčas, neustále; *in due ~* časem, příležitostně, až bude třeba (*in due ~ you will understand*); *Lenten ~* půst, postní doba; *mating ~ 1.* říje, doba páření *2.* doba ptačích námluv; *open ~* doba lovu, honební / rybářská sezóna; *out of ~ 1.* mimo sezónu (*get tomatoes out of ~* dostat rajčata mimo sezónu) *2.* nevhod (*be out of ~ 1.* ryby, zvěř být hájen *2.* ovoce, zelenina, sýr nebýt zralý, nebýt (všude) k dostání, nebýt nejvíce vhodný k poživání, nebýt v této době chutný / nejchutnější); *pairing ~ 1.* říje, doba páření *2.* doba toku / námluv ptáků; *peak ~* vrcholná sezóna, konjunktura; *rain ~* údobí dešťů v tropech; *silly*

~ okurková sezóna novinářská; *a word in* ~ rada v pravý čas / v nouzi ● **1** ochutit, okořenit, osladit, přisladit, osolit, přisolit, opepřit, připepřit, dát papriku / kari / pálivé koření do; přen. osladit, okořenit **2** zast. zmírnit, usměrnit (*when mercy* ~*s justice* když milosrdenství zmírňuje spravedlnost) **3** dát / nechat vy|zrát / uležet; uzpůsobit, přizpůsobit, aklimatizovat, dát zvyknout; napustit **4** sušit (stavební) dříví na vzduchu **5** zast. na|balzamovat ◆ *be* ~*ed 1.* být vyzrálý / uleželý *2.* dřevo být vyschlý *3.* být už zkušený / ostřílený; *be* ~*ed to a t.* být zvyklý na co; *highly* ~*ed dishes* ostré pokrmy hodně kořeněné; ~ *a gun* voj. nastřelovat zbraň; ~ *a pipe* nakouřit dýmku; ~*ed soldiers* zkušení / ostřílení vojáci; ~*ed wine* vyzrálé / uleželé víno

seasonable [si:znəbl] **1** včasný (*his* ~ *arrival*), v pravou chvíli (~ *advice* rada v pravou chvíli) **2** vhodný, příhodný, patřičný, příslušný (*a* ~ *time for discussion*) **3** přiměřený / příslušný určité roční době, nikoliv neočekávaný (*a hard but* ~ *frost*)

seasonableness [si:znəblnis] **1** včasnost **2** vhodnost, příhodnost **3** přiměřenost roční době

seasonal [si:zənl] **1** příslušný k určité roční době, typický pro určitou roční dobu; typicky jarní, letní, podzimní, zimní (~ *storms*) **2** sezónní (~ *employment*) ◆ ~ *resort* sezónní místo cestovního ruchu: letovisko, zimní středisko; ~ *worker* sezónní dělník

seasoner [si:znə] **1** kdo hodně koření **2** koření **3** upravovač povrchu

seasoning [si:zniŋ] **1** koření, též přen. (*wit is the* ~ *of good conversation* vtip je kořením dobré konverzace); chuťová přísada, ochucovací prostředek **2** zahoření elektronky **3** polygr. klimatizování papíru **4** v. *season, v*

seasonless [si:znlis] který nezná střídání ročních dob (*the* ~ *world of the deep sea*)

season ticket [ˌsi:znˈtikit] sezónní lístek, měsíční lístek, legitimace např. na dráhu; stálá / předplatní vstupenka, permanentka, abonentní lístek

sea squill [ˌsi:ˈskwil] = *sea onion*

sea squirt [ˌsi:ˈskwə:t] zool. sumka

sea spider [ˌsi:ˈspaidə] zool. nohatka pobřežní

sea strawberry [ˌsi:ˈstro:bəri] zool. laločnice

sea sunflower [si:ˈsanˌflauə] zool. mořská sasanka

sea swallow [ˌsi:ˈswoləu] zool. rybák

seat [si:t] *s* **1** trůn, stolec, též přen.; lavice, křeslo, židle; stolička, sedátko **2** sedadlo, sedátko (*the* ~ *of a chair*); záchodové sedátko **3** část těla / kalhot, na níž se sedí: posazení, sezení, sedění (*a worn trouser* ~), sed, sedinka, zadek, zadnice **4** držení těla v sedle, sed, posaz (*a rider with excellent* ~ *and hands*) **5** místo k sezení (*father's* ~ *at table*) **6** členství; členství na burze; poslanecký mandát, křeslo (přen.) (*held a* ~ *in congress for over 20 years*) **7** sídlo (*we regard the will as the* ~ *of all virtue and vice* vůli pokládáme za sídlo veškeré cti i neřesti); sídelní / hlavní město; biskupské sídlo; venkovské / panské sídlo **8** umístění, poloha; kde je co umístěno: sídlo, ohnisko, ložisko (*the disease has its* ~ *in the liver* ložisko choroby je v játrech), střed, středisko (*a* ~ *of learning*), pole, dějiště (*it has long been a* ~ *of war*) **9** základ, uložení, lůžko (*engine* ~); dosedací plocha; podložka; sedlo ventilu **10** geol.: též ~ *rock* podložní hornina **11** žel.: štěrkové lože trati **12** mysl. pekáč zaječí lože ◆ ~ *back* opěradlo, lenoch sedadla; ~ *belt* bezpečnostní pás u sedadla auta / letadla; *book* ~*s* koupit v předprodeji lístky na koncert / divadelní představení apod.; *crown and* ~ *of France* francouzská koruna i trůn; *ejection* / *ejector* ~ let. vystřelovací sedadlo; *front* ~ sedadlo / místo vpředu, též přen.; *hot* ~ *1.* let. slang. *1.* = *ejection* ~ *2.* AM slang. elektrické křeslo; *reclining* ~ sklápěcí sedadlo; *keep one's* ~ zůstat sedět; *take one's* ~ *1.* zaujmout své místo, posadit se (*take your* ~*s, please* nastupte si, prosím výzva průvodčího vlaku) ● *v* **1** posadit, usadit, rozsadit (*ushers* ~ *strangers in vacant pews* uvaděči uvádějící cizí návštěvníky na místa v prázdných lavicích) **2** nastolit (*the queen was* ~*ed in the same year*), instalovat; opatřit poslanecké křeslo komu, zvolit (~ *a candidate*) **3** sál, dopravní prostředek pojmout, mít míst / sedadel, být pro kolik osob (*a theatre* ~*ing 1000 persons*) **4** dát, instalovat sedadla kam (~ *a church*) **5** usadit, posadit; uložit (~ *a valve* ... ventil); sedět (*the lid must* ~ *accurately* víčko musí přesně sedět) **6** vysadit vzadu kalhoty; opravit sedadlo židle, vyplést (~*ed the chairs with strong cane* vypletl židle pevným rákosem) **7** sídlit; zast. osídlit ◆ *be* ~*ed 1.* sedět *2.* choroba mít své ohnisko / ložisko; *be deeply* ~*ed* přen. být hluboko, být těžko léčitelný; *pray be* ~*ed* račte se posadit ***seat o. s.*** sednout si, usednout, usadit se, posadit se (~ *yourself by the window*)

sea tang [si:tæŋ], **sea tangle** [ˈsi:ˌtæŋgl] bot. laminaria mořská řasa

seat belt [si:tbelt] bezpečnostní pás u sedadla

sea thrift [ˌsi:ˈθrift] = *sea pink*

seating [si:tiŋ] **1** místa, sedadla **2** zasedací pořádek, rozsazení **3** tkanina na potažení sedadel **4** sedlo ventilu; lůžko, podklad, základ, dosedací plocha **5** v. *seat, v* ◆ ~ *capacity* počet míst k sezení, sedadla

seating-room [ˌsi:tiŋˈru:m] = *seating capacity*

seatless [si:tlis] jsoucí bez sedadel atd.

SEATO [si:təu] polit. Pakt pro jihovýchodní Asii, Jihovýchodoasijská smlouva

sea toad [si:təud] zool. **1** ďas mořský **2** název různých druhů vranek

sea trade [ˌsi:ˈtreid] námořní obchod

sea trout [ˌsi:ˈtraut] zool. pstruh obecný mořská forma

seat stick [si:tstik] sedačka hůl

sea tug [ˌsiːˈtag] remorkér
sea unicorn [ˌsiːˈjuːnikoːn] zool. narval jednorohý
sea urchin [ˌsiːˈəːčin] zool. ježovka
sea voyage [ˌsiːˈvoiidž] plavba po moři, cesta na moři
sea wall [ˌsiːˈwoːl] vlnolam, mořská hráz, přístavní hráz
seawan [siːwən] škebličky na šňůře používané místo peněz
seaward [siːwəd] *adv* směrem k moři ● *s* **1** směr k moři (*fly to the ~*) **2** hist. feudální povinnost střežit zemi proti nepříteli z moře ● *adj* **1** směřující na moře **2** vanoucí z moře (*a ~ wind*)
seawards [siːwədz] směrem k moři
sea ware [siːweə] vodní rostliny vyvržené na břeh užívané jako hnojivo
sea warfare [ˌsiːˈwoːfeə] námořní válka, válka na moři
sea water [siːwoːtə] mořská voda, slaná voda
seaway [siːwei] **1** námořní cesta, plavební cesta / dráha, pravidelná trať námořních lodí; plavba po moři **2** kanál v moři o dostatečné hloubce **3** vlnění; rozbouřené moře (*caught in a ~*); oblast bouřlivého moře **4** hluboký průplav pro zaoceánské lodě
seaweed [siːwiːd] bot chaluha, mořská řasa
sea whip [siːwip] zool.: rohovitka řádu *Gorgonaria*
sea whipcord [ˌsiːˈwipkoːd] bot. čepelatka
sea wife [siːwaif] *pl: wives* [siːwaivz] zool. pyskoun
sea wind [siːwind] = *sea breeze*
sea wing [siːwiŋ] zool. kyjovka
seawithwind [siːwiðwaind] = *sea bells*
sea wolf [siːwulf] *pl: sea wolves* [siːwulvz] **1** zool. rypouš sloní **2** přen. pirát
seaworthiness [ˈsiːˌwəːðinis] způsobilost k plavbě po moři, schopnost plout po moři, mořeschopnost, plavbyschopnost; odolnost proti bouřím na moři
seaworthy [ˈsiːˌwəːði] mořeschopný, plavbyschopný, odolný proti bouřím na moři (*a ~ ship*) ◆ *~ packing* zámořské balení
sea wrack [ˌsiːˈræk] větší mořské chaluhy vyvržené na břeh
sebaceous [siˈbeišəs] anat. tukový ◆ *~ duct* tuková trubice / žláza; *~ follicle* tukové pouzdérko, tukový váleček; *~ humour* kožní / vlasový tuk; *~ gland* tuková žláza
Sebastopol [siˈbæstəpl] Sevastopol
sebastian, sebesten [sebestən] bot. **1** východoindický strom *Cordia myxa* **2** plod tohoto stromu
sebum [siːbəm] kožní tuk
sec[1] [sek] víno suchý
sec[2] [sek] hovor. okamžik, moment, vteřinka (*wait just a ~, please*)
secant [siːkənt] *s* **1** geom. sečna **2** mat. sekans ◆ *~ of an angle* mat. sekans, sekanta ● *adj* protínající
secateur [sekətəː] čast. *~s, pl* **1** zahradnické nůžky **2** nůžky na drát
secco [sekəu] *s* výtv. freska na suchém podkladu malovaná temperou ● *adv* hud. suše, krátce, secco ● *adj* hud.: recitativ s pouhým akordickým doprovodem
seccotine [sekətiːn] *s* značka lepidla; lepidlo ● *v* s|lepit, nalepit tímto lepidlem
secede [siˈsiːd] oddělit se, odloučit se, odštěpit se, odpadnout *from* od zejm. od církevní, politické n. státní organizace, vystoupit z, odtrhnout se
seceder [siˈsiːdə] **1** odštěpenec, kdo se odděluje n. odpadává **2** příslušník skotské *Secession Church*
secern [siˈsəːn] rozlišovat
secernent [siˈsəːnənt] biol. *adj* vylučující, secernující ● *s* **1** secernující orgán **2** přípravek podporující vylučování
secession [siˈsešən] **1** odloučení, odštěpení, odtržení, odchod, secese (kniž.) **2** výtv. řidč.: středoevropská secese **3** hist. secese (ve starém Římě) odchod plebejců z Říma **4** AM hist.: odštěpení jedenácti jižních států od Unie r. 1861 ◆ *S~ Church* presbyteriánská církev, která se r. 1733 odštěpila od *Church of Scotland*; *War of S~* americká občanská válka, válka Severu proti Jihu (v l. 1861–5)
secessionism [siˈsešənizəm] názory a snahy odštěpenců, odštěpenectví
secessionist [siˈsešnist] **1** odštěpenec, secesionista **2** AM hist. Jižan, konfederovaný, konfederát
seclude [siˈkluːd] odloučit, držet stranou, izolovat, nechat žít v ústraní *from* od společnosti / před společností, ukrýt před společností ***seclude o. s.*** držet se stranou *from,* izolovat se od, žít ve skrytu před., žít vzdálen čeho
secluded [siˈkluːdid] **1** skrytý, odlehlý (*a ~ valley* skryté údolí) **2** izolovaný, žijící osaměle n. v ústraní (*~ monks* mniši žijící v ústraní) **3** v. *seclude*
secluse [siˈkluːz] řidč. = *secluded*
seclusion [siˈkluːžən] **1** izolace, izolování (*the ~ of prisoners in cells* izolování vězňů v celách) **2** odloučení, osamělost; ústraní, samota, soukromí **3** izolované / skryté / odlehlé místo, ústraní, samota, zátiší
seclusionist [siˈkluːžənist] **1** stoupenec života v ústraní, poustevník (přen.) **2** stoupenec zákazu přistěhovalectví z rasových důvodů
second [sekənd] *adj* **1** druhý mající v pořadí číslo dvě (*February is the ~ month of the year*); jsoucí nižšího stupně (*~ quality*); další (*you will need a ~ pair of shoes*); nový (*~ Goethe*); vyjadřující střídání (*every ~ Englishman calls himself shy* každý druhý Angličan o sobě tvrdí, že je plachý) **2** další; podřadný, podružný, druhořadý; druhé / druhořadé jakosti **3** hvězd. druhé velikosti **4** pomocný **5** sekundový; vteřinový ◆ *~ advent* druhý příchod Ježíše Krista Poslední soud; *~ ballot* druhé skrutinium při němž se hlasuje mezi dvěma kandidáty, z nichž ani jeden v prvním skrutiniu nedostal polovinu hlasů; *~ bibliography* specializovaná / odborná bibliografie; *~ birth* náb. znovuzrození při křtu; *~ brake* text. dotěračka na len; *~ cabin* kajuta druhé

třídy; ~ *chamber* horní komora, senát dvoukomorového parlamentu; ~ *childhood* stařecká dětinskost, stáří; ~ *coming* = ~ *advent;* ~ *cousin* bratranec z druhého kolena; ~ *deck* námoř. podpalubí, druhá paluba, mezipaluba; ~ *distance* výtv. druhý plán, prostorový plán; ~ *dogwatch* námoř. lodní hlídka od 18. do 20. hodin; *S~ Empire* Druhé francouzské císařství (1852–1870); ~ *estate* hist. druhý stav rytířský; *every* ~ *day* každý druhý den, ob den; ~ *evidence* nepřímý důkaz, indicie; ~ *feature* druhý / vedlejší film dvojitého programu; ~ *fiddle* přen. druhé housle (*play* ~ *fiddle* hrát druhé housle, být páté kolo u vozu); ~ *finish* text. dodatečná úprava; ~ *floor 1.* ~ BR druhé poschodí / patro *2.* AM první poschodí / patro; ~ *gear* motor. = ~ *speed;* ~ *half* sport. druhý poločas; ~ *helping* přídavek jídla, nášup (hovor.); ~ *inversion* hud. kvartsextakord; ~ *lieutenant* BR podporučík; ~ *mark* vteřinová značka ("); *go* ~ *mile* přen. projevit větší laskavost než je povinnost, být více než očekávaným projevem; ~ *mourning* „malý" smutek nošený po hlubokém smutku; ~ *nature* druhá přirozenost, zvyk (*it has become* ~ *nature to him* přešlo mu to do krve); ~ *to none* nepřekonaný, nepřekonatelný; ~ *offender* víckrát trestaný zločinec, recidivista; ~ *papers* AM druhá (a poslední) žádost cizozemce o udělení amerického občanství; ~ *person* jaz. druhá osoba; *in the* ~ *place* za druhé; *take* ~ *place* být / skončit druhý, být na druhém místě; ~ *power* mat. druhá mocnina; ~ *print* polygr. rubový tisk; ~ *reading* druhé čtení návrhu zákona; ~ *run* obnovená premiéra filmu; ~ *self* druhé já; ~ *sight* jasnozřivost, jasnovidnost; ~ *speed* motor. druhý rychlostní stupeň, druhá rychlost, dvojka; ~ *string* druhá / rezervní možnost, alternativa; ~ *team* sport. druhé mužstvo, B mužstvo; ~ *teeth* druhé zuby; ~ *thigh* zadní kýta např. koně; ~ *thoughts* jiný názor, názor získaný po novém uvážení otázky (*on* ~ *thoughts* po uvážení, po rozvážení); *a* ~ *time* podruhé, ještě jednou; ~ *violin* druhé housle, sekund; ~ *violinist* hráč druhých houslí, sekundista; ~ *wind 1.* sport. hovor. druhý dech *2.* přen. nový vítr ● *s* **1** ten druhý; v datu druhého (*the* ~ *of the month*) **2** ten další; podřadný, podružný, druhořadý; další chod objednávka v restauraci **3** druhé místo, druhé pořadí, druhá třída umístění i soutěžící / student na druhém místě; druhá třída ve vlaku **4** BR druhý stupeň zkoušky k získání *honours* na univerzitě; student, který získá tento druhý stupeň **5** námoř. zástupce velitele **6** pomocník; pomahač, podporovatel, stoupenec, přívrženec, straník **7** sport., hist. sekundant **8** podpora návrhu v parlamentu (*do I hear a* ~*?*) **9** ~*s, pl* druhořadé zboží, zboží druhé jakosti / druhého výběru, sekunda; tabák druhé jakosti; papír druhé jakosti; podřadná mouka; chléb z podřadné mouky **10** hud. druhý stupeň v tónině; sekunda; druhý hlas, alt (hovor.) **11** šerm sekonda poloha zbraně ve výzvě n. krytu **12** baseball druhá meta **13** motor. druhý rychlostní stupeň, druhá rychlost, dvojka **14** vteřina, sekunda, přen. vteřina, vteřinka, minutka, okamžik, moment (*he'll be back in a* ~) **15** čárka dvanáctina palce **16** ~*s, pl* slang. nášup přídavek jídla ◆ *run a close* ~ *to a t.* velice se blížit čemu, být velice podobný čemu; ~ *in command* zástupce velitele; ~*s counter* stopky hodinky; *deal* ~*s* dávat druhou event. další kartu seshora při rozdávání karet; ~ *of exchange* ekon. druhá směnka, sekunda; *good* ~ sport. těsně druhý např. při dostihu (*make a good* ~ *to a p.* nezadat si (mnoho) s, být jeden za osmnáct a druhý bez dvou za dvacet); ~*s and thirds* podřadné zboží; ~*s up!* voj. slang. kdo chce nášup? ● *v* **1** podporovat (~*ed his daughter's efforts toward an education* podporoval dceřiny snahy dosáhnout vzdělání), podepřít; podporovat návrh / kandidáta; stavět se za, také stát za, být pro, projevovat souhlas s, přizvukovat komu, sekundovat komu **2** sport. být sekundantem, dělat sekundanta komu, sekundovat **3** následovat (*leading industry* ~*ed by agriculture* hlavní průmyslové odvětví následované na druhém místě zemědělstvím) **4** zast. doprovázet koho, být v družině koho **5** [siˈkond / AM sekənd] BR voj.: dočasně přeložit, odvelet důstojníka, dočasně pověřit u jiného útvaru *for* čím (~*ed for special duties*) **6** [siˈkond / AM sekənd] BR dočasně přeložit pracovníka, půjčit na jiné pracoviště ◆ ~ *words with deeds* následovat slova činem, proměnit slova v čin

secondariness [sekəndərinis] **1** druhotnost, sekundárnost **2** něco druhotného, sekundárního

secondary [sekəndəri] *adj* **1** druhotný, sekundární, též odb. **2** druhořadý, druhé třídy, vedlejší, postranní (~ *force*) podřadný **3** nezpracovávající základní materiál, odvozený (*a* ~ *history*) **4** škola střední, druhého stupně; středoškolský, týkající se škol druhého stupně **5** jaz. vyjadřující minulý čas **6** med. týkající se druhého stadia (~ *symptoms of syphilis* příznaky druhého stadia syfilidy); choroba přistupující jako druhotné onemocnění (*Bright's disease is often* ~ *to scarlet fever* Brightova nemoc se často dostavuje po spále) **7** *S*~ geol. druhohorní ◆ ~ *accent* vedlejší přízvuk; ~ *affection* med. druhotné onemocnění, komplikace; *be* ~ *to a t.* přen. ustupovat před, být podřízen čemu (*everything was* ~ *to the will to survive* všechno ustupovalo před vůlí přežít); ~ *beam* stropnice; ~ *bud* bot. přímětný pupen; ~ *cell* elektr. akumulátor; ~ *centre* pomocné středisko; ~ *sexual characteristics* anat. sekundární pohlavní znaky; ~ *colour* polygr. binární barva; ~ *colours* smíšené barvy; ~ *community* bot. druhotné společenstvo; ~ *depression* meteor. podružná cyklóna; ~ *front* meteor. podružná fronta; ~ *gear* motor. rozvodové kolo vačkového hřídele; ~ *industries* lehký průmysl, méně důležitý průmysl; ~ *line* žel. vedlejší trať; *matter of* ~ *importance* podružná / vedlejší věc, méně důležitá věc; ~ *low* meteor. podružná tlaková níže, podružná cyklóna; ~ *meridian* místní poledník; ~ *modern* / *mod* hovor.: všeobecně vzdělávací škola druhého stupně; ~ *occupation* vedlejší zaměstnání; ~ *planet* hvězd. vedlejší složka, vedlejší družice; ~ *salt* chem. střední / sekundární sůl; ~ *school* škola druhého stupně; ~ *grammar school* klasické gymnázium; ~ *modern school* střední všeobecně vzdělávací škola, gymnázium; ~ *technical school* průmyslovka; ~ *stress* jaz. vedlejší přízvuk ● *s* (*-ie-*) **1** něco vedlejšího, podružného **2** zástupce, náměstek *to* koho **3** círk. nižší hodnostář při katedrále v Anglii **4** hvězd. průvodce, vedlejší složka, družice, satelit **5** meteor. podružná cyklóna **6** zool. zadní křídlo motýla; vedlejší pero ptačího křídla **7** elektr. sekundární vinutí

second-best [sekəndbest] **1** druhý nejlepší **2** jsoucí druhé jakosti ◆ *come of* ~ chytnout to (iron.)

second-chop [ˌsekənd'čop] slang. = *second-best*

second class [ˌsekəndkla:s] *s* **1** druhá třída např. ve vlaku **2** BR druhé pořadí při zkouškách na britských univerzitách **3** AM druh poštovních zásilek (tiskoviny posílané předplatitelům), novinová sazba ● *adj: second-class* **1** druhořadý, podřadný **2** žel.: jsoucí druhé třídy ◆ ~ *mail* AM novinová zásilka předplatitelům; ~ *passenger* BR žel. cestující druhou třídou; ~ *ticket* BR žel. jízdenka druhé třídy ● *adv: travel* ~ cestovat druhou třídou

second-degree [ˌsekən*d*di'gri:] jsoucí druhého stupně (~ *burns*)

seconde [se'ko:nd] sport. sekonda (v šermu) spodní sklopná poloha zbraně ve výzvě n. krytu

seconder [sekəndə] podporovatel, stoupenec

second hand [sekəndhænd] *s* **1** prostředník **2** pomocník **3** sekundová / vteřinová ručička ◆ *at* ~ z druhé ruky, nepřímo ● *adj: second-hand* [ˌsekənd' hænd] **1** přejatý, nepřímý, jsoucí z druhé ruky, od jiných (*a* ~ *account* popis z druhé ruky) **2** upotřebený, použitý, zánovní; auto ojetý; šatstvo obnošený, starší; kniha antikvární ◆ ~ *bookseller* antikvář; ~ *bookshop* antikvariát; ~ *dealer* obchodník s použitým zbožím, veteśník; ~ *woman* novin. vdova ● *adv: second-hand* nepřímo, z druhé ruky

second-in-command [ˌsekəndinkə'ma:nd] **1** zástupce velitele, též voj. **2** zástupce / náměstek ředitele

secondly [sekəndli] za druhé

secondment [si'kondmənt / AM sekəndmənt] zejm. BR voj. dočasné přeložení, odvelení, přidělení

secondo [se'kondəu] *pl: secondi* [se'kondi:] hud. druhý hlas, sekund zejm. při čtyřruční hře na klavír

second-pair [sekəndpeə] : ~ *back* / *front* pokoj v druhém patře v zadní / přední části domu

second-rate [ˌsekənd'reit] **1** druhořadý, průměrný, podprůměrný, podřadný **2** loď jsoucí nižší třídy, druhého stupně

second-rater [ˌsekənd'reitə] **1** průměrný člověk, průměrná věc, nic zvláštního **2** podřadný hráč

seconds-hand [sekəndzhænd] sekundová / vteřinová ručička

second-sighted [ˌsekənd'saitid] jasnovidný, mající jasnovidnou moc

second-strike [ˌsekənd'straik] voj.: nukleární zbraň připravený pro odvetný úder po napadení

second-string [ˌsekənd'striŋ] druhý, rezervní, alternativní

second-time bar [ˌsekən*d*taim'ba:] hud. sekunda volta

secrecy [si:krisi] (*-ie-*) **1** (*in all* ~); u|tajení **2** schopnost / povinnost zachovat tajemství, mlčenlivost, diskrétnost (*we can rely on his* ~ na jeho diskrétnost se můžeme spolehnout) **3** tajnůstkářství **4** ústraní, samota ◆ *done with great* ~ udělaný ve vší tajnosti; ~ *of mail* zachovávání listovního tajemství; ~ *system* sděl. tech. soustava utajení hovoru; *I was told about it in* ~ dověděl jsem se to sub rosa

secret [si:krit] *adj* **1** tajný (*a* ~ *agent,* ~ *conspiracies* ... spiknutí, ~ *passage*) **2** utajovaný; vnitřní, skrytý (~ *exultation* skryté nadšení); důvěrný, diskrétní, mlčenlivý **3** krytý (~ *nailing* ... sbíjení) **4** v ústraní, schovaný, skrytý (*a* ~ *place*) **5** část těla intimní ◆ ~ *ink* tajný / sympatetický inkoust; *keep a t.* ~ u|držet v tajnosti, u|tajit; ~ *material* tajné spisy, tajný materiál; ~ *parts* intimní části těla, přirození, genitálie; *top* ~ přísně tajné; *trade* ~ obchodní / výrobní tajemství; ~ *writing* tajné / sympatické písmo ● *s* **1** tajemství, tajnost, taj; záhada (~ *s of Nature*) **2** přen. tajemství *of* čeho, klíč k (*called discreet and steady use of whisky the* ~ *of his living to the age of a hundred* nazval mírné a pravidelné popíjení whisky klíčem k tomu, že se dožil sta let) **3** círk. tichá modlitba, sekreta před prefací při mši **4** ~ *s, pl* přirození, genitálie ◆ *be in the* ~ být zasvěcen do tajemství; *in* ~ tajně, důvěrně; *keep a* / *the* ~ zachovat / smlčet tajemství; *keep a t. a* ~ u|držet / zachovat co v tajnosti, u|tajit co, neprozradit, nevyzradit co; *let a p. into the* ~ zasvětit do tajemství koho, prozradit / svěřit tajemství komu; *make no* ~ *of a t.* netajit se s, nedělat žádné tajnosti z

secret agent [ˌsi:krit'eidžənt] tajný agent, člen zpravodajské služby, pracovník rozvědky n. kontrarozvědky

secretaire [ˌsekri'teə] sekretář skříň s větším počtem zásuvek n. přihrádek a se sklopnou deskou

secretarial [ˌsekrə'teəriəl] **1** tajemnický **2** kancelářský, písařský ◆ ~ *help* kancelářská výpomoc

secretariat, secretariate [ˌsekrə'teəriət] **1** sekretariát výkonný organizační útvar nějaké instituce (*the United Nations* ~); členové tohoto útvaru; sídlo / úřadovna tohoto útvaru (*wait in the* ~) **2** ministerstvo **3** úřad / funkce tajemníka n. sekretáře

secretary [sekrətri] (*-ie-*) **1** tajemník, sekretář; tajemnice, sekretářka **2** zapisovatel, jednatel spolku **3** v některých ministerstvech ministr **4** psací stůl, sekretář **5** písař **6** velké psací písmo **7** = *secretary bird* ♦ *S~ of the Air Force* AM ministr vojenských vzdušných sil; *Colonial S~* BR ministr kolonií; *S~ of Defence* AM ministr obrany; *~ of (the) embassy* velvyslanecký tajemník; *Foreign S~* BR ministr zahraničí; *Home S~* BR ministr vnitra; *honorary ~* BR jednatel čestná funkce; *S~ of the Interior* AM ministr vnitra; *~ of (the) legation* vyslanecký tajemník; *S~ of Navy* AM ministr vojenských námořních sil; *permanent ~* BR náměstek ministra; *private ~* osobní tajemník; *S~ of State 1.* BR ministr (*S~ of State for Air* ministr letectví, *First S~ of State* první náměstek předsedy vlády, *S~ of State for Foreign Affairs* ministr zahraničních věcí, *S~ of State for Home Affairs* ministr vnitra, *S~ of State for the Colonies* ministr kolonií; *S~ of State for Commonwealth Relations* ministr pro záležitosti Commonwealthu, *S~ of State for War* ministr války) *2.* státní sekretář ministerský předseda a ministr zahraničí Spojených států n. Vatikánu; *S~ of the Treasury* AM ministr financí; *unpaid ~* neplacený tajemník význačného politika, získávající zkušenosti

secretary bird [sekrətribə:d] zool. hadilov písař, sekretář

secretary-general [ˈsekrətriˌdžənərəl] *pl: secretaries-general* [ˈsekrətrizˌdžənərəl] též *S~ G~* generální tajemník (*the ~ of the United Nations*)

secretaryship [sekrətrišip] **1** úřad / funkce / povinnosti tajemníka, tajemnictví, sekretářství **2** ministerský úřad funkce i její trvání

secrete [siˈkri:t] **1** biol. vyměšovat sekret, secernovat **2** schovat, skrýt, ukrýt *from* před **secrete o. s.** schovat se, skrýt se, ukrýt se

secretin [siˈkri:tin] biol. sekretin hormon tvořený sliznicí dvanácterníku

secretion [siˈkri:šən] **1** biol. vyměšování; vyměšování sekretů, sekrece **2** biol. výměšek, sekret **3** schování, schovávání, skrytí, skrývání, ukrytí, ukrývání

secretive [si:krətiv] **1** tajnůstkářský; mlčenlivý, uzavřený, nechávající si všechno pro sebe, nic neprozrazující, zbytečně rezervovaný **2** svědčící o mlčenlivosti (*his blue eyes were ~*) **3** biol. vyměšovací, vyměšovaný, sekreční

secretiveness [si:krətivnis] tajnůstkářství, mlčenlivost, uzavřenost, zbytečná rezervovanost; tajnůstkářské chování

secretly [si:kritli] **1** tiše, pro sebe **2** v. *secret, adj*

secretor [siˈkri:tə] **1** vyměšovací / sekreční orgán, žláza se sekrecí **2** tajnůstkář

secretory [siˈkri:təri] *adj* biol. vyměšovací, vyměšovaný, sekreční ● *s* (*-ie-*) = *secretor, 1*

secret service [ˌsi:kritˈsə:vis] *s* tajná služba, zpravodajská služba, tajná bezpečnost, rozvědka, kontrarozvědka ● *adj: secret-service* [ˈsi:kritˌsə:vis]: *~ agent* tajný agent, člen zpravodajské služby, pracovník rozvědky n. kontrarozvědky; *~ money* BR částka věnovaná na zpravodajskou službu bez povinnosti ji vyúčtovat

sect [sekt] **1** náboženská / politická sekta; cizí církev, vyznání, konfese, náboženské společenství; frakce **2** přen. škola (*the Freudian ~*)

sectarian [sekˈteəriən] *s* **1** sektář **2** fanatický přívrženec, fanatik ● *adj* **1** sekretářský **2** církevní, náboženský, konfesijní (*~ religious training*) **3** úzce omezený, bigotní, neobjektivní (*a ~ presentation of the matter* neobjektivní vylíčení celé záležitosti)

sectarianism [sekˈteəriənizəm] **1** sekretářství **2** náboženský / politický fanatismus

sectarianize [sekˈteəriənaiz] **1** sektařit, rozdělit se na sekty **2** sekta ovládnout (*~ public education*)

sectary [sektəri] (*-ie-*) **1** též *S~* hist. nezávislý, presbyterián odštěpenec od anglické církve **2** sekretář **3** fanatik

sectile [sektail] **1** řezatelný **2** štípatelný, štěpný **3** mozaikový

section [sekšən] *s* **1** řez, též tech., geom.; říznutí, řezání; tech. profil, průřez **2** med. řez, řezání, pitva, sekce **3** uříznutý / useknutý díl, kus (*chop stalks into ~s* nasekat stonky celeru na dílky) **4** mikroskopický preparát, řez **5** fot. výřez **6** část, úsek, oblast, kraj (*the only important grape-growing ~ of Pennsylvania* jediná důležitá vinohradnická oblast Pennsylvanie) **7** stálá novinová část, rubrika, stránka, příloha (*sports ~*) **8** liter. část, oddíl, odstavec **9** práv. oddíl, odstavec, článek, paragraf **10** skupina (*a cheering ~* hlasitě povzbuzující skupina), vrstva, třída, kruh obyvatel (*entertained by all ~s of the local community* zvaný všemi vrstvami společnosti); městská čtvrť (*the business ~ of the city*) **11** bot. sekce **12** zool. podtřída; čeleď **13** oddělení, odbor, sekce **14** článek, dílec, sekce (*a bookcase in ~* knihovna z dílců); dílek, dílec např. pomeranče **15** stav. sekce opakující se skladebná část; panel, dílec **16** škol. oddělení, skupina **17** voj. četa; poločeta, družstvo, dělo jednotka **18** hud. skupina orchestru **19** včel. sekce chovný úlek o jednom plástečku **20** polygr.: knižní složka, složený arch, signatura tiskového archu; knižní arch **21** dopr. úsek trati **22** žel. část vlakové soupravy; oddíl, kupé spacího vozu **23** tvarová / profilová ocel; hut. výbrus **24** AM úsek jedna čtvereční míle; čtvrť města **25** polygr.: značka § n. ¶ **26** námoř. teoretické žebro, řez. úsek ♦ *abdominal ~* med. břišní řez; *brass ~* hud. žestě část orchestru; *caesarean ~* med. císařský řez; *conic / conical ~* geom. kuželosečka, kuželový řez; *~ foreman* horn. revírní dozorce, revírník, úsekář; *golden ~* zlatý řez; *horizontal ~* vodorovný řez; *~ line* čárka, šrafa na výkrese: *longitudinal ~* podélný řez; *midship* ~ námoř. hlavní žebro; *oblique* ~ šikmý řez; ~ *paper* grafický papír; ~ *plan* půdorys v řezu; *string* ~ hud. smyčce část orchestru; *the train is run in two* ~*s* žel. spoj je rozdělen na dvě soupravy které jedou po sobě v desetiminutovém intervalu; *vertical* ~ svislý řez ● *v* **1** roz|dělit, roz|členit, sekcionovat (odb.) **2** čárkovat, šrafovat plochy řezu; vyznačit čárkováním / šrafováním **3** med. naříznout, rozříznout **4** uříznout mikrotomem

sectional [sekšənl] *adj* **1** průřezový, jsoucí v průřezu (~ *drawings*) **2** dílčí (~ *interest*), částečný (~ *strike* ... stávka); místní, lokální, regionální (~ *jealousies* místní řevnivosti) **3** stavebnicový, sektorový, sestavený (~ *furniture*); panelový (*a* ~ *garage*); sestávající z více oddílů **4** tech. tvarový, profilový ◆ ~ *area* plocha průřezu; ~ *drawing* řez výkres; ~ *elevation* svislý řez; ~ *pride* lokálpatriotismus; ~ *view 1.* pohled v řezu, řez na výkrese *2.* dílčí / částečný pohled na výkrese; ~ *wire 1.* tvarový drát *2.* drát v určitých délkách ● *s* sektorový / stavebnicový / sestavený nábytek

sectionalism [sekšnəlizəm] **1** partikularismus **2** lokálpatriotismus

sectionalist [sekšnəlist] **1** partikularista **2** lokálpatriot

sectionalize [sekšənlaiz] **1** roz|dělit, roz|členit, sekcionovat (odb.) **2** rozdělit podle místních zájmů / hledisek

section gang [sekšəngæŋ] AM četa dělníků udržující úsek trati

section hand [sekšənhænd] žel. člen úsekové údržbářské čety, dělník na trati

section house [ˌsekšənˈhaus] svobodárna pro policisty

section mark [sekšənma:l] polygr.: značka § n. ¶

sector [sektə] *s* **1** geom. výseč kruhu / koule **2** úsek, část, odvětví, sektor (*other* ~*s of the economy*); přen. kruh (*in some* ~*s of English society*) **3** voj. pásmo, zóna, sektor; úsek fronty **4** mat. úměrné kružítko **5** hvězd. vějíř komety ◆ ~ *gear* tech. *1.* ozubená výseč *2.* ozubený segment; ~ *of sphere* geom. výseč koule ● *v* roz|dělit se do úseků / částí / sektorů

sectorial [sekˈto:riəl] *adj* mající tvar výseče (*a* ~ *box*) ● *s* zool. trhák zub šelem

secular [sekjulə] *adj* **1** světský, profánní opak náboženského n. církevního (~ *drama,* ~ *courts* ... soudy); světský, sekulární opak řádového (~ *clergy* ... kněží); týkající se sekulárního kněžstva (~ *vestments* ... paramenty); laický **2** hlásající sekularismus, týkající se sekularismu; volnomyšlenkářský **3** vyskytující se jednou za sto let (~ *phenomena*), dlouhodobý (*the* ~ *trend of prices* dlouhodobý cenový trend); staletý, trvající sto let; vyžadující dlouhou dobu, tisíciletý **4** staletý, věkovitý (~ *oaks* staleté duby) **5** geol. dlouhodobý, pomalý, sekulární (*slow* ~ *movements of the crust are still in progress* dosud probíhají pomalé a dlouhodobé pohyby zemské kůry) ◆ ~ *acceleration* hvězd. sekulární zrychlení měsíčního pohybu; ~ *activity* hvězd. sekulární činnost např. u Slunce; ~ *arm* hist. světská spravedlnost; ~ *bird* mytol. fénix; ~ *cooling* geol. sekulární chladnutí zeměkoule; ~ *fame* nehynoucí sláva; ~ *games* antic. sekulární hry; ~ *hymn* antic. slavnostní báseň pro sekulární hry; ~ *rivalry* odvěký boj, odvěký antagonizmus (~ *rivalry between France and England*) ● *s* **1** círk. světský kněz který není členem žádného řádu **2** laik

secularism [sekjulərizəm] filoz. sekularismus směr usilující o zesvětštění

secularist [sekjulərist] *s* stoupenec sekularismu ● *adj* sekularistický

secularity [ˌsekjuˈlærəti] (*-ie-*) světskost, profánnost, světská záležitost (*shunning all secularities on the Sabbath* vyhýbající se o sabatu všem světským záležitostem)

secularization [ˌsekjuləraiˈzeišən] **1** zesvětštění, zesvětšťování, sekularizace; zestátnění církevního majetku **2** círk. zbavení řeholních slibů

secularize [sekjuləraiz] **1** zesvětštit, zesvětšťovat, sekularizovat; zestátnit církevní majetek **2** círk. zbavit řeholních slibů **3** zbavit náboženského charakteru, odsvětit (~ *Sunday*) ◆ *become* ~*d* ztratit náboženský charakter

secund [siˈkand] **1** bot. rostoucí jen po jedné straně lodyhy **2** zool. jednostranný, jednostranně uspořádaný

secundines [sekəndainz] *pl* med. plodový koláč, lůžko, placenta

secundo [seˈkandəu] za druhé

secundum [siˈkandəm] podle ◆ ~ *artem 1.* uměle *2.* obratně, podle pravidel, vědecky, umělecky; ~ *legem* podle zákona; ~ *naturam* přirozeně; ~ *quid* z určitého hlediska

secundus [siˈkandəs] BR škol. druhý, mladší

securable [siˈkjuərəbl] získatelný, dosažitelný

securance [siˈkjuərəns] řidč. záruka, jistota (*guaranties which are the* ~ *of freedom* jistoty, které zaručují svobodu)

secure [siˈkjuə] *adj* **1** jistý že nebude ohrožen, bezpečný, v bezpečí, klidný, bez obav, bez starostí, bezstarostný; v bezpečí, chráněný *against* / *from* před **2** který lze bezpečně očekávat: bezpečný, zaručený, určitý, jistý (~ *victory*) **3** jistý, zajištěný, solidní, pevný (*a* ~ *existence*); pevný, spolehlivý (*a* ~ *foundation* spolehlivý základ), nedobytný (*a* ~ *hideaway* ... skrýš); zabezpečený proti odposlouchávání (*a* ~ *telephone line*) **4** upevněný, přivázaný; přen. pojištěný, zajištěný, zabezpečený **5** zast. nic netušící ◆ *be* ~ *of* zast. být si jist kým / čím; ~ *fool* hlupák, zabedněnec ● *v* **1** zajistit, pojistit, zabezpečit, ochránit *against* / *from* před, zabránit *a p.* komu *from* v nebezpečném, uchránit koho před nebezpečím **2** zabezpečit, zajistit, pevně zavřít (~ *the hatches of a ship* pevně zavřít jícny lodi) **3** upevnit, připevnit, přivázat, pevně uložit na místo; loď být uvázán (*she ~d along side*) **4** med. podvázat cévu, zastavit krvácení **5** zaručit *a p.* komu *a t.* co **6** zajistit | si, za|opatřit | si, obstarat | si, získat (~ *employment* získat zaměstnání) **7** dosáhnout, docílit čeho (~*d his ignominious dismissal* dosáhl jeho potupného propuštění), dokázat, zajistit **8** obložit, obsadit místo ve vlaku **9** zadržet, zajistit (*two redcoats quickly ~d him* dva červenokabátníci ho rychle zajistili); zatknout; uvěznit **10** voj. opevnit *with* čím **11** ekon. zajistit, zaručit proti ztrátě *on / by* čím **2** námoř. propustit, dát volno komu; námořník přestal pracovat, nechat toho ◆ ~ *the anchor for sea* upevnit / zajistit kotvu pro plavbu; ~ *arms* voj. držet pušku zámkem v podpaží proti dešti; ~ *to a buoy* loď vyvázat k přístavní bóji; ~ *the engines* námoř. zastavit stroje; ~ *all steam* námoř. odstavit všechny kotle v lodi; ~ *with seal* zapečetit ● *s* konec poplachu

securiform [siˈkjuərifo:m] bot. klínovitý, sekyrovitý

security [siˈkjuərəti] (*-ie-*) **1** bezpečnost; bezpečí, stav bezpečí, zabezpečení, záštita *against* proti (~ *against aggression*) *from* před (~ *from famine* bezpečná ochrana před hladem); pocit bezpečnosti (*this need for ~ dates back into infancy* tato potřeba pocitu bezpečnosti se datuje už od dětství); bezpečné vědomí; přílišná důvěra, přílišné spoléhání, ukolébání v jistotě; bezstarostnost, důvěra **2** státní bezpečnost, bezpečnostní zájem státu (~ *prevents the reporting of actual figures*) **3** sociální zabezpečení (*the very heavy emphasis that younger men are now placing on ~* velký důraz, kteří teď mladí muži kladou na sociální zabezpečení) **4** bezpečnostní opatření v nápravném zařízení **5** jistota (*she still had the ~ of his faithful devotion* dosud si byla jista jeho věrnou oddaností, *the cellist plays with great ~* čelista hraje velice jistě), záruka (*our plan gives no ~ that we shall get the steam engine* náš plán nezaručuje, že získáme parní lokomotivu) **6** pevnost, spolehlivost (*the ~ of a knot* pevnost uzlu) **7** zástava, záruka, jistota, kauce; ručitel **8** ekon. dlužní úpis, půjčka, obligace; akcie; ukládací cenný papír používaný k ukládání kapitálu (*a government ~*) **9** voj. obrana, ochrana, bezpečnostní opatření, zajištění (*the battalion set up ~*) **10** voj. zpravodajská služba, kontrarozvědka, bezpečnost **11** utajení; bezpečnost šifry proti dešifrování ◆ *bill as ~* záruční směnka; *S~ Council* Rada bezpečnosti Spojených národů; *counter ~* protizáruka; ~ *force* bezpečnostní oddíl zejm. Spojených národů; *go ~ for a p.* zaručit se za koho; *landed ~* hypotekární zajištění; ~ *guard* stráž, ozbrojený doprovod cenností při přepravě; *old age ~* starobní / penzijní zabezpečení; ~ *officer 1.* voj. důstojník kontrarozvědky *2.* bezpečnostní technik; ~ *paper* papír pro tisk cenin, bankovkový papír; *pledge securities* zastavit cenné papíry, lombardovat; ~ *police 1.* vojenská policie. *2.* tajná policie; *public securities* státní a jiné veřejné cenné papíry; ~ *risk* nespolehlivý člověk / zaměstnanec z hlediska bezpečnosti státu; ~ *screening* kádrování z hlediska bezpečnosti státu, prověřování; *stand ~ for a p.* zaručit se za koho; ~ *of working* bezpečnost provozu

sedan [siˈdæn] **1** hist. nosítka, nosidla, nosidlo **2** motor. sedan uzavřená čtyřdvéřová karosérie s pevnou střechou; auto s takovou karosérií **3** motorový člun s jednou kabinou

sedan chair [siˈdænčeə] = *sedan, 1*

sedate [siˈdeit] klidný, vážný, vyrovnaný, usedlý

sedateness [siˈdeitnis] klid, klidnost, vážnost, vyrovnanost, usedlost

sedation [siˈdeišən] **1** med. podávání uklidňujících léků **2** klid, bezbolestný stav (jako) způsobený utišujícími léky

sedative [sedətiv] med. *adj* uklidňující, utišující bolesti, sedativní ● *s* uklidňující, bolesti utišující lék, sedativum

se defendendo [si:ˌdi:fenˈdendəu] v sebeobraně

sedentariness [sedntərinis] **1** usedlost, usazenost, stálost **2** sedavost; sedavý způsob života **3** zool. stálost; přisedlost

sedentary [sedntəri] *adj* **1** usedlý, usazený, nestěhovavý, stálý (~ *birds*), nekočovný (*a ~ tribe* ... kmen) **2** sedící (~ *posture* držení těla při sedění), vykonávaný vsedě (~ *relaxation*); sedavý (~ *occupation*); žijící sedavým způsobem života **3** zool. stálý (~ *birds*); přisedlý (~ *oyster* ... ústřice) **4** pavouk číhající na kořist v síti ◆ ~ *war* voj. poziční válka, boj na ustálené frontě; ~ *water* kalná voda ● *s* (*-ie-*) **1** člověk žijící sedavým životem **2** pavouk číhající na kořist v síti

seder [seidə] *pl* též *sedarim* [səˈdeirəm] nábož.: židovská slavnostní večeře v první večer velikonoc

sederunt [seˈdiərənt] zasedání

sedge [sedž] bot. **1** ostřice **2** různé šáchorovité druhy a rody

sedge cane [sekžkein] bot. puškvorec

sedged [sedžd] rákosový

sedge warbler [ˈsedžˌwo:blə], **sedge wren** [sedžren] zool. rákosník proužkovaný

sedgy [sedži] (*-ie-*) zarostlý ostřicí n. šáchorem

sedile [seˈdaili] v. *sedilia*

sedilia [seˈdailjə] *pl* archit. kamenná zdobená sedadla umístěná ve výklenku na jižní straně kněžiště kostela

sediment [sedimənt] **1** usazenina, sedlina, sediment, též chem. **2** geol. usazenina, sediment **3** kal ◆ ~ *incrustation* kotelní kámen

sedimentary [ˌsediˈmentəri] usazeninový, nánosový, naplavený, vzniklý sedimentací, sedimentární

sedimentation [ˌsedimenˈteišən] usazování; sedimentace, též odb.

sedition [siˈdišən] **1** pobuřování proti státu, protistátní agitace / činnost **2** řidč. vzpoura, vzbouření, pozdvižení

seditionary [siˈdišnæri] *adj* pobuřující, buřičský • *s* (*-ie-*) buřič, pobuřovač, štváč, agitátor

seditious [siˈdišəs] buřičský, pobuřující, štvavý (*~ agitator*), protistátní ◆ *~ utterances* práv. protistátní výroky

seditiousness [siˈdišəsnis] buřičství, štvavost, protistátní charakter / chování

seduce [siˈdju:s] **1** svést, odvést, odvrátit *from* od čeho, navádět k zanedbání čeho **2** oklamat, obloudit, obalamutit, zmást, svést (*~ union learders with rewards of money or advancement* obalamutit odborářské vedoucí peněžními odměnami nebo povýšením) **3** svést, zkazit např. dívku **4** přen. vzbudit (*knew how to ~ the interest of his pupils* dovedl vzbudit zájem svých žáků); vyloudit, vyčarovat (*a composer who ~d new sounds out of the piano*)

seducement [siˈdju:smənt] **1** svedení, zkažení, zmrhání např. dívky **2** pokušení, lákadlo, svod

seducer [siˈsju:sə] svůdce např. dívky, svůdník

seduction [siˈdakšən] **1** oklamání, oklamávání, oblouzení, obluzování, matení, balamucení, svedení, svádění **2** svádění, svedení např. dívky; práv. svedení pod slibem manželství **3** pokušení, vábení, lákadlo

seductive [siˈdaktiv] svůdný (*an exceptionally beautiful and ~ woman* výjimečně krásná a svůdná žena); lákavý, vábný (*the ~ temptation* lákavé pokušení)

seductiveness [siˈdaktivnis] svůdnost, lákavost, vábnost

sedulity [siˈdju:ləti] píle, pilnost, přičinlivost, snaživost, bedlivost, pracovitost, horlivost, vytrvalost, pečlivost, neúnavnost

sedulous [sedjuləs] pilný, přičinlivý, snaživý, bedlivý, pracovitý, horlivý, vytrvalý, pečlivý, neúnavný ◆ *play the ~ ape* pečlivě napodobovat, opičit se při literární tvorbě

sedum [si:dəm] bot. rozchodník

see[1] [si:] círk. stolec, stolice; biskupství, diécéze; arcibiskupství, arcidiecéze ◆ *Holy S~, S~ of Rome* Svatá stolice

see[2] [si:] (*saw, seen*) **1** vidět (*if you shut your eyes you can't ~*), vídat, vídávat | se *a p.* s (*I ~ him occasionally*), uvidět; patřit, spatřit **2** vidět usoudit, chápat (*I ~ you are angry*) *that* že; *~?* chápete?, je to jasné? **3** *~!* viz (*~ page 4*); podívej se, koukej, hele (*~, here he comes*) **4** číst, dočítat se v novinách (*I ~ that the Prime Minister has been in Wales*) **5** zažít, vidět (*I never saw such rudeness* takovou hrubost jsem v životě neviděl); být svědkem čeho (*the late glacial times saw the complete triumph of our ancestral stock* pozdní doba ledová byla svědkem dokonalého triumfu našich prapředků); zúčastnit se podívané, být na (*~ a parade*) **6** nechat, dovolit komu / čemu (*you can't ~ people starve* nemůžeš nechat lidi hladovět) **7** vidět před sebou, vybavit si (*I can still ~ her as she was twenty years ago*), představit si (*can you ~ me knowing how to furnish a house?* umíte se mě představit, že vím, jak si zařídit dům?) **8** podívat se, zjistit (*go and ~ if / whether the postman has been yet*); zjistit, zjistit přítomnost čeho; pro|zkoumat, okouknout (*I want to ~ how he handles the problem* chci okouknout, jak ten problém bude řešit) **9** podívat se kolem sebe, rozhlédnout se (*the naked Indians came out to ~* nazí Indiáni se vyšli rozhlédnout po okolí) **10** vědět, poznat, chápat, pochopit, po|rozumět (*do you ~ what I mean?*); roz|poznat (*you just can't ~ a good news story*) **11** zařadit, postarat se, dohlédnout na to, pečovat o to, dbát na to *that* aby (*~ that the windows and doors are fastened* postarej se, aby okna i dveře byly pořádně zavřené) **12** doprovodit, vyprovodit, dovést kam (*may I ~ you home?*) **13** navštívit, při|jít k (*can I ~ you on business?, you ought to ~ a doctor about that cough* měl bys jít s tím kašlem k doktorovi) **14** AM navštívit, vyhledat a ovlivnit nátlakem (*charged that the witness had been seen by the defense* vznesl obvinění, že obhajoba vyhledala svědka), promluvit si s (*we must ~ the judge* musíme si promluvit se soudcem) **15** přijmout návštěvu (*the manager can ~ you for five minutes*), poskytnout rozhovor **16** přen. souhlasit, vidět se zalíbením, přijmout **17** karty přijmout sázku v pokeru **18** podívat se *about* na, uvážit, rozvážit, rozmyslit si *about* co (*we can't give you an answer now, but we'll ~ about it*) **19** podívat se *about* na, zařídit co, postarat se o, dát pozor na, vzít si na starost co (*I'll ~ about parking if you buy the tickets*) **20** pečovat *after* o koho / co (*~ after a baby*), dát pozor na, dohlédnout na (*~ after the baggage* dohlédni na zavazadla) **21** hovor. koukat se *after* po, hledat co **22** přezkoumat *into* co, prohlédnout co, podívat se důkladně na (*the solicitors will ~ into your claim to the property* právní poradci přezkoumají váš nárok na majetek) **23** postarat se *to* o (*there weren't many apples left on the tree by the end of the week; the local boys saw to that* na stromě už ... moc jablek nezbylo, místní chlapci se o to postarali), vzít si na starost co, (*~ to the education of the children*) **24** podívat se *to* na, opravit co, spravit co, dát do pořádku co (*this machine is out of order, will you ~ to it, please* tento stroj nefunguje, dejte ho laskavě do pořádku) **25** vy|stačit *a p.* komu *to* až kam (*I think we have enough gasoline to ~ us to Detroit*) **26** projít a prohlédnout si *over* co (*~ over a house that one wishes to buy or rent*) **27** vidět *through* skrz (naskrz) koho / co, do nedat se oklamat kým / čím, prokouknout koho / co (*we all saw through him*) ◆ *~ a p. about his business* vyrazit dveře s kým; *I will ~ about it* uvidím, co se dá podniknout / co se s tím dá dělat; *I must ~ about lunch* musím začít vařit oběd; *~ across the road* převést přes silnici; ~ *action* zúčastnit se boje; *as far as the eye can* ~ kam oko dohlédne; *as far as I can* ~ pokud vidím, pokud mi to došlo; ~ *the back of a p.* vidět naposled koho, zbavit se koho; *I'll* ~ *you blowed first* zast. za žádnou cenu, ani nápad, nikdy, starou belu odmítnutí; *children should be seen and not heard* pořek. děti má být vidět a ne slyšet; ~ *much company* pohybovat se hodně ve společnosti, žít bohatým společenským životem; *I'll* ~ *you damned first* nakašlat, nasrat hrubé odmítnutí; *he had seen the day when* pamatuje doby, kdy (*he had seen the day when there were no motorcars on the roads* pamatuje doby, kdy na silnicích nebyly žádné automobily); *he has seen his best days* jeho doba už minula; *he has seen better days* už zažil lepší časy, bejvávalo; *he began to* ~ *daylight* začalo mu svítat, rozbřesklo se mu v hlavě (*after five years of trying, he began to* ~ *daylight*); *he* ~*s a great deal of the Smiths* stýká se často se Smithovými;) ~ *a p. doing a t.* vidět, jak / že kdo dělá co (*I saw the two men struggling for knife* viděl jsem, jak se ti dva muži prali o nůž); ~ *a t. done* dohlédnout na udělání čeho; ~ *if I don't!* to bychom se na to podívali!, to teprv uvidíš! že to udělám; *I don't* ~ *any use in doing a t.* podle mého názoru nemá cenu dělat co; ~ *you don't do a t.* pozor, abys neudělal co; ~ *double* vidět všechno dvakrát být opilý; *the had been* ~*ing each other for a year* snoubenci chodili spolu rok; ~ *the elephant* AM slang. být světem protřelý, otřískat se ve světě; *he* ~*s poorly with his left eye* levým okem vidí špatně, vidí špatně na levé oko; *what the eye does not* ~ *the heart does not grieve over / for* pořek. co oko nevidí, toho srdce nežele; ~ *eye to eye* dobře si rozumět; ~ *fit* pokládat za vhodné (*the electorate did not* ~ *fit to ratify the new frame of government* voliči nepokládali za vhodné ratifikovat nový vládní systém); ~ *for o. s.* přesvědčit se na vlastní oči, podívat se sám (*if you don't believe me, go and* ~ *for yourself!*); *I don't* ~ *any good in doing a t.* podle mého názoru nemá cenu dělat co; ~ *here!* AM hele!, no tak!, nate!; *I* ~ aha, ano, ach tak, už chápu; ~ *into (a) millstone* přen. vidět skrz zeď; *he did not* ~ *the joke* nepochopil vtip, vtip mu nedošel; ~ *the last of a t.* mít za sebou co, mít z krku co (*I shall be glad to* ~ *the last of this job*); *let a p.* ~ *a t.* ukázat / předvést komu co; *let me* ~ okamžik, moment, počkat; ~ *life* získat životní zkušenosti; ~ *the light 1.* spatřit světlo světa narodit se *2.* začít chápat (*he saw the light* začalo mu svítat, rozbřesklo se mu); *she* ~*s a lot* ona má oči všude, ta má oči na stopkách; *he's a hard man to* ~ k němu se člověk těžko dostává, k němu se dá těžko proniknout; ~ *(for) miles and miles* vidět na míle daleko; *he will never* ~ *40* etc. *again* už má čtyřicítku atd. za sebou; *there is nothing to* ~ */ to be seen* není nic vidět; *nothing could be seen of him* nebyl vůbec vidět, úplně zmizel z očí; ~ *to read* vidět na čtení; ~ *red* mít vztek, zuřit, vidět rudě; *it remains to be seen* to se ještě uvidí / ukáže!; ~ *it right* pokládat za správné; ~ *service 1.* člověk být zkušený, mít zkušenosti *2.* věc být obnošený; ~ *the sights* vidět vše, co stojí za vidění, navštívit zajímavá / důležitá místa např. při zájezdu do cizího města; ~ *stars* zajiskřit se v očích komu, mít hvězdičky před očima; *he had seen the time when = he had seen the day when;* ~ *things* mít halucinace; *things seen* skutečnost, reálné věci; ~ *a p. through a difficulty* pomoci komu překonat potíže; ~ *through (a) brick wall* vidět skrz zeď; ~ *you on Thursday!* na shledanou ve čtvrtek!; ~ *to it that* zařídit / postarat se / dohlédnout na to / pečovat o to / dbát na to aby (*please* ~ *to it that these letters are sent to the post*); ~ *the town* prohlédnout si město; *not* ~ *the use of doing a t.* nevidět žádný užitek z dělání čeho, pochybovat o užitečnosti dělání čeho; ~ *visions* mít vidění; ~ *one's way (clear) to do a t.* mít se k čemu (*he didn't* ~ *his way to lending me the money* nijak se k tomu neměl půjčit mi peníze); *I cannot* ~ *my way to getting these books* nemám představu, jak bych ty knihy mohl získat; *we shall* ~ uvidíme, budeme vidět, ono to nějak dopadne; *well seen in* zast. zkušený v; *you* ~ *1.* vidíte, víte, chápete, chápejte *2.* totiž ***see o. s. 1*** dovést si sebe představit (*I can't* ~ *myself allowing people to cheat me* nedovedu si sám sebe představit, že bych dovolil, aby mě lidé podváděli) **2** pokládat se za jakého, být podle svého názoru jaký (*I* ~ *myself obliged* cítím se zavázán) **3** zhlížet se, vidět se *in* v (~ *o. s. in one's children*) ***see off 1*** vyprovodit, jít se rozloučit s, doprovodit na nádraží / na letiště / do přístavu **2** vypravit (*the children were seen off to school by their mother*) ♦ ~ *off to bed* dát dítě spát, uložit do postýlky ***see out 1*** vidět koho (chodit) venku (*Mrs Jameson must have got over her influenza, for I saw her out yesterday* paní Jamesonová se už zřejmě z té chřipky vystonala, protože včera jsem ji viděl chodit venku) **2** vidět / dívat se na / vyslechnout / slyšet / doposlechnout až do konce, vydržet až do konce **3** dožít, přežít (*the patient was so ill that the doctor was doubtful whether he would* ~ *the week out* pacient byl tak nemocný, že doktor pochyboval, že vydrží do konce týdne) **4** vyprovodit až ke dveřím / před dům, vyprovodit ven (~ *the Old Year out* rozloučit se se starým rokem v novoroční noci) ***see through 1*** dovést co až do konce, nevzdat se, dokud nebude skončeno co (*he said that whatever happened he would* ~ *the struggle through* prohlásil, že ať se stane cokoliv, on dovede boj až do konce) **2** podporovat koho až do konce, být nápomocen komu až do konce

see bright [si:brait] bot. šalvěj muškátová
seed [si:d] *s* **1** semeno, též hromad. (*its* ~ *is* / *are black*); semena; semínko, semínka, jádro, jádra; zrno, setba, osivo **2** přen. zdroj, pramen, símě, zárodek, semeno, jádro (~ *of suspicion* pramen podezření, ~ *of reform* zárodek reformy) **3** biol. sperma, spermie, chám, semeno **4** bibl. símě, potomstvo; přen. původ (*not of mortal* ~ nikoliv pozemského původu) **5** biol. očko, zákvas **6** neodb. výtrus, spora **7** zool. vajíčko např. hedvábníka **8** zool. mladá ústřice **9** chem. očkovací látka, předkvas, inokulace **10** bublina ve skle, bublinka, kyšpa **11** sport. hovor. vylosovaný hráč, nasazený hráč, favorit ◆ ~ *of Abraham* Abrahamovo símě Židé; *good* ~ dobré semeno, náboženský / morální vliv, evangelia; *go* / *run to* ~ *1.* zakládat na semeno, odkvétat *2.* přen. vadnout, upadat, rozpadat se, uvadat ● *v* **1** za|sít (~ *another crop in the field* zasít na poli jinou obilninu), osít (~ *a plot with barley* osít kus pozemku ječmenem), rozsít, též přen. **2** zrát a mít semena, zakládat na semeno **3** vybrat semínka, zbavit jader, vypeckovat ovoce **4** přen. podnítit, vyvolat (*it* ~*ed a whole generation of fruitful study*) **5** vochlovat len **6** chem. očkovat **7** sport. nasadit soupeře tak, aby se favorité utkali až v posledním kole turnaje
seedbed [si:dbed] **1** semeniště, jaderniště (zahr.); připravený záhon; záhon v lesní školce; půda připravená k setí **2** přen. středisko, ohnisko, semeniště
seedcake [ˌsi:dˈkeik] **1** koláč n. pečivo obsahující koření; kmínový n. anýzový koláč **2** pokrutina
seed case [ˌsi:dˈkeis] = *seed vessel*
seed corn [si:dko:n] **1** osivo, obilí na setí, výsevné obilí **2** AM výsevná kukuřice
seed drill [si:*d*dril] zeměd. secí řádkovací stroj
seedeater [ˈsi:dˌi:tə] zool. pták živící se semeny, zejm. zvonohlík
seeded [si:did] v. *seed, v* ◆ *rose* ~ herald. růže se semeníkem odlišné barvy
seeder [si:də] **1** zeměd. secí stroj, secí přístroj **2** odpeckovač; stroj k odstraňování jader, odzrňovač (*a raisin* ~ odzrňovač hrozinek) **3** BR jikrnáč
seed extraction [ˌsi:dikˈstrækšən] les. luštění semen
seed fish [si:dfiš] *pl* též *fish* [fiš] jikrnáč
seediness [si:dinis] **1** hovor. ošumělost, ošuntělost, utahanost, šupáctví, sešlost, zchátralost, zpustlost **2** BR hovor. nanicovatost, stav, kdy je člověku zdravotně blbě
seeding machine [ˌsi:diŋməˈši:n] zeměd. secí stroj
seeding plough [si:diŋplau] zeměd. secí pluh
seed leaf [si:dli:f] *pl: seed leaves* [si:dli:vz] bot. děloha
seedling [si:dliŋ] semenáček, semenáč rostlina vyrostlá ze semene
seedless [si:dlis] jsoucí bez semen, jader atd.
seed lobe [si:dləub] bot. děloha, děložní lístek
seed merchant [ˌsi:dˈmə:čənt] obchodník se semeny, semenář
seed money [ˌsi:dˈmani] dotace k zahájení podniku
seed orchard [ˌsi:dˈo:čəd] les. semenná plantáž
seed oysters [ˌsi:dˈoistəz] *pl* zool. mladé ústřice
seed pearl [ˌsi:dˈpə:l] drobounká perla zejm. nepravidelného tvaru
seed plot [si:dplot] = *seedbed*
seed potato [ˌsi:dpəˈteitəu] *pl: seed potatoes* [ˌsi:dpəˈteitəz] sazenice brambor, sadbový brambor
seedsman [si:dzmən] *pl: -men* [-mən] **1** rozsévač **2** semenář, pěstitel semen
seed source [ˌsi:dˈso:s] les. uznaný porost
seed time [si:dtaim] **1** čas k osevu, doba setí **2** doba příprav / vývoje (*the* ~ *of his career* ... jeho kariéry)
seed vessel [ˈsi:dˌvesl] bot. **1** suchý perikarp **2** obal pukavého plodu, oplodí
seed wool [si:dwul] surová bavlna dřív než je zbavena semínek
seedy [si:di] (*-ie-*) **1** bot. mající semena, semenný, zralý **2** ryba plný **3** sklo jsoucí s bublinkami, bublinatý, kyšpovitý **4** pálenka jsoucí s příchutí plevele **5** hovor. utahaný, ošumělý, ošuntělý, šupácký (*a tall* ~ *man*); sešlý, zchátralý, zpustlý (*a* ~ *village*); mizerný, bídný (*a* ~ *miser* bídný lakomec) **6** BR hovor.: kterému je po zdravotní stránce vedle, šoufl, blbě ◆ *feel* ~ cítit se blbě, být blbě komu
seedy toe [si:ditəu] zvěr.: choroba drtící stěnu koňského kopyta
seeing [si:iŋ] *s* **1** vidění, patření **2** pohled (*gain the gift of deeper* ~) **3** hvězd. kvalita obrazu **4** hvězd. index pro velikost scintilace **5** v. *see*², ◆ ~ *is believing* pořek. věřím jen tomu, co vidím na vlastní oči; *his* ~*s and doings* co vidí a co dělá, co viděl a co dělal (*recounts his* ~*s and doings* vypráví, co viděl a co dělal); *it is worth* ~ to stojí za podívanou ● *adj: be* ~ *you!* nashle! sbohem!, ahoj! ● *conj* též ~ *that* vzhledem k tomu, že, jelikož, protože ● *prep* vzhledem k, kvůli, pro, uvážíme-li (~ *his difficulties* uvážíme-li jeho potíže)
seek [si:k] (*sought, sought*)**1** hledat, vyhledávat; zast. prohledávat, pohledávat **2** ~*!* hledej, přines, aport! rozkaz loveckému psu **3** hledat *a t.* co *of* u, žádat o, prosit o koho **4** prohledat *through* co **5** snažit se, usilovat ◆ *be to* ~ (*in*) *a t.* zast. postrádat co, mít nedostatek čeho (*be to* ~ *in intelligence*); ~ *one's bed* jít spat; ~ *a p.'s life* usilovat komu o život; ~ *a position as a cook* hledat místo / zaměstnání kuchaře ***seek out 1*** vyhledat, najít si (*rockets designed to* ~ *out and destroy enemy bombers* rakety zkonstruované k vyhledávání a ničení nepřátelských bombardérů) **2** sledovat s velkým zájmem, vyhledávat
seeker [si:kə] **1** hledač **2** med. tenká sonda **3** hvězd. hledáček **4** naváděcí zařízení řízení střely; řízená střela s naváděcím zařízením
seel [si:l] zast. *v* **1** zavřít oči; sešít oči loveckému sokolu **2** přen. o|klamat, o|balamutit **3** námoř.: loď naklonit se a rychle znovu vzpřímit ● *s* námoř. náklon, výkyv lodi

Seeland [si:lænd] Sjaelland ostrov
seem [si:m] zdát se, připadat *to* komu, vypadat jako co, vypadat na to, že ♦ *it ~s* zdá se, patrně, pravděpodobně; *it ~s to me* zdá se mi, mám ten dojem / pocit, domnívám se, připadá mi; *~ to do a t.* asi, zřejmě, patrně, pravděpodobně dělat co (*he ~s to have died soon* patrně zemřel brzo, *you ~ to believe* vy asi / zřejmě věříte)
seeming [si:miŋ] *s* zdání ♦ *to all ~* podle všeho zdání, podle všech náznaků; *the ~ and the real* zdání a skutečnost ● *adj* zdánlivý, domnělý (*a ~ friend*)
seemliness [si:mlinis] **1** pohlednost, hezkost, příjemný vzhled **2** slušnost, vhodnost, přiměřenost, patřičnost
seemly [si:mli] *adj* (*-ie-*) **1** příjemný na pohled, pohledný, hezký (*a ~ appearance* hezký vzhled) **2** slušný, vhodný, přiměřený, patřičný ● *adv* řidč. vhodně, přiměřeně, patřičně, příslušně
seen [si:n] v. *see²*, *v*
seep [si:p] *v* sáknout, prosakovat, vsakovat, též přen. ***seep away*** unikat, z|tratit se, z|mizet; postupně se měnit (jako) prosakováním ● *s* prosakování; vyvěrání, vytékání
seepage [si:pidž] **1** prosakování, vyvěrání, vytékání; prosakující tekutina; prosáklé množství **2** unikání, mizení, vytrácení se (*the unfathomable ~ of all excitement* nevyzpytatelné mizení všeho vzruchu)
seer¹ [si(:)ə] **1** vizionář; věštec, prorok **2** jasnovidec **3** řidč. pozorovatel
seer² [siə] **1** jednotka indické váhy (ca 1 kg); indická dutá míra (ca 1 litr) **2** jednotka afghánské váhy (ca 7,5 kg)
seercraft [si(:)əkra:ft] věštectví, proroctví, jasnovidectví
seeress [si(:)əris] **1** vizionářka; věštkyně, prorokyně, vědma **2** jasnovidka **3** řidč. pozorovatelka
seerfish [siəfiš] *pl:* též *-fish* [-fiš] zool.: různé druhy ryb z čeledi makrelovitých, např. vláknovec
seersucker [siəsakə] text.: lehká indická záhybková tkanina modrobíle proužkovaná
seesaw [si:so:] **1** houpání, komíhání, kývání nahoru dolů **2** houpačka z prkna uprostřed podepřeného; houpání na této houpačce **3** sport. střídání se ve vedení při závodu ● *v* **1** houpat | se, vyhoupnout | se, komíhat | se, kývat | se; houpat | se na houpačce **2** být hned nahoře hned dole, létat nahoru dolů **3** kolísat (*it ~s between biography and criticism*) **4** sport. střídat se ve vedení při závodu ● *adj* houpavý, komíhavý, kývavý nahoru dolů (*~ motion* kývavý pohyb) ● *adv* nahoru dolů ♦ *go ~* houpat se, být hned nahoře hned dole, létat nahoru dolů (přen.)
seethe [si:ð] (*seethed* / zast. *sod, seethed* / zast. *sodden*) **1** u|vařit; vařit se, vřít; zast. vyvařit, udělat odvar čeho **2** přen. kypět, překypovat, vřít, bouřit, kvasit (*when the colonies were beginning to ~ with the spirit of revolt*); vířit
see-through [ˌsi:ˈθru:] *adj* průhledný (*~ tops*) ● *s* průhledný oděv n. jeho část zejm. dámský; móda nosit průhledné šaty
seg [seg] AM slang. = *segregationist*
segar [siˈga:] nespr. = *cigar*
seggie [segi] = *seg*
segment *s* [segmənt] **1** část; díl, dílek (*a ~ of orange*); odřezek, odkrojek **2** sekce, odvětví, sektor (*every ~s of economy*) **3** úkrojek, úsek, část, segment, též bot. **4** zool. článek, segment **5** geom. úseč, úsečka jako část přímky; vrstva koule **6** tech. segment součást mající tvar kruhové úseče; koš psacího stroje **7** tech. lamela komutátoru n. spojky ♦ *~ of circle* úseč kruhu; *~ of line* úsečka; *~ of sphere* úseč koule ● *v* [segˈment] **1** roz|dělit | se na části / díly / úseky **2** množit se dělením
segmental [segˈmentl], **segmentary** [segməntəri] úsekový, úsečkový, úsečkový, segmentový
segmentation [ˌsegmenˈteišən] členitost, členění, buněčné dělení, segmentace
segmentation cavity [ˌsegmenˈteišənˈkævəti] biol. blastula
segment gear [ˈsegməntˌgiə] tech. ozubený oblouk / segment
segment rack [segməntræk] tech. ozubený oblouk
segment saw [segməntso:] tech. segmentová pila, kotoučová pila se zubovými segmenty
segment valve [ˈsegməntˌvælv] tech. ventil se segmentovým závěrem
segment wheel [segməntwi:l] tech. ozubený oblouk / segment
segno [senjəu] *pl: segni* [senjii:] hud. znaménko, segno
segregate¹ [segrigeit] *v* **1** oddělit | se, odloučit | se, vydělovat | se, izolovat | se, **2** vyloučit, vylučovat, segregovat **3** hud. odměšovat, vycezovat **4** chem. vyloučit | se, vydělit | se, vy|krystalizovat | se **5** polit. provádět politiku rasové segregace (*railroads admit that they ~* železnice přiznávají, že provádějí politiku rasové segregace)
segregate² [segrigit] *adj* **1** zast. oddělený, odloučený, vydělený, izolovaný **2** samostatný **3** polit. segregační, segregovaný, oddělený, jiný pro černé a bílé obyvatele; provádějící politiku segregace (*~ states*) ♦ *~ polygamy* bot. oddělená / izolovaná polygamie rostliny
segregation [ˌsegriˈgeišən] **1** oddělení, oddělování, odloučení, odlučování, vyloučení, vylučování, izolování, oddělená / odloučená / izolovaná část, segregace **2** polit. segregace zabraňování styku bílých a barevných; apartheid **3** hut. vycezování, odměšování, segregace
segregationist [ˌsegriˈgeišənist] polit. *s* stoupenec rasové segregace ● *adj* provádějící rasovou segregaci
segregative [segrigetiv] **1** který se izoluje, dávající přednost odloučení od společnosti, nespolečenský, samotářský **2** polit. segregační

sei [sei] zool. plejtvák severní
seicento [seiˈčentəu] výtv. sedmnácté století
seiche [seiš] geol. stojaté vlnění, seiche, seš zvlnění hladin jezer, zálivů a moří vlivem rezonance dna a břehů
Seid [seid] potomek Mohamedův z Fatimy a Ali
Seidlitz powder [ˌsedlitsˈpaudə] šumivý / šumicí prášek, Seidlitzův prášek mírné projímadlo
seif dune [seifdju:n] dlouhá písečná duna zejm. na Sahaře
seignant [siˈnjoŋ] kuch. krvavý, nedopečený
seigneur [seinjə: / AM sinjə] hist. lenní pán, feudální pán ♦ *grand* ~ *1.* velmož *2.* grandseigneur důstojně a vznešeně si počínající člověk
seignior [seinjə] = *seigneur*
seigniorage [sinjəridž] **1** hist. práv. regál **2** ražebné **3** rozdíl mezi skutečnou a nominální hodnotou mince
seigniorial [seiˈnjo:riəl] lenní, feudální; týkající se lenního / feudálního pána
seigniory [seinjəri] (-*ie*-) **1** hist. feudální pán; výsady feudálního pána; panství / dominium feudálního pána **2** hist. signoria, signorie vláda republikánských obcí (v Itálii)
seignorage [seinjeridž] = *seigniorage*
Seine[1] [sein] Seina řeka ve Francii
seine[2] [sein] *s* kruhový nevod, kruhová vlečná síť ● *v* **1** zatahovat sítí (*the fleet* ~*s the lower river daily* rybářská flotila zatahuje den co den sítí dolní řeku); lovit do sítě *for* co (*seining for alligators* ... aligátory) **2** přen. lovit *a t.* v čem *for* co (~*d such old tomes for obscure facts*)
seine gang [seingæŋ] rybářská parta lovící nevodem
seine needle [ˈseinˌni:dl] jehla na šití nevodu
seiner [seinə] sajner rybolovná síť
seine roller [ˈseinˌrəulə] válec, přes který se táhne nevod
seirfish [siəfiš] *pl* též -*fish* [-fiš] = *seerfish*
seise [si:z] práv. dosadit *of* na, uvést do držení čeho ♦ *be* ~*d of* / *with* být zpraven o
seisin [si:zin] práv. pravoplatná držba nemovitostí ničím neomezená ♦ *livery of* ~ obřad při odevzdání nemovitostí
seismal [saizməl] řidč., **seismic** [saizmik] geol. seismický týkající se seismologie; zemětřesný ♦ ~ *focus* zemětřesné ohnisko, epicentrum zemětřesení; ~ *wave* seismická vlna
seismogram [saizməgræm] geol. seismogram záznam seismografu
seismograph [saizməgra:f] geol. seismograf přístroj na zaznamenávání zemětřesných vln
seismographer [saizˈmogrəfə] geol. = *seismologist*
seismographic [ˌsaizməˈgræfik], **seismographical** [ˌsaizməˈgræfikəl] geol. seismografický týkající se seismografu
seismography [saizˈmogrəfi] geol. popisná seismika, seismografie
seismological [ˌsaizməˈlodžikəl] geol. seismologický týkající se seismologie
seismologist [saizˈmolədžist] geol. seismolog odborník v seismologii
seismology [saizˈmolədži] geol. seismika, seismologie nauka o zemětřesení
seismometer [saizˈmomitə] geol. seismometr přístroj na měření mohutnosti zemětřesení
seismometric [ˌsaizmoˈmetrik], **seismometrical** [ˌsaizmoˈmetrikəl] geol. seismometrický týkající se seismometru n. seismometrie
seismometry [saizˈmomətri] geol. seismometrie nauka o měření mohutnosti zemětřesení
seismoscope [saizməskəup] geol. seismoskop přístroj na zjišťování otřesů zemské kůry
seismoscopic [ˌsaizməˈskopik] geol. seismoskopický týkající se seismoskopu
seizable [si:zəbl] **1** uchopitelný, uchvatitelný, ukořistitelný **2** práv. zabavitelný, z|konfiskovatelný
seize [si:z] **1** chytit, chytnout, uchopit, lapit, čapnout náhle / pevně (~ *a thief by the collar* chytit zloděje za límec) **2** uchvátit; dobýt, zmocnit se čeho (~ *a fortress* dobýt pevnosti), vzít, ukořistit, pobrat (*the tremendous riches* ~*d in swift attacks on land and water* obrovské bohatství ukořistěné při rychlých útocích na zemi i na vodě); zajmout, zatknout, zajistit (~ *and punish war criminals* zatknout a potrestat válečné zločince) **3** přen. chopit se *upon* čeho, použít čeho (~ *an idea*), chytit se *on* / *upon* čeho (~ *on any plan*) **4** choroba přepadnout, zmocnit se, zachvátit, schvátit, potrefit **5** práv. zabavit, z|konfiskovat; ujmout se, u|chopit se čeho na základě soudního rozhodnutí, převzít (~*d control of steel plants*); obsadit, zabrat, znárodnit (*government* ~*d the entire foreign-owned oil industry* vláda znárodnila veškerý naftový průmysl patřící zahraničním majitelům), vzít do svých rukou **6** pochopit, porozumět čemu (*we can only try to* ~ *the meaning of serfdom* my se můžeme jen pokusit porozumět smyslu nevolnictví) **7** výtv. zmocnit se čeho, postihnout, proniknout co, objevit smysl čeho (~ *reality*) **8** též ~ *up* stroj zadřít se, u|váznout, zůstat viset, zaseknout se **9** též ~ *up* zadrhávat, zastavovat se, nebýt plynulý (*compositions for wind alone often* ~ *up in the middle parts* skladby pouze pro dechové nástroje často zadrhávají ve středních hlasech) **10** námoř. s|vázat, uvázat, připevnit, zajistit, přišít, přišněrovat, sešněrovat **11** práv. = *seise* ♦ ~ *arms* chopit se zbraně; *be* ~*d by apoplexy* být raněn mrtvicí; *be* ~*d of a t.* být si vědom čeho; *conviction* ~*d him* zmocnilo se ho přesvědčení; ~ *power* zmocnit se vlády ***seize up*** námoř. přivázat námořníka ke stěžni před bičováním
seizin [si:zin] AM = *seisin*
seizing [si:ziŋ] **1** námoř.: lehké vázání **2** v. *seize*
seizor [si:zə] kdo zabavuje n. konfiskuje, konfiskátor
seizure [si:žə] **1** chycení, uchopení **2** uchvácení, zmocnění se, dobytí, ukořistění, zajmutí, zatčení,

zajištění 3 práv. zabavení, konfiskace; obsazení, zabrání, znárodnění 4 zadření, u|váznutí, zaseknutí 5 med. záchvat (*died of heart* ~)
sejant [si:džənt] herald.: erbovní zvíře sedící
sekos [si:kəs] archeol. adyton uzavřená svatyně ve starých chrámech
selachian [si'leikiən] zool. *s* ryba z nadřádu žraloci, žralok ● *adj* žralokovitý
seladang [se'la:dæŋ] zool. **1** tur gaur **2** tapír indický
selah [si:lə] bibl. sela hebrejské slovo neznámého významu, snad přednesový pokyn
selamlik [si'la:mlik] část muslimského domu obývaná muži
seldom [seldəm] *adv* zřídka, zřídkakdy, málokdy, ne často ◆ *S~ seen soon forgotten* Sejde z očí sejde z mysli ● *adj* zast. řídký, zřídka se vyskytující, vzácný
select [si'lekt] *adj* **1** vybraný; vyvolený, zvolený **2** výlučný, výběrový, exkluzívní **3** vybíravý ◆ ~ *committee* BR zvláštní výbor britského parlamentu ● *v* vybrat, vyvolit, z|volit; u|dělat výběr / selekci ● *s* ~*s, pl* výběr, výběrové zboží
selectee [si'lekti:] AM odvedenec
selection [si'lekšən] **1** výběr, vybrání, vybírání, volba nejlepšího, selekce **2** vybraný člověk, vybrané zvíře, vybraná věc, vybraný pozemek; vybraný kůň, na něhož se vsadilo **3** biol. výběr, selekce ◆ ~ *board* voj. prezentační komise; *natural* ~ přirozený výběr
selective [si'lektiv] **1** vybíravý, selektivní, selekční **2** konaný podle potřeby, od případu k případu (*monetary controls may be either general or* ~) **3** sděl. tech. odladivý, odladitelný, selektivní **4** rozhlasový přijímač mající dobrou selektivitu ◆ ~ *appeal* působivost zboží jen pro určitý druh lidí; ~ *assembly* selektivní / výběrová montáž; ~ *course* výběrový kurs; ~ *employment tax* daň odstupňovaná podle počtu administrativních pracovníků; ~ *examination* volitelná zkouška; ~ *service* AM *1.* povinná vojenská služba *2.* povolání k vojenské službě; *S~ Service System* AM organizace zajišťující vojenskou službu; ~ *test* výběrová zkouška; ~ *transmission* tech. převod s volbou rychlosti
selectiveness [si'lektivnis] = *selectivity*
selectivity [ˌsilek'tivəti] **1** sděl. tech. selektivita schopnost vydělovat jednotlivé signály (kmitočty) **2** sděl. tech. míra oddělování pásem, diskriminace útlumu **3** volitelnost, vyběratelnost
selectman [si'lektmən] *pl: -men* [-mən] AM člen městského výboru, pověřenec, rada v Nové Anglii
selectness [si'lektnis] výběrovost, exkluzívnost
selector [si'lektə] **1** volič; kdo umí dobře vybírat **2** sděl. tech. volič, selektor telefonické zařízení **3** motor. zasouvací vidlice převodovky **4** konvertor na měď **5** žel. selektor signalizační zařízení ◆ ~ *switch 1.* elektr. volicí / vícepolohový přepínač *2.* sděl. tech. vícepolohový přepínač, volič pásem
selenate [selineit] chem. selenan
selenic [si'li:nik] **1** měsíční; měsícovitý **2** chem. selenový ◆ ~ *compass* námoř. selenový kompas
selenious [si'li:niəs] chem. seleničitý ◆ ~ *acid* kyselina seleničitá
selenite 1 [selinait] chem. seleničitan **2** *S~* [si'li:nait] Měsíčňan, selénita
selenitic [ˌseli'nitik] **1** hvězd. měsíční **2** chem. sádrovcový
selenium [si'li:njəm] chem. selen ◆ ~ *cell* selenový článek; ~ *eye* selenové oko, magické oko rozhlasového přístroje
selenocentric [siˌli:no'sentrik] hvězd. lunostředný, selenocentrický
selenodont [si'li:nodont] zool.: přežvýkavec charakterizovaný půlměsíčkovitými rýhami na korunkách zubů
selenographer [ˌseli'nogrəfə] hvězd. selénograf odborník v selénografii
selenographic [siˌli:nə'græfik] hvězd. selénografický ◆ ~ *chart* mapa Měsíce
selenography [ˌseli'nogrəfi] hvězd. selénografie obor zabývající se popisem a mapováním měsíčního povrchu
selenologist [ˌseli'nolədžist] = *selenographer*
selenology [ˌseli'nolədži] hvězd. selénologie nauka o Měsíci
selenotropic [siˌli:nə'tropik] bot. otáčející se za Měsícem
selenotropism [ˌseli'notrəpizəm], **selinotropy** [ˌseli'notrəpi] bot. vlastnost některých rostlin otáčet se za Měsícem
Seleucid [si'lju:sid] *pl* též *Seleucidae* [si'lju:sidi:] hist. člen makedonské dynastie Seleukovců, Seleukovec
self [self] *s pl: selves* [selvz] **1** zosobněné já (*his true* ~ *was at last revealed* konečně se odhalilo jeho pravé já); osobnost, část osobnosti, vnitřní člověk (*his reckless* ~ lehkomyslná stránka jeho osobnosti) **2** vlastní osoba (*Caesar's* ~ sám Caesar), své vlastní já; vlastní prospěch (*put service before* ~ stavět službu před vlastní prospěch) **3** filoz. ego, subjekt, já (*the study of* ~) **4** biol. jednobarevná květina; stejnoměrně zbarvený živočich **5** hovor., žert. moje maličkost, já (*my poor* ~ já chudák, *it is his very* ~ to je celý on) ● *adj* **1** jednotný, stejný; jednobarevný **2** jsoucí ze stejného materiálu, stejného vzoru (*a* ~ *trimming* ozdoba ze stejného materiálu) **3** luk celistvý, jsoucí z jednoho kusu ● *v* samooplodnit, samoopylit
self-abandoned [ˌselfə'bændənd] neukázněný
self-abandonment [ˌselfə'bændənmənt] **1** odříkání, sebeodříkání, sebeobětování, askeze **2** nedostatek sebeodříkání, požitkářství, bezuzdnost
self-abasement [ˌselfə'beismənt] sebeponížení, sebeponižování
self-abhorrence [ˌselfəb'horəns] odpor k sobě samému
self-abnegation [ˌselfæbni'geišən] sebezapírání, sebezapření, sebezápor

self-absorbed [ˌselfəbˈso:bd] ponořený sám do sebe, soustředěný do sebe
self-absorption [ˌselfəbˈso:pšən] **1** ponoření sama do sebe, soustředění na sebe **2** fyz. vlastní absorpce, samoabsorpce, autoabsorpce
self-abuse [ˌselfəˈbju:s] **1** sebehana **2** zneužití vlastních sil / vloh **3** samohana, sebeprznění, sebeukájení, onanie, masturbace
self-accusation [ˌselfækju(:)ˈzeišən] sebeobvinění, sebeobžaloba
self-accusatory [ˌselfəˈkju:zətəri], **self-accusing** [ˌselfəˈkju:ziŋ] obviňující / obžalující sama sebe
self-acting [ˌselfˈæktiŋ] samočinný, automatický ♦ ~ *lathe* soustružnický automat; ~ *mule* text. selfaktor
self-action [ˌselfˈækšən] = *self-activity*
self-activating [ˌselfˈæktiveitiŋ] automatický, samočinně se uvádějící v činnost, samočinně se zapínající
self-activity [ˌselfækˈtivəti] **1** samostatná / nezávislá činnost, samočinnost; samostatnost **2** automatika
self-actualization [ˌselfækčuəlaiˈzeišən] seberealizace
self-addressed [ˌselfəˈdrest] opatřený vlastní adresou, adresovaný sobě samému
self-adhesive [ˌselfədˈhi:siv] samolepicí ♦ ~ *foil* samolepicí / přilnavá fólie; ~ *tape* samolepicí páska, izolepa
self-adjusting [ˌselfəˈdžastiŋ] samočinně se vyrovnávající; samostavný, se samočinným nastavováním (*a ~ wrench* klíč se samočinným nastavováním); automaticky regulovaný
self-administering [ˌselfədˈministəriŋ] hospodářsky soběstačný
self-administration [ˌselfədminiˈstreišən] samospráva, autonomie
self-admiration [ˌselfædməˈreišən] sebeobdiv
self-affirmation [ˌselfæfəˈmeišən] psych. kladné přijímání, kladné hodnocení sama sebe
self-aggrandizement [ˌselfəˈgrændizmənt] **1** zvětšování vlastní moci n. vlastního bohatství zejm. nespravedlivě, obohacování se **2** zveličování sama sebe, sebezbožnění
self-aligning [ˌselfəˈlainiŋ] samočinně se vyrovnávající, samostavitelný, samostavný
self-annealing [ˌselfəˈni:liŋ] rekrystalizující za teploty místnosti
self-applause [ˌselfəˈplo:z] samochvála
self-appointed [ˌselfəˈpointid] samozvaný
self-appreciation [ˌselfəpri:šiˈeišən] ocenění sama sebe, sebechvála, samochvála
self-approbation [ˌselfæprəˈbeišən] = *self-approval*
self-approval [ˌselfəˈpru:vl] sebeuspokojení
self-asserting [ˌselfəˈsə:tiŋ] **1** mající touhu / snahu se uplatnit, toužící po sebeuplatnění **2** prosazující vlastní názory, nemístně průbojný, drzý
self-assertion [ˌselfəˈsə:šən] **1** touha / snaha uplatnit se, touha po sebeuplatnění **2** nemístná průbojnost, prosazování vlastních názorů
self-assertive [ˌselfəˈsə:tiv] = *self-asserting*
self-assessment [ˌselfəˈsesmənt] sebeocenění
self-assigned [ˌselfəˈsaind] samozvaný
self-assumed [ˌselfəˈsju:md] titul neprávem přisvojený, uzurpovaný
self-assured [ˌselfəˈšuəd] sebejistý
self-awareness [ˌselfəˈweənis] vědomí sama sebe
self-bailing [ˌselfˈbeiliŋ] : ~ *boat* člun se samočinným odvodňováním
self-bearing [ˌselfˈbeəriŋ] automatické určování směru
self-begotten [ˌselfbiˈgotn] **1** počatý sám sebou **2** vlastní
self-betrayal [ˌselfbiˈtreiəl] zrada sebe samého, sebezrada
self-bias [ˌselfˈbaiəs] elektr. samočinné předpětí
self-binder [ˌselfˈbaində] **1** zeměd. samovazač, samovaz **2** rychlovazač
self-blinded [ˌselfˈblaindid] **1** oslepený vlastní rukou **2** zaslepený vlastní hloupostí
self-born [ˌselfˈbo:n] **1** zrozený sám sebou **2** pramenící ze sebe
self-centred [ˌselfˈsentəd] **1** egocentrický, sobecký, egoistický **2** uzavřený, samostatný, individuální **3** nehybný, tvořící střed vesmíru
self-centredness [ˌselfˈsentədnis] egocentričnost, egocentrismus, sobectví, egoismus
self-centring [ˌselfˈsentəriŋ] samostředicí, samostředný, se samočinným středěním ♦ ~ *chuck* tech. univerzální sklíčidlo
self-chambering [ˌselfˈčeimbəriŋ] zbraň samočinný, automatický
self-closing [ˌselfˈkləuziŋ] **1** samočinně se zavírající, jsoucí s automatickým zavíráním **2** elektr.: jsoucí se samočinným zapínáním
self-cocking [ˌselfˈkokiŋ] zbraň: jsoucí se samočinným natahováním
self-collected [ˌselfkəˈlektid] **1** usebraný, soustředěný, klidný **2** duchapřítomný
self-coloured [ˌselfˈkaləd] jednobarevný
self-command [ˌselfkəˈma:nd] sebeovládání
self-communion [ˌselfkəˈmju:njən] sebepozorování, introspekce
self-complacency [ˌselfkəmˈpleisnsi] sebeuspokojení, samolibost
self-complacent [ˌselfkəmˈpleisnt] samolibý, ješitný
self-conceit [ˌselfkənˈsi:t] samolibost, ješitnost, domýšlivost
self-conceited [ˌselfkənˈsi:tid] samolibý, ješitný, domýšlivý
self-condemnation [ˌselfkondemˈneišən] odsouzení / zatracení sama sebe
self-condemned [ˌselfkənˈdemd] odsouzený / zatracený sám sebou

self-confessed [ˌselfkənˈfest] jsoucí podle vlastního doznání, přiznaný (*a ~ drug-taker*)
self-confidence [ˈselfˌkonfidəns] **1** sebevědomí, sebedůvěra, sebejistota **2** přehnané sebevědomí
self-confident [ˈselfˌkonfidənt] **1** sebevědomý, sebejistý, plný sebedůvěry **2** příliš sebevědomý, arogantní
self-congratulation [ˈselfkənˌgrætjuˈleišən] blahopřání sama sobě, sebeuspokojení
self-conquest [ˌselfˈkoŋkwest] vítězství nad sebou samým, přemožení sama sebe
self-conscious [ˌselfˈkonšəs] **1** filoz. uvědomující si vlastní „já"; uvědomující si sám sebe (*this highly ~ poetical prose*), vědomý **2** mající nepříjemný pocit, že je středem pozornosti, zaražený, nesvůj ve společnosti, v rozpacích, celý vyjevený / vyjukaný (hovor.) ◆ *make a p. ~* přivést koho do rozpaků
self-consciousness [ˌselfˈkonšəsnis] **1** filoz. vědomí vlastního „já" **2** zaraženost, rozpačitost, vyjevenost, vyjukanost (hovor.)
self-consideration [ˌselfkənsidəˈreišən] uvažování o sobě
self-consistency [ˌselfkənˈsistənsi] celistvost, důslednost vzhledem k sobě
self-consistent [ˌselfkənˈsistənt] celistvý, důsledný v sobě
self-constituted [ˌselfˈkonstitju:tid] nastolený sám sebou, samozvaný
self-consuming [ˌselfkənˈsju:miŋ] stravující sám sebe
self-contained [ˌselfkənˈteind] **1** soběstačný, samostatný; samostatný pod uzavřením; stát samozásobitelný **2** tech. samonosný; tvořící celek; jsoucí s vlastním pohonem **3** ovládající sám sebe, ukázněný, charakterizovaný sebeovládáním; nesdílný, rezervovaný ◆ *~ flat* samostatný byt pod uzavřením; *~ house* rodinný dům; *~ ornament* výtv. ucelený, uzavřený ornament jehož prvky se neopakují
self-contempt [ˌselfkənˈtem*p*t] sebeopovržení
self-contemptuous [ˌselfkənˈtem*p*tjuəs] opovrhující sám sebou, sebeopovržlivý
self-content [ˌselfkənˈtent] sebeuspokojení, samolibost, spokojenost sama se sebou
self-contented [ˌselfkənˈtentid] samolibý, spokojený sám se sebou
self-contradiction [ˌselfkontrəˈdikšən] vnitřní rozpor, rozpor sama se sebou, kontradikce
self-contradictoty [ˌselfkontrəˈdiktəri] v sobě rozporný, navzájem se vylučující
self-control [ˌselfkənˈtrəul] **1** sebeovládání, sebevláda, sebeopanování; sebekontrola **2** řidč. samospráva, autonomie
self-cooled [ˌselfˈku:ld] jsoucí se vzduchovým chlazením
self-correcting [ˌselfkəˈrektiŋ] samoopravný
self-cover [ˌselfˈkavə] jsoucí bez zvláštní obálky
self-created [ˌselfkri(:)ˈeitid] **1** sám sebou vy|tvořený **2** samozvaný, sám sebou jmenovaný **3** vlastnoručně udělaný
self-creation [ˌselfkri(:)ˈeišən] sebetvoření
self-critical [ˌselfˈkritikəl] sebekritický, autokritický
self-criticism [ˌselfˈkritisizəm] sebekritika, autokritika
self-culture [ˌselfˈkalčə] sebevzdělání, sebevzdělávání
self-dealing [ˌselfˈdi:liŋ] sebezvýhodnění, sebeobdarovávání, zajišťování půjček apod. pro sebe prostřednictvím dobročinných organizací
self-deceit [ˌselfdiˈsi:t] sebeklam
self-deceiver [ˌselfdiˈsi:və] kdo snadno podléhá sebeklamu
self-deceiving [ˌselfdiˈsi:viŋ] klamný; klamající sám sebe, sebeklamný
self-deception [ˌselfdiˈsepšən] sebeklam
self-deceptive [ˌselfdiˈseptiv] = *self-deceiving*
self-decomposition [ˈselfdiˌkompəˈzišən] samovolný rozklad
self-defeating [ˌselfdiˈfi:tiŋ] mařící své vlastní záměry
self-defence [ˌselfdiˈfens] sebeobrana ◆ (*noble*) *art of ~ 1.* zast. šerm, šermování *2.* box, rohování
self-delusion [ˌselfdiˈlu:žən] sebeklam
self-denial [ˌselfdiˈnaiəl] odříkání, sebezápor
self-denying [ˌselfdiˈnaiiŋ] odříkavý, sebezapíravý ◆ *~ ordinance* BR hist.: rozhodnutí parlamentu z r. 1645 zbavit své členy civilních a vojenských funkcí, vyjmutí poslanců z pravomoci vojenských velitelů
self-dependent [ˌselfdiˈpendənt] samostatný, nezávislý
self-depreciation [ˈselfdiˌpri:šiˈeišən] podceňování sebe samého, sebepodceňování
self-depreciative [ˌselfdiˈpri:šieitiv] podceňující sama sebe
self-despair [ˌselfdisˈpeə] beznadějnost, zoufalost nad vlastním stavem
self-destroying [ˌselfdisˈtroiiŋ] **1** sebezničující **2** samovražedný, sebevražedný
self-destruct [ˌselfdiˈstrakt] **1** zničit sama sebe, zlikvidovat sama sebe **2** zmizet, vytratit se
self-destruction [ˌselfdisˈtrakšən] **1** sebezničení **2** samovražda, sebevražda
self-determination [ˈselfdiˌtə:miˈneišən] **1** svobodné rozhodování, sebeurčování **2** sebeurčení; právo na sebeurčení
self-determining [ˌselfdiˈtə:miniŋ] sebeurčování
self-development [ˌselfdiˈveləpmənt] samostatný rozvoj; živelný rozvoj
self-devotion [ˌselfdiˈvəušən] sebeobětování, sebeobětavost
self-discipine [ˌselfˈdisiplin] sebekázeň
self-disparagement [ˌselfdisˈpæridžmənt] snižování sama sebe
self-display [ˌselfdiˈsplei] vystavování sama sebe na odiv, exhibicionismus

self-distrustful [ˌselfdisˈtrastf*u*l] nevěřící sám sobě, nemající důvěru v sebe sama
self-drive [ˌselfˈdraiv] BR automobil jsoucí z půjčovny, vypůjčený ale bez řidiče
self-educated [ˌselfedju(:)ˈkeitid] autodidaktický, vzdělaný / vychovaný sám sebou, připravený sebevzděláním
self-education [selfˈedju(:)keiš*ə*n] sebevzdělání, sebevýchova, sebevzdělávání, sebevychování, samoučení
self-effacement [ˌselfiˈfeism*ə*nt] ustupování do pozadí, zůstávání v pozadí ze skromnosti, sebezapírání, sebezápor
self-elective [ˌselfiˈlektiv] zmocněný zvolit sama sebe
self-employed [ˌselfimˈploid] obchodník, řemeslník, spisovatel samostatný, jsoucí na volné noze
self-esteem [ˌselfisˈti:m] **1** vlastní ocenění; samolibost, sebeláska **2** hrdost, sebeúcta (*national* ~)
self-evident [ˌselfˈevid*ə*nt] samozřejmý, zcela evidentní, nepotřebující žádné jiné vysvětlení n. odůvodnění
self-examination [ˈselfigˌzæmiˈneiš*ə*n] sebezpytování, sebepozorování, sebeanalýza, introspekce
self-excitation [selfˌeksiˈteiš*ə*n] elektr. vlastní buzení, samobuzení
self-executing [ˌselfˈeksikju:tiŋ] vstupující automaticky v platnost při splnění určité podmínky (*a ~ treaty*)
self-existent [ˌselfigˈzist*ə*nt] **1** filoz. mající existenci ze sebe sama, nezávislý na jiné příčině **2** samostatný, nezávislý
self-explaining [ˌselfikˈspleiniŋ] = *self-explanatory*
self-explanatory [ˌselfikˈsplæn*ə*t*ə*ri] vysvětlující sám sebe, obsahující vysvětlení sebe; naprosto jasný, očividný, samozřejmý
self-faced [ˌselfˈfeist] ložný kámen jsoucí s hladkým lomem, neopracovaný, neotesaný
self-feeder [ˌselfˈfi:də] **1** zeměd samočinný podavač; samočinný napaječ **2** tech. samočinný přikladač
self-feeding [ˌselfˈfi:diŋ] tech. *adj* jsoucí se samočinným přikládáním, samočinně se plnící, jsoucí s automatickým přívodem pohonných hmot ● *s* samočinné podávání; samočinné přikládání; samočinné napájení
self-fertile [ˌselfˈfə:tail] biol. samoplodící; samoopylující
self-fertility [ˌself-fəˈtil*ə*ti] bot. samosprašnost, autogamie
self-fertilization [ˌself-fə:tilaiˈzeiš*ə*n] biol. samooplození, samooplozování; samoopylení, samoopylování
self-fertilized [ˌselfˈfə:tilaizd] biol. **1** oplozený samčí buňkou z téhož jedince **2** opylený vlastním pylem
self-flattering [ˌselfˈflæt*ə*riŋ] lichotící sám sobě, samolibý
self-flattery [ˌselfˈflæt*ə*ri] lichocení sama sobě, samolibost
self-forgetful [ˌself-fəˈgetf*u*l] zapomínající na sebe sama, nesobecký, nezištný
self-forgetfulness [ˌself-fəˈgetf*u*lnis] zapomínání sama na sebe, nesobectví, nesobeckost, nezištnost
self-generating [ˌselfˈdžen*ə*reitiŋ] samočinně se vytvářející
self-glazed [ˌselfˈgleizd] porcelán: jsoucí s jednobarevnou glazurou
self-glorification [ˌselfglo:rifiˈkeiš*ə*n] pocit / výraz vlastní nadřazenosti, sebezbožnění, sebezbožňování
self-governing [ˌselfˈgav*ə*niŋ] samosprávný, autonomní ♦ ~ *colonies* kolonie se samosprávou
self-government [ˌselfˈgavnm*ə*nt] **1** sebeovládání, sebevláda **2** samospráva, autonomie
self-gratulation [ˌselfgrætjuˈleiš*ə*n] blahopřání sobě samému; sebeuspokojení
self-heal [ˌselfˈhi:l] **1** bot. černohlávek obecný **2** název rostlin domněle majících léčivou moc
self-help [ˌselfˈhelp] svépomoc
self-homing [ˌselfˈh*ə*umiŋ] voj. automatické navádění na cíl
selfhood [selfhud] řidč. **1** individuálnost, osobitost, svéráz, svéráznost, specifičnost **2** sobectví, egoismus, egocentrismus
self-humiliation [ˈselfhju:ˌmiliˈeiš*ə*n] sebeponížení, sebeponižování
self-hypnosis [ˌselfhipˈn*ə*usis] autohypnóza
self-ignition [ˌselfigˈniš*ə*n] samozápal, samovznícení
self-immolation [ˌselfim*əu*ˈleiš*ə*n] dobrovolné sebeobětování, sebezničení
self-importance [ˌselfimˈpo:t*ə*ns] přeceňování / vyvyšování sama sebe, zdůrazňování vlastní důležitosti, domýšlivost, přehnané sebevědomí
self-important [ˌselfimˈpo:t*ə*nt] přeceňující / vyvyšující sama sebe, domýšlivý, přehnaně sebevědomý
self-imposed [ˌselfimˈp*ə*uzd] obtíž dobrovolný, dobrovolně přijatý (*a ~ handicap*)
self-impotent [ˌselfˈimp*ə*t*ə*nt] bot. neschopný opylit se vlastním pylem
self-improvement [ˌselfimˈpru:vm*ə*nt] **1** zlepšení sama sebe, zlepšení / zdokonalení vlastní práce **2** další sebevzdělání
self-induction [ˌselfinˈdakš*ə*n] elektr. samoindukce, samoindukčnost
self-inductive [ˌselfinˈdaktiv] jsoucí s vlastní indukcí, samoindukční
self-indulgence [ˌselfinˈdaldž*ə*ns] **1** hovění sobě, povolování vlastním zálibám **2** nestřídmost, nevázanost, neukázněnost
self-indulgent [ˌselfinˈdaldž*ə*nt] **1** hovící sobě samému, povolující sobě samému **2** nestřídmý, nevázaný, neukázněný

self-inflation [ˌselfinˈfleišən] nafoukanost, nadutost
self-inflicted [ˌselfinˈfliktid] **1** dobrovolný, sobě samému uložený (~ *penance*) **2** způsobený sobě samému ◆ ~ *wound* sebezranění, sebepoškození (voj.)
self-insurance [ˌselfinˈšuərəns] samopojištění
self-insurer [ˌselfinˈšuərə] samopojistitel
self-interest [ˌselfˈintrist] vlastní zájem, soukromý zájem
self-interested [ˌselfˈintristid] konaný z vlastního zájmu, vedený vlastním zájmem
self-invited [ˌselfinˈvaitid] host který se pozval sám, samozvaný, nezvaný
self-involved [ˌselfinˈvolvd] ponořený sám do sebe, soustředěný sám na sebe
selfish [selfiš] **1** sobecký **2** egoistický, egocentrický ◆ ~ *theory of morals* názor pokládající egoismus za hlavní motiv lidských činů
selfishness [selfišnis] **1** sobectví **2** egoismus, egocentrismus
self-justification [ˌselfdžastifiˈkeišən] ospravedlnění / ospravedlňování sama sebe, omlouvání sama sebe
self-kindled [ˌselfˈkindld] samovznícený
self-knowledge [ˌselfˈnolidž] sebepoznání
self-laudation [ˌselflo:ˈdeišən] samochvála, sebechvála, vynášení sama sebe
selfless [selflis] nesobecký
selflessness [selflisnis] nesobectví, nesobeckost
self-loading [ˌselfˈləudiŋ] samonabíjející ◆ ~ *pistol* samočinná pistole
self-locking [ˌselfˈlokiŋ] 1 automaticky se zavírající n. zamykající **2** automaticky těsnící **3** tech. samosvorný
self-love [ˌselfˈlav] sebeláska
self-lubrication [ˌselflu:briˈkeišən] samočinné mazání stroje
self-luminous [ˌselfˈlu:minəs] svítící z vlastního zdroje
self-made [ˌselfˈmeid] vlastnoručně vyrobený; domácí ◆ ~ *man* kdo se sám vypracoval, kdo vlastním úsilím dosáhl určitého postavení, selfmademan
self-mastery [ˌselfˈma:stəri] sebeovládání
selfmate [selfmeit] šachy samomat
self-mortification [ˌselfmo:tifiˈkeišən] sebetrýznění, sebedrásání, sebemučení
self-motion [ˌselfˈməušen] samostatný pohyb, samovolný pohyb
self-moving [ˌselfˈmu:viŋ] pohybující se samostatně / samovolně, samočinný
self-murder [ˌselfˈmə:də] samovražda, sebevražda
selfmurderer [ˌselfˈmə:dərə] samovrah, sebevrah
self-mutilation [ˌselfmju:tiˈleišən] zmrzačení sama sebe
self-noise [ˌselfˈnoiz] hluk vzniklý pohybem lodi ve vodě
self-operated [ˌselfˈopəreitid] přímočinný, samočinný
self-opinion [ˌselfəˈpiniən] **1** samolibost, domýšlivost, ješitnost **2** tvrdohlavost, paličatost, umíněnost, zarytost
self-opinioned [ˌselfəˈpinjənd], **self-opinionated** [ˌselfəˈpiniəneitid] **1** samolibý, domýšlivý, ješitný **2** tvrdohlavý, paličatý, umíněný, zarytý
self-partial [ˌselfˈpa:šəl] předpojatý ve svůj prospěch
self-partiality [ˌselfpa:šiˈæləti] předpojatost ve svůj prospěch
self-pity [ˌselfˈpiti] sebelítost
self-pleasing [ˌselfˈpli:ziŋ] *adj* samolibý, ješitný ● *s* samolibost, ješitnost
self-poised [ˌselfˈpoizd] **1** udržující sama sebe v rovnováze **2** klidný, vyrovnaný
self-pollination [ˌselfpoliˈneišən] samoopylení
self-pollution [ˌselfpəˈlu:šən] samohana, onanie, masturbace
self-portrait [ˌselfˈpo:trit] vlastní podobizna, autoportrét
self-possessed [ˌselfpəˈzest] **1** ovládající se, klidný, vyrovnaný **2** duchapřítomný
self-possession [ˌselfpəˈzešən] **1** sebeovládání, klid, vyrovnanost **2** duchapřítomnost
self-praise [ˌselfˈpreiz] samochvála, sebechvála
self-preservation [ˌselfprezə(:)ˈveišən] sebezáchova; pud sebezáchovy
self-profit [ˌselfˈprofit] vlastní prospěch
self-propelled [ˌselfprəˈpeld] **1** jsoucí s vlastním pohonem, samohybný **2** hnaný dopředu svou vlastní silou (*a ~ egotist*) ◆ ~ *car* žel. motorový vůz; ~ *gun* motorizované dělo
self-protection [ˌselfprəˈtekšən] sebeobrana
self-pruning [ˌselfˈpru:niŋ] les.: čištění přirozené
self-purification [ˌselfpjuərifiˈkeišən] samočištění
self-raising [ˌselfˈreiziŋ] : ~ *flour* mouka s přísadou kypřicího prášku
self-raker [ˌselfˈreikə] zeměd. hrabicový žací stroj
self-realization [ˌselfriəlaiˈzeišən] sebeuplatnění, sebevyjádření, rozvinutí vlastní osobnosti, seberealizace
self-recording [ˌselfriˈko:diŋ] samočinně zaznamenávající, zapisující, registrační ◆ ~ *instrument* zapisovací přístroj
self-regard [ˌselfriˈga:d] **1** sebeúcta **2** ohled sám k sobě, vlastní zájem
self-regarding [ˌselfriˈga:diŋ] mající ohled sám k sobě, bezohledný k jiným
self-registering [ˌselfˈredžistəriŋ] samočinně zapisující, registrační (*a ~ barometer*)
self-regulating [ˌselfˈregjuleitiŋ] tech.: jsoucí se samočinnou regulací
self-regulation [ˌselfregjuˈleišən] samočinná regulace
self-reliance [ˌselfriˈlaiəns] důvěra v sebe sama, sebedůvěra, sebejistota

self-reliant [ˌselfriˈlaiənt] **1** spoléhající na sebe sama, plný sebedůvěry, sebejistý **2** samostatný
self-renunciation [ˈselfriˌnansiˈeišən] odříkání, sebezapření, sebepřemáhání, askeze, asketičnost
self-replicating [ˌselfˈreplikeitiŋ] reprodukující sám sebe
self-repression [ˌselfriˈprešən] vlastní zdrženlivost, potlačování vlastních přání, sebepřemáhání, sebeomezování
self-reproach [ˌselfriˈprəuč] vlastní výčitky proti sobě samému
self-repugnant [ˌselfriˈpagnənt] protimluvný, nedůsledný
self-respect [ˌselfriˈspekt] sebeúcta
self-respectful [ˌselfrisˈpektf*u*l], **self-respecting** [ˌselfrisˈpektiŋ] **1** mající sebeúctu **2** přen. řádný, pořádný, poctivý, hodný toho jména (*every ~ library should have a copy*)
self-restrained [ˌselfrisˈtreind] ovládající sám sebe, ukázněný, skromný
self-restraint [ˌselfrisˈtreint] sebeovládání, sebekázeň, sebekontrola; ukázněnost, skromnost
self-revealing [ˌselfriˈvi:liŋ] odhalující sám sebe, nic netající, něco na sebe prozrazující
self-revelation [ˌselfreviˈleišən] **1** odhalování sama sebe **2** sebevyjádření
self-reverence [ˌselfˈrevərəns] kniž., náb. sebeúcta
self-reverent [selfˈrevərənt] kniž., náb. mající sebeúctu
self-righteous [ˌselfˈraičəs] upjatý, škrobený, farizejský, licoměrný, pokrytecký
self-righteousness [ˌselfˈraičəsnis] upjatost, škrobenost, farizejství, licoměrnost, pokrytectví
self-righting [ˌselfˈraitiŋ] člun samočinně se vzpřimující
self-rising [ˌselfˈraiziŋ] AM: *~ flour* mouka s přísadou kypřícího prášku
self-sacrifice [ˌselfˈsækrifais] sebeoběť, sebeobětování, obětavost
self-sacrificing [ˌselfˈsækrifaisiŋ] přinášející sebeoběť, obětavý (*a ~ parent*)
selfsame [selfseim] týž, tentýž
self-satisfaction [ˌselfsætisˈfækšən] sebeuspokojení, samolibost
self-satisfied [ˌselfˈsætisfaid] plný sebeuspokojení, samolibý
self-scattering [ˌselfˈskætəriŋ] samovolný rozptyl
self-scorn [ˌselfˈsko:n] sebeopovržení
self-seal [ˌselfˈsi:l] : *~ envelope* samolepicí obálka
self-sealing [ˌselfˈsi:liŋ] samotěsnící ◆ *~ contact* tech. přídržný kontakt
self-seeker [ˌselfˈsi:kə] kdo hledá pouze vlastní zájem, sobec, vyžírka (hovor.)
self-service [ˌselfˈsə:vis] samoobsluha prodejna n. jídelna se samoobsluhou
self-slaughter [ˌselfˈslo:tə] zast. samovražda, sebevražda
self-sown [ˌselfˈsəun] přírodně vysemeněný, divoce vzrostlý, nezasetý člověkem
self-starter [ˌselfˈsta:tə] **1** tech. samočinný spouštěč / startér **2** iniciativní člověk **3** perpetuum mobile
self-steering [ˌselfˈstiəriŋ] sloužící k udržení stejného kursu (*~ gear*)
self-sterile [ˌselfˈsterail] = *self-impotent*
self-styled [ˌselfˈstaild] samozvaný, který se tak nazývá pouze sám, tak zvaný, jen ve vlastních očích (*the ~ champion*)
self-sufficiency [ˌselfsəˈfišənsi] **1** soběstačnost **2** hospodářská soběstačnost, autarkie **3** zpupnost, nadutost
self-sufficient [ˌselfsəˈfišənt] **1** nezávislý na cizí pomoci, soběstačný **2** hospodářsky soběstačný, autarkní **3** zpupný, nadutý
self-suggestion [ˌselfsəˈdžesčən] autosugesce
self-support [ˌselfsəˈpo:t] **1** samonosnost **2** soběstačnost; autarkie
self-supporting [ˌselfsəˈpo:tiŋ] **1** samonosný **2** soběstačný; autarkní **3** vzájemně se podporující
self-surrender [ˌselfsəˈrendə] vzdání se sama sebe
self-sustaining [ˌselfsəsˈteiniŋ] **1** soběstačný; autarkní **2** samonosný **3** nezávislý, samostatný
self-taught [ˌselfˈto:t] autodidaktický, samoucký ◆ *English S~* učebnice angličtiny pro samouky; *~ person* samouk, autodidakt
self-timer [ˌselfˈtaimə] fot. samospoušť
self-tormenting [ˌselfto:ˈmentiŋ] sebetrapičský, sebetrýznivý, sebemučivý, sebemučitelský
self-torture [ˌselfˈto:čə] sebetrapičství, sebetrýzeň, sebetrýznění, sebemučení, sebemuka
self-violence [ˌselfˈvaiələns] násilí proti sobě samému, zejm. sebevražda
self-will [ˌselfˈwil] tvrdohlavost, paličatost, umíněnost
self-willed [ˌselfˈwild] tvrdohlavý, paličatý, umíněný
self-winding [ˌselfˈwaindiŋ] hodinky: jsoucí se samočinným natahováním, automatický
self-worship [ˌselfˈwə:šip] sebezbožnění, sebezbožňování
Seljuk [selˈdžu:k] hist. Seldžukovec člen islámské dynastie v 11.–13. stol.
Seljukian [selˈdžu:kiən] *s* Seldžukovec ● *adj* seldžucký
sell [sel] *v* (*sold, sold*) **1** prodat *at / for* za, po (*~ eggs at fourpence apiece* prodávat vejce po čtyřech pencích za kus, *I'll ~ it to you for £ 5*), prodávat *a p.* komu (*~ wholesalers* prodávat velkoobchodníkům) n. *a t.* čemu (*~ gift shops* prodávat obchodům s dárkovými předměty); obchodovat *a t.* s, mít prodej čeho, mít na prodej / v prodeji co, vést (*this little shop ~s a wide variety of goods*); prodávat, živit se prodejem čeho, být obchodníkem s (*~s home appliances* prodává elektrické přístroje pro domácnost) **2** být na prodej, prodávat se, být *at* po (*these articles ~ at a shilling apiece*), jít na odbyt, jít (*tennis balls ~ best in*

summer) **3** prodávat, dávat za peníze / úplatky, prostituovat **4** prodat a tím zradit, zaprodat **5** podvést, napálit, doběhnout, podfouknout **6** získat *a p.* koho *on* pro (*~ children on reading*) *a t.* pro, umluvit *to a p.* koho, vnutit komu, aby přijal (*~ his programme to Congress*) ◆ *to ~* na prodej; *sold again!* dobře mi / ti tak!, mám / máš to! zvolání při zklamání; *~ a t. on approval* prodat co na zkoušku; *to be sold* na prodej; *be sold on* AM hovor. *1.* být fanda na (*I am sold on Rhine wine*) *2.* být pro co, být přesvědčen o vhodnosti čeho; *~ a bear* BR uzavřít prodej se spekulací na pokles kursu, spekulovat na pokles; *~ below cost* prodat pod nákupní / výrobní cenou; *~ a bill of goods* AM napálit, doběhnout, vzít na hůl, podfouknout; *~ like hot cakes* jít na dračku; *~ dear* prodat draho / draze; *~ at a discount* prodat se ztrátou / pod pari; *~ the dummy to a p.* AM sport. slang. oklamat protihráče fingovanou přihrávkou v ragby; *~ one's life dear(ly)* prodat svůj život draho; *~ the pass* zradit vlast, stát se vlastizrádcem; *~ a pup* napálit, doběhnout; *~ a p. down the river* slang. zradit, podvést; *~ short 1.* prodat nevlastněné zboží s vyhlídkou na pokles kursu *2.* prodat papíry, které spekulant chce teprve později nakoupit počítaje se změnou n. poklesem kursu *3.* podceňovat (*he made the mistake of ~ing his rival short*); *~ underhand* prodat pod rukou; *~ like wildfire* jít na dračku; *~ wholesale* prodávat ve velkém ***sell o. s.*** prodávat se, prostituovat se ***sell off*** rozprodat, vyprodat za sníženou cenu ***sell out 1*** prodat na volném trhu všechny akcie **2** vyprodat (*this edition of the dictionary is sold out*) *3* AM prodat, zaprodat, zradit ***sell up 1*** prodat celý svůj majetek (*he sold up and went to Australia*) **2** věřitel, soud zabavit a prodat majetek dlužníkův (*the bankrupt man was sold up by his creditors* věřitelé zabavili a prodali úpadci celý majetek) ● *s* **1** hovor. podfuk, švindl, bouda, trik, knif **2** prodávání, prodejní technika, odbytové možnosti, přitažlivost pro kupující ◆ *hard ~* průbojné prodávání, prodejní nápor

sellanders [selǝndǝz] = *sallenders*

seller [selǝ] **1** prodávající, prodavač, obchodník; obchodní příručí **2** zboží jdoucí na odbyt jak (*a poor ~*); obchodní šlágr (*a popular ~*) ◆ *~s' market* trh řídící se nabídkou na kterém je nedostatek zboží a kde diktuje podmínky prodávající

selling [seliŋ] **1** dobře prodejný (*a fast ~ book*); prodejní (*the ~ price is one dollar*) **2** v. *sell*, *v* ◆ *~ agent* prodejní jednatel / agent / zástupce; *~ force 1* personál zaměstnaný prodejem, prodavači, cestující *2.* prodejní působivost; *~ phrase* prodejní slogan

Sellotape [selǝteip] samolepicí páska, izolepa

sellout [selaut] **1** vyprodání, prázdný sklad; výprodej **2** vyprodané představení; vyprodané sportovní utkání; vyprodáno **3** hovor. zrada, zrazení

seltzer [seltsǝ] = *seltzer water*

seltzer water [ˌseltsǝˈwo:tǝ] **1** selterská voda, minerálka **2** sodovka

seltzogene [seltsǝdži:n] = *gazogene*

selvage [selvidž] *s* **1** o|kraj, lem tkaniny; přen. hranice **2** okraj známkového archu **3** odřezek **4** horn. jílovitý okraj hlíny **5** tech. čelný plech zámku s otvorem pro západku **6** námoř. roh, okraj plachty ◆ *~ eye* námoř. stěhové oko; *~ weave* text. o|krajová vazba ● *v* lemovat, vroubit

selvagee [ˌselvǝˈdži:] námoř. pásmo lanové příze ovinuté poutky z příze např. pro lanové smyčky; lanová smyčka k uchycení ráhna n. k jeho ovládání

selvedge [selvidž] = *selvage*

selves [selvz] *pl* v. *self*

semanteme [siˈmænti:m] jaz. sémantém morfém, který je nositelem lexikálního významu

semantic [siˈmæntik] jaz. *adj* týkající se významové stránky, významový, sémantický ● *s ~s, pl* významosloví, sémaziologie, sémantika nauka o významu jazykových jednotek

semanticise [siˈmæntisaiz] jaz. sémanticky zkoumat

semaphore [semǝfo:] **1** semafor, návěstidlo (žel.); optický pobřežní telegraf **2** ruční signalizace, signalizování dvěma praporky ● *v* signalizovat semaforem / ručně praporky

semaphoric [ˌsemǝˈforik] semaforový; signalizační

semasiological [siˌmeisiǝˈlodžikǝl] jaz. semaziologický, sémantický

semasiology [siˌmeisiˈolǝdži] jaz. sémaziologie, sémantika

sematic [siˈmætik] biol.: zbarvení, skvrny varovný, výstražný

semblable [semblǝbl] BR zast. *adj* **1** podobný **2** vhodný, příhodný **3** zdánlivý ● *s* komu podobný člověk (*her ~* člověk jí podobný)

semblance [semblǝns] **1** zdání, vnější podoba, vnějšek **2** podobnost, podoba ◆ *under the ~ of friendship* pod rouškou přátelství

semblant [semblǝnt] zdánlivý

semé, semee [semei] herald.: pole, erbovní znamení posetý drobnými znameními, např. hvězdičkami

semeiography [ˌsi:maiˈogrǝfi] = *semiography*

semeiology [ˌsi:maiˈolǝdži] = *semiology*

semeiotics [ˌsi:maiˈotiks] = *semiotics*

semen [si:mǝn] **1** bot. semeno **2** med. semeno, chám, sperma; spermie

semester [siˈmestǝ] **1** pololetí, semestr **2** AM třetina n. polovina studijního roku na některých školách

semi [semi] BR hovor. **1** půldomek **2** návěs (motor.)

semi-annual [ˌsemiˈænjuǝl] pololetní

semi-automatic [ˌsemio:tǝˈmætik] *adj* poloautomatický, poloautomatický ◆ *~ machine* poloautomat ● *s* poloautomatická / samonabíjející puška

semi-balanced [ˌsemiˈbælǝnst] : *~ rudder* polovyvážené kormidlo

semi-barbarian [ˌsemiba:ˈbeǝriǝn], **semi-barbarous**

[ˌsemiˈba:beərəs] kmen polodivoký, částečně civilizovaný
semi-basement [ˌsemiˈbeismənt] obyvatelný suterén
semi-bituminous coal [ˌsemibiˌtju:minəsˈkəul] polodehtovité uhlí
semi-bold [ˌsemiˈbəuld] polygr.: písmo polotučný
semibreve [semibri:v] BR hud. celá nota
semi-bull [ˌsemiˈbul] bula dosud nekorunovaného papeže
semi-cardinal [ˌsemiˈka:dinl] : ~ *point* mezilehlý kompasový dílec mezi hlavními světovými stranami, např. severovýchod
semi-centennial [ˌsemisenˈtenjəl] zejm. AM *adj* padesátiletý, půlstoletý; vyskytující se jednou za padesát let ● *s* **1** padesáté výročí **2** oslava padesátiletí n. padesátého výročí
semi-chorus [ˌsemiˈko:rəs] hud. menší sbor, malý sbor soubor i část hudební skladby
semicircle [ˌsemiˈsə:kl] **1** půlkruh, polokruh; půlkružnice **2** půlkruhový úhloměr **3** geol. astroláb
semicircular [ˌsemiˈsə:kjulə] půlkruhový, půlkruhovitý
semicolon [ˌsemiˈkəulən] středník, semikolón
semi-conducting [ˌsemikənˈdaktiŋ] elektr. polovodivý
semi-conductor [ˌsemikənˈdaktə] elekt. polovodič
semi-conscious [ˌsemiˈkonšəs] jsoucí napůl v bezvědomí, v mrákotách
semi-cylinder [ˌsemiˈsilində] půlválec
semi-cylindrical [ˌsemisiˈlindrikəl] půlválcový
semi-demi-semiquaver [ˈsemiˌdemiˈsemiˌkweivə] BR hud. čtyřiašedesátinová nota, čtyřiašedesátina
semi-detached [ˌsemidiˈtæčt] *adj:* ~ *house* polovina dvojdomu, půldomek; ~ *houses* dvojdomek, dvojdomky ● *s* = ~ *house*
semi-diameter [ˌsemidaiˈæmitə] poloměr
semi-diurnal [ˌsemidaiˈə:nl] : ~ *tide* polodenní mořské slapy
semi-documentary [ˈsemiˌdokjuˈmentəri] *adj* film polodokumentární ● *s* (*-ie-*) polodokumentární film
semi-dome [semidəum] archit. půlkruhová klenba, půlkupole, poloviční klenba, poloviční báň
semi-double [ˌsemiˈdabl] bot.: květ poloplný
semifarming [ˌsemiˈfa:miŋ] nevýběrové n. neřízené pěstování např. dobytka n. plodin
semifinal [ˌsemiˈfainl] *adj* **1** předposlední **2** sport. polofinálový, semifinálový ● *s* sport. polofinále, semifinále
semifinalist [ˌsemiˈfainlist] sport. semifinalista účastník semifinále
semi-finished [ˌsemiˈfiništ] polohotový, rozpracovaný ◆ ~ *product 1.* polotovar *2.* předrobek *3.* předvalek
semi-fit suit [ˌsemifitˈsu:t] oblek na došití, rozpracovaný oblek
semi-fitted [ˌsemiˈfitid] oblek jsoucí na došití, rozpracovaný
semi-grand [semigrænd] hud. krátké křídlo
semi-infidel [ˌsemiˈinfidəl] polopohanský
semi-infinite [ˌsemiˈinfinət] nekonečný jedním směrem
semi-invalid [ˌsemiˈinvəlid] poloinvalidní
semi-killed steel [ˌsemikildˈsti:l] polouklidněná ocel
semiliteracy [ˌsemiˈlitərəsi] poloviční analfabetismus
semiliterate [ˌsemiˈlitərit] poloviční analfabet
semi-lunar [ˌsemiˈlu:nə] **1** půlměsícovitý, půlměsícový, půlměsíčitý, půlměsíčkový; měsíčkový **2** anat. poloměsíčitý, měsíčkový ◆ ~ *bone* anat. zápěstní kůstka
semi-manufactured [ˌsemimænjuˈfækčəd] polohotový, rozpracovaný
semi-manufactures [ˌsemimænjuˈfækčəz] *pl* krátké zboží
semi-metal [ˌsemiˈmetl] polokov
semi-monocoque [ˌsemiˈmonokok] let. poloskořepinový
semi-monthly [ˌsemiˈmanθli] *adj* půlměsíční, čtrnáctidenní ● *s* (*-ie-*) půlměsíčník, čtrnáctidenník
semi-mounted [ˌsemiˈmauntid] stoj. návěsný, polonesený
semi-mute [ˌsemiˈmju:t] *adj* téměř němý ● *s* téměř němý člověk
seminal [si:minl] **1** biol. semenný; rozmnožovací **2** přen. původní, plodný **3** přen. nevyvinutý, zárodečný (*in the ~ state*) ◆ ~ *duct* anat. chámovod; ~ *fluid* anat. chám, sperma; ~ *leaf* bot. děloha, děložní lístek; ~ *power* mužská plodnost, potence; ~ *principles* zásady vedoucí k dalšímu vývoji; ~ *vesicle* chámová žlázka
seminar [semina:] **1** seminář cvičení doplňující univerzitní přednášky; krátký kurs, školení; účastníci takového cvičení n. kursu **2** AM porada, konference odborníků (*periodic ~s of the top sales team* periodické konference nejlepších prodejních týmů)
seminarist [seminərist] **1** kněz vychovaný v semináři zejm. jezuitském **2** student v semináři; seminarista
seminary [seminəri] (*-ie-*) **1** odborná škola, akademie; lyceum (*the female ~ common in the 19th century*) **2** kněžský seminář, alumnát **3** přen. semeniště, semenisko, středisko, ohnisko, plemeniště **4** = *seminar, 1* ◆ ~ *priest* hist.: anglický katolický kněz vysvěcený zejm. ve Francii v 16. a 17. stol. a proto v Anglii stíhaný
semination [ˌsemiˈneišən] setí, setba, rozsévání; vysemenění
seminiferous [ˌsemiˈnifərəs] biol. semenotvorný
semi-occasionally [ˌsemiəˈkeižnəli] zřídkakdy, jednou za dlouhý čas
semi-official [ˌsemiəˈfišəl] poloúřední
semiography [ˌsi:miˈogrəfi] med. popis příznaků chorob

semiology [ˌsi:miˈolədži] med. sémiologie nauka o příznacích chorob
semiotics [ˌsi:miˈotiks] med. = *semiology*
semipermiable [ˌsemiˈpə:mjəbl] polopropustný
semi-plume [ˌsemiˈplu:m] prachové pero
semi-precious [ˈsemiˌprešəs] : ~ *stone* polodrahokam
semi-public [ˌsemiˈpablik] poloveřejný
semiquaver [ˈsemiˌkweivə] BR hud. šestnáctinová nota, šestnáctina
semi-rigid [ˌsemiˈridžid] **1** polotuhý **2** vzducholoď poloztužený
semiskilled [ˌsemiˈskild] částečně vyškolený
semi-smile [ˌsemiˈsmail] chabý úsměv
semi-solid [ˌsemiˈsolid] polopevný
semi-sweet [ˌsemiˈswi:t] polosladký
semi-synthetic [ˌsemisinˈθetik] : ~ *fibre* polosyntetické vlákno
Semite [si:mait] *s* Semita ● *adj* semitský
Semitic [siˈmitik] *adj* semitský ● *s* semitský jazyk
Semitism [semitizəm] **1** semitský ráz, semitismus **2** jaz. semitský prvek **3** náklonnost k židům, podporování židů, židomilství
Semitist [semitist] **1** semitolog **2** židomil
semi-trailer [ˌsemiˈtreilə] motor. návěs
semitone [semitəun] hud. půltón ◆ *diatonic* ~ diatonický půltón v diatonické stupnici; *chromatic* ~ chromatický půltón v chromatické stupnici
semi-trance [ˌsemiˈtra:ns] polosnění, polovědomí, zastřené vědomí, mrákoty
semitranslucent [ˌsemitrænzˈlu:sənt] poloprůzračný
semi-transparent [ˌsemitrænsˈpeərənt] poloprůhledný
semi-tropical [ˌsemiˈtropikəl] subtropický
semi-tubular [ˌsemiˈtju:bjulə] jsoucí v podobě podélně rozříznuté trubičky
semi-uncial [ˌsemiˈansiəl] výtv. polounciální
semi-vocal [ˌsemiˈvəukəl] jaz. polosamohláskový, polovokalický
semi-vowel [ˌsemiˈvauəl] jaz. polosamohláska, polovokál
semivulcanized [ˌsemiˈvalkənaizd] : ~ *board* vulkanizovaná lepenka, vulkánfibr
semi-weekly [ˌsemiˈwi:kli] *adj* půltýdenní, polotýdenní ● *s* (*-ie-*) časopis vycházející dvakrát za týden
semmit [semit] SC nátělník, tričko
semola [seməlә], **semolina** [ˌseməˈli:nə] semolina krupice vyrobená z tvrdých pšenic užívaná k výrobě těstovin ◆ ~ *pudding* krupicová kaše
sempiternal [ˌsempiˈtə:nl] **1** kniž. věčný **2** řidč. nekonečný
semplice [sempliči] hud. prostě, semplice
sempre [sempri] hud. stále stejným výrazem, sempre (~ *forte*)
sempstress [sem*p*stris] = *seamstress*
semy [semei] herald. = *semé*
sen [sen] sen japonská mince
senarius [siˈneəriəs] *pl: senarii* [siˈneəriai] liter. senár šestistopý iambický latinský verš, iambický trimetr
senary [si:nəri] *s* (*-ie-*) skupina šesti, šestka, šestice ● *adj* **1** šestkový (~ *system*) **2** hud. šestitónový (~ *scale* šestitónová stupnice)
senate [senit] **1** senát **2** akademický senát např. na cambridžské univerzitě **3** kniž. legislativa, zákonodárci
senate-house [senithaus] *pl: senate-houses* [ˈsenitˌhauziz] senát budova, zejm. v Cambridži
senator [senətə] senátor člen senátu
senatorial [ˌsenəˈto:riəl] senátní; senátorský ◆ ~ *district* AM volební okres volící svého senátora
senatorian [ˌsenəˈto:riən] senátní zejm. antic.
senatorship [senətəšip] senátorství
senatus [seˈneitəs] *pl: senatus* [seˈneitəs] **1** antic. římský senát **2** též ~ *academicus* BR akademický senát
senatus-consult [seˌneitəskənˈsalt] rozhodnutí senátu
send[1] [send] *v* (*sent, sent*) **1** poslat; odeslat, zaslat *a p.* komu *a t.* co (~ *him a letter*), rozeslat **2** objednat si *for* co, dát si poslat co (*sent for some stamps on approval* dal si poslat na zkoušku pár známek) **3** hodit, mrštit, vrhnout; vy|střelit (~ *an arrow* ... šíp, ~ *a bullet* ... střelu); vypustit (~ *a rocket*) **4** sport. kopnout, hodit, střelit, poslat, odpálit (*sent the ball between the goalposts* poslat míč mezi brankové tyče) **5** hnát (~ *blood to the lungs* hnát krev do plic) **6** Bůh, osud seslat, sesílat na člověka (*God* ~*s not ill*), dát, dopustit (*God* ~ *your mission may bring back peace* dejž Bůh, aby se vaše mise vrátila zpět s mírem) **7** dát, poslat (~ *both children to boarding school*) **8** poslat *for* pro koho, zavolat, přivolat koho (~ *for the doctor*); poslat pryč (~ *him from me* pošli ho ode mne pryč) **9** poslat *to a p.* pro / ke (~ *to one to come*); odkázat *a p.* koho *to* na (*sent him to the dictionary*) **10** uvést, přivést, dovést do nějakého stavu (~ *the household into a frenzy of excitement* dohnat domácnost k vzrušené nepříčetnosti); přimět, způsobit např. nárazem *a p. doing a t.* že kdo udělá co (~ *a p. tumbling* porazit koho na zem) **11** sděl. tech., elektr. vysílat **12** hlava státu pověřit *for* koho sestavením vlády **13** slang.: džez válet to např. při improvizaci, improvizovat **14** slang. přivést do narkotického opojení; přivést do extáze / transu (*trumpet never failed to* ~ *his listeners* trubka vždycky přiváděla jeho posluchače do extáze) ◆ ~ *about one's business* vyhodit koho; ~ *a p. his cards* dát výpověď komu; *S*~ *coals to Newcastle* Nosit dříví do lesa; ~ *a son to college* poslat syna na studie, dát syna studovat; ~ *a p. to Coventry* kolektivně ignorovat koho; ~ *the engine ahead* námoř. spustit stroj kupředu, dát přední chod; ~ *flying 1.* hodit tak, že letí *2.* zahnat na útěk, rozprášit (~ *the rebels flying*); ~ *a glance*

vrhnout pohled; ~ *a p. one's love* srdečně pozdravovat koho; ~ *a p. mad* dohnat / dohánět k šílenství koho; ~ *a message to a p.* zpravit koho, poslat zprávu komu, dát vědět komu; ~ *a p. packing* vyrazit koho, vynést v zubech koho, vyrazit dveře s; ~ *to the right-about 1.* zahnat na útěk nepřítele *2.* vyhodit; ~ *word* vzkázat ***send after*** doslat ***send away*** *1* odeslat, poslat pryč *2* propustit zaměstnance *3* objednat si poštou *for* co ***send down*** *1* poslat k níže postavenému *2* BR vyloučit, relegovat z univerzity ♦ ~ *a p.'s temperature down* srazit teplotu komu ***send forth*** *1* vyrážet, vyhánět, nasazovat (~ *leaves*) *2* vysílat, vyzařovat, vylévat, sesílat *3* vyrazit, vydat zvuk (~ *forth a cry*) *4* vydávat např. časopis ***send in*** *1* poslat, zaslat jako jeden z mnohých na sběrnou adresu (~ *in a letter of complaint* poslat písemnou stížnost) přihlášku (*sent his contest entry in early* poslat brzy přihlášku k soutěži) *2* návštěvník oznámit své jméno, odevzdat navštívenku *3* sport. poslat na hřiště (*coach sent several substitutes in* trenér poslal na hřiště několik náhradníků) ♦ ~ *in one's papers* podat demisi ***send off*** *1* odeslat, poslat, rozeslat (*they were late in* ~*ing their Christmas packages off* balíčky s vánočními dárky odeslali pozdě) *2* doprovodit, vyprovodit při odjezdu ***send on*** *1* poslat napřed *2* doslat, poslat na novou adresu ***send out*** *1* poslat, vyslat, rozeslat (*had sent the wedding invitations out* rozeslala pozvánky na svatbu); poslat si ven např. syna pro cigarety *2* sděl. tech. vysílat *3* vyrážet, vyhánět, nasazovat *4* vysílat (*an ice cap which* ~*s out steep glacier tongues to the south* ledový příkrov, který vysílá k jihu strmé ledovcové splazy) *5* vyrazit, vydat zvuk ***send round*** poslat kolem dokola, dát kolovat např. oběžník ***send up*** *1* poslat nahoru *2* zdvíhat, zvednout *3* vystřelit, vypustit nahoru *4* hovor. zabásnout *5* parodovat, ukázat směšnost koho / čeho ♦ ~ *a p.'s temperature up* vyhnat teplotu nahoru komu

send² [send] námoř. *s* zdvih přídě ve svislém směru; hnací síla vlny; zvedání vlny, vlna (*borne on the* ~ *of the sea* nesen mořskou vlnou) ● *v* (*sent, sent*) najíždět přídí na vlnu, být hnán vlnou kupředu (*the ship* ~*s violently* loď je hnána prudce dopředu)

sendal [sendl] text. hist. řídký hedvábný taft

sender [sendə] **1** odesílatel; zasílatel **2** sděl. tech. vysílač, vysílačka **3** telefonní číslovník, registr

sending [sendiŋ] **1** námoř. kývání lodi, vertikální kymácení **2** v. *send, v*

sendoff [sendof] hovor. **1** odstartování, start např. dostihu **2** popud, impuls **3** srdečné rozloučení, vyprovození; dobrý počátek, oslava začátku nějakého podnikání, blahopřání **4** pochvalná recenze nové knihy

send-up [sendap] BR parodie, satira

senega [senəgə] **1** bot. vítod severoamerický druh **2** lékár. senegový kořen součást léků proti kašli

Senegalese [ˌsenigəˈli:z] *adj* senegalský ● *s pl: Senegalese* [ˌsenigəˈli:z] Senegalec

seneka [senəkə] = *senega*

senescence [siˈnesns] stáří, staroba; stárnutí

senescent [siˈnesnt] **1** stárnoucí (~ *persons*); stařecký (~ *arthritis* ... artritida) **2** zastaralý (*a* ~ *industrial system*)

seneschal [senišəl] hist. senešal, majordomus, majordom

senghi [seŋgi:] *pl: senghi* [seŋgi:] senghi nejmenší měnová jednotka Zaire

sengreen [sengri:n] bot. netřesk střešní

senhor [seiˈnjo:] *pl: senhores* [seiˈnjo:reiz] v portugalském prostředí **1** pán, pan **2** vážený pane oslovení

senhora [seiˈnjo:rə] v portugalském protředí **1** paní **2** milostivá paní oslovení

senhorita [ˌseinjo:ˈritə] v portugalském prostředí **1** slečna **2** milostivá slečno oslovení

senile [si:nail] *adj* **1** sešlý věkem, stařecký, marastický, senilní **2** sešlý, zchátralý (*a* ~ *empire*) **3** geol. blížící se stadiu senility (*a* ~ *river*) ● *s* senilní osoba

senility [siˈniləti] sešlost věkem, stařeckost, stárnutí, senilita, též geol.

senior [si:njə] *adj* **1** starší dříve narozený *to* než kdo (~ *to her classmate by a full year*), starší ze dvou lidí stejného jména, senior (*John Smith* ~) **2** starší zastávající vyšší hodnost (*the* ~ *scholars of the university* starší vědci na univerzitě); vyšší; hlavní, nejvyšší, nejdůležitější (*a* ~ *member of a law firm*) **3** euf. dříve narozený (*our* ~ *citizens*) **4** nejstarší (*one of the* ~ *sins of the human race* jeden z nejstarších hříchů lidského rodu) ♦ ~ *bonds* prioritní obligace; ~ *class* AM nejvyšší třída; ~ *classic* BR nejlepší klasický filolog při zkouškách na cambridžské univerzitě; ~ *engineer 1.* vrchní inženýr *2.* AM starší mechanik *3.* BR pomocník staršího mechanika; ~ *man* BR vyšší ročník, student z vyššího semestru; ~ *officer 1.* služebně starší důstojník, představený, velitel *2.* velitel svazu *3.* námoř. starší (námořní) náčelník; ~ *partner* ředitel, šéf, senioršéf (hovor.); ~ *pupil* BR student ve věku 11–19 let; ~ *rating* starší námořník-odborník; ~ *school 1.* vyšší ročníky public school *2.* BR poslední čtyři ročníky základní školy (do r. 1944); ~ *service 1.* BR válečné loďstvo: *2.* služba ve válečném námořnictvu; ~ *wrangler* BR nejlepší matematik při zkouškách na cambridžské univerzitě ● *s* **1** ten starší, věkem nadřazený (*he is my* ~ *by four years, he is four years my* ~ je o čtyři roky starší než já) **2** starší člověk, starší člen společnosti, stařešina, senior (*the* ~*s were active in the local affairs*) **3** starší společník, ředitel, šéf, senioršéf (hovor.); představený **4** BR = ~ *classic* **5** BR = *senior man* **6** BR = ~ *wrangler* **7** AM student n. žák v nejvyšším ročníku **8** pohlavně dospělé zvíře **9** karty předák **10** AM sport. veslař, který vyhrál důležitý závod

seniores priores [siːˌnaiəriːzˈpraiəriːz] pořek. stáří má přednost
seniority [ˌsiːniˈorəti] **1** vyšší věk **2** hodnostní pořadí; služební věk, služební léta **3** též *S~* BR kolegium nejstarších členů na britské univerzitě ◆ *~ list* služební pořadník
senna [sənə] **1** bot. kasie, egyptská mana **2** sena, senes, senesové listy n. lusky
senna tea [ˌsenəˈtiː] senesový čaj projímadlo
sennet[1] [senit] div. hist. polnicový signál
sennet[2] [senit] námoř. ploché pletivo; pletenec, pletená rohož
sennight, se'nnight [senait] zast. týden
sennit [senit] = *sennet*[2]
señor [seˈnjoː] *pl: señores* [seˈnjoreiz] ve španělském prostředí **1** pán, pan **2** vážený pane oslovení
señora [seˈnjoːrə] ve španělském prostředí **1** paní **2** milostivá paní oslovení
señorita [ˌsenjoːˈritə] ve španělském prostředí **1** slečna **2** milostivá slečno oslovení
Senous(s)i [seˈnuːsi] islámský nábožensko-politický řád v sev. Africe; jeho příslušník / příslušníci
sensation [senˈseišən] **1** psych. počitek; vjem, senzace (kniž.) **2** cit (*he had little ~ left in his leg*), pocit (*a ~ of thirst* ... žízně), dojem, zdání (*pressing the eyeball in the dark will produce the ~ of light* zmáčknutím oční koule ve tmě se vyvolá dojem světla) **3** vzrušení, rozruch, senzace ◆ *make a ~* vzbudit senzaci; *produce a great ~* vyvolat hluboký dojem
sensational [senˈseišənl] **1** budící senzaci, vzrušující, napínavý, úžasný, senzační **2** senzacemilovný, potrpící si na vnější efekty / senzace; libující si v popisování hrůzostrašných n. dráždivých scén **3** počitkový, vjemový, pocitový, smyslový **4** filoz. senzualistický (*~ school*) **5** hovor. prima, fantastický, senzační
sensationalism [senˈseišnəlizəm] **1** filoz. senzualismus **2** senzacemilovnost, senzacechtivost, senzačnost; laciné efekty, popisování hrůzostrašných n. dráždivých scén
sensationalist [senˈseišnəlist] **1** filoz. senzualista **2** senzacemilovný / senzacechtivý člověk; kdo si libuje v laciných efektech, kdo popisuje hrůzostrašné n. dráždivé scény, literární dryáčník
sensation-monger [senˈseišənˌmaŋgə] literární dryáčník zaměřený na hrůzostrašné n. erotické scény
sense [sens] *s* **1** smysl schopnost a orgán vnímání světa (*the five ~s*) **2** *~s, pl* zdravý rozum, jasné vědomí, smysly **3** zdravý rozum, vtip, důvtip, inteligence (*haven't you enough ~ to take shelter from the rain?* to jsi tak hloupý, že se nedovedeš schovat před deštěm?) **4** pochopení, porozumění, cit, smysl *of* pro (*~ of humour*); vědomí *of* čeho (*~ of one's own responsibility* vědomí vlastní zodpovědnosti) **5** význam, smysl (*the ~ of the word is not clear*), myšlenkový obsah (*the addition corrupted the ~ of the passage* dodatek zatemnil obsah této textové pasáže); výklad, interpretace (*the context will not admit of such a ~* kontext takovou interpretaci vylučuje) **6** dojem, pocit *of* čeho (*a sudden ~ of warmth on entering the house* náhlý pocit tepla při vstupu do domu), tušení, předtucha čeho (*had a ~ that the child was in danger* měl tušení, že je dítě v nebezpečí), intuice **7** všeobecný dojem, pocit, názor **8** souhrn, přehled, výtah, obsah (*the ~ of the decision was presented in summary* obsah rozhodnutí byl předložen v přehledu) **9** pudy, smyslnost, smysly **10** prozaický text k básnickému překladu do řečtiny n. latiny **11** geom. smysl orientace na přímce / přímkách téhož směru **12** tech. smysl označení orientace točivého pohybu tělesa ◆ *ascribe (judicially) ~ to a t.* připisovat (na soudě) smysl čemu, (soudně) vykládat, podat, (soudcovsky) interpretovat; *bring a p. to his ~s* přivést k rozumu koho; *his ~s were clear to the last* byl až do poslední chvíle při jasném vědomí; *come to one's ~s 1.* nabýt vědomí *2.*vzpamatovat se, uklidnit se, přestat dělat hlouposti; *common ~* zdravý / selský rozum, přirozená inteligence; *error of ~* smyslový klam, přelud smyslů; *frighten a p. out of his ~s* vyděsit koho až k smrti; *~ of hearing* sluch; *in a ~* v určitém slova smyslu, z určitého hlediska (*what you say is true in a ~*); *in the best ~* v dobrém smyslu; *in every ~* v každém ohledu, všeobecně; *in the figurative ~* v přeneseném slova smyslu; *in the full ~ of the word* v plném smyslu slova; *in the literal ~* ve vlastním slova smyslu, doslova; *in one's (right) ~s* mající všech pět pohromadě, duševně zdravý; *in the strict ~* v užším slova smyslu; *a natural language ~* přirozená vloha pro jazyky, vrozené jazykové nadání; *~ of locality* orientační smysl; *there's a lot of ~ in what he says* v tom, co říká, je spousta pravdy; *make ~ 1.* dávat smysl, mít smysl *2.* být rozumný; *make ~ of a t.* pochopit co, porozumět čemu, najít smysl čeho (*can you make ~ of what the author says?*); *man of ~* rozumný / chytrý / inteligentní člověk; *musical ~* smysl / pochopení / nadání pro hudbu; *muscular ~* dojem fyzické námahy; *~ of nationhood* vědomí národní pospolitosti; *out of one's ~s* smyslů zbavený, šílený; *recover one's ~s* vzpamatovat se, přijít k sobě; *~ of sight* zrak; *sixth ~* šestý smysl, intuice; *~ of smell* čich; *sound ~* zdravý rozum, inteligence; *take the ~ of a public meeting* ptát se účastníků veřejného shromáždění na jejich názor; *take leave of one's ~s* pominout se smysly, zbláznit se; *talk ~* mluvit rozumně; *~ of taste* chuť; *~ of touch* hmat; *~ of vision* zrak; *~ of wrong* dojem / pocit utrpěného příkoří ● *v* **1** vycítit, uvědomit si (*he ~d that his proposals were unwelcome* uvědomil si, že jeho návrhy jsou nevítané) **2** AM hovor. rozumět, pochopit **3** ohmátnout děrný štítek (*computing machines that ~ the holes in tabu-*

lating cards počítací stroje, které ohmatávají otvory v děrných štítcích) **4** sděl. tech. stanovit směr přijímaného rádiového signálu

sense body [ˈsensˌbodi] (*-ie-*) zool. smyslové tělísko, ústrojí

sense capsule [ˈsensˌkæpsjuːl] = *sense cavity*

sense cavity [ˈsensˌkævəti] (*-ie-*) biol. dutina smyslového ústrojí

sense cell [sens-sel] anat. smyslová buňka

sense centre [ˈsensˌsentə] biol. smyslové ústředí

sense datum [ˈsensˌdeitəm] *pl: data* [deitə] smyslový podnět

sense finder [ˈsensˌfaində] sděl. tech. určovač směru u zaměřovače

senseless [senslis] **1** jsoucí v bezvědomí (*fall ~ to the ground*) **2** nesmyslný (*a ~ idea*), hloupý (*what a ~ fellow he is!*), zbytečný, jsoucí k ničemu, nanicovatý (*a ~ custom*) **3** zast. necitelný

senselessness [senslisnis] **1** bezvědomí **2** nesmyslnost, hloupost, zbytečnost, nanicovatost **3** necitelnost

sensemaking [ˈsensˌmeikiŋ] rozumný, inteligentní, realistický, praktický (*a ~ proposal* rozumový návrh)

sense organ [ˈsensˌoːgən] smyslové ústrojí, smyslový orgán, smysl orgán

sense perception [ˌsenspəˈsepšən] smyslové vnímání / poznávání; smyslový vjem

sensibility [ˌsensiˈbiləti] (*-ie-*) **1** citlivost, senzitivnost, senzitivita, senzibilita *to* na co **2** přecitlivělost, útlocitnost (*excessive ~ of late 18th century* přemrštěná útlocitnost konce osmnáctého století); dotýkavost, vztahovačnost, urážlivost **3** soucítění *of* s (*our ~ of your distress* nás soucit s vaším utrpením) **4** *sensibilities, pl* citlivost, útlocit, jemnocit (*her sensibilities are quickly wounded* její jemnocit je lehce zranitelný)

sensible [sensəbl] **1** rozumný, inteligentní, moudrý, chytrý (*a ~ woman*) **2** praktický (*~ shoes for mountain climbing* praktická obuv na horské túry); účelný (*~ clothing*) **3** vnímatelný smysly, smyslový, senzuální (*~ phenomena*), působící na smysly (*a ~ odour*) **4** jasný, zřetelný, viditelný, citelný, podstatný (*a ~ fall in the temperature* podstatný pokles teploty) **5** citlivý (*the more ~ parts of the skin* citlivější části pokožky), vnímavý *to* na (*~ to pain* ... na bolest); vědomý, uvědomující si *of* co (*very ~ of your distress* uvědomující si velice váš zármutek) **6** jsoucí při vědomí, při smyslech ♦ *be ~ from a t.* duševní stav odrážet se v / na, být vidět v; *be ~ of a t.* uvědomit si co, být si vědom čeho; *make a p. ~ of a t.* upozornit koho na co, uvědomit koho o čem

sensibleness [sensəblnis] **1** rozumnost, moudrost, chytrost, inteligence; praktičnost, účelnost **2** vnímatelnost smysly, citelnost **3** citlivost

sensing device [ˌsensiŋdiˈvais] = *sensing element*

sensing element [ˌsensiŋˈelimənt] **1** snímač **2** čidlo

sensing head [ˌsensiŋˈhed] **1** snímač **2** sonda

sensism [sensizəm] filoz. senzualismus

sensitive [sensitiv] *adj* **1** citlivý, přecitlivělý, senzitivní (*a ~ skin* senzitivní pokožka) *about* / *to* na (*children are usually ~ to blame* děti jsou obvykle velice citlivé na pohanění, *he is very ~ about his ugly appearance* pokud jde o jeho nehezký vzhled, je nedůtklivý), jemně reagující *to* na **2** nezdravě přecitlivělý, hypersenzitivní, alergický *to* na (*~ to eggs*) **3** tajný, spojený s utajovanými skutečnostmi, delikátní z hlediska bezpečnosti státu (*~ position* ... postavení) **4** řidč. smyslový, senzuální; dráždivý **5** strom s nepravidelným letorosty **6** sděl. tech. citlivý ♦ *be ~ to a t.* citlivě reagovat na co; *~ ear* jemný sluch; *~ horizon* zdánlivý obzor; *~ market* ekon. citlivý trh se značným kolísáním po každé zprávě; *~ nerve* fyziol. senzitivní nerv; *~ paper* fot. citlivý papír; *~ plant* bot. citlivka stydlivá, mimóza; *~ plate* fot. deska; *~ point* voj. citlivý / zranitelný bod ● *s* citlivý člověk, senzitivní bytost, citlivec zejm. na hypnózu

sensitiveness [sensitivnis] **1** citlivost, přecitlivělost, senzitivnost, senzitivita **2** nezdravá přecitlivělost, hypersenzitivnost

sensitivity [ˌsensiˈtivəti] **1** citlivost, senzitivnost, senzitivita *to* na **2** přecitlivělost, hypersenzitivnost ♦ *~ group* psych. skupina pro nácvik vnímavosti n. citlivosti v jednání s lidmi; *~ training* výcvik / nácvik / cvičení vnímavosti n. citlivosti v jednání s lidmi, nácvik umění jednat s lidm

sensitization [ˌsensitaiˈzeišən] odb. zcitlivění, senzi bilace, senzibilizace

sensitize [sensitaiz] odb. zvýšit citlivost čeho, zcitlivě senzibilovat, senzibilizovat ♦ *~d paper* citlivý p pír, zcitlivěný papír, papír s citlivou vrstvou

sensitizer [sensitaizə] odb. zcitlivovací látka, zci vovač, senzibilátor, senzibilizátor

sensitometer [ˌsensiˈtomitə] senzitometr pří k určování citlivosti fotografického materiálu

sensor [sensə] snímač, čidlo, senzor

sensorial [sənˈsoːriəl] smyslový, senzorický, či

sensorium [senˈsoːriəm] *pl: sensoria* [senˈsoːriə senzorický aparát, čidlo, čiv, čiva

sensory [sensəri] *adj* = *sensorial* ● *s* (*-ie-*) = *sensorium*

sensual [sensjuəl] **1** smyslový, senzuální (*~ p tion* smyslové vnímání) **2** odpudivě tělesný, ž ný, animální, zvířecí (*~ life*) **3** odpudivě sı (*~ lips*), eroticky založený (*a very ~ man* senzualistický

sensualism [sensjuəlizəm] **1** filoz. senzualism který vyvozuje všechno poznání ze smyslového **2** smyslnost

sensualist [sensjuəlist] **1** filoz. senzualista sto zualismu **2** smyslný člověk, smyslník, se

sensuality [ˌsensjuˈæləti] smyslnost, senzu

sensualization [ˌsensjuəlaiˈzeišən] odduch erotizace

sensualize [sensjuəlaiz] učinit smyslným, odduchovnit, erotizovat

sensum [sensəm] *pl: sensa* [sensə] smyslový podnět

sensuous [sensjuəs] **1** smyslový, senzuální **2** tělesný, živočišný, animální, svědčící o radosti ze života **3** smyslný, erotický

sensuousness [sensjuəsnis] **1** smyslnost, senzuálnost **2** tělesnost, živočišnost, animálnost **3** smyslnost, erotičnost

sent [sent] v. *send, v*

sentence [sentəns] **1** průpověď, rčení, aforismus, přísloví, úsloví, pořekadlo, sentence; citát zejm. z bible **2** soudní nález, výrok, rozsudek, vyřčený trest, ortel **3** zast. soud, úsudek, mínění, názor, výrok, hlas (přen.) (*my ~ is for war*) **4** jaz. věta **5** hud. perioda **6** log. tvrzení ◆ *~ of death* rozsudek smrti; *under ~ of death* odsouzen k smrti; *full ~* jaz. celá věta; *complex ~* jaz. souvětí; *compound ~* jaz. rozvitá věta; *life ~* odsouzení na doživotí; *pass a ~ on a p.* soud odsoudit koho; *pronounce a ~* vynést rozsudek; *serve one's ~* odpykávat si trest, odsedět si trest; *simple ~* jaz. holá věta; *subordinate ~* jaz. vedlejší věta; *suspended ~* rozsudek s odkladem výkonu trestu ● *v* odsoudit, vynést / vyhlásit rozsudek / ortel nad, též přen. (*let us not ~ the play before seeing it*)

sentential [sen'tenšəl] **1** jaz. větný **2** řidč. rozsudkový **3** obsahující sentence (*a ~ book*)

sententious [sen'tenšəs] **1** jadrný, pregnantní, stručný a výstižný **2** pompézní, bombastický; mluvící v sentencích, libující si v aforismech, rádoby duchaplný, moralizující

sententiousness [sen'tenšəsnis] **1** jadrnost, pregnantnost, stručnost a výstižnost **2** pompéznost, bombastičnost; záliba v aforismech, zdánlivá duchaplnost, moralizování

sentience [senšəns] schopnost vnímat, cítění

sentient [senšənt] schopný vnímat, vnímající, vnímavý, cítící

sentiment [sentimənt] **1** cit, cítění, citlivost, citovost, senzitivita *of* týkající se čeho, citový vztah k, pocit (*a ~ of good will and cooperation*), citový vztah, postoj (*my ~ towards him is one of respect*) **2** pochopení, porozumění *for* pro co (*public ~ for good roads greatly increased*) **3** stanovisko, názor, postoj (*antislavery ~s* protiotrokářský postoj) **4** rozcitlivělost, přecitlivělost, sentimentalita, sentimentálnost (*silly ~*) **5** cit, myšlenka, idea (*the book expresses the noblest ~s*), citový záměr (*the ~ is good though the words are somewhat injudicious* ... je dobrý, i když jsou slova poněkud nerozvážná), základní pocit, citový obsah, citový náboj, citová pohnutka; dojemnost uměleckého díla **6** zast. moto, epigram, aforismus; přípitek ◆ *man of ~* jemný a citlivý člověk; *for ~'s sake* ze sentimentálních důvodů; *share a p.'s ~s* zaujímat stejné stanovisko jako kdo; *these are my ~s* takový mám na to názor já

sentimental [ˌsenti'mentl] **1** citový (*a ~ appraisal of the situation* citové zhodnocení situace); citově hluboký (*~ love for children*), citově upřímný (*a ~ liberal*); týkající se citů, romantický (*a ~ comedy of love*) **2** přecitlivělý, rozcitlivělý, sentimentální (*a ~ schoolgirl*) ◆ *~ damage* pojišť. škoda vzniklá zničením n. poškozením věci, u které vlastník uplatňuje cenu zvláštní obliby; *cheaply ~* kýčovitý, limonádový; *~ value* cena zvláštní obliby, cena věci pro sběratele na rozdíl od tržní ceny

sentimentalism [ˌsenti'mentəlizəm] **1** rozcitlivělost, přecitlivělost, sentimentalita, sentimentálnost **2** výraz sentimentality

sentimentalist [ˌsenti'mentəlist] sentimentální člověk

sentimentality [ˌsentimen'tæləti] (*-ie-*) **1** rozcitlivělost, přecitlivělost, sentimentalita, sentimentálnost **2** sentimentální myšlenka, sentimentální nápad (*sentimentalities that are supposed to be sentiments*)

sentimentalize [ˌsenti'mentəlaiz] **1** rozplývat se sentimentálně, sentimentálně vzpomínat n. uvažovat, sentimentálně cítit / jednat / mluvit o, sentimentálně přikrašlovat, sentimentalizovat **2** rozcitlivovat, sentimentalizovat

sentinel [sentinl] *s* **1** hlídka, stráž, strážný **2** též *~ crab* zool.: krab *Podophthalmus vigil* ● *v* (*-ll-*) **1** bás. hlídat, střežit **2** řidč. postavit hlídku k / před **3** postavit na stráž koho

sentry [sentri] (*-ie-*) **1** voj. strážný; hlídka, stráž **2** námoř. varovný hloubkoměr

sentry board [sentribo:d] strážní plošina na visutých schůdkách lodí

sentry box [sentriboks] strážní budka

sentry-go [sentrigəu] BR obchůzka hlídky u objektu

Senussi [senu:si] = *Senous(s)i*

senza [sentsə] hud. bez, senza

sepal [sepəl] bot. kališní lístek

separability [ˌsepərə'biləti] **1** oddělitelnost, odlučitelnost **2** tříditelnost

separable [sepərəbl] **1** oddělitelný, odlučitelný **2** tříditelný

separableness [sepərəblnis] **1** oddělitelnost, odlučitelnost **2** tříditelnost

separate *adj* [seprit] **1** oddělený, samostatný, izolovaný, separátní (*~ units*); odloučený (*~ churches*) **2** různý, separátní (*the full bibliogra-phy lists 2204 ~ publications*); rozdílný, odliš- (*the two questions are essentially ~*) **3** zvlášt- osobní, separátní (*~ interests*), jednotlivý (*~ members of the body*) **4** zast. uzavřený, nespo- čenský ◆ *~ confinement* práv. samovazba, se- race, izolace; *under ~ cover* odděleně, ve zvl- ní obálce, současnou poštou na rozdíl od „v pří- *~ drive* vlastní / samostatný pohon; *~ e-* práv. oddělené vlastnictví manželky, parafer- majetek; *~ maintenance* práv. výživné, ali-

odloučeně žijící manželce; ~ *round* voj. dělený dělostřelecký náboj; ~ *sewer* sběrač oddílné odtokové soustavy ~ *system* oddílná odtoková soustava ● *s* [seprit] **1** zvláštní otisk, separát **2** jedna z částí dvoudílného dámského oděvu samostatně prodávaná, např. blůza, svetr, sukně, kalhoty apod. ● *v* [sepəreit] **1** dělit | se, oddělovat | se, rozdělovat | se *into* na co (*the Uralian languages ~ into three branches*) *from* od (~ *the white from the yolk of an egg* odloučit bílek od žloutku vajíčka); způsobit roztržku mezi kým (~ *friends*); přetrhnout se, prasknout (*the cord ~s* šňůra praskla) **2** odlučovat | se, vylučovat (~ *gold from an alloy* vylučovat ze slitiny zlato), od|štěpit | se, separovat | se, izolovat | se **3** roz|třídit (~ *mail*), rozdružovat (odb.); rozlišovat *from* od (~ *a butterfly from a moth* rozlišovat motýla od můry); odstřeďovat *from* od / z (~ *cream from milk* odstřeďovat z mléka smetanu) **4** rozejít se, jít každý jinam / jinudy (*after dinner we ~d*) **5** práv. rozloučit manželství; odejít od manžela, rozvést se s manželem; provést odluku čeho *and* / *from a t.* od čeho (~ *church and state*) **6** AM propustit *from* z armády / podniku / ze školy **7** AM slang. obrat koho *from a t.* o ◆ *be ~d* též být daleko od sebe; ~ *from a church* vystoupit z církve

separate-loaded [ˈseprit ˌləudid] : ~ *ammunition* voj. dělené dělostřelecké střelivo

separateness [sepritnis] **1** pocit odloučenosti, osamocení, osamocenost, osamělost, izolace, izolovanost **2** svébytnost; samostatnost, nezávislost

separation [ˌsepəˈreišən] **1** rozdělení, rozdělování; rozluka, roztržka, rozkol **2** odloučení, odlučování; vyloučení, vylučování; odštěpení, odštěpování; izolování, separování, separace (odb.) **3** třídění, roztřiďování, rozdružování; rozlišení, rozlišování **4** přihrádka v roztřiďovači pošty; roztříděné poštovní zásilky **5** odstřeďování smetany **6** práv. rozluka manželství, rozvod; odluka církve od státu **7** AM propuštění (~ *from employment*) **8** voj. propuštění do zálohy **9** vzdálenost, mezera **10** zahr. množení rostlin dělením n. oddělováním **11** polygr. výtažkování barev; barevný výtažek ◆ ~ *allowance* voj. odlučné; ~ *from bed and board* práv. rozluka od stolu a lože, rozvod; ~ *wall* *1.* dělící n. požární zeď *2.* příčka, přepážka

separationist [ˌsepəˈreišənist] *adj* separatistický ● *s* separatista

separatism [sepərətizəm] snaha po separaci, odštěpenectví, separatismus

separatist [sepərətist] *adj* separatistický ● *s* separatista stoupenec separatismu

separative [sepərətiv] separační, tíhnoucí k rozdělení, rozdělovací, odstředivý (přen.)

separator [sepəreitə] **1** oddělovač, odlučovač, třídič **2** tech. separátor přístroj / zařízení k oddělování látek od sebe n. části z celku **3** odstředivka **4** horn. rozdružovač; sazečka; separátor; usazovadlo **5** text. dělicí / rozváděcí paprsek **6** elektr. oddělovací / izolační vložka

Sephardi [seˈfa:di] *pl: Sephardim* [seˈfa:dim] španělský n. portugalský Žid

sepia [si:pjə] **1** zool. sépie **2** hnědý pigment ze sepiového váčku **3** sépie tmavohnědá barva **4** výtv. sépie, sépiová hněď; sépiová kresba, sépie ◆ *warm* ~ výtv. červená sépie

sepia drawing [ˈsi:pjəˌdro:iŋ] výt. sépiová kresba, sépie

sepiolite [si:pjəlait] mořská pěna, sepiolit

sepoy [si:poi] voj. indický voják s evropským výcvikem zejm. sloužící v britském vojsku ◆ *S~ Mutiny* / *Rebellion* vzpoura indických vojáků (1857–59)

seppuku [seˈpu:ku:] harakiri

seps [seps] *pl: seps* [seps] zool. scink

sepsis [sepsis] *pl: sepses* [sepsi:z] med. sepse, otrava krve (neodb.)

sept [sept] **1** klan v Irsku **2** kmen ve skotském klanu

septa [septə] *pl* v. *septum*

septal [septl] **1** bot., anat. septální, týkající se přepážky **2** klanový; kmenový v klanu

septan [septən] med.: horečka sedmidenní, vracející se každý sedmý den

septangle [septæŋgl] mat. sedmiúhelník

septangular [sepˈtæŋgjulə] mat. sedmiúhelníkový

septate [septeit] bot., anat. mající přepážku

septation [sepˈteišən] bot., anat. **1** rozdělení septem **2** = *septum*

September [sepˈtembə] září

Septembrist [sepˈtembrist] **1** hist. účastník zářijových násilností za Velké francouzské revoluce v září 1792 **2** revolucionář

septempartite [ˌseptəmˈpa:tait] sedmidílný

septanarius [ˌseptiˈneəriəs] *pl: septenarii* [ˌseptiˈneəriai] liter. sedmistopý verš, septenár

septenary [septinəri] *adj* **1** sedmičkový, mající za základ sedmičku **2** sedmidenní, týdenní **3** sedmiletní ● *s* (*-ie-*) **1** skupina sedmi, sedmička **2** sedmiletí **3** liter. sedmistopý verš

septenate [septinit] bot. sedmičetný

septennate [sepˈtenit] sedmiletí, sedmiletka

septennial [sepˈtenjəl] sedmiletní, opakující se každých sedm let (~ *elections* ... volby); trvající sedm let, sedmiletý (~ *parliament* zasedání parlamentu ...)

septennium [sepˈtenjəm] *pl: septennia* [sepˈtenjə] sedmiletí, sedmiletka

septentrional [sepˈtentriənl] zast. půlnoční, severní

septet, septette [sepˈtet] **1** hud. septuor, septet skladba pro sedm hlasů n. nástrojů; skupina hrající n. zpívající takovou skladbu **2** přen. skupina sedmi, sedmička, sedma, sedm *of* čeho

septfoil [septfoil] **1** bot. řidč. mochna sedmilistá **2** círk. výtv. sedmilistý ornament symbolizující sedm svátostí římskokatolické církve

septic [septik] *adj* **1** med. septický; podebraný, zhnisaný, zjitřený (hovor.) (*a ~ finger*) **2** přen. hnijící, hnilobný ◆ *go* ~ hovor. podebrat se, zhnisat; ~ *tank* stav. septik nádrž na přečištění splašků z budov, kde není kanalizace, vyhnívací nádrž; ~ *sore throat* hnisavá angína; ~ *ward* septické oddělení pro septická onemocnění ● *s* hnilobná látka, hnis, matérie (hovor.)

septicaemia [ˌseptiˈsi:miə] med. septikémie zaplavení krve baktériemi a jejich toxiny, otrava krve (neodb.)

septicaemic [ˌseptiˈsi:mik] med. septikémický charakterizovaný septikémií

septilateral [ˌseptiˈlætərəl] sedmistranný

septillion [sepˈtiljən] **1** BR septilion 10^{42} **2** AM kvadrilion 10^{24}

septimal [septiməl] mat. sedmičkový

septime [septi:m] sport. septima poloha zbraně ve výzvě n. krytu v šermu

septimus [septiməs] BR škol. sedmý

septisyllable [ˈseptiˌsiləbl] sedmislabičné slovo

septuagenarian [ˌseptjuədžiˈneəriən] *adj* sedmdesátiletý; mající věk sedmdesátníka ● *s* sedmdesátník

septuagenary [ˌseptjuəˈdži:nəri] *adj* **1** sedmdesátičlenný, sedmdesátidílný **2** = *septuagenarian, adj* ● *s* (*-ie-*) = *septuagenarian, s*

Septuagesima [ˌseptjuəˈdžesimə] též ~ *Sunday* círk. neděle Devítník

Septuagint [septjuədžint] Septuaginta překlad Starého zákona (z hebrejštiny do řečtiny) pořízený sedmdesáti učenci v 2. a 3. stol. před n. l.

septum [septəm] *pl* též *septa* [septə] anat., bot. přepážka, septum

septuple [septjupl] *adj* **1** sedminásobný, sedmeronásobný **2** hud. sedmidobý ● *s* sedminásobek, sedmeronásobek ● *s* z|násobit sedmi

septuplet [septjuplit] hud. septuola

sepulchral [siˈpalkrəl] **1** náhrobní, hrobní, sepulkrální (výtv.) (~ *pillar* náhrobní sloup) **2** pohřební (~ *customs*) **3** přen. hrobový (*the hollow ~ tone of editorial comment* dutý hrobový tón redakčního komentáře), pohřební, truchlivý (*a ~ look*) ◆ ~ *mound* pohřební mohyla

sepulchre [sepəlkə] *s* **1** hrobka, hrob zejm. skalní **2** círk. kámen s ostatky v oltáři **3** Boží hrob ◆ *Easter / Holy S~* Boží hrob oltář; *white ~* obílený hrob pokrytec ● *v* **1** pohřbít, uložit do hrobu, pochovat **2** sloužit za hrob komu

sepulture [sepəlčə] *s* **1** pohřeb, pohřbení, pohřbívání **2** zast. pohřebiště ● *v* pohřbít, pochovat

sequacious [siˈkweišəs] **1** zast. poslušný, povolný; otrocký, servilní **2** logický, logicky důsledný, konsekventní ◆ ~ *deference* slepá oddanost; ~ *zeal* služební horlivost

sequaciousness [siˈkweišəsnis] = *sequacity*

sequacity [siˈkwesəti] poslušnost, povolnost, duchovní závislost, servilnost

seque [si:kwi] hud. seque označení minimálního odsazení mezi částmi vět n. větami

sequel [si:kwəl] **1** důsledek, následek *to* čeho (*higher prices as ~ to rising production costs*); dohra (přen.) **2** med. následná nemoc; defekt jako stopa po chorobě **3** řada, pořadí, série **4** další samostatná část, další svazek, pokračování rozsáhlého literárního díla; dodatek, doslov, dohra, epilog; pokračování např. románu **5** zast. logická analogie, logický závěr ◆ *in the ~ 1.* během času, postupně *2.* v dalším pokračování, v příštím čísle (*the hero performs even more astonishing feats in the ~* v příštím čísle hrdina předvede ještě překvapivější kousky)

sequela [siˈkwi:lə] *pl: sequelae* [siˈkwi:li:] med. následná nemoc, též přen. (*the poisonous sequelae of war* otravné následky války)

sequence [si:kwəns] **1** pořadí, sled, postup; posloupnost; souvislost, souslednost **2** řada po sobě následujících událostí, série, několik *of* čeho po sobě (*a ~ of bad harvests* řada nízkých sklizní) **3** pořadí písmen v šifře n. šifrovacím klíči **4** řazení částí skladby na stranách kompletu gramofonových desek **5** film. sled záběrů, sekvence **6** scéna, úryvek, epizoda (*the ~ from which the book takes its title*); úkon jeden z řady (*minute rehearsals of each ~ in the coronation ceremony* podrobné zkoušky každého úkonu při korunovačním obřadu) **7** karty sled, sekvence, postupka (hovor.) *of* v jaké barvě (*~ of clubs*) **8** následek, důsledek; následující událost (*everybody was caught up in a succession of ~s* každého zasáhla řada událostí, které potom následovaly) **9** círk. hud. sekvence liturgický zpěv ve mši **10** geol. sled; vrstevní sled **11** hud. sekvence přenesení téhož melodického n. harmonického postupu o stupeň výš n. níž **12** liter. věnec (*sonnet ~*) **13** log. následek **14** mat. posloupnost ◆ *alphabetical ~* abecední pořadí (*in alphabetical ~* podle abecedy); *automatic ~* řazení stran gramofonových desek pro měnič; *historical ~* časová posloupnost; *in ~* po řadě, postupně, jeden po druhém (*paints each little square in ~* vybarvuje jeden čtvereček po druhém); *~ of moods* jaz. souslednost časů; *~ of operations* sled úkonů; *~ switch* elektr. řadič; *~ of tenses* jaz. souslednost časů

sequent [si:kwənt] *adj* **1** následující; následný, postupný **2** logicky vyplývající ● *s* následek

sequentes [siˈkwenti:z], **sequentia** [siˈkwenšiə] a další řádky / stránky

sequential [siˈkwenšəl] *adj* **1** následný, následující po sobě; postupný **2** souvislý **3** hud. sekvencovitý (~ *arpeggio*) **4** antikoncepční pilulky který je nutno brát v určitém pořadí ● *s ~s, pl* antikoncepční pilulky, které je nutno brát v určitém pořadí

sequentiality [siˌkwenšiˈæləti] **1** následnost, postupnost **2** souvislost

sequester [siˈkwestə] **1** odloučit, oddělit, vyčlenit, od|izolovat; vyhradit **2** ukrýt **3** práv. zabavit, z|konfiskovat, sekvestrovat, vykonávat přechodnou správu čeho **4** práv.: vdova vzdát se majetku po zemřelém manželovi ***sequester o. s.*** stáhnout se / uchýlit se / odejít do ústraní

sequestered [siˈkwestəd] **1** odříznutý / odloučený od světa, skrytý, zapadlý (*a ~ village*) **2** uzavřený, v ústraní (*a ~ life*) **3** v. *sequester*

sequestra [si|kwestrə] *pl* v. *sequestrum*
sequestrable [si|kwestərəbl] **1** oddělitelný, odlučitelný, sekvestrovatelný **2** zabavitelný, z|konfiskovatelný
sequestral [si|kwestrəl] med. sekvestrační; úplně odloučený, oddělený, uvolněný
sequestrate [si|kwestreit] **1** = *sequester, 3, 4* **2** med. utvořit sekvestr
sequestration [|si:kwe|streišən] **1** vyloučení, vyhoštění, vyhnání *from* z **2** ústraní, samota, odříznutost od světa (*lonely ~ on an island*) **3** práv. vnucená správa; zabavení, konfiskace, sekvestrace **4** med. u|tvoření sekvestru
sequestrator [si:kwəstreitə] práv. vnucený správce, úředně ustanovený přechodný správce, sekvestr, sekvestor
sequestrotomy [|si:kwə|strotəmi] med. sekvestrace uvolnění / odloučení odumřelé tkáně od zdravého okolí
sequestrum [si|kwestrəm] *pl: sequestra* [si|kwestrə] med. sekvestr odumřelá část tkáně, zejm. kosti, odloučená zánětlivým procesem
sequin [si:kwin] **1** hist. zechin, zechina starý benátský zlatý peníz **2** flitr
sequined [si:kwind] pošitý penízky / flitry
sequoia [si|kwoiə] bot. sekvoje; sekvoje obrovská
séracs [seræks] *pl* geol. jehlanové kry ledovce v ledopádu
seraglio [se|ra:liəu] v muslimském prostředí **1** palác; sultánův palác v Cařihradu, serail **2** harém **3** nevěstinec **4** = *serai*
serai [se|rai] karavanseráj přístřeší pro karavany na poušti
serang [sə|ræŋ] předák indických námořníků na anglických lodích
serape [sə|ra:pi:] vlněný plášť, vlněná pokrývka, poncho
seraph [serəf] *pl: seraphim* [serəfim] seraf, serafín anděl z prvního kůru andělského ◆ *Order of the S~im* Řád serafínský nejvyšší švédský rytířský řád
seraphic [se|ræfik] **1** serafínský, serafický **2** ideální, nadpozemský, čistý, andělský
seraphine [serəfi:n] hud. předchůdce harmonia
seraskier [|serə|skiə] vrchní vojenský velitel, ministr války v Turecku
Serb [sə:b], **Serbian** [sə:bjən] *s* **1** Srb **2** srbský jazyk, srbština; srbocharvátština, srbochorvatština ● *adj* **1** srbský **2** srbocharvátský, srbochorvatský
Serbo-Croat [|sə:bəu|krəuæt], **Serbo-Croatian** [|sə:bəukrəu|eišən] srbocharvátština, srbochorvatština
Serbonian bog [sə:|bəunjən|bog] **1** zeměp. hist. serbonská bažina ve starém Egyptě **2** přen. bezvýchodná situace
sere[1] [siə] voj. páka spouště, spoušťová páka, záchytka kohoutku pušky
sere[2] [siə] *adj, v, s* = *sear*[1]
serein [sə|rein] jemný déšť při jasné obloze zejm. v tropech
serenade [|seri|neid] hud. *s* večerní zastaveníčko, dostaveníčko, serenáda ● *v* za|hrát serenádu komu
serenader [|seri|neidə] kdo hraje n. zpívá serenádu
serenata [|seri|na:tə] *pl* též *serenate* [|seri|na:ti] hud. **1** serenáda lyrická instrumentální skladba **2** oslavná kantáta
serendipity [|serən|dipəti] dar nacházet neočekávané a příjemné věci, vrozené štěstí
serene [si|ri:n] *adj* **1** jasný, čistý (*~ skies*); vznešeně klidný (*~ shining of the planets* klidná záře planet); tichý, hladký (*a ~ lake*) **2** vyrovnaný, poklidný (*a ~ expression upon the face* vyrovnaný výraz obličeje) ◆ *all ~* BR slang. fajn, prima; *His S~ Highness* Jeho Jasnost titul knížete; *~ weather* pěkné počasí, jasno ● *s* **1** klidná hladina, klidná vodní plocha **2** jasné počasí, jasná obloha, jasno **3** bás. hláď, jas ● *v* bás. **1** rozjasnit **2** uklidnit
serenity [si|renəti] (*-ie-*) **1** jasnost, čistota oblohy; klid, poklid, klidnost, poklidnost; hladkost **2** vyrovnanost **3** *S~* Jasnost knížecí titul
serf [sə:f] **1** nevolník **2** přen. otrok, vazal
serfage [sə:fidž], **serfdom** [sə:fdəm], **serfhood** [sə:fhud] **1** nevolnictví, člověčenství **2** přen. otroctví, vazalství
serge [sə:dž] text. serž, kepr
sergeant [sa:džənt] **1** voj. rotmistr, šikovatel, seržán, seržant **2** seržant policejní, požárníků, Armády spásy **3** zast. biřic **4** zool. = *sergeant fish*
sergeant at arms [|sa:džəntət|a:mz] *pl: sergeants at arms* [|sa:džəntət|a:mz] = *serjeant at arms*
sergeant fish [sa:džəntfiš] *pl* též *fish* [fiš] zool.: mořská ryba *Rachycentron canadum*
sergeant major [|sa:džən*t*|meidžə] voj.: plukovní / praporní hlavní seržant, staršina ◆ *company ~* voj. nejstarší poddůstojník útvaru
sergeantship [sa:džəntšip] hodnost seržanta
serial [siəriəl] *adj* **1** řadový, pořadový, jsoucí jeden z řady; periodický (*~ observations*); pravidelný, abonentní (*~ concerts*) **2** vycházející na pokračování (*~ story*), seriálový (*~ pictures*), několikadílný (*a ~ play*), mnohonásobný (*a ~ murderer*) **3** sériový (*~ production*) **4** hud. seriální (*~ technique*) ◆ *~ bonds* pořadové / periodické obligace s předem stanoveným umořovacím plánem; *~ exposure apparatus* rentgenový přístroj na řadové snímkování; *~ number 1.* běžné číslo, pořadové číslo, sériové číslo *2.* výrobní číslo *3.* osobní číslo např. vojáka; *~ photographs* řada různých fotografických záběrů téhož objektu; *~ rights* nakladatelské právo k vydávání literárního díla na pokračování zejm. před knižním vydáním n. souběžně s ním ● *s* **1** literární dílo vycházející na pokračování, román na pokračování; pokračování románu **2** televizní / filmový seriál **3** publikace z určité nakladatelské řady, periodická publikace z určité nakladatelské řady, periodická publikace, periodikum **4** voj. pochodový proud
serialist [siəriəlist] autor seriálu

serialize [siəriəlaiz] **1** uspořádat do řady, srovnat, seřadit **2** otiskovat literární dílo na pokračování zejm. před knižním vydáním n. souběžně s ním; vysílat na pokračování
seriate *adj* [siəriit] pořadový; seřazený v řadách, uspořádaný ● *v* [siərieit] se|řadit, uspořádat, srovnat do řady
seriatim [ˌsiəriˈeitim] *adv* po řadě, po pořadí, postupně, jeden po druhém (*the judges delivered their opinions* ~ soudci pronesli svůj názor jeden po druhém) ● *adj* postupný (*the* ~ *discussion of these six needs*)
seriation [ˌsiəriˈeišən] se|řazení v řadách, uspořádání podle pořadí
Seric [siərik] kniž. čínský
sericeous [siˈrišəs] **1** hedvábitě chlupatý **2** hedvábitý **3** bot., zool.: jsoucí s hedvábným vlasem n. leskem, připomínající hedvábí
sericicultural [ˌserisiˈkalčərəl] = *sericultural*
sericiculture [ˌserisiˈkalčə] = *sericulture*
sericiculturist [ˌserisiˈkalčərist] = *sericulturist*
sericultural [ˌseriˈkalčərəl] týkající se pěstování bource morušového, hedvábnický
sericulture [ˌseriˈkalčə] pěstování bource morušového, hedvábnictví
sericulturist [ˌseriˈkalčərist] pěstitel bource morušového, hedvábník
seriema [ˌseriˈi:mə] zool. seriema rudozobá
series [siəri:z] *s pl: series* [siəri:z] **1** řada, série, též odb. **2** sada, sled; skupina, oddělení, oddíl, kategorie **3** řada, edice knih **4** elektr. spojení za sebou **5** chem. homologická řada ● *adj* sériový ◆ ~ *characteristics* sériová charakteristika; ~ *circuit* elektr. sériový obvod; ~ *connection* elektr. spojení za sebou, sériové spojení; ~ *decay* chem. řetězový rozpad; ~ *manufacture* sériová výroba; ~ *product* sériový výrobek; ~ *production* sériová výroba; ~ *of stamps* série poštovních známek; ~ *turn* elektr. závit sériového vinutí; ~ *wound* elektr.: generátor sériový
series-parallel connection [ˈsiəri:zˌpærəlelkəˈnekšən] elektr. sérioparalelní spojení
serif [serif] polygr. patka písmena, serif
serigraph [serigræf] polygr. sítotisk
serigrapher [səˈrigrəfə] polygr. sítotiskař
serigraphy [səˈrigrəfi] polygr. sítový tisk, sítotisk, serigrafie
serin [serin] zool. zvonohlík zahradní
serinette [ˌseriˈnet] hud. **1** ptačí kolovrátek **2** kolovrátek; hrací skřínka; hrací hodiny
seringa [səˈriŋgə] **1** bot. kaučovník, kahuch **2** = *syringa*
serio-comic [ˌsiəriəuˈkomik] **1** tragikomický **2** předstírající vážnost
serioso [ˌseriˈəusəu] hud. vážně, slavnostně, serioso
serious [siəriəs] **1** vážný (*we were* ~ *to the point of solemnity* mysleli jsme to tak vážně, až jsme z toho málem zvážněli), umělecky náročný (*a* ~ *play*), opravdový, seriózní (~ *study of music*), závažný, důležitý, značný, velký, podstatný, těžký (~ *objections* závažné námitky) **2** opravdový, náruživý, skutečný (~ *drinker*) **3** nebezpečný, kritický, vážný (~ *financial situation*) **4** střídmý, nenápadný, decentní, střízlivý (~ *dress*) **5** zast., žert. zbožný, nábožný, pobožný ◆ *are you* ~? to myslíš doopravdy / vážně?; *and now to be* ~ a teď vážně, nechme žerty stranou; ~ *music* vážná hudba
seriously [siəriəsli] : *take a t.* ~ brát co vážně, nebrat co na lehkou váhu
serious-minded [ˈsiəriəsˌmaindid] vážný, s vážnými zájmy
seriousness [siəriəsnis] **1** vážnost **2** opravdovost, náročnost, serióznost **3** závažnost, důležitost, značnost, podstatnost, tíha, velikost **4** náruživost **5** nebezpečnost, kritičnost, vážnost **6** střídmost, nenápadnost, decentnost, střízlivost
seriph [serif] = *serif*
serjeant [sa:džənt] = *sergeant* ◆ *Common* ~ BR titul soudního úředníka města Londýna
serjeant-at-law [ˌsa:džəntətˈlo:] *pl: serjeants-at-law* [ˌsa:džəntsətˈlo:] BR hist. práv. vysoce postavený právník, syndikus
serjeant-at-arms [ˌsa:džəntətˈa:mz] *pl: serjeants-at-arms* [ˌsa:džəntsətˈa:mz] titul parlamentního / soudního pořadatele n. ceremoniáře
sermon [sə:mən] *s* **1** kázání, homilie, též přen. **2** nabádavá řeč, přednáška, mravokárný výklad, učení; dlouhá nudná řeč, sermon ◆ *S*~ *on the Mount* horské kázání, kázání na hoře v evangeliu sv. Matouše; *preach a* ~ *on a t.* dělat kázání o čem; ~*s in stones* kameny, které nás učí ● *v* řidč. = *sermonize*
sermonet, sermonette [ˌsə:məˈnet] kázáníčko
sermonic [sə:ˈmonik] kazatelský
sermonize [sə:mənaiz] **1** kázat, pronášet kázání / homilii; psát kázání **2** řečnit; dělat kázání komu
sermonizer [sə:mənaizə] kazatel
serosity [siəˈrosəti] med. seróznost, vodnatost; tekutý stav **2** serózní tekutina, mok
serotherapy [ˌsiərəuˈθerəpi] med. séroterapie léčení krevním sérem obsahujícím protilátky
serotine [serətin] zool. netopýr pozdní
serotinous [seˈrotinəs] bot. pozdní, pozdně letní, týkající se druhé sušší poloviny léta (*ponds drying up about the beginning of the* ~ *season* rybníky vysýchající asi v druhé polovině léta)
serous [siərəs] med. serózní tekutý; produkující tekutinu; týkající se serózy ◆ ~ *fluid* serózní tekutina; ~ *membrane* serózní blána, seróza
serpent [sə:pənt] **1** kniž. had, též přen. (*a* ~ *that has betrayed your brother* had, který podvedl tvého bratra) **2** též *Old S*~ ďábel, satan **3** hist. had polní dělo menší ráže ze 16. stol. **4** druh ohňostrojové rakety **5** hud. serpent starý dechový nástroj **6** *S*~ hvězd. Had souhvězdí **7** světlezelená barva ◆ ~ *lizard* = *seps; Phar-*

aoh's ~ kužel, po jehož zapálení tvoří popel dlouhý klikatý pruh (chemická hračka)
Serpent Bearer [ˈsə:pənt ˌbeərə] hvězd. Hadonoš souhvězdí
serpent charmer [ˈsə:pənt ˌča:mə] fakír, zaklínač hadů
serpent eater [ˈsə:pənt ˌi:tə] zool. hadilov písař
serpent grass [sə:pəntgra:s] bot. hadí kořen živorodý
serpentiform [səˈpentifo:m] hadovitý
serpentine [sə:pəntain] *adj* **1** hadovitý, hadový, hadí, haditý (řidč.) **2** vinoucí se hadovitě, klikatý, křivolaký, vlnitý, točitý, serpentinový (*a* ~ ~ *road*) **3** jedovatý; úlisný, zrádný, úskočný, licoměrný, falešný, zákeřný (*that* ~ *plotter* ten licoměrný intrikán); ďábelský, satanský (*the* ~ *will to power*) ◆ ~ *dance 1.* had vinoucí se zástup tanečníků *2.* hadí tanec; ~ *motion* hadí / hadovitý pohyb; ~ *road* serpentina; ~ *verse* liter.: verš začínající a končící stejným slovem; ~ *ware* zeleně kropenatá n. pruhovaná keramika; ~ *windings 1.* zákruty, zatáčky, serpentina, serpentiny *2.* úlisnost, úskočnost, zákeřnost; ~ *wisdom* bibl. chytrost hada ● *s* **1** co se hadovitě vine; klikatina, zákrut, zatáčka, serpentina; had (přen.) **2** hadí tanec **3** sport. krokové variance po vlnovce v krasobruslení **4** miner. hadec, serpentin **5** *S*~ BR jezírko v londýnském Hyde Parku **6** hist. had polní dělo menší ráže ze 16. stol. **7** serpentina dlouhý barevný papírový proužek (*everyone throws* ~*s and confetti* všichni házejí serpentiny a konfety) **8** tech. spirála ● *v* **1** vinout se hadovitě, klikatit se **2** úlisně se vetřít jako had
serpent's tongue [sə:pəntstaŋ] bot. jazyk (hadí)
serpiginous [sə:ˈpidžinəs] med. **1** trpící lišejem **2** kožní choroba šířící se, postupující
serpigo [sə:ˈpaigəu] med.: kožní vyrážka, ekzém, lišej
serpula [sə:pjulə] *pl* též *serpulae* [sə:pjuli:] zool. rournatec
serra [serə] *pl: serrae* [seri:] zool. pila, pilovitý orgán **2** bot. pilovitá zubatost okraje listu
serradella [ˌserəˈdelə], **serradilla** [ˌserəˈdilə] bot. ptačí noha setá, seradela (zeměd.)
serrate *adj* [serit] zoubkovaný, vroubkovaný, zubatý, pilovitý ◆ ~ *leaf* bot. pilovitý list ● *v* [seˈreit] zoubkovat, vroubkovat na okraji, udělat zubatý / pilovitý okraj čemu
serrated cutting [seˌreitidˈkatiŋ] polygr. řezání s nerovným okrajem např. zubaté, vroubkované apod.
serrate-dentate [ˈseritˌdenteit] bot. pilovitě zubatý
serrated knife [seˌreitidˈnaif] vroubkový / vroubkovaný nůž
serration [seˈreišən] **1** zoubkování, vroubkování **2** pilovitý okraj; jemné zoubky, vroubky
serrature [serəčə] = *serration*
serrefile [serifail] čast. ~*s, pl* voj. zadní část jezdeckého útvaru složená zejm. z poddůstojníků
serricorn [seriko:n] zool. brouk pilorohý např. páteříček, světluška, pestrokrovečník krasec, kovařík
serried [serid] **1** řada sevřený, hustý, těsný **2** jasný, ucelený (*no* ~ *argument*)
serriferous [seˈrifərəs] zool.: jsoucí s pilovitým orgánem
serriform [serifo:m] pilovitý, zubatý
serrirostrate [ˈseriˌrostreit] zool. pilozubý
serrulate [serjulit], **serrulated** [serjuleitid] jemně pilovitý, měkce pilovitý, jemně zoubkovaný, jemně vroubkovaný
serrulation [ˌserjuˈleišən] jemné vroubkování, jemné zoubkování
serry [seri] (*-ie-*) stlačit | se, sevřít | se
serum [siərəm] *pl* též *sera* [siərə] **1** sérum tekutá složka krve; tato složka krve používaná jako lék **2** očkovací látka **3** bot. mízový mok **4** syrovátka ◆ ~ *accident* med. sérová reakce; ~ *sickness* med. sérová nemoc
serval [sə:vəl] serval skvrnitý (zool.), serval zvíře i kožešina
servant [sə:vənt] **1** sluha, služebník; služka, služebná, služebnice, též přen. (*make atomic energy a* ~ *of man*); pomocná síla, pomocnice v domácnosti **2** ~*s, pl* služebnictvo, čeleď, zaměstnanci; personál **3** státní úředník **4** v dopisech služebník **5** zast. nápadník, ctitel **6** hist.: černošský otrok ◆ ~ *of* ~*s* služebník služebníků Božích papež; *civil* ~ vyšší státní úředník, státní / veřejný zaměstnanec; *domestic* ~ sluha / služka v domě, pomocnice v domácnosti; *general* ~ BR děvče pro všechno, služka která dělá všechny domácí práce; *a good* ~ *but a bad master* pořek. dobrý sluha, ale zlý pán; ~*s' hall* pokoje služebnictva, čeledník; *your humble* ~ BR zast. váš ponížený služebník závěr dopisu; *indoor* ~ *1.* kuchař, kuchařka *2.* sluha, komorník *3.* služka, komorná, pokojská *4.* pradlena; *livery* ~ sluha v livreji, lokaj; *menial* ~ sluha, služka na hrubší práce, podomek; *your obedient* ~ BR s projevem dokonalé úcty závěr úředního dopisu; *outdoor* ~ *1.* štolba, kočí, čeledín *2.* zahradník; *public* ~ státní úředník, státní / veřejný zaměstnanec; ~ *question* problém pomocnic v domácnosti jak je získat a udržet; *railway* ~ BR zaměstnanec dráhy, železničář
servant girl [sə:vəntgə:l] služka
serve [sə:v] *v* **1** sloužit komu / u, být ve službě u (*she* ~*d the family well for ten years*), posluhovat komu; být zaměstnán ve služebním poměru *as* jako (*has* ~*d as a waiter in a restaurant*) **2** konat vojenskou / námořní službu, být na vojně / u námořnictva, bojovat, vojákovat, plavit se, sloužit (*my great-grandfather* ~*d under Nelson*) **3** zastávat úřad, vykonávat funkci *as* koho, být v zaměstnání určitou dobu kým (~ *as a mayor*) obhospodařovat (~ *a region*) **4** círk. mít na starosti, být duchovním správcem čeho (~ *several large parishes* mít na starosti několik velkých farností) **5** obsluhovat v obchodě (*there was no one in the shop to* ~ *me*); být prodavačem, být zaměstnán jako prodavač (~ *in a shop*); prodávat *a p.* komu *with*

co (~ *customer with stockings*) **6** podávat předložit jako pokrm (*roast pork is often ~d with apple sauce* pečené vepřové se často podává s jablečným pyré) *a p.* komu co (~ *the vicar tea* podat vikáři čaj); podávat snídani / oběd / večeři, jíst (*come early, we're serving at six*); nabídnout pokrm (*may I ~ you some tea and cake?*); obsluhovat při stole, servírovat **7** voj. obsluhovat dělo **8** zakládat krmení zvířeti **9** též ~ *out* vydávat, rozdělovat, přidělovat (*rations were ~d (out) to the troops* vojáci dostali svou stravu) **10** zásobovat jako součást veřejných služeb *with* čím, zajišťovat nerušený odběr čeho (*we are well ~d with gas in this town*); být pro, sloužit čemu (*private reservoirs and canals ~ each separate estate* soukromé nádrže a kanály slouží všem jednotlivým sídlům); poskytovat službu / služby, sloužit komu (~ *society*), sloužit veřejnosti **11** sloužit *as a t.* k / za / jako / místo (*seals ~d as signatures* pečetě zastupovaly podpisy); posloužit *for* jako (*this box will ~ for a seat*); do|stačit, vyhovovat, posloužit (*it isn't very good but it will ~ me*); být platný *a p.* komu (*that excuse will not ~ you* ta výmluva ti nebude nic platná) **12** být platný, mít platnost, platit *for* pro, vztahovat se na (*a safeconduct that ~d not only for him but for the entire party* glejt, který se vztahoval nejenom na něho, ale na celou družinu) **13** být v dobrém stavu, fungovat, sloužit (*if memory ~s*) **14** být příhodný / vhodný (*the tide ~s at five o'clock* vhodný příliv je v pět hodin); posloužit, prospět, pomoci, být prospěšný *a p.* komu (*he would be very glad to ~ you*) **15** círk. sloužit (mši), celebrovat **16** círk. ministrovat komu **17** úředně doručit *a t.* co *on a p.* komu / *a p.* komu *with a t.* co (~ *a p. with a writ* doručit předvolání komu) **18** SC práv. přiřknout dědictví **19** zacházet *a p.* s jak, zachovat se ke komu jak (*they have ~d me shamefully* zachovali se ke mně hanebně); provést komu dobré / zlé **20** dát, zasadit ránu **21** samec krýt, pokrývat, pokládat samici, skákat na samici **22** zast. dvořit se dámě, být nápadníkem dámy **23** odpykávat si trest, sedět ve vězení **24** oplétat, potahovat lano; oplétat, omotávat ochranným obalem **25** sport. podat, podávat, servírovat, mít jaké podání, mít jaký servis (*she ~s well*) ◆ ~ *afloat* námoř. sloužit na lodi; ~ *one's apprenticeship* vy|učit se řemeslu; ~ *one's country* konat poslaneckou službu v parlamentě; ~ *one's desire* uspokojit své touhy; ~ *the devil* sloužit ďáblu, žít bezbožně / neřestně; *dinner is ~d* večeře je připravena, prosím k večeři, podává se večeře; ~ *to do a t.* prostředek dovést, umět, dokázat udělat co (*nothing ~d to quiet him so much as these concerts* nic ho nedokázalo tak uklidnit jako tyto koncerty; ~ *a fault* sport. dát špatné podání při tenisu; *First come first ~d* pořek. Kdo dřív přijde, ten dřív mele; ~ *God* sloužit Bohu, být hodný, žít zbožně / ctnostně; ~ *the hour* = ~ *the time;* ~ *an indictement* doručit obžalovací spis; ~ *an injuction* doručit soudní zákaz; *it will* ~ to stačí; ~ *on a jury* práv. být v porotě / porotcem / členem poroty; ~ *life* AM být odsouzen na doživotí; ~ *before the mast* námoř. sloužit jako námořník; ~ *two masters* pořek. sloužit dvěma pánům, sedět na dvou židlích; *that is enough to ~ one a month* s tím člověk vystačí celý měsíc; ~ *a p.'s need 1.* vyhovovat komu *2.* posloužit komu; *nothing ~s but a t.* pomůže pouze co, lze přistoupit pouze na co; *as occasion ~s* při vhodné příležitosti, když se naskytne příležitost; ~ *the purpose of a t.* sloužit zájmům čeho, podporovat co; ~ *a p. right* dát / stát se po zásluze komu; (*it*) *~s him right* dobře mu tak, má, co si zasloužil; ~ *a sentence 1.* odpykávat si trest ve vězení, být ve vězení, sedět *2.* odsedět si to, odkroutit si to (slang.); ~ *to show a t.* dokazovat co, být jasným dokladem čeho, sloužit jako příklad čeho; ~ *in a p.'s stead* zastupovat koho; ~ *a subpoena on a p.* doručit soudní obsílku komu, předvolat k soudu koho; ~ *at table* obsluhovat při jídle; ~ *tables* dávat přednost světským věcem před duchovními; ~ *tea 1.* podávat čaj *2.* podávat odpolední svačinu; ~ *time* = ~ *a sentence;* ~ *one's time* být zaměstnán, pracovat, sloužit po určenou dobu, kroutit (slang.); ~ *the time* plout s proudem, chovat se oportunisticky; ~ *a p. a (dirty) trick* provést komu špinavost / lumpárnu; ~ *a p.'s turn 1.* vyhovovat komu *2.* posloužit komu, prokázat komu službu; ~ *well* vyplatit se **serve out 1** odplatit to *a p.* komu **2** dopracovat, dosloužit, spočítat *to* komu *for* za **serve round** nabízet všem např. zákusky **serve up** podat, na|servírovat pokrm *a p.* komu (*~d him up a hearty dinner*) ● *s* sport. podání, servis (*whose ~ is it?* kdo má servis?)

server [sə:və] **1** obsluhující, jídlonoš, číšník, servírka **2** vozík k převážení pokrmů; servírovací příbor; kávový / čajový servis s podnosem bez šálků; podnos, tác; jídlonosič, „teplý vůz" **3** círk. ministrant **4** sport. podávající hráč, hráč, který má servis

servery [sə:vəri] přípravna místnost, kde jsou připraveny pokrmy k roznášení

serve-yourself [ˌsə:vjo:ˈself] : ~ *store* AM samoobsluha

Servian[1] [sə:vjən] = *Serbian*

Servian[2] [sə:vjən] antic. servijský podle římského krále Servia Tullia (578–534 př. n. l.)

service[1] [sə:vis] *s* **1** služba zaměstnání sluhy / služky (*she was in ~ before her marriage*), služby (*Miss White has been in our ~ for five years*); sloužení **2** služba, služby zaměstnání správního rázu, ve kterém je zaměstnavatelem stát apod. (*the Diplomatic S~*); státní / vládní služba **3** služební povinnost; výkon služby **4** služba činnost v něčí prospěch (*do you need the ~s of a doctor?*); též *~s, pl* služba, služby *to* **5** hist.: feudální služba, povinnost, odvod, platba, deputát, robota **6** nemocniční oddělení, služba (*pediatric* ~) **7** služba, služby organizovaná činnost, zaměřená na určitý úkol; organizace takovou službu zajišťující (*a good postal* ~); funkce, provoz této služby; zapojení na tuto službu **8** služba, podpora, pomoc, laskavost; úsluha; přiznání úcty **9** služba zákazníkům, servis; užitek, použití; přen. pohodlí (*a vending machine set up for the* ~ *of casual passers-by* prodejní automat, instalovaný pro pohodlí kolemjdoucích chodců) **10** obsluha (*the food is good, but the* ~ *is poor* jídlo je dobré, ale obsluha je špatná); obsluhování, servírování při stole **11** opravna, servis, opravářská / údržbářská služba, údržba; správkárna; autospravkárna, motospravkárna, autoservis **12** voj. jedna ze složek ozbrojených sil, zbraň; ~*s, pl* vojsko, námořnictvo, letectvo, armáda; AM nebojová / pomocná služba **13** vojenská služba, vojenské povolání, povolání vojáka / námořníka / letce **14** boj, bojová akce; vojenská operace, vojenské tažení **15** voj. obsluha děla **16** círk. bohoslužba, bohoslužby, bohoslužebné shromáždění; liturgie; náboženský / církevní obřad, ritus; mše, požehnání **17** hud. duchovní hudba, zpívaná část liturgie, liturgický zpěv, zpívaná mše (*Mozart's* ~ Mozartova mše); zpívané hodinky **18** též ~ *book* círk. modlitební kniha; zpěvník; misál; graduál; usuál; rituál **19** dopravní / lodní / letecká linka, pravidelná trať, doprava; dopravní provoz, spoj, pravidelné dopravní spojení, pravidelný let, pravidelná jízda; ~*s, pl* přen. jízdní řád (*summer* ~*s resume next week* letní jízdní řád vstoupí opět v platnost příští týden) **20** příbor, servis (*a tea* ~ *of 50 pieces*); círk. bohoslužebné nádoby, náčiní; toaletní náčiní **21** práv. úřední dodání např. obsílky **22** námoř. oplétání, potahování lan; potah, chránič lana; potahový materiál, motouzek k ovíjení lana proti odírání **23** sport. podání, servis (*whose* ~ *is it?* kdo má servis?) **24** tech.: vodovodní / plynová / telefonní přípojka; ~*s, pl* BR inženýrská síť **25** po|krytí, pokládání samice samcem **26** zast. dvoření, rytířská služba dámě ◆ *accept* ~ *of subpoena* práv. obdržet obsílku k soudu; *on active* ~ voj. v činné službě; ~ *with the armed forces* voj. vojenská služba; *attend the* ~ *1.* jít na bohoslužbu / na mši *2.* být na bohoslužbě / na mši; *be at a p.'s* ~ být komu k službám; *be in* ~ být ve službě, sloužit; *be of* ~ být užitečný (*will it be of any* ~ *to you?* můžeš toho použít, bude ti to k něčemu?); *bus* ~ *1.* autobusová doprava *2.* autobusová linka; *charter* ~ let. mimořádný let, speciál; *civil* ~ státní služba, úřednictvo, úřednický stav; *Civil S*~ BR veřejná správa; *community* ~ veřejné služby, veřejná zařízení; *compulsory* ~ základní vojenská služba, vojna (hovor.); *conduct the* ~ mít / sloužit bohoslužbu / mši, celebrovat; *delivery* ~ dodávková služba; *devote one's* ~ *to a t.* věnovat se čemu, zasvětit svůj život čemu; *dial* ~ sděl. tech. automatický provoz pomocí volacích čísel; *divine* ~ bohoslužba; *do a p. a* ~ prokázat službu komu; *emergency* ~*s* tísňové služby, pohotovost hasiči, policie, záchranná služba; *enquiry* ~ poptávková služba; *enter the* ~ *of* vstoupit do služby ke komu; *fighting* ~*s* armáda, ozbrojené síly; *field* ~ služba / práce v zahraničí / v terénu; ~ *at the front* voj. frontovní služba; *full* ~ *1.* liturgie zpívaná sborem bez sólistů *2.* bohoslužba s duchovní hudbou, zpívaná mše; *go into* ~ *to a t.* být závislý na čem; *hard* ~ těžká / tvrdá služba, tvrdý chlebíček (přen.); *have* ~*s of a p.* mít koho k dispozici (*you have the* ~*s of interpreters* tlumočníci jsou vám k dispozici); *health* ~ zdravotní služba, zdravotnictví; *preventive health* ~ zdravotnická prevence; *intelligence* ~ zpravodajská služba; *janitor's* ~ AM úklid; *lifeboat* ~ BR / *lifesaving* ~ AM námořní záchranná služba; *give lip* ~ *to a t.* | *a p.* 1. chválit, oslavovat, uznávat, podporovat co | koho neupřímně n. z donucení *2.* pochlebovat komu *3.* propagovat co bez vlastního přesvědčení; *on her* / *his Majesty's* ~ BR služební věc označení úřední zásilky; *manual* ~ sděl. tech. manuální provoz / obsluha; *news* ~ zpravodajství, zpravodajská / tisková kancelář; *passenger* ~ *1.* osobní doprava *2.* linka osobní dopravy; *perform* ~*s* poskytovat veřejné služby, zajišťovat služby; *personal* ~ práv. osobní doručení např. žaloby; *plain* ~ tichá bohoslužba, tichá mše; ~ *of plate* jídelní příbor; *Press* ~ tiskové oddělení, tisková služba; *public* ~ služba veřejnosti; ~ *by publication* práv. vyhlášení tiskem; *put into* ~ *1.* zařadit do dopravního spoje (*put bus into* ~) *2.* spustit loď; *ready for* ~ k okamžitému použití; *render a p. a* ~ prokázat službu komu; *repair* ~ opravna, správkárna, servis (*automobile repair* ~ autospravkárna, autoservis); ~ *of the road* provoz na nezpevněných cestách; *secret* ~ tajná služba; *see active* ~ zúčastnit se bojové akce, bojovat, válčit; *have seen* (*long*) ~ *1.* člověk mít toho hodně za sebou, hodně toho prožít *2.* věc být opotřebovaný, ošuntělý, otřískaný apod.: *he has seen much* ~ je to starý / ostřílený voják; *S*~ *above Self* blaho celku má přednost před blahem jednotlivce; *shoe-repair* ~ správkárna obuvi; *shuttle* ~ kyvadlová doprava; *social* ~*s 1.* sociální péče *2.* sociální zařízení; *staff* ~ obsluhující personál; *still in* ~ dosud v provozu, dosud sloužící / fungující; ~ *by substitution* práv. náhradní doručení; *take a p. into one's* ~ přijmout k sobě do služby koho; *take* ~ *with* vstoupit do služby ke komu; *train-ferry* ~ trajektní přeprava *2.* trajektní linka k vlaku; *welfare* ~ sociální péče ● *adj* **1** týkající se veřejných služeb / služeb pro veřejnost **2** služební; podnikový, firemní; provozní **3** armádní, vojenský (*a* ~ *newspaper*) **4** servisní, opravářský, týkající se údržby **5** sub-

dodavatelský ● *v* **1** obsluhovat **2** konat pomocné služby pro, sloužit čemu **3** provádět servisní údržbu čeho, starat se o údržbu čeho, zajišťovat servis čeho **4** zásobovat náhradními součástkami **5** zásobovat zprávami, informovat **6** filat. opatřit razítkem prvního dne **7** samec krýt, pokrývat, pokládat samici, skákat na samici ◆ ~ *the debt* ekon. konat dluhovou službu, platit úrok a úmor; ~ *a product* zejm. AM provádět servis / údržbu výrobku
service² [sə:vis] **1** bot. jeřáb oskeruše **2** oskeruše strom i plod
serviceability [ˌsə:visəˈbiləti] **1** užitečnost, upotřebitelnost, praktičnost **2** pevnost, solidnost
serviceable [sə:visəbl] **1** užitečný, upotřebitelný (*a ~ friend*); vhodný, dobře vyhovující svému účelu, praktický (*a ~ knife*) **2** pevný, solidní, štrapační (*~ shoes*) ◆ *be ~* sloužit, vyhovovat svému účelu
service advertising [ˌsə:visˈædvətaiziŋ] propagace, reklama učící správně používat výrobku
service ammunition [ˈsə:visˌæmjuˈnišən] voj. ostré střelivo
service area [ˌsə:visˈeəriə] **1** sděl. tech. oblast pokrytí vysílačem **2** sděl. tech. provozní prostor kolem vysílače **3** voj. týlový prostor **4** parkoviště s čerpadlem a motorestem
service band [ˌsə:visˈbænd] sděl. tech. služební / vyhrazené pásmo
serviceberry [ˈsə:visˌberi] (*-ie-*) bot. oskeruše plod
service board [ˌsə:visˈbo:d] elektr. domovní rozvodnice
service book [sə:visbuk] círk. modlitební kniha; zpěvník; misál; graduál; usuál; rituál
service box [ˌsə:visˈboks] **1** poklop hydrantu **2** elektr. hlavní domovní skříň
service brake [ˌsə:visˈbreik] nožní brzda
service bus [ˌsə:visˈbas] AU autobus
service capacity [ˌsə:viskəˈpæsəti] jmenovitý / štítkový výkon motoru
service car [ˌsə:visˈka:] **1** služební vůz **2** AU autobus
service card [ˌsə:visˈka:d] služební průkaz, legitimace
service cartridge [ˌsə:visˈka:tridž] voj. ostrý náboj
service charge [ˌsə:visˈča:dž] **1** přirážka za obsluhu v restauraci **2** manipulační poplatek
service compartment [ˌsə:viskəmˈpa:tmənt] želez. služební oddíl
service copy [ˌsə:visˈkopi] informační text, návod
service court [ˌsə:visˈko:t] tenis pole podání
service door [ˌsə:visˈdo:] vchod pro zaměstnance
service dress [ˌsə:visˈdres] voj. vycházková uniforma
service engineer [ˈsə:visˌendžiˈniə] údržbář
service entrance [ˌsə:visˈentrəns] vchod pro služebnictvo n. dodavatele
service fee [ˌsə:visˈfi:] poplatek za výkon n. služby
service flat [ˌsə:visˈflæt] BR byt s celým zaopatřením, hotelový byt tj. s úklidem, event. stravováním
service fuse [ˌsə:visˈfju:z] elektr. hlavní pojistka u odběratele
service hatch [ˌsə:visˈhæč] BR okénko u kuchyně do jídelny na podávání pokrmů
service industry [ˌsə:visˈindəstri] služby obyvatelstvu
service instructions [ˌsə:visinˈstrakšənz] **1** provozní předpisy; služební předpisy **2** návod k obsluze
service jacket [ˌsə:visˈdžækit] vojenská blůza, frenč
service life [ˌsə:visˈlaif] životnost stroje
service line [ˌsə:visˈlain] tenis servisová čára
service load [ˌsə:visˈləud] **1** let. užitečný náklad **2** užitečné / provozní / pracovní zatížení **3** ložná váha
serviceman [sə:vismæn] *pl: -men* [-men] **1** příslušník branných sil, voják **2** pracovník servisní služby
service manual [ˌsə:visˈmænjuəl] příručka služebních předpisů
service module [ˌsə:visˈmodju:l] kosm. servisní modul
service parts [ˌsə:visˈpa:ts] náhradní součástky
service pilot [ˌsə:visˈpailət] vojenský letec
service pipe [ˌsə:visˈpaip] tech. přípojka
service pistol [ˌsə:visˈpistl] služební pistole
service plate [ˌsə:visˈpleit] servírovací mísa, servírovací podnos
service practice [ˌsə:visˈpræktis] voj. cvičná střelba
service regulations [ˈsə:visˌregjuˈleišənz] služební řád, provozní předpisy
service road [ˌsə:visˈrəud] obslužná / přístupová silniční komunikace
service school [ˌsə:visˈsku:l] vojenská škola
service secret [ˌsə:visˈsi:krit] služební tajemství
service shop [ˌsə:visˈšop] údržbářská dílna, servis
service speed [ˌsə:visˈspi:d] **1** provozní rychlost **2** hospodárná cestovní rychlost **3** rychlost válečné lodi ve službě
service stair [ˌsə:visˈsteə] vedlejší schody
service station [ˌsə:visˈsteišən] **1** služebna **2** benzínová stanice / pumpa, benzínové čerpadlo se servisem **3** autoservis
service store [ˌsə:visˈsto:] AM podnik zajišťující služby obyvatelstvu např. prádelna
service stripe [ˌsə:visˈstraip] AM proužek na rukávě označení tří (v armádě a letectvu) n. čtyř (v námořnictvu) služebních let
service tree [sə:vistri:] bot. jeřáb oskeruše
service troops [ˌsə:visˈtru:ps] zásobovací oddíly
service water [ˌsə:visˈwo:tə] užitková voda
service woman [ˌsə:visˈwumən] příslušnice branných sil
service work [ˌsə:visˈwə:k] sociální péče v podniku
servicing [sə:visiŋ] **1** obsluha **2** údržba, servis **3** v. *service, v*

servient [sə:viənt] práv. služebný, sloužící ◆ ~ *tenement* práv. sloužící pozemek
serviette [ˌsə:viˈet] ubrousek, servieta, servítek
servile [sə:vail] **1** otrocký, otročící, nevolnický (~ *antecedents* předchůdci v postavení otroků, ~ *station*); porobený, poddanský **2** bezduchý, otrocký (*a* ~ *imitation*), otrocky lpící *to* na (*too* ~ *to the authority of older dictionaries*) **3** sluhovský, služebnický, posluhovačský, podlézavý, patolízalský, otrocký, servilní (~ *attitude* servilní přístup, *a* ~ *old man*) **4** jaz. řidč. nepatřící ke kmeni slova, příponový; prodlužující předcházející samohlásku (*the* e *in* stone *is* ~) **5** círk. fyzický, manuální, služebný (~ *works*) ◆ ~ *class 1.* třída otroků *2.* vrstva služebnictva, služebnictvo; ~ *war* hist. vzpoura otroků, válka otroků
servility [sə:ˈviləti] **1** přisluhovačství, bezpáteřnost, službičkování, poklonkování, podlézavost, patolízalství, servilnost **2** otrockost; nesamostatnost, nepůvodnost **3** = *servitude, 1, 2*
serving [sə:viŋ] *adj* **1** servírovací (*a low* ~ *bench* nízká servírovací lavice) **2** voj. aktivní, v činné službě (*a* ~ *officer in the British army*) **3** v. *serve, v* ● *s* **1** obsluha **2** porce pokrmu **3** v. *serve, v*
serving hatch [ˌsə:viŋˈhæč] = *service hatch*
servingman [sə:viŋmæn] *pl: -men* [-men] zast. služebník, sluha
Servite [sə:vait] círk. servita člen mnišského řádu založeného v 13. stol. k uctívání Panny Marie
servitor [sə:vitə] **1** zast. bás. sluha, číšník; přívrženec, družiník **2** BR hist. stipendista, student-sluha na oxfordské univerzitě, který si odpracovává část školného posluhováním profesorům
sə:vitəšip [sə:vitəšip] BR stipendium na oxfordské univerzitě, spojené s posluhováním profesorům
servitude [sə:vitju:d] **1** otroctví, nevolnictví **2** zotročení, poddanství, poroba, porobenost, područí, útlak, útisk **3** práv. služebnost **4** též *penal* ~ donucovací práce zejm. na doživotí
servo [sə:vəu] *s* **1** = *servomechanism* **2** = *servomotor* **3** = *servobrake* ● *v* řídit servomechanismem
servobooster [ˌsə:vəuˈbu:stə] tech. servomotor
servobrake [sə:və*u*breik] tech. strojní brzda, servobrzda (slang.)
servomechanism [ˈsə:və*u*ˌmekənizəm] tech. **1** servomechanismus mechanismus, kterým se zvětšuje síla při ručním n. automatickém ovládání stroje **2** servořízení
servomotor [ˈsə:və*u*ˌməutə] tech. servomotor pomocný motor
servotab [sə:və*u*tæb] let. Flettnerova klapka, odlehčovací ploška
sesame [sesəmi] **1** sezam; sezam indický (bot.) **2** sezam semena sezamu **3** = *sesam oil* **4** přen. klíč (*recognition that wealth, power, fame are not* ~ *to happiness* poznání, že bohatství, moc a sláva nejsou klíčem ke štěstí) ◆ *open* ~ sezame, otevři se heslo otvírající cestu k pokladu
sesame oil [ˌsesəmiˈoil] sezamový olej
sesamoid [sesəmoid] *adj* **1** bot. sezamovitý **2** med. sezamský ● *s* = *sesamoid bone*
sesamoid bone [sesəmoidbəun] anat. sezamská kůstka
seseli [sesəli] bot. sesel
sesquialter [ˌseskwiˈæltə] *adj* = *sesquialteral* ● *s* **1** = *sesquiocellus* **2** = *sesquialtera*
sesquialtera [ˌseskwiˈæltərə] hud. **1** čistá kvinta **2** triola z tří půlových not **3** mixtura varhanní rejstřík
sesquialteral [ˌseskwiˈæltərəl] jeden a půlkrát tak velký, jsoucí v poměru 3:2
sesquibasic [ˌseskwiˈbeisik] chem. seskvibázický
sesquicentennial [ˌseskwisenˈtenjəl] *s* stopadesáté výročí ● *adj* týkající se stopadesátého výročí
sesquinonal [ˌseskwiˈnəunl] jsoucí v poměru 10:9
sesquiocellus [ˌseskwioˈseləs] zool. oko, očko
sesquioctaval [ˌseskwiokˈteivl] jsoucí v poměru 9:8
sesquioxide [ˌseskwiˈoksaid] chem. seskvioxid
sesquipedalian [ˌseskwipiˈdeiljən] žert.: slovo dlouhý půldruhé stopy, dlouhý jako Lovosice
sesquiplane [ˌseskwiˈplein] let. jedenapůlplošník, seskviplán
sesquiplicate [sesˈkwiplikit] jsoucí v poměru $n^3 : n^2$
sesquiquartal [ˌseskwiˈkwo:tl], **sesquiquartus** [ˌseskwiˈkwo:təs] jsoucí v poměru 6:4
sesquiquintal [ˌseskwiˈkwintl] jsoucí v poměru 6:5
sesquiseptimal [ˌseskwiˈseptiml] jsoucí v poměru 8:7
sesquisextal [ˌseskwiˈsekstl] jsoucí v poměru 7:6
sesquisulphide [ˌseskwiˈsalfaid] chem. seskvisulfid
sesquitertia [ˌseskwiˈtə:šə] hud. čistá kvarta
sesquitertial [ˌseskwiˈtə:šəl] jsoucí v poměru 4:3
sesquitone [ˌseskwiˈtəun] hud. malá tercie
sess [ses] = *cess*
sessile [sesl] **1** bot. přisedlý **2** zool. přisedlý, přirostlý, jsoucí bez stonku
session [sešən] **1** zasedání; zasedací doba **2** schůze, shromáždění, konference, sezení, porada **3** burzovní zasedání, burzovní den **4** ~*s, pl* úřední soudní jednání smírčího soudu **5** BR školní / akademický rok; vyučování doba, vyučovací směna; kurs **6** AM školní běh, pololetí, semestr (*summer* ~) **7** SC akademický rok **8** círk. rada starších presbyteriánské církve **9** pravidelný večírek, pravidelná schůzka, slezina (hovor.) **10** řidč. sezení, posazení, posezení ◆ *be in* ~ zasedat; *bull* ~ debata, diskuse, diskusní večer; *Brewster S*~ BR zasedání, při kterém se udělují koncese k prodeji alkoholických nápojů; *call a* ~ svolat zasedání; *closed* ~ zasedání s vyloučením veřejnosti; *Court of S*~ SC nejvyšší soud civilní; *declare a court in* ~ prohlásit zasedání za zahájené; *double* ~*s* dopolední i odpolední vyučování, vyučování na směny; *jam* ~ džezový večírek, džezová slezina zejm. pro vlastní potěšení hudebníků; *petty* ~*s* BR jednání smírčího soudu bez poroty; *plenary* ~ plenární schůze / zasedání, valná hromada; *recording* ~ nahrávací frekvence

sessional [sešənl] zasedací ◆ ~ *order* zasedací řád
sesterce [sestə:s] antic. sestercius jednotka stateřímské měny; mince představující tuto hodnotu
sestertium [se'stə:tjəm] *pl: sestertia* [se'stə:tjə] antic. tisíc sesterciů
sestertius [se'stə:šəs] *pl: sestertii* [se'stə:šiai] = *sesterce*
sestet [ses'tət] **1** hud. sextet; sexteto **2** liter. posledních šest veršů znělky
sestina [se'sti:nə] liter. sestina forma lyrické básně
set [set] *v* (*set, set; -tt-*) **I.** dát na trvalé / určené místo; být na trvalém / určeném místě **1** dát, stavět, postavit kam (*she ~ the dishes on the table* postavila mísy na stůl), klást (*~ duty before pleasure* klást povinnost před zábavu) **2** umístit, postavit, rozmístit, rozestavit (*~ pickets around the camp* rozestavit kolem tábora stávkové hlídky), dát na určené místo, připravit umístěním (*~ chairs for the visitors*) **3** situovat, položit (*town ~ in the woodlands* město v lesích) **4** dát, přiložit co *to* k (*~ a glass to one's lips*); dát *to* na, vtisknout na, přitisknout na, připevnit k, opatřit čím (*~ one's seal to a document* opatřit listinu pečeti); vtisknout polibek **5** sít, zasít (*~ seeds* zasít semena), sázet, zasadit, vysadit (*~ plants*); sázet / vysazovat rostliny (*in some cases ~ting is preferable to sowing* v některých případech je lepší sázet nežli sít) **6** zasadit, zarazit, zatlouci *in* do (*he ~ the stake in the ground* zatloukl kolík do země) **7** tech. zatáhnout nýt **8** zarazit hřebík zarážečem hřebíků **9** zdít, klást, pokládat cihly **10** montovat, namontovat, přimontovat, zamontovat, dát dohromady, připravit k provozu **11** hud. transponovat (*~ a melody half a tone higher*) **12** prostřít stůl, dát na stůl (*~ the table for five people*) **13** připravit se ke startu (*we were all ~ to go*) **14** na|směrovat (*~ a frame aerial* nasměrovat rámovou anténu) **15** lovecký pes stavět, vystavovat, značit zvěř **16** nařídit, nastavit přístroj (*~ the camera to infinity* nastavit fotoaparát na nekonečno, *~ a dial on an oven* nařídit regulátor trouby) **17** nastavit, seřídit radlici pluhu **18** na|časovat zapalovač **19** na|ostřit, na|brousit pilu, rozvádět zuby pily; obtáhnout břitvu **20** med. na|rovnat, srovnat, spojit, napravit, upevnit, fixovat zlomeninu; dát do kloubu; zlomenina srůst **21** med. vsadit umělý chrup; zasadit zuby do zubní protézy **22** srovnat | si, na|řídit | si, vy|regulovat | si hodinky (*~ one's watch by the time signal on the radio*); nařídit | si, natáhnout na zvonění (*~ the alarm clock* nařídit budíka na zvonění) **23** na|líčit / nastražit past *for* na; zaseknout rybu **24** hud. na|ladit (*~ a piano too high*); připravit | si rejstříky ve volné kombinaci, na|rejstříkovat volnou kombinaci **25** obrátit vzhůru zvon **26** napnout motýla **27** voj. rozvinout řadu k boji **28** stanovit číslo paprsku před tkaním; určit / stanovit délku / šířku tkaniny **29** určit, stanovit (*~ a wedding day*); vymezit, vyhradit; vytyčit (*~ a landmark*); dát, uložit, položit, předložit (*the teacher ~ the boys a difficult problem*), určit, předepsat, přikázat (*she ~ the servant various tasks*); uložit, určit, dát cvičení (*how far did I ~ you?* kam až jsem vám to dal / uložil?, až kam jste to ode mne měli?) **30** dát, vytyčit, zvolit, začít jako vzor (*preferred to work on lines ~ by his predecessor* dával přednost tomu pracovat podle zásad vytyčených jeho předchůdcem) **31** nasadit | si, narovnat | si (*~ one's cap*); oblek sedět, padnout (*a well-tailored jacket ought to ~ well* dobře na míru ušité sako má padnout jako ulité); SC slušet **32** nebeské těleso klesnout za obzor, zmizet za obzorem, zapadnout, zajít (*it will be cooler when the sun has / is ~*) **33** sláva blednout, hasnout, pohasínat **34** nasazovat (*~ a hen* nasazovat kvočnu na vejce, *~ eggs* nasazovat vejce pod kvočnu); dát / vložit vejce do umělé líhně; kvočna sedět na vejcích / zasedat na vejce **35** posadit (*~ a man on horseback, ~ a child in a highchair*); dosadit (*~ a king on a throne* dosadit krále na trůn), též mat.; zast. posadit se, zasednout **36** zhudebnit, napsat / z|komponovat hudbu k **37** vsadit peníze; riskovat při hře **38** ústřice přisedat **39** div. výtvarně připravit, udělat / postavit výpravu na (*~ the scene, ~ the stage* postavit na jeviště výpravu); postavit jeviště **40** nasvítit jeviště **41** polygr. sázet, vysadit (*~ a page*) **42** polygr. srovnat, zarovnat vlepenou stránku **II.** uvést do pevného stavu; ztuhnout **1** dát / nechat ztvrdnout / ztuhnout / zaschnout **2** z|působit z|tuhnutí čeho (*heat ~s eggs and cold ~s jellies* vejce tuhnou horkem a rosoly tuhnou chladem) **3** učinit nepohyblivým n. pevným (*rust has ~ the weathercock* korouhvička je zarezavělá a proto se netočí), za|fixovat, stabilizovat **4** pevně stisknout, zatnout zuby; sevřít rty **5** srážet (*heat ~s milk*) **6** učinit stálým, zpevnit barvu **7** způsobit, že vyspěje co (*too much exercise may ~ a boy's muscles* nadmíra tělocviku může vést k vyvinutí chlapeckých svalů) **8** z|tvárnit, z|formovat umělou hmotu **9** dát / nahodit vrchní vrstvu omítky na (*~ the wall*) **10** utáhnout matici **11** dát ustát mléko, aby se vytvořila smetana **12** z|tvrdnout, z|tuhnout (*some kinds of concrete ~ more quickly than others* některé druhy betonu tvrdnou rychleji než jiné) **13** schnout, zasychat (*this ink ~s rapidly*); nátěrový film zatahovat se **14** přetvářet se, deformovat se vnitřním pnutím; kov deformovat se, ohnout se, z|kroutit se namáháním; narovnat napařením **15** usazovat se, sedimentovat; půda sednout se, slehnout se **16** sval natáhnout se, napnout se; postava vyvinout se, vyspět (*his body has / is ~*); povaha stát se hotovým, ustálit se, usadit (*his character has / is ~*) **17** kyvadlo zůstat stát **18** mléko srazit se, zkysat, zdrcnout se (hovor.) **19** názor klonit se *to / with* k, *against* proti **20** oko obracet se v sloup **21** počasí ustálit se **22** smetana ustát se na povrchu mléka **23** vejce uvařit se na tvrdo **24** vlasy upravo-

vat se zejm. ondulací, držet účes **III.** uvést do činnosti **1** dát, rozkázat, poručit *a p.* komu *to do a t.* dělat co, poslat koho dělat co (*he* ~ *the servant to chop wood*) **2** dát se, pustit se *to* do (*it's time we* ~ *to work*) **3** + *doing* přimět, při|vést k dělání čeho, donutit dělat co (*the news* ~ *me thinking*), způsobit, aby kdo / co udělal co, že kdo začne dělat co, že se dá do čeho (*what has* ~ *the dog barking?* na co ten pes začal štěkat?; ~ *a-ringing* rozezvučet, rozhoupat zvon; ~ *flying* rozehnat, rozprášit, zahnat na útěk; ~ *going* zapnout, spustit motor / stroj; ~ *laughing* rozesmát; ~ *ringing* rozezvučet, začít zvonit čím atd.), dráždit k dělání (*the smoke* ~ *her coughing* kouř ji dráždil ke kašli) **4** štvát, poštvat **5** dát zkvasit; dát vykynout těsto **6** květ nasazovat na plod; plod nalévat se; rostlina dělat, tvořit semena; hnojivo vytvořit, udělat, popohnat vytvoření / nasazování čeho (*this liquid helps to* ~ *the tomatoes*) **7** dát n. dostat směr; vítr táhnout, vát, foukat (*the wind* ~*s from the west*); proud mít směr, směřovat, proudit, téci; hnát (*the current* ~ *us to the northward*) **8** postrkovat / odstrkovat sochorem / bidlem, odpichovat loď **9** dopravit, přepravit, převézt (*a ferry* ~ *them across the river* přes řeku je přepravil převoz) **10** začít zpívat, intonovat, dát tón pro (~ *a psalm* zaintonovat žalm), zanotovat píseň **11** mat. položit, vést čáru **12** domino začít čím, vynést co, jako první položit co **13** bridž přimět k porážce při jaké licitaci (*only perfect defense could* ~ *four spades* vylicitované čtyři piky se daly porazit jen dokonalou obranou); přimět soupeře k pádu **14** odb. upravit, zušlechtit, apretovat kůži **IV.** spojení s předložkou: **1** dát se, pustit se *about a p.* do, vzít do parády, napadnout koho **2** cenit si co *above* výše než, pokládat co za vzácnější než (~ *a t. above rubies* cenit si co víc než rubíny) **3** poslat, poštvat *after* za, vybídnout k pronásledování koho **4** opřít *against* o, postavit k (~ *a ladder against the wall* postavit žebřík ke zdi) **5** obracet se, stavět se *against* proti (*public opinion is* ~*ting against the proposal* veřejné mínění se staví proti tomuto návrhu) **6** srovnat, porovnat *against* s, konfrontovat s **7** stavět, štvát, poštvat, popudit *against* proti (*war that* ~*s brother against brother*), rozeštvat koho s kým **8** stanovit částku *at* ve výši (~ *bail at 500 dollars* stanovit kauci na 500 dolarů) **9** odhadovat částku *at* co (*fire losses were* ~ *at a million dollars* škody způsobené požárem byly odhadnuty na milión dolarů) **10** poslat, poštvat, hnát *at* na / proti **11** dát se, divoce pustit se *at* do, vrhnout se na **12** bridž způsobit, že soupeř neudělá kolik zdvihů *at* při jaké licitaci (*we* ~ *them two tricks at four spades* při „čtyřikrát piky" spadli o dva zdvihy) **13** předložit co *before* komu (*we* ~ *food and drink before the travellers*) **14** předložit, předestřít, navrhnout co *before* komu (~ *a plan before a p.*) **15** informovat *a t.* o *before* koho, vylíčit co komu **16** konfrontovat co *before* s čím **17** cenit si *by* koho **18** určit jako povinnost, předepsat *for* k dosažení / absolvování čeho, pro (*what books have been* ~ *for the Cambridge Certificate next year?*) **19** hud. upravit, aranžovat, instrumentovat *for* pro **20** vložit, dát *in* do (~ *flowers in water*), vsadit, zasadit do (~ *a diamond*), zalít do / čím (*glass panes* ~ *in lead* zalít skleněné tabulky do olova); zapustit do, uložit do / v (*a heavy lathe* ~ *in concrete* těžký soustruh zakotvený v betonu) **21** nasadit, navléknout *on* na **22** poslat, štvát, poštvat *on* na / proti (~ *the dogs on an intruder* poslat na vetřelce psy) **23** ležet, tlačit *on* v (*the pudding* ~ *heavily on his stomach* nákyp ho tlačil v žaludku) **24** učit, jmenovat, dosadit *over a p.* nad / aby řídil koho / šéfoval komu, jmenovat koho vedoucím apod. koho (~ *a p. over others*) **25** proudit *through* čím (*a strong current* ~ *through the channel* průplavem proudil silný proud) **26** zbásnit, z|komponovat, napsat, udělat *to* na / k (~ *new words to an old tune*) **27** tanečník postavit se čelem *to* k (~ *to partners*) **28** polygr. být vysazen *to* na jakou šířku, sázet na jakou šířku **29** otočit, obrátit *toward* směrem k **30** vykládat *with* čím (*sword handle* ~ *with diamonds* jílec meče vykládaný démanty), posázet čím (*a crown* ~ *with jewels* koruna posázená drahokamy), osázet *with* čím; přen. posít čím (*the sky seemed to be* ~ *with diamonds* zdálo se, že je obloha poseta démanty) **31** názor klonit se *with* k **32** souhlasit, jít dohromady *with* s (*his behaviour does not* ~ *well with his years* jeho chování nejde dost dobře dohromady s jeho věkem) **33** vrhnout se *upon* na, obořit se na, dát se do **34** pokrm ležet, tlačit *upon* v žaludku ◆ ~ *in action* spustit, uvést do chodu; ~ *one's affections on a p.* věnovat své sympatie komu, oblíbit si koho; ~ *one thing against another* postavit jedno proti druhému, vyvážit dvě věci; ~ *ajar* otevřít dokořán; ~ *axe to a t. 1.* podtít, skácet, porazit *2.* přen. začít ničit, bourat, potápět; *be* ~ *in* též děj být situován, odehrávat se (*a play is* ~ *in France*); ~ *like a board* vypnout do tuha plachtu; ~ *bounds to a t. 1.* omezit co *2.* stanovit hranice čeho, vymezit co; ~ *no bounds to a t.* neomezovat co; ~ *the brake* zabrzdit; ~ *one's cap at a p.* žena na|líčit na nápadníka, snažit se ulovit, lovit nápadníka, jít / jet po nápadníkovi; ~ *close* polygr. stahovat, sázet na třetinku; ~ *cock a hoop* vyvádět, rozdovádět se, odvázat se; ~ *by the compass* stanovit polohu / směr podle kompasu, zaměřit podle kompasu; ~ *in concrete* zalít betonem, dát do betonu, zabetonovat; ~ *conditions* stanovit podmínky; ~ *a course 1.* proložit kurs na mapě *2.* stanovit / vzít / vytyčit kurs; ~ *in a crack* slang. udělat / zařídit v cuku letu; ~ *a great deal by a t.* velice věřit čemu / na, velice dát na (~*s* a great deal by *daily exercise*); ~ *a p.* | *a t. at defiance* postavit se proti; ~ *by the ears* poštvat proti sobě; ~ *at ease* uspokojit, uklidnit, utěšit, zbavit starostí; ~ *on edge* podráždit, rozdráždit, vydráždit, rozzlobit; ~ *an example for a t.* udělat / vytvořit příklad pro, stát se / být příkladem čeho; ~ *eyes on a p.* vidět, spatřit koho (*I hope I never ~ eyes on that fellow again*); ~ *one's face against a t.* stavět se / postavit se proti; *his face ~s* jeho tvář dostává odhodlaný výraz; ~ *a fashion for a t.* vyvolat módní vlnu čeho; ~ *the fashion* určovat módu / tón v odívání, být arbitrem elegantiarum; ~ *a p. on his feet 1.* zvednout, postavit na nohy koho *2.* přen. postavit na vlastní nohy koho finanční pomocí; ~ *fire to a t. 1.* zapálit, podpálit *2.* založit oheň / požár v; ~ *a t. on fire* zapálit, založit požár čeho / v; ~ *flush* polygr. sázet bez zarážek u odstavců; ~ *foot in a t.* vstoupit kam, páchnout nohou kam; ~ *on foot 1.* začít, spustit, rozvinout, rozpoutat *2.* rozšířit, pustit do oběhu zprávu; ~ *one's foot on a t.* postavit se na; ~ *free* osvobodit, též práv., pustit na svobodu; ~ *glass in a sash* zasadit sklo do okenního rámu, zasklít okno; *have one's hair ~* žena dát si udělat trvalou / vodovou ondulaci, dát si naondulovat vlasy, dát se učesat od kadeřníka, „jít k holiči"; ~ *by hand* polygr. vysadit ručně / z ruční sazby; ~ *one's hand to a t. 1.* chopit se čeho *2.* dát se, pustit se do *3.* podepsat co; ~ *one's hand and seal to a t.* stvrdit podpisem a razítkem co; ~ *one's hand to a task* dát se / pustit se do úkolu / přikázané práce; ~ *a p.'s heart at ease* = ~ *at ease;* ~ *one's heart on a t. 1.* zaměřit se, soustředit se na, rozhodnout se pro *2.* vzít si do hlavy co; ~ *one's heart upon doing a t.* usmyslit si udělat co; ~ *home* zarazit na definitivní místo; ~ *one's hopes on a t.* upnout se k / na, vidět svou jedinou naději v; ~ *one's house in order* přen. zavádět reformy; ~ *one's jaw* pevně zatnout zuby, vysunout bojovně bradu; ~ *at large* pustit na svobodu, osvobodit; ~ *level 1.* uvést do vodorovné polohy *2.* provažovat vodováhou; ~ *at liberty* = ~ *free;* ~ *one's life on a chance* přen. hazardovat svým životem; *light by a t.* podceňovat co; ~ *a light to a t.* zapálit, podpálit co (~ *a light to old papers*); ~ *limits to a t.* = ~ *bounds;* ~ *at loggerheads* = ~ *at variance;* ~ *a map* orientovat mapu; ~ *one's mark on a p.* poznamenat koho (přen.); ~ *in masonry* zazdít; ~ *a match to a t.* zapálit, podpálit zápalkou; ~ *one's mind against a t.* zatvrdit se proti čemu; ~ *one's mind on a t.* = ~ *one's heart on a t.;* ~ *in / to motion* uvést do pohybu; ~ *much by* velice si cenit čeho; ~ *to music* zhudebnit, napsat hudbu k; ~ *at naught 1.* odmítnout *2.* neposlechnout příkaz, porušit zákaz *3.* podceňovat, pohrdat čím, nepřikládat žádnou cenu čemu; ~ *at odds* rozeštvat, popudit dva proti sobě, znepřátelit dva; ~ *open* polygr. sázet volně s širokými výplňky, sazbu značně proložit; ~ *in order* uklidit, dát do pořádku, uspořádat, urovnat (~ *one's affairs in order* dát do pořádku své záležitosti); ~ *the pace 1.* udávat, určovat tempo např. při závodu *2.* přen. vést, být v čele, být / stát společensky nejvýš; ~ *the pallete* výtv. připravit si paletu, vytlačit barvy na paletu v určitém pořadí; ~ *the papers for an examination* vypracovat zkušební otázky pro písemnou zkoušku; ~ *parallel to* plout rovnoběžně s; ~ *pen to paper* dát se do psaní dopisu, sednout ke psaní, sednout si a začít psát dopis; ~ *the pitch of* naladit co, stanovit základní ladění čeho (~ *the pitch of an orchestra* dát orchestru „a"); ~ *a price on a t.* stanovit / oznámit prodejní cenu čeho; ~ *a price on a p.'s head* vypsat cenu / odměnu na hlavu koho; ~ *the price higher* stanovit vyšší cenu, zvýšit cenu; ~ *a question* položit otázku; ~ *the range* postavit dálku na zaměřovači; ~ *a record* sport. vytvořit rekord, dosáhnout rekordu (~ *a record for the half mile*); ~ *the record straight* zkorigovat omyly; ~ *at rest 1.* zjistit, vysvětlit, vyjasnit, vyřešit, dokázat *2.* = ~ *at ease;* ~ *right 1.* srovnat, seřídit, uspořádat, dát do pořádku *2.* napravit, spravit *3.* ukázat správnou cestu komu, přivést k *4.* opravit chyby komu, koho (~ *a pupil right*) *5.* zdravotně pomoci komu, vrátit zdraví komu, osvěžit, vzpružit, dát do pořádku, postavit na nohy koho (*a good night's rest will ~ you right*); ~ *to right* napravit, spravit; ~ *in a roar* rozesmát bouřlivým smíchem; ~ *sail 1.* napnout, rozvinout plachtu / plachty *2.* vyplout *from* odkud *for* kam o lodích všeobecně; ~ *the ship by the compass* na|řídit loď podle kompasu; ~ *one's shoulder to the wheel* opřít se do toho, vzít za to ~ *solid 1.* z|tuhnout, z|tvrdnout *2.* polygr. sázet kompres, neprokládat sazbu; ~ *spies on a p.* dát sledovat / špehovat koho; ~ *a sponge* udělat kvásek; ~ *spurs to one's horse* dát svému koni ostruhy, pobídnout svého koně ostruhami; ~ *the stage* přen. připravit půdu (~ *the stage for a third electoral victory*); ~ *little | much store by* vážit si málo | velice čeho; ~ *no store by 1.* vůbec si nevážit / necenit čeho, podceňovat co *2.* nevěřit čemu; ~ *the stroke* sport. určit počet rázů vesel za minutu při veslování; ~ *taut* vypnout do tuha např. plachtu; ~ *one's teeth* zatnout zuby; ~ *the teeth on edge* kyselost způsobit, že trnou zuby, zvuk způsobit, že brní uši (*that noise ~s my teeth on edge* ten hluk mi jde na nervy); ~ *the temperament* hud. naladit oktávu jako základ pro ladění klavíru; ~ *the Thames on fire* udělat díru do světa, dělat furore; *S~ a thief to catch a thief* Udělat kozla zahradníkem, dát hlídat kozlu petržel; *the tide has ~ in his favour* přen. štěstí mu přeje, štěstí se obrací v jeho prospěch, má úspěch; ~ *tongues wagging* dát podnět k řečem / ke klepům; ~ *type* polygr. sázet; ~ *upright* narovnat, postavit rovně, obrátit hlavou nahoru; ~ *at variance* rozeštvat, poštvat proti sobě; ~ *the watch 1.* zavést strážného *2.* postavit stráž *3.* nařídit hodinky; ~ *a p. on his way* jít pěšky kousek cesty s, jít vyprovodit koho; ~ *one's wits to a t.* věnovat se řešení čeho; ~ *the world on fire* = ~ *Thames on fire;* ~ *a yard apeak* vztyčit ráhno; ~ *to zero* nastavit na nulu, vynulovat ***set o. s.*** *1* rozhodnout se *to do a t.* dělat co (*I've* ~ *myself to finish the job*); dát se do (~ *myself to study the problem*) *2* stavět se, postavit se *against* proti; zatvrdit se proti ◆ ~ *o. s. a task* vytknout si za úkol ***set about*** *1* osázet kolem dokola *with* čím (*the house was* ~ *about with fir trees* dům byl kolem dokola osázen jedlemi) *2* pokusit se, snažit se *doing a t.* dělat co (~*s about moving the listeners to that position* snažil se dostat posluchače do toho postavení) *3* začít *doing a t.* dělat co, dát se do dělání čeho (*Arab population suddenly* ~ *about smashing French shop windows* arabské obyvatelstvo náhle začalo rozbíjet výklady francouzských obchodů) *4* pustit / dát do oběhu, rozšířit (~ *rumour about* rozšířit pověst) ***set abroach*** narazit sud ***set abroad*** zast. dát / pustit do oběhu, rozšířit pověst ***set afloat*** *1* spustit na vodu *2* přen. vyvolat (*anger* ~ *all his grievances afloat* hněv v něm vyvolal všechnu jeho zatrpklost) ***set apart*** *1* dát, odložit, uložit stranou (~ *apart one tenth of one's salary* ukládat stranou desetinu platu) *2* oddělovat, odlišovat (*his age* ~*s him apart from others*) ***set ashore*** vysadit na břeh ***set aside*** *1* dát, odložit (stranou) (~ *aside the yolks to be used later in the sauce* žloutek se dá stranou, potom se jej užije k přípravě omáčky); odhodit (*I can't* ~ *aside my personal feelings completely*) *2* dát stranou, uložit, rezervovat si *3* odsunout, opustit plán; odložit, vyřadit, vyloučit; zrušit, odstranit, prohlásit za neplatné (~ *aside the verdict*) *4* nebrat zřetel na co, nebrat v úvahu, pominout, vynechat, přejít (~*ting aside the question of financing the project*) ***set back*** *1* postavit v určité vzdálenosti *from* od, postavit tak, že ustupuje od, (*the house is well* ~ *back from the street*); vrátit na místo; dát nazpátek (~ *back the hands of the clock one hour* dát ručičky hodin o hodinu nazpátek); sklopit nazpátek (*the horse* ~ *back its ears*) *3* zastavit, zarazit, zabrzdit vývoj, zdržet (*the harvest was* ~ *back by bad weather* sklizeň byla zdržena špatným počasím); vést k poklesu čeho *4* téci / proudit nazpátek / v protisměru *5* slang. stát (*that dinner party* ~ *me back a fiver* za tu věču jsem vypláznul pět liber) *6* bridž porazit soupeře, způsobit, že si soupeř musí psát trestné body ***set down*** *1* složit (~ *down a load*); postavit | se, položit | se *2* BR vysadit, vyložit cestujícího, nechat vystoupit cestujícího (*the bus stopped to* ~ *down an old lady*) *3* přistát letadlem (*time to* ~ *down and gas up* čas přistát a natankovat) *4* zapsat, sepsat, napsat *in* do (~ *down all the items in one column* sepsat všechny údaje do jednoho sloupce); zapsat *as* jako co, uvést v zápise, že má jaké povolání (*how shall I* ~ *myself down in the hotel register?* jak se mám zapsat do hotelové knihy?); přen. pokládat *as* za, vidět koho v (*we must* ~ *him down as either a knave or a fool* musíme ho pokládat buď za ničemu nebo za hlupáka) *5* řidč. přičítat, připisovat *to* čemu, vidět příčinu čeho v (~ *down one's success to hard work* připisovat svůj úspěch tvrdé práci) *6* určit, u|stanovit, předepsat např. jízdním řádem *7* věrně nakreslit, namalovat, věrně zachytit kresbou / malbou (*always* ~ *down exactly what he saw*) *8* porazit, zdolat soupeře ve hře *9* setřít, pokořit, srazit hřebínek komu, srazit tipec komu *10* vyřadit, vyloučit žokeje za přestupek *11* polygr. vlepit přílohu, aby se neořízla ◆ *be* ~ *down* mít jakou polohu, být jak situován (*this town is* ~ *down better than any other town in the country*); ~ *the swede down* voj. slang. málo spát ***set forth*** *1* vyrazit, vydat se na cestu *2* vytáhnout *against* proti / na (~ *forth against the enemy*) *3* oznámit, zveřejnit, uveřejnit; uvést, vyznačit (*is this condition* ~ *forth in the agreement?* je tato podmínka uvedena ve smlouvě?) *4* předložit (~ *forth a theory*) vyložit, vysvětlit (~ *forth one's political views*) ***set in*** *1* vsadit část do celku *2* začít, počít, nastat, dostavit se (*the rainy season has* ~ *in*); začít se objevovat, objevit se, udělat se; začít fungovat / pracovat; vítr začít vanout / táhnout; proud začít proudit (*tide* ~*s in* nastává příliv) *3* plout lodí ke břehu *4* zesílit, převládnout *5* usadit zbraň *6* polygr. vlepit přílohy až do hřbetu ◆ ~ *in a sleeve* vsadit rukáv ***set off*** *1* oddělit značkou (~ *off a clause by a comma* oddělit vedlejší větu čárkou); vyčlenit *2* vyzvednout v kontrastu, zvýraznit, zdůraznit, podtrhnout (přen.), dát vyniknout čemu (*this gold frame* ~*s off your oil painting very well* tento zlatý rám krásně zvýrazňuje vaši olejomalbu) *3* vyrovnat, kompenzovat *against* čím (~ *off gains against losses* vyrovnat zisky a ztráty) *4* vydat se, vyrazit na cestu (*they have* ~ *off on a journey round the world* vydali se na cestu kolem světa), od|startovat *5* zbraň spustit; nálož vybouchnout; roznítit, přivést k výbuchu, odpálit třaskavinu; zapálit, spustit ohňostroj *6* vyvolat, být příčinou začátku čeho (*speculation in stocks often* ~*s off speculation in commodities* spekulace s akciemi často vede ke spekulaci se zbožím) *7* přimět *a p.* koho *doing a t.* aby začal dělat co / k dělání čeho (*if you can* ~ *him off talking on his pet subjects, he'll go on all evening* když se vám ho povede přimět k tomu, aby mluvil o svých oblíbených tématech, vydrží mu to celý večer) *8* polygr. obtahovat se, mazat ◆ ~ *off in a fit of laughter* vypuknout v huronský smích ***set on*** *1* pustit, poštvat psa; pes napadnout (*she was* ~ *on by a dog*) *2* mít, přimět, navést, popíchnout, hnát, dohnat k činnosti (~ *on to rebellion by their leaders*) *3* poslat pracovat, dát na práci (*an extra gang was ~ on to the job*) *4* jít dál / kupředu, pokračovat ***set out 1*** vysadit, vysázet (~ *out seedlings* vysázet sazeničky) *2* zasadit tak, že vyčnívá (~ *a stone out*) *3* zeměměř. vytyčit, též přen. *4* vydat se (~ *out on a journey*), vyrazit (*they ~ out at dawn* vyrazili za svítání) *5* rozhodnout se, chtít, snažit se záměrně *to do* dělat; vzít si za cíl *to do* udělat; zaměřit se na to *to do* aby udělal (*he ~ out to break the record for the cross-channel swim* zaměřil se na překonání rekordu v přeplavání Lamanšského průlivu) *6* přehledně sestavit, rozvrhnout práci; podrobně vyložit, vysvětlit (~ *out one's reasons*) *7* vy|zdobit, na|aranžovat; vystavovat na odiv, vyložit, rozložit k prohlídce (*the women ~ out their chickens and ducks on the market stalls* na tržišti ženy vyložily na stánky kuřata a kachny); urovnat, upravit (*the examiner will deduct marks for work that is ~ out untidily* za práci, která bude mít špatnou úpravu, sníží zkoušející známku) *8* vytahovat, vyrážet useň *9* tech. orýsovat dřevo *10* polygr. vysázet, vysadit *11* polygr. odsadit přílohu od hřbetu *12* žel. odpojit a odstavit vagón na vedlejší kolej ◆ ~ *out one's stall* BR umět se dobře prodat, propagovat se, dělat si dobrou reklamu ***set o. s. out*** snažit se ze všech sil *to do* udělat ***set over*** přenést ***set to 1*** dát se do toho, pustit se do toho, vzít za to, přiložit ruce k dílu (*the engineers ~ to and repaired the bridge* technici se do toho dali a most spravili); vrhnout se na to (*they were all hungry and at once ~ to*) *2* dvě osoby dát se do sebe, pustit se do sebe, chytnout se, vrhnout se na sebe ***set together*** sestavit ***set up 1*** postavit stavbu (~ *up an altar to Jupiter* postavit oltář Jupiterovi); vztyčit, zdvihnout, po|zvednout (~ *up the standard of revolt*), též přen. (*what defence did his counsel ~ up in the trial?* na čem postavil jeho obhájce při procesu obhajobu?) *2* mat. vztyčit kolmici *3* jmenovat, navrhnout, postavit kandidáta *4* spustit, vydat, vyrazit (~ *up a yell*) *5* založit, zřídit, ustavit, sestavit (~ *up a tribunal*); otevřít | si (~ *up a school*) *6* udělat *a p.* z *as* koho, etablovat koho jako koho, zařídit komu jaký podnik, dát komu jaké postavení (*his father ~ him up as a bookseller* otec mu zařídil knihkupectví) *7* otevřít si obchod *8* posadit, dosadit (na trůn) (*a rival pope was ~ up*) *9* postavit, dát dohromady, zmontovat, připravit k provozu *10* napnout plachtu, lano, natáhnout strunu *11* z|působit, přivodit, zapříčinit, být příčinou čeho (*I wonder what has ~ up this irritation in my throat* rád bych věděl, co je příčinou podráždění mého hrtanu) *12* vypracovat, navrhnout k přijetí (~ *up a theory*), vypracovat plán k / pro / na (~ *up a bank robbery* ... na vyloupení banky) *13* zpevnit, zdokonalit, vypracovat, vyvinout svaly cvičením, fyzicky připravit (~ *up recruits* fyzicky připravit nováčky) *14* vrátit zdraví komu, postavit na nohy, osvěžit (*her holiday in the country has ~ her up again*) *15* povzbudit, zvednout; vzbudit pýchu; vynášet, chválit jako vzor *16* připravit; nastavit, seřídit, nařídit, vy|regulovat hodinky *17* dávat, darovat *a p.* komu *a t.* co, rozdat komu co, opatřovat komu co, zaopatřovat koho čím; nabídnout komu nápoj; pozvat koho *to* na, koupit komu co (*I ~ him up to a meal and a new suit* pozval jsem ho na oběd a koupil mu nový oblek) *18* snažit se *for* o, chtít mít co *19* olej ztuhnout; cement ztvrdnout; nátěrová barva zhoustnout *20* hud. transponovat výše (*a baritone aria ~ up for a tenor*) *21* odstrkovat loď bidlem při lovu vodních ptáků *22* utáhnout matici *23* sděl. tech. spojit, propojit hovor.; volit číslo účastníka *24* polygr. vysadit *in* do / v (*the copy is already ~ up in pages*) *25* žel. uvolnit trať ◆ *be ~ up* dostat *with* co, už mít co (*all the pupils are now ~ up with the necessary text books*); *be* (*well*) *~ up with* být dobře zaopatřen čím, mít (s sebou) dost čeho (*be well ~ up with reading matter*); ~ *up to be* tvrdit o sobě, že je, vydávat se za (*I don't ~ up to be an authority on this subject*); ~ *up a p. in business* zřídit / zařídit obchod komu, udělat obchodníka z, obchodně osamostatnit koho, dát vlastní firmu komu, etablovat v obchodě / v obchodních kruzích koho; ~ *up a claim* uplatňovat nárok; ~ *up in competition with a p.* pustit se do soutěže s; ~ *up house* přestěhovat se do vlastního domu; ~ *up irritation* dráždit; ~ *up one's staff* usadit se; ~ *up in type* polygr. vysadit ***set o. s. up 1*** cítit se být *as* kým, vydávat se za, pokládat se za (*I have never ~ myself up as a scholar* nikdy jsem se nevydával za vědce) *2* postavit se *against* proti, vzepřít se komu / čemu (~ *o. s. up against the authority of so many great men*) ***set upon = set on, 1*** ● **s 1** sada, souprava (*a ~ of golf clubs*); kolekce; garnitura; sortiment, paleta (přen.) **2** něco celého / kompletního často bez českého ekvivalentu (~ *of pipes* píšťaly, ~ *of bells* zvony); komplet; komplex budov; řetěz, řetězec (*a ~ of contradictions*), série, též filat.; soustava **3** několikasvazkové vydání, komplet (*a ~ of Shakespeare's works*); svazek, sbírka, soubor knih, edice, souborné dílo autora, komplet časopisů, řada, série knih **4** skupina tvořící jednotku, komplex (~ *of farm buildings*); svět, kruh, kruhy, vrstva (*the literary ~*) **5** klika; banda, gang (*a ~ of smugglers* pašerácká banda) **6** parta, četa dělníků **7** skupina koní stejných vlastností; potah, spřežení **8** houser s husou; malé husí hejno vedené houserem **9** jedna snůška vajec; násada vajec **10** množství ústřic přisedlých ve stejnou dobu **11** jídelní servis **12** náčiní, nářadí, pomůcky ke hře (*croquet ~*) **13** utříděná skupina, řada (~ *of grammatical forms*) **14** hud. dvanáctitónová řada **15** hud. řada, cyklus; suita **16** sazenice, cibule,

…7 bot. sázení; setba 18 … opylené květy; nasa… …dání; směr proudu, větru; …ledu 20 směr růstu (*rubbing … the fur* hladící kožešinu proti … deformace, trvalé zkřivení (~ *of …d* trvalá deformace rybářského pru… …hýlení, zakřivení; horizontální odchylka (*…of a gun aimed for distance* horizontální …odchylka děla zacíleného do dálky); vypuklost např. střešní tašky **22** sklon, náklonnost, vloha *toward* k, smysl pro (*a definite ~ toward mathematical reasoning* zřetelné vlohy k matematickému způsobu myšlení), zaměření, tíhnutí k **23** názorový trend, tendence **24** způsob, jakým padne / sedí oděv, střih, těsnost, volnost (*I don't like the ~ of this coat* nelíbí se mi, jak ten kabát sedí) **25** posazení klobouku na hlavu **26** sklon, posazení, tvar, držení těla (*I recognize him by the ~ of his shoulders* poznávám ho podle tvaru ramen) **27** z|tvrdnutí cementu, betonové směsi, za|schnutí, z|houstnutí nátěrové barvy **28** přilnavost nátěrové barvy ke kovu **29** celkové uspořádání, celkový vzhled, formace, rozložení (~ *of the hills*) **30** námoř. postavení plachet **31** na|ondulování, u|česání; ondulace, kadeřnický účes (*shampoo and ~*) **32** scéna na jevišti n. ve filmovém ateliéru, filmová stavba **33** nahrávací studio, ateliér **34** rozhlasový / televizní přijímač, rádio, televizor, telefon, zesilovač **35** přístroj; zařízení, soustrojí, agregát **36** mysl. past, oko, tenata na zvěř **37** dětská stavebnice **38** seřízení, nařízení, vyregulování hodinek; nastavení přístroje **39** stav připravenosti, připravenost, rozpoložení, dispozice (*mental ~*) **40** útok, přepad **41** rozvedení, rozvod zubů pily; rozvodka na pily **42** prodlužovací nástavec **43** plochý / vyrovnávací sedlík **44** svora, skoba, kramle **45** text. hlava, díl stávku **46** žulová kostka jako dlažební materiál; dlažební kostka, dlažební kámen **47** obsah kvasné kádě těsně po vložení přísad **48** mysl. stavění, vystavování, značení zvěře psem **49** bás. západ (*at ~ of sun*); sklonek (~ *of life*) **50** geol. paralelní plošné prvky, pukliny, žíly, zlomy **51** horn. řada čerpadel **52** horn. dveřej; věnec jámy **53** hud. jednotlivý tanec **54** mat. množina **55** mysl.: jezevčí brloh, nora **56** polygr. sazba, sázení písma **57** polygr. sada písma / matric **58** polygr. šířka písma, kuželka **59** sport. sada, set **60** bridž prohra, trestné body **61** domino první kámen, první hra **62** karty tercka; kvarta; sekvence **63** odbíjená nahrávka na smeč; nahrávající hráč **64** košíková hod na koš oběma rukama z klidu **65** tanec tanečníci, páry pro čtverylku; základní postavení tanečníků pro čtverylku **66** stav. zdění, kladení cihel **67** stav. vrchní vrstva omítky **68** text. číslo paprsku **69** zool. přisednutí ústřic **70** BR žel. vlaková souprava stejně vypadajících vagónů ◆ *best ~* elita; *complete ~* komplet, kompletní vydání; *construction ~* stavebnice; ~ *of colours* barevný sortiment, barevný rejstřík, barevná paleta (přen.); *dead ~* trvale nepřátelský postoj; *make a dead ~ at a p. 1.* pustit se do koho *2.* dívka snažit se ulovit chlapce; ~ *of dances* hud. taneční suita; *desk ~* psací souprava; ~ *of exchange* ekon. sada směnek; *fast ~* hazardní hráči, sázkaři, karbaníci; ~ *of features* rysy, fyziognomie; ~ *of furniture* nábytková garnitura; *Meccano ~* dětská kovová stavebnice; ~ *of quadrille* taneční páry ve čtverylce, čtverylka; ~ *of rooms* řada pokojů za sebou; *smart ~* elegantní svět, lvi salónů, společenská smetánka; *take a ~* deformovat se; ~ *of teeth* chrup; ~ *of false teeth* zubní protéza, umělý chrup; ~ *of tyres* pneumatiky na všechna kola, obutí (slang.); *toilet ~* mycí souprava ● *adj* **1** umístěný, situovaný (*a house ~ on a hilltop*); zasazený, vsazený (*eyes ~ deep in his head*); zazděný (*a ~ tube*) **2** předem stanovený, určený (*at a ~ day*), pevný (*work at a ~ wage*); daný, předepsaný (~ *rules of procedures, a talk on a ~ subject*) **3** záměrný; předem připravený, vypracovaný, promyšlený, naučený, vybroušený, vypulérovaný (*dislike of ~ speeches*); AM připravený **4** stálý, trvalý (~ *frown, ~ rains*), odměřený, bezvýrazný (*read in measured, ~ tones* četl odměřeným, bezvýrazným tónem), nehnutý, pevný, tvrdý (~ *line of his jaw* tvrdá kontura jeho čelisti), ztrnulý (*a ~ smile*) **5** AM neoblomný, zatvrzelý (*an old man ~ in his ways*) **6** v. *set, v* ◆ *be ~* též být připraven / přichystán *for* na (*the scene is ~ for the tragedy*); *be all ~* být všechno připraveno, být všechno na místě např. před závodem; *be all ~ to do a t.* už už chtít udělat co; *be ~ for* být připraven pro, mít připravenou půdu pro; *be ~ upon* být rozhodnutý stát se čím; *be keen ~ on* být dychtivý / chtivý čeho, být žádostivý čeho, být zaměřen na, být posedlý touhou po, prahnout po, být blázen po, být vysazený na (hovor.); *get ~ for a t.* připravit se na; ~ *price* pevná cena; *ready, ~, go!* připravit (ke startu), pozor, teď!; ~ *scene* div. pevně postavená scéna; ~ *teeth* zaťaté zuby; ~ *to touch* barva zaschlý na dotyk

seta [si:tə] *pl: setae* [si:ti:] bot., zool. štětina

setaceous [si'teišəs] štětinatý, štětinovivý, připomínající štětiny

setae [si:ti:] *pl* v. *seta*

setaside [setəsaid] státní rezervy

setback [setbæk] **1** překážka v postupu; nevýhoda pro postupujícího **2** nezdar, porážka (*diplomatic ~*) **3** zvrat k dřívějšímu / horšímu stavu, zhoršení situace (*union organization received a ~*); zhoršení zdravotního stavu, recidiva (med.) **4** pokles *in* v (~ *in steel production* pokles ve výrobě oceli, ~ *in prices*) **5** stav. ústupek zdi; odstup od stavební čáry **6** polygr. odsazení, šířka okraje

set chisel [ˌset'čizl] sekáč na nýty

set designer [ˌsetdi'zainə] jevištní výtvarník, aut… výpravy, divadelní / filmový architekt

setdown [setdaun] rázné pokárání, rázná kritika, usazení, setření (hovor.)
set-fair [setfeə] počasí stálé, pěkné
set-forward point [ˈsetˌfo:wədˈpoint] voj. výchozí bod
setiferous [siˈtifərəs], **setigerous** [siˈtidžərəs] štětinatý, jsoucí se štětinami, pokrytý štětinami; tvořící štětiny
set-in [setˈin] rukáv vsazený
set lights [setˈlaits] osvětlení jeviště / studia / ateliéru
setoff [setof] **1** kontrast, kontrastní / kontrastující věc, věc zvýrazňující kontrastem **2** ozdoba, ornament *to* čeho **3** vyrovnání, protiváha, kompenzace; vyrovnání pohledávky kompenzací účtů (ekon.) **4** polygr. obtah druh vady tisku **5** archit. šikmý ústupek zdi, odsazení; odbočený spoj izolačních pásů **6** hud. vzdálenost mezi zdviženým kladívkem a strunou u klavíru **7** žel. odpojený vagón na vedlejší koleji
seton [si:tn] zvěr. **1** vlákno, niť, žíně zavedená pod kůži k vytvoření boláku, dren **2** bolák takto vytvořený
seton needle [ˈsi:tnˌni:dl] zvěr. jehla k zavádění vlákna atd. pod kůži, drenovací jehla
setose [si:təus] = *setaceous*
setout [setaut] zejm. hovor. **1** vyložení, rozložení; výstava, výstavka zboží **2** servis (*complete ~ of dinnerware*) **3** uspořádání, úprava (*in ~ the catalogue*) **4** koňské spřežení, potah; vůz s koňmi **5** oblečení; vybavení, nářadí, náčiní, pomůcky (*a gambling ~*) **6** společnost, večírek; mejdan **7** příprava; začátek, start
set paving [ˌsetˈpeiviŋ] kostkové dláždění, kostková dlažba
set piece [setpi:s] **1** klasické dílo, arcidílo, propracované dílo **2** div. kulisa **3** kostra ohňostroje (*the ~ of our flag unfurled*) **4** voj. přesná vojenská operace **5** BR sport. roh; volný kop
set point [ˌsetˈpoint] tenis bod, kterým se vyhraje set
set purpose [ˌsetˈpə:pəs] záměr, úmysl
set ram [ˌsetˈræm] ruční pěchovadlo
set scene [ˌsetˈsi:n] pevná výprava, divadelní / ateliérová stavba
setscrew [ˌsetˈskru:] stavěcí šroub
set shot [ˌsetˈšot] košíková hod na koš oběma rukama z klidu
set square [setskweə] trojúhelník rýsovací pomůcka
sett [set] **1** tech.: plochý / vyrovnávací sedlík **2** dlažební kostka **3** text. číslo paprsku **4** místo v řece, kde se rozprostírají sítě **5** SC kostka vzorek na tartanu
settee[1] [seˈti:] *s* **1** kratší pohovka, divan, gauč, sofa s opěradly **2** lavice, lavička ◆ *~ bed* skládací lůžko které se dá přeměnit na pohovku, rozkládací křeslo
ttee[2] [seˈti:] *s* námoř. hist.: štíhlé plavidlo s latinskou plachtou ◆ *~ rig* oplachtění malých plachetnic
ter [setə] **1** seřizovač; montér **2** polygr. sazeč mysl. stavěcí pes, stavěč, ohař, setr **4** slang. tajný, fízl, špicl **5** tech. koza pod nápravu **6** ke
7 sport. kdo vytyčuje dráhu lyžařského
8 hudební aranžér, instrumentátor **9** *~s,*
◆ *English ~* setr anglický; *Gordon ~* set
ský / Gordonův, gordonsetr; *Irish ~* setr
settergrass [setəgra:s] = *setterwort*
setter-on [ˌsetəˈon] *pl: setters-on* [ˌsetəzˈo
1 podněcovatel, iniciátor *to* čeho (*~ to treason*
2 útočník
setterwort [setəwə:t] bot. čemeřice smrdutá
set theory [ˌsetˈθiəri] mat. teorie množin
setting [setiŋ] *s* **1** prostředí, umístění, situace; pozadí, dějiště, rámec (přen.) **2** úprava, aranžmá, též hud.; instrumentace, zhudebnění; melodie k textu **3** výprava, scéna dramatu / filmu **4** jídelní příbor, servis; prostřené místo u stolu (*a dining room with ~s for 26*) **5** lůžko stroje, obruba drahokamu **6** násada vajec **7** směr větru, proud **8** hvězd. seřízení, rektifikace **9** západ nebeského tělesa pod obzor **10** v. *set, v* ● *adj* **1** stavěcí (*~ device* ... zařízení, *~ ring*), seřizovací **2** tvrdící (*~ time* doba tvrdnutí) **3** v. *set, v* ◆ *~ hen* sedící kvočna
setting board [setiŋbo:d] řidč. napínadlo na hmyz
setting box [setiŋboks] řidč. **1** cestovní kufřík na napínadla **2** krabice s preparovaným hmyzem
setting coat [ˌsetiŋˈkəut] vrchní vrstva omítky
setting lotion [ˌsetiŋˈləušən] tužidlo, fixatér na vlasy
setting needle [ˈsetiŋˌni:dl] napínací / preparovací jehla na hmyz
setting pole [setiŋpəul] bidlo na odstrkování člunu
setting rule [setiŋru:l] polygr. sázecí linka
setting stick [setiŋstik] polygr. sázítko
setting-up exercises [ˌsetiŋapˈeksəsaiziz] *pl* rozcvička
settle[1] [setl] *s* **1** dřevěná lavice zejm. s opěradlem a truhlou pod sklopným sedátkem **2** plošina, pódium **3** spodní okraj oltáře
settle[2] [setl] *v* **1** usídlit se, usadit se, trvale žít, mít / najít si trvalé bydliště / sídlo; usadit se jako kolonizátor, vytvořit kolonie (*the Dutch ~d in South Africa*); usadit (*~ refugees on farmland* usadit uprchlíky na zemědělské půdě), ubytovat (*~ troops in barracks* ubytovat vojsko v kasárnách) **2** kolonizovat, osídlit, (*by whom was Canada ~d?*); zřídit, založit osadu **3** pevně uložit, vložit, vsunout, zasunout, zaklesnout (*the girl ~d her feet in the stirrups* dívka zaklesla nohy do třmenů) **4** dát do pořádku, urovnat, vyřídit, zařídit např. testamentem (*you ought to ~ your affairs before you go into hospital*) **5** uklidit (*~ a room*), srovnat (*they ~d their clothes*), narovnat, urovnat (*~d her patient's pillows* narovnala pacientovi podušky); uložit, zaopatřit, zabezpečit nemocného (*the nurse ~d her patient for the night* ošetřovatelka připravila pacientovi všechno, co bude v noci potřebovat) **6** posadit se, usednout, usadit se (*the bird ~d on a branch*); přen. usadit se, spadnout (*the cold has ~d on my*

chest) **7** mlha padnout, snést se **8** též ~ *down* soustředit se *to* na, sednout si a dělat co **9** dohodnout, dojednat, domluvit, shodnout se na (~ *certain conditions*), dohodnout se *on* na, domluvit si co (*we must ~ on a rendezvous*); rozhodnout, určit po rozhovoru (*what have you ~d to do about it?*), schválit rozhovorem (*your appointment is as good as ~d* vaše jmenování je prakticky schváleno), stanovit (~ *the order of royal succession* stanovit pořadí následnictví trůnu); rozhodnout se *on / upon* pro (*which of the hats have you ~d on?*) **10** vyřešit spor (*the lawsuit was ~d amicably*), vyjasnit, osvětlit sporný bod; ukončit dohodou stávku **11** spokojit se při jednání *for* s (*asked an endowment of two million but had to ~ for one* žádal o dvoumiliónovou podporu, ale musel se spokojit s jedním miliónem) **12** založit, postavit *on* na (~ *the government on a parliamentary basis*) **13** zpevnit (~ *a road*) **14** ustálit (*both English and French have been ~d in their present form roughly since the eighteenth century*); ustálit se, uklidnit se (*the thunderstorm might ~ the weather* tou bouřkou by se mohlo počasí ustálit, *the wind has ~d in the east*); lék. uklidnit (*it will ~ your nerves*); utišit (*a word from his father was enough to ~ him*) **15** časem strnout (*his expression ~d into a permanent frown* obličej mu strnul do trvale zamračeného výrazu) **16** počasí vyjasnit se, ustálit se **17** cit najít si jako cíl *on* koho / co, soustředit se na (*soon his affection ~d on some new object* jeho sympatie se soustředily na nějaký jiný objekt) **18** vyřídit (*~d his enemy with a single blow* vyřídil svého nepřítele jediným úderem); sklonit, zabít **19** sednout se, slehnout se, usadit se (*the roadbed ~d*); ustálit se, usadit se, klesnout na dno (*the dregs ~d and the wine was clear* kal klesl na dno a víno se vyčistilo) **20** půda propadat se **21** prach usadit se **22** srazit, přimět k usazení (*we need a shower to ~ the dust* potřebujeme přeháňku, aby se přestalo prášit); vy|čistit sražením kalu (*a beaten egg will ~ coffee*); setřást, sklepat obsah nádoby / pytle; chem. sedimentovat **23** nořit se, potápět se, tonout, klesat pod hladinu pomalu **24** vyrovnat, zaplatit účet (~ *a bill*) *for* za, vyrovnat se *with* s kým, zaplatit komu (*I must ~ with my creditors*) **25** vyřídit si to *with* s, spočítat to komu **26** práv. dát připsat / upsat *on* komu, dát přepsat, převést na (~ *part of one's estate on one's son*); odkázat komu (~ *an annuity on an old servant* odkázal starému služebníku pravidelný roční důchod) **27** zast. oženit; provdat, vyvdat (*managed to ~ all his daughters* podařilo se mu vyvdat všechny dcery) **28** lovecký pes sledovat stopu **29** námoř. spouštět; klesat; klesat hlouběji do vody **30** AM, SC převzít / předat farnost **31** samec oplodnit samici; samice počít, zabřeznout ♦ *have an account to ~ with a p.* přen. mít s kým nevyřízené účty, musit to ještě spočítat komu; *be ~d* sídlit, trvale bydlet; ~ *in business 1.* stát se obchodníkem, pustit se do obchodování *2.* zařídit obchod komu, etablovat v obchodních kruzích koho (~ *one's son in business*); ~ *claims* uhrazovat / likvidovat škody; ~ *out of court* vyrovnat mimosoudně; *he had a liqueur to ~ his dinner* po večeři si dal pro vytrávení likér; ~ *one's faith* uvěřit, upnout svou víru; ~ *a p.'s hash* umlčet koho, odrovnat koho; ~ *one's mind* rozhodnout se; ~ *one's opinions* utvrdit se ve svých názorech; ~ *into shape* začínat dostávat normální podobu, uklidňovat se, vytříbit se; ~ *the stomach* dát žaludek do pořádku, zbavit žaludeční nevolnosti, zbavit nutkání ke zvracení; *that ~s it* tím je to vyřízeno ***settle o. s. 1*** dát se *to* do (*the class ~d itself to work*) *2* uložit se, usadit se, pohodlně si sednout / lehnout, uvelebit se, roztáhnout se (*the nurse ~d herself in an armchair* ošetřovatelka se uvelebila v křesle) ***settle down 1*** usadit se, posadit se, zasednout *to* k (~ *down to whist*) *2* pohodlně si sednout / lehnout, uvelebit se *to do a t.* a začít dělat co (*he ~d down to read a new novel*) *3* přizpůsobit se, adaptovat se *to* k, zapracovat se do, zvyknout si na, smířit se s, vypořádat se s (~ *down to a new job*); začít vést co (~ *down to married life*) *4* usadit se, uklidnit se, začít vést spořádaný život (*marry and ~ down*) *5* nořit se, potápět se, klesat pod hladinu pomalu (*the ship was settling down by the stern*) *6* vzrušení uklidnit se, utišit se, opadnout ***settle in 1*** zabydlet se (*you must come and see our new house when we've ~d in*) *2* začít trvale dělat co (*it is settling to rain now*) ***settle out*** usadit se (*suspended pigment is allowed to ~ out* unášený pigment se může usadit) ***settle up*** vyrovnat se *with* s, zaplatit komu (*I shall ~ up with you at the end of the month* vyrovnám se s vámi koncem měsíce)

settled [setld] **1** pevný, stálý (~ *income*, ~ *opinions*) **2** dokázaný; jasný, hotový (*a ~ thing*) **3** počasí ustálený, stále pěkný **4** bydliště stálý, trvalý **5** AM zastavěný, obydlený, osídlený **6** v. *settle*[2], *v*

settlement [setlmənt] **1** usazování, usazení, posazování, posazení; upevnění; pevná poloha **2** postavení, pozice v životě apod., zaopatření **3** dosazení do funkce n. farnosti **4** ustálení, uklidnění tekutiny **5** sedání, sednutí půdy, propadání **6** *~s, pl* malé trhliny, porušení vzniklé nestejnoměrným sedáním stavby **7** osídlení, osídlování, kolonizování, kolonizace **8** sídlo, sídliště; osada, kolonie **9** osada, dědina **10** trvalé sídlo / bydliště **11** AM domky, chatrče zejm. otroků na plantáži **12** AM oblast vyhrazená pro osídlence **13** ustanovení, nařízení, směrnice; řád, pořádek **14** sociální zařízení, instituce, organizace, útvar **15** dohoda, smír, usmíření; urovnání sporu, konečné vyřízení, vypořádání, srovnání, narovnání, smírné ukončení (~ *of a strike* smírné ukončení stávky); vyřešení, vyjasnění, rozřešení problému; odstranění sporných bodů **16** úhrada, zaplacení, vyrovnání (~ *of tax arrears* vyrovnání daňových nedoplatků); vyřízení, likvidace, likvidování (~ *of a claim* vyřízení reklamace) **17** práv. připsání, předání, převedení, zapsání, darování, věnování, převod, postup; připsaný majetek, dědictví, odkaz, renta, dar, věno **18** ekon. odpočet, zúčtování, vyúčtování, uspořádání burzovních obchodů ◆ *Act of S~* BR hist. zákon o posloupnosti trůnu z r. 1701 o nástupnictví rodu Hanoverů na britský trůn; ~ *of the books* uzávěrka obchodních knih; *come to a* ~ dosáhnout dohody; ~ *estate duty* dědická daň; *make a* ~ vyrovnat se, dohodnout se; *marriage* ~ manželská smlouva spojená s převodem majetku jednoho manžela druhému; ~ *plan* regulační / osídlovací plán; *reach a* ~ dosáhnout dohody

settler [setlə] **1** osídlenec, osídlovatel, osadník; kolonista, kolonizátor; usídlenec, plantážník, farmář v koloniích **2** hovor. co usadí: rozhodující rána, trefa, eso, trumf (přen.) **3** usazovač; usazovák, usazovací nádrž **4** smiřovatel, urovnavatel (~ *of disputes* smiřovatel sporů)

settling day [ˈsetliŋˌdei] BR zúčtovací den na londýnské burze každých čtrnáct dní

settlings [setliŋz] *pl* sedlina, usazenina, kal

settlor [setlə] práv. **1** kdo dává připsat jinému část svého majetku; kdo upisuje rentu **2** zakladatel

set-to [ˌsetˈtu:] hovor. **1** krátký pěstní zápas, bitka, krátká urputná potyčka, šarvátka, též slovní **2** boj v rovince před cílem při dostihu

setup [setap] hovor. **1** držení těla zejm. přímé / vojenské **2** zdatnost, dispozice (*the physical and mental ~ required for the combat aviator* fyzická a mentální dispozice vyžadovaná od bojového letce) **3** situace; AM projekt, plán **4** připravené nářadí, náčiní, nástroje; seřízení, nastavení stroje / přístroje **5** prostřený stůl v restauraci, kuvert; sklenka, sodovka, led a šejkr; AM pohoštění nápoji **6** scéna, výprava při filmování **7** postavení, posazení, rozsazení, uspořádání, umístění, rozmístění účinkujících / technického zařízení v rozhlasovém / televizním studiu **8** místo, postavení filmovací kamery; záběr, šot z jednoho místa při filmování **9** kontrast televizního obrazu vyjádřený v procentech **10** předem vyhraný zápas, záměrně snadná zkouška **11** sport. nahrávka na smeč v odbíjené; nahrávající hráč v odbíjené; snadný míč, nahrávka soupeři v tenise; boxer nemající naději na vítězství **12** příznivé rozestavení koulí v kulečníku **13** struktura, složení, organizace **14** AM slang. snadný zápas jehož výsledek je předem dohodnut, snadná práce, tutovka ◆ ~ *box* dvoudílná krabice, nesložitelná krabice, kontejner; ~ *man* seřizovač stroje

setwall [setwo:l] bot. kozlík lékařský pyrenejský

setwise [setwaiz] polygr. **1** rozměr ve vodorovném směru písma **2** šířka písmena, značky apod.

seven [sevn] *adj* sedm ◆ *I am* ~ je mi sedm; ~ *seas* všechna moře světa (*he has sailed the ~ seas* obeplul zeměkouli); *S~ Sisters* hvězd. Plejády, Kuřátka; ~ *and six* sedm šilinků šest pencí; ~ *sleepers* sedm křesťanů z Efesu, kteří se skryli při Deciově pronásledování v jeskyni a probudili se až za 200 let; *S~ Years' War* hist. sedmiletá válka (1756–63) ● *s* **1** sedma, sedmička číslice; skupina sedmi; karta se sedmi znaky; hod sedmi ok v kostkách; sedmero **2** sedmička hráč / veslař označený číslem 7; velikost oděvu č. 7 (*he wears a* ~) **3** sedm hodin (*just on* ~) **4** ~*s, pl* liter. sedmislabičné trochejské verše (*a poem in ~s*) ◆ *by / in ~s* ve skupinách po sedmi ● *v* též ~ *out* hodit sedm při hře v kostky

sevenfold [sevenfəuld] *adj* **1** sedminásobný, sedmeronásobný, sedmkrát tak velký **2** sedmidílný ● *adv* sedminásobně, sedmeronásobně, sedmkrát tolik (*increased* ~ sedminásobně zvýšený)

seven-gills [sevngilz] zool.: žralok *Xeptanchus*

seven-league [ˌsevnˈli:g], **seven-leagued** [ˌsevnˈli:gd] sedmimílový ◆ ~ *boots* sedmimílové boty

seventeen [ˌsevnˈti:n] *adj* sedmnáct ● *s* sedmnáct, sedmnáctka skupina sedmnácti; velikost oděvu č. 17 ◆ *sweet* ~ sladkých sedmnáct nejkrásnější dívčí léta

seventeenth [ˌsevnˈti:nθ] *adj* sedmnáctý (*the ~ day*) ● *s* **1** sedmnáctý v pořadí (*the ~ of the month*) **2** sedmnáctina **3** hud. interval dvou oktáv a tercie; 13/8 pedál ve varhanách

seventh [sevnθ] *adj* sedmý (*the ~ day*) ◆ ~ *chord* hud. septimový akord, septakord; ~ *day* sedmý den, sobota; *in the ~ heaven* v sedmém nebi velmi šťasten; ~ *part 1.* sedmý díl, sedmá část *2.* sedmina ● *s* **1** sedmý v pořadí (*the ~ of the month*) **2** sedmina **3** hud. septima; citlivý tón **4** sport. septima poloha zbraně ve výzvě n. krytu v šermu

Seventh-Day [sevenθdei] náb. vztahující se k přísnému svěcení soboty ◆ ~ *Adventists* círk. adventisté sedmého dne

seventhly [sevnθli] za sedmé

seventieth [sevntiiθ] *adj* sedmdesátý (*the ~ day*) ● *s* **1** sedmdesátý v pořadí **2** sedmdesátina

seventy [sevnti] *adj* sedmdesát (~ *years*) ● *s pl: seventies* [sevntiz] **1** sedmdesát, sedmdesátka **2** círk. sedmdesát Kristových učedníků; překladatelů bible **3** círk. sanhedrin **4** *S~* círk. starší mormonské církve věnující se misijní činnosti (*appointed a S~*); skupina těchto starších **5** *seventies, pl* sedmdesátá léta (*the seventies of the preceding century*); počet bodů mezi 70–79 (*a golf score in the seventies*); čísla domů mezi 70–79 (*lives in the seventies in the next block*); teplota mezi 70–79 stupni (*temperatures in the high seventies tomorrow*) ◆ *a man in his seventies* sedmdesátník

seventy-eight [ˌsevntiˈeit] **1** sedmdesát osm, osmasedmdesát **2** standardní gramofonová deska se 78 otáčkami za minutu

seventy-first [ˌsevntiˈfə:st] etc. *adj* sedmdesátý prvý / první, jedenasedmdesátý, jednasedmdesátý atd. ● *s* jedenasedmdesátina atd.

seventy-five [ˌsevntiˈfaiv] **1** sedmdesát pět, pětasedmdesát **2** voj. pětasedmdesátka francouzské dělo ráže 75 mm
seventy-four [ˌsevntiˈfo:] **1** sedmdesát čtyři, čtyřiasedmdesát **2** hist. čtyřiasedmdesátka válečná loď se 74 děly **3** zool.: africká papouščí ryba *Polysteganus undulosus*
seventy-one [ˌsevntiˈwan] etc. sedmdesát jedna, jedenasedmdesát, jednasedmdesát atd.
seventy-twomo [ˌsevntiˈtu:məu] polygr. arch se 72 stránkami
seven-up [ˌsevnˈap] **1** druh karetní hry pro 2 až 4 hráče **2** *S~* název nealkoholického nápoje
seven-year itch [ˌsevnjə:ˈič] hovor. otrava, nespokojenost v manželství, krize po sedmiletém manželství
sever [sevə] **1** dělit, rozdělovat (*the sea ~s England from France*); oddělit, odtrhnout od sebe, odloučit, oddělit co *from* od (*~ the head of a sheep from the body*); separovat; odseknout, odtít (*the guillotine ~s the head from the body*); urvat, odervat **2** roztrhnout, přetrhnout, přestřihnout, přeříznout, přeseknout (*~ a rope in two* přeříznout lano na dva kusy), zpřetrhat (*~ed their last remaining ties to the Old World* zpřetrhali poslední svazky se Starým světem) **3** rozloučit, rozvést, způsobit roztržku mezi (*~ husband and wife*) **4** přen. přerušit styky **5** prasknout, přetrhnout se (*the rope ~ed under the strain* lano napětím prasklo), odtrhnout se, utrhnout se **6** rozlišovat co *from* od, činit rozdíl mezi čím a čím (*~ theology from philosophy*) **7** práv. postupovat odděleně / samostatně / individuálně ◆ *~ o. s. from the church* vystoupit z církve
severable [sevərəbl] **1** oddělitelný **2** přen. přerušitelný, zrušitelný **3** práv. oddělený, samostatný, individuální, separátní
several [sevrəl] *adj* **1** několik, pár (*you will need ~ more*) **2** týkající se každého zvlášť, jednotlivý, příslušný (*having thirteen children which somewhat reduced their ~ inheritances* mající třináct dětí, čímž se jednotlivé podíly poněkud zmenšily, *each ~ ship* každá jednotlivá loď), osobní, vlastní (*each has his ~ ideal*) **3** různý (*her knowledge of three ~ tongues*) **4** práv. samostatný, oddělený, individuální ◆ *joint and ~ bond* práv. společný a nerozdílný závazek; *~ estate* práv. individuální majetek, osobní vlastnictví; *~ times* několikrát, párkrát; *they went their ~ ways* každý šel svou vlastní cestou, každý šel jinudy ● *s* **1** několik, pár (*goes to the store for oranges and purchases ~* jde do krámu pro pomeranče a pár si jich koupí) **2** *~s, pl* jednotlivosti, jednotliviny
severalfold [səvrəlfəuld] *adj* několikanásobný ● *adv* několikanásobně
severally [sevrəli] jednotlivě, každý zvlášť, jeden po druhém
severalty [sevrəlti] *pl: severalties* [sevrəltiz] **1** individualita, specifičnost **2** práv. výlučné / osobní vlastnictví n. právo **3** soukromý pozemek, soukromá louka (*broke up the commons into severalties* rozdělit obecní pozemek a přidělit ho soukromníkům)
severance [sevərəns] **1** oddělení, rozdělení (*~ of the territory*); odluka **2** přen. přerušení (*~ of diplomatic relations*) **3** rozdíl, rozlišení (*lines of ~ between truth and falsehood* dělicí čáry mezi pravdou a nepravdou) **4** med. amputace (*~ of the leg below the knee*) **5** práv. rozdělení práv; rozpuštění obchodní společnosti
severance pay [ˌsevərənsˈpei] zvláštní odměna při odchodu do důchodu n. ze zaměstnání, odchodné
severe [siˈviə] **1** přísný (*martial law is very ~ in this matter* v tomto směru je stanné právo velice přísné) **2** tvrdý, těžký, ostrý, namáhavý, náročný, obtížný (*~ competition* tvrdá konkurence, *the pace was too ~ to be kept long* tempo bylo tak náročné, že se nedalo dlouho vydržet) **3** bolestný, bolestivý, působící bolest; silný, prudký (*~ pain*) **4** vážný, strohý, upjatý, přísný (*her face was composed but not ~* její obličej byl usebraný, ale nikoliv upjatý) **5** nedovolující výjimku, úplný, naprostý (*~ conformity* naprosté přizpůsobení) **6** vážný, kritický (*~ difficulties*) **7** kousavý, jedovatý, sarkastický, satirický (*~ remarks*) **8** kritika ostrý **9** počasí nepříznivý, drsný, surový **10** umělecký sloh strohý, střízlivý, přísný (*~ architecture*) **11** zima tuhý, krutý **12** zranění, ztráta těžký, vážný ◆ *be ~ on / with a p.* být přísný na / k
severely [siˈviəli] **1** přísně **2** vážně, těžce ◆ *leave / let a t. ~ alone 1.* nechtít mít s čím zásadně nic společného *2.* iron. vyhnout se čemu širokým obloukem
severity [siˈverəti] (*-ie-*) **1** přísnost **2** těžkost, tvrdost, namáhavost, náročnost, obtížnost **3** bolestnost; síla, prudkost bolesti **4** vážnost, strohost; upjatost, přísnost, střízlivost **5** ostrost kritiky **6** vážnost zranění **7** *severities, pl* přísné / tvrdé zacházení **8** *severities, pl* bolesti, potíže, obtíže, útrapy ◆ *~ rate* procento nehod, nehodovost
severy [sevəri] (*-ie-*) archit. **1** klenbové pole **2** panel klenebního pole
Seville orange [ˌsevilˈorindž] bot. **1** hořký pomeranč **2** druh pomerančovníku / oranžovníku
sevin [sevin] druh insekticidu
sèvres [seivrə] modrý sèvreský porcelán
sew[1] [səu] (*sewed, sewn / sewed*) **1** šít (*she has been ~ing all evening*), ušít (*~ a dress*), všít **2** šít knihu nitěmi, brožovat ***sew in*** přišít, všít, vsadit šitím (*~ in a patch* vsadit záplatu) ***sew on*** přišít, našít (*~ a button on* přišít knoflík) ***sew up 1*** zašít, všít **2** slang. utahat, odrovnat ***3*** spolknout, pohltit (*the guilds had ~ed up such primitive trade and industry as there were* cechy pohltily tehdejší primitivní řemesla i průmysl) ***4*** svázat / zavázat smluvně, zajistit si (*hopes to ~ up the champion for*

a 15-round battle) **5** tajně smluvit, ujednat, upéci (*backstage negotiations have ~ed up the results in advance* zákulisním jednáním se předem dohodly výsledky); nastrojit, narafičit ◆ *be ~ ed up* být úplně na mol
sew² [səu] **1** odvodňovat; vypouštět rybník **2** spouštět loď na vodu **3** loď stát / být na mělčině ◆ *be ~ed up* loď uváznout na mělčině
sewage [sju(:)idž] *s* kanalizační splašky, odpadní / splaškové vody, městské odpadní vody ◆ *~ conduit* stoka; *~ disposal* čištění odpadních vod ● *v* hnojit / zavlažovat odpadními vodami
sewage farm [sju(:)idžfa:m] hospodářství se závlahou odpadními vodami
sewagefly [sju(:)idžflai] *pl: sewage flies* [sju(:)idžflaiz] zool. koutule
sewage grass [sju(:)idžgra:s] tráva rostoucí na polích zavlažovaných odpadními vodami
sewage plant [ˌsju(:)idžˈpla:nt] čistírna splašků
sewage tank [ˌsju(:idžˈtæŋk] kalová nádrž
sewage water [ˌsju(:)idžˈwo:tə] odpadní vody
sewage works [ˌsju(:)idžˈwə:ks] čistírna odpadních vod
sewan [si:wən] = *seawan*
sewellel [siˈweləl] zool. bobruška
sewen [sjuən] = *sewin*
sewer¹ [səuə] **1** kdo šije: krejčí, švadlena, šička, přišívač **2** šicí stroj
sewer² [sjuə] hist. stolník, jídlonoš, podstolí, truksas
sewer³ [sjuə] *s* **1** stoka, odvodňovací příkop **2** stokový kanál, stoka, kloaka ● *v* **1** odvodnit **2** kanalizovat, provést kanalizaci v
sewerage [sjuəridž] **1** kanalizace **2** = *sewage, s*
sewer gas [sjuəgæs] kalový plyn
sewer rat [sjuəræt] zool. (krysa) potkan
sewin [sjuin] zool.: pstruh *Salmo cambricus*
sewing [səuiŋ] **1** polygr. šití knih nitěmi **2** v. *sew, v*
sewing circle [ˌsəuiŋˈsə:kl] dámský šicí kroužek
sewing machine [ˈsəuiŋməˌši:n] šicí stroj
seiwng-press [səuiŋpres] polygr. vazadlo, stávek
sewn [səun] v. *sew¹*
sewn-in [ˌsəunˈin] všitý ◆ *~ groundsheet* všitá podlážka stanu
sex [seks] *s* **1** pohlaví; pohlavní pud, sexus **2** pohlavní život, sexuálnost, sexualita, sex **3** erotika, erotičnost, smyslnost; sex-appeal **4** koitus; penis; vulva **5** žert. ženy ◆ *fair / gentle / softer / weaker ~* slabé / něžné pohlaví ženy; *have ~* souložit; *sterner ~* silné pohlaví muži ● *v* určit pohlaví čeho (*it is difficult to ~ animals at distance*) ***sex up 1*** učinit sexuálně přitažlivým, erotizovat (*titles must be ~ed up to attract 56 million customers*) **2** eroticky vzněcovat, rozdělat, rozǀ-rajcovat (hovor.) (*watching you ~ing up that bar kitten* pozorující, jak rozděláváš tu barovou kočku) ● *adj* **1** pohlavní, sexuální **2** erotický, smyslný ◆ *~ act* pohlavní styk; *~ antagonism* psych. nepřátelství mezi pohlavími; *~ appeal 1.* přirozená pohlavní přitažlivost, kouzlo, sex-appeal *2.* přen. přitažlivost, rajc (hovor.) (*old hands in the Senate knew there was no political ~ appeal in reorganization* staří mazáci v senátě věděli, že v reorganizaci není žádný politický rajc); *~ cell* pohlavní buňka; *~ crime* sexuální zločin; *~ education* sexuální výchova *~ hormone* biol. pohlavní hormón, estrin; *~ instinct* pohlavní pud; *~ organ* genitalie, přirození; *~ play* milostná předehra; *~ ratio* mysl. poměr pohlaví; *~ urge* pohlavní pud / touha
sexagenarian [ˌseksədžiˈneəriən] *s* šedesátník ● *adj* **1** věk mezi šedesáti a sedmdesáti **2** týkající se šedesátníka
sexagenary [ˌseksəˈdži:nəri] *adj* šedesátinový ◆ *~ cycle* šedesátiroční cyklus čínského kalendáře; *~ scale* stupnice se 60 dílky ● *s* (*-ie-*) **1** šedesátník **2** šedesátina
Sexagesima [ˌseksəˈdžesimə] círk. první neděle po Devítníku, Sexagesima
sexagesimal [ˌseksəˈdžesiml] *adj* šedesátkový, šedesátinný, sexagesimální ◆ *~ system* sexagesimální soustava např. při měření času / úhlů ● *s* šedesátina
sexangle [sekˈsæŋgl] šestiúhelník
sexangular [sekˈsæŋgjulə] šestiúhlý
sex bomb [ˌseksˈbom] sexbomba žena s velkým sex-appealem
sexcentenary [ˌseksenˈti:nəri] *adj* šestistý, šestisetletý ● *s* (*-ie-*) šestisté výročí
sexdigitate [seksˈdidžiteit] šestiprstý
sexed [sekst] **1** erotický, smyslný, nabitý sexem **2** v. *sex, v*
sexennial [seksˈenjəl] *adj* **1** šestiletý (*a ~ period*) **2** konaný / vyskytující se každých šest let (*a ~ senatorial election ...* volby do senátu) ● *s* šesté výročí
sexfoil [seksfoil] **1** bot. šestilístek **2** archit. šestilist; šestilistá růžice
sexifid [seksifid] bot. šestičetný
sexiness [seksinis] **1** erotičnost, smyslnost; pornografičnost **2** dráždivost, svůdnost
sexillion [sekˈsiliən] **1** BR sextilion 10^{36} **2** AM tisíc trilionů 10^{21}
sexism [seksizəm] diskriminace podle pohlaví, zejm. diskriminace žen
sexist [seksit] *s* zastánce diskriminace žen, zastánce nadřazenosti mužů ● *adj* týkající se diskriminace žen; přesvědčený o nadřazenosti mužů ◆ *~ words* slangové výrazy označující děvče n. ženu
sexisyllable [ˌseksiˈsiləbl] šestislabičné slovo
sexisyllabic [ˌseksisiˈlæbik] šestislabičný
sexivalent [ˌseksiˈveilənt] chem. šestimocný
sex kitten [ˈseksˌkitn] hovor. kočka, mladá sexbomba, sexbombička
sexless [sekslis] **1** nepohlavní, bezpohlavní, asexuální **2** frigidní; impotentní

sexlessness [sekslisnis] **1** nepohlavnost, bezpohlavnost, asexuálnost **2** frigidnost, frigidita; impotence, impotentnost
sex-linked [seksliŋkt] biol. pohlavně vázaný ♦ ~ *heredity* pohlavně vázaná dědičnost
sexologist [sekˈsolədžist] med. sexuolog
sexology [sekˈsolədži] med. sexuologie
sexpartite [seksˈpa:tait] šestidílný
sexploitation [ˌseksploiˈteišən] komerční využívání erotiky zejm. ve filmu
sexploiter [seksploitə] kdo komerčně využívá erotiky zejm. ve filmu
sex pot [sekspot] = *sex bomb*
sex-starved [seksˈsta:vd] pohlavně neukojený, nadržený
sext [sekst] **1** círk. sexta polední hodinka **2** hud. sexta šestý stupeň diatonické stupnice; interval; druh varhanní mixtury
sextain [sekstein] liter. **1** sestina **2** šestiveršová strofa
sextan [sekstən] horečka šestidenní
sextant [sekstənt] **1** sextant přístroj pro měření úhlové vzdálenosti dvou těles n. výšky tělesa nad obzorem **2** šestina kružnice
sexte [sekst] = *sext*
sextern [sekstə(:)n] šest listů papíru
sextet(te) [seksˈtet] **1** hud. sextet skladba pro šest nástrojů n. hlasů; sextet, sexteto soubor šesti hudebníků n. zpěváků **2** liter. šestiverší, šestiveršová strofa **3** sport. šestka hokejové družstvo
sextillion [seksˈtiliən] = *sexillion*
sexto [sekstəu] **1** šesterka formát papíru **2** kniha tohoto formátu
sextodecimo [ˌsekstəuˈdesiməu] **1** šestnácterka formát papíru **2** kniha tohoto formátu **3** polygr. arch o 16 stranách, šestnáctka (slang.): tisková forma o 16 stranách
sexton [sekstən] **1** kostelník **2** hrobník ♦ ~ *beetle* zool. hrobařík
sextoness [sekstənis] kostelnice, kostelnička
sextuple [sekstjupl] *adj* **1** šestinásobný **2** hud. šestidobý ● *s* šestinásobek ● *v* z|násobit šesti, ze|šestinásobit
sextuple press [ˌsekstjuplˈpres] polygr. rotačka pro 48 stránek
sextuplet [sekstjuplit] **1** šestka, šestice **2** šesterče; ~*s, pl* šesterčata **3** hud. sextola
sextus [sekstəs] BR škol. šestý
sexual [seksjuəl] pohlavní, sexuální ♦ ~ *affinity* pohlavní přitažlivost; ~ *appetite* touha po pohlavním styku; ~ *commerce* pohlavní styk; ~ *desire* sexuální touha, libido; ~ *indulgence* pohlavní vyžívání, vybíjení; ~ *intercourse* pohlavní styk, koitus; ~ *offence* sexuální zločin; ~ *relations* pohlavní styk, pohlavní soužití; ~ *revolution* sexuální revoluce
sexualist [seksjuəlist] **1** kdo vykládá jevy sexualitou, freudovec, freudista **2** zastánce Linného systému v botanice
sexuality [ˌseksjuˈæləti] **1** pohlavnost, sexuálnost, sexualita **2** sexuální život; sexuální vzrušení
sexualization [ˌseksjuəlaiˈzeišən] sexualizování, sexualizace
sexualize [seksjuəlaiz] učinit sexuálním, sexualizovat
sexy [seksi] (*-ie-*) hovor. **1** silně erotický, jsoucí plný sexu, téměř pornografický (*a ~ thriller*) **2** pohlavně dráždivý, vzrušující, smyslný, sexy (~ *poses*), svůdný, rajcovní (slang.) (~ *black tights*)
sez [sez] AM slang. = *says* ♦ ~ *you!* nekecej!, to víš!
sforzando [sfo:tˈsændəu], **sforzato** [sfo:tˈsa:təu] hud. důrazně, sforzato, sforzando
sfumato [sfu:ˈma:təu] výtv. **1** malba sfumatový, s obrysy obklopenými měkkým kouřovým oparem **2** barva rozplývavý do sebe, splývající, splývavý
sh [š] pst
shabbiness [šæbinis] **1** opotřebovanost; ošoupanost, odřenost, prodřenost, rozbitost, potrhanost; utahanost, uválenost, ošumělost, ošuntělost, obnošenost, sešlost; otrhanost **2** nečestnost, nepoctivost, podlost, ničemnost, sprostota, špinavost, šupáctví, šupárna; ubohost, mizernost, opovrženíhodnost **3** mizernost, bídnost, lakotnost; podřadnost, šupáckost
shabby [šæbi] (*-ie-*) **1** opotřebovaný; ošoupaný, odřený, prodřený, rozbitý, potrhaný dlouhým používáním (*too ~ for use*); utahaný, uválený, ošumělý, ošuntělý, obnošený, sešlý (*wearing a ~ hat*) **2** otrhaný, ošumělý, ošuntělý, šupácký (*a ~ person*) **3** nečestný, nepoctivý, podlý, ničemný, sprostý, špinavý, šupácký (~ *politics*); ubohý, mizerný, opovrženíhodný **4** malý, mizerný, bídný (*a ~ allowance* malé kapesné); lakotný; podřadný (*a ~ lot of fighting men*) ♦ ~ *excuse* chatrná výmluva; ~ *trick* špinavost, sprosťárna, lumpárna, šupárna (*play a ~ trick on a p.* provést špinavost komu)
shabby-genteel [ˌšæbidženˈti:l] zchudlý, svědčící o bývalém lesku / majetku, snažící si udržet bývalý bohatý vzhled; chudý, ale elegantní
shabby gentility [ˌšæbidženˈtiləti] lesklá bída
shabrack [šæbræk] voj. čabraka
shack [šæk] chatrč, bouda, budka (*a cook's ~*) ● *v* žít, bydlet ***shack up*** slang. *1* žít *with* s, bydlet a spát s, žít na hromádce s (*he ~ed up with another girl he knew*) **2** vzít na byt, ukvartýrovat (*the girls get boy friends who ~ them up for a time*) ***shack together*** žít spolu na hromádce / na divoko
shackle [šækl] *s* **1** okov, pouto, **2** tech. kovová spona, spojovací článek, třmen; kroužek, oko; závěs pružnice **3** elektr. napínací izolátor **4** námoř. třmen, zámek kotevního řetězu ● *v* **1** s|poutat, připoutat, s|vázat např. třmenem **2** přen. poutat, vázat, brzdit ♦ *be ~d* být spoután *by / with* čím
shackle-bolt [šæklbəult] **1** svorník třmenu **2** vidlicový šroub
shackle-joint [šækldžoint] zool. třmenový kloub
shad [šæd] *pl* též *shad* [šæd] zool. placka ryba

shadberry [šædbəri] (*-ie-*) bot. **1** plod muchovníku **2** = *shadbush*

shadbush [šædbuš] bot. muchovník; muchovník kanadský

shaddock [šædok] bot. pumelo druh pomeranče

shade [šeid] *s* **1** stín za osvětleným tělesem (*a temperature of 90° F in the* ~); oslabená podoba čeho; znak pocitu zejm. nepříznivého (*a* ~ *of displeasure* ... nespokojenosti) **2** bás., nář.: vržený stín **3** ~*s, pl* kniž. stín, stíny, šero, přítmí **4** stín, stíny, stínování na obraze **5** věc poskytující stín: listí; ochrana před sluncem; stínidlo, stínítko; AM žaluzie, roleta; clona **6** dámský krajkový šátek, závoj **7** odlehlé místo, zátiší, skryt (*the* ~ *of the convent*) **8** barevný odstín, tón (*dress materials in several* ~*s of blue*); významová nuance, odstín **9** slabý náznak, stín, trocha, chlup, vous (přen.) (*she is a* ~ *better today* dnes je jí o poznání lépe) **10** nedobrá vlastnost, negativní stránka, zápor, stín (~ *in character*) **11** stín, duch, mátoha, přízrak (*the* ~ *of their dead relative*) **12** ~*s, pl* říše stínů, podsvětí **13** ~*s, pl* vinné sklepy **14** ~*s, pl* AM slang. tmavé brýle proti slunci ◆ *cast a p.* | *a t. into the* ~ úplně zastínit koho | co; *leave in the* ~*s* nechat daleko za sebou; ~ *of meaning* významový odstín, nuance; *put* / *throw a p. into the* ~ = *cast a p. into the* ~ = *cast a p. into the* ~; *without light and* ~ přen. bez kontrastu, bezvýrazný, monotónní ● *v* **1** chránit před sluncem apod., za|clonit (*he* ~*d his eyes with his hand*), stínit, (*trees* ~ *the street*), zastiňovat; chránit před větrem otevřené světlo **2** přelétnout jako stín, pokrýt stínem, zastínit (*a melancholy smile* ~*d his face*), zachmuřit (*a sullen look* ~*d his face* podmračený výraz mu zachmuřil obličej) **3** zastírat, zakrývat, zahalovat, zastiňovat **4** zatlačit, odsunout do pozadí, upozadit, zastínit, potlačovat, snižovat, zeslabovat, zastiňovat lepší horším **5** kreslit / malovat stíny, vy|stínovat; čárkovat, šrafovat **6** o|barvit tak, že barvy do sebe splývají; tónovat barvu **7** hud. zabarvit vokál při zpěvu **8** pomalu / postupně z|měnit; barva, slovo měnit / dostávat / mít jiný odstín **9** též ~ *away* / *off* postupně přecházet splývat, vplývat (*work and play* ~ *into each other*) **10** též ~ *off* poněkud | o něco málo snížit cenu **11** hud. vyladit; snížit o oktávu varhanní píšťalu přikrytím hořejšího otvoru ***shade away*** *1* polygr. ztrácet barvu / barevný tón v tisku *2* barva blednout

shade-bearer [ˈšeidˌbeərə] les. dřevina stinná

shaded [šeidid] **1** stinný (~ *avenues*); stíněný (~ *pole* ... pól) **2** jsoucí se stínítkem (*a* ~ *lamp*) **3** v. *shade, v* ◆ ~ *rule* polygr. obrubná linka; ~ *type* polygr. stínované písmo

shadeless [šeidlis] nechráněný před světlem n. horkem

shade-tree [šeidtri:] AM strom vrhající velký stín a proto vysazovaný n. ceněný

shadiness [šeidinis] **1** stinnost **2** nejistota, nejednoznačnost, nespolehlivost **3** pochybnost, podezřelost, všelijakost

shading [šeidiŋ] **1** odstínění, odstupňování; stínění, clonění **2** výtv. stínování, šrafování **3** sděl. tech. stínová korekce televizního obrazu, zastínění **4** v. *shade, v*

shadoof [šəˈdu:f] vahadlo na čerpání vody v Egyptě

shadow [šædəu] *s* **1** stín (*the* ~ *of woods, the earth's* ~ *sometimes falls on the moon, her face was in deep* ~), též přen. (*he is only the* ~ *of his former self*) **2** ~*s, pl* přítmí, šero **3** odraz, odražený obraz např. v zrcadle, matný obraz **4** ochrana, ochranné křídlo (přen.), záštita, ochranný vliv, stín (*under the* ~ *of the Almighty* ve stínu Všemohoucího) **5** blízkost něčeho významného, stín *of* čeho (*stand in the* ~ *of a modern skyscraper* stát ve stínu moderního mrakodrapu); odloučení, soukromí, stín, skryt (*he is content to live in the* ~) **6** stopa, náznak, zdání, stín (*without a* ~ *of doubt* bez nejmenší pochybnosti); předzvěst **7** mrzutost, neshoda, stín (*there never was a* ~ *between him and his friend*) **8** neodlučný druh, stín (*sin and her* ~ *death* hřích a jeho stín, smrt); kdo koho sleduje / stopuje, detektiv, špeh, stín, anděl (slang.) **9** přelud, duch, fantom, stín (*a terrible* ~ *with uplifted hand* hrůzostrašný přelud ...) **10** div. hist. střecha, přístřešek nad jevištěm **11** výtv. fot. stín **12** námoř. čtyřrohý spinakr plachta; spinakrový peň ◆ *be afraid of one's own* ~ bát se svého stínu mít zbytečný strach; *cast a* ~ vrhat stín (*coming events cast their* ~*s before* pořek. velké události se vždycky hlásí napřed); *catch at* ~*s* honit se za přeludy; *may your* ~ *never be* / *grow less* kéž se ti vede vždycky dobře; ~*s under* / *round the eyes* kruhy pod očima; *valley of the* ~ *of death* bibl. údolí stínů smrti; *worn to a* ~ tak vyčerpaný, že je pouze stínem toho, co býval dřív ● *v* **1** za|stínit; chránit **2** světlo vytvořit stín / siluetu koho (*the light* ~*ed him against the side of the tent* světlo vrhlo jeho stín na bok stanu) **3** přen. zatemnit, zahalit stínem (*the mountains heavily* ~*ed by a storm cloud* hory hustě zahalené stínem bouřkového mračna); zkalit (*a glint of displeasure* ~*ed his eyes* záblesk nespokojenosti mu zkalil zrak), zachmuřit (*his cheerful face was suddenly* ~*ed*) **4** též ~ *forth* / *out* nastiňovat (*my theory of right conduct which these pages* ~ *forth* moje teorie správného chování, kterou tyto stránky nastiňují); naznačovat, napovídat, symbolizovat (~ *forth the doubts that men may have*) **5** tajně sledovat, stopovat těsně v patách, jít jako stín za (*the detective* ~*ed the suspect* detektiv sledoval podezřelého) **6** přecházet (*smooth opal* ~*ing into deep jade beneath the rocks* jemný opál přecházející pod skalami do tmavého nefritu) ● *adj* stínový; stínicí

shadow bands [ˌšædəuˈbændz] hvězd. letící stíny

shadow box [ˌšædəuˈboks] stínicí kryt na promítání za denního světla

shadow-boxing [ˈšædəuˌboksiŋ] sport. stínový boxing
shadow cabinet [ˌšædəuˈkæbinit] BR stínová vláda, stínový kabinet
shadow dot [ˌšædəuˈdot] polygr. síťový pontík ve stínech
shadower [šædəuə] 1 kdo sleduje n. stopuje, stín, detektiv 2 námoř průzkumová loď 3 námoř. vysloužilá loď
shadow factory [ˌšædəuˈfæktəri] továrna připravená pro vojenské účely nepracující v míru
shadow-fighting [ˈšædəuˌfaitiŋ] = *shadow-boxing*
shadowgraph [šædəugra:f] 1 stínový obrázek 2 rentgenový snímek
shadowiness [šədəuinis] 1 nehmotnost, neskutečnost, nepostižitelnost 2 nejasnost, nepevnost, stínovitost, přízračnost 3 stinnost
shadowing [šædəuiŋ] 1 výtv. stínování, šrafování 2 v. *shadow, v*
shadowless [šædəulis] jsoucí beze stínů; nevrhající stín
shadow mask [ˌšædəuˈma:sk] polygr. maska na stíny kontrastní
shadow painting [ˌšædəuˈpeintiŋ] voj. zastírací nátěr budovy, lodi, letadla
shadow play [ˌšædəuˈplei] stínohra
shadow shading [ˌšædəuˈšeidiŋ] = *shadow painting*
shadow-stitch [šædəustič] stínový steh
shadowy [šædəui] 1 nehmotný, neskutečný, nepostižitelný 2 nejasný, nepevný, stínovitý (*the ~ boundaries fo a complex government* nepevné hranice komplexní vlády); přízračný (*~ ghosts* strašidelné přízraky) 3 stinný, stínící (*~ cypress swamps* močály se stinnými cypřiši), vrhající / poskytující stín, stínící (*a broad and ~ hat*)
shaduf [šəˈdu:f] = *shadoof*
shady [šeidi] (*-ie-*) 1 stínící, vrhající / poskytující stín (*a ~ hat of natural straw*) 2 jsoucí ve stínu (*~ places*); temný, tmavý (*her ~ hair*) 3 nejistý, nejednoznačný, nespolehlivý (*what looks very well one way may look very ~ the other*) 4 pochybný, podezřelý, všelijaký (*the victim of various ~ speculations* oběť všelijakých pochybných spekulací) ◆ *keep ~* AM buď zticha aby si tě nevšimli; *on the ~ side of forty* etc. starší než čtyřicet let atd.
SHAEF [šeif] (*Supreme Headquarters Allied Expeditionary Forces*) vrchní velitelství spojeneckých expedičních sil
shaft [ša:ft] 1 oštěp, kopí; šíp, tyčka šípu; přen. osten, hrot (*~s of satire*) 2 žerď; tyč, sochor, bidlo 3 *pl* též *shaves* [šeivz] oj, voj 4 paprsek světla; blesk 5 rukojeť, násada, držadlo, topůrko; bičiště, kosiště 6 dřívko zápalky 7 osa ptačího pera, stvol 8 sloup, sloupek, obelisk 9 dřík sloupu / kotvy 10 kmen, peň stromu 11 svislé břevno kříže 12 hlava komínu, komín viditelná část nad střechou 13 vřeteno 14 hřídel 15 píst 16 text. zdvižný činek; list brda 17 stavební jáma; důlní jáma, šachta; větrací / výtahová šachta; šachta pece 18 schodišťový prostor 19 obsc. klacek ◆ *~ alley* = *~ tunnel; sink a ~* udělat šachtu, vy|hloubit jámu; *~ tunnel* tunel hřídelového vedení lodi
shaft-furnace [ˌša:ftˈfə:nis] šachtová pec
shaft-horse [ša:ftho:s] tažný kůň zapřažený blíže vozu
shafting [ša:ftiŋ] 1 hřídele; hřídelové vedení 2 transmise
shag[1] [šæg] *s* 1 chundel, chuchvalec, chumáč chlupů 2 hustý porost, houština, spleť 3 text. dlouhý tuhý vlas 4 text. plyš 5 druh hrubého silného tabáku ● *v* (*-gg-*) 1 padat / viset v chumáči 2 udělat chlupatým
shag[2] [šæg] zool. kormorán chocholatý
shag[3] [šæg] *s* poskok taneční krok ● *v* 1 honit, odhánět; nahnat 2 hodit, poslat (*~ a stone across a pond*)
shag[4] [šæg] BR obsc. *v* (*-gg-*) 1 souložit 2 onanovat *shag out* vyčerpat ● *s* soulož zejm. skupinová
shagbark [šægba:k] AM bot. 1 ořešák bílý, bílá hikory, ořechovec 2 dřevo hikory
shagged [šægd] 1 BR též *~ out* hovor. utahaný, oddělaný, vyplivnutý 2 v. *shag, v*
shagginess [šæginis] 1 chlupatost, chundelatost, střapatost 2 zarostlost 3 hrubost, zpustlost, neotesanost 4 zmatenost
shaggy [šægi] (*-ie-*) 1 chlupatý, chundelatý, střapatý 2 zarostlý hustým porostem, zpustlý 3 hrubý na omak 4 hrubý, neotesaný, nevycválaný (*a rough ~ boy*) 5 zmatený (*under a spell of the shaggier manuals of psychoanalysis* pod vlivem zmatenějších příruček psychoanalýzy) ◆ *~ dog story 1.* rozvláčná, rádoby veselá historka *2.* dlouhá historka se surrealistickou pointou *3.* anekdota o mluvícím zvířeti
shagreen [šæˈgri:n] šagrén jemná kůže s jemně zrnitým povrchem
shagreened [šæˈgri:nd] šagrénový
shagroon [šəˈgru:n] AU hovor. australský dobytkář usedlý na Novém Zélandě
shah [ša:] šáh, šach titul íránských / perských panovníků
shaitan [šaiˈta:n] 1 *S~* náb. šejtan, ďábel, satan v muslimském prostředí 2 přen. ďas, ďábel, čert, satanáš zlý člověk n. zlé zvíře
shakable [šeikəbl] 1 otřesitelný; nejistý, nepevný 2 vyveditelný z míry
shake [šeik] *v* (*shook, shaken*) 1 třást; vytřást (*~ a rug ...* přikrývku), roztřást, rozechvět; zatřást čím, za|lomcovat čím (*rattling and shaking the latch* cvakající a lomcující zástrčkou); setřást *from* z (*~ fruit from a tree*), vyklepat, vysypat, vytřást *from* / *out of* z (*shook the sand from his shoes*) 2 za|chvět | se, za|třást | se (*her voice shook with emotion, the earth itself seemed to ~ beneath my feet* jako by se mi sama země chvěla pod nohama), klepat se, tetelit se (*he was shaking with cold*), za|kymácet se (*the vase on the*

mantelpiece shook dangerously váza na římse nad krbem se nebezpečně zakymácela) **3** zatřepat, protřepat (~ *well before using* před použitím pořádně zatřepat); klátit **4** posypat *a t.* čím *over* co (*shook salt and pepper over the potatoes* brambory si osolil a opepřil) **5** zast. rozprášit **6** AM za|míchat karty; za|třepat kostkami v kalíšku **7** setřást ze sebe, zbavit se čeho (*had ~n his bad habits* zbavil se špatných návyků) **8** zatřást *a p.* komu *by* čím, zatahat koho za co, zacloumat koho za co (~ *a man by the shoulders*) **9** otřást, vyvést z míry (*they were badly ~n by the news*), otřást kým, vyvést z míry koho (*the disaster shook her very much* katastrofa ji hluboce otřásla) **10** zviklat koho, otřást kým (*nothing could ~ him*) **11** popadat se za břicho, svíjet se smíchy, rozesmát koho, až se za břicho popadá **12** rytmicky / tanečně pohybovat čím **13** hud. za|trylkovat, za|hrát trylek, u|dělat trylek na notě **14** dřevo praskat, pukat mezi letokruhy; způsobit trhlinu / puklinu mezi letokruhy **15** rozebrat sud **16** AM podat si ruce (*agreed to ~ and be friends*) **17** AU okrást, ukrást **18** námoř. plachta třepat se ◆ *~!* hovor. zejm. AM *1.* podejme / podejte si ruku! *2.* ruku na to!; *badly ~n* hluboce dojat / otřesen; *~ a p.'s courage* vzít komu odvahu; *ell ~!* AM ruku na to!; *~ a p.'s faith* zviklat, podlomit koho ve víře, narušit víru koho; *~ one's fears* přen. nabrat odvahu, vzmužit se; *~ one's finger at a p.* za|hrozit prstem na koho, udělat na koho „ty ty ty,"; *~ one's fist at a p.* za|hrozit komu pěstí; *~ hands* zejm. AM podat si / stisknout si ruce, potřást si rukama; *~ a p. by the hand* AM podat / stisknout komu ruku, potřást komu rukou; *~ one's head at / over* za|vrtět hlavou nad; *~ a hoof* AM slang. trsat tančit; *~ a leg* hovor. *1.* hnout kostrou pospíšit si *2.* vzít nohy na ramena; *~ into place* srovnat třesením; *~ in one's shoes* třást se strachy; *~ one's sides with laughter* popadat se smíchy za břicho; *~ a p. out of his sleep* zburcovat, vyburcovat ze spánku zatřesením; *~ a vessel in the wind* námoř. stočit loď tak těsně po větru, že se plachty chvějí ***shake o. s.***: *~ o.s. free / loose* vytrhnout se, vymanit se, vysmeknout se trhavým pohybem ***shake down*** *1* třást, setřásat ovoce ze stromu *2* usídlit se, ubytovat se dočasně; provizorně se uložit (*had to be content to ~ down with blanket in the inn parlour* musel se spokojit s vyspáním pod pokrývkou ve výčepu hostince), rozkládat slámu jako lůžko *3* zapracovat se, usadit se, zaběhnout se, zajet se, přivyknout si na sebe, sžívat se (*the new teaching staff is shaking down nicely* profesorský sbor si na sebe pěkně zvyká) *4* snížit počet čeho; scvrknout se (přen.) *to* na (*the fighting shook down to a straight infantry battle*) **5** prohledat, prošacovat, obrátit kapsy komu, filcovat (hovor.) (*decided to ~ down the inmates* rozhodl se vězně prošacovat) *6* obrat, oškubat podvodně (*impostors shook down soldiers by pretending to arrest them* podvodníci předstírali, že vojáky zatýkají, a tak je obrali) ***shake off*** *1* setřást ze sebe *2* setřást, zbavit se koho, uniknout pronásledovateli (*~ off a pursuer* uniknout pronásledovateli) *3* zbavit se čeho, dostat se z, osvobodit se od (*find it hard to ~ off these tentacles of organized crime* je těžko se osvobodit od chapadel organizovaného zločinu) ***shake out*** *1* vytřást, vytřepat, uvolnit (*~ out reefs!* námoř. vypustit (uvolnit) kasací pásy / podkasání!) *2* rozvinout vlajku *3* srazit hodnoty na burze; vytlačit z trhu např. cenami ***shake up*** *1* natřást, načechrat, narovnat natřesením (*~ up a cushion* natřást podušku) *2* zatřást, zatřepat čím, protřepat (*~ up a bottle of medicine*); smíchat, namíchat v šejkru *3* reorganizovat (*the detective force was ~n up* sbor detektivů byl reorganizován), zamíchat čím (*a trend that has ~n up the marketing notions of manufacturers* směr, který zamíchal prodejními představami výrobců) *4* zburcovat, vyburcovat *5* otřást, zatřást kým, pocuchat nervy komu (*the collision shook up the drivers of the two cars* srážka pocuchala nervy řidičům obou vozidel) ◆ *~ it up!* hněte kostrou!
● *s* **1** třes, třesení, chvění **2** potřesení, podání, stisk, stisknutí (*~ of the hand*); AM stisk, stisknutí, podání ruky, potřesení rukou (*welcomed the visitor with a hearty ~* přivítal návštěvníka srdečným stiskem ruky) **3** otřes (*the rude ~s which science has given to their cherished convictions* hrubý otřes, který jejich zamilovaným přesvědčením způsobila věda); rozechvění, vzrušení, otřes (*I don't think I got over the ~s for two hours*) **4** AM chvění půdy, zemětřesení **5** nápor, poryv (*~ of wind*) **6** mléčný koktejl (*chocolate ~* čokoládový koktejl z mléka) **7** med. záchvat malárie **8** *~s, pl* malárie **9** *~s, pl* třesavka, zimnice **10** *~s, pl* hovor. delirium tremens (med.) **11** *~s, pl* přen. hovor. nervy, vzrušo **12** puklina, prasklina, thlina mezi letokruhy; podélná trhlina v luku **13** tech. vůle **14** hovor. chvilka, okamžik **15** fyz. setina mikrosekundy **16** horn. svislá / vertikální trhlina **17** hud. trylek **18** námoř. třepání uvolněné plachty **19** polygr. rozmazaný tisk **20** tech. třasák, třásadlo, natřásadlo zařízení papírenského stroje **21** AM hovor. zacházení (*a fair ~* slušné ...) ◆ *all of a ~* třesoucí se, chvějící se, rozechvělý; *be no great ~s* hovor. nebýt žádné velké zvíře, nebýt žádné velké lumen (*he is no great ~s as a philosopher*); *in a brace of ~s = in two ~s*; *give o. s. a ~ 1.* pes oklepat se, otřepat se *2.* zbavit se koho, konečně mít z krku koho; *give a p. a cold ~* AM ignorovat koho; *give a p. a good ~* pořádně zatřást / zalomcovat kým; *give a t. a good ~* pořádně zatřepat co / čím; *~ of the head* zavrtění hlavou; *in two* etc. *~s* (*of a lamb's / duck's tail*) hovor. coby dup, našup, na to tata, štandopede, než řekneš švec

shakedown [šeikdaun] *s* **1** provizorní lůžko na zemi, provizorní ubytování **2** AM vydírání **3** důkladná prohlídka, pro|šacování, filcuňk (hovor.) **4** zvyknutí si, přivyknutí si na sebe, zapracování, zaběhnutí, zajetí, přizpůsobení, sžití ● *adj* zkušební ◆ ~ *cruise* hovor. plavba nové lodi, při níž se posádka seznamuje s její obsluhou a zařízením; ~ *flight* zkušební let, zalétávání nového typu letadla n. letadla po generální opravě

shakefork [šeikfo:k] herald. heroldský kus ve tvaru ypsilon, vidlice

shakehands [ˌšeikˈhændz] AM podání / stisk ruky (*a hearty* ~)

shaken [šeikən] v. *shake, v*

shakeout [šeikaut] **1** vytřesení, vytřásání **2** vytlačení slabších konkurentů z trhu; krize na burze postihující slabší konkurenty **3** tech. vytloukání odlitků z formy

shakeproof [šeikpru:f] odolný proti otřesům

shaker [šeikə] **1** kdo / co třese; vyklepávač, natřásač; třásadlo; třasák, natřásadlo papírenského stroje; střásadlo míchačky na beton **2** tech. nátřasné síto; nátřasný dopravník; nátřasný žlab; vibrační třídič; otřásací síto, vibrační síto **3** šejkr na míchání nápojů **4** *S*~ Shaker člen americké náboženské sekty

Shakeress [šeikəris] členka náboženské sekty Shakerů

Shakerism [šeikərizəm] víra a obřady Shakerů

Shakespearean [šeikˈspiəriən] *adj* shakespearský, shakepearovský ● *s* shakespearovec, shakespearolog

Shakespeareana [ˌšeikspiəriˈa:nə] shakespearská / shakespearovská literatura

Shakespearian [ˌšeikˈspiəriən] = *Shakespearean*

Shakespeariana [ˌšeikspiəriˈa:nə] = *Shake-speareana*

shake-up [ˌšeikˈap] **1** chatrč, bouda **2** důkladná reorganizace **3** pozdvižení, zmatek

shakiness [šeikinis] **1** chatrnost, kolísavost, nespolehlivost, nepevnost, problematičnost, labilnost, vratkost, vachrlatost (hovor.) **2** chvění, rozechvělost, třesení, roztřesenost, třaslavost **3** rozviklanost; drncavost

shaking [šeikiŋ] *s* **1** též ~*s, pl* námoř. hromada starých lan jako cupanina **2** v. *shake, v*

shaking palsy [ˌšeikiŋˈpo:lzi] med. Parkinsonova nemoc

shako [šækəu] voj. čáka, čáko

Shaksperean [šeikˈspiəriən] = *Shakespearean*

Shakspereana [ˌšeikspiəriˈa:nə] = *Shakespeareana*

Shaksperian [šeikˈspiəriən] = *Shakespearean*

Shaksperiana [ˌšeikspiəriˈa:nə] = *Shakespeareana*

shakuhachi [ˌša:ku:ˈha:či:] japonská bambusová flétna

shaky [šeiki] (*-ie-*) **1** chatrný, kolísající, kolísavý, nepevný, nespolehlivý, problematický, labilní, vratký, vachrlatý (hovor.) **2** třesoucí se, chvějící se, rozechvělý (*lit a cigarette with* ~ *fingers* třesoucími prsty si zapálil cigaretu), třaslavý, roztřesený; slabý **3** rozviklaný (*a* ~ *chair*); drncavý (*a* ~ *ride*) **4** dřevo rozpukaný ◆ *feel* ~ cítit slabost, mít fádní pocit

shale [šeil] geol. **1** jílovitá břidlice **2** lupek

shale oil [ˌšeilˈoil] nafta ze živičné břidlice

shall [šæl] pomocné sloveso (*I* ~, *you* ~ / zast. *thou shalt, he / we / you / they* ~; *I should, you should* / zast. *thou shouldst, shouldest;* nemá *inf* a *perf*) **I. 1** vyjadřuje budoucí čas (pro 1. osobu) (*I* ~ *be* budu, *I* ~ *go* půjdu, *I* ~ *not* / *shan't sing* nebudu zpívat, *we* ~ *come tomorrow* přijdeme zítra) **2** vyjadřuje pevné rozhodnutí mluvčího (pro 1. osobu) (*I came through and I* ~ *return* prošel jsem a také se vrátím, *the stone belongs to Scotland and we* ~ *get it back* ten kámen patří Skotsku a proto ho také získáme zpět) **3** je-li *shall* ve větě zdůrazněno, vyjadřuje přání, povinnost, rozkaz n. zákaz (pro 2. a 3. osobu) (*he says he won't go but I say he* ~ on sice říká, že nepůjde, ale já říkám, že musí; *a vessel when under way* ~ *carry at her stern a white light* plující loď musí být na zádi opatřena bílým světlem; *thou shalt not kill* bibl. nezabiješ); není-li zdůrazněno, vyjadřuje slib n. hrozbu (*if you work well you* ~ *have higher wages*) **4** vyjadřuje nevyhnutelnost n. sílu vyšší moci (*whate'er* ~ *be, don't let anyone bomb me* ať / nechť se stane cokoliv, ať mě nikdo nebombarduje) **5** vyjadřuje kladnou n. zápornou odpověď na otázku obsahující *shall* (~ *you be happy? I* ~. Budeš šťasten? Ano. / Budu.; ~ *you come? I* ~ *not.* Přijdeš? Ne. / Nepřijdu.) **6** v tázací větě vyjadřuje vyžadování odpovědi (~ *I get the book?* tak dostanu tu knihu?; ~ *you go to church?* půjdete tedy do kostela?) **7** ve zkráceném opakování tázací větou vyjadřuje vyžadování souhlasu: viď, vidže, že, ne, pravda (*he* ~ *come,* ~ *he not,* on přijde, viď?) **8** kniž. v účelové větě vyjadřuje úmysl (*we sow the seed so that it* ~ *grow* zaséváme zrno proto, aby vzrostlo) **II.** *should* **1** vyjadřuje podmiňovací způsob zejm. v krajní eventualitě (ve všech osobách) (*if I should die* kdybych (snad) umřel; *if he should call, I'm out* kdyby snad / přece jen / náhodou volal, nejsem doma) **2** je-li řídící věta v nepřímé řeči v minulém čase, má vedlejší věta *should* místo *shall* n. *will,* zejm. při převyprávění do 1. osoby (*He said to me: „You will succeed." – He told me that I should succeed*) **3** vyjadřuje přání n. mravní povinnost (*he was determined that his son should have a good education* rozhodl se, že jeho syn musí mít dobré vzdělání, *you* ~ *brush your teeth after each meal* zuby si máš čistit po každém jídle) **4** vyjadřuje zdvořilé přání n. žádost (*I* ~ *suggest that a guide is essential* dovoluji si připomenout, že vůdce je nutný) **5** ve vedlejších větách uvedených *that* se po výrazech hodnocení užívá *should* k vyjádření subjektivního přístupu mluvčího (*it is surprising that he should be so foolish* překvapuje, že je skutečně tak hloupý) **6** s minulým infinitivem vyjadřuje nesplněnou podmínku, politování n. povinnost (*you should have come sooner* měl jsi přijít dříve) **7** vyjadřuje pravděpodobnost (*it should be child's play for the three of us* pro nás tři by to měla být hračka) **8** ve vedlejší větě vyjadřuje nesouhlas n. pochybnost (*is it right that she should speak like that?* je správné, aby tak mluvila?; *I wonder where she should have been in the meantime* zajímalo by mě, kde mezitím byla); po *how, why* apod. vyjadřuje pochybnost o správnosti předpokladu (*how should I know?* jak to mám vědět?; *why should you think so?* proč si to myslíš?)

shalloon [šəˈlu:n] text: druh lehké tkaniny užívané zejm. na podšívky

shallop [šæləp] námoř. **1** šalupa rybářský dvoustěžník **2** otevřený lehký člun užívaný v mělkých vodách

shallot [šəˈlot] zahr. šalotka, česnek šalotka (bot.)

shallow [šæləu] *adj* **1** mělký, nehluboký (*a ~ grave* mělký hrob, *~ valleys* nehluboká údolí) **2** jsoucí s malou hloubkou stupně (*the broad flight of ~ steps* široké schodiště z nízkých schodů); malý,úzký (*a ~ bridgehead had been established* bylo vytvořeno úzké předmostí) **3** povrchní, plytký, mělký (*a ~ demagogue who incited the mob* povrchní demagog, který rozeštval dav); jalový, planý (*~ generalizations*); přen. krátkozraký **4** dech povrchní, nikoliv hluboký **5** hud.: tón slabý, mdlý, bez šťávy, bezvýrazný ◆ *~ draught* malý ponor lodi; *~ layer* tenká vrstva; *~ lens* fyz. plochá čočka; *~ root* les. kořen plošný; *~ water* mělčina; *~ well* studna na jímání podzemní vody ● *s* **1** též *~s, pl* mělčina **2** hist. klobouk s nízkým dýnkem **3** BR koš, košík, vozík pouličního prodavače ● *v* **1** stát se mělkým, změlčit se **2** učinit mělkým, zanést (*the slow current of the silt-laden water ~ed the canal* pomalý proud bahnité vody zanesl kanál)

shallow-brained [ˈšæləuˌbreind] povrchní, plytký, tupý, omezený

shallow-hearted [ˈšæləuˌha:tid] charakter povrchní, nesolidní

shallowness [šæləunis] **1** mělkost **2** povrchnost, plytkost, jalovost, planost **3** slabost, bezvýraznost tónů

shallow-pated [ˈšæləuˌpeitid] tupý, zabedněný, omezený

shalom [šəˈlom] šalom tj. pokoj (pozdrav)

shalot [šəˈlot] = *shallot*

shalt [šælt] v. *shall*

shaly [šeili] břidlicový

shalwar [ša:lwaə] volné, dole rozšířené dámské kalhoty v Pakistánu

sham [šæm] *v* (*-mm-*) **1** předstírat to, hrát to, jen to tak dělat, stavět se tak, přetvařovat se, simulovat, filmovat to (hovor.) (*she was not sick but only ~ming*) **2** předstírat co, dělat, jako že má chorobu, simulovat, fingovat (*~ headache*); stavět se jakým, dělat ze sebe jakého (*you must not ~ stupid*) ***sham o. s.*** podvodně / úskokem se vetřít *into* kam (*she ~med herself into favour at court* vetřela se do přízně dvora) ● *s* **1** podvod, klam, šalba, bluf, bouda, podvodný manévr, humbuk, švindl (*the so-called sale of stocks was a mere ~*); pokrytectví, předstírání **2** zejm. AM zdání, přetvářka, maska **3** padělek, falzifikát, falzum, pouhá napodobenina, náhražka, imitace, fikce (*has reduced national sovereignty to a ~* ze státní svrchovanosti udělal pouhou rádoby-svrchovanost) **4** podvodník, simulant **5** vyšívaný povlak na polštář, přehoz přes postel **6** zast. kanadský žertík ● *adj* **1** klamný; předstíraný, fingovaný (*fought ~ battles*); smyšlený, zdánlivý, myšlený **2** lživý; připomínající náhražky **3** falešný (*~ pearls*) napodobený, náhražkový, napodobenina čeho (*~ tea* napodobenina čaje, co se vydává za čaj) ◆ *~ battle* též voj. manévry; *~ business* ekon. předstíraný / fingovaný obchod; *~ doctor* felčar, mastičkář; *~ elections* pouze formální volby při kterých je výsledek napřed známý n. určený; *~ fight* voj. manévry; *~ plea* práv. *1.* formální námitka k získání času *2.* neoprávněná žaloba

shaman [šæmən] šaman kouzelník primitivního kmene

Shamanism [šæmənizəm] šamanismus druh primitivního náboženství

Shamanist [šæmənist] *adj* šamanský, šamanistický týkající se šamanismu ● *s* šamanista stoupenec šamanismu

shamble [šæmbl] *v* šourat se, šoupat se, šoulat se, vléci se, belhat se, paťhat, šmaťhat, motat se ● *s* šourání, šouravá chůze

shambles [šæmblz] **1** jatky, též přen. (*the bridge instantly became a ~*) **2** BR nář. řeznictví, masné krámy **3** rumiště, trosky, hromada trosek (*the imposing entrance is a ~* z impozantního vchodu je hromada trosek, *the bombers left the city in ~s*) **4** hovor. zmatek, virvál, virvár, binec, bordel, maglajz (*the conference this year was an utter ~* letošní konference byl prostě bordel)

shambolic [šæmˈbolik] BR jsoucí vzhůru nohama, rozházený, charakterizovaný nepořádkem (*~ newspaper office*)

shame [šeim] *s* **1** stud (*she felt no ~*); pocit studu / hanby **2** hanba, ostuda, skvrna (*he is a ~ to the family* on je ostuda celé rodiny, dělá celé rodině hanbu) **3** hovor. patálie, smůla, otrava, nepříjemnost (*what a ~!* *1.* to je škoda! *2.* to je ostuda!) **4** zast. ohanbí ◆ *bring ~ upon a p.* / *bring a p. to ~* udělat komu ostudu, přivést koho do hanby; *cry ~ on a p.* říkat komu, že se může stydět; *feel ~* stydět se, hanbit se; *for ~* *1.* zahanbeně, hanbou (*hang one's head for ~*) *2.* hanba, fuj!; *the ~ of it!* zast. taková hanba / ostuda!; *last ~* vězení; *put a p. to ~* *1.* zahanbit koho *2.* zostudit koho; *with ~* s hanbou, zahanbeně ● *v* **1** zast. stydět se **2** zahanbit koho, způsobit, že se kdo stydí; trumfnout koho **3** zostudit koho, u|dělat komu ostudu, znectít, hanobit **4** přimět koho *into* k (*he ~ed me into apologizing* přiměl mě k tomu, že jsem se omluvil), odvrátit *out of* od (*he*

was ~d out of his prejudice) ♦ *~ the devil* mluvit pravdu
shamed [šeimd] **1** stydící se, zahanbený **2** stydlivý **3** v. *shame, v*
shamefaced [šeimfeist] **1** stydlivý, ostýchavý, studem nesvůj, zaražený **2** zahanbený **3** přen.: květina skromný, nenápadný
shamefacedness [šeimfeistnis] **1** stydlivost, ostýchavost, zaraženost **2** zahanbenost **3** přen. skromnost, nenápadnost
shameful [šeimful] **1** hanebný, ostudný (*the ~ conduct of the bankrupt* ostudné chování bankrotáře) **2** neslušný, necudný, nestydatý, hambatý, nemravný **3** zast. stydící se, stydlivý
shamefulness [šeimfulnis] **1** hanebnost, ostudnost **2** neslušnost, necudnost, nestydatost, hambatost, nemravnost
shameless [šeimlis] **1** nestydatý, nestoudný, nemravný **2** troufalý, drzý, drze opovážlivý
shamelessness [šeimlisnis] **1** nestydatost, nestoudnost, nemravnost **2** troufalost, drzost, drzá opovážlivost
shame-making [ˈšeimˌmeikiŋ] hovor. zahanbující, který působí, že se člověk stydí
shammas [ša:məs] = *shammes*
shammer [šæmə] simulant; lhář, podvodník
shammes [ša:məs] *pl: shamossim* [šaˈmosim] sluha v synagoze, šames (žarg.)
shammy [šæmi], **shamoy** [šæmoi] = *chamois, 2*
shampoo [šæmˈpu:] *v* **1** u|mýt hlavu n. vlasy s masáží pokožky, zejm. šamponem, šamponovat **2** prát, vyprat, vy|čistit koberec / čalounění vodou a mýdlem n. speciálními přípravky **3** zast. masírovat, třít ručníkem zejm. v parní lázni ● *s* **1** mytí / umytí hlavy s masáží pokožky; šamponování **2** šampon ♦ *give a p. a ~* umýt hlavu komu; *~ and set* ondulace s mytím hlavy
shamrock [šæmrok] **1** trojlístek, jetýlek zejm. jako odznak Irska (list jetele plazivého) **2** bot. jetel plazivý ♦ *drown the ~* pít ve svátek sv. Patrika
shamrock pea [ˌšæmrokˈpi:] bot.: plazivá luštěnina *Parochetus communis*
sham-Tudor [ˌšæmˈtju:də] pseudotudorovský, novotudorovský, rádoby tudorovský
shamus [ša:məs] AM slang. **1** polda; tajný, fízl **2** práskač
shandrydan [šændridæn] **1** krytý kočár **2** kára, hrkáč, hajtra, pekáč, popelnice starý dopravní prostředek
shandy [šændi] (*-ie-*), **shandygaff** [šændigæf] nápoj z ječného piva a zázvorové limonády n. zázvorového piva
Shanghai[1] [šæŋˈhai] *s* zeměp. Šanghaj ● *v s~* námoř. slang. opít a unést muže a tím ho násilně zařadit do posádky lodi, též přen. (*he had been ~d into the job*)
shanghai[2] [šæŋˈhai] AU *s* dětský prak ● *v* střílet z dětského praku
Shangrila [ˌšæŋgriˈla:] **1** Šangrila fiktivní himálajské údolí **2** přen. ráj na zemi
shank [šæŋk] *s* **1** anat. bérce, bérec, holeň; holenní kost **2** *~s, pl* hovor. jedenáctky nohy (*sat down to rest his ~s*) **3** BR lýtko punčochy **4** maso z lýtka / nohy, noha; kůže z nohy, noha **5** stvol, lodyhy; AM stvol kukuřice **6** peň, kmen stromu; tyč, žerď **7** dřík šroubu / nýtu / hřebíku / sloupu / kotvy; drátek špendlíku, držátko, střenka **8** nožka, stopka sklenky **9** stopka nástroje; čep ozubeného kola **10** trn klíče **11** patka udičky **12** náustek, troubel dýmky **13** klenek střevíce **14** očko, poutko k zapnutí na knoflík; krček přišitého knoflíku **15** ruční licí pánev s vidlicí, vidlice licí pánve **16** krátké lano, krátký řetěz; volný konec lana / řetězu **17** archit. pás mezi dvěma zářezy dórského triglyfu **18** hud. náustek, nátrubek **19** hud. raménko kladívka klavíru **20** polygr. raménko písmena **21** tech. tulej **22** slang. kudla ♦ *~ gear* ozubené kolo s čepem; *go on S~s's mare / pony* jít po svých, jít pěšky; *in the ~ of the afternoon* pozdě odpoledne; *it's just the ~ of the evening* večer teprve začal ● *v* **1** SC též *~ it* jít pěšky **2** udělat stopku na nástroji **3** golf udeřit míček patkou hole takže odletí doprava **4** slang. vrazit kudlu do ***shank off*** květ upadnout, uvadnout vadnutím / chorobou lodyhy
shank painter [ˈšæŋkˌpeintə] námoř. kotevní pomocné lano n. řetěz k přitažení kotvy na palubě
shanny [šæni] (*-ie-*) zool. slizoun
shan't [ša:nt] hovor. = *shall not*
shantung *S~* [šænˈdaŋ] zeměp. Šan-tung provincie v Číně **2** [ˌšænˈtaŋ] text. šantung režná hedvábná tkanina v plátnové vazbě, s nitěmi místy tlustšími
shanty[1] [šænti] *s* (*-ie-*) **1** dřevěná chata, bouda, chatrč, budka, kolna; přístřešek na palubě **2** AU hospoda ● *v* žít v boudě atd.
shanty[2] [šænti] (*-ie-*) námořnický popěvek, námořnická pracovní píseň při zdvíhání kotvy, tahání lan a jiné těžké práci
shantyman [šæntimæn] *pl: -men* [-men] **1** kdo bydlí v dřevěné chatrči; dřevař, dřevorubec **2** chorovod při zpěvu námořnické pracovní písně
shantytown [šæntitaun] **1** chudá čtvrť z dřevěných chatrčí **2** chudé městečko z chatrčí, černošská čtvrť zejm. v Jižní Africe
shapable [šeipəbl] tvarovatelný, formovatelný; tvárný
shape [šeip] *v* (*shaped, shaped* / zast. *shapen*) **1** tvarovat | se, formovat | se, dávat tvar čemu, dostávat tvar; vy|tvořit, u|dělat do určitého tvaru (*shaping rolls from dough* dělat z těsta rohlíky) *a t.* z. *into* co (*~s the clay into bricks* dělat z hlíny cihly); zpracovat *a t.* co *into* na, vytvořit z co (*shaping a folk tale into an epic*) **2** vy|modelovat (*~ a figure out of clay* vymodelovat postavu z hlíny); konstruovat **3** tech. tvářet, tvarovat, profilovat; obrážet na vodorovné obrážečce; profilovat **4** dostávat konečnou podobu, dát čemu konečnou podobu **5** kout, vykovávat do určitého tvaru (*heat and ~ the iron*) **6** točit, vytočit na hrnčířském kruhu (*~ a pot on a wheel* vytočit na kruhu hrnec) *a t.* z *into* co (*~ clay into an urn...* z hlíny popelnici)

7 učesat, upravit do určitého účesu / tvaru **8** upravit, přizpůsobit, vypasovat, ulít (hovor.) šaty (*a dress ~d to her figure*) **9** postavit, vystavět, vybudovat, dát dohromady, zkoncipovat, zesumírovat (*~ an earnest answer to the accusation* dát dohromady vážnou odpověď na obvinění); vyjádřit slovně, formulovat (*~ a statement* formulovat prohlášení) **10** ztvárnit, přizpůsobit (*shaping a character to future responsibilities* přizpůsobit charakter budoucí zodpovědnosti); určit (*~ the destiny of man* ... osud člověka), nalinkovat (hovor.) (*~ one's life according to an end in view* ... si život podle konečného cíle) **11** dopadnout, dopadat, vyvíjet se (*things ~ right* vypadá to dobře); přen. pokračovat (*the boy is shaping satisfactorily*) **12** u|dělat, vypracovat plán (*shaping our plans for a happy holiday*), na|plánovat, navrhnout **13** představovat co; představit si, vyvolat si představu čeho **14** mraky stahovat se (*clouds are shaping on the horizon* na obzoru se stahují mraky) ◆ *~ a p.'s course* usměrnit koho (*~ a pupil's course* usměrnit / zaměřit žáka); *~ the course 1.* námoř. stanovit / určit / nastoupit kurs (*~ one's course homeward* namířit domů při plavbě) *2.* usměrnit (*~ the course of a public opinion* ... veřejné mínění; *as things are shaping* jak se věci mají, jak to vypadá; *~ well* být slibný, dobře se vyvíjet, prosperovat, mít naději na úspěch (*crops are shaping well* úroda slibuje být dobrá, *he is shaping well in Latin* latina mu jde dobře, v latině se drží dobře) ***shape o. s.*** ztvárnit se, zformovat se (*the smoke ~d itself into a demon* z kouře se udělal démon) ***shape forth*** navrhnout, vymyslit, postavit (*~ forth a plan*) ***shape up 1*** zpracovat (*~ up a set of notes for publication*...poznámkový komplet pro vydání) **2** dávat se do formy, připravovat se (*shaping up for one more attempt on a British medal* připravující se na ještě jeden pokus získat britskou medaili) *3* AM přizpůsobit se, podporovat oficiální politiku ● *s* **1** tvar (*what's the ~ of his nose?* jaký tvar má jeho nos?), fazóna **2** podoba (*a devil in human ~* ďábel v lidské podobě) **3** forma; klobouková forma; kuchyňská forma, formička, miska na pudink; moučník upravený ve formě **4** obrys, profil **5** tělesný tvar, tělo, postava, figura (*bathing beauties showing their ~s* krasavice v plavkách předvádějící své figury) **6** tělesná kondice, forma sportovce **7** BR postoj, póza **8** postava (*a huge ~ loomed up through the mist* v mlze se objevila obrovská postava); přízrak, zjevení, fantom **9** upravená hrací kostka aby některý počet ok padal častěji **10** *~s, pl* tvarová / profilová ocel **11** div. maska, kostým; vatón; zast. role **12** námoř. sestava pro signalizaci **13** BR obsc. vulva ◆ *be in good | bad ~* hovor. být v dobrém | špatném stavu, být na tom dobře | špatně / bledě; *get a t. into ~* uspořádat, dát do pořádku co; *give ~ to a t.* realizovat co (*give ~ to a plan*); *in ~* tvarem, podobou, vnějškem (*in ~ G. K. Chesterton resembled a barrel* tvarem připomínal G. K. Chesterton sud, *something in the ~ of* něco jako, *in no ~* nijak, nikterak); *in the ~ of* v podobě, ve formě (*he showed me kindness in the ~ of an invitation to dinner*); *not in any ~ or form* nikterak, v žádné podobě; *knock into ~* násilně zformovat; *knock out of ~* deformovat násilím; *lick a t. into ~ = get a t. into ~ ; out of ~* deformovaný, zmačkaný (*hat out of ~*); *put a t. into ~ = get into ~*; *take ~ in a t.* nabýt tvar / podobu, projevit se čím (*his intention took ~ in action*); *take the ~ of 1.* přijímat tvar čeho *2.* realizovat se jako, krystalizovat se, vyhraňovat se (*my convictions are taking ~* mé názory se začínají vyhraňovat, *begin to take ~* začít se vyklubávat (přen.); *to ~* na míru, do požadovaného tvaru (*timber cut to ~*)

SHAPE [šeip] (*Supreme Headquarters Allied Powers Europe*) vrchní velitelství spojeneckých sil v Evropě

shape changer [ˈšeipˌčeindžə] = *shape shifter*

shaped [šeipt] **1** mající určitý tvar, jsoucí ve tvaru, tvarový; tvarovaný **2** naplánovaný, nasměrovaný **3** v. *shape, v*

shapeless [šeiplis] **1** beztvarý, beztvárný (*a ~ blob of protoplasm* beztvará kapka protoplazmy), neforemný (*a ~ young girl*) **2** bezúčelný

shapelessness [šeiplisnis] **1** beztvarost, beztvárnost; neforemnost **2** bezúčelnost

shapeliness [šeiplinis] **1** souměrnost, pravidelnost **2** dobrý / příjemný tvar

shapely [šeipli] **1** souměrný, pravidelný (*a ~ column* souměrný sloup) **2** dobře zformovaný, pěkně tvarovaný, mající hezký tvar

shaper [šeipə] **1** tvarovač **2** tvarovací stroj / nástroj **3** vodorovná obrážečka

shape shifter [ˈšeipˌšiftə] kdo se umí proměnit ve zvíře, vlkodlak

shaping machine [ˈšeipiŋməˌši:n] **1** tvarovací stroj **2** vodorovná obrážečka

shard [ša:d] *s* **1** zahr., archeol. střep **2** přen. kus, úlomek, zlomek **3** skořápka vejce **4** ulita hlemýždě **5** zool. krovka ● *v* **1** odlamovat střepy z **2** rozbít na kusy, roztřískat

shard beetle [ˌša:dˈbi:tl] zool. chrobák

share[1] [šeə] čepel radlice pluhu

share[2] [šeə] *s* **1** podíl *of* z / na (*his ~ of the spoil* podíl z kořisti) **2** příslušný díl, příděl, kvota, kontingent **3** ekon.: obchodní podíl, účast; podíl ze zisku **4** příspěvek do společné pokladny **5** akcie **6** zast. rozkrok ◆ *buy ~s at best* koupit akcie za nejnižší cenu; *~ capital* BR akciový kapitál; *~ certificate* potvrzení o majetku / vlastnictví akcií společnosti; *deferred ~s* akcie mající nárok na dividendu až po uspokojení akcií přednostních a obyčejných; *fall to a p.'s ~* připadnout komu; *for my ~* pokud jde o mne, co se mne týká; *have a ~ in a t. 1.* mít podíl na

2\. být spolumajitelem čeho; *have a large ~ in a t.* mít velký podíl, velice přispět čemu, mít velkou zásluhu o; *hold ~s in a company* být akcionářem společnosti; *go ~s with a p.* spravedlivě se dělit, jít napůl, dělat / platit / jít fifty-fifty (hovor.); *lion's ~* lví podíl; *mining ~* podíl na důlním podniku, důlní / těžařský podíl, kuks; *on ~s* zemědělství, rybaření společný, dělící se o riziko i zisk; *ordinary ~s* obyčejné / kmenové akcie; *preference / preferred ~s* prioritní / přednostní akcie; *~ of profits* podíl na přebytcích; *take a ~ in a t.* podílet se na, přispět svým dílem k, zúčastnit se čeho, zasahovat do (*you're not taking much ~ in the conversation*); *take one's ~ of the burden* nést díl břemena, podílet se na břemenu ● *v* **1** rozdělit se, podělit se, rozebrat si podíly (*the robbers ~d and fled separately* lupiči si rozdělili kořist a uprchli každý zvlášť); rozdělit se, po|dělit se *a t.* o *with* s **2** dát díl / podíl čeho komu (*~ your lunch with a friend* o oběd se rozděl s přítelem); přidělit komu co; rozdělit *among* mezi, rozdat podíly komu, rozdělit si mezi sebou, podílet se na (*~ the costs*) **3** zúčastnit se *with* s *in a t.* čeho (*he ~d with me in the undertaking* zúčastnil se toho podniku se mnou) **4** dva lidé sdílet *a t.* co *with* s, mít stejné / společné / dohromady co jako kdo (*~ an opinion* mít stejný názor) **5** zast. dostat díl / podíl ◆ *~ and ~ alike* rozdělit / být rozdělený rovným dílem; *he would ~ his last crust* rozdělil by se o poslední košili, rozdělil by se o poslední skývu / krajíc chleba; *~ a flat* bydlet pohromadě v jednom bytě; *~ a room* bydlet v pokoji společně, mít společný pokoj ***share out*** rozdělit, rozdat příděly čeho

sharebone [šeəbəun] anat. stydká kost

sharebeam [šeəbi:m] slupice pluhu

sharebroker [ˈšeəˌbrəukə] burzovní makléř

sharecropper [ˈšeəˌkropə] AM pachtýř odvádějící pachtovné v naturáliích

sharedealer [ˈšeəˌdi:lə] burzovní makléř

shareholder [ˈšeəˌhəuldə] akcionář, podílník

share list [šeəlist] BR **1** kurzovní lístek akcií **2** burzovní zprávy

shareout [šeəaut] rozdělení, rozdělování, přidělování

sharepusher [ˈšeəˌpušə] hovor. akciový podvodník

sharer [šeərə] **1** podílník **2** účastník, zúčastněný **3** rozdělovač **4** zast. herec-podílník

shark [ša:k] *s* **1** zool. žralok **2** chamtivý podvodník, lump, gauner, dravec, vyžírka **3** AM slang. kanon, kabrňák, eso **4** BR slang. celník ◆ *basking ~* zool. žralok velký; *blue ~* zool. žralok modravý; *bull-head ~* zool.: žralok *Carcharhinus leucas; dusky ~* zool.: žralok *Carcharhinus obscurus; loan ~* lichvář, vydřiduch; *man-eating / white ~* zool. žralok lidožravý ● *v* **1** podvodně získat, ukrást **2** AM živit se podvodně, podvádět, přiživničit, lichvařit **3** hltat, shltnout ***shark up*** sehnat dohromady, schrastit

shark bell [ˌša:kˈbel] zejm. AU zvon upozorňující koupající se na přítomnost žraloků

shark moth [ša:kmoθ] zool. kukléřka

shark net [ˌša:kˈnet] zejm. AU **1** síť na žraloky **2** síť proti žralokům

shark oil [ša:koil] žraločí tuk

shark patrol [ˌša:kpəˈtrəul] zejm. AU letecká protižraloková hlídka

sharkskin [ša:kskin] **1** žraločí kůže **2** text. žraločí kůže hustá tkanina; tkanina z česané příze / vlny; vlněné sukno

shark's-mouth [ša:ksmauθ] *pl: shark's-mouths* [ša:ksmauðz] námoř.: půlkruhový výřez v plachtě

sharp [ša:p] *adj* **1** ostrý dobře řezající (*a ~ knife*); vybíhající v hrot (*a ~ pin* ... špendlík); tvarově zahrocený (*a ~ curve in the road* ... zatáčka silnice); výrazný, jasný, zřetelný (*a ~ outline* ... obrys, *a ~ image* ... obraz); působící na smyslové orgány dráždivě až nepříjemně (*a ~ pain, a ~ flavour* ... chuť); intenzívní (*a ~ struggle* ... boj); prudký (*a ~ flash* ... záblesk); pronikavý, řezavý (*a ~ cry of distress* ostrý výkřik zoufalství); žíravý (*~ a soap*); přísný (*~ words*); rychlý (*~ walk*) **2** ostrotvarý, ostrohranný; špičatý **3** píchavý, pichlavý, bodavý (*~ brambles and thorns*) **4** ostře řezaný (*~ features* ... rysy) **5** příkrý, strmý **6** ostře vonící, pikantní, ostrý (*~ cheese*); pokrm pálivý **7** divoký, bouřlivý, prudký (*a ~ military engagement* prudké vojenské střetnutí) **8** hrubý, drsný, krutý, bezohledný, prudký, výbušný, vznětlivý (*a ~ temper* výbušná povaha) **9** úsečný, řízný, břitký, bryskní; přísný, příkrý **10** energický (*~ blows* ... údery), agilní (*a ~ young runner*) **11** nápadně elegantní (*a ~ suit*) **12** bystrý, chytrý, inteligentní, všímavý, vnímavý (*a ~ child*), ostrovtipný; bdělý, ostražitý, pozorný **13** zchytralý, vychytralý, mazaný, prohnaný, pálený, vykutálený, honěný, rafinovaný, mazaný (*a ~ lawyer* mazaný právník) **14** jízlivý, vtipný a kousavý, uštěpačný **15** intenzívně nepříjemný: záchvat bolesti prudký; vzduch drsný, ostrý; vítr řezavý; mráz štiplavý, kousavý; chuť velký, nenasytný; žízeň palčivý **16** hud.: hudební nástroj naladěný výš (*the piano is ~*); tón vysoký falešný; tón o půl tónu zvýšený (*C ~* cis, *C double ~* cisis); interval zvětšený (*a ~ fourth*) **17** hud.: tónina s jedním n. několika křížky **18** lovecký sokol chtivý, nedočkavý **19** puls trhavý, škubavý **20** jaz.: souhláska neznělý, tenuis **21** řidč.: úhel ostrý ◆ *~ attention* napjatá pozornost; *~ bank* let. prudký náklon letounu v zatáčce; *be ~ at a t.* být chytrý na, mít nadání pro (*he is ~ at arithmetic* aritmetika mu jde velice dobře); *~ cedar* bot. *1.* jalovec červenoplodý *2.* australská akácie; *~ desire* žhavá touha; *in ~est distress* v nejvyšší nouzi; *~ edge* ostrá hrana, ostří, břit; *~ focus* fyz. bodové ohnisko; *~ image* ostrý, kontrastní obraz; *~ impression* jasný / silný / zřetelný dojem n. otisk; *~ as a needle 1.* ostrý jako meč / břitva *2.* velice bystrý; *~ nose* dobrý čich, též přen.; ~ *practice* čachry, machinace; ~ *radio circuit* sděl. tech. selektivní, přesný vysokofrekvenční obvod, vysoká selektivita rozhlasového přijímače; ~ *sand* stav. písek; ~ *shot* přesná rána; ~ *tongue* jedovatý / ostrý jazyk, jazyk jako břitva / meč; *keep a ~ watch on a t.* dávat velice dobrý pozor na co; ~ *wine* kyselé víno špatné; ~ *work 1.* rychlá a dobrá práce *2.* vysilující boj; ~ *'s the word* hovor. hni sebou, tempo! ● *s* **1** ostří, břit **2** ostrá špička **3** tenká šicí jehla **4** hud. tón zvýšený o půltón (*C sharp is the ~ of C*) **5** hud. křížek posuvka # **6** hovor. podvodník, falešný hráč karet **7** hovor. znalec, odborník, kápo, fachman **8** ~*s, pl* BR hrubá otrubovitá mouka **9** diamant na řezání drahokamů **10** jaz. neznělá souhláska ◆ ~*s and flats* hud. *1.* křížky a béčka, posuvky, předznamenání *2.* černé klávesy na klavíru *3.* skladba s mnoha posuvkami ● *adv* **1** ostře; prudce (*to turn ~ round*) **2** přesně (*at seven ~* přesně v sedm) **3** elegantně (*looking ~ in a new tweed*) **4** hud. vysoko falešně ◆ *look ~* hodit sebou, pospíšit si; ~ *up* námoř. ostře / těsně k větru poloha ráhen lodi s příčnými plachtami co nejvíce ve směru podélné osy ● *v* **1** AM hud. zvýšit tón o půltón **2** hud. vysoko distonovat, hrát / zpívat vysoko falešně **3** hovor. podvést, obrat, ošulit *out of* o

sharp-cut [ˌša:pˈkat] **1** ostře řezaný **2** přen. jasný, zřetelný

sharpen [ša:pən] **1** na|ostřit | se, na|brousit | se; ořezat (*~ a pencil*) **2** učinit pronikavějším / výraznějším; povzbudit chuť; zvýšit žízeň; zhoršit bolest; zvýšit pikantní chuť čeho; způsobit zhoršení nemoci; učinit jízlivým, zahrotit řeč **3** způsobit, že se co jasně rýsuje, zvýraznit **4** situace přiostřit se, zostřit se **5** řidč. zostřit trest, zákon **6** hud. zvýšit o půltón **7** hud. distonovat vysoko, zpívat / hrát vysoko falešně **8** hrát falešně karty, fixlovat **9** kožel. přiostřit vápenný louh **10** námoř. těsně / ostře přivrátit ◆ ~ *one's knife for a p.* brousit si už nůž na, chystat se na

sharpener [ša:pnə] **1** ořezávátko na tužky **2** brus, bruska, brousek, ostřička na nástroje **3** ostřič, brusič nástrojů

sharper [ša:pə] **1** mazaný chlap, podvodník **2** falešný hráč karet **3** AM ústřice s ostrým okrajem lastur

sharp-eyed [ˌša:pˈaid] bystrozraký, též přen.

sharp-featured [ˌša:pˌfi:čəd] **1** mající ostré řezané rysy **2** mající hranatou postavu

sharpie [ša:pi] AM **1** šarpie dlouhý člun s plochým dnem **2** pásek (hovor.) výstředně oblečený, nakrátko ostříhaný mladík

sharpness [ša:pnis] **1** ostrost **2** špičatost **3** píchavost, pichlavost, bodavost **4** příkrost, strmost **5** pikantnost, pálivost **6** divokost, bouřlivost, prudkost **7** hrubost, drsnost, krutost; výbušnost **8** úsečnost, říznost, břitkost, brysknost, přísnost, příkrost **9** energičnost, agilnost **10** nápadná elegance **11** bystrost, chytrost, inteligence, všímavost, vnímavost, ostrovtip; bdělost, ostražitost, pozornost **12** zchytralost, vychytralost, mazanost, prohnanost, vykutálenost, rafinovanost **13** jízlivost, kousavost **14** prudkost bolesti; drsnost, ostrost vzduchu; řezavost větru; štiplavost mrazu; velikost, nenasytnost chuti; palčivost žízně **15** hud. falešnost, distonování vysoko

sharp-set [ˌša:pˈset] **1** hladový, též přen. *after / on / upon* po **2** zasazený v ostrém úhlu

sharp-shod [ˌša:pˈšod] kůň okovaný podkovami s ozuby

sharpshooter [ˈša:pˌšu:tə] výborný střelec, ostrostřelec

sharp shooting [ˈša:pˌšu:tiŋ] přesná střelba

sharp-sighted [ˌša:pˈsaitid] bystrozraký, též přen.

sharp-sightedness [ˌša:pˈsaitidnis] **1** bystrozrakost **2** přen. bystrozrakost, bystrozrak

sharp-tongued [ˌša:pˈtaŋd] jízlivý, kousavý, sarkastický

sharp-witted [ˌša:pˈwitid] bystrý, chytrý, rychle chápající, ostrovtipný

sharp-wittedness [ˌša:pˈwitidnis] bystrost, chytrost, ostrovtip

shashlick, shashlik [ša:šˈlik] šašlik, šašlík maso na rožni

Shasta daisy [ˌšæstəˈdeizi] bot. chryzantéma, kopretina bílá největší

Shastra [ša:strə] náb. šástra posvátná buddhistická kniha

shatter [šætə] *v* **1** rozbít | se na kusy, roz|tříštit | se, roz|třískat | se (*turned back to see the window ~*) **2** otřást, silně narušit, rozbít (*the legend of Rome's invincibility had been ~ed* legenda o neporazitelnosti Říma skončila) **3** způsobit, že spadne co / že se vysype co, setřást, vytřást (*the slightest jar ~s the petals of a full-blown rose* u rozkvetlé růže padají lístky při nejmenším otřesu, *wind could ~ out wheat*), oklepat (*he ~ed the ash from his cigar* oklepal popel z doutníku); opadat, vypadat, vysypat se (*the wheat ~ed in the field before the harvest*) ◆ ~*ed constitution* podlomené / otřesené zdraví; ~*ed nerves* zničené nervy ● *s* **1** bot.: chorobné padání, hynutí plodů n. listů **2** zejm. nář. ~*s, pl* kusy, střepy

shatter cone [ˌšætəˈkəun] geol. nárazový kužel v jemnozrnných horninách

shatter-coned [ˌšætəˈkəund] geol. týkající se nárazového kuželu n. nárazových kuželů

shattering [šætəriŋ] **1** ničivý, ničící, zhoubný (*the ~ action of frost, that ~ heat*) **2** hovor. děsný, nudný, nekonečný **3** hovor. obrovský, fantastický (*a ~ display of technical knowledge* fantastická ukázka technických znalostí) **4** sprchávání vinné révy **5** v. *shatter, v* ◆ ~ *power* tech. tříštivost, brizance

shatterproof [šætəpru:f] sklo netříštivý

shave [šeiv] *v* (*shaved, shaved / shaven*) **1** o|holit | se (*she ~s the hair off her legs, ~s with an electric*

razor holí se elektrickým strojkem), vyholit; oholit vlasy n. chlupy komu (*~ a patient for surgery* oholit pacienta před operací) **2** krátce o|stříhat, obrat, sestříhat (*~ the lawn*) **3** sloupnout, oloupat tenkou vrstvu; krájet, okrajovat, skrajovat v tenké vrstvě; pořezávat knižní blok (polygr.) **4** tech. ševingovat, zaškrabávat; skoblit; tenčit, mízdřit; pemzovat **5** o|hoblovat **6** zlehka se dotknout čeho, zavadit o, štrejchnout o (hovor.) **7** projít, proklouznout, těsně proplout (*~ through the gap*) **8** ubrat, odbourat (*new procedures ~ minutes from the unloading process* nové pracovní postupy zkracují vykládku o řadu minut) **9** AM koupit směnku za nelegálně nižší cenu ◆ *clean ~n* hladce vyholený; *get ~d* dát se oholit ***shave o. s.*** o|holit se ***shave away / off*** oholit docela ***shave through*** *1* proklouznout, protlačit se, těsně projít bez doteku **2** škol. slang. prolézt, jen tak tak projít při zkoušce ● *s* **1** holení, oholení (*felt fresh from his ~ and shower* oholil se a osprchoval a tak se cítit svěží) **2** tenký plátek, řízek (*cutting delicate ~s of cold beef*) **3** tech. ševingování, zaškrabávání; skoblení; tenčení, mízdření; pemzování **4** tech. škrabák, škrabka; skoble; poříz; kosa (kožel.) **5** též *close / narrow ~* proklouznutí, těsné projití, vyklouznutí, vyváznutí; co se málem ne|stalo, co se jen tak tak ne|přihodilo, prekérní situace, únik o vlásek / o chlup **6** BR podfuk ◆ *get / have a ~ and haircut* dát se oholit a ostříhat; *have a close / narrow ~* jen tak tak vyváznout, zachránit holou kůži

shavegrass [šeivgra:s] bot. přeslička

shavehook [šeivhuk] klempířský hákový škrabák

shaveling [šeivliŋ] **1** zast. hanl. kdo má tonzuru, mnich, flanďák **2** řidč. holobrádek

shaver [šeivə] **1** holič **2** škrabač, ořezávač; mízdřič **3** holicí strojek / přístroj zejm. elektrický **4** škrabák, škrabací stroj; stroj na úpravu ledové plochy; ševingovací stroj na ozubená kola **5** lump, gauner, vydřiduch **6** též *young ~* hovor. kluk, cvrček, mlíčák, mlíčňák, cucák, holobrádek ◆ *dry ~* elektrický holicí přístroj

shavetail [šeivteil] AM voj. slang. lampasák druhý poručík

Shavian [šeivjən] *adj~* shawovský podle dramatika G. B. Shawa ● *s* shawovec, obdivovatel n. stoupenec G. B. Shawa

shaving [šeiviŋ] **1** *~s, pl* hobliny, hoblinky, hoblovačky; kovové hobliny, špony (slang.) **2** okrajový odřez papíru **3** v. *shave, v* ◆ *wood ~s* dřevitá vlna, hobliny

shaving basin [ˈšeiviŋˌbeisn] mísa, miska na holení

shaving brush [šeiviŋbraš] holicí štětka, štětka na holení

shaving cream [šeivinkri:m] holicí krém, krém na holení

shaving head [šeiviŋhed] hlavice s nožíky elektrického holicího přístroje

shaving horse [šeiviŋho:s] tech. pořiznice, dědek lavice

shaving soap [šeiviŋsəup] holicí mýdlo

shaving stick [šeiviŋstik] holicí mýdlo válečkové

shaw[1] [šo:] BR bás., zast. **1** lesík, háj, háječek **2** houština; živý plot mezi poli

shaw[2] [šo:] *s* **1** SC chrást, chřást okopanin **2** bramborová nať

shawl [šo:l] *s* **1** velký zejm. čtvercový šál **2** velký šátek, štóla, vlňák součást ženského oblečení **3** podélně rozříznutý foukaný válec skla ● *v* zabalit (jako) do šálu, zakrýt (jako) šálem, zaobalit *under* čím

shawl collar [ˈšo:lˌkolə] šálový límec

shawl dance [šo:lda:ns] tanec se šálem, šálový tanec

shawl goat [šo:lgəut] zool. koza kašmírská

shawl pattern [ˈšo:lˌpætən] turecký vzor, kašmírový vzor

shawl wool [šo:lwul] kašmírská vlna

shawm [šo:m] hud. šalmaj

Shawnee [šo:ˈni:] *pl* též *Shawnee* [šo:ˈni:] Šauní příslušník kmene severoamerických Indiánů

shay [šei] **1** zast., žert., hovor. kočár, kára **2** AM malá lokomotiva na pile

she [ši:] *pron* **1** ona (*give it to her* dej jí to, *go to her* jdi k ní); ta (*~ that is coming*) **2** on n. ona n. ono měsíc; země; národ; roční údobí aj.; loď; personifikovaný vlak, automobil, stroj, motor (*I bought a motorcycle and ~ was a dandy*...fantazie) ● *s* **1** žena, děvče, holčička (*is the child a he or a ~*) **2** samička, fenka apod. ● *adj* část. se spojovací čárkou **1** ženského rodu, samičí **2** zženštilý, ženský **3** vhodný pro ženy, dámský **4** rostlina druhořadý

shea [šiə] též *~ tree* bot. máslovník

shea butter [ˈšiəˌbatə] bambucký tuk, bambucké máslo

sheading [ši:diŋ] BR správní okres na ostrově Man

sheaf [ši:f] *s pl: sheaves* [ši:vz] **1** snop **2** svazek, svazeček **3** toulec množství **4** *sheaves, pl* spousta, halda velké množství ◆ *~ of bursts* voj. vějíř výbuchů; *~ of fire* voj. svazek drah střel, palebný vějíř ● *v* (*sheaved, sheaved, sheaving*) **1** dávat do snopů, vázat do snopů **2** vázat snopy

sheaf binder [ˈši:fˌbaində] vazač snopů, samovaz, samovazač

shealing [ši:liŋ] = *shieling*

shear [šiə] *v* (*sheared / shore* zast., bás., *shorn / sheared* řidč.) **1** stříhat velkými nůžkami (*~ sheep*) *a t.* co *from* čemu (*~ wool from a sheep*); nastříhat (*~ed 100 bales of wool* nastříhat 100 žoků vlny) **2** stříhat, krájet, řezat plech, sklo; postřihovat sukno; zastřihovat živý plot **3** SC žnout, sekat srpem **4** přen. prořezávat si cestu čím (*a ship ~ing the sea*); rozřezávat, protínat, rozpoltit (*a swallow that ~s the summer sky*) **5** přen. oloupit, obrat *of* o, zbavit čeho (*a president shorn of his prestige*) **6** zast. tít, tnout, seknout, setnout, utnout, odseknout; proseknout *through* co **7** tech. namáhat střihem n. smykem; zbortit | se střihem ◆ *~ed*

terminal polygr. zakončení kresby písmene kolmou čárou (např. S, C apod.) ***shear off 1*** tech. ustřihnout | se, usmyknout | se, **2** zast. utnout, setnout, odseknout ● *s* **1** ~*s, pl* velké nůžky; strojní nůžky; nůžky na lepenku, papšer (slang.) **2** čelist / nůž nůžek **3** tech. třínožka, stojan; lože obráběcího stroje **4** stříhání; stříž ovcí; ostříhané zvíře; ostříhané rouno **5** žně, žatva **6** fyz. střih, smyk **7** horn. svislý zásek; zátinka **8** geol. střih, střižný posun **9** námoř. trojzubá harpuna **10** námoř. ~*s, pl* = *sheer*[4], *s* ◆ ~ *of hay* senoseč; *off* ~*s* AU ovce čerstvě ostříhaná; *pair of* ~*s* nůžky

shear bill [šiəbil] zool. zoboun černý

shear blade [ˌšiəˈbleid] čepel nůžek

shear cut [ˌšiəˈkat] střih

sheared [šiəd] v. *shear, v* ◆ ~ *terminal* polygr. zakončení kresby písmena kolmou čárkou

shearer [šiərə] **1** kdo stříhá, stříhač, postřihovač **2** stříhací zařízení, co stříhá, nůžky, strojní nůžky

shear grass [šiəgra:s] bot. **1** mařice obecná **2** tajnička obecná **3** pýr plazivý

shear hog [šiəhog] poprvé stříhaná ovce

shearing [šiəriŋ] **1** stříž ovcí **2** něco odstřiženého, odstřižek, odřezek **3** v. *shear, v*

shearlegs [šiəlegz] **1** třínožka, stojan **2** nůžkový jeřáb **3** horn. vrtné lešení

shearling [šiəliŋ] poprvé stříhaná ovce

shear pin [ˌšiəˈpin] tech. ú|střižný kolík

shear steel [ˌšiəˈsti:l] rafinovaná svářková ocel

shear strain [ˌšiəˈstrein] přetvoření střihem / smykem

shear stress [ˌšiəˈstres] **1** namáhání střihem / smykem **2** napětí ve střihu / smyku, tečné napětí

shear structure [ˌšiəˈstrakčə] geol. střižná struktura

sheartail [šiəteil] zool.: kolibřík *Thaumastura cora*

shearwater [ˈšiəˌwo:tə] zool. buřňák

shear zone [šiəˈzəun] geol. střižné pásmo

she-ass [ši:ˈæs] oslice

sheatfish [ˈši:tˌfiš] *pl* též *-fish* [-fiš] zool. sumec velký

sheath [ši:θ] *pl: sheaths* [ši:ðz] **1** pochva pouzdro chránící čepel pobočních zbraní; spodní část listu **2** ochranný obal, pouzdro, plášť, kryt, pochva **3** prezervativ, kondom **4** dámské pouzdrové šaty těsně přiléhavé **5** zool. krovka **6** kamenný břeh, hráz, provizorní navigace

sheathe [ši:ð] **1** zasunout / schovat do pochvy atd.; zapouzdřit **2** přen. pohroužit, pohřížit (~ *one's dagger in a p.'s heart*) **3** zatáhnout drápy **4** potahovat, povlékat izolací; obít, pobít deskami; obednit, oplechovat **5** námoř. oplaňkovat kostru lodi, opatřit dřevěnou obšívkou, opatřit oplaňkováním **6** přen. otupit ◆ ~ *the sword* schovat meč přestat válčit

sheathing [ši:ðiŋ] **1** obložení, obalení; bednění; vnější plášť, pouzdro, obal, kryt **2** námoř. oplaňkování lodi; měděná obšívka podvodní části lodního trupu **3** v. *sheathe*

sheath knife [ši:θnaif] *pl: knives* [naivz] dýka, lovecký nůž s pouzdrem

sheathless [ši:ðlis] jsoucí bez pochvy, pouzdra atd.

sheave[1] [ši:v] **1** lanová kladka; lanovnice **2** text. cívka, jádro stonku

sheave[2] [ši:v] vázat do snopů

sheave fork [ši:vfo:k] třmen kladky

sheaves [ši:vz] *pl* v. *sheaf, s*

Sheba [ši:bə] **1** Sába biblická krajina **2** *s*~ půvabná dívka, kočka, zajíc

shebang [šiˈbæŋ] AM slang. **1** bouda, díra dům, zejm. herna **2** takového něco, tentononc, krám zařízení **3** krám, podnik záležitost ◆ *the whole* ~ celý ten krám, to všechno (*blew up the whole* ~ vyhodil to všechno do vzduchu)

she-bear [ši:beə] medvědice

shebeen [ši:ˈbi:n] BR *s* hospoda, putyka kde se prodávají alkoholické nápoje načerno zejm. v Irsku n. v Jižní Africe ● *v* prodávat načerno alkoholické nápoje

Shechinah [šəˈkainə] = *Shekinah*

shed[1] [šed] *v* (*shed, shed, -dd-*) **1** záměrně / přirozeně ztrácet; svlékat (*caterpillars* ~ *their skins repeatedly* housenky opětovně svlékají kůži), shazovat (*trees* ~ *their leaves, some kinds of deer* ~ *their horns* některé druhy vysoké zvěře shazují paroží), línat (*the dog is* ~*ding badly*), pouštět při línání (*the cat* ~ *hair over his trousers*), trousit, vypouštět (*fishes* ~*ding their eggs* ryby kladoucí vajíčka), vysypávat, rozsypávat, rozhazovat (*a puffball* ~*ding its spores* pýchavka rozhazující spory), vypadávat (*some oats shatter and* ~ *more readily than others* některé druhy ovsa vypadávají rychleji než ostatní) **2** prolévat (~ *rivers of blood* prolévat potoky krve), ronit (~ *tears of remorse* ronit slzy lítosti) **3** přen. zbavit se čeho, odkládat (~ *bad habits* zbavit se špatných návyků); přen. přestat se stýkat s (~ *one's old friends*) vyhodit, nechat padnout (*Prime Minister* ~*s his colleagues*) **4** odpuzovat (*the duck's oily plumage* ~*s water* mastné kachní peří odpuzuje vodu) **5** šířit, vydávat (~ *fragrance* vydávat vůni), zářit, vyzařovat (*a fire that* ~*s warmth, a woman who* ~*s happiness around*) vy|dávat (*a lamp that* ~*s a soft light*), vrhat (~ *radiance* ... záři) **6** rozdávat, věnovat (~ *favours* věnovat přízeň), zahrnovat *a t.* čím *on* koho (~*ding kindness on all she met*) **7** rozdělit (~*the cattle into two groups*) **8** text. tvořit prošlup ◆ ~ *one's blood* prolít vlastní krev; ~ *a p.'s blood* prolít krev koho, zabít koho; ~ *feathers* pelichat; ~ *light on a t.* přen. osvětlit, vysvětlit, ozřejmit, vrhnout světlo na co; ~ *load* elektr. zmenšit zatížení ● *s* **1** dělicí čára, předěl **2** text. prošlup

shed[2] [šed] *s* **1** kůlna, kolna, dřevník; otevřený přístřešek, dřevěný přístavek, dílna **2** garáž; hangár; vozovna,remíza; skladiště **3** bouda, chata, chatrč, koliba, salaš **4** chlév; ovčín **5** zast. lože, doupě; hnízdo ◆ ~ *roof* pilová / pultová / shedová /

jednospárová střecha; *transit* ~ překladiště ● *v* **1** dát do kůlny atd., uskladnit v kůlně (~ *tobacco for curing*) **2** dát do chléva, chovat v chlévě (~*ding cattle in cold weather*)

she'd [ši:d] **1** = *she had* **2** = *she would*

shedder [šedə] **1** kdo prolévá (~ *of blood*) **2** živočich svlékající pokožku **3** AM měkký krab, měkký rak **4** samice lososa právě vytřená

shedding [šediŋ] **1** ~*s, pl* to spadané, svlečené, vylíNané, vypelichané **2** v. *shed¹, v*

she-devil [ˈši:ˌdevl] dračice, saň, čertice, ďáblice

shed hand [ˌšedˈhænd] AU stříhač ovcí pracující pod střechou

sheen [ši:n] **1** povrchový lesk tkaniny, vlasů, horniny **2** lesklá tkanina **3** bás. nádherný oděv **4** AM slang. falešná mince

sheeny¹ [ši:ni] (*-ie-*) lesklý, zářivý, blyštivý

sheeny² [ši:ni] (*-ie-*) slang. icik, židák

sheep [ši:p] *s pl: sheep* [ši:p] **1** ovce; ovce domácí (zool.) **2** ovčí kůže, skopovice, ovčina **3** přen. jehně, ovečka mírný, bezbranný člověk; ovce trpný člověk; skopová hlava hlupák; baba, bačkora, bábovka zbabělec **4** ~*s, pl* ovce, ovečky, stádo, stádce společnost věřících ◆ *black* ~ černá ovce vyvrhel; *cast* ~*'s eyes at a p.* dělat hloupě zamilované oči na koho; *follow like* ~ nechat se vést jako ovce trpně, jít jako ovce; ~ *and goats* ovce a kozli dobří a zlí; *might as well be hanged for a* ~ *as a lamb* pořek. když, tak ať už to stojí za to; ~ *that have no shepherd* ovce bez pastýře bezradný lid; *wolf in* ~*'s clothing* pořek. vlk v rouše beránčím ◆ *v* též ~ *down / off* spásat ovcemi (~*ing off the grass*)

sheepberry [ˈši:pˌberi] (*-ie-*) bot. kalina severoamerický druh

sheep bot [ši:pbot] zool. **1** larva střečka ovčího **2** = *sheep botfly*

sheep botfly [ˈši:pˌbotflai] (*-ie-*) zool. střeček ovčí

sheep cheese [ši:pči:z] ovčí sýr, brynza

sheepcot [ši:pkot], **sheepcote** [ši:pkəut] zejm. BR ohrada na ovce, košár, salaš

sheep-dip [ši:pdip] **1** dezinfekční prostředek na ovce **2** korýtko s tímto desinfekčním prostředkem **3** hovor. hojivá mast

sheepdog [ši:pdog] **1** ovčácký pes, salašnický pes, ovčák **2** skotský ovčák, kolie

sheepfarm [ši:pfa:m] BR ovčí farma

sheepfarmer [ˈši:pˌfa:mə] BR chovatel ovcí, pěstitel ovcí

sheepfarming [ˈši:pˌfa:miŋ] chov ovcí

sheepfold [ši:pfəuld] ohrada na ovce, košár, salaš

sheepgrower [ˈši:pˌgrəuə] AM pěstitel ovcí

sheepherder [ˈši:pˌhə:də] **1** AM ovčák **2** slang. poskok, asistent režie u filmu

sheep hook [ši:phuk] pastýřská hůl

sheepish [ši:piš] **1** lekavý, bázlivý, bojácný, snadno vystrašený, úzkostlivý, malomyslný, sklíčený, mající strach n. obavy **2** trpně poddajný, měkký, trpný, bezmocný, stydlivý **3** zaražený, jsoucí v rozpacích, mající pocit viny; nemotorný, neohrabaný **4** řidč. tupý, hloupý, zabedněný

sheepishness [ši:pišnis] **1** lekavost, bázlivost, bojácnost, úzkostlivost, malomyslnost, sklíčenost; strach, obavy **2** trpná poddanost, měkkost, trpnost, bezmocnost, stydlivost **3** zaraženost, rozpaky, pocit viny; nemotornost, neohrabanost

sheep louse [ši:plaus] *pl: sheep lice* [ši:plais] zool. veš ovčí

sheep ked [ši:pked] zool. kloš ovčí

sheepman [ši:pmən] *pl: -men* [-mən] **1** AM majitel ovčí farmy **2** zast. ovčák, pastýř

sheep master [ˈši:pˌma:stə] chovatel ovcí, majitel ovčího stáda

sheep pen [ši:ppen] ohrada na ovce, košár, salaš

sheep pox [ši:ppoks] med. ovčí neštovice, (plané) neštovice (hovor.)

sheep run [ši:pran] rozsáhlé ovčí pastviny zejm. v Austrálii

sheep's bit [ši:psbit] bot. pavinec horský

sheep's fescue [ˌši:psˈfeskju:] bot. kostřava žlábkovitá

sheepshank [ši:pšæŋk] **1** námoř. ovčí noha zkracovací smyčka na laně **2** přen. něco hubeného n. bezvýznamného

sheep's head [ši:pshed] **1** ovčí hlava; skopová hlava pokrm **2** přen. skopová hlava hlupák **3** zool.: mořské ryby *Archosargus probatocephalus, Aplodinotus grunniens* („bubeník"), *Pimelometopon pulcher*

sheepshearing [ˈši:pˌšiəriŋ] **1** stříhání, stříž ovcí **2** slavnost ovčí stříže

sheepskin [ši:pskin] *s* **1** ovčí kůže, skopovice, ovčina **2** kožich z ovčí kůže, „beránek"; předložka z ovčí kůže **3** pergamen z ovčí kůže **4** zejm. AM diplom ● *adj* **1** vyrobený z ovčí kůže **2** pergamenový

sheep's sorrel [ˌši:psˈsorəl] bot. kyselka obecná

sheep tick [ši:ptik] zool. kloš ovčí

sheepwalk [ši:pwo:k] ovčí pastvina

sheep-wash [ˌši:pˈwoš] korýtko s desinfekčním prostředkem na ovce

sheer¹ [šiə] *adj* **1** pouhý, čirý, nic než co (*won through by* ~ *determination* vyhrál prostou pevnou vůlí), úplný, absolutní, naprostý, hotový, vyložený, dokonalý, učiněný, čirý, holý (~ *nonsense* holý nesmysl), ničím nezmírněný (~ *immensity* širá rozloha) **2** čistý nesmíchaný (~ *sand*) **3** jemný, tenký, průsvitný (*stockings of* ~ *silk*) **4** pád, výstup kolmý; skála strmý, příkrý, srázný ● *adv* **1** úplně, docela, přímo, rovnou **2** kolmo vzhůru (*rises* ~ *from the water*) **3** kolmo dolů (*fell 3000 feet* ~) ● *s* **1** průsvitná tkanina, průsvitná látka, průsvitný oděv, průsvitné šaty **2** kolmý sráz

sheer² [šiə] *v* **1** též ~ *off / up* námoř. odchylovat se od kursu / přímého směru, scházet s kursu; loď těkat na kurse **2** vyhnout se *a t.* čím *from* čemu, objet čím *around* co **3** přen. odbočovat, odbíhat *from* od, vyhýbat se čemu ***sheer off 1*** hovor. vyhnout se *from* komu / čemu, jít z cesty komu *2* = *sheer², v 1*

sheer³ [šiə] námoř. **1** odchylka, úchylka od kursu lodi **2** poloha lodi zakotvené jednou kotvou s přídí směřující ke kotvě **3** sedlovitost paluby **4** nárys, bokorys na konstrukčním plánu plavidla; zakřivení boku lodi od přídi k zádi

sheer⁴ [šiə] *~s, pl* námoř.: jednoduchý lodní jeřáb se dvěma n. třemi vzpěrami

sheerhulk [šiəhalk] námoř. vyřazená loď upravená jako plovoucí jeřáb

sheerlegs [šiəlegz] = *shearlegs*

sheerstrake [šiəstreik] námoř. opasnice horní pás obšívky

sheet [ši:t] *s* **1** vrchní / spodní prostěradlo při anglickém způsobu stlaní lůžka **2** rubáš **3** tenká pokrývka, tenký povlak, potah chránící proti prachu **4** plachta **5** list, arch papíru, papír; mapa; plát, deska **6** polygr. arch; vytištěný arch; brožura, brožurka; lístek zlaté fólie **7** hovor. list, noviny; hanl. plátek **8** filat. arch; aršík **9** papírový balíček jehel apod. (*a ~ of pins* balíček špendlíků) **10** široká plocha, široká tenká vrstva (*hills covered with a ~ of ice*) **11** přen. souvislá plocha: stěna, pruh, pás, plást, tabule (*~s of flame and smoke* stěny plamenů a kouře) **12** tabule skla; tabulka **13** listový kaučuk **14** plech slabší než ¼ palce **15** kovová fólie; zlatá fólie **16** plech na pečení pečiva **17** jeden plech množství pečené v celku na plechu (*a ~ of gingerbread*) **18** hud.: úzký proud vzduchu k retné píšťale varhan **19** geol. deskovité těleso vyvřeliny; příkrov; žíla **20** námoř. otěž, škot (slang.) k ovládání podélných plachet; *~s, pl* otěže plachty **21** sport. ledová plocha pro lední metanou ◆ *advance ~s* polygr. signální archy; *balance ~* obch. rozvaha, bilance; *be in ~s* kniha být v arších, ležet v arších; *between the ~s 1.* v posteli, „v kanafasu" *2.* na kutě do postele; *blank ~ 1.* čistý list *2.* přen. nepopsaný list, tabula rasa *3.* polygr. bianco vytištěný arch ilustrací pro přítisk; *call ~* vývěska, vyhláška, oznámení, ferman; *have a clean ~* přen. nemít žádný škraloup, mít čistý štít; *dust ~* pokrývka na čalouněný nábytek, povlak proti prachu; *flat ~* polygr. plochý arch nesfalcovaný; *flowing ~* námoř. povolená otěž; *inventory ~* soupisník, soupisový / inventurní list, regleta; *~ of lightning* plošný blesk; *~ of notepaper* arch dopisního papíru; *order ~* objednací list, objednávka; *payroll ~* výplatní listina; *~ of quarto* složený čtyřlist; *route ~* průvodka obrobku dílnou; *stand in a white ~* přen. litovat, odvolat; *summary ~* obch. celkový / souhrnný odpočet, tabelární přehled; *tear ~* stránka inzerátu jako doklad; *~ in the wind* slang. nalíznutý, trochu pod parou podnapilý; *three ~s in the wind* úplně na mol, nadrátovaný, zlitý; *winding ~* rubáš; *~ of wood* dýha ● *v* **1** přikrýt, pokrýt (jako) prostěradlem, potáhnout *with* čím (*floors ~ed with dust*) **2** povléknout lůžko **3** povléknout nepromokavou plachtou **4** za|halit *with* čím (*mist ~s the valleys* mlha halí údolí) **5** zahalit / obléknout do rubáše **6** obkládat, obíjet, oplechovat, o|šalovat (slang.) **7** námoř. plátovat, pokrývat / obšívat slabšími deskami kostru lodi, provádět kovovou obšívku lodi **8** na|řezat do archů papír; opatřit listem / listy; vložit mezi listy **9** vytvořit souvislou vrstvu / stěnu; rozprostírat se **10** vy|válcovat, kalandrovat pryž **11** námoř. opatřit otěžemi rohy plachty **12** polygr. potahovat archem papíru ◆ *~ home a sail* roztáhnout plachtu na ráhně; *~ it home to a p.* přen. spočítat to komu; *~ed rain* liják, proudy deště, dešťový příval, přívalový déšť ***sheet in 1*** táhnout, blížit se v celistvém proudu (*fog ~ing in from the sea*) *2* napnout otěže plachty

sheet almanac [ˈši:tˌo:lmənæk] jednolistový nástěnný kalendář

sheet aluminium [ˈši:tˌæljuˈminjəm] hliníkový plech

sheet anchor [ˈši:tˌæŋkə] **1** námoř. náhradní / rezervní kotva **2** přen. poslední záchrana, poslední naděje

sheet asphalt [ˈši:tˌæsfælt] **1** písková asfaltová lepenka, asfaltovaná lepenka s pískovým posypem **2** pískový asfaltbeton

sheet bend [ši:tbend] otěžová smyčka / spojka (námoř.)

sheet cable [ˈši:tˌkeibl] námoř. lano náhradní kotvy

sheet chain [ši:tčein] námoř. řetěz náhradní kotvy

sheet copper [ˈši:tˌkopə] měděný plech

sheet glass [ši:tgla:s] tabulové sklo, ploché sklo

sheet ice [ši:tais] tabulový led

sheeting [ši:tiŋ] **1** ložní povlaky, povlečení, ložní prádlo **2** text. prostěradlovina, véba, damašek **3** materiál, plastik v dlouhém pásu **4** bednění, šalování (slang.); oplechování, obíjení; pažení **5** v. *sheet, v*

sheet iron [ˈši:tˌaiən] tenký ocelový plech

sheet lightning [ˈši:tˌlaitniŋ] **1** plošný blesk **2** blýskavice, blýskání na časy

sheet metal [ši:tmetl] plech

sheet mill [ši:tmil] **1** válcovna na plech **2** válcovací stolice na plech

sheet music [ˈši:tˌmju:zik] noty, psané / tištěné hudebniny většího formátu

sheet pavement [ˈši:tˌpeivmənt] **1** asfaltový / asfaltovaný chodník **2** asfaltová vozovka

sheet signature [ˈši:tˌsigniča] polygr. archová značka

sheet size [ši:tsaiz] polygr. rozměr / formát archu

sheetwise [ši:twaiz] polygr. (tištěný) postupně po jedné straně archu

sheetwork [ši:twə:k] polygr. potiskovat arch dvěma formami

she-goat [ˌši:ˈgaut] koza

sheik [šeik / AM ši:k] **1** šejk, šejch arabský náčelník **2** hovor. panovačný manžel n. milenec; nápadník, galán; idol dívčích srdcí **3** slang. sekáč, hezoun **4** AM prezervativ ◆ *S~ ul Islam* hist. Velký mufti

sheikdom [šeikdəm] šejkát, šejchát
sheikh [šeik] = *sheik*
sheikhdom [šeikdəm] = *sheikdom*
sheila [ši:lə] AU, SA hovor. děvče
shekarry [šiˈkæri] (*-ie-*) = *shikaree*
shekel [šekl] **1** hist. šekel šedesátina miny (váha); staré hebrejské platidlo **2** ~*s, pl* hovor. prachy
Shekinah [šeˈkainə] bibl. svatozář nad archou úmluvy jako znamení přítomnosti Jahve
sheldrake [šeldreik] zool. **1** husice, husice liščí **2** morčák
shelduck [šeldak] **1** samice husice liščí **2** = *sheldrake*
shelf [šelf] *pl: shelves* [šelvz] **1** police, polička, regál **2** obsah police; knihy na polici; zboží na regálu **3** římsa **4** mělčina, podhladinová písčina **5** geol. stupeň, terasa **6** geol. pevninský práh, šelf mírně skloněný povrch mořského dna podél kontinentu **7** hist.: výztužné plaňky uvnitř lodi podél pásu obšívky **8** sport. podpěra, hřbet ruky držící natažený luk a podpírající namířený šíp ◆ *on the* ~ *1.* vyřazený, odsunutý, odložený, daný stranou (*put on the* ~ prozatím nechat v klidu, odložit ad acta) *2.* dívka zbylý na ocet *3.* úředník bez funkce
shelfback [šelfbæk] hřbet knihy
shelf catalogue [ˈšelfˌkætəlog] seznam knih podle pořadí na policích
shelf-ful [šelf*ul*] plná police množství
shelf ice [ˌšelfˈais] pevninský ledovec sahající do moře
shelf life [ˌšelfˈlaif] skladovatelnost, trvanlivost zboží ve skladu
shelf mark [ˌšelfˈma:k] číslo příručky, lokační číslo knihy označující její místo v regálu např. v příruční knihovně
shelf rest [ˌšelfˈrest] zasunovací kolíček k podložení posuvné police např. v knihovně
shelf warmer [ˈšelfˌwo:mə] ležák neprodejné zboží
shell [šel] *s* **1** schránka měkkýšů, lastura, ulita, mušle, škeble; domek hlemýždě; želví krunýř; zast. šupina **2** kuch. mušle, lastura **3** dámský klobouk ve tvaru mušle **4** přen. ulita **5** měkkýš, korýš **6** lasturová hmota, lastuřina (řidč.); perleť; želvovina **7** ~*s, pl* nehašené vápno **8** vaječná skořápka **9** tvrdá slupka, lusk; ořechová skořápka, skořepina **10** ~*s, pl* kakaové slupky **11** řidč.: prázdná kukla, pupa obal **12** řidč. krovka brouka **13** kabát, plášť s odepínací podšívkou, slupka (hovor.); dámská vesta **14** plášť nádob, pouzdro, obal, skříň **15** plášť kotle **16** nepotištěný vnitřní obal zboží **17** skříň kladnice; pouzdro kladky **18** hud. lub bubnu **19** límeček žárovky **20** elektronový obal atomového jádra **21** duté pečivo určené k plnění, trubička, rakvička **22** dutá maketa eskamotérská pomůcka **23** obezdívka, obložení **24** vnější obšívka lodi **25** geol. zemská kůra; vrstva zemské kůry **26** horn. tenký proplástek **27** hrubá / provizorní dřevěná rakev; vnitřní cínová rakev **28** koš rukojeti meče **29** mělká lžíce **30** malá sklenka na pivo **31** voj.: dělostřelecký granát, šrapnel; náboj pro perforaci naftových vrtů **32** nábojnice, patrona **33** AM náboj, patrona do pušky **34** světlice, světelná raketa **35** voj.: zast. ruční granát **36** kostra domu, vnější zdi budovy, skořepina (*the* ~ *of the house*); vnější stěna duté tvárnice **37** kostra, nárys, osnova (*a* ~ *of a plan*) **38** stav. skořepina **39** sport.: párová závodní loď, dvojka, čtyřka, osma **40** nástroj na broušení čoček **41** ~*s, pl* tmavé ochranné brýle **42** BR škol. druhá / prostřední třída vyššího stupně soukromých škol **43** kuch. maso ze žebra **44** BR důstojnická blůza **45** matrice k lisování gramofonových desek **46** polygr. pokovení, měděná / niklová vrstva galvanotypu; měděná slupka hlubotiskového válce **47** text. potiskovací válec na kaliko **48** mušlový steh **49** zast., bás. lyra **50** bledĕoranžová barva ◆ *burst out of one's* ~ přen. roztát; *come out of one's* ~ přen. roztát; *in the* ~ *1.* ještě nevylíhnutý / nevyklubaný *2.* dosud nevyvinutý, nezralý; ~ *of well* prstenec / věnec studny ● *s* **1** zbavovat skořápky (~ *oysters*), vylupovat, loupat (~ *peas*), louskat (~ *nuts*) **2** loupat se, vylupovat se, vypadávat, pukat, praskat **3** pokrýt lasturami; pokrýt ústřicemi dno ústřicového parku **4** vytvořit tvrdý povrch na **5** sbírat mušle atd. na pobřeží **6** dělostřelecky ostřelovat, bombardovat granáty, postřelovat granáty (~ *an enemy fortification* bombardovat nepřátelské opevnění) ***shell off*** loupat se, odlupovat se, odprýskávat ***shell out*** *1* vybrat, vyloupnout (~ *out a tumor* vybrat nádor) *2* vy|klopit, vy|solit (peníze) (~ *out money*)
she'll [ši:l] = **1** *she will* **2** *she shall*
shellac [šəˈlæk] *s* **1** šelak druh pryskyřice **2** šelaková vrstva na výrobu gramofonových desek **3** standardní gramofonová deska (*a* ~ *containing only two songs*) ◆ ~ *varnish* šelakový lak ● *v* (*shellacked, shellacked, shellacking*) **1** natírat / lakovat šelakem / šelakovým lakem **2** AM slang. zmydlit, nabančit, naflákat komu (*played truant and got soundly shellacked for it* ulil se ze školy a dostal za to naflákáno)
shellacking [šəˈlækiŋ] **1** AM slang. nářez, nátěr (*worst* ~ *in their military history*) **2** v. *shellac, v* ◆ *receive* / *take a* ~ být bit, dostat bití / nářez / nátěr / dardu (*took a* ~ *in the fall elections*)
shell back[1] [ˌšelˈbæk] AM polygr. vyztužení knižního hřbetu
shellback[2] [šelbæk] námoř. slang. mořský vlk námořník sloužící na plachetních lodích
shell bark [šelba:k] bot. ořechovec
shell bean [ˌšelˈbi:n] AM jedlá fazole rostlina i plod
shell bit [šelbit] lžicový vrták do kolovrátku
shell burst [ˌšelˈbə:st] výbuch střely, výbuch / rozprask granátu
shell button [ˌšelˈbatn] **1** perleťový knoflík **2** knoflík ze želvoviny **3** knoflík potažený látkou
shell crater [ˌšelˈkreitə] jáma / trychtýř od granátu
shell-egg [šeleg] vejce ve skořápce na rozdíl od sušeného
sheller [šelə] **1** loupač **2** loupačka; louskáček

shellfire [ˈšelˌfaiə] = *shelling, 1*
shellfish [šelfiš] *pl* též *-fish* [-fiš] zool. **1** měkkýš, korýš zejm. jedlý **2** ryba z čeledi havýšovitých
shell fragment [ˌšelˈfrægmənt] střepina granátu
shell game [ˌšelˈgeim] AM skořápky hazardní hra
shell heap [šelhi:p] = *shell middens*
shell hit [ˌšelˈhit] **1** dopad granátu **2** dělostřelecký zásah
shell ice [ˌšelˈais] ledová skořápka
shelling [šeliŋ] **1** dělostřelecká palba, dělostřelecké bombardování, ostřelování, postřelování granáty **2** vyloupané obiloviny n. luštěniny; obilné slupky, lusky **3** druh choroby révy **4** v. *shell, v*
shell jacket [ˈšelˌdžækit] **1** BR důstojnická blůza **2** krátký kabátek, vesta s rukávy pánský společenský oděv v tropech
shell-less [šellis] jsoucí bez lastury, slupky atd.
shell-like [šellaik] připomínající lasturu, slupku apod., lasturovitý, mušlovitý
shell-lime [šellaim] lasturové vápno
shell marble [ˈšelˌma:bl] lasturnatý mramor
shell middens [ˈšelˌmidnz] archeol. nahromadění sídlištních zbytků, v nichž převládají skořápky měkkýšů kulturní vrstva
shell model [ˈšelˌmodl] fyz. slupkový model
shell mound [šelmaund] = *shell middens*
shell-out [šelaut] druh hry na kulečníku
shellproof [šelpru:f] odolný proti granátům n. bombardování
shell roof [ˌšelˈru:f] skořepinová střecha
shell shock [šelšok] nervový otřes od výbuchu granátu n. bombardování
shell-shocked [šelšokt] trpící nervovým otřesem od výbuchu granátu n. bombardování
shell splinter [ˈšelˌsplintə] střepina granátu
shell wave [šelweiv] zvuková balistická vlna
shell work [šelwə:k] ozdoby z přilepených lastur
shelly [šeli] **1** pokrytý lasturami, plný lastur (*a ~ shore*) **2** vytvořený z lastur; lasturový, lasturnatý, lasturovitý, krunýřový, krunýřovitý **3** dříví odlupčivý **4** připomínající lasturu: dutý, křehký; pes štíhlý; dobytek hubený, vyzáblý; kopyto tenký, křehký
shelta [šeltə] tajný žargon cikánů a welšských n. irských dráteníků
shelter [šeltə] *s* **1** kryt, úkryt, krytí *from* před čím **2** přístřeší, přístřešek, stříška, útulna, chata, pavilón **3** útulek, domov **4** ochrana, chránítko, chránič **5** přen. bezpečí, záštita, útočiště **6** voj. okop; kryt, úkryt, zákop, bunkr **7** námoř. kryt na můstku ◆ *air-raid ~* protiletecký kryt; *be a ~ from* chránit / krýt před; *find ~* nalézt útočiště; *take ~ from* ukrýt se, uchýlit se, utéci se do úkrytu před; *take ~ with* skrýt se u, nalézt útočiště u, uchýlit se k ● *v* **1** chránit, ochraňovat *from* před **2** krýt | se, ukrývat | se, skrývat | se (*you must ~ under a tree*) **3** poskytnout úkryt / útočiště komu / čemu; poskytnout záštitu komu / čemu, přechovávat (*the building that ~s the rare collection* budova, v níž je umístěna vzácná sbírka) *shelter o. s.* schovávat se *behind* za, krýt se čím (*every American political party has ~ed itself behind the Supreme Court*)
shelter belt [ˌšeltəˈbelt] větrolam
shelter deck [šeltədek] námoř. ochranná paluba
shelter half [ˌšeltəˈha:f] voj. stanový dílec
shelterless [šeltəlis] **1** jsoucí bez krytu atd. **2** neposkytující kryt atd.; otevřený
shelter tent [ˌšeltəˈtent] AM vojenský stan pro dva muže
shelter trench [ˌšeltəˈtrenč, ˌšeltəˈtrenš] voj. nekrytý zákop
sheltie, shelty [šelti] (*-ie-*) SC shetlandský pony
shelve[1] [šelv] **1** opatřit policemi, poličkami n. regály, dát / udělat police do (*~ a closet* dát do komory police) **2** dát na polici, dát do regálu, za|řadit knihu na polici v knihovně (*many libraries ~ recent fiction by itself*) **3** odložit, odsunout na později / na neurčito, zatím nechat stranou, pominout problém, zanedbat rozdíly **4** propustit ze služby, dát k ledu, dát do starého železa (přen.)
shelve[2] [šelv] mírně se svažovat, mírně klesat
shelves [šelvz] *pl* v. *shelf*
shelving[1] [šelviŋ] **1** materiál na police atd. **2** police, poličky, regály
shelving[2] [šelviŋ] *adj* mírně se svažující, s mírným sklonem ● *s* mírný spád / sklon, mírné klesání; mělčina
shelvy [šelvi] (*-ie-*) = *shelving, adj*
Shema [šəˈma:] náb.: židovské vyznání víry
shemozzle [šiˈmozl] slang. **1** bengál, rambajs, virvál **2** bordel zmatek **3** šlamastyka, trable, průšvih
shenanigan [šiˈnænəgæn] hovor. **1** podfuk, lumpárna **2** *~s, pl* vylomeniny, opičárna, šaškárna; odvaz
she-oak [ˌši:ˈəuk] bot. přesličník, kasuarina
Sheol [ši:əul] **1** bibl. podsvětí; hrob **2** *s~* peklo
shepherd [šepəd] *s* **1** pastýř, ovčák, pastevec, pasák ovcí **2** ovčácký pes, ovčák **3** círk. pastýř ◆ *Good S~* dobrý pastýř Ježíš Kristus ● *v* **1** hnát ovce **2** přen. hnát, dohnat, pečlivě / opatrně při|vést, uvést, zavést, doprovodit (*the passengers were ~ed to the airliner* cestující byli zavedeni k letadlu) **3** přen. duchovně vést, dělat duchovního pastýře komu, pást (*four missionaries hurried back to ~ the living*... lidem, kteří přežili) **4** AU neužívat svého kutacího práva na / k
shepherd dog [ˌšepədˈdog] ovčácký pes, ovčák
shepherdess [šepədis] pastýřka, pasačka ovcí
shepherd's check [šepədzček] = *shepherd's plaid*
shepherd's clock [šepədzklok] bot. drchnička rolní
shepherd's club [šepədzklab] divizna
shepherd's cress [šepədzkres] bot. nahoprutka písečná
shepherd's crook [šepədzkruk] pastýřská hůl
shepherd's needle [ˈšepədzˌni:dl] bot. vochlice hřebenitá

shepherd's pie [šepədzpai] sekaná s cibulkou zapečená s brambory
shepherd's plaid [ˌšepədzˈplæd] černobíle kostkovaná tkanina
shepherd's purse [ˌšepədzˈpə:s] bot. kokoška pastuší tobolka
shepherd's spider [ˌšepədzˈspaidə] zool. sekáč dlouhonohý
shepherd's weatherglass [ˌšepədzˈweðəˌgla:s] bot. drchnička rolní
Sherraton [šerətn] nábytek jednoduchý, přísný, štíhlý, sheratonovský ve stylu angl. architekta Thomase Sheratona
sherbet [šə:bət] **1** šerbet chladný nápoj z ovocných šťáv **2** zejm. AM zmrzlina, zmrzlinový pohár, šerbet **3** šumicí prášek, šuměnka, šumák (hovor.); nápoj ze šuměnky, šumák (hovor.) **4** AU slang. pivo
sherbet glass [šə:bətgla:s] zmrzlinový pohár sklenice
sherbet powder [ˌšə:bətˈpaudə] šumicí prášek, šuměnka, šumák (hovor.)
sherd [šə:d] = *shard*
shereef, sherif [šeˈri:f] šerif, šeríf potomek Mohamedův; vrchní správní úředník v Mekce; titul některých vládců v oblasti muslimského náboženství
sheriff [šerif] **1** šerif hist.: vysoký úředník koruny; BR nejvyšší úředník v hrabství; SC nejvyšší soudce v hrabství / oblasti; AM vedoucí úředník bezpečnostní služby v určitém místě / oblasti **2** zast. rychtář
sheriffalty [šerifəlti] , **sheriffdom** [šerifdəm], **sheriffhood** [šerifhud], **sheriffship** [šerifšip] šerifství, šerifovství
Sherlock [šə:lok] *s* detektiv připomínající Sherlocka Holmese ◆ *~!* to je ono! ● *v* **1** pozorovat co a logicky dedukovat z **2** pátrat, být detektivem, dělat detektiva
Sherpa [šə:pə] *pl* též *Sherpa* [šə:pə] **1** Šerpa člen asijského národa **2** *s ~* BR slang. nosič
sherry [šeri] (*-ie-*) šery, sherry těžké bílé (sladké) víno ◆ *brown ~* tmavozlaté sherry; *~ cobbler* sherry cobbler koktejl
sherry glass [šerigla:s] sklenka na šery
sherryvallies [ˈšeri:ˌvæli:z] *pl* šaravary, šaryvary kalhoty se širokými nohavicemi
she's [ši:z] hovor. **1** = *she is* **2** = *she has*
Shetland [šetlənd] *s* **1** též *~ s, pl* zeměp. Shetlandy souostroví **2** zool. shetlandský pony ◆ *~ lace* text. prolamovaná vlněná tkanina; *~ pony* zool. shetlandský pony; *~ wool* jemná shetlandská vlna příze
shew [šəu] (*shewed, shewn*) zast. = *show, v*
shewbread [šəubred] bibl. obětní chléb
she-wolf [ši:wulf] *pl: she-wolves* [ši:wulvz] vlčice
shia [ši:ə] náb. šíita člen islámské sekty
shibboleth [šibəleθ] **1** bibl. šibolet rozpoznávací slovo **2** přen. zkušební kámen, šibolet **3** propagační heslo, slogan; fráze, otřepaná pravda
shicer [šaisə] AU slang. **1** nevýnosný zlatý důl **2** podfukář, švindlíř
shickered [šikəd] AU hovor. nadrátovaný, zlinkovaný opilý
shied [šaid] v. *shy, v*
shield [ši:ld] *s* **1** štít část výzbroje; herald.: část erbu s heraldickým obrazcem; voj.: pancéřová zástěna k ochraně obsluhy děla; horn.: posuvná výztuž; geol., zeměp.: stabilní nezvrásněná oblast; sportovní trofej **2** stínítko, ochranný štít, zástěna, chránítko, kryt **3** krunýř, štít želvy; tvrdá kůže na hřbetě n. boku kance **4** plemeno holuba **5** AM štítek, policejní odznak **6** znak, emblém **7** sděl. tech. od|stínění, kryt **8** potítko **9** přen. ochrana, záštita, štít; ochránce, protektor ◆ *~ of pretence* herald. srdeční štítek; *the other side of the ~* přen. rub věci, druhá stránka věci ● *v* **1** chránit, krýt zejm. zatajováním; zakrývat, ukrývat, skrývat *from* před **2** stínit ◆ *Od ~!* zast. Bůh chraň! ***shield off*** odvrátit, zahnat, zabránit čemu (*~ off loneliness*)
shield arm [ši:lda:m] bás. levá paže
shield bearer [ˈši:ldˌbeərə] štítonoš
shield fern [ši:ldfə:n] bot. kapraď samec
shield hand [ši:ldhænd] levá ruka
shieldless [ši:ldlis] **1** jsoucí bez štítu atd. **2** přen. nechráněný
shieling [ši:liŋ] SC **1** pastvina **2** chata, bouda, přístřešek; salaš, koliba **3** krytý ovčín
shier [šaiə] *s* **1** plachý / bázlivý kůň **2** kdo se vyhýbá; kdo uhýbá např. před hozeným předmětem ● *adj* v. *shy, adj*
shiest [šaiist] v. *shy, adj*
shift [šift] *v* **1** z|měnit | se, proměnit | se (*the clouds were beginning to ~ shape* oblaka začala měnit svůj tvar, *the situation ~ed*), přeměnit | se; scéna proměnit se *to* v, přenést se kam **2** prohodit si, vyměnit si **3** vy|střídat směnu n. hlídku **4** hud. změnit polohu např. při hře na housle **5** BR zast. převléknout se, vzít si jiné šaty n. čisté prádlo **6** přesadit, přesazovat **7** pře|stěhovat se, z|měnit místo, z|měnit směr (*the trail twisted and ~ed* cesta se stočila a změnila směr); stočit se (*the wind ~ed to the east*) **8** pozornost obrátit se, upřít se jinam **9** přemístit, přesunout, přenést (*the weight of the new building was ~ed to new foundations*); přendat, přehodit břemeno do druhé ruky; překládat, přerovnávat lodní náklad; posunovat, šibovat čím (hovor.); přesouvat řemen **10** odstranit (*nothing less than a hot shower will ~ the dirt that has caked on my skin* ztvrdlou špínu na mé kůži musí přinejmenším odstranit horká sprcha) **11** námoř. změnit kotviště lodi; přemístit loď bez pomoci remorkéru; přetáhnout (loď) uvnitř přístavu **12** přemykat (válec), snížit (klávesnici) psacího stroje; stisknout přeřaďovač aby otiskoval hořejší typ klávesy psacího stroje **13** přepínat, přepojovat přístroj; zasunout, vysunout **14** uvolnit lano potřásáním **15** kůň shazovat jezdce **16** sníst, vypít, zpucovat (hovor.) (*I've ~ed a lot in the last twenty years*) **17** vytáčet se, vymlouvat se, vykrucovat se; vyhýbat se otázce **18** přen. jít špatně kupředu, protlou-

kat se / probíjet se životem těžce / nepoctivě **19** rozdělit **20** vázat zdivo **21** jaz. posunout samohlásku; samohláska posunout se **22** hovor. mazat odejít; rychle se pohybovat **23** hovor. odstranit z cesty **24** slang. oddělat, odrovnat, odkráglovat ◆ ~ *attention to a t.* obrátit pozornost k / na; ~ *gears 1.* pře|řadit rychlost, přehodit rychlost, dát tam jinou rychlost *2.* změnit tempo / taktiku; ~ *one's ground* změnit pozici, zaujmout jinou pozici v debatě; ~ *to hand* přepnout přístroj na ruční řízení; ~ *the helm* přeložit kormidlo; ~ *for o. s. 1* ohánět se sám, být odkázán sám na sebe, tlouci se životem sám *2.* hledět jen sám na sebe, jít přes mrtvoly; ~ *a sail* převrátit plachtu ***shift about*** přenést, převést, přehrát zodpovědnost *from* z *to / on / upon* na ***shift away*** zmizet po anglicku, zdejchnout se (hovor.) ***shift off*** = *shift about* ***shift out*** vysunout, vypojit, vypnout ***shift round*** otočit, obrátit (*~ed his head round again to glance at her* znovu otočil hlavu, aby se na ni podíval) ● *s* **1** změna místa n. polohy, přesun, přesunutí, přenesení, přenos (*a ~ of responsibility* přenesení zodpovědnosti) **2** zast. výměna; proměna, přeměna **3** hud. změna polohy při hře na housle n. snížcový pozoun; zmáčknutí levého pedálu u klavíru **4** BR změna bydliště, přestěhování **5** převlečení do jiného oděvu n. čistého prádla; nář. rezervní / jiný oblek, čisté prádlo **6** dámské kombiné; dámské úzké hladké šaty; zast.: dlouhá spodní košile; podkladová látka; spodnička **7** změna směru (*a ~ in the wind*) **8** AM motor. řazení (*do you prefer a manual ~ or automatic no-pedal control?*) **9** posunutí, posun, posuv (*a sudden ~ in values* náhlé posunutí hodnot) **10** geol. posun; zlom **11** hvězd. posuv spektrálních čar **12** směna, šichta (hovor.) střídání pracovníků; pracovní doba; střídající / střídaná skupina osob **13** zeměd. střídání plodin; pole střídavě osévané **14** praktická pomůcka, praktický prostředek, způsob (*an index may or may not be a trustworthy ~ for finding something* rejstřík může, ale nemusí být spolehlivým prostředkem, jak něco najít) **15** hovor. nouzové řešení, cesta z nouze, východisko **16** trik, lest, úskok, finta **17** hořejší typ na klávesnici psacího stroje **18** stav. vázání zdiva **19** jaz. posouvání, posun **20** tajné sejmutí karet, přehození rozděleného balíčku karet zejm. jednou rukou; bridž hláška v jiné barvě než kterou hlásil partner; AM hra v jiné barvě **21** AM sport. přesun hráčů na hřišti při ragby n. košíkové ◆ *be at one's last ~* být už téměř u konce, mlít z posledního; ~ *of crop* zeměd. střídání plodin; *Doppler ~* hvězd. posuv podle Dopplerova principu, posuv spektrální čáry Dopplerovým efektem; *dropped ~* nedělní / sváteční směna; *get a ~ on a t.* pustit se do, skočit na, obout se do, vzít za začít rychle dělat; *graveyard ~* AM noční směna; *make ~* nář. ohánět se, točit se; *make (a) ~ to do a t.* udělat s námahou / velkým vypětím sil co; *make (a) ~ with* (musit) nějak vyjít s. musit se spokojit s, musit vzít zavděk čím; *make but a poor ~* příliš se neukázat / nevytáhnout při činnosti; ~ *in phase* elektr. posun fáze; *put to the last ~* dohnat k nejvyššímu vypětí sil, vybičovat; *put a p. to ~s* vyžadovat velké vypětí sil od; ~ *of scenery* div. proměna, přestavba scény; *swing ~* nastupující směna druhá n. třetí

shifter [šiftə] **1** div. kulisák **2** kdo se vymlouvá n. vytáčí, člověk jako had, liška, prohnaný člověk **3** námoř. lodní kuchtík **4** posunovač, přesunovač **5** měnič, přesouvadlo řemenu; řadicí páka **6** horn. narážeč; údržbář v dole **7** AM předák směny

shiftiness [šiftinis] **1** vynalézavost, nápaditost, obratnost **2** prohnanost, mazanost, rafinovanost; nespolehlivost, záludnost, zrádnost **3** řidč. proměnlivost, kolísavost

shifting [šiftiŋ] *adj* **1** posunující se, posunovací, posouvací, posuvný **2** v. *shift, v* ◆ ~ *ballast* námoř. posuvná zátěž; ~ *boards* podélná přepážka znemožňující příčné přemístění lodního nákladu; ~ *centre* fyz. metacentrum; ~ *cultivation* AU úhorové hospodářství; ~ *head* koník soustruhu; ~ *pedal* levý pedál klavíru; ~ *sand* písečný přesyp; ~ *spanner* francouzský klíč ● *s* **1** námoř. příčné přemístění lodního nákladu **2** v. *shift, v*

shift joint [ˌšiftˈdžoint] stav. vystřídaná / přesazená styčná spára

shift key [ˌšiftˈki:] přemykač psacího stroje

shiftless [šiftlis] **1** bezmocný **2** nešikovný, neobratný, nevynalézavý, jsoucí bez nápadů, bez zájmů **3** líný; neschopný ◆ ~ *person* nekňuba

shiftlessness [šiftlisnis] **1** bezmocnost **2** nešikovnost, neobratnost, nevynalézavost **3** lenost, neschopnost

shift lever [ˌšiftˈli:və] řadicí páka automobilu

shift register [ˌšiftˈredžistə] výp. posuvný registr

shift work [ˌšiftˈwə:k] **1** práce ve směnách **2** střídavé vyučování, vyučování na směny

shifty [šifti] (*-ie-*) **1** vynalézavý, nápaditý, obratný **2** prohnaný, mazaný, rafinovaný; nespolehlivý, záludný, zrádný **3** vyhýbavý (*he has ~ eyes*) **4** řidč. proměnlivý, kolísavý, nestálý (*he has ~ principles*)

shigella [šiˈgelə] shigella tyčinkovitý nepohyblivý mikrob, původce střevní úplavice

Shih Tzu [ši:dzu:] druh trpasličího psíka

Shiite [ši:ait] náb. šiita člen islamské sekty

shikar [šiˈka:] v indickém prostředí lov, hon, lovení, lovecký sport

shikaree, shikari [šiˈkæri] v indickém prostředí **1** lovec **2** domorodý lovec; domorodý vůdce; domorodý honec

shill [šil] AM volavka pomocník zloděje, v herně apod.

shillala(h), shillelagh [šiˈleilə] IR dubový / trnkový klacek, kyj

shilling [šiliŋ] **1** BR šilink (do r. 1971) dvacetina libry; mince představující tuto hodnotu **2** šilink stará mince různé hodnoty v různých zemích ◆ *cut off with a ~* vydědit;

~ *in the pound* pět procent (*pay twenty ~s in pound* úplně zaplatit); *take the King's / the Queen's ~* dát se na vojnu, dát se naverbovat
shilling shocker [ˌšiliŋˈšokə] krvák literární brak
shilling stroke [ˌšiliŋˈstrəuk] šikmá zlomková čára
shillingsworth [šiliŋzwə:θ] **1** hodnota jednoho šilinku **2** množství zboží za jeden šilink
shilly-shally [ˈšiliˌšæli] (*-ie-*) *s* **1** nerozhodnost, váhání, kolísání **2** nerozhodný člověk ● *adj* nerozhodný, váhavý ● *v* být nerozhodný, váhat ● *adv* nerozhodně, váhavě
shily [šaili] v. *shy, adj*
shim [šim] *s* vložka, podložka, podkládací plíšek, odštěpek, klínek, „šíbr" (slang.) ● *v* (*-mm-*) vyrovnat / vyplnit vložkami atd.
shimiaan [ˌšimiˈa:n] SA domorodý alkoholický nápoj
shimmcr [šimə] *v* **1** světlo blikat, blikotat, míhat sc, mihotat se, prokmitávat (*the street lights ~ed behind the veil of snow* za sněžným závojem blikotala pouliční světla) **2** lesknout se, třpytit se matně (*its powdery sands ~ like snow* jeho prašné písky se třpytí jako sníh) **3** světelný odraz chvět se, tetelit se (*heat waves ~ed before our eyes* před očima se nám tetelil horký vzduch) ● *s* **1** blikání, blikotání, míhotavé světlo; matný lesk, matný třpyt **2** matný odraz (*the slate roofs send ~s up in the glare* břidlicové střechy se v záři matně lesknou), chvění (*a constant ~ of heat over wide concrete highways* neustálé chvění horka nad širokými betonovými silnicemi)
shimmery [šiməri] matně se lesknoucí
shimmy[1] [šimi] (*-ie-*) dět. hovor. spodní košilka, dámská košile
shimmy[2] [šimi] AM *s* **1** shimmy druh společenského tance **2** rozkmitání předních kol auta, shimmy (slang.) ● *v* (*-ie-*) **1** tančit shimmy **2** natřásat se, vrtět se, kroutit se **3** přední kola automobilu příliš se kmitat, rozkmitat se
shimose [šiˈməuz] voj.: druh japonské výbušniny
shin [šin] *s* **1** holeň **2** zool. hlezno **3** kuch.: hovězí kližka **4** žel. kolejnicová spojka ◆ *break ~s* slang. pumpnout o peníze ● *v* (*-nn-*) **1** šplhat, vyšplhat se na / po (*~ up a tree*), sešplhat po (*~ down a drainpipe* sešplhat po okapové rouře) **2** okopat, kopnout do holeně **3** AM mazat, utíkat
shin-bone [šinbəun] holenní kost, holeň, šínpajn (hovor.)
shindig [šindig] hovor. **1** mejdán, hlučná slezina, tancovačka **2** = *shindy*
shindy [šindi] (*-ie-*) hovor. bengál, brajgl, virvál, čurbes
shine [šain] *v* **I.** (*shone* / zast. *shined, shone* / zast. *shined*) **1** svítit, zářit; osvítit, ozářit *upon* co; vrhat světlo **2** přen. vyzařovat *in* v, prozařovat *through* čím, prosvětlovat co (*human feeling ~s through all her books*) **3** lesknout se, blyštět se, skvít se, svítit **4** přen. zářit, skvít se, vynikat, excelovat, mít úspěch *at* v **5** přen. být jasně vidět, bít do očí **II.** (*shined, shined*) **1** po|svítit čím (*~d our flashlights on the desk* posvítili jsme si baterkami na psací stůl); posvítit do očí, oslepit prudkým světlem lovené zvíře **2** hovor. na|leštit, na|blýskat, vy|cídit, vy|pucovat, vy|glancovat (*~ shoes*) **3** zast. rozednívat se *shine forth / out* vyzařovat *shine up* AM hledět / chtít se zalíbit *to* komu, dvořit se komu, dělat do koho (*~d up to all the pretty girls*) ● *s* **1** jasné světlo, zář, záře, jasný svit, jas, šajn (hovor.) **2** lesklý odraz; lesk, též přen. **3** pěkné počasí, slunce, sluníčko (*will go rain or ~* půjde za každého počasí) **4** vy|cídění, vy|leštění bot; lesk bot **5** slang. bengál, brajgl, virvál, čurbes **6** AM tajně pálená whisky z kukuřice, kukuřičná samohonka **7** AM hovor. fór, blbina, vylomenina, kanada (*you never would try to pull any ~s*) **8** AM hanl. černá huba, negr ◆ *have a ~?* přejete si vyčistit boty?; *kick up a ~* udělat bengál, chytat se stropu; *make a ~ about* udělat kravál kvůli čemu; *no ~!* fakt, nekecám!; *put a good ~ on a t.* krásně vyleštit, naleštit, nablýskat co; *take a ~ to a p.* AM slang. padnout komu do oka zalíbit se; *take the ~ out of 1.* zbavit co lesku *2.* setřít koho *3.* zastínit, trumfnout koho, způsobit, že kdo ztratí glanc (hovor.), připravit o glanc koho
shiner [šainə] **1** cídič, leštič bot **2** cídidlo, krém na boty **3** lesklá věc; velký lesklý knoflík; lesklé místo v papíru / v umělém hedvábí **4** zool.: název některých amerických kaprovitých ryb **5** hovor. cylindr; *~s, pl* lakýrky **6** slang. blýskavá mince, zlaťák zejm. sovereign; *~s, pl* prachy, šajny peníze **7** slang. monokl podlitina kolem oka
shingle[1] [šiŋgl] *s* **1** šindel **2** krytinová deska **3** AM firemní tabulka, firma, kovová vizitka **4** krátký zástřih, pánský zástřih, zástřih do ztracena, mikádo, bubikopf dámský účes ◆ *~ covering* šindelová kritina; *~ lap* spoj na ostrou hranu a klínovitou drážku; *~ nail* šindelák hřebík; *~ roof* šindelová střecha; *~ short* AU hovor. mající v hlavě o kolečko míň, přitroublý ● *v* **1** krýt / pokrývat šindelem, obíjet šindelem **2** složit tak, že přesahuje **3** zastřihnout (vlasy) do ztracena, udělat mikádo / bubikopf, udělat dámě krátký zástřih
shingle[2] [šiŋgl] *s* **1** oblázek, valoun; hrubý plážový oblázkový štěrk **2** oblázkový břeh ● *v* krýt / pokrývat jako oblázky
shingle[3] [šiŋgl] vytlačovat strusku z vlků
shingler [šiŋglə] šindelář
shingles [šiŋglz] *pl* med. pásový opar, herpes
shingly [šiŋgli] plný oblázků, pokrytý oblázky
shin guard [šinga:d] chránič holeně
shininess [šaininis] lesk, jas
shining [šainiŋ] **1** jasný, zářivý, skvělý **2** v. *shine, v* ◆ *~ table* polygr. stůl s prosvětlenou deskou, montážní prosvětlovací stůl
shinkin [šiŋkin] BR nář. nula, nýmand bezvýznamný člověk

shin leaf [šinli:f] AM bot. hruštička
shinny[1] [šini] (*-ie-*) sport. **1** zjednodušený pozemní hokej **2** jednoduchá hokejka; míček na pozemní hokej **3** špatný / improvizovaný lední hokej
shinny[2] [šini] (*-ie-*) AM hovor. šplhat
shinplaster [ˈšinˌpla:stə] **1** hadr, papír bankovka malé hodnoty **2** AM, AU směnka vystavená jednotlivcem
Shinto [šintəu], **Shintoism** [šintə*u*izəm] náb. šintó, šintoismus japonské náboženství
Shintoist [šintə*u*ist] šintoista vyznavač šintoismu
shinty [šinti] (*-ie-*) = *shinny*[1]
shiny [šaini] (*-ie-*) **1** lesklý, lesknoucí se, jasný, svítivý, zářící, zářivý, prozářený, blýskavý, blýskající se, naleštěný, nablýskaný **2** slunný, prosluněný **3** oblýskaný (*clad in ~ rags* oblečený do oblýskaných hadrů)
ship[1] [šip] *s* **1** loď zejm. velká, nepoháněná vesly **2** plnoplachetník, loď s více než třemi stěžni **3** koráb **4** plavidlo **5** hovor. člun, sportovní loď **6** lodní posádka, loď (*the whole ~ cheering*) **7** AM letadlo, řiditelná vzducholoď **8** též *space ~* kosmická raketa, kosmická loď **9** lodička nádoba ve tvaru loďky **10** přen. stát **11** polygr. parta sazečů pracujících na jednom úkolu **12** AM oddíl námořních skautů ◆ *about ~* otočit loď do protisměru, obrátit přes příď povel; *arrest a ~* dočasně zadržet loď; *on board ~* na lodi, na palubě; *~ of the desert* koráb pouště velbloud; *when my ~ comes home* až se na mne štěstí usměje, až jednou vyhraju milión; *~ of the line* válečná / bitevní loď, řadová loď (hist.); *"Prompt S~"* „Loď je připravena nakládat ihned n. během několika dnů"; *pump ~* hovor. vyčurat se; *sister ~* sesterská loď stejného typu; *take ~* nalodit se; *tramp ~* trampová loď která nekoná pravidelné cesty, ale vozí náklad podle potřeby; *~ of war* válečná loď; *~'s arcicles 1.* námořní pracovní smlouva *2.* základní seznam posádky; *~('s) biscuit* lodní suchar; *~'s classification* klasifikace lodí; *~'s company* lodní posádka; *~'s corporal* policista na válečné lodi; *~'s husband* majitelem zplnomocněný správce lodi; *~'s papers* lodní doklady, papíry (hovor.); *~'s register* lodní rejstřík; *~'s sweat* lodní výpary, pot; *~'s time* místní čas lodi ● *v* (*-pp-*) **1** nakládat na loď, naloďovat; dopravovat, transportovat, posílat lodí zboží; posílat za moře vojáky (*recruits are ~ped out*) **2** AM zaslat lodí / letadlem / železnicí **3** nastoupit na loď, nalodit se (*travellers to the Pacific ~ at a western port*); od|plout, vyplout, od|cestovat lodí (*Dennis had ~ped overseas*) **4** dát do lodě, složit (*~ped his paddle into the rented canoe* pádlo dal do vypůjčené kanoe), vtáhnout, zatáhnout do lodě (*~ a gangway* ... nástupní můstek) **5** loď přijmout / nabrat cestující / náklad **6** zasadit, dát, postavit, pověsit, zavěsit na patřičné místo na lodi (*~ the mast* zasadit stěžeň, *lights should be ~ped and in working order*) **7** dát se najmout na loď jako námořník (*ran away from home and ~ped before the mast* utekl z domova a dal se najmout na loď jako obyčejný námořník); sloužit na lodi **8** plavidlo nabrat vodu (*~ped a good amount of water*) **9** vzít, hodit, nandat, dát zavazadlo *upon* na (*~ped the pack onto his back* hodil si batoh na záda), přehodit, přendat (*~ped the gun to his shoulder and fired both barrels* přiložil pušku k rameni a vystřelil z obou hlavní) **10** hovor. vyhodit, vyexpedovat, vyběhnout s ◆ *~ a t. on deck* nalodit, naložit na palubu lodi; *~ hands* najmout, přijmout posádku (*~ extra hands* přibrat posádku, zvětšit posádku); *~ oars* složit vesla do lodě vyvléknutím z havlinek; *~ the oars* vložit vesla do havlinek; *~ the rudder* zavěsit kormidlo povel; *~ a (heavy) sea 1.* loď nabrat příval vody, být zaplaven vlnou *2.* posádka být zaplaven vlnou ***ship out*** *1* plout pryč, odplout, vyplout, odcestovat lodí *2* poslat lodí ***ship over*** dát se znovu najmout na vojenskou / obchodní loď
'ship[2] [šip] slang. kamarádství
ship agent [ˌšipˈeidžənt] námořní zprostředkovatel, též podnik
ship-based bomber [ˌšipbeistˈbomə] voj. bombardovací letoun umístěný na letadlové lodi
shipboard [šipbo:d] **1** zast. lodní bok **2** paluba lodi **3** loď ◆ *on ~* na lodi, na palubě
ship-borne bomber [ˌšipbo:nˈbomə] voj. bombardovací letoun operující z letadlových lodí
ship boy [ˌšipˈboi] plavčík
ship breaker [ˈšipˌbreikə] podnikatel kupující a rozebírající staré lodě, obchodník se starým železem z lodí
ship breaking [ˈšipˌbreikiŋ] předání lodi na zlom k sešrotování
shipbroker [ˈšipˌbrəukə] **1** lodní agent, makléř, zprostředkovatel **2** obchodní zástupce prodávající a kupující lodě
shipbuilder [ˈšipˌbildə] **1** stavitel lodí, loďař, lodní stavitel, lodní architekt **2** rejdař
shipbuilding [ˈšipˌbildiŋ] **1** stavba lodí **2** též *~ trade* loďařství, lodní stavitelství
ship canal [ˌšipkəˈnæl] námořní průplav pro zaoceánské lodě
ship chandler [ˈšipˌča:ndlə] lodní dodavatel / zásobovatel, obchodník prodávající lodní potřeby a zásoby
ship chandlery [ˈšipˌča:ndləri] (*-ie-*) obchod s lodními potřebami
ship construction [ˌšipkənˈstrakšən] stavba lodí, lodní konstrukce
ship fever [ˈšipˌfi:və] med. tyfus
shipless [šiplis] jsoucí bez lodi
shipload [šipləud] **1** lodní náklad, kargo **2** nákladovost lodi, ložnost lodi; plný náklad, plná loď množství

shipmaster [ˈšipˌma:stə] kapitán obchodní lodi
shipmate [šipmeit] **1** druh, kamarád, kolega sloužící na stejné lodi, spoluplavec, spolunámořník **2** zkušený člen lodní posádky
shipment [šipmənt] **1** nakládání na loď, naložení **2** lodní zásilka, náklad **3** lodní přeprava **4** AM odeslání, zásilka ◆ *drop* ~ AM dodávka zboží od výrobce maloobchodníkovi, rozvážka zboží
ship money [ˈšipˌmani] hist. daň na výstavbu loďstva
shipowner [ˈšipˌəunə] majitel lodi, loďař, rejdař
shippen [šipən] = *shippon*
shipper [šipə] **1** lodní zasílatel, odesílatel; exportér do zámoří **2** AM zasílatel, speditér **3** zboží vhodné k dopravě zejm.lodí **4** dopravní obal, kontejner
shipping [šipiŋ] *s* **1** obchodní lodi, loďstvo, celková obchodní flotila, celková tonáž **2** cesta na lodi, plavba **3** lodní zásilka / doprava **4** lodní prostor **5** v. *ship, v* ● *adj* **1** lodní, námořní (~ *business*), plavební **2** dopravní **3** v. *ship, v*
shipping agent [ˈšipiŋˌeidžənt] zástupce lodní společnosti / rejdařství
shipping articles [ˈšipiŋˌa:tiklz] námořnická pracovní smlouva
shipping bill [šipiŋbil] **1** osnova zákona o lodní dopravě **2** prohlášení o vývozu nákladu ze skladu, celní prohlášení **3** povolení celnice k nakládání
shipping case [šipiŋkeis] přepravní skříň
shipping channel [ˈšipiŋˌčænl] pravidelná lodní trasa
shipping charges [ˈšipiŋˌča:džiz] dopravní výlohy lodní
shipping clerk [ˈšipiŋˌkla:k] **1** BR úředník v expedici do zahraničí **2** AM zaměstnanec expedičního oddělení **3** AM vedoucí expedičního oddělení
shipping commissioner [ˈšipiŋkəˌmišənə] plavební inspektor, vedoucí námořní kanceláře
shipping department [ˈšipiŋdiˌpa:tmənt] výpravna, expedice
shipping document [ˈšipiŋˌdokjumənt] konosament
shipping instructions [ˈšipiŋinˌstrakšənz] **1** expediční příkaz, odvolávka objednaného zboží **2** nakládací / naloďovací instrukce / dispozice
shipping lane [šipiŋlein] pravidelná lodní trasa
shipping master [ˈšipiŋˌma:stə] BR plavební inspektor
shipping office [ˈšipiŋˌofis] **1** plavební úřad, úřad plavebního inspektora **2** kancelář plavební společnosti, lodní agentura
shipping order [ˈšipiŋˌo:də] expediční příkaz, odvolávka objednaného zboží
shipping space [ˈšipiŋˌspeis] nákladový prostor pro lodní náklad
shippon [šipən] nář. kravín
ship railway [ˈšipˌreilwei] **1** lodní železnice k dopravě lodí **2** lodní výtah na vodní cestě; lodní výtah z vody do loděnice
ship rigged [šiprigd] jsoucí s plným oplachtováním
shipshape [šipšeip] *adj* náležitý, jaksepatří, pořádný, čistý, úhledný, uspořádaný, jsoucí v pořádku, dobře fungující / klapající ● *adv* v pořádku ● *s: in* ~ *1.* v pořádku, v dobrém stavu *2.* dobře připravený, na svém místě
ship stuff [ˌšipˈstaf] **1** zadní pšeničná mouka **2** zadina krmivo
ship surveyor [ˌšipsə(:)ˈveiə] námoř. inspektor klasifikační organizace
shipway [šipwei] **1** skluz v suchém doku **2** námořní průplav **3** pravidelná lodní trasa
shipworm [šipwæ:m] zool. sášeň lodní
shipwreck [šiprek] *s* **1** ztroskotání lodi **2** lodní vrak, ztroskotaná loď **3** přen. konec, zhroucení, ztroskotání (*the* ~ *of his hopes*) **4** přen. trosky ◆ *make / suffer* ~ ztroskotat, utrpět ztrátu; *make* ~ *of 1.* zničit co *2.* utrpět ztrátu čeho ● *v* **1** zkazit, zničit, zmařit, z|troskotat **2** ztroskotat, též přen. ◆ *be* ~*ed* ztroskotat
shipwright [šiprait] **1** lodní tesař, zkušený loďař **2** lodní stavitel
shipyard [šipja:d] loděnice
shire [šaiə] **1** BR hrabství; ~*s, pl* hrabství, jejichž jméno končí na *-shire;* hrabství střední Anglie kde se konají hony na lišku **2** AU oblast, okres **3** = *shirehorse*
shirebred horse [ˌšaiəbredˈho:s] = *shire horse*
shire hall [ˌšaiəˈho:l] budova správního úřadu hrabství
shire horse [šaiəho:s] *pl: horses* [ho:siz] shireský kůň chladnokrevný tažný kůň
shiremoot [šaiəmu:t] hist. soud, shromáždění soudců z celé oblasti před r. 1066
shirk [šə:k] *v* **1** vyhnout se činnosti, ulejt se, slejt se z činnosti **2** vyhnout se setkání, ucuknout stranou **3** AM též ~ *off* zbavit se zodpovědnosti, hodit, přehrát zodpovědnost *on* / *upon* na koho **4** zast. tiše / nepozorovaně přijít / odejít ● *s* = *shirker*
shirker [šə:kə] absentér, lenoch, ulejvák, bulač
shirr [šə:] *s* **1** elastické pletivo, vetkaná gumička, gumičky **2** nabírání, zřasení ozdoba všitím (elastického) pásku ● *v* **1** zřasit, nabrat všitím (elastického) pásku **2** kuch. smažit míchaná vejce se smetanou / strouhankou
shirring [šə:riŋ] AM = *shirr, s 2*
shirt [šə:t] **1** pánská košile **2** pánská noční košile **3** lehký pulovr **4** tričko s rukávy **5** rubáška **6** dětská košilka **7** dámská košile; blůza košilového střihu **8** barevná košile příslušník organizace nosící barevnou košili **9** AU plátno, pytel na přepravu mraženého masa ◆ *boiled* ~ AM jemná bílá košile; *bloody* ~ zakrvácená košile symbol např. vraždy; *get a p.'s* ~ *out* slang. namíchnout, rozzuřit koho; *give away the* ~ *off one's back* svléknout poslední košili a dát ji; *give a p. a wet* ~ dřít koho, až propotí košili; *have not a* ~ *to one's back* nemít už ani košili vůbec nic; *in one's* ~ jenom v košili, bez kabátu; *keep your*

~ *on!* nevztekej se, zachovej klid / chladnou krev, neztrácej rozvahu!; *lose one's* ~ přijít o poslední košili; ~ *of mail* drátěná košile; *near is my* ~ *but nearer is my skin* pořek. bližší košile než kabát; *put one's* ~ *on a t.* vsadit poslední košili na; *stuffed* ~ hovor. náfuka, nádiva
shirt blouse [šə:tblauz] = *shirtwaist*
shirt button [ˈšə:tˌbatn] košilový knoflík zejm. perleťový
shirt frill [šə:tfril] hist. žabó, žabot na pánské košili
shirtfront [šə:tfront] 1 náprsenka část košile 2 tvrdá / škrobená náprsenka samostatná část oděvu ◆ ~ *wicket* sport. přesný hod na kriketovou branku
shirting [šə:tiŋ] 1 košilová tkanina, košilovina 2 širtynk
shirt jacket [ˈšə:tˌdžækit] AM lehký dámský sportovní kabátek na zip
shirtless [šə:tlis] 1 jsoucí bez košile 2 přen. chudý jako kostelní myš
shirtsleeve [šə:tsli:v] *s* rukáv košile ◆ *in* ~*s* jsoucí pouze v košili, bez kabátu ● *adj* = *shirtsleeved*
shirtsleeved [šə:tsli:vd] , **shirtsleeves** [šə:tsli:vz] 1 jsoucí bez kabátu, pouze v košili 2 vyžadující svlečení do košile: namáhavý (~ *work*), horký, parný (~ *weather*) 3 ležerní, neformální (~ *biography*); všední, praktický (~ *rudiments of language* základy jazyka pro praktické účely) ◆ ~ *diplomacy* neoficiální diplomatická jednání
shirt stud [šə:tstad] manžetový knoflík
shirt-tail [šə:tteil] 1 mladý, usmrkaný (*a* ~ *kid* ... prcek) 2 AM vzdálený (*a* ~ *relative*) 3 krátký (~ *runs* ... tratě)
shirt-tails [šə:tteilz] podolek košile, cípy košile ◆ *set fire to a p.'s* ~ hovor. popíchnout / poštvat koho, podpálit zadek komu
shirtwaist [šə:tweist] 1 dámská blůza košilového střihu 2 pánská polokošile 3 AM = *shirtwaister*
shirtwaister [ˈšə:tˌweistə] dámské volné šaty se zapínáním do pasu
shirty [šə:ti] (*-ie-*) hovor. 1 zuřivý, vzteklý 2 naštvaný, nakrknutý
shit [šit] vulg. *v* (*shitted* / zast. *shit, shitted* / zast. *shitten, -tt-*) 1 srát; vysrat se; posrat se 2 kecat ● *s* 1 hovno 2 sraní, sračka, sračky, též přen. 3 kecy, srágory 4 ~*s, pl* sračka průjem 5 srágora, posera, poseroutka, sralbotka 6 slang. hašiš 7 ~*s, pl* posranost ● *interj* do prdele!
shithead [šithed] 1 vulg. blbec 2 BR slang. feťák narkoman
shitlist [šitlist] vulg.: imaginární seznam lidí, na které je mluvčí nasraný (*high on my* ~)
shiv [šiv] slang. *s* 1 kudla 2 břitva ● *v* (*-vv-*) zapíchnout
Shiva [ši:və] Šiva jeden z bohů hinduistické trojice
shivaree [ˌšivəˈri:] AM *s* 1 kočičí serenáda, kočičina, rámus, kravál jako dostaveníčko 2 hlučná oslava ● *v* hrát dostaveníčko na plechovky, nádobí, houkačky apod.
shive[1] [šaiv] plochá široká zátka
shive[2] [šaiv] 1 pazdeří 2 rostlinná příměs ve vlně 3 polygr. tříska, uzlík vláken v papíru 4 zast. plátek; krajíc
shiver[1] [šivə] *v* 1 za|chvět | se, za|třást | se, rozechvět | se, roztřást | se, roz|klepat | se, tetelit se zejm. chladem 2 plachta chvět se, třepetat se ● *s* 1 chvění, třesení 2 ~*s, pl* třesavka 3 ~*s, pl* mrazení, mráz, husí kůže ◆ *be all in a* ~ třást se jako osika; *it gives me the* ~*s* z toho mi naskakuje husí kůže, z toho mi běhá mráz po zádech; *a* ~ *ran down my spine* zamrazilo mě, mráz mi přeběhl po zádech
shiver[2] [šivə] *s* 1 část. ~*s, pl* třísky, úlomky, střepy, střepiny 2 břidlice 3 kladka ● *v* rozbít se, roztříštit se na malé kousky ◆ ~ *my timbers!* žert. u sta žraloků! námořnické zaklení
shivereens [šivəri:nz] BR tisíc kousků, kousíčky, padrť, cimprcampr
shivering fit [ˈšivəriŋˌfit] třesavka, záchvat zimnice
shivery[1] [šivəri] 1 rozechvěný, roztřesený, chvějící se, třaslavý (~ *grasses*), třesoucí se, klepající se, tetelící se 2 nahánějící husí kůži: studený, mrazivý (*a* ~ *January day*), působící mrazení, děsivý (~ *threats* děsivé výhružky)
shivery[2] [šivəri] křehký, snadno se odlupující (~ *stone*)
shivoo [šaiˈvu:] AU slang. mejdan
shlemozzle [šliˈmozl] = *shemozzle*
shlock [šlok] = *schlock*
shlocky [šloki] = *schlocky*
schmo [šməu] slang. otrava; pitomec
shoal[1] [šəul] *s* 1 stádo, hejno velryb; hejno, tah ryb 2 ~*s, pl* množství, spousta, dav (~*s of people*), kupa, halda, stoh (*gets letters in* ~*s* dostává stohy dopisů) ● *v* 1 ryby houfovat se, shromažďovat se v hejno 2 vyskytovat se ve velkém množství; kupit se; tlačit se, mačkat se
shoal[2] [šəul] *adj* voda mělký, nehluboký ● *s* 1 mělčina; písčina, jesep 2 ~*s, pl* přen.: skryté úskalí 3 přen. výspa (~ *of time* ... času) ● *v* 1 stávat se mělkým, mělčit se, mělčet; zanášet se pískem; dno stoupat 2 hnát ústřice na mělčinu; zahánět vydru na mělčinu
shoaliness [šəulinis] mělkost
shoaly [šəuli] mělký, nehluboký, plný mělčin
shoat[1] [šəut] podsvinče
shoat[2] [šəut] kříženec mezi ovcí a kozou
shock[1] [šok] *s* 1 otřes, též přen. 2 ráz, náraz, úder, rána, též přen. 3 zemětřesení 4 duševní otřes, leknutí, šok 5 pohoršení; nesnesitelná představa; zlost, vztek; záchvat zlosti 6 otřesení důvěry, poškození situace 7 voj. prudký jízdní útok, přepad, srážka 8 med. šok mohutný otřes organismu, též uměle vyvolaný jako léčebná metoda 9 hovor. mrtvice, infarkt ◆ *electric* ~ med. elektrický šok ● *v* 1 dát ránu komu 2 prudce narazit, narážet, prudce se srazit (*her teeth* ~*ed against each other* její dásně se

prudce srazily) **3** pohoršovat, urážet, odpuzovat, vyděsit, šokovat, způsobit otřes komu, nahnat hrůzu komu (*many audiences are ~ed by the sounds of a new composition* mnohé posluchače šokují tóny nové kompozice) **4** způsobit komu nervový šok **5** přimět šokem *to do a t.* k **6** léčit umělým šokem ◆ *I was ~ed to hear* hluboce mnou otřáslo, když jsem se dozvěděl

shock[2] [šok] *s* **1** panák, mandel, mandlík obilí obyč. ze dvanácti snopů **2** přen. kupa, halda, stoh **3** AM kupa kukuřičných klasů ● *v* stavět (panáky), mandelovat, mandlíkovat (hovor.)

shock[3] [šok] *s* **1** pačes, kštice, chundel, chomáč vlasů **2** zast. chlupatý pes, zejm. pudl ● *adj* rozcuchaný, chundelatý, naježený, ježatý, střapatý

shockable [šokəbl] snadno otřesitelný, snadno šokovaný

shock absorber [ˌšokəbˈso:bə] tlumič nárazů, též let.

shock absorption [ˌšokəbˈso:pšən] tlumení nárazů

shock action [ˌšokˈækšən] voj. útok jízdy, přepad

shock battalion [ˌšokbəˈtæljən] voj. úderný prapor

shock brigade [ˌšokbriˈgeid] v socialismu údernická skupina, úderná brigáda

shock bump [ˌšokˈbamp] horn. závalový otřes

shocker [šokə] **1** co děsí n. působí otřes n. senzaci, co je šokink **2** hovor. bulvární hra; krvák literární brak **3** hovor. děs, hrůza něco velmi špatného **4** zeměd. zařízení na stavění panáků; kopkovač **5** přístroj na buzení elektrických šoků

shockheaded [ˈšokˌhedid] ježatý, rozjcžený, střapatý

shocking [šokiŋ] *adj* **1** odporný, urážlivý, pohoršující, odpudivý, otřesný, skandální; šokink, šokézní (hovor.) **2** barva řvavý **3** hovor. děsný, strašlivý, příšerný, hnusný, úděsný, šílený (přen.) (*~ weather*) **4** v. *shock*[1,2], *v* ● *adv* děsně, strašlivě, příšerně, šíleně (*a ~ bad orator*)

shockingness [šokiŋnis] odpornost, urážlivost, odpudivost, otřesnost

shock power [ˌšokˈpauə] voj. síla / mohutnost úderu, úderná síla

shockproof [šokpru:f] **1** odolný proti nárazům n. otřesům, nárazuvzdorný **2** neotřesitelný; otrlý

shock-resistant [ˌšokriˈzistənt] = *shock-resisting*

shock-resisting [ˌšokriˈzistiŋ] nárazuvzdorný

shock-rock [šokrok] rokenrolová hudba, rokenrolová píseň která má šokovat posluchače

shock stall [ˌšokˈsto:l] let. rázové odtržení

shock therapy [ˌšokˈθerəpi], **shock treatment** [ˌšokˈtri:tmənt] med. šoková terapie, terapie šokem

shock troop [šoktru:p] voj. úderná jednotka, přepadová jednotka

shock wave [ˌšokˈweiv] **1** nárazová vlna **2** přen. nárazová vlna, rozruch, otřes

shockworker [ˈšokˌwə:kə] v socialismu úderník

shod [šod] v. *shoe, v*

shoddiness [šodinis] **1** falešnost, falšovanost; náhražkovost, podřadnost, lacinost; vulgárnost, kýčovitost **2** odbytost, odfláknutost, odflinknutost **3** sešlost, utahanost, uválenost, ošuntělost, ošumělost **4** šupáckost; šupáctví, šupárna

shoddy [šodi] (*-ie-*) *s* **1** vlna z odpadu, strojená vlna z čistých hadrů **2** sukno z odpadové vlny **3** odpad, podřadné zboží, náhražka, šupárna, imitace, brak, póvl, šunt; kýč **4** AM povýšenectví, parvenuovství, procovství **5** AM povýšenec, parvenu **6** tech. regenerovaná pryž z odpadu ● *adj* **1** zhotovený z odpadové vlny (*~ cloth*) **2** zhotovený ze sukna z odpadové vlny (*a ~ uniform*) **3** falešný, falšovaný (*~ aristocracy*); náhražkový, podřadný, laciný, vulgární, kýčovitý (*the shoddiest machine-made articles*) **4** odbytý, odfláknutý, odflinknutý (*the construction of the shattered dam had been ~* protržená hráz byla postavena nedbale) **5** sešlý, utahaný, uválený, ošumělý, ošuntělý, šupácký (hovor.) (*~ second-hand clothes* ošumělé, obnošené šaty) **6** šupácký, pěkný, vykutálený (*a ~ military adventurer* vykutálený vojenský dobrodruh) ◆ *~ literature* literární brak

shoddy-hole [šodihəul] smetiště, skládka odpadků

shoe [šu:] *s pl* zast. *shoon* [šu:n] **1** dámský / pánský střevíc; polobotka **2** *~s, pl* obuv; přen. místo, postavení, funkce (*next in line of succession for my boss's ~s* nejbližší v pořadí na místo mého šéfa) **3** podkova **4** tech. kovová bota, botka, patka **5** botka secího stroje **6** námoř. botka kotvy **7** patka nohy nábytku; kovová / skleněná / pryžová podložka pod nábytek, chránič **8** plášť pneumatiky **9** kovová skluznice, kování saní **10** zarážka, podložka **11** polygr.: lepenková podložka pod sazbu, portpáž **12** čelist brzdy; špalík brzdy, zdrž (žel.); zarážka pod kolo **13** dopr. smykadlo, kluzadlo na třetí kolejnici **14** podlahová lišta **15** fot. drážka, fazeta ve fotoaparátu n. zvětšovacím přístroji **16** přívodní žlab mlýnského složení, drtičky na rudu apod. **17** výtokové koleno odpadní roury **18** námoř. můstek zadního vazu **19** koncovka kabelu **20** stříbrný odlitek ve tvaru čínského střevíčku ◆ *be in a p.'s ~s* být v kůži koho, být v situaci koho; *~ block* námoř. kladnice s dvěma kladkami nad sebou pootočenými o 90°; *canvas ~s* plátěnky; *cast a ~* kůň ztratit podkovu; *dead men's ~s* přen. netrpělivě očekávané dědictví / postavení; *every ~ fits not every foot* každému se všechno nehodí; *now is the ~ on the other foot* hovor. to už se mu nehodí do krámu; *football ~s* kopačky; *gym(nasium) ~s* cvičky; *high ~s* botky, boty; *know where the ~ pinches* vědět, kde bota tlačí; *over the ~s* přen. až po krk, až po uši, až nad hlavu; *that's another pair of ~s* to je něco úplně jiného, to je jiné kafe (hovor.); *put on one's ~s* obout se; *put o. s. into a p.'s ~s* vžít se do situace koho, představit se v kůži koho; *put the ~ on the right foot* strefit se do provinilce, potrefená husa se vždycky ozve; *shake in one's ~s* klepat se strachy; *spiked ~s* okované střevíce; *sprint ~s* tretry; *step into a p.'s ~s* přijít na místo koho, dostat místo po kom; *take off one's ~s* zout se; *tennis ~s* tenisky, plátěnky; *throw a ~ = cast a ~; walking ~s* sportovní střevíce, štrapační botky ● *v* (*shod* / řidč. *shoed, shod* / řidč. *shoed, shodden*) **1** obout, dát střevíce komu **2** okovat, podkovat koně **3** okovat, dát kování na **4** nasadit botku n. patku na **5** nasadit pneumatiku na, obout kolo, auto **6** přen. pokrýt spodek čeho, potáhnout dole (*fragments of hard rock with which the glacier was shod* úlomky tvrdé skály tvořící spodek ledovce) ◆ *be well shod* nosit dobrou obuv, chodit pěkně obutý; *~ the goose* chytat lelky

shoebill [šu:bil] zool. člunozobec velký

shoeblack [šu:blæk] pouliční čistič bot

shoe brush [šu:braš] kartáč na boty

shoe buckle [šu:bakl] přezka na střevíci

shoehorn [šu:ho:n] obouvací lžíce, obouvátko, lžíce na boty

shoeingsmith [šu:iŋsmiθ] podkovář

shoeknife [šu:naif] *pl: shoeknives* [šu:naivz] okrajovací nůž, knejp

shoelace [šu:leis] šněrovadlo, tkanička do bot

shoelatchet [ˈšu:ˌlæčit] bibl. řemínek obuvi

shoe leather [ˈšu:ˌleðə] kůže na boty

shoeless [šu:lis] **1** jsoucí bez střevíců, bosý, neobutý **2** jsoucí bez podkovy, neokovaný

shoelift [šu:lift] = *shoehorn*

shoemaker [šu:meikə] obuvník, švec ◆ *~'s end / thread* dratev

shoes and stockings [ˌšu:zəndˈstokiŋz] bot. štírovník růžkatý

shoestring [šu:striŋ] *s* **1** šněrovadlo, tkanička do bot **2** AM hovor. skorem nic, pár grošů / šesťáků (*many eminently successful men started business on a ~*) ● *adj* **1** AM hovor.: jsoucí bez peněz, dutý, švorcový; žebrácký, švorcácký (*~ financing*) **2** AM hovor. bídný, ubohý, jsoucí k ničemu **3** připomínající šněrovadlo, úzký a tenký jako tkanička (*a ~ tie* vázanka ...)

shoestringer [ˈšu:ˌstriŋə] AM hovor. švorcák

shoetree [šu:tri:] **1** obuvnické kopyto **2** napínák na obuv

shofar [šəufa:] = *shophar*

shogun [šəugu:n / AM šəugan] hist. šógun vysoká japonská vojenská hodnost; vojenský diktátor

shogunate [šəuganit] šógunát hodnost a úřad šóguna

shone [šon] v. *shine, v*

shoo [šu:] *interj* kšá, kšc! ● *v* **1** též *~ away* zahnat, odehnat, za|plašit voláním kšc **2** AM zahánět, vyhánět, vyprovodit, vyhodit (*~ed them off for their walk*)

shoofly [šu:flai] (*-ie-*) AM **1** houpací kůň n. labuť **2** provizorní kolej; objížďka **3** policejní detektiv sledující jiné policisty **4** poštovní inspektor, kontrolor **5** bot. pucholusk barvířský

shook[1] [šuk] v. *shake, v*

shook[2] [šuk] AM *s* **1** svazek dužin na jeden sud **2** svazek dýh na krabici **3** svazek přířezů na jednu bednu **4** AM panák, mandel obilí ● *v* svazovat do jednoho svazku

shoot [šu:t] *v* (*shot, shot*) **1** střílet; vystřelit, zastřelit (*~ a rabbit* zastřelit králíka), složit výstřelem; prostřelit *through* co; střílet *a t.* na / po (*~ sparrows*) *at* na / do (*they shot at target* stříleli do terče); rozstřílet **2** popravit zastřelením, střílet, zastřelit (*we don't ~ traitors, we hang them*) **3** střelná zbraň dostřelit, do|nést (*guns that ~ many miles*); spustit (*~s at the touch of a trigger* stačí se dotknout spouště a spustí) **4** pěstovat lukostřelbu **5** pěstovat střelecký n. lovecký sport, střílet (*~s better than he rides*) **6** lovit, střílet *a t.* kde / v / na (*had shot the surrounding country many times*) **7** přivést k výbuchu, odpálit, detonovat, způsobit detonaci čeho **8** odstřelit; dobývat odstřelem; dobývat pomocí trhacích prací **9** zničit, rozbít, zkazit, pokazit, oddělat, dodělat, dorazit (*a delicate mechanism shot by prolonged misuse* jemný mechanismus pokažený delším neodborným zacházením), rozbourat **10** působit prudkou / vystřelující bolest, bodat; bolest proletět *through* čím (*pain shot through the Negro bullfighter* černý toreador pocítil náhlou prudkou bolest) **11** dávat injekci; očkovat *for* proti (*had the children shot for diphtheria*) **12** mrštit, vrhnout, hodit na určité místo **13** sport. hodit, vrhnout šňůru s návnadou **14** spustit na vodu loď; vyhodit kotvu; spustit, rozhodit rybářskou síť **15** vrhnout pohled (*shot at him a look of amazement* vrhl na něho udivený pohled); světlo být vržen **16** text. prohazovat člunek **17** hodit, házet nepořádně / rychle (*~ the dishes into the sink* naházet nádobí do dřezu), mrsknout **18** krab, langusta odhodit, nechat odpadnout (*~ a limb* odhodit končetinu) **19** AM slang. vyhodit peníze (*~ 1000 francs on a dinner for four*) **20** slang. přihrát, hodit podat (*~ the salt*) **21** zastrčit, zasunout západku; západka zasunovat se, pohybovat se, fungovat **22** prudce vyhodit (*shot his rider over his head*); vymrštit, vystřelit do vzduchu, katapultovat (*the pilot must be shot from the cockpit* pilot musí být z kabiny katapultován); prudce vyrazit (*grabbed the troublemakers and shot them out of the door* chytl výtržníky a vyrazil s nimi dveře) **23** vrazit zbraň *into* do **24** též *~ out* vyrazit zvuk (*~ out a snort of disbelieve* nedůvěřivě si odfrknul), vyhrknout, vypálit otázku **25** prudce vybíhat (*the land ~s into a promontory* pevnina tvoří ostrý výběžek do moře) **26** roztok, sůl krystalizovat; vyvřít, vykrystalizovat (*rock shot into figures*) **27** vsypat, nasypat (*shot 10 tons of coal through the cellar window*) **28** spotřebovat, vyčerpat **29** prudce se pohybovat, letět, řítit se (*his horse, covered with foam, shot down the road over the bridge* jeho zpěněný kůň letěl po silnici přes most); přeletět *across* čím / přes, mihnout se čím **30** hvězda padat **31** rašit, vyrážet, vyhánět (*grass beginning to* ~) **32** vyrazit vpřed, letět kupředu (*a heavy boat will* ~ *much further than a light one*), vyletět, vystřelit; prudce vynést (*elevators* ~ *us to the appointments on the fiftieth floor* výtahy nás rychle vynesly na sjednané schůzky v padesátém poschodí) **33** rychle přemístit, přehodit (~ *him over to that Tactical Air Force*) **34** rychle sjíždět lodí co / po (~*ing terrific rapids* sjíždět fantastické peřeje), rychle přeplout (*have shot this reef many times* přeplul tento rif už mnohokrát), rychle plout / podplout pod (*shot bridge after bridge*); proletět kolem spoluzávodníka **35** prudce popohnat koně kupředu **36** tryskat, vytrysknout *from* z (*steam* ~*s from a high-pressure nozzle* z vysokotlaké trysky tryskala pára); stříkat, vystříknout; prudce vy|plivnout **37** pavouk snovat, soukat vlákno **38** ryba vypouštět, klást jikry **39** AM slang. vyblít (~ *one's lunch*) **40** zaměřit, změřit výšku tělesa nad obzorem (~ *the star Arcturus*) **41** AM zaměřit se *at* / *for* na co, snažit se o, vzít si za cíl co (*all stores are* ~*ing for sales gains* všechny obchody se snaží o prodejní zisky) **42** ulice táhnout se, jít, vést, rozkládat se (*Broadway* ~*s north and west from Union Square*) **43** tu a tam pokrýt *with* barvou, stříknout, pokropit, žilkovat, prokvést (kniž.) (*hair was shot with grey*) **44** přen. zbarvit, zabarvit, podbarvit *with* čím (*level tones faintly shot with irony* klidný tón lehce podbarvený ironií) **45** text. protkávat *with* čím (*silk shot with silver*), melírovat **46** filmovat, fotografovat; točit, natáčet (*were* ~*ing astern*); snímat při filmování, brát, zabírat, u|dělat záběr koho, vzít při fotografování (*shot her from various angles* bral ji z různých úhlů) **47** shoblovat do roviny **48** sport. střílet, vstřelit (~ *the winning goal*), střílet na koš (~ *a basket*); rychle přihrát komu: nastřelit, strefit se do; střílet na branku, psát; golf odpálit míček k jamkovišti **49** kriketový míček rychle klouzat po zemi bez odrazu **50** cvrnknout, cvrknout (*shot a poker chip across the table* cvrnkl pokerový žeton přes stůl) **51** AM házet kostkou **52** vsadit na vrh v kostkách (~ *five dollars*) **53** za|hrát (~ *a round of golf*) ◆ ~*!* sport. střílej!, piš! na branku; ~*!* AM slang. ven s tím! mluv; ~ *the amber* AM slang. přejíždět křižovatku na žlutou; *be shot at* být ostřelován; *be shot for a spy* být zastřelen jako špión / pro špionáž; *be shot between wind and water* loď být zasažen výstřelem tak, že vniká do lodi voda; *I'll be shot if* ... ať se na místě propadnu, jestli ... ; *be shot of a t.* mít z krku co; ~ *one's bolt* vystřelit poslední šíp, vyčerpat všechny možnosti, ~ *the breeze* hovor. povídat si, drbat, zdrbnout si; ~ *the bull* AM slang. kecat, žvanit; ~ *the cat* hovor. vyndavat, blít; ~ *the chutes* sjíždět po vodní skluzavce; ~ *one's cuffs* povytáhnout si manžety; ~ *dead* zastřelit jedním výstřelem; ~ *over* / *to dogs 1.* lovit se psí smečkou *2.* cvičit psa při honu; ~ *a finger* prudce ukázat prstem; ~ *flying 1.* střílet v letu *2.* přen. podat poctivý sportovní výkon; ~ *a goal* sport. dát / vstřelit branku; ~ *up a hill* vyběhnout na kopec; *a sudden idea shot across his mind* náhle mu hlavou proletěla myšlenka; ~ *one's job* praštit se zaměstnáním; ~ *the traffic lights* projíždět křižovatkou na červenou; ~ *a line* slang. *1.* houpat přehánět *2.* mlít hubou, kecat *3.* vytahovať se; ~ *one's linen* = ~ *one's cuffs;* ~ *marbles* hrát / cvrnkat kuličky; ~ *a match* zúčastnit se závodů ve sportovní střelbě; ~ *the moon* BR slang. odstěhovat v noci majetek aby nebyl zabaven pro nezaplacení nájemného; ~ *Niagara* pokusit se o něco nesmyslně zoufalého / nebezpečného; ~ *questions at a p.* zasypávat / bombardovat otázkami koho; ~ *the red* BR mladý krocan dostávat červený lalok; ~ *square* / *straight* mluvit / jednat čestně; ~ *one's way* dosáhnout cíle násilím n. válkou n. zastrašováním; ~ *wide of the mark 1.* netrefit se *2.* přen. být úplně vedle, nestrefit se; ~ *the works* AM *1.* vsadit všechno na jednu kartu *2.* pustit se do něčeho ze všech sil ***shoot o. s. 1*** zastřelit se spáchat sebevraždu **2** postřelit se ***shoot ahead 1*** vyrazit kupředu **2** rychle předstihnout, předběhnout *of a p.* koho, rychle vzít koho (*shot ahead of his classmates*) ***shoot away 1*** ustřelit, odstřelit **2** zahnat výstřelem n. střelbou **3** vystřílet střelivo ***shoot back*** odemknout, zastrčit západku (*to* ~ *back the bolt*) ***shoot down 1*** nemilosrdně / chladnokrevně zastřelit, odstřelit, zkosit výstřelem (*warned that anyone who tried to escape would be shot down* upozornil, že bude zastřelen každý, kdo se pokusí o útěk); srazit vrženým **2** sestřelit letadlo **3** slang. pustit k vodě nápadníka **4** hovor. porazit v debatě; vyvrátit názory; potopit, torpédovat nápad ◆ ~ *down in flames* slang. setřít koho, sjet, sjezdit koho ***shoot forth*** = *shoot out, 3* ***shoot off 1*** vystřelit, dát výstřel z (*was a grown man when he first shot off a gun*) **2** ustřelit (*had his hand shot off*), vystřelit, rozstřílet (~ *off the lock* rozstřelit zámek) **3** sport. zúčastnit se závodů ve střelbě ◆ ~ *off one's face* / *mouth* slang. *1* pustit si hubu na špacír, kecat, mít moc řečí *2.* všecko vykecat; ~ *off a tie* sport. rozhodnout dodatečným utkáním nerozhodný výsledek závodů ve střelbě ***shoot out 1*** vystřelit oko; rozstřílet (~ *every window in the building out*) **2** vystrčit (*the snails* ~ *out their horns* hlemýždi vystrkují růžky); natáhnout nohy; vypláznout jazyk **3** vyhánět, vyrážet, vystřelovat, vyhazovat výhonky (*plants* ~ *out buds* na rostlinách raší pupeny); rostlina rašit, vyrážet **4** = *shoot, v 24* ◆ ~ *out one's lips* bibl. ohrnovat rty ***shoot through 1*** prostoupit, promísit *with* čím (*a most accomplished work shot through with the reflections of a man of action* ucelené dílo prostoupené úvahami činorodého člověka); prosytit (*inter-*

pretation shot through with partisan feeling interpretace prostoupená zaujatým pocitem) 2 AU odejít, odjet ***shoot up*** *1* rychle růst, vyrůstat, dorůstat (*~s up to twice its length*) *2* prudce stoupnout, vyletět nahoru (*the prices shot up*) *3* AM terorizovat střelbou *4* slang. píchat | si (drogu) (*~ up amphetamines, heroin addicts ~ up in a Spanish Harlem basement*) ● *s* **1** střílení, střelba; výstřel, rána; utkání ve střelbě; dávka výstřelů při závodech ve střelbě **2** dělostřelba, kanonáda (*many of our ~s have been wild*) **3** hon, lov; honitba, revír; právo honitby; skupina lovců / střelců na honu (*was invited to be one of a small ~*); lovecký úlovek **4** střelba z luku do jakého terče (*a wand ~* střelba na laťku) **5** prudký pohyb, vyražení; příval, nával; bodnutí, bodání bolesti **6** paprsek (*a ~ of sunlight*), kužel světla (*the ~ of a flashlight* ... elektrické svítilny) **7** bystřina; peřej; vodopád po skále **8** vyrážení, vyhánění výhonků; odnož, výhon, výhonek, též přen. (*an easily identifiable ~ on such a family tree* snadno určitelný výhonek na takovém rodokmenu) **9** smyk, skluz, skluzný žlab; násypný žlab **10** chodbička, průchod z ohrady pro dobytek n. ovce **11** vrh, vržení, rozhození rybářské sítě **12** vypuštění / odpálení rakety **13** mladá výsada parohů; pučící výsady **14** krystal, který se začíná tvořit **15** filmový záběr, šot **16** text. prohoz člunku **17** sport. ráz vesel, veslařský rytmus **18** smetiště ◆ *get a ~ at* vy|střelit si na (*hoped to get a ~ at a deer* doufal, že si vystřelí na vysokou); *~ of lightning* blesk; *~ of ore* rudní sloup, bonanza; *the whole ~* to všechno, celý ten krám (*fed up with the whole ~* měl toho všeho plné zuby) ● *interj* do paďous!

shootable [šu:təbl] schopný odstřelu (*a ~ stag* jelen schopný odstřelu)

shooter [šu:tə] **1** střelec; palní (horn.) **2** hovor. bouchačka revolver **3** létavice, povětroň, meteor **4** rychle / bujně rostoucí rostlina **5** kriket míč, který se sklouzne rychle po zemi a neodskakuje **6** skládač, sypač obilí **7** horn. skládač uhlí **8** kameraman ◆ *thrill ~* lovec senzací kameraman

shooting [šu:tiŋ] *s* **1** honitba, honební právo; revír **2** střílení, střelba **3** v. *shoot, v* ◆ *~ for / in line* zastřílení směru; *trouble ~* hledání poruchy, odstraňování poruch ● *adj* **1** prudce pronikavý, bodavý (*~ pains*) **2** střelecký **3** v. *shoot, v* ◆ *~ board* polygr. fazetovací / obrážecí hoblík; *~ match* závody ve střelbě; *~ practice* výcvik ve střelbě; *~ schedule* denní plán filmování; *~ speed 1.* rychlost střelby *2.* rychlost záběrů ve filmu *3.* natáčecí / přijímací frekvence

shoon [šu:n] *pl* zast.: v. *shoe, s*

shooting box [šu:tiŋboks] BR lovecká chata

shooting boots [šu:tiŋbu:ts] vysoké lovecké boty

shooting brake [šu:tiŋbreik] motor. stejšn

shooting coat [šu:tiŋkəut] lovecký kabátek s velkými kapsami

shooting gallery [ˈšu:tiŋˌgæləri] (*-ie-*) **1** krytá střelnice **2** AM slang. místo, kde si lze dát vpíchnout omamnou drogu

shooting iron [ˈšu:tiŋˌaiən] AM slang. bouchačka revolver

shooting jacket [ˈšu:tiŋˌdžækit] krátký lovecký kabát, kamizola, lovecká bunda

shooting match [šu:tiŋmæč] : *the whole ~* hovor. to všechno, celá záležitost

shooting range [šu:tiŋreindž] střelnice

shooting script [šu:tiŋskript] filmový / televizní technický scénář, pracovní scénář

shooting star [šu:tiŋsta:] **1** létavice, meteor, povětroň, padající hvězda (hovor.) **2** bot. boží květ

shooting stick [šu:tiŋstik] mysl. sedačka hůl

shooting war [šu:tiŋwo:] hovor.: skutečná válka na rozdíl od války nervů n. tzv. studené války

shoot-off [šu:tof] sport. rozstřel

shoot-out [šu:taut] hovor. střelecký souboj

shop [šop] *s* **1** obchod; krám, prodejní místnost, prodejna **2** filiálka **3** dílna pro práci řemeslnickou i tovární; *~s, pl* dílny, provoz, výroba (*he works in the ~s*); domácí dílna **4** ateliér, studio, oficína, salón; pracoviště, kancelář **5** obor, zaměstnání, fach, foch; řemeslo **6** herecké zaměstnání, angažmá (*now she would be out of a ~ all through the autumn*) **7** četa sklářů vyrábějících sklo ručně **8** BR slang. bouda škola, vysoká, fakulta univerzita **9** BR slang. vojenská akademie ve Woolwichi ◆ *~!* do krámu!; *all over the ~* slang. *1.* rozházený, přeházený, na jedné hromadě *2.* na všechny strany *3.* hlava nehlava; *butcher's ~* řeznictví; *carpenter's ~* truhlárna, truhlářství; *chemist's ~* BR lékárna; *closed ~ 1.* podnik, který zaměstnává jen členy odborové organizace *2.* povinné členství v odborové organizaci; *come to the right | wrong ~* dostat se / obrátit se na správnou | špatnou adresu; *cutting ~* brusírna drahokamů; *fancy-goods ~* obchod s galanterním zbožím; *keep ~* v. *keep, v; mobile ~* pojízdný obchod; *the other ~* konkurence; *repair ~* správkárna, opravárna; *set up ~ 1.* otevřít si obchod *2.* zahájit činnost, začít působit; *shut up ~* přen. zavřít krám skončit; *sink the ~ 1.* přestat mluvit o svém zaměstnání *2.* tajit své zaměstnání; *smell of the ~* výrazy zavánět zaměstnáním mluvčího; *talk ~* stále mluvit o svém oboru / zaměstnání, bavit se úředně, řešit profesionální n. úřední problémy mimo pracovní dobu; ● *v* (*-pp-*) **1** koupit, nakupovat v obchodě **2** prodávat v obchodě **3** AM prohlížet si s úmyslem koupit, po|dívat se do obchodu (*~ your bookstore* navštivte své knihkupectví a prohlédněte si v něm knihy); dívat se v obchodě *for* na, prohlížet si co (*~ for clothes*) **4** udat *on* koho **5** slang. zabásnout, vsadit do lapáku; shodit, prásknout spoluviníka (*she had ~ped him to the police*) **6** AM poslat do dílen k opravě (*~ a railroad car for periodic maintenance* poslat železniční vagón do dílny k pravidelné údržbě) ***shop around*** AM *1* dívat se kolem sebe, prohlížet si zboží s úmyslem koupit *2* hodnotit, shánět, hledat za nejvýhodnější cenu, též přen.

shop assistant [ˈšopəˌsistənt] BR prodavač v obchodě, obchodní příručí

shop bag [šopbæg] = *shopping bag*

shop bell [šopbel] zvonek na dveřích obchodu

shop board [šopbo:d] **1** krámský pult, prodejní pult **2** krejčovský pracovní stůl, krejčovská deska

shop boy [šopboi] mladý obchodní příručí, mladý prodavač

shop breaker [ˈšopˌbreikə] lupič vykrádající obchody

shop committee [ˌšopkəˈmiti] dílenský výbor, závodní výbor

shop counter [ˌšopˈkauntə] prodejní pult

shop deputy [ˈšopˌdepjuti] AM = *shop steward*

shopfitter [ˈšopˌfitə] aranžér, dekoratér zejm. prodejních místností

shopfloor [šopflo:] **1** patro např. továrny, kde jsou dílny, dílny **2** tovární dělnictvo

shop foreman [ˌšopˈfo:mən] dílovedoucí, dílenský mistr

shop girl [šopgə:l] mladá prodavačka v obchodě, učednice, učnice

shophar [šəufa:] šofar židovský hudební nástroj

shop hours [ˌšopˈauəz] prodejní doba

shopkeeper [ˈšopˌki:pə] **1** obchodník, kupec, kramář (hanl.) **2** obchodník v malém, detailista ◆ *nation of ~s* hanl. národ kramářů Angličané

shopkeeping [ˈšopˌki:piŋ] obchodování v malém, kupectví, kramářství

shoplifter [ˈšopˌliftə] krámský zloděj

shoplifting [ˈšopˌliftiŋ] drobná krádež v obchodě

shopman [šopmən] *pl: -men* [-mən] **1** obchodník, kupec **2** obchodní příručí, prodavač **3** dělník v dílně, mechanik, montér, opravář

shop paper [ˌšopˈpeipə] balicí papír obchodu

shoppe [šop] AM v názvech obchod, salón

shopper [šopə] **1** kupující, zákazník v obchodě, spotřebitel **2** nákupčí

shopping [šopiŋ] **1** nákup **2** v. *shop, v* ◆ *do one's ~* obstarat si nákup, nakoupit si

shopping bag [ˌšopiŋˈbæg] nákupní taška

shopping basket [ˌšopiŋˈba:skit] nákupní košík

shopping centre [ˌšopiŋˈsentə] nákupní / obchodní středisko v městě

shopping precinct [ˌšopiŋˈpri:siŋ*k*t] architektonicky ucelené nákupní / obchodní středisko s vyloučením automobilové dopravy

shopsoiled [šopsoild] BR zboží partiový, odřený, vyrudlý, poškozený, opotřebovaný, umrněný dlouhým skladováním n. předváděním v obchodě

shop steward [ˈšopˌstjuəd] BR dílenský / závodní důvěrník odborářský

shoptalk [šopto:k] rozhovor o problémech zaměstnání n. oboru, úřední rozhovor mimo pracovní dobu

shop traveller [ˌšopˈtrævlə] mostový jeřáb

shopwalker [ˈšopˌwo:kə] BR dozorčí služba, informátor ve velkém obchodě

shop window [ˌšopˈwindəu] výkladní skříň

shopworn [šopwo:n] AM = *shopsoiled*

shoran [šo:ræn] druh radiolokačního zařízení

shore[1] [šo:] *s* **1** břeh větší vodní plochy n. velké řeky; pobřeží; přímoří **2** AM atlantické pobřeží **3** přen. souš (*on ~* na souši) **4** práv. břeh mezi čárou přílivu a odlivu ◆ *~ anchor* nábřežní kotva jejíž řetěz směřuje k pobřeží; *~ boat* pobřežní / mělčinový člun, pobřežní plavidlo, člun používaný ke spojení se břehem; *~ dinner* AM večeře / jídlo z krabů, ústřic apod.; *in ~* u břehu, blíž k pobřeží; *my native ~(s)* přen. má vlast ● *v* **1** vylodit | se, přistát, vysadit na břeh **2** sloužit jako břeh, lemovat (*a sand river ~d by green trees*) ***shore along*** plout podél pobřeží

shore[2] [šo:] *s* podpěra, vzpěra zejm. dřevěná, též přen. ● *v* část. *~ up* vzepřít, vzpírat, podpírat zejm. dřevěnou vzpěrou

shore[3] [šo:] v. *shear, v*

shore bird [šo:bə:d] zool. kulík

shore fast [šo:fa:st] námoř. lano poutající plavidlo ke břehu n. pobřeží

shore leave [ˌšo:ˈli:v] námoř. **1** dovolení opustit loď **2** doba ztrávená na souši

shoreless [šo:lis] **1** jsoucí bez břehu n. pobřeží; bezbřehý (*a great expanse of ~ water* obrovská plocha bezbřehé vody) **2** neposkytující možnost přistání (*a ~ island*)

shoreline [šo:lain] pobřežní čára

shoreward [šo:wəd] *adj* **1** umístěný blízko břehu n. pobřeží **2** pohybující se n. plující směrem ke břehu n. k pobřeží ● *adv* = *shorewards*

shorewards [šo:wədz] směrem ke břehu n. k pobřeží

shoring [šo:riŋ] **1** opěry, podpěry, vzpěry **2** v. *shore,*[1,2] *v*

shorn [šo:n] v. *shear, v* ◆ *~ wool* text. střižní / stříhaná vlna

short [šo:t] *adj* **1** krátký mající na délku malý rozměr (*a ~ smokestack* ... komín); mající malý časový rozsah, netrvající dlouho (*a ~ period*) **2** malý, malý postavou; nedostatečný, stručný, stažený dohromady, časově / prostorově omezený (*the view from the windows was ~ and uninviting* vyhlídka z oken byla omezená a nevábná); krátkodobý (*a ~ notice*) **3** stručný, kusý; strohý, úsečný (*a ~ answer*) **4** opakující se v krátkých intervalech, rychlý (*~ pulse beats* rychlé údery tepu) **5** nálada lehce vznětlivý, nervózní, výbušný, (*tempers are ~ in the morning* poránu bývají lidé nervózní) **6** slabika v anglickém verši nepřízvučný **7** jsoucí v nouzi, v tísni, bez prostředků (*families who may be temporarily ~ as a result of a poor harvest* rodiny, které jsou třeba následkem špatné úrody dočasně v tísni), mající málo / nedostatek *of / on* čeho, bez čeho (*~ of cash at the end of the month,* jsoucí koncem měsíce bez peněz, *long on ideas but ~ on knowledge*) **8** drobivý, křehký (*~ coal, ~ ground* drobivá půda); dřevo, kov lámavý; keramická hlína málo poddajný; pečivo křehký, linecký; těsto křehký, vláčný, mastný, linecký; inkoust hustý, špatně spouštějící **9** alkoholický nápoj čistý, tvrdý, ostrý; míra nápoje malý (*a ~ beer*) **10** ekon.: jsoucí se spekulací na pokles kursu / cen; spekulant nevlastnící zboží n. cenné papíry v době, kdy je prodává **11** ekon. nekrytý **12** sport.: odpálený míč krátký v kriketu; postavení hráče blízko branky v kriketu ◆ *~ and* polygr. et, značka &; *~ balance* obch. pasivní bilance; *be two lines ~* stránka být o dvě řádky kratší; *be ~ in experience* nemít dostatek zkušeností; *be ~ of hands* etc. mít nedostatek pracovníků apod.; *be ~ on a p.* součást oděvu být krátký komu; *be ~ with a p.* mluvit s kým stroze, úsečně, odměřeně; *~ bill* ekon. krátkodobá směnka; *~ bracket* voj. úzká vidlice; *~ of breath 1.* mající krátký dech, krátkodechý *2.* udýchaný, lapající po dechu; *~ burst* voj. předčasný rozprask; *~ clothes / coats* dětské šaty, krátké šaty pro batolata; *~ commons* chudá, nedostačující strava; *~ delivery* dodání nákladu se schodkem proti údajům v konosamentu, manko lodního nákladu; *~ of destination* mimo místo určení (*goods sold ~ of destination* zboží prodáno pro nemožnost doručení do místa určení); *~ of expectations* neodpovídající očekávání; *~ haul* odvoz na krátkou vzdálenost; *~ head* dostihy půl hlavy rozdíl vzdálenosti; *~ ink* polygr. *1.* krátká barva *2.* vydatná barva; *~ letters* polygr. písmena na střední výšku; *~ life* přen. *1.* malá trvanlivost, krátká životnost *2.* krátké trvání (*his joy had but a ~ life*); *~ line* druh zboží s malým počtem výrobků, malá série; *~ loin* roštěná, roštěnec maso; *~ measure* špatná míra; *have a ~ memory* mít krátkou paměť; *~ metre* liter. jambické čtyřverší třístopé, třetí verš je čtyřstopý; *~ ten miles* sotva deset mil, necelých deset mil; *nothing ~ of* nic (menšího) než; *in ~ order* krátkou cestou; *~ page* polygr. východová stránka; *~ price 1.* nízká cena *2.* nízký poměr sázek; *~ rations* zkrácený příděl potravin; *~ rib* anat. žebro nepravé; *~ rifle* karabina; *~ run* malá výrobní série; *~ sea* námoř.: nepravidelné krátké mořské vlny (*S~ Seas* Baltické moře a Bílé moře); *make ~ shrift of a t.* = *make a ~ work of a t.*; *~ sight 1.* krátkozrakost, též přen. *2.* ekon. krátká splatnost po předložení směnky; *something ~* hovor. panák, prcek, frťan; *~ story* povídka, novela; *~ suit* karty krátká barva zastoupená méně než čtyřmi / třemi kartami; *in ~ supply* v malém / nedostatečném množství, nedostatkový; *~ and sweet 1.* příjemně stručný *2.* věcný, stručný, věcně, k věci, stručně; *~ takes* polygr. krátké části rukopisu n. zprávy, „špačky"; *~ taper* geom. strmý kužel; *for a ~ term* krátkou dobu, krátkodobý, krátkodobě; *~ and thick* podsaditý; *~ time* zkrácená pracovní doba; *take a ~ view* mít na zřeteli pouze přítomnost, nedívat se do budoucna; *~ waist* vysoký pas u šatů, krátký živůtek; *~ waves* sděl. tech. krátké vlny; *~ way off* nedaleko odsud; *~ weight* ztráta na váze, špatná váha (*give ~ weight* šidit na váze); *~ whist* karty whist, při kterém k vyhrání partie stačí pět bodů; *~ wind* krátkodechost, též přen.; *make a ~ work of a t.* udělat krátký proces s, udělat krátký konec čemu, rychle vyřídit co ● *adv* **1** krátce, stručně **2** stroze, úsečně **3** náhle, prudce (*would halt ~* prudce by zastavil) **4** před cíl (*the shells dropped ~* granáty dopadly ...), před *of* čím (*two miles ~ of London* dvě míle před Londýnem) **5** úplně, čistě (*the axle snapped ~* náprava se úplně přelomila) **6** spekulačně, počítaje s poklesem kursu / cen ◆ *answer ~* odseknout; *be caught / taken ~* muset si odskočit na záchod (*I was taken ~* najednou to na mne přišlo); *catch ~* překvapit, nachytat, zaskočit; *come ~ of a t. 1.* nedosáhnout čeho *2.* zklamat v, nesplnit očekávání; *cut ~* přerušit, zarazit, useknout (přen.); *fall ~* neuspokojovat, nedosahovat ideálního stavu; *fall ~ of a t. 1.* neodpovídat čemu *2.* = *come ~ of a t.*; *go ~* (*of*) strádat, nemít (čeho) dost; *little ~ of* o něco méně než co, málem co, téměř co (*little ~ of a miracle*); *~ of* až na co, mimo co, s výjimkou čeho (*all aid ~ of war*); *run ~ 1.* zásoba dojít, docházet, s|končit *2.* čas vyprchávat; *sell ~* ekon. *1.* spekulačně prodat v době prodeje ještě nevlastněné zboží *2.* prodat papíry dosud nevlastněné se záměrem je na burze později — po předpokládaném poklesu kursu — koupit a dodat původnímu kupci *3.* zradit, zaprodat, podvést; *stop ~ 1.* náhle zarazit, prudce zastavit *2.* přerušit, zarazit; *take a p. up ~* přerušit, zarazit koho; *trim ~* zkrátit, založit, dole zabrat oděv; *turn* (*round*) *~* náhle se obrátit, otočit se jako na obrtlíku ● *s* **1** krátká slabika **2** polygr. akcent označující krátkou slabiku **3** krátký film **4** noticka v novinách **5** *~s, pl* krátké kalhoty, šortky; trenýrky; krátké spodky **6** zkratka *for* čeho (*"phone" is ~ for "telephone"*) **7** hud. krátký tón, krátká nota **8** tečka v Morseově abecedě **9** voj. krátká rána **10** ryba n. langusta, která je pod míru **11** malá velikost pánského oděvu **12** náboj malé ráže **13** schodek, manko, deficit **14** *~s, pl* chybějící archy do kompletu **15** *~s, pl* otruby **16** *~s, pl* odpadky, odstřižky, zbytky **17** *~s, pl* krátké řezivo, kratina kratší než 6 stop **18** podstata, jádro, výsledek, sukus **19** hovor. kraťas zkrat **20** hovor. panák, prcek, frťan, tajtrlík tvrdý nápoj **21** ekon. spekulant na pokles cen, baissista **22** ekon. krátkodobý dluhopis; krátkodobá půjčka **23** sport. krátký odpal v kriketu ◆ *for ~* prostě, krátce ne celým jménem (*we call him Charlie for ~*); *in ~* stručně řečeno ● *v* **1** šidit na váze n.. množství **2** hovor. zkratovat, udělat kraťas zkrat

shortage [šo:tidž] **1** nedostatek **2** úbytek, manko, schodek ◆ ~ *of weight* ztráta na váze, manko na váze, nedovažek
shortbread [šo:tbred] **1** linecké těsto **2** sušenka z lineckého těsta
shortcake [šo:tkeik] **1** křehké pečivo zejm. plněné, podávané teplé n. studené **2** suchar **3** = *shortbread*
short-change [ˈšo:tˌčeindž] hovor. **1** dát špatně nazpátek drobné, ošidit při vracení drobných **2** ošidit se *on* o
short circuit [ˌšo:tˈsə:kit] elektr. *s* zkrat, spojení nakrátko ● *v: short-circuit* **1** způsobit zkrat **2** spojovat nakrátko, zkratovat **3** přen. obejít, vyhnout se čemu (~ *all the formality by a simple telephone call*) ● *adj: short-circuit* zkratový, zkratovací
short-coat [šo:tkəut] obléknout už dítěti krátké šatečky
shortcoming [ˈšo:tˌkamiŋ] nedostatek, nedokonalost, chyba, vada ◆ *financial* ~ finanční nouze, meškání v placení
short cut [šo:tkat] *s* **1** zkratka, nadcházka, nadjížďka **2** zkrácení pracovního postupu ● *adj:* ~ *distilling apparatus* destilační přístroj s krátkou cestou par
short-dated [ˌšo:tˈdeitid] krátkodobý
short-delay [ˌšo:tdiˈlei]: ~ *fuse* nárazový zapalovač s krátkým zpožděním
short division [ˌšo:tdiˈvižən] mat. **1** zkrácené dělení **2** dělení celým číslem od 1 do 12
shorten [šo:tn] **1** z|krátit | se (~ *a rope,* ~ *a war*); omezit **2** zmenšit, snížit cenu; cena klesnout **3** o|řezat stromy **4** zkypřit, učinit křehkým těsto, přidat tuk do těsta **5** dát už dítěti krátké šatečky ◆ ~ *the arm* bibl. zmenšit moc; ~ *sail* námoř. ubrat plochu plachet jejich zkrácením n. podkasáním, zkrátit n. podkasat plachty
shortening [šo:tniŋ] **1** tuk do pečiva **2** prášek do pečiva **3** v. *shorten, v*
shortfall [šo:tfo:l] **1** manko, schodek, deficit **2** to, co chybí do splnění např. plánu
short fuse [ˌšo:tˈfju:z] AM prchlivost (*a fellow notorious for his* ~)
shorthand [šo:thænd] *s* těsnopis, stenografie ◆ *take down in* ~ těsnopisně zapsat, stenografovat ● *adj* **1** píšící těsnopisem, stenografující (*a* ~ *reporter*) **2** stenografický, též přen. ◆ ~ *expression 1.* těsnopisný znak *2.* těsnopisný samoznak; ~ *typist* stenotypista, stenotypistka ● *v* psát těsnopisně, stenografovat
short-handed [ˌšo:tˈhændid] **1** mající nedostatek pracovních sil, personálně poddimenzovaný, špatně vybavený pracovníky **2** mající krátké ruce
short-haul traffic [ˌšo:tho:lˈtræfik] doprava na blízko
short-head [šo:thed] dostihy vyhrát o půl hlavy
short-headed [ˌšo:tˈhedid] antr. krátkohlavý
shorthorn [šo:tho:n] zool. krátkorohý skot
shortie [šo:ti] *adj* noční košile apod. kraťoučký, mini ● *s* **1** krátká noční košile, mini **2** krátký film
short list [ˌšo:tˈlist] BR *s* užší seznam, výběrový seznam kandidátů ● *v: short-list* [šo:tlist] zařadit do užšího seznamu kandidátů
short-lived [ˌšo:tˈlivd / AM ˌšo:tˈlaivd] **1** mající krátký život, žijící krátkou dobu, krátce žijící (*men are* ~ *in comparison with women*) **2** trvající krátkou dobu, rychle končící, krátce trvající, krátkodechý (přen.)
shortly [šo:tli] **1** brzy, zakrátko, v krátké době **2** stručně, krátce **3** stroze, úsečně ◆ ~ *after* krátce nato; ~ *before* nedlouho předtím
shortness [šo:tnis] **1** krátkost **2** stručnost, omezenost **3** kusost; strohost, úsečnost **4** nedostatek, nedostatečnost; omezenost **5** drobivost, křehkost, lámavost ◆ ~ *of breath* krátkodechost, dýchavičnost; ~ *of memory* špatná paměť; ~ *of money* nedostatek peněz; ~ *of sight* krátkozrakost
short order [ˌšo:tˈo:də] AM objednávka minutky zejm. v bufetu ◆ ~ *cook* minutkář
short-range [šo:treindž] **1** plán apod. krátkodobý **2** voj.: řízená střela jsoucí na kratší vzdálenosti
short score [ˌšo:tˈsko:] hud. klavírní výtah s vyznačenou instrumentací
short shrift [ˌšo:tˈšrift] **1** krátký čas ke zpovědi odsouzence před popravou **2** přen. žádné cavyky, žádné dlouhé řeči, systém „žaves" (hovor.)
short sight [šo:tsait] krátkozrakost
short-sighted [ˌšo:tˈsaitid] krátkozraký, též přen. (~ *policies*)
short-sightedness [ˌšo:tˈsaitidnis] krátkozrakost
short-spoken [ˌšo:tˈspəukən] strohý, úsečný
short-staffed [ˌšo:tˈsta:ft] personálně poddimenzovaný, mající nedostatek pracovníků
short temper [ˌšo:tˈtempə] vznětlivost, nervóznost, výbušnost, choleričnost, prchlivost
short-tempered [ˌšo:tˈtempəd] lehce vznětlivý, nervózní, výbušný, cholerický, prchlivý
short-term [šo:ttə:m] krátkodobý
short-waisted [ˌšo:tˈweistid] jsoucí s vysokým pasem, s krátkým živůtkem
short wave [ˌšo:tˈweiv] sděl. tech. *s* krátká vlna ● *adj: short-wave* krátkovlnný
short-winded [ˌšo:tˈwindid] **1** krátkodechý **2** dýchavičný, též přen. (*an especially bumpy kind of* ~ *prose*)
short-windedness [ˌšo:tˈwindidnis] **1** krátkodechost **2** dýchavičnost
shorty [šo:ti] (*-ie-*) *s* hanl. prcek, záprtek, malé pivo malý člověk ● *adj* hovor. kraťoučký, kratinký (~ *nightdress*)
Shoshone [šəušəuni] Šošon severoamerický Indián
Shoshonean [šəuˈšəuniən] *s* šošonský jazyk ● *adj* týkající se šošonských jazyků
shot[1] [šot] útrata v hostinci, cech ◆ *stand the* ~ platit útratu za všechny

shot² [šot] *s pl* též *shot* [šot] **1** rána, výstřel (*heard three ~s fired in rapid succession* slyšel tři rychle za sebou následující výstřely); střílení, střelba **2** dostřel (*lying a cannon ~ apart* ležící od sebe na dostřel z děla) **3** odpálení, odstřel, výbuch (*the fifth ~ of the 1955 nuclear test series;*) vypuštění / start kosmické rakety **4** *pl: shot* střela, náboj, koule (*granite ~ was used for guns in the sixteenth century*) **5** střelec určité dokonalosti (*policemen who are all good ~s with a pistol*) **6** voj. hist. střelec **7** *pl: shot* brok, broky, sekané olovo **8** zrna kovu ve strusce **9** šleh, poznámka (*a darting ~* pichlavá poznámka) **10** sport. prudký kop / hod na branku, prudký hod na koš, nechytatelný míč v tenisu, rána, střela, šot, pecka, petarda, bomba, dělovka (hovor.); rána, úder v golfu; hod získávající bod v kriketu **11** strk, šťouch (slang.) na kulečníku **12** výhodná výměna kamenů v dámě **13** nálož (*a ~ of nitroglycerine*); dávka (*the pilot may want a momentary ~ of oxygen*); dávka omamného jedu **14** zejm. AM injekce **15** hlt alkoholického nápoje; hovor. panák, prcek, frťan **16** vrh, vržení rybářské sítě; místo vhodné pro vrhání rybářských sítí; jeden zátah úlovek ryb **17** zasunutí, zastrčení (*heard the ~ of the bolt* slyšel zasunutí zástrčky) **18** zaměřování, zaměření např. sextantem **19** dohad, odhad **20** pokus (*his first ~ at saying anything*) **21** poměr sázek, naděje (*it's a 10 to 1 ~ that he'll be on time*) **22** fotografický / filmový / televizní záběr, šot **23** krátké vystoupení, výstup, číslo (*was offered a guest ~ on a television programme* nabídli mu krátké pohostinské vystoupení v televizním programu) **24** příležitost něco vyzkoušet / udělat **25** bot. výhonek **26** námoř. řetězový díl u kotevního řetězu **27** sport. koule **28** text. měňavá látka; prohoz člunku; útková nit v tkanině ◆ *~ in the arm* injekce (přen.) (*machine tool industry will get a $ 100 million ~ in the arm*); *be nearer the bull's eye at each ~* přen. mít stále větší štěstí; *big ~* slang. velké zvíře důležitá osoba; *call one's ~* AM hovor. říci svůj záměr na rovinu; *call the ~s* slang. kučírovat, mávat čím řídit; *charge of ~* broky jako náboj; *chilled ~* kalená střela; *crack ~* výborný střelec, mistr ve střelbě; *~ in the dark* přen. *1.* rána naslepo / nazdařbůh *2.* hádání, dohad; *dead ~* neomylný střelec; *flying ~* výstřel na pohyblivý cíl; *hail of ~s* krupobití střel; *have a ~ at (a t.) 1.* pokusit se o co, zkusit udělat co (*sent for the village priest to have a ~ at reforming him* poslali pro faráře, aby se ho pokusil napravit) *2.* AU trápit, otravovat; *lead ~* broky; *~ of lightning* zablesknutí, blesk, hrom (přen.); *like ~ 1.* jako blesk, okamžitě *2.* bez váhání, ochotně; *~ in the locker* přen. poslední rezerva, záloha; *long ~* film. celek; *by a long ~* slang. daleko, mnohem, vůbec; *not by a long ~* vůbec ne, naprosto ne; *make a bad ~* přen. nestrefit se; *no ~* špatný střelec; *out of ~* mimo dostřel, z dostřelu; *put the ~* sport. vrhat kouli; *random ~* výstřel nazdařbůh; *rocket ~* vypuštění, odpálení rakety (*fire a rocket ~* vypustit raketu); *round ~* koule náboj; *snap ~* výstřel téměř bez míření, výstřel od boku; *take a ~ at a t. 1.* vy|střelit si na *2.* hodit kamenem apod. na / po, chtít se strefit do (*took a ~ at the hat with his snowball* chtěl mu srazit klobouk sněhovou koulí); *that's the ~* AM hovor. to je ono, to to chtělo, to je správné; *within ~* na dostřel ● *adj* **1** ostřelovaný, prostřelovaný **2** týkající se střel, granátový, nábojový, muniční (*~ hoist* muniční výtah) **3** připomínající broky, zrnitý (*~ copper* zrnitá měď) **4** střelná zbraň vystřelený, odpálený **5** AM hovor. zničený, rozbitý, zdemolovaný; vyřízený, hotový, zničený, na dranc (*his nerves were ~*), vyčerpaný **6** vybledlý, vybělený poškozený vlhkostí (*~ wheat*) **7** prosycený, prostoupený, prosáknutý *through / with* čím (*~ through with quislings and collaborators* skrz naskrz prostoupený zrádci a kolaboranty), protkávaný (*black cloth ~ with silver*); stříkaný, žíhaný, který prokvétá *with* čím **8** látka měňavý, měnivý, hrající různými barvami **9** slang. nalitý, nadraný, nadrátovaný, zpanákovaný (*killed the bottle and got ~* vypil flašku a zlinkoval se) **10** svařovaný (*~ scissors ...* nůžky) **11** hrana prkna shoblovaný do roviny **12** v. *shoot, v* ◆ *be ~ of* hovor. mít s krku, mít za sebou (*glad to be ~ of the job*); *~ belt* nábojový pás; *~ blast* voj. úsťová vlna; *~ case* vystřelená nábojnice; *~ effect* sděl. tech. výstřelový jev; *~ effects* měňavost tkaniny; *get ~ of* slang. zbavit se čeho; *~ ore* geol. vtroušená ruda; *~ rope* potápěčský provaz; *~ silk* šanžánové hedvábí, šanžán; *~ with gray* prošedivělý ● *v (-tt-)* **1** nabít střelnou zbraň **2** zatížit (jako) broky **3** otryskávat broky, čistit tryskáním broků

shot-blasting [ˈšotˌbla:stiŋ] čištění tryskáním broků, brokování

shote [šəut] podsvinče

shot-firer [ˈšotˌfaiərə] střelec, palní, střelmistr

shotgun [šotgan] *s* brokovnice ● *adj* **1** vynucený, který je z donucení / z musu (*a ~ agreement*) **2** AM z mnoha různých léků, smíchaný, splácaný, spatlaný dohromady (*~ treatment* léčba vším možným); povšechný, všeobecný (*~ propaganda* ◆ *~ marriage / wedding 1.* svatba z donucení, když se dva musí vzít protože je nevěsta těhotná *2.* vynucené sloučení

shot hole [šothəul] **1** díra po střele, průstřel **2** vrtná díra pro nálož / trhaviny, střelný vývrt **3** dírka ve dřevě po červotoči

shotproof [šotpru:f] neprůstřelný

shot put [šotput] sport. vrh koulí

shot-putter [ˈšotˌputə] sport. koulař

shott [šot] slané jezero n. slaná bažina v severní Africe

shotted [šotid] **1** ostře nabitý **2** zatížený broky **3** v. *shot², v*

shotten [šotn] **1** sleď vytřelý **2** vymknutý, vykloubený

shot tower [ˈšotˌtauə] věž na lití broků
should [šud] v. *shall*
should-be [šudbi] rádoby
shoulder [šəuldə] *s* **1** rameno; *~s, pl* ramena, plece, bedra, záda (přen.) **2** potrav. plecko, ramínko, půlka předku **3** kuželovitá část láhve, křivka, zakřivení, ohbí, záhyb **4** zeměp. vrch, hřbet, hřeben hory; svah, úbočí hřebenu **5** sport.: slang. klidné čelo vlny **6** stav. odsazení čepu rámu, patka čepu, výstupek zdi, výčnělek **7** krajnice, banket silnice, panket, pangejt (hovor.) **8** hlava část prstenu **9** polygr. raménko tiskového písmene / typu **10** voj. postoj se zbraní na rameni **11** kužel nábojnice **12** tech. nákružek; osazení hřídele **13** tech. korunka např. dláta **14** žel. část lože mezi konci pražců a svahem spodku ◆ *~ to ~ 1.* v sevřené řadě *2.* bok po boku, svorně; *~ clod* přední klížka maso; *dislocate one's ~* vykloubit si paži v rameni, vymknout si rameno; *from the ~* rovnou od plic, přímo, bez obalu; *give a p. the cold ~* zacházet / jednat chladně s, chovat se nepřístupně k, chladně přijímat koho, nestát o; *have broad ~s* moci vzít toho hodně na svá bedra, hodně toho unést (přen.); *have a head upon one's ~* mít hlavu dobře posazenou být chytrý; *~ notes* polygr. poznámky umístěné postraně u hlavy stránky; *open the ~s 1.* uvolnit svaly na ramenou *2.* udeřit míč plnou silou; *over the ~(s)* přes rameno, nepřímo, ironicky; *put one's ~ to the wheel* přen. pořádně se napřít, pořádně se do toho opřít, vzít za to; *rub ~s with 1.* stýkat se společensky s *2.* kamarádit se s; *he stands head and ~s above others* ostatní mu nesahají ani po ramena, též přen.; *you have taken too much on your ~s* vzal sis toho na sebe / na svá bedra příliš mnoho; *turn a / the cold ~ on / upon a p. = give a p. a cold ~; you cannot put old heads on young ~s* pořek. mládí nemá rozum, ať se mládí vydovádí ● *v* **1** strčit, vrazit ramenem *at / against* do; odstrčit ramenem; pro|tlačit se, drát se, prodrat se rameny *through* čím **2** vzít na svá bedra, vzít na sebe, převzít, přejmout (*~ the responsibilities* převzít zodpovědnost) **3** být / jít bok po boku *a p.* s kým, být těsně *a t.* u čeho **4** svažovat se (*a building that ~ed alarmingly out to one side*) **5** horský hřeben čnít **6** tech. osazovat hřídel ◆ *~ arms* voj. přiložit zbraň k rameni; *~ one's way through the crowd* klestit si rameny cestu v davu lidí, protlačit se rameny davem lidí ***shoulder up** 1* drát se kupředu *2* mohutně vystupovat, vyčnívat
shoulder belt [šəuldəbelt] **1** bezpečnostní pás v autu **2** voj. nábojový pás, pás s řemenem, závěsný řemen, převěsník
shoulder blade [šəuldəbleid], **shoulder bone** [šəuldəbəun] anat. lopatka
shoulder brace [šəuldəbreis] med. ortopedický přístroj k rovnání zakulacených zad
shouldercade [šəuldəkeid] sport. průvod fanoušků, kteří nesou svého oblíbence na ramenou
shoulder flash [ˌšəuldəˈflæš] náramenník
shoulder harness [ˌšəuldəˈha:nis] bezpečnostní pás v automobilu
shoulder joint [šəuldədžoint] anat. ramenní kloub
shoulder knot [šəuldənot] hist. náramenní stuha šviháka n. livrejovaného sluhy
shoulder loop [šəuldəlu:p] voj. náramenník
shoulder of mutton [ˌšəuldərəvˈmatn] *s* skopové ramínko ● *adj: shoulder-of-mutton: ~ fist* přen. medvědí tlapa; *~ sail* trojúhelníková plachta bermudského typu
shoulder-pegged [šəuldəpegd] kůň jsoucí s tuhou plecí
shoulder strap [šəuldəstræp] **1** voj. náramenník **2** ramínko stužka přidržující dámské prádlo
shouldest [šudist] = *shouldst*
shouldn't [šudnt] = *should not*
shouldst [šudst] zast., bibl., nář. = *should* v 2. os. jedn. čís.
shouse [šaus] AU slang. *s* hajzl záchod ● *adj* jsoucí v blbém stavu, blbě na tom tělesně n. duševně
shout [šaut] **1** zavolat, vyvolávat, zakřičet, vykřikovat; volat *for* koho, o, přivolat; řvát, zařvat **2** přen. řidč. křičet, být křiklavý, řvát **3** AU hostit koho nápojem, koupit nápoj komu, zaplatit nápoj za, napájet **4** AM hlasitě podporovat ◆ *it's all over but / bar the ~ing* je po boji apod. a teď už nás čeká jen oslava atd.; *~ o. s. hoarse* křičet do ochraptění ***shout down*** ukřičet, překřičet ● *s* **1** křik, výkřik, pokřik, volání, zvolání; vyvolávání **2** AU slang. nápoj zdarma; něčí řada k placení, runda (*my ~!* teď je řada na mně, tuhle rundu platím já!) **3** AM rituální tanec černochů s pokřikem; bohoslužebné shromáždění s tímto tancem **4** slang. vykřičník ◆ *~ of laughter* výbuch smíchu
shove [šav] *v* **1** vrazit, strčit, postrkovat; vystrčit *out of* z; prostrkat, protlačit | se *through* čím **2** hovor. vrazit, nastrkat *into* do **3** sunout se, šinout se, posunovat se; odpichovat se **4** výhodně udat, zbavit se čeho, přehrát co *onto* na koho **5** hovor. vypadnout, zmizet, ztratit se, zdejchnout se (*saw the cops coming and said it was time to ~* viděl přijíždět poldy a řekl, že je čas se zdejchnout) **6** asfaltový povrch vozovky roztékat se vedrem ***shove around*** strkat sem a tam, postrkovat z místa na místo ***shove aside*** odstrčit ***shove off** 1* odstrčit (loď) od břehu, odrazit, odpíchnout *2* přen. vypadnout, zmizet, ztratit se, zdejchnout se ● *s* **1** postrkování, odstrkování **2** vražení, strčení, náraz mající za následek posunutí; štulec **3** pazdeří ◆ *give a p. a ~* odstrčit koho, strčit, vrazit do koho; *give a p. a ~ off 1.* odrazit koho např. v loďce *2.* pomoci začít komu
shove-halfpenny [ˈšavˌheipni] BR hazardní hra, při níž se cvrnkají mince do čtverců nakreslených na hrací desce
shovel [šavl] *s* **1** lopata **2** lopatové rypadlo **3** špička, ohbí lyže **4** = *shovel hat* ● *v* (*-ll-*) házet, nabírat, přehazovat, přikládat, prohazovat lopatou ◆ *~ food into one's mouth* házet do sebe jídlo

shovel in / up: ~ *in / up money* hrabat peníze všema čtyřma ● *adj* lopatový ◆ ~ *blade* list lopaty, lopata bez násady
shovelbill [šavlbil] zool. = *shoveler*
shovel board [šavlbo:d] **1** společenská hra záležející v posunování kotoučů po hrací ploše na palubě **2** zast. = *shovehalfpenny*
shoveler [šavlə] zool. lžičák pestrý
shovelful [šavlful] plná lopata množství
shovel hat [ˌšavlˈhæt] široký klobouk anglikánských duchovních s ohnutou střechou
shovelhead [šavlhed] zool. = *shovel nose*
shoveller [šavlə] **1** člověk pracující lopatou, nakladač, přikladač, přehazovač **2** = *shoveler*
shovel nose [šavlnəuz] zool. **1** živočich s hlavou n. zobákem připomínajícím lopatu **2** kladivoun **3** rejnok z rodu *Rhinobatos* **4** lopatonos mississippský
shover [šəuvə] žert. = *chauffer*
show [šəu] *v* (*showed, shown* / řidč. *showed*) **1** ukázat (*he* ~*ed me his picture, I was* ~*n a new book* byla mi ukázána nová kniha, ukázal mi novou knihu); předvést; předložit úřední doklad (~ *passport*); měřidlo ukazovat (*speedometer* ~*ed 70* na tachometru bylo 70) **2** způsobit, že je co vidět (*an aperture* ~*s the inside* otvorem je vidět dovnitř, *a dark shirt will not* ~ *the dirt* na tmavé košili není vidět špína **3** oděv způsobit, že je vidět co, že kouká co (*that frock* ~*s your petticoat* pod těmito šaty vám kouká spodnička), odhalovat (~ *one's breast* ... ňadro) **4** dovolit vidět (*a basement window* ~*ed him just the feet of passersby* z okna suterénu viděl pouze nohy kolemjdoucích, *a photograph* ~*ing his whole family* fotografie, na níž je (vidět) celá jeho rodina) **5** nabízet k pohledu (*attractions for tourists such as only a metropolis can* ~); ukazovat na výstavě, vystavovat (*he won prizes for the roses he* ~*ed*); úmyslně předvádět, vystavovat (přen.) **6** držet, postavit světlo **7** otevřeně nosit, rozvinout, vyvěsit, pověsit, vztyčit vlajku **8** předvádět, nabízet zákazníkům (~*ing new spring suits*) **9** projevit, prokázat (*he* ~*ed me great kindness*) **10** dát najevo (*he* ~*ed that he was annoyed* bylo na něm vidět, že je otrávený), jevit (~*ed every mark of extreme agitation* jevil všechny známky nejvyššího vzrušení) **11** vykazovat (*major crops continued to* ~ *a surplus* hlavní obilniny nadále vykazovaly přebytek) **12** projevit, oznámit, prozradit, odhalit, dát najevo (~ *one's intentions*) **13** bibl. učinit zázrak **14** hrát, dávat, uvádět hru; promítat film **15** ukázat, prokázat, dokázat (*we have* ~*n the story to be false*) **16** ukazovat na, vypočítávat (*a report* ~*ing the benefits to be expected* zpráva vypočítávající požitky, které lze očekávat) **17** svědčit o (*his new book* ~*s him to be a first-rate novelist* jeho nová kniha svědčí o tom, že je prvotřídní romanopisec) **18** práv. uvést, předložit důvod **19** být vidět (*does the mark of the wound still* ~*?* je ta jizva ještě vidět?); objevovat se, ukazovat se; vyčnívat; koukat (*your slip is* ~*ing* kouká vám kombiné) **20** film běžet (*the film will* ~ *three days*) **21** vypadat, zdát se být, jevit se, projevovat se **22** vodit, provádět *a p.* koho *a t.* po, dělat průvodce komu, doprovázet na místo; uvést *into* kam, provést *through* čím **23** ukázat se, objevit se, dostavit se, přijít (*the guest of honour failed to* ~ hlavní host se nedostavil); nastoupit k zápasu **24** žert. trochu použít čeho, dát trochu ochutnat čeho (~ *the whip* pohladit bičem) **25** dostihy doběhnout (aspoň) jako třetí **26** karty hlásit vyhrané body ve hře *cribbage* ◆ ~ *to advantage 1.* zdůrazňovat *2.* ukazovat v příznivém světle, dát vyniknout; *he* ~*s his age* vypadá na svůj věk, nemůže zapřít své stáří; *begin to* ~ začít to být na ní vidět že je těhotná; ~ *her bows* loď zdvíhat příď; ~ *one's cards* = ~ *one's hand;* ~ *one's colours 1.* ukázat / rozvinout vlajku *2.* přiznat barvu; ~ *daylight* mít otvory, jimiž vniká denní světlo, být děravý; ~ *distress* být v nebezpečí; ~ *a p. the door 1.* ukázat dveře komu *2.* vyrazit dveře s; ~ *one's face* ukázat se, objevit se na veřejnosti; ~ *fight* projevovat bojechtivost, nechtít se dát; ~ *the cloven foot* ukázat čertovo kopýtko; *a mere glance will* ~ *that* ... na první pohled je zřejmé, že ... ; *you'll have to* ~ *me!* hovor. to se říká kdo ví jestli!; ~ *one's hand* vyložit karty na stůl, též přen.; ~ *one's heels to a p. 1.* ukázat paty komu, vzít nohy na ramena před *2.* předhonit koho; ~ *her heels* loď zdvíhat záď; ~ *how to do a t.* ukázat, jak se dělá co, na|učit dělat co; ~ *an interest in a t.* projevit zájem o; ~ *a leg* přen. vstávat, zvednout se z postele; *never* ~ *your face again!* až už tě tu vickrát nevidím!; ~ *one's nose* žert. objevit se, ukázat se; *have nothing to* ~ *for a t.* nemoci se vykázat žádným úspěchem za; ~ *a p. his place* odkázat koho do patřičných mezí; *nothing seems to* ~ *that he is guilty* nic nenasvědčuje tomu, že je vinen; ~ *signs of a t.* jevit známky čeho; ~ *the signs of life 1.* jevit známky života *2.* přicházet k vědomí; ~ *one's teeth 1.* vycenit zuby *2.* ukázat zuby / drápky (přen.) *3.* zlobit se, vztekat se; *time will* ~ to se časem / teprv ukáže; ~ *the way* přen. dát dobrý příklad, být příkladem; *what can I* ~ *you?* čím vám mohu posloužit? otázka prodavače ***show o. s.*** ***1*** být přítomen, jít na shromáždění (*ought we to* ~ *ourselves at the reception?*) **2** být vidět, jevit se, zračit se (*his annoyance* ~*ed itself in his looks* z jeho výrazu bylo vidět, jak je otrávený) *3* předvést se, ukázat se ***show around*** = *show round* ***show down*** vyložit na stůl karty ***show forth*** zast. ukazovat, dokazovat, dokumentovat ***show in*** uvést dovnitř hosta ***show off 1*** zdůraznit, zvýraznit, dát vyniknout čemu (*a swimsuit that* ~*s off her figure well*) **2** vystavit (*they had the room enlarged so that the exhibits could*

be ~n off more effectively dali místnost zvětšit, aby mohli vystavit exponáty efektněji) *3* předvádět šaty *4* stavět na odiv, předvádět, blýsknout se čím (*mothers who like to ~ off their daughters*) *5* chlubit se, vytahovat se, předvádět se, producírovat se *6* páv roztáhnout ocasní pera *7* sport. oťukávat soupeře v boxu ***show out*** doprovodit, vyprovodit hosta ke dveřím ***show round*** provést *a p.* koho, ukázat pamětihodnosti komu ***show up*** *1* přivést nahoru *2* být jasně vidět, být nápadný (*her wrinkles ~ed up in the strong sunlight* v ostrém slunečním světle byly její vrásky jasně vidět) *3* odhalit, ukázat v pravém světle (*~ up a fraud* ... podvod, *~ an impostor* ... podvodníka); stavět do nepříznivého světla; hovor. ztrapnit, udělat trapas komu *4* zdůrazňovat kontrastem *5* vést si jak, udělat jaký dojem, působit jakým dojmem (*~ up well*) *6* hovor. objevit se, dostavit se, přijít (*three of those we invited to the party didn't ~ up*) *7* hovor. vzít koho, natrhnout koho předstihnout *8* škol. slang. ukázat, předložit písemné cvičení *9* škol. slang. oznámit žáka řediteli, hlásit aby byl potrestán ◆ *~ up against the sky* rýsovat se proti obloze, tyčit se proti obloze ● *s* **1** ukázání, ukazování; předvedení, ukázka, demonstrování, demonstrace **2** výstava, soutěžní výstava, soutěž, přehlídka **3** optický dojem, pohled; hovor. přehlídka (přen.) **4** vnější zdání, dojem **5** vnější dojem, paráda, efekt, efektnost **6** divadelní představení, hra, divadlo; divadelní společnost **7** cirkusové představení; cirkusová společnost, cirkus **8** promítání filmu, film **9** rozhlasový / televizní program **10** program v nočním podniku, revue **11** atrakce; bouda s atrakcí **12** veřejná podívaná, průvod, zábava, karneval, estráda; efektní představení, velkolepá podívaná, spektákl, show, šau (hovor.) **13** hovor. výkon, práce, provedení **14** hovor. podnik, krám, záležitost, věc **15** hovor. příležitost, možnost, šance k práci n. obhajobě **16** stopa, stopa výskytu kovu, zemního plynu n. nafty (*drilling mud for oil ~s*) **17** slang.: vojenská akce, bitva, střetnutí; vojenský oddíl, skupina, letka **18** krvácení z dělohy při počátku porodu n. menstruace **19** dostihy třetí (a lepší) místo ◆ *air ~ 1.* letecká přehlídka *2.* letecký den; *be fond of ~* potrpět si na vnější efekt / zdání; *do a t. for ~* dělat co pouze pro efekt; *dumb ~* němohra, pantomima; *floor ~* program na parketu v nočním podniku; *give the ~ away* prozradit, propíchnout plány, méněcennost; *good ~ 1.* prima, bravo, výborně! *2.* vydařený podnik, znamenitá záležitost; *~ of hands* hlasování zdvižením rukou; *in ~* zdánlivě, na oko; *make a ~ of a t. 1.* předvést co jako ukázku, demonstrovat co *2.* předstírat co; *make a sorry ~* působit smutným / trapným dojmem; *Lord Mayor's ~* BR alegorický průvod Londýnem (po zvolení nového starosty) 9. listopadu; *motor ~* autosalon; *on ~* vystavený; *pierce beneath the ~s of a t.* přijít čemu na kloub, proniknout k jádru čeho; *poor ~ 1.* ubohý / trapný dojem *2.* špatná práce, špatný výkon, výbuch (přen.); *put on a ~* hrát pouze divadlo, jen to tak dělat, filmovat to, jen se stavět; *put up a good ~* udělat něco dobře, vytáhnout se, ukázat se; *who's running this ~?* hovor. kdo to tady vede, kdo je tu šéf?; *set on ~* vysadit, dát na výstavu; *stop the ~* hovor. být odměněn bouřlivým potleskem přerušujícím představení; *~ of teeth* vy|cenění zubů; *travelling ~* pojízdná výstava, pojízdná atrakce, pojízdný zvěřinec; *under a ~ of a t.* pod zástěrkou čeho ● *adj* **1** hovor. výstavní, též přen. **2** hovor. týkající se divadla n. show, divadelní, revuální, estrádní ◆ *~ piece* výstavní kus

show bill [šəubil] **1** reklamní / náborový plakát **2** divadelní plakát, afiž

show biz [šəubiz] slang. divadelní / filmový svět, divadelní / filmové podnikání ◆ *be in the ~* slang. být u divadla / u filmu, dělat do divadla / do filmu

showboat [šəubəut] AM *s* **1** divadelní loď, loď komediantů **2** slang. kdo na sebe strhává n. se snaží strhnout pozornost ● *v* předvádět | se (*opportunity to ~ her versatility as both Coppélia and Swandhilda* příležitost ukázat svou dovednost jako Coppélia i Swandhilda)

showbread [šəubred] = *shewbread*

show business [ˈšəuˌbiznis] = *show biz*

show card [šəuka:d] leták, prospekt, plakátek

showcase [šəukeis] *s* **1** vitrína **2** krabice se skleněným víkem **3** přen. ukázka nejlepšího ● *v* AM vystavit, předvést

showd [šaud] SC nář. *v* houpat dítě v náručí n. v kočárku ● *s* takové houpání

showdown [šəudaun] **1** položení karet lícem na stůl, odkrytí karet v pokeru **2** přen. rozhodující zkouška, rozhodující boj, boj kdo s koho **3** hovor. ukázání moci, zkouška síly; zúčtování (přen.)

shower¹ [šəuə] **1** kdo ukazuje n. předvádí (*a ~ of tricks*) **2** vystavovatel

shower² [šauə] *s* **1** přeháňka, prška, sprška, přeprška **2** přen. déšť (*a ~ of sparks* ... jisker), krupobití (*a ~ of stones*), záplava (*a ~ of questions*), bouře (*~s of applause*) **3** déšť meteoritů **4** zejm. AM dárková akce, dárky např. nevěstě před svatbou **5** = *shower party* **6** sprcha; lázeň pod sprchou, o|sprchování (*felt fresh from his shave and ~*) ◆ *take a ~* o|sprchovat se ● *v* **1** sprchnout, pršet; déšť padat, lít; slzy téci; po|kropit, po|stříkat **2** přen. zasypávat, zahrnovat *a t.* čím *on a p.* koho, kupit, vršit co na koho **3** o|sprchovat

shower bath [šauəba:θ] **1** sprcha zařízení i lázeň **2** sprchový kout

showeriness [šauərinis] přeháňkovost, deštivost

shower party [ˈšauəˌpa:ti] zejm. AM večírek k předání svatebních darů nevěstě před svatbou

showerproof [šauəpru:f] tkanina nepromokavý

showery [šauəri] **1** bohatý na přeháňky, přeháňkový, jsoucí s častými srážkami **2** působící přeháňky **3** připomínající spršku n. přeháňku
showgirl [šəugə:l] sborová revuální tanečnice, sboristka, girl
show glass [šəugla:s] **1** kaleidoskop **2** = *showcase, s*
showiness [šəuinis] **1** okázalost, oslnivost, pompéznost; efektnost **2** nápadnost, okatost **3** laciná efektnost
showing [šəuiŋ] **1** krátká výstava, přehlídka **2** jedno promítnutí filmu, promítání **3** tvrzení, výklad, interpretace; důkaz, též práv. **4** stav, situace (*a bad financial* ~) **5** ~*s, pl* příznaky, náznaky výskytu nafty **6** ~*s, pl* AM kolekce plakátů **7** v. *show, v*
show-jumper [ˈšəuˌdžampə] sport. jezdec provádějící exhibiční skoky, účastník skokové soutěže
showjumping [ˈšəuˌdžampiŋ] sport. exhibiční skoky na koni, skoková soutěž
showman [šəumən] *pl: -men* [-mən] **1** divadelní / filmový producent, režisér **2** majitel kina; majitel / ředitel zvěřince n. cirkusu; majitel atrakce **3** vystavovatel **4** kdo (se) umí dobře propagovat, kdo má smysl pro dramatický efekt, šoumen (hovor.) (*some young American musicians are excellent showmen*)
showmanship [šəumənšip] **1** schopnost / umění dělat efektní divadlo; smysl pro dramatický efekt **2** propagační talent
show-me [šəumi:] AM hovor. nedůvěřivý, skeptický (~ *attitude*) ◆ *S~ State* AM přezdívka státu Mississippi
shown [šəun] v. *show, v*
show-off [šəuof] **1** hovor. vejtaha, velká huba, proc **2** stavění na odiv, vystavování, nadutost, vypínavost, procovství
showpiece [šəupi:s] **1** exponát na výstavě **2** kabinetní ukázka, nejlepší výstavní kus
showplace [šəupleis] **1** turistický objekt, turistická atrakce, často navštěvovaná památka **2** přen. palác, hrad, zámek (*the director's home is a real* ~) **3** místo, kde je něco často vidět, jeviště (přen.) **4** výstavní plocha
show room [šəuru:m] **1** výstavní místnost, předváděcí místnost, předváděčka, přehrávačka (hovor.) **2** ~*s, pl* komnaty, salóny které se ukazují návštěvníkům při prohlídce
show stopper [ˌšəuˈstopə] velký trhák, šlágr, estrádní apod. číslo po kterém se strhne velký potlesk
show trial [ˈšəuˌtraiəl] demonstrační proces
show window [ˈšəuˌwindəu] výklad, výkladní skříň
showy [šəui] (*-ie-*) **1** velice efektní (~ *flowers*), okázalý, oslňující, pompézní **2** nápadný, okatý **3** lacině efektní, přehnaně teatrální
shram [šræm] (*-mm-*) BR zkřehnout, ztuhnout *with* čím (*her hands were* ~*med with cold*)
shrank [šræŋk] v. *shrink, v*
shrap [šræp] AM slang. = *shrapnel*
shrapnel [šræpnl] *pl* též *shrapnel* [šræpnl] **1** voj. šrapnel druh dělové střely **2** střepina granátu apod.
shred [šred] *s* **1** cár, hadr, hadřík, cucek, klůcek **2** odstřižek, odřezek, útržek, úlomek, proužek (*a* ~ *of ground*), slabá vrstva (~*s of bark*... kůry) **3** přen. trocha, špetka, nejmenší stopa (*not a* ~ *of doubt*) ◆ *tear to* ~*s* rozcupovat, roztrhat na cucky, též přen. (*tear an argument to* ~*s*) ● *v* (*shredded, shredded* / zast. AM *shred*) **1** roztrhat, rozřezat, rozsekat na malé kousky, roz|kouskovat, roz|drtit, roz|cupovat; rozstřihnout **2** rozstrouhat, nastrouhat, nakrouhat ◆ ~*ded wheat 1.* pokrm z pšeničného šrotu k snídani *2.* rozdrcená celá pšenice
shredder [šredə] **1** trhač, škubač; trhací / škubací stroj; dezintegrátor **2** pap. rozvlákňovač **3** struhátko, struhadlo; krouhadlo
shrew[1] [šru:] zlá, hubatá ženská, dračice, saň, štěkna, furie, xantipa, herdekbaba ◆ *Taming of the S~* Zkrocení zlé ženy hra W. Shakespeara
shrew[2] [šru:] zool. rejsek
shrewd [šru:d] **1** pronikavě chytrý, bystrý, inteligentní, ostrovtipný; prohnaný, mazaný, vychytralý, lišácký, honěný (*a* ~ *politician*) **2** nebezpečně blízký pravdě, těžký, oprávněný (~ *suspicion* oprávněné podezření) **3** řidč. tvrdý, těžký, ostrý (*a* ~ *blow* těžká rána); kousavý, řezavý, pronikavý (*a* ~ *wind*) **4** zast. zlý, zlověstný, obtížný, těžký ◆ ~ *guess* / *idea* též oprávněné podezření
shrewdness [šru:dnis] **1** chytrost, bystrost, ostrovtipnost; prohnanost, mazanost, vychytralost, lišáckost, honěnost **2** oprávněnost podezření **3** tvrdost, ostrost, kousavost, řezavost, pronikavost
shrewish [šru:iš] **1** žena zlý, hubatý, svárlivý, hašteřivý, připomínající dračici **2** zlý, špatný (*a* ~ *river*)
shrewishness [šru:išnis] **1** hubatost, svárlivost, hašteřivost **2** zlý charakter, špatnost
shrewmouse [šru:maus] *pl: shrewmice* [šru:mais] zool. rejsek
shriek [šri:k] *v* **1** za|křičet, za|vřískat, za|ječet, za|vřeštět, vypísknout **2** pištět smíchy **3** brzda za|skřípat; lokomotiva za|pískat; siréna za|ječet, za|výt; vítr skučet, hvízdat ◆ ~ *o. s. hoarse* ochraptět ječením, vyřvat si krk (hovor.); ~ *with laughter* pištět smíchy, řvát smíchy ***shriek out*** pronikavě vykřiknout ● *s* **1** divoký / mimovolný výkřik, zaječení, zavřeštění, vypísknutí **2** za|skřípění, za|vytí, za|písknutí; ostrý hvizd **3** ~*s, pl* vřískot, jekot, skřípot, pištění
shrievalty [šri:vəlti] (*-ie-*) BR **1** šerifství, šerifovství úřad šerifa **2** oblast podléhající šerifovi, šerifství
shrieve[1] [šri:v] zast. = *sheriff*
shrieve[2] [šri:v] zast. = *shrive*
shrift [šrift] náb. zast. **1** zpověď **2** rozhřešení **3** prozrazení **4** zadostiučinění ◆ *short* ~ *1.* krátká lhůta mezi odsouzením a popravou *2.* přen. krátký proces; *give a p. a short* ~ udělat krátký proces s, zatočit s, nepárat se s

shrike [šraik] zool. ťuhýk ◆ ~ *tit* zool.: druh australského ptáka

shrill [šril] *adj* **1** zvuk pronikavý, ostrý; vysoko posazený, řezavý **2** barva nápadný, křiklavý, řvavý **3** přen. tvrdošijný, nezlomný (*a ~ defiancy* tvrdošíjný vzdor); hlasitý, neodbytný (*criticism so ~*); nepokrytý (*his wrath became ~er* jeho hněv se začal více projevovat) ● *v* bás., kniž. pronikavě ječet, křičet; zpívat pronikavým hlasem ● *s* **1** zaječení, jekot, ostrý / pronikavý zvuk **2** pronikavý cvrkot

shrilling [šriliŋ] **1** pronikavý cvrkot (*the slow ~ of the field cricket*) **2** vřískot, vřeštění, jekot, ječení **3** v. *shrill, v*

shrillness [šrilnis] **1** pronikavost, ostrost, řezavost, vysoká poloha zvuku **2** nápadnost, křiklavost, řvavost barvy **3** přen. tvrdošíjnost, nezlomnost, neodbytnost, hlasitost; nepokrytost

shrill-tongued [šriltaŋd], **shrill-voiced** [šrilvoist] mající pronikavý / ostrý / řezavý hlas

shrimp [šrimp] *s* **1** *pl* též *shrimp* [šrimp] zool. garnát **2** hanl. prcek, pinďour, záprtek **3** žlutorůžová barva ● *v* lovit garnáty

shrimpboat [šrimpbəut] značka na stínítku radaru

shrimp girl [šrimpgə:l] prodavačka garnátů

shrimpish [šrimpiš] mrňavý, prťavý (*~ person*)

shrine [šrain] **1** schránka s ostatky, relikviář **2** hrob / hrobka světce **3** svatyně ● *v* bás. uložit jako relikvii

shrink [šriŋk] *v* (*shrank, shrunk* / řidč. *shrunken*) **1** s|choulit se, s|krčit se (*~ with cold*) **2** zmenšovat se, ztratit na objemu (*meat ~s in cooking*); srazit tkaninu (*will this soap ~ woollen clothes?*) stáhnout se, zatáhnout se, smrštit se, svraštit se; tkanina srazit se (*they will ~ in the wash*); hlína sednout **3** smrsknout se, seschnout se, scvrknout se (*seeing their earnings ~*) **4** stáhnout se *toward* směrem k, couvat, ucouvnout **5** odtahovat se *from doing a t.* od dělání čeho, zdráhat se udělat co, couvat před děláním čeho; odvrátit se *from* od, nechtít mít nic společného s, vyhýbat se čemu, děsit se čeho **6** zast. stáhnout, vtáhnout např. růžky **7** dát svraštit, srazit atd.; zmenšit, omezit *to* podle (*~ing the office to the holder's ability* omezit funkci podle schopností toho, kdo ji zastává) ◆ *~ into oneself* stáhnout se do sebe, uzavřít se; *~ out of sight* scvrknout se, vypadnout, zmizet odejít ***shrink back*** couvnout, u|cuknout *from* před ***shrink on*** natáhnout, nalisovat za tepla ● *s* **1** řidč. sražení tkaniny (*how much must we allow for the ~?* kolik musíme počítat na sražení?) **2** schoulení **3** slang. cvokař psychoanalytik

shrinkage [šriŋkidž] **1** ztráta na objemu / váze / hodnotě; úbytek (*~ in the number of qualified teachers*) **2** smrštění, svraštění, sražení, sednutí, seschnutí, stáhnutí; smršťování, svrašťování, srážení, sedání, stahování; sesychání dřeva ◆ *~ rule* hut. měřítko na smrštění, modelářský metr

shrinker [šriŋkə] slang. cvokař psychoanalytik

shrinking [šriŋkiŋ] **1** bázlivý, bojácný **2** v. *shrink, v*

shrink proofing [ˈšriŋkˌpru:fiŋ] nesrážlivá úprava tkaniny

shrink-wrap [šriŋkræp] *s* smršťovací fólie ● *v* (*-pp-*) balit do smršťovací fólie

shrink-wrapping [ˈšriŋkˌræpiŋ] balení do smršťovací fólie

shrive [šraiv] (*shrived / shrove, shrived / shriven*) zast. **1** vy|zpovídat a dát rozhřešení **2** očistit od hříchu, ulevit čemu (*~d his burdened mind* ulevil své obtížené duši) ***shrive o. s.*** vy|zpovídat se a dostat rozhřešení

shrivel [šrivl] *v* (*-ll-*) **1** též *~ up* tvořit vrásky, svraskat, vraštit | se; scvrknout se, seschnout se, stočit se, z|kroutit se horkem / suchem, zhroutit se **2** nátěr tvořit čeřínky **3** způsobit seschnutí, vysušit, zkroutit, stočit, zničit horkem, též přen. ● *s* něco zkrouceného n. vysušeného, svraštělá věc ◆ *~ lacquer / varnish* čeřínkový lak

shroff [šrof] *s* **1** směnárník, bankéř na Dálném východě **2** domorodý zkoušeč / znalec mince ● *v* zkoušet správnost mince

shroud [šraud] *s* **1** rubáš **2** přen. plášť (*wrapped in a ~ of mystery* zahaleno pláštěm tajemství), příkrov (*a ~ of dust hanging over the city* prašný příkrov visící nad městem) **3** ochrana, záštita **4** ochranná plachta, ochranný plášť, kryt **5** bočnice ozubeného n. vodního kola **6** meteor. clona oblaků; pokrývka sněhu **7** námoř. *~s, pl* úpony **8** *~s, pl* zast. krypta **9** zast., nář. větev, koruna stromu **10** též *~ line* let. nosná šňůra padáku ◆ *~ balloon* meteorologický balón, sondážní balón; *~ iron / plate* námoř. úponový držák, úponová úchytka ● *v* **1** obléci do rubáše **2** za|halit, za|krýt, za|clonit **3** vyztužovat bočnicemi **4** též *~ off* odříznout větve

shroud-laid [šraudleid] lano čtyřpramenný

shroudless [šraudlis] **1** jsoucí bez rubáše **2** přen. nezahalený, nepokrytý

shrove [šrəuv] v. *shrive*

Shrove Sunday [ˌšrəuvˈsandi] masopustní neděle

Shrovetide [šrəuvtaid] masopust, poslední tři dny před Popeleční středou

Shrove Tuesday [ˌšrəuvˈtju:zdi] masopustní úterý

shrub[1] [šrab] **1** nápoj z rumu, cukru a citronové šťávy **2** AM grenadina

shrub[2] [šrab] *s* keř; křovina, křoví ● *v* (*-bb-*) **1** vyčistit od keřů / křoví **2** posázet keři **3** ořezat strom, větev

shrubbery [šrabəri] (*-ie-*) okrasné, zahradní křoví, křoviny, křoviska, křovinný porost

shrubby [šrabi] (*-ie-*) **1** křovinatý, křovinový; keřovitý **2** porostlý keři / křovinami **3** připomínající keř, keřovitý ◆ *~ red cedar* bot. chvojka klášterská

shrubwood [šrabwud] křovinný porost

shruff [šraf] odpad ◆ *~ copper* zlomková měď

shrug [šrag] *v* (-*gg*-) **1** pokrčit (rameny) **2** vyjádřit pokrčením ramen **3** AM vtáhnout, přitáhnout, stáhnout na místo (*~ging the clothes together upon his body*); zabalit do šatů ***shrug off 1*** odbýt pokrčením ramen ***2*** setřást ze sebe (*~ off the sleep of centuries*) ***3*** vyvléknout se z oděvu, stáhnout ze sebe oděv ● *s* **1** pokrčení ramen **2** dámský krátký kabátek n. svetr zapínající se na jeden knoflík

shrunk [šraŋk] **1** tváře vpadlý, vyzáblý **2** v. *shrink, v*

shrunken [šraŋkən] **1** končetina zakrnělý **2** v. *shrink, v*

shuck [šak] *s* **1** slupka; slupka kukuřičného klasu **2** skořápka; škeble **3** AM cigareta / doutník ve slupce kukuřičného klasu **4** *~s, pl* něco bezcenného, nic, stará bela, stará bačkora ● *interj ~s!* AM **1** blbost, nesmysl, houby, starou belu! **2** fuj! ● *v* **1** loupat, vylupovat (*~ peas* loupat hrách) **2** též *~ off* AM stáhnout, svléknout (*~ed off his clothes and slid between the sheets* stáhl si šaty a vklouzl do postele); odhodit (*~ off bad habits* zbavit se zlozvyků) **3** vylézt *out of* ze šatů, svléknout co

shudder [šadə] *v* za|chvět se, za|třást se, roz|klepat se strachy / hrůzou / chladem ◆ *I ~ to think* třesu se strachy / hrůzou, mráz mi běží po těle, hrůza mě jímá, když pomyslím ***shudder away / up*** odvrátit se s mrazením po těle *from* od ● *s* **1** za|chvění, roz|třesení, otřesení, rozklepání **2** *~s, pl* třesavka ◆ *it gives me the ~s* hovor. to mi nahání hrůzu

shuddering [šadəriŋ] **1** nahánějící strach n. hrůzu **2** v. *shudder, v*

shuffle [šafl] *v* **1** šoupat se, šourat se, vléci se, belhat se, šoulat se, šinout se, štrachat se; šinout si to, štrachat si to **2** za|šoupat čím (*~d his slippers over the floor*); za|štrachat, za|šramotit čím (*he ~d his notes*); šoupat, strkat sem tam kým / čím (*dispatchers had godlike power to ~ us to and fro* dispečeři měli božskou moc šoupat s námi sem tam) **3** vytáčet se, kroutit se; vymanit se, vykroutit se, vyklouznout, vybřednout *out of* z (*~ out of difficulties* vybřednout z potíží) **4** odbýt, odflinknout, odfláknout a tím absolvovat *through* co, prolézt čím **5** zamíchat čím, promíchat, smíchat (*war has ~d our population*); tajně vsunout, zamíchat *into* do **6** za|míchat (karty, kameny domina) **7** neohrabaně se oblékat / svlékat, obouvat / zouvat, lézt *into* do, vylézat *out of* z, stahovat ze sebe co **8** za|tančit šoupavým krokem (*~ a saraband*) ◆ *~ the cards* přen. změnit taktiku, udělat přesun; *~ out of one's mind* pustit z hlavy; *~ out of sight* odsunout stranou aby nebylo vidět, schovat, založit, zahrabat ***shuffle in*** vetřít se dovnitř ***shuffle off 1*** odsunout, odstranit ***2*** vyhnout se povinnosti ***3*** přesunout, přehrát (*~ off responsibility upon others*) ***shuffle on*** neohrabaně si brát na sebe co, lézt do ***shuffle together*** smíchat dohromady ● *s* **1** šoupání, šourání, šinutí; šoupavý / šouravý krok **2** vytáčka, vytáčky; podfuk, švindl, trik **3** za|míchání např. karet; právo / povinnost míchat karty (*reminded sharply that it was his ~* ostře připomněla, že teď je na řadě on, aby míchal karty) **4** zmatek, pomíchaná hromada, promíchání **5** výměna křesel ve vládě (*a Cabinet ~*) **6** šoupavý taneční krok; šoupaná, šoupavá tanec (*dancing a sailor's ~*) ◆ *double ~* šoupavý taneční krok oběma nohama; *give the cards a good ~* dobře zamíchat karty

shuffle board [šaflbo:d] společenská hra záležející v posunování kotoučů po hrací ploše na palubě lodi

shuffler [šaflə] **1** kdo míchá karty **2** kdo se vytáčí, liška, úhoř (přen.) **3** zool. polák kaholka

shuffling [šafliŋ] **1** vyhýbavý (*a ~ answer*) **2** libující si ve vytáčkách, nepoctivý, nesolidní, oportunistický; lstivý **3** v. *shuffle, v* ◆ *~ excuse* vytáčka, výmluva

shufty [šufti] (-*ie*-) BR slang. kouknutí ◆ *make / take a ~ at* mrknout se na

shuggy [šagi] (-*ie*-) BR nář.: pouťová houpačka

shun[1] [šan] (-*nn*-) vyhýbat se čemu, stranit se čeho

shun[2] [šan] BR *interj* (póóóó)zor! vojenský povel

shunless [šanlis] bás. nevyhnutelný

shunpike [šanpaik] AM *s* okresní silnice na rozdíl od dálnice ● *v* jet po okresní silnici a prohlížet si při jízdě krajinu

shunpiker [ˈšanˌpaikə] AM automobilista jezdící po okresních silnicích aby měl více možnosti prohlížet si krajinu

shunt [šant] v **1** odložit / odsunout stranou **2** přen. dát k ledu, odsunout na vedlejší kolej **3** odvést / zahnat stranou, odklonit, odbočit **4** BR odstavit (vlak) na vedlejší kolej; posunovat vagóny; přistavit vlak **5** elektr. zapojit bočník; přemostit bočníkem ● *s* **1** odložení, odsunutí stranou **2** BR žel. výhybna **3** elektr. bočník **4** med. umělá cévka ◆ *~ circuit* elektr. derivační obvod

shunter [šantə] **1** BR výhybkář; posunovač **2** BR = *shunting locomotive*

shunting [šantiŋ] v. *shunt, v* ◆ *~ locomotive* posunovací lokomotiva; *~ station* seřaďovací nádraží, třídicí nádraží; *~ yard 1.* seřaďovací kolejiště, seřadiště *2.* = *shunting station*

shush [šaš] *v* **1** u|tišit, u|dělat „pst" na; syknout, syčet **2** uklidnit, umlčet **3** být zticha, mlčet ● *interj* ticho, ps, pst, pšt

shut [šat] *v* (*shut, shut; -tt-* **1** zavřít (*~ the door, ~ a drawer, ~ one's mouth, ~ a clasp-knife* ... kapesní nůž, *~ a book*); uzavřít **2** zamknout, uvěznit, zavřít (*they ~ the boy in the cellar*); zamknout **3** zatarasit, zahradit, u|zavřít cestu; přiklopit otvor **4** zavírat se (*the window ~s easily*), jít zavřít, dát se zavřít (*the door won't ~, the door ~s of itself* dveře se samy (od sebe) zavírají) **5** přivřít, zavřít, přimáčknout, zmáčknout (*~ one's fingers in the door*) **6** vyloučit *from* z; vyhodit *a p.* koho *out of* z místnosti a zavřít dveře před **7** svařit ◆ *be ~ of* slang. mít z krku; *~ with a bang* přibouchnout, prásknout čím; *~ the door on* *a p.* | *a t.* zavřít dveře před; *they* ~ *the door against her* zabouchli před ní dveře, zabouchli jí dveře před nosem; ~ *the door upon further negotiations* zavřít si dveře pro další jednání, odmítnout / znemožnit další jednání; ~ *one's ears* zacpat si uši; ~ *one's ears to entreaty* být hluchý k prosbám; ~ *one's eyes to a t.* zavřít (obě) oči nad, záměrně nevidět co, být slepý k, ignorovat co; ~ *a fist* sevřít / zatít pěst; ~ *one's face* / *head* = *shut up, 7;* ~ *one's mind to a t.* uzavírat se před, nemyslit na, nepřemýšlet o; ~ *one's mouth* též *1.* mlčet, neprozradit tajemství *2.* = *shut up, 7;* ~ *a p.'s mouth 1.* umlčet koho *2.* zavázat koho mlčením; ~ *one's teeth* stisknout zuby, zatít zuby ***shut away*** zavřít, ukrýt, zakrýt, skrýt ***shut down 1*** uzavřít úplně *2* zavřít stáhnutím / vikem, stáhnout, sklapnout, zaklapnout *3* zavřít, ukončit činnost čeho (*they* ~ *down the factory*), přestat dělat, zastavit provoz *4* odepřít povolení ke vstupu *5* mlha padnout (*the fog* ~ *down rapidly*) *on* na, obklopit, pohltit koho *6* hovor. skoncovat *on* / *upon* s ***shut in 1*** ztratit z dohledu, zatarasit, zahradit výhled; mlha zahalit *2* uzavřít, obklopit (*we are* ~ *in by hills here*) *3* AM hovor. ochromit produkci nafty zavřením vrtů ***shut off 1*** oddělit, odloučit *2* uzavřít, přerušit dodávku čeho, vypnout plyn, elektrický proud *3* hovor. přerušit telefonní hovor s, zavěsit ◆ ~ *off the engine* vypnout motor; ~ *off the pedal coupler* vypnout / vyhodit pedálovou spojku u varhan ***shut out 1*** vyřadit, vyloučit; znemožnit, zabránit možnosti čeho *2* zavřít např. dveře před, zavřít, takže kdo nemůže vstoupit dovnitř, zavřít dveře komu, nechat venku koho *3* zabránit čemu, zabránit vstupu / příjezdu / přistěhování koho, zabránit dovozu čeho *4* bránit v (*the trees* ~ *out the view*) *5* AM sport. nedovolit skórovat, nepustit k míči, vyšachovat ◆ ~ *out the light* stínit; ~ *a p. from hope* vzít komu všechnu naději ***shut to*** pevně zavřít dveře; dveře zavřít se pevně ***shut together*** svírat se dohromady ***shut up 1*** zavřít všechna okna a dveře domu, u|zavřít úplně, celý, všechno (~ *up a house before going away for the holidays,* ~ *up one's jewels in the safe* zavřít své šperky do sejfu) *2* navěky zavřít (~ *up the eyes*) *3* zavřít do krabice, uchovávat v krabici *4* zavřít, uvěznit (~ *up a prisoner* zavřít vězně) *5* odříznout, obklíčit (*their own army* ~ *up in Boston*) *6* zavřít / zacpat ústa komu, umlčet koho *7* hovor. držet / zavřít hubu / zobák / klapačku *8* zavřít louku pro pastvu, nedovolit pást na louce *9* námoř. ucpat trhliny ◆ ~ *up shop* zavřít krám, zavřít to (přen.) ● *s* **1** závěr, uzávěr; u|zavření, u|zavírání **2** bás. usínání, konec dne **3** svar, šev při svařování

shutdown [šatdaun] **1** přerušení práce / provozu v továrně **2** zavření obchodu / továrny

shuteye [šatai] slang. šlofík, dvacet, (krátký) spánek

shut-in [šatin] *adj* **1** AM upoutaný na lůžko nemocí **2** uzavřený, odříznutý od světa (*the most* ~ *section of the state*) **3** uzavřený, tajnůstkářský (*a* ~ *look*) **4** psych. nepřístupný, samotářský, uzavřený ● *s* AM invalida který nemůže opustit nemocnici n. domov

shut-off [šatof] AM **1** uzávěr, uzavírací ventil, kohout **2** přerušení (*a* ~ *of blood flow to the brain* přerušení přístupu krve k mozku) **3** doba hájení lovné zvěře

shutout [šataut] **1** vyloučení **2** výluka dělnictva **3** AM zabránění soupeři v docílení bodu / branky; výsledek s nulou kdy soupeř nedosáhl bodu / branky **4** hradba, hráz kamenů ve vrhcábech ◆ ~ *bid* karty hláška znemožňující další licitaci v bridži

shutter [šatə] *s* **1** okenice **2** roleta **3** příklop, záklopka, závěr, uzávěr **4** fot. závěrka **5** film. otáčivá závěrka, clona, klapka **6** ~*s, pl* hud. žaluzie varhan **7** hut. uzavírací šoupátko, hradítko ◆ *put up the* ~*s* zavřít krám, nechat toho skončit práci, též natrvalo ● *v* **1** opatřit okenicí / okenicemi **2** zavřít (jako) okenicí / okenicemi

shutter bar [šatəba:] příčná zástrčka dveří

shutter bug [šatəbag] AM hovor. zuřivý fotoamatér

shutterdoor [šatədo:] žaluziové dveře

shuttering [šatəriŋ] **1** zejm. BR bednění **2** v. *shutter, v*

shutterless [šatəlis] jsoucí bez okenic

shutting [šatiŋ] **1** sváření **2** v. *shut, v*

shuttle [šatl] *s* **1** člunek tkalcovského n. šicího stroje **2** AM kyvadlový vlak **3** AM kyvadlová doprava **4** krátká trasa pro dopravu oběma směry **5** vod. stav. stavidlo **6** kosm. raketoplán ● *v* **1** pohybovat | se, jezdit / chodit / vozit / létat touž cestou sem a tam, pendlovat (ob.) **2** přeplout, přeletět touž cestou sem a tam **3** přen. kolísat, váhat ● *adj* **1** kyvadlový (~ *bombing,* ~ *train*) **2** AM nář. kolísavý ◆ ~ *armature* elektr. kotva tvaru H; ~ *bar* kosa žacího stroje

shuttlecock [šatlkok] *s* **1** opeřený míček na badminton, badmintonový míček, péřák **2** dětská hra s opeřeným míčkem a tamburínou **3** přen. ožehavý předmět, sporný předmět ● *v* **1** házet si jako opeřeným míčkem, hrát ping-pong s (přen.) **2** hovor. lítat sem tam, pendlovat (ob.)

shuttle service [ˌšatlˈsə:vis] kyvadlová doprava

shy¹ [šai] hovor. *v* (*-ie-*) hodit, mrsknout, prásknout kamenem apod. *at* po ● *s* **1** hození, mrsknutí **2** hovor. pokus **3** cíl na který se hází ◆ *have a* ~ *at a p. 1.* snažit se strefit do *2.* hovor. strefovat se do, utahovat si z, ulejvat si z; *have a* ~ *at a t. 1.* snažit se strefit do *2.* zkusit co, pokusit se o štěstí v

shy² [šai] *adj* (*shyer* / řidč. *shier, shyest* / řidč. *shiest*) **1** plachý **2** bojácný, bázlivý, lekavý, nedůvěřivý; nesmělý, ostýchavý, stydlivý, držící se zpět, rezervovaný **3** zdráhavý, opatrný, neochotný přiznat / uvážit **4** skrytý, zapadlý **5** špatně rostoucí / nesoucí (*this tree is a* ~ *bearer* tento strom nese málo ovoce, tento strom nese špatně / málo) **6** podezřelý, pochybný (*a* ~ *place*) **7** hráč který nezaplatil základní vklad v pokeru **8** slang. nemající dost *of* čeho, kterému chybí co, komu se nedostává čeho (*I am ~ of three quid*); ztratit co, přijít o, být lehčí o ◆ *be ~* stydět se, ostýchat se, zdráhat se; *be ~ of a p.* jít z cesty komu, vyhýbat se komu; *be ~ of doing a t.* nerad / zdráhavě / jen velice opatrně dělat co; *be ~ on a p.* | *a t.* dívat se nedůvěřivě na; *once bitten twice ~* hovor. kdo se jednou spálil, ten si dá podruhé pozor; *fight ~ of a p.* | *a t.* vyhýbat se komu | čemu ● *v* (*-ie-*) **1** kůň plašit se **2** děsit se, lekat se *at* / *from* čeho, být vyplašen čím **3** též *~ away* / *off* uhnout, odbočit před setkáním, vyhnout se komu / čemu ● *s* též *shies, pl* plašení koně

shyer [šaiə] plašivý kůň, plašivec

Shylock [šailok] přen. vydřiduch, lichvář podle postavy ze Shakespearovy hry *Kupec benátský*

shyness [šainis] **1** plachost **2** bojácnost, bázlivost, lekavost, nedůvěřivost; nesmělost, ostýchavost, stydlivost, rezervovanost **3** zdráhavost, opatrnost, neochota uvěřit **4** skrytost, zapadlost **5** špatná plodivost / nosnost; špatný růst stromu **6** podezřelost, pochybnost

shypoo [šaipu:] AU hovor. **1** utrejch, břečka špatná pálenka **2** podnik, kde se takový nápoj prodává

shyster [šaistə] zejm. AM slang. **1** pokoutní advokát **2** osoba bez stavovské cti: pokoutník, hudlař, fušer, žabař; lump, gauner

si [si:] hud. **1** si solmizační slabika **2** h sedmý stupeň diatonické stupnice

sial [saiəl] geol. sial vnější část zemské kůry

sialagogic [ˌsaiæləˈgodžik] med. slinotvorný

sialagogue [saiˈlægog] med. *adj* slinotvorný ● *s* slinotvorný prostředek

sialoid [saiəloid] připomínající sliny

siamang [si:əmæŋ] zool. siamang opice

Siamese [ˌsaiəˈmi:z] *adj* siamský, thajský ◆ *~ cat* siamská kočka; *~ connection* / *coupling* / *joint* tech. požární rozdělovač hadice ve tvaru Y; *~ twins* siamská dvojčata srostlá, schopná života, též přen. ● *s* **1** *pl: Siamese* [ˌsaiəˈmi:z] Siamec, Thaj **2** siamština, thajština

sib [sib] *adj* **1** zejm. SC pokrevně příbuzný *to* s **2** přen. příbuzný **3** mající těsný vztah n. dobrý poměr *to* k ● *s* **1** sourozenec bez rozdílu pohlaví **2** sourozenectví, pokrevní příbuznost **3** *~ s, pl* všichni potomci jedněch rodičů, sourozenci; rod

Siberia [saiˈbiəriə] Sibiř

Siberian [saiˈbiəriən] sibiřský ◆ *~ crab* bot. jabloň dvouplodá; *~ dog* sibiřský huskie; *~ millet* bot. bér vlašský; *~ winter* sibiřská zima, sibérie ● *s* Sibiřan

sibilance [sibiləns], **sibilancy** [sibilənsi] (*-ie-*) **1** sykavá výslovnost; sykavost **2** jaz. sykavka, sibilanta

sibilate [sibileit] **1** vyslovovat sykavě; sykat, za|syčet **2** předrážet sykavku před slovo, vyslovovat s předraženou sykavkou

sibilation [ˌsibiˈleišən] **1** sykání, syknutí, za|syčení **2** výslovnost s předraženou sykavkou

sibling [sibliŋ] **1** sourozenec **2** nevlastní bratr; nevlastní sestra mající jednoho společného rodiče

sibship [šibšip] **1** sourozenectví **2** příbuzenstvo

sibyl [sibil] **1** antic. Sibyla, věštkyně, prorokyně **2** jasnovidka, věštkyně; čarodějka, čarodějnice, ježibaba

sibylline [sibilain] **1** antic. sibylský, prorocký **2** věštecký, záhadný, sibylinský **3** nejednoznačný, mnohoznačný ◆ *S~ books 1.* antic. knihy sibylské, Sibyliny knihy *2.* přen. odříkaného chleba největší krajíc

sic[1] [sik] tak, takto, sic upozornění, že příslušný text je správně, přesně opsán

sic[2] [sik] (*sicked, sicking*) AM = *sick*[1], *v*

siccative [sikətiv] *adj* vysoušecí, vysušující ● *s* sušidlo, vysoušedlo, sikativ

sice[1] [sais] šest, šestka, šest ok na hrací kostce

sice[2] [sais] štolba v indickém prostředí

Sicilian [siˈsiljən] *adj* sicilský ◆ *S~ Vespers* hist. Sicilské nešpory vyvraždění Francouzů na Sicílii r. 1282 ● *s* Sicilan

siciliano [siˌsiliˈa:nəu] hud. siciliána sicilský tanec a píseň pomalého rytmu; umělá skladba podobného rázu

Sicily [sisili] (*-ie-*) Sicílie

sick[1] [sik] **1** pes vrhnout se na, skočit na, chytnout co **2** poštvat, pustit (*~ a dog upon a p.*)

sick[2] [sik] *adj* **1** zejm. AM, voj., bibl., hovor. nemocný; chorý, ochořelý, churavý; trpící *of* čím **2** vhodný pro nemocného člověka (*~ lamp*) **3** nezdravý, chorobný, morbidní, zvrácený, scestný, sadistický; vtip černý **4** vypadající nemocně, bledý, pobledlý, zelený, zažloutlý (*a ~ skin*) **5** hovor. nešťastný, smutný, skličený, otrávený *at* z (*~ at failing to pass the examination* zničený z toho, že neudělal zkoušku) **6** žena trpící měsíční chorobou, mající měsíčky, menstruující **7** potřebující opravu, polámaný, pokažený, poškozený **8** nezdravý, špatný, ve špatném stavu (*a ~ economy*) **9** hovor. slabý, fádní, nanicovatý (*his paintings look pretty ~ in comparison with yours*) **10** úsměv slabý, mdlý, kyselý, nucený **11** potravina zkažený; ryba, ústřice vodnatelný, blátivý; víno nemocný, kalný **12** pole nevhodný k určitému osevu; napadený mikroorganismy **13** sklo kalný, neprůsvitný nečistotou ◆ *be ~* BR vrhnout, dávit, zvracet; *be ~ at heart* být smutný, skličený, zklamaný; *be ~ for* toužit po, stýskat se po; *be ~ of a t.* mít už až po krk čeho, mít už dost čeho, být otrávený z / čím; *be ~ of a fever* zast., bibl. ochořet horečkou; *be ~ to death of a t.* = *be ~ and tired of a t.* být otrávený z, mít už po krk / nad hlavu čeho, mít dost čeho, mít plné zuby čeho (*I am ~ and tired of this house* už mi jde ten dům na nervy); *fall ~* onemocnět, rozstonat se, ochořet, ochuravět; *I feel ~* zvedá se mi žaludek, chce se mi zvracet, je mi na zvracení, je mi špatně od žaludku; *go ~ 1.* voj. hlásit se nemocným *2.* hovor. hodit se marod; *make look ~* hovor. zahanbit, ztrapnit; *~ of love* kniž. nemocný láskou, zamilovaný; *S~ Man of Europe* hist. turecká říše; *make ~* BR zvedat žaludek, nutit na zvracení (*it makes me ~* dělá se mi z toho nanic); *report ~* voj. = *go ~ 1.*; *turn ~* BR mít zvedání žaludku ● *s* **1** *pl: sick* [sik] nemocný člověk, nemocný **2** BR zvratek, zvrácená potrava, vyzvracenina ◆ *that's enough to give one the ~* vulg. to je k zblití, to je k posrání ● *v sick up* zvracet

sickbay [sikbei] **1** námoř. lodní nemocnice, lodní ošetřovna **2** ošetřovna, marodka

sickbed [sikbed] lože, lůžko nemocného

sick benefit [ˈsikˌbenefit] nemocenská dávka, nemocenské

sickberth [sikbəːθ] = *sickbay, 1*

sick call [sikkoːl] **1** AM voj. nástup nemocných; signál k nástupu nemocných **2** přen. marodka, marodi **3** zavolání lékaře n. kněze k nemocnému; návštěva u nemocného

sick certificate [ˌsiksəˈtifikət] průkaz o pracovní neschopnosti

sick diet [sikˈdaiət] dieta pro nemocné

sicken [sikn] **1** způsobit onemocnění koho, způsobit, že se udělá špatně komu **2** způsobit zvedání žaludku koho, zvedat žaludek komu **3** přen. znechutit, otrávit koho, plnit odporem koho (*feel more ~ed than stimulated by the public admiration* obdiv veřejnosti ho spíše znechutil než povzbudil); být otrávený / unavený z / čím (*voters might ~ of political bickering* voliče mohou politické hádanice otrávit), mít dost / plné zuby čeho **4** mít náběh *for* na chorobu (*he was ~ing for mumps* ukázaly se u něho příznaky příušnic) **5** počasí zhoršit se ◆ *she ~ed to look at the corpse* bylo jí odporné podívat se na mrtvolu

sickener [siknə] **1** hnusná věc, hnusný pohled, co zvedá žaludek, po čem se zvedá žaludek, z čeho se dělá špatně **2** přemíra **3** nepříjemný / odporný zážitek

sickening [sikniŋ] **1** nepříjemný, odporný, ohavný, hnusný **2** v. *sicken* ◆ *this is ~* z toho by se člověku udělalo špatně

sick flag [sikflæg] námoř. karanténní vlajka

sick fund [ˌsikˈfand] nemocenská pokladna

sick headache [ˌsikˈhedeik] migréna

sickish [sikiš] **1** poněkud / téměř nemocný atd. **2** zvedající trochu žaludek **3** dost / poměrně odporný / ohavný ◆ *she feels ~* necítí se nějak dobře

sickle [sikl] **1** srp **2** *S~* hvězd. skupina hvězd v souhvězdí Lva „hlava" **3** srpek měsíce; půlměsíc, též přen. (*this ~ of sands*) ◆ *hammer and ~* srp a kladivo symbol komunismu

sick leave [sikliːv] **1** omluvená nepřítomnost v zaměstnání ze zdravotních důvodů **2** zdravotní dovolená **3** nemocenské ◆ *be on ~* být nemocen, mít pracovní neschopnost

sickle bill [siklbil] zool. **1** koliha **2** ibis

sickle cell [siklsel] med. srpkovitý erytrocit

sickle-cell anaemia [ˌsiklsclə ˈniːmjə] med. srpkovitá chudokrevnost

sickle feather [ˈsiklˌfeðə] srpovitě zahnuté ocasní pero kohouta, srpové pero

sickle man [siklmən] *pl: -men* [-mən] žnec srpem

sickle moon [siklmuːn] srpek měsíce

sicklewort [siklwəːt] bot. **1** černohlávek obecný **2** čičorka štírová

sickliness [siklinis] **1** častá churavost, stonavost, neduživost **2** nezdravost např. prostředí **3** chabost, mdlost, bledost, slabost, nanicovatost **4** mdlost, chabost, nucenost úsměvu **5** odpornost, odporná těžkost / sladkost, nasládlost

sick list [siklist] seznam nemocných ◆ *be on the ~* být nemocen; *go on the ~* hlásit se nemocným, hlásit se / hodit se marod (hovor.)

sickly [sikli] (*-ie-*) *adj* **1** často churavý, stonavý, neduživý (*~ children*) **2** plný nemocí, nezdravý (*a ~ place*), chorobný (*~ aims*) **3** zast. týkající se nemocí n. nemocných **4** chabý, mdlý, bledý (*~ moonlight*) **5** slabý, nanicovatý **6** působící zvedání žaludku, odporný; odporně těžký / sladký, nasládlý ● *v* zast. pokrýt chorobnou barvou *over* co

sickness [siknis] **1** choroba; nemoc **2** nezdravost, slabost **3** vrhnutí, zvracení dávení; nucení k zvracení, nauzea (med.) **4** hovor. krámy, ty věci menstruace ◆ *falling ~* med. padoucí nemoc, padoucnice, epilepsie; *sleeping / sleepy ~* med.: druh spavé nemoci

sickness benefit [ˌsiknisˈbenifit] BR nemocenské dávky

sick nurse [siknəːs] **1** ošetřovatel nemocných **2** ošetřovatelka nemocných, sestra

sick-nursing [ˈsikˌnəːsiŋ] péče o nemocné

sick-out [sikaut] organizovaná hromadná pracovní neschopnost forma stávky

sick parade [ˌsikpəˈreid] BR nástup nemocných

sick pay [sikpei] nemocenské, dávka nemocného zaměstnance

sick room [sikruːm] pokoj nemocného

Siculo-Arabian [ˌsikjuləuəˈreibjən] sicilskoarabský

side [said] *s* **1** strana jedna z ploch tělesa (*the six ~s of a cube*); jedna z přímek omezujících plochu (*the ~ of a triangle*); boční strana (*a box has a top, a bottom, and four ~s*); stránka (*write on one ~ of the paper only*); část, díl (*the ~s of an equation* strany rovnice); část vlevo / vpravo (*the left ~ of the street*); směr (*arrows came at him from all ~s* letěly na něho šípy ze všech stran); jeden z partnerů při dvoustranném jednání (*faults on both ~s* chyby na obou stranách); účastník ve sporu (*hear counsel on both ~s* vyslechnout advokáty obou stran); příbuzenský vztah (*a cousin on my father's ~* bratranec z otcovy strany); řidč. politická organizace **2** jedna strana gramofonové desky **3** přední / zadní deska knihy **4** stěna (*the ~s of a cave* stěny jeskyně), boční stěna /

strana (*the ~ of a house*); bočnice, postranice; faseta **5** lub houslí **6** bok (*come and sit at / by my ~* pojď se posadit vedle mne); polovina těla (*wounded in the left ~*) **7** půlka, půle (*a ~ of beef*); uzený vepřový bok, uzená šrůtka **8** svah (*~ of a mountain*) **9** břeh řeky; pobřeží **10** bok lodi **11** okraj paluby **12** část, díl (*keep your ~ of the bargain* dodržte svou část dohody) **13** čtvrt, čtvrti, část města (*the east ~ of the city*) **14** práv. sekce, oddělení, referát (*the criminal-law ~ of the English High Court*) **15** BR škol. směr, větev studia **16** vedlejší stránka, vedlejší oblast **17** stránka, hledisko, aspekt (*study all ~s of a question*); charakterový rys **18** stránka papíru **19** stránka účetní knihy; sloupec **20** div.: opsaná jednotlivá role; replika **21** sportovní družstvo, mužstvo (*the school has a strong ~*); jedna četa, parta dřevařů; jeden sbor **22** křídlo budovy **23** geol. rameno vrásy, strana zlomu **24** faleš kulečníkové koule **25** les. zařízení na přibližování dřeva **26** BR slang. honimírství, vytahování, domýšlivost, nadutost, nafoukanost, neskromnost, drzost ◆ *from all ~s* ze všech stran, odevšad, odevšud; *on all ~s* na všech stranách, všude; *at ~* mládě chodící s matkou a cucající; *his arm fell to his ~* paže mu klesla podél těla; *be on the ... ~* být poměrně jaký (*he is on the small ~* je poměrně malé postavy); *be on a p.'s ~* být na straně koho, být nakloněn komu, podporovat koho, stranit komu, být / jít s; *be in the on ~* sport. být v postavení, kdy se může pokračovat ve hře; *be in the off ~* být v postavení mimo hru, být v ofsajdu; *be on the safe ~* držet se v bezpečí, neriskovat; *bright ~* přen. světlá stránka; *burst one's ~* pukat smíchy; *~ by ~ 1.* bok po boku, těsně u sebe *2.* v jednom šiku; *by the ~ of 1.* u, vedle koho / čeho *2.* přen. ve srovnání s; *change ~s 1.* přejít na druhou stranu, přeběhnout k nepříteli, dezertovat *2.* sport. vyměnit si stranu hřiště; *classical ~* BR humanistický směr studia; *dark ~* přen. stinná stránka; *epistle ~* círk. epištolní strana oltáře; *on every ~* na všech stranách, všude; *from every ~ = from all ~s; gospel ~* círk. evangelijní strana oltáře; *hold one's ~s* popadat se za břicho smíchy; *keep on the right ~ of a p.* nerozházet si to s / u; *not to know what ~ to take* nevědět, pro koho se rozhodnout; *low ~* bočnice na železničním voze; *a man with many ~s to his character* člověk mnoha různých povahových vlastností, člověk komplikovaného charakteru; *move to one ~* uhnout | se stranou; *near ~* podsední strana; *no ~* sport. konec hry oznámení při skončení utkání v ragby; *other ~* AM v Evropě; *other ~ of the picture* přen. druhá strana mince rub věci; *off ~* náruční strana; *on the ~ 1.* příležitostně *2.* pod rukou *3.* AM jako příloha (*a hamburger with French fries on the ~* karbanátek s pomfrity), navíc jako přídavek *4.* AM jako vedlejší zaměstnání *5.* AM ještě mimo, navíc (*bet a dollar on the ~* vsadit si ještě dolar navíc); *over the ~ 1.* na palubu na loď *2.* z lodi ven (*go over the ~* spadnout do vody z lodi); *put on ~* BR slang. honit se, vytahovat se, moc si o sobě myslet; *put on one ~* odložit, odsunout stranou / na pozdější dobu; *right ~* líc; *he is on the right ~ of fifty* etc. ještě mu není padesát atd.; *shake one's ~* otřásat se smíchy, popadat se za břicho; *sit four* etc. *a ~* sedět po čtyřech atd. na jedné straně; *split one's ~s* pukat smíchy; *sunny ~* přen. = *bright ~; take a p. on one ~* vzít si koho stranou / na stranu; *take ~ with a p.* stranit komu, podporovat koho, fandit komu, přidat se k; *this ~* AM tady v Americe; *this ~ (of)* až do ale ne dál (*that's all we may expect of men this ~ the grave* na tomto světě nemůžeme od lidí nic jiného čekat, *I loved her this ~ of idolatry* miloval jsem ji tak, že jsem ji div nezbožňoval, má láska k ní neměla daleko do zbožňování, miloval jsem ji, ale nezbožňoval); *this ~ up!* neklopit!, vrch zde! upozornění na zásilce; *through one's ~s* skrz naskrz; *turn over on to one's ~* obrátit se / převalit se na bok na lůžku; *upper ~* vršek, vrchní díl, hořejšek; *win a p. to one's ~* přetáhnout koho na svou stranu, získat koho pro sebe / své názory, obrátit koho na svou víru (přen.); *wrong ~* rub; *on the wrong ~ of the door* venku; *get on the wrong ~ of a p.* rozházet si to u koho / s, pokazit si to u; *get on the wrong ~ of the law* dostat se do rozporu se zákonem; *get out of bed the wrong ~* vstát levou nohou z postele; *put a t. on the wrong ~ out* obléknout si naruby co; *he is on the wrong ~ of fifty* etc. je mu padesát atd. pryč, je mu přes padesát atd. ● *adj* **1** boční, vedlejší, postranní (*the ~ entrance of the house*); vedený ze strany (*~ thrust*) **2** vedlejší, podružný, okrajový (*a ~ issue*) **3** AM sloužící jako přídavek / příloha (*a ~ order of French fries* k tomu pomfrity) **4** SC zpupný **5** SC dlouhý ● *v* **1** stát / jít u / vedle, být s; dát se, přiřadit se k **2** ohýbat na stranu **3** námoř. přitáhnout stranou lano, přetáhnout, vytáhnout; loď naklánět se **4** jít s, stát za, podporovat koho **5** stranit *with* komu, jít s, přát komu, být na straně koho **6** být zaujat *against* proti komu, nepřát komu, jít ve skupině proti **7** též *~ up* nář. uklidit, dát do pořádku; dát stranou, odstranit, odnést (*~ dishes* odnést talíře ze stolu) **8** též *~ up* polepovat desky knihy **9** opracovat kmen na určitou sílu n. na požadovaný rozměr; osekat, přisekat na trám, ohoblovat; opracovat dvě n. více stran trámu, aby byly rovnoběžné **10** zast. roz|půlit, rozdělat na dvě půle, udělat dvě půlky např. z poraženého vepře **11** stav. obíjet, pobíjet dřevem (*a ~d house*) **12** námoř. měřit na šířku, mít jakou šířku **13** BR slang. honit se, vytahovat se

side arm [saida:m] boční zbraň

side axe [saidæks] sekera s vyhnutým topůrkem

sideband [saidbænd] sděl. tech. postranní pásmo

side bet [saidbet] karty sázka mezi soupeři vedle povinné sázky ve hře
sideboard [saidbo:d] **1** bufet, misník, příborník, kredenc v jídelně **2** větší servírovací stolek **3** postranní deska, postranice **4** BR hovor. *~s, pl* kotlety, licousy
sidebone [saidbəun] **1** klíční kost, vidlice u drůbeže; kyčelní kost u drůbeže **2** zvěr. kostnatění kopyt, kostnatění kopytní chrupavky koně
side box [saidboks] div. postranní lóže
side brake [saidbreik] ruční brzda auta
sideburns [saidbə:nz] zejm. AM kotlety, licousy
sidecar [saidka:] **1** lehký dvoukolový vozík v Irsku **2** přívěsný vozík, postranní vozík motocyklu, sajdkár **3** koktajl z brandy, cointreau a citrónové šťávy
side card [ˌsaidˈka:d] **1** obyčejná karta jiná než trumf **2** poker nejvyšší list ležící mimo zpárované kombinace
sidechain [saidčein] chem. postranní řetězec
side channel [saidčænl] obtok, rameno řeky
side chapel [ˈsaidˌčæpl] boční / postranní kaple ve velkém kostele
side chisel [saidčizl] **1** ploché soustružnické dláto **2** sekáč s jednostranným břitem
side cut [saidkat] odbočka silnice
side deviation [ˈsaidˌdi:viˈeišən] stranová odchylka
side dish [saiddiš] **1** vedlejší chod **2** příloha k jídlu
side ditch [saiddič] příkop silnice
sidedress [saiddres] hnojit, přihnojovat
side drum [saiddram] malý bubínek ovládaný dvěma paličkami
side effect [ˌsaidiˈfekt] průvodní jev
side elevation [ˈsaidˌeliˈveišən] bokorys
side face [saidfeis] **1** profil obličeje **2** vedlejší průčelí domu
side fence [saidfens] lední hokej postranní mantinel
side glance [ˌsaidˈgla:ns] **1** pohled stranou / úkosem **2** přen. narážka, poznámka na okraj na jiné téma
sidehead [saidhed] mezititulek na okraji, marginálie jako mezititulek
sidehill [saidhil] AM *s* svah, stráň ● *adj* umístěný na svahu / stráni
sidehorse [saidho:s] AM těl. kůň s madly
side issue [saidišu:] vedlejší otázka n. záležitost
side jointer [ˈsaidˌdžointə] okružník, příčníkář hoblík
sidekick [saidkik] AM hovor. **1** mladší partner, kamarád, kumpán, kámoš **2** fámulus, člověk k ruce, poskok
sideless [saidlis] po stranách otevřený
side levers [ˈsaidˌli:vəz] *pl* licousy, kotlety
sidelight [saidlait] **1** boční světlo **2** námoř. boční / poziční světlo zelené n. červené **3** námoř. lodní kruhové okno **4** přen. zajímavý postřeh, poznámka na okraj *on* o
side line [saidlain] *s* **1** vedlejší kolej **2** přen. vedlejší obor, vedlejší zboží **3** přen. vedlejší n. druhé zaměstnání **4** *~s, pl* sport. postranní čáry hřiště; aut **5** část. *~s, pl* hlediště, bariéry ◆ *on the ~s* přen. pouze jako divák ● *v: side-line* **1** svázat přední a zadní nohy zvířeti, svázat do kozelce zvíře **2** AM vyřadit z činnosti (*he was ~d by his injury* zranění ho vyřadilo z činnosti)
sidelong [saidloŋ] *adv* **1** na stranu, stranou (*move ~*) **2** šikmo, kose, úkosem; nedůvěřivě ● *adj* **1** šikmý, nakloněný, svažující se k jedné straně (*~ country*) **2** kosý, nepřímý, ze strany, nedůvěřivý (*a ~ glance* nedůvěřivý pohled)
side mat [saidmæt] předložka před postel
side meat [saidmi:t] AM hovor.: solené vepřové, slanina
side note [saidnəut] poznámka na okraj, marginálie
side place [saidpleis] námoř. lodní poloha, místo lodi u přístavní hráze
side projection [ˈsaidˌprəˈdžekšən] bokorys, třetí průmět
sideral [saidərəl] **1** zast. určený hvězdami, osudový **2** = *sidereal*
sidereal [saiˈdiəriəl] hvězd. hvězdný, týkající se hvězd, stelární, siderický ◆ *~ day* siderický / hvězdný den; *~ time* siderický / hvězdný čas; *~ year* siderický / hvězdný rok
siderite [saidərait] **1** miner. ocelek, siderit **2** meteorické železo, siderit
side road [saidrəud] **1** vedlejší cesta **2** okresní silnice
siderography [ˌsidəˈrogrəfi] rytí do oceli
side rod [saidrod] **1** boční ojnice vahadlového parního stroje **2** spojnice lokomotivy
side-saddle [ˈsaidˌsædl] *s* **1** dámské sedlo **2** bot. špirlice ● *adv* nikoliv obkročmo, bokem, jako na dámském sedle
side scene [saidsi:n] div. **1** portál **2** kulisa **3** postranní výjev
side seat [saidsi:t] sedadlo umístěné podél stěny v dopravním prostředku, postranní sedadlo
side show [saidšəu] **1** vedlejší pouťová atrakce **2** vedlejší / přidružená činnost (*regarding student activities as a sort of educational ~*) **3** nedůležitá vojenská akce, potyčka
sideslip [saidslip] *v* (*-pp-*) **1** uklouznout stranou, dostat boční smyk **2** let. sklouznout po křídle **3** sport. brzdit sesouváním při lyžování ● *s* **1** uklouznutí stranou, boční smyk **2** let. sklouznutí po křídle **3** sport. sesouvání při lyžování **4** výhonek, ratolest rostoucí stranou **5** přen. nemanželské dítě **6** div. prostor na jevišti sloužící k manipulaci s kulisami, portál
sidesman [saidzmən] *pl: -men* [-mən] BR zástupce / pomocník kostelníka, uvaděč v kostele
sidespin [saidspin] tenis: horizontální rotace míče
side-splitter [ˈsaidˌsplitə] legrace k popukání
side-splitting [ˈsaidˌsplitiŋ] jsoucí k popukání (*a ~ yarn*)

side step [saidstep] **1** krok stranou, úkrok (těl.) **2** stupátko po straně **3** ~ *s, pl* schůdky po straně ● *v: sidestep* (*-pp-*) **1** udělat úkrok stranou **2** přen. vyhnout se (*men who know how to* ~) *a t.* čemu (~ *responsibilities* ... odpovědnostem)

side street [saidstri:t] **1** vedlejší ulice **2** soukromá ulice

sidestroke [saidstrəuk] **1** úder stranou / ze strany **2** sport. plavání na boku, bok (hovor.)

sideswipe [saidswaip] *v* **1** smést / odhodit stranou (*the derailed cars were* ~*d by an express train* vykolejené vagóny byly rychlíkem odhozeny stranou) **2** udeřit z boku **3** sport. složit soupeře ze strany v ragby ● *s* **1** rána ze strany, úder ze strany; smetení, odhození stranou **2** sport.: nízké skládání soupeře ze strany v ragby **3** drtivá poznámka mimochodem, šleh

side table [saidteibl] **1** stolek k přistavení k velkému stolu n. ke zdi **2** velký servírovací stůl

side tone [saidtəun] **1** vedlejší tón **2** sděl. tech. místní vazba v telefonním přístroji

sidetrack [saidtræk] *s* **1** AM žel. vedlejší / výhybná kolej **2** přen. druhořadé postavení, vedlejší kolej ● *v* **1** žel. odstavit na vedlejší kolej (*the president's special train was* ~*ed to clear the main line* zvláštní prezidentský vlak byl odstaven na vedlejší kolej, aby se uvolnila hlavní trať) **2** přen. odsunout / odstavit na vedlejší kolej; být na vedlejší koleji; zdržet, dát stranou, odložit **3** odklonit | se, odchýlit | se od záměru, odvést, odlákat pozornost, svést stranou / jinam

side view [saidvju:] **1** pohled ze strany, profil **2** bokorys

sidewalk [saidwo:k] AM dlážděný chodník ◆ ~ *bike* AM dětské jízdní kolo s odmontovatelnými kolečky vzadu; ~ *door* AM poklop výtahové šachty v úrovni chodníku; ~ *superintendent* žert. čumil na stavbě

sideward [saidwəd] *adv* stranou, šikmo (*moved* ~); bokem, bočně ● *adj* kosý, šikmý, jsoucí ze strany, stranou (~ *motion*)

sidewards [saidwədz] = *sideward, adv*

sideways [saidweiz] *adv, adj* = *sideward*

sidewheeler [ˈsaidˌwi:lə] AM loď s bočními kolesy, bočněkolesový parník

side wind [saidwind] boční vítr

side winder [ˈsaidˌwaində] **1** AM slang. bomba ze strany silný úder **2** chřestýš *Crotalus cerastes*

sídhe [ši:] *pl* IR víly

siding [saidiŋ] **1** žel. výhybná / vedlejší kolej; seřazovací kolej; tovární vlečka **2** lodní výhybka **3** stav.: dřevěné obití, pobití vnějších stěn domu, obklad fasády **4** šířka trámu, prkna **5** krajina dřevo **6** v. *side, v*

sidle [saidl] **1** jít / jet / pohybovat se bokem / stranou / šikmo **2** stočit stranou **3** šinout se, plížit se, krást se **4** poposednout *towards* k ***sidle along 1*** šinout se, plížit se, krást se **2** poposedat ***sidle away 1*** odplížit se, odkrást se **2** odsednout si ***sidle up 1*** přikrást se, přitočit se **2** přitočit **3** přisednout blíže

sidy [saidi] (*-ie-*) BR hovor. nafoukaný, vytahovačný, chvástavý

siege [si:dž] *s* **1** voj. obležení, obléhání **2** pracovní stůl **3** sklář. podlaha pánvové pece **4** zast. královský / biskupský stolec, stolice **5** přen. dlouhé naléhání, přemlouvání, domlouvání, nápor, útok na **6** AM dlouhé / vyčerpávající údobí; dlouho trvající choroba **7** moře, halda, hora, hromada (*a* ~ *of work*) ◆ *lay* ~ *to 1.* obléhat co *2.* přen. obléhat koho, naléhat na, vést útok na, dlouho útočit na, dělat nápor na; *push the* ~ intenzívně obléhat; *raise the* ~ *of* přestat obléhat co, zvednout obléhání čeho; *stand the* ~ vydržet obléhání ● *v* zast. obléhat, položit se kolem

siege artillery [ˌsi:dža:ˈtiləri] voj. baterie obléhacích děl

siege basket [ˈsi:džˌba:skit] voj. zákopový koš

siege gun [si:džgan] voj. obléhací dělo

siege train [si:džtrein] voj. obléhací trén

siege works [si:džwə:ks] *pl* voj. obléhací prostředky

Siegfried line [ˌsi:gfri:dˈlain] voj. Siegfriedova linie opevněné pásmo vybudované Němci na jejich západní hranici před II. světovou válkou

Siena [siˈenə] = *Sienna*

Sienese [ˌsieˈni:z] = *Siennese*

Sienna [siˈenə] **1** Siena italské město **2** *s* ~ siena žlutohnědá hlinka užívaná k výrobě barev ◆ *burnt* ~ siena pálená; *raw* ~ siena přírodní

Siennese [ˌsieˈni:z] *adj* sienský ◆ ~ *school* výtv. sienská škola malířská škola 13. až 14. stol. ● *s* obyvatel Sieny, Sieňan

sierra [siərə] *s* **1** rozeklaný horský řetěz, pohoří, sierra **2** zool.: makrela rodu *Scomberomorus* ● *adj S*~ AM týkající se Sierry Nevady

Sierran [siˈerən] AM obyvatel Sierry Nevady

siesta [siˈestə] odpočinek / spánek po obědě, polední klid, siesta

sieve [siv] *s* **1** síto; řešeto, říčice **2** sítko, cedník se sítkem, cedítko **3** stav. prohazovačka **4** přen. mluvka, klepař, klepna, povídálek, drbna, slepičí prdelka (hovor.) **5** hrubě pletený koš, též jako míra ◆ *catch / draw / fetch water in a* ~ nabírat vodu řešetem dělat marnou práci; *have a head / memory like a* ~ mít hlavu jako řešeto nic si nepamatovat ● *v* **1** prosívat, třídit sítem **2** kuch. pro|pasírovat **3** přen. probrat, prošetřit, prokádrovat, roztřídit (*a hundred candidates must be* ~*d*) **4** proděravět, provrtat jako řešeto ***sieve out*** vytřídit jako sítem, prosít

siffleur [siˈflə:r] hvízdající artista

siffleuse [siˈflə:z] hvízdající artistka

sift [sift] *v* **1** prosít jemným sítem (~ *flour*) **2** oddělit, vytřídit jemným sítem (~ *the fine grains from the coarse* oddělit jemná zrnka od hrubých) **3** jemný prášek vysypat se (*bags sewn with a close stitch to minimize* ~*ing* pytle zašité jemným stehem, aby docházelo jen k minimálnímu vysypání); světlo padat, vnikat, pronikat *through* čím **4** posypat *a t.* čím *on / onto* co **5** přen. probrat, prošetřit, prověřit, prokádrovat, roztřídit (*~ the men who enter the armed forces*); oddělit, rozlišovat *from* od, vyčlenit z co, vydělit z co (*~ propaganda from fact*); podrobně / pečlivě prozkoumat, prošetřit, prověřit (*~ a family pretty thoroughly before turning a dog to them* hezky podrobně si prověřit rodinu, než se jí svěří pes); podrobně prohlížet (*the barber was lifting and ~ing her tresses* holič jí zvedal copy a podrobně si je prohlížel) **6** přen. podrobit podrobnému výslechu **7** přen. pátrat *into* v, šťourat do ◆ *~ a t. to the bottom* přijít na kloub čemu; *~ sugar on a cake* po|cukrovat koláč ● *s* řidč. **1** prosévání, propadání jemným sítem **2** prosévaný materiál

sifter [siftə] **1** prosévač **2** prosévadlo, prosévačka, prosévací zařízení **3** sypátko např. na cukr n. na pepř **4** šejkr; sítko v šejkru **5** sděl. tech. filtr

sifting [siftiŋ] **1** *~s, pl* prosev, propad sítem **2** v. *sift, v*

sigh [sai] *v* **1** povzdechnout si, zavzdychat, vzdechnout; vzdychat, též přen. (*wind ~ing in the branches* vítr vzdychající ve větvích) **2** za|toužit, vzdychat *for* po **3** želet *for* čeho, naříkat nad **4** též *~ out* vzdechnout, vzdechem vyjádřit, zavzdychat ◆ *~ out one's soul* vzdechnout a vypustit duši; *~ with relief* oddechnout si úlevou ***sigh away*** provzdychat (*~ing away his days*) ● *s* vzdech, povzdech, povzdechnutí ◆ *fetch / heave a deep ~* zhluboka si vzdechnout; *heave a ~ of relief* oddechnout si úlevou

sight [sait] *s* **1** zrak (*have good ~*) **2** u|zření, u|vidění, s|patření *of* čeho; pohled na (*their first ~ of land came after three days at sea* po třech dnech na moři uviděli poprvé zemi) **3** přen. oko, oči (*abomination in the ~ of God* ohavnost v očích Hospodina, *this letter is intended for your ~ only* tento dopis je určen pouze vám) **4** dohled; náhled, pohled *of* na, nahlédnutí **5** přen. názor (*do what is right in your ~*) **6** něco pozoruhodného, něco, co stojí za vidění, věc hodná podívání, podívaná (*our tulips are a wonderful ~ this year* měl byste vidět, jaké máme letos nádherné tulipány) **7** co se musí vidět, turistická atrakce (*the Grand Canyon is one of the ~s of the world*); *~s, pl* pozoruhodnosti, pamětihodnosti, památky, co je kde k vidění (*come and see the ~s of London* přijeďte si prohlédnout Londýn) **8** něco zřízeného n. zamazaného, co ošklivě vypadá, co má ránu, strašidlo **9** voj. hledí, muška u pušky; zaměřovač; *~s, pl* mířidla u děla, průzorník **10** tech. průhledítko, průzor; hledítko, nahlédací okénko **11** fot. hledáček **12** hist. *~s, pl* otvory v hledí přilby **13** *~s, pl* přen.: obchodní cíl, úkol, plán **14** zaměření, zamíření **15** obch. předložení směnky, vidění směnky **16** hovor. moře, fůra, halda (*it cost him a ~ of money*); hodně moc kladného (*thought a ~ of you* myslel si o tobě bůhví co) **17** výstavka zboží pro kupující **18** vnitřní plocha, okno rámu; zarámovaná část obrazu **19** nář. rovná štreka silnice **20** AM slang. šance naděje ◆ *at ~ 1.* hned po spatření, bez výzvy / výstrahy (*the sentry had orders to shoot at ~* hlídka dostala rozkaz střílet bez výstrahy) *2.* bez přípravy, bez pomůcek, rovnou, z voleje (hovor.) (*translate a t. at ~*) *3.* hud. z listu, prima vista (*play music at ~*) *4.* obch. na vidénou / pohled, při předložení směnky (*a draft payable at ~* směnka splatná a vista); *at (the) ~ of* při spatření koho, když / jakmile viděl koho (*at the ~ of the police officers the men ran off*); *be in / within ~ 1.* být na dohled, být v dohledu (*we are not yet within ~ of the end of this wearisome job* konec této únavné práce (kterou děláme) ještě není v dohledu) *2.* být za dveřmi velice blízko (*the millennium is in ~*); *be a ~* hovor. = *look a ~*; *be a ~ too clever to do a t.* hovor. být příliš fikaný na to, než aby udělal co; *be a ~ to see* stát za vidění / za podívanou; *bomb ~* mířidlo na vrhání pum; *catch (a) ~ of* uvidět, zahlédnout, spatřit koho / co; *~ for sore eyes* někdo vítaný, něco vítaného, co kdo rád vidí; *find favour in a p.'s ~* nalézt milost v očích koho; *at first ~* na první pohled zprvu (*at first ~ the problem seemed insoluble* na první pohled se zdál problém neřešitelný), okamžitě (*he fell in love with her at first ~*); *get a ~* provést zaměření, zaměřovat; *get (a) ~ of* = *catch (a) ~ of*; *~ for gods* pohled pro bohy; *hate the ~ of a p.* nemoci ani vidět koho; *have (a) ~ of* = *catch (a) ~ of*; *have long ~* být dalekozraký; *have near / short ~* být krátkozraký; *keep a t. in ~* nepustit z očí co, mít na zřeteli co, dbát na; *keep out of ~* nechodit ven, skrývat se; *keep out of my ~* nechoď mi na oči; *know a p. by ~* znát koho jen od vidění; *land in ~!* země na obzoru!; *let out of one's ~* pustit z očí / z dohledu; *line of ~* hvězd. zorný paprsek; *not by a long ~* ale to už vůbec ne, ani nápad; *look a ~* hovor. vypadat, být zřízený, mít ránu (*what a ~ she looks in that old dress* ta v těch starých šatech ale vypadá); *lose one's ~* přijít o zrak, ztratit zrak, oslepnout; *lose ~ of 1.* ztratit z očí / dohledu (*I've lost ~ of Smith*) *2.* pustit z očí / ze zřetele zapomenout (*we must not lose ~ of the fact that ...*); *make a ~ of o. s.* hovor. *1.* vymódit se, vyhastrošit se *2.* zesměšnit se; *out of ~ 1.* z dohledu, mimo dohled *of* čeho *2.* beze sporu, daleko, absolutně (*out of ~ the best thing he has written* daleko nejlepší věc, kterou dosud napsal) *3.* neočekávaně, neočekávaně vysoko (*butter went almost out of ~ when price ceilings were removed* sotva byl odstraněn cenový strop, vyletělo máslo nečekaně vysoko); *Out of ~, out of mind* Sejde z očí, sejde z mysli; *out of my ~!* kniž. pryč mi z očí, kliď se mi z očí!; *ruin one's ~* z|kazit si zrak / oči; *second ~* jasnozření, jasnozřivost, schopnost tušit budoucnost, šestý smysl; *take a ~ 1.* za|mířit *at* na co *2.* zaměřit, stanovit polohu / výšku čeho (*take a ~ at the sun*); *take a ~ of / at a p.* udělat dlouhý nos na koho; *telescope ~ 1.* voj. optický zaměřovač *2.* puškový dalekohled; *~ unseen* AM bez vidění / prohlížení, na slepo (*buy a car ~ unseen*); *within ~* v dohledu, na dohled ● *v* **1** u|vidět, spatřit přibližováním (*~ed land soon after sunrise* brzy po východu slunce spatřili zemi), zpozorovat (*several whales were ~ed* bylo zpozorováno několik velryb), poprvé spatřit (*~ a star*) **2** mířit, zamířit mířidlo na; zacílit, zamířit (zbraň) na, vzít si na mušku co **3** vyzkoušet zamířením rovnost n. přesnost čeho (*~ a rifle* ... pušky) **4** nastavit / seřídit mířidla n. hledí pušky (*the rifle was ~ed to 1000 yards* hledí pušky bylo nastaveno na 1 000 yardů) **5** opatřit měřidly, mířidly n. průzorem **6** hvězd. zaměřit, změřit výšku čeho **7** pečlivě se podívat určitým směrem (*~ along the edge of a board* podívat se po okraji prkna) **8** obch. předložit, prezentovat směnku **9** obch. akceptovat směnku ◆ *~ the anchor* zdvihnout kotvu z vody, aby byla vidět ● *adj* **1** týkající se míření, zaměřování n. zaměřovače **2** bez pomůcek, bez přípravy apod. (*~ translation*) ◆ *~ bill* obch. vista směnka; *~ clinometer 1.* fyz., let. polohoměr *2.* voj. polohová libela zaměřovače, polohoměr; *~ defilade* voj. kryt před přímou palbou; *~ distance* dohled kam je vidět; *~ draft* směnka na viděnou, vista směnka; *~ glass / hole* nahlédací okénko, hledítko, průzor; *~ layer* voj. mířič; *~ point* střed promítání, hlavní bod v perspektivě; *~ rail* stav. lavička; *~ vane* průhledítko, průzor

sighted [saitid] **1** vidoucí **2** v. *sight, v*

sighting [saitiŋ] *s* **1** pozorování (*new ~s of the Loch Ness monster* lochnesská obluda byla znovu spatřena) **2** v. *sight, v* ● *adj* **1** zastřelovací (*~ shot*) **2** v. *sight, v*

sightliness [saitlinis] pohlednost, úhlednost, vzhlednost

sightless [saitlis] **1** nevidomý, slepý **2** kniž. neviditelný; neviděný

sightly [saitli] **1** pěkný / hezký na pohled, pohledný, úhledný, vzhledný **2** AM skýtající pěkný výhled (*homes enjoying a ~ location overlooking the river* domovy, z nichž je pěkný výhled na řeku)

sight-player [ˈsaitˌpleiə] = *sight-reader*

sight-read [saitri:d] (*sight-read* [saitred], *sight-read* [saitred]) umět číst n. hrát z listu

sight-reader [ˈsaitˌri:də] kdo čte / umí číst n. hraje / umí hrát z listu / prima vista např. noty, listař (slang.)

sightscreen [saitskri:n] kriket bílá stěna za hazečem

sightsee [saitsi:] (*sightsaw, sightseen*) hovor. navštěvovat a prohlížet si památky ◆ *~ a place* prohlížet si památky čeho, kde

sightseeing [ˈsaitˌsi:iŋ] *adj* sloužící k prohlížení památek, vyhlídkový (*a ~ bus*), okružní (*~ tour*) ● *s* navštěvování a prohlížení památek n. pozoruhodností, turistický / vlastivědný zájezd, výlet

sightseer [ˈsaitˌsi:ə] výletník, turista prohlížející si památky, účastník zájezdu n. okružní jízdy po památkách

sight-singing [ˈsaitˌsiŋiŋ] hud. zpívání z listu / prima vista

sightworthy [saitwə:θi] stojící za vidění, pozoruhodný, pamětihodný

sigil [sidžil] **1** pečeť **2** okultní znak v astrologii

sigillate [sidžilit] **1** keramika jsoucí s vytlačovaným vzorkem **2** bot. posetý důlky, kolíčkatý

sigma [sigmə] sigma řecké písmeno Σ, σ n. ς

sigma particle [ˈsigməˌpa:tikl] fyz. částice sigma

sigma pile [ˈsigməˌpail] fyz. zast. sigma reaktor

sigmate [sigmit] *adj* **1** jsoucí v podobě řeckého sigma, sigmatický **2** esovitý ● *v* tvořit plurál příponou sigma n. s

sigmation [sigˈmeišən] tvoření plurálu příponou sigma n. s

sigmatic [sigˈmætik] jaz. sigmatický tvořený příponou obsahující hlásku -s-

sigmic [sigmik] fyz. **1** týkající se částic sigma **2** obsahující částice sigma

sigmoid [sigmoid] *adj* **1** mající podobu C, půlměsícovitý **2** esovitý ● *s* esovka

sign [sain] *s* **1** znamení zřetelný pokyn sloužící k upozornění na něco, k označení něčeho; projev něčeho (*removed their hats as a ~ of respect*); každý z dvanácti dílů zvěrokruhu; souhvězdí zvěrokruhu **2** známka, znak, znamení (*violence is a ~ of weakness or fear, not a ~ of strength or confidence* násilí je známkou slabosti nebo strachu, nikoliv známkou síly či sebedůvěry); svědectví něčeho (*all the ~s point to him as the guilty one* podle všech známek je vinen on); předzvěst (*~s of an early spring*) **3** znak symbol; písmeno slepecké abecedy; gesto v řeči hluchoněmých; příznak **4** posunek, pokyn, signál, znamení **5** známka, stopa, znamení (*~s of suffering*) **6** označení, odznak **7** značka; dopravní značka **8** viditelné / poznávací znamení **9** domovní znamení, vývěsní štít (*at the ~ of Red Lion* hostinec U červeného lva); reklamní štít, reklama, návěstí; tabulka, štítek, vývěska **10** bibl. div, zázrak, znamení **11** hud. označení, posuvka; znamení, segno **12** mat. znaménko; znak **13** med. znak, příznak, jev, reflex **14** náb.: viditelné znamení nehmotného (*an outward and visible ~ of an inward and spiritual grace* vnější a viditelné znamení vnitřní a duchovní milosti) **15** voj. heslo **16** zast. erbovní znamení, znak **17** zast. korouhev, vlajka, standarta **18** *pl* též *sign* AM stopa, památka po zvěři ◆ *call ~* sděl. tech. volací znak; *~ and countersign* voj. heslo a odpověď; *~ of the cross* znamení kříže, kříž, křížek, pokřižování (*make the ~ of the cross* pokřižovat se); *danger ~* výstražné znamení; *deaf-and-dumb* ~*s* řeč hluchoněmých; ~ *of distress* námoř. signál nouze, volání o pomoc; ~ *of equation* mat. rovnítko; *give* ~*s of a t.* jevit známky čeho, nést stopy čeho; *give no* ~ *of* nedat na sobě znát, že; *illuminated* ~ světelná reklama; *in* ~ *of* | *that* na znamení čeho | že; ~ *of life* známka života; *make a* ~ *to a p.* dát znamení komu, pokynout komu; *make no* ~ *1.* nehýbat se *2.* neohradit se, neprotestovat; ~ *of multiplication* mat. násobítko, množítko, znaménko ×, krát; *negative* ~ mat. záporné znaménko, minus; *neon* ~ neonová reklama; *no* ~ *of* / *not a* ~ *of* ani zdání, ani stopy, ani tuchy / potuchy po; *positive* / *plus* ~ mat. kladné znaménko, plus; *road* ~ *1.* dopravní značka *2.* reklama, propagace podél silnic; *show no* ~*s of* nejevit žádné známky čeho; *talk by* ~*s* dorozumívat se gestikulací; ~*s of times* znamení doby; *traffic* ~*s* dopravní značky ● *v* **1** o|značit, poznačit znamením, zejm. křížem; pokřižovat, udělat znamení kříže komu (~ *an infant*), požehnat znamením kříže **2** značkovat **3** dát znamení, naznačit posunkem, pokynout (~*ed that he was ready to leave*); vyjádřit posunky / gestikulací, ukazovat **4** podepsat, připojit svůj podpis, schválit podpisem; podepsat se na to souhlasit, převzít zodpovědnost; přen. zpečetit **5** signovat obraz; vidovat, parafovat, signovat tištěný podpis **6** předat svým podpisem, přijmout svým podpisem závazek, zavázat se podpisem / smluvně (~*ed to direct two plays for the newly formed company*); smluvně přijmout **7** mít podpisové právo *for* za podnik **8** postavit reklamy u silnice ◆ ~*ed on authority* úředně ověřeno; ~*ed for* podepsáno v zastoupení koho; ~ *a t. in blank* podepsat co in bianco; ~ *in full* podepsat plným jménem; ~ *on the dotted line 1.* podepsat se na předepsaném místě *2.* přen.: otrocky poslouchat, zachovávat linii; ~ *one's name* podepsat se; ~ *for press* polygr. schválit k tisku, dát imprimatur na, imprimovat ***sign o. s. 1*** podepsat se *2* upsat se ***sign away*** vzdát se podpisem čeho (~*ed away his rights in the invention*) ***sign in*** píchnout příchod na píchacích hodinách ***sign off 1*** rozhlasová / televizní stanice přestat vysílat po znělce; hlasatel končit zejm. celé vysílání *2* umlknout, odmlčet se *3* odpíchnout si odchod na píchacích hodinách *4* karty oznámit *with* hláškou konec licitace v bridži (*partner* ~*ed off with four spades* partner skončil licitaci čtyřmi piky) ***sign on 1*** vstoupit do zaměstnání, vstoupit do armády, námořník dát se najmout podpisem *2* přijmout smluvně (*the firm* ~*ed on fifty more workers last week*) *3* píchnout příchod na píchacích hodinách ***sign over*** (dát) přepsat / převést podpisem (~*ed over the propety to his brother*) ***sign up 1*** vyzvat k přihlášení podpisem, nabrat zaměstnance *2* přihlásit se podpisem; zapsat se *3* uzavřít smlouvu s *4* vstoupit do armády

signable [sainəbl] **1** podepsatelný **2** vyžadující podpis

signal [signl] *s* **1** smluvené znamení, smluvený signál (*waiting for the* ~ *to open fire*); návěští, návěstí **2** podnět, popud, signál **3** sděl. tech. signál, fyzikální nositel informace **4** žel. návěstidlo **5** pouliční semafor, dopravní světla **6** telegram, fonogram, telefonát **7** ~*s, pl* spojení, styk **8** ~*s, pl* BR spojovací jednotky **9** jezdec v kartotéce ◆ *all clear* ~ konec leteckého poplachu; *busy* ~ AM obsazovací tón v telefonu; *Royal Corps of S*~*s* BR spojovací jednotka britské armády; ~ *of distress* poplachové znamení o stavu nouze, nouzový signál, signál nebezpečí, volání o pomoc, SOS; *make a* ~ *1.* dát signál *2.* vysílat signál, signalizovat; *pulsed* ~*s* hvězd. impulsy, pulsující emise; *recognition* ~ voj. heslo; *tuning* ~ znělka rozhlasové stanice ● *v* (*-ll-*) **1** signalizovat; oznámit, hlásit signálem (*the ship* ~*led her departure with warning blasts on the whistle* loď ohlásila odplutí několika varovnými hvizdy), poslat signálem, poslat / dát signál komu **2** pokynout, dát znamení komu, vybídnout znamením (~*led his wife to leave the room*) ● *adj* **1** vynikající, mimořádný, pozoruhodný; povážlivý **2** návěstní, signální, signalizační **3** rozlišovací (~ *markings* ... značky) ◆ ~ *alarm bell 1.* žel. zvonkový přístroj, výstražné signalizační zařízení *2.* návěstní n. poplašný zvonek, výstražný zvonec; ~ *board* návěstní tabule / deska; ~ *code* klíč smluvených značek, signální kniha; ~ *corps* spojovací jednotka; ~ *grid* řídicí mřížka elektronky; ~ *officer* spojovací důstojník; ~ *path* sděl. tech. cesta / dráha signálu; ~ *pistol* signální pistole na střílení světelných signálů; ~ *red* rumělková barva; ~ *rocket* světelná raketa, světlice; ~ *strength* sděl. tech. intenzita / síla signálu; ~ *tower* AM žel. stavědlová věž, stavědlo

signal book [signlbuk] mezinárodní signální kniha, klíč smluvených značek

signal box [signlboks] BR žel. stavědlový domek, stavědlo

signalize [signəlaiz] **1** vysílat n. vyměňovat si signály, signalizovat; hlásit / oznámit signálem (~ *a ship*) **2** označit, vyznačit **3** učinit nápadným, vyzdvihnout, podtrhnout (přen.) **4** oslavit (~ *an anniversary*) **5** AM upozornit na (*stood up to* ~ *the departure of the ladies*) ***signalize o. s.*** vyniknout, proslavit se, vyznamenat se *by* čím

signaller [signələ] **1** žel. signalista **2** voj. spojka, ordonance, signalista **3** signalizační zařízení

signally [signəli] **1** nápadně **2** v. *signal, adj*

signalman [signlmən] *pl: -men* [-mən] = *signaller 1, 2*

signalment [signlmənt] AM popis osoby sloužící k policejní identifikaci

signary [signəri] (*-ie-*) systém znaků, abeceda znaků (*hieroglyphic* ~)

signate [signit] označený, poznačený

signatory [signətəri / AM signəto:ri] práv. *adj* signatární, signatářský ● *s* (*-ie-*) signatář stát, který podepisuje / podepsal mezinárodní dohodu
signature [signəčə] **1** podpis; podepsání **2** iniciálky, parafa, šifra zkrácený podpis **3** polygr. „signatura", složka, „arch" knižního bloku, značka na tiskovém archu, archová značka **4** hud. taktové označení, takt; předznamenání, označení **5** AM lékár. návod k užívání léku, signatura **6** zast.: charakteristický znak, poznávací znamení zejm. léčivosti rostliny (*the herb's yellow flowers are a ~ indicating that it will cure jaundice* žluté květy rostliny značí, že je lékem proti žloutence) **7** = *signature tune* ◆ *key ~* hud. předznamenání, označení tóniny; *~ by mark* křížek, tři křížky podpis negramotných; *~ press* polygr. lis na knižní složky, „mačkačka"; *~ section* polygr. složka knižní arch; *time ~* hud. taktové označení, takt
signature tune [ˌsignəčəˈtju:n] znělka melodie sloužící zejm. jako poznávací znamení
signboard [sainbo:d] vývěsní štít; firemní štít
sign digit [ˈsainˌdidžit] výp. tech. znaménková číslice
signer [sainə] kdo podpisuje n. podepsal např. na znamení souhlasu, signatář
signet [signit] *s* **1** pečeť, zejm. úřední, též přen. **2** hist. královská pečeť **3** = *signet ring* ◆ *privy ~* tajná královská pečeť; *writer to the ~* SC prokurátor ◆ *v* dát pečeť na, schválit pečetí
signet ring [signitriŋ] pečetní prsten, signet
significance [sigˈnifikəns] **1** smysl, význam (*the ~ of his words*) **2** hodnota, důležitost, významnost, dosah, význam (*the industrial ~ of coal*); zvláštní význam ◆ *of ~* významný (*a look of deep ~* hluboce významný pohled)
significant [sigˈnifikənt] *adj* **1** významný, význačný, závažný, podstatný, důležitý (*~ details*) **2** mnohoznačný, mnoho říkající / napovídající, příznačný (*a ~ anecdote*) **3** významový, významotvorný, distinktivní (*the difference between the initial sounds of keel and cool is not ~ in English*) **4** mat. význačný ● *s* **1** něco významného **2** symbol
significant figures [sigˌnifikəntˈfigəz] mat. platné číslice
signification [ˌsignifiˈkeišən] **1** řidč. označení **2** přesný význam, smysl *of* čeho **3** důležitost, význam, významnost **4** práv. oznámení, doručení
significative [sigˈnifikətiv] **1** mající nějaký význam, mající smysl (*it does not appear they emit any ~ sounds* zdá se, že to nevydává žádné zvuky, které by měly jakýkoli smysl) **2** významný (*a most ~ and mysterious warning* velice významné a záhadné varování) **3** ukazující *of* na; příznačný pro
signify [signifai] (*-ie-*) **1** znamenat, značit (*a halo signifies rain*); něco znamenat, mít nějaký smysl / význam (*only economic relations ~*) **2** projevit, dát najevo, naznačit (*signified his desire for another slice* naznačil, že by si přál ještě jeden plátek) ◆ *it does not ~* to nic neznamená, to nemá žádný význam; *please ~* račte se vyjádřit při hlasování
sign-in [ˌsainˈin] podpisová akce
signior [si:njo:] = *signor*
sign language [ˌsainˈlæŋgwidž] posunková řeč
sign manual [ˌsainˈmænjuəl] *pl: signs manual* [ˌsainzˈmænjuəl] **1** vlastoruční podpis panovníka **2** autograf, autogram zejm. důležité listiny
sign-off [sainof] *s* **1** karty hláška partnerovi, aby hlásil „dál" při licitaci v bridži **2** skončení vysílání zahráním znělky ● *v* = *sign off*
signor [si:njo:] *pl* též *signori* [si:njo:ri:] v italském prostředí **1** pán **2** vážený pane oslovení
signora [si:ˈnjo:rə] *pl* též *signiore* [si:ˈnjo:rei] v italském prostředí **1** paní **2** milostivá paní oslovení
signore [si:njo:] *pl: signori* [si:ˈnjo:ri:] = *signor*
signorina [ˌsi:njəˈri:nə] *pl* též *signorine* [ˌsi:njəˈri:nei] v italském prostředí **1** slečna **2** milostivá slečno oslovení
sign painter [ˈsainˌpeintə] **1** malíř vývěsních štítů, výtvarník malující plakáty apod. **2** malíř písma, písmomalíř (slang.)
signpost [sainpəust] *s* ukazatel na rozcestí, též přen. ● *v* ukazovat, naznačovat
sign writer [ˈsainˌraitə] **1** malíř písma, písmomalíř (slang.) **2** malíř vývěsních štítů
Sikh [si:k] sikh příslušník indické náboženské sekty
Sikhism [si:kizəm] učení / hnutí sikhů snažící se spojit hinduismus s islámem
silage [sailidž] *s* **1** siláž, silážování konzervování v silu **2** silážové krmivo, siláž ● *v* silážovat
sild [sild] mladý sleď
sile [sail] BR nář. lít jako z konve
silence [sailəns] *s* **1** ticho **2** mlčení **3** pomlčení, odmlčení, odmlka **4** mlčenlivost (*can I rely on your ~?*) **5** záměrné mlčení o, pominutí mlčením, žádná zmínka (*he took advantage of the law's ~* využil toho, že zákon o věci nic neříká) **6** tech. nehlučnost, nehlučný chod **7** přen. smrt **8** hud. pomlka, pauza ◆ *break ~* přerušit / prolomit ticho, promluvit; *~ gives consent* kdo mlčí, souhlasí; *~ is golden* pořek. mlčeti zlato; *impose ~ 1.* nařídit mlčení *2.* zavázat mlčením *on a p.* koho; *in ~* mlčky, v naprostém tichu; *keep ~ 1.* být zticha, mlčet *2.* zachovat mlčení; *pass into ~* upadnout v zapomnění; *pass over in ~* přejít mlčením; *put to ~* umlčet; *reduce to ~* umlčet svými důvody; *wrap o. s. in ~* zahalit se mlčením ● *v* **1** umlčet (*~ an opponent, ~ the enemy's batteries*); utišit **2** přinutit k mlčení, potlačit, donutit mlčet (*~ original minds* umlčet originální myslitele) **3** z|tlumit; odhlučnit **4** zmlknout; z|působit ticho **5** hovor. navěky umlčet, odrovnat zabít ● *interj S ~!* ticho, tiše, buďte zticha!
silencer [sailənsə] **1** tlumič hluku **2** BR = ◆ *exhaust ~* tlumič výfuku

silent [sailənt] *adj* **1** tichý **2** mlčící, zmlklý, zamlklý, mlčenlivý, nemluvný, rezervovaný **3** nevyslovený, němý (přen.) (~ *grief* němý žal) **4** nehlučný, neslyšitelný **5** nečinný, dřímající (*a* ~ *volcano*) **6** med. latentní (~ *tuberculosis*), nijak se neprojevující, bez obvyklých symptomů (~ *gallstones* ... žlučové kamínky) **7** lidským uchem neslyšitelný (*a* ~ *dog whistle* ... píšťalka na psa) **8** týkající se němého filmu (~ *stars*) ♦ *be* ~ mlčet, být zticha, nic neříkat, nemluvit *on* / *upon* o, pomlčet o (*history is* ~ *upon it*); *become* ~ ztichnout, umlknout, oněmět (přen.); *remain* ~ *on* nezmínit se, nevyjádřit se, pomlčet o ● *s* němý film
silent bar [ˌsailəntˈba:] hud. prázdný takt
silent butler [ˌsailəntˈbatlə] přenosná nádoba na odpadky připomínající pánev s pokličkou
silent consent [ˌsailəntkənˈsent] tichý souhlas
silent cop [ˌsailəntˈkop] hovor. světla na křižovatce
silent film [ˌsailəntˈfilm] němý film
silent hours [ˌsailəntˈauəz] námoř. noční (pracovní) klid
silent letter [ˌsailəntˈletə] nehlasné / nevyslovované písmeno
Silent Majoritarian [ˈsailəntməˌdžoriˈteəriən] zejm. AM příslušník „tiché většiny“
Silent Majority [ˌsailəntməˈdžorəti] **1** „tichá většina“ politicky se neprojevujících Američanů **2** americká veřejnost
silent partner [ˌsailəntˈpa:tnə] tichý společník
silent reading [ˌsailəntˈri:diŋ] čtení pouze očima
silent registration [ˈsailəntˌredžisˈtreišən] voj. příprava prvků pro střelbu bez zastřelování
silent running [ˌsailəntˈraniŋ] námoř. tichý běh strojů v ponorce znemožňující její prozrazení
silent salesman [ˌsailəntˈseilzmən] vitrína umístěná uprostřed obchodu
silent service [ˌsailəntˈsə:vis] hovor. **1** námořnictvo **2** AM služba v ponorkách
silent system [ˌsailəntˈsistəm] systém nápravného zařízení, při němž musí trestanci stále mlčet
Silenus [saiˈli:nəs] **1** antic. Silén **2** opuchlý starý opilec
Silesia [saiˈli:zjə] **1** Slezsko **2** *s*~ text. linon
Silesian [saiˈli:zjən] *adj* slezský ● *s* Slezan
silex [saileks] **1** jaspis, silex **2** AM ohnivzdorné sklo, varné sklo; kávovar z ohnivzdorného skla
silhouette [ˌsilu(:)ˈet] *s* **1** silueta **2** módní linie ♦ *be* / *stand in* ~ rýsovat se v obrysech, tvořit siluetu (*they were in* ~ *against the sky*) ● *v* rýsovat se v obrysech, tvořit siluetu *against* proti, na pozadí čeho
silica [silikə] chem. křemen, kysličník křemičitý
silica gel [ˌsilikəˈdžel] chem. silikagel
silica glass [ˌsilikəˈgla:s] křemenné sklo, silika (ker.)
silicate [silikit] chem. *s* křemičitan, silikát ● *v* **1** slučovat s kysličníkem křemičitým n. křemičitany **2** pokrýt vrstvou kysličníku křemičitého n. křemičitanů
siliceous [siˈlišəs] křemenový, křemenný, křemenitý, křemičitý, křemitý
silicic [siˈlisik] chem. křemenový, křemenný, křemenitý; křemitý; křemíkový; křemičitý ♦ ~ *acid* kyselina křemičitá
silicification [siˌlisifiˈkeišən] **1** z|křemenění, silifikace **2** slučování s kysličníkem křemičitým n. křemičitany
silicify [siˈlisifai] (*-ie-*) **1** z|křemenět **2** = *silicate, v*
silicious [siˈlišəs] = *siliceous*
silicium [siˈlisiəm] chem. křemík
silicle [silikl] bot. šešulka
silicon [silikən] chem. křemík
silicone [silikəun] chem. silikón organická sloučenina křemíku ♦ ~ *rubber* silikónový kaučuk
silicosis [ˌsiliˈkəusis] med. silikóza onemocnění vzniklé zaprášením plic křemenným prachem
silicotic [ˌsiliˈkotik] med. *adj* silikózní ● *s* nemocný silikózou
silicula [siˈlikjulə], **silicule** [silikju:l] bot. šešulka
siliqua [silikwə] *pl: siliquae* [silikwi:], **silique** [silik] bot. šešule
siliquose [silikwəus], **siliquous** [silikwəs] bot. šešulovitý
silk [silk] *s* **1** hedvábí **2** ~*s, pl* hedvábný textil, hedvábné zboží, hedvábí **3** BR hovor. justiční rada, soudní rada K. C. n. Q. C. **4** hedvábný lesk nerostů **5** ~*s, pl* dres žokeje **6** let. slang. padák **7** AM bot. vlákna kvetoucí kukuřice ♦ *artificial* ~ umělé hedvábí, rajón; *dressed in* ~*s and satins* oblečený v hedvábí a sametu, nádherně / přepychově oblečený, nastrojený; *hit the* ~ let. slang. vyskočit s padákem; *in* ~ AM kukuřice kvetoucí; *spun* ~ hedvábná příze; *take* ~ BR stát se justičním / soudním radou; *thrown* ~ skané hedvábí; *watered* ~ moarové hedvábí, hedvábné moaré ● *adj* hedvábný ♦ *make a* ~ *purse out of a sow's ear* chtít plést z písku provaz chtít od někoho něco, na co nestačí ● *v* **1** obléci do hedvábí, pokrýt / potáhnout hedvábím **2** AM o|trhat vlákna z kukuřice **3** AM kukuřice kvést
silk cotton [silkkotn] text. kapok
silk-cotton tree [ˈsilkˌkotnˈtri:] bot. **1** tropický strom rodu *Bombacacae* **2** kapok
silk culture [silkˈkalčə] hedvábnictví
silken [silkən] **1** hedvábný, též přen. (~ *hair*) **2** jemný, něžný, milý **3** konejšivý, uklidňující **4** sladký, lichotný, úlisný, medový (přen.) **5** zast., bás. oblečený do hedvábí (~ *ankles*) **6** přen. změkčilý, zženštilý (~ *sons of pride*) **7** přen. přepychový, luxusní
silk fowl [silkfaul] zool. kur hedvábný, kur čínský
silk gland [silkglænd] zool. snovací žláza
silk hat [silkhæt] **1** pánský cylindr **2** dámský jezdecký cylindr
silkiness [silkinis] **1** hedvábnost, též přen.; hedvábitost **2** lesklost **3** jemnost, něžnost, hladkost **4** sladkost, lichotnost, lichotivost, úlisnost, medovost

silk moth [silkmoθ] zool. bourec morušový, hedvábník
silk plush [silkplaš] hedvábný plyš
silkreel [silkri:l] **1** moták / buben na smotávání hedvábí, viják na hedvábí **2** smotávací viják na zámotky
silk-screen printing [ˌsilkskri:nˈprintiŋ] sítový tisk, sítotisk
silk stocking [ˈsilkˌstokiŋ] *s* **1** hedvábná punčocha **2** elegán, aristokrat **3** AM hist. federalista ● *adj: silk-stocking* **1** přepychový, luxusní **2** aristokratický
silk weed [silkwi:d] bot. klejicha vatočník **2** tolita lékařská
silk winder [ˈsilkˌwaində] sukař hedvábí
silkworm [silkwə:m] housenka bource morušového
silky [silki] (*-ie-*) *adj* **1** hedvábný **2** hedvábitý, připomínající hedvábí, hedvábný (přen.) **3** jsoucí s hedvábným leskem, lesklý jako hedvábí **4** jemný, něžný, milý, hladký **5** sladký, lichotný, lichotivý, úlisný, medový (přen.) ♦ ~ *willow* bot. *1.* vrba bílá *2.* americká vrba *Salix sericea* ● *s* = *silk fowl*
sill [sil] **1** dřevěný / kamenný práh dveří **2** parapet, poprsník pod oknem, spodní vlys okenního rámu **3** podval **4** záporník plavební komory; koruna jezu **5** zeměp. práh např. v řece; úzký hřeben **6** horn. podloží uhelné sloje **7** geol. ložní žíla; podmořský hřbet
sillabub [siləbab] **1** koktejl z mléka / smetany a ovocného vína; mléčný n. vinný rosol **2** přen. blábolení, žvanění, mluvení do větru, kecy, cancy
siller [silə] SC **1** stříbro **2** mince; peníze
Sillery [siləri] (šumivé) silerské víno
silliness [silinis] **1** nesmyslnost, pošetilost, hloupost, pitomost, idiotství, blbost **2** omráčenost, praštěnost **3** BR zast. nevinnost, prostota, slabost, bezbrannost, křehkost, bezvýznamnost
silly [sili] (*-ie-*) *adj* **1** nesmyslný, pošetilý, hloupý, pitomý, blbý (*say* ~ *things*); zbytečný (*a* ~ *accident*) **2** omráčený, praštěný **3** BR zast. nevinný, prostý, slabý, bezbranný, křehký, bezvýznamný **4** sport. stojící v těsné blízkosti pálkaře v kriketu ♦ *don't be* ~ nemluv / nedělej hlouposti, neblbni, nedělej voloviny; ~ *season* BR novin. okurková sezóna; ~ *thing* nesmysl, pošetilost, hloupost, pitomost, idiotství, kravina, volovina, blbost ● *s* hovor., dět. moula, trouba, trumbera, bambula, pytlík, hlupáček, hlupák, husa, telátko, trdlo
silly billy [ˌsiliˈbili] šašek, kašpárek, komediant (přen.)
silly-how [silihau] SC med. opona, plodový obal novorozeněte
silo [sailəu] *s* **1** silo zásobník na sypké hmoty **2** silážní jáma **3** silo na cement, zásobník **4** též *launching* ~ podzemní odpalovací rampa ● *v* (*siloed, siloed; siloing*) silážovat
silt [silt] *s* **1** nános, bahno, naplavenina **2** geol. silt prach o velikosti zrna mezi jílem a pískem **3** prach, zbytky, úlomky, drobky (*chocolate* ~) ● *v* část. ~ *up* **1** nanést | se, zanést | se bahnem, ucpat | se nánosem, naplavit | se **2** prach navát se
siltstone [siltstəun] geol. siltovec
Silurian [saiˈljuəriən] *adj* **1** silurský týkající se keltského kmene Silurů n. oblasti Silury obývané **2** geol. silurský týkající se siluru ● *s* **1** geol. silur třetí útvar prvohor **2** zool.: ryba z čeledi sumcovitých
silvan [silvən] = *sylvan*
silver [silvə] *s* **1** stříbro **2** stříbrná mince, stříbrný, stříbrňák, stříbro; stříbrné drobné mince **3** SC peníze **4** stříbrné příbory / stolní náčiní, stříbro **5** stříbrná barva; stříbrný lesk **6** zool. stříbrná liška **7** zool.: americký losos *Oncorhynchos kisutch* **8** AM fot. stříbrná sůl, dusičnan stříbrný ♦ *fulminating* ~ třaskavé stříbro; *German* / *nickel* ~ alpaka, pakfong, argentan, niklové stříbro ● *adj* **1** stříbrný **2** mající (bělavou) barvu stříbra, připomínající zvukem / vzácností stříbro, stříbřitý, stříbrný **3** týkající se stříbra (~ *legislation*), se stříbrem (~ *wagons*) **4** přen. výmluvný, výřečný **5** liter. týkající se „stříbrného období" římské literatury (*great periods of golden and* ~ *Latin*) **6** AM ekon. podporující přijetí stříbrného standardu; založený na stříbrném standardu ♦ *Every cloud has a* ~ *lining* Všechno zlé je pro něco dobré; *Speech is* ~ (*but silence is golden*) Mluviti stříbro (mlčeti zlato); *be born with a* ~ *spoon in one's mouth* být dítětem štěstěny n. bohatých rodičů, narodit se na šťastné planetě, narodit se v košilce ● *v* **1** po|stříbřit, též přen. **2** vrhat stříbrné světlo na **3** nabývat stříbrné barvy, stávat se stříbrným, stříbřit se
Silver Age [ˌsilvəˈeidž] mytol. stříbrný věk
silver alloy [ˌsilvəˈæloi] stříbrná slitina
silver bath [ˌsilvəˈba:θ] fot. stříbrná lázeň
silver birch [ˌsilvəˈbə:č] bot. bříza bradavičnatá
silver brocade [ˌsilvəbrəuˈkeid] text. stříbrný brokát, stříbrohlav
silver certificate [ˌsilvəsəˈtifikət] AM peněžní stvrzenka vyplatitelná ve stříbře
silver-coloured [ˈsilvəˌkaləd] mající barvu stříbra, stříbrný, stříbřitý
silver fir [ˌsilvəˈfə:] bot. jedle bělokorá, stříbrný smrk (nespr.)
silverfish [silvəfiš] *pl* též *silverfish* [silvəfiš] zool. **1** karas stříbřitý **2** rybenka domácí **3** jakákoli stříbrná ryba, „bělice"
silver foil [ˌsilvəˈfoil] stříbrná fólie, lístkové stříbro
silver fox [ˌsilvəˈfoks] zool. stříbrná liška
silver frost [ˌsilvəˈfrost] ledový povlak, tenká ledová slupka, zmrzlý déšť
silver fulminate [ˌsilvəˈfalmineit] třaskavé stříbro
silver gilt [ˌsilvəˈgilt] pozlacené stříbro
silver grain [ˌsilvəˈgrein] zrcadlová textura dřeva
silver-grey [silvəgrei] stříbrošedý
silver-haired [ˌsilvəˈheəd] stříbrovlasý

silver-headed [ˌsilvəˈhedid] = *silver-haired*
silvering [silvəriŋ] **1** postříbření, stříbrný povlak **2** stříbřitost **3** v. *silver, v*
silver leaf [ˌsilvəˈli:f] stříbrná fólie
silver maple [ˌsilvəˈmeipl] bot. javor cukrový
silver mine [ˌsilvəˈmain] stříbrný důl
silver-mounted [ˌsilvəˈmauntid] stříbrem kovaný
silvern [silvən] bás., zast. **1** stříbrný **2** stříbřitý; stříbrojasný, stříbrozvučný
silver ore [ˌsilvəˈo:] stříbrná ruda
silver paper [ˌsilvəˈpeipə] **1** bílý hedvábný papír vhodný k balení stříbrného zboží **2** postříbřený papír
silver plate [ˌsilvəˈpleit] *s* **1** stříbrné příbory / talíře / stolní náčiní, stříbro; postříbřené příbory **2** stříbrný povlak ● *v: silver-plate* galvanicky postříbřit
silver plating [ˌsilvəˈpleitiŋ] galvanické po|stříbření např. příborů
silver point [ˌsilvəˈpoint] výtv. kresba stříbrnou tužkou
silver poplar [ˌsilvəˈpoplə] bot. topol bílý, linda
silver print [ˌsilvəˈprint] polygr. fotografická kopie na vrstvu chloridu stříbrného
silver sand [ˌsilvəˈsænd] stříbřitý písek
silver screen [ˌsilvəˈskri:n] stříbrné promítací plátno, též přen.
silverside [silvəsaid] **1** BR kuch. nejlepší část hovězí kýty, květová špička, (vrchní) šál **2** kuch. nasolený kus hovězího **3** též *~s* zool.: mořská ryba *Menidia notata*
silversmith [silvəsmiθ] stříbrník, stříbrotepec
silversolder [ˌsilvəˈsoldə] stříbrná pájka
silver stain [ˌsilvəˈstein] stříbřenka
silver standard [ˌsilvəˈstændəd] ekon. stříbrný standard, stříbrná měna
silver steel [ˌsilvəˈsti:l] stříbřitá ocel
silver stick [ˌsilvəˈstik] BR důstojník tělesné stráže ve službě u dvora
silver streak [ˌsilvəˈstri:k] BR kanál La Manche
silver string [ˌsilvəˈstriŋ] stříbrná / dracounová struna
silver thaw [ˌsilvəˈθo:] **1** ledovka **2** námraza **3** jinovatka
silver-tip [ˌsilvəˈtip] AM grizzly
silver-tongued [ˌsilvəˈtaŋd] výmluvný, výřečný
silver top [ˌsilvəˈtop] bot.: druh choroby rostlin
silverware [silvəweə] **1** stříbrné zboží **2** stříbrné stolní náčiní, stříbro
silver wedding [ˌsilvəˈwediŋ] stříbrná svatba
silver weed [silvəwi:d] bot. mochna husí **2** mochna stříbrná
silvery [silvəri] **1** stříbřitý; stříbrojasný, stříbrozvučný **2** stříbrný
silvichemical [ˌsilviˈkemikəl] chemická látka získaná ze stromů
silvicultural system [ˈsilviˌkalčərəlˈsistəm] les. způsob hospodářský
silviculture [silvikalčə] lesnictví, lesní hospodářství, lesní technika
silviculturist [ˌsilviˈkalčərist] odborník v lesním hospodářství n. lesní technice
simazin [saiməzən], **simazine** [saiməzi:n] druh herbicidu
simian [simiən] zool. *adj* opičí, připomínající opici ● *s* **1** lidoop **2** opice
similar [similə] *adj* **1** podobný *to* komu / čemu, jsoucí jako kdo / co, téměř stejný jako kdo / co **2** stejný (*no two animal habitats are exactly ~* ani dvě zvířecí lokality nejsou absolutně stejné) **3** geom. podobný (*~ triangles*) **4** elektr. stejnojmenný, souhlasný **5** hud. paralelní (*~ motion*) ◆ *be ~ to* být jako kdo / co, být podobný komu / čemu, připomínat; *~ folds* geol. rovnoběžné vrásy ● *s* **1** podoba, podobnost; podobný člověk, podobná věc; věrný obraz, protějšek *of* koho / čeho **2** *~s, pl* podobné / stejné věci n. záležitosti
similarity [ˌsimiˈlærəti] (*-ie-*) **1** podobnost *to* s **2** podoba **3** *similarities, pl* společný rys, analogie, stejnost (*are there any similarities between Goethe and Byron?* mají Goethe a Byron něco společného?) ◆ *point of ~* společný rys
similarly [similəli] **1** podobně **2** stejně tak, taktéž, rovněž
simile[1] [simili] **1** liter. přirovnání **2** podobnost
simile[2] [simili] hud. *adv* podobně, stejně, simile ● *s* znaménko ⁄.
similitude [siˈmilitju:d] **1** podobnost **2** podoba (*in man's ~* v lidské podobě) **3** srovnání (*London is often likened to Babylon, but the ~ is unjust*), přirovnání, též liter. **4** řidč. protějšek
similize [similaiz] **1** užívat přirovnání **2** vysvětlit n. vyjádřit přirovnáním **3** symbolizovat **4** zast. přirovnávat *to* k, srovnávat s
simioid [simioid] zool. připomínající opici n. lidoopa
simious [simiəs] = *simian, adj*
simitar [simitə] = *scimitar*
simmer [simə] *v* **1** slabě vřít, začínat vřít, bublat (*an iron pot ~ing in one corner* v jednom koutě bublal železňák) **2** po|vařit na mírném ohni (*~ the stew for an hour* dusit maso hodinu); zahřívat / tepelně zpracovávat pod bodem varu **3** přen. (začít) doutnat, kypět, (slabě) vřít, kvasit *with* čím (*~ with hostilities* začít kypět nepřátelstvím) **4** přen. s námahou potlačovat *with* co (*~ with rage* dusit v sobě vztek), div nevybuchnout čím *simmer down 1* svařit se, vyvařit se na mírném ohni *to* na (*let the broth ~ down to a rich stock* nechat masovou polévku svařit na silný vývar) **2** přen. zjednodušit se, scvrknout se, nakonec se soustředit jen *to* na (*it all ~s down to a matter of design* nakonec se všechno scvrkne na záležitost designu) *3* přen. uklidnit se ● *s* **1** slabé vření **2** mírný oheň stupeň na elektrickém sporáku ◆ *at a ~ / on the ~* slabě vroucí, též přen. (*crowded tenement houses always on the ~ with crime* v přeplněných činžácích to vždycky vře zločinem)

simnel [simnl], **simnel cake** [simnlkeik] BR pečivo s hrozinkami a mandlemi pečené zejména o velikonocích, vánocích a 4. neděli postní
Simnel Sunday [ˈsimnlˌsandi] čtvrtá neděle postní, Družebná neděle
simoleon [siˈməuliən] AM slang. dolar
simoniac [saiˈməuniæk] svatokupec, simonista, simoniak
simoniacal [ˌsaiməˈnaiəkəl] svatokupecký
Simon Ligree [ˌsaimənliˈgri:] otrokář podle postavy v *Chaloupce strýčka Toma* od H. B. Stowové
Simon Pure [ˌsaimənˈpjuə] *s* část. *the real ~* **1** nefalšovaný, pravý člověk, originál **2** nefalšovaná, pravá věc, originál • *adj: simon-pure* nefalšovaný, originální
simony [saiməni] svatokupectví, simonie
simoom [siˈmu:m], **simoon** [siˈmu:n] samum horký suchý vítr, někdy s písečnou bouří
simp [simp] AM slang. naivka, trouba, pytlík, truhlík, trdlo
simper [simpə] *v* **1** usmívat se samolibě, afektovaně, culit se, uculovat se **2** vyjádřit samolibým úsměvem (*~ consent*) • *s* samolibý / afektovaný úsměv, culení, uculení, zaculení
simple [simpl] *adj* **1** prostý nesložitý, nekomplikovaný (*a ~ style of architecture*); pouhý (*~ experience* prostá zkušenost); absolutní (*~ majority* prostá většina); běžný, všední (*~ food*); obyčejný, skromný, v prostotě (*~ life*); neurozený (*~ birth*); bez vyššího vzdělání, společensky neuhlazený (*a ~ peasant*); bezelstný, důvěřivý (*as ~ as a child*) **2** jednoduchý nesložitý (*a ~ compound*); srozumitelný, jasný (*step-by-step, ~ rules* jednoduchá, prostá pravidla); nenáročný (*written in ~ English*) **3** absolutní, čirý, holý (přen.) (*~ madness* čiré šílenství) **4** barva základní **5** prostoduchý, prostomyslný, prosťoučký, dětinský, naivní, hloupý (*~ enough to believe everything*) **6** mající omezené duševní schopnosti, hloupý (*one of the girls is ~, the other works as a domestic*) **7** primitivní **8** zast. pouhý, obyčejný, prostý, sprostý, sprostný (*~ barons*) **9** bot. jednoduchý (*~ fruit, ~ leaf*) **10** círk. jednoduchý (*~ feast*) **11** hud. v jednoduchém rytmu, dvoudobý n. třídobý **12** hud.: tón bez alikvotních tónů; interval nepřesahující jednu oktávu; zvuková trubice bez otvorů n. klapek **13** jaz. jednoduchý, prostý **14** mat. jednoduchý (*~ fraction* ... zlomek, *~ equation* ... rovnice) **15** med. jednoduchý (*a ~ fracture* ... zlomenina) **16** miner. jednoduchý **17** práv. obyčejný, neopatřený pečetěmi (*~ contract*) ♦ *become ~* též zjednodušit se; *~ coppice* les. les výmladkový, pařezina; *~ efforts* nevelké snahy, pokusy; *~ eye* zool. jednoduché očko hmyzu; *~ honours* bridž *1.* tři honéry v trumfové barvě *2.* tři esa při hře bez trumfů; *~ idea* filoz. jednoduchý pojem; *~ interest* ekon. jednoduchý úrok, úrok n. úroky z jistiny / kapitálu; *~ knot* prostý uzel, uzel přes ruku, smyčka, očko; *~ machine* fyz. jednoduchý stroj např. páka; *~ majority* prostá většina; *~ pendulum* matematické kyvadlo; *~ pistil* bot. pestík vzniklý srůstem jednoho plodolistu; *pure and ~ 1.* práv. prostý (*pure and ~ robbery*); *2.* hovor. naprosto jasný *3.* prostě a jasně, vyloženě (*it's a case of kill or be killed, pure and ~*); *~ risk* pojišť. riziko civilní; *~ sentence* jaz. věta jednoduchá; *S~ Simon* hlupák, pitomec; *~ soul* prostá duše, prosťáček; *~ tense* jaz. slovesný čas vyjádřený pouze jedním slovem; *~ duple time* hud. dvoučtvrťový takt; *~ triple time* hud. tříčtvrťový takt; *~ truth* prostá / čistá pravda; *~ word* jaz. nesložené slovo, simplex • *s* **1** prostý, obyčejný člověk **2** prosťáček, hlupák, naivka **3** jaz. nesložené slovo, simplex neprefigované sloveso **4** zast. léčivá rostlina, bylina; lék z jedné léčivé rostliny **5** círk. jednoduchý svátek, simplex **6** tech. parní stroj s jednoduchou expanzí ♦ *be cut for the ~s* dát si vyoperovat blbost
simple-faced [simplfeist] zool. ploskonosý
simple heart [ˌsimplˈha:t] přen. upřímný člověk, upřímné srdce
simple-hearted [ˈsimplˌha:tid] naivní, čistý, bezelstný, upřímný
simple-heartedness [ˈsimplˌha:tidnis] naivnost, čistota, bezelstnost, upřímnost
simple-minded [ˈsimplˌmaindid] **1** prostý, upřímný, bezelstný, prostoduchý, prostomyslný **2** naivní, přihlouplý, hloupý **3** mající omezené duševní schopnosti
simple-mindedness [ˈsimplˌmaindidnis] **1** prostota, upřímnost, bezelstnost, prostoduchost, prostomyslnost **2** naivnost, naivita, přihlouplost, hloupost, hlupství **3** omezené duševní schopnosti
simpleness [simplnis] řidč. = *simplicity*
simpleton [simpltən] naivka, prosťáček, pytlík, truhlík (přen.)
simplex [simpleks] *adj* **1** jednoduchý, simplexní (odb.) **2** geom. pravidelný ♦ *~ cable* lano simplex; *~ channel* sděl. tech. simplexní kanál; *~ circuit* sděl. tech. simplexní okruh; *~ lap* elektr. jednoduché smyčkové vinutí
simpliciter [simˈplisitə] práv., zejm. SC absolutně, bez výjimek, bezvýhradně
simplicity [simˈplisəti] **1** prostota **2** jednoduchost **3** bezelstnost, důvěřivost, prostoduchost, prostomyslnost, dětinskost, naivnost, naivita, hloupost **4** omezené duševní schopnosti, hloupost **5** primitivnost ♦ *be ~ itself* hovor. být úplně snadný
simplification [ˌsimplifiˈkeišən] **1** zjednodušení **2** příliš né zjednodušení, simplifikace **3** usnadnění, ulehčení
simplify [simplifai] (*-ie-*) **1** zjednodušit **2** příliš zjednodušovat, simplifikovat **3** usnadnit, ulehčit
simplism [simplizəm] **1** upřílišněné / povrchní zjednodušení, simplifikace **2** hraná prostoduchost

simplistic [sim'plistik] upřílišněné / povrchně zjednodušující, simplifikující, simplistní

simply [simpli] **1** prostě, jednoduše, skromně (*live* ~) **2** hovor. zkrátka, krátce, prostě (a jednoduše) (~ *delightful*) **3** hovor. jen, jenom, pouze, jedině (*readers who read books* ~ *to finish them*)

simulacrum [ˌsimju'leikrəm] *pl* též *simulacra* ['simju'leikrə] **1** podoba, zpodobnění (~ *of a period*) **2** napodobenina, imitace (*an exact* ~ *of tanks*) **3** vnější forma, zdání, náznak (~ *of fear and trouble* zdání strachu a potíží)

simulant [simjulənt] biol. vypadající *of* jako, mající podobu čeho, předstírající

simular [simjulə] *s* kdo n. co napodobuje n. simuluje ● *adj* **1** napodobený, falešný **2** napodobující, imitující *of* co

simulate [simjuleit] **1** předstírat (~ *innocence*... nevinnost), provést naoko, fingovat (~ *an account* fingovat účet); simulovat chorobu **2** napodobovat, imitovat **3** simulovat, vyzkoušet v simulátoru **4** herec zpodobňovat, dělat, hrát (*the actor* ~*s the king*) **5** podobat se čemu, vypadat jako (*cancer of the lungs may* ~ *tuberculosis* rakovina plic může vypadat jako tuberkulóza) **6** přizpůsobit se např. barvou čemu (*chameleon* ~*s its surroundings* chameleon se barvou přizpůsobuje svému okolí); slovo připodobnit se, přizpůsobit se k, asimilovat se s falešnou etymologií (amuck *for* amok ~*s the English* muck)

simulated [simjuleitid] **1** umělý (~ *pearls*) **2** v. *simulate* ♦ ~ *campaign* AM manévry

simulation [ˌsimju'leišən] **1** předstírání, provádění naoko, fingování; simulování, simulace **2** přetvařování, přetvářka **3** přizpůsobení, přizpůsobování; napodobování, napodobenina, imitace **4** odb. simulace **5** cokoli předstíraného: padělek, podvod **6** zpodobňování, dělání, hraní **7** zdání, podoba (*a* ~ *of elegance*)

simulative [simjulətiv] napodobující, imitující

simulator [simjuleitə] **1** pokrytec, licoměrník **2** napodobovatel, imitátor **3** simulant **4** simulátor zařízení napodobující práci, chování stroje / zařízení, které nelze pozorovat přímo

simulcast [siməlka:st] *v* přenášet / vysílat zároveň rozhlasem i televizí ● *s* současný přenos / současné vysílání téhož programu rozhlasem i televizí

simultaneity [ˌsiməltə'niəti] **1** současnost, simultánnost **2** výtv. simultaneismus úsilí podat v jediném obraze předmět z několika zorných polí (~ *in Egyptian painting*)

simultaneous [ˌsiməl'teinjəs] současně probíhající, provedený zároveň, simultánní *with* s ♦ ~ *equation* mat. simultánní rovnice; ~ *game* šachová simultánní hra, simultánka; ~ *interpreting* / *interpretation* simultánní překlad

simultaneousness [ˌsiməl'teinjəsnis] = *simultaneity*

simurg(h) [si'mə:g] mytol. obrovský moudrý pták perských legend

sin[1] [sain] mat. sinus

sin[2] [sin] *s* **1** náb. hřích **2** prohřešek, prohřešení, přestupek, chyba (~ *against good manners*) **3** hříšnost **4** hovor. úplný hřích (*it's a* ~ *to stay indoors on such a fine day*) ♦ *besetting* ~ obvyklý, nejčastější hřích; *deadly* ~ těžký / smrtelný hřích; *for my* ~*s* žert. dobře mi tak; *like* ~ slang. pekelně; *live in* ~ žít na hromádce bez sňatku; *man of* ~ *1.* zast. hříšník *2.* ďábel *3.* Antikrist *4.* žert. starý hříšník, mizera, šupák; *mortal* ~ = *deadly* ~; *original* ~ prvotní / dědičný hřích; *venial* ~ lehký / všední hřích ● *v* (*-nn-*) **1** z|hřešit **2** z|hřešit nedovoleným pohlavním stykem **3** prohřešit se *against* proti **4** hříšně udělat / vykonat ♦ ~ *one's mercies* nevážit si dobrodiní / svého štěstí, být nevděčný

Sinai [sainiai] zeměp., náb. Sinaj

Sinaitic [ˌsaini'itik] zeměp., náb. sinajský

sinanthropus [ˌsinən'θrəupəs] antr. **1** čínský opočlověk vzpřímený **2** *Sinanthropus pekinensis,* pekingský člověk

sinapism [sinəpizəm] hořčičná placka

since [sins] *adv* **1** od té doby, od těch dob, od tehdy dodnes n. do doby, o které se mluví (*he left home in 1950 and has not been heard of* ~) **2** potom až dodnes (*more flourishing than ever before or* ~ ve větším rozkvětu než kdy dřív či potom) **3** od té doby, od těch dob, mezitím, zatím (*settled in what has* ~ *become South Carolina* usadili se v místě, které se teď jmenuje Jižní Karolina) **4** za určením času před vzhledem k nynějšku (*he did it many years* ~ udělal to před mnoha léty) ♦ *ever* ~ od té doby, od těch dob, dodnes (*he went to Turkey in 1956 and has lived there ever* ~); *long* ~ dávno (*long* ~ *forgotten*); *how long* ~ *it is?* jak je tomu dávno? jak je to dlouho?; *saw him not long* ~ není to tak dlouho, co jsem ho viděl, viděl jsem ho nedávno ● *prep* od časové východisko (až do této chvíle) (*have not eaten* ~ *yesterday* od včerejška nic nejedli), od (té) doby, od těch dob co / kdy (~ *last seeing you* od té doby, co jsem vás viděl naposled) ♦ *ever* ~ od (té) doby, od těch dob kdy / co (*ever* ~ *I heard that ..., I have lived here ever* ~ *I was born* žiji tady od narození); ~ *when?* hovor. od kdy? ● *conj* **1** od (té) doby, od těch dob kdy / co až dodnes (*where have you been* ~ *I last saw you ?* kde jste byl od těch dob, co jsem vás naposled viděl?, *it has been 20 years* ~ *he was elected* byl zvolen už před dvaceti léty) **2** vzhledem k tomu, že, protože, jelikož, ježto (~ *we have no money, we cannot buy it*), když (tedy) (~ *that it is so, there is no more to be said*) **3** protože (*a more dangerous,* ~ *unknown foe* nepřítel neznámý, a proto / tedy / tudíž nebezpečnější)

sincere [sin'siə] **1** upřímný (*a* ~ *friend,* ~ *desire for knowledge* upřímná vědychtivost) **2** opravdový, skutečný, pravý **3** čistý, ryzí (*pure ~ form*); nefalšovaný; neředěný, nepančovaný (*wood is cheap and wine ~ outside the city gates* za městskými branami je dřevo laciné a víno nepančované); nezkalený (*a ~ glimpse* ... pohled) **4** řidč. zbavený *of* čeho, bez čeho, prostý čeho

sincerely [sinˈsiəli] v. *sincere* ◆ *~ yours, yours ~* s veškerou úctou, se srdečným pozdravem, srdečně váš přátelsky formální zakončení dopisu

sincerity [sinˈserəti] (*-ie-*) **1** upřímnost **2** umělecká opravdovost **3** ryzost, čistota **4** *sincerities, pl* projevy upřímnosti, upřímné city

sinciput [sinsipət] **1** anat. obličejová část hlavy; čelo; temeno; **2** zool. předhlaví, přední část hlavy brouka

sine[1] [sain] mat. sinus ◆ *~ of angle* sinus úhlu; *~ of arc* geometrický sinus; *~ curve* sinusoida, sinusová křivka; *versed ~* sinus versus jedna minus kosinus; *~ wave* elektr. sinusová vlna

sine[2] [saini] bez, sine

sin eater [ˈsinˌi:tə] hist. náb.: osoba najatá k tomu, aby snědla pokrm položený na mrtvole a tím na sebe vzala hříchy nebožtíka

sinecure [sainikjuə] sinekura círk.: obročí s příjmy, ale bez povinností; výnosné zaměstnání bez velkých povinností a bez odpovědnosti

sinecurism [sainikjuərizəm] **1** udělování sinekur **2** držení sinekury

sinecurist [sainikjuərist] kdo má sinekuru, sinekurista

sine die [ˌsainiˈdaii:] bez přesného určení termínu

sine qua non [ˌsaini kwa: ˈnəun] absolutní podmínka, něco bezpodmínečně nutného / nepostradatelného (*this book is a ~ for Mills students*)

Sinesian [saiˈni:šən] řidč. čínský

sinew [sinju:] *s* **1** šlacha **2** přen. síla, svaly (přen.) (*intellectual and moral ~* intelektuální a morální síla); šťáva (přen.) **3** *~s, pl* odolnost, houževnatost; zdroje síly, šťáva; hybná síla, sloup, pilíř **4** struna ◆ *~s of war* co roztáčí kola války peníze, zbraně apod. ● *v* **1** řidč. protáhnout, svázat (jako) šlachami **2** bás. posílit, podpořit, utvrdit, dodat síly čemu

sinewiness [sinju:inis] **1** šlachovitost **2** přen. pevnost, tuhost, houževnatost, síla, šťavnatost, hutnost, jadrnost, sukovitost

sinewy [sinju(:)i] **1** šlachovitý **2** přen. pevný, tuhý, houževnatý; silný, šťavnatý, hutný, jadrný, sukovitý (*rich ~ prose*)

sinfonia [ˌsinfəˈniə] *pl: sinfonie* [ˌsinfəˈni:ei] hud. sinfonia původně třídílná ouvertura starých italských oper

sinfonietta [ˌsinfənˈjetə] hud. **1** sinfonietta **2** *S~* malý symfonický orchestr

sinful [sinful] hříšný, též přen. (*a ~ waste* hříšné plýtvání)

sinfulness [sinfulnis] hříšnost

sing [siŋ] (*sang, sung*) **1** zpívat, pěti (bás.) (*she ~s well, birds ~*), zazpívat, zapět (*~ a French song*) *for* komu (*will you ~ a song for me?*), zpívat si, prozpěvovat | si (*~ at work*), předzpívat, přezpívat; zpívat být zpěvákem (*she ~s in an opera*) **2** zpěvem *a p.* komu přivodit *to* co (*~ the baby to sleep* uspat děcko zpěvem / ukolébavkou, *~ to rest* uklidnit / utišit zpěvem, *~ a p. into good humour* přivézt zpěvem do dobré nálady koho) **3** být jak zpěvný, zpívat se (*when it ~s so well in French* když je to ve francouzštině tak zpěvné) **4** zpívat při bohoslužbě, celebrovat zpívanou bohoslužbu (*a high mass of requiem will be sung* bude celebrována zpívaná zádušní mše) **5** opěvovat, pěti (bás.) *of* koho / co, velebit, oslavovat písní / básní **6** psát / skládat verše (*it was in blank verse that she sang*) **7** znít, zvučet (*their murmured words of farewell sang in my ears* jejich šeptaná slova na rozloučenou mi zněla v uších), příjemně znít **8** za|jásat **9** hlásit zvučným hlasem, halasit, hlaholit **10** syčet; bzučet; skučet, hvízdat **11** vydávat melodické zvuky (*frogs and crickets sang* žáby melodicky kuňkaly a cvrčkové cvrkali); cvrček cvrkat; dráty drnčet; kohout kokrhat; potok zurčet, bublat, klokotat; slavík tlouci; střela hvízdat, bzučet (*bullets sang past our ears* střely nám hvízdaly kolem uší) **12** sděl. tech. pískat, hvízdat, kmitat rušivě **13** slang. zpívat, mluvit, vypovídat při výslechu, všechno vyklopit, prozradit *to* komu *on* na, namočit, udat, prásknout koho (*don't let him know we sang on him*) ◆ *~ the blues* AM hovor. lamentovat; *~ dumb* přen. už ani nemuknout, ani neceknout; *her ears were ~ing* zvonilo jí v uších; *~ to the guitar* etc. zpívat při kytaře apod. / s kytarovým apod. doprovodem; *my head is ~ing 1.* drnčí mi v hlavě *2.* zvoní mi v uších; *it made his head ~* slyšel z toho andělíčky zpívat; *~ low* přen. mluvit zdrženlivě; *~ a p.'s praises* pěti chvály na, velebit, chvalořečit komu; *~ small / another song* zkrotnout, ztichnout, být zticha, držet se zpátky po pokárání; *~ the same song* vést pořád stejnou, zpívat stále stejnou písničku; *You must ~ for your supper* Bez práce nejsou koláče; *~ the same tune = ~ the same song; ~ to the tune of* zpívat na nápěv čeho, zpívat jako co; *~ in tune* zpívat čistě; *~ out of tune* zpívat falešně ***sing away*** zaplašit zpěvem ***sing in*** zpěvem přivítat (*~ in the New Year*) ***sing off*** střela odletět / odrazit se se zabzučením ***sing out*** ***1*** hlasitě za|zpívat ***2*** hlasitě za|volat, za|halasit *for* o, aby dostal co ***3*** zpěvem vyprovodit (*~ out the Old Year*) ***sing up*** přidat ve zpěvu, za|zpívat hlasitě / hlasitěji ● *s* **1** zpěv, zpívání **2** AM hovor. společenský zpěv, pěvecký večírek, primitivní náboženský obřad se zpěvem **3** za|bzučení, za|hvízdnutí střely

singable [siŋəbl] zpívatelný, zpěvný

Singalese [ˌsiŋgəˈli:z] = *Sinhalese*

Singapore [ˌsiŋgəˈpo:] Singapur

singe [sindž] (*singeing*) *v* **1** opálit např. konce vlasů (*have one's hair cut and ~d*); zbavit chmýří po oškubání (*she was busy ~ing the poultry* byla pilně zaměstnána opalováním drůbeže) **2** připálit, spálit tkaninu (*if the iron is too hot you'll ~ that nightdress* jestli je žehlička příliš rozpálená, tak si tu noční košili spálíš); tkanina pálit se, připalovat se příliš horkou žehličkou (*your dress is ~ing*) **3** popálit, připálit, lehce spálit **4** přen. klepnout přes prsty / přes nos **5** text. opalovat, ožehovat, požehovat tkaninu ◆ *be ~d* přen. dostat přes prsty / přes nos (*after being ~d once or twice I gave up* dostal jsem párkrát přes nos a nechal jsem toho); *~d cat* AM kdo není tak špatný, jak vypadá; *~ one's feathers* přen. připálit / popálit si křídla, spálit si prsty, spálit se; *his reputation is a little ~d* má pošramocenou pověst; *~ one's wings* = *~ one's feathers* ***singe off*** opálit, ožehnout ● *s* **1** připálení, opálení, ožehnutí **2** řidč. lehká popálenina, spálenina; připálené místo, spálené místo na tkanině

singer[1] [siŋə] **1** zpěvák, zpěvačka, pěvec, pěvkyně zejm. profesionální **2** zpěvavý pták, zpěvný pták, pěvec **3** bás. pěvec básník

singer[2] [sindžə] **1** kdo opaluje / ožehuje **2** text. požehovací / ožehovací / opalovací stroj

singer-writer [ˌsiŋəˈraitə] zpěvák, který si píše k svým písním texty

Singhalese [ˌsiŋhəˈli:z] = *Sinhalese*

singing [siŋiŋ] : *~ arc* elektr. zpívající oblouk; *~ flame* fyz. zpívající plamen; *~ suppressor* odrušovač, tlumič rušivých kmitů

singing bird [siŋiŋbə:d] pěvec pták

singing lesson [ˈsiŋiŋˌlesn] hodina zpěvu, zpěv

singing man [siŋiŋmæn] *pl: men* [men] **1** placený (sborový) zpěvák **2** předzpěvák

singing master [ˈsiŋiŋˌma:stə] učitel zpěvu, maestro

singing voice [siŋiŋvois] zpěvný hlas

single [siŋgl] *adj* **1** jednotlivý (*each ~ citizen is an important part of the community* každý jednotlivý občan je důležitou součástí společenství) **2** jedinečný (*a ~ critic*), ojedinělý **3** jednotný (*a ~ scale of rates* jednotná stupnice sazeb); jednolitý, nedílný, jednotný (*science and speed have made our world into a ~ neighbourhood* věda a rychlost udělaly z našeho světa jednolité sousedství) **4** pouze jeden jediný (*holds to a ~ ideal*); jediný a žádný jiný (*a ~ piece of evidence*); jednorázový **5** jednoduchý **6** oddělený, nezávislý, samostatný, jednotlivý; pro jednoho člověka, samostatný, jednolůžkový (*a ~ room*); pro jednu rodinu, rodinný (*a ~ house*) **7** samotný, osamělý, osamocený (*he is left alone, ~ and unsupported* zůstal sám, osamocený a bez podpory) **8** týkající se jedince, vlastní, osobní (*will try his ~ strength against all the world*) **9** svobodný neženatý / nevdaný (*a ~ woman, a ~ state*) **10** otevřený, přístupný (*keep your eye ~ and your hands clean* oči mějte otevřené a ruce čisté); čestný (*jealousy is the flaw in the ~ heart* žárlivost je malá vada v čestném srdci) **11** jízdenka pouze tam, jednoduchý **12** boj muže proti muži **13** bot. jednoobalný **14** tech. simplexní **15** zast. slabý (*drank his ~ ale*) ◆ *have a ~ eye for* vidět jenom co, mít smysl jenom pro; *not a ~* ani jeden jediný, vůbec žádný; *with a ~ voice* jednohlasně ● *s* **1** jednotlivec **2** jednoduchá jízdenka pouze tam **3** sport.: též *~s, pl* dvouhra, singl v tenisu **4** kriket odpal na jeden přeběh **5** baseball odpálení umožňující hráči doběhnout na první metu **6** dvouhra v golfu **7** loď pro jednoho veslaře, singl **8** *~s, pl* variační vyzvánění na čtyři zvony **9** *~s, pl* slabé plechy **10** AM dolarová bankovka **11** malá dlouhohrající gramofonová deska, pětačtyřicítka, singl **12** samostatný pokoj n. byt **13** rodinný domek **14** sólové číslo výstup i artista **15** karty jednobodové vítězství 5 : 4 ve whistu **16** bot. jeden květ; jednoobalný květ **17** text. jednoduchá hedvábná příze, neskaná příze **18** mysl. pařát, dráp, spár sokola **19** mysl. kelka, ocas parohaté zvěře **20** SC hrst, přehršel **21** akrostich v němž dávají slovo n. větu první písmena veršů ◆ *in ~s* po jednom, jednotlivě (*the guests arrive in ~s and pairs*) ● *v* **1** část. *~ out* vybrat | si za určitým účelem, vydělit, vyčlenit; vyvolit | si, zvolit | si, jmenovat (přen.) **2** rozdělit jednotlivě **3** BR zeměd. jednotit **4** baseball odpálit míč tak daleko, že může hráč doběhnout na první metu **5** AM kůň jít / chodit mimochodem ***single up:*** *~ up the lines* námoř. sejmout uvazovací lana z přístavních pacholat kromě jediného při přípravě lodi k odplutí

single-acting [ˈsiŋglˌæktiŋ] **1** jednočinný **2** jednostranný

single-action [ˈsiŋglˌækšən] **1** vyžadující natažení kohoutku po každém výstřelu, se zámkem, jednoranový **2** = *single-acting*

single-barelled [ˈsiŋglˌbærəld] jednohlavňový

single bed [ˌsiŋglˈbed] **1** normální postel pro jednoho **2** jednolůžkový pokoj v hotelu

single bend [ˌsiŋglˈbend] **1** jednoduché koleno **2** otěžový uzel, tkalcovský uzel

single blessednesss [ˌsiŋglˈblesidnis] žert. svobodný stav, mládenectví

single block [ˌsiŋglˈblok] sděl. tech. blokový kondenzátor

single boiler [ˌsiŋglˈboilə] parní válcový kotel

single-breasted [ˈsiŋglˌbrestid] oblek jednořadový

single cable [ˌsiŋglˈkeibl] jednožilový kabel

single cell [ˌsiŋglˈsel] samovazba, ajnclík (slang.)

single-coated paper [ˈsiŋglˌkəutidˈpeipə] **1** jednostranně natíraný papír **2** jednostranně křídovaný papír

single-column page [ˌsiŋglˈkoləm peidž] jednosloupcová stránka

single combat [ˌsiŋglˈkombət] **1** souboj **2** boj muže proti muži

single confinement [ˌsiŋglkənˈfainmənt] voj. kasární vězení

single cord [ˌsiŋglˈko:d] elektr. jednožilová šňůra

single court [ˌsiŋglˈko:t] tenisový dvorec pro hru dvojic
single cut [ˌsiŋglˈkat] jednoduchý výbrus drahokamu
single-cylinder [ˌsiŋglˈsilində] motor. jednoválcový
single decker [ˌsiŋglˈdekə] **1** námoř. loď s jednou palubou **2** let. jednoplošník **3** BR hovor. nepatrový autobus
single door [ˌsiŋglˈdo:] jednoduché / jednokřídlové dveře
single dose [ˌsiŋglˈdəuz] med. nárazová dávka
single drive [ˌsiŋglˈdraiv] samostatný / vlastní pohon, jednotlivý pohon
single-engine [ˌsiŋglˈen*dž*in], **single-engined** [ˌsiŋglˈen*dž*ind] jednomotorový
single entity [ˌsiŋglˈentəti] jednotlivina
single entry [ˌsiŋglˈentri] *s* jednoduchý záznam v účetnictví (*bookkeeping by* ~ jednoduché účetnictví) ● *adj: single-entry* týkající se jednoduchého účetnictví
single-eyed [ˌsiŋglˈaid] **1** jednooký **2** cílevědomý **3** čestný
single eyeglass [ˌsiŋglˈaiˌgla:s] monokl
single file [ˌsiŋglˈfail] řada za sebou, husí pochod (*proceed in* ~ *file* jít / jet v řadě za sebou)
single fire [ˌsiŋglˈfaiə] palba na jeden cíl
single flower [ˌsiŋglˈflauə] bot. **1** jediný květ **2** jednoobalný květ
single game [ˌsiŋglˈgeim] sport. hra jedné dvojice, dvouhra, singl
single-handed [ˌsiŋglˈhændid] *adj* **1** jednoruký; užívající jen jedné ruky **2** zařízený na / pro jednu ruku, jednoruční **3** jednotlivý, konaný jedním člověkem, samostatný, sólový (*his* ~ *journeys in the sixties*) **4** jsoucí sám, pracující sám / bez cizí pomoci (*the* ~ *cook with a family to feed*) ♦ ~ *sword* meč jednoručák ● *adv* sám, samostatně, sólově, bez cizí pomoci (*had to build his little log hut* ~ musel si postavit svůj malý srub úplně sám)
single heart [ˌsiŋglˈha:t] upřímnost, srdečnost
single-hearted [ˌsiŋglˈha:tid] upřímný, nestrojený, prostosrdečný
single-heartedness [ˌsiŋglˈha:tidnis] upřímnost, nestrojenost, prostosrdečnost
single house [ˌsiŋglˈhaus] rodinný dům
single inlet [ˌsiŋglˈinlet] jednostranný vstup, jednostranný přívod např. páry
single jack [ˌsiŋglˈdžæk] horn. mlátek
single jacker [ˌsiŋglˈdžækə] horník přitloukající želízko mlátkem
single justice [ˌsiŋglˈdžastis] samosoudce
single knot [ˌsiŋglˈnot] námoř. jednoduchý uzel přes ruku
single life [ˌsiŋglˈlaif] **1** osamělý život **2** svobodný stav, život za svobodna
single line [ˌsiŋglˈlain] **1** žel. jednokolejná trať **2** elektr. jednoduché vedení
single-loader [ˌsiŋglˈləudə] jednoranová puška
single microscope [ˌsiŋglˈmaikrəskəup] **1** jednoduchý mikroskop **2** lupa, zvětšovací sklo
single mind [ˌsiŋglˈmaind] = *single heart*
single-minded [ˌsiŋglˈmaindid] **1** soustředěný, cílevědomý, vědomý si cíle, zaměřený pouze na jeden cíl, mající jen jeden cíl **2** = *single-hearted*
single-mindedness [ˌsiŋglˈmaindidnis] **1** soustředěnost / zaměřenost na jeden cíl, cílevědomost **2** = *single-heartedness*
singleness [siŋglnis] **1** jedinost, singularita; jedinečnost, ojedinělost **2** svobodný stav **3** osamělost, osamocenost, opuštěnost **4** přen. čestnost, upřímnost **5** soustředěnost *of* na, zaujatost pro (*the* ~ *of our aim generates a tremendous sense of solidarity*) ♦ ~ *of heart* prostosrdečnost; ~ *of purpose* cílevědomost
single-night [ˌsiŋglˈnait] představení jediný
single outflanking [ˌsiŋglˈautflæŋkiŋ] voj. jednostranný obchvat
single parts [ˌsiŋglˈpa:ts] jednotlivé díly, součásti, součástky
single pendulum [ˌsiŋglˈpendjuləm] matematické kyvadlo
single-phase [ˌsiŋglˈfeiz] jednofázový
single pick [ˌsiŋglˈpik] nosák, špičák nářadí
single-pole [ˌsiŋglˈpəul] jednopólový
single premium [ˌsiŋglˈpri:mjəm] jednorázové pojištění (~ *policy* pojistka za jednorázové pojistné / za vklad, vkladová pojistka)
single-price [ˌsiŋglˈprais] obchod jednotkový
single quotes [ˌsiŋglˈkwəuts] polygr. jednoduché uvozovky (')
singleroom [ˌsiŋglˈru:m] **1** samostatný pokoj **2** jednolůžkový pokoj v hotelu
single rule [ˌsiŋglˈru:l] polygr. jednoduchá linka dílenský název
single-seater [ˌsiŋglˈsi:tə] *adj* letadlo jednomístný ● *s* jednomístné letadlo
single-ship [ˌsiŋglˈšip] : ~ *duel* souboj lodě proti lodi
single shipment [ˌsiŋglˈšipmənt] jednorázová zásilka
single-spaced [ˌsiŋglˈspeist] jsoucí s mezerou jedné řádky (~ *foolscap pages*)
single spanner [ˌsiŋglˈspænə] jednostranný klíč na matice
single-stage [ˌsiŋglˈsteidž] jednostupňový
singlestick [siŋglstik] sport. **1** šermovací hůl **2** šerm krátkou holí
single strutter [ˌsiŋglˈstratə] let. jednovzpěrový letoun
singlet [siŋglit] **1** BR nátělník, tričko zejm. bez rukávů **2** singlet chemická vazba s jedním společným elektronem
single tariff [ˌsiŋglˈtærif] jednosloupcový sazebník jehož sazby platí bez rozdílu pro všechny obchodní partnery
single tax [ˌsiŋglˈtæks] **1** daň ukládaná pouze na jediný předmět **2** daň na pozemkový majetek, daň z pozemku

single test [ˌsiŋglˈtest] zkouška jednotlivých kusů, kusová zkouška
singleton [siŋgltən] **1** něco jediného n. jedinečného, unikát **2** jediné mládě **3** mat. množina obsahující jediný prvek **4** jediná karta některé barvy v bridži, plonková karta, singl (slang.)
single track [ˌsiŋglˈtræk] *s* jednokolejná trať ● *adj: single-track* **1** jednokolejný **2** přen. jednostranný, jednostranně zaměřený, mající jen jeden jediný zájem
single tree [ˌsiŋglˈtri:] rozpor vah vozu
single turn [ˌsiŋglˈtə:n] **1** jedno otočení dokola **2** jeden západ zámku
single-valve [ˌsiŋglˈvælv] : ~ *set* jednolampovka
single-way [ˌsiŋglˈwei] **1** jednosměrný, jednocestný **2** jednokolejný
single wicket [ˌsiŋglˈwikit] sport. kriket na jednu branku
single-wire [ˌsiŋglˈwaiə] : ~ *line* jednodrátové vedení telefonní
singling [siŋgliŋ] **1** předek, první frakce, předkap, úkap **2** v. *single, v*
singsong [siŋsoŋ] **1** monotónní říkánka, zpěvánka **2** monotónní řeč, recitace, drmolení (*the ~ of a professional guide* drmolení profesionálního průvodce) **3** zpěvavá kadence, zpívání (*speaking English in a Welsh ~*) **4** BR společenský zpěv, zpívání, amatérské / improvizované zpívání, večírek se zpěvem ● *adj* **1** píšící monotónní říkánky (*a ~ poet*) **2** monotónní, připomínající říkánky n. zpěvánky, zpěvánkový (*writes ~ verse*) ● *v* **1** monotónně recitovat **2** zpívat při řeči
Singspiel [siŋspi:l] hud. singspiel číslová opera spojovaná mluveným textem
singular [siŋgjulə] *adj* **1** jednotlivý, individuální **2** jedinečný, význačný, vynikající, výjimečný, neobyčejný, mimořádný, ojedinělý, zvláštní, vzácný, překvapivý, bezpříkladný (*a man of ~ courage and honesty* jedinečně statečný a poctivý člověk) **3** lišící se od všech, odlišný, nezvyklý, neobvyklý; osobitý; zvláštní, podivný (*~ behaviour* podivné chování) **4** jaz. jednotný, v jednotném čísle (*third person ~*), v singuláru, singulárový **5** zast. vlastní *to* komu, charakteristický pro koho **6** filoz. singulární (*a ~ term*) **7** mat. singulární ◆ *all and ~* každý jednotlivý; *be ~* lišit se, odlišovat se (*are we ~ in our judgement?* lišíme se ve svém úsudku?); *make o. s. ~* lišit se nápadně, odlišovat se vlastním přičiněním (*isn't it unwise to make yourself so ~ in your dress?* není to nemoudré se takhle odlišovat svým oblečením?); *~ man* podivín; *~ to say* s podivem nutno říci; *~ succession* práv. singulární sukcese ● *s* **1** jaz. jednotné číslo, singulár; výraz v jednotném čísle, singulár **2** jedinec, jednotlivec, individuum **3** filoz. singulární pojem
singularity [ˌsiŋgjuˈlærəti] (*-ie-*) **1** jednotlivina **2** zvláštnost, odlišnost *of* čeho / v (*singularities of dress and speech*); zvláštní / osobitý rys **3** podivnost, podivínství **4** jedinečnost, individuálnost, osobitost, singularita (kniž.) (*personality expresses its ~ even in handwriting* osobnost vyjadřuje svou individuálnost i rukopisem) **5** mat. singularita
singularization [ˌsiŋgjuləraiˈzeišən] **1** odlišování, oddělování, osamostatňování **2** chybné tvoření jednotného čísla
singularize [siŋgjuləraiz] **1** odlišovat, oddělovat, osamostatňovat **2** řidč. utvořit chybně jednotné číslo *from* z (*the words* pea *and* Chinee *have been ~d from* pease *and* Chinese) ***singularize o. s.*** odlišovat se
singularly [siŋgjuləli] **1** podivuhodně, kupodivu **2** v. *singular, adj*
singularness [siŋgjulənis] **1** zlověstnost; hrozivost, pochmurnost **2** nečestnost, nepoctivost, podezřelost, podivnost, nekalost, zhoubnost, zkázonosnost, neblahost, špatnost, škodlivost **3** něco zlověstného, hrozivého atd.; hrozba
Sinhalese [ˌsinəˈli:z] *adj* sinhálský ● *s* **1** Sinhálec příslušník indoevropského národa žijícího na Cejloně **2** sinhálština
sinister [sinistə] *adj* **1** zlověstný (*a ~ beginning*); nevěštící nic dobrého, hrozivý, temný, pochmurný (*~ looks*) **2** nečestný, nepoctivý, podezřelý, podivný, nekalý, zhoubný, zkázonosný, neblahý, zlý, špatný, škodlivý (*the ~ character of the early factory system*) **3** nepřející *to* komu / čemu, nepříznivý, nevýhodný pro, škodlivý komu / čemu, pro **4** část. žert. levý **5** herald. levý; v levé půli štítu ◆ *bar ~* herald. šikmé polobřevno; *bend ~* herald. šikmý pruh ● *adv* na levou stranu, doleva
sinistral [sinistrəl] *adj* **1** řidč. levý **2** levácký, levoruký **3** levostranný **4** ulita vlevo vinutý ● *s* levák
sinistrality [ˌsinisˈtræləti] **1** leváctví **2** levostrannost
sinistro-cerebral [ˌsinistrəˈseribrəl] med. týkající se levé polokoule mozku
sinistrorse [sinistro:s] bot. levotočivý
sink [siŋk] *v* (*sank* / řidč. *sunk, sunk* / zast. *sunken*) **1** klesnout (*letting his head ~ to his chest* nechající klesnout hlavu na prsa), poklesnout *with* pod tíhou čeho **2** klesat, padat ke dnu, potápět se, po|nořit se ve vodě (*wood does not ~ in water*); loď potopit se, jít ke dnu; člověk tonout, mizet pod hladinou **3** potopit např. loď; ponořit **4** voda klesat, opadávat **5** přen. klesnout, padnout, s|kácet se, zhroutit se (*the soldier sank to the ground badly wounded* voják se zhroutil na zem těžce raněn) **6** padat, snášet se (*darkness ~s upon the scene* na výjev se snáší tma) **7** klesat, svažovat se (*the ground ~s to the sea* půda se svažuje k moři) **8** zapadnout, za|bořit se (*~ing up to his hips in the snow* bořící se po pás do sněhu) **9** zabřednout *into* do negativního, brodit se v, tonout / topit

se v. propadnout čemu (~ *into vice* propadnout neřesti) **10** ponořit se, zahloubat se (*he was sunk in thought*) **11** nebeské těleso zapadat, klesnout pod obzor; z|mizet za obzorem; z|mizet, zapadnout *a t.* za (*the ship gradually sank the coast* loď pomalu zapadala za pobřežím) **12** propadnout se (*the foundations have sunk* základy se propadly) **13** sedat se, sesedat se, usazovat se (*some parts of the mainland are slowly ~ing*) **14** vy|hloubit, vy|vrtat (~ *a well*); prorazit štolu **15** vytesat, vysekat (~ *words in stone*) **16** zapustit (~ *the screwhead level with the wood* zapustit vrut do dřeva až po hlavu); vsadit, zasadit, vložit, vpustit do jámy apod. (~ *a post one foot deep in the ground*) **17** vniknout do vědomí / do představy **18** vsáknout se (*the rain sank into the dry ground*), vstřebat se, vsát se, vpít se (*the ink quickly ~s in the blotting paper*); prosakovat čím **19** vrazit, vhroužit, pohroužit (*sank the dagger up to its hilt* vhroužil dýku až po jílec, *sank the nails into her palms* zaťala nehty do dlaně); vniknout hluboko *in* do (*the knife sank deep into his chest*) **20** zdraví povolit, zhroutit se; ztrácet životní síly, umírat (*all around saw that she was slowly ~ing* všichni kolem viděli, že se pomalu blíží její konec, *he is ~ing fast* ubývá mu rychle sil brzy zemře) **21** upadat (*the old aristocracy sank in wealth and prestige* stará šlechta upadala co do bohatství i prestiže) **22** slábnout, zanikat (*sounds of voices ~ing in the distance* zvuky hlasů zanikající v dálce); povolovat, polevovat, slábnout, ztrácet na síle (*storm ~s* bouře slábne); uhasínat, skomírat (*the flames ~ and the coals begin to glow* plameny skomírají a uhlíky začínají žhnout); snížit, zeslabit intenzitu (*he sank his voice to a whisper* ztišil hlas do šepotu), uvolnit (~ *your bow with repeated flexings* uvolněte luk několikanásobným ohýbáním); přen. spadnout, klesnout, degenerovat *to* na **23** položit níže, snížit úroveň čeho (*they sank the roadway by five feet* snížili silnici o pět stop), snížit hladinu čeho (*the draught had sunk the streams* sucho snížilo hladinu vodních toků), snížit cenu, hodnotu, způsobit pokles čeho **24** nechat klesnout, spustit paži; položit, složit, ponořit *on* do (*sank his chin on his hands*) **25** zamlčet, smlčet, za|tajit (*has a habit of ~ing unpleasant truths* má ve zvyku nepříjemné pravdy zamlčovat) **26** zapřít, popřít, potlačit, přemoci (*~s her pride and approaches the despised neighbour* přemáhá svou pýchu a jde k sousedce, kterou pohrdá) **27** porazit, zkrušit, zničit, zdolat, udolat (*odds which would ~ a less courageous people* handicap, který by méně odvážný lid udolal) **28** investovat zejm. bez možnosti investici snadno zrušit (*he sunk half his fortune in a new business undertaking* do nového obchodního podnikání investoval polovinu svého majetku); utopit peníze (*a town where they had sunk money that would never come back*) **29** zaplatit, splatit, likvidovat dluh **30** přen. nechat stranou, přenést se přes, nevšímat si čeho, ignorovat, zapomenout na (*let us ~ our differences and work together*), opustit (*sank his old name when he got his title*) **31** odečíst z váhy masa váhu odřezků **32** sport. vstřelit do koše, jamky n. otvoru (*sank the eight ball in the corner pocket*) **33** hovor. hodit do sebe, vypít, vytáhnout rychle (*picked up his mug and sank half of it in one of his enormous swallows*), obrátit do sebe, kopnout do sebe ostrý nápoj **34** polygr. zarazit do hlavy stránky **35** karty nezařadit do figury kartu, zamlčet kartu, nehlásit figury / karetní kombinace **36** AM hovor. pobít, porazit, vyřídit při sportovním utkání **37** slang. potopit, odrovnat ◆ *be sunk* slang. být hotov, být vyřízen, být po kom; ~ *by the bow* loď potápět se přídí napřed; *his courage sank* ztratil odvahu, odvaha ho opustila; ~ *a die* vyřezat razidlo; ~ *in a p.'s estimation* klesnout v ceně u; *her eyes sank* sklopila oči; *her eyes have sunk* její oči dostaly vpadlý výraz; ~ *a gun* usadit dělo; ~ *with all hands* loď potopit se s celou posádkou; *his heart sank* dostal strach, zmocnila se ho úzkost, ztratil odvahu; ~ *on one's knees* klesnout na kolena, po|kleknout; *his legs sank under him* podlamovaly se mu nohy, chvěla / třásla se mu kolena; *his life is ~ing* jeho život se chýlí ke konci; ~ *into a new way of life* zapadnout do nového způsobu života; ~ *to a new low* dosáhnout nového nejnižšího bodu; ~ *me!* ať se na místě propadnu!; ~ *one's mind into a t. 1.* pohroužit se do *2.* splynout duševně s; ~ *a t. into one's mind* vštípit si do paměti co; ~ *into oblivion* upadnout v zapomenutí; *her opinion of him sank* klesl u ní na ceně; ~ *into position* upevnit na místo pod vodou; ~ *in the social scale* spadnout na společenském žebříčku; ~ *the shop 1.* nemluvit odborně / úředně, nebavit se o odborných / úředních věcech *2.* zatajit své zaměstnání; ~ *into deep sleep* upadnout v hluboký spánek; ~ *or swim* dělat co umí kdo, buď anebo, jde o všechno, buď se štítem anebo na štítě; ~ *one's teeth into a t.* zakousnout se do (~ *one's teeth into a succulent apple*) ***sink o. s. 1*** pohroužit se *in* do *2* zapřít se ***sink back 1*** uvelebit se, opřít se o opěradlo židle *2* vrátit se poklesem / úpadkem (~ *back into another Dark Age*) ***sink down*** klesnout na zem ***sink in 1*** vsát se, vpít se *2* zahlubovat, zapouštět *3* proniknout do vědomí, vtisknout se, vrýt se do paměti (*the lesson of inflation had not sunk in* poučení z inflace se nevrylo do paměti) *4* stávat se hubenějším, propadat se, propadávat se (*his cheeks have sunk in*) ● *s* **1** kuchyňská výlevka; dřez s výlevkou **2** řidč. žumpa, odpadová / odpadní jáma, jímka / nádoba na splašky; odpadní roura n. potrubí, odpadní strouha, kanál **3** přen. pelech, peleš, doupě, brloh, pařeniště, semeniště (*the Chinese quarter is a ~ of iniquity* čínská čtvrť je

doupě nepravosti) **4** přen. zast. spodina, bahno společnosti **5** geol.: krasový ponor, krasová dolina, závrt, proláklina, prohlubeň **6** prohloubená ploška, malá prohlubeň **7** tech. řidč. srážník, srážeč, kondenzátor **8** vod. nor, jezírko, močál kde se ztrácí n. vypařuje řeka, solné jezero **9** div. propad, propadlo, propadliště pro jevištní techniku **10** film. slang. synchron **11** horn. předběžně vyhloubená jáma
sinkable [siŋkəbl] potopitelný
sinkage [siŋkidž] řidč. klesání, klesnutí, pokles
sinker [siŋkə] **1** olůvko, závaží, hřižidlo na rybářské síti n. udici **2** minová kotva **3** hlubič **4** hloubicí čerpadlo; hloubicí vrták **5** text. stahovač, platina, těhlík **6** štíhlý drátěný hřebík, drátěnka **7** „utopenec" při plávce klád, neplavitelná dřevina **8** AM těžký koláček **9** AM stříbrný dolar **10** SC rytec razidel ◆ *swallow a t. hook, line and* ~ přen. spolknout co i s navijákem, sežrat i s chlupama
sink hole [siŋkhəul] **1** vpust, gula **2** žumpa, jímka na odpadky **3** ztrátový podnik polykající peníze **4** = *sink, s 3* **5** = *sink, s 8*
sinking [siŋkiŋ] *adj* **1** sklíčený, usedající (~ *heart*) **2** v. *sink, v* ● *s* **1** nepříjemný, fádní pocit v žaludeční krajině, mdlo, nervóza **2** v. *sink, v*
sinking ballast [ˌsiŋkiŋˈbæləst] námoř. přítěž, zátěž
sinking fund [ˌsiŋkiŋˈfand] **1** umořovací / amortizační fond, fond na amortizaci dluhů, fond k umoření zápůjčky **2** přebytek ve státním důchodu věnovaný na úhradu státního dluhu ◆ *raid the* ~ použít tohoto přebytku k jiným účelům
sinking paper [ˌsiŋkiŋˈpeipə] sací / pijavý papír, piják
sinking premium [ˌsiŋkiŋˈpri:mjəm] pojišť. klesavé pojistné, klesačka (slang.)
sinking spell [ˌsinkiŋˈspel] **1** přechodný pokles obchodu **2** přechodné zhoršení zdravotního stavu
sinking tank [ˌsiŋkiŋˈtæŋk] vodní balastní nádrž v ponorce (pro rychlý ponor)
sinkstone [siŋkstəun] závaží, hřižidlo
sink unit [ˌsiŋkˈju:nit] kuchyňská linka s dřezem
sinless [sinlis] jsoucí bez hříchu, nevinný, svatý
sinner [sinə] **1** hříšník **2** zarytý / nenapravitelný hříšník **3** žert. mizera, lump, hříšník
sinnet [sinit] = *sennit*
Sinn Fein [ˈšinˈfein] Sinn Fein nacionalistické hnutí a nacionalistická strana v Irsku (1905–1921); stoupenec tohoto hnutí; politické křídlo IRA
sin offering [ˈsinˌofəriŋ] **1** smírná oběť za hříchy **2** obětní zvíře
Sino-Japanese [ˈsainəuˌdžæpəˈni:z] čínsko-japonský
sinologist [saiˈnolədžist], **sinologue** [sainəlog] sinolog odborník v sinologii
sinology [saiˈnolədži] sinologie vědní obor zabývající se čínským jazykem, literaturou, dějinami a kulturou
sinophobe [sainəfəub] *s* odpůrce / nepřítel Číňanů a všeho čínského ● *adj* nepřátelský k Číňanům, protičínský
sinophobia [ˌsinəˈfəubiə] nepřátelský postoj k Číňanům a ke všemu čínskému
Sino-Soviet [ˌsainəuˈsəuviet] čínsko-sovětský (~ *border*)
sinter [sintə] *s* **1** miner. křemitý sintr, geysirit; travertin, vápenný tuf **2** hut. spečenec, aglomerát **3** řidč. struska, okuje ● *v* hut. spékat | se, slinovat | se, sintrovat | se, aglomerovat | se
sinuate *adj* [sinjuit] bot. chobotnatý, vykrojený ● *v* [sinjueit] tvořit zákruty, klikatit se, vinout se (*saw the river sinuating toward the sea*)
sinuation [sinjueišən] **1** klikatění, vinutí, tvoření zákrutů **2** zákrut, záhyb, ohyb **3** bot. chobotnatost, laločnatost
sinuosity [ˌsinjuˈosəti] (*-ie-*) **1** klikatost, křivolakost **2** ohyb, záhyb, zákrut (*the sinuosities of the canyon*); zkroucenina, spletitost (*the sinuosities of a murder-mystery plot* spletitosti zápletky v detektivce) **3** vlnitý / hadí pohyb, vlnění (*the dancer's sinuosities*)
sinuous [sinjuəs] **1** klikatý, křivolaký, kroutící se, plný ohybů, záhybů n. zákrutů **2** vlnitý, vlnivý **3** spletitý (*a* ~ *system of canals*) **4** přen.: mravně pokřivený, křivý **5** bot. vykrojený
sinus [sainəs] **1** anat. záhyb, splav, dutina, sinus **2** med. píštěl, fistule **3** bot. záhyb mezi dvěma laloky, klín, výkrojek listu **4** antic. záhyb na tóze sloužící jako kapsa **5** záliv, zátoka
sinusitis [ˌsainəˈsaitis] med. sinusitida zánět vedlejších dutin nosních
sinusoid [sainəsoid] *s* **1** mat. sinová křivka, sinusoida **2** anat. malá koncová krevní céva v určitých orgánech, kapilára ● *adj* sinusoidový
sinusoidal [ˌsainəˈsoidl] mat. sinusoidový, sinusový ◆ ~ *wave* sděl. tech. sinusová vlna
Sion [saiən] Sión hora v Jeruzalémě
Siouan [su:ən] *s* jazyk Siúxů ● *adj* = *Sioux, adj*
Sioux [su:] *s pl: Sioux* [su:, su:z] Siúx, Sioux, Dakota člen prérijního kmene Indiánů ● *adj* siúxský, siouxský, dakotský
sip [sip] *v* (*-pp-*) **1** srkat (~ *tea*), usrknout *of* z, pít v malých doušcích n. po lžičkách, upíjet, popíjet **2** jíst polévku lžící ◆ ~ *dry* vysrkat až do dna ● *s* **1** malý doušek, hlt, troška (*a* ~ *of brandy*) **2** srkání
siphon [saifən] *s* **1** ohnutá násoska **2** sifón, sifónová láhev, autosifón na výrobu sodovky **3** kapalinový uzávěr, sifón; shybka **4** zool. kanálek, trubice, nálevka měkkýšů, ústní a kloakální kanálek pláštěnců; sosák hmyzu ◆ ~ *barometer* fyz. dvouramenný barometr, Gay-Lussacův barometr; ~ *gauge* fyz. kapalinový manometr n. vakuometr; ~ *pipe* / *tube* násoska ● *v* **1** vypouštět, vyprazdňovat, stahovat, vyčerpávat (jako) násoskou; téci (jako) z násosky **2** med. vyprázdnit / vypumpovat žaludek **3** též ~ *off* stahovat, odčerpat, též přen. (*heavy taxes* ~ *off the huge profits*)

siphonal [saifənl] **1** násoskový, sifónový; připomínající násosku n. sifón **2** zool. mající přijímací, dýchací n. vyvrhovací / kloakovou trubici

siphonage [saifənidž] **1** vypouštění, vyprazdňování, stahování ohnutou násoskou **2** náhodné otevření kapalinového uzávěru

siphon bottle [ˈsaifənˌbotl] zejm. AM sifón, sifónová láhev, autosifón na výrobu sodovky

siphon cup [saifənkap] knotová maznice

siphonet [saifənit] zool. medová trubička mšice

siphonic [saiˈfonik] = *siphonal*

sipper [sipə] **1** slámka, brčko k sání nápoje **2** kdo nasává, pijan

sippet [sipət] **1** kousek smaženého / opečeného chleba vkládaný do polévky n. mléka n. jako příloha **2** přen. kousek, kousíček, úlomek

si quis [saiˈkwis] círk. oznámení o chystaném vysvěcení bohoslovce ve farnosti, z níž pochází

sir [sə:] *s* **1** pane zdvořilé oslovení otce, děda, tchána, učitele, nadřízeného, předsedy parlamentu, panovníka; oslovení neznámého zákazníka, hosta v restauraci; v češtině se často nepřekládá n. doplňuje hodností, funkcí apod.: pane učiteli, pane profesore, pane plukovníku, pane předsedo, vážený pane atd. (*I'd be very grateful, ~, for your advice*); *~s, pl* BR (vážení) pánové oslovení v dopise, jinak zast. **2** mladíku, panáčku oslovení káraného chlapce **3** *S~* sir, pan, pán titul rytíře n. baroneta (musí být následován křestním jménem n. jeho zkratkou) (*Sir John Gielgud, Sir J. Gielgud,* fam. *Sir John*); rytíř (*Sir John Falstaff* rytíř Jan Falstaff) **4** zast.: titul rytíře n. kněze (*~ priest, ~ knight*) **5** nář. paní, dámo ◆ *dear ~* vážený pane oslovení v dopise; *my dear ~ 1.* AM vážený pane oslovení v dopise *2.* iron. vážený pane, milý příteli, milý zlatý; *no, ~* též ale vůbec ne, ani nápad, kdepak, příteli; *yes, ~* též vážně, fakticky, fakt i k ženě ● *v* (*-rr-*) říkat *sir* komu (*good discipline means ~ring officers*)

sircar [sə:ka:] v indickém prostředí **1** vláda **2** šéf vlády **3** pán domu **4** domorodý správce domu; domorodý účetní, nákupčí

sirdar [sə:da:] **1** v indickém prostředí velitel, náčelník **2** hist.: v egyptském prostředí nejvyšší britský velitel egyptských vojsk **3** též *~ bearer* v indickém prostředí hlavní nosič nosítek, sluha

sire [saiə] *s* **1** bás. otec; děd; předek **2** chovný samec, sameček, zejm. hřebec **3** *S~* sire oslovení krále, Veličenstvo **4** zast. kmet; kníže, pán ● *v* **1** samec, zejm. hřebec zplodit **2** zplodit, vyplodit (*~d another play*)

siree [səˈri:] = *sirree*

siren [saiərin] *s* **1** mytol. Siréna vodní, mořská víla lákající svým zpěvem plavce do záhuby **2** svůdná žena, svůdnice, siréna, vamp **3** okouzlující zpěvačka **4** siréna signální zařízení; poplachová siréna **5** zool. ochechule, siréna ● *adj* svůdný, vábivý, lákavý, sirénní, sirénovitý (*a ~ song*) ◆ *~ suit* kombinéza, též dětská

sirenian [saiˈri:niən] zool. *adj* patřící do řádu ochechule ● *s* živočich z řádu ochechule, ochechule, kapustňák, moroň

sirgang [sə:gæŋ] zool.: asijský pták *Kitta chinensis*

siriasis [siˈraiəsis] **1** med. úpal, sluneční úžeh, siriasa **2** med. sluneční lázeň

Sirius [siriəs] hvězd. Sirius nejjasnější hvězda oblohy

sirkar [sə:ka:] = *sircar*

sirloin [sə:loin] kuch. svíčková, nízký šus, roštěnec

sirocco [siˈrokəu] meteor. široko teplejší vítr v oblasti Středozemního moře

sirrah [sirə] zast. hanl. chlape, mizero, ničemo, lotře oslovení

sirree [siˈri:] AM expres., hanl. = *sir, s 1*

sir-reverence [sə:ˈrevərəns] zast. *interj* s odpuštěním omluva před použitím neslušného výrazu ● *s* výkal, výkaly, lejno, lejna

sirtaki [siəˈta:ki:] řecký kolový tanec

sirup [sirəp] AM = *syrup*

sirvant, sirvente [sə:ˈvent] liter.: satirická píseň provensálských trubadúrů

sis [sis] AM hovor. = *sister, s*

sisal [saisəl] **1** bot. agáve sisalová **2** sisal pevná vlákna z listů agáve sisalové

sis-boom-bah [sisbu:mba:] AM slang. populární sport, zejm. (americký) fotbal

sish [šiš] čerstvý tenký / mokrý led, ledový škraloup

siskin [siskin] zool. čížek lesní

siskin-green [siskingri:n] žlutozelený jako čížek

sisoo [siˈsu:] **1** bot.: východoindický strom *Dalbergia sissoo* **2** dřevo z tohoto stromu

sissy [sisi] (*-ie-*) = *cissy*

sister [sistə] *s* **1** sestra sourozenec ženského rodu; žena velmi blízká, jako sestra; členka řeholního řádu; též přen. (*prose, younger ~ of verse*) **2** švagrová **3** AM slang. holka oslovení **4** staniční sestra v nemocnici; ošetřovatel **5** sesterská loď ◆ *S~ Anne* kdo vyhlíží příchozí místo jiného; *~ of Charity* milosrdná sestra; *Fatal S~s* mytol. Parky, Moiry; *~ of mercy* milosrdná sestra; *~s three / three ~s = Fatal S~s* ● *adj* sesterský ● *v* říkat „sestro" komu

sister-german [ˌsistəˈdžə:mən] rodná / vlastní sestra

sisterhood [sistəhud] **1** sesterství **2** sesterstvo **3** skupina, parta, klika (*resists the Hollywood ~'s best efforts*)

sister-hook [sistəhuk] dvojitý hák

sister-in-law [sistərinlo:] *pl: sisters-in-law* [sistəzinlo:] švagrová, švegruše (zast.)

sisterlike [sistəlaik] sesterský

sisterliness [sistəlinis] sesterské chování, sesterský vztah; sesterstvi

sisterly [sistəli] *adj* sesterský ● *adv* sestersky

sister ship [ˌsistəˈšip] sesterská loď stejné konstrukce

Sistine [sistain] Sixtinský ◆ *~ chapel* Sixtinská kaple ve Vatikáně; *~ Madonna* Sixtinská madona od Raffaela

sistrum [sistrəm] *pl* též *sistra* [sistra] hud. sistrum kovové chřestítko s rukojetí (ve starém Egyptě)

sisyphean [ˌsisiˈfi(:)ən] mytol. sisyfovský týkající se korintského krále Sysifa a jeho trestu ◆ ~ *labour* / *task* Sisyfova / sisyfovská práce těžká, namáhavá, ale bezvýsledná

sit [sit] *v* (*sat* / zast. *sate, sat* / zast. *sitten; -tt-*) **1** sedět (~ *on the floor,* ~ *in an armchair,* ~ *at a table, birds* ~ *on a tree*) **2** posadit | se, sednout si, posadit u stolu koho (~ *him on her left*) **3** mít místo pro kolik (*the table* ~*s eight* u stolu je místo pro osm osob) **4** u|držet se vsedě na (*she* ~*s her horse well, he couldn't* ~ *his mule*) **5** číhat, čekat vsedě **6** sedět nečinně (~*ting behind prison bars* sedící za mřížemi), dřepět (~ *at home*), stát, trčet, zahálet (*the car* ~*s in the garage unused all week*) **7** být modelem obrazu, sochy, literární předlohy, sedět výtvarníkovi **8** kvočna sedět (na vejcích) **9** sedět, být sezením; bydlet *at* za jaké nájemné **10** budova být postaven, stát, krčit se (*the cottage* ~*s in a hollow* chaloupka se krčí v údolí); sídliště být umístěn, ležet, rozkládat se **11** oděv padnout, sedět (*the coat* ~*s badly across the shoulders*); slušet **12** zasedat, jednat v zasedání (*the House of Commons was still* ~*ting at 3. a. m.*) **13** zastávat funkci *as* koho, úřadovat jako kdo **14** BR dělat písemnou zkoušku (~ *an exam in Russian*) **15** loď stát; mít správné držení; směřovat (~ *to windward* směřovat na návětrnou stranu) **16** vítr vanout, dout odkud (*wind* ~*s in the west* vítr vane od západu) **17** být poslancem *for* za, zastupovat co **18** spočívat *on* / *upon* na **19** sedět *on* / *upon* na, nepustit co, držet u sebe co, za|tajit co **20** slušet, jít, padnout *on* komu (*his new dignity* ~*s well on him* … vysoká funkce mu …) **21** zasedat (*they are still* ~*ting*) *on* v, být členem čeho (*he* ~*s on the board*) **22** jednat v zasedání *on* o, posuzovat co, projednávat co; porota vyšetřovat *on* / *upon* co **23** u|dělat kázání *on* / *upon* komu, promluvit do duše komu, usadit koho, setřít, sjet, sjezdit koho, srazit hřebínek komu, rajtovat po **24** sedět *over* nad, zabývat se čím **25** karty sedět po levé straně *over* koho v bridži **26** vydržet, vyslechnout celé *through* co, vydržet až do konce čeho (~ *through a lecture*) **27** poslouchat přednášky *under* koho, chodit na přednášky k, studovat u / pod **28** zúčastnit se bohoslužeb *under* které vede kdo **29** hlídat *with* cizí děcko (~ *with a friend's baby*) ◆ ~ *on the bench* být soudcem, soudit; ~ *for a borough* etc. být poslancem za městský volební obvod atd.; ~ (*for*) *an examination* jít ke zkoušce, chystat se ke zkoušce; ~ *at a p.'s feet* sedět / posadit se u nohou koho jako žák n. obdivovatel; ~ *for fellowship* BR ucházet se o členství, být kandidátem na členství na cambridžské univerzitě; ~ *on the fence* hovor. hrát to na obě strany, být neutrální, být mezi, nepřiklonit se ani k jedné straně zejm. ze strachu; ~ *on one's hands* hovor. *1.* netleskat, neaplaudovat, neprojevovat žádné nadšení *2.* nic očekávaného / potřebného neudělat; ~ *on a p.'s hand* uklidnit, utišit koho; ~ *heavily on* tížit, tlačit koho; *hen wants to* ~ slepice kvoká chce hnízdit; ~ *in judgement* soudit koho; ~ *lightly on* netížit koho; ~ *on the lid* mít / držet něco pod pevnou kontrolou; ~ *loose to a t.* nedbat, nehledět na; *his principles* ~ *loosely on him* nebere své zásady příliš vážně; ~ *on pins* sedět jako na trní / na jehlách; ~ *over a pipe* sedět a pokuřovat; ~ *for one's portrait* sedět výtvarníkovi, který dělá portrét; ~ *pretty 1.* mít dobrou kartu *2.* lebedit si ve výhodné situaci; ~ *shibah* náb. sedět šive; ~ *on the splice* kriket opatrně pálkovat, hrát při zdi; ~ *in state* sedět na trůně; ~ *still* sedět ani se nehýbat; ~ *at table* též sedět u tabule, stolovat, jíst; ~ *on the throne* vládnout, panovat; ~ *tight 1.* sedět pevně např. v sedle *2.* hovor. držet se, lpět / trvat na svém *3.* sedět ani nedutat *4.* nic nedělat, čekat (*I'll* ~ *tight till I know what the decision is*); ~ *the water well* loď sedět dobře na vodě; ~ *well with* být příjemný komu; ~*s the wind there?* tak odtud vane vítr? ***sit back*** stáhnout se, vypřáhnout, složit ruce v klín, dát si pohov ***sit by*** sedět nečinně / s rukama v klíně ***sit down 1*** posadit se ***2*** hovor.: letadlo přistát, sednout si na zem *3* AM usadit se, usídlit se ***4*** voj. oblehnout *before* co ***5*** postavit se ostře *on* proti (~ *down hard on a plan*), setřít koho / co ***6*** dát se, pustit se *to* do *7* mlčky snášet, trpět, nechat si líbit *under* co ***sit in 1*** hovor. hlídat cizí dítě ***2*** být *at* u / při, zúčastnit se čeho ***3*** zastupovat *for* koho ***4*** dát se, přidat se, připojit se *with* k ***sit on*** zůstat (sedět) ***sit out 1*** sedět venku, posadit se ven / venku (*let's go and* ~ *out*) ***2*** zůstat na návštěvě déle *a p.* než kdo, odejít později než kdo ***3*** zůstat / vydržet až do konce čeho (~ *out a play*) ***4*** zůstat sedět při / místo, nezúčastnit se čeho, vynechat, netančit n. nehrát (*I think I'll* ~ *out the next dance*) ***5*** vyhnout se čemu (~ *out the war in Europe*) ***6*** AM slang. ulejt se z (*Dick sat out the war*) ***7*** vysedět si, vytáhnout sezením vzadu sukni ***sit over*** sedící osoba posunout se, poposednout si, přesednout si a tím udělat místo ***sit up 1*** posadit se vzpřímeně, narovnat záda při sezení ***2*** pes panáčkovat ***3*** posadit, pozvednout do sedací polohy ***4*** být / zůstat vzhůru dlouho do noci (*ought children to* ~ *up late looking at television programmes?*); (doma) čekat v noci *for* na ***5*** přen. zpozornit, zastříhat ušima, koukat, zírat (*the speaker's next announcement made us* ~ *up* další zpráva hlasatele způsobila, že jsme zpozorněli) ◆ ~ *up with a dead body* bdít u mrtvého; *make a p.* ~ *up* hovor. *1.* probudit, vyburcovat, prohnat, prohnat faldy komu *2.* vystrašit, vyděsit, vyjukat; ~ *up and take notice 1.* pacient už sedět a mít zájem o okolí *2.* probudit se, zejm. přen. ● *s* **1** sezení **2** způsob, jakým co padne / sedí **3** celý celer

sitar [sita: / AM siˈta:] hud. sitar indický drnkací nástroj

sitatunga [ˌsitəˈtu:ŋgə] zool.: africká antilopa *Tragelaphus spekei*
sitcom [sitkom] hovor.: rozhlasová n. televizní situační komedie
sit-down [sitdaun] *s* **1** protestní demonstrace apod. vsedě, okupační akce **2** posezení (*a nice quite ~ by the fire* krásné klidné posezení u ohně) ● *adj* **1** pokrm pojídaný vsedě **2** protestní akce konaný vsedě; stávka okupační
sit-downs-upons [ˌsitdaunəˈponz] *pl* zast. žert. kalhoty
site [sait] *s* **1** místo, poloha (*determine the ~ of an old Roman fortress* určit polohu staré římské pevnosti) **2** místo, dějiště (*~ of a murder*) **3** stavební místo, stavební plocha, stavební parcela **4** pravěké naleziště (*a prehistoric ~*) **5** sídlo průmyslu **6** stanice např. radarová **7** voj. polohový úhel **8** les. stanoviště ◆ *burial ~* pohřebiště; *~ class* les. bonita stanoviště; *firing ~* odpalovací stanoviště; *launching ~* odpalovací rampa, raketodrom; *~ uniform* kombinéza pro stavbaře ● *v* **1** umístit **2** být umístěn, ležet
sitfast [sitfa:st] *s* zvěr. odřeniny od sedla ● *adj* pevný, nehybný
sith [siθ] bibl., zast. = *since, conj*
sit-in [sitin] okupační akce (např. obsazení restaurace) zejm. jako projev politického protestu např. proti rasové segregaci
siting [saitiŋ] **1** umístění; volba místa budovy, trasování **2** v. *site, v*
sitiology [ˌsitiˈolədži] med. nauka o výživě, dietetika, sitiologie
sitiophobia [ˌsitiə*u*ˈfəubiə] med. chorobné nechutenství, sitiofobie
sitology [siˈtolədži] med. = *sitiology*
sitophobia [ˌsitəˈfəubiə] = *sitiophobia*
sitrep [sitrep] voj. hovor. hlášení o situaci
sitter [sitə] **1** sedící, kdo sedí **2** pták sedící na vejcích; kvočna **3** kdo sedí výtvarníkovi, model **4** osoba, zejm. dívka hlídající cizí děti v nepřítomnosti rodičů **5** slang. snadný terč / zásah, tutovka (*~ for enemy submarines*) **6** slang. něco snadného, hračka **7** BR obývák, obývací pokoj
sitter-in [ˌsitəˈin] = *sitter, 4*
sitting [sitiŋ] *s* **1** sezení, sedění, zasedání (*all-night ~ of the House of Commons*); zasednutí **2** posezení, sezení n. stání modelem výtvarníkovi (*can you give me six ~s?* můžete mi přijít šestkrát sedět?) **3** hnízdo, násada vajec pod kvočnou **4** místo, sedadlo v kostele n. divadle **5** směna strávníků při podávání např. obědů na směny v malé jídelně **6** v. *sit, v* ◆ *at a / one ~ 1.* v jednom tahu, na jeden zátah, najednou, bez přerušení (*write a poem at a ~*) *2.* na posezení ● *adj* **1** polit.: jsoucí ve funkci, zastávající funkci, výkonný, úřadující, aktivní (*~ politician*) **2** BR skutečně bydlící v místě **3** snadný, tutovní (*~ target*) **4** v. *sit, v*
sitting duck [ˌsitiŋˈdak] **1** snadný terč který neklade odpor **2** hovor. truhlík, hlupák
sittingroom [sitiŋru:m] **1** místo k sezení **2** obývací pokoj
situate [sitjueit] *adj* práv., zast. umístěný, situovaný, lokalizovaný ● *v* umístit, situovat, lokalizovat ◆ *be ~d* též být v jaké situaci (*be awkardly ~d* být v prekérní situaci)
situation [ˌsitjuˈeišən] **1** stav, situace (*the rebels' military ~ appeared to be hopeless* vojenská situace rebelů se zdála být beznadějná) **2** poměry, okolnosti, situace (*the ~ seemed to call for a general retreat* okolnosti se zdály vyžadovat všeobecný ústup) **3** zaměstnání, místo, práce, pracovní poměr zejm. v inzerátech; zaměstnání v domácnosti např. služebné **4** poloha, postavení, pozice, umístění; životní postavení **5** zast. stav, požehnaný stav těhotenství (*the woman should have concealed her ~* žena měla zakrýt skutečnost, že je v požehnaném stavu) **6** zast. místo **7** div. situace ◆ *~ comedy* situační komedie; *~ map 1.* stav. situační plán *2.* voj. situační mapa; *permanent ~* trvalé zaměstnání; *~ room* operační středisko, zejm. vojenské, kde se soustřeďují zprávy a hlášení; *~s vacant* volná místa inzertní rubrika; *~s wanted* práci hledají inzertní rubrika
sit-up [sitap] sed snožmo z lehu
sit-upon [sitəpən] **1** hovor. sezení, sedínka **2** *~s, pl* hovor. kaťata **3** kus nepromokavé tkaniny apod. k sezení na mokré zemi
situs [saitəs] *pl: situs* [saitəs] poloha, situs
situtunga [ˌsitəˈtu:ŋgə] = *sitatunga*
sitzbath [sitsba:θ] *pl: sitz-baths* [sitsba:ðz] **1** sedací vana **2** sedací koupel v sedací vaně
sitzfleisch [sitsflaiš] výdrž, trpělivost, sicflajš (hovor.)
sitzkrieg [sitskri:g] voj. poziční válka
Siva [sivə] Šiva jeden z hlavních hinduistických bohů
Sivaistic [ˌsivəˈistik] šivaistický týkající se učení šivaistů
Sivaite [sivəait] *adj* šivaistický ● *s* šivaista vyznavač Šivy
siwash [saiwoš] AM *s* též *S~* hanl. **1** Indián **2** indiánština ● *v* též *~ it* **1** žít n. chovat se jako Indián, žít primitivně **2** odflinknout zejm. přibližování dřeva, takže se omlátí všechny stromy a pařezy ● *adj* bezcenný, špatný; lakomý
six [siks] *adj* šest ◆ *~ and ~* šest šilinků šest pencí; *I am ~* je mi šest; *~ and eight / eightpence 1.* šest šilinků osm pencí honorář právního zástupce *2.* honorář, poplatek; *S~ Counties* šest hrabství Severního Irska; *~ feet of earth* přen. hrob; *it is ~ of one and half-a-dozen of the other* to je prašť jako uhoď, to je píchni jako řízni; *~ to one* v poměru šest ku jedné, jistý, betonový (přen.); *two and ~* dva šilinky šest pencí, půlkoruna mince ● *s* **1** šestka číslice; skupina šesti; karta se šesti znaky; hod šesti ok v kostkách; kostka domina, na jejíž polovině je šest ok; šestero, šestice **2** šestka hráč / veslař označení číslem 6; velikost oděvu č. 6 **3** šestiveslice, šestka člun i posádka; *~es, pl* závody šestiveslic **4** šest hodin **5** šestiválec **6** šestiliberka dělo ráže 57 mm **7** šestka oddíl světlušek

8 *~es, pl* svíčky, jichž šest váží libru 9 = *sixer* ♦ *by / in ~es* ve skupině po šesti; *double ~es* dvě šestky hod v kostkách; *a party of ~* šestičlenná společnost; *be at ~es and sevens 1.* být zmatený *2.* být nejednotný, hádat se, nemoci se shodnout *3.* být vzhůru nohama

sixain [siksein] šestiveršová strofa

six-and-tips [ˌsiksən*d*ˈtips] IR směs whiskey se slabým pivem

six-and-twenty [ˌsiksən*d*ˈtwenti] etc. šestadvacet, dvacet šest atd.

six-by-six [siksbaisiks] AM hovor. automobil s třemi páry hnacích kol

six-day race [ˌsiksdeiˈreis] sport. šestidenní cyklistická n. motocyklová soutěž

sixer [siksə] **1** sport. hovor. zásah počítaný šesti body v kriketu **2** vedoucí šestky světlušek, šestník

sixfold [siksfəuld] *adj* **1** šestinásobný, šesteronásobný, šestkrát tak veliký **2** šestidílný ● *adv* šestinásobně, šesteronásobně, šestkrát tolik (*increased ~* šestinásobně zvýšený)

six-footer [ˌsiksˈfutə] hovor. **1** dlouhán, čahoun, čára, chlap jako hora vysoký šest stop **2** věc šest stop dlouhá

six-gilled shark [ˌsiksgildˈša:k] zool. žralok šedý

sixish [siksiš] asi v šest hodin (*see you ~*)

six-oar [sikso:] též *~s, sg* šestka, šestiveslice

six-pack [sikspæk] AM **1** karton na šest lahví **2** šest lahví v kartonu n. plastiku

sixpence [sikspəns] **1** šest pencí **2** šestipence, půlšilink mince v hodnotě 6 pencí (do r. 1971) n. 2½ pence (po r. 1971)

sixpenny [sikspeni] **1** stojící šest pencí, jsoucí za šest pencí **2** šestákový, laciný, podřadný (*a ~ thriller* šestákový krvák) ♦ *~ bit* = *sixpence, 2*

sixscore [ˌsiksˈsko:] zast. sto dvacet

six-seater [ˌsiksˈsi:tə] šestisedadlové auto

six-shooter [ˌsiksˈšu:tə] šestiranný / šestiranový revolver, šestiraňák (hovor.)

sixte [sikst] sport. sixta poloha zbraně ve výzvě n. krytu

sixteen [ˌsiksˈti:n] *adj* šestnáct ♦ *~ bells* šestnáct zvonů jimiž se na lodích oznamuje o půlnoci Nový rok ● *s* šestnáct, šestnáctka skupina šestnácti; velikost oděvu č. 16

sixteenmo [ˌsiksˈti:nməu] šestnáctilistový arch o 32 stránkách

sixteenth [ˌsiksˈti:nθ] *adj* šestnáctý (*the ~ day*) ♦ *~ note* hud. šestnáctinová nota, šestnáctina; *~ rest* hud. šestnáctinová pomlka / pauza ● *s* **1** šestnáctý v pořadí (*the ~ of the month*) **2** šestnáctina **3** hud. šestnáctinová nota, šestnáctina **4** hud. interval dvou oktáv a sekundy

sixth [siksθ] *adj* šestý (*the ~ day*) ♦ *~ chord* hud. sextakord; *~ column* AM *1.* šestá kolona šuškalů a defétistů *2.* organizovaná skupina bojující proti páté koloně; *~ day* šestý den pátek ● šestý v pořadí (*the ~ of the month*) **2** šestina **3** hud. sexta šestý stupeň diatonické stupnice; interval **4** = *sixte* **5** BR = *sixth form*

sixth form [ˌsiksθˈfo:m] BR šestá třída, sexta nejvyšší třída škol 2. stupně

sixth-former [ˈsiksθˌfo:mə] BR žák šesté třídy, sextán odpovídá našemu maturant

sixthly [siksθli] za šesté

sixth part [ˌsiksθˈpa:t] **1** šestý díl, šestá část **2** šestina

sixth sense [ˌsiksθˈsəns] šestý smysl intuice

sixtieth [sikstiiθ] *adj* šedesátý (*the ~ day*) ● *s* **1** šedesátý v pořadí **2** šedesátina

Sixtine [sikstain] = *Sistine*

six-to-pica leads [ˈsikstəˌpaikəˈledz] polygr. čtvrtpetitové proložky

sixty [siksti] *adj* šedesát (*~ years*) ● *s (-ie-)* **1** šedesát, šedesátka **2** *sixties,* pl šedesátá léta (*the sixties of the preceding century*); počet bodů mezi 60–69 (*a golf score in the sixties*); čísla domů mezi 60–69 (*lives in the sixties in the next block*); teplota mezi 60–69 stupni (*temperature in the high sixties tomorrow*) ♦ *like ~* AM *1.* jako vítr, jako ďas, pekelně rychle *2.* o sto šest, vesele (*it was raining like ~*)

sixty-eight [sikstieit] šedesát osm, osmašedesát

sixty-first [ˌsikstiˈfə:st] etc. *adj* šedesátý prvý / první, jedenašedesátý, jednašedesátý atd. ● *s* jedenašedesátina atd.

sixty-four [sikstifo:] šedesát čtyři, čtyřiašedesát ♦ *~ (thousand) dollar question* AM hovor. hlavní, nejdůležitější otázka

sixty-fourmo [ˌsikstiˈfo:məu] polygr. **1** 64-listový arch o 128 stránkách **2** kniha, list papíru o formátu vzniklém šestinásobným přeložením archu

sixty-fourth [sikstifo:θ] *adj* šedesátý čtvrtý, čtyřiašedesátý ♦ *~ note* hud. čtyřiašedesátinová nota, čtyřiašedesátina; *~ rest* hud. čtyřiašedesátinová pomlka / pauza ● *s* **1** čtyřiašedesátina **2** hud. čtyřiašedesátinová nota, čtyřiašedesátina

six-weeks [sikswi:ks] **1** šestitýdenní **2** AM rychle rostoucí ♦ *~ grass* bot. lipnice roční

six-wheeler [ˈsiksˌwi:lə] šestikolové vozidlo

sizable [saizəbl] **1** poměrně velký, slušný, pořádný, značný, stojící za to **2** ryba jsoucí přes míru, patřičně / dostatečně velký **3** zast. přiměřený

sizar [saizə] **1** BR stipendista na univerzitách v Cambridži a Dublinu **2** roznašeč jídel

sizarship [saizəšip] stipendium

size[1] [saiz] *s* **1** mletý klih, klížidlo, lepidlo **2** škrob, maz, apretura ● *v* **1** klížit **2** tužit, škrobit, šlichtovat

size[2] [saiz] *s* **1** velikost (*trees of all ~s*) **2** velikost oděvu, obuvi atd. (*shoe manufacturers make 72 ~s* výrobci obuvi dělají 72 velikostí), číslo velikosti (*~ 9 shoes* střevice číslo devět, devítky) **3** rozměr, rozměry, dimenze **4** rozsah; tloušťka; délka **5** formát, též přen. **6** ráže střelné zbraně **7** BR příděl, díl potravin na cambridžské univerzitě **8** třídidlo na drahokamy n. perly ♦ *actual ~* skutečná velikost; *all of a ~* všichni stejné velikosti; *attain any ~* dosáhnout nějaké velikosti, pořádně vyrůst; *attain full ~* dosáhnout správné velikosti, dorůst do normální délky / výšky, *be of … size* být jakých rozměrů, být jak velký; *be of a ~* být stejně velký; *be the ~ of* být stejně velký jako; *two ~s too big* oděv o dvě čísla větší; *~ of coal* zrnění uhlí; *cross ~* velikost na šířku, šířka; *cut a p. to ~* odhalit koho, jaký doopravdy je, srovnat (přen.); *for ~* podle velikosti; *full ~ 1.* výtv. životní velikost *2.* tech. skutečná velikost, v měřítku 1:1; *~ of grain* zrnění, velikost zrna; *high ~* formát na výšku; *man of larger ~* člověk většího formátu; *odd ~* hovor. velká velikost, velké číslo oděvu; *pocket ~* kapesní formát; *~ of policy* výše pojistky, pojistná částka; *any ~ of sea* jen trochu vlnění; *a t. of some ~* pořádné co, dosti velké co (*a bear of some ~* pořádný medvěd); *standard ~* normální n. normalizovaná velikost; *that's about the ~ of it* hovor. takhle se tedy věci mají, takhle to tedy vypadá; *try a t. for ~ 1.* zkusit si velikost čeho, zkusit si, aby se zjistilo číslo čeho (*try a hat for ~*) *2.* zkusit si, jak vyhovuje / padne co (*try a dramatic role for ~*); *~ of type* polygr. *1.* velikost písma *2.* stupeň písma *3.* kuželka písma; *~ of yarn* tloušťka příze / nitě ● *v* **1** roz|třídit / rozdělovat / uspořádat podle velikosti, seřadit podle velikosti **2** hranit řezivo **3** zhotovit ve velikosti, zhotovit podle velikosti / na míru *of* čeho, přizpůsobit velikost čemu **4** dorůst do dostatečné velikosti **5** obrábět na přesný rozměr; kalibrovat **6** kontrolovat rozměr čeho **7** BR objednat si příděl potravin; zapsat si vydání přídělu potravin na cambridžské univerzitě **8** nosit z kuchyně porce, roznášet jídlo **9** = *size up, 1* ***size down*** uspořádat sestupně podle velikosti ***size up 1*** ohodnotit, zhodnotit, odhadnout koho / co, utvořit si názor na **2** vy|rovnat se *to* / *with* čemu, snést srovnání s **3** jevit se, vypadat po zhodnocení

sizeable [saizəbl] = *sizable*

size copy [ˌsaizˈkopi] knižní maketa

size milk [ˌsaizˈmilk] papírenské klížidlo

size paper [ˌsaizˈpeipə] klížený papír

size preparation [ˈsaizˌprepəˈreišən] třídění uhlí podle velikosti

size press [ˌsaizˈpres] polygr. lepicí stroj, lepička

sizer[1] [saizə] klížič, škrobič, šlichtař

sizer[2] [saizə] třídič

sizer[3] [saizə] = *sizar*

sizes [saizis] mnohokrát, mnohem, o mnoho

size stick [saizstik] míra na obuv pomůcka obuvníka

size water [ˌsaizˈwo:tə] klihová voda

sizy [saizi] (*-ie-*) klihovatý, lepkavý, mazlavý, šlichtovitý

sizzle [sizl] *v* **1** za|syčet, prskat (jako) při smažení / škvaření **2** svištět (*powdery snow ~d under their skis* prašan jim svištěl pod lyžemi) **3** přen. dusit se vzteky, soptit, prskat **4** přen. excelovat, vytáhnout se, otáčet se (*the champion began to ~ on the court today* šampión začal dnes na kurtu excelovat); letět nahoru, stoupat, kvést (*sales immediately began to ~* tržby okamžitě letěly nahoru) **5** pražit na, zpražit, též přen. (*speakers ~d the opposition*) ● *s* syčení, sykot, prskot (jako) při smažení

sizzling [sizliŋ] **1** velice horký, parný **2** křiklavý (*~ colours*) **3** v. *sizzle, v* ◆ *~ heat* žár asi 200 až 230 °C

sjambok [šæmbok] SA *s* bič z nosorožčí kůže ● *v* z|bičovat bičem z nosorožčí kůže

skaapsteker [ˈska:pˌstikə] zool.: africký had *Trimerorhinus rhombeatus*

skain [skein] = *skean*

skald [sko:ld] = *scald*

skaldic [sko:ldik] = *scaldic*

skallywag [skæliwæg] = *scalawag*

skat[1] [ska:t] skat německá hra s 32 kartami, zprav. pro 3 hráče

skat[2] [skæt] slang. zmiz!

skate[1] [skeit] *pl* též *skate* [skeit] zool. rejnok

skate[2] [skeit] AM slang. **1** člověk, chlap **2** lump, gauner **3** stará herka, kobyla

skate[3] [skeit] *s* **1** brusle, též i s bruslařskou botou **2** kolečková brusle **3** bruslení **4** elektr. lyže **5** kolejová zarážka ◆ *hockey ~s* brusle užívané zejm. při ledním hokeji, kanady (slang.); *racing ~s* nože brusle pro rychlobruslení ● *v* **1** bruslit, jezdit na bruslích i kolečkových **2** závodit v rychlobruslení / krasobruslení *against* s **3** přen. šikovně se přenést *over* přes, šikovně se vyhnout čemu, přejít, obejít, obeplout co ◆ *~ on thin ice* přen. bruslit po tenkém ledě, být v ožehavé situaci

skateboard [skeitbo:d] krátká kolečková lyže, skateboard, „prkýnko" (hovor.)

skateboarder [ˈskeitˌbo:də] kdo jezdí na kolečkové lyži / skateboardu, „prkýnkář" (hovor.)

skateboarding [ˈskeitˌbo:diŋ] jízda na kolečkové lyži / skateboardu

skater [skeitə] **1** bruslař **2** zool. bruslařka

skating rink [skeitiŋriŋk] **1** umělé kluziště **2** sál pro jízdu na kolečkových bruslích **3** BR slang. bleskovka pleš

skean [ski:ən] hist. dýka

skean-dhu [ˌski:ənˈdu:] dýka zastrčená v podkolence jako součást kroje skotských horalů

skedaddle [skiˈdædl] hovor. *v* vzít nohy na ramena, vzít do zaječích, vzít draka ● *s* úprk

skee [ski:] = *ski*

skeel [ski:l] dížka, vědérko

skeesicks [ski:siks] AM padouch, ničema, lump

skeet [ski:t] sport. lovecké kolo, skeet

skeeziks [ski:ziks] = *skeesicks*

skeg [skeg] námoř. **1** ostruha vazu **2** lodní kýl malého plavidla

skein [skein] **1** přadeno; pásmo (text.) **2** míra pro bavlněnou a hedvábnou přízi (120 yardů) **3** letící hejno divokých husí n. kachen **4** přen. motanice, motanina, spleť, zmotané klubko (*~ of evidence*)

skeletal [skelitl] kosterní, skeletový, skeletní
skeletography [ˌskeliˈtogrəfi] med. popis kostry, anatomie kostry
skeleton [skelitn] *s* **1** anat. kostra, skelet **2** kostlivec **3** přen. nepříjemné rodinné tajemství, rodinná ostuda v minulosti, skvrna na rodině v minulosti **4** nosná konstrukce, kostra **5** bot. kostra, žebroví listu **6** osnova, základ, kostra **7** kmenové osazení, základní posádka, kádr **8** hubeňour, kostroun, kostlivec, člověk kost a kůže **9** zeměměř. síť, mřížka **10** sport. skeleton nízké závodní saně ◆ ~ *in the cupboard* / AM *closet* rodinná ostuda v minulosti; ~ *at the feast* přízrak / strašák minulosti, co kazí přítomnou radost ● *adj* **1** připomínající kostlivce, kostnatý, vyzáblý (*a* ~ *hand*) **2** mající / ukazující pouze základní konstrukci n. kostru, zjednodušený, kostrový, skeletový; základní, přehledný, rámcový (*a* ~ *plan*) **3** pouze kmenový, základní, nejnutnější (*a* ~ *staff* nejnutnější počet zaměstnanců) ◆ ~ *crew* kmenový stav lodní posádky; ~ *key* skupinový klíč; ~ *type* polygr. hůlkové, drátěné písmo; ~ *view* tech. pohled na ústrojí s některými odkrytými vnitřními částmi
skeleton face [skelitnfeis] : ~ *type* = *skeleton type*
skeletonize [skelitənaiz] **1** vypreparovat kostru z, kostrovat **2** larva hmyzu skeletovat vykusovat parenchymatické pletivo listů **3** zjednodušit, zestručnit **4** nahodit, naskicovat, udělat pouze kostru čeho **5** snížit pod základní počet **6** AM polygr. rozebírat na barvy tiskové formy
skelm [skelm] SA ničema, lotr
skelp[1] [skelp] SC *v* **1** plesknout, plácnout plochou dlaní **2** též ~ *it* běžet, utíkat, hnát si to, švihat to, mazat **3** mrsknout sebou, udělat rychle ● *s* **1** plácnutí, plesknutí **2** liják
skelp[2] [skelp] ocelový pás na výrobu svařovaných trubek
skelp[3] [skelp] díra, špeluňka, zapadák, noclehárna
skelter [skeltə] AM horempádem utíkat, mazat, pádit
skene [ski:n] = *skean*
skep [skep] **1** proutěný koš, košík, ošatka **2** slaměný n. proutěný úl **3** sklopná nádoba
skepsis [skepsis] AM = *scepsis*
skeptic [skeptik] AM = *sceptik*
skerrick [skerik] AU špetka, drobek (přen.)
skerry [skeri] (*-ie-*) zejm. SC **1** útes, skála, úskalí **2** skalnatý ostrůvek **3** pobřeží lemované skalnatými ostrůvky
sket [sket] (*-tt-*) BR nář. **1** cákat **2** pocákat vodou
sketch [skeč] *s* **1** náčrtek, náčrt, črta, skica **2** nástin, nárys, schéma, osnova, kostra, koncept **3** liter. črta; studie; fejeton **4** div. skeč; číslo, výstup se zpěvem **5** hud. skica hudební skladby; obrázek skladba pro klavír **6** hovor. zast. šašek, kašpárek, kacafírek ● *v* **1** též ~ *in* / *out* na|skicovat, načrtnout, u|dělat si skicu / náčrtek čeho, nahodit si v hrubých obrysech **2** udělat rychle / povrchně / v náznaku / symbolicky (~*ed a hurried sign of the cross* letmo udělal něco jako kříž) **3** hrát, účinkovat ve skeči
sketchable [skečəbl] naskicovatelný
sketchblock [skečblok] náčrtník, skicář, skicák, blok na skici
sketchbook [skečbuk] **1** náčrtník, skicář, skicák, sešit na skici **2** liter. soubor črt, črty **3** obch. příruční obchodní kniha, obchodní zápisník
sketchiness [skečinis] naskicovanost, nepropracovanost, nahozenost, povrchnost, povšechnost, útržkovitost
sketcher [skečə] kreslič skic
sketchmap [skečmæp] situační náčrt, plánek
sketchpad [skečpæd] = *sketchblock*
sketchy [skeči] (*-ie-*) **1** skicovitý, náčrtkovitý **2** letmo / v obrysech nahozený, letmý, jsoucí v hrubých obrysech, nepropracovaný, povrchní, povšechný, útržkovitý **3** spíše jen symbolický, náznakový (*a* ~ *meal, a* ~ *skirt*)
skew [skju:] *adj* **1** šikmý, kosý; zešikmený **2** nesouměrný, nepravidelný, asymetrický **3** plocha zborcený ◆ ~ *arch 1.* šikmý oblouk *2.* šikmá klenba; ~ *bridge* šikmý most; ~ *chisel* ploché soustružnické dláto s kosým břitem; ~ *curve* prostorová křivka; ~ *surface* mat. zborcená plocha; ~ *wheel* tech. kuželové kolo se šikmými zuby ● **1** úkos, skos, kosost; asymetrie **2** nesouměrnost, odchýlení, vychýlení z přímého směru, též text. **3** stav. šikmá patka, šikmý patní kámen **4** stav. šikmý vrchol opěry / opěrného pilíře **5** stav. úhel, který svírá most a přemostěná cesta n. řeka **6** přen. chyba, omyl ◆ *on the* ~ šikmo, nakoso ● *v* **1** zešikmit, zkosit **2** vychýlit, učinit nesouměrným n. nepravidelným **3** zpracovat neobjektivně *in favour of* ve prospěch koho **4** šilhat; pošilhávat *at* / *upon* po; po|dívat se úkosem *at* / *upon* na ***skew round*** / ***around*** hovor. otočit
skewback [skju:bæk] stav. **1** patka / patní kámen se zkosenou plochou o níž se opírá oblouk n. klenba **2** šikmý úložní kvádr mostu
skewbald [skju:bo:ld] *adj* kůň strakatý, grošovaný ● *s* strakoš, strakáč, grošák
skewer [skjuə] *s* **1** řeznická / grilovací jehla, jehlice, špejle, špíz **2** žert. meč **3** dámská jehlice **4** bodec **5** text. nástrčkové vřeteno / vřetének ● *v* **1** na|píchnout, spíchnout, zapíchnout, na|bodnout, zabodnout (jako) na jehlici n. jehlicí, též přen.; spíchnout dohromady **2** sešpejlit, zašpejlit
skew-eyed [skju:aid] pidlooký, šilhavý
skewnail [skju:neil] hovor. šikmo zaražený hřebík
skew-whiff [skju:wif] BR hovor., nář. *adj* šišatý ● *adv* našišato
ski [ski:] *s pl* též *ski* [ski:] n. *skies* [ski:z] **1** lyže **2** vodní lyže ◆ ~ *binding* vázání lyží; ~ *boots* lyžařské boty; ~ *pants* šponovky; ~ *heil!* dobré lyžování!; ~ *plane* letoun s lyžovým podvozkem;

~ *site* voj. slang.: odpalovací zařízení létajících střel
V 1 ● *v* (*ski'd* / *skied, skiing*) lyžovat, lyžařit, jezdit na lyžích
skiagram [ˌskaiəˈgræm] skiagram rentgenový snímek tělesných orgánů
skiagrammatic [ˌskaiəgrəˈmætik] skiagrafický
skiagraph [skaiəgra:f] *s* **1** skiagram, skiagrafický snímek **2** archit. příčný řez, řez budovou ● *v* skiagrafovat vyšetřovat pomocí skiagramu, snímkovat
skiagrapher [skaiˈægrəfə] rentgenolog
skiagraphy [skaiˈægrəfi] **1** umění stínovat, stínování; stínový obrys **2** skiagrafie pořizování rentgenových snímků tělesných orgánů **3** archit. příčný řez, řez budovou **4** hvězd. určování času podle vrženého stínu
skiaphilist [skaiˈæfilist] milovník stínu
skibob [ˌski:ˈbob] sport. skibob
skibobber [ˌski:ˈbobə] kdo jede na skibobu
skibobbing [ˌski:ˈbobiŋ] jízda na skibobu
skid [skid] *s* **1** skluz, skluznice, líha **2** motor. smyk **3** zarážka pod kolo, šupka, brzdový špalík **4** let. ostruha **5** dřevěná / pojízdná / skládací plošina, ližina, kantnýř; podklad pod hraní dřeva **6** dřevěný odrazník, dřevěný rošt na ochranu lodních boků **7** námoř. kulatina podkládaná pod člun při jeho přemísťování; klíny pod dnem lodi při jejím spouštění ◆ *be on the ~s* AM upadat, řítit se dolů (*he has been on the ~s for some time* jde to s ním delší dobu s kopce); ~ *chain* motor. protismykový řetěz, sněhový řetěz; ~ *fin* let. svislá vodicí plocha; *go into a* ~ auto dostat smyk; ~ *platform* pojízdná plošina na kolečkách, nízký vozík; *put the ~s under a p. 1.* hovor. popohnat *2.* AU srazit hřebínek komu, způsobit, aby to šlo s kopce s; ~ *resistance* odolnost proti smyku, nesmýkavost; ~ *road 1.* smyk, smyková cesta, cestní skluz *2.* AM dřevařská čtvrť *3.* = *skid row* ● *v* (*-dd-*) **1** smekat se, smýkat se, klouzat, sklouznout, prokluzovat **2** motor. dostat smyk **3** let. vychýlit se do strany při otáčení **4** brzdit; brzdit zarážkou **5** let. brzdit ostruhou **6** dopravovat na ližinách; podložit ližiny n. kantnýře pod; skladovat na ližinách n. kantnýřích **7** přibližovat dřevo **8** spravit / zpevnit cestu kládami **9** přen. sklouznout, spadnout (*sales of new models have ~ded 60 percent*) **10** přen. přeletět, přejít *over* co, jen letmo se dotknout čeho
skidding [skidiŋ] **1** motor. smyk **2** les. přibližování **3** v. *skid, v* ◆ ~ *distance* smyková dráha; ~ *pan* les. šupka přibližovací
skiddoo [skiˈdu:] AM slang. zmizet, ztratit se
skid-lid [skidlid] BR hovor. přilba motocyklisty
skidoo [skidu:] motorové saně
skid pan [skidpæn] zarážka pod kolo
skidproof [skidpru:f] protiskluzný
skid row [ˌskidˈrəu] AM slang. chudinská čtvrť notorických alkoholiků a nezaměstnaných
skid way [ˈskidˌwei] zejm. AM odvozní místo při těžbě dřeva
skier [ski:ə] lyžař
skies [skaiz] v. *sky*
skiey [skaii] = *skyey*
skiff [skif] **1** skif loď s dvěma vesly pro jednoho veslaře **2** malý motorový člun **3** malá plachetnice **4** čtyřveslová plachetní jachta s vysunovacím kýlem
skiffle [skifl] hud. skiffle rytmický zpěv doprovázený kytarou / bandžem a (improvizovanými) hudebními nástroji, zejm. valchou ◆ ~ *group* skiffle rytmická skupina hrající skiffle
skiing [ski:iŋ] **1** lyžařství; lyžování, jízda na lyžích **2** v. *ski, v* ◆ *go* ~ zalyžovat si, zalyžařit si, jet na lyže
skijoring [ski:ˈdžo:riŋ] sport. skijéring jízda / závod na lyžích ve vleku za koněm n. motocyklem
ski jump [ski:džamp] **1** skok na lyžích **2** lyžařský můstek, můstek pro skoky na lyžích
skilful [skilf*u*l] **1** obratný, zručný, dovedný, šikovný, pohotový, taktní **2** zast. rozumný ◆ *be ~ at / in doing a t.* umět dobře dělat co, vyznat se v
skilfulness [skilf*u*lnis] obratnost, zručnost, zkušenost, dovednost, šikovnost; pohotovost, taktnost
ski-lift [ski:lift] lyžařský výtah, lyžařský vlek
skill [skil] *s* **1** obratnost, zručnost, zkušenost, dovednost, šikovnost **2** pohotovost; společenský takt, taktnost **3** jazyková dovednost, schopnost **4** řemeslo, řemeslná práce **5** *pl: skill* kvalifikovaní dělníci / pracovníci, odborníci ◆ *have no ~ at / in doing a t.* neumět dělat co, nerozumět čemu, nevyznat se v ● *v* zast. mít cenu, záležet ◆ *it ~s not* na tom nesejde; *what ~s talking?* k čemu hovořit?
skilled [skild] **1** způsobilý, odborně školený, mající požadované předpoklady, kvalifikovaný **2** odborně vzdělaný / školený *in* v ovládající co **3** řidč. = *skilful* ◆ ~ *labour 1.* kvalifikovaná práce, odborná řemeslná práce *2. pl* kvalifikované síly; ~ *worker* kvalifikovaný dělník, vyučený dělník / řemeslník
skillet[1] [skilit] **1** BR pekáč, pánev, kotlík, hrnec na nožičkách a s dlouhou rukojetí **2** AM pánev, pánvička **3** forma na lití drahých kovů
skillet[2] [skilit] tenká dýha na krabičky zápalek
skillion [skiljən] AM přístavek budova
skillful [skilf*u*l] AM = *skilful*
skill-less [skillis] řidč. neobratný, nešikovný
skilly [skili] (*-ie-*) BR **1** řídká ovesná kaše; slabá ovesná polévka, vodová polévka, polévka z krup **2** vězeňská strava
skim [skim] *v* (*-mm-*) **1** sbírat s povrchu tekutiny např. pěnu, odstraňovat škraloup z; čistit sbíráním např. pěny (~ *boiling syrup* čistit vařící se syrup) **2** hut. stírat olovo, stahovat pěnu, shánět strusku **3** sbírat s mléka smetanu; sbírat mléko, odstřeďovat mléko **4** odstranit co s povrchu tuhého tělesa, seškrábnout, sfouknout **5** vzít snadno přístupný / nejlepší exemplář z, vybrat jen na povrchu **6** pokrýt se, potáhnout se pěnou, škraloupem, ledem apod. **7** hodit; hodit tak,

že se odrazí od hladiny / že dělá „žabky“ **8** klouzat po hladině **9** letmo se dotknout čeho; lehce skákat, přeskakovat z předmětu na předmět při rozhovoru **10** pouze prolistovat (knihu), zběžně prohlédnout, přelétnout, prolétnout *over / through* co (*~ming through the report*) **11** nahazovat vrchní vrstvu omítky, omítnout načisto **12** nanést vrstvu pryže na tkaninu ◆ *~ the cream off 1.* sesbírat smetanu s mléka *2.* přen. slízat smetanu, vybrat hrozinky / bonbónky ● *s* **1** sbíraná látka s povrchu tekutiny, pěna, škraloup, povlak **2** sbírané / odstředěné mléko **3** klouzání; letmé dotýkání *over* čeho **4** pruh hustých bublinek ve skle ◆ *have a ~ through a t.* letmo si prohlédnout co ● *adj* **1** určený ke sbírání s povrchu (*~ net*) **2** sbíraný, odstředěný (*~ milk*) **3** vyrobený ze sbíraného mléka (*~ cheese*)

skimble-skamble [ˈskimblˌskæmbl] *adj* nesouvislý, nesmyslný ● *s* nesmyslné n. nesouvislé povídání, nesmysly

skimmer [skimə] **1** plochá sběračka s otvory, odpěňovačka **2** odstředivka na mléko **3** sběrač pěny; struskař, odlučovač strusky, struskovák; sběračka na pěnu **4** zool. zoboun **5** AM slang. kastrůlek, zejm. slamák, tralaláček kloubouk **6** AM šaty košilového střihu bez rukávů, s kulatým výstřihem ◆ *black ~* zool. zoboun černý

skimming [skimiŋ] **1** zatajování části výtěžku herny pro oklamání daňových úřadů **2** v. *skim, v*

skimming-dish [skimiŋdiš] hovor.: plochá plachetnice n. kluzák, lehký motorový člun

skimmings [skimiŋz] **1** pěna, stěr, škraloup, povlak **2** polygr. stěr z písmoviny

skimp [skimp] *v* **1** lakotit, skrblit, malicherně šetřit, škudlit *a t.* čím, *in / on* na **2** držet zkrátka *at / in* v, nedávat dost čeho **3** pracovat ledabyle, lajdácky, šlendriánsky; odflinknout, zafušovat **4** upejpat se při jídle ● *adj* **1** sotva dostačující, hubený, tenký, slabý, mizerný, nuzácký, nuzný, žebrácký **2** oděv těsný, malý **3** lakotný, lakomý, skoupý

skimpiness [skimpinis] **1** nedostatečnost, hubenost, tenkost, slabost, mizernost, nuzáckost, nuznost, žebráckost **2** těsnost, malost oděvu **3** lakotnost, lakota, lakomost, skoupost

skimpy [skimpi] (*-ie-*) **1** zaviněný skrblením **2** oděv krátký **3** = *skimp, adj*

skin [skin] *s* **1** lidská / zvířecí kůže **2** též *outer ~* pokožka, vrchní vrstva kůže, epiderm, epidermis **3** též *true ~* škára **4** kůže menšího zvířete, kožka, zvířátko (přen.) **5** zvířecí kůže, kožešina, kožich **6** bobří kůže jako platidlo **7** pergamen **8** kožený měch k uchování / přenášení tekutin **9** zlatotepecká kožka, mázdra **10** bot. pokožka, epiderm, epidermis **11** škraloup na mléce; tenký povlak na tekutině **12** patina na obraze **13** slupka ovoce (*slip on a banana ~* uklouznout na banánové slupce) **14** slupka salámu, též umělé střevo, střívko uzenky **15** vnější tenká vrstva; pouzdro, plášť, plášťování; obal, potah; izolace **16** plášť perly **17** vnější plášť rakety **18** kůra odlitku **19** koberec vozovky **20** námoř. lodní obšívka **21** námoř. vnější povrch svinuté plachty **22** žert. stará kůže, kamarád, chlapík (*a good old ~*) **23** lakomá kůže, lakomec, skrblík, držgrešle; podšitá kůže, podvodník, gauner **24** peněženka **25** slang. kůň, kobyla **26** slang. buben **27** slang. setření, sprdnutí, stíračka **28** AM slang. dolar **29** druh hazardní karetní hry ◆ *be in a p.'s ~* být v kůži koho; *~ and bone* kost a kůže; *cast one's ~* had svléci kůži, svléci se z kůže; *change one's ~* změnit barvu, přebarvit se (přen.); *chapped ~* rozpukaná pokožka; *dress a ~* činit, vydělávat kůži; *~ effect* elektr. skinefekt, skin; *fur ~s* kožešiny; *get under a p.'s ~* tnout, zasáhnout, rozzlobit koho, jít na nervy komu; *it gets under my ~ 1.* už mi to jde na nervy *2.* nemohu se toho zbavit, mám toho plnou hlavu, už se mi o tom zdá; *in one's ~* nahý, nahatý; *~ irritant* látka působící dráždivě na pokožku, dráždilo kůže; *jump out of one's ~* skákat, být bez sebe, šílet radostí; *next to one's ~* na holém těle; *no ~ off your back / nose / teeth* slang. to se tě nijak netýká, o tebe tu vůbec nejde; *rough ~* drsná kůže; *save one's (own) ~* zachránit vlastní kůži sebe; *sleep in a whole ~* vyváznout se zdravou kůží; *strip to the ~* svléci se do naha; *by the ~ of one's teeth* jen o vlas, o chlup, o vlásek; *have a thick ~* mít hroší kůži; *have a thin ~* být citlivý, být lehce zranitelný; *throw one's ~ = cast one's ~; under the ~* AM přen. v hloubi srdce; *get wet to the ~* promoknout až na kůži; *in / with a whole ~* se zdravou kůží bez úhony; *~ wool* jateční / jirchářská vlna ● *v* (*-nn-*) **1** též *~ out* stáhnout z kůže (*~ a bear* stáhnout kůži z medvěda) **2** odřít | si, sedřít | si (*~ned his hand on the rough rock* odřel si ruku na ostré skále), odřít | si, sedřít | si kůži z **3** o|loupat (*~ an orange* … pomeranč), sloupnout, stáhnout (*~ the insulation from the wire* stáhnout izolaci z drátu) **4** snímat patinu z, při restaurování obrazu **5** uhladit, vyrovnat tloušťku hlazením přes papír **6** dočista obrat, ošidit, oholit, sedřít kůži z koho **7** slang. setřít, sprdnout (*he was ~ned for dirty boots*) **8** vymrskat půdu **9** sloupnout vrchní kartu s balíčku, rozdávat karty po jedné **10** jentaktak projít, proplout, protáhnout se *through* čím, *by* kolem, jentaktak prolézt čím **11** též *~ over* rána potáhnout se blankou; potáhnout | se, povléci | se (jako) povlakem, škraloupem; tvořit škraloup / povlak na povrchu tekutiny **12** šplhat, lézt (*you ~ up the rope* vylezeš nahoru po laně) **13** hnát tažné zvíře **14** řídit pásový traktor **15** předstihnout, předběhnout, vzít při závodě **16** AM slang. opsat, opisovat od spolužáka **17** AM slang. píchnout si (drogu) pod kůži ◆ *~ alive 1.* zaživa stáhnout z kůže koho *2.* hovor. obrat, sedřít kůži z koho *3.* nařezat, dát nářez, nandat to komu: porazit v utkání; *~ the cat* udělat kotoul nazad ve visu (jako) na hrazdě; ~ *a flint 1.* sedřít pro vlastní prospěch z člověka kůži *2.* škrtit, skrblit, lakotit, mamonit; *keep one's eyes ~ned* mít oči na stopkách; ~ *the lamb* shrábnout všechny peníze, brát všechno při hře v karty ***skin in*** dát první nátěr šelakovou politurou čemu ***skin off*** stáhnout, svléci, sloupnout zejm. těsný oděv ***skin on*** nanášet ve slabé vrstvě barvu n. lak ***skin out*** vypadnout, zmizet ● *adj* **1** jateční, jirchářský (~ *wool*) **2** povrchový (~ *effect* povrchový jev, skinefekt) **3** slang.: jsoucí s fotografiemi nahých lidí (~ *magazines*); kde účinkují nazí herci (~ *houses*); euf. pornografický

skin-a-guts [ˌskinəˈgats] kost a kůže

skin-bound [ˌskinˈbaund] med. s chorobně napnutou kůží, stižený sklerodermií

skin-deep [ˌskinˈdi:p] zranění povrchní, nehluboký, též přen. (*love is more than* ~)

skin-diver [ˌskinˈdaivə] sportovní potápěč bez zvláštního úboru, pouze s brýlemi, ploutvemi a akvalungem

skin-diving [ˌskinˈdaiviŋ] takové sportovní potápění

skinflick [skinflik] pornografický film s nahými herci

skinflint [skinflint] **1** vydřiduch **2** lakomec, držgrešle **3** herka, stará hajtra

skin food [skinfu:d] výživný krém na pleť

skin-friction [ˌskinˈfrikšən] **1** povrchové tření, vnější tření plynů n. kapalin **2** let., námoř. povrchové tření

skinful [skinful] **1** plný měch množství **2** tělo **3** slang. velké množství, hora (~ *of food*) **4** kolik kdo snese alkoholického nápoje, vlastní dávka ◆ *have a* ~ slang. mít dost, mít nakoupeno být opilý

skin-game [ˌskinˈgeim] AM slang. **1** švindl, habaďůra **2** druh hazardní karetní hry připomínající farao

skin-graft *v* [skingra:ft] med. transplantovat pokožku, provést transplantaci pokožky ● *s: skin graft* [ˌskinˈgra:ft] transplantace pokožky

skin-grafting [ˌskinˈgra:ftiŋ] = *skin graft, s*

skinhead [skinhed] **1** BR chuligán s oholenou hlavou, skinhed, skin **2** AM nováček v námořní pěchotě

skinheadism [skinhedizəm] teror chuligánů s oholenou hlavou, řádění skinů

skink [skiŋk] zool. scink

skinless [skinlis] **1** jsoucí bez kůže; nahý **2** jsoucí bez slupky, sloupnutý, oloupaný **3** citlivý (*that defenceless* ~ *creature*)

skinner [skinə] **1** kožař, kožešník **2** stahovač kůží; jirchář, koželuh **3** podvodník, gauner **4** AM hovor. vozka, kočí, mezkař **5** řidič rypadla, buldozeru apod. **6** kdo potahuje kostru letadla

skinniness [skininis] **1** blanitost, kožnatost, kožovitost **2** hubenost, vyzáblost, vychrtlost, kostnatost **3** lakomost, lakotnost, skoupost, lakota, lakomství

skinny [skini] (*-ie-*) **1** blanitý; připomínající kůži, kožnatý, kožovitý **2** úzký, přiléhavý (~ *coats*) **3** hubený, vyzáblý, vychrtlý, kost a kůže, kostnatý **4** lakomý, lakotný, skoupý

skinny-dip [skinidip] AM slang. *v* (*-pp-*) koupat se bez plavek ● *s* koupání bez plavek

skinny-dipper [ˈskiniˌdipə] AM slang. naháč koupající se bez plavek

skin-pop [skinpop] (*-pp-*) AM slang. píchat si (drogu) pod kůži

skint [skint] BR slang. dutý, černý, švorc, plonk bez haléře

skin-tight [ˌskinˈtait] oděv těsný, těsně vypasovaný, ulitý na tělo

skip[1] [skip] *v* (*-pp-*) **1** skákat, poskakovat, hopkat, hopsat (*the lambs were ~ping about in the fields* jehňátka poskakovala po polích) **2** skákat přes švihadlo **3** přeskočit (~ *the hedge* ... plot) **4** odskočit si (~ *over to Paris for the weekend*) **5** přeskakovat, vynechávat při četbě apod. (*he ~ped the dull parts of the book*); přeskakovat při vyprávění *from* z *to* na **6** AM přeskočit třídu při studiu **7** letmo pročíst, prohlédnout, proletět, přeletět *through* co **8** projíždět, procházet *through* čím s namátkovými zastávkami, bloudit (~ *through the country from one town to another*) **9** házet s odrazem, odrážet; střela odrazit se, odskočit **10** vynechat, neudělat, nedat, nepořádat; přejít, opominout, nevšimnout si čeho (*it ~s and dodges all the real questions* všechny skutečné problémy opomíjí a nevšímá si jich); vyhnout se čemu; vynechat tep (*his heart ~ped in terror*) **11** ulejt se z (*~ped the staff meeting again* opět se ulil ze schůze zaměstnanců) **12** též ~ *off / out* slang. vypadnout, zmizet, vzít roha, zdrhnout odkud **13** bombardovat odrážejícími se časovanými pumami, bombardovat na dohoz ◆ ~ *it!* AM hovor. *1.* s tím mě neotravuj! *2.* zapomeň na to, z toho si nic nedělej, hoď to za sebe!; ~ *school* hovor. ulejt se ze školy; ~ *up stairs two at a time* brát schody po dvou nahoru ● *s* **1** poskok, poskočení, poskakování, chůze s poskakováním **2** přeskočení, vynechání, vynechávka, mezera; místo, které lze při čtení přeskočit **3** neúmyslně nezamalované místo např. na obraze **4** hovor. tancovačka **5** hud. skok **6** AM dlužník, který se snaží vyhnout placení odstěhováním ◆ ~ *distance* sděl. tech. pásmo ticha, mrtvé pásmo; ~ *numbering* číslování ob jednu; ~ *key* klávesa tabulátoru, tabulátor psacího stroje; ~ *stop* tabulátorový jezdec psacího stroje

skip[2] [skip] BR sluha student, zejm. na Trinity College v Dublině

skip[3] [skip] kapitán mužstva při hře *bowls* n. *curling*

skip[4] [skip] **1** skip železná nádoba k těžbě, zavěšená přímo na laně, sklopné vědro **2** těžní klec **3** pohyblivá násypka míchačky na beton **4** deska odříznutá z pilíře n. ze stěny uhlí **5** ~ *s, pl* vložkový papír na vykládání beden pro bavlněné zboží

skip[5] [skip] = *skep*

skip bomb [ˌskipˈbom] bombardovat na dohoz

skip bombing [ˌskipˈbomiŋ] bombardování na dohoz

skipjack [skipdžæk] **1** *pl* též *skipjack* zool.: název různých druhů ryb, které se často vymršťují nad hladinu zejm. tuna, pelamida **2** zool. kovařík **3** zool.: název různých druhů motýlů **4** skákač hračka z drůbeží vidlice **5** malá plachetnice

skipper[1] [skipə] **1** kdo přeskakuje při čtení **2** kdo skáče n. poskakuje **3** zool. soumračník **4** AM zool. červ sýrový **5** zool. polozobec; saira

skipper[2] [skipə] *s* **1** kapitán menší obchodní, rybářské n. rekreační lodi, patron (zast.) **2** hist. nálodní **3** kapitán, velitel letadla n. skupiny letadel **4** kapitán sportovního družstva; trenér **5** voj. slang. rotný ◆ *~'s daughters* námoř. hovor. zpěněné hřebeny vln, hřebenatky, beránky na vlnách ● *v* hovor. velet čemu, být kapitánem na / čeho, vést jako velitel

skippet [skipit] pouzdro na pečeť

skipping-rope [skipiŋrəup] BR švihadlo

skip zone [ˌskipˈzəun] sděl. tech. pásmo přeslechu, mrtvé pásmo

skirl[1] [skə:l] BR *v* **1** dudy mečet **2** za|ječet ● *s* **1** mečení dud **2** za|ječení

skirl[2] [skə:l] *v* točit se dokolečka, vířit, tvořit vír ● *s* malý vír (*~ of dust and wind*)

skirmish [skə:miš] *s* **1** šarvátka; střetnutí malých jednotek, potyčka, půtka, bitka, srážka **2** přen. slovní souboj, ostrá výměna názorů, rozepře, spor, šarvátka ● *v* **1** utkat se v šarvátce **2** mít slovní potyčku, ostře si vyměňovat názory **3** spížovat, špížovat, hledat spíži (hist.)

skirmisher [skə:mišə] voj. voják v rojnici ◆ *~s in line ahead!* voj. v rojnici! povel

skirmish line [ˌskə:mišˈlain] voj. rojnice

skirr [skə:] zaskřípat

skirret [skirit] bot. sevlák

skirt [skə:t] *s* **1** sukně samostatná součást ženského oděvu, suknice **2** též *~s, pl* sukně dolní část ženských šatů **3** hist. mužská sukně, suknice, kytlice **4** šůsek, šos (*the ~ of a jacket*); cíp, konec (*the ~ of a curtain*) **5** obruba, lem, okraj; lem, okraj zvonu / včelího úlu; okrajový oddíl, krajní část **6** kraj, okraj lesa apod., úpatí hory; ochranný lesní pás **7** námoř. *~s, pl* střed, hlavní plocha plachty **8** též *~s, pl* okrajová část, okraj (*the long white ~ of the salt desert* dlouhý bílý okraj solné pouště) **9** *~s, pl* okrajová část města / vesnice, kraj, okraj, předměstí, periférie **10** bočnice sedla; malá sedlová brašna **11** pokrývka, přehoz (*chair ~*) **12** plášť pístu, izolátoru, kryt kol lokomotivy **13** spodní větve stromu blízko země **14** hovězí droby zejm. bránice jako pokrm **15** vodicí část pístu **16** let. vnější část padáku **17** vulg., slang. sukně, holka, kost, šťabajzna ◆ *a bit of ~* vulg., slang. = *skirt, s 17; divided ~* kalhotová sukně; *flared ~* rozšířená sukně ● *v* **1** lemovat, vroubit, obklopovat (*woods ~ the town on all sides*) **2** jít / vést / jet / plout *a t.* / *along a t.* podél po okraji čeho (*the dusty path that ~ed the field*), ležet při okraji čeho **3** řidč. prohledat okraj čeho **4** obejít **5** vyhnout se komu / čemu **6** odstraňovat vyřazenou vlnu z rouna; odstraňovat nevlněné části např. knoflíky, podšívku apod. z vlněných hadrů **7** pes zabíhat, odbíhat od smečky při honu na lišku

skirt dance [skə:tda:ns] baletní tanec v dlouhé pestré sukni

skirt dancer [ˈskə:tˌda:nsə] tanečnice tančící v dlouhé pestré sukni

skirt-dancing [ˈskə:tˌda:nsiŋ] tanec v dlouhé pestré sukni, serpentinový tanec

skirting [skə:tiŋ] **1** lem, obruba, okraj **2** ozdoba na nábytku např. u spoje spodního okraje stolu a jeho nohy **3** *~s, pl* vyřazená vlna, vlna z krajových částí rouna **4** v. *skirt, v*

skirting-board [skə:tiŋbo:d] podlažní prkenný soklík, podlažní sokl

ski run [skiran] lyžařská dráha

ski running [ˈski:ˌraniŋ] jízda na lyžích

ski scooter [ˈski:ˌsku:tə] BR motorové saně

ski stick [skistik] lyžařská hůl

skit[1] [skit] *s* **1** satirická poznámka, satirický šleh **2** parodie **3** SC dobromyslný žert **4** vážný dramatický výstup, vážná scénka ● *v* (*-tt-*) **1** dělat satirické poznámky **2** parodovat

skit[2] [skit] *~s, pl* hovor. spousta, hora, moře velké množství

skite [skait] AU hovor. *v* vytahovat se, honit se ● *s* vytahování, honění

ski tow [ski:təu] lyžařský vlek

skitter [skitə] **1** vodní pták letět těsně při hladině, plácat křídly o vodu **2** králík skákat, hopkat **3** tahat návnadu / cukat návnadou po hladině **4** AM hovor. hodit, majznout

skittish [skitiš] **1** hravý, dovádivý, rozmarný; rozpustilý, nevázaný (*for a minister the pastime was unduly ~* na duchovního to byla zábava nemístně rozpustilá) **2** žena koketující, flirtující, rozmarný, ztřeštěný **3** móda rozmarný, nestálý, rychle se měnící (*the ~ fads of musical fashion* rychle se měnící rozmary hudební módy) **4** kůň plachý, lekavý, bázlivý, jankovitý

skittishness [skitišnis] **1** hravost, dovádivost, rozmarnost; rozpustilost, nevázanost **2** koketnost, rozmarnost, ztřeštěnost ženy **3** rozmarnost, nestálost módy **4** plachost, lekavost, bázlivost, jankovitost koně

skittle [skitl] *s* **1** kuželka nářadí ke hře **2** *~s, pl* BR kuželky hra **3** též *table ~s* americký kuželník se zavěšenou koulí **4** *~s, pl* rekreační šachová partie **5** *~s, pl* slang. blbost, volovina, kecy nesmysl ◆ *life is not all beer and ~s* život není jenom zábava, život není peříčko ● *v* hrát kuželky ***skittle out*** snadno vyřadit několik pálkařů za sebou v kriketu

skittle alley [ˈskitlˌæli] kuželník, kuželna

skittle ball [skitlbo:l] koule n. kotouč ke hře v kuželky

skittle ground [skitlgraund] = *skittle alley*

skittle pins [skitlpinz] kuželky

skive[1] [skaiv] *v* **1** koželuh. štípat kůži, sebrušovat kůži **2** brousit, obrušovat povrch drahokamu ● *s* diamantový kotouč na broušení diamantů
skive[2] [skaiv] slang. ulejt se z práce n. povinnosti
skiver [skaivə] koželuh. **1** tenká lícová štípenka ze skopovice, tenká skopovice knihařská **2** štípač, štípací stroj / nástroj **3** tenčíř kůže
skivy [skivi], časť. **skivvy** [skivi] (*-ie-*) *s* **1** BR slang. služka, Máry **2** AM pánské tričko **3** AM *skivvies, pl* tričko se spodkami ● *v* sloužit jako služka, dělat / být Máry
ski wear [skiweə] lyžařské oblečení
skokiaan [ˌskokiˈa:n] SA černošská samohonka doma vyrobený alkoholický nápoj
skolly [skoli] (*-ie-*) gangster
skua [skjuə] zool. chaluha ◆ *great* ~ chaluha velká
skulduggery [skalˈdagəri] (*-ie-*) AM žert. **1** lumpárna, trik, finta, hejble **2** mazanost, fikanost (~ *in the human nature*)
skulk [skalk] *v* **1** plížit se tajně n. zákeřně (*Indians* ~*ing through the tall sage* Indiáni plížící se vysokým pelyňkem) **2** skrývat se, schovávat se, krčit se, choulit se ze strachu n. zlého úmyslu **3** ztratit se, zmizet, tajně utéci v nebezpečí, pláchnout, prásknout do bot **4** BR ulejvat se, vyhnout se povinnostem, simulovat nemoc, hodit se marod ● *s* **1** smečka lišek **2** = *skulker*
skulker [skalkə] **1** baba, bačkora, zbabělec **2** simulant, ulejvák **3** kdo se plíží
skull [skal] **1** lebka, též přen., hanl. **2** umrlčí lebka **3** přiléhavá čapka, čepička **4** vršek přilby **5** hut. ztuhlý materiál na stěnách pánve, usazenina v pánvi ◆ ~ *and crossbones* umrlčí lebka se zkříženými hnáty; ~ *practice* AM *1.* porada *2.* nalejvárna *3.* hlavolam (přen.); ~ *session* hovor. *1.* nalejvárna instruktáž *2.* informační porada, výměna názorů *3.* „makačka na bednu" práce vyžadující velké přemýšlení
skullcap [skalkæp] **1** přiléhavá čapka, čepička **2** anat. temeno lebky **3** hist. šišák druh přilby **4** bot. šišák
skullduggery [skalˈdagəri] (*-ie-*) = *skulduggery*
skunk [skaŋk] *s* **1** zool. skunk, smraďoch (zast.) **2** skunková kožešina, skunk **3** slang. smrad, parchant, mizera, smraďoch, skunk ● *v* AM slang. **1** pobít, roztrhnout, roznést, rozdrtit vyhrát nad **2** nezaplatit směnku
Skupshtina [skupštinə] polit. skupština jugoslávský parlament
skurfing [skə:fiŋ] = *skateboarding*
sky [skai] *s* (*-ie-*) **1** též *skies, pl* obloha, nebe (*blue* ~ *of spring*) **2** též *skies, pl* bás. nebe, nebesa (*was raised to the skies*) **3** *skies, pl* meteor. obloha; stav oblohy, oblačnost; horní vrstva ovzduší **4** voj. vzdušný prostor **5** též *skies, pl* podnebí, ovzduší (*try what warmer skies will do for you*); počasí, povětrnost **6** blankyt, azur **7** zast. oblak, mrak **8** nejvyšší řada v obrazové galérii ◆ *out of clear* ~ zčistajasna; *if the* ~ *fall we shall catch larks* proti nepravděpodobnému se není třeba chránit; ~ *would not fall if* … jestli … tak se svět nezboří; *in the skies* v sedmém nebi; *laud to the skies* vychvalovat až do nebe; *under the open* ~ pod širým nebem, venku, pod širákem; *praise to the skies* = *laud to the skies;* ~ *is the limit* nekladou se žádné meze, peníze nehrají žádnou roli ● *v* (*skied* / *skyed, skied* / *skyed*) **1** odpálit do výšky kriketový míč **2** hodit do výšky **3** námoř. zvednout příliš vysoko veslo před záběrem **4** dát / umístit nepříjemně vysoko (*the world's press skied up in the gallery* zástupci světového tisku přilepení vysoko na galérii) **5** pověsit až ke stropu obraz; pověsit až ke stropu obraz koho zejm. na výstavě **6** klenout se jako obloha nad
sky army [ˌskaiˈa:mi] paradesantní oddíly, výsadkáři
sky-blue [ˌskaiˈblu:] *adj* blankytný, azurový ● *s* blankyt, azur
sky-born [skaibo:n] **1** bás. nebeský, v nebi zrozený **2** dopravovaný letadly (~ *troops*)
sky-clad [skaiklæd] žert. nahatý, jsoucí v rouše Evině / Adamově
skydive [skaidaiv] provádět seskoky se zpožděným otevřením podáku
skydiver [ˈskaiˌdaivə] parašutista provádějící seskoky se zpožděným otevřením padáku
skydiving [ˈskaiˌdaiviŋ] seskok se zpožděným otevřením padáku
Skye [skai] též ~ *terrier* zool.: druh skotského teriéra, smeták (hovor.)
skyer [skaiə] kriket vysoko odpálený míč
skyey [skaii] nebesky vznešený
sky girl [ˌskaiˈgə:l] hovor. letuška
sky glow [ˌskaiˈgləu] ohnivá záře
sky-high [ˌskaiˈhai] *adv* **1** nesmírně vysoko, až do nebe (*men on the upper deck were flung* ~ muži na horní palubě byli vymrštěni až do nebe) **2** do závratné výšky (*raising taxes* ~) **3** hovor. na kusy, na cimprcampr (*blasted another myth* ~ rozdrtil další mýtus na cimprcampr) ● *adj* **1** nesmírně vysoký, nebetyčný, závratný (*spend* ~ *sums*) **2** závratně drahý (*top restaurants are often* ~ špičkové restaurace jsou často …)
sky hog [ˌskaiˈhog] hovor. hloubkový letec
sky hook [ˌskaiˈhuk] hovor. sondážní balón meteorologický
skyjack [skaidžæk] *v* unést letadlo ● *s* **1** únos letadla **2** = *skyjacker*
skyjacker [ˈskaiˌdžækə] únosce letadla
Skylab [skailæb] AM Skylab orbitální laboratoř
skylark [skaila:k] *s* **1** zool. skřivan polní **2** komedie, špás, fór, jednotlivá legrace, legrácka, kanada (*to him everything is a* ~) **3** volně se kývající konec lana ● *v* **1** šplhat po ráhnoví z legrace **2** též ~ *it* dělat komedie / blbinky, provádět kanadské žertíky, blbnout
skyless [skailis] jsoucí se zataženou oblohou

skylight [skailait] **1** stropní světlík, střešní okno, ateliérové okno **2** námoř.: palubní světlík
skyline [skailain] *s* **1** obzor; čára obzoru **2** silueta, kontura proti obloze **3** nosné lano na sbližování kmenoviny ◆ *be on the ~* být na obzoru, rýsovat se proti obloze ● *v* rýsovat se proti obloze
sky man [ˌskaiˈmæn] výsadkář, parašutista
sky marker [ˌskaiˈma:kə] voj. světlice na padáku, „stromeček"
sky marshal [ˌskaiˈma:šəl] AM policista mající za úkol bránit únosu letadla
sky pilot [ˌskaiˈpailət] voj., námoř. slang. velebníček
skyrocket [ˈskaiˌrokit] *s* **1** ohňostrojná raketa **2** též *~ gilia* bot.: americká květina *Gilia agregata* ● *v* **1** cena, příjem prudce stoupnout, prudce vyletět nahoru **2** prudce zvýšit, vyhnat nahoru např. cenu **3** prudce vynést, povýšit (*~ed its author to fame*) **4** chovat se impulzívně, divočet
sky room [ˌskaiˈru:m] jednotlivá kabina ve velkém dopravním letadle
skysail [skaiseil] námoř. hist. oblohová plachta
skyscape [skaiskeip] **1** obloha obraz znázorňující zejm. oblohu **2** viditelný kus oblohy
skyscraper [ˈskaiˌskreipə] **1** mrakodrap; výškový dům **2** vysoký komín, vysoká věž apod. **3** = *skysail*
sky sign [ˌskaiˈsain] reklama na střeše budovy
sky troops [ˌskaiˈtru:ps] paradesantní oddíly, výsadkáři
skyward [skaiwəd] *adj* směřující / orientovaný k obloze ● *adv* = *skywards*
skywards [skaiwədz] **1** k nebi, do nebe **2** vysoko nahoru
skywave [ˌskaiˈweiv] sděl. tech. prostorová / ionosférická vlna
skyway [skaiwei] **1** let.: letecký koridor, letecká trasa, linka **2** motor. vyvýšená silnice
skywriting [ˈskaiˌraitiŋ] **1** reklama na obloze **2** psaní reklamy na obloze kouřem n. výpary z letadla
slab[1] [slæb] *s* **1** tenčí deska, destička, tabule, plát (*cut the marble into ~s*) **2** destička např. na míchání barev n. mastí **3** deska stolu, stolek; deska pultu, pult; BR operační stůl; stůl v márnici **4** skrojek, silnější krajíc chleba; tlustší plátek, řízek, ukrojený kus masa **5** krajina, odkorek **6** bednové prkénko; prkno, fošna **7** palivové dřevo, řezivo **8** cementový koberec betonové podlahy; cementový parket (*a dance ~*) **9** hut. ploska, brama **10** bot. puk cibule, pacibulka narcisu **11** polygr. skleněná deska pro zhotovení světlotiskové formy **12** přen. pořádný kus (*a ~ of real life*) ◆ *~ bridge* krátký most, deskový most ze železobetonové desky ● *v* (*-bb-*) **1** omítat, otesávat klády **2** dělat desky, řezat fošny **3** vydláždit, přikrýt deskami; zapažit jámu **4** nanést, na|mazat, na|patlat v tlusté vrstvě / v kusech (*~ butter on bread, ~ paint on walls* patlat barvu na stěny) **5** povolit, popustit lano
slab[2] [slæb] zast. lepkavý, mazlavý
slabber[1] [slæbə] = *slobber*
slabber[2] [slæbə] **1** omítací pila, omítačka **2** rámová pila, rámovka **3** dřevař s těmito pilami pracující **4** dělník řezající n. vyrábějící desky **5** předvalková trať n. stolice na válcování plosek
slabbing gang [ˈslæbiŋˌgæŋ] rámová pila, rámovka na fošny
slabby [slæbi] (*-ie-*) nepříliš tlustý, silný jako deska
slab line [slæblain] námoř. zadní kasací lano n. šňůra hlavních ráhnových plachet
slab-sided [ˈslæbˌsaidid] dlouhý a štíhlý, protáhlý (*~ cheeks*)
slabstone [slæbstəun] **1** lehce štípatelný kámen **2** kamenná dlaždice
slack [slæk] *adj* **1** nepozorný, nepřesný, lajdácký (*~ in service*) **2** unavený, slabý, ochablý, zemdlený, malátný, mdlý, chabý, zvadlý (*she feels ~ this morning*) **3** obch. ochablý, mrtvý, váznoucí (*business is ~ this week*); malý, nepatrný, chabý, špatný, nevalný, nevelký **4** volný, nenapnutý, povolený, uvolněný; lano s průvěsem, prověšený; volně navinutý, neutažený, nestejnoměrně utažený; vyběhaný **5** nedosušený; nedopálený; nedopečený **6** mírně zahřátý, mírný (*a ~ oven*) **7** proud pomalý, volný, mírný, klidný **8** vítr vlahý **9** samohláska otevřený ◆ *be ~ in one's duties* zanedbávat své povinnosti; *become ~* = *get ~*; *~ cooperage* souprava materiálů na dopravní sudy na sypké hmoty; *get* / *grow ~* *1.* ochabnout *2.* povolit, uvolnit se *3.* váznout; *keep a ~ hand* = *keep a ~ rein; ~ hours* doba mimo dopravní špičku; *~ jaw* hovor.: (drzé) žvanění; *~ lime* hašené vápno; *keep a ~ rein* povolit uzdu / otěže, nedržet pevně na uzdě, nedržet zkrátka, též přen.; *~ season* obch. mrtvá sezóna; *~ side* ochablá / nenapjatá větev řemenu; *~ in stays* plachetnice zdlouhavý při obeplutí značky dráhy; *~ suit* AM pohodlný domácí / sportovní úbor kalhoty a košile n. bunda; *~ tyre* poloprázdná pneumatika; *~ weather* mrtvé počasí; *~ water* *1.* stav vody mezi odlivem a přílivem *2.* stojatá voda ● *adv* **1** pomalu, volně **2** nedostatečně, málo ● *s* **1** průvěs, propuštění lana **2** mrtvá sezóna, mrtvá doba, období malé činnosti **3** *~s, pl* pánské kalhoty jako samostatná součást oděvu; dlouhé dámské kalhoty **4** námoř. stojatá voda; směna / střídání slapů **5** námoř. část lana, na niž nepůsobí tah; oblouková část podélné plachty **6** tech. vůle, uvolnění, mezera; mrtvý chod stroje **7** hovor. pauza, přestávka, odpočinek, oddech **8** drobné uhlí, mour **9** nář. drzost **10** nepřízvučná doba ve verši ◆ *haul in the ~* = *pull in the ~; have a good ~* hovor. vypřáhnout a odpočinout si, dát si oddech, odfrknout si; *pull in* / *take up the ~* vypnout lano, vybrat průvěs; *take up the ~* přen. postavit průmysl na nohy ● *v* **1** též *~ away* / *off* / *out* povolit | se, popustit | se, uvolnit | se; prověsit lano, uvolnit tah v laně **2** též *~ off* povolit,

ochabnout (*don't ~ off in your studies*); opadnout, splasknout (přen.) (*our enthusiasm ~ed off*) **3** též ~ *up* ochabnout v (~ *up one's efforts* ochabnout v úsilí) **4** zpomalit | se, zvolnit | se, zmírnit | se, zmenšit | se **5** zmenšovat výrobu, zkracovat výrobní operace **6** vlak zvolnit / zpomalit rychlost, brzdit **7** obchod upadat, váznout, ochabovat **8** rozpadat se, zvětrávat **9** hasit vápno; vápno hasit se **10** u|dusit oheň **11** konat nepozorně, lajdat, zanedbávat **12** hovor.: též ~ *about* flinkat se, flákat se, ulejvat se při práci ***slack up*** zpomalit, při|brzdit (~ *up before you reach the crossroads*)
slack-bake [slækbeik] **1** nedopéci chléb **2** nevypálit, nedopálit cihlu
slack-dried [slækdraid] chmel nedosušený
slacken [slækən] **1** zmírnit, zmenšit (~ *a flow of water*); zpomalit, zvolnit **2** povolit, popustit napnuté (~ *a sail* … plachtu) **3** polevit (*determined not to ~ as a correspondent* rozhodnut, že jako dopisovatel ve svém úsilí nepoleví)
slacker [slækə] flink, flákač, ulejvák při práci
slackness [slæknis] **1** nepozornost, nepřesnost, lajdáckost, lajdáctví **2** unavenost, slabost, zemdlenost, malátnost, mdlost, chabost, ochablost, zvadlost **3** povolenost, uvolněnost; průvěs lana **4** vyběhanost, nežádoucí vůle **5** klid, pomalost, volnost **6** ochablost trhu; stagnace; mrtvá sezóna obchodní
slack-off [ˌslækˈof] zpomalení
slade [sleid] **1** plaz pluhu **2** rýč na rašelinu
slag [slæg] *s* **1** struska **2** škvára **3** geol. struskovitá láva **4** přen. špína, usazenina, kal ◆ *basic ~ = slag, s 3; ~ brick* strusková cihla, struskovå tvárnice; ~ *concrete* struskový beton; ~ *furnace / hearth* pec na struskovací pražení olovnatých rud ● *v* (*-gg-*) **1** struskovat **2** struskovatět; tvořit strusku, pokrýt struskou, zbavit strusky, odstruskovat; vypouštět strusku **3** tvořit škváru; spékat se
slaggy [slægi] **1** struskovitý **2** škvárovitý
slag wool [slægwul] strusková vlna
slain [slein] v. *slay, v*
slake [sleik] **1** u|hasit, ukojit, u|tišit žízeň, též přen. (~ *our curiosity* ukojit naši zvědavost) **2** svlažit, smáčet (*land ~d with blood*) **3** u|dusit oheň **4** hasit vápno; vápno hasit se **5** zvětrávat, rozpadávat se **6** řidč. mírnit, tišit bolest; bolest mírnit se, tišit se, povolovat, ustupovat
slaked lime [ˌsleiktˈlaim] hašené vápno
slakeless [sleiklis] neuhasitelný, neukojitelný, neutišitelný
slalom [sla:ləm] slalom ◆ *giant ~* sport. obří slalom
slam [slæm] *v* (*-mm-*) **1** též ~ *to* přibouchnout | se, zabouchnout | se, zavřít | se s bouchnutím (~ *the door to, the door ~med to*); přirazit dveře, víko **2** prásknout, praštit, bouchnout, udeřit *a t.* čím *on* na, udeřit čím o; dupnout *on* na (*~med on the brake* dupl na brzdu) **3** prorazit *through* čím; napálit *into* do (*the batsman ~med the ball into the grandstand* pálkař napálil míč do hlavní tribuny) **4** slang. ubalit, střihnout ránu; porazit, pobít; nařezat, nabančit, nandat to komu při sportovním utkání **5** slang. setřít, seřezat, zničit, rozcupovat, roznést kritikou, vypucovat žaludek komu **6** dělat rámus, rámusit ◆ ~ *the door in a p.'s face* zabouchnout komu dveře před nosem ● *s* **1** rána, bouchnutí, prásknutí (jako) prudce zavřených dveří **2** karty slam hlášení, že strana hodlá získat 12 n. 13 zdvihů v bridži **3** sport. série závodů ◆ *grand ~ 1.* karty velký slam 13 zdvihů *2. G~ S~* tenis série čtyř světových turnajů (Wimbledon, Forrest Hills, Roland Garros, mistrovství Austrálie); *little / small ~* malý slam 12 zdvihů
slam-bang [slæmbæŋ] hovor. *v* dělat kravál ● *adv* **1** s kraválem **2** bezmyšlenkovitě ● *adj: slambang* **1** rámusivý, dělající kravál **2** velký, silný, mocný (*a ~ effort to win* velké úsilí zvítězit) **3** vynikající, fantastický, senzační (*a ~ address*) ● *s* kravál
slamse mense [ˌsla:msəˈmensə] SA jihoafrický Malajec
slander [sla:ndə] *s* **1** ústní pomluva, urážka na cti, utrhání, nactiutrhání, kleveta, klep **2** očerňování, špinění **3** práv. pomluva; urážka na cti **4** hanba, ostuda ● *v* **1** pomlouvat, klevetit, nactiutrhat, šířit pomluvy **2** pomluvit, očernit, obvinit, osočit, zostudit, pošpinit
slanderer [sla:ndərə] pomlouvač, klepař, klevetník, nactiutrhač
slanderous [sla:ndərəs] pomlouvačný, utrhačný, nactiutrhačný, klevetivý
slanderousness [sla:ndərəsnis] pomlouvačnost, utrhačnost, nactiutrhačnost, klevetivost
slang [slæŋ] jaz. **1** hovorová řeč, obecná řeč, módní řeč, substandardní řeč; hovorový výraz, substandardní výraz (*the use of out-of-date ~ is typical of foreigner's English*) **2** slang **3** hantýrka, žargon **4** argot **5** hovor. nadávky, sprostoty ◆ *back ~* nahrazování slov výrazy záměrně utvářenými tak, jako by nahrazovaná slova byla čtena obráceně (odzadu); *rhyming ~* nahrazování slov výrazy, které se s nahrazovanými slovy rýmují; takový nahrazený výraz ● *v* hovor. hubovat koho, nadávat, spílat, láteřit komu (*stop ~ing me*)
slanginess [slæŋinis] **1** vulgárnost **2** slangovost
slanging match [ˌslæŋiŋˈmæč] výměna sprostot, hádka plná urážek
slangy [slæŋi] **1** vulgární **2** slangový **3** hovorový, plný hovorových výrazů
slant [sla:nt] *v* **1** svažovat se, klonit se, sklánět se (*where the field ~s to the river*); být nakloněn, být šikmo, mít šikmý směr (*his handwriting ~s from right to left*) **2** zešikmit, zkosit (~ *a line*) **3** jít / plout / letět / vést šikmo, říznout si to (*we ~ed across the river*); světlo dopadat šikmo / v ostrém úhlu na **4** škrtnout *against / on / upon* o, šikmo narazit o, šikmo se odrazit od **5** naklonit, přimět, přivést; tíhnout, mít sklon, klonit se

toward k **6** AM zaměřit, orientovat *for* na / pro, dělat z hlediska koho, pro (*a magazine ~ed for farm readers*) **7** nepodat objektivně, záměrně / tendenčně zkreslit, přibarvit zprávu, dát tendenční charakter / interpretaci zprávě (*~ the news*) ● *adj* **1** zejm. bás. šikmý, kosý, svažitý, sklonitý **2** AM neobjektivní, předpojatý, jednostranný ◆ *~ height* šikmá výška výška boční stěny jehlanu n. površky kužele; *~ line 1.* šikmá čára *2.* úhlopříčka, diagonála; *~ plane* nakloněná rovina ● *s* **1** šikmý směr, šikmost, kosost; úkos, skos; úklon, sklon **2** svah, spád, úbočí **3** šikmá čára; úhlopříčka, diagonála **4** šikmý paprsek **5** horn. úklonný překop, úklonné dílo, šikmina **6** pohled úkosem (*take a ~ at him* podívat se na něho úkosem) **7** BR zast. sarkastická poznámka, šleh **8** příležitost **9** bakteriová kultura šikmo uložená ve zkumavce **10** námoř. vánek; poryv větru; vítr vanoucí žádoucím směrem **11** AM sklon, tendence **12** AM hovor. zvláštní / vlastní hledisko, názor, pohled *on* na, přístup k, zvláštní interpretace čeho (*get a new ~ on the political situation*) **13** voj. dostřel proti letadlům **14** AM voj. slang. šikmooká opice orientálec ◆ *on the ~* šikmo, nakoso, nakřivo, našišato, šišatě; *~ of wind* AM směr větru

slantendicular [ˌsla:ntənˈdikjulə] žert. šikmý, kosý

slant-eyed [sla:ntaid] šikmooký

slantindicular [ˌsla:ntinˈdikjulə], **slantingdicular** [ˌsla:ntiŋˈdikjulə] = *slantendicular*

slant-rhyme [ˌsla:ntˈraim] aliterace

slantways [sla:ntweiz] = *slantwise*

slantwise [sla:ntwaiz] šikmo, našikmo, kose, nakoso

slap [slæp] *v* (*-pp-*) **1** plesknout, plácnout (jako) plochou dlaní *a t.* na / přes / do / co / čím (*women washing clothes in the canal ~ them against stones*); poklepat, proklepat (*~ping with the backs of your hands*) **2** plácat, pleskat (*slippers ~ping on the stones* trepky pleskající na kamenech) **3** přirazit, přibouchnout dveře, víko **4** hodit, vrazit, majznout (*~ into jail* vrazit do vězení); narazit, připlácnout (*~ one's hat on one's head*) **5** přen. uvalit rychle, souhrnně, přišít (*~ping new taxes on farm cooperatives*) **6** hovor. po|kárat, vy|plísnit; setřít, sprdnout (*~ped the workers who had gone on strike* setřít zaměstnance, kteří vstoupili do stávky) ◆ *~ a p. on the back* též poplácat po ramenou komu jako pochvalu; *~ a p.'s face* dát pohlavek / políček / facku / pár facek komu, napohlavkovat, nafackovat komu, z|pohlavkovat, z|políčkovat, z|fackovat koho; *~ mortar* nahazovat maltu; *~ a p. on the shoulder = ~ a p. on the back; ~ shot* krátký golfový úder v ledním hokeji; *~ on the wrist* jemně pokárat, pohrozit ***slap around 1*** profackovat koho *2* dát do těla komu / čemu, vypůjčit si koho ***slap down 1*** plesknout, plácnout *2* umlčet, potlačit; setřít ***slap together*** sprásknout, spichnout dohromady (*~ped the movie together in a month*) ● *s* **1** políček, pohlavek, facka; prudký úder, rána **2** plácnutí, plácání, plesknutí, pleskání **3** urážka *at* koho / čeho, políček (přen.) komu / čemu (*a ~ not only at this country but at all Asia*); rána, pohroma ◆ *~ in the face* přen. rána, urážka *for* pro, políček komu; *give a ~ on a t.* poplácat co; *have a ~ at a t. 1.* pokusit se rychle o, zkusit rychle co obtížného *2.* pustit se do, setřít kritikou koho / co; *~ and tickle* BR hovor. divoké miliskování; *~ on the wrist* mírné pokárání, pohrození prstem ● *adv* hovor. **1** přímo, rovnou; najednou **2** úplně, komplet (*she was ~ out of black sewing cotton* úplně jí došla černá bavlnka)

slap-bang [ˌslæpˈbæŋ] *adj* **1** humpolácký, hrubý (*~ production methods*) **2** neohrabaný, ale dobrosrdečný, strejcovský, fotrovský ● *adv* **1** přímo, rovnou, překotně, divoce, prudce, hlava nehlava **2** s bouchnutím, s prásknutím, s velkým rámusem

slapdash [slæpdæš] *adv* **1** rovnou, přímo, zrovna **2** prudce, bezohledně **3** nepozorně, ledabyle, lajdácky, hajdalácky, narychlo ● *adj* sprásknutý dohromady, ledabyle udělaný, lajdácký, hajdalácký ● *s* **1** ledabylá práce, lajdáctví, hajdaláctví **2** ledabylost, lajdáckost ● *v* sprásknout, spíchnout dohromady, udělat ledabyle, odflinknout, odfláknout

slap-happy [ˈslæpˌhæpi] slang. **1** bouřlivě / nesmyslně veselý, bezstarostný, bláhový, odvázaný **2** ubitý, umlácený, téměř bez sebe (*~ with exhaustion* vyčerpáním téměř bez sebe) **3** = *slapdash, adj*

slapjack [slæpdžæk] **1** AM lívanec, palačinka **2** druh dětské karetní hry

slapstick [slæpstik] *s* **1** div. práskačka, pleskačka, plácačka rekvizita harlekýna **2** film., div. rozpustilá fraška plná gagů, groteska, klauniáda hrubšího zrna **3** divadelní / filmový gag, gagy, komický špílec, špílce, fór **4** smirkové lešticí prkénko **5** film klapka ● *adj* rozpustilý, fraškovitý (*~ comedy, ~ humour*)

slap-up [slæpap] slang. fajnový, fajňácký, primový, epesní, hogofogo

slash[1] [slæš] AM močálová nížina

slash[2] [slæš] *v* **1** pořezat, rozřezat dlouhými tahy (*his face had been ~ed with a razor blade* obličej měl pořezaný žiletkou), posekat, poškrábat, podrápat, rozdrápat, rozdrásat dlouhými tahy (*the dog ~ed both his opponents severely* pes oba své protivníky vážně podrápal) **2** prořezávat, probleskávat čím, rozčísnout (*great yellow flashes ~ the night* velké žluté záblesky prošlehávají noci); prosekat, pro|klestit (*~ed his way through the Oregon wilderness* klestil si cestu oregonskou divočinou) **3** vystřihovat, prostřihovat látku, zdobit prolamováním **4** sekat *at* do dlouhým sekem a bez míření (*he ~ed at the tall weeds with his stick* sekal hůlkou do vysokého plevele), bít, řezat *at* do čeho, též přen.; déšť prát *against* do **5** bít bičem, bičovat (*don't ~ your horse*), prásknout bičem (*~ing his whip near the horse*) **6** rozsekat na kusy, rozcupovat kritikou **7** hnát se, letět, svištět (*the rockets ~ groundward* rakety sviští směrem k zemi); napálit (*~ the ball across the court*) **8** hovor. radikálně snížit, srazit (*~ prices*); radikálně zkrátit (*editing would have ~ed this volume to half its size*); vyhodit, vyškrtnout (*~ twenty minutes out of the first act*) **9** vy|mýtit les **10** voj. porazit, pokácet stromy, aby vytvořily ochrannou hradbu ● *s* **1** dlouhá sečná / řezná rána **2** sek, seknutí, řez, říznutí; pruh **3** radikální snížení, zkrácení (*substantial ~es in this year's defense outlays* podstatné snížení v letošním rozpočtu na obranu) **4** *~es, pl* prolamování druh ozdoby **5** kus káceného lesa; AM odpad při kácení, klest, klestí; polom **6** BR vulg. chcaní

slasher [slæšə] **1** kdo seká n. řeže **2** zločinec ozbrojený břitvou n. žiletkou **3** šermíř **4** sekáč, vejtaha zejm. ozbrojený sečnou zbraní **5** sečná zbraň; meč, břitva; srpovitá sekera na klestění **6** kotoučová pila zkracovačka odpadu na palivo **7** text. bubnový šlichtovací stroj, anglický šlichtovací stroj

slashing [slæšiŋ] **1** kritika sžíravý, ostrý, zdrcující, zničující **2** v. *slash, v*

slash pocket [ˈslæšˌpokit] prostřižená kapsa

slat[1] [slæt] *s* **1** lišta, laťka, lať, lajsna (hovor.); prkénko **2** tenká destička, tenká dlaždička **3** *~s, pl* slang. zadek, zadnice **4** *~s pl* slang. žebra ● *v* (*-tt-*) **1** udělat z latěk n. lišt **2** tvořit pruhy **3** zavřít žaluzii

slat[2] [slæt] (*-tt-*) BR **1** námoř.: plachta pleskat **2** udeřit, praštit, bít **3** hovor. štípat si to, žíhat to s rámusem

slat door [ˌslætˈdo:] žaluziové dveře

slate[1] [sleit] *v* **1** hovor. zřezat, roztrhat, rozcupovat, natrhnout, setřít, dát na frak komu, odsoudit autora, dílo **2** voj. způsobit velké ztráty nepříteli **3** AM předběžně určit, stanovit, jmenovat, navrhnout (*~ candidates*) *for* na kdy, plánovat na kdy; předpovídat, hlásit *for* co (*thunderstorms are ~d for the Northern Appalachians* v severních Appalačských horách se očekávají bouře); předurčit *for* k (*he is obviously ~d to go up* je zřejmě předurčen ke kariéře) ● *s* **1** předběžný seznam kandidátů **2** seznam koní přihlášených k závodu a sázkových poměrů **3** přehled, seznam sportovních událostí

slate[2] [sleit] *s* **1** břidlice hornina; krytina; břidlicová taška, břidla **2** břidlicová modř / šeď **3** břidlicová tabulka ke psaní **4** film. tabulka na klapce **5** tabulka na ruční psaní slepeckého písma ◆ *clean ~* čistý štít (přen.) (*have a clean ~* nemít žádný škraloup (přen.)); *clean the ~* všechno vyřídit, splnit povinnosti / závazky, uklidit stůl; *he has a ~ loose* slang. má v hlavě o kolečko víc / míň, šplouchá mu na maják, je správný; *put on the ~* slang. napsat na futro dát na dluh; *wipe the ~ clean* smazat to a začít znovu zapomenout na dřívější neshody ● *v* **1** pokrývat břidlicí; štípat břidlice **2** omykat, mízdřit kůži břidlicovým nožem ● *adj* **1** břidlicový, břidlový (*~ quarry*) **2** břidlicově šedý / modrý, břidlicový (*a ~ dress*) ◆ *~ clay* břidličný lupek

slate black [ˌsleitˈblæk] břidlicová šeď

slate blue [ˌsleitˈblu:] břidlicová modř

slate club [ˌsleitˈklab] BR vzájemně se podporující spolek s malým týdenním příspěvkem

slate colour [ˌsleitˈkalə] břidlicová modř / šeď

slate-coloured [ˈsleitˌkaləd] břidlicově modrošedý, šedozelený, břidlicový

slate grey [ˌsleitˈgrei] břidlicová šeď

slate pencil [ˌsleitˈpensl] pisátko, kamínek k psaní na břidlici

slater [sleitə] **1** pokrývač břidlicí; štípač břidlice **2** horn. vybírač proplástků a špatného uhlí **3** koželu. břidlicový mízdřicí nůž

slath [slæθ] základ dna proutěného košíku

slather [slæðə] AM hovor. *s* též *~s, pl* moře, kupa, halda, hora velké množství ◆ *open ~* AU volná ruka (přen.) ● *v* **1** naplácat, nakydat, kydnout ve velkém množství n. silné vrstvě, pomazat *with* čím **2** rozházet, rozfofrovat peníze

slating [sleitiŋ] hovor. **1** nářez, výprask, darda **2** setření, sprdnutí **3** ostrá kritika, sepsutí v novinách, zdrcující recenze **4** v. *slate*[1, 2]*, v*

slatted [slætid] **1** jsoucí z lišt, z latí, laťkový, lištový (*a ~ blind*) **2** v. *slat*[1, 2]*, v*

slattern [slætə(:)n] *s* **1** nepořádnice, hudrmanice, cuchta, cuchtárie, špindíra **2** coura, děvka ● *v* též *~ away* rozházet peníze

slatting [slætiŋ] **1** námoř. pleskání plachty když opadne vítr **2** v. *slat*[1, 2]*, v*

slaty [sleiti] břidlicový, břidličný

slaughter [slo:tə] *s* **1** porážení, porážka dobytka; zabití, zabíjení, pobití, pobíjení zvěře **2** brutální zavraždění člověka **3** hromadné vraždění, vyvražďování, masakr, zmasakrování, krveprolití, řež, jatky (přen.) ● *v* **1** řezník porážet **2** zabít, zavraždit; hromadně vraždit, povraždit, z|masakrovat **3** AM hovor. zničit, pobít, porazit; odrovnat, též příznivým dojmem **4** AM obch. slang. prodat pod cenou

slaughterer [slo:tərə] **1** porážeč, řezník **2** zabiják, vrah

slaughterhouse [slo:təhaus] *pl: slaughterhouses* [ˈslo:təˌhauziz] jatky, též přen.

slaughterman [slo:təmæn] *pl: -men* [-men] porážeč na jatkách

slaughterous [slo:tərəs] kniž. vražedný, ničivý

slaughter weight [ˌslo:təˈweit] mrtvá váha poraženého kusu

Slav [sla:v] *s* Slovan ● *adj* slovanský

slave [sleiv] *s* **1** otrok; nevolník, rab (kniž.) **2** zotročený člověk, otrok (*~s in the Pentagon*); člověk propadlý *of* / *to* čemu, otrok čeho (*a ~ to drink*) **3** zast. sprostý chlap, chám, ničema **4** servomotor

5 námoř. opakovací kompas 6 televizní vykrývač ◆*white* ~ bílá otrokyně ● *v* 1 zast. z|otročit 2 dřít jako otrok, otočit (~*d sixteen hours a day*); udřít (~*d her half to death* div že ji neudřel k smrti) 3 obchodovat s otroky ● *adj* 1 otrocký, nevolnický (~ *parents*) 2 týkající se otroků, otročí (~ *quarters*) 3 otrokářský (~ *territory*, ~ *economy*) ◆ ~ *States* AM hist.: 15 amerických států, v nichž bylo do r. 1862 otroctví černochů povoleno zákonem (Alabama, Arkansas, Delaware, Florida, Georgia, Jižní Karolína, Severní Karolína, Kentucky, Louisiana, Maryland, Mississippi, Missouri, Tennessee, Texas, Virginie)

slave ant [ˌsleivˈænt] zool. mravenec otročící

slave bangle [ˈsleivˌbæŋgl] obrouček, obroučka, bengle ozdoba na paži

slave-born [sleivbo:n] narozený z nevolnických rodičů, nevolnický, rodem otrok

slave clock [ˌsleivˈklok] hvězd. podružné hodiny, sekundární hodiny

slave dealer [ˈsleivˌdi:lə] otrokář

slave-driver [ˈsleivˌdraivə] 1 dozorce nad otroky 2 otrokář, plantážník, tyran

slave-grown [sleivgrəun] vypěstovaný otroky

slave hands [ˌsleivˈhændz] umělé ruce pro práci s radioaktivním materiálem

slaveholder [ˈsleivˌhəuldə] majitel otroků, otrokář

slave-holding [ˈsleivˌhəuldiŋ] otrokářský

slave hunter [ˈsleivˌhantə] lovec otroků, otrokář

slave labour [ˈsleivˌleibə] 1 otrocká / otrokářská práce 2 nucené práce zejm. nezákonné

slave-labour camp [ˈsleivˌleibəˈkæmp] tábor nezákonných nucených prací, pracovní tábor, koncentrační tábor

slave maker [ˈsleivˌmeikə] zool. mravenec otrokářský

slave market [ˌsleivˈma:kit] 1 trh na otroky 2 přen. burza práce

slave-operated [ˌsleivˈopəreitid] spravovaný otroky (*a large ~ estate*)

slaver[1] [sleivə] 1 otrokář 2 obchodník s bílými otrokyněmi 3 otrokářská loď

slaver[2] [slævə] *v* 1 slinit, slintat, cintat; poslintat při líbání 2 klanět se, kořit se, slintat blahem (~*ing before the idol of American efficiency*) 3 prahnout, slintat *after* po ● *s* 1 sliny tekoucí po bradě 2 přen. servilní chválení / vychvalování

slavery[1] [sleivəri] 1 otroctví, nevolnictví; poroba 2 otrocká práce, otročina, otrokárna 3 otrokářství

slavery[2] [slævəri] 1 poslintaný 2 slintající, uslintaný

slave ship [sleivšip] otrokářská loď, loď s otroky

slave trade [sleivtreid] obchod s otroky, otrokářství

slave-trader [ˈsleivˌtreidə] obchodník s otroky, otrokář

slave traffic [ˈsleivˌtræfik] = *slave trade*

slavey [sleivi] *pl: slaveys* [sleiviz] hovor. služka, holka pro všechno

Slavic [slævik] *adj* slovanský ● *s* slovanský jazyk

slavish [sleiviš] 1 otrocký (~ *imitation*) 2 otrocký, bezcharakterní, servilní, patolízalský, bezpáteřní 3 přen. sprostý, mrzký, hanebný (~ *fears*)

slavishness [sleivišnis] 1 otrockost, bezduchost 2 servilnost, bezcharakternost, patolízalství, bezpáteřnost, poklonkování, službičkování

Slavism [sla:vizəm] 1 slovanský ráz, slovanství, slavismus 2 jaz. slavismus jazykový jev vzniklý vlivem slovanského jazyka; slovanský prvek v jazyce n. textu

Slavist [sla:vist] slavista odborník v slavistice

Slavonian [sləˈvəuniən] *adj* 1 slovanský 2 slovinský ● *s* 1 Slovan 2 Slovinec 3 slovanský jazyk 4 slovinština

Slavonic [sləˈvonik] *adj* 1 slovanský 2 staroslověnský ● *s* 1 slovanský jazyk 2 též *Church* / *Old* ~ staroslověnština

Slavonicize [sləˈvonisaiz] poslovanštit

Slavophil [slævəufil] *s* slovanofil, slavjanofil, slavofil ● *adj* slovanofilský, slavjanofilský, slavofilský

Slavophobe [slævəufəub] *s* nepřítel Slovanů a všeho slovanského, slovanobijce, slovanožrout ● *adj* nepřátelský Slovanům, slovanožroutský

slaw [slo:] zelný salát

slay [slei] (*slew, slain*) bás., kniž., zast., 1 zabít, zavraždit, pobít, povraždit 2 z|ničit; vy|mýtit 3 vyvést z míry, odrovnat

slayer [sleiə] 1 zabíječ 2 zabiják, vrah

sleave [sli:v] *v* rozdělit do vláken (hedvábnou nit), rozvlákňovat ● *s* 1 surové nepředené hedvábí, odpadové hedvábí 2 text. pásmo 3 přen. předeno, klubko, chomáč

sleazy [sli:zi] (*-ie-*) 1 tkanina chatrný, nepevný, tenký, řídký 2 přen. laciný, fórový, bezcenný, mizerný, šupácký; ucouraný, utahaný, ušmudlaný; špinavý, nekalý 3 povrchní; vulgární, odporný

sled [sled] *s* 1 sáně, sáňky 2 vlečná / sáňová sklízečka 3 elektr., žel. sběrač pro spodní přívod ● *v* (*-dd-*) 1 táhnout / vozit na saních 2 sáňkovat 3 zast. cestovat na saních 4 AM sklízet bavlnu vlečnou / sáňovou sklízečkou

sledding [slediŋ] AM 1 sáňkování, sanice 2 v. *sled, v* ◆ *hard* ~ AM těžký život, těžká práce

sledge[1] [sledž] *s* 1 sáně, sáňky 2 provaznický rám na napínání nití; plošinka posuvného provaznického kozlíku ● *v* cestovat / dopravovat saněmi / na saních

sledge[2] [sledž] *s* 1 perlík 2 železná palice; mlat ● *v* 1 přitloukat / roztloukat / rozbíjet perlíkem 2 zarážet / rozbíjet železnou palicí

sledgehammer [ˈsledžˌhæmə] *s* 1 perlík 2 železná palice; mlat ● *v* bušit / bít perlíkem n. železnou palicí, rozbíjet perlíkem n. železnou palicí, kout perlíkem, zpracovávat perlíkem ● *adj* 1 tvrdý, úderný, silný, těžký jako perlíkem (*a ~ blow*) 2 těžkopádný (*a ~ style*)

sleech [sli:č] nář. bahno, bahenní nános

sleek [sli:k] *adj* 1 srst hladký, uhlazený, urovnaný, přiléhavý, přilehlý, ulízaný a lesklý 2 kypící zdravím; baculatý **3** plocha hladký, rovný **4** kluzký **5** štíhlý, elegantní **6** úlisný **7** proudnicový, aerodynamický ● *v* **1** u|hladit, uhlazovat **2** ulízat vlasy **3** hladit kůži ◆ *~ed leather* hlazenice kůže

sleekit [sli:kit] SC **1** podvodný, klamavý, klamný **2** lstivý **3** mazaný

sleekness [sli:knis] **1** hladkost, uhlazenost, ulízanost a lesklost srsti **2** hladkost, rovnost povrchu **3** štíhlost, elegantnost; úlisnost

sleekstone [sli:kstəun] zast. hladicí / lešticí kámen

sleep [sli:p] *s* **1** spánek, spaní **2** vyspání **3** bás. spánek, dřímota, věčný klid, ospalost (*the ~ that is among the lonely hills*) **4** ospalost, nevyspalost **5** přen. noc **6** hypnotický spánek **7** zimní spánek zvěře **8** věčný spánek, smrt **9** necitelnost v ruce / noze způsobená porušením krevního oběhu (např. přeležením n. přesezením), zdřevěnění, ztrnulost **10** bot. též *~ movement* spánkový pohyb, nyktinastie, nyktitropismus ◆ *beauty ~* spánek před půlnocí; *~ that knows no breaking* věčný spánek, věčný sen, smrt; *broken ~* neklidný, přerušovaný spánek; *dead ~* tvrdý, hluboký spánek; *die in one's ~* usnout a víckrát se už nevzbudit, zemřít ve spánku; *fall on ~* zast. usnout; *get to ~* podařit se usnout; *he didn't get enough ~* málo se vyspal, nevyspal se pořádně; *get some ~* trochu se vyspat; *go to ~ 1.* usnout *2.* noha, ruka být bez citu přesezením, přeležením, zdřevěnět (*my foot has gone to ~* přeseděl / přeležel jsem si nohu, zdřevěněla mi noha); *~ of the just* bibl. spánek spravedlivých; *last ~* poslední odpočinek, věčný spánek, věčný sen, smrt; *put a p. to ~ 1.* uspat koho *2.* sport. knokautovat *3.* euf. zabít; *walk in one's ~* být náměsíčný; *want of ~* nevyspalost ● *v* (*slept, slept*) **1** spát **2** vyspat se, přenocovat (*slept at the club last night*); strávit spánkem **3** dřímat, odpočívat **4** spát věčným spánkem, snít svůj věčný sen **5** přen. odpočívat, ležet klidně (*the sword ~s in the scabbard* meč odpočívá v pochvě) **6** vyspat se *on* / *over* na, nechat na ráno řešení čeho, poradit se s polštářem o (*said he would like to ~ on the proposition* řekl, že by se rád o tom návrhu poradil s polštářem) **7** euf. spát, vyspat se *with* s mít pohlavní styk **8** poskytnout nocleh komu, uložit (*we can ~ ten people*), mít lůžka *for* pro kolik (koho) (*this hotel ~s 300 guests*) **9** nebýt si vědom a nevyužívat *on* čeho (*the bill would favour claimants who have been ~ing on their rights* návrh zákona by přinesl výhodu žadatelům, kteří svá práva neznali, a proto jich nevyužívali) **10** ruka, noha být bez citu, být přeležélý / přesezený, zdřevěnět, ztuhnout, strnout **11** mít zavřené květy, být zavřený zejm. v noci **12** káča apod. točit se tak rychle, až se zdá, že se nehýbá ◆ *~ the clock round* spát plných dvanáct hodin; *~ like a dog* spát jako dudek; *~ like a log / rock* spát jako dřevo, jako zabitý, jako jezevec; *~ o. s. sober* vyspat se z opice; *~ tight* dět. dobrou noc, ať tě blechy štípou celou noc; *~ like a top = ~ like a log; not to ~ a wink* ani oka nezamhouřit; *~ over one's work* spát / usnout při práci ***sleep around*** hovor.: dívka válet se kde s kým, jít s každým, dát každému ***sleep away*** prospat (*~ the afternoon away*), zaspat (*~ away the business cares* zaspat obchodní starosti) ***sleep in 1*** služebnictvo bydlet v domě *2* zaspat ***sleep off*** vyspat se a tím se zbavit čeho, zbavit se spánkem čeho, vyspat se z (*~ off one's headache* vyspat se z bolesti hlavy) ***sleep on*** spát dál, stále spát, neprobudit se ***sleep out 1*** spát venku n. pod širým nebem *2* spát mimo domov *3* služebnictvo chodit na noc domů, spát doma, docházet do zaměstnání, nebydlet v zaměstnavatelově domě

sleeper [sli:pə] **1** spáč **2** stav. polštář, práh; mostnice **3** BR žel. pražec **4** lůžkový vůz; lůžko v lůžkovém voze; lůžkové zařízení v letadle; auto s lůžkovým zařízením **5** AM dětské spací punčocháčky / dupačky, spací pytel pro nemluvňata, spacáček **6** AM zboží, které se pomalu prodává, ležák **7** AM co na sebe náhle strhne pozornost, neočekávaný šlágr, náhlý šlágr, nečekaný favorit **8** zool. plch **9** zool.: název různých druhů ryb **10** AM slang. uklidňující prostředek **11** prozatím nečinný špión, vyzvědač nasazený k akci v budoucnosti ◆ *~ fire* lesní požár, který před propuknutím dlouho doutná

sleep-in [ˌsli:pˈin] protestní akce spočívající v obsazení nějakého místa přes noc n. více nocí

sleepiness [sli:pinis] **1** ospalost; nevyspalost **2** zasněnost **3** moučnatost ovoce; hniličkovatost hrušky

sleeping [sli:piŋ] v. *sleep, v* ◆ *~ beauty* bot. šťavel kyselý; *S~ Beauty* Šípková Růženka; *~ charter* AM dopravní licence pro neexistující linku n. trať.; *~ partner* BR obch. tichý společník; *~ policeman* vyvýšený pás napříč vozovkou nutící motoristy zmírnit rychlost

sleeping accomodation [ˈsli:piŋəˌkoməˈdeišən] možnost přespání

sleeping bag [sli:piŋbæg] **1** spací pytel, spacák (hovor.) **2** spací pytel s rukávy pro nemluvňata

sleeping berth [ˌsli:piŋˈbə:θ] lůžko v lůžkovém voze n. na lodi

sleeping car [sli:piŋka:], **sleeping-carriage** [ˈsli:piŋˌkæridž] lůžkový vůz, spací vůz

sleeping cup [ˌsli:piŋˈkap] = *sleeping draught*

sleeping draught [sli:piŋdra:ft] med.: tekutý uspávací prostředek

sleeping pill [ˌsli:piŋˈpil] prášek pro spaní

sleeping room [ˌsli:piŋˈru:m] AM ložnice

sleeping sickness [ˌsli:piŋˈsiknis] med. spavá nemoc

sleeping suit [sli:piŋsju:t] **1** pyžamo, noční oblečení **2** dětské spací punčocháčky / dupačky, dětské pyžamko v celku

sleep learning [ˌsli:pˈlə:niŋ] hypnopedie

sleepless [sli:plis] **1** jsoucí bez spánku, charakterizovaný nespavostí (*the ~ sobriety of a drinker* nespavost střízlivého alkoholika); bezesný (*~*

nights) **2** nikdy nespící (*the ~ ocean*); bdělý, ostražitý (*~ concern of the responsible agencies of government*)
sleeplessness [sli:plisnis] **1** nespavost; bezesnost **2** bdělost, ostražitost
sleep-out [ˌsli:pˈaut] AU část verandy sloužící jako ložnice
sleep teaching [ˌsli:pˈti:čiŋ] hypnopedie
sleepwalker [ˈsli:pˌwo:kə] náměsíčník
sleepwalking [ˈsli:pˌwo:kiŋ] *adj* náměsíčný ● *s* náměsíčnost
sleepy [sli:pi] (*-ie-*) **1** ospalý **2** spavý; spací, uspávající **3** pomalý, liknavý, mdlý, netečný **4** ovoce moučný, moučnatý; hruška přezrálý, změklý, hniličkovatý ◆ *~ sickness* BR spavá nemoc
sleepyhead [sli:pihed] hovor. ospalec zejm. dítě
sleet [sli:t] *s* **1** BR déšť se sněhem, mokrý sníh, plískanice **2** AM zmrzlý déšť **3** ledovka **4** kuch. jemné kroupy, krupky ● *v: it ~s 1.* BR prší a sněží zároveň, je plískanice, padá déšť se sněhem *2.* AM padá zmrzlý déšť
sleeve [sli:v] *s* **1** rukáv; rukávec **2** tech. objímka; pouzdro; manžeta; příruba **3** přebal na gramofonovou desku; desky, pouzdro na knihu **4** voj. vlečný rukáv **5** let. větrný rukáv **6** mořská úžina, úzký průliv ◆ *have a card up one's ~* mít schované eso v rukávě, mít ještě schovaný trumf (přen.); *wear one's heart upon one's ~* neskrývat své city, vytrubovat své názory; *hang on a p.'s ~ = pin on a p.'s ~; laugh in one's ~* smát se pod vousy / do hrsti; *leg-of-mutton ~* šunkový rukáv; *mandarin ~* široký kimonový rukáv; *pin on a p.'s ~ 1.* držet se za sukně koho *2.* řídit se podle; *have a plan up one's ~* mít připravený plán, mít něco za lubem; *roll up / turn up one's ~s* vyhrnout si / vykasat si rukávy ● *v* **1** vsadit rukávy, přišít rukávy; opatřit rukávy **2** utřít rukávem **3** opatřit objímkou, navléknout (jako) objímku
sleeveboard [sli:vbo:d] žehlicí ramínko, žehlicí prkno na rukávy
sleeve button [ˈsli:vˌbatn] = *sleeve link*
sleeve coupling [ˈsli:vˌkapliŋ] objímková spojka
sleeved [sli:vd] **1** jsoucí s rukávy **2** jsoucí s objímkou; zapouzdřený **3** v. *sleeve, v*
sleeve fish [sli:vfiš] *pl* též *sleeve fish* [sli:vfiš] zool. oliheň
sleeveless [sli:vlis] **1** jsoucí bez rukávů **2** marný, zbytečný **3** malicherný; frivolní
sleeve link [sli:vliŋk] knoflíček do manžety
sleeve note [sli:vnəut] BR text na zadní straně přebalu gramofonové desky
sleeve nut [sli:vnat] stahovací dvojitá matice s pravým a levým závitem
sleeve protector [ˈsli:vˌprəˈtektə] chránič rukávů kabátů
sleever [sli:və] **1** vsazovač rukávů **2** žehlič rukávů **3** AU slámka na pití
sleeve valve [sli:vvælv] šoupátko spalovacího motoru
sleeve writer [ˈsli:vˌraitə] autor textu na zadní straně přebalu gramofonové desky
sleeving [sli:viŋ] **1** elektr. návlačka **2** v. *sleeve, v*
sleezy [sli:zi] (*-ie-*) = *sleazy*
sleigh [slei] *s* **1** velké sáně tažené koněm, dopravní sáně **2** sáňky **3** bob, závodní řiditelné sáně **4** voj. sáně část lafety ◆ *Swedish ~* šlapací sáně, sleigh ● *v* cestovat na saních, vozit / dopravovat na saních
sleigh bell [sleibel] rolnička
sleight [slait] **1** zast. chytrost, mazanost **2** obratnost, šikovnost, zručnost; bystrost, čilost **3** úskok, lest; trik, fígl
sleight-of-hand [ˌslaitəvˈhænd] *pl: sleights-of-hand* [ˌslaitsəvˈhænd] **1** hbitost rukou, šikovnost **2** kouzlo, kouzelnický trik, eskamotérský kousek; eskamotáž, eskamotérství, též přen. (*verbal ~*)
slender [slendə] **1** štíhlý (*~ fingers*), útlý (*a ~ waist*) **2** přen. hubený, malý, slabý, mizivý, pramalý, skrovný (*~ hope*); tenký, tenounký, slabounký; křehký, křehounký (*of ~ health*) **3** jaz. zast.: samohláska úzký, zavřený ◆ *~ purse* přen. nedostatek peněz
slenderize [slendəraiz] AM **1** zeštíhlet, činit štíhlým **2** AM dělat zdánlivě štíhlejším (*the dress ~s the figure*)
slenderness [slendənis] **1** štíhlost; útlost **2** přen. hubenost, malost, slabost, mizivost, skromnost; tenkost; křehkost
slept [slept] v. *sleep, v*
sleuth [slu:θ] *s* **1** dobrman **2** barvíř, slidič, stopař pes **3** zejm. AM detektiv, stopař, pátrač, vyšetřovatel ● *v* AM detektiv jít po stopě, pátrat, vyšetřovat trvale
sleuthhound [slu:θhaund] = *sleuth, s*
slew[1] [slu:] v. *slay, v*
slew[2] [slu:] AM moře, fůra, spousta (*~ of people, ~s of work*)
slew[3] [slu:] *v* **1** o|točit | se, pootočit | se, obracet | se, natáčet | se, stáčet | se, zatáčet | se s námahou, kolem své osy, proplétat se *through* čím **2** námoř.: loď koužit, otáčet se kolem pevného bodu ● *s* o|točení, obracení, natočení, stočení
slew[4] [slu:] AM močál
slewed [slu:d] **1** slang. nadrátovaný, sťatý, mrtvý **2** v. *slew*[3], *v*
slewing [slu:iŋ] **1** otáčecí (*~ gear* … ústrojí, *~ motor* … jeřáb) **2** otočný (*~ arm, ~ crane*) **3** v. *slew*[3], *v* ◆ *~ tower crane* jeřáb s otáčivou věží
sley [slei] text. *s* **1** bidlen **2** vodicí dráha tkalcovského stroje ● *v* navádět osnovu do paprsku
slicable [slaisəbl] **1** na|krájitelný, rozkrájitelný, na|krouhatelný, rozkrouhatelný, na|řezatelný **2** roz|dělitelný, roz|členitelný, roz|kouskovatelný, roz|parcelovatelný
slice [slais] **1** tenký řez: krajíc, skýva chleba; plátek, tenký řez, řízek masa; kolečko salámu **2** co připomíná plátek: dlouhá štěrbina, škvíra (*the narrow ~ of*

a window) 3 přen. sousto, porce; kus, kousek, díl, podíl, část (*Smith took too large a ~ of the credit for our success* Smith si přisvojil příliš velký podíl zásluh na našem úspěchu); výřez, ukázka (*a realistic ~ of Madrid tenement life* realistická ukázka života v madridském činžáku); úsek (*spend a significant ~ of their early career in the study of physics* významný úsek na začátku své odborné dráhy strávili studiem fyziky) **4** biol. tkáňový řez, tenká vrstva tkáně **5** servírovací nůž zejm. na ryby; servírovací / obracecí lopatka, lopatička **6** roztěrka na barvu **7** škrabka; lopatkovitá škrabka **8** klín k nadzvednutí lodi při spouštění na vodu **9** polygr. výsuvná deska sazebnice **10** sport.: chybný úder, který stočí míček zejm. doprava, říznutí v golfu n. tenise **11** sport. pýření, smýkání položené lopatky vesla po hladině ◆ ~ *of luck* trochu štěstí ● *v* **1** též ~ *up* na|krájet, rozkrájet, na|krouhat, rozkrouhat, na|řezat plátky, řízky atd. **2** přen. řezat, rozřezávat, prořezávat (*jets ~ the air like giant scythes* tryskáče prořezávají vzduch jako obrovské kosy); zařezávat se (*into*) do, pro|řezat *through* co **3** přen. roz|dělit, roz|porcovat, roz|členit, roz|kouskovat, roz|parcelovat **4** přen. z|redukovat (*production would be ~d by more than half*) **5** roztírat roztěrkou **6** seškrabovat škrabkou **7** sport. udeřit (do míčku) tak, že se stočí zejm. doprava, říznout (míček), dát faleš (míčku) v golfu, v tenisu; míček mít faleš, být říznutý **8** smeknout po hladině lopatku vesla ◆ ~ *in two* rozpůlit řezem, rozkrojit napůl ***slice off*** ukrojit, odkrojit, uříznout, odříznout

slice bar [slaisba:] lopatkovitá škrabka

slicer [slaisə] **1** krájecí nůž na sýr, na ovoce apod. **2** kráječ, krájecí stroj, kráječka; krouhač, kruhadlo, kruhátko, krouhačka **3** řezačka na řepu, na maso **4** kdo krájí n. krouhá; dělník nařezávající kůru stromů

slick [slik] *adj* **1** hladký a lesklý **2** kluzký; mastný **3** skvělý, brilantní, šikovný; prima, prvotřídní, povrchně atraktivní **4** zejm. AM uhlazený, povrchní; mazaný, rafinovaný, hladký jako úhoř (*a ~ lawyer* ... advokát) **5** AM dobytek neoznačkovaný ● *adv* **1** hovor. rovnou, přímo, akorát (*hit him ~ in the eye*) **2** úplně, dočista **3** hladce ● *v* **1** hladit, leštit **2** hovor. ulízat si vlasy, dát se do pucu, hodit se do parády **3** AM chytře podvést, napálit, vzít na hůl ● *s* **1** AM lesklý povrch **2** AM olejová n. naftová skvrna na vodě **3** AM hladicí přístroj; hladítko (hut.) **4** AM neoznačkované dobytče **5** AM ničema, lotr, gauner, podvodník **6** AM slang.: snobský časopis, magazín tištěný na křídě a uveřejňující příběhy se šťastným koncem

slickenside [sliknsaid] geol. tektonické zrcadlo

slicker [slikə] AM **1** hladič; hladítko (hut.) **2** slang. dlouhý gumák, pršák, pršiplášť **3** slang. fešák, pásek, sekáč, elegán **4** slang. podvodník; profesionální hazardní hráč, falešný hráč

slid [slid] v. *slide, v*

slide [slaid] *v* (*slid, slid*) **1** klouzat | se **2** vyklouznout, sklouznout, s|klouzat po (*firemen ~ the poles to the street floor* požárníci klouzají po sloupech do přízemí); u|klouznout, též přen. (*unskilful, weak and apt to ~* nešikovný, slabý a mající tendenci uklouznout); vklouznout *into* kam; tajně vyklouznout, vypadnout (*they slid out of town*) **3** smekat se, smýkat | se, vysmeknout | se, sesmeknout se; posunovat | se, sešinout | se, sesouvat | se; při|šoupnout | se **4** prchat klouzavým pohybem *from* od **5** sunout, vést, řídit (jako) po ledě; zasunout, vsunout / vysunout klouzavým pohybem (*~ the drawer into its place* zasunout zásuvku) **6** přibližovat dřevo lesním smykem **7** plazit se, sunout se, posouvat se (*sliding forward on his stomach* plazící se po břiše kupředu); řidč.: řeka, potok téci, proudit **8** tajně vsunout, podstrčit (*she slid a coin into his hand*); nenápadně vsunout (*he slid a saving clause into the contract* nenápadně vsunul do smlouvy výhradu) **9** přen. přejít *over* co / přes, pominout, pouze letmo se dotknout čeho (*~ over a delicate subject*) **10** zvolna upadat, klesat; pozvolna propadnout *into* čemu (*~ into sin*), pomalu si zvyknout *into* na negativní; zvolna, nepozorovaně se změnit *into* v negativní **11** hud. dělat glissando, šlajfovat (slang.) **12** nastavit např. dvě různé abecedy proti sobě **13** baseball, softball sklouznout / doklouznout na metu ◆ *~ into dishonesty* pomalu se ocitnout na šikmé ploše; *~ into evil way* dostat se na šikmou plochu; *he slid a glance at me* podíval se na mne úkradkem; *~ one's hand over a t.* hmatat rukou po; *let ~* zanedbávat (*he let ~ his studies*); *let things ~* nechat věci jít svou cestou, nestarat se o nic, být netečný; *~ out of sight 1.* pomalu mizet *2.* nepozorovaně schovat, zastrčit ***slide away / by*** čas plynout, prchat, míjet ***slide down*** sklouznout, sjet, klouzat dolů po (*~ down a rope*) ***slide in*** vsunout poznámku ***slide off*** odtáhnout, stáhnout ***slide on*** navléci; nasunout, natáhnout ***slide out*** zmizet, ztratit se, vypadnout nepozorovaně, vyklouznout ***slide through*** těsně projít, proklouznout ***slide up 1*** klouzat nahoru **2** přijet (jako) klouzavým pohybem ● *s* **1** skluz, smeknutí, smyk, posuv **2** kluzná dráha, kluzná plocha; skluzavka; klouzačka **3** lesní smyk **4** sesuv, sesun, posun, suť, lavina **5** přen. cesta dolů, úpadek (*action to halt the economic ~* akce k zastavení hospodářského úpadku) **6** šoupátko; hradítko **7** smykadlo, klouzátko **8** kouřové hradítko **9** vodítko, vodicí lišta, vedení **10** sáně obráběcího stroje apod. **11** líha, ližina **12** lyže letounu **13** běžec např. na logaritmickém pravítku **14** posuvné poutko na řemínku **15** podložní sklíčko mikroskopu **16** diapozitiv **17** fot. kazeta **18** hud. snížec trombónu **19** spona na kravatu **20** BR též *hair ~* ozdobná sponka do vlasů **21** stahovací kryt, roleta psacího stolu **22** pojízdné sedátko, slajd **23** běhoun vah **24** geol. výbrus **25** hud. příraz o dvou či více notách **26** hud. glissando; porta-

mento **27** hud. válec varhan **28** let. klouznutí, sklouznutí **29** text. odhazovací plech, odhazovací lišta, odhozník **30** text. posouvač středníku, závorka, závěrka **31** voj. kolébka děla
slide bolt [slaidbəult] závora, zástrčka
slide box [slaidboks] šoupátková komora parního válce
slide carrier [ˌslaidˈkæriə] rámeček na diapozitivy
slide chute [ˌslaidˈšu:t] koryto smyku pro dopravu dřeva
slide fastener [ˌslaidˈfa:snə] zdrhovadlo, zip
slide fire escape [ˈslaidˌfaiə isˈkeip] požární skluz
slide lecture [ˌslaidˈlekčə] přednáška se světelnými obrazy
slide off [slaidof] polygr. průmyslové obtisky
slider [slaidə] **1** klouzač **2** posuvná část přístroje **3** jezdec zdrhovadla **4** zmrzlina mezi dvěma oplatkami
slide rule [slaidru:l] logaritmické pravítko, šíbr (hovor.)
slide trombone [ˌslaid tromˈbəun] snížcový trombón, pozoun
slide valve [slaidvælv] šoupátko; uzavírací šoupátko
slide way [slaidwei] kluzné vedení
sliding [slaidiŋ] **1** letmý, pomíjivý, nestálý (*a ~ smile*); přelétavý **2** posuvný (*~ door*); klouzavý, pohyblivý (*~ definition of an old man as anyone who is fifteen years older than you are*) **3** v. *slide, v*
sliding budget [ˌslaidiŋˈbadžit] ekon. alternativní rozpočet
sliding keel [ˌslaidiŋˈki:l] námoř. spouštěcí ploutev
sliding roof [ˌslaidiŋˈru:f] stahovací střecha auta
sliding rule [ˌslaidiŋˈru:l] = *slide rule*
sliding scale [ˌslaidiŋˈskeil] ekon. klouzavá stupnice / škála, klouzavá, pohyblivá sazba poplatků, cen, mezd atd.
sliding seat [ˌslaidiŋˈsi:t] pojízdné sedátko, slajd
sliding way [ˌslaidiŋˈwei] námoř. kluzné saně / ližiny v loděnici pro spouštění lodí
slier [slaiə] v. *sly, adj*
sliest [slaiist] v. *sly, adj*
slight [slait] *adj* **1** drobný postavou, malý, štíhlý, jemný, subtilní (*a ~ girl*); křehký (*a ~ temporary construction*) **2** nepatrný, lehký, slabý (*a ~ attack of indigestion* slabý záchvat žaludeční nevolnosti) **3** nezávažný, malicherný, nedůležitý, jsoucí k ničemu (*a ~ argument*); povšechný, letmý, povrchní (*~ inquiries* povšechné dotazy); chudý, hubený (*the rewards were ~* odměny byly hubené) **4** zast. neurozený, prostý, obyčejný; sprostý ● *v* **1** podceňovat, znevažovat, brát na lehkou váhu, klást malý důraz na, opovrhovat kým / čím **2** nevšímat si, ignorovat, záměrně se chovat nezdvořile / urážlivě ke **3** AM odbýt, odfláknout práci ***slight over*** zast. přejít, ignorovat ● *s* **1** přehlížení, ignorování, záměrně nezdvořilé / urážlivé chování; urážka **2** podcenění, podceňování, ignorování ◆ *put a ~ upon a p.* = *slight, v 2*
slighting [slaitiŋ] **1** urážlivý, pohrdavý (*a ~ remark*) **2** v. *slight, v*
slightish [slaitiš] poněkud malý, štíhlý atd.
slightness [slaitnis] **1** drobnost, malost, štíhlost, jemnost, subtilnost, křehkost **2** nepatrnost, lehkost, slabost **3** malichernost, nedůležitost, povšechnost, letmost, povrchnost, chudost, hubenost
slily [slaili] v. *sly, adj*
slim [slim] *adj* (*-mm-*) **1** štíhlý **2** útlý, tenký, hubený **3** malý, bezcenný; slabý, nepatrný, mizivý (*a ~ chance*); chabý, chatrný (*a ~ excuse*) **4** mazaný, vychytralý, lišácký, bezohledný ● *v* (*-mm-*) činit štíhlejším, zeštíhlit; ze|štíhlet, z|hubnout se zejm. záměrně, dělat odtučňovací kůru, zachovávat redukční dietu, shazovat kila (hovor.)
slime [slaim] *s* **1** řídké bahno, bláto **2** sliz, kal; hlen **3** horn. rmut **4** zool. sliz **5** řidč. asfalt ◆ *~ fungus / mold* bot. hlenka slizák, slizovka ● *v* **1** za|mazat bahnem / blátem, zablátit **2** pokrýt slizem, zaslizovat **3** zbavovat slizu, odslizovat **4** plazit se **5** horn. rozmělnit, rozředit na rmut
slime gland [slaimglænd] hlenová / slizová žláza
slime pit [slaimpit] **1** bibl. klejovatá studnice **2** horn. odkaliště, jímka na rmut
sliminess [slaiminis] **1** sliznatost, slizovitost, rosolovitost, mazlavost **2** hlenovitost **3** úlisnost, hnusnost, odpornost, sprostota
slim-jim [slimdžim] **1** člověk hubený **2** věc uzounký (*a ~ bow tie*)
slimmer [slimə] kdo chce zeštíhlet, kdo hubne, kdo zachovává redukční dietu
slimming [slimiŋ] *s* **1** odtučňovací kůra **2** v. *slim, v* ● *adj* **1** odtučňovací, redukční **2** v. *slim, v*
slimmish [slimiš] hubeňoučký, slabounký (*a ~ evidence*)
slimness [slimnis] **1** štíhlost **2** útlost, tenkost, hubenost **3** malost, bezcennost, slabost, chabost **4** mazanost, vychytralost, lišáckost, bezohlednost
slimsy [slimzi] (*-ie-*) AM **1** slabý, hubený **2** křehký
slimy [slaimi] (*-ie-*) **1** sliznatý, slizovitý, rosolovitý, mazlavý **2** hlenový, hlenovitý **3** hovor. úlisný, hnusný, odporný, sprostý (*a ~ language, such ~ trickery*)
sling[1] [sliŋ] *s* zejm. AM horký / studený nápoj z ginu, vody, cukru a citrónové šťávy
sling[2] [sliŋ] *v* (*slung, slung*) **1** střílet, vrhat, metat, házet prakem **2** hodit (*~ your coat over your shoulder*), rozhodit (*~ the net out to dry* rozhodit síť, aby uschla) **3** přen. proklouznout, vyklouznout *past* mimo / kolem (*he slung past his own door*); vystřelit, vyrazit (*~ angrily out of the room* vyrazit zlostně z místnosti) **4** hovor. rozdávat **5** uvazovat do smyčky, ovinout smyčkou na zdvihání n. spuštění, upevňovat, zvedat smyčkou n. jeřábem; zavěsit do smyčky (*the load must be carefully slung if it is to be safely hoisted* má-li se břemeno

bezpečně zvednout, musí být pečlivě zavěšeno); zavěsit, spustit (~ *a scaffold from the roof* spustit lešení ze střechy) **6** zavěsit na rameno zbraň, hodit si přes rameno tornu **7** zavěsit na pásku, dát do závěsu paži **8** řezat, krájet drátem **9** sport. vést tvrdý úder, prudce vyrazit v boxu **10** SC, AU energicky kráčet, rázovat ♦ ~ *the bat* slang. mluvit po jejich domorodým jazykem; ~ *a cat* vulg. blít, honit davida; ~ *one's hook 1.* vypadnout, zmizet, ztratit se *2.* krást jako kapsář; ~ *ink* slang. dělat do novin, živit se psaním; ~ *mud at a p.* házet blátem po ***sling about*** *1* každému vykládat, oháňět se, mávat čím (~*ing about evaluations*) *2* let. slang. zalétávat letadlo ***sling off*** AU hovor. dělat si legraci (*at*) z, ● *s* **1** prak z kožených řemínků; AM gumový prak **2** oko, smyčka; lanová smyčka **3** smyčkový hák **4** závěsný řemen např. u pušky; držátko, řemínek, pásek **5** pásek na patě dámské obuvi **6** popruh **7** smyčka, šátek, závěsná páska, závěs, závěska (*arm in a* ~) **8** postroj umožňující nemocnému zvířeti stát **9** drát na řezání **10** ~*s, pl* námoř. střed ráhna **11** námoř. smyčkový závěs lanový n. řetězový **12** hist. prak druh děla **13** hist. námoř. ráhnový závěs ♦ ~ *loss* pojišť. ztráta / škoda způsobená pádem přepravovaného kusu ze smyčky jeřábu

slingback [sliŋbæk] střevíc s páskem vzadu

sling cart [sliŋka:t] **1** povoz, v němž je břemeno zavěšeno na lanové / řetězové smyčce **2** voj. kolesna

sling dog [sliŋdog] **1** smyčkový hák **2** hák na sudy

slinger [sliŋə] **1** vrhač, metač, střelec z praku, práče **2** kdo zavěšuje do smyček ♦ ~ *ring* let. odstřikovací kroužek / prsten kolem hlavy vrtule

slingshot [sliŋšot] **1** AM gumový prak **2** prak z kožených řemínků

slink [sliŋk] *v* (*slunk* / řidč. *slank, slunk*) **1** též ~ *away* / *off* od|plížit se, vykrást se, ztratit se, stáhnout se, zmizet, uklidit se provinile, tajně **2** zmetat, potratit (*a cow that* ~*s her calf*) ● *s* **1** zmetané mládě, zmetek **2** nedochůdče **3** maso / kůže ze zmetků / zmetaných mláďat, zejm. telat, zmetkovice (kožel.)

slink butcher [ˈsliŋkˌbučə] řezník zpracovávající zmetky zejm. telata

slinky [sliŋki] (*-ie-*) **1** kradmý **2** hubený, vychrtlý **3** dámské šaty vypasovaný; rafinovaný, odvážný (~ *bathing suits*)

slip [slip] *v* (*-pp-*) **1** u|klouznout (*he* ~*ped on the icy road* uklouzl na zledovatělé cestě) **2** vklouznout *into* do; vypadnout, vyklouznout, vysmeknout se, vyjet (*the fish* ~*ped out of my hand*); proklouzávat *through* čím **3** sklouznout, se|smeknout se, svézt se (*the blanket* ~*ped off the bed* pokrývka se smekla z lůžka); ujet, sjet (*the knife* ~*ped and cut my hand*); spadnout (*his hat had* ~*ped over his eyes*) **4** loď klouzat *through* čím **5** řeka plynout, téci; vlévat se *into* do **6** vyjmout klouzavým pohybem; vést, řídit klouzavým pohybem **7** přejet klouzavým pohybem *over* co **8** nasadit rychle, lehce *on* na (*she* ~*ped a ring on her finger*) **9** oděv oblékat se, natahovat se lehce, rychle **10** utéci komu (*she* ~*ped her pursuers* utekla svým pronásledovatelům); uklouznout *from* komu / z, unikat komu; proklouznout, protáhnout se *through* čím (*I managed to* ~ *through the crowd* podařilo se mi protáhnout se davem) **11** vyklouznout, vysmeknout se, vyvléknout se z, shodit (*the dog* ~*ped its collar*) **12** prořeknout, nechtěně prozradit (*never once did he* ~ *even the name of that town* dokonce ani jméno toho města mu ani jednou neuklouzlo) **13** tajně / rychle dát, vsunout, vlít, nalít, vsypat, nasypat (*he* ~*ped a white powder into her glass* rychle jí nasypal do sklenky bílý prášek); podstrčit, vrazit (~*ped some money to the chief of police*) **14** schovat do dlaně (~ *a card*) **15** nechat bez povšimnutí / využití **16** uhnout, couvnout, ucuknout před, vyhnout se čemu (*he relied on speed of eye and head to* ~ *such punches* spoléhal se na to, že se takovým úderům vyhne dík rychlému postřehu a mrštné hlavě) **17** přejít, přehlédnout, vynechat *over* co, nevšímat si **18** přeskočit, zamlčet, smlčet (*I* ~ *no action of my life*), vynechat (~ *a lecture*) **19** uklouznout, ujít pozornosti; vypadnout z paměti **20** vy|pustit uvázané, odvázat *from* z (~ *greyhounds from the leash* pustit chrty z řemenů) **21** pustit; propustit, uvolnit, odvázat, rozvázat; (~*ped the knots that bound him* rozvázal uzly, jimiž byl svázán); otevřít, odemknout (~*ped the night lock and went out* odemkl noční zámek a vyšel ven) **22** mlátit, bít, řezat, tlouci *into* koho **23** pustit se *into* do jídla, hltat, spořádat, házet do sebe jídlo **24** změnit se tiše, nenápadně, přejít v (*the traditional paper* ~*ped quietly into a learned journal*); přen. zapadnout, vpravit se (~ *in a new way of life*) **25** hovor. ztrácet své schopnosti, scházet, slábnout (*has* ~*ped badly since his last illness* od poslední nemoci hodně sešel); jít dolů (přen.) (*he began to* ~ začalo to s ním jít s kopce); klesat, upadat (*sales in some lines will* ~) **26** udělat malou chybu, ujet, uklouznout, klopýtnout, trochu se splést (*you've* ~*ped in your grammar*); chyba vloudit se *into* do (*errors that have* ~*ped into the text*) **27** zast. zhřešit, klopýtnout **28** neplnit výrobní plán **29** vymknout | si, vykloubit si, vyhodit si (~*ped his shoulder*) **30** svléknout, shodit (*the snake* ~*ped its skin* had svlékl kůži) **31** kůra loupat se **32** zmetat, potratit (*cow* ~*s its calf*) **33** sejmout oko při pletení **34** se|šít slepým stehem **35** obsc. vrazit / fouknout ho tam *into* ženě **36** geol. posunout se **37** let.: letadlo sklouznout stranou **38** let. řídit stahováním šňůr padák **39** námoř. odvázat se, odpojit se a vypustit kotevní řetěz **40** motor.: spojka prokluzovat **41** žel. odpojit vůz za jízdy ♦ ~ *anchor* námoř. odpojit kotvu; ~ *by the board* sklouznout po boku lodi; ~ *the bolt home* zastrčit západku, dorazit zástrčku; ~ *one's breath* hovor. natáhnout bačkory umřít; ~ *a cable* námoř. vypustit kotevní řetěz nezatížený kotvou;

~ *one's cable* umřít; ~ *the (anchor) chain* odpojit loď od kotvy vypuštěním kotevního řetězu; ~ *a cog* udělat chybu; ~ *a disc* med. způsobit si výhřez meziobratlové plotýnky; *let* ~ *1.* prořeknout, prozradit neúmyslně *2.* u|pustit; *let* ~ *the dogs of war* bás. rozpoutat válku; *let an opportunity* ~ nevyužít příležitosti; ~ *one's memory* vypadnout z paměti komu, zapomenout; ~ *a t. over on a p.* vrazit komu co podvodně, podstrčit; ~ *it / one over on a p.* hovor. podvést, převézt, zaskočit, nachytat, doběhnout; ~ *into place* zapadnout na místo lehce; *he let reins* ~ *out of his hands* otěže mu vyklouzly z rukou ~ *one's trolley* slang. zcvoknout, cvokatět; ~ *one's wind* hovor. = ~ *one's breath;* ~ *a wink to a p.* tajně mrknout na ***slip along*** spěchat, hnát si to ***slip away*** *1* vyklouznout, zmizet, vypadnout rychle, nepozorovaně *2* ujít pozornosti *from* koho, ujít komu, míjet koho, jít kolem / mimo koho (přen.) *3* čas míjet rychle / nepozorovaně, utíkat, běžet ***slip by*** = *slip away, 3* ***slip in*** *1* chyba vklouznout, vloudit se *2* prohodit, vsunout (~ *a word in)* ***slip off*** *1* zmizet, vyklouznout, vytratit se *2* stáhnout, svléknout oděv ***slip on*** natáhnout si, hodit na sebe, vklouznout do čeho (~ *on a coat)* ***slip out*** = *slip away, 1* ***slip round*** do|skočit, doběhnout (*just* ~ *round to the post)* ***slip up*** *1* hovor. udělat chybu, zmýlit se, selhat *on* v *2* slang. nabourat učinit těhotným (~ *a girl up)* ● *s* **1** u|klouznutí, sklouznutí, proklouznutí; sesmeknutí **2** klouzavost (*good* ~ *is required of a plastic film*), roztíratelnost barvy **3** část. ~*s, pl* skluz v loděnici **4** pokles **5** dámské kombiné **6** dívčí trikot, cvičební úbor **7** dětská zástěrka **8** ~*s, pl* BR pánské plavky; plavečkové spodky, slipy **9** povlak na polštář **10** pás, pruh, proužek látky n. půdy; ústřižek, proužek papíru, kupón, paragon **11** polygr. proužek plátna na hřbetě knižního bloku klížený na desky, křidélko **12** sloupcová korektura **13** lišta, plaňka; louč; upevňovací lišta; obruba pro vkládání drátu, šňůry apod. **14** dlouhé a úzké okno, dlouhá a úzká chodba, dlouhý a úzký pokoj, nudle (hovor.); úzká cesta mezi domy, průchod, zahata **15** průsmyk **16** ~*s, pl* div.: druh posuvných kulis **17** ~*s, pl* div. zákulisí, portál (*watch a performance from the* ~*s)* **18** ~*s, pl* BR postranní galerie v divadle **19** odnož, výhonek, prýt, roub, řízek; přen. štíhlý jedinec (~ *of a girl* děvče jako proutek) **20** vodítko, šňůra, řemínek na vedení psa **21** puštění psa z vodítka **22** malá chyba, chybička, přehlédnutí, omyl, přepsání; malý přestupek, klopýtnutí, nedopatření, faux pas; malý rozpor (*many a* ~ *between government good intentions and government action*) **23** tech. skluz vrtule n. lodního šroubu **24** rozdíl mezi teoretickým a skutečným objemem tekutiny dodaným čerpadlem; rozdíl mezi plánem a jeho plněním **25** klínovitý brousek **26** ocelový válec k pálení dřevěného uhlí na výrobu střelného prachu **27** geol. zlom; posun; sesuv **28** ker. hrubá poleva na namáčení hrubé kameniny **29** let. řízení padáku stahováním šňůr **30** let. sklouznutí, klouzání **31** motor.: boční smyk **32** vlečiště, lodní výtah; přírazíště pro pramice, můstek **33** sport.: jeden z chytačů v kriketu **34** ~*s, pl* sport.: část kriketového hřiště za brankami **35** zool. malý mořský jazyk **36** zvěr. neinfekční zmetání dobytka ◆ *there's many a* ~ *'twixt the cup and the lip* pořek. neříkej hop, dokud jsi nepřeskočil, nechval dne před večerem; *give a p. the* ~ / *give* ~ *to a p.* utéci, uprchnout komu; *make a* ~ udělat faux pas; ~ *of the pen* přepsání; ~ *in spelling* malá pravopisná chyba; ~ *of the tongue* lapsus linguae, přeřeknutí, brept

slip block [slipblok] zarážka pod kola

slip carriage [ˈslipˌkæridž] = *slip coach*

slipcase [slipkeis] pouzdro pro knihu z lepenky

slip cheese [slipči:z] sýr ze sraženého mléka

slip coach [slipkəuč] žel. vůz odpojitelný za jízdy na konci soupravy

slipcover [ˈslipˌkavə] **1** AM ochranný potah, povlak na nábytek **2** povlak na polštář **3** stahovací střecha **4** snímací kryt **5** přebal knihy **6** = *slipcase*

slip galley [ˈslipˌgæli] polygr. sazebnice na sloupce sazby, sloupcovka

sliphook [sliphuk] vysmekovadlo, vysmekovací hák

slipknot [slipnot] **1** klouzavý uzel **2** text. zátažný uzel

slip multiple [ˈslipˌmaltipl] sděl. tech. křížení

slipnoose [slipnu:s] smyčka s klouzavým uzlem

slip-off [ˌslipˈof] vyměnitelný stáhnutím (~ *covers*)

slip-on [slipon] *adj* obuv, šaty do kterého se pouze vklouzne ● *s* hovor. **1** elastický podvazkový pás **2** korzet

slipover [ˈslipˌəuvə] *adj* oblékaný přes hlavu ● *s* pulovr bez rukávů

slippage [slipidž] **1** klouzání, prokluzování; skluz, též elektr. **2** smekání, smýkání, smeknutí, smyk

slipped [slipt] v. *slip, v* ◆ ~ *disc* ploténky; *leaf* ~ herald. odtržený lupen se stonkem

slipper [slipə] *s* **1** domácí střevíc, pantofel, trepka, bačkora **2** lehký dámský střevíc **3** psovod, psář který pouští při lovu psy **4** brzdicí zarážka pod kolo **5** tech. kluzátko, smykadlo; křižák ◆ *Turkish* ~ papuče ● *v* **1** klepnout, naplácat trepkou atd. **2** obout | si, vzít si na nohy trepky **3** šourat se, šoupat se (jako) v trepkách

slipper-bath [slipəba:θ] *pl: slipper-baths* [slipəba:ðz] **1** koupací vana krytá na jednom konci **2** ~*s, pl* veřejné lázně

slipper chair [ˌslipəˈčeə] nízká polštářovaná židle

slippered [slipəd] **1** mající trepky, obutý v trepky atd. **2** v. *slipper, v*

slipperiness [slipərinis] **1** kluzkost, klouzavost, smekavost **2** choulostivost, háklivost (hovor.); vratkost, vachrlatost (hovor.)

slipperless [slipəlis] jsoucí bez trepek atd.

slipperwort [slipəwə:t] bot. pantoflíček

slippery [slipəri] **1** kluzký; klouzavý, smekavý **2** nejistý, choulostivý, háklivý (hovor.); vratký, vachrlatý (hovor.) (*his ~ position*) **3** těžko uchopitelný / definovatelný, kluzký, hladký (*the ~ term romanticism*); úhořovitý, úskočný (*a ~ witness* úhořovitý svědek, *a ~ manoeuvre* úskočný manévr) **4** zast. chlípný, vilný **5** zast. kluzký ◆ *~ dip* AU hovor. dlouhá skluzavka např. v zábavním parku; *~ elm* bot. americký jilm; *~ slope* šikmá plocha, cesta do pekla

slip proof [slippru:f] polygr. sloupcový obtah, sloupcová korektura

slippy [slipi] hovor. = *slippery* ◆ *be / look ~* slang. hoď sebou, mrskni sebou

slip rail [slipreil] AU část plotu, která může zároveň sloužit jako vrata

slip ring [slipriŋ] elektr. sběrný kroužek

slip road [slipraud] **1** objezd, objízdná silnice / komunikace **2** spojovací rampa **3** nájezd, vjezd např. na dálnici; sjezd např. z dálnice

slipsheeting [ˈslipˌši:tiŋ] polygr. prokládání listů proti obtahování

slipsheets [slipši:ts] polygr. prokládací papír

slipshod [slipšod] **1** chodící v sešmajdaných střevících **2** sešmajdaný, rozbitý, sešlapaný **3** ledabylý, nedbalý, nepořádný, lajdácký; nepořádný, nepřesný, nespolehlivý

slipslop [slipslop] *adj* **1** ukecaný, užvaněný, jsoucí bez hlavy a paty **2** = *slipshod* ● *s* **1** brynda, břečka, vodička, dešťovka **2** limonáda **3** přen. žvanění, cancy, kecy (*the mass of ~ poured forth by the daily and weekly press* spousty canců chrlených deníky a týdeníky) **4** SA sandál ● *v* pleskat

slip stitch [slipstič] *s* slepý steh ● *v: slip-stitch* šít slepým stehem

slip stone [slipstəun] olejový brousek

slip stopper [ˈslipˌstopə] námoř. uvolňovač kotevního řetězu

slipstream [slipstri:m] **1** let. proud vzduchu za vrtulí, vrtulový proud **2** vír vzduchu např. za rychle jedoucím nákladním automobilem

slip tank [sliptæŋk] let. shazovací / odhazovací nádrž benzínová

slip-up [slipap] hovor. **1** bota, kiks, kopanec **2** selhání, neúspěch, fiasko

slipware [slipweə] ker. polévané zboží

slipway [slipwei] **1** skluz v loděnici **2** vlečiště, lodní výtah ◆ *~ crane plant* loděnicový jeřábový systém

slit [slit] *v* (*slit, slit; -tt-*) **1** rozříznout, rozstřihnout podél n. na proužky (*~ an envelope open* otevřít obálku rozříznutím); prostřihnout, rozpárat; podříznout, proříznout (*~ a man's throat* podříznout člověku hrdlo); uříznout, odříznout, vyříznout (*~ his tongue for insolence* pro drzost mu vyřízli jazyk) **2** roztrhnout se, rozpárat se, prasknout podél (*the shirt has ~ down the back*); puknout ● *s* **1** úzká štěrbina, skulina, podélný úzký otvor (*~ of a letter box*); podélný zářez, výřez **2** průstřih (*a ~ in the jacket*), rozparek, šlic **3** průzor **4** průřez ● *adj* **1** připomínající štěrbinu (*fat-padded ~ eyes* sádelnatá, štěrbinovitá očka), štěrbinový **2** mající rozparek, rozstřižený (*a ~ skirt* sukně s rozparkem) **3** v. *slit, v* ◆ *~ diaphragm* fot. štěrbinová clona; *~ nut* matice se zářezem

slit-eyed [slitaid] mající oči jako štěrbiny

slither [sliðə] *v* hovor. **1** s|klouznout, sjet hlučně ztrátou rovnováhy **2** způsobit sklouznutí / sjetí čeho, svalit, se|šoupnout po nakloněné ploše, hnát **3** plazit se, sunout se ● *s* **1** klouzání, klouznutí, sesmeknutí **2** hrčení, hrkání; crkot, crčení **3** suť

slithery [sliðəri] klouzavý, kluzký

slit pocket [ˈslitˌpokit] prostřižená kapsa

slittie [sliti] voj. slang. = *slit trench*

slitting rollers [ˈslitingˌrəulez] tech. kotouče na řezání plechu

slitting saw [slitiŋso:] kotoučová pila, prořezávací fréza

slit trench [slit-trenč, slit-trenš] úzký zákop chránící vojáka n. zbraň před střepinami

sliver [slivə] *s* **1** štěpina, úlomek, tříska **2** zbytek, drobet, kousek **3** tenký plátek **4** ukrojený kousek ryby jako návnada **5** přen. drobet, kousíček, zdání, stopa (*not a ~ of evidence*) **6** text.: bavlněný pramen **7** *~s, pl* pleny, šupiny vada plechu ● *v* **1** štípat | se, odštípnout | se, rozdělit | se, rozlámat | se na malé kousky **2** nakrájet / rozkrájet na plátky / na kolečka / na malé kousky

slivovitz [slivəvits] slivovice

slob [slob] **1** IR bahno, bažina, močál **2** rozměklý plovoucí led **3** balík, dacan, hulvát, hejhula, čuně (*he was a ~ in personal habits* v osobních věcech byl úplné čuně); lajdák, flink, hajdalák **4** tlustý červ, tlustá rousnice jako návnada

slobber [slobə] *v* **1** po|slintat, po|cintat **2** po|bryndat; nacintat, pocamrat **3** poslintat, oblízat, dávat uslintané pusy komu **4** slintat blahem, rozplývat se, nýt *over* nad **5** zfušovat, sprásknout dohromady; zvorat ***slobber around*** mazlit se *with* s ● *s* **1** sliny, slintání, cintání **2** cintání, sladké žvanění; mazání medu kolem úst **3** cicmání **4** řídké bahno, bláto; rozbředlý led **5** *~s, pl* zvěr. králičí slintavka

slobberation [ˌslobəˈreišən] uslintaná pusa

slobberchops [slobəčops] slinta, slintal

slobbery [slobəri] **1** ukoptěný **2** špinavý, zablácený **3** uslintaný, slintající **4** sladce užvaněný **5** nepořádný, lajdácký; odfláknutý

slob ice [slobais] rozměklý plovoucí led

sloe [sləu] bot. **1** trnka plod **2** (slivoň) trnka keř

sloe-eyed [sləuaid] **1** jsoucí s očima jako trnky **2** šikmooký

sloe gin [sləudžin] džin ochucený trnkovou šťávou

sloeworm [sləuwə:m] = *slowworm*

slog [slog] *v* (*-gg-*) **1** prudce napálit v kriketu **2** tlouci, mlátit, třískat, řezat **3** též ~ *away* pachtit se; dřít se, mořit se, lopotit se, hmoždit se *at* s *slog on 1* hnát bitím (~*ged his horse relentlessly on* hnal bez ustání koně kupředu) *2 = slog, 3* ● *s* tvrdá práce, dřina

slogan [sləugən] **1** reklamní heslo, slogan **2** volební heslo, heslo strany, slogan **3** válečný pokřik skotských horalů

sloganeer [ˌsləugəˈniə] zejm. AM *s* kdo vymýšlí slogany n. jich používá ● *v* **1** vymýšlet slogany **2** užívat sloganů k ovlivnění veřejného mínění

sloganize [sləugənaiz] vykřikovat hesla

slogger [slogə] **1** dříč **2** kdo se pachtí n. dře **3** kdo prudce odpaluje v kriketu **4** rváč např. v boxu

slogging [slogiŋ] **1** tvrdý, úporný (~ *combat* tvrdý souboj) **2** v. *slog, v*

sloid [sloid] rukodělná výuka zejm. řezbářství jako součást výchovy

sloop [slu:p] námoř. **1** slup druh oplachtění plachetních jachet **2** šalupa **3** BR strážní šalupa; policejní člun ◆ ~ *of war* hist. dělová šalupa

sloop-rigged [slu:prigd] mající slupové oplachtění, jsoucí se slupovou takeláží

sloot [slu:t] = *sluit*

slop[1] [slop] *v* (*-pp-*) **1** též ~ *over* přelít; přetéci **2** též ~ *over* přen. přesahovat, zasahovat **3** cákat | se; nalít, polít, postříkat, pocákat, pokecat, pobryndat, pocamrat; bryndat, cákat, camrat na co, na|lít s cákáním; nacákat, nastříkat, nacamrat **4** cpát / lít do sebe s cákáním, chlemtat **5** být volný, kloktat, viklat se **6** krmit pomyjemi **7** též ~ *around* flinkat se, flákat se, poflakovat se, válet se **8** rozplývat se, slintat blahem *over* nad **9** pleskat, plácat rytmicky ● *s* **1** louže; řídké bláto, bahno **2** rozlitá tekutina, kaluž, louže, loužička, cákanec; cákání **3** tekutá strava nemocného, kašička **4** ~*s, pl* brynda, špína, řídký blavajs, blivanina **5** voda z nádobí, špína; pomyje; šlichta **6** ~*s, pl* obsah nočníku, splašky, moč, výkaly **7** BR zbytek čaje v šálku, ocintky **8** AM polygr. zbytek sazby po zlomení novin

slop[2] [slop] **1** halena, kazajka, blůza **2** ~*s, pl* námořnická výbava oděv i ložní potřeby **3** ~*s, pl* levná konfekce, konfekční zboží **4** ~*s, pl* široké kalhoty

slop[3] [slop] slang. polda, poldík, stráža, policajt

slop basin [ˈslopˌbeisn], **slop bowel** [ˈslopˌbauəl] **2** miska na zbytky tekutin v šálcích apod.

slop-built [slopbilt] šitý horkou jehlou, všelijak udělaný, sprásknutý

slop chest [slopčest] **1** truhla s námořnickým oděvem a námořnickou výbavou **2** sklad osobních potřeb pro námořníky prodávaných posádce na obchodní lodi

slope [sləup] *s* **1** svah; sklon, úbočí, stráň; spád (~ *of a river*) **2** sklonění, naklonění, zešikmení, zkosení; **3** svažování, stoupání **4** horn. úklonné důlní dílo, úklonová jáma; úklonný porub, svážná; nakloněná šachta **5** mat. směrnice křivky **6** sděl. tech. strmost elektronky **7** stav. náběh zdi **8** pokoska cihla **9** voj. postavení vojína s puškou šikmo na rameni **10** hospodářská krize **11** hovor. sladký canc, žvást (*write* ~) **12** AM voj. slang. šikmooká opice orientálec ◆ *on the* ~ šikmý, svažující se; *with a gentle* ~ zvolna stoupající, zvolna se svažující ● *v* **1** též ~ *down* sklánět se, svažovat se, klesat **2** naklánět, zkosit, zešikmit, dát šikmý směr čemu **3** dát pušku do šikmé polohy; držet / nést pušku v šikmé poloze **4** slang. zmizet, ztratit se (*eight dusty, hungry men* ~*d into the farm kitchen*) **5** flinkat se, poflakovat se ◆ ~ *arms!* na rámě zbraň! povel

sloping [sləupiŋ] *adj* **1** šikmý, nakloněný, svažující se, klesající, sestupný **2** v. *slope, v* ◆ ~ *fraction* polygr. zlomek se šikmou čárou; ~ *upwards* vzestupný ● *s* **1** svah, sklon **2** v. *slope, v*

slop jar [slopdža:] porcelánový kbelík pod umyvadlo

slop pail [sloppeil] kbelík s víkem na vynášení špíny n. obsahu nočníků

sloppiness [slopinis] **1** mokrost, blátivost, rozčvachtanost, rozblácenost; kašovitost, řídkost, rozbředlost **2** pokecanost, pobryndanost **3** uválenost, ucouranost **4** nedbalost, neuspořádanost, lajdáckost, lajdáctví **5** sladkobolná dojímavost, sentimentálnost

sloppy [slopi] (*-ie-*) **1** cesta mokrý, blátivý, plný louží, rozčvachtaný, rozblácený **2** mokrý, namočený; politý, pokecaný, pobryndaný **3** potrava samá voda, vodový, řídký, připomínající šlichtu; kašovitý, rozbředlý **4** oděv špatně sedící, neforemný, uválený, ucouraný **5** nedbalý, nepořádný, neuspořádaný, lajdácký **6** sladkobolně dojímavý, dojemný, limonádový, sentimentální **7** nalitý, nadrátovaný opilý ◆ ~ *joe* slang. tlustý volný svetr dívčí

slop room [slopru:m] námoř. výstrojní komora na lodi

slop seller [ˈslopˌselə] obchodník s levnou konfekcí

slop shop [slopšop] obchod s levnou konfekcí

slopwork [slopwə:k] **1** výroba konfekce **2** konfekce **3** levná n. ledabylá práce, fušeřina

slosh [sloš] slang. *v* **1** BR z|bít, z|mlátit, z|řezat, nabít, namlátit, nařezat komu **2** brodit se blátem, čvachtat se ve sněhu **3** na|cákat, na|stříkat (*the water* ~*ed around him, had finished systematically* ~*ing gasoline around*) **4** vtékat; propláchnout, promáchat **5** lít do sebe, vychlastat ***slosh about*** čvachtat se, brodit se ● *s* **1** slang. brynda slabý nápoj **2** slang. řacha, pecka úder **3** = *slush, s*

sloshed [slošt] **1** slang. nalitý, nadrátovaný **2** v. *slosh, v*

slot[1] [slot] *s* **1** štěrbina, úzký a dlouhý otvor, podélný zářez, výřez, vybrání **2** otvor, zdířka pro vhození mince **3** rýha, drážka, žlábek **4** úzké místo, mezera, škvíra **5** místo, pozice, flek **6** programový blok **7** slang. automat **8** div. propadlo, propadliště **9** horn. výsek, brázda **10** let. slot ● *v* (*-tt-*) **1** opatřit štěrbinou / štěrbinami, udělat štěrbinu / štěrbiny atd. v **2** drážkovat, žlábkovat; dlabat n. udělat drážku / drážky v **3** tech. obrážet svislou obrážečkou

slot² [slot] stopa vysoké zvěře, též přen.

slot car [slotka:] AM, CA autíčko autodráhy

sloth [sləuθ] **1** lenost, též náb. **2** těžkopádnost, nemotornost, neohrabanost, pomalost **3** zool. lenochod

sloth bear [sləuθbeə] zool. medvěd pyskatý

slothful [sləuθful] **1** líný **2** těžkopádný, nemotorný, neohrabaný, pomalý

sloth monkey [ˈsləuθˌmaŋki] zool. loris ryšavý

slot machine [ˌslotməˈši:n] automat fungující po vhození mince

slot meter [ˈslotˌmi:tə] automatický plynoměr uvolňující plyn po vhození mince

slot racer [ˈslotˌreisə] AM, CA autíčko autodráhy

slot racing [ˈslotˌreisiŋ] AM, CA autodráha, závody na autodráze

slotter [slotə] = *slotting machine*

slotting machine [ˌslotiŋməˈši:n] tech. **1** svislá obrážečka **2** drážkovací stroj

slouch [slauč] *v* **1** jít / sedět nahrbeně, hrbit se, hrbatit se; jít / sedět s ohnutými zády, mít ohnutá záda, krčit se, choulit se **2** sklopit, stáhnout střechu klobouku (*~ the hat over his eyes*); být sklopený **3** svěsit ramena ● *s* **1** shrbení, nahrbení, shrbený postoj; ohnutá záda; shrbená chůze, chůze s ohnutými zády **2** sklopená střecha klobouku; klobouk se sklopenou střechou, klopák **3** slang. dřevo, mamlas, tele, pytlík, dacan (*the ~ whom military drill has transformed into a man*); šašek, kašpar **4** slang. omyl, ostuda, nula, nešika, nemotora, dřevo; propadák **5** lenost, pohodlnost (*mental, moral and physical ~*) ◆ *be no ~ at / on a t.* umět dobře dělat co, vyznat se v, nedat se vyvést z míry čím (*the show is no ~* na té hře něco je) ● *adj* **1** svěšený, dolů visící (*~ ears*) **2** shrbený, nahrbený, s ohnutými zády

slouch hat [slaučhæt] klobouk se sklopenou střechou, klopák

slough¹ [slau] **1** bažina, močál, bahnisko, bahniště **2** přen. morální bahno, úpadek ◆ *S~ of Despond* zoufalství, krizový stav, krize

slough² [slaf] *s* **1** svlečená hadí kůže, zlínek (zast.) **2** přen. odložený zvyk **3** slupka, skořápka, též přen. **4** med. strup; mrtvá kůže; mrtvá tkáň **5** druh karetní hry **6** horn. odlomek, odštěpek ● *v* **1** též *~ away / off* odpadávat, odlupovat se; odhodit, svléknout ze sebe, zbavit se čeho (*~ed off the unimportant verbiage* zbavil se nedůležitého verbalismu) **2** had shazovat kůži, svlékat se **3** med. u|tvořit strup; odpadávat **4** horn. drolit se, udrolovat se **5** geol. sesouvat se **6** odhodit kartu v bridži

sloughy¹ [slaui] **1** bažinatý, močálovitý **2** bahnitý

sloughy² [slafi] med. strupatý

Slovak [sləuvæk] *adj* slovenský ● *s* **1** Slovák **2** slovenština

Slovakia [sləuˈvækiə] Slovensko

Slovakian [sləuˈvækiən] = *Slovak*

sloven [slavn] **1** lajdák, lempl, nepořádník **2** šmudla, špindíra

Slovene [sləuvi:n] *adj* slovinský ● *s* **1** Slovinec **2** slovinština

Slovenia [sləuˈvi:njə] Slovinsko

Slovenian [sləuˈvi:njən] = *Slovene*

slovenliness [slavnlinis] **1** lajdáctví, lemplovství, lajdáckost, ledabylost, nepořádnost **2** povrchnost, neupravenost, nedbalost

slovenly [slavnli] *adj* (*-ie-*) **1** lajdácký, lemplovský, ledabylý, nepořádný **2** povrchní, neupravený, nedbalý ● *adv* **1** lajdácky, ledabyle, nepořádně **2** povrchně, nedbale

slovenry [slavnri] = *slovenliness*

slow [sləu] *adj* **1** pomalý **2** pozvolný, zdlouhavý, volný **3** váhavý, loudavý, liknavý **4** zvolna stoupající / klesající, pozvolný, mírný **5** těžkopádný, přihlouplý, natvrdlý, špatně chápající, špatně se učící, zaostalý, pomalý (*a ~ child*) **6** jen pomalu se rozhodující *to* k, jen pomalu dělající co **7** jdoucí pozdě, zpožďující se (*that clock is five minutes ~* ty hodiny jdou o pět minut pozdě); ukazující méně než je správně (*a ~ taximeter*); slunce opožďující se za středním slunečním časem **8** pomalu se projevující, vleklý (*a ~ disease*) **9** mírný (*a ~ fire*) **10** pomalu reagující, studený (*a ~ theatre audience*) **11** pomalu schnoucí / tuhnoucí **12** pomalu se prodávající (*diamonds were particularly ~*); charakterizovaný pomalým obratem, stagnantní (*September is always a ~ month*) **13** fot. vyžadující delší expozici, méně citlivý **14** hovor. nevýbojný, klidný, ospalý (*a ~ town*) **15** hovor. fádní, nudný, málo živý, k ničemu (*we thought the party was rather ~*) **16** méně vhodný pro sportovní výkon, nedovolující velkou rychlost, pomalý (slang.) (*a ~ running track*) ◆ *~ and steady* spěchej pomalu; *~ and steady wins the race* kdo nespěchá, vyhraje, vytrvalost vede k cíli; *~ and sure* pomalu, ale jistě; *be ~ by* pozdit se v porovnání s; *be ~ in doing a t.* jen pomalu / váhavě / neochotně dělat co; *be ~ in the uptake* mít dlouhé vedení; *be ~er than a t.* opožďovat se za; *~ of belief* nedůvěřivý; *~ on Greenwich* hodiny opožďující se za greenwichským časem; *in ~ motion 1.* film zpomalený *2.* záběr zpomaleně; *at a ~ pace* zvolna, volně, pomalu, volným krokem ● *adv* pomalu, zvolna, pozvolna ◆ *go ~ 1.* šetřit se, nepřepínat se *2.* nehnat dopředu *on* co, nepřekalupírovat co *3.* dělníci pracovat pomalu forma stávky *4.* hodiny opožďovat se, jít pozdě; *run ~ 1.* hodiny zpožďovat se *2.* vlak mít zpoždění ● *v* též *~ off / up* zpomalovat, ubrat / zmenšit rychlost, při|brzdit **2** téci / plout pomalu **3** po| zdržet, brzdit ◆ *~ to speed* snížit rychlost na normální

slow burn [sləubə:n] AM slang. pomalé hromadění vzteku, pomalé vření zlostí

slowcoach [sləukəuč] **1** pomalý člověk, louda, loudal **2** zpátečník, kdo zaspal svou dobu, kdo je sto let za opicemi; paprika **3** pytlík, trouba, bambula
slowdown [sləudaun] **1** AM pomalá práce forma stávky **2** zpomalení
slow fire [ˈsləuˌfaiə] **1** voj. pomalá palba **2** sport. volná palba bez omezení doby na odpálení předepsaného počtu ran
slow goods [sləugudz] žel. nákladní zboží
slow handclap [ˈsləuˌhændklæp] pomalý potlesk, zejm. skandovaný, jako projev nespokojenosti, netrpělivosti apod.
slow journey [ˈsləuˌdžə:ni] jízda osobním / zastávkovým vlakem
slow loris [ˈsləuˌlo:ris] zool. outloň váhavý
slow march [sləuma:č] pomalý pochod např. při vojenském pohřbu (65 kroků za minutu)
slow match [sləumæč] šňůrový doutnák
slow milker [ˈsləuˌmilkə] kráva, která se špatně dojí
slow-motion [ˌsləuˈməušən] film. zpomalený
slowness [sləunis] **1** pomalost; pomalý chod **2** pozvolnost, zdlouhavost, volnost **3** váhavost, loudavost, liknavost **4** těžkopádnost, hloupost, natvrdlost, zaostalost, pomalost **5** zpožďování, opožďování **6** vleklost choroby **7** mírnost ohně **8** studenost obecenstva **9** hovor. nevýbojnost, klidnost, ospalost **10** hovor. fádnost, nudnost
slow oven [ˈsləuˌavn] **1** mírná trouba, mírně vyhřátá trouba **2** trouba, která peče pomalu
slowpoke [sləupəuk] AM = *slowcoach*
slow roll [sləurəul] let. pomalý výkrut, řízený výkrut
slow speed [sləuspi:d] **1** malá / pomalá rychlost **2** motor. první rychlost, jednička **3** volnoběžka
slow tennis court [ˌsləuˈtenisko:t] sport. tenisový dvorec s měkkým, pomalým povrchem
slow time [sləutaim] pomalý krok, smuteční krok
slow train [sləutrein] osobní vlak, zastávkový vlak (hovor.)
slow virus [ˈsləuˌvaiərəs] med. latentní virus
slow waltz [sləuwo:ls] pomalý valčík, waltz
slow-witted [ˈsləuˌwitid] pomalu chápavý, těžko chápavý
slowworm [sləuwə:m] zool. slepýš křehký
sloyd [sloid] = *sloid*
slub [slab] text. *s* **1** přást **2** tlusté místo příze n. niti ● *v* (*-bb-*) předpřádat
slubbed [slabd] **1** tkanina mající ve vazbě tlusté nitě **2** v. *slub, v*
slubber [slabə] **1** zkazit, zfušovat, odflinknout *over* co **2** potřísnit, pokazit, pošramotit pověst **3** = *slobber, v*
slubberdegullion [ˌslabədiˈgaljən] zast. špindíra, otrapa
sludge [sladž] **1** bláto, husté bahno, kal, nečistota, šlem **2** usazená špína, sedlina, usazenina, kal **3** hustý, špinavý olej, husté špinavé mazivo, špinavá mastnota, mastná špína **4** horn. rmut; vrtná moučka, vrtná drť, vrtný kal **5** ledová tříšť, ledová kaše **6** med. krevní chuchvalec, sraženina ◆ ~ *box* / *pan* kalojem, bahník
sludger [sladžə] kalové čerpadlo
sludgy [sladži] **1** blátivý, zablácený, bahnitý **2** zanesený bahnem n. kalem **3** pokrytý ledovou tříští
slue [slu:] = *slew*[1]
sluff [slaf] AM slang. polda, četník, tajný neuniformovaný policista
slug[1] [slag] AM = *slog*
slug[2] [slag] *s* **1** zool. slimák **2** střela, kulka zejm. nepravidelného tvaru; brok do vzduchovky; kulka do muškety **3** špalík kovu, nuget, hrudka, valounek **4** zejm. AM kulatý plíšek náhražka mince, známka **5** těžce plovoucí loď **6** neprodejné zboží, ležák **7** hřebík do podrážky **8** trhlina v negativu **9** růžek skotu **10** polygr. celistvá linotypová řádka sazby; lití naprázdno **11** polygr. šestibodová regleta **13** zejm.AM kalíšek, stopka destilátu, panák, štamprle, frťan (hovor.) **12** polygr. normová řádka ve sloupcové korektuře ● *v* (*-gg-*) **1** sbírat a ničit slimáky **2** nabít střelou; střela změnit tvar při průchodu hlavní; prostřelit hlaveň ke zjištění přesné ráže **3** nabít broky vzduchovku **4** lenošit, povalovat se
slugabed [slagəbed] zast. kdo dlouho vyspává, kdo nechce vstávat, lenoch
slugcasting [ˈslagˌka:stiŋ] polygr. lití naprázdno ◆ ~ *machine* řádkový sázecí stroj
sluggard [slagəd] lenoch, pecivál
slugger [slagə] zejm. AM hovor. **1** kdo zasazuje tvrdé rány zejm. pěstí n. baseballovou pálkou **2** boxer **3** = *slogger*
sluggish [slagiš] **1** líný, pomalý; zdlouhavý, liknavý, netečný **2** med. pomalu pracující n. reagující **3** ekon. mrtvý, stagnantní, stagnující
sluggishness [slagišnis] lenost, pomalost, zdlouhavost, liknavost, netečnost
sluice [slu:s] *s* **1** jezový otvor, jezové pole; propust; splav; vrata zdymadla; výpustný otvor **2** voda hrazená n. proudící stavidlem **3** přen. proud, příval, vodopád, záplava (*the ~ of free advice*) **4** hovor. rychlé prolití vodou, rychlé propláchnutí, promáchání ve větším množství vody **5** odtokový kanál **6** rýžovací žlab **7** = *sluicegate, 1* ● *v* **1** za|hradit stavidlem vodu **2** vypouštět n. hradit stavidlem vodu; zaplavit nadrženou vodou **3** plavit dřevo; plavit propustí; proplavovat se komorou **4** promáchat, propláchnout ve větším množství vody **5** prát rudu v řece **6** rýžovat zlato ***sluice out*** voda vylít se ve velkém množství, vy|valit se, řinout se (jako) z propusti
sluice flume [slu:sflu:m] vodní smyk
sluice gate [slu:sgeit] **1** vrata plavební komory; tabule stavidla, stavidlo **2** přepouštěcí otvor
sluice valve [slu:svælv] **1** uzavírací šoupátko **2** námoř. přepážkový ventil

sluiceway [slu:swei] **1** kanál se stavidlem, kanál plavební komory; zdymadlová plavební dráha / cesta **2** odvodňovací kanál; koryto **3** náhon **4** vorová propust **5** rýžovací žlab
sluicy [slu:si] řinoucí se proudem
sluit [slu:t] SA úzké vodní koryto, strouha
slum¹ [slam] *s* **1** špinavá ulice / ulička, špinavý dům, brloh **2** ~*s, pl* špinavá a chudá městská čtvrť, chudinská čtvrť, brlohy, slums ● *v* (*-mm-*) **1** chodit do slums, navštěvovat slums zejm. pro zábavu n. z charitativních důvodů **2** přen. navštívit společensky nižší prostředí **3** též ~ *it* žít / živořit (jako) ve slums
slum² [slam] chem. nemazající součást nafty; kal v mazivu
slum³ [slam] voj. slang. dušené maso
slumber [slambə] *v* dřímat spát; být nečinný; tajit se; podřimovat *slumber away 1* prodřímat, prospat, zaspat *2* zahnat spánkem; zapomenout ve spánku ● *s* **1** též ~*s, pl* dřímota, dřímání, podřimování, spánek **2** letargie ● *adj* jsoucí na spaní, pro spaní, noční (*a* ~ *robe* noční úbor)
slumberer [slambərə] kdo dřímá, spáč
slumberland [slambəlænd] hajany
slumberous [slambərəs] **1** ospalý, dřímavý (~ *eyes, a* ~ *town*) **2** uspávající, dřímotný **3** netečný, letargický
slumber party [ˌslambəˈpa:ti] „noční babinec“ schůzka dívek trvající přes noc
slumberwear [ˈslambəˌweə] pyžamo, noční košile
slum burner [ˌslamˈbə:nə] voj. slang. noční kuchař
slumbrous [slambrəs] = *slumberous*
slum-clearance [ˈslamˌkliərəns] asanace chudé městské čtvrtě
slumdweller [ˈslamˌdwelə] obyvatel chudé městské čtvrtě, obyvatel slums
slumgullion [slamˈgaliən] AM **1** brynda, vodička slabý čaj, slabá káva **2** dušené maso **3** zbytky, neřádstvo, marast na palubě při zpracovávání velryby
slumism [slamizəm] AM existence n. zvětšování chudých městských čtvrtí
slumlord [slamlo:d] AM majitel zchátralého domu v chudé městské čtvrti, domácí na periferii
slumlordship [ˈslamˌlo:dšip] AM majetnictví zchátralého domu v chudé městské čtvrti
slummer [slamə] kdo navštěvuje slums zejm. pro zábavu; charitativní pracovník navštěvující slums
slummock [slamək] hovor. **1** z|baštit, na|ládovat do sebe, zblajznout, schlamstnout **2** chovat se neurvale **3** protloukat se životem, živořit, vegetovat
slummy [slami] chudý a špinavý, připomínající slums
slump [slamp] *s* **1** náhlý pokles cen n. zájmu o zboží, obchodní n. finanční deprese, krize, stagnace **2** sednutí, propadnutí, provalení; sesuv půdy ● *v* **1** cena: náhle prudce klesnout; zájem: náhle opadnout, vyprchat; způsobit pokles cen n. zájmu o zboží **2** s|klesnout, s|padnout, zhroutit se (*he* ~*ed into a chair*); poklesávat **3** sednout se, propadnout se, provalit se, sesunout se
slung [slaŋ] v. *sling, v*
slung shot [slaŋšot] koule / kámen na dlouhém poutku / řemeni zbraň zločinců
slunk [slaŋk] v. *slink¹, v*
slur [slə:] *v* (*-rr-*) **1** přejít, ponechat stranou *over* co, přenést se přes, pominout (*the problem is* ~*red over*) **2** odbýt, odfláknout (*let him not* ~ *his lessons*) **3** hud. za|hrát / za|zpívat legato; spojit obloučkem / ligaturou noty **4** vyslovit nepořádně | splývavě, rozmazat při výslovnosti, polykat hlásky, za|šumlovat **5** psát nečitelně, škrabat, drápat, dělat klikyháky **6** polygr. rozmazat tisk, udělat smyk / smyknutí, smyknout, šmicovat (slang.) **7** zast. hanobit, pomlouvat, osočovat ● *s* **1** hana, pohana, hanba, skvrna, poskvrna, ostuda, hanobení, osočení **2** hud. legatový oblouček, ligatura **3** splývavá výslovnost, polykání hlásek, za|šumlování **4** nejasný tah písma, klikyhák **5** polygr. smyk, smyknutí, šmic (slang.) ◆ *put a* ~ / *cast* / *throw* ~*s at* kydat hanu na
slurb [slə:b] zejm. AM neplánovaně zastavěná periférie, domky na předměstí velkoměsta
slurp [slə:p] srkat (~*ing porridge from a wooden spoon* srkající kaši z dřevěné lžíce)
slurry [slari] (*-ie-*) *s* **1** řídká kaše ze žáruvzdorné hmoty (*a thin* ~ *of magnesia*), kašovitá směs **2** řídká malta **3** brusný kal; neusazený kal; suspenze ● *v* natírat formu grafitovou kaší
slush [slaš] *s* **1** rozbředlý sníh; sněhová n. ledová kaše; čvachtanice, marast **2** řídké bahno, bláto **3** odpadový omastek, tuk zejm. na lodi **4** konzervační mazadlo, ochranný nátěr proti korozi; směs olověné běloby a loje n. vápna; tmel, kyt; směs lojového mýdla a oleje k namazání dřevěných stěžňů **5** tekutý smalt základní nátěr na kov **6** tech. papírovina **7** cementová kaše **8** horn. vrtný kal; plavená základka; mokrá základka **9** hovor. sentimentální kýč n. škvár, cajdák; kec, canc **10** AM slang. falešná bankovka ● *v* **1** čvachtat se, brodit se v mokrém sněhu n. řídkém bahnu **2** postříkat, umazat, zmáčet mokrým sněhem n. řídkým bahnem **3** mazat, natírat ochranným nátěrem, konzervovat nátěrem **4** též ~ *in* / *up* zalévat cementovou kaší **5** spláchnout, ošplíchnout, polít hlučně (~ *the deck*) **6** tech. čerpat papírovinu; odvodňovat papírovinu **7** horn. odklízet škrabákem
slush fund [slašfand] **1** AM fond na podplácení, tajný fond **2** námoř. zisk z prodeje kuchyňských zbytků
slush money [ˈslašˌmani] AM peníze na podplácení
slushy [slaši] (*-ie-*) *adj* **1** rozbředlý, rozčvachtaný **2** laciný, kýčovitý, sentimentální, cajdákový ● *s* AU slang. ficka
slut [slat] *s* **1** nepořádnice, šmudla, cuchta, hajdalačka **2** děvka, běhna, coura, flundra, fuchtle,

šancajk **3** hovor. drzá holka, žabec, froc; slečinka, holčička **4** děvečka, služka **5** zejm. AM fena, čuba ● *v* ***slut about*** škol., slang. dřít se, šprtat, vrčet se, biflovat
slutch [slač] nář. bahno, bláto
sluttery [slatəri] nepořádnost
sluttish [slatiš] **1** ucouraný, špinavý, hajdalácký **2** týkající se děvky n. běhny
sluttishness [slatišnis] **1** ucouranost, špinavost, hajdaláckost **2** nepořádnost
sly [slai] (*slyer / slier, slyest / sliest*) **1** vychytralý, mazaný, lišácký, prohnaný, vykutálený **2** vyhýbavý, tajnůstkářský **3** zlomyslný, uličnický; jedovatý **4** AU pašovaný ◆ *on the* ~ tajně, tajnůstkářsky, skrytě, kradí
slyboots [slaibu:ts] lišák, liška, čtverák, kuliferda
sly dog [slaidog] přen. tichá voda
sly grog [slaigrog] AU kořalka prodávaná na černo
slyness [slainis] **1** vychytralost, mazanost, lišáctví, prohnanost, vykutálenost **2** vyhýbavost, tajnůstkářství **3** zlomyslnost, uličnictví; jedovatost
slype [slaip] archit. křížová chodba v anglických katedrálách
smack¹ [smæk] *s* **1** příchuť, pachuť, podchuť (*a ~ of the wood in cider*) **2** trocha, troška, ždibec, drobet, hlt k ochutnání (*a ~ of wine to each child*); špetka např. koření; přen. trocha, kousíček, zdání (*a ~ of knowledge*) ● *v* **1** chutnat; mít zvláštní chuť; mít příchuť *of* čeho, chutnat jako / po; být načichlý čím, zapáchat / páchnout čím **2** vonět *of* čím (*his talk ~ed of the sea*), zavánět čím (*the plan ~s of radicalism*)
smack² [smæk] *s* **1** mlasknutí, zamlasknutí, pomlaskávání rty **2** mlaskavá pusa **3** prásknutí bičem; plácnutí, plesknutí zvuk **4** úder který pleskne, facka **5** tvrdý úder v kriketu ◆ *get a ~ in the eye* dostat morální facku; *have a ~ at a t.* zkusit co, pokusit se o ● *v* **1** mlaskat rty, pomlaskávat si **2** ochutnávat, koštovat s pomlaskáváním víno **3** dát mlaskavou pusu komu **4** prásknout bičem **5** udeřit s plesknutím, plesknout, plácnout koho, naplácat komu; narazit s plesknutím *against* do ***smack down*** *1* položit s plesknutím *2* plácnout, plesknout *a t.* čím *on* o co ***smack to*** zavřít s prásknutím dveře ***smack together*** splácnout, sprásknout ruce ● *adv* hovor. **1** rovnou, přímo, zrovna **2** náhle **3** úplně, docela
smack³ [smæk] námoř. rybářská plachetnice zejm. jednostěžňová
smack⁴ [smæk] AM slang. heroin
smacker [smækə] slang. **1** úder, který pleskne, facka **2** mlaskavá pusa **3** BR rekordní / výstavní kus, číslo **4** AM dolar **5** libra
smackeroo [ˌsmækəˈru:] slang. = *smacker 4, 5*
smacksman [smæksmən] *pl: -men* [-mən] námoř. lodník šmaky, námořník / rybář na šalupě
small [smo:l] *adj* **1** malý v češtině často zdrobňuje následující substantivum (bez citového zabarvení) (*a ~ house* domek, domeček, *a ~ car* autíčko, *a ~ village* víska, vesnička) **2** malý, pramalý, žádný (*he failed and ~ wonder* žádný div, že se mu to nepovedlo) **3** úzký, útlý, štíhlý (*a ~ waist* štíhlý pas) **4** drobný (*~ wood*), jemný (*a ~ misty rain* déšť jako jemná mlha) **5** skromný (*from such ~ beginnings*) **6** málo významný, bezvýznamný, podřadný (*~ poets*) **7** obchodující / hospodařící v malém n. s malým kapitálem **8** nicotný, pokořený, ponížený, malý (*never felt so ~ in his life*) **9** nešlechetný, nízký, přízemní, malicherný, zlý (*only a ~ man would behave so badly*) **10** nápoj velmi slabý, silně zředěný, jsoucí bez alkoholu **11** hlas jemný, tenký; přiškrcený **12** lid obyčejný, drobný, malý **13** řeč obyčejný, prostý ◆ *~ and early (party)* krátký večírek o malém počtu hostů; *feel ~* být ponížený / pokořený; *great and ~* lidé všech vrstev a stavů; *he has ~ Latin* řidč. umí latinsky jen málo; *look ~* vypadat schlíple, schlípnout uši (přen.); *be thankful for ~ mercies* být vděčný za sebemenší štěstí; *on the ~ side* pomenší, poněkud (příliš) malý; *too ~* též malý, (příliš) těsný (*the coat is too ~ for me* ten kabát je mi malý); *the still, ~ voice* hlas svědomí; *in a ~ way 1.* trochu, skromným způsobem (*he has contributed to scientific progress in a ~ way* skromným způsobem přispěl k vědeckému pokroku) *2.* skromně, nenáročně (*he lives in a ~ way*); *~ wonder* žádný div; *~ worries of life* drobné životní starosti ● *adv* **1** málo (*she wept but ~*) **2** tiše, potichu, slabě **3** na drobno, na malé kousky (*cut ~*) ◆ *sing ~* přen. zkrotnout, schlípnout uši; *think ~ of a p.* dívat se spatra na ● *s* **1** něco malého, malá věc, drobnost, to malé **2** malý výrobek, malé / drobné zboží **3** *~s, pl* uhelný mour **4** *~s, pl* horn. drobná ruda, drobná hornina **5** *~s, pl* BR hovor. malé prádlo, osobní prádlo, drobnosti, utěrky, ubrousky, kapesníky apod.; spodky; krátké kalhoty **6** *~s, pl* BR hovor.: první zkouška k dosažení bakalaureátu na oxfordské univerzitě **7** člověk malé postavy, malé pivo (hovor.) **8** úzká část **9** ocasní část velryby před ocasní ploutví ◆ *~ of the back* kříž; *by ~ and ~* postupně; *do the ~s* div. slang. udělat turné po malých městech; *in ~* v malém, v miniatuře; *in the ~* v malém množství, v malých částech; *~ of the leg* holeň nad kotníkem
small ad [smo:læd] BR krátký inzerát
smallage [smo:lidž] bot. miřík celer
small arms [smo:la:mz] voj. ruční zbraně, pěchotní střelné zbraně, pušky, revolvery apod.
small beer [smo:lbiə] zast. lehké / slabé pivo ◆ *be ~* být nedůležitý n. bezvýznamný, nebýt nic, být malý pán; *think no ~ of o. s.* pokládat se za velkého pupíka důležitého
small bitts [smo:lbits] námoř. otěžová pacholata
small bond [smo:lbond] AM úpis, jehož nominální hodnota nepřesahuje 100 dolarů
smallbore [smo:lbo:] malorážní ◆ *~ rifle* malorážka

small bower [ˈsmo:lˌbauə] námoř. slapová kotva na levém boku
smallboy [smo:lboi] pomocník n. zástupce správce afrických domácností Evropanů
small bugloss [ˈsmo:lˌbju:glos] bot. prlina polní
small business men [ˈsmo:lˌbiznismen] malopodnikatelé
small calorie [ˈsmo:lˌkæləri] malá / gramová kalorie
small capitals [ˈsmo:lˌkæpitlz], **small caps** [smo:lkæps] polygr. kapitálky
small cattle [smo:lkætl] brav
small change [ˈsmo:lˌčeindž] **1** drobné peníze, mince (*can you give me ~ for this one-pound note?* můžete mi rozměnit / dát drobné za tuto jednolibrovou bankovku?); vrácené peníze, peníze zpátky **2** řečičky, žvásty, malicherné poznámky **3** bezvýznamný člověk, nula **4** AM maličkost, bagatela, lapálie
small chop [smo:lčop] SA chuťovky, jednohubky (hovor.)
small circle [ˈsmo:lˌsə:kl] mat. vedlejší kružnice koule
smallclothes [smo:lkləuðz] *pl* zast. kalhoty ke kolenům n. těsně pod kolena
small coal [smo:lkəul] drobné uhlí
small craft [smo:lkra:ft] čluny, bárky, drobná sportovní n. rekreační plavidla
small cranberry [ˈsmo:lˌkrænbəri] bot. klikva bahenní
small debt [smo:ldet] BR práv. dluh nepřesahující určitou výši žalovatelný u místního soudu
small eater [ˈsmo:lˌi:tə] malý jedlík, kdo málo jí
small end [ˌsmo:lˈend] ojniční oko
small farmer [ˈsmo:lˌfa:mə] malorolník, malozemědělec
small foolscap [ˈsmo:lˌfu:lskæp] normalizovaný formát psacího formátu (33,6 × 41,9 cm)
small fruit [smo:lfru:t] AM měkké, dužinaté ovoce
small fry [smo:lfrai] **1** malé ryby, potěr, též přen. **2** mládež **3** obyčejní / bezvýznamní / nedůležití lidé
small goods [smo:lgu:dz] AU uzeniny z lahůdkářství
small gross [smo:lgrəus] deset tuctů 120 kusů
small hand [smo:lhænd] **1** obyčejné psací písmo **2** formát balicího papíru (33-38 × 45,7-50,7 cm)
small holder [ˈsmo:lˌhəuldə] BR malorolník, malozemědělec
small holding [ˈsmo:lˌhəuldiŋ] BR práv. pozemek malorolníka do padesáti akrů
small hours [smo:lauəz] první 3 n. 4 hodiny po půlnoci (*he worked into ~* pracoval dlouho přes půlnoc)
small intestine [ˌsmo:linˈtestin] anat. tenké střevo
smallish [smo:liš] poměrně n. téměř malý atd., poměnší
small letters [ˈsmo:lˌletəz] polygr. malá písmena, minusky
small luggage [ˈsmo:lˌlagidž] příruční zavazadlo
small-minded [ˈsmo:lˌmaindid] omezený, malicherný, úzkoprsý
small nettle [ˈsmo:lˌnetl] bot. kopřiva žahavka
small-parter [ˈsmo:lˌpa:tə] div. hovor. čurdař herec hrající „štěky"
small pica [ˈsmo:lˌpaikə] polygr. jedenáctibodové písmo
small potatoes [ˌsmo:lpəˈteitəuz] AM hovor. **1** pár šupů **2** nýmand, nikdo bezvýznamný člověk
smallpox [smo:lpoks] med. neštovice
small print [ˌsmo:lˈprint] přen. chyták, chytačka záludná klauzule smlouvy aj. vytištěná petitem apod.
small-scale [smo:lskeil] provedený v malém měřítku, též přen.
small-screen [smo:lskri:n] hovor. televizní
small shopkeeper [ˌsmo:lˈšopˌki:pə] obchodníček, hokynář
small shot [smo:lšot] broky
small stone [smo:lstəun] štěrk, drobný kámen
small stores [smo:lsto:z] námoř. věci osobní potřeby, součásti oděvu prodávané na lodi
smallsword [smo:lso:d] končíř, fleret
small talk [smo:lto:k] běžný hovor, nezávazná společenská konverzace
small teasel [ˈsmo:lˌti:zl] bot. štětička chlupatá, štětka
small-time [smo:ltaim] hovor. **1** malý, bezvýznamný **2** amatérský
small toothcomb [ˈsmo:lˌtu:θkəum] jemný hřebínek
small town [ˌsmo:lˈtaun] městečko, maloměsto, městys
small-towner [ˌsmo:lˈtaunə] zejm. AM člověk z malého města, maloměšťák
small tradesman [ˈsmo:lˌtreidzmən] maloobchodník, malopodnikatel
smalt [smo:lt] **1** mokré kobaltové sklo **2** kobaltová modř, šmolka
small-wares [smo:lweəz] *pl* krátké zboží
smaragdite [sməˈrægdait] miner. smaragdit zelený aktinolit
smarm [sma:m] hovor. *v* **1** též *~ down* namazat a tím uhladit, ulízat např. vlasy **2** být podlízavý, snažit se zalichotit ● *s* **1** lichocení **2** úlisnost, podlízavost, patolízalství
smarmy [sma:mi] BR hovor. **1** úlisný, lísavý, lichotný, lichotivý, podlízavý, vlezlý **2** sentimentální, kýčovitý
smart [sma:t] *v* **1** působit palčivý pocit, pálit (*iodine ~s when it is put on a cut*) **2** mít palčivý pocit, trpět palčivým pocitem *under / from* z (*he was ~ing under an injustice* příkoří ho pálilo); cítit bolest / trýzeň, trpět bolestí / trýzní **3** odpykat, odnést si, odskákat si *for* co, vypít si to za (*he will make you ~ for this impudence* tuhle drzost si od něho vypiješ) ● *s* **1** pálivá bolest, pálení, palčivost (*a ~ in the eyes*) **2** muka, trýzeň (*the*

~ *of being an underdog*) **3** elegán, sekáč, frajer (*a young Broadway* ~) ● *adj* **1** chytrý, bystrý, inteligentní (*a* ~ *student*); pohotový, vtipný **2** jasný, čistý **3** zchytralý, fikaný, mazaný (~ *dealing*); obratný, ostřílený (*a* ~ *bargainer*); drzý (*was punished for being* ~ byl potrestaný za drzost) **4** vybraně elegantní, vkusný, šik, apartní (*a* ~ *hat*); šviháký, fešácký **5** vypadající jako nový **6** módní, moderní, světácký (*the* ~ *set*, ~ *people*) **7** luxusní, hypermoderní (*the hotel is not at all* ~ *but very comfortable*); hogofogo (hovor.) **8** rychlý, energický, rázný, řízný (*start out at a* ~ *pace*) **9** rázný, přísný, tvrdý, citelný (~ *punishment* citelný trest); ostrý (*a* ~ *rebuke* ... výtka); těžký, pořádný (*a* ~ *box on the ear* pořádná facka) **10** bolestivý (*a* ~ *sensation* ... pocit) **11** zast. palčivý **12** nápoj řízný, hutný, silný (*a* ~ *full-bodied wine* silné, tělnaté víno); tvrdý (*a* ~ *drop* kapka tvrdého nápoje) **13** nář. poměrně / velice vysoký, pěkný, pořádný (*a* ~ *price for a broken-down car*) ◆ *you'd be better* ~ *about it* měl byste sebou raději hodit, koukejte sebou mrsknout; *bring a t. to a* ~ *boil* přivést co do prudkého varu; ~ *comedy* konverzační veselohra, konverzačka; *a* ~ *few* hezkých pár, hezká řádka; *don't get* ~ *with me* nedělej na mne chytrého, nevytahuj se na mne; *make o. s.* ~ upravit se, obléknout se pěkně, hodit se do pucu, vyfešákovat se (hovor.); *play it* ~ zejm. AM hovor. mít rozum, chovat se moudře

smartaleck [ˈsma:tˌælik] hovor. radílek, chytrouš, chytrolín, rozumbrada podle vlastního názoru

smart bomb [ˈsma:tˌbom] AM voj. slang. řiditelná bomba naváděná na cíl např. laserem

smarten [sma:tn] **1** též ~ *up* dát se do pořádku, udělat se elegantním / elegantnějším, hodit se do pucu, vyfešákovat se, vyštafírovat se **2** zmodernizovat, dát živější tempo čemu **3** zrychlit se, učinit / stát se řiznějším n. ráznějším

smartie [sma:ti] AU chytrák

smartish [sma:tiš] téměř / poměrně chytrý atd.

smart money [ˈsma:tˌmani] **1** bolestné **2** odbytné **3** výkupné za neodvedení na vojnu **4** náhrada škody, penále např. při nedodržení smlouvy, výpalné (slang.)

smart monkey [ˈsma:tˌmaŋki] AM vykuk

smartness [sma:tnis] **1** chytrost, bystrost, inteligence, pohotovost, vtipnost **2** jasnost, čistota **3** zchytralost, fikanost, mazanost, obratnost, ostřílenost, drzost **4** vybraná elegance, vkusnost, apartnost, šik; šviháckost, šviháctví, fešáckost, fešáctví **5** módnost, modernost, světáckost, světáctví **6** luxusnost, hypermodernost **7** rychlost, energičnost, ráznost, řiznost **8** ráznost, přísnost, tvrdost, citelnost, ostrost **9** bolestivost

smart set [ˌsma:tˈset] módní intelektuální smetánka

smart-ticket [ˈsma:tˌtikit] hovor. potvrzení o právu zraněného námořníka na invalidní důchod

smartweed [sma:twi:d] bot. rdesno (pepřník)

smash [smæš] *v* **1** též ~ *up* rozbít na malé kousky, roztříštit, roztřískat (*the drunken man* ~*ed up all the furniture*); zničit, zdemolovat **2** též ~ *down* / *in* / *open* vyrazit dveře **3** rozdrtit (~ *the enemy*); zlomit odpor, zmařit útok **4** rozbít se, roztříštit se na malé kousky, rozletět se, rozprsknout se **5** prudce narazit, nabourat se *into* do (*the car* ~*ed into the wall*), srazit se s **6** energicky narazit (*caps to be worn* ~*ed sideways* čapky, které se nosí šikmo naražené) **7** mrštit, prudce hodit, sázet (~*ing bombs into enemy positions*), vrazit (~*ed a fist in his face*); prorazit, vyrazit (~*ed a gap in the hedge* prorazil díru do plotu); prorazit *through* co, proletět násilně čím **8** prudce udeřit, třísknout **9** mlátit, bouchat, třískat zavazadly **10** řítit se a přitom bourat n. ničit **11** pro|razit si cestu *through* čím, probít se čím **12** tenis, odbíjená apod. smečovat, provést smeč čím, dát smeč, provést prudký útočný úder shora **13** zlomit rekord **14** též ~ *up* zruinovat, přivést na mizinu; podnik zkrachovat, položit se **15** polygr. s|lisovat složky knižního bloku **16** slang. pouštět do oběhu falešné mince ◆ ~ *to matchwood* nadělat třísky z; ~ *one's way* probít se, prorazit si cestu ***smash back*** prudce odrazit ● *s* **1** prudká rána, prudký úder (*a* ~ *on the jaw* prudká rána do zubů) **2** rozbití, roztříštění, též jako zvuk; třesk, řinkot rozbíjeného (*a* ~ *of crockery in the kitchen* řinkot rozbíjeného nádobí v kuchyni) **3** srážka, bouračka, silniční n. železniční katastrofa **4** zničení, zhroucení, zkrachování, krach (~ *of all his hopes*); finanční úpadek, krach, bankrot **5** tenis, odbíjená apod. smeč, prudký útočný úder shora **6** chlazený koktejl podávaný s větvičkou máty; ovocný koktejl **7** text. hnízdo potrhaná osnova **8** šlágr, hit (*musical* ~) **9** padělaná mince **10** slang. prachy, fiňáry ◆ *break to* ~ rozbít na kousky, roztříštit; *come* / *go to* ~ *1.* úplně se rozbít, roztříštit *2.* zkrachovat; *knock to* ~ = *break to* ~ ● *adv* s řinkotem rozbíjeného (*the stone went* ~ *through the window*) ● *adj* nesmírně úspěšný (~ *musical show*)

smash-and-grab [ˌsmæšənˈgræb] též ~ *raid* / *robbery* vyloupení rozbitím výkladní skříně např. klenotnictví

smashed [smæšt] **1** slang. totálně sťatý, namol ožralý **2** slang. zfetovaný **3** v. *smash, v*

smasher [smæšə] **1** rozbíječ, roztloukač; kameník **2** polygr. lis na složky; lis na knižní bloky **3** hovor. prudká rána, bomba, pecka **4** BR hovor. něco fantastického, senzace, bomba; kus hezká dívka **5** tenis, odbíjená apod. smečař **6** kdo dává do oběhu falešné mince **7** též ~ *hat* SA měkký plstěný klobouk se širokou střechou

smash hit [smæšhit] okamžitý šlágr, hit, též div., film.

smashing [smæšiŋ] **1** drtivý, zdrcující (*a* ~ *blow*); ničivý **2** burácivý, řinčivý (~ *chords*) **3** BR hovor. obrovský, fantastický, senzační, senza (*a* ~ *blonde*) **4** v. *smash, v*

smash-up [smæšap] **1** úplné zhroucení; krach, bankrot **2** srážka, bouračka
smatch [smæč] BR řidč. = *smack*[1]
smatter [smætə] **1** lámat při řeči (~ *French*); mluvit nedokonale, projevovat řečí jen částečnou znalost čeho **2** zabývat se trochu n. amatérsky čím, bavit se s, dělat trochu do, fušovat do (*I have ~ed law ... letters ... geography*) **3** žvanit, blábolit, klábosit
smatterer [smætərə] nedouk, polovzdělanec, kdo má pouze povrchní znalosti
smattering [smætəriŋ] *s* **1** povrchní n. částečná znalost (~ *of these languages*) **2** různorodý houf; různorodý soubor (*only a ~ of early writing had been published*) **3** v. *smatter* ● *adj* **1** pouze částečný, lámaný (~ *knowledge of French*) **2** polovzdělaný (~ *dilettanti*) **3** v. *smatter*
smaze [smeiz] kouřový opar, mlha prosycená kouřem
smear [smiə] *v* **1** zamazat, zmazat, umazat, ušpinit zejm. mastnotou (*the hat had been ~ed with grease and dirt* klobouk byl celý zamaštěný a ušpiněný) **2** namazat tuk nikoliv rovnoměrně (~ *butter on bread* namazat máslo na chléb n. namazat chléb máslem); natřít, potřít *with* čím; nanést vrstvu masti na ránu; namazat ovce proti hmyzu **3** rozmazat (*he ~ed the paint with his hand*) **4** mazat se; dělat skvrny **5** pošpinit, zostudit, pomluvit, osočit **6** rozetřít na podložní sklíčko při zkoumání mikroskopem **7** ker. pokrýt jemnou voskovitou n. slonovinovou polevou **8** AM zničit, pobít, vyřídit porazit ◆ *you can't ~ any of it on me* přen. nic z toho mi nemůžeš přišít na triko ● *s* **1** mazlavá látka; krém; mast; mastnota **2** mastná skvrna, mastnota, čmouha **3** mast na dezinfekci ovcí **4** rozetřená hmota na podložním sklíčku, roztěr při mikroskopickém zkoumání **5** pomlouvání, osočování, poškozování pověsti; pomluva, osočení, jedovatá slina (přen.) **6** ker. jemná voskovitá n. slonovinová poleva ◆ *blood ~* krevní nátěr
smear campaign [ˌsmiəkæmˈpein] organizovaná očerňovací akce např. sérií novinových článků
smeariness [smiərinis] **1** zamazanost, umazanost, rozmazanost **2** mastnost, mastnota, zamaštěnost, umaštěnost
smear-sheet [smiəši:t] AM bulvární plátek, revolverový plátek
smear test [smi:ətest] mikroskopická zkouška k zjištění karcinomu
smear-word [smiəwə:d] hanlivý přídomek n. přívlastek
smeary [smiəri] (*-ie-*) **1** zamazaný, umazaný, rozmazaný **2** mastný, zamaštěný, umaštěný
smectite [smektait] miner. zast. smektit, valchářská hlína
smeech [smi:č] BR **1** nář. čpavý zápach hořícího n. doutnajícího **2** hovor. mlha v průlivu La Manche
smegma [smegmə] med. mast, maz, smegma hlen vylučovaný žlázami v předkožce
smegmatic [smegˈmætik] smegmatický vnímatelný čichem a zrakem
smell [smel] *s* **1** čich (*perceptible to ~ as to sight*) **2** čichání, při|čichnutí **3** pach, vůně, aróma **4** zápach, puch, smrad **5** přen. odér, nádech, příchuť, známka, zdání negativního (~ *of anarchy*) ◆ ~ *of the lamp* charakteristický rys nezáživného a teoretického uvažování, rys vypocené práce; *take a ~ at a t.* při|čichnout | si k / čeho ● *v* (*smelt* / řidč. *smelled, smelt* / řidč. *smelled*) **1** u|cítit čichem, čiti (*I am sure I ~ gas, horses smelt the water a mile off*) **2** čichat | si, očichat | si, přičichnout | si *a t.* / *at a t.* k, při|vonět | si k **3** zvěř čenichat, větřit (*the dog ran ~ing through the fields*), očenichat, začenichat **4** mít čich (*can / do fishes ~?* mají ryby čich?) **5** působit po přičichnutí jakým dojmem, být cítit jak (*the milk ~s sour*) **6** vydávat vůni, vonět **7** páchnout, zapáchat, být cítit *of* čím, smrdět **8** přen. zavánět, být cítit (~ *of nepotism*) ◆ ~ *bad* páchnout, zapáchat, smrdět; *begin to ~* zavánět, zasmrádnout; *his breath ~s* páchne mu z úst; ~ *of the candle* = ~ *of the lamp*; ~ *good* vonět pěkně, příjemně; ~ *the ground* loď zmírnit rychlost při vjezdu do mělkých vod; ~ *of the lamp* literární dílo nést známky pečlivé, ale neinspirované práce, být vypocený; ~ *one's oats* nasadit závěrečný finiš např. při práci; ~ *of the oil* = ~ *of the lamp*; ~ *powder* čichnout si ke střelnému prachu, projít křtem ohně, dostat křest ohněm; ~ *a rat* přen. náhle větřit něco nekalého, čiti čertovinu, mít dojem, že je tu někde zakopaný pes; ~ *of the shop* být příliš odborný, příliš zabíhat do odbornosti ***smell about*** *1* pes čenichat (kolem) *2* člověk slídit, špehovat, vyzvídat, čenichat ***smell out*** *1* pes vyčenichat *2* přen. najít, zjistit, objevit, vyčenichat ***smell up*** AM nasmrdět
smeller [smelə] **1** kdo má čich, kdo čichá, kdo pátrá / vyzvídá / čenichá **2** citlivý vous; vous kočky **3** slang. frňák, čuchometr **4** ~*s, pl* slang. díry do nosu **5** slang. rána do frňáku
smell feast [smelfi:st] **1** nezvaný host **2** AM příživník
smelliness [smelinis] zápach, puch, smrad, smradlavost
smelling bottle [ˈsmeliŋˌbotl] lahvička s čichací solí
smelling salts [ˈsmeliŋˌso:lts] čichací sůl
smelly [smeli] (*-ie-*) hovor. páchnoucí, zapáchající, smradlavý
smelt[1] [smelt] tavit rudu; vytavovat kov
smelt[2] [smelt] zool. koruška
smelt[3] [smelt] v. *smell, v*
smelter [smeltə] **1** tavič **2** tavicí pec **3** = *smeltery*
smeltery [smeltəri] (*-ie-*) tavírna rud, huť
smelt furnace [ˈsmeltˌfə:nis] tavicí pec na rudy
smelt house [smelthaus] *pl: smelt houses* [ˈsmeltˌhauziz] tavírna rud, huť
smew [smju:] zool. morčák bílý
smidgen, smidgin [smidžən] AM hovor. ždibec, troška

smilax [smailæks] bot. přestup, smilax
smile [smail] *v* **1** usmát se, usmívat se *at* / *on* / *upon* na **2** culit se, uculovat se, zaculit se příjemně **3** dívat se s úsměvem, shlížet s úsměvem *at* na **4** udělat (s) úsměvem, vyjádřit (s) úsměvem, dát (s) úsměvem (*he ~d consent* usmál se na souhlas) ♦ *~ a curious ~* usmát se podivným úsměvem *smile away* odbýt n. zahnat úsměvem ● *s 1* úsměv *2* přen. přízeň *3* úsměvnost, veselost krajiny
smileless [smaillis] jsoucí bez úsměvu, vážný, chmurný
smiling [smailiŋ] **1** usmívající se, jsoucí s úsměvem **2** úsměvný, veselý, radostný **3** v. *smile, v* ♦ *come up ~* hovor. vzpamatovat se a s úsměvem pokračovat dál; *keep ~* vždy s úsměvem
smirch [smə:č] *v* **1** umazat, zamazat, ušmudlat **2** přen. potřísnit, po|tupit, zneuctít, pokálet, pokaňhat (*~ing the names of public men*) ● *s* **1** skvrna, šmouha **2** přen. skvrna na cti, poskvrna, potupa, pohana, ostuda, hanba
smirk [smə:k] *v* culit se, uculovat se, zaculit se, usmívat se sladce / afektovaně / hloupě / samolibě / drze / familiárně, spokojeně se šklebit ● *s* sladký, afektovaný, hloupý n. samolibý úsměv, úšklebek ● *adj* elegantní, uhlazený
smitch [smič] = *smeech*
smite [smait] *v* (*smote* / zast. *smit, smitten* / *smote* / zast. *smit*) zast., kniž., žert. **1** tvrdě zasáhnout, udeřit, bít *a t.* / *upon* do, napálit (*he smote the ball into the grandstand* napálil míč do hlavní tribuny) **2** stihnout, postihnout, náhle zachvátit, schvátit, potrefit (*the herd was smitten by foot-and-mouth disease* stádo bylo stiženo kulhavkou a slintavkou) **3** trápit, týrat, trýznit, hryzat, žrát (*his conscience smote him* žralo ho svědomí) **4** potrestat, ztrestat (*God shall ~ thee*) **5** srazit (*~ the enemy to the ground*) **6** udeřit v struny (*the minstrel smote his harp and sang* minstrel udeřil do strun harfy a zapěl) **7** padat na (*light smote her hair*) ♦ *~ a p.'s head off* srazit hlavu komu; *~ a p. dead* usmrtit, zabít úderem; *~ a p. hip and thigh 1.* bibl. zbít na hnátech a bedrech *2.* úplně rozdrtit; *he was smitten with amazement* náhle se ho zmocnil úžas; *he was smitten with her charms* byl uchvácen jejími půvaby; *he was smitten with desire* zmocnila se ho náhle touha ***smite together*** srazit se dohromady ● *s* **1** těžký úder, těžká rána **2** hovor. beznadějná zamilovanost ♦ *not a ~* zast., nář. ani kousíček
smiter [smaitə] **1** kdo bije n. udeří **2** zast. meč
smith [smiθ] *s* **1** kovář **2** kovotepec **3** výrobce **4** přen. strůjce (*the ~ of his own fortune* strůjce svého štěstí) ● *v* kout, vy|kovat (*~ a sword*)
smithereens [ˌsmiðəˈri:nz], **smithers** [smiðəz] padrť, kousíčky, cimprcampr (*smash a t. to* / *into ~* roztřískat na cimprcampr)
smithery [smiðəri] (*-ie-*) **1** kovotepectví; kovářství **2** kovárna zejm. v loděnici
Smithfield [smiθfi:ld] masná tržnice v Londýně ♦ *make a ~ match* oženit se / vdát se pro peníze
smithy [smiði] (*-ie-*) kovárna
smitten [smitn] **1** sražený, zničený **2** hovor. beznadějně zamilovaný **3** v. *smite, v*
smock [smok] *s* **1** pracovní halena, kytle, kytlice, rubaška; pracovní plášť zejm. se zapínáním vzadu **2** dětská kombinéza, dětské šatečky **3** zast.: dámská košile, spodnička ● *v* **1** obléknout halenu; obléknout do haleny koho **2** nabírat látku; dělat nabírání; zdobit nabíráním / žabkami
smock-frock [smokfrok] halena, kytle, kytlice, rubaška
smocking [smokiŋ] **1** nabírání, žabky **2** v. *smock, v*
smock-mill [smokmil] holandský větrný mlýn který má otočnou pouze nejhořejší část
smog [smog] **1** smog směs mlhy a kouřových zplodin v ovzduší velkých měst a průmyslových oblastí **2** přen. zamlžování, kouřová clona
smogbound [smogbaund] zahalený n. pokrytý smogem
smoggy [smogi] (*-ie-*) **1** připomínající smog **2** = *smogbound*
smogout [smogaut] úplné pokrytí n. zahalení smogem
smokable [sməukəbl] *adj* **1** vhodný ke kouření, kouřitelný, kuřlavý **2** uditelný ● *s ~s, pl* kuřivo, kouření
smoke [sməuk] *s* **1** kouř; dým; čmoud, čoud; přen. dým **2** sloup kouře (*the fifty ~s that were curling from the valley* padesát spirál kouře stoupajících z údolí) **3** fyz., chem. výpar, výpary **4** přen. opar, mlha, závoj, clona (*see things through the ~ of hate* vidět věci závojem nenávisti); pára, oblak **5** kouřová barva **6** kouření, zakouření si; tah z cigarety, baf, čoud (hovor.) **7** též *~s, pl* hovor. kouření, kuřivo, tabák; cigareta; cigáro (*what they spend each year on ~s is less than what they spend on liquor*) **8** kuřácká pauza, přestávka „na cigaretu" **9** černošedá kočka **10** kořalka; denaturák směs metylalkoholu a vody jako nápoj **11** hanl. negr, černá huba ♦ *~ abatement* odstranění kouře; *big ~* přezdívka pro *1.* Londýn *2.* velkoměsto; *column of ~* stoupající dým, sloup kouře; *end in ~* rozplynout se v dým; *no ~ without fire* pořek. není šprochu, aby na něm nebylo pravdy trochu; *go up in ~ = end in ~; he must have a ~* musí si dát čouda; *like ~* slang. jako vítr, rychle; *mushrooming ~* voj. kouř hřibovitého tvaru; *from ~ to smother* řidč. z bláta do louže ● *v* **1** kouřit vydávat kouř; dýmat **2** čadit, čoudit, čmoudit; očadit, začadit, začoudit, začernit / naplnit kouřem **3** vykouřit, dezinfikovat kouřem (*~ a ship*); zahnat kouřem; omámit kouřem, vykuřovat např. včely; voj. zakrýt kouřovou clonou **4** kouřit (*~ a pipe*); být kuřákem (*has been smoking of six years*) **5** bafat, bafčit, bánit, dýmat, hulit (hovor.) **6** vy|udit (*~d ham*) **7** pelášit, pádit, hasit si to **8** AU

utéci **9** zast. všimnout si, pozorovat **10** zast. zesměšňovat, dělat si legraci z **11** zast. čiti, podezírat, mít podezření že jde o **12** roztříštit asfaltový kotouč; asfaltový kotouč roztříštit se, rozprsknout se **13** škol. slang. zčervenat, začervenat se ◆ *be ~d* též být cítit kouřem (*the porridge is ~d* kaše je cítit kouřem); *he has ~d himself ill* překouřil se; *put that in your pipe and ~ it* zapiš si to za uši; *~d glasses* kouřová skla proti slunci; *~d meat* uzené maso; *~d milk* připálené mléko; *~ wood* parfemované dřevo ***smoke out 1*** zahnat, vyhnat 2 AM objevit, vynést na světlo

smoke ball [sməukbo:l] **1** voj. kouřová / dýmová střela, kouřová / dýmová puma, dýmovnice **2** med. inhalátor

smoke barrage [ˈsməukˌbæra:ž] kouřová / dýmová clona

smoke bell [sməukbel] lapač kouře nad lampou

smoke black [sməukblæk] kopt, saze

smoke bomb [sməukbom] voj. kouřová / dýmová puma

smoke box [sməukboks] dýmnice lokomotivy

smoke cloud [sməukklaud] **1** kouřový mrak **2** voj. kouřová / dýmová clona

smoke consumer [ˈsməukˌkənˈsju:mə] přístroj na spalování kouře

smoke-consuming [ˈsməukˌkənˈsju:miŋ] sloužící k spalování kouře

smoke curtain [ˈsməukˌkə:tn] voj. kouřová / dýmová clona

smoke-dried [sməukdraid] **1** sušený v kouři **2** sušený v sušárně s přímým topením

smoke helmet [ˈsməukˌhelmit] plynová maska hasičů, hadicový záchranný přístroj

smokeho [sməukəu] AU hovor. přestávka, pauza v práci

smokehouse [sməukhaus] *pl: smokehouses* [ˈsməukˌhauziz] udírna

smoke-in [sməukin] shromáždění kuřáků marihuany zejm. jako demonstrace pro její legalizování

smoke jack [sməukdžæk] **1** přístroj k točení rožně poháněný kolem otáčeným horkým vzduchem v komíně **2** komín ve výtopně lokomotiv

smokeless [sməuklis] **1** střelný prach bezdýmný **2** nezakouřený, jsoucí s čistým vzduchem / ovzduším (*a ~ city*)

smokelessness [sməuklisnis] **1** bezdýmnost střelného prachu **2** nezakouřenost, čistota ovzduší

smoke-oh [sməukəu] AU hovor. přestávka, pauza v práci

smoke plant [sməukpla:nt] bot. ruj vlasatá

smoker [sməukə] **1** kuřák **2** žel. kuřácký vagón, kuřák (hovor.); kuřácké oddělení **3** = *smoking concert* **4** zábava, sedánka při které se kouří **5** udič **6** voj. letadlo n. loď vytvářející kouřovou clonu **7** stojací popelník

smoke rocket [ˈsməukˌrokit] kouřová raketa k hledání trhlin v potrubí

smoke room [sməukru:m] BR = *smoking room*

smoke screen [sməukskri:n] voj. kouřová / dýmová clona

smokeshade [sməukšeid] **1** poměrné množství černých, šedých a bílých částic znečisťujících ovzduší **2** popílek částice znečisťující ovzduší

smokestack [sməukstæk] **1** vysoký komín, tovární komín **2** lodní komín **3** AM komín parní lokomotivy

smokestone [sməukstəun] miner. záhněda

smoketree [sməuktri:] bot. ruj vlasatá

smoketunnel [ˈsməukˌtanl] kouřový aerodynamický tunel

smoke unit [ˈsməukˌju:nit] voj. zamlžovací jednotka

smoke uptake [ˈsməukˌapteik] komínový sopouch

smokiness [sməukinis] **1** kouřivost, čoudivost, čadivost **2** zakouřenost, začazenost **3** kouřovost, mlhavost, nejasnost

smoking [sməukiŋ] v. *smoke, v* ◆ *no ~* kouření zakázáno, nekuřte upozornění

smoking cap [ˈsməukiŋˌkæp] domácí čepička starších pánů

smoking car [ˈsməukiŋˌka:], **smoking carriage** [ˈsməukiŋˌkæridž] žel. vagón / vůz pro kuřáky, kuřák (hovor.)

smoking compartment [ˈsməukiŋˌkəmˈpa:tmənt] žel. oddělení / kupé pro kuřáky, kuřácké kupé (hovor.)

smoking concert [ˈsməukiŋˌkonsət] BR **1** koncert, při němž je dovoleno kouřit **2** pánská zábava např. v klubu

smoking jacket [ˈsməukiŋˌdžækit] pánský domácí kabát, krátký župan

smoking mixture [ˈsməukiŋˌmiksčə] tabáková směs

smoking room [sməukiŋru:m] *s* kuřácký salónek ● *adj* anekdota pánský, neslušný

smoko [sməukəu] AU hovor. přestávka, pauza v práci

smoky [sməuki] (*-ie-*) **1** kouřící, čoudící, čadící (*a ~ torch*) **2** plný kouře / dýmu, zakouřený (*a ~ city*); začouzený, začazený (*~ rafters*) **3** kouřový (*the ~ taste of Scotch whisky* kouřová příchuť skotské whisky); mlhavý, nejasný (*the ~ outline*) ◆ *~ quartz* miner. záhněda

smolder [sməuldə] = *smoulder*

smolt [sməult] zool.: mladý losos, pstruh obecný mořský táhnoucí poprvé do moře, strdlice

smooch [smu:č] AM *v* **1** okounět, zevlovat, flinkat se **2** zamazat, umazat, zašpinit **3** slang.: milenci flirtovat, cicmat se, ňuňat se, cucat se ● *s* skvrna

smoochy [smu:či] AM rozmazaný

smoodge [smu:dž] **1** líbat se **2** mazlit se **3** říkat lichotky, chtít se zalíbit

smooth [smu:ð] *adj* **1** hladký bez nerovnosti n. drsnosti (*a ~ surface*); bez vousů (*a ~ chin*); bez vrásek (*a ~ brow*); mající nepřerušovanou plochu n. obrysy (*a ~ tyre*); bez hrubších kousků (*~ batter*); bez obtíží, bez překážek (*~ driving*); obratný, vybroušený, uhlazený, plynný, plynulý (*a ~ verse*); též odb. **2** uhlazený, ulízaný

(~ *hair*) **3** hladina rovný, klidný, nezvlněný **4** chod stroje klidný, pravidelný, plynulý **5** přívětivý, příjemný, zdvořilý, přátelský, smířlivý **6** úlisný, lichotný, hladký jako úhoř, falešný, pokrytecký (*a ~ face*) **7** tón měkký, hebký, sametový **8** likér jemný **9** spisovatel píšící elegantním, vybroušeným stylem **10** AM slang. prima, epesní ◆ *make ~* uhladit; *make things ~ for a p.* připravit / vyšlapat cestičku komu, odstranit překážky z cesty komu; ~ *muscle* anat. hladký sval; ~ *sea* klidné moře s hladkou hladinou, 1. stupeň Douglasovy stupnice; ~ *things* lichotky, úlisné popichování; *I am now in ~ water* přen. teď už se mi nemůže nic stát, teď už mám vyhráno, teď už mám nebezpečí za sebou; *the way is now ~* přen. teď je cesta volná ● *v* **1** hladit, uhlazovat, vyhladit **2** hladce učesat, ulízat vlasy **3** urovnat, srovnat; vyrovnat nepravidelnost **4** připravit urovnáním, ulehčit komu, zbavit starostí koho **5** činit hladkým, pilovat, brousit, pulérovat (~ *a verse*) **6** jaz. monoftongizovat ◆ ~ *one's brow* zjasnit čelo; ~ *a p.'s rumpled feathers* uklidnit, pacifikovat koho; ~ *one's manners* získat uhlazené způsoby; ~ *the way for a t.* urovnat, připravit cestu čemu ***smooth down*** *1* uklidnit | se *2* srovnat, vyrovnat *3* zmírnit ***smooth out*** *1* vyhladit, uhladit, urovnat *2* přen. vyžehlit ***smooth over*** *1* omlouvat, zlehčovat chybu, mírnit, vyrovnávat rozdíly (~*ing things over is practically a profession to mothers*) *2* uklidnit, mírnit vášně ● *s* **1** hladkost; hlazení **2** hladká plocha, hláď, hlať (kniž.) (*the ~ of her hair*) **3** louka **4** námoř. tišina; bezvětří **5** hladítko; hladicí pilník, hladík **6** hladká strana tenisové rakety (podle upevnění strun) ◆ *take the rough with the ~* brát věci jak přijdou, příjemné i nepříjemné

smoothbore [smu:ðbo:] dělo n. puška s hladkým vývrtem

smoothen [smu:ðən] uhladit | se

smooth-faced [smu:ðfeist] **1** holobradý, bezvousý; hladce oholený, vyholený, hladký **2** přen. úlisný, falešný, pokrytecký

smoothie [smu:ði] slang. **1** úhoř, had (přen.) **2** elegán **3** štramák

smoothing harrow [ˈsmu:ðiŋˌhærəu] zeměd. smyk

smoothing iron [ˈsmu:ðiŋˌaiən] zast. žehlička

smoothing plane [smu:ðiŋplein] hladicí hoblík, hladík, klopkař, cidič

smoothness [smu:ðnis] **1** hladkost **2** uhlazenost, ulízanost vlasů **3** rovnost, klidnost, nezvlněnost hladiny **4** klidnost, pravidelnost, plynulost chodu stroje; hladký chod stroje **5** plynulost, uhlazenost, vybroušenost, vypulérovanost verše **6** přívětivost, příjemnost, zdvořilost, přátelskost, smířlivost **7** úlisnost, falešnost, pokrytectví **8** měkkost, hebkost, sametová barva tónu **9** jemná chuť likéru

smooth-shaven [ˈsmu:ðˌšeivn] hladce oholený, vyholený

smooth-spoken [ˈsmu:ðˌspəukən] **1** dobře a plynule hovořící **2** vybroušený v řeči / v chování **3** = *smooth-tongued*

smooth-tongued [smu:ðtaŋgd] úlisný, falešný, pokrytecký v řeči

smoothy [smu:ði] (*-ie-*) = *smoothie*

smorbrod [smə:brəud], **smorgasbord, smörgåsbord** [ˈsmə:gosˌbu:d] švédský předkrm, sendvič

smote [sməut] v. *smite, v*

smother [smaðə] *s* **1** dusivý kouř / dým; dusný vzduch, dusno **2** přen. hustý oblak prachu, sněhu, pěny, páry **3** doutnání; doutnající popel **4** změť, vír ● *v* **1** za|dusit | se, udusit | se připravit o život dušením, zemřít udušením **2** u|hasit, udusit, zdolat oheň párou, pěnou, plynem **3** kuch. dusit (~*ed chicken*) **4** úplně pokrýt, přikrýt, zalít *with* čím (~ *the strawberries with cream*) **5** přen. zasypat, zahrnout, pokrýt *with* čím (~ *with kisses*); zavalit (*be ~ed with work*) **6** též ~ *up* potlačit (~ *a rebellion*), přemoci (*a ~ yawn* ... zívnutí), u|tlumit (~*ed curses* ... nadávky) **7** hněv ztišit se **8** nář. doutnat **9** sport. uchopit, pevně držet soupeře v ragby; přerušit utkání pro příliš tvrdou hru **10** AM hovor. pobít soupeře; vyhrát utkání ◆ ~*ed mate* šachy dušený mat jezdcem / koněm

smothery [smaðəri] dusný (~ *attic* ... půda)

smouch [smauč] BR muchlat se, cicmat se, ňuňat se

smoulder [sməuldə] *v* **1** doutnat (*fire was ~ing in the grate* v krbu doutnal oheň), též přen. (*the feud ~ed for months* nepřátelství doutnalo řadu měsíců) **2** doutnat hněvem, nenávistí n. žárlivostí (*her eyes were ~ing*) ● *s* doutnání, doutnající oheň

smous [smaus] SA podomní obchodník zejm. na vesnici

smudge [smadž] *s* **1** rozmazaná skvrna, špína, šmouha, čmouha, umazané / rozmazané místo **2** AM dusivý kouř **3** též ~ *fire* AM kouřící oheň na odhánění hmyzu n. jako ochrana sadu před mrazem **4** slivky nátěrových hmot **5** směs koptu a klihu k natírání olověných trubek, aby na nich nechytala pájka ● *v* **1** mazat se, rozmazávat se (*pastel ~s easily*); tisk obtáhnout se **2** zamazat, zašpinit, potřísnit **3** přen. pošpinit pověst, pomluvit, osočit **4** AM vykuřovat proti hmyzu n. mrazu; způsobit, aby oheň hodně kouřil

smudger [smadžə] slang. pouliční fotograf

smudginess [smadžinis] **1** zamazanost, umazanost **2** nejasnost, nezřetelnost, rozmazanost **3** dusnost, dusivost

smudgy [smadži] (*-ie-*) **1** zamazaný, umazaný **2** nejasný, nezřetelný, rozmazaný **3** dusný, dusivý

smug [smag] *adj* (*-gg-*) **1** upravený, apartní, půvabný, jako z cukru, jako malovaný, švarný, spanilý **2** budící dojem slušnosti a ctihodnosti **3** blazeovaný, samolibý, domýšlivý, nafoukaný, arogantní; procovský ● *s* BR škol. slang. olšové dřevo student nepatřící do společnosti n. nepěstující sporty; šplhoun, šprt, bifloun

smuggle [smagl] **1** pašovat, podloudně dopravovat **2** slang. ořezat na obou koncích tužku ***smuggle***

away tajně schovat *smuggle in* podloudně / tajně přivézt, dovézt, dostat, pronést, provést, propašovat dovnitř *smuggle out* podloudně / tajně vyvézt, pronést, provézt, propašovat ven
smuggler [smaglə] **1** podloudník, pašerák **2** podloudnická loď, podloudník **3** slang. tužka ořezaná na obou koncích
smuggling [smagliŋ] **1** pašování, podloudnictví **2** v. *smuggle*
smugness [smagnis] **1** elegantnost, apartnost, půvabnost, švarnost, spanilost **2** blazeovanost, samolibost, samolibé uspokojení, domýšlivost, nafoukanost, arogantnost, arogance
smut [smat] *s* **1** jednotlivá saze, kopt; *~s, pl* chomáčky sazí **2** skvrna od saze, rozmazaná saze **3** horn. hlinité uhlí, měkké podřadné uhlí, mour, uhlí s proplástky, zemité uhlí, uhelná břidlice **4** bot. sněť obilná **5** oplzlost, obscénnost, sprosťárna, prasečinka, pornografie **6** malinký hmyz, mušky ● *v* (*-tt-*) **1** umazat od sazí **2** obilí být napadnut obilní snětí; sněť napadnout obilí **3** vyčistit obilí od sněti, odsnětit **4** BR ryba polykat malý hmyz; stoupat k hladině za malým hmyzem
smut-ball [smatbo:l] bot. nádor na zrnu způsobený mazlavou snětí pšeničnou, nádor sněti
smutch [smač] *v* **1** zamazat, umazat, začernit **2** pošpinit pověst, osočit, pomluvit ● *s* **1** černá skvrna, šmouha **2** špína
smut-mill [smatmil] mořička na osivo
smuttiness [smatinis] **1** začerněnost od sazí, špinavost, ukoptěnost **2** oplzlost, obscénnost, sprostota **3** zachvácenost obilí obilnou snětí, snětlivost
smutty [smati] (*-ie-*) **1** začerněný / umazaný od sazí, špinavý, ukoptěný **2** přen. oplzlý, obscénní, sprostý, pornografický **3** napadený obilnou snětí
Smyrniot [smə:niət], **Smyrniote** [smə:niəut] *s* obyvatel Smyrny, Smyrňan ● *adj* smyrenský
snack [snæk] *s* **1** něco malého k jídlu, slaný, řidč. sladký zákusek, rychlé malé občerstvení **2** hlt, doušek (*a ~ of brandy*) **3** díl, podíl ◆ *go ~s* rozdělit se ● *v* ***snack up*** voj. slang. *1* AM stále jíst něco malého, „mlsat" *2* naládovat do sebe, hodit do sebe jídlo
snack bar [snækba:] bufet, automat, snack-bar
snack counter [ˈsnækˌkauntə] studený stůl, bufet
snaffle[1] [snæfl] BR slang. čajznout, čmajznout, šlohnout, štípnout, seknout, otočit, přemístit, zorganizovat
snaffle[2] [snæfl] stíhlo ◆ *put a ~ on a t.* dát pod kontrolu co; *ride a p. on / with the ~* přen. lehounce řídit koho, nepozorovaně točit s, vodit na provázku koho
snaffle bit [snæflbit] stíhlové udidlo
snaffled [snæfld] jsoucí se stíhlovým udidlem (*a ~ bridle*)
snafu [snæˈfu:] AM voj. slang. *adj* zmatený, zmrvený, zblbnutý jako obvykle ● *s* obvyklý chaos, zmatek, normální bordel ● *v* zvorat, zmotat, zbordelizovat, udělat bordel v
snag [snæg] *s* **1** pařez; předmět ponořený ve vodě **2** suchý strom v řečišti **3** pahýl kmene stromu, větvě **4** pahýl zubu; znetvořená výsada parohu **5** neočekávaná překážka, háček, potíž, závada, zádrhel **6** AM vytažená nit; malá trhlina **7** kus (*~s of bread*); neurčité množství (*quite a ~ of money*) ◆ *strike a ~* narazit na neočekávanou překážku ● *v* (*-gg-*) **1** najet na pařez **2** chytat | se, zachytit | se, roztrhnout | se, natrhnout | se o výčnělky, trny, kameny v řece apod. **3** očistit od pařezů a kmenů řeku **4** AM chytnout náhle, rychle (*~ a taxi*), ulovit (*~ a rich husband*)
snag boat [snægbəut] vyklizovací loď, vyklizovací člun s vybavením pro čistění řeky od pařezů a kmenů apod.
snagfree [snægfri:] jsoucí bez překážek n. závad
snagging [snægiŋ] **1** hrubé obrábění **2** hrubé broušení **3** v. *snag, v*
snaggletooth [snægltu:θ] *pl: snaggleteeth* [snæglti:θ] přeražený, vystupující n. deformovaný zub
snaggy [snægi] **1** plný pahýlů; sukovitý **2** řeka plný pařezů a stromů
snagtooth [snægtu:θ] *pl: snagteeth* [snægti:θ] = *snaggletooth*
snail [sneil] *s* **1** zool. plž, hlemýžď, šnek **2** zast. slimák **3** přen. pomalý člověk, hlemýžď **4** = *snail wheel* **5** = *snail clover* ◆ *~'s gallop / pace* hlemýždí / šnečí tempo; *Roman ~* zool. hlemýžď zahradní ● *v* **1** pohybovat se jako hlemýžď, sunout se, plazit se, vléci se pomalu **2** vy|hubit hlemýždě ze zahrady; sbírat hlemýždě
snail clover [ˈsneilˌkləuvə] bot. tolice
snail fish [sneilfiš] *pl* též *fish* [fiš] zool. mořský plž
snail-like [sneillaik] jsoucí jako hlemýžď, hlemýždí, šnečí
snail shell [sneilšel] hlemýždí ulita
snail-slow [sneilsləu] pohybující se hlemýždím tempem
snail trefoil [ˈsneilˌtrefoil] bot. tolice
snail wheel [sneilwi:l] šnekovitá vačka bicích hodin
snake [sneik] *s* **1** zool. had **2** přen. lstivý, úskočný, zrádný, krutý člověk, had **3** AM Šošon **4** voj. táhlá nálož ◆ *S~s!* k sakru!, k čertu!, zatraceně!; *cherish a ~ in one's bosom* hřát na svých prsou hada; *~ in the grass 1.* tajný nepřítel *2.* skryté nebezpečí; *~ lizard* zool. slepýš; *poor ~* chudák, chudinka; *raise ~s* píchnout do vosího hnízda; *see ~s* vidět bílé myšky, mít delirium tremens; *wake ~s = raise ~s; warm a ~ in one's bosom* hřát hada na prsou ● *v* **1** vinout se, pro|plazit se hadovitě; šněrovat **2** svinout do spirály lano; ovíjet motouzem lano **3** táhnout, vléci, přibližovat klikatě **4** vlnovitě rozříznout kládu **5** šíp zabodnout se do trávy
snakebird [sneikbə:d] zool. anhinga rezavá
snakebite [sneikbait] hadí uštknutí

snake charmer [ˈsneikˌča:mə] zaříkávač hadů
snake charming [ˈsneikˌča:miŋ] zaříkávání hadů
snake dance [sneikda:ns] hadí tanec obřadní tanec severoamerických Indiánů; kolébání hada při zvuku píšťaly; hindustánský tanec napodobující toto kolébání
snake fence [sneikfens] AM **1** klikatá / cikcakovitá hradba z kmenů **2** plot ze starých kolejnic položených cikcak
snake-locked [sneiklokt] bás.: jsoucí s hady místo vlasů
snake moss [sneikmos] bot. plavuň vidlačka
snakeroot [sneikru:t] hadí kořen název různých rostlin obsahujících protijed proti hadímu uštknutí
snakes and ladders [ˌsneiksən*d*ˈlædəz] název stolní společenské hry
snake's head [sneikshed] bot. **1** řebčík **2** americká rostlina *Malacothris coulteri*
snakeskin [sneikskin] hadina, hadí kůže
snakeslip [sneikslip] polygr. brusný kamínek pro opravy na ofsetových deskách
snake stone [sneikstəun] geol. amonit
snake story [ˈsneikˌstori] (*-ie-*) žert. myslivecká latina
snakeweed [sneikwi:d] bot. rdesno hadí kořen větší
snakewood [sneikwud] **1** bot. kulčiba obecná **2** bot. vnadivec užitečný n. nápojový **3** vnadivcové dřevo, hadí dřevo
snakiness [sneikinis] **1** zamořenost hady **2** hadovitost, vlnitost **3** přen. jedovatost, zrádnost, lstivost
snaky [sneiki] **1** plný hadů, zamořený hady **2** hadí, hadovitý; vlnitý **3** přen. jako had, jedovatý, zrádný, lstivý **4** jsoucí z hadů (*~ hair*); ovinutý hady (*~ rod* hůl ovinutá hadem, Aeskulapova hůl)
snap [snæp] *v* (*-pp-*) **1** chňapat, rafat, cvakat zuby při chňapání; chňapat, rafat, lapat *at* po, snažit se náhle kousnout koho / do (*the dog ~ped at my leg*) **2** skočit *at* po, vrhnout se na, popadnout co (*they ~ped at the offer* vrhli se na nabídku), chytit se čeho **3** prásknout čím (*he ~ped his whip* práskl bičem); praskat, práskat vydávat praskavý zvuk (*the fire ~ped and crackled on the hearth* oheň v krbu praskal a praskotal) **4** slyšitelně prasknout, přetrhnout se (*he snatched the rubber band till it ~ped* chytal za gumičku dokud nepraskla); zlomit | se, přelomit | se, rozlomit | se; odlomit | se, ulomit | se *from* od; náhle povolit, lupnout (*his nerves ~ped*) **5** chytnout (jako) zuby; vytrhnout, vyrvat *from* komu (*~ped her bag from her* vytrhl jí kabelku); rychle, šikovně ukrást (*ready to ~ the very shoes from our feet* ochoten nám ukrást i obuv z nohy) **6** střelit, prásknout bez míření / od boku (*~ped a shot at the fleeing bandit* vystřelil po prchajícím banditovi); zmáčknout, stisknout spoušť zbraně (*~ a pistol*) **7** zbraň cvaknout naprázdno; selhat, též přen. (*when reason ~s* když selže rozum) **8** mluvit ostře, hrubě, nadávat, štěkat; vyštěknout, vypálit *at* na, odseknout; úsečně poručit **9** rychle / bez uvažování zařídit, odhlasovat, odsoudit **10** rychle vklouznout, vpravit se *into* do (*~ into a role*) **11** západka zapadnout, zaklapnout, zaskočit **12** jiskřit, blýskat se (*eyes ~ping with fury*) **13** cvrnknout (*~ped a spitball across the classroom*) **14** fot. pořídit mžikový snímek, udělat momentku čeho, vy|fotografovat z ruky, vzít, vyblejsknout (hovor.) **15** ragby vhodit do hry míč **16** též *~ up* kriket zasáhnout u branky pálkaře ◆ *~ to attention* náhle / rázem zbystřit sluch; *~ one's fingers 1.* pohrdavě lusknout prsty *at* nad, ofrňovat se nad, ohrnovat rty nad *2.* udělat dlouhý nos *at* na; *~ into a gear* rychle zařadit rychlost; *~ a p.'s head off* = *~ a p.'s nose off; ~ into it* AM slang. mrsknout sebou a dát se do toho; *~ a p.'s nose off* vyjet si, obořit se, osopit se na, vjet do vlasů komu; *~ out of it* AM slang. dostat se z toho silou vůle např. ze zlozvyku; *~ out of it!* AM hovor. nech toho, dej pokoj!; *~ shut* rychle | se zavřít, zaklapnout, sklapnout; *~ one's teeth together* hlasitě cvaknout zuby ***snap back 1*** odseknout *2* trhnout / otočit dozadu hlavu ***snap down*** sklapnout, zacvaknout (*~ped down the lid of the box* sklapl víčko krabičky) ***snap forward*** vyskočit, vymrštit se kupředu ***snap in*** zapadnout, zaskočit, zaklapnout ***snap off*** utrhnout, ukousnout, ***snap on*** narazit s cvaknutím (*~ a lid on* narazit víčko) ***snap out*** vyštěknout (přen.) ***snap to*** dveře zaklapnout ***snap up 1*** rychle / dychtivě skoupit, popadnout, prát se o co (přen.) (*she was ~ped up after her debut* po jejím debutu se o ní prali) *2* skočit do řeči *a p.* komu *3 = snap, v 2* ● *s* **1** chňapnutí, rafnutí **2** prásknutí, prasknutí; sklapnutí, cvaknutí, cvakání (*a ~ of the scissors* cvakání nůžek) **3** lusknutí prstů **4** ulomení, odlomení, přetržení **5** stiskací závěr; stiskátko; stiskací knoflík; patent, patentka; spínátko **6** hovor. život, tempo, energie, šťáva (*put ~ into it*); svěžest, živost literárního stylu, šmrnc **7** ostré vyjádření, ostrý tón; vyštěknutí; ostrá výměna názorů **8** kousek, ždibec; trocha **9** BR nář. něco k jídlu, studená svačina horníka v dole **10** též *cold ~* náhlá studená vlna, náhlé ochlazení, krátké / přechodné studené období, náhlý mráz **11** fotografování z ruky, dělání momentek; fotografie, fotka, mžikový snímek, momentka **12** BR koláček, kulatá sušenka, biskvit, křehký perníček **13** AM hovor. jednoduchá záležitost, pouhá hračka, žádný problém, lážo (*the literature course was a ~ for him*); výhodné místo, sinekura, lehy **14** druh dětské karetní hry **15** div. krátké angažmá **16** hut. rozvírací formovací rám **17** text.: jednotka délky vlněné příze (320 yardů) **18** odb. hlavičník, hlavičkář na nýty **19** ragby vhození míče do hry **20** CA kanadský fotbal střední útočník, centr ◆ *I don't care a ~* na tom vůbec nezáleží, mně je to úplně fuk; *make a ~ at a t.* chňapnout, rafnout po ● *adv* s prásknutím (*~ went the mast* prásk a stěžeň byl pryč) ● *adj* **1** rychlý, kvapný, ukva-

pený, náhlý, nečekaný, neočekávaný, nepřipravený, nenaplánovaný, bleskový (*a ~ vote*) **2** stiskací **3** jednoduchý, lehký (*~ courses*)
snapbean [snæpbi:n] AM fazole, fazolový lusk
snap bolt [snæpbəult] střelka zámku, západka
snap corn [snæpko:n] bot. kukuřice pukancová
snapdragon [ˈsnæpˌdrægən] **1** bot. hledík větší **2** vánoční společenská hra, záležející v lovení hrozinek z hořícího likéru
snap fastener [ˈsnæpˌfa:sənə] stiskací knoflík, patentka
snap gauge [snæpgeidž] třmenový kalibr
snap hook [snæphuk] karabina, karabinka očko s pérovým jazýčkem
snap link [snæpliŋk] karabinové očko, článek řetězu se zámkem na způsob karabiny
snapped cotton [ˈsnæptˌkotn] bavlna česaná s tobolkami
snapped work [snæptwə:k] zdivo s půlcihlovými vazáky
snapper [snæpə] **1** *~s, pl* kastanĕty **2** třapec na konci biče **3** třaskavý bonbón **4** zool. kovařík **5** zool. kajmanka dravá **6** *pl* též *snapper* [snæpə] zool.: mořská ryba z čeledi *Lutjanidae;* mořská ryba z čeledi *Sparidae* **7** patent, patentka; spínátko **8** výbušný člověk, popudlivec, prchlivec, vztekloun
snapper-up [snæpərap] *pl: snappers-up* [snæpəzap] kdo dychtivě nakupuje n. skupuje
snappily [snæpili] v. *snappy*
snappiness [snæpinis] **1** praskavost **2** brysknost, prudkost, hbitost, živost, spádnost **3** rychlost, prudkost **4** vybraná elegance, apartnost, šik
snapping [snæpiŋ] **1** voj. zamiřování a spouštění bez výstřelu, průprava ve střelbě **2** v. *snap, v* ◆ *~ practice* průpravné cvičení ve střelbě
snapping beetle [ˌsnæpiŋˈbi:tl] zool. kovařík
snapping turtle [ˈsnæpiŋˌtə:tl] zool. kajmanka dravá
snappish [snæpiš] **1** nedůtklivý, urážlivý, netýkavý, který okamžitě vyletí, popudlivý, prchlivý, prchlý (*a ~ old man*) **2** úsečný, příkrý, drsný, hrubý, nevlídný, nakvašený (*a ~ answer*) **3** kousavý, chňapavý (*a ~ dog*) ◆ *in a ~ way* zhurta
snappishness [snæpišnis] **1** nedůtklivost, urážlivost, netýkavost, popudlivost, prchlivost, prchlost **2** úsečnost, příkrost, drsnost, hrubost, nevlídnost, nakvašenost **3** kousavost, chňapavost
snappy [snæpi] (*-ie-*) **1** praskavý, praskající (*a ~ sound*) **2** bryskní, prudký, hbitý, energický, živý, plný šťávy, spádný (*~ conversation*) **3** rychlý, prudký **4** vybraně elegantní, apartní, šik ◆ *look ~* BR / *make it ~* 1. hodit sebou, mrsknout sebou *2.* vzít to kalupem
snap roll [snæprəul] let. **1** rychlý výkrut **2** dvojitý zvrat
snap-shoot [snæpšu:t] (*snap-shot, snap-shot*) **1** střílet bez míření; střílet na mizivé cíle **2** fotografovat / dělat momentky, střílet (slang.)
snapshot [snæpšot] *s* **1** mžikový snímek, mžiková fotografie, momentka, snímek z ruky **2** výstřel bez míření / od boku ● *v* (*-tt-*) = *snap-shoot*
snare[1] [sneə] *s* **1** oko, očko, osidlo **2** přen. nástraha, léčka, past, tenata; vějička **3** med. kovová smyčka k odstraňování nádorků a polypů ● *v* **1** chytnout / lapit (jako) do oka **2** zaplést do osidel, nastražit past na, svést, zlákat (*I ~d him* sedl mi na lep) **3** získat vychytralým způsobem, sehnat, schrastit (*~ an important appointment* sehnat důležité jmenování)
snare[2] [sneə] hud. **1** struna na malém bubínku **2** = *snare drum*
snare drum [sneədram] malý bubínek
snark [sna:k] pohádkové zvíře, půl had půl žralok v básni Lewise Carrolla
snarky [sna:ki] (*-ie-*) hovor. naštvaný, namíchnutý
snarl[1] [sna:l] *v* **1** pes: hrozivě vrčet a přitom cenit zuby **2** člověk vrčet, bručet, vztekat se, prskat *at* na ● *s* **1** za|vrčení, za|bručení **2** vzteklá grimasa doprovázející zavrčení, cenění zubů
snarl[2] [sna:l] *v* **1** zaplést, zamotat, zašmodrchat, zauzlit, zmotat, pomotat dohromady, též přen. (*~ a once simple problem*) **2** vytlačovat vypouklý vzor na plechovém zboží **3** zkoušet střídavým ohybem a kroucením drát **4** nář., přen. = *snare, v* ***snarl up*** udělat zácpu (jako) na silnici ● *s* **1** spletenina, spleť, motanina, motanice, změť, zmatek, šmodrchanina, klubko (přen.) **2** smyčka na přízi
snarler [sna:lə] **1** zlý, kousavý pes **2** přen. bručoun, vztekloun
snarling-iron [ˈsna:liŋˌaiən] tech. vytepávací rohatina
snarl-up [sna:lap] **1** zmatek (*~s that followed the merger* zmatky, které následovaly po sloučení firem); zádrhel (*a ~ in a recording session* zádrhel při nahrávání) **2** zácpa na silnici
snart [sna:t] voj. slang. žváro, retka, cigáro cigareta
snatch [snæč] *v* **1** popadnout, chytnout, chňapnout, čapnout rychle, bez dovolení; vytrhnout *from* komu (*he ~ed the letter from me*), *out of* z (*~ the letter out of my hand*); vytáhnout v posledním okamžiku, vyrvat *from* z / čemu (*~ from the sea*) **2** chňapat, lapat *at* po, snažit se chytit co, sápat se na; přen. skočit, vrhnout se *at* na **3** rychle absolvovat využitím příležitosti: ukrást pro sebe (*~ an hour's sleep*), uloupit (*~ a kiss*), zhltnout (*~ a meal*) **4** sport. vzpírat trhem (*~ a weight*) **5** námoř. založit do odklápěcí kladnice běhoun **6** zaseknout za tělo rybu **7** AM slang. násilně unést např. z hotelu; unést dítě ◆ *~ a p. bald-headed* setřít, sprdnout koho; *~ from the jaws of death* vyrvat z chřtánu smrti ***snatch away*** náhle odejmout, vzít / vytrhnout / vyrvat a odnést, ***snatch off*** náhle / rychle strhnout (*~ off his burning clothes*) ***snatch up*** popadnout (*he ~ed up his gun and fired*) ● *s* **1** náhlé, rychlé chytnutí, popadnutí, chňapnutí, vytrhnutí; rychlá krádež **2** pokus chytnout, vytrhnout, vyrvat *at* co (*make a ~ at it*) **3** sport. trh ve vzpírání

4 část. *~es, pl* útržek, úryvek, zlomek **5** krátká doba, krátké údobí, chvíle, okamžik (*~es of sleep*) **6** námoř. = *snatch block* **7** AM slang.: násilný únos dítěte **8** obsc. vulva **9** obsc. koitus ◆ *in / by ~es 1.* útržkovitý, úryvkovitý, neúplný, nesouvislý, nesystematický, kusý *2.* útržkovitě, neúplně, úryvkovitě, nesouvisle, nesystematicky, kuse; *put a ~ on a p.* AM slang. pumpnout o peníze koho

snatch block [snæčblok] námoř. odklápěcí kladnice, kladnice s průvlakem

snatcher [snæčə] **1** zloděj, kapsář, kabelkář **2** zloděj mrtvol k anatomickým účelům **3** zabavovatel věcí koupených na splátky a nezaplacených **4** AM slang. únosce **5** slang. chytač, lapač brankář

snatch squad [snæčskwod] BR vojenský přepadový oddíl pro boj s demonstranty

snatchy [snæči] (*-ie-*) útržkovitý, úryvkovitý, zlomkovitý, neúplný, nesouvislý, nesystematický, kusý

snath [snæθ] nář., AM = *snead*

snazzy [snæzi] (*-ie-*) slang. **1** fajnový, prima, epesní (*a pretty ~ place*) **2** hogofogo, žůžo (*smooth, ~ tunes*)

snead [sni:d] nář. kosiště

sneak [sni:k] *v* **1** tajně jít, plížit se, krást se, sunout se **2** krčit se; podlézat *to* komu, šplhat u, plazit se před, lézt do zadku komu **3** pašovat, tajně nosit, pronášet (*~ presents into one's home*) **4** slang. štípnout, čajznout, šlohnout, seknout, otočit, přemístit, zorganizovat **5** tajně udělat (*~ a good look at a p.* tajně si pořádně očíhnout koho, *~ a cigarette* dát si tajně čouda) **6** hovor. donášet, žalovat ***sneak away*** = *sneak out* ***sneak in*** *1* vplížit se, vkrást se *2* sděl. tech. pomalu zesilovat zvuk, přidávat ***sneak out*** *1* vyplížit se, vykrást se *2* sděl. tech. pomalu zeslabovat zvuk, stahovat ***sneak up*** připlížit se, přikrást se *on* k ● *s* **1** tajný pohyb; vyklouznutí, zmizení **2** hovor. baba, bačkora, mrva; podlézavec, patolízal **3** hovor. donašeč, žalobník, práskač **4** kriket míč letící těsně nad zemí **5** = *sneak thief* **6** = *sneak preview* **7** *~s, pl* = *sneakers* ◆ *on the ~* tajně, pokoutně ● *adj* **1** tajný, pokoutný (*a ~ basis*) **2** náhlý, nenadálý, neočekávaný (*a ~ flood*)

sneakers [sni:kəz] *pl* AM slang. tenisky, plátěnky

sneak-hole [sni:khəul] **1** skrýš, úkryt **2** útulek, zákoutí

sneaking [sni:kiŋ] **1** pokoutní, podezřelý, tajný, skrývaný **2** sprostý, mizerný, jsoucí k ničemu **3** plíživý, tajný, nevyslovený (*a ~ ambition*); neurčitý, tichý (*a ~ suspicion* neurčité podezření) **4** v. *sneak, v*

sneak preview [ˌsni:kˈpri:vju:] hovor.: neoficiální předvádění, promítání filmu před premiérou

sneak raid [sni:kreid] nenadálý (noční) letecký útok, nálet

sneaksby [sni:ksbi] (*-ie-*) intrikán

sneak thief [sni:kθi:f] *pl: sneak thieves* [sni:kθi:vz] příležitostný zloděj n. lupič, dlouhoprsťák

sneak-up [sni:kap] patolízal, podlézavec

sneck[1] [snek] SC *s* západka, závora dveří ● *v* zavřít na závoru ***sneck up!*** zast. trhni si nohou! ◆ *go ~* nář. zmiz, ztrať se, vypadni!

sneck[2] [snek] stav. **1** čistý kopák klínovitého tvaru **2** kus, kousek materiálu, zejm. kámen

sned [sned] (*-dd-*) SC **1** odříznout větev **2** prořezat strom

sneer [sni:ə] *v* **1** usmívat se / šklebit se / pošklebovat se posměšně, jizlivě, ironicky, pohrdavě; vysmívat se posměšně atd. *at* čemu (*people are nowadays so cynical – they ~ at everything that makes life worth living*) **2** jizlivě, pohrdavě, ironicky vyjádřit, říci apod. (*~ a reply*) ◆ *~ out of countenance* vzít svými posměšky všechnu odvahu komu; *~ away a p.'s reputation* zničit ironickými poznámkami pověst koho ***sneer down*** zesměšnit, odrovnat ironickými poznámkami ● *s* **1** posmívání, pošklebování, zesměšňování **2** posměch, posměšek, jizlivost, ironie; posměšná, jizlivá, ironická poznámka; posměšný, jizlivý, ironický pohled

sneerer [sniərə] jizlivec, posměváček

sneeshing [sni:šiŋ] BR nář. **1** šňupeček tabáku **2** šňupavý tabák **3** přen. bezvýznamná věc, bezcenná věc, šňupec

sneeze [sni:z] *v* **1** kýchat **2** kýcháním rozšiřovat **3** přen. kašlat *at* na, ohrnovat nos nad, nevážit si koho / čeho, opovrhovat kým / čím, kýchat na (řidč.) ◆ *~ into a basket* euf. přijít o hlavu pod gilotinou; *it is not to be ~d at* neohrnuj nad tím nos, to není k smíchu, tím se neopovrhuje, to stojí za uvážení ● *s* **1** kýchnutí; kýchání **2** slang. basa, lapák, díra

sneezeweed [sni:zwi:d] bot. záplevák podzimní

sneezewort [sni:zwə:t] bot. bertrám, persán

snell [snel] ryb. návazec, žínka, sedule udice

snib[1] [snib] zejm. SC *s* západka, zástrčka, petlice, rýgl ●*v* (*-bb-*) zavřít na zástrčku atd. (*~bed the door*)

snib[2] [snib] nář. *v* (*-bb-*) **1** zarazit, zatrhnout **2** setřít, zjezdit ● *s* setření, vynadání

snick [snik] *v* **1** slabě naříznout, propíchnout, probodnout **2** kriket dát pálkou lehkou faleš míči; říznout míč ● *s* **1** naříznutí, zářez; propíchnutí, probodnutí **2** kriket říznutí míče; falšovaný míč

snicker [snikə] *v* **1** za|řehtat **2** za|chichotat se, za|hihňat se ● *s* **1** za|řehtání, řehot **2** za|chichotání, za|hihňání, chichot

snickersnee [ˌsnikəˈsni:] **1** vrhací nůž **2** řidč. boj s noži **3** žert. kudla nůž

snide [snaid] slang. *adj* **1** nepravý, falešný, falšovaný (*~ oil*) **2** nepoctivý, sprostý, gaunerský (*~ a merchant*), mizerný, stojící za starou belu (*tied to a ~ job in a ~ town*) **3** lehce posměšný, jedovatý, jizlivý, uštěpačný ● *s* **1** falešný drahokam, padělek; falešná mince **2** šupák, gauner; drobný zlodějíček

snidesman [snaidzmən] *pl: -men* [-mən] kdo udává falešné mince
snidy [snaidi] (*-ie-*) slang. vykutálený, mazaný, fikaný
sniff [snif] *v* **1** hlasitě čichat, čmuchat, čenichat, přičichnout *at* k, očichávat co **2** též ~ *out* najít čichem, z|větřit, též přen. **3** popotahovat nosem; přen. ohrnovat nos *at* nad **4** vdechovat nosem (*threw open the window and ~ed the fresh morning air* otevřel okno dokořán a vdechoval svěží ranní vzduch); vtahovat nosem, šňupat (*addicts who ~ cocaine* narkomani, kteří šňupají kokain) ● *s* **1** přičichnutí, čenichání, očichávání **2** popotahování nosem **3** krátké nadechnutí ◆ *take a good ~* pořádně si čichnout, pořádně si nabrat nosem
sniffish [snifiš] nadutý, ohrnující nos
sniffle [snifl] *v* **1** lehce popotahovat nosem, posmrkávat **2** natahovat moldánky, vzlykat ● *s* popotahování nosem, posmrkávání ◆ *he has the ~s* hovor. teče mu z nosu
sniffy [snifi] (*-ie-*) hovor. **1** nafoukaný, povýšený, ohrnující nos **2** už trochu zasmrádlý ač by neměl být vůbec cítit
snifter [sniftə] **1** AM koňaková sklenka **2** hovor. štamprle, panák, prcek, frťan **3** *~s, pl* rýma **4** zvěr. tipec **5** silný vítr, fukéř **6** šňupec drogy; kdo šňupe drogu **7** let. radiolokátor pro samočinné uvolňování pum ◆ *giant ~* obrovská číše na koňak
snifting valve [sniftiŋvælv] srkací ventil, samočinný nasávací ventilek větrníku čerpadla
snigger [snigə] *v* hihňat se, hihlat se, chichtat se, chichotat se potutelně ● *s* potutelné za|hihňání, za|hihlání, za|chichotání, za|chichtání, hihot, chichot, chichtot
sniggle [snigl] *v* chytat (úhoře) házením návnady do jejich děr ● *s* háček s návnadou na chytání úhořů
snip [snip] *v* (*-pp-*) **1** malými / rychlými střihy stříhat *at* co, do, ustřihnout, odstříhnout, přestřihnout, prostřihnout, vystřihnout; fikat, ufiknout, přefiknout, profiknout (hovor.) **2** stříhat, cvakat nůžkami **3** přen. okrájet, ořezat, okleštit **4** nář. otřískat ***snip away / off*** odstřihnout ● *s* **1** pro|střihnutí **2** stříhání, cvakání nůžek / nůžkami **3** *~s, pl* nůžky na plech **4** odstřižek, ústřižek; útržek, kousek **5** slang. krejčí; Jehlička přezdívka krejčího **6** též *dead ~* slang. tutovka, beton **7** BR hovor. výhodná koupě, terno **8** BR hovor. snadná práce, lehy, hračka **9** AM hovor. drzoun ◆ *go ~* hovor. roz|dělit | se
snipe [snaip] *s* **1** zool. *pl* též *snipe* [snaip] bekasína **2** slukovitý pták **3** voj.: přesný výstřel ze zálohy na jednotlivý cíl **4** AM slang. vajgl, špaček oharek **5** mizera, lump; bezprizorné dítě **6** AM poutač ◆ *common ~* zool. bekasína otavní; *double / great ~* zool. bekasína větší; *half ~* zool. slučka; *small / solitary ~ = half ~; whole ~ = common ~* ● *v* **1** lovit / střílet bekasíny **2** voj.: přesně střílet ze zálohy na jednotlivý cíl; odstřelovat z krytu **3** AM strefovat se *at* do (*sniping at his regime*) **4** AM vylepit reklamu bez dovolení
snipe bill [snaipbil] AM voj. závlačka, zákolník
snipe eel [ˈsnaipˌi:l] zool.: mořský úhoř z čeledi *Nemichthyidae*
snipefish [snaipfiš] *pl* též *-fish* [-fiš] zool.: mořská ryba z čeledi *Macrorhamphosidae*
sniper [snaipə] voj. odstřelovač; střelec ze zálohy na jednotlivý cíl
sniperscope [snaipəskəup] voj. **1** puškový dalekohled, puškohled **2** přístroj pro vidění v noci
snipper [snipə] **1** útržek, ústřižek, odřezek, kousek **2** *~s, pl* kusé / jednotlivé informace, drobty, úryvky, citáty **3** AM hovor. bezvýznamný člověk
snippet [snipit] úryvek, útržek, zlomek
snippetty, snippety [snipiti] **1** sestavený z úryvků (*a rather ~ anthology*), úryvkovitý, kusý, zlomkovitý **2** směšně malý, mrňavý **3** odměřený, strohý, úsečný ◆ *be ~* nosit nos nahoře
snipping [snipiŋ] **1** ústřižek, odstřižek, odřezek, výstřižek **2** v. *snip, v*
snippy [snipi] (*-ie-*) AM **1** vzteklý, popudlivý **2** strohý, úsečný, odměřený **3** nadutý, povýšený
snip-snap-snorum [ˌsnipsnæpˈsnəurəm] druh jednoduché karetní hry
snitch[1] [snič] slang. *v* štípnout, čajznout, čmajznout, šlohnout, seknout, otočit, přemístit, zorganizovat **2** prásknout, shodit *on* koho, píchnout to na ● *s* práskač
snitch[2] [snič] BR hovor. frňák nos
snivel [snivl] *v* (*-ll-*) **1** za|fňukat, za|kňourat, popotahovat **2** popotahovat nosem, posmrkávat **3** mít nudli u nosu, být usmrkaný; nos ronit hleny (*his nose is ~ling* teče mu z nosu, má nudli u nosu) ● *s* **1** fňukání, kňourání, fňuknutí **2** popotahování nosem, posmrkávání 3 nosní hleny (odb.), nudle; *~s, pl* nář. rýma **4** předstírané city
sniveller [snivlə] fňukal, fňukna, kňoura, kňoural
snob [snob] **1** snob povrchní, nedovzdělaný obdivovatel vyšších vrstev, všeho módního apod. **2** domýšlivec, povýšenec, nadutec, nafoukanec, parvenu, proc, snob **3** nář., hovor. švec, švícko; ševcovský učedník **4** BR zast. obyčený člověk, měšťan nikoliv student **5** BR zast. člověk z nižších vrstev, prostý člověk
snobbery [snobəri] (*-ie-*), **snobbiness** [snobinis] **1** snobství **2** domýšlivost, povýšenectví, nadutost, nafoukanost, parvenuovství, procovství, snobství
snobbish [snobiš] **1** snobský **2** afektovaný, povýšenecký, nadutý, parvenuovský, procovský, snobský
snobbishness [snobišnis], **snobbism** [snobizəm] = *snobbery*
snobby [snobi] hovor. = *snobbish*
snobocracy [snoˈbokrəsi] vláda snobů
snoek [snu:k] SA zool.: název různých dravých a čilých mořských ryb, např. barakudy, soltina apod.

snofari [snəuˈfa:ri:] (polární) expedice, výprava zejm. na motorových saních
snog [snog] slang. *v* (*-gg-*) milenci muchlat se, miliskovat se, cicmat se, ňuňat se, mazlit se ● *s* **1** kejhák krk **2** flirt **3** objímání a líbání, miliskování, muchlování, mazlení, cicmání, ňuňání
snood [snu:d] *s* **1** SC, kniž. stužka do vlasů svobodných dívek **2** ozdobná síťka na účes **3** lalok krocana **4** ryb. návazec, sedule udice ● *v* **1** dát stužku do vlasů **2** dát do síťky účes
snook¹ [snu:k] zool.: název různých druhů mořských ryb např. *Centropomus, Cobia, Sphyraena* atd.
snook² [snu:k] slang. *s* dlouhý nos ◆ *cock / cut / make a ~ at* udělat dlouhý nos na ● *interj: S~s!* houby, starou bačkoru, tůdle, a máš to!
snooker [snu:kə] **1** druh kulečníkové hry **2** soupeřova koule překážející vlastnímu strku při hře *snooker*
snookered [snu:kəd] **1** mající cílovou kouli zastíněnou koulí soupeřovou **2** přen. vyřízený, hotový, poražený
snoop [snu:p] hovor. *v* **1** též *~ around* špehovat, pátrat, vyzvídat, čmuchat, šmírovat, strkat nos do cizích věcí **2** čajznout, seknout, otočit ● *s* **1** špicl, čmuchal, fízl, očko zejm. detektiv **2** špehování, čmuchání, šmírování
snooper [snu:pə] hovor. **1** špeh, špicl, čmuchal, špión, pátrač, vyšetřovatel; kdo strká nos do cizích věcí (*neighbourhood ~s*) **2** zvědný letoun vybavený radiolokátory
snooperscope [snu:pəskəup] AM voj. karabina s přístrojem pro vidění v noci
snoopy [snu:pi] AM hovor. čmuchající, pátrající
snoot [snu:t] hovor. **1** frňák **2** ksicht úšklebek, grimasa **3** dlouhý nos **4** proc, náfuka, snob
snootiness [snu:tinis] hovor. **1** arogance, arogantnost, nafoukanost, procovství **2** snobství
snootful [snu:tful] též *~ of drink* slang. štamprle kořalky
snooty [snu:ti] hovor. **1** nafoukaný, procovský, arogantní **2** snobský (*a ~ restaurant*)
snooze [snu:z] hovor. *v* dřímat, zdřímnout si, klímat, klimbat, tlouci špačky ***snooze away*** *1* proklimbat *2* proflinkat, prolajdat ● *s* **1** dřímání, klímání, klimbání **2** kutě postel
snoozle [snu:zl] hovor. tisknout se, cicmat se
snopes [snəups] AM bezohledný politik n. obchodník
snore [sno:] *v* chrápat ◆ *~ o. s. awake* vzbudit se vlastním chrápáním ***snore away / out*** prochrápat ● *s* **1** chrápání **2** srkání čerpadla
snorer [sno:rə] kdo chrápe, chrápající
snorkel [sno:kl] *s* **1** vzdušnice akvalungu, šnorkel, šnorchl, dýchací trubice **2** větrací trouba ponorky ● *v* (*-ll-*) potápět se, plavat pod vodou pouze s dýchací trubicí
snort¹ [sno:t] *v* **1** za|frkat, odfrknout | si **2** supět **3** hlasitě vyrážet vzduch, vodu **4** šňupat drogy **5** zast. chrápat ***snort out*** *1* ironicky se vysmát *2* zasupět ● *s* **1** za|frknutí **2** pohrdavé zasupění, pohrdavý zvuk **3** hlt, doušek ostrého nápoje
snort² [sno:t] *s* = *snorkel*
snorter [sno:tə] **1** kdo / co frká n. supí **2** čuník, rochně vepř **3** slang. vichr, fujavice, čina, bouřka **4** hovor. razantní věc; číslo, klasa kanón, eso (*a real ~ at chess*) **5** slang. štamprle, panák, frťan **6** slang. jedna rána do nosu, hýba **7** setření, sprdnutí, udělení důtky zejm. písemné
snorting depth [ˌsno:tiŋˈdepθ] hloubka ponoření ponorky na délku větrací trouby
snorty [sno:ti] **1** frkající **2** supící
snot [snot] vulg. **1** smrk, nudle u nosu, vozher, sopel **2** = *snotnose*
snotnose [snotnəuz] smrad, smrkáč, usmrkanec
snot rag [snotræg] slang. smrkáč kapesník, šňupák, šnuptychl
snotter [snotə] BR nář. **1** funět, supět; chrápat **2** fňukat, kňourat
snottiness [snotinis] **1** vulg. usmrkanost, uvozdřenost **2** hovor. špinavost v jednání, neřádství, uličnictví, sprosťárna **3** hovor. nafrněnost, nasejřenost, naštvanost; drzost, nafoukanost
snotty [snoti] *adj* **1** vulg. usmrkaný, uvozdřený, s nudlí u nosu **2** hovor. špinavý v jednání, mizerný, uličnický, sprostý, usmrkaný **3** hovor. nafrněný, nasejřený, naštvaný **4** drzý, nafoukaný ◆ *say ~ things about a t. / a p.* sprostě si utahovat z ● *s* (*-ie-*) slang. námořní kadet n. podporučík válečného námořnictva; palubní kadet obchodního námořnictva
snotty-nosed [ˌsnotiˈnəuzd] = *snotty, adj 4*
snout [snaut] **1** rypák např. vepře **2** zast. chobot **3** slang. rypák, čumák, frňák, čenich člověka **4** hubice, hubička **5** nos, zoban **6** nápadná přední část, čumák auta **7** hlaveň zbraně **8** splaz ledovce **9** BR slang. čoud cigareta; cpaniko domácí cigareta (*after jail ~ it's like smoking air*) ◆ *he has a ~ for it* slang. *1.* ten má na to nos / čich *2.* AU ten má na to spadeno, ten toho má plné zuby
snout beetle [snautbi:tl] zool. nosatec
snout bow [snautbau] námoř. klounová příď
snouted [snautid] **1** mající rypák **2** rypákovitý
snout ring [snautriŋ] kroužek do rypáku vepře aby nemohl rýt
snow¹ [snəu] námoř. briga s pomocným stěžněm **2** druh oplachtění
snow² [snəu] *s* **1** sníh, též přen. (*carbon dioxide ~* suchý led) **2** řidč. sněžení, chumelenice **3** zima **4** *~s, pl* bás. sněhy (*where are the ~s of yesteryear* kdeže loňské sněhy jsou) **5** *~s, pl* bás. stříbro, vlasy jako sníh (*the ~s of seventy years*) **6** *~s, pl* sněhová pokrývka, sněhová pláň **7** kuch.: ovocný sníh, ovocná pěna (*apple ~*) **8** slang. koks, sníh kokain, heroin **9** sděl. tech. sněžení v televizi ◆ *red ~* bot. „červený sníh" druh řasy ● *v* **1** sněžit, padat (jako) sníh, chumelit **2** přen. valit se, padat ve velkém

množství (*telegrams began to* ~ *on Congress*) **3** hustě, lehce sypat / shazovat, sněžit (*rhododendron* ~*s its petals* rhododendron shazuje své plátky) **4** zbělet jako sníh **5** AM slang. kulit, houpat, balamutit ***snow in / over*** zapadnout sněhem, odříznout sněhem od světa ***snow under*** *1* AM porazit velkou většinou kandidáta *2* zavalit např. prací *3* = *snow in* ***snow up*** = *snow in*
snowball [snəubo:l] *s* **1** sněhová koule **2** koulovačka **3** BR fond, který se s rostoucím počtem předplatitelů stále zvětšuje **4** BR kuch. jablko v rýži druh nákypu **5** bot. kalina **6** snowball název koktajlu **7** způsob společenského tance s přibíráním stále nových partnerů ◆ ~*'s chance in hell* hovor. absolutně žádná naděje; ~ *effect* lavinovitý vzrůst ● *v* **1** koulovat | se **2** narůstat, vzrůstat, vyrůst jako lavina, hromadit se neustále (*the votes for Jones* ~*ed*); rozrůst se (*the strikes* ~*ed quickly* stávky se rychle rozrostly)
snowball tree [snəubo:ltri:] bot. kalina obecná
snowberry [ˈsnəuˌberi] (*-ie-*) bot. pámelník
snowbird [snəubə:d] **1** zool. sněhule severní **2** slang. kokainista **3** hovor. prkýnkář lyžař **4** námoř. malá plachetnice
snow-blind [snəublaind] osleplý od sněhu
snow blindness [ˌsnəuˈblaindnis] sněžná slepota
snow blink [snəubliŋk] sněhový odlesk na obloze, odraz sněhových polí na obzoru
snowblower [ˈsnəuˌbləuə] rozmetač sněhu
snowboots [snəubu:ts] přezůvky do sněhu, botky / holínky do sněhu
snowbound [snəubaund] zapadaný, zavátý sněhem, odříznutý sněhem od světa
snowbreak [snəubreik] **1** geol. sněhová lavina **2** sněhový polom **3** sněžná zábrana
snowbreaker [ˈsnəuˌbreikə] sněhový pluh
snowbroth [snəubroθ] sněhová břečka
snow bunny [ˈsnəuˌbani] (*-ie-*) hovor. „kočka" na lyžích mladá atraktivní lyžařka
snow bunting [ˈsnəuˌbantiŋ] zool. sněhule severní
snow cap [snəukæp] **1** sněžný vrchol hory **2** zool.: středoamerický kolibřík *Microchera albo-coronata*
snowcapped [snəukæpt] jsoucí s vrcholem pokrytým sněhem
snow chain [ˌˌsnəuˈčein] motor. sněhový řetěz
snowdrift [snəudrift] **1** sněhová závěj, návěj **2** sněhová vichřice, metelice, fujavice (hovor.)
snowdrop [snəudrop] **1** bot. sněženka podsněžník **2** AM hovor. „sněženka" vojenský policista
snowfall [snəufo:l] **1** sněžení, chumelenice **2** napadaný sníh; sněhové srážky **3** sněhový polom
snow fence [ˌsnəuˈfens] sněhový plot, zásněžka
snowfield [snəufi:ld] **1** sněžné / sněhové / firnové pole **2** věčný sníh
snowfinch [ˌsnəuˈfinč, ˌsnəuˈfinš] zool. pěnkava zimní
snowflake [snəufleik] **1** sněhová vločka **2** zool. sněhule severní **3** bot. bledule jarní
snow gauge [snəugeidž] sněhoměr
snow goggles [ˈsnəuˌgoglz] brýle proti oslnění sněhem zejm. dřevěné
snow goose [snəugu:s] *pl: snow geese* [snəugi:s] zool. husa sněžní
snow grouse [snəugraus] *pl.* též *snow grouse* [snəugraus] zool. bělokur
snowguard [snəuga:d] sněžník na zachycování sněhu na střeše
snow ice [snəuais] geol. sněhový led, zmrzlý sníh
snowiness [snəuinis] **1** sněžnost, sněhovost **2** zasněženost **3** sněhobílost, bělostnost **4** čistota
snow job [ˌsnəuˈdžob] AM slang. **1** dlouhodobý, pečlivě připravovaný podfuk **2** obalamucení
snow-laden [ˈsnəuˌleidn] obtížený sněhem, jsoucí plný sněhu (~ *skies*)
snow leopard [ˈsnəuˌlepəd] zool. irbis horský
snow line [snəulain] zeměp. sněžná čára
snowless [snəulis] jsoucí bez sněhu, nezasněžený
snow loader [ˈsnəuˌləudə] nakladač sněhu
snowman [snəumæn] *pl: -men* [-men] **1** sněhulák **2** část. *abominable* ~ sněžný člověk, sněžný muž, yetti
snowmobile [snəuməubail] vozidlo na sníh, motorové saně
snow-on-the-mountain [ˌˌsnəuonðəˈmauntin] bot. **1** rožec plstnatý **2** pryžec vroubený
snowplant [snəupla:nt] bot. chlamydomonas druh řasy
snow plough [ˌˌsnəuˈplau] *s* **1** sněhový pluh **2** sport. lyžařský pluh, oboustranný přívrat ● *v* brzdit pluhem / oboustranným přívratem
snow plume [ˌsnəuˈplu:m] sněhový převis
snowremoval [ˌsnəuriˈmu:vəl] sloužící k odklízení sněhu
snowshed [snəušed] AM kryt, střecha nad železniční tratí
snowshoe [snəušu:] *s* **1** sněžnice **2** jasná žlutočervená barva **3** též ~ *hare / rabbit* zool. zajíc měnivý ● *v* jít / chodit na sněžnicích
snow shovel [snəušavl] lopata na sníh
snowslide [snəuslaid] = *snowslip*
snowslip [snəuslip] sněhová lavina
snowstorm [snəusto:m] **1** sněhová bouře, sněhová vichřice, metelice, fujavice (hovor.) **2** buran vichřice zvířující sníh
snow-white [snəuˈwait] *adj* sněhobílý ● *s: Snow White* Sněhurka
snowy [snəui] **1** sněžný, sněhový **2** zasněžený **3** sněhobílý, bělostný **4** čistý jako sníh
snowy owl [ˌsnəuiˈaul] zool. sovice
snub [snab] *v* (*-bb-*) **1** okatě si nevšímat, urazit nevšímáním, ignorovat **2** napomenout, zakřiknout **3** usadit, odbýt, rázně zkritizovat, setřít, zpérovat, zpucovat, dát přes nos komu (přen.) **4** skočit do řeči komu **5** prudce zadrhnout, zapřít, za|brzdit; utlumit setrvačný pohyb lodi **6** uřezávat, zkracovat, zaštipovat **7** zavinout, omotat lano; zastavit, napnout ovinutím lana; zastavit se, napnout se na laně **8** námoř. spustit kotvu a zakotvit loď na krátkém kotevním řetězu **9** AM zastavit, uvázat např. koně **10** horn. rozšiřovat zálom ◆ *be* ~*bed* též

dostat přes nos (přen.) ***snub out*** zamáčknout, típnout cigaretu ● *s* **1** ignorování, urážka nevšímáním **2** na|pomenutí, zakřiknutí **3** usazení, odbytí, zkritizování, setření, zpérování, zpucování, nos, ťafka (přen.) **4** řidč. tupý nos **5** = *snubbing post* ● *adj* **1** nos tupý **2** postava podsaditý, paťatý **3** sloužící k zastavení n. zadrhnutí, zádržný (~ *line*)

snubbing [snabiŋ] **1** škubavý pohyb lodi na krátkém kotevním řetězu **2** v. *snub, v*

snubbing post [snabiŋpəust] úvazný kůl, vyvazovací kůl

snub-nosed [snabnəuzd] **1** tuponosý, s tupým nosem **2** pistole s velice krátkou hlavní

snub post [snabpəust] = *snubbing post*

snuff[1] [snaf] *v* **1** šňupat; šňupat tabák **2** cítit nosem; vtahovat nosem, čichat, očichávat; větřit **3** popotahovat nosem, posmrkávat pohrdavě ● *s* **1** šňupání, šňupec, šňupeček **2** šňupavý tabák **3** nadýchnutí nosem ◆ *be up to* ~ hovor. *1.* zejm. BR být všemi mastmi mazaný, být vykutálený *2.* dosahovat obvyklého standardu *3.* být v dobré kondici; *give a p.* ~ uštědřit šňupku komu; *take a t. in* ~ chápat jako urážku co

snuff[2] [snaf] *s* **1** ohořelý, spálený knot svíčky, opalek, oharek **2** přen. zbytek tekutiny, ocintky, slivky ● *v* **1** zkrátit, uštípnout, odstřihnout ohořelý knot svíčky **2** zhasit zhasínadlem **3** též ~ *out* zhasnout **4** též ~ *out* přen. zlikvidovat **5** též ~ *out* hovor. skápnout umřít ◆ ~ *it* slang. zaklepat bačkorami, natáhnout bačkory, skápnout umřít

snuff-and-butter [ˌsnafənd'batə] žlutohnědý

snuffbox [snafboks] tabatěrka se šňupavým tabákem

snuff-coloured ['snafˌkaləd] žlutohnědý, tabákové barvy, skořicový

snuffdish [snafdiš] tácek na kratiknot

snuffer[1] [snafə] **1** kdo šňupá tabák **2** kdo popotahuje n. posmrkává

snuffer[2] [snafə] **1** kdo zhasíná n. zkracuje knot svíček **2** zhasínadlo, zhasínáček **3** ~*s, pl* kratiknot

snuffle [snafl] *v* **1** funět **2** vtahovat nosem, pofrkávat, frkat, posmrkávat, popotahovat nosem; čichat, čenichat **3** za|huhňat, mluvit / říci nosem **4** fňukat, za|kňourat **5** čuchat, čmuchat k, vyčuchat, vyčenichat ● *s* **1** funění **2** frkání, pofrkávání, posmrkávání, popotahování nosem **3** huhňání **4** fňukání, kňourání **5** nosový tón **6** přen. svatouškovský, kazatelský tón

snuff mill [snafmil] **1** mlýnek na šňupavý tabák **2** BR tabatěrka se šňupavým tabákem

snufftaker ['snafˌteikə] kdo šňupe tabák

snufftaking ['snafˌteikiŋ] šňupání tabáku

snuffy [snafi] (*-ie-*) **1** připomínající šňupavý tabák, tabákový, barvou skořicový (~ *brown clothing*) **2** poskvrněný od šňupavého tabáku (~ *clothes*) **3** šňupající (*a* ~ *old man*); ušňupaný, odporný (*a singularly unattractive,* ~ *old man* mimořádně odpudivý, ušňupaný stařec)

snug [snag] *adj* (*-gg-*) **1** útulný, příjemný, pohodlný, poklidný, komfortní (*sit in the* ~ *little parlour* sedět v útulném salónku) **2** klidný, spokojený, cítící se jako doma, v teple, v teploučku **3** bezpečný, chráněný, krytý před nepohodou **4** uklizený, spořádaný, čisťounký (~ *little shops*) **5** příjem skromný, ale slušný, vyhovující, dostačující, poměrně slušný, umožňující slušné živobytí **6** nerušený, v soukromí, intimní, poklidný, přátelský (~ *little dinners with old friends*) **7** dobře uložený, upevněný **8** tajný **9** oděv přiléhavý, vypasovaný, těsně padnoucí, ulitý na tělo **10** loď dobře stavěný, bezpečný; s plachtami přiměřenými větru; přístav bezpečný, dobrý ◆ ~ *as a bug in a rug* hovor. šťastný jako blecha, spokojený jako prase v žitě; ~ *is the word!* ticho, pst! ● *adv* **1** útulně, příjemně, pohodlně **2** bezpečně, v bezpečí **3** těsně, přiléhavě ● *v* (*-gg-*) **1** též ~ *up* / *down* uklidit, zútulnit, připravit, uspořádat (~ *the place for winter*) **2** při|tulit se k, tlačit se k *along* podél **3** těsně obepínat, těsně přiložit, přimknout, přitáhnout, odpočívat / být na bezpečném místě **4** zalézt, zachumlat se, uložit se ke spánku (~*ged in the hay* zahrabaný v seně) **5** upevnit, přivázat před bouří; zmenšit plachetní plochu je-li očekáváno špatné počasí ***snug down*** *1* zajistit, přivázat, upevnit (pohyblivé) před bouří *2* ubrat plachty *3* zachumlat *4* v. *snug, v 1* ● *s* **1** tech. výstupek, patka **2** námoř. vybrání n. žebra pro články kotevního řetězu na řetězovém ořechu **3** salónek v hostinci

snuggery [snagəri] (*-ie-*) **1** koutek, útulek, tusculum, hnízdečko, soukromí **2** salónek v hostinci; výčep, lokál, bar v hostinci

snuggle [snagl] při|tulit | se, při|vinout | se, choulit | se, při|tisknout | se (*a baby snuggling close to its mother, the dog* ~*ed his muzzle under his master's arm* pes se vtiskl čumákem pod pánovu paži) ***snuggle down*** uvelebit se ***snuggle up*** zachumlat se, zabalit se

snugness [snagnis] těsnost, přiléhavost

so[1] [səu] *adv* **1** vyjadřuje stupeň tak, takto, takhle (*I never saw anyone so surprised*) **2** vyjadřuje způsob tak, takto, takhle (*so and only so can it be done* dát se to udělat jen tak a ne jinak) **3** zastupuje předmět tak, takto, toto (*so spake Achilles, I believe so* / *I expect so* / *I suppose so* / *I think so* asi, snad, snad ano odpověď) **4** vyjadřuje vztah k jinému n. k jiné větě tak ... *as* jak / jako ... *that* že (*it won't be half so gory as you think* nebude to zdaleka tak krvavé, jak si myslíš, *it is so high that I cannot reach it* je to tak vysoko, že na to nedosáhnu); někdy bez českého ekvivalentu (*it so happened that* přihodilo se, že ..., náhodou se stalo, že) **5** rozšiřuje platnost tvrzení na další případ také, taky, též, rovněž, stejně tak (*he is a fine player and so is his brother* je dobrý hráč a jeho bratr rovněž) **6** zastupuje opakované adjektivum tak, takový (*is paralyzed but was not born so*); často bez českého ekvivalentu (*susceptible, but not excessively so* vnímavý, ale ne příliš) **7** zdůrazňuje jádro výpovědi tak, tak tedy (*so you arrived* tak ty jsi tedy přijel; *"It was cold yesterday." "So it was."* „Včera byla zima." „To tedy (zase) byla / a to je pravda / to bych prosil.") **8** v pokleslém významu tak, tolik, velice, hrozně, moc (*she is so beautiful* ona ti je tak krásná); vážně, doopravdy, fakticky, a jak (*I am so pregnant* já jsem těhotná, a jak!); ale (*"I didn't do it." "You did so."* „Já to neudělal." „Ale udělal."), ale také (*I denied it but / and so did you* já to popřel, ale ty také) **9** zast. pak, potom (*and so to bed*) ◆ *so ... so* kolik ... tolik (*so many men so many minds* kolik hlav tolik rozumů); *and so to* dejme se do, vzhůru na / k; *so be it* budiž, staň se, prosím; *I believe so* myslím, že ano; *even so 1.* právě tak *2.* přesto přesevšechno; *ever so* vulg. děsně, strašně, šíleně, fantasticky (*he is ever so angry*); *thank you ever so much* tisíckrát děkuji; (*every*) *so often* AM občas, chvílemi, tu a tam, každou chvíli; *so far 1.* až tak daleko, až sem (*now that we've come so far, we may as well go all the way*) *2.* zatím, až dosud, až sem, až potud (*everything is in order so far*); *so far as* pokud (*so far as I know*); *in so far as* pokud; *so far from doing* místo aby dělal, nejenom že nedělá, ale (dokonce); *so far so good* zatím všechno klape; *so fashion* AM nář. takhle; *and so forth* a tak dále, a podobně; *so help me* (*God*) Bůh mě netrestej; *I hope so* doufám; *how so?* jakto, jak je to možné?; *if so* jestliže ano; *so kind of you* to je od vás moc hezké; *be so kind as to write* buďte tak laskav a napište, napište laskavě; *so long as* pokud, pod podmínkou, za předpokladu, že (*you may borrow the book so long as you keep it clean* pokud ji neušpiníte, můžete si tu knížku vypůjčit); *so many 1.* takové / stejné množství, tolik počitatelného (*so many eggs*) *2.* tolik a tolik nespecifikované množství počitatelného (*suppose we had so many pounds of income what would be the tax?*); *like so many* též jako kdyby všichni byli (*they came in sheepishly like so many schoolboys* vešli zaraženě jako školáci); *so much 1.* tak *2.* takové / stejné množství, tolik nepočitatelného (*so much butter*) *3.* tolik a tolik nespecifikované množství nepočitatelného (*at so much a week* za tolik a tolik týdně nespecifikovaně) *4.* jenom, pouhý, nic než, prostě (*what you have written is so much nonsense*); *not so much as* ani (*he didn't so much as ask me to sit down* ani mě nevyzval, abych se posadil, *he is not so much unintelligent as uneducated* není ani tak neinteligentní jako spíš nevzdělaný); *so much for a p. / a t.* a tím je vyřízen (*so much for Buckingham*), tím bychom měli z krku / za sebou koho | co, a to je vše, co se dá říci o; *not / never so much as* ani; *it is only so much rubbish* to jsou všechno jenom hlouposti; *so much so that* a to tolik, že (*he is rich – so much so that he does not know what he is worth* ten je bohatý – a to tak, že ani neví, kolik má); *not so* tak ne; *and so on = and so forth; or so* tak, tak nějak (*I've known him 20 years or so* znám ho takových nějakých dvacet let); *so to say* abych tak řekl, smím-li to tak vyjádřit, sit venia verbo; *do you say so? / you don't say so?* ale, vážně, prosím vás, neříkejte?!; *as the father is, so is the son* jaký otec, takový syn; *so to speak = so to say; so ... as / that* tak ... aby / že (*I will have everything ready so as not to keep you waiting* budu mít všechno připravené, abyste nemusel čekat); *so that 1.* aby (*speak clearly, so that they may understand you*) *2.* že až, tak, takže, tedy, proto, čili (*nothing more was heard of him, so that people thought that he was dead*); *so that's that* hovor. (tak) a to bychom tedy měli, a je to, a máme to, a basta; *so there* též a teď to víš, abys věděl (*I won't, so there* abys věděl, já ne); *so there you are* takže tu máš, no tak vidíš, a je to, a máš to, a takhle to tedy vypadá; *I told you so* a neříkal jsem ti to snad?, heč, já měl pravdu; *why so?* proč, jak to? ● *conj* **1** vyjadřuje důsledek tak, takže, tedy, proto, tudíž, čili (*he was sick so they were quiet*), a tak (tedy), a proto (*I am always accused of being a snob, so, to illustrate my point* vždycky mě obviňují z toho, že jsem snob, tak abych vám to názorně předvedl) **2** spojuje souřadné větné členy v poměru slučovacím tak, ve dvojici *as ... so* jak ... tak (*as the tree falls so must it lie* jak strom padne, tak musí zůstat ležet) **3** zejm. AM vyjadřuje účel aby (*he gave up the job so he could fit in a training*) **4** s minulým tvarem slovesa pokud (jen), jen když (*he cared not how meanly he lived, so he might find a noble tomb* bylo mu jedno, jak chudě žije, jen když se mu podaří najít vznešenou hrobku) ◆ *so as 1.* aby (*repeated aloud so as there'd be no chance of a mistake*) *2.* pokud, jen když (*could play 'em a tune on any sort of pot you please, so as it was iron or black tin* dokázal jim zahrát melodii na jaký hrnec chcete, jen když byl železný nebo z černého cínu); *just so 1.* jen tak *2.* jen když; *so please Your Majesty* ráčí-li Vaše Výsost dovolit; *so that is why* a proto; *so what?* no a, má být? ● *adj* **1** pravdivý (*cocksure of many things that were not so* příliš si jist mnoha věcmi, které byly úplně jinak) **2** v určitém uspořádání, tak a ne jinak (*insists on having his books just so*) ◆ *it was so* bylo to tak, byla to pravda; *so so 1.* ucházející *2.* jde to ● *interj* **1** to stačí, dost, klid **2** takhle zůstaň, nehýbej se **3** prosím **4** aha, a tak (*so, that's who did it*)

so[2] [səu] *s* sol solmizační slabika

soak [səuk] *v* **1** namáčet (*~ the clothes before washing*); naložit do tekutiny (*~ed overnight in vinegar and olive oil*); máčet, dát bobtnat, být namočen (*let the beans ~ overnight*), vymáčet sůl ze slaných ryb **2** máčet se, louhovat se (přen.) (*likes to get in the tub and ~* rád si vleze do vany a louhuje se); přen. koupat (*~ed himself in the sunshine* koupal se ve slunečním svitu) **3** vsáknout se *into* do (*rain ~s into the ground*), prosakovat *through* čím (*blood ~ing through the bandage*) **4** promočit, promáčet, provlhnout, namoknout (*unable to fire a shot because of ~ed cartridges* neschopen vystřelit, protože patrony byly promáčené) **5** napustit, impregnovat, nasycovat tekutinou **6** prosáknout, prosytit (*an atmosphere ~ed with insatiable interest in international law* ovzduší prosáklé neuhasitelným zájmem o mezinárodní právo) **7** pomalu vniknout, proniknout (*will let it ~ into my subconscious* nechám to proniknout do svého podvědomí) **8** hovor. nasávat (*~ing all night at the bar*); nalít, zlít, zlískat **9** prohřívat, ponechávat při určité teplotě **10** pořádně upéci, propéci chléb **11** hut. vyrovnávat teplotu ingotu v hlubinné peci **12** nabíjet malou intenzitou akumulátor **13** slang. dát do frcu zastavit **14** slang. napařit daně komu (*~ the rich*); vysávat, ždímat (přen.) (*~ing the tourist is a popular sport*) **15** slang. vzít, obrat, oškubat *a p.* koho *a t.* / *for* o, vyždímat co z **16** AM slang. dát nakládačku komu nařezat, potrestat, bombardovat koho *with* čím ◆ *be ~ed to the bone* promoknout až na kost; *~ one's clay* hovor. nasávat, chlastat; *~ing wet* promáčený skrz naskrz ***soak o. s.*** též ponořit se, zahloubat se *in* do (*~ yourself in art*) ***soak down*** loď klesat s odlivem ***soak in*** vniknout do vědomí, dojít (*waited for the remark to ~ in* počkal, až mu poznámka došla) ***soak out*** vymáčet (*to ~ out the poison*); vyčistit namočením (*~ out the stains* ... skvrny) ***soak up 1*** nasávat (*travelled to ~ up the atmosphere there*); vsávat, vysávat (*blotting paper ~s up ink*); odsávat (*electronics is ~ing up much of the surplus labour and plant space* elektronika odsává nadbytečné pracovní síly i tovární prostory) ***2*** pohlcovat (*partitions ~ up sound* přepážky pohlcují zvuk), vstřebávat (*~ up more facts*) ***3*** loď zdvihat se s přílivem ● *s* **1** máčení, namáčení, namočení; naložení do tekutiny; vymáčení soli ze slaných ryb **2** promáčení, promoknutí, namoknutí, provlhnutí **3** napuštění, impregnování, impregnace **4** namáčecí lázeň **5** kožel. bobtnací lázeň **6** AU močál na úpatí kopce **7** slang. ochlasta, zpiťar, chlastometr; dlouhé nasávání, tah, chlast, chlastání **8** slang. frc (*put in ~*)

soakage [səukidž] **1** namáčení, promáčení; vsakování, prosakování **2** vsáklá / prosáklá tekutina, prosáklé množství **3** kožel. námok

soaker [səukə] hovor. **1** kdo nasává, ochlasta, zpiťar, chlastometr **2** slejvák, ceďák, liják **3** *~s, pl* pletené kalhotky pro miminka

so-and-so [səuəndsəu] zastupuje výraz, který mluvčí nezná, nemůže si vybavit n. kterého nechce užít *s* **1** ten a ten, ta a ta, to a to (*the reason why he didn't was ~*) **2** mizera, parchant, holomek, hajzl (*has often been called an unregenerate ~ by the opposition* opozice o něm často prohlašovala, že je to tvrdohlavý hajzl) ● *adv* tak a tak (*treat them ~* zacházet s nimi tak a tak) ● *adj* zatracený, mizerný, podělaný, potentočkovaný (*you can keep the ~ car*)

soap [səup] *s* **1** mýdlo **2** chem. alkalická sůl mastných kyselin, mýdlo **3** slang. lichotky, lichocení, mazání medu kolem úst **4** AM slang. prachy, fiňáry zejm. na podmazání, bakšiš **5** = *soap opera* ◆ *~ brick* malé cihly sloužící k vyplňování cihelných vrstev; *household ~* jádrové mýdlo; *metallic ~* kovové mýdlo; *no ~* AM bezvýsledně, ani nápad, jako by hrách na stěnu házel; *resin ~* transparentní mýdlo, pryskyřicové mýdlo; *shaving ~* holicí mýdlo; *toilet ~* toaletní mýdlo ● *v* **1** na|mydlit | se **2** namalovat mýdlem (*~ed crosses on windows and automobiles*) **3** lichotit, mazat med kolem úst komu ◆ *~ the way* přen. připravit cestu, udělat cestičku

soap ball [səupbo:l] mýdlo ve tvaru malé koule

soap boiler [ˈsəupˌboilə] **1** mydlář **2** mydlářský kotel, vařák na mýdlo

soap boiling [ˈsəupˌboiliŋ] mydlářství; výroba mýdla, vaření mýdla

soapberry [ˈsəupˌberi] (*-ie-*) **1** bot. mýdelník **2** plod mýdelníku

soapbox [səupboks] *s* **1** krabice, kartón, bedna na mýdlo / s mýdlem **2** pouzdro na mýdlo, mýdelník **3** improvizované řečniště, pódium pouličního řečníka; přen. kazatelna (*novels are novels and rarely handy ~es*) **4** řiditelná bedýnka na kolečkách dětské vozítko, motokára ● *v* řečnit na ulici (*girls who ~ed for equal rights*)

soap bubble [ˈsəupˌbabl] mýdlová bublina

soap dish [səupdiš] miska na mýdlo

soap earth [səupə:θ] miner. mastek, steatit, tuček, krupník

soap flakes [səupfleiks] mýdlové vločky

soapiness [səupinis] **1** namydlenost **2** mýdlovost, mýdlovitost, mýdelnost, mýdelnatost, mydlinovitost **3** hovor. úlisnost, licoměrnost; lichotivost, lichotnost **4** sentimentálnost, kýčovitost

soapless [səuplis] **1** jsoucí bez mýdla **2** nedotčený mýdlem, nenamydlený, nemytý ◆ *~ soap* druh namáčecího prostředku

soap maker [ˈsæupˌmeikə] mydlář

soap nut [səupnat] bot. plod mýdelníku

soap opera [ˌsəupˈopərə] AM slang. cajdák, komerční rozhlasový / televizní seriál zamilovaný, z rodinného života, dramatický, rozhlasové / televizní drámo na pokračování

soap plant [səuppla:nt] bot.: americká rostlina *Chlorogalum pomeridianum*

soap pod [səuppod] bot. kapinice ozdobná

soap powder [ˈsəupˌpaudə] **1** mýdlový prášek; mleté mýdlo **2** práškový saponát

soap root [səupru:t] bot. **1** šater **2** mydlice lékařská

soap stone [sæupstəun] mastek, steatit, tuček, krupník

soapsuds [səupsads] *pl* mýdlová voda, mydliny
soap washing powder [ˈsəupˈwo:šiŋˌpaudə] prací mýdlový prášek
soapworks [səupwə:ks] mydlárna, mydlovar
soapwort [səupwə:t] bot. mydlice lékařská
soapy [səupi] (*-ie-*) **1** namydlený **2** mýdlový, mýdlovitý, mýdelný, mýdelnatý, mydlinový **3** hovor. úlisný, licoměrný; lichotivý, lichotný **4** sentimentální, kýčovitý, připomínající rozhlasový / televizní seriál
soar [so:] *v* **1** vzlétat (*larks ~ing into the sky* skřivánci vzlétající na oblohu), též přen.; létat (*birds ~ed lower*) **2** vyletět, doletět; vynést se, vznést se vysoko (*the final rocket ~ed twice as high*) **3** vznášet se vysoko, létat zejm. bez viditelného pohybu křídel, plachtit, nést se, též přen. **4** tyčit se do výšky, sahat do nebe **5** cena apod. vy|letět nahoru, prudce stoupnout, udržovat se / být na závratné výši **6** přen. vznášet se v oblacích, vznášet se v myšlenkách, tíhnout k výšinám, být vzletný **7** let. plachtit **8** přen. letět, žíhat si to ***soar away*** odletět • *s* **1** vzlet, rozlet do výšky **2** dosažená výše letu
soaring flight [ˈso:riŋˌflait] let. plachtění
soaring-flyer [ˈso:riŋˌflaiə] let. plachtař
soaring machine [ˈso:riŋməˌši:n] let. bezmotorové letadlo
soave [səuˈævei], **soavemente** [ˌsəuæveiˈmentei] hud. jemně, sladce
sob[1] [sob] *v* za|vzlykat, štkát, zaštkat • *s* **1** vzlyk, vzlyknutí, zaštkání **2** *~s, pl* vzlykání, vzlykot, štkaní
sob[2] [ˌesəuˈbi:] tj. *son of a bitch* čubčí syn, parchant, hajzl
sobby [sobi] (*-ie-*) AM **1** nář. vlhký, mokrý **2** sentimentální
sobeit [ˌsəuˈbi:it] zast. pokud, za předpokladu, že
sober [səubə] *adj* **1** střízlivý nikoli opilý (*~ missionaries*), rozvážný, umírněný, opatrný, reálný, realistický, věcný (*~ politicians*), prostý, jednoduchý, nenápadný (*~ colours*) **2** suchý, holý (*~ facts*) **3** střídmý (*~ in his habits*) **4** SC nemocný, chorý **5** SC zbytečný, bezúčelný; prostý, chudý ◆ *appeal from Philip drunk to Philip ~* upozornit někoho, že jeho úsudek je ovlivněn okamžitou náladou; *in ~ earnest* vážně, bez legrace; *in ~ fact* střízlivě posuzováno; *~ as a judge* naprosto střízlivý; *sleep o. s. ~* vyspat se z opice • *v* **1** též *~ up* vystřízlivět **2** též *~ up* učinit střízlivým, střízlivět, zbavit opice, dostat z opice **3** přivést k vystřízlivění / k rozumu; činit rozvážným, opatrným, realistickým; zchladit hlavu komu **4** ztlumit barvu; barva stát se střízlivějším, pohasnout, ztratit lesk ***sober down*** přen. vystřízlivět a usadit se
soberly [səubəli] **1** mluveno střízlivě, je fakt, že **2** v. *sober, adj*
sober-minded [ˈsəubəˌmaindid] střízlivý, střízlivě uvažující, realistický
soberness [səubənis] **1** střízlivost, střízlivý stav **2** rozvážnost, umírněnost, opatrnost, reálnost, realističnost, věcnost, střízlivost **3** prostota, jednoduchost, nenápadnost, střízlivost
sober-sided [ˈsəubəˌsaidid] **1** vážný nežertující (*~ historians of the 17th century*) **2** suchý, suchopárný, sucharský (*a ~ treatise* suchopárný traktát)
sobersides [səubəsaidz] zast. hovor. suchopárný člověk, mrzout, suchar
sober-suited [ˈsəubəˌsju:tid] bás. jednoduše n. tmavě oděný
Sobranje [səuˈbra:nji] Národní shromáždění v Bulharsku
sobriety [səuˈbraiəti] střízlivost, též přen. (*~ in costume*)
sobriquet [səbrikei] přezdívka, přízvisko, přídomek
sob sister [ˈsobˌsistə] AM slang. **1** novinář, část. novinářka píšící / redigující dojímavé články **2** redaktorka ženského časopisu odpovídající na dotazy čtenářů
sob story [ˈsobˌstori] (*-ie-*) hovor. **1** dojímavý příběh, doják v novinách **2** výmluva (*gave them a ~ about a broken clock*)
sob stuff [sobstaf] AM slang.: sentimentální cajdák, doják
soc [sok] hist. práv. **1** jurisdikce **2** soudní příslušnost
socage [sokidž] hist. práv. **1** lenní povinnost nikoliv však vojenská **2** půda, pozemek s lenním břemenem
so-called [səuˈko:ld] takzvaný, též iron.
soccage [sokidž] = *socage*
soccer [sokə] sport.: evropská kopaná, fotbal
Sochi [səuči] zeměp. Soči
sociability [ˌsəušəˈbiləti] **1** společenskost **2** sociálnost **3** družnost, pospolitost, přátelskost, kamarádství
sociable [səušəbl] *adj* **1** družný, pospolitý, přátelský, společenský **2** pořádaný pro více osob, společenský **3** sociální • *s* **1** hist. otevřený kočár s postranními sedadly **2** dvousedadlový dopravní prostředek, letadlo, auto, kolo **3** esovitá pohovka pro dva **4** AM společenský večírek věřících
social [səušəl] *adj* **1** společenský (*man is a ~ animal, a ~ gathering, a ~ function*), též odb. **2** sociální (*~ problem*) **3** družný, přátelský, pospolitý, společenský ◆ *~ bees* zool. společenské včely; *~ birds* zool. společenští hnízdoši; *~ class* společenská třída; *~ climber* společenský šplhoun, šplhavec, štrébr, kariérista; *~ compact* řidč. / *contract* hist. společenská smlouva; *~ control* povinná společenská kontrola; *~ dancing* společenský tanec; *~ democrat* sociální demokrat; *~ democratic party* sociálně demokratická strana; *~ diseases* euf. pohlavní nemoci; *~ distance* společenský rozdíl, společenská propast (přen.); *~ environment* společenské prostředí, milieu; *~ evil* euf. prostituce; *~ hygiene 1.* sociální hygiena *2.* euf. kontrola pohlavních nemocí; *~ insurance* ekon. sociální pojištění (*~ insurance ben-*

efits důchod ze sociálního pojištění, dávky ze sociálního pojištění; ~ *insurance contributions* příspěvky pro sociální pojištění); *S~ introductions Bureau* seznamovací kancelář, sňatková kancelář; ~ *organization* společenská struktura; ~ *plant* bot. rostlina žijící ve skupinách a zabírající velké plochy; ~ *process* společenský proces; ~ *register* AM seznam význačných společenských osobností; ~ *revolution* společenská / sociální revoluce; ~ *security 1.* státní sociální zabezpečení, sociální jistota *2.* sociální pojištění *3. S~ S~* AM polit.: vládní program USA z r. 1935; ~ *service* organizovaná pečovatelská služba; ~ *settlement 1.* sociální zařízení, instituce, organizace, útvar *2.* klub ve *slums;* ~ *studies* sociologické studium, sociologie; *S~ War* hist. *1.* válka mezi Athénami a jejich spojenci (357–355 př. n. l.) *2.* válka mezi Římem a jeho spojenci (90–80 př. n. l.); ~ *welfare* státní sociální zabezpečení, sociální péče; ~ *work* sociální péče; ~ *worker* pracovník sociální péče, pečovatel ● *s* společenský večírek organizovaný klubem n. věřícími

social-democratic [ˈsəušəlˌdeməˈkrætik] sociálně-demokratický

socialism [səušəlizəm] polit. socialismus ◆ *Christian* ~ křesťanský socialismus

socialist [səušəlist] *adj* socialistický ● *s* socialista

socialistic [ˌsəušəˈlistik] socialistický

socialite [səušəlait] AM hovor. **1** příslušník hořejších deseti tisíc, nóbl člověk **2** společenský prominent, lev salónů **3** velká dáma; dívka žijící rušným společenským životem

sociality [ˌsəušiˈæləti] **1** družnost, společenskost **2** společenství

socialize [səušəlaiz] **1** učinit společenským; přizpůsobit životu ve společnosti **2** ekon., polit. zespolečenštit, znárodnit, zestátnit, postátnit, socializovat **3** ped. (dát) dělat sborově, učinit sborovým (~ *a recitation*) **4** chodit do společnosti, žít společenským životem, stýkat se společensky *with* s ◆ ~*d medicine* státní lékařská služba / péče

social-poise [səušəlpoiz] týkající se společenského chování

societal [səˈsaiətl] společenský (*social and ~ progress* sociální a společenský pokrok)

society [səˈsaiəti] (-*ie*-) **1** společnost více lidí, skupina osob něčím spojených (*diplomatic* ~); zájmové sdružení, zprav. organizované (*Royal S~*); souhrn společně žijících lidí, lidstvo (*the evolution of human* ~ vývoj lidské společnosti); vyšší společenské vrstvy (*the leaders of* ~); společenský styk, přítomnost, doprovod, setkání (*she always enjoys his* ~ vždycky je ráda v jeho společnosti) **2** společenství, sdružení, kolektiv **3** společenstvo, spolek, družstvo **4** biol. společenstvo; kolonie **5** AM církevní společenství ◆ *bourgeois* ~ buržoazní, měšťácká společnost; *building* ~ stavební družstvo; *class* ~ třídní společnost; *classless* ~ beztřídní společnost; ~ *column* společenská rubrika, rubrika „ze společnosti" v novinách; *S~ of Friends* náb. Společnost přátel kvakeři; ~ *goods* práv. společenský statek; *S~ Islands* zeměp. Společenské ostrovy v Polynésii; *S~ of Jesus* náb. Tovaryšstvo Ježíšovo jezuité; ~ *lady* dáma z vysoké společnosti; ~ *screw* univerzální závit objektivu mikroskopu

Socinianism [səuˈsiniənizəm] socinianism sektářské náboženské hnutí vzniklé v 16. století neuznávající Trojici a božství Kristovo

sociolinguistic [ˌsəusjəliŋˈgwistik] *adj* sociolingvistický vztahující se k sociolingvistice ● *s* ~*s, sg* sociolingvistika jazykovědný směr zkoumající vztahy mezi jazykovou a sociální strukturou

sociologese [ˌsəusjələˈdži:z] sociologický žargon

sociological [ˌsəusjəˈlodžikəl] sociologický týkající se sociologie

sociologist [ˌsəusiˈolədžist] sociolog

sociology [ˌsəusiˈolədži] sociologie věda zabývající se obecnými zákonitostmi i dílčími jevy lidské společnosti

sociometry [ˌsəusiˈomitri] sociol. sociometrika směr usilující postihnout společenské jevy jejich měřením

socioreligious [ˌsəusjəriˈlidžəs] sociální a náboženský

sociotechnological [ˈsəusjəˌteknəˈlodžikəl] sociální a technologický

sock[1] [sok] *pl* zbož. též *sox* [soks] **1** ponožka, fusekle (hovor.) **2** vložka do bot **3** antic. soccus střevíc herců komedie; symbol komedie ◆ *pull up one's* ~*s* / *pull one's* ~*s up* BR slang.: plivnout si do dlaní; *put a* ~ *in* / *into it!* vulg. drž hubu! ● *v* dát ponožky komu ◆ ~*ed in* AM slang.: letiště zapikolovaný zavřený pro špatné počasí ***sock away*** AM hovor. našetřit, mít v punčoše

sock[2] [sok] slang. *v* praštit, majznout, cáknout *a t.* vrženým předmětem *at* koho / po; bouchat, mydlit, řezat ◆ ~ *it to a p.* nandat to komu, zmlátit koho ● *s* rána, hýba, trefa ◆ *give him* ~*s!* vraž mu ji, ubal mu ji, cákni ho mezi oči! ● *adv* rovnou, přímo (*he hit him* ~ *in the eye*)

sock[3] [sok] BR škol. slang. *v* **1** cukrle, dobrota, něco sladkého, ňamčík **2** jídlo podávané o přestávce ● *v* **1** dávat cukrlata / ňamčíky komu **2** mlsat

sockdolager, sockdologer [sokˈdolədžə] AM slang. **1** usazení, odrovnání, odbourání, natrhnutí, trefa pádný argument v polemice **2** poslední rána, rána, která uzemní, knokaut **3** něco obrovského, co svět neviděl, kus, číslo, bomba

socker [sokə] = *soccer*

socket [sokit] *s* **1** dutina **2** anat.: kloubní jamka (*the* ~ *of the hip* kyčelní jamka) **3** oční jamka, důlek **4** lůžko, díra, otvor (*put a flagpole in its* ~ zasadit vlajkovou žerď do otvoru) **5** nátrubek, pouzdro; držák, toulec na zastrčení svíčky na svícnu (*a candle* ~ toulec na svíčku) **6** elektr. zásuvka; objímka (*screwed the light bulb into the* ~ našrouboval žárovku do objímky) **7** kování tyče, rozeta k usazení tyče **8** tulej lopaty **9** elektr. návlačka

10 tech. pánev, lůžko pro kulový kloub 11 tech. botka; hrdlo trubka 12 námoř. tulej, toulec, hnízdo stožáru 13 sport. krček, objímka místo, kde se stýká násada s úderovou plochou na golfové holi ◆ ~ *of bulb* objímka žárovky; ~ *of compass* klobouček kompasu; ~ *outlet* zásuvka na zdi; ~ *plug* vidlice zásuvky, zástrčka; ~ *spanner* nástrčný klíč ● *v* 1 opatřit objímkou atd. 2 dát, zasadit do objímky atd., zasadit n. zašroubovat žárovku 3 sport. udeřit míč krčkem hole

socket joint [sokitdžoint] 1 kulový kloub 2 hrdlový spoj; objímkový spoj

socket pipe [sokitpaip] trouba s hrdlem, hrdlová trubka

socket wrench [ˌsokitˈrenč, ˌsokitˈrenš] nástrčný klíč

sockeye [sokai] zool.: americký losos *Oncorhynchus nerka*

socle [səukəl] stav. 1 patka, podnož, podstavec, sokl 2 podezdívka

Socratic [soˈkrætik] *adj* sokratovský jsoucí v duchu Sokratově ◆ ~ *irony* sokratovská ironie předstírání neznalosti; ~ *method* sokratovská metoda otázek a odpovědí ● *s* sokratik stoupenec Sokratovy filozofie

sod[1] [sod] *s* drn ◆ *under the* ~ pod drnem v hrobě ● *v* (*-dd-*) drnovat, obkládat drnem

sod[2] [sod] v. *seethe*

sod[3] [sod] vulg. *s* 1 teplouš, buzerant, buzík 2 blbec, vůl ◆ ~*'s law* zákon schválnosti ● *v:* ~ *it* do prdele!; ~ *off* jdi do prdele! odejdi; ~ *them* oni ať jdou do prdele! ***sod about*** flákat se

soda [səudə] 1 chem. soda; uhličitan sodný; krystalová soda 2 užívací soda, bikarbonát, kyselý uhličitan sodný (chem.) 3 chem. sodný louhový kámen, žíravý natron, hydroxid sodný 4 sodovka, sodová voda, soda (*whisky and* ~) 5 ovocný střik, střik se zmrzlinou 6 karty karta obrácená lícem navrch před rozdáváním ve farau

soda ash [ˌsəudəˈæš] chem. kalcinová voda

soda biscuit [ˈsəudəˌbiskit] sušenka, keks z těsta s kypřícím práškem a kyselým mlékem

soda bottle [ˈsəudəˌbotl] láhev se sodovkou

soda cracker [ˈsəudəˌkrækə] = *soda biscuit*

soda fountain [ˈsəudəˌfauntin] AM 1 sifón, autosifón 2 obchod n. pult, kde se prodávají nealkoholické nápoje, zmrzlina, zákusky apod., občerstvení, bufet, automat

soda jerk [səudədžə:k] AM slang. prodavač sodovky např. v bufetu

soda jerker [ˈsəudəˌdžə:kə] = *soda jerk*

soda lime [səudəlaim] natronové vápno

sodality [səuˈdæləti] (*-ie-*) 1 bratrstvo 2 družina, klub, společnost, společenství 3 círk. bratrstvo, sodalita

soda lye [ˈsəudəˌlai] sodný louh roztok

soda pop [ˌsəudəˈpop] limonáda, ovocný střik, sodovka se zmrzlinou

soda siphon [ˌsəudəˈsaifən] sifón, autosifón

soda water [ˈsəudəˌwo:tə] 1 sodovka, sodová voda, soda 2 limonáda

sodbuster [ˈsodˌbastə] sedlák, farmář

sodden [sodn] *adj* 1 promočený, nasáklý, prosáklý, mokrý, mokvavý 2 vařený ve vodě; pečivo nepropečený, mazlavý 3 připomínající těsto, těstovitý, naduřelý, odulý, napuchlý zejm. nadměrným pitím alkoholu 4 tupý, bezvýrazný (*too* ~ *a character*); těžký, těžkopádný (*a* ~ *performance* těžkopádný výkon) 5 ohavný, skrz naskrz zlý 6 řidč. u|vařený ● *v* 1 namočit, promočit, nasáknout, prosáknout 2 promočit se, nasáknout se 3 otupit, učinit těžkopádným 4 učinit odulým, naduřelým zejm. nadměrným pitím alkoholu 5 v. *seethe*

soddenness [sodnnis] 1 promočenost, nasáklost, prosáklost, mokrost 2 nepropečenost, mazlavost, těstovitost pečiva 3 těstovitost, naduřelost, odulost 4 tupost, bezvýraznost; těžkopádnost, těžkost

sodding [sodiŋ] 1 les. drnování 2 drny, trávník 3 v. *sod*[1], *v*

soddy [sodi] (*-ie-*) *adj* drnový ● *s* drnový domek mající stěny z drnů

sodger [sodžə] hovor. lakomec, držgrešle

sodic [səudik] chem. sodíkový, natriový; sodíkatý

sodium [səudjəm] chem. sodík ◆ ~ *bicarbonate* jedlá soda, bikarbonát, kypřicí prášek, prášek do pečiva; ~ *carbonate* uhličitan sodný, soda na praní; ~ *chloride* chlorid sodný, kuchyňská sůl; ~ *nitrate* dusičnan sodný; ~ *silicate* křemičitan sodný, vodní sklo; ~ *sulphate* síran sodný, Glauberova sůl

Sodom [sodəm] 1 bibl. Sodoma 2 přen. místo neřesti, Sodoma (a Gomora)

sodomite [sodəmait] řidč. 1 sodomita 2 homosexuál, pederast

sodomitical [ˌsodəˈmitikəl] 1 sodomský 2 homosexuální, pederastický

sodomy [sodəmi] 1 sodomie druh pohlavní zvrácenosti 2 homosexualita, pederastie

soever [ˌsəuˈevə] vůbec kdy ◆ *how great* ~ jakkoliv velký; *what end* ~ jakýkoliv, kterýkoliv konec

sofa [səufə] pohovka, lenoška, gauč, kanape s opěradly, sofa ◆ ~ *bed*(*stead*) rozkládací pohovka, rozkládací gauč

sofar [səufa:] sofar ultrazvukový lokátor ke zjišťování polohy trosečníků

soffit [sofit] stav. líc klenby, líc podhledu, podhled, spodní plocha klenby

soffritto [soˈfri:tə] kuch. *adj* nepropečený ● *s* zeleninová směs

sofi(sm) [sofi(zəm)] = *sufi*(*zm*)

Sofia [səufjə] Sofie

soft [soft] *adj* 1 měkký (*warm butter is* ~, *a* ~ *pillow*); voda, dřevo měkký; jaz. měkký (*C is* ~ *in "city" and hard in "cat"*); fot. měkký (~ *negative*) 2 jemný hebký (~ *fur* … kožešina); příjemné chuti (~ *claret*); zdvořilý (~ *manners*) 3 mírný, hebký (*a* ~ *breeze*); pomalý, pozvolný (*a* ~ *slope* pozvolný svah, *a* ~ *crescendo*); něžný, příjemný, smířlivý (*give a ~ answer*) **4** klidný (*~ slumber* ... spánek) **5** zvuk tichý, jemný, tlumený; světlo tlumený **6** citlivý, soucitný, dobrácký, ústupný, poddajný, povolný, měkký **7** vyrobený z měkkého dřeva **8** skromný, nevelký, umírněný (*~ competition* mírná konkurence) **9** snadný, příjemný, klidný, bezstarostný (*a ~ job*) **10** slabý, ohebný, poddajný, přizpůsobivý, snadno ovladatelný, nikoliv nekompromisní **11** bezstarostný, zahálčivý (*~ living*); zženštilý (*a ~ luxurious people*); ochablý (*~ muscles* ... svaly) **12** hovor. pitomý, praštěný, cáknutý (*he's not as ~ as he looks*); tajně / sentimentálně zabouchnutý *on* / *about* do (*Jack is ~ about Anne*) **13** sentimentální (*the ~ utterances of a loving heart* sentimentální průpovídky milujícího srdce) **14** přinášející oblevu, vlahý (*a ~ day*); vlhký, deštivý (*~ weather*) **15** půda měkký, kyprý vlhkem, hluboký; zemina neúnosný **16** nedůležitý (*a ~ human-interest story*) **17** cihla na měkko vypálený **18** fyz. málo pronikavý, neprůrazný, měkký (*~ X rays*) **19** ekon. nestabilní, podléhající snadno výkyvům **20** bot.: jsoucí s malým obsahem lepku, houbovitý **21** jaz. palatalizovaný **22** voj. nechráněný před bombardováním (*~ targets*) **23** chem. rychle se rozkládající, rychle oxidující **24** výtv. týkající se uměleckých děl vytvořených z měkkých, poddajných materiálů ◆ *~ at the centre* bonbón plněný; *~ chancre* med. měkký vřed; *~ cheese* měkký sýr; *get ~* *1.* změknout *2.* stát se změkčilým; *~ nothings* sladké nesmysly rozhovor milenců; *~ sell* nenápadná, nepřímá prodejní / reklamní metoda využívající přátelského přesvědčování, vemlouvání apod.; *~(er) sex* něžné pohlaví ženy; *~ to (the) touch* měkký na omak ● *s* **1** měkká část (*the ~ of the thumb*) **2** měkkost; jemnost; mírnost; klidnost **3** hlupák; slaboch ● *adv* měkce, jemně, mírně, klidně ● *interj* zast. **1** tiše, pst! **2** pomaleji, stát!

softa [softə] softa islámský bohoslovec

soft art [ˌsoftˈa:t] výtv. výtvarný umělecký směr, používající měkkých, poddajných materiálů

softball [softbo:l] AM sport. pálkovaná, softball, soft (hovor.) hra vzniklá z baseballu a hraná měkkým a větším míčem

soft-boiled [ˌsoftˈboild] **1** vejce uvařený na měkko, nahniličku **2** hovor. vlídný, laskavý, povolný, měkký

softbound [softbaund] kniha: jsoucí v měkké vazbě

soft-centred [ˈsoftˌsentəd] **1** čokoláda, bonbón plněný **2** sentimentální

soft cheat [ˌsoftˈči:t], **soft chess** [ˌsoftˈčes] bot. sveřep

soft coal [ˌsoftˈkəul] živičné uhlí, bitumosní uhlí, dehtovité uhlí

soft corn [ˌsoftˈko:n] **1** AM druh kukuřice seté **2** měkké kuří oko mezi prsty na noze

softcover [ˌsoftˈkavə] kniha: jsoucí v měkké vazbě

soft currency [ˌsoftˈkarənsi] měkká měna málo hodnotná

soft dot [ˌsoftˈdot] polygr. neostrý tiskový n. síťový puntík

soft drink [ˌsoftˈdriŋk] chlazený nealkoholický nápoj, limonáda, grenadina, šťáva, džus, kola, tonik

soft drug [ˌsoftˈdrag] měkká droga nevytvářející návyky

soften [sofn] **1** z|měkčit; učinit změkčilým **2** obměkčit, oblomit(*this story should ~ the stoniest of hearts* tento příběh by měl obměkčit i nejzatvrzelejší srdce) **3** z|tlumit (*~ the light*), z|tišit, z|dusit **4** z|mírnit (*pride in his heroism ~ed their grief* hrdost na jeho hrdinství mírnila jejich žal) **5** povolit, roztát, stát se něžnějším, stát se méně tvrdým (*her expression ~ed*) **6** uklidnit | se (*the wind ~ed*) **7** snížit cenu ***soften up*** snížit bojeschopnost / bojechtivost, zlomit odpor např. bombardováním

soft-ended [ˌsoftˈendid] válečná loď: jsoucí s neobrněnou přídí i zádí

softener [sofnə] **1** změkčovač, změkčovadlo, měkčidlo, zvláčňovadlo; změkčovací stroj **2** ker. měkký štětec

softening [sofniŋ] v. *soften* ◆ *~ agent* *1.* změkčovadlo *2.* zvláčňovadlo; *~ of the brain* *1.* med. měknutí mozku *2.* šílenství

soft-finned [ˌsoftˈfind] zool. měkkoploutvý

soft-footed [ˌsoftˈfutid] mající tichý krok, chodící tiše

soft furnishings [ˌsoftˈfə:nišiŋz] *pl* BR bytový textil záclony, závěsy, potahové tkaniny

soft goods [ˌsoftˈgu:dz] *pl* BR textil, textilie

soft grass [ˌsoftˈgra:s] bot. medyněk měkký

soft hail [ˌsoftˈheil] meteor. sněhové krupky, sněhová krupice

soft-headed [ˌsoftˈhedid] slabomyslný, hloupý, poloblbý

soft-hearted [ˌsoftˈha:tid] dobromyslný, dobrosrdečný, dobrácký, soucitný, mající pochopení pro druhého, měkkosrdcatý (hovor.)

soft-heartedness [ˌsoftˈha:tidnis] dobromyslnost, dobrosrdečnost, dobráctví, soucit, pochopení pro druhého, měkkosrdcatost (hovor.)

softie [softi] = *softy*

soft ink [ˌsoftˈiŋk] polygr. měkká barva málo viskózní

soft iron [ˌsoftˈaiən] **1** měkké železo **2** měkká litina

softish [softiš] téměř / dost / poměrně měkký atd. (v. *soft, adj*)

soft-land [softlænd] *v* **1** uskutečnit měkké přistání koho (*scheduled to ~ two U. S. astronauts on the moon* naplánováno tak, aby dva američtí astronauti měkce přistáli na měsíci) **2** měkce přistát ● *s* = *soft landing*

softlander [softlændə] kosm. měkce přistávající přístroj / sonda (*lunar ~*)

soft landing [ˌsoftˈlændiŋ] kosm. měkké přistání např. přístroje na jiné planetě apod. (menší rychlostí než 20 mil za hodinu)

soft lens [ˌsoftˈlenz] kontaktní čočka z ohebné hmoty
soft line [ˌsoftˈlain] umírněný směr, umírněný postup zejm. v politice
soft-liner [ˈsoftˌlainə] zastánce umírněného směru n. umírněného postupu zejm. v politice
softling [softliŋ] **1** slaboch, zženštilec **2** něco malého n. jemného
soft money [ˌsoftˈmani] hovor. papírové peníze
softness [softnis] **1** měkkost **2** jemnost, hebkost **3** mírnost, klidnost **4** tichost, tlumenost
soft palate [ˌsoftˈpælit] anat. měkké patro
soft paste porcelain [ˌsoftpeistˈpo:səlin] měkký porcelán
soft pedal [ˌsoftˈpedl] *s* **1** levý pedál klavíru **2** přen. tlumítko, dusítko, tlumič, brzda ● *v: soft-pedal* (*-ll-*) **1** stisknout levý pedál klavíru; hrát na klavír se stisknutým levým pedálem **2** přen. mírnit, tlumit, brzdit (*time for the club to ~ the war heroics*)
soft porcelain [ˌsoftˈpo:səlin] měkký porcelán
soft rock [ˌsoftˈrok] hud.: druh kultivovaného rokenrolu
soft roe [ˌsoftˈrəu] mlíčí ryby
soft rot [ˌsoftˈrot] bot. měkká hniloba
soft rush [ˌsoftˈraš] bot. sítina
soft sciences [ˌsoftˈsaiənsiz] *pl* psychologie, sociologie, politologie, ekonomie
soft sell [ˌsoftˈsel] zejm. AM prodejní metoda jemného n. nepřímého ovlivňování zákazníků
soft-shoe [softšu:] ~ *dancing* stepování v neokovaných střevících
soft silk [ˌsoftˈsilk] vyvářené hedvábí
soft soap [ˌsoftˈsəup] *s* **1** mazlavé mýdlo, šmír (hovor.) **2** hovor. lichotky, lichocení, medy, mazání medu kolem úst ◆ *v: soft-soap* **1** lichotit, mazat med kolem úst komu **2** přemluvit lichotkami koho
soft solder [ˌsoftˈsoldə/AM ˌsoftˈsodə] *s* měkká pájka ● *v* pájet na měkko
soft sole [ˌsoftˈsəul] dětská botička s měkkou podešví
soft-spoken [ˈsoftˌspəukən] **1** mluvící jemným hlasem **2** uhlazený v řeči **3** smířlivý
soft spot [ˌsoftˈspot] slabina, slabost ◆ *have a ~ for a p.* mít slabost pro, mít zálibu v, mít sympatie k
soft tack [ˌsoftˈtæk] námoř.: bílý chléb
soft-toned [softtəund] mající jemné tóny barev
soft touch [ˌsoftˈtač] AM hovor. **1** kdo se dá snadno přemluvit **2** jednoduchá záležitost, žádný problém
software [softweə] **1** kultura, funkční / operační schopnosti, programové vybavení počítače, software **2** plány n. pohonná látka řízené střely n. kosmické lodi **3** vedlejší nástroje, pomocné nástroje **4** nemateriální složka podnikání
soft weather [ˌsoftˈweðə] též obleva
soft-whispering [ˈsoftˌwispəriŋ] tiše, něžně šeptající
soft wicket [ˌsoftˈwikit] kriket mokrý, bořivý trávník před brankou
soft-witted [ˈsoftˌwitid] = *soft-headed*
soft wood [softwud] **1** měkké dřevo **2** les. jehličnatý strom, dřevo z jehličnatého stromu ● *adj* vyrobený z měkkého dřeva
softy [softi] (*-ie-*) hovor. **1** sentimentální bačkora **2** janek, mezulán; blbeček
sogginess [soginis] **1** mokrost, namočenost, promočenost **2** bažinatost **3** mazlavost, nepropečenost **4** tupost, těžkopádnost, bezduchost
soggy [sogi] (*-ie-*) **1** mokrý, namočený, promočený **2** bažinatý **3** pečivo mazlavý, nepropečený **4** tupý, těžkopádný, bezduchý
soh [səu] = *sol*[2]
soho[1] [səuˈhəu] **1** mysl. hle, hele zvolání při spatření zajíce **2** prr, huj! zvolání při uklidňování koně
Soho[2] [səuˈhəu] Soho oblast uvnitř Londýna
soi-disant [ˌswa:diˈza:ŋ] **1** samozvaný, rádoby (*a ~ marquess*) **2** iron. takzvaný (*a ~ science*)
soigné [swa:njei / AM swa:ˈnjei] vybraně elegantní
soil[1] [soil] **1** půda, též přen. (*on foreign ~*) **2** zemina, zem, země; prst, humus, ornice **3** pole **4** přen.: rodná hrouda ◆ *~ binder* rostlina upevňující půdu; *~ creep* sesuv půdy; *~ compaction* zhutňování půdy; *~ science* nauka o půdě, půdoznalství, pedologie; *~ slip* = *~ creep*
soil[2] [soil] krmit dobytek zeleným, dávat dobytku zelenou píci
soil[3] [soil] *v* **1** u|špinit | se, zašpinit | se (*to ~ one's clothes, the fabric ~s easily* tkanina se snadno zašpiní); umazat, zamazat, ušmudlat **2** přen. po|špinit, po|třísnit (*I would not ~ my hands with it*); hanobit, nactiutrhat komu **3** zvěř válet se v bahně; jelen utéci do vody n. na bažinu **4** dělat pod sebe, podělávat se, kálet do lůžka ◆ *~ed diapers* pokakané plenky; *~ed linen* špinavé prádlo ● *s* **1** špína, u|špinění **2** umazané místo, skvrna; poskvrna **3** hnůj; odpad, kal; splašky; výkal, výkaly
soilage [soilidž] zelené krmivo / krmení
soilless [soillis] neušpiněný, neumazaný
soil pipe [soilpaip] (hlavní) odpadní roura, (hlavní) kanalizační roura
soilure [soiljə] **1** poskvrnění, poskvrněnost **2** zast. skvrna
soirée [swa:rei] společenský večírek, večer, soaré
soixante-quinze [ˌswasa:ŋtˈkæ:ŋz] francouzské 75 mm dělo
sojourn [sodžə:n / AM səuˈdžə:n] *v* dočasně bydlit, být, žít, zdržovat se, pobývat, přebývat, zůstat, zůstávat *with* u ● *s* **1** dočasný pobyt **2** řidč. místo pobytu
soke [səuk] BR **1** práv. hist. právo místní jurisdikce **2** soudní okres, místní soudní příslušnost
sokeman [səukmən] *pl: -men* [mən] leník, vazal zejm. na pozemku s lenním břemenem
Sol[1] [sol] **1** žert. slunce **2** bůh slunce **3** alchymie zlato
sol[2] [sol] hud. sol pátá solmizační slabika označující tón g
sol[3] [sol] hydrosol

sola [səulə] bot.: východoindická rostlina *Aeschynomene aspera* ◆ ~ *topi* indická tropická helma
solace [soləs] *s* útěcha, potěcha; co skýtá útěchu ● *v* utěšit, potěšit, zmírnit zármutek, ulevit v bolesti ***solace o. s.*** utěšit se *with* čím, nalézt útěchu v
solan [səulən] = *solan goose*
solanaceous [ˌsoləˈneišəs] bot. lilkovitý
solan goose [səulənguːs] *pl: solan geese* [səulənɡiːs] zool. zast. terej bílý
solanum [səuˈleinəm] bot. lilkovitá rostlina např. blín, lilek, brambor atd.
solar [səulə] hvězd. sluneční, solární ◆ ~ *battery / cell* sluneční článek, sluneční baterie; ~ *cycle* sluneční perioda, sluneční cyklus; ~ *day* sluneční den; ~ *eclipse* zatmění slunce; ~ *energy* sluneční energie; ~ *flag* sluneční erupce; ~ *flowers* bot. rostliny, jejichž květ je otevřen pouze několik hodin denně; ~ *furnace* sluneční pec; ~ *myth* sluneční mýtus; ~ *panel* panel slunečních baterií; ~ *plexus 1.* anat. solární pleteň, solární plexus *2.* hovor. solar, žaludek; ~ *prominences* sluneční protuberance; ~ *radiation* sluneční záření; ~ *rays* sluneční paprsky; ~ *spectrum* sluneční spektrum; ~ *system* sluneční systém; ~ *time* sluneční čas; ~ *wind* sluneční vítr; ~ *year* sluneční rok
solarism [səulərizəm] uctívání slunce
solarist [səulərist] uctívatel slunce
solarium [səuˈleəriəm] *pl* též *solaria* [səuˈleəriə] med. solárium zdravotní zařízení k celkovému ozařování ultrafialovým n. infračerveným zářením
solarization [ˌsəuləraiˈzeišən] fot. solarizace úbytek zčernání po dosažení maximálního zčernání fotografické vrstvy při dále rostoucí expozici
solarize [səuləraiz] fot. **1** použít solarizace, solarizovat **2** přesvítit, přesvětlit **3** zkazit se přesvětlením
solar-power [ˌsəuləˈpauə] poháněný sluneční energií
solatium [səuˈleišjəm] *pl* též *solatia* [səuˈleišjə] odškodné, odškodnění, kompenzace
sold [səuld] v. *sell, v* ◆ *be* ~ *on* být celý zaujatý pro, být celý divý do
soldan [səuldən] hist. sultán
soldanella [ˌsəuldəˈnelə] bot. dřípatka
solder [soldə / AM sodə] *s* **1** měkká pájka **2** přen. tmel, pojítko, pojidlo ◆ *hard* ~ tvrdá pájka; *soft* ~ měkká pájka ● *v* **1** též ~ *up* s|pájet, za|letovat, sletovat **2** též ~ *up* přen. spojit | se, dát dohromady, stmelit
solderability [ˌsoldərəˈbiləti / AM ˌsodərəˈbiləti] sletovatelnost
soldering-iron [ˈsoldəriŋˌaiən / AM ˈsodəriŋˌaiən] pájedlo
soldier [səuldžə] *s* **1** voják, též přen. (~*s in the cause of peace*); vojín **2** ~*s, pl* vojáci, vojíni s poddůstojníky, vojsko **3** důstojník námořní pěchoty na lodi **4** zool. voják mravenců n. termitů **5** stav. hovor. cokoli kolmého; svislá výztuha, cihla postavená nastojato **6** slang. uzenáč **7** námoř. slang. flink, ulejvák námořník vyhýbající se práci **8** = ~ *crab* **9** = ~ *beetle* ◆ ~ *ant* zool. *1.* voják mravenec *2.* „buldočí mravenec" *3.* stěhovavý mravenec; ~ *beetle* zool. páteříček; *career* ~ voják z povolání; *common* ~ prostý vojín; ~ *crab* zool. *1.* poustevníček *2.* krab rodu Uca; ~ *fly* zool. bráněnka; ~ *of fortune* řemeslný voják, žoldnéř bojující za zaměstnavatele; *go for a* ~ dát se na vojnu, dát se naverbovat; ~*'s heart* med. srdeční nervóza; ~*'s home* AM domov invalidů; ~*'s medal* AM vyznamenání za statečnost; *old* ~ *1.* hovor. ostřílený člověk (*come the old* ~ *over a p.* vytahovat se svou zkušeností na) *2.* vypitá láhev *3.* vajgl, špaček oharek cigarety; ~ *orchis* bot. vstavač vojenský; ~*'s pay* žold; *play at* ~*s* děti, dobrovolníci hrát si na vojáky n. vojáčky; *red* ~ zvěř: choroba vepřů; *tin* ~*s* cínoví vojáčci; ~*'s wind* námoř. půlový vítr ● *v* **1** sloužit jako voják, vojákovat, vojančit **2** námoř. slang. ulejvat se, flinkat se ***soldier on*** slang. vytrvat, vydržet, nedat se
soldierlike [səuldžəlaik] vojácký
soldierliness [səuldžəlinis] vojáckost
soldiership [səuldžəšip] vojáctví, vojáckost
soldiery [səuldžəri] **1** vojáci, vojsko **2** vojákování, vojančení, vojančina, vojenský výcvik **3** hanl. soldateska (*a licentious* ~ chlípná ...)
soldo [soldəu] *pl: soldi* [soldiː] soldo, sold někdejší drobná italská mince
sole[1] [səul] *pl* též *sole* [səul] zool. mořský jazyk ryba ◆ *Dover* ~ plotice
sole[2] [səul] **1** jediný (*his* ~ *reason* ... důvod) **2** výhradní (~ *agent*) **3** univerzální (~ *heir* ... dědic) **4** práv. svobodný **5** zast. zcela sám, samotný (*she went forth* ~)
sole[3] [səul] *s* **1** chodidlo, ploska nohy **2** podrážka, podešev; chodidlo ponožky apod. **3** spodek, podklad, dno **4** dno údolí **5** spodek drnu **6** spodní rám střílny, branky; nístěj pece; plaz pluhu, hoblíku **7** geol. podloží; hlavní přesunová plocha **8** horn. počva **9** námoř. kýlová pata **10** sport. spodek, strana hlavy golfové hole **11** stav. pata, základová plocha, práh vazného trámu ● *v* **1** podrazit obuv **2** podšívat chodidlo **3** sport. dotknout se míče holí při zakládání
sole channel [ˈsəulˌčænl] rýha, vybrání v podrážce
solecism [solisizəm] **1** jazyková chyba, gramatická chyba, nesprávnost, jazykový prohřešek **2** společenský prohřešek, faux pas **3** omyl, chyba
solecist [solisist] kdo mluví nesprávně, kdo dělá jazykové chyby
solecistic [ˌsoliˈsistik] **1** jazykově / gramaticky nesprávný, chybný **2** společensky nevhodný, nepatřící se
sole leather [ˈsəulˌleðə] kůže na podrážky
solely [səulli] **1** jenom, pouze, jedině, výhradně, toliko (*plants found* ~ *in the tropics*) **2** sám, samotný (*go* ~ *on one's way*) **3** jedině proto

solemn [soləm] **1** vážný neveselý; slavný, slavnostní (*a ~ blessing* slavné požehnání) **2** velebný (*a ~ cathedral*); sváteční; chmurný, těžký (*a suit of ~ black*) **3** vážný, závažný plný povinností (*children are a ~ responsibility to their parents* děti jsou pro rodiče vážná zodpovědnost); naléhavý (*a ~ warning* vážné varování) **4** rádoby vážný n. důležitý, nadutý **5** náb. přesně podle liturgie, předepsaný (*a ~ oath* předepsaná přísaha); svátek velký (*Easter is a ~ feast* velikonoce jsou velký svátek); obřad slavný (*a ~ high mass* slavná zpívaná mše) **6** práv. formální, závazný (*a ~ writ* závazný příkaz); slavnostní (*a ~ declaration*) **7** zast. důležitý, významný ◆ *put on a ~ face* nasadit vážnou tvář, začít se tvářit vážně; *grow ~* zvážnět; *~ fool* mrznout, zakaboněný člověk

solemnify [səˈlemnifai] (*-ie-*) učinit vážným

solemnity [səˈlemnəti] (*-ie-*) **1** slavnostnost, vážnost, obřadnost **2** *solemnities, pl* slavnostní ceremoniál, obřady **3** náb. slavnost, svátek **4** práv. formálnost, formalita

solemnization [ˌsoləmnaiˈzeišən] **1** o|slavení, po|svěcení **2** konání slavného obřadu **3** církevní uzavření sňatku, požehnání sňatku **4** učinění vážným, slavnostním n. formálním

solemnize [solemnaiz] **1** o|slavit, po|světit **2** konat, sloužit, celebrovat slavný obřad **3** církevně uzavřít sňatek, požehnat sňatku **4** učinit vážným, slavnostním n. formálním

solen [səulən] zool. střenka

solenoid [səulinoid] elektr. solenoid válcová cívka vytvářená vodičem stočeným do šroubovice

sole plate [səulpleit] **1** tech. podkladní deska, podkladnice; základní deska ložiska; základová deska **2** stav. práh

sol-fa [solˈfa: / AM səulfa:] hud. *s* **1** solmizační slabiky **2** solmizace; solmizační cvičení **3** stupnice **4** též *tonic ~* notový zápis v solmizačních slabikách n. jejich zkratkách ● *v* zpívat solmizační slabiky; zpívat solmizačními slabikami

solfatara [ˌsolfəˈta:rə] geol. solfatára postvulkanické unikání horkých sirných a vodních par

solfeggio [solˈfedžiəu] *pl* též *solfeggi* [solˈfedži(:)] hud. solfeggio pěvecké cvičení k školení hlasu

solferino [ˌsolfəˈri:nəu] **1** fuchsin barvivo **2** též *~ red* červenofialová barva

solicit [səˈlisit] **1** snažně, důrazně, uctivě, formálně prosit, žádat *a t.* / *for a t.* o *of a p.* koho, vyprošovat co od, snažit se získat co od, žebrat o, vybírat co (*~ contributions* vybírat příspěvky) **2** usilovat, ucházet se o (*both the candidates ~ed my vote*); domáhat se, doprošovat se, dožadovat se čeho **3** vyžadovat (*the situation ~s the closest attention*) **4** obtěžovat koho prosbou n. žádostí, obcházet (*was known to ~ the judges*); zast. obtěžovat čím **5** snažit se získat objednávky, shánět obchody **6** svádět, navádět, ponoukat k špatnému **7** prostitutka obtěžovat (muže), nabízet se (mužům), lákat, svádět (muže) např. na ulici **8** svádět (ženu), dělat nemravné návrhy (ženě), obtěžovat (ženu) **9** přen. budit, vzbuzovat, vyvolávat (*~ing sparks by rubbing amber with flannel* budící jiskry třením jantaru flanelem) **10** med. snažit se mírnými prostředky přivodit (*~ a bowel movement with a laxative* pokusit se zahnat zácpu projímadlem)

solicitation [səˌlisiˈteišən] **1** prošení, žádání, doprošování; snažná / naléhavá prosba, žádost **2** pokus o získání *for* čeho, akvizice, nábor; ucházení se o **3** obtěžování, lákání, svádění zejm. prostitutkou **4** práv. navádění, svádění k špatnému

solicitor [səˈlisitə] **1** BR právní poradce, právní zástupce, advokát nevystupující před vyšším soudem **2** AM právní poradce města apod. **3** AM pojišťovací akvizitér, agent, zástupce, obchodní cestující **4** též *Official S~* právní dohlížitel nesvéprávných osob, adoptovaných dětí aj. **5** řidč. prosebník, žadatel; výběrčí dobrovolných příspěvků **6** AM obchodní cestující nabízející zboží dveře ode dveří ◆ *~'s cost / fee* odměna právnímu zástupci, palmare; *Treasury ~* právní poradce ministerstva financí

Solicitor-General [səˈlisitəˌdženərəl] *pl: Solicitors-General* [səˈlisitəzˌdženərəl] práv. **1** druhý státní prokurátor **2** AM státní prokurátor v některých státech

solicitous [səˈlisitəs] **1** starostlivý, pečující *about / for* o mající starost o, dbalý čeho, znepokojený čím, úzkostlivý na (*~ about his health*) **2** dychtivý *of* čeho, toužící po, snažící se o, usilující o **3** pečlivý, starostlivý; přepečlivý, úzkostlivý (*~ in matters of dress*) ◆ *be ~ to do a t.* snažit se udělat co

solicitude [səˈlisitju:d] **1** zájem, péče, pečlivost, starost, starostlivost **2** znepokojení, znepokojenost, úzkost, strach **3** *~s, pl* starosti, potíže **4** přílišná úzkostlivost, přílišná péče

solid [solid] *adj* **1** trojrozměrný, prostorový (*~ figure*); krychlový, kubický (*a ~ foot contains 1728 ~ inches*); mat. stereometrický (*a ~ geometry*) **2** tuhý nikoli kapalný; ztuhlý (*the pavement is not yet ~* koberec vozovky ještě není ztuhlý) **3** pevný **4** plný (*a ~ tyre* … obruč) **5** masívní (*made of ~ gold*), kompaktní (*a ball of ~ matter*), bytelný (*a ~ chair*); celistvý, nedělený, nepřerušovaný, bez trhlin (*a ~ wall*) **6** celý, v celku, plný, bez přerušení (*sleep ten ~ hours*) **7** masívní, mohutný, plný (*a man of ~ build* muž mohutného vzrůstu) **8** tvrdý, tuhý (*~ food, not slops* tuhou stravu, žádnou bryndu); hutný, pořádný; hustý, těžký; těžký do žaludku (*a ~ pudding*) **9** vážný (*time for ~ reading*) **10** pořádný, těžký, tvrdý (*a good ~ blow* pěkný tvrdý úder) **11** důkladný, trvanlivý, pevný, solidní (*built on ~ foundations* postavený na solidních základech) **12** obchodně zdatný, solventní; spolehlivý, řádný, slušný, solidní (*a ~ business firm*); ryzí, pevný (*a man of ~ character*); poctivý, pořádný (*good ~ English tenacity* dobrá a poctivá anglická houževnatost)

13 rozumný, rozumně uvažující, střízlivý, zdravý, praktický **14** dobrý, vážný, opodstatněný (*have ~ grounds for supposing* mít vážné důvody pro předpoklad); přiměřený, hodnotný, skutečný, solidní (*~ reasons*); pravý, pořádný (*a ~ comfort* pravá útěcha) **15** jednotný, svorný (*a ~ delegation*); jednomyslný (*the ~ vote of a delegation*) **16** jednobarevný (*~ background* jednobarevné pozadí) **17** déšť nepřetržitý; den deštivý, rozpršený **18** polygr.: sazba neproložený, kompresní **19** AM jaz. psaný dohromady **20** AM hovor. kamarádský, jedna ruka *with* s; výhodný **21** AM slang.: taneční hudba, rytmus fajn, prima, šmačný, odvázaný **22** hovor. tvrdohlavý, umíněný; hloupý, neschopný ♦ *~ alcohol* tuhý líh; *~ anchor* admiralitní kotva; *~ angle* prostorový úhel; *~ bar* polygr. linotypový odlitek řádky v celku; *be ~ for* stát jednotně za; *become ~* ztuhnout, ztvrdnout; *~ body* pevné těleso; *~ consideration* zralá úvaha; *~ contents* krychlový obsah; *~ figure* geom. těleso; *~ floor* námoř. plná příčka; *~ food* tuhá strava nikoliv tekutá; *pond frozen ~* rybník zamrzlý až do dna; *~ fuel* tuhé / pevné palivo; *~ geometry* prostorová geometrie, stereometrie; *go ~ for = be ~ for; ~ gunwale* námoř.: člunový obrubník, obruba, okrajník, oděrka; *~ lubricant* tuhé mazivo; *~ masonry* plné zdivo, masívní zdivo; *~ masses of clouds* husté stěny mraků, hradby oblaků; *~ matter* polygr. neproložená sazba; *~ meal* pořádné jídlo; *~ newel* pevné vřeteno vřetenových schodů; *~ number* mat. celé číslo s třemi prvočíselnými činiteli; *~ panel* výplň v jedné rovině s vlysy, plná výplň dveří; *~ piece of meat* kus masa bez kostí; *~ printing* polygr. tisk neproložené sazby; *~ problem* mat. prostorová úloha; *~ rock* tvrdá / pevná / masívní hornina, hornina skalního podkladu; *~ South* jižní státy USA volící trvale demokratickou stranu; *~ square 1.* útvar stejně dlouhý jako široký, čtvercový útvar, čtverec *2.* pevný úhelník s neposuvnými rameny; *~ state* tuhý stav, tuhé skupenství (*~ state physics* fyzika pevných látek); *~ thimble* námoř. masívní očnice; *~ waste* tuhé odpadky; *~ wheel* plné / kotoučové kolo ● *s* **1** mat. těleso **2** zrno, zrnko, granule; pevné těleso; blok **3** *~s, pl* chem. sušina; suspendované tuhé látky (*~s of the blood*) **4** *~s, pl* též tuhá strava **5** horn. celina **6** stav. plné zdivo, masívní zdivo **7** AM jaz. složenina psaná dohromady **8** AM kdo zapírá n. neprozradí spolupachatele **9** polygr. plná barevná plocha ♦ *regular ~* geom. pravidelný mnohostěn; *~ of revolution* rotační těleso

solidago [ˌsoliˈdeigəu] bot. celík

solidarity [ˌsoliˈdærəti] **1** soudržnost, pospolitost, vzájemnost, solidárnost, solidarita **2** společné ručení, společná odpovědnost, solidarita

solidary [solidəri] svorný, solidární

solid-drawn [soliddro:n] tech. tažený beze švu, bezešvý

solid-hoofed [solidhu:ft] zool. jednokopytný

solid-horned [solidho:nd] zool. jednorohý

solidifiable [səˈlidifaiəbl] který může ztuhnout

solidification [səˌlidifiˈkeišən] **1** z|tuhnutí, z|tvrdnutí, zpevnění **2** krystalizace **3** konsolidování, konsolidace ♦ *~ point* bod tuhnutí

solidify [səˈlidifai] (*-ie-*) **1** z|tuhnout, z|tvrdnout, zpevnit, **2** krystalizovat **3** přen. z|konsolidovat, sjednotit (*factors that ~ public opinion*), upevnit jednotu čeho

solidity [səˈlidəti] **1** hutnost, masívnost, kompaktnost, pevnost, síla, tvrdost; trvanlivost **2** charakterová pevnost člověka; solidnost, likvidnost, likvidita podniku **3** podstatnost; celistovst, plnost **4** geom. tuhé těleso; objem **5** platnost

solid-state [solidsteit] fyz. **1** týkající se pevných látek **2** pevný zejm. polovodič

solidungular [ˌsoliˈdaŋgjulə], **solidungulate** [ˌsoliˈdaŋgjulit] zool. jednokopytný

solid-waste [ˌsolidˈweist] týkající se tuhých odpadků

solidus [solidəs] *pl: solidi* [solidai] **1** hist. solidus zlatá římská mince pozdější doby; středověká mince **2** polygr. šikmá zlomková čára **3** = *shilling*

solifidian [ˌsoliˈfidiən] náb. stoupenec názoru, že ke spáse je třeba pouze víry a nikoli dobrých skutků

solifluction, solifluxion [ˌsoliˈflakšən] geol. soliflukce pomalý pohyb půdy po mírném svahu vlivem gravitace

soliloquize [səˈliləkwaiz] **1** mluvit / říkat si sám pro sebe, vést samomluvu **2** říkat monolog

soliloquist [səˈliləkwist] **1** kdo mluví sám k sobě **2** kdo říká monolog

soliloquy [səˈliləkwi] (*-ie-*) samomluva, monolog

soliped [soliped] zool. jednokopytník

solipsism [solipsizəm] filoz. solipsismus krajní noetický subjektivismus, pokládající existenci vlastního já a jeho zážitky za jedinou skutečnost; krajní egocentrismus

solipsist [solipsist] solipsista stoupenec solipsismu; krajně egocentrický člověk

solipsistic [ˌsolipˈsistik] **1** solipsistický týkající se solipsismu **2** sobecký, egocentrický

solitaire [ˌsoliˈteə] **1** hra pro jednoho člověka, hra trpělivosti, hra jako hlavolam **2** AM karty pasiáns **3** solitér jedinečný, jednotlivě zasazený n. vůbec větší drahokam, zvl. diamant **4** řidč. poustevník **5** hist. černý hedvábný nákrčník **6** zool.: americký drozd rodu *Myadestes*

solitariness [solitərinis] **1** samostatnost, osamocenost **2** samotářskost, samotářství, opuštěnost **3** opuštěnost, odlehlost, odříznutost od světa **4** jedinost, ojedinělost, jedinečnost **5** odb. solitérnost, solitárnost

solitary [solitəri] *adj* **1** samotný, osamocený (*a ~ traveller*); osamělý **2** samotářský (*a person ~ by nature*); žijící v odloučenosti od lidí (*a ~ saint*) **3** osamělý, odříznutý od světa (*a ~ valley* údolí odříznuté od světa); opuštěný, stojící o samotě (*~ ruins*) **4** jediný, ojedinělý, jedinečný (*a ~ example* ... příklad) **5** odb. solitérní, solitární ◆ *~ confinement* samovazba ● *s* (*-ie-*) **1** kdo žije samotářským životem, samotář, poustevník **2** samovazba

solitude [solitju:d] **1** osamocenost, osamění, osamělost, samotnost; samota **2** izolovanost, izolace; odloučenost **3** odlehlé místo, samota **4** řidč. nedostatek

solivagant [səˈlivəgənt] řidč. osamělý poutník

solleret [soləret] hist.: pružná ocelová botka, ocelový střevíc součást brnění

solmizate [solmizeit] hud. **1** zpívat solmizační slabiky **2** udělat zápis solmizačními slabikami; označit solmizačními slabikami

solmization [ˌsolmiˈzeišən] hud. solmizace označování jednotlivých tónů n. stupňů ve stupnici slabikami sloužící jako intonační pomůcka

solo [səuləu] *s: pl* též *soli* [səuli:] **1** sólo skladba n. její část, zpěv, hra, tanec apod. pro jednotlivce, jednotlivý nástroj apod. **2** let. samostatný let **3** karty sólo druh hry; sólová hra m. karta ve skatu ● *adj* **1** sólový (*a ~ dance*) **2** samostatný (*a ~ flight*) ◆ *~ organ* hud. čtvrtý manuál na varhanách; *~ tops* hud. rejstříky vhodné ke hraní sólových melodií na varhanách ● *adv* sólově, samostatně ● *v* letět samostatně

soloist [səuləuist] **1** sólista, sólový hráč, sólový tanečník **2** letec létající samostatný let

Solomon [soləmən] **1** bibl. Šalomoun **2** šalomoun, šalamoun moudrý člověk ◆ *Song of ~* bibl. Velepíseň, Píseň písní, Píseň Šalamounova

Solomonic [ˌsoləˈmonik] šalomounský, šalamounský

Solomon's-seal[1] [ˌsoləmənzˈsi:l] bot. kokořík

Solomon's seal[2] [ˌsoləmənzˈsi:l] Davidova hvězda

Solon [səulon] **1** antic. Solón aténský státník a zákonodárce **2** též *s~* přen. moudrý zákonodárce **3** AM novin. poslanec

so long [səuˈloŋ] **1** hovor. ahoj, nashle, čau pozdrav na rozloučenou **2** SA slang. prozatím; mezitím

solstice [solstis] **1** hvězd. slunovrat **2** vrchol; bod obratu, obrat ◆ *summer ~* letní slunovrat; *winter ~* zimní slunovrat

solstitial [solˈstišəl] hvězd. slunovratový, týkající se slunovratu

solubility [ˌsoljuˈbiləti] **1** rozpustnost, rozpustitelnost **2** rozřešitelnost; rozluštitelnost

solubilize [soljubilaiz] učinit rozpustným / rozpustitelným

soluble [soljubl] *adj* **1** rozpustný, rozpustitelný (*salt and sugar are ~ in water*) **2** roz|řešitelný (*such problems are perfectly ~*); roz|luštitelný ● *s* **1** rozpustná látka **2** roz|řešitelný příklad

soluble glass [ˌsoljublˈgla:s] vodní sklo

solum [səuləm] *pl* též *sola* [səula] nejhořejší půdní horizont

solus [səuləs] sám zejm. div.

solute [səˈlju:t] *s* rozpouštěná n. rozpuštěná látka ● *adj* **1** rozpuštěný, jsoucí v roztoku **2** bot. nepřirostlý, volný

solution [səˈlu:šən] **1** roz|luštění **2** mat. řešení, rozřešení; nalezený výsledek **3** rozpouštění; roztok **4** též *rubber ~* rozpouštěný kaučuk **5** rozplynutí (*the ~ of the clouds*) **6** med. skončení choroby, obrat k lepšímu **7** práv. soluce splnění obligačního závazku ◆ *~ agent* rozpouštědlo; *boric acid ~* borová voda; *chemical ~* chemický roztok; *~ of continuity* med. porušení / přerušení tkáně; *mechanical ~* směs

solutionist [səˈlu:šənist] kdo se zabývá luštěním hádanek apod. v novinách, luštitel, řešitel

Solutrean, Solutrian [səˈlju:triən] archeol. solutréenský týkající se kulturního období mladého paleolitu

solvability [ˌsolvəˈbiləti] **1** roz|řešitelnost, vyřešitelnost, roz|luštitelnost, vyluštitelnost **2** rozpustitelnost, rozpustnost

solvable [solvəbl] **1** roz|řešitelný, vyřešitelný, roz|luštitelný, vyluštitelný, **2** rozpustitelný, rozpustný **3** zast. solventní

solve [solv] **1** roz|řešit, vyřešit, roz|luštit, vyluštit, hledat / najít odpověď k, hledat / najít řešení čeho (*~ a mystery* rozřešit záhadu) **2** mat. roz|řešit, vy|počítat **3** vyrovnat, zaplatit, zapravit dluh; splnit slib **4** zast. rozmotat, rozvázat (*~ a knot* rozvázat uzel) **5** řidč. rozpustit | se

solvency [solvənsi] (*-ie-*) **1** obch. platební schopnost, solvence, solventnost **2** rozpouštěcí schopnost n. účinnost

solvent [solvənt] *adj* **1** rozpouštěcí (*the ~ action of water*) **2** objasňovací, objasňující, pomáhající řešit **3** přen. rozkladný (*~ social influences*); oslabující tradici n. víru **4** obch. schopný placení, solventní ◆ *~ cleaning* čištění n. odmašťování rozpouštědly; *~ recovery 1.* regenerace rozpouštědel *2.* hlubotisk rekuperace ● *s* **1** rozpouštědlo **2** rozkladný, destruktivní činitel, co má destruktivní vliv *of* na (*ridicule is a ~ of prejudice* posměch má destruktivní vliv na předsudky) **3** řešení, východisko (*no ~ has been found for the industrial stagnation*)

soma [səumə] *pl* též *somata* [səumətə] biol. tělo

Somali [səuˈma:li] *adj* somálský ● *s* **1** somálština **2** *pl* též *Somali* [səuˈma:li] Somálec

Somaliland [səuˈma:lilænd] Somálsko

somatic [səuˈmætik] **1** biol. tělový, somatický **2** tělesný, fyzický ◆ *~ cell* biol. tělní buňka

somatogenic [ˌsəumətəˈdženik] biol. mající původ v těle

somatology [ˌsəuməˈtolədži] biol. somatologie nauka o stavbě a činnosti orgánů těla zejm. lidského

sombre [sombə] **1** tmavý, temný **2** zamračený, zakaboněný, černý (*a ~ sky*) **3** chmurný, ponurý (*~ prospect* chmurná vyhlídka) **4** zádumčivý, zasmušilý, melancholický (*man of ~ character*)

sombreness [sombənis] **1** tmavost, temnost **2** zamračenost, zakaboněnost, černost **3** chmurnost, ponurost **4** zádumčivost, zasmušilost, melancholičnost
sombrero [somˈbreərəu] sombrero
sombrous [sombrəs] bás. = *sombre*
some [sam / səm / sm] *adj* **1** některý určitý z celku, ale blíže neurčený (*~ work is pleasant*); určitý, jakýsi, jistý, svého druhu (*that is ~ help towards understanding the problem*); nějaký, jakýsi neznámý, blíže neurčený n. neznámý (*Mr White has ~ flowers in his garden, I've read that story in ~ book*) **2** před substantivem v *pl* též jeden, jistý (*~ friends of mine* jedni moji přátelé) **3** jisté / určité větší množství, několik čeho (*there are ~ variations*); poměrně velký, dost čeho (*had ~ trouble arranging it* měl s aranžováním toho dost potíží) **4** ve spojeních vyjadřujících trvání, vzdálenost apod. poměrně, dost (*I shall be away for ~ time* budu pryč dost dlouho, *he has been here ~ years* už je zde řadu let, *the railway station is at ~ distance from the village* nádraží je od vesnice dost daleko) **5** několik, pár čeho (*please buy me ~ stamps*), kousek čeho (*please have ~ cake*), trochu čeho (*please give me ~ milk*); aspoň trochu čeho (*do have ~ mercy on our nerves* prosím vás, mějte aspoň trochu soucitu s našimi nervy) **6** hovor. řádský, pořádný, nějaký, a jaký (*that was ~ storm* to byla ale bouřka) **7** zejm. AM hovor. prima, fajnový (*I call that ~ poem* tomu tedy říkám báseň) ◆ *~ and ~* zast. postupně; *and then ~* AM slang. a ještě mnohem víc; *~ … or another* nějaký, jakýsi blíže neznámý (*he is spending the summer at ~ beach or another* tráví léto někde na nějaké pláži), ten či onen (*ask ~ teacher or another, they'll all tell you the same* zeptejte se kteréhokoliv učitele, všichni vám řeknou totéž); *~ day 1.* jednoho dne v budoucnosti *2.* jednou, někdy v budoucnosti (*I'll do it ~ day*); *~ days* někdy (*~ days he is better, ~ days he is worse*); *to ~ extent* do určité / jisté míry; *come and see me ~ Monday* přijďte mě některé pondělí navštívit, přijďte někdy v pondělí za mnou; *~ more* trochu víc; *~ one 1.* kterýkoliv (*choose ~ one place as a centre*) *2.* kdokoliv (*take ~ one as a type*); *~ … or other = ~ … or another; ~ person* (*or other*) někdo, ten či onen, kdokoliv; *at ~ place* někde; *~ sort of* nějaký kdo / co; *~ time 1.* určitou dobu, chvíli (*we have been waiting ~ time*) *2.* jednou, někdy v budoucnosti *3.* v. *sometime; ~ way or another,* tak či onak, nějak ● *adv* **1** asi, tak, kolem čeho (*a village of ~ eighty houses*) **2** AM hovor. řádsky, pořádně, dost (*he seemed annoyed ~*) **3** slang. (o) kousek, trochu, poněkud, kapku (*he helped us ~, felt ~ better after just one mouthful* jen to ochutnal, a už se cítil trochu lépe) ◆ *go ~* AM obout se do toho, vzít pořádně za to; *go ~ on* AM slang. být zfanfrněný do koho; *that's going ~* AM hovor. to je fajn, to si nechám líbit ● *pron* **1** jeden, někdo; něco **2** jedni, někteří (*~ say so*), pár jich (*~ came*) **3** trochu, kousek, kousíček (*have ~*) **4** *~ … ~ …* jedni … druzí …, někteří … někteří … (*~ had webbed feet, ~ had talons* jedni měli nohy s plovacími blánami, druzí měli drápy) ◆ *and then ~* slang. a pak ještě spousta / spoustu jiných, dalších apod.; *~ of 1.* pár, několik (*~ of these people came back*) *2.* něco z toho co, část čeho (*I agree with ~ of what you say*); *~ of these days 1.* jednoho dne, některý den v nedaleké budoucnosti *2.* jednou, v dohledné době; *~ of it 1.* něco z toho *2.* kousek
somebody [sambədi] *pron* někdo určitý (*~ I know*); imaginární (*~ might say*) ● *s* někdo význačná osoba, velký pupík, velké zvíře (*think o. s. a ~*)
someday [samdei] jednou, někdy v budoucnosti
somedeal [samdi:l] zast. poněkud
somehow [samhau] **1** nějak, nějakým způsobem (*I must get it finished ~*); tak či onak, jakkoli **2** též *~ or other* jaksi, z nějakých důvodů (*~ or other I never liked him*)
some one [ˌsamˈwan] některý, nějaký
someone [samwan] někdo zejm. z určitých n. přítomných
someplace [sampleis] **1** někde (*~ in this mass of masonry* někde v tomto obrovském zdivu) **2** někam (*really had ~ to go that day*)
somersault [saməso:lt] *s* **1** přemet; přemet zprosta (těl.), salto **2** kotoul (těl.), kotrmelec **3** přen. kotrmelec náhlý obrat ◆ *turn a ~ = somersault, v* ● *v* **1** u|dělat přemet n. salto **2** u|dělat kotoul n. kotrmelec, kotrmelcovat (řidč.)
somerset[1] [saməsit] = *somersault*
somerset[2] [saməsit] BR polštářované sedlo zejm. pro jezdce s amputovanou nohou
Somerset House [ˌsaməsitˈhaus] Somersetský palác vládní budova v Londýně, sídlo matričního úřadu, notářství, daňového úřadu aj.
something [samθiŋ] *pron* **1** něco neurčitého (*~ must be done about it* **2** něco určitého, ale blíže neurčeného (*he has ~ to live for* má pro co žít) **3** (a) něco (něco) nezapamatovaného (*a twelve ~ train* vlak, který jede ve dvanáct a něco) **3** něco k jídlu n. k pití (*have ~ before you go*) ◆ *~ damp* slang. = *~ short; ~ good* dobrý tip při dostihu; *make ~ of a t.* udělat něco z, zlepšit co, využít čeho; *that ~ man* euf. ten zatracený chlap; *~ of* něco jako, tak trochu kdo / co (*I am ~ of a carpenter* já jsem tak trochu tesař); *~ or other* něco, to či ono, cokoli (*we hope to see ~ or other* doufáme, že něco uvidíme); *~ short* slang. prcek, frťan, štamprle; *there was ~ in the wind* něco viselo ve vzduchu ● *adv* **1** tak trochu, poněkud, jaksi, do určité míry **2** strašně, děsně, příšerně (*swears ~ awful* strašně, ale strašně kleje) ◆ *~ like* hovor. vážně, fakticky, ale, prima (*that's ~ like a pudding*) ● *s* **1** něco důležitého, někdo důležitý (*he thinks himself ~*) **2** zajímavá zálcžitost, něco **3** též

~ *else* AM slang. něco úžasného, úplná fantazie (*you are ~ else*)

sometime [samtaim] *adv* **1** někdy, jednou v budoucnosti **2** někdy v minulosti (~ *in 1710 or 1711*) **3** zast. kdysi, dříve (*a large stone ~ inlaid with brass* velký kámen kdysi vykládaný mosazí) **4** řidč. někdy, občas **5** nějakou dobu, chvíli (*he has been waiting ~*) ● *adj* někdejší, bývalý, emeritní (~ *professor of history*)

sometimes [samtaimz] **1** někdy (~ *hot and ~ cold*); občas **2** zast. kdysi, dříve

someway [samwei], **someways** [samweiz] = *somehow*

somewhat [samwot] *adv* trochu, poněkud (*speech in ~ different words*), jaksi ● *pron* = *something, pron* ● *s* **1** něco **2** filoz. něco omezená realita ◆ ~ *of a t.* (tak) trochu co (~ *of a shock*)

somewhen [samwen] někdy

somewhere [samweə] *adv* **1** někde (*a bleak farmhouse ~ in rural America* nevlídná farma někde na americkém venkově) **2** někam (*go ~ out of town*) **3** asi, přibližně (~ *about nine o'clock*) ◆ *get ~* udělat krok kupředu, postoupit ● *s* nějaké / nejmenované místo

somewhile [samwail] řidč. **1** někdy dříve **2** někdy **3** občas **4** zast. jednou

somewhither [samwiðə] zast. někam

somite [səumait] zool. **1** článek **2** coelomový váček, prvotní článek

somitic [səuˈmitik] zool. **1** náležející k prvotnímu článku **2** vznikající v prvotním článku **3** uspořádaný z prvotních článků

sommelier [ˈsaməlˌjei] sklepník v restauraci

somnambulant [somˈnæmbjulənt] řidč. *adj* náměsíčný, lunatický, somnambulní ● *s* náměsíčník, somnambul, lunatik (řidč.)

somnambulate [somˈnæmbjuleit] řidč. chodit n. mluvit ve spánku

somnambulism [somˈnæmbjulizəm] náměsíčnost, náměsíčnictví, somnambulism (med.) ◆ *artificial ~* hypnóza

somnambulist [somˈnæmbjulist] náměsíčník, somnambul

somnambulistic [somˌnæmbjuˈlistik] náměsíčný, lunatický, somnambulický

somniferous [somˈnifərəs], **somnific** [somˈnifik] uspávající

somniloquence [somˈniləkwəns] , **somniloquism** [somˈniləkwizəm] mluvení ve spánku

somniloquist [somˈniləkwist] kdo mluví ze spaní

somniloquous [somˈniləkwəs] mluvící ze spaní

somniloquy [somˈniləkwi] mluvení ze spaní

somnipathist [somˈnipəθist] *s* subjekt, médium v hypnotickém spánku ● *adj* trpící poruchou spánku

somnipathy [somˈnipəθi] (*-ie-*)**1** hypnotický spánek, hypnóza **2** porucha spánku

somnolence [somnələns] , **somnolency** [somnələnsi] **1** ospalost; dřímota **2** chorobná spavost **3** somnolence lehký úbytek, porucha vědomí

somnolent [somnələnt] **1** ospalý **2** uspávající **3** med. v lehkém spánku, somnolentní

somnolism [somnəlizəm] hypnotický spánek, hypnóza

son [san] **1** syn (*a family consisting of two ~s*), též přen. (*a nation robbed by war of most of her ~s* národ, který válka oloupila o většinu synů) **2** *S~* náb. Bůh Syn Kristus **3** nevlastní, adoptivní syn **4** zeť **5** chlapec, hoch, synek (*a playground for the ~s and daughters of the community* hřiště pro místní chlapce a děvčata) **6** *~s, pl* též potomci (*the modern-day ~s of early pioneers*) ◆ *he is his father's ~* je syn svého otce, potatil se, jablko nepadlo daleko od stromu; *S~ of God* náb. Syn Boží; *~ of a gun / bitch* vulg. čubčí syn, hajzl, parchant hrubá nadávka; *~ and heir* syn a dědic; *S~s of Liberty* hist. Synové svobody americká vlastenecká organizace; *S~ of Man* náb. Syn člověka Kristus, Mesiáš; *~ of Mars* voják; *~s of men* bibl. lidští synové, lidé: *every mother's ~* každý, všichni; *~ of the soil 1.* člověk narozený v místě, domorodec *2.* venkovan, zemědělec

sonance [səunəns] **1** znělost **2** zast. zvuk, melodie

sonancy [səunənsi] jaz. znělost

sonant [səunənt] jaz. *adj* znělý ● *s* znělá souhláska

sonar [səuna:] AM sonar, ultrazvukový lokátor např. ponorek

sonata [səˈna:tə] hud. sonáta instrumentální skladba zprav. o třech až čtyřech větách ◆ *~ form* sonátová forma forma instrumentální hudby, zprav. třídílná, pracující obvykle s dvěma protikladnými tématy

sonatina [ˌsonəˈti:nə] hud. sonatina malá sonáta

sonde [sond] **1** kosmická sonda **2** meteorologická sonda **3** lékařská sonda

sone [səun] son jednotka hlasitosti

son et lumière [ˌsoneiˈlu:mjeə] son et lumière představení používající světelných a zvukových efektů a reprodukovaného slova a hudby k evokaci osudů historických objektů

song [soŋ] **1** píseň, též hud. **2** liter. píseň, zpěv, báseň; poezie **3** zpěv, zpívání; ptačí zpěv **4** přen. písnička (*the same old ~ of the party politician*) **5** přen. hukot (*~ of a motor*) ◆ *S~s of ascents* = *S~s of degrees; burst forth into ~* začít zpívat, dát se do zpěvu; *that'll make him change his ~* po tomhle / na tohle bude mluvit jinak; *he gave me a ~ and dance about how busy he was* začal mi vykládat, jak má strašně práce; *nothing to make a ~ and dance about* hovor. málo významný, bezvýznamný; *~s of degrees* bibl. poutní písně, „stupňové" písně žalmy 120–134; *folk ~* lidová píseň, národní píseň; *for a ~* za babku (*he got it for a ~* dostal to za babku / téměř zadarmo); *that's nothing to make a ~ about* kvůli tomu ještě není třeba dělat takový rámus, je to jen prkotina; *part ~* vícehlasá píseň; *sacred ~* duchovní píseň; *S~ of S~s* bibl. Velepíseň, Píseň písní, Píseň Šalamounova; *traditional ~* = *folk ~*

songbird [soŋbə:d] zool. pěvec
songbook [soŋbuk] zpěvník
song form [soŋfo:m] hud. písňová forma
songful [soŋful] zpěvný, melodický
songless [soŋlis] jsoucí bez zpěvu, nezpívající
songman [soŋmæn] *pl: -men* [-men] sborový zpěvák
song-plugging [ˈsoŋˌplagiŋ] hovor. *adj* vtloukající lidem do hlavy šlágr ● *s* vtloukání šlágru lidem do hlavy
song sparrow [ˈsoŋˌspærəu] zool.: americký pěvec *Melospiza melodia*
songster [soŋstə] **1** zpěvák, zpěvačka **2** písničkář, pěvec, básník **3** pěvec (zool.)
songstress [soŋstris] zpěvačka
song thrush [soŋθraš] zool. drozd zpěvný **2** (drozd) cvrčala
songwriter [ˈsoŋˌraitə] **1** autor textu n. hudby zejm. populární písně **2** autor textu i hudby zejm. populární písně
sonhood [sanhud] synovství
sonic [sonik] **1** zvukový, akustický **2** BR škol. slang. prima, přesný **3** rychlost blížící se rychlosti zvuku ◆ ~ *bang* let. aerodynamický třesk; ~ *barrier* let. hovor. zvuková bariéra; ~ *boom* = ~ *bang;* ~ *depth finder* námoř. echolot, echograf; ~ *detector* / *device* námoř. zvukový zaměřovač; ~ *echo finder* = ~ *depth finder;* ~ *mine* zvuková mina; ~ *wave* zvuková vlna
sonication [ˌsoniˈkeišən] fyz. ultrazvukové vibrace
soniferous [soˈnifərəs] **1** zvučný, zvučící, znějící **2** zvukovodný (~ *marine animals*)
son-in-law [saninlo:] *pl: sons-in-law* [sanzinlo:] zeť
sonless [sanlis] jsoucí bez syna
sonnet [sonit] *s* **1** liter. znělka, sonet **2** řidč., zast. krátká lyrická milostná báseň ◆ ~ *sequence* znělkový cyklus monotematický ● *v* (*-tt-*) **1** psát znělky / sonety **2** opěvovat znělkou / sonetem
sonneteer [ˌsoniˈtiə] zejm. hanl. *s* veršotepec, pisálek sonetů ● *v* tepat / potit verše, škrábat se na Parnas, veršovat
sonny [sani] (*-ie-*) synku, chlapče, hochu oslovení
sonobuoy [səunəboi] námoř.: protiponorková zvuková bóje, hydroakustická bóje
sonograph [səunəgra:f] fyz. sonograf
sonometer [səˈnomitə] námoř. zvukoměr, sonometr
sonorescence [ˌsəunəˈresns] fyz. schopnost zvučet při dopadu záření
sonorescent [ˌsəunəˈresnt] fyz. schopný zvučet při dopadu záření
sonorific [ˌsəunəˈrifik] pouze zvučící, vydávající zvuk
sonority [səˈnorəti] (*-ie-*) **1** zvučnost **2** zvučný tón, zvučná řeč, sonornost **3** jaz. síla hlásky
sonorous [səˈno:rəs] **1** zvučný; zvučící, znějící **2** rezonující, rezonantní **3** hlučný, halasný **4** hlas zvučný, plně znějící, sonorní **5** styl plný, bohatý, impozantní **6** mající zvučný hlas **7** jaz.: hláska silný ◆ ~ *figures* fyz. zvukové obrazce, Chladniovy obrazce
sonorousness [səˈno:rəsnis] **1** hlučnost, halasnost **2** rezonance **3** = *sonority*
sonsie [sonsi] = *sonsy*
sonship [sanšip] synovství
sonsy [sonsi] (*-ie-*) SC **1** boubelatý, buclatý (~ *lass*) **2** švarný, pohledný; veselý **3** přinášející štěstí, šťastný **4** příjemný (~ *grey homespun*) **5** zvíře hodný, poslušný
sonuvabitch [ˌsanavəˈbič] = *son of a bitch*
sook [suk] AU strašpytel zejm. dítě
sool [su(:)l] AU poštvat psa na, poslat psa na / za
soon [su:n] **1** brzo, brzy, zanedlouho, zakrátko, záhy, hned, hnedle (*we shall* ~ *be home*) **2** brzo, brzy, časně, záhy (*he will be here* ~*er than you expect* bude tu dříve, než předpokládáš) **3** krátce, nedlouho, chvíli *after* po (*her husband arrived* ~ *after three*) **4** zast. okamžitě, ihned ◆ *as* / *so* ~ *as* jakmile, sotva, sotvaže, jen co (*he started as* ~ *as he received the news*); *as* ~ ... *as* raději, spíš ... než (*I would just as* ~ *stay at home as go for a walk*); *as* ~ *as not* raději (*I'd go there as* ~ *as not* já bych tam raději šel); *as* ~ *as possible* co nejdříve; *an hour too* ~ o hodinu dříve, o hodinu napřed; *which would you* ~*est do?* co bys udělal nejraději?; *least said* ~*est mended* pořek. moc řečí škodí
sooner [su:nə] *adv* dříve ◆ *the* ~ *the better* čím dříve, tím lépe; ~ *or later* dříve nebo později, jednou v budoucnu; ~ ... *than* raději, spíše ... než (*he would* ~ *resign than take part in such dishonest business deals* než by se zúčastnil takových obchodních machinací, to by se raději vzdal funkce); *no* ~ *than* sotva, sotvaže, jen ... už ... (*he has no* ~ *arrived home than he was asked to start another journey*); *no* ~ *said than done* co se řeklo, to se okamžitě udělalo, jen se to řeklo, už se to udělalo ● *s* **1** AM slang.: kolonista, který se usídlí na pozemku dříve, než je kolonistům přidělován **2** přen. kdo nečestným předstihnutím jiných získá výhodu **3** *S*~ AM přezdívka obyvatele Oklahomy ◆ *S*~ *State* AM Oklahoma
soot [sut] *s* saze; kopt ● *v* umazat sazemi, pokrýt sazemi, začadit; pohnojit sazemi
soot cancer [ˈsutˌkænsə] med. rakovina šourku
sooterkin [su:təkin] BR zast. **1** placenta **2** přen. nezdařené dílo, nezdařilý plán
sooth [su:θ] zast. *s* pravda, skutečnost ◆ *in* (*good*) ~ vážně, doopravdy, skutečně ● *adj* **1** pravý, skutečný **2** hladký
soothe [su:ð] **1** uklidnit, ukonejšit, utišit (~ *a crying baby*) **2** zmírnit bolest; ulehčit, ulevit v bolesti; zmírnit bolest čeho **3** ochladit spálenou pokožku (*a soothing lotion* chladivé pleťové mléko na spálenou pokožku); hojit **3** vyhovět a tím uklidnit; lichotit komu
soother [su:ðə] **1** kdo n. co utišuje n. uklidňuje **2** lichometník **3** šidítko, dudlík

soothfast [su:θfa:st] zast. pravdivý, věrný, spolehlivý
soothsay [su:θsei] (*soothsaid, soothsaid*) věštit, prorokovat, hádat, předpovídat
soothsayer [su:θse*iə*] věštec, jasnovidec, prorok, hadač
soothsaying [ˈsu:θˌseiiŋ] **1** věštectví, prorokování, hádání, předpovídání **2** věštba, proroctví, předpověď **3** v. *soothsay*
sootiness [sutinis] **1** sazovitost **2** barva sazí **3** umazanost od sazí, začazenost **4** čadivost
sootless [sutlis] **1** nečadivý (~ *flame* ... plamen) **2** jsoucí bez sazí
soot wart [sutwo:t] = *soot cancer*
sooty [suti] (*-ie-*) **1** sazový; koptový **2** černý jako saze **3** plný sazí; umazaný od sazí; začazený **4** čadivý
sop [sop] *s* **1** kousek chleba apod. namočený do vody, vína, mléka, omáčky apod., namočené sousto **2** šťáva apod. do níž se namáčí chléb apod. **3** cokoliv namočeného, promáčeného n. prosáknutého **4** břečka, kaše **5** hovor. baba, bačkora, bábovka, strašpytel **6** ústupek, úlitba, úplatek; nutná oběť k získání výhody n. klidu ◆ *give / throw a ~ to Cerberus 1.* někoho podplatit, někoho podmáznout, někomu zaplácnout ústa *2.* uklidnit koho zdáním poslušnosti; ~ *in the pan* smažený chléb ● *v* (*-pp-*) **1** namočit (~ *bread in gravy* namočit chléb do šťávy) **2** promočit, nasáknout | se; být promočen, být mokrý skrz naskrz (~*ped to the skin* promoklý až na kůži) **3** též ~ *up* vysušit, vysát např. doteky látky
soph [sof] AM hovor. = *sophomore*
sophism [sofizəm] sofizma důkaz zdánlivě správný, argument / závěr záludně vyvozený k oklamání jiných
sophist [sofist] **1** antic.: placený učitel filozofie n. řečnictví **2** antic. sofista **3** učenec **4** sofista záludný člověk užívající sofizmat
sophister [sofistə] hist.: student třetího n. čtvrtého ročníku na některých anglických n. amerických univerzitách
sophistic [səˈfistik], **sophistical** [səˈfistikəl] **1** sofistický **2** prohnaný, záludný, vychytralý
sophisticate [səˈfistikeit] *v* **1** zaplést do sofistiky, zmást / oklamat / podvést sofistikou, používat sofistiky, sofizovat, sofističit **2** zbavit přirozené čistoty / prostoty, vyumělkovat, učinit vyumělkovaným, učinit blazeovaným **3** překroutit, záměrně z|komolit text **4** z|komplikovat, učinit složitým **5** řidč. znečistit, znehodnotit podřadným, přimísit podřadné, smíchat s podřadným **6** řidč. zmást, svést ● *s* blazeovaný, vysoce kultivovaný člověk
sophisticated [səˈfistikeitid] **1** příliš zkušený, znalý světa, blazeovaný (*a ~ girl*), náročný, intelektuálně na výši, vysoce kultivovaný (*a girl with ~ taste* dívka s vysoce kultivovaným vkusem); překultivovaný **2** výlučný, exkluzívní, vysoce náročný, pro úzký okruh (~ *music*) **3** stroj velmi složitý, komplikovaný, zbraň sofistikovaný; teorie složitý, subtilní, rafinovaný, vyspekulovaný **4** auto: jsoucí s posledními technickými vymoženostmi **5** klamný **6** v. *sophisticate, v*
sophistication [səˌfistiˈkeišən] **1** zkušenost, znalost světa, blazeovanost; náročnost, vysoká kultivovanost; intelektuální odstup **2** výlučnost, exkluzívnost, náročnost, rafinovanost **3** zbavení přirozené čistoty / prostoty, umělost, vyumělkovanost **4** z|komolení, překrucování textu **5** znečištění, znečišťování, znehodnocení, znehodnocování podřadným, smíchání s podřadným **6** sofistika, klamání
sophistry [sofistri] (*-ie-*) **1** klamná, záludná sofistika **2** sofisma **3** antic. učení sofistů
Sophoclean [ˌsofəˈkli(:)ən] sofoklovský týkající se řeckého dramatika Sofokla
sophomore [sofəmo:] AM posluchač ve druhém ročníku vysoké školy
Sophy [səufi] (*-ie-*) hist.: perský vladař, šach v 16. a 17. stol. z dynastie Safijovců
sopor [səupə] hluboký spánek s přerušením vědomí
soporiferous [ˌsəupəˈrifərəs] přinášející / působící spánek, uspávající, uspávací
soporific [ˌsəupəˈrifik] *adj* **1** uspávající, uspávací **2** dřímavý, dřímotný; dřímající, klimbající **3** působící útlum vědomí ● *s* uspávací prostředek, uspávadlo (řidč.)
sopping [sopiŋ] *adj* promočený ● *adv* mokrý do nitě, na kůži, skrz naskrz (~ *wet*)
soppy [sopi] (*-ie-*) **1** promočený, promáčený, mokrý; rozbředlý, čvachtavý **2** počasí deštivý, mokrý **3** BR hovor. ubrečený, sentimentální; zamilovaný ◆ *be ~ on* být sentimentálně zamilovaný do, vzdychat po, nýt po
sopranist [səˈpra:nist] hud. sopranista, sopranistka
soprano [səˈpra:nəu] hud. *s*: *pl* též *soprani* [səˈpra:ni(:)] **1** soprán vysoký hlas ženský a chlapecký; úloha, part, role pro tento hlas **2** sopranista, sopranistka, soprán ● *adj* sopránový ◆ ~ *clef* hud.: sopránový C klíč
sora [so:rə] zool. též ~ *rail* americký chřástal *Porrana carolina*
sorb [so:b] bot. **1** jeřáb **2** jeřáb oskeruše **3** = *sorb apple*
sorb apple [ˈso:bˌæpl] jeřabina
sorbate [so:bit] chem. sorbit šestimocný alkohol obsažený v jeřabinách
sorbefacient [ˌso:biˈfeisiənt] lékár. *adj* absorpční ● *s* absorpční prostředek
sorbet [so:bət] **1** ovocná zmrzlina, zmrzlina ochucená rumem apod. **2** šerbet
sorbic [so:bik]: ~ *acid* chem. kyselina sorbová
sorbo [so:bəu]: ~ *rubber* houbovitá pryž, mechová pryž
Sorbonne [so:ˈbon] Sorbonna hist.: teologická fakulta v Paříži; sídlo pařížské univerzity
sorcerer [so:sərə] čaroděj, čarodějník, zlý kouzelník, černokněžník
sorceress [so:səris] čarodějnice, čarodějka, ježibaba

sorcery [so:səri] (*-ie-*) čarodějnictví, kouzelnictví, čáry, černá magie
sordamente [ˌso:dəˈmentə] hud. tlumeně
sordid [so:did] **1** odporně špinavý, nečistý (*~ animals*) **2** nečestný, ničemný, nízký, mrzký, sprostý, špinavý (*~ gains*) **3** lakomý, lakotný, skrblivý, špinavý **4** bot., zool.: barva šedavý, mdlý, špinavý (*~ blue*)
sordidness [so:didnis] **1** špinavost, nečistota, umazanost **2** nečestnost, ničemnost, nízkost, mrzkost, špinavost; nečestné apod. chování **3** lakomost, lakotnost, skrblivost, skrblictví, špinavost
sordine [so:di:n], **sordino** [so:ˈdi:nəu] *pl: sordini* [soˈdi:ni:] hud. dusítko, sordina, sordinka
sore [so:] *adj* **1** bolavý, též přen. (*I touched him in a ~ spot* dotkl jsem se jeho bolavého místa); bolestivý, též přen. (*~ bereavement* bolestivá ztráta úmrtí) **2** bolestně citlivý, též přen. (*is very ~ about his defeat* na svou porážku je velice citlivý), rozbolavělý (*~ from riding*) **3** podebraný, zhnisaný, zanícený, zapálený; odřený, otlačený, opruzený **4** smutný, bolavý, těžký (*a ~ heart*) **5** ožehavý, choulostivý, bolavý (*a ~ subject*) **6** hovor. zejm. AM nedůtklivý, rozzlobený, roztrpčený, nabručený, namíchnutý, navztekaný, rozladěný, naštvaný, uražený *about* / *over* kvůli **7** zast. velký, těžký, zlý, vážný (*in ~ distress* ve velice svízelném postavení); naléhavý (*in ~ need of help*) ◆ *be ~ 1.* zlobit se, hněvat se *2.* vztekat se, běsnit; *a sight for ~ eyes 1.* někdo příjemný, vítaný, milý *2.* něco příjemného, vítaného, milého; *~ gall* otlak koně; *get ~* namíchnout se, naštvat se *about* kvůli *at* na; *bear with a ~ head* nabručený člověk, brundibár (*like a bear with a ~ head* nabručený jako medvěd); *I am ~ at heart* je mi těžko u srdce, bolí mě srdce (přen.); *~ throat* škrábání / bolení v krku, chrapot, zánět hrtanu, laryngitida (*I have a ~ throat* bolí mě v krku, *clergyman's ~ throat* chronická laryngitida) ● *s* **1** rána, bolest, zranění **2** bolák; vřed, vřídek, nežit **3** bolavé místo, zhnisané / podebrané místo, bolístka **4** přen. rána, bolest (*let's not reopen old ~s*) **5** *~s, pl* bolesti, potíže, trampoty, trable (*the ~s of official duties*) ● *adv* zast., bás. = *sorely*
sorehead [so:hed] slang. zejm. AM **1** protiva, vztekloun, rejpal, reptal, věčný nespokojenec, kverulant **2** kdo neumí prohrávat
sorel [sorəl] tříletý jelen
sorely [so:li] **1** velice, těžce, tvrdě, zle (*I am ~ afflicted* jsem těžce postižen); vážně, nebezpečně (*he is ~ wounded* je vážně raněn) **2** bolestně, bolně, žalostně, smutně, hořce (*she wept ~* hořekovala) **3** v. *sore, adj*
soreness [so:nis] **1** bolavost, bolestivost **2** citlivost, rozbolavělost **3** podebranost, zhnisanost; odřenost, otlačenost, opruzenost; podebrané apod. místo **4** smutnost, těžkost **5** ožehavost, choulostivost, bolavost **6** zejm. AM nedůtklivost, rozzlobenost, roztrpčenost, nabručenost, navztekanost, naštvanost
sorghum [so:gəm] **1** bot. čirok; čirok obecný **2** bot. durrha **3** sirup ze šťávy čiroku cukrového ◆ *sugar* / *sweet ~* bot. čirok cukrový
sori [so:rai] v. *sorus*
soricine [sorisain] zool. rejskovitý
sorites [səuˈraiti:z] log. sorites zkrácený polysylogismus
soritical [səˈritikəl] log. týkající se soritetu
sorn [so:n] SC **1** vnutit se na byt a stravu *on* k, nakvartýrovat se k, žít u / z **2** povalovat se, potloukat se **3** žebrat
sorner [so:nə] **1** příživník, parazit **2** povaleč, tulák, pobuda **3** žebrák
soroptimist [so:ˈroptimist] zejm. AM členka ženského rotariánského klubu
sororate [sorəreit] manželství s manželčinou sestrou
sororicide [səˈrorisaid] sestrovražda
sorority [səˈrorəti] (*-ie-*) **1** náb. sesterstvo, sestry druh řádu **2** AM dívčí spolek, dívčí klub v koleji n. na univerzitě
sorosis[1] [səˈrəusis] *pl: soroses* [səˈrəusi:z] bot. bobulovité souplodí
sorosis[2] [səˈrəusis] *pl* též *soroses* [səˈrəusi:z] AM ženský spolek, ženský klub
sorption [so:pšən] adsorpce s absorpcí
sorra [sorə] IR slang.: zdůrazňuje zápor vůbec žádný, ani jeden podělaný (*~ a bit*)
sorrel[1] [sorəl] bot. **1** kyseláč luční **2** šťavel **3** šťovík tupolistý ◆ *salt of ~* chem.: kyselý šťavel draselný, šťavelová sůl
sorrel[2] [sorəl] *adj* světle hnědočervený ● *s* **1** světle hnědočervená barva **2** hnědočervený živočich, zejm. kůň: hnědák, kaštanový kůň, ryzák zejm. bělohřívý **3** tříletý jelen
sorrines [sorinis] **1** smutek, zármutek, žal **2** politováníhodnost, politováníhodný stav; mizernost
sorrow [sorəu] *s* **1** smutek, smutno, zármutek, zarmoucení, žal, žalost (*much ~, many ~s*) **2** utrpení, trápení, soužení, svízel, strast **3** bolest; nářek, naříkání, pláč (*his ~ was loud and long*) **4** lítost (*express ~ for having done wrong* vyjádřit lítost nad nesprávným činem) **5** IR, SC vůbec žádný, ani jeden ◆ *Our Lady of the S~s* Sedmibolestná Panna Maria; *Man of S~s* Muž bolesti Ježíš Kristus ● *s* **1** truchlit, rmoutit se, mít / cítit zármutek *at* / *over* / *for* nad pro, želet *at* koho / čeho **2** oplakávat *after* / *for* koho
sorrower [sorəuə] truchlící
sorrowful [sorəuful] **1** smutný, žalostný; zarmoucený **2** žalný, bolný, bolavý, teskný, tesklivý, melancholický (*a ~ song*) **3** politováníhodný, zarmucující, tragický (*a ~ incident*)
sorrowfulness [sorəufulnis] **1** smutek, smutno; žal, žalost, zármutek, zarmoucenost **2** tesknota,

tesknost, melancholičnost, melancholie **3** politováníhodnost, tragičnost

sorry [sori] *adj* (*-ie-*) **1** cítící smutek, zármutek, lítost, soucit, výčitky svědomí **2** žalostný, bídný, špatný, mizerný (*in a ~ state*); smutný (*the ~ truth*); melancholický; chabý, nedostatečný (*a ~ excuse*) ◆ *be ~ for o. s.* litovat sám sebe, být deprimován; *I am ~ 1.* omlouvám se, promiňte, odpusťte, pardon (*say "I am ~"* rodiče dítěti odpros) *2.* bohužel, lituji, je mi líto, to mě mrzí *3.* vyjádření soustrasti; *I am ~ for 1.* lituji, je mi líto koho / čeho, cítím soucit s, *2.* mrzí mne co; *I am ~ to hear* s politováním, s pocitem zármutku se dovídám; *I am ~ to say 1.* musím bohužel / pohříchu / na neštěstí / ke své lítosti říci *2.* bohužel; *he came to a ~ end* skončil špatně / bídně, dopadlo to s ním bledě; *I felt ~ for her* bylo mi jí líto, cítil jsem s ní soucit; *I was not ~ to go to bed* s chutí jsem šel spát; *you will be ~ for this one day* ty toho budeš jednou litovat; *~ to have kept you* omlouvám se, že jsem vás zdržel; *make a ~ spectacle of o. s.* udělat si ostudu ● *interj* **1** promiňte, pardon **2** bohužel, lituji, je mi líto

sort [so:t] *s* **1** druh (*to discover new ~ of mineral*) **2** druh, typ, forma (*a new ~ of bicycle*); číslo, velikost; značka (*what ~ of a car have you got?*) **3** hovor. chlap, člověk (*he is really not a bad ~ at all*) **4** zast. způsob **5** polygr. zvláštní typ, písmeno, značka pro ruční sazbu **6** *~s, pl* polygr. ruční matrice u sázecího stroje ◆ *after a ~* určitým způsobem, do určité míry, jaksi, tak nějak; *it takes all ~s to make a world* na světě musí být všelijací lidé; *all ~s of things* všechno možné; *have brains of a ~* nebýt úplně padlý na hlavu; *~s case* polygr. *1.* písmovka pro speciální n. zásobní písmena *2.* defektní písmovka; *copy is hard / runs on ~s* polygr. text vyžaduje velké množství zvláštních liter; *in courteous ~* zast. zdvořile; *people of every ~ and kind* všichni možní lidé, kdekdo; *an awfully good ~* hovor. ohromně báječný člověk; *in a ~ = after a ~; he's my ~* patří k tomu druhu lidí, které mám rád; *nothing of the ~* nic takového; *of a ~ = of ~s, 1.; of ~s 1.* nezasluhující vlastně toho jména, dalo by se říci, no dejme tomu, jakýs takýs, určitý druh koho / čeho (*a war of ~s*) *2.* různý, nerozdělený, neroztříděný, všeho druhu (*nails of ~s* hřebíky všeho druhu); *out of ~s 1.* rozladěný, necítící se dobře *2.* polygr. bez určitých liter; *in seemly ~* zast. slušně; *something of the ~* něco takového / podobného; *a strange ~ of fellow* zvláštní člověk, podivín; *that ~ of* takový, tenhle (*what's the use of asking that ~ of question?* jaký má smysl klást takovou otázku?); *and all that ~ of thing* a tak dále (*she is a good housewife and all that ~ of thing, but …*) *that's the ~ of thing I mean* něco takového mám právě na mysli; *these ~ of men* hovor. takovíhle lidé, tahle sorta lidí; *what ~ of day is it?* jak je dnes venku?; *what ~ of a tree?* hovor. jaký strom?; *that's your ~* takhle to děláte vy ● *v* **1** též *~ out / over* rozdělovat podle druhů, třídit, roztřiďovat, pořádat, uspořádat podle systému (*the boy was ~ing the foreign stamps*); přebírat; zařadit, přiřadit tříděním *with* k **2** stýkat se, spolčovat se *with* s (*~ with thieves* stýkat se se zloději) **3** SC napravit, spravit; potrestat; vyhubovat komu **4** SC poklidit dobytek, nakrmit, ustájit, uložit zvíře ◆ *~ well | ill with* jít dobře | špatně dohromady s, být | nebýt v souladu s ***sort out*** *1* oddělit, prosít, vybrat, vytřídit (*we must ~ out the good apples from the bad* musíme … zdravá jablka od nahnilých (přen.)) *2* vyřešit (*until the people ~ their problems out themselves*) **3** = *sort, v, 1* ***sort together*** dát dohromady tříděním

sortable [so:təbl] **1** roz|tříditelný **2** vhodný

sorter [so:tə] **1** třídič, roztřiďovač, přebírač **2** třídička stroj **3** horn. rozdružovadlo

sortes [so:tiz] *pl: ~ Virgilianae | Biblicae | Sacrae | Homericae* hádání podle namátkou vybraných úryvků z Vergilia | bible | Homéra

sortie [so:ti(:)] *s* **1** výpad obležené posádky **2** oddíl podnikající výpad **3** let. vzlet, úkolový let, bojový let, nálet jednotlivého letadla ● *v* podniknout výpad

sortilege [so:tilidž] **1** hádání budoucnosti z losu **2** losování, metání losu **3** kouzla, čáry, magie

sortition [so:ˈtišən] metání losu, losování

sort of [so:təv] hovor. **1** trochu, kapánek (*she was ~ deaf*) **2** jaksi, abych tak řekl (*I ~ missed him after we moved*) **3** tak nějak neurčitá odpověď **4** v. *sort, s*

sorus [so:rəs] *pl: sori* [so:rai] bot. shluk výtrusnic u kapraďorostů, kupka, sorus

SOS [es əu es] **1** SOS nouzový signál **2** BR tísňové volání v rozhlase, vyzývající určitého posluchače, aby se dostavil k vážně nemocnému příbuznému

so-so [səusəu] hovor. *adv* jakž takž, nevalně až obstojně ● *adj* nevalný až obstojný, podprůměrný až průměrný (*~ movies*)

sostenuto [ˌsostəˈnu:təu] hud. *adv* zdrženlivě, vážně, sostenuto ● *s pl* též *sostenuti* [ˌsostəˈnu:ti:] sostenuto pasáž, věta

sot [sot] *s* **1** opilec, ochlasta, ožrala **2** cvok, blbec ● *v* (*-tt-*) chlastat, nasávat

soteriology [soˌtiəriˈolədži] náb. nauka o vykoupení

Sotheby's [saðəbiz] Sotheby jméno londýnské aukční síně prodávající knihy a rukopisy

Sothic [səuθik] sóthický týkající se Síria, odvozený od Síria ◆ *~ cycle* sóthická perioda 1460 juliánských let (v egyptském kalendáři); *~ year* staroegyptský rok (365 ¼ dnů) počínající ranním východem Síria (před východem slunce)

sotol [səutəul] **1** bot.: americká rostlina *Dasylirion texanum* **2** mexický alkoholický nápoj

sottish [sotiš] **1** opilý, zpitý **2** oddaný nadměrnému požívání alkoholu; opilecký, opilý

sottishness [sotišnis] opilost, opilectví

sotto voce [ˌsotəuˈvəuči] **1** hud. tiše, tlumeně, sotto voce **2** tiše; stranou, pro sebe
sou [su:] **1** sou stará francouzská mince; francouzský lidový název pro minci platící pět centimů **2** hovor. groš, šesťák, flok (*he hasn't got a* ~)
soubise [su:ˈbi:z] cibulová omáčka např. k vejci, rybě apod.
soubrette [su:ˈbret] div.: drzá n. intrikující komorná, služka; veselý, koketní žabec
soubriquet [su:brikei] = *sobriquet*
soucar [səuka:] bankéř, peněžník v indickém prostředí
souchong [suˈšoŋ] druh jemného čínského černého čaje z nejmladších lístků
Soudanese [ˌsu:dəˈni:z] = *Sudanese*
souffle [su:fl] med. šelest, šum ◆ *cardiac* ~ srdeční šelest
soufflé [su:flei] kuch. *adj* kyprý, nakypřený (*omelette* ~) ● *s* nakypřenina, suflé jemný nákyp kypřený sněhem ◆ *ham* ~ šunková nakypřenina; *mushroom* ~ žampiónová nakypřenina
sough[1] [sau] *v* **1** skučet, sténat, výt, hučet, šumět, svištět jako vítr ve větvích stromu **2** hlasitě dýchat, chrápat, funět (~*ing in her sleep*) **3** SC kázat / modlit se plačtivým tónem ● *s* **1** skučení, sténání, vytí, hučení, šumění, šum, šumot, svištění, svist větru ve větvích stromu **2** hluboký, hlasitý vzdech **3** SC plačtivý tón
sough[2] [saf] BR nář. kanál, stružka
sought [so:t] v. *seek*
sought-after [ˌso:tˈa:ftə] **1** vyhledávaný **2** vytoužený, kýžený (*a* ~ *post in the High Command*)
soul [səul] *s* **1** duše, též náb. **2** duševno **3** duševní úroveň, smysl pro duchovní hodnoty, zájem; šlechetnost, láska, cit, duch (*a clever man lacking in* ~ chytrý člověk, jemuž chybí cit); velkodušnost **4** duch osobnost (*an indomitable* ~ nezlomný duch); přízrak **5** zosobnění *of* čeho, zosobněný co (*he is the* ~ *of honour*) **6** člověk, duše (*the ship sank with 200* ~*s*); živá duše, živáček (*there wasn't a* ~ *to be seen*) **7** základ, nejdůležitější činitel, hybná síla, duše (*courageous minorities are the very* ~ *of democracy* statečné menšiny jsou přímo duší demokracie) **8** vtip, smysl, cit, duch, duše, esprit (*his pictures lack* ~ jeho obrazy jsou neslané nemastné) **9** AM hovor. duše, emocionální jádro, náladovost, sentimentálnost umění amerických černochů **10** = *soul music* ◆ *in my* ~ *of* ~*s* v hloubi duše; *All S*~*s' Day* Svátek věrných zemřelých, Dušičky, Dušiček; *keep body and* ~ *together* udržet se taktak při životě; *he cannot call his* ~ *his own* je úplně v područí; *commend one's* ~ *to God* poručit duši Bohu; *be* hovor. / *there's a good* ~ buď tak hodný, buď tak laskav; *he put his heart and* ~ *into the work* dal se do díla celým srdcem, celou duší; *like a lost* ~ jako ztracená duše; *'pon my* ~ na mou duši, určitě, čestné slovo; *poor* ~ chudák, chudinka; *simple* ~ prosťáček ● *adj* **1** vzbuzující mezi černochy pocit soudružnosti (~ *songs,* ~ *movies*) **2** patřící černochům, černošský (~ *banks*)
soulbell [ˌsəulˈbel] umíráček
soul brother [ˌsəulˈbraðə] AM černý bližní, černý bratr, bratr černoch
soul-destroying [ˌsəuldiˈstroiiŋ] duchamorný, únavný
soul food [ˌsəulˈfu:d] AM označení typicky černošských pokrmů z jihu Spojených států
soulful [ˌsəulf*u*l] citový, oduševnělý, prodchnutý citem, svědčící o hluboké duši, hluboký (~ *eyes*)
soulfulness [səulf*u*lnis] citovost, oduševnělost
soulless [səullis] **1** bezduchý, jsoucí bez ducha, duchaprázdný **2** neosobní, mechanický **3** přízemní (~ *grubbing for profits* přízemní honba za ziskem) **4** malátný, zvadlý; zbabělý **5** nelidský, krutý
soul mate [ˌsəulˈmeit] milovaná bytost, „druhé já"
soul music [ˌsəulˈmju:zik] populární rytmická a sentimentální hudba amerických černochů
soul rock [ˌsəulˈrok] rokenrolová hudba ovlivněná *soul music*
soul-searching [ˈsəulˌsə:čiŋ] sebeanalýza
soul sick [səulsik] **1** nemocný na duši **2** trpící depresí
soul sister [ˌsəulˈsistə] AM černá sestra, sestra černoška
soul-stirring [ˈsəulˌstə:riŋ] hluboce dojímavý, dojímavý až do hloubi duše
soul-subduing [ˌsəulsabˈdju(:)iŋ] deptající duši n. ducha
sound[1] [saund] *adj* **1** zdravý nikoli nemocný (*a* ~ *heart*); nezkažený (~ *fruit*); užitečný (*a* ~ *investment*) **2** duševně zdravý; se zdravými morálními zásadami, morální (*a robust and* ~ *people*) **3** mající zdravé názory (*is he* ~ *on national defence?*) **4** pravověrný, ortodoxní (*preach* ~ *doctrine* hlásat pravověrnou nauku) **5** zdravý, náležitý, řádný, správný, vhodný, přiměřený, spolehlivý (*a* ~ *argument, a* ~ *policy,* ~ *advice* vhodná rada) **6** pořádný, řádný, poctivý, důkladný, solidní, fundovaný (~ *scholarship* fundovaná vědecká práce) **7** věrný, spolehlivý, charakterní, čestný (*a* ~ *friend*) **8** spolehlivý, solventní, finančně silný, solidní (*a* ~ *business*) **9** celý, tvrdý, nepoškozený, neporušený, zdravý (*the masonry is still* ~ zdivo je dosud neporušené) **10** bezvadný (~ *timber* … dřevo), v bezvadném stavu (*a* ~ *ship*) **11** dobrý, schopný, opatrný, jak má být, po všech stránkách vyhovující nikoliv však vynikající (*a* ~ *tennis player*) **12** spánek svědčící o zdraví, zdravý, hluboký, tvrdý (*a* ~ *sleep*); spící hlubokým spánkem, netrpící nespavostí (*a* ~ *sleeper*) **13** práv. platný, zákonitý, nesporný (*a* ~ *title to land*) **14** důkladný, dokonalý, naprostý, stoprocentní (*a* ~ *recovery* naprosté uzdravení) **15** pořádný, jaksepatří, poctivý, důkladný, správný, řádský (*give*

a p. a ~ threshing pořádně namlátit komu) **16** dobře provedený (*~ stroke* … úder) **17** couvání bezvadný, korektní **18** kůň všestranně použitelný, zdravý **19** cena přiměřený **20** měna pevný, tvrdý **21** šachová kombinace výhodný ◆ *(as) ~ as a bell* zdravý jako řípa; *~ egg 1.* čerstvé vejce *2.* slang. znamenitý člověk, chlapík; *~ health* pevné zdraví; *he's ~* hovor. spí spánkem spravedlivých; *~ in life and limb* zdravý na těle i na duchu; *a ~ mind in a ~ body* ve zdravém těle zdravý duch; *of ~ disposing mind* práv. při jasném vědomí při dělání testamentu; *(as) ~ as a roach / trout* zdravý jako rybička; *~ value* hodnota / cena nepoškozeného zboží; *~ in wind and limb* hovor. fit, v kondici; *~ vessel* námoř.: název používaný pro dřevěnou loď při první plavbě; ● *adv* pevně, tvrdě, nerušeně (*slept ~*)

sound² [saund] *s* **1** zvuk, též fyz., sděl. tech., film. **2** prázdný zvuk, hluk, rámus bez obsahu **3** vzdálenost, kde je ještě / už slyšet *of* co, kam doléhá zvuk čeho, doslech čeho (*within ~ of the guns* kde už bylo slyšet dunění děl) **4** přen. tón (*I don't like the ~ of the letter*); ráz, charakter, odstín, podtext, zvuk (*the news has a sinister ~* ty zprávy mají podivný podtext) **5** jaz. hláska **6** zast. význam **7** zast. zpráva, zvěst, novina ◆ *~ and fury* zmatený rámus bez obsahu; *musical ~* hudební zvuk, tón; *out of ~* mimo doslech ● *v* **1** vydávat zvuk, zvučet, rozezvučet | se, rozeznít | se, za|znít, ozvat se (*this black key won't ~*) **2** za|hrát, za|zvonit, za|troubit *a t.* na (*~ trumpets*) **3** hud. přednést melodii (*the theme is ~ed by horns* téma přednášejí lesní rohy) **4** hlásat, ohlašovat zvukem, bít, zvonit, tlouci (*the clock ~s noon*) **5** dát signál, zapnout zvukové signalizační / poplašné zařízení **6** volat *to* k, svolávat do (*the bugle ~s to battle* polnice svolává do bitvy) **7** vyslovovat (*don't ~ the "h" in "hour"*) **8** vyšetřovat / kontrolovat zvukem, oťukávat, oklepávat (*~ a piece of timber* oťukávat kus dřeva); proklepat, vyšetřit poklepem (*~ the lungs* vyšetřit plíce poklepáním) **9** zvuk znít jak, působit jakým dojmem, dělat jaký dojem *to a p.* na, připadat komu (*it ~s to me as if there's a tap running somewhere* mně to připadá, jako by byl někde puštěný vodovod); vypadat, zdát se být (*his explanation ~s all right, that ~s true* to vypadá věrohodně, jako pravda), být podle zvuku / hlasu jaký (*you ~ a little on the young side*) **10** práv. mít za základ *in* co, mít základ v, vyvozovat se z, týkat se pouze čeho ◆ *~ the alarm* bít / troubit / zvonit / houkat na poplach; *~ a bell* za|zvonit; *~ a horn* za|houkat, za|troubit na houkačku; *~ a p.'s praises* pět chvály na; *~ the retreat* za|troubit k ústupu; *~ a whistle* za|pískat na píšťalu ***sound abroad*** rozhlásit, roztroubit ***sound off*** hovor. *1* říci od plic, vylít si srdce, ulevit si *2* vyjet si, rozzlobit se *3* vytahovat se, honit se, chvástat se *4* AM slang. zavolat, vyvolávat *5* AM slang. hlásit se jménem na důkaz přítomnosti *6* hudební nástroj špatně znít

sound³ [saund] *v* **1** z|měřit hloubku olovnicí, hloubkovat **2** z|měřit výšku vody v lodi n. nádrži měřicí tyčí **3** z|měřit, zjistit meteorologickou sondou, zkoumat např. v prostoru, sondovat **4** med. vyšetřovat sondou, sondovat, provést sondáž čeho; cévkovat močový měchýř **5** též *~ out* nepřímo zjišťovat, oťukávat, sondovat *a p.* u, *about / on* jeho názory na (*I will ~ the manager about the question of holidays*); ohledávat půdu, je-li vhodná *for* pro; sáhnout na zoubek tomu **6** loď, olovnice dotknout se dna **7** velryba nořit se, ponořovat se, jít ke dnu; nořící se velryba táhnout dolů lano ◆ *~ the market* vyšetřovat trh; *~ the well* měřit výšku vody v lodi v podlodí ● *s* med. sonda

sound⁴ [saund] *s* **1** zeměp. průliv, mořská úžina **2** *S~* zeměp. Sund, Öresund **3** zool. plovací vzduchový měchýř ryby, „rybí duše" **4** zool. sépie ◆ *~ vessel* námoř. šjerové plavidlo na pobřeží Švédska ● *v* vyčistit, vyvrhnout, vykuchat rybu

sound-absorbent [ˌsaundəbˈso:bənt] pohlcující zvuk

sound absorption [ˌsaundəbˈso:pšən] pohlcování zvuku

sound amplifier [ˌsaundˈæmplifaiə] zesilovač zvuku

sound-and-light [ˌsaundən*d*ˈlait] **1** zvukový a světelný **2** užívající zvukových a světelných efektů

sound archives [ˌsaundˈa:kaivz] *pl* zvukový archív

sound baffle board [ˌsaundˈbæflˌbo:d] zvukově izolační stěna

sound band [ˌsaundˈbænd] zvukový pás filmu

sound barrier [ˈsaun*d*ˌbæriə] = *sonic barrier*

sound board [saun*d*bo:d] **1** ozvučná deska, rezonanční deska, ozvučnice **2** = *sounding board*

sound body [ˈsaun*d*ˌbodi] (-*ie*-) = *soundbox*

sound bow [saun*d*bəu] zesílená stěna zvonu do níž bije srdce

soundbox [saun*d*boks] **1** mechanická zvukovka gramofonu **2** ozvučná / rezonanční skříň hudebního nástroje

sound broadcasting [ˈsaundˌbro:dka:stiŋ] rozhlas

sound-conditioned [ˌsaun*d*kənˈdišənd] izolovaný proti hluku, zvukově izolovaný

sound drama [ˌsaun*d*ˈdra:mə] rozhlasová hra

sound effects [ˌsaundiˈfekts] zvukové efekty

sound engineer [ˌsaunden*dž*iˈniə] zvukový technik, mistr zvuku, zvukař (slang.)

sounder¹ [saundə] **1** BR zast. stádo divokých vepřů **2** mladý divoký kanec

sounder² [saundə] **1** kdo n. co zvučí, zdroj zvuku **2** zvučítko **3** reproduktor; sluchátko **4** sděl. tech. klapák ◆ *~ key* sděl. tech. Morseův klíč

sounder³ [saundə] námoř. **1** olovnice; hloubkoměr; akustický hloubkoměr **2** ozvěnový hloubkoměr **3** kdo měří hloubku vody olovnicí ◆ *flying ~* plynulý, plynule pracující hloubkoměr

sound film [saundfilm] zvukový film

sound hole [saundhəul] **1** otovor v ozvučnici, otvor ve vrchní desce např. kytary **2** *~s, pl* efy smyčcového nástroje **3** otvor ve zdi zvonice

sounding [saundiŋ] *s* **1** též *~s, pl* námoř. hloubka měřená olovnicí do 185 m **2** námoř. měření hloubky a zjišťování kvality dna **3** šetření, pátrání, zkoumání, sondování **4** v. *sound,*$^{2, 3}$ *v* ◆ *in ~s = on ~s; off ~s* ve velké hloubce; *on ~s* na hloubce měřitelné olovnicí, na malých hloubkách poblíž pobřeží; *out of ~s = off ~s; take ~s 1.* měřit hloubku olovnicí *2.* přen. zjišťovat půdu ● *adj* v. *sound,*$^{2, 3}$ *v*

sounding apparatus [ˌsaundiŋæpəˈreitəs] = *sounding machine*

sounding balloon [ˌsaundiŋbəˈlu:n] **1** sondážní balón, meteorologický balón, též s přístroji **2** meteorologická sonda

sounding board [saundiŋbo:d] **1** desková ozvučnice, ozvučná deska reproduktoru, rezonanční deska na usměrnění zvuku např. nad řečništěm **2** mušle nad orchestrem **3** tlumicí deska, zvuková izolace k pohlcování zvuku **4** přen. na kom se zkoušejí nové myšlenky n. metody např. prodeje, zkušební králík **5** přen. kdo propaguje názory, hlásná trouba **6** = *sound board*

sounding line [saundiŋlain] námoř. hloubkovací lano / lanko

sounding machine [ˌsaundiŋməˈši:n] námoř. mechanický hloubkoměr

sounding pipe [saundiŋpaip] námoř. měřicí trubka

sounding rocket [ˌsaundiŋˈrokit] meteor. sondážní raketa

sounding rod [saundiŋrod] námoř. měřicí tyč, měrná lať

sounding system [ˌsaundiŋˈsistəm] námoř. měřicí soustava

soundless[1] [saundlis] nehlučný (*tread sure and ~* našlapovat jistě a nehlučně); tichý (*~ prayer …* modlitba)

soundless[2] [saundlis] řidč. jemuž nelze dosáhnout na dno, nezměřitelný (*~ seas*)

sound level [ˌsaundˈlevl] hladina zvuku, úroveň zvuku

soundly [saundli] **1** pořádně, důkladně, správně, řádsky **2** prudce (*shook her ~*) **3** v. *sound*[1], *adj*

sound man [ˌsaundˈmæn] zvukový technik, zvukař (slang.)

sound mixer [ˌsaundˈmiksə] **1** zvukový technik, mixér **2** sděl. tech. mixér přístroj, sdružovač, mixážní stůl

soundness [saundnis] **1** zdravost **2** morálnost **3** pravověrnost, ortodoxnost **4** zdravost; náležitost, řádnost, správnost, vhodnost, přiměřenost, spolehlivost **5** pořádnost, řádnost, poctivost, důkladnost, solidnost, fundovanost **6** věrnost, spolehlivost, charakternost, čestnost **7** obchodní spolehlivost, solventnost, solidnost **8** celost, tvrdost, nepoškozenost, neporušenost, bezvadnost, bezvadný stav **9** hloubka, tvrdost spánku **10** platnost, zákonitost, nespornost nároku **11** bezvadnost, korektnost chování **12** přiměřenost ceny **13** pevnost, tvrdost měny **14** výhodnost šachové kombinace

sound off [ˌsaundˈo(:)f] voj. odtroubení

soundpost [saundpəust] hud. duše houslí

sound pressure [ˌsaundˈprešə] akustický tlak

soundproof [saundpru:f] *adj* zvukotěsný ● *v* u|činit zvukotěsným, zvukově izolovat

sound ranging [ˌsaundˈreindžiŋ] zaměřování n. rozlišování podle zvuku

sound recording [ˌsaundriˈko:diŋ] zvukový záznam

soundscape [saundskeip] zvukový rejstřík, zvuková paleta, zvukové panoráma

sound shift [ˌsaundˈšift] jaz. hlásková změna, hláskový posuv

soundtape [saundteip] magnetofonový pásek, pásek pro zaznamenávání zvuku

soundtrack [saundtræk] **1** film. zvuková stopa, zvukový záznam **2** gramofonová deska s originálním zvukovým záznamem filmu

sound truck [ˌsaundˈtrak] automobil s reproduktorem

sound volume [ˌsaundˈvolju:m] hlasitost zvuku

sound wave [saundweiv] fyz. zvuková vlna

soup[1] [su:p] **1** kuch. polévka **2** řídká kaše **3** směs základních prvků **4** chem. slang. odpad, zbytky při chemickém procesu **5** let. slang. oblaka, mraky, hustá mlha (*talk airplanes down through the ~ by radar* navést letadla hustou mlhou na přistání pomocí radaru) **6** nitroglycerín pomůcka kasaře **7** vývojka **8** BR práv. slang. první případ mladého právníka **9** brynda, kaše, šlamastyka, lůj **10** sport. slang. pěna vytvořená vlnou tříštící se o pobřeží ◆ *~ and fish* AM slang. pánský večerní oblek, frak; *clear ~* hnědá polévka, vývar; *from ~ to nuts* AM od A až do Z kompletní; *thick ~* bílá polévka

soup[2] [su:p] *s* **1** let. slang. hápé, koně výkon leteckého motoru v koních **2** AM slang.: zvětšený výkon, síla, větší razance ● *v* též *~ up* zvýšit výkon (motoru) čeho (*boys buy old cars and then ~ them up*), předělat motor na větší výkon ***soup up*** slang. *1* vylepšit, vyštafírovat, vyfešákovat, dát větší šmrnc čemu *2* = *soup*[2], *v*

soupcon, soupçon [su:psoŋ] **1** trocha, troška, špetka, ždibec, kapka (*a ~ of sanctity in this mad man's world*) **2** náznak, zdání, stín, stopa, nádech (*a ~ of army rank had slipped into his voice* v jeho hlase se bezděčně ozval vojenský, velitelský tón) **3** stín podezření

souped-up [su:ptəp] slang. **1** příliš náročný, vyhnaný, vystupňovaný, vybičovaný **2** v. *soup up*

soup cube [su:pkju:b] polévková kostka

soupfin [su:pfin] též *~ shark* žralok *Galeorhinus zyopterus*

soup kitchen [ˈsu:pˌkičin] **1** veřejná / chudinská kuchyně, vyvařovna rozdávající polévku chudým **2** polní kuchyně

soup ladle [su:pleidl] polévková naběračka, sběračka

soup language [ˈsu:pˌlæŋgwidž] jazykový mišmaš

soup maigre [ˌsu:pˈmeigə] zast. řídká polévka zeleninová
soup plate [su:ppleit] hluboký talíř, polévkový talíř
soupspoon [su:pspu:n] kulatá polévková lžíce
soup square [su:pskweə] polévková kostka
soup ticket [ˈsu:pˌtıkıt] poukázka na polévku, stravenka do *soup kitchen*
soup tureen [ˌsu:ptəˈri:n] polévková mísa
soupy [su:pi] (*-ie-*) **1** řídký jako polévka, polévkovitý **2** zejm. AM cajdácký, limonádový, sentimentální **3** počasí: jsoucí s hustou mlhou **4** hlas rozechvělý
sour [sauə] *adj* **1** kyselý (~ *green apples*) **2** zkysaný; mléko zkysaný, kyselý, sražený; kysele páchnoucí **3** kyselý, zakyslý, mrzutý, mrzoutský, nevlídný, rozmrzelý, zatrpklý, zahořklý **4** nepříjemný, nechutný, trpký (~ *truth*) **5** prsť kyselý **6** pohonná látka kyselý, sirný **7** přen.: počasí nevlídný, nepříjemný, špatný, studený, sychravý **8** hud. hovor.: tón falešný ◆ *be* ~ *on* dívat se kysele, dělat kyselý obličej, škaredit se na co; ~ *cherry* bot. višně, vajksle; ~ *dock* bot. *1.* šťovík *2.* kyseláč luční *3.* kyselka obecná; ~ *dough* kvásek; *go* ~ *1.* mléko zkysat *2.* přen.: nápad zkrachovat, vybouchnout, jít k čertu (*the project went* ~); *go* ~ *on* ztratit iluze o; ~ *grapes* kyselé hrozny ~ *process* kysání; ~ *trefoil* bot. šťavel kyselý; *turn* ~ = *go* ~ ● *s* **1** něco kyselého, kyselotina; kyselá látka; kyselý roztok **2** přen. trpkost, hořkost, tvrdost, nepříjemná stránka života **3** AM kyselý alkoholický nápoj, whisky n. gin s citrónem ● *v* **1** o|kyselit **2** řidč. zpracovávat kyselým roztokem n. kyselinou **3** učinit kyselým, zkysat, srazit (*the hot weather has* ~*ed the milk*) **4** zahořknout, zatrpknout (~*ed by misfortune* zatrpklý smůlou)
source [so:s] **1** pramen počátek vodního toku (*the* ~*s of the Nile*); zřídlo **2** zdroj, pramen (*the news comes from a reliable* ~ zprávy pocházejí ze spolehlivého zdroje); původ, příčina **3** pramen co poskytuje materiál např. pro bádání **4** AM obch. osoba, podnik vyplácející dividendy
source book [so:sbuk] pramen kniha poskytující materiál
source vegetation [ˈso:sˌvedžiˈteišən] bot. vegetace pramenišť
sourdine [suəˈdi:n] hud. **1** dusítko, sordina, sordinka **2** sordina rejstřík harmonia **3** pošetky **4** druh spinetu **5** polnice
sourdough [sauədəu] AM *s* **1** kdo strávil nejméně jednu zimu na Aljašce **2** zlatokop, pionýr zejm. na Aljašce n. v Kanadě **3** starý mazák, veterán **4** kvásek ● *adj* chléb zadělávaný s kváskem
souring [sauəriŋ] **1** kysnutí **2** kyselé srážení **3** kvásek; zákvas, zakvašení **4** v. *sour, v*
sourish [sauəriš] **1** téměř / poměrně / dosti kyselý, nakyslý **2** zakyslý (*a* ~ *person*)
sour mash [ˌsauəˈmæš] AM **1** kyselý rmut **2** whisky z kyselého rmutu
sourness [sauənis] **1** kyselost **2** zkysanost, sraženost mléka **3** zakyslost, mrzutost, nevlídnost, rozmrzelost, zatrpklost, zahořklost **4** nepříjemnost, nechutnost, trpkost **5** přen. nevlídnost, studenost, sychravost počasí **6** hud. hovor. falešnost tónu
sourpuss [sauəpus] hovor. **1** zatrpklý / zahořklý člověk **2** mrzout, otrava, protiva, rejpal, kverulant
soursop [sauəsop] bot. **1** láhevník měkkoostný obecný tropický strom **2** cachiman ostnité, velké corossol, sappadill tropický plod
souse[1] [saus] zast. *s* **1** stoupání sokola **2** prudký sestup, střemhlavý let, prudký pád sokola na kořist ● *v* prudce se vrhnout z výšky na kořist ● *adv* náhle, zčistajasna, jako blesk ◆ *came* ~ *in our midst* bác ho! a byl mezi námi
souse[2] [saus] *s* **1** naložené maso zejm. vepřové nožičky, hlava n. uši **2** slaný nálev, marináda, lák **3** zlití, promočení; proud, záplava která promáčí **4** ožrala, ochlasta (*a* ~ *on a bar stool* ochlasta na stoličce u baru) **5** tah (*a Sunday morning headache from a Saturday night* ~) ● *v* **1** namočit, naložit do nálevu **2** ponořit | se *into* do tekutiny, též přen.; polít, přelít tekutinou *over* co, v|chrstnout **3** zlít se, zlískat se, nasávat, chlastat, sežrat se
soused [saust] **1** jsoucí na mol, pod obraz **2** v. *souse, v*
soused herring [ˌsaustˈheriŋ] matjes
soutache [su:ta:š] sutaška ozdobný prýmek k našití
soutane [su:ˈta:n] klerika, sutana
souteneur [su:tnə:] kuplíř, pasák
souter [su:tə] SC švec
souterrain [su:tərein] zejm. archeol. podzemní místnost n. chodba, suterén
south *adv* [sauθ] jižně, jižním směrem, k jihu, na jih od, jižněji než ◆ ~ *by east* jihojihovýchod, jih k východu; ~ *by west* jihojihozápad, jih k západu ● *adj* [sauθ] **1** jižní **2** zast. polední ◆ *S*~ *African 1.* jihoafrický, *2.* Jihoafričan; *S*~ *American 1.* jihoamerický *2.* Jihoameričan; *S*~ *Carolina* AM Jižní Karolina; *S*~ *Downs* BR vrchovina v Hampshiru a Sussexu; *S*~ *Kensington 1.* část Londýna, kde jsou některá muzea *2.* přen. londýnský umělecký svět; *S*~ *Korean 1.* jihokorejský *2.* Jihokorejec; *S*~ *Pole* jižní pól, jižní točna; *S*~ *Sea* hist.: Tichý oceán, Pacifický oceán, Pacifik; *S*~ *Sea Bubble* hist.: plán obchodu s Jižní Amerikou, který ztroskotal r. 1720 ● *s* [sauθ]**1** jih světová strana; jižní část země, státu n. světadílu; kardinální bod námořního kompasu **2** BR anglický jih, jižní Anglie **3** AM americký jih, jižní státy Spojených států, Jih, též přen. **4** bás. jižní vítr **5** jih hráč bridže hrající se severem proti lince západ-východ ● *v* [sauð] **1** směřovat k jihu, stáčet se na jih, směřovat v souhlasu s poledníkem na jih **2** hvězd. procházet poledníkem, kulminovat na severní polokouli
southbound [ˌsauθˈbaund] směřující na jih, jedoucí / plující / letící na jih
Southdown [sauθdaun] *s* ovce southdownská, anglická žírná černohubka, daunka plemeno ovcí ● *adj* týkající se tohoto plemena ovcí
south-east [sauθi:st] *adv* na jihovýchod, k jihovýchodu ◆ ~ *by east* jihovýchod k východu; ~ *by*

west jihovýchod k jihu ● *adj* jihovýchodní ● *s* jihovýchod světová strana; jihovýchodní část země, státu n. pevniny
southeaster [ˌsauθˈi:stə] jihovýchodní vítr n. bouře, vichřice od jihovýchodu
southeasterly [ˌsauθˈi:stəli] *adj* jihovýchodní ● *adv* jihovýchodně, na jihovýchod, k jihovýchodu, od jihovýchodu
southeastern [ˌsauθˈi:stən] jihovýchodní
southeastward [ˌsauθˈi:stwəd] **1** = *south-east* **2** = *southeasterly*
souther [saðə] *s* jižní vítr tj. vanoucí od jihu ● *v* vítr stočit se k jihu / na jih
southerly [saðəli] *adj* jižní ● *adv* **1** na jih, k jihu (*turned ~*) **2** od jihu (*the wind blew ~*) ● *s* (*-ie-*) **1** jižní vítr **2** též *~ buster* AU studená vichřice od jihu
southern [saðən] *adj* **1** jižní, směřující na jih, obrácený k jihu (*a ~ aspect*) **2** AM hist. Jižní, jižanský ◆ *S~ Cross* hvězd. Jižní kříž, Kříž; *S~ Crown* hvězd. Jižní koruna; *S~ Fish* hvězd. Jižní ryba; *~ lights, pl* polární záře kolem jižního pólu ● *s* = *southerner*
southerner [saðənə] **1** obyvatel jihu **2** AM Jižan
southernmost [saðənməust] nejjižnější
southernwood [saðənwud] bot. pelyněk brotan
southing [sauðiŋ] **1** námoř. vzdálenost, kterou loď urazí při plavbě k jihu **2** hvězd. jižní deklinace **3** výškový rozdíl dvou pozic ve smyslu pohybu n. posunu k jihu **4** pohyb k jihu **5** v. *south, v*
southpaw [sauθpo:] slang., zejm. sport. *s* levák ● *adj* hrající levačkou
southron [saðrən] zast. SC, zejm. hanl. *s* člověk z jihu, Anglán ● *adj* jižní, žijící na jihu, anglický
south-southeast [ˌsauθsauθˈi:st] *adj* jihojihovýchodní ● *adv* jihojihovýchodně
south-southwest [ˌsauθsauθˈwest] *adj* jihojihozápadní ● *adv* jihojihozápadně
southward [sauθwəd] *adj* jižní, ležící na jih ● *s* jih ● *adv* = *southwards*
southwards [sauθwədz] na jih, k jihu, jižně
southwest [ˌsauθˈwest] *adv* na jihozápad, k jihozápadu, jihozápadně ◆ *~ by south* jihozápad k jihu; *~ by west* jihozápad k západu ● *adj* jihozápadní ● *s* jihozápad světová strana; jihozápadní část země, státu n. pevniny
southwester [ˈsauθˌwestə] **1** jihozápadní vítr n. bouře **2** = *sou'wester*
southwesterly [ˈsauθˌwestəli] *adj* jihozápadní ● *adv* jihozápadně, na jihozápad, k jihozápadu, od jihozápadu
southwestern [ˈsauθˌwestən] jihozápadní
souvenir [su:vəniə] *s* **1** památka, upomínka, upomínkový / reklamní předmět n. dárek, suvenýr **2** vzpomínka ● *v* AU euf. vzít si, nechat si ukrást
sou'wester [sauˈwestə] **1** rybářský klobouk, námořnický klobouk, nepromokavý klobouk **2** námořnický nepromokavý kabát **3** = *southwester*
sovereign [sovrin] *adj* **1** nejvyšší, největší, nejlepší, hlavní, nejhlavnější; nejhlubší (*~ contempt* nejhlubší pohrdání) **2** naprosto nezávislý, svrchovaný, suverénní **3** absolutní (*~ power of the pope*) **4** královský, panovnický **5** výborný, účinný, spolehlivý, stoprocentní (*a ~ remedy for leprosy*) ◆ *~ lord* panovník, vladař, král, suverén; *become a ~ state* stát získat nezávislost / suverenitu ● *s* **1** panovník, vladař, vládce, monarcha, suverén **2** BR zlatá mince o nominální hodnotě jedné libry
sovereignty [sovrinti] (*-ie-*) **1** svrchovanost, nezávislost, suverénnost, suverenita **2** panovnická / vládnoucí moc, vladařství, vládcovství, suverénnost **3** svrchovaná práva; nejvyšší moc ve státě **4** suverénní stát / společnost / politická strana
soviet, Soviet [səuviət] *s* **1** rada, sovět v sovětském prostředí **2** *S~* Sověty, Sovětský svaz, sovětský systém **3** *S~s, pl* Sověti, sovětští lidé, sovětští činitelé; Sovětská armáda, Rudá armáda ◆ *Supreme S~* Nejvyšší sovět ● *adj* **1** sovětský **2** týkající se místních sovětů ◆ *S~ Russia 1.* Sověty, Sovětské Rusko, Sovětský svaz *2.* Ruská socialistická federativní sovětská republika; *S~ Union* Sovětský svaz; *Union of S~ Socialist Republics* Svaz sovětských socialistických republik
Sovietism [səuviətizəm] sovětský systém
sovietize [səuviətaiz] zavádět sovětský systém do, sovětizovat
Sovietologist [ˌsəuviəˈtolədžist] polit. sovětolog odborník na sovětské záležitosti
Sovietology [ˌsəuviəˈtolədži] polit. sovětologie odborná znalost sovětských záležitostí
sovran [sovrən] bás. = *sovereign, adj, s*
sow[1] [səu] (*sowed, sowed / sown*) **1** sít, zasívat, osévat, rozsévat, vysévat **2** posít, pokropit *with* čím **3** námoř. hovor. klást miny ◆ *~ (the seeds of) dissension* zasívat nesvár; *~ wild oats* vybouřit se v mládí; *you must reap what you have ~n 1.* co kdo zasil, to sklízí *2.* jak si kdo ustele, tak si lehne; *S~ the wind and reap the whirlwind* Kdo seje vítr, sklízí bouři
sow[2] [sau] **1** svině, prasnice **2** zool. stínka zední **3** tech. hlavní kanál licího pole vysoké pece **4** hut. slitek, svině ve vysoké peci **5** pohyblivý kryt ◆ *as drunk as a ~* slang. ožralý jako prase; *wild ~* bachyně; *get the wrong ~ by the ear 1.* přijít / padnout / kápnout na nepravého, kápnout vedle, netrefit se *2.* udělat botu chybu
sowar [səuˈwa:] voják n. strážník apod. na koni, jízdní stráž v indickém prostředí
sow back [saubæk] nízký hřeben písku apod.
sowbane [saubein] bot. merlík zvrhlý
sowbread [saubred] bot. brambořík evropský
sow bug [saubag] zool. stínka zední
sowcar [suka:] = *soucar*
sowens [səuənz] SC kaše z ovesných otrub, ovesná otrubová kaše

sower [səuə] **1** rozsévač **2** secí stroj, sečka
sowing [səuiŋ] v. *sow*¹ ◆ ~ *gear* námoř. zařízení na kladení min
sown [səun] v. *sow*¹
sow thistle [ˈsəuˌθisl] bot. mléč zelinný
sox [soks] **1** AM ponožky **2** AM sport. název klubu
soy [soi] **1** sójová omáčka **2** sójový olej
soya [soiə] bot. sója; sója srstnatá ◆. ~ *bean* sójový bob, sójový oříšek; ~ *flour* / *meal* sójová mouka; ~ *oil* sójový olej; ~ *sauce* sójová omáčka
sozzled [sozld] slang. zlitý, ožralý
spa [spa:] **1** minerální pramen, léčivý pramen **2** lázně místo s léčivými prameny
space [speis] *s* **1** prostor, též fyz. (*the universe exists in* ~ vesmír existuje v prostoru), výtv. (*translations of architectural* ~ *into two dimensions* převody architektonického prostoru do dvou rozměrů) **2** místo, prostor, mezera, vzdálenost, odstup (*in a* ~ *of 5 ft.* 5 stop od sebe) **3** vůle, prázdné místo, prázdný prostor, prázdná plocha, též přen. (*men whom the free* ~*s of thought frightened* lidé, které děsily svobodné, volné prostory myšlení) **4** též *outer* ~ mezihvězdný prostor, meziplanetární prostor, mimozemský prostor zejm. mimo naši sluneční soustavu (*travel through* ~ *to other planets*), kosmos, vesmír **5** vyhrazené / určené místo (*945 parking* ~*s*); sedadlo, místo, lůžko apod. (*reserved his* ~ *two weeks ago*) **6** doba, údobí, lhůta (*a* ~ *of three years*) **7** chvíle, okamžik (*during the contemplative* ~ *after breakfast and before work* ve chvíli meditace po snídani a před prací) **8** inzertní plocha v novinách **9** čas vyhrazený pro reklamu v rozhlase n. televizi **10** karty mezera, prázdné místo, volné místo, díra v rozloženém pasiánsi **11** hud. vzdálenost **12** námoř. žeberní vzdálenost **13** polygr. mezera mezi slovy, proložka, výplněk, špácie (slang.) **14** sděl. tech. mezera, pomlka, pauza, stav A (odb.) **15** výtv. plastičnost, plastické znázornění ◆ *blank* ~ prázdné / vynechané místo (*fill in blank* ~*s in a document*); *clear a* ~ *for* udělat místo pro, vyklidit místo pro; *conquering of* ~ dobývání vesmíru; *equal* ~ stejná vzálenost; *interstellar* ~ mezihvězdný prostor; *in the mean* ~ zast. mezitím; *open* ~*s, pl* nezastavěná plocha, volná plocha, volný prostor, prostranství (*wide open* ~*s* volná příroda zejm. ve Spojených státech); *vanish into* ~ též rozplynout se v nic, vyprchat ● *v* **1** prostorově vymezit, omezit, ohraničit prostorem, vymezit prostor čemu / čeho **2** rozmístit, rozestavit (*houses* ~*d as irregularly as pins on a map* domky rozmístěné nepravidelně jako špendlíky na mapě) **3** oddělit, rozdělit, rozčlenit; rozložit, roztáhnout časově **4** u|dělat mezeru / mezery při psaní na stroji ◆ ~ *closely* polygr. sázet s úzkým výplňkem, stahovat při sázení; ~ *equally* / *evenly* polygr. sázet se stejnými výplňky mezi slovy, vyrovnávat při sázení ***space apart*** rozdělit od sebe, oddělit od sebe, nechat mezeru mezi ***space off*** dělit, rozdělovat na dílky ***space out 1*** rozmístit, rozestavit zejm. pravidelně (~ *out the posts three feet apart* rozestavit sloupky tři stopy od sebe) **2** polygr. vyplňovat širšími výplňky, prostrkat slova, více proložit řádky, rozpalovat (slang.)
space age [ˌspeisˈeidž] *s* kosmický věk ● *adj: space-age* **1** týkající se kosmického věku **2** nejmodernější po technické stránce
spaceband [speisbænd] polygr. sázecí klín; výplňkový klín
space-bar [speisba:] mezerník psacího stroje
spaceborne [speisbo:n] nesený n. instalovaný v kosmické lodi n. družici, jsoucí v kosmu, družicový (~ *seedlings,* ~ *network of radio relay stations*)
space cabin [ˌspeisˈkæbin] **1** kabina kosmické lodi **2** vnitřek kabiny kosmické lodi
space capsule [ˌspeisˈkæpsju:l] **1** pouzdro s přístroji, kontejner při kosmickém letu **2** kosmická kabina
space car [ˌspeisˈka:] kosmická / meziplanetární / orbitální stanice
spacecraft [speiskra:ft] *pl* též *spacecraft* [speiskra:ft] kosmická loď, raketa (hovor.)
space-docking [ˈspeisˌdokiŋ] spojení kosmických těles ve vesmíru
spaced out [ˌspeistˈaut] AM slang. zfetovaný
space ferry [ˈspeisˌferi] (*-ie-*) raketoplán
space fiction [ˈspeisˌfikšən] vědeckofantastická literatura o letech do vesmíru, dobrodružství na neznámých planetách apod.
space-finding [ˈspeisˌfaindiŋ] orientace
space flight [ˌspeisˈflait] let do vesmíru, kosmický let
space heater [ˌspeisˈhi:tə] sálavé topné těleso, teplomet, radiátor
space helmet [ˌspeisˈhelmit] helma kosmického skafandru, kosmonautická přilba
space lattice [ˌspeisˈlætis] miner. prostorová mřížka krystalu
spaceless [speislis] **1** nezávislý na prostoru, ničím neohraničený, nekonečný (~ *world of imagination*) **2** nezabírající žádný prostor, bezrozměrný (*geometrically* ~)
spaceman [speismæn] *pl: -men* [-men] **1** kosmonaut, astronaut **2** bytost z vesmíru, člověk z jiné planety apod. ve vědeckofantastickém románu
space medicine [ˌspeisˈmedsin] med. kosmické lékařství
spaceplane [speisplein] raketoplán
space platform [ˌspeisˈplætfo:m] kosmická / meziplanetární / orbitální stanice jako montážní základna
spaceport [speispo:t] odpalovací raketová základna zejm. pro lety s lidskou posádkou, kosmodrom
space probe [ˌspeisˈprəub] kosmická sonda
spacer [speisə] **1** rozpěrka, rozpínka; rozpěrná vložka, mezikus **2** sděl. tech. mezerovač **3** sděl. tech. slabý signál v mezerách mezi telegrafními značkami **4** mezerník psacího stroje

space-saving [ˈspeisˌseiviŋ] malý, miniaturní, prostorově úsporný, skladný
spacescape [speisskeip] prostor chápaný jako obraz
spaceship [speisšip] kosmická loď s lidskou posádkou
space shot [ˌspeisˈšot] vyslání kosmického tělesa do vesmíru
space shuttle [ˈspeisˌšatl] kosmický raketoplán
spacesick [speissik] trpící nevolností při letu do vesmíru
space station [ˌspeisˈsteišən] kosmická / meziplanetární / orbitální stanice
spacesuit [speissu:t] kosmický skafandr
space telegraphy [ˌspeistiˈlegrəfi] radiotelegrafie
space-time [speistaim] fyz. *s* časoprostor, prostoročas ● *adj* **1** časoprostorový **2** týkající se času i prostoru
space travel [ˌspeisˈtrævl] = *space flight*
space tug [ˌspeisˈtag] „kosmický remorkér" obstarávající spojení a servis kosmických stanic
space up [speisap] polygr. hrotek, špíz (slang.)
space vehicle [ˌspeisˈvi:ikl] = *spacecraft*
spacewalk [speiswo:k] *s* „vesmírná procházka" opuštění kosmické lodi v prostoru ● *v* být na „vesmírné procházce", opustit kosmickou loď ale být k ní připoután
spacewalker [ˈspeisˌwo:kə] astronaut / kosmonaut, který je n. byl na „kosmické procházce"
spacewalking [ˈspeisˌwo:kiŋ] = *spacewalk, v*
space warfare [ˌspeisˈwo:feə] **1** válka s použitím mezikontinentálních střel **2** válka v kosmu
spacewoman [speiswumən] *pl: -women* [-wimin] kosmonautka
space writer [ˈspeisˌraitə] novinář odměňovaný řádkovým honorářem, dopisovatel
spacial [speišəl] = *spatial*
spacing [speisiŋ] **1** vzdálenost, interval, rozestup, odstup; rozteč **2** les. spon **3** v. *space, v* ◆ *~ of lines* řádkování
spacious [speišəs] **1** prostorný **2** prostranný, rozlehlý, širý, širošírý **3** přen. rozsáhlý, obsáhlý, obšírný **4** přen. bohatý, košatý, skýtající více možností n. příležitosti (*~ life*)
spaciousness [speišəsnis] **1** prostornost **2** prostrannost, rozlehlost **3** přen. rozsáhlost, obsáhlost, obšírnost **4** přen. bohatost, košatost
spade[1] [speid] **1** pik barva ve francouzských kartách; karta této barvy **2** *~s, pl* piky karty této barvy (*he was strong in ~s* měl silné piky); hláška v bridži (*I bid one ~s* hlásím jednou piky) **3** zelená barva v německých kartách **4** *~s, pl* zelené karty této barvy **5** slang. hanl. negr, černá huba zejm. přistěhovalec ze Západní Indie do Velké Británie ◆ *~ guinea* hist. zlatá guinea ražená 1787–99; *in ~s* AM hovor.: zintenzívňuje hlavní význam *1.* a jaký, výstavní, dokonalý, ukázkový (*a stinker in ~s* výstavní hajzl) *2.* rovnou, přímo, bez ubrousku (*he gave it to me in ~s*); *seven of ~s* etc. piková sedma atd.
spade[2] [speid] *s* **1** tupý rýč **2** za|rytí, vryp, rýpnutí rýčem (*dig the first ~*); hloubka vrýpnutí / vrypu rýčem (*5 ~s deep*) **3** nástroj podobný rýči **4** lopatkovitý kráječ na odstraňování tuku z velryby **5** voj. rydlo děla ◆ *~ bayonet* voj. bajonet se širokou čepelí; *call a ~ a ~ 1.* nazývat věci pravými jmény *2.* nebrat si ubrousek při řeči; *~ husbandry 1.* rytí půdy, obdělávání půdy rytím *2.* obdělávání půdy hlubokou orbou ● *v* **1** rýt tupým rýčem; obracet, přerývat, odrýpnout tupým rýčem **2** odkrájet / stahovat tuk z velryby **3** uhlazovat líc betonu lopatou
spadefish [speidfiš] *pl* též *-fish* [-fiš] zool. mořská ryba *Chaetodipterus faber*
spadefoot [speidfut] též *~ toad* zool. blatnice česneková
spadeful [speidful] plný rýč množství
spadework [speidwə:k] **1** rytí, rýpání rýčem **2** přen. úmorná přípravná práce, nedoceněná drobná práce
spadger [spædžə] BR slang. **1** brabčák **2** klučina, kuliferda
spadiceous [speiˈdišəs] **1** červenohnědý **2** = *spadicose*
spadicose [speidikəus] bot. palicovitý, mající tvar palice
spadille [spəˈdil] karty spadille nejvyšší trumf: pikové eso ve hře l'hombre, trefová dáma ve hře sólo
spading machine [ˌspeidiŋməˈši:n] okopávačka
spadix [speidiks] *pl: spadices* [speiˈdaisi:z] bot. palice
spado [speidəu] **1** kleštěnec, eunuch **2** impotentní muž, impotent
spae [spei] zejm. SC věštit, předpovídat, hádat budoucnost
spaewife [speiwaif] *pl: spaewives* [speiwaivz] věštkyně, jasnovidka
spaghetti [spəˈgeti] **1** špagety **2** též *~ insulation / tubing* elektr. izolační trubička, bužírka ◆ *~ western* AM slang. italská kovbojka pseudoamerický western natočený Italy
spahee, spahi [spa:hi:] hist. **1** sipáhí feudální jezdec v osmanské říši **2** spahi, spahia domorodý alžírský jezdec ve francouzském koloniálním vojsku
Spain [spein] Španělsko
spake [speik] zast. v. *speak*
spalder [spo:ldə] **1** kameník **2** drtič, roztloukač rudiny, drtič stroj
spall [spo:l] *v* **1** drolit | se, oddrolovat | se, drobit | se **2** roztloukat, drtit rudinu pro přebírání ● *s* úlomek, odštěpek, štěpina kamene; oddrolený kus kamene
spallation [spo:ˈleišən] fyz. roztříštění
spalpeen [spælˈpi:n] IR **1** nádeník **2** lotr, budižkničemu **3** kluk
spam [spæm] **1** drobně sekané maso v konzervě, masová konzerva, luncheon meat dovezený z Ameriky **2** americká konzerva **3** přen. náhražka **4** přen. nuda, otrava
span[1] [spæn] zast. v. *spin, v*
span[2] [spæn] *s* **1** píď, též jako míra, ca 9 palců **2** rozpětí paží **3** rozpětí (*the arch has a ~ of 60 metres*); tětiva oblouku **4** pole, oblouk mostu (*the bridge*

crosses the river in a single ~) **5** tech. rozteč; otvor klíče; rozevření úpon, délka úpon; délka (~ *of wire*) **6** let. rozpětí křídel letadla **7** přen. rozsah (~ *of attention, the whole* ~ *of Greek history*) **8** krátký časový interval, krátká doba, krátké údobí, období (*for a short* ~ *of time*), krátké trvání, chvilka, píď, ždibec (*the* ~ *of life*) **9** AM, SA koňský potah, pár mezků jako potah, volský potah, spřežení **10** ~*s, pl* SA hovor. kvanta, davy (~*s and* ~*s of people*) **11** skleník apod. se sedlovou střechou **12** námoř. lano, jehož oba konce jsou upevněny; braga, nakládací smyčka **13** námoř. zast. nakládací stěh ◆ *Davit* ~ propojovací lano člunových jeřábů; ~ *roof* sedlová střecha; *yard* ~ ráhnový závěs ● *v* (*-nn-*) **1** měřit na pídě rukou; měřit (*your eye constantly* ~*s the distance*), naměřit, vyměřit **2** překlenout, přemostit (~ *a river with a bridge*); klenout se nad (*a rainbow* ~*ned the lake* nad jezerem se klenula duha), přen. pokrývat **3** mít rozsah, sahat; trvat **4** obejmout rukou n. rukama, uchopit **5** námoř. upevňovat, spojit, přivazovat; též ~ *in* přitahovat, stahovat **6** letadlo přeletět bez mezipřistání (~ *the Ocean*) **7** pohybovat se jako píďalka **8** AM, SA sestavit potah n. spřežení; koně tvořit potah n. pár; jít do páru barvou n. velikostí **9** velryba plout a pravidelně se vynořovat k nadechnutí

spancel [spænsl] *s* provaz na svázání zadních nohou krávy, koně apod. ● *v* s|vázat zadní nohy čemu

span-dog [spændog] **1** upínací zařízení na držení napařené ohnuté dužiny při chladnutí **2** ~*s, pl* nůžky na zdvižení klád

spandrel [spændrəl] stav. **1** cíp oblouku n. klenby, cvikl, spandrel **2** též ~ *wall* zeď nad obloukem **3** ozdobná výplň nad obloukem / mezi dvěma oblouky

spandril [spændrəl] = *spandrel*

spangle [spæŋgl] *s* **1** flitr **2** třpytivá vločka, kapka, tretka, třpytivé tělísko, třpytivá šupinka **3** duběnka ◆ ~ *gold* pozlátko ● *v* **1** ozdobit / pošít flitry **2** přen. posít (jako) hvězdami (*the* ~*d heavens*) **3** třpytit se

Spanglish [spæŋgliš] „špangličtina" směs španělštiny a angličtiny

Spaniard [spænjəd] **1** Španěl **2** španělská loď **3** bot. novozélandská tráva *Aciphylla colensoi*

spaniel [spænjəl] **1** španěl, kokršpaněl, anglický křepelák plemeno psa **2** přen. podlézavý člověk ◆ *King Charles* ~ černohnědý kokršpaněl

spaniel-eyed [ˌspænjəlˈaid] mající oddané psí oči jako kokršpaněl

Spanish [spæniš] *adj* španělský ● *s* **1** španělština **2** *the* ~ Španělé

Spanish America [ˌspænišəˈmerikə] Latinská Amerika, Iberoamerika

Spanish-American [ˌspænišəˈmerikən] *adj* latinskoamerický, iberoamerický ● *s* obyvatel Latinské Ameriky

Spanish bayonet [ˌspænišˈbeiənit] bot. yucca aleolistá

Spanish black [ˌspænišˈblæk] španělská čerň

Spanish broom [ˌspænišˈbru:m] bot. vítečník sítinový

Spanish chestnut [ˌspænišˈčesnat] bot. **1** kaštanovník setý **2** jedlý kaštan

spanish fly [ˌspænišˈflai] zool. španělská moucha, puchýřník lékařský

Spanish fowl [ˌspænišˈfaul] zool. španělka plemeno kura domácího

Spanish grass [ˌspænišˈgra:s] bot. kavyl útlý

Spanish leather [ˌspænišˈleðə] safián

Spanish Main [ˌspænišˈmein] hist. **1** severní pobřeží Jižní Ameriky od Panamy k ústí Orinoka **2** Karibské moře

Spanish onion [ˌspænišˈanjən] bot. (česnek) pór pravý, luček

Spanish white [ˌspænišˈwait] španělská běloba bílé líčidlo

Spanish windlass [ˌspænišˈwindləs] námoř. španělský vrátek

spank¹ [spæŋk] *v* **1** na|plácat, na|pleskat na zadek, dát na zadek komu **2** plácnout sebou n. čím ● *s* plácnutí, plesknutí úder i zvuk

spank² [spæŋk] **1** pobízet, pohánět koně **2** hovor. hnát si to, hasit si to, žíhat si to, frčet si to; loď letět **3** kůň běžet, pádit krokem, který je přechodem mezi klusem a cvalem

spanker [spæŋkə] **1** námoř. vratiplachta zadního stěžně lodí s ráhnovými plachtami **2** rychlý kůň **3** hovor. výstavní kus, číslo, bomba, eso

spanker-sail [spæŋkəseil] = *spanker, 1*

spanking [spæŋkiŋ] *adj* **1** hovor. prima, fajnový (*had a* ~ *time*) **2** hovor. čerstvý, rychlý, svižný; větřík ostrý ● *adv* hovor. mimořádně, extra (*a* ~ *fine woman*) ● *s* v. *spank, v*

spanless [spænlis] bás. nezměrný

spanner [spænə] **1** BR klíč na matice **2** kdo napíná, napínač **3** hambalek krovu **4** tech. táhlo rozvodu parního stroje **5** tech. příčná výztuha, příčka mostu **6** zool. píďalka housenka ◆ *throw a* ~ *into the works* BR u|dělat čáru přes rozpočet, začít kazit, sabotovat, potápět, torpédovat (přen.)

span-new [spænnju:] zast., nář. zbrusu nový

span roof [spænru:f] *s* sedlová střecha ● *adj: span-roof* jsoucí se sedlovou střechou

spansule [spænsju:l] lékár.: druh dražé umožňující plynulé dozování

span worm [spænwə:m] zool. píďalka, housenka píďalky

spar¹ [spa:] námoř. *s* **1** žerď, tyč, ráhno, břevno **2** ~*s, pl* lodní kulatina; rezervní kulatina **3** hist. kulatinový můstek **4** let. nosník, podélník křídla; vzpěra ● *v* (*-rr-*) **1** zásobit lodní kulatinou **2** přetáhnout přes říční práh po kulatině loď

spar² [spa:] miner. živec ◆ *calcareous* ~ vápenec; *Derbyshire* ~ kazivec, fluorit, fluorid vápenatý; *Iceland* ~ čirý krystalický vápenec

spar³ [spa:] *v* (*-rr-*) **1** sport. trénovat stínový box, boxovat naprázdno, do vzduchu **2** boxer při zápase zasahovat lehkými údery *at* koho, oťukávat koho;

bojovat tréninkový boj **3** kohout zápasit, bojovat ostruhami zejm. s kovovými bodci **4** stále se hádat, být stále v sobě (*they are always ~ring [at each other]*) ● *s* **1** sport. stínový box; tréninkový boj se soupeřem **2** hádka, spor

sparable [spærəbl] cvoček do podrážky, bez hlavičky

spar buoy [spa:boi] námoř. tyčová bóje, sloupová bóje

spar deck [spa:dek] námoř. lehká paluba

spare [speə] *adj* **1** hubený (*a tall ~ man*); skrovný **2** střídmý, skoupý (*~ of speech*) **3** volný (*~ time*), zbývající; volně použitelný, zbytečný, přebytečný (*~ money*); jsoucí navíc, nadbytečný (*we have a yard of ~ rope* máme ještě yard lana navíc) **4** rezervní, záložní, zásobní **5** pro hosty, hostinský, rezervní (*we have no ~ room*) **6** nouzový (*a ~ seat*) **7** bás. řídký ◆ *~ diet* redukční dieta; *~ lead* tuha, náplň do automatické tužky; *~ parts, pl* náhradní díly, náhradní součástky; *~ tyre 1.* náhradní pneumatika, rezerva *2.* hovor. špeky tuk na břiše po čtyřicítce; *~ wheel* náhradní kolo, rezerva ● *s* **1** náhradní díl, náhradní součástka, rezerva, též motor. **2** sport. náhradník ● *v* u|šetřit, u|šanovat (zast.), nezahubit, nezabít, dát / udělit milost komu (*~ a defeated adversary* dát milost poraženému nepříteli); ušetřit *a p.* koho *a t.* čeho (*~ me these explanations*); užívat šetrně čeho **2** jednat, zacházet jemně, ohleduplně s, dbát na / čeho, mít ohled na (*how can we ~ his feelings?*) **3** být mírný, projevovat ohled n. soucit, prominout, pardonovat, dát / udělit milost **4** dát, věnovat, obětovat ze zásoby (*can you ~ me a gallon of petrol?*); postrádat (*I cannot ~ him just now*); obejít se bez, nepotřebovat všechno, uvolnit (*villagers who can be ~d from the farms*) **5** dát / nechat stranou *for* pro, vyšetřit (*~ land for a garden*) **6** udělat si, mít volný čas **7** šetřit, škudlit, žít skrovně; ušetřit si, našetřit si, uspořit si **8** zast. neudělat ◆ *if I am ~d* budu-li živ a zdráv; *be ~d a t.* být ušetřen čeho; *~ his blushes* nepřiváděj ho do rozpaků; *~ no expense* nešetřte penězi, nelitujte peněz, peníze nehrají žádnou roli; *we have enough and to ~* máme víc než dost; *for ten* etc. *and to ~* pro deset atd. a ještě zbude, pro mnohem víc než deset (*we have food for ten and to ~*); *~ a p.'s life* darovat život komu, nezabít; *~ me!* milost, nezabíjej!; *~ no pains* nešetřete námahou, nelitujte námahy; *S~ the rod and spoil the child 1.* Škoda každé rány, která padne vedle *2.* Stromek se musí ohýbat, dokud je mladý; *no time to ~* nejvyšší čas; *with ... to ~* a ještě ... zbude / zbylo (*the rug will cover the floor with a foot to ~* koberec pokryje celou podlahu a ještě 30 cm zbude, *he caught the train with a few minutes to ~* přišel na vlak pár minut před odjezdem) ***spare o. s.*** *1* šetřit se *2.* ušetřit si, vyhnout se čemu (*~ yourself quite a bit of weeding*)

spare-part surgery [ˌspeəpa:tˈsə:džəri] med. nahrazení nemocných orgánů syntetickými orgány, allotransplantace

sparerib [speərib] kuch. vepřové žebírko s malým kusem masa

spare-time [speətaim] jsoucí ve volném čase, nedělní, amatérský (*a ~ philosopher*)

sparge [spa:dž] *v* **1** nahodit, omítnout **2** po|kropit, po|stříkat **3** piv. postříkat horkou vodou slad ● *s* **1** postříkání, postřik, pokropení, sprcha **2** piv. postřik sladu

sparger [spa:džə] **1** kropič, kropítko **2** piv. kropidlo **3** rozstřikovač pisoáru

sparing [speəriŋ] **1** střídmý *in* v (*the English are ~ in their use of gesture* Angličané gestikulují střídmě / používají gestikulace střídmě); střídmě užívající *of* čeho; dávající, poskytující málo čeho **2** šetřící důležité látky při metabolismu **3** malý, omezený, nevalný (*the ~ solubility of chloroform in water* malá rozpustnost chloroformu ve vodě) **4** v. *spare, v* ◆ *~ of speech* skoupý na slovo, nemluvný

sparingness [speəriŋnis] **1** střídmost; skoupost **2** šetrnost **3** laskavost, ohleduplnost

spark[1] [spa:k] *s* **1** mladý elegán, kavalír, švihák, frajer **2** milý, nápadník, galán, amant; sukničkář, frejíř **3** mladá švihanda, frajerka ● *v* AM hovor. **1** dvořit se komu, chodit za / s **2** chodit za děvčaty **3** milenci chodit spolu

spark[2] [spa:k] *s* **1** jiskra, též přen. (*~ that set off the rebellion* jiskra, která zapálila rebelii, *vital ~ in a man that makes him an artist*) **2** elektr. výboj, jiskra **3** jiskra, jiskřička, trocha, kousek, za mák *of* čeho (*he hasn't a ~ of generosity in him* nemá v sobě kouska šlechetnosti) **4** drobný diamant n. drahokam, malý brilant **5** malé třpytivé tělísko, malá třpytivá ploška **6** jiskření **7** motor. jiskra v zapalovací svíčce **8** motor. zapalování spalovacího motoru **9** *S~s, sg* hovor. radista, radiotelegrafista; elektrikář **10** jiskra vtipu ◆ *~ adjustment* motor. regulace zapalování; *advance the ~* motor. způsobit předstih zapalování; *~ coil 1.* motor. zapalovací cívka *2.* elektr. Ruhmkorffův transformátor, Ruhmkorffova indukční cívka; *fairy ~s* fosforeskující světlo ztrouchnivělého dřeva; *as the ~s fly upward* neodvratně, nevyhnutelně, určitě, na beton, stoprocentně; *~ gap* elektr. *1.* jiskřiště *2.* vzdálenost kontaktů *3.* doskok; *~ generator* elektr. jiskrový generátor; *~ ignition* motor. jiskrové zapalování; *~ photography* fotografování s bleskem; *retard the ~* motor. způsobit pozdní zážeh; *strike ~s out of a p.* podnítit koho k živějšímu rozhovoru n. rozhovoru na originální téma; *~ transmitter* sděl. tech. jiskrový vysílač ● *v* **1** jiskřit **2** motor. zapalovat **3** hovor. podnítit, rozproudit, uvést v život, rozdmychat ***spark off*** dát podnět k, přivodit, uspíšit

spark advance [ˌspa:kədˈva:ns] motor. předstih, předzápal

spark arrester [ˌspa:kəˈrestə] **1** elektr. zhášeč jisker **2** lapač jisker, jiskrojem lokomotivy
sparking plug [spa:kiŋplag] BR motor. zapalovací svíčka
sparkish [spa:kiš] **1** veselý, živý; galantní **2** oděv odvážný, frajerský, nápadný
sparkle [spa:kl] *v* **1** jiskřit | se, též přen. (*his conversation ~d with wit* jeho rozhovor jiskřil duchaplností); sršet (jiskry), též přen. (*her eyes ~d with anger* z očí jí sršel hněv) **2** třpytit se, blýskat se, blyštět se, házet blesky **3** vyvolat třpyt na **4** přen. za|zářit (*the team ~d in the field* mužstvo na hřišti zazářilo) **5** víno perlit se, šumět ● *s* **1** jiskra; jiskrnost **2** třpyt (*the ~ of a diamond*); třpytný lesk **3** přen. jiskřička, kousek, trocha, zbytek **4** přen. živost, jiskra vtipu **5** malý brilant **6** jiskra; perla, perlivost, šumivost vína
sparkler [spa:klə] **1** kdo / co se třpytí, jiskří, jiskřič **2** prskavka; sršící ohněstrojná raketa **3** slang. diamant **4** hovor. jiskrné oko **5** šumivé víno, sekt **6** člověk sršící vtipem a životem **7** dětská pistole n. puška, sršící po zmáčknutí spouště jiskry
sparklet [spa:klit] **1** jiskřička, jiskérka **2** třpytivá cetka; třpytivé místečko **3** bombička do autosifonu
sparkling [spa:kliŋ] **1** šumivý (*~ Burgundy*) **2** živý, sršící vtipem, inteligentní, jiskřící duchem (*~ conversation*); brilantní, oslnivý (*~ performance of a piano piece*) **3** v. *sparkle, v* ◆ *~ water* minerálka, sodovka; *~ wine* šumivé víno, sekt
spark plug [spa:kplag] AM motor. zapalovací svíčka
sparring [spa:riŋ] v. *spar³, v* ◆ *~ partner 1.* sport. sparingpartner soupeř rohovníka při cvičném boji *2.* oponent v debatě
sparrow [spærəu] zool. **1** též *house ~* vrabec domácí **2** snovač **3** americká pěnkava *Spizella passerina* ◆ *hedge / tree ~* vrabec polní, úpolník (zast.)
sparrowbill [spærəubil] cvoček bez hlavičky
sparrowgrass [spærəugra:s] hovor. špargl chřest
sparrowhawk [spærəuho:k] **1** zool. krahujec obecný **2** zool. severoamerický sokol *Falco sparverius* **3** malá kovadlinka stříbrníka
sparry [spa:ri] nerost živcový ◆ *~ iron* ocelek, siderit
sparse [spa:s] **1** řídký (*~ beard* ... vous) **2** sídlící daleko od sebe, řídký (*~ population*)
Spartacist [spa:təsist] *adj* spartakovský týkající se spartakovců ● *s* spartakovec člen ilegální revoluční socialistické organizace v Německu za první světové války
Spartan [spa:tən] *adj* **1** antic. sparťanský, spartanský, spartánský, spartský týkající se Sparty n. Sparťanů **2** spartánský, přísný, tvrdý ● *s* **1** antic. Sparťan obyvatel Sparty **2** sparťan, spartán člověk spartánského způsobu života
spasm [spæzəm] **1** křeč, spazma (odb.), spasmus (med.) **2** záchvat (*a ~ of coughing* záchvat kašle), paroxysmus; nával, výbuch (*~ of indignation* výbuch rozhořčení) ◆ *clonic ~* škubavá / klonická řeč; *functional ~* svalová křeč z přílišného namáhání; *tonic ~* spínavá / tonická křeč
spasmodic [spæzˈmodik] **1** křečovitý; spazmický, spazmatický, spastický (odb.) **2** náhlý, přerušovaný, občasný a prudký, nárazový **3** člověk výbušný, prudce emocionální
spasmology [spæzˈmolədži] med. nauka o křečích
spastic [spæstik] *adj* **1** = *spasmodic 1, 2* **2** spastický; trpící spastickou obrnou **3** slang. nemotorný, neschopný ● *s* **1** pacient trpící spastickou obrnou **2** slang. nemotora
spat¹ [spæt] zool. **1** larvička ústřic **2** mladé ústřice; mladá ústřice ● *v* (*-tt-*) ústřice vytírat se; klást
spat² [spæt] část. *~s, pl* kamaše, psí dečky
spat³ [spæt] **1** lehký úder, štulec, plácnutí, plesknutí, facička **2** šplíchanec, cákanec (*~s of mud* cákance bláta); pleskání (*the ~ of bullets against a stone wall* pleskání kulek o kamennou zeď)
spat⁴ [spæt] *s* AM hovor. **1** hašteření, malá hádka **2** drobet, ždibec ● *v* (*-tt-*) hašteřit se, trochu se pohádat
spat⁵ [spæt] v. *spit², v*
spatchcock [spæčkok] *s* čerstvě zabitá, rychle upečená drůbež ● *v* **1** zabít a rychle upéci např. drůbež **2** hovor. rychle vrazit vsuvku (*~ the new evidence into an existing framework* do existující osnovy vrazit nové svědectví)
spate [speit] BR **1** záplava, povodeň, velká voda **2** průtrž mračen **3** přen. záplava, příval, velký příliv, úroda (*~ of cowboy films*) ◆ *be in ~* řeka být rozvodněný
spathaceous [spæˈðeišəs] = *spathose*
spathe [speið] bot. toulec
spathic [spæθik] miner. **1** lupenitý, lístkovitý, destičkovitý **2** živcový
spathiform [speiθifo:m] = *spathic, 1*
spathose [speiðəus], **spathous** [speiðəs] **1** bot.: jsoucí s toulcem, toulcový, toulcovitý **2** miner. = *spathic*
spatial [speišəl] **1** prostorový **2** kosmický
spatiality [ˌspeišiˈæləti] **1** prostorovost **2** kosmičnost
spatiate [speišieit] toulat se
spatio-temporal [ˌspeiši*e*uˈtempərəl] časoprostorový
spattee [spæˈti:] dámská, dětská vysoká vlněná kamaše
spatter [spætə] *v* **1** po|stříkat, po|kropit, po|cákat, po|prskat *a t.* co (*~ the floor with grease* postříkat podlahu tukem) n. čím (*~ mud on one's clothes* pocákat si šaty blátem); po|bryndat, po|kecat, nastříkat, nacákat na, nabryndat, nakecat na, rozstříkat; stříkat, vystřikovat při vaření **2** přen. pokaňkat, pošpinit jméno, zostudit, házet bláto na (*satire has an awkward way of ~ing its author* satira dokáže někdy trapně zostudit svého autora) ● *s* **1** po|stříkání, po|kropení, po|cákání, postřik, rozstřik, po|bryndání, po|kecání, nacákání, nabryndání **2** sprška (*a ~ of rain*); pleskání **3** cákanec, pleskanec; skvrna od postříkání **4** = *spatterdash, 2*
spatterdash [spætədæš] **1** část. *~es, pl* kožené holeně, jezdecké kamaše **2** AM hrubá omítka, ostrá omítka

spatterdock [spætədok] bot. **1** stulík **2** leknín
spatula [spætjulə] **1** špachtle **2** těrka, roztěrka, stěrka, kopist **3** kuch. lopatka, lopatička, obracečka, špachtle **4** med. špachtle, jazyková lopatka, „špátle"
spatular [spætjulə] špachtlovitý, lopatkovitý
spatulate [spætjulit] bot. lopatkovitý, kopistovitý
spatule [spætjul] zool. **1** orgán připomínající veslo n. špachtli **2** ocasní křídlo ptáka
spatuliform [spætjulifo:m] = *spatular*
spavin [spævin] zvěr. špánek ◆ *blood* / *bog* ~ chronická synovitis tibiotarzálního kloubu koně; *bone* ~ nemoc koně s následkem tvorby exostóz a ankylóz
spawn [spo:n] *v* **1** ryby třít se **2** ryby klást jikry **3** klást podhoubí, nasazovat kulturu hub **4** hanl. vy|chrlit, rodit, z|plodit zejm. ve velkém množství (*slums which ~ the criminal element*) ● *s* **1** potěr; jikry **2** podhoubí; kultura hub **3** přen. dítě; dětský potěr **4** hanl. zplozenec ◆ ~ *of Cobden* zastánce volného obchodu
spawner [spo:nə] **1** jikrnáč **2** přen. ploditel (*an intrepid ~ of bastards* odvážný ploditel parchantů)
spay [spei] kastrovat, klestit, vyklešťovat samici
speak [spi:k] *v* (*spoke* / zast. *spake, spoken* / zast. *spoke*) **1** mluvit (*the baby is learning to ~*); hovořit; promluvit **2** říci, povědět, dít (zast.) (*~ the truth*), vyřknout (*once the words were spoken she was sorry*); křičet (*~s at the top of his lungs* křičí z plna plic) **3** požádat (*we'd like to ~ some friendly wraith to tell us news* rádi bychom požádali nějakého přátelsky nakloněného ducha, aby nám řekl, co je nového) **4** pro|mluvit, mít projev, hovořit formálně (*~ at the university commencement*); mluvit na veřejnosti, přednášet, mít projev, mít přednášku, řečnit, kázat (*spoke to the club on gardening*) **5** vyjadřovat | se (*science ~s in the conventionalized precision of mathematical language* věda se vyjadřuje s mechanizovanou přesností matematického jazyka) **6** mluvit cizím jazykem, znát, umět, dovést, umět mluvit cizím jazykem (*he ~s several languages*) **7** přednášet, recitovat, deklamovat (*little girls who were going to ~ pieces*) **8** mluvit spolu nehněvat se (*still are ~ing after a quarter of century of collaboration*) **9** prozrazovat (*his various addictions ~ the amateur* jeho různé návyky prozrazují amatéra), svědčit (*the dossier will ~ in his defense* spis bude svědčit v jeho prospěch) **10** ohlašovat zvukem, dávat signál, signalizovat **11** hudební nástroj za|znít, za|-zpívat, ozvat se **12** střelná zbraň za|znít, za|hovořit, promluvit, ozvat se **13** přen. mluvit, hovořit nikoliv slovy (*actions ~ louder than words*) **14** obraz být jako živý **15** pes za|štěkat, vydávat zejm. na rozkaz **16** námoř. oslovit na moři (*~ a passing ship*) **17** mluvit, hovořit *for* za, být mluvčím koho / čeho (*writers ~ for their age*) **18** svědčit *for* ve prospěch koho / čeho **19** být symbolem *for* čeho (*the acres of white marble ~ for the purity of justice* akry bílého mramoru jsou symbolem ryzosti spravedlnosti) **20** požádat, říci si *for* o (*suppose you ~ for tea* co kdybyste požádal o čaj) **21** zamluvit *for* co (*this dress is already spoken for* tyhle šaty jsou už zamluvené) **22** svědčit *of* o, dosvědčovat co, být svědectvím čeho, prozrazovat co, ukazovat na (*his gold spoke of riches in the land*) **23** promluvit si, pohovořit si *to* / řidč. *with* s *about* / řidč. *of* o; promluvit si důrazně *to* s, vytknout komu *about* co, vycinkat komu za (*promised to ~ to the boy about his laziness* slíbil, že chlapci za jeho lenost vyčiní) **24** promluvit *to* k, vyjádřit se k, mluvit na téma čeho, něco říci o (*I should like to ~ to the nomination* rád bych řekl něco o té nominaci) **25** potvrdit, dosvědčit *to* co (*is there anyone here who can ~ to his having been at the scene of the crime?* existuje někdo, kdo může potvrdit, že byl u toho, když byl zločin spáchán?) **26** pozdravit, oslovit *to* koho (*they often blush when spoken to on the street* když je někdo osloví na ulici, často se červenají) **27** zast. mluvit *a p.* o jako o, charakterizovat koho jako koho (*report ~s him anything but a coward* podle zpráv je všechno jen ne zbabělec) **28** zast. zmínit se *a p.* o (*~ me to her* zmiň se jí o mně) ◆ *~ by the book 1.* číst svou řeč, mluvit z papíru *2.* mluvit autoritativně, říkat něco se zasvěcenými znalostmi, mluvit jako kniha; *~ without book* mluvit otevřeně; *~ by the card* vyjadřovat se precizně; *~ in a p.'s cast* přerušit koho, skočit do řeči komu; *~ in a p.'s ear* pošeptat něco komu; *English spoken* zde se mluví anglicky; *~ fair* zast. oslovit; *~ a p. fair 1.* mluvit zdvořile s kým *2.* vemlouvat se komu; *~ for o. s. 1.* mluvit pouze sám za sebe *2.* ozvat se, přihlásit se (*that ~s for itself* to mluví samo za sebe, *~ing for myself* pokud jde o mne, když mluvím sám za sebe, *~ for yourself* mluv sám za sebe, to je pouze tvůj názor, to si myslíš ty vyjádření nesouhlasu); *~ highly of a p.* velice chválit koho; *~ in lutestring* řidč. mluvit šroubovaně; *~ ill of a p.* hanět koho; *~ one's mind* říci (otevřeně, od plic, bez obalu / ubrousku) své mínění (*let me ~ my mind* já vám řeknu, co si myslím); *he has no t. to ~ of* ten má tak málo čeho, že to nestojí ani za řeč (*he has no money to ~ of*); *not to ~ of* nemluvě o; *nothing to ~ of* nic, co by stálo za řeč; *~ a / one's piece* vyjádřit se vyslovit se; *~ to a point* mluvit k věci; *~ sense* mluvit rozumně; *to his shame be it spoken* k jeho hanbě nutno říci; *so to ~ 1.* aby se tak řeklo, dá-li se to tak říci *2.* smím-li to tak říci, abych užil toho výrazu; *spoken* hud. parlando, obyčejně nikoliv zpívaně; *~ to the subject* mluvit k věci, neodbíhat od tématu; *~ to o. s.* mluvit sám k sobě, říkat si pro sebe; *~ to a title* mluvit na téma; *~ with tongues* řidč. mít jazykové nadání; *~ volumes for* být přesvědčivým důkazem čeho; *~ well 1.* vydávat dobré svědectví *for* o, svědčit ve prospěch koho / čeho *2.*

být dobrou předzvěstí budoucího ***speak o. s.*** vemluvit se ***speak down*** snižovat se při řeči (*without once ~ing down to his audience*) ***speak out*** *1* pro|mluvit jasně, zřetelně, nahlas, hlasitěji (*~ out or sit down*) *2* říci nahlas, co si mluvčí myslí, ozvat se (*everyone of us has the obligation to ~ out* každý z nás má povinnost říci nahlas svůj názor) ***speak up*** *1* pro|mluvit otevřeně / důrazně *for* v zájmu čeho, angažovat se pro *2* pro|mluvit nahlas / hlasitěji *3* ozvat se, říci své názory ● *s* **1** SC řeč, mluva **2** AM = *speakeasy*

speakeasy [spi:ki:zi] (*-ie-*) AM slang. zapadák prodávající bez licence alkoholické nápoje

speaker [spi:kə] **1** kdo (jak) mluví (*an excellent ~ of French*) **2** přen. mluvčí **3** přednášející, řečník, přednašeč, kazatel, hlasatel, spíkr **4** *S~* BR předseda Dolní sněmovny **5** *S~* AM předseda Sněmovny reprezentantů **6** amplión, tlampač, reproduktor (*from the ~ came a crackling static* z reproduktoru se ozvalo praskání atmosférické poruchy) **7** AM antologie veršů atd. k recitaci **8** hud. klapka n. dírka klarinetu apod. pro harmonické tóny

speakerphone [spi:kəfəun] kombinace mikrofonu a reproduktoru

speakership [spi:kəšip] předsednictví úřad i období

speak house [spi:khaus] *pl: speak houses* [ˈspi:kˌhauziz] **1** zast. hovorna v klášteře **2** poradní dům na Tichomořských ostrovech

speaking [spi:kiŋ] *adj* **1** mluvící u telefonu (*"Mr. Porter?" "S~."* „To je pan Porter?" „U telefonu.") **2** hlas zvučný, nosný **3** výmluvný (*a ~ witness to their permanence* výmluvný svědek jejich nadčasovosti) **4** přen. věrný, živý, jen jen promluvit (*a ~ portrait of the eldest daughter*) **5** v. *speak, v* ◆ *~ acquaintance* známý s nímž mluvíváme; *~ choir* voiceband; *frankly ~* řečeno naprosto otevřeně / upřímně; *legally ~* mluveno čistě právnicky, z právního hlediska; *~ part* div. skutečná / mluvená role; *roughly ~* zhruba řečeno; *strictly ~* přesně řečeno, v úzkém slova smyslu; *be on ~ terms* znát se se známým, mluvit spolu, zdravit se (*not to be on ~ terms* nemluvit spolu hněvat se); *who is ~?* též kdo volá?, s kým mám tu čest? dotaz telefonního účastníka ◆ *s* **1** řečnictví **2** řidč. slavné výroky **3** v. *speak, v*

speaking clock [ˌspi:kiŋˈklok] BR přesný čas telefonní informační služba

speaking trumpet [ˈspi:kiŋˌtrampit] **1** naslouchadlo v podobě trubky **2** námoř. hlásná trouba, megafon

speaking tube [spi:kiŋtju:b] **1** sděl. tech. zvukovod **2** námoř. hovorová trubka pro vedení hovoru na lodi

spear [spiə] *s* **1** oštěp (nikoliv sport.) **2** kopí; píka **3** rybářský oštěp / bodec, harpuna **4** přen. paprsek, šíp (*the ~s of an aurora*) **5** bás. kopiník **6** bot. výhonek **7** zool. bodlina **8** horn. udice **9** táhlo čerpadla ◆ *~ crowfoot* bot. pryskyřník plamének; *~ grass* bot. *1.* pýr plazivý *2.* kavyl *3.* psineček *4.* novozélandská rostlina *Aciphylla squarrosa; ~ pyrites* miner. kopinatý kyz, dvojče markazitu; *~ side* přen. „meč" mužská větev rodu ● *v* **1** pro|bodnout, pro|píchnout (jako) oštěpem atd., nabodnout, napíchnout (jako) na oštěp atd. **2** u|lovit oštěpem / bodcem, harpunovat rybu **3** pronikat, prorážet jako oštěp **4** bot. klíčit; vyrazit, vyrůstat do stébla **5** vyčistit výstružníkem díru **6** AM sport. chytit, lapit míč prudkým pohybem paže

spear-fish [spiəˈfiš] *pl* též *-fish* [-fiš] zool. ryba z rodu *Istiophoridae*

spear gun [ˌspiəˈgan] oštěp, bodec, harpuna střelná zbraň potápěče

spearhead [spiəhed] *s* **1** čepel kopí, špička oštěpu **2** voj. čelo proudu, čelní oddíl; útok **3** vedoucí síla, hlavní síla, kdo / co něco probojovává n. něčemu razí cestu, průkopník ● *v* vést, být v čele / na špičce čeho, razit cestu čemu (*armoured vehicles that ~ed the offensive* obrněné vozy, které tvořily čelo ofenzívy), též přen. (*~ed the romantic revolution*)

spearman [spiəmən] *pl: -men* [-mən] voj. kopiník

spearmint [spiəmint] **1** bot. máta peprná **2** *S~* název žvýkací gumy

spearpoint [spiəpoint] špička / hrot oštěpu ◆ *at ~* přen. pod bodákem (*escort at ~*)

spear-shaped [ˌspiəˈšeipt] ostrý, špičatý, připomínající tvarem oštěp, oštěpovitý (řidč.)

spearwort [spiəwə:t] bot. pryskyřník plamének

spec[1] [spek] hovor. = *speculation*

spec[2] [spek] hovor. = *specification*

special [spešəl] *adj* **1** zvláštní, speciální (*what are your ~ interests?*) **2** zvláštní, mimořádný (*on holidays the railways put on ~ trains*) **3** abnormální; obzvláštní, kromobyčejný (*find no ~ excellence in his work*) **4** jedinečný, výborný **5** zaujímající zvláštní místo, důvěrný (*a ~ friend*); osobní (*her ~ charm*) **6** podrobný, zevrubný, detailní, specifický (*a ~ confession*) **7** odborný (*~ training*) ◆ *~ area* BR zvláštní oblast v níž platí zvláštní zákonná ustanovení; *be ~ to a p.* být zvláštností / výsadou / specialitou koho; *~ boiling spirit* technický benzín; *S~ Branch* BR zvláštní oddělení státní bezpečnost; *~ case 1.* zvláštní, mimořádný případ *2.* práv.: případ, u něhož je řízení odlišné od řízení podle *common law* n. *equity*, např. řízení podle zákona, jehož cílem je stanovit nové právo n. právní prostředky n. případ, v němž soud rozhoduje o právní otázce; *~ constable* mimořádný člen policie občan, pomocná stráž policejní; *~ correspondent* zvláštní / mimořádný zpravodaj / dopisovatel novin; *~ delivery 1.* listovní zásilky *2.* spěšná zásilka, expres (*~ delivery fee* spěšnostní poplatek); *~ diet* med. dieta; *S~ Drawing Rights* peněžní rezerva Mezinárodního peněžního fondu; *~ drive* jednotlivý n. samostatný pohon; *~ edition* zvláštní vydání novin; *~ handling* AM priorita poštovní zásilky bez spěšného doručení; *~ licence* BR církevní povolení k sňatku bez ohlášek, na libovolném místě a kdykoliv;

~ *logic* log. speciální logika; ~ *map* zeměp. speciální mapa, speciálka (hovor.); ~ *pleader* právní poradce, advokát zabývající se mimořádnými případy; ~ *pleading* práv. *1.* uvádění zvláštních n. nových skutečností k odvrácení účinků okolností uvedených odpůrcem *2.* tvrzení předkládající jen jednu stránku věci, jako by zahrnovala celou projednávanou otázku *3.* hovor. zchytralost, mazanost právníka, překrucování paragrafů, trvání na svém bez ohledu na skutečnost; ~ *partner* AM společník s ručením omezeným; ~ *school* zvláštní škola pro postižené děti; ~ *sort* polygr. zvláštní typ / písmeno / litera např. s (cizím) akcentem; ~ *student* AM univerzitní student nestudující k dosažení akademické hodnosti; ~ *train* mimořádný vlak; ~ *verdict* porotou podaný souhrn prokázaných skutečností, z nichž musí soud sám vyvodit důsledky ● *s* **1** co je zvláštní (*from the general to the* ~), zvláštnost **2** zvláštní vydání novin **3** zvláštní vlak **4** zvláštní snížená cena *on* čeho **5** spěšná zásilka, expres **6** zvláštní zkouška **7** samostatný televizní program nepravidelný **8** div. reflektor stabilně zaměřený na jeden objekt **9** BR pomocná stráž policejní

specialism [spešəlizəm] **1** specializace; specializování **2** speciální obor, specialita

specialist [spešəlist] *s* **1** odborník, specialista, též med. **2** AM voj. specialista ● *adj* odborný

specialistic [ˌspešəˈlistik] odborný, odbornický

speciality [ˌspešiˈæləti] (*-ie-*) **1** zvláštnost, zvláštní rys, charakteristický rys **2** zvláštní zájem, výrobek, činnost atd., specialita (*jam is our* ~); specializace **3** novinka, nový výrobek **4** proslulost (*wood carvings are a* ~ *of this village* tato vesnice je proslulá svými řezbami ve dřevě) **5** *specialities, pl* detaily, podrobnosti

specialization [ˌspešəlaiˈzeišən] **1** specializace, specializování; zaměření, soustředění, omezení na úzký obor **2** jednotlivé vypočítávání, specifikace **3** biol. přizpůsobení, adaptování

specialize [spešəlaiz] **1** jít do detailu; jednotlivě vypočítávat, specifikovat, precizovat (~*d each item*) **2** specializovat | se (~*d his studies, their restaurants* ~ *in Swedish cuisine* jejich restaurace se specializují na švédskou kuchyni); zaměřit se, soustředit se, omezit se na úzký obor **3** biol. přizpůsobit | se, adaptovat | se *for* k **4** obch. omezit výplatu šeku na určitého příjemce

specialness [spešəlnis] zvláštnost, speciálnost

specialty [spešəlti] (*-ie-*) **1** práv. smlouva ve formě veřejné listiny **2** propagační, reklamní dárek **3** = *speciality 2, 3, 4*

speciation [ˌspi:šiˈeišən] zool. vznik druhů

specie [spi:ši:] nemá *pl* **1** zlatá n. stříbrná platidla; mince **2** hotové peníze, hotovost ◆ *in* ~ *1.* hotově, v mincích *2.* přen. stejnou mincí stejně; ~ *payment* placení v hotovosti, v mincích

species [spi:ši:z] *pl: species* [spi:ši:z] **1** bot., zool. druh **2** přen. lidstvo **3** log. druh, třída; představa, vjem, pojem **4** přen. druh, určitý druh *of* čeho, jakýsi co **5** med. složka léku; směs **6** léčivý čaj, species (*a pectoral* ~ prsní čaj) **7** náb.: vnější způsoba chleba a vína, chléb, víno ◆ *aromatic* ~ lékár. aromatický čaj; ~ *insurance* pojištění cenností

specifiable [spesifaiəbl] **1** upřesnitelný, rozepsatelný **2** předepsatelný, stanovitelný, specifikovatelný (~ *standards*)

specific [spiˈsifik] *adj* **1** zvláštní (~ *mention*), přesný, určitý, přesně stanovený, specifický (*no* ~ *aim, a* ~ *sum of money*) **2** charakteristický, specifický (*the* ~ *qualities of a drug* specifické vlastnosti drogy); vlastní *to* čemu, charakteristický pro co, charakterizující co (*faults* ~ *to past centuries* omyly vlastní uplynulým staletím) **3** definitivní; výslovný, specifikovaný **4** odb. měrný, specifický **5** bot., zool. druhový (~ *character*) **6** med. specifický ◆ ~ *activity* chem. specifická aktivita; ~ *centre* biol. místo n. doba vzniku nového druhu; ~ *cost* obch. jednicové náklady; ~ *difference* druhový rozdíl, rozlišenost druhů; ~ *duty* obch. specifické clo; ~ *gravity* specifická váha; ~ *heat* měrná tepelná kapacita, měrné teplo; ~ *intent* pevný n. předem uvážený úmysl; ~ *medicine* specifický lék ● *s* **1** specifický lék **2** zvláštnost, specifičnost, specifikum

specification [ˌspes*i*fiˈkeišən] **1** zpřesnění, upřesnění, vyčíslení, specifikování, specifikace **2** předpis, přesné stanovení, přesný popis, přesný výpočet, výčet, seznam, rozpis, specifikace **3** technické podmínky; seznam, rozpis, specifikace **3** technické podmínky; seznam podle kusů **4** obch. dodací podmínky **5** popis patentu **6** práv. specifikace zpracování cizího materiálu ◆ ~ *card* rozpiska

specificity [ˌspesiˈfisəti] specifičnost

specified [spesifaid] **1** předepsaný, stanovený **2** označený, udaný **3** v. *specify*

specify [spesifai] (*-ie-*) **1** zpřesnit, upřesnit, vyčíslit, specifikovat **2** předepsat, přesně stanovit, vypočítávat, podat výčet n. rozpis čeho, podobně sepsat, rozepsat, rozdělit, výslovně uvést, specifikovat **3** stanovit v technických podmínkách např. stavby, specifikovat **4** zmínit se, uvést **5** popsat patent

specimen [spesimin] **1** vzor, vzorek, mustr (hovor.) (*a* ~ *of his handwriting*) **2** ukázka, příklad (*a* ~ *of his generosity* ukázka jeho šlechetnosti) **3** exemplář **4** med. preparát **5** hovor. číslo, individuum, exemplář člověk ◆ ~ *copy* volný výtisk, recenzní výtisk knihy; ~ *page* polygr. vzorová stránka

speciology [ˌspi:šiˈolədži] biol. nauka o druzích

speciological [ˌspi:šiəˈlodžikəl] biol. týkající se nauky o druzích

speciosity [ˌspi:šiˈosəti] (*-ie-*) **1** zdánlivě pěkné zdání, klamné zdání **2** zdánlivost, lákavost, klamnost, klamavost, ošemetnost, šálivost, mámivost, svůdnost **3** zast. pohlednost

specious [spi:šəs] **1** zdánlivě přijatelný, lákavý, ošidný, ošemetný, šálivý, mámivý, klamný, klamavý, svůdný **2** zast. pohledný

speciousness [spi:šəsnis] = *speciosity*
speck[1] [spek] AM, SA tučné maso, tučné vepřové, slanina, špek 2 velrybí tuk 3 SA hroší slanina, špek
speck[2] [spek] *s* 1 jinobarevná tečka, malá skvrna, flíček, ďubka 2 hnilobná tečka na ovoci 3 přen. skvrna, poskvrna 4 smítko (*a ~ of dust* … prachu) 5 trocha, troška, kapka (*a ~ of milk*), též přen. (*to arouse a ~ of interest*) 6 skvrnité ovoce (*bought a basket of ~s for jelly* koupila košík skvrnitých jablek na rosol) 7 ryba se skvrnami ● *v* 1 u|tvořit, u|dělat skvrnu / skvrny na 2 odstraňovat skvrnu / skvrny z
speckle [spekl] 1 malá skvrna, skvrnka, flíček, ďubka, tečička, tmavé znamínko 2 kropenatost
speckled [spekld] kropenatý, tečkovaný, stříkaný
speckless [speklis] hladký, čistý, bez poskvrny, též přen.
specksioneer, specktioneer [ˌspekšəˈniə] vrchní / hlavní harpunář na velrybářské lodi
specs [speks] BR hovor. brejle, cvikr, „oči"
spectacle [spektəkl] 1 velká podívaná, atrakce, divadlo, efektní podívaná, špektákl 2 výpravný film; show, šau 3 pohled, podívaná (*a sad ~*) 4 *~s, pl* brýle, brejle ♦ *~ band* námoř. bramová ohlávka / objímka, stěžňová spojka; *~ frame* námoř. vrtulový vrchol; *make a ~ of o. s.* producírovat se, dělat ze sebe šaška n. strašáka, znemožnit se, udělat si ostudu nápadným chováním; *miss a ~* nevidět *of* něco slavného n. významného; *pair of ~s* BR kriket dvě nuly jako výsledek dvou směn / střídání jednoho hráče
spectacle-case [spektəklkeis] pouzdro na brýle
spectacled [spektəkld] jsoucí s brýlemi, mající / nosící brýle, brýlatý, brejlatý ♦ *~ bear* zool. medvěd brýlatý; *~ cobra* zool. brejlovec indický
spectacular [spekˈtækjulə] *adj* 1 připomínající velkou podívanou, efektní, atraktivní, honosný, pompézní, okázalý, velkolepý, gigantický 2 dramatický, nápadný, senzační ● *s* 1 efektní podívaná, efektní show 2 efektní světelná reklama 3 výpravná televizní estráda, televizní show
spectating [spekteitiŋ] divácký (*from the ~ point of view*)
spectator [spekˈteitə / AM spekteitə] *s* 1 divák 2 též *~ pump* kombinovaná dámská lodička ● *adj* 1 divácký, atraktivní (*such ~ sports as racing*) 2 sportovní (*a ~ frock*)
spectatress [spekˈteitris] ženský divák
specter [spektə] AM = *spectre*
spectra [spektrə] v. *spectrum*
spectral [spektrəl] 1 nehmotný, přízračný, přeludný, fantomastický, duchový, strašidelný 2 fyz. spektrální ♦ *~ analysis* spektrální rozbor / analýza; *~ colours* spektrální barvy, duhové / základní barvy; *~ type* hvězd. spektrální typ hvězdy ve spektrální klasifikaci
spectre [spektə] 1 duch, zjevení, přízrak, vidina, fantom, mátoha, strašidlo 2 přen. děsivý přízrak, strašidlo, bubák (*the ~ of want* … bídy) ♦ *~ of the Brocken* přelud v horách způsobený zrcadlením vzduchu
spectre bat [spektəbæt] zool. vampyr nosatý
spectre crab [spektəkræb] zool. průhledná larva korýše
spectre insect [ˈspektəˌinsekt] zool. strašilka, pakobylka
spectre lemur [ˈspektəˌli:mə] zool. nártoun
spectre shrimp [spektəšrimp] zool. 1 blešivec rodu *Caprella* 2 ráček *rodu Callianassa*
spectre tarsier [ˈspektəˌta:siə] zool. nártoun
spectrogram [spektrə*u*græm] fyz. spektrogram snímek získaný spektrografem
spectrograph [spektrə*u*gra:f] fyz. spektrograf přístroj k zachycení / registraci spekter
spectrographic [ˌspektrə*u*ˈgræfik] fyz. spektrografický týkající se spektrografu n. spektrografie
spectrography [spekˈtrogrəfi] fyz. spektrografická metoda, spektrografický výzkum, spektrografie
spectroheliograph [ˌspektrə*u*ˈhi:liəugra:f] hvězd. spektroheliograf přístroj k fotografování Slunce v jednobarevném světle určité spektrální čáry
spectrohelioscope [ˌspektrə*u*ˈhi:ljəskəup] hvězd. spektrohelioskop přístroj k pozorování Slunce v jednobarevném světle (ve vybraných spektrálních čarách)
spectrometer [spekˈtromitə] fyz. spektrometr přístroj na proměřování spekter
spectrometric [ˌspektrə*u*ˈmetrik] fyz. spektrometrický
spectroscope [spektrəskə*u*p] fyz. spektroskop přístroj k pozorování spekter
spectroscopic [ˌspektrəˈskopik], **spectroscopical** [ˌspektrəˈskopikəl] fyz. spektroskopický týkající se spektroskopu n. spektroskopie
spectroscopist [spekˈtroskəpist] fyzik pracující se spektroskopem, odborník ve spektroskopii
spectroscopy [spekˈtroskəpi] fyz. spektroskopie nauka o spektrech
spectrum [spektrəm] *pl* též *spectra* [spektrə] 1 též *ocular ~* doznívání obrazu na sítnici 2 odb. spektrum uspořádání složeného záření podle vlnových délek; sled jednoduchých barev vzniklý rozkladem složeného světla; uspořádání hodnot nějaké veličiny podle velikosti 3 vidmo, obraz 4 stupnice, škála, paleta (*a ~ of minerals ranging from platinum to mica* paleta nerostů od platiny k slídě); *diffraction / prismatic ~* hranolové spektrum; *solar ~* sluneční spektrum
spectrum analysis [ˌspektrəməˈnæləsis] *pl: spectrum analyses* [ˌspektrəməˈnæləsi:z] spektrální rozbor, spektrální analýza
specula [spekjulə] *pl* v. *speculum*
specular [spekjulə] 1 zrcadlový (*~ surfaces* … plochy) 2 med. provedený pomocí spekula ♦ *~ iron* miner. *1.* spekularit *2.* zrcadlovina, zrcadlové železo; *pig iron ~* vysokopecní zrcadlovina
specularite [spekjulərit] miner. spekularit
speculate [spekjuleit] 1 uvažovat, přemýšlet, hloubat, dumat, bádat, spekulovat *on / upon / about* o / nad, zamýšlet se nad (*~ about the future of the human race*) 2 obch. spekulovat zejm. ukvapeně *in* s (*~ in coffee*)

speculation [ˌspekjuˈleišən] **1** úvaha, úvahy, přemýšlení, hloubání, dumání, bádání, zamyšlení, spekulování, spekulace **2** úvaha, závěr úvah, názor; dohad, dohadování **3** obch. spekulace činnost i jednotlivá transakce (*make some bad ~s*); spekulativní podnikání **4** filoz. spekulace **5** druh karetní hry, při níž se trumfy kupují a prodávají ◆ *bear(ish) ~* obch. spekulace na pokles cen / na baissu; *bull ~* obch. spekulace na vzestup cen / na haussu; *~ in foreign exchange* spekulace s devizami

speculative [spekjulətiv] **1** pouze teoretický (*a ~ approach to a problem*), spekulativní (*~ philosophy*) **2** hloubavý (*a ~ glance ...* pohled), přemýšlivý, spekulativní (*a ~ writer*) **3** skýtající široký rozhled (*a ~ height*) **4** obch. spekulační, spekulativní (řidč.); spekulantský, určený ke spekulaci

speculativeness [spekjulətivnis] **1** teorie, teoretičnost, spekulativnost **2** hloubavost, přemýšlivost, spekulativnost **3** obch. spekulování, sklon k spekulaci, snaha o spekulaci, spekulantství

speculator [spekjuleitə] **1** hloubavý člověk, hloubavec, přemýšlivec **2** obch. spekulant

speculum [spekjuləm] *pl: specula* [spekjulə] **1** kovové zrcadlo **2** med.: rozvírací zrcadlo, spekulum nástroj k prohlížení tělních dutin (*nasal ~*) **3** středověký traktát, kompendium, zrcadlo **4** obrazec, kresba horoskopu **5** zool. zrcadlo kovově lesklá skvrna na křídlech kačerů a jiných ptáků

speculum metal [ˈspekjuləmˌmetl] hut. bronzová zrcadlovina

sped [sped] v. *speed, v*

speech [spi:č] **1** řeč; mluva, mluvení **2** jazyk, řeč; nářečí, mluva **3** hovor, rozhovor, řeči **4** veřejná řeč, projev, proslov, promluva, spíč **5** řečnictví, rétorika **6** co kdo říká: slovo, slova, věta, věty, výrok, poznámka **7** div. replika; text; verš, verše; sos (hanl.) (*a dramatist with a fondness for writing long ~es* dramatik libující si v psaní dlouhých sosů) **8** způsob řeči, artikulace, výslovnost **9** zvuk, tón, ozev hudebního nástroje **10** zast. pověsti, zprávy, řeči **11** *~es, pl = speech day* ◆ *deliver a ~ = make a ~; direct ~* jaz. přímá řeč; *faculty of ~* schopnost mluvit, dar řeči; *figure of ~* řečnický obrat, metafora; *freedom of ~* svoboda projevu; *have ~ with a p.* pro|mluvit s; *indirect ~* jaz. nepřímá řeč; *lose one's ~* ztratit řeč, oněmět; *maiden ~* první projev poslance v parlamentě; *make a ~ on / about a t. to a p.* mluvit, řečnit, mít / pronést projev o / na jaké téma k; *part of ~* jaz. slovní druh; *reported ~* jaz. = *indirect ~; set ~* připravený, předem napsaný projev; *S~ is silver but silence is golden* Mluviti stříbro, mlčeti zlato; *be slow of ~* mluvit pomalu, těžkopádně; *Queen's / King's (gracious) ~ from the throne* polit. BR trůnní řeč nástin politického programu nové vlády

speech centre [ˈspi:čˌsentə] **1** řečové centrum, ústředí řeči v mozku **2** středisko nářečí

speech clinic [ˈspi:čˌklinik] logopedická klinika

speechcraft [spi:čkra:ft] řečnické umění

speech day [spi:čdei] BR roční slavnost udílení cen ve škole

speechful [spi:čful] **1** řečný, mnohomluvný **2** výmluvný (*her ~ eyes*)

speechification [ˌspi:čifiˈkeišən] hovor. řečnění, řečňování

speechifier [spi:čifaiə] řečnil, řečnílek

speechify [spi:čifai] (*-ie-*) řečnit, řečňovat, projevovat se, žvanit, kecat při projevu

speechless [spi:člis] **1** němý, jsoucí bez řeči, oněmělý; zbavující řeči (*~ fright* strach zbavující řeči) **2** nemluvný, mlčenlivý **3** přen. nevypověditelný, nevyslovitelný, nevýslovný (*~ grief* nevýslovný žal) **4** slang. zpitý do němoty, sťatý, mrtvý ◆ *be ~ with* ztratit úplně řeč z, být úplně zbaven řeči čím, oněmět čím, zalykat se čím

speechlessness [spi:člisnis] **1** němost, němota, oněmělost **2** nemluvnost, mlčenlivost **3** přen. nevypověditelnost, nevyslovitelnost, nevýslovnost **4** úplná opilost, zpitost do němoty

speechmaker [ˈspi:čˌmeikə] zejm. iron. řečník

speech prefix [ˌspi:čˈpri:fiks] div. označení / jméno dramatické osoby před replikou v textu dramatu

speech reading [ˈspi:čˌri:diŋ] odzírání ze rtů

speech sound [spi:čsaund] jaz. nejjednodušší prvek řeči

speech therapist [ˈspi:čˌθerəpist] med. logoped

speech therapy [ˈspi:čˌθerəpi] med. logopedie

speech training [ˈspi:čˌtreiniŋ] **1** rétorika, řečnictví **2** výcvik správné výslovnosti, ortoepický výcvik

speed [spi:d] *s* **1** rychlost **2** rychlost, rychlé tempo, kvap, chvat, hbitost, čilost, kalup, kvalt, fofry (hovor.) **3** rychlost otáčení, otáčky, obrátky **4** pohyb, chod plavidla **5** motor. rychlost, rychlostní stupeň (tech.) **6** fot. stupeň citlivosti, citlivost filmu / papíru; doba osvětlení, expozice; světelnost objektivu **7** sport. síla udělující míči rychlost **8** zast. úspěch, štěstí **9** zeměměř. značkovací hřeb **10** slang. metamfetamin stimulační droga ◆ *air ~* let. rychlost letadla v poměru k rychlosti prolétaného vzduchu; *with all ~ = at full ~; at ~* plnou rychlostí; *Hercules* etc. *be thy ~* zast. stůjž při tobě Herkules atd.; *at full ~* co nejrychleji, plnou rychlostí, na plnou rychlost, nejvyšší rychlostí; *gather ~* zrychlovat se, nabírat rychlost; *good ~!* mnoho úspěchů! (*wish a p. good ~* přát komu mnoho úspěchů); *ground ~* let. *1.* absolutní rychlost letadla vzhledem k zemi *2.* cestovní n. traťová rychlost; *more haste, less ~* pořek. spěchej pomalu; *maximum ~* nejvyšší rychlost; *pick up ~* nabírat rychlost, zrychlovat, přidávat na rychlosti; *reverse ~* motor. zpáteční rychlost; *that's about your ~* to je vaše, to vám sedí, to je něco pro vás ● *v (sped, sped)* **1** pohybovat se určitou rychlostí; spěchat, pospíchat, kvapit, kvaltovat (hovor.) **2** pohybovat se velkou rychlostí, letět, řítit se, uhánět, hnát si to, kalit si to, fištět, fofrovat (hovor.) (*he sped down the street*) **3** urychleně n. rychle dopravovat, hnát kupředu, štvát; rychle vypustit, vystřelit (~ *an arrow from the bow* vystřelit šíp z luku) **4** nastavit, seřídit na určitou rychlost; navrhnout na určitou rychlost např. motor **5** vy|provázet a tím urychlit odchod (~ *the parting guest* vyprovázet odcházejícího hosta) **6** po|vést se, po|dařit se (*I should like to know how you* ~) **7** zast. stát při, pomáhat komu, dopřát úspěch komu (*God* ~ *you!*); mít úspěch **8** slang. fetovat amphetamin; být zfetovaný amphetaminem **9** (*speeded, speeded*) jet nedovolenou rychlostí (~*ed for a while but slowed down when he saw a police car* chvíli jel nedovolenou rychlostí, ale když uviděl policejní vůz, zpomalil) ***speed by*** rychle míjet, plynout (*his college years sped by*) ***speed on*** jít, postupovat rychle kupředu (*the work sped on at a commendable rate* práce postupovala chvályhodnou rychlostí kupředu) ***speed up*** (*speeded up, speeded up*) *1* urychlit, zrychlit, dostat / dát větší rychlost, zvýšit rychlost čeho, popohnat *2* rychleji se pohybovat, růst, bušit apod. (*the heart* ~*s up*)

speed advertising [ˌspi:dˈædvətaiziŋ] světelné písmo běžící

speedball [spi:dbo:l] **1** AM speedball sportovní hra (spojení košíkové, kopané a ragby) **2** slang. kokain smíchaný s heroinem apod.

speedboat [spi:dbəut] rychlý motorový člun, kluzák

speed box [ˌspi:dˈboks] převodovka, rychlostní skříň

speed change [ˌspi:dˈčein*dž*] řazení rychlostí

speed change gear [ˌspi:dčein*dž*ˈgiə] převodovka, rychlostní skříň

speed cone [spi:dkəun] **1** stupňová n. kuželová řemenice **2** námoř. rychlostní kužel signální těleso

speed cop [spi:dkop] slang. polda na motorce dohlížející na dodržování nejvyšší dovolené rychlosti

speed counter [ˈspi:dˌkauntə] otáčkoměr, počítač otáček, rychloměr, tachometr

speed drill [ˌspi:dˈdril] rychlovrtačka

speeder [spi:də] **1** zrychlovač **2** žel. drezína **3** řidič jedoucí nedovolenou rychlostí **4** text. předpřádací stroj / stolice / křídlovka, přástová stolice, flyer

speed governer [ˌspi:dˈgavənə] omezovač rychlosti výtahu

speedily [spi:dili] co nejrychleji, rychle, okamžitě, tempem, obratem

speediness [spi:dinis] rychlost, okamžitost

speeding [spi:diŋ] **1** překročení dovolené rychlosti, (příliš) rychlá jízda (*was arrested for* ~) **2** v. *speed, v*

speed lamp [spi:dlæmp] fot. blesk

speed light [spi:dlait] námoř. rychlostní světlo

speed limit [ˈspi:dˌlimit] omezení rychlosti, nejvyšší dovolená rychlost

speed merchant [ˈspi:dˌmə:čənt] slang. blázen za volantem, pirát silnic jezdící nedovolenou rychlostí

speedo [spi:dəu] hovor. = *speedometer*

speedometer [spiˈdomitə] **1** rychloměr; otáčkoměr **2** motor. tachometr

speed plate [ˌspi:dˈpleit] tabulka otáček štítek na stroji

speed ratio [ˌspi:dˈreišiəu] poměr rychlosti, poměr otáček, převodový poměr, převod

speed-read [spi:dri:d] (*speed-read* [spi:dred], *speed-read* [spi:dred]) rychle pře|číst, pře|číst globálně

speed-reader [ˈspi:dˌri:də] rychlý čtenář, kdo čte globálně

speed road [ˌspi:dˈrəud] dálnice, autostráda

speed skating [ˈspi:dˌskeitiŋ] rychlobruslení

speedster [spi:dstə] **1** rychlý automobil, zejm. sportovní **2** AM kdo jezdí velice rychle zejm. nedovolenou rychlostí

speed trap [spi:dtræp] „radarová past" úsek silnice, kde je měřena rychlost projíždějících automobilů

speed truck [spi:dtrak] AM rychlý nákladní automobil

speedup [spi:dap] hovor. zrychlení, urychlení zejm. výroby n. výkonu

speedway [spi:dwei] **1** motocyklová dráha; plochá dráha trať i závod **2** AM dálnice, autostráda; dopravní pruh pro rychlá vozidla

speedwell [spi:dwel] bot. rozrazil ◆ *common* ~ rozrazil lékařský; *germander* ~ rozrazil rezekvítek

speedwriting [ˈspi:dˌraitiŋ] též *S*~ „rychlopis" druh těsnopisu

speedy [spi:di] (*-ie-*) **1** rychlý (~ *vehicles*) **2** brzký, okamžitý, rychlý (*a* ~ *recovery*)

speiss [spais] hut. míšeň

spelaean [spiˈli:ən] jeskynní

spelding [speldiŋ] SC sušená ryba nesolená

spelean [spiˈli:ən] jeskynní

speleologist [ˌspi:liˈolədžist] jeskyňář, speleolog

speleology [ˌspi:liˈolədži] výzkum jeskyň, jeskyňářský výzkum, speleologie

spelicans [spelikənz] v. *spillikin*

spell[1] [spel] *s* **1** kouzlo, čáry **2** kouzelné slovo, kouzelná formulka, zaříkadlo, zaříkávadlo, zaklínadlo **3** přitažlivost, kouzlo, čaromoc (*the mysterious* ~ *of the music by Delius*) ◆ *be under the* ~ *of* být očarován, uhranut, okouzlen kým, být pod vlivem koho; *cast a* ~ *over a p., put a* ~ *on a p.* začarovat zaříkáním koho, zaklít, zaříkat koho ● *v* okouzlit, očarovat

spell[2] [spel] (*spelt* / *spelled, spelt* / *spelled*) **1** psát pravopisně (*why don't you learn to* ~ (*correctly*)? proč se nenaučíte pravopisu?, proč se nenaučíte psát bez chyby?), hláskovat (*how do you* ~ *your name?* jak se píše vaše jméno?) **2** hlásky, písmena dávat, číst se dohromady (*C-A-T* ~*s cat* C-A-T se čte „cat") **3** znamenat, značit, přinášet, mít za následek (*does laziness always* ~ *failure?* má lenost vždycky za následek neúspěch?) **4** zast. naznačit zájem *for* o (*never saw anybody in my life* ~ *harder for an invitation*) ◆ ~ *able* AM slang. moci, být s to; ~ *backwards 1.* hláskovat obráceně / od zadu *2.* znát perfektně pravopis čeho *3.* úplně splést / zmotat, překroutit do úplného opaku; *be spelt* psát se pravopisně (*the word is spelt with one "1"*); *~ in full = spell out, 4*; *it ~s trouble* z toho nic dobrého nekouká **spell out** *1* pře|číst písmenko po písmenku pomalu, přeslabikovat (*it took the boy an hour to ~ out a page of German*) *2* vyjádřit, vysvětlit / zpřesnit tak, aby to i hloupý pochopil *3* pochopit, porozumět čemu, vyluštit, rozluštit **4** polygr. vysadit slovy **spell over** pro|studovat | si, hloubat nad (*she spelt over the names of the guests at the houses*)

spell[3] [spel] *s* **1** údobí, doba, období, perioda (*a cold ~ in January*) **2** chvilka, chvilička (*wait (for) a~*) **3** směna, šichta střídání i skupina osob (řidč.); střída, interval **4** doba strávená prací, práce *at* na **5** přechodné údobí zhoršeného zdravotního stavu, zlý čas, zlá doba **6** záchvat, výbuch, paroxysmus (*a ~ of coughing* záchvat kašle) **7** AM hovor. kousek, pár kroků (*a ~ down the road*) **8** AU přestávka, pauza, oddech (*having a ten minutes' ~*) ◆ *at a ~* najednou, v jednom kuse, na jeden zátah (*he takes ten days off at a ~*); *by ~s* přerývaně, s přestávkami; *give a p. a ~* vystřídat při práci koho; *~ ho / oh!* AU pauza, pohov! výzva k přerušení práce; *take a ~* střídat se (*take ~s at the wheel* střídat se u volantu) ● *v* **1** AM vy|střídat (*four carrier teams ~ each other every 15 minutes* čtyři skupiny nosičů se střídají po patnácti minutách) **2** námoř. vy|střídat | se např. u čerpadel **3** dát si pauzu, přestat na chvíli dělat, na chvíli vypřáhnout **4** AU nechat odpočívat, popřát odpočinek komu **5** AU přestat spásat pastvinu, aby se předešlo šíření nákazy pasoucích se zvířat

spellbind [spelbaind] (*spellbound, spellbound*) oslnit, okouzlit, očarovat, fascinovat, udržet v napětí kouzlem

spellbinder [ˈspelˌbaində] řečník šarmér který dovede udržet pozornost posluchačů

spellbinding [ˈspelˌbaindiŋ] **1** čarovný, okouzlující, fascinující **2** v. *spellbind*

spellbound [spelbaund] v. *spellbind* ◆ *hold a p. ~* napnout koho, že se kdo nemůže odtrhnout např. od četby, fascinovat

spelldown [speldaun] = *spelling bee*

speller [spelə] **1** kdo umí jak pravopisně psát, kdo zná jak pravopis (*the best ~ in the class*) **2** cvičebnice pravopisu

spelling [speliŋ] **1** pravopis, ortografie (*his ~ has improved, ~ as a subject of instruction*) **2** způsob psaní **3** v. *spell,* [1, 2] *v*

spelling bee [speliŋbi:] pravopisná soutěž, soutěž v hláskování společenská hra

spelling book [speliŋbuk] cvičebnice pravopisu

spelling pronunciation [ˈspeliŋprəˌnansiˈeišən] výslovnost podle pravopisu (*"wosestə" for "Worcester" is a ~*)

spelt[1] [spelt] bot. pšenice špalda

spelt[2] [spelt] v. *spell*[2], *v*

spelter [speltə] *s* **1** zbož. zinek v deskách n. houskách **2** tvrdá pájka, mosazná páska ● *v* letovat tvrdou pájkou

speluncar [spiˈlaŋkə] jeskynní

spelunker [spiˈlaŋkə] jeskyňář, speleolog

spence [spens] BR zast., nář. **1** spíž, spižírna; spížka **2** příjem, důchod, kapesné **3** velká sednice v chalupě

spencer[1] [spensə] **1** krátký dvouřadový kabát zejm. vlněný, krátké dvouřadové sako **2** dámský přiléhavý kabátek do pasu, spencr (zast.)

spencer[2] [spensə] námoř.: přední n. hlavní vratiplachta

Spencerian [spenˈsiəriən] spencerovský podle Herberta Spencera (1820–1903)

Spencerianism [ˌspensiəriˈænizəm], **Spencerism** [spensərizəm] spencerovství názory a učení Herberta Spencera

spend [spend] (*spent, spent*) **1** utratit peníze (*~ all one's money*); vydávat, vynakládat **2** marnotratně utrácet, vyhazovat peníze, plýtvat penězi (*he's always ~ing*); promrhat, promarnit (*~ an estate in gaming* prohrát panství např. v kostkách) **3** vydat se z; věnovat, obětovat (*~ blood and life*) **4** vyčerpat, vypotřebovat, spotřebovat (*they went on firing until all their ammunition was spent* pálili tak dlouho, dokud nevystříleli všechnu munici), uštvat, utahat např. koně **5** hněv, bouře vyzuřit se (*the storm is spent*) **6** námoř. ztratit, přijít o (*the ship spent its mast* loď ztratila stěžeň) **7** po|užít, využít čeho **8** strávit čas, prožít (*~ a week end in London*) ◆ *~ a penny* hovor. odskočit si, jít na klo na malou stranu **spend o. s.** vyčerpat se úplně, obětovat se, zničit se (*spent himself in the service of humanity*)

spendable [spendəbl] určený k utrácení, určený k volné dispozici, utratitelný (*~ income*)

spender [spendə] **1** kdo utrácí n. vyčerpává, mrhač **2** nehospodárný člověk **3** = *spendthrift, s*

spending [spendiŋ] **1** útrata, výdaje (*Christmas ~* vánoční nákupy) **2** v. *spend*

spending money [ˌspendiŋˈmani] kapesné

spendthrift [spen*d*θrift] *s* **1** marnotratník, rozhazovač **2** hýřil, rozmařilec ● *adj* **1** marnotratný, extravagantní (*~ property owners*) **2** nehospodárný, neekonomický (*~ duplication of work*)

Spenlow and Jorkins [ˌspenləu ənˈdžo:kinz] trik, při kterém se nepříjemné jednání přesune na domněle neústupného společníka (postavy v Dickensově románu *David Copperfield*)

spense [spens] = *spence*

Spenserian [spenˈsiəriən] *adj* spenserovský týkající se básníka Edmunda Spensera (1552?–1599) ◆ *~ stanza* liter. Spenserova stance 8 jambických pentametrů + 1 alexandrín ● *s* **1** spenserovec, spenserián obdivovatel n. znalec díla E. Spensera **2** *~s, pl* liter. Spenserovy stance

spent [spent] **1** námoř.: jsoucí bez nákladu n. zásob **2** vyčerpaný, utahaný, udřený **3** v. *spend* ◆ *~ condition* námoř.: stav lodi s prázdnými nákladními prostory, s vyčerpanými zásobami (bez paliva a pitné vody); ~ *fish* vytřelá ryba; ~ *fuel* fyz. vyhořelé palivo; ~ *malt* mláto; ~ *mast* zlámaný stěžeň; ~ *rocket* přen. člověk, jehož hvězda už pohasla; ~ *sail* rozervaná plachta

speos [spi:os] skalní chrám n. hrobka ve starém Egyptě

sperm[1] [spə:m] biol. chám, sperma

sperm[2] [spə:m] **1** zool. vorvaň obrovský **2** spermacet

spermaceti [ˌspə:məˈseti] zool. vorvaňovina, spermacet

spermary [spə:məri] (*-ie-*) **1** zool. varle u nižších bezobratlých **2** anat. mužská spermatická žláza, chámovod, varle **3** bot. pelatka

spermatic [spə:ˈmætik] **1** biol. semenný, spermatický týkající se spermatu n. spermaria; obsahující spermata **2** přen. plodný, živný ♦ ~ *cord* anat. nadvarle; ~ *fluid* anat. chám, sperma; ~ *sac* šourek

spermatid [spə:mətid] biol. buňka, která se vyvine ve spermatozoid

spermatoblast [spə:mətəubla:st] biol. spermatoblast zárodek spermie

spermatogenesis [ˌspə:mətəuˈdženisis] biol. spermatogeneza, spermatogeneze, spermiogeneze vývoj (zrání) spermií

spermatogenous [ˌspə:məˈtodžənəs] biol. **1** týkající se spermatogeneze **2** spermatický, spermatogenní

spermatogeny [ˌspə:məˈtodženi] biol. = *spermatogenesis*

spermatological [ˌspə:mətəuˈlodžikəl] biol. týkající se nauky o spermatech, spermatologický

spermatologist [ˌspə:məˈtolədžist] biol. odborník ve spermatologii, spermatolog

spermatology [ˌspə:məˈtolədži] biol. nauka o spermatech, spermatologie

spermatophore [spə:mətəufo:] biol. spermatický vak

spermatorrhoea [ˌspə:mətəuˈriə] fyziol. chámotok, semenotok, poluce, spermatorrhoea, spermatorrhoe

spermatozoal [ˌspə:mətəuˈzəuəl], **spermatozoan** [ˌspə:mətəuˈzəuən] biol. spermatozoidní

spermatozoon [ˌspə:mətəuˈzəuən] biol. spermie, samčí gamet, spermatozoid

spermic [spə:mik] = *spermatic*

spermicide [spə:misaid] spermicid antikoncepční prostředek

spermoblast [spə:məubla:st] = *spermatoblast*

sperm oil [ˈspə:mˌoil] spermacetový olej

spermological [ˌspə:məuˈlodžikəl] = *spermatological*

spermologist [spə:ˈmolədžist] = *spermatologist*

sperm whale [spə:mweil] zool. vorvaň obrovský

spew [spju:] *v* **1** zvracet, vrhnout, dávit; chrlit **2** vyvěrat, prýštit **3** vytlačovat **4** puška vracet při rychlé střelbě; hlaveň ohnout se následkem příliš rychlé střelby ● *s* **1** vydávenina **2** výronek **3** BR mokřina **4** BR poroj třetí n. čtvrté rojení včel

sphacelate med. *adj* [sfæsilit] snětivý, gangrenózní ● *v* [sfæsileit] postihnout snětí; snětivět

sphacelation [ˌsfæsiˈleišən] med. snětivění

sphagnum [sfægnəm] *pl* též *sphagna* [sfægnə] bot. rašeliník

sphagnum bog [ˌsfægnəmˈbog] rašelina, rašeliniště

sphene [sfi:n] miner. titanit, sfín

sphenic [sfi:nik] klínovitý

sphenogram [sfi:nəgræm] znak klínového písma

sphenographic [ˌsfi:nəˈgræfik] klínopisný

sphenoid [sfi:noid] *adj* klínový, klínovitý ♦ ~ *bone* anat. klínová kost ● *s* **1** anat. klínová kost **2** miner. klínotvar, sfenoid

sphenoidal [sfəˈnoidl] miner. sfenoidický

sphere [sfiə] *s* **1** koule, též geom. **2** hvězd. nebeská klenba v podobě myšlené koule, sféra **3** hist. hvězd. sféra domnělá dráha po kulovité sféře, v níž se pohybují nebeská tělesa **4** kniž. nebesa, obloha **5** stálice, oběžnice n. jiné nebeské kulové těleso, hvězda, planeta **6** zeměp., hvězd. glóbus; systém sfér s drahami hvězd **7** pole, oblast, okruh (působnosti / činnosti / vlivu / zájmu), sféra (*within her narrow* ~ *of action*); prostředí (*fish in their underwater* ~) **8** kruhy, vrstva společnosti **9** kulaté těleso / tělísko, koule, kulička **10** zast. dráha planety ♦ *be quite in one's* ~ být úplně ve svém živlu; *celestial* ~ nebeská klenba / báň, sféra; *doctrine of the* ~ řidč. sférická geometrie a trigonometrie; *great circle of* ~ hvězd. hlavní kruh / kružnice; *harmony of the* ~*s* harmonie sfér; ~ *of influence* polit. zájmová sféra, sféra zájmů, sféra vlivu; *music of the* ~*s* hudba sfér; *oblique* ~ hvězd. šikmá sféra odklon obzorníkových a rovníkových souřadnic o určitý úhel; *parallel* ~ hvězd. rovnoběžná sféra rovnoběžnost rovníkových a obzorníkových souřadnic; ~ *pen* řidč. kuličkové pero, propiska; *right* ~ hvězd. kolmá sféra kolmost obzorníkových a rovníkových souřadnic; *small circle of* ~ hvězd. vedlejší kruh / kružnice ● *v* **1** u|činit kulovým / kulovitým, dát kulový / kulovitý tvar čemu; zakulatit **2** obklopit ze všech stran *with* čím (~*d about with music*) **3** přen. dokončit, učinit dokonalým **4** bás. vynášet do nebe

spheric [sferik] *adj* **1** bás. nebeský **2** = *spherical* ● *s* = *spherics*[1]

spherical [sferikəl] **1** kulatý, kulovitý, kulový **2** odb. mat. sférický ♦ ~ *cap* kulová úseč; ~ *dome* kulová klenba, sférická klenba, kupole, báň; ~ *geometry* sférická geometrie; ~ *lune* sférický dvojúhelník; ~ *polygon* sférický mnohoúhelník; ~ *roller bearing* soudečkové ložisko; ~ *sector* kulová výseč; ~ *segment* kulová vrstva (~ *segment with one base* kulová úseč); ~ *triangle* sférický trojúhelník; ~ *trigonometry* sférická trigonometrie

sphericity [sfəˈrisəti] kulovitost, kulatost

spherics[1] [sferiks] *sg* sférická geometrie a trigonometrie

spherics[2] [sferiks] *pl* atmosférické poruchy

spherograph [sfiərəgra:f] hvězd., námoř. sférograf

spheroid [sfiəroid] hvězd. *s* sféroid rotační elipsoid s malým zploštěním ◆ *oblate* ~ zploštělý sféroid; *prolate* ~ protáhlý sféroid ● *adj* sféroidní
spheroidal [sfiəˈroidl], **spheroidical** [ˌsfiərəˈidikəl] kulovitý, sféroidní
spheroidicity [ˌsfiəroiˈdisəti] kulovitost, sféroidnost
spherometer [sfiəˈromitə] fyz., tech. sférometr přístroj na měření poloměru křivosti kulových ploch
spherular [sferjulə] kuličkový, kuličkovitý
spherulate [sferjulit] zool. pokrytý kuličkami
spherule [sferju:l] kulička, koulička
spherulite [sferjulait] miner. sférolit kulovitý tvar nerostu s radiálně paprsčitým uspořádáním krystalových jedinců
spherulitic [ˌsferjuˈlitik] miner. paprsčitý, radiální, sférolitický
spherulitize [sferjulaitaiz] miner. změnit v paprsčitou stavbu
sphery [sfiəri] kulovitý, kulatý
sphincter [sfiŋ*k*tə] anat. svěrač
sphincteral [sfiŋ*k*tərəl], **sphincterial** [sfiŋ*k*ˈtiəriəl], **sphincteric** [sfiŋ*k*ˈterik] anat. svěračový
sphinx [sfiŋks] **1** sfinga, sfinx (v řec. mytol.) obluda s tělem napůl lvím a napůl ženským; (v Egyptě) socha ležícího lva s hlavou krále n. božstva; též přen. **2** zool. lišaj **3** zool. mandril rýholící
sphinxlike [sfiŋkslaik] připomínající sfingu
sphinx moth [sfiŋksmoθ] zool. lišaj
sphragistics [sfrəˈdžistiks] *sg* sfragistika pomocná věda historická zkoumající pečeti
sphygmic [sfigmik] med. tepový, pulsový
sphygmogram [sfigmə*u*græm] med. tepová křivka, pulsový graf, sfygmogram
sphygmograph [sfigmə*u*gra:f] med. sfygmograf přístroj ke grafickému zobrazení krevního tepu
sphygmographic [ˌsfigmə*u*ˈgræfik] med. sfygmografický
sphygmography [sfigˈmogrəfi] med. sfygmografie vyšetřování sfygmografem; znázornění / zapisování tepu
sphygmology [sfigˈmolədži] med. nauka o tepu
sphygmanometer [ˌsfigməˈnomitə] med. tlakoměr, tonometr, přístroj na měření krevního tlaku
sphygmophone [sfigməfəun] med.: fonendoskop přístroj pro akustické vyšetření tepu
sphygmoscope [sfigməuskəup] med.: přístroj pro optické vyšetření tepu
sphygmus [sfigməs] med. tep, puls
spic [spik] AM hanl. Španělák Jihoameričan n. Mexičan
spica [spaikə] *pl* též *spicae* [spaisi:] **1** bot. klas **2** med. klasový obvaz **3** archeol.: pšeničný klas **4** *S*~ Spica hvězda v souhvězdí Panny
spic-and-span [ˌspikənˈspæn] = *spick-and-span*
spicate [spaikeit], **spicated** [spaikeitid] bot. klasnatý, klasovitý
spice [spais] *s* **1** koření **2** kořeněná vůně, aróma **3** trocha, špetka, ždibec, náznak, pachuť, příchuť pikantního **4** přen. pikantní příchuť (*scandals a hundred years old usually lack* ~ *for anyone save the antiquary* sto let staré skandály mají obvykle pikantní příchuť jen pro starožitníky); šťáva, šmrnc (hovor.) (*a story that lacks* ~) **5** oranžovohnědá barva ◆ *dealer in* ~*s* obchodník s kořením, kořenář ● *v* o|kořenit, též přen.
spicebox [spaisboks] kořenka skříňka s malými zásuvkami
spicebush [spaisbuš] bot.: americký strom *Benzoin odoriferum*
spiced [spaist] **1** kořeněný **2** voňavý, aromatický **3** v. *spice, v*
spicenut [spaisnat] AM malý kořeněný koláček
spicery [spaisəri] (*-ie-*) **1** koření **2** kořenitost, kořeněná příchuť n. vůně, aromatičnost, pikantnost **3** zast. místnost / místo, kde je uskladněno koření
spiciness [spaisinis] **1** o|kořeněnost **2** kořennost, kořenitost **3** aromatičnost **4** ostrost, štiplavost, břitkost **5** pikantnost, peprnost, lechtivost, košilatost, choulostivost, intimita; erotičnost
spick [spik] = *spic*
spick-and-span [ˌspikənˈspæn] hovor. **1** jako z cukru, jako ze škatulky, jako ze žurnálu **2** zbrusu nový
spicknel [spiknl] bot. osten, bodlina, osina **2** zool. jehlice hub
spicy [spaisi] (*-ie-*) **1** o|kořeněný **2** kořenný, kořenitý, plný koření **3** aromatický, vonící kořením **4** ostrý, štiplavý, břitký (~ *criticism*) **5** pikantní, peprný, lechtivý, choulostivý, košilatý, intimní (~ *details of the film star's love life*); erotický (~ *magazines*) ◆ *cut it* ~ slang. chodit pěkně ohozený / oháknutý
spider [spaidə] **1** zool. pavouk; křižák **2** přen. úlisný člověk, svůdce **3** hvězdice kola apod. **4** třínožka **5** AM litinová pánev zejm. na nožičkách **6** též ~ *cart / wagon* vysoká lehká bryčka **7** námoř. křížová vazba; konzola kladnice; přenosné zvětšovací sklo na kompasu **8** polygr. kotoučová hvězdice **9** tech. lanové upínadlo jeřábu **10** BR upínací řemení např. k nosiči motocyklu **11** tech. druh bran k vláčení pole ◆ ~ *band / hoop / iron* námoř. obruč na spodku stěžně s oky
spider beetle [ˌspaidəˈbi:tl] zool. vrtavec
spider catcher [ˈspaidəˌkæčə] zool. **1** zedníček skalní **2** východoindický pták z rodu *Arachnothera*
spider crab [spaidəkræb] zool. mořský pavouk název různých druhů krabů s dlouhýma nohama
spider hole [ˌspaidəˈhəul] voj. okop odstřelovače
spider-legged [spaidəlegd] mající dlouhé, tenké nohy
spiderlike [spaidəlaik] pavoukovitý, pavoučí
spider lily [ˌspaidəˈlili] bot. **1** podeňka, tradeskancie (zahr.) **2** bělozářka liliovitá
spider line [spaidəlain] vlákno nitkového kříže v optickém přístroji
spider monkey [ˈspaidəˌmaŋki] zool. chápan
spider orchid [ˌspaidəˈo:kid], **spider orchis** [ˌspaidəˈo:kis] bot. tořič pavoukonosný
spider stitch [ˌspaidəˈstič] hvězdicový steh vyšívací
spider's web [spaidəzweb] = *spider web*

spider wasp [spaidəwosp] zool. hrabalka
spider web [spaidəweb] **1** pavučina **2** přen. síť, pavučina (*a ~ of airlines*)
spidery [spaidəri] **1** pavoukovitý, pavoučí, připomínající pavouka; plný pavouků **2** hvězdicovitý **3** pavučinový, pavučinkový (*~ lace* krajka jako pavučinka)
spied [spaid] v. *spy, v*
spiegeleisen [ˈspi:gəlˌaizən] vysokopecní zrcadlovina
spiel [spi:l] AM slang. *s* **1** cancy, kváky, kydy, tiráda, omáčka, výklad zejm. náborový **2** vyprávění, canc ● *v* **1** hrát, muzicírovat **2** dlouze vykládat, cancat, kecat, kafrat (*always ~ ing about how scientists ought to rule the world*) **3** též *~ off* sypat ze sebe
spieler [spi:lə] **1** AM hlasatel, náborář např. před pouťovou atrakcí **2** AM obchodní cestující **3** kdo dlouho a obšírně kecá, vejklada, tlučhuba, žvanil **4** AM hlasatel v reklamním vysílání **5** AU falešný hráč; podvodník **6** hráčské doupě
spier [spaiə] zast. špehéř
spif [spif] BR hovor.: poštovní známka s perforovanými iniciálami zaměstnavatele
spiffing [spifiŋ] BR slang. fajn, prima, žůžo
spifflicate [spiflikeit] slang., žert. rozmačkat, roztrhat, rozcupovat, zdrtit, roznést, odrovnat, nandat to komu, zatopit komu, odkráglovat
spifflicated [spiflikeitid] **1** nalitý, nadrátovaný **2** v. *spifflicate*
spifflication [ˌspifliˈkeišən] slang. rozmačkání, roztrhání, rozcupování, odrovnání, odkráglování
spiffy [spifi] (*-ie-*) AM slang. elegantní, hogofogo
spiflicate [spiflikeit] = *spifflicate*
spiflicated [spiflikeitid] = *spifflicated*
spiflication [ˌspifliˈkeišən] = *spifflication*
spignel [spignəl] bot. kopřník
spigot [spigət] **1** kolíková zátka do průduchu sudu, čep **2** AM pípa; kohoutek **3** čep hřídele, pípy **4** vodicí kolík **5** hladký konec hrdlové trubky **6** voj. ostruha, trn
spik [spik] = *spic*
spike[1] [spaik] *s* **1** bodec, hrot, špice **2** svorník; čep; roubík **3** bodec, jehla k napichování účtů apod. **4** hřeb v podrážce; kolejnicový hřeb **5** *~s, pl* tretry **6** text. tlustá jehla **7** též *~ heel* vysoký štíhlý podpatek dámského střevíce, jehla **8** ostrý vrchol grafu, špička **9** *~s, pl* špice, špičky parohy bez výsad **10** námoř. palubní hřeb **11** zool. mladá makrela do 20 cm délky **12** sport. smeč v odbíjené **13** hovor. zarytý anglikán příslušník „High Church" **14** AM slang. injekční jehla ◆ *~ bowsprit* námoř. krátký čelen; *~ lavender* bot. levandule širokolistá; *~ oil* levandulová silice; *~ plank* námoř. můstek před křížovým stěžněm na lodích plujících do Arktidy ● *v* **1** narazit, napíchnout, nabodnout (jako) na bodec atd.; prorazit, propíchnout, připíchnout, probodnout, přibodnout (jako) bodcem atd. **2** posázet, pobít bodci atd., dát bodce atd. na; přibít hřeby, zatloukat hřeby do **3** vyčnívat jako hřeb **4** narazit hřeb do zátravky aby se nedalo použít střelné zbraně; zaklínovat, zatlouci dělo, zneškodnit moderní dělo roztržením n. odnesením části závěru **5** zarazit, zatrhnout překazit (*~ a rumour* zarazit šeptandu) **6** slang.: redaktor hodit do koše příspěvek **7** let. tvrdě posadit na přistávací dráhu letadlo **8** AM slang. říznout alkoholem nealkoholický nápoj ◆ *~ a p.'s gun* zatrhnout to, překazit to komu ***spike out*** vlasy trčet jako hřebíky
spike[2] [spaik] bot. **1** klas **2** klasovité květenství, jehněda
spikelet [spaiklit] bot. klásek
spikenard [spaikna:d] **1** nard rostlina i voňavka **2** aralie ◆ *ploughman's ~* oman
spike rush [spaikraš] bot. bahnička bahenní
spiky[1] [spaiki] (*-ie-*) **1** špičatý, ostrý (*~ thorns* špičaté ostny) **2** BR zarytý, zatvrzelý, dogmatický, lpící na rituálu u „High Church"
spiky[2] [spaiki] **1** bot. klasnatý **2** připomínající klas
spile [spail] *s* **1** dřevěný kolík, kůl **2** kolíková zátka do průduchu sudu; čep **3** stav. kůl, štětovnice, pilota; pažina **4** tesařská měřicí tyč n. pravítko se zářezy pro tužku **5** trubička na odbírání mízy ze stromu **6** námoř. zakřivení obšívkového pásu **7** námoř. dřevěný klín používaný k ucpání díry po vytažení palubního hřebíku ● *v* **1** zazátkovat čepovou zátkou sud **2** udělat průduch v sudu; stáčet čepovým otvorem ze sudu **3** stav. zarážet kůly atd. **4** horn. hnát pažiny n. piloty
spiling [spailiŋ] **1** kůly, jehly, piloty **2** horn. pažina; hnaná výdřeva, hnaná výztuž **3** námoř. zakřivení obšívkového pásu přenášeného na šablonu **4** námoř. ohýbání šablon v loděnici **5** *~s, pl* křivkové pořadnice **6** v. *spile, v*
spill[1] [spil] *v* (*spilt / spilled, spilt / spilled*) **1** trochu vylít, rozlít, přelít, vybryndat (*don't ~ the milk*); vylít se, rozlít se, přetéci *on* na, polít, pobryndat, pokecat co (*the ink has spilt on the desk*) **2** trochu rozsypat se, vysypat se, přesypat (*don't ~ the salt*) **3** téci, roztékat se; řinout se, hnát se, valit se (*wave after wave of shouting crowds ~ed into streets*) **4** vysídlit, přesídlit do okolí města n. satelitních obcí **5** námoř. uvolnit plachtu z větru, takže se třepotá **6** kůň shodit jezdce **7** vyklopit, vyhodit, vysypat např. z kočáru **8** spadnout, sletět (*saw the motorcycle skid and the driver ~ in the dust* viděl, jak motocykl dostal smyk a řidič sletěl do prachu) **9** vypadnout, vyletět, být vyklopen např. z kočáru **10** kápnout božskou, mluvit (*would ~ in spite of the gang's threats* kápne božskou, i když mu banda vyhrožuje) **11** vyklopit, vyžvanit, prozradit (*would double-cross me and ~ some of the things I had told him* mě podfoukne a vyžvaní něco z toho, co jsem mu řekl) ◆ *~ the beans* AM slang. *1.* všechno prozradit, vyklopit *2.* zatrhnout to; *~ blood* prolít krev (*~ the blood of a p.* prolít krev koho, zabít koho); *~ box* vod. zařízení na

udržování stálé hydrostatické výšky měrného jezu; ~ *a drop* ukápnout (*without ~ing a drop* a ani neukápl); ~ *the guts* AM slang. všecko prozradit, vyklopit to, kápnout božskou; *much ink has been spilt over this question* na tuto otázku se už vyplýtvalo spousty inkoustu, o této otázce se už hodně psalo; ~ *a knot* rozvázat uzel; ~ *a loop* AM hodit laso / lasem; *It is no use crying over spilt milk* pořek. Nemá cenu plakat nad rozlitým mlékem; ~ *money* slang. rozházet peníze v sázkách; ~ *pipe* námoř. palubní jímka, řetězový skluz; odtoková trubka; ~ *water* přepadová voda ***spill over 1*** přetékat *2* obyvatelstvo nevejít se do města ● *s* **1** vylití, rozlití, přelití **2** rozlité n. vylité množství **3** cákanec, kapka, kaňka, loužička, skvrna od vylitého **4** přeliv, odliv (~ *of population into the suburban areas*) **5** liják **6** vod. přepad, přeliv **7** shození jezdce, pád, padnutí, sletění např. s koně n. bicyklu **8** pád, vyklopení, vysypání např. z kočáru **9** prudký pokles ceny **10** AU uprázdnění ministerských křesel při odchodu např. šéfa vlády **11** též ~ *light* div. rušivé světlo svítící z nevykrytého reflektoru ◆ *take a* ~ sletět, spadnout, upadnout (*broke his leg skiing when he took a ~ at a turn*)

spill² [spil] **1** tříska; louč **2** kovová tyč, tyčka, vřeteno **3** stočený papír, papírový smotek; fidibus **4** cigaretová dutinka **5** kolíková zátka sudu

spiller [spilə] **1** kdo rozlévá **2** ryb. keser, malý nevod **3** ryb. šňůra s mnoha háčky

spillikin [spilikin] **1** zast. tenká papírová trubička, tenká tříska, špejle, kůstka, slámka, tyčinka **2** ~ *s, pl* též *spelicans* [spelikənz] mikádo hra s tyčinkami

spillover [ˌspilˈəuvə] přestěhování na okraj města n. do satelitních obcí ◆ ~ *effect* vedlejší důsledek

spill-proof [spilpru:f] zaručeně těsnící, z kterého nic nemůže vytéci (*a ~ bottle*)

spillway [spilwei] vod. přepad, přeliv

spilt [spilt] v. *spill¹, v*

spilth [spilθ] zast. **1** = *spill¹, s 1, 2* **2** přebytek **3** odpad

spin [spin] *v* (*spun* / zast. *span, spun, -nn-*) **1** příst (*sat by the fireside ~ning* seděla u krbu a předla, *mill that ~s cotton, flax or wool* přádelna, kde se přede bavlna, len nebo vlna) **2** upříst, spřádat, dopřádat; skrucovat, kroutit vytvářet kroucením; soukat, snovat, souti; splétat lano **3** hmyz snovat, snouti, soukat, příst, splétat (*spiders ~ning their webs* pavouci soukající své sítě, *silkworms ~ning their cocoons* bourci opřádající se zámotkem) **4** u|dělat umělá vlákna z, zvlákňovat zvlákňovací tryskou **5** kroužlit na kovotlačitelském soustruhu **6** spřádat, vykládat, vymýšlet | si (*the theorists spun their theories*) **7** odhodit, odvinout, vytvořit (jako) odstředivou silou **8** roz|točit | se rychle (~ *a top* roztočit káču, *the top was ~ning merrily* káča se vesele točila), roztočit cvrnknutím (~ *a coin*); kroužit, vířit, rotovat; o|točit se podél svislé osy, u|dělat hodiny (*the collision sent the car ~ning across the roadway* po srážce udělal vůz přes silnici hodiny); točit se např. při pádu **9** točit se, vířit, kroužit, dělat piruety při tanci **10** hlava točit se, motat se (přen.) **11** sport.: nadhazovač v kriketu roztočit, rotovat míč, dát faleš míči; říznout míč při tenisu **12** hrát, pouštět gramofonovou desku **13** krev vystříknout, vytrysknout **14** též ~ *along, about* hovor. hasit si to, žíhat si to, frčet si to (*the carriage was ~ning along at a good speed*) **15** letadlo sestupovat vývrtkou **16** padat, řítit se (jako) vývrtkou (*watch a normal-seeming man ~ downward to madness and abnormality* pozorovat, jak se zdánlivě normální člověk řítí do šílenství a nenormálnosti) **17** BR slang. vyhodit, vyrazit od zkoušky; vyletět při zkoušce **18** sport. lovit ryby na třpytku n. s navijákem na pevný prut kde ◆ ~ *a coin* cvrnknout a hodit mincí jako losem; ~ *a cuffer* / *diffy* slang. kecat, žvanit; ~ *plots* snovat intriky, kout pikle; ~ *a yearn* vykládat (historku) ***spin off*** oddělit se při rotaci (*a massive chunk of rock that was spun off the earth* obrovský kus skály, který se rotací odtrhl od země) ***spin out 1*** chovat se, dělat tak, aby co vydrželo co nejdéle, natahovat, roztahovat, protahovat do delšího trvání (~ *out a story tediously* únavně natahovat příběh) **2** vydržet dlouho (*economize in order to make one's money ~ out until next payday* šetřit, aby peníze vydržely do příští výplaty) *3* trávit, vyčerpat, spotřebovat (~ *out the time by talking*) ***spin round*** otočit se, obrátit se, obrátit se prudce ● *s* **1** rychlý točivý pohyb, rotace, víření, kroužení, roz|točení (~ *of a top* točení káči) **2** faleš rotace míče, střely, kulečníkové koule apod. **3** rychlý pohyb, tempo, let (přen.) **4** otočka při tanci, pirueta **5** let. vývrtka **6** rychlá krátká projížďka v autu, na kole, ve člunu apod. **7** hovor.: duševní zmatek, vzrůšo, panika (*in a flat ~* zpanikařený) **8** předení, spřádání, **9** kroucení, soukání, snování, s|pletení **10** AU hovor. náhoda; smůla **11** jad. fyz. spin veličina charakterizující vlastní moment hybnosti jader n. částic ◆ ~ *bowler* sport. nadhazovač, který dovede dát míči faleš v kriketu; ~ *of a coin* hození mincí; *get into a ~* slang. zpanikovatět; *good ~* AU štěstí; *go for a ~* / *have a ~* jít se chvíli rychle projet v autě, na kole apod.; *go into a ~* slang. = *get into a ~; tough ~* AU smůla

spina bifida [ˌspainəˈbifidə] med. vrozený zadní rozštěp páteře

spinaceous [spiˈneišəs] bot. připomínající špenát, příbuzný špenátu, špenátový, špenátovitý

spinach [spinidž] **1** bot. špenát **2** AM slang. přen.: zbytečná otrava; hlouposti, sračičky (*struts, wires and other such ~* vzpěry, dráty a podobné sračičky)

spinach beet [spinidžbi:t] bot. botvina, cvikla, mangold

spinage [spinidž] = *spinach*

spinal [spainl] anat. **1** páteřní; hřbetní; hřebenový **2** míšní ◆ ~ *canal* míšní kanál; ~ *column* páteř; ~ *complaint* med. výhřez meziobratlové ploténky, plotýnky (hovor.); ~ *cord* mícha; ~ *curvature* zakřivení páteře; ~ *fluid* míšní mok; ~ *nerve* spinální míšní nerv; ~ *puncture* / *tap* med. lumbální punkce
spinar [spina:] hvězd. spinar rychle rotující nebeské těleso
spindle [spindl] *s* **1** vřeteno **2** vřetenovitá ozdoba, hlava, šroub, šnek např. schodištního zábradlí **3** text. přeslen **4** osa, čep **5** = *spindleshanks* **6** trn, kolíček gramofonového talíře **7** biol. dělicí vřeténko **8** bot. vřeteno hlavní stonek květenství; střední žebro listu **9** archit. zast. vřeteno schodů; sloupek zábradlí, zábradlový sloupek **10** námoř. jádro složeného stěžně **11** AM námoř. železná tyč výstražná značka **12** vod. hydrometr **13** míra bavlněné příze (15,120 yardů); míra lněné příze (14,400 yardů) ◆ *dead* ~ koník soustruhu; ~ *file* trnový pořadač na korespondenci; ~ *headstock* vřeteník soustruhu; *live* ~ pracovní vřeteno soustruhu ● *adj* **1** vřetenový, vřetenovitý **2** AM po přeslici, po matce (~ *side*) ● *v* **1** rostlina hnát / vyhnat do výšky květonosné větve / lodyhy, též přen.; růst do dřeva místo do květů a plodů; být nepřiměřeně vysoký **2** opatřit vřetenem n. čepem **3** dát vřetenovitý tvar čemu
spindlelegs [spindllegz] *pl* = *spindelshanks*
spindle-legged [spindllegd], **spindle-shanked** [spindlšæŋkt] jsoucí s dlouhýma hubenýma nohama, vytáhlý, vyčáhlý
spindleshanks [spindlšæŋks] **1** *pl* dlouhé hubené nohy **2** *sg* hovor. čahoun, čára, tyčka, slonbidlo s dlouhýma, hubenýma nohama
spindle-shaped [spindlšeipt] vřetenovitý
spindle side [spindlsaid] „přeslice" ženská větev rodu
spindle tree [spindltri:] bot. brslen
spindling [spindliŋ] *adj* **1** nepřiměřeně dlouhý a hubený, vytáhlý **2** nepřiměřeně dlouhý a tenký ● *s* řidč. čahoun, čára, tyčka, slonbidlo
spindly [spindli] (*-ie-*) vytáhlý
spin-drier [ˌspinˈdraiə] odstředivá ždímačka
spindrift [spindrift] větrem unášená mořská voda, rozptýlené mořské kapky ve vzduchu ◆ ~ *clouds* beránky
spin-dry [spindrai] (*-ie-*) vy|ždímat v odstředivé ždímačce prádlo
spin-dryer [ˌspindraiə] odstředivá ždímačka
spine [spain] **1** anat. páteř, též přen.; hřbet **2** horský hřeben, hřbet **3** hřbet knihy **4** bot., zool. osten, trn, bodlina, jehlice **5** bot. trn, trní **6** anat. kostní výběžek, trn, spina; hrbolek **7** lávová jehla **8** jádro dřeva dubu **9** polygr. vlnovka písmene S
spine-basher [ˈspainˌbæšə] AU hovor. flink, flákač
spine-bashing [ˈspainˌbæšiŋ] AU hovor. flinkající se, flákající se
spine-chiller [ˈspainˌčilə] filmový n. literární horor
spine-chilling [ˈspainˌčiliŋ] hrůzostrašný, děsivý, nahánějící husí kůži, při kterém běhá mráz po zádech
spined [spaind] **1** bodlinatý, ostnatý, **2** trnitý
spine-finned [spainfind] ostnoploutvý
spinel [spiˈnel] miner. spinel krychlový hlinitan hořečnatý ◆ ~ *ruby* rubínový spinel, rubín-spinel (zast.)
spineless [spainlis] **1** nemající páteř, bezpáteřný, bezobratlý **2** ryba nemající ploutve podepřené ostny **3** přen. bezpáteřný, bezcharakterní, bez pevných zásad, bezzásadový; přizpůsobivý, podlízavý, patolízalský, servilní; chabý
spinelessness [spainlisnis] bezpáteřnost, bezcharakternost, bezzásadovost, přizpůsobivost, podlízavost, patolízalství, servilnost; chabost
spinescent [spaiˈnesənt] bot., zool. připomínající trny n. ostny
spinet [spiˈnet] hud. **1** clavicembalo, spinet **2** AM krátké pianino
spinicerebrate [ˌspainiˈseribreit] anat. mající mozek a míchu, spinocerebrální
spiniferous [spaiˈnifərəs] ostnatý, bodlinatý
spinifex [spainifeks] bot.: druhy australské trávy rodu *Tricuspis*
spiniform [spainifo:m] ostrý, špičatý, mající tvar ostnu n. bodliny
spininess [spaininis] **1** zool., bot. ostnanost, trnitost, bodlinatost **2** přen. trnitost, obtížnost
spinnaker [spinəkə] námoř. spinakr ◆ ~ *boom* spinakrový peň
spinner [spinə] **1** kdo n. co přede, přadlena, přadlák; spřádací stroj, doprádací stroj **2** kovotlačitel **3** vypravěč **4** třpytka **5** sport. míč s falší, rotovaný míč v kriketu **6** zast. pavouk **7** zool. snovací bradavka **8** let. proudnicový klobouk, kryt hlavy vrtule **9** zool. lelek kozodoj **10** zool. dospělá jepice **11** odstředivá ždímačka **12** ručička, ukazatel na počítači tahů ve hře
spinneret [spinəret] **1** zool. snovací bradavka **2** tech. zvlákňovací tryska na výrobu umělých vláken
spinner rocket [ˌspinəˈrokit] voj. rotační raketa
spinnery [spinəri] (*-ie-*) přádelna
spinney [spini] BR **1** křoví, houští **2** lesík, hájek, lesinka, remízek
spinning factory [ˌspiniŋˈfæktəri] = *spinning mill*
spinning house [spiniŋhaus] *pl: spinning houses* [ˈspiniŋˌhauziz] **1** hist. nápravný domov pro padlé dívky **2** přádelna
spinning jenny [ˈspiniŋˌdženi] (*-ie-*) text. spřádací stroj jenny
spinning machine [ˌspiniŋməˈši:n] **1** spřádací stroj **2** dopřádací stroj **3** oplétací stroj
spinning mill [spiniŋmil] text. přádelna
spinning top [ˌspiniŋˈtop] **1** káča hračka **2** dětský vlček
spinning wheel [spiniŋwi:l] **1** kolovrátek, přeslice, přeslička **2** provaznické kolo
spinny [spini] (*-ie-*) BR = *spinney*
spin-off [spinof] AM vedlejší produkt (*the non-stick frying pan is a commercially valuable ~ of space research* teflonová pánev je komerčně hodnotný vedlejší produkt kosmonautiky)

spinose [spainəus] **1** ostnatý, bodlinatý, pichlavý (*a ~ plant*) **2** ježatý, sršatý, pichlavý (*a ~ humour*)
spinosity [spaiˈnosəti] **1** ostnatost, bodlinatost **2** trnitost, obtížnost
spinous [spainəs] = *spinose*
spinout [spinaut] motor. opuštění jízdní dráhy v zatáčce při nadměrné rychlosti
Spinozism [spiˈnəuzizəm] filoz. spinozismus myšlenkový směr vycházející z monistické soustavy Barucha Spinozy (1632–77)
Spinozist [spiˈnəuzist] filoz. stoupenec spinozismu
Spinozistic [ˌspinəuˈzistik] týkající se spinozismu
spinster [spinstə] **1** neprovdaná žena, stará panna **2** práv. svobodná, nikdy neprovdaná dívka n. žena **3** zast. přadlena
spinsterhood [spinstəhud] staropanenství
spinthariscope [spinˈθæriskəup] fyz. spintariskop přístroj určený k počítání záblesků vzniklých v některých látkách při dopadu ionizujících částic
spinule [spainju:l] bot., zool. malý osten, trn, bodlinka
spinuliferous [ˌspainjuˈlifərəs], **spinulose** [spainjuləus], **spinulous** [spainjuləs] bot., zool. porostlý malými ostny n. bodlinkami, ostnitý, drobně / jemně ostnitý, trnitý, bodlinatý
spiny [spaini] **1** zool., bot. ostnatý, bodlinatý **2** přen. trnitý, obtížný ◆ *~ anteater* zool. ježura; *~ crab* zool. krab trnitý; *~ lobster* zool. langusta; *~ rat* americká krysa rodu *Epimys*
spiny-finned [ˌspainiˈfind] zool. ostnoploutvý
spiracle [spaiərəkl] **1** zool. průduch **2** zool. vzdušnice **3** zool. dýchací otvor velryby, žaberní skulina žraloka, žaberní štěrbina rejnoka **4** větrací otvor, průduch
spiracular [spaiˈrækjulə], **spiraculate** [spaiˈrækjuleit] zool. průduchový, vzdušnicový
spiraea [spaiˈriə] bot. tavolník, spirea (zahr.) ◆ *Japanese ~* tavolník japonský
spiral [spaiərəl] *adj* **1** spirálový, spirálovitý, spirální **2** šroubovicový, šroubovitý, šroubový **3** schody točitý **4** sloup vinutý ◆ *~ balance* mincíř, pružinové závěsné váhy; *~ binding* polygr. spirálová vazba drátěná i z plastické hmoty; *~ conveyer* šnekový dopravník, dopravní šnek; *~ dive* let. vývrtka; *~ grain* točité vlákno, točitý růst, točitost dřeva; *~ nebula* hvězd. spirální mlhovina; *~ staircase* točité schody; *~ yarn* příze se spirálním efektem; *~ wheel* šroubové kolo ● *s* **1** spirála **2** šroubovice **3** spirálové pero, spirálová pružina v hodinkách **4** spirála, vlákno žárovky **5** ekon. spirála (*the vicious ~ of rising prices and wages* nebezpečná a škodlivá spirála stoupajících cen a mezd) **6** hvězd. spirální mlhovina **7** let. spirální let, spirála ◆ *inflation ~* inflační spirála ● *v* (*-ll-*) **1** stoupat n. klesat (jako) ve spirále **2** vinout se, točit se ve spirále **3** svinovat do spirály **4** let. vést spirálním letem letadlo
spirality [spaiəˈræləti] spirálnost
spirant [spaiərənt] jaz. *adj* třený, spirantní ● *s* třená souhláska, spiranta, frikativa

spire[1] [spaiə] *s* **1** štíhlý hrot věže, špičatá věž; štíhlá věž, jehla; věžička; fiála **2** zužující se kostelní věž, špička kostelní věže **3** špička, špice (*a ~ of flame* špička plamene) **4** kuželovitá hromada (*~s of rock*) **5** vrchol stromu, hořejší část kmene **6** stéblo trávy ● *v* **1** vyrážet, klíčit; metat klasy **2** rostlina hnát do výšky **3** věžovitě vybíhat, tvořit špičku ◆ *~ roof* věžová střecha
spire[2] [spaiə] *s* **1** závit spirály, klička **2** spirála **3** hořejší část spirálové mušle ● *v* stoupat (jako) ve spirále
spired[1] [spaiəd] **1** mající štíhlou špičku (*a ~ steeple* věž se štíhlou špičkou), mající štíhlou věž (*a ~ church*); charakterizovaný štíhlými věžemi (*a ~ English village*) **2** štíhlý, vybíhající do špičky, jehlanovitý **3** v. *spire*[1], *v*
spired[2] [spaiəd] **1** spirálovitý **2** v. *spire*[2], *v*
spirillum [spaiəˈriləm] *pl:* *spirilla* [spaiəˈrilə] biol. spirila tyčinkovitý mikrob s několika závity
spirit [spirit] *s* **1** duch psychické, myšlenkové schopnosti, vědomí (*I shall be with you in* (*the*) *~* budu v duchu s tebou); duše **2** *S~* náb. Duch, Duch svatý **3** duch, morálka; statečnost, odvaha; elán, kuráž, gajst (hovor.) **4** celkový ráz, smysl, povaha, podstata, charakter, duch (*a ~ of reform, ~ of the age, consider the ~ of the law and not the letter* vezměte v úvahu smysl zákona a nikoliv literu) **5** duševní schopnosti, nadání, důvtip, inteligence, osobnost, duch **6** přístup, hledisko **7** pocit příslušnosti n. soudržnosti, duch (*college ~*) **8** hist. oživující princip **9** *~s, pl* duševní stav, nálada; živost, energie, dobrá nálada, bujnost, nadšení **10** netělesná bytost, duch, přízrak; anděl; démon; strašidlo; skřítek, víla, elf **11** chem. líh **12** lékár. alkoholický výtažek, esence, silice **13** lihovina, alkohol **14** část. *~s, pl* destilát, ostrý nápoj, těžká lihovina (*touches no ~ but gin* jediný destilát, který pije, je gin) **15** motor. benzín **16** text. mořidlo **17** zast. vánek, větřík ◆ *animal ~s* životní elán; *animating ~* hybná síla, spiritus movens (*the animating ~ of the rebellion*); *astral ~* astrální duch, přízrak; *familiar ~ 1.* domácí skřítek, šotek, plivník, zmok *2.* démon v podobě zvířete; *great / high ~s* dobrá nálada, nadšení, elán; *Holy S~* náb. Duch svatý; *in ~* v duchu, pro sebe, tajně, uvnitř; *in ~s* živý, v dobré náladě, šťastný; *low ~s* deprese (*be in low ~s* být skleslý na duchu); *malign ~* zlý duch; *methylated ~* denaturovaný líh metylalkoholem; *in a ~ of mischief* ze zlomyslnosti, zlomyslně; *out of ~s* ve špatné náladě; *poor in ~* chudý v duchu považující se za chudého; *~s of salt* kyselina solná, chlorovodík; *unbending ~* nezlomný duch; *~ of wine* alkohol; *world of ~* duchovno, duševno; *he took it in the wrong ~* on to špatně pochopil, špatně si to vyložil ● *adj* **1** lihový, alkoholický **2** spiritistický ◆ *~ blue* lihová modř; *~ burner 1.* lihový kahan *2.* lihový hořák; *~ compass* námoř. tekuti-

nový kompas; ~ *duck* zool. potápka; ~ *flag* námoř. „lihová vlajka“ vztyčovaná na tankových lodích vezoucích benzín, líh apod.; ~ *glass* lihová libela, vodováha; ~ *process* polygr. ormig; ~ *varnish* lihový lak, politura ● *v* **1** ponoukat, povzbudit *on* k **2** též ~ *up* nadchnout, dodat odvahy komu **3** též ~ *away* / *off* rychle / tajně unést, odnést, odvézt, nechat zmizet, dát zmizet koho / čemu

spirited [spiritid] **1** odvážný, statečný, kurážný **2** bystrý, živý, čilý, energický, temperamentní **3** ohnivý, vášnivý

spiritedness [spiritidnis] **1** odvážnost, statečnost, kurážnost, kuráž **2** bystrost, živost, čilost, energičnost, temperament **3** ohnivost, vášnivost

spirit gum [spiritgam] lihové lepidlo, lepidlo na vousy (div.)

spiritism [spiritizəm] = *spiritualism, 1*

spiritist [spiritist] = *spiritualist, 1*

spirit lamp [spiritlæmp] lihový kahan, lihová lampa

spiritless [spiritlis] **1** bezduchý, neživý **2** melancholický, skleslý na duchu, sklíčený, jsoucí bez života, mrtvý (přen.)

spirit level [ˈspiritˌlevl] lihová libela, vodováha

spiritoso [ˌspiriˈtəuzəu] hud. živě, spiritoso

spirit rapper [ˈspiritˌræpə] spiritista používající stolečku

spirit rapping [ˈspiritˌræpiŋ] spiritistický styk se zemřelým pomocí stolečku apod.

spirit room [spiritru:m] námoř. vinný sklad

spirit stove [spiritstəuv] lihová kamínka, lihový vařič

spiritual [spiritjuəl] *adj* **1** duchovní, spirituální (kniž.) (~ *life*) **2** posvátný, božský; kněžský, náboženský, církevní (~ *court*) **3** zduchovnělý, produševnělý, éterický **4** duševní **5** bibl. nový, znovuzrozený **6** chytrý, bystrý, živý **7** spiritistický ◆ ~ *director* duchovní rádce; *lords* ~ vysoký klerus členové Sněmovny lordů ● *s* **1** spirituál lidová duchovní píseň amerických černochů **2** ~*s, pl* duchovní oblast, duchovní záležitosti **3** ~*s, pl* církevní záležitosti **4** nábožensky založený člověk

spiritualism [spiritjuəlizəm] **1** spiritismus **2** filoz. spiritualismus idealistický směr, podle kterého lze bytí vysvětlit pouze duchovními principy **3** duchovnost, spiritualita (kniž.)

spiritualist [spiritjuəlist] **1** spiritista **2** filoz. spiritualista stoupenec spiritualismu

spiritualistic [ˌspiritjuəˈlistik] filoz. spiritualistický týkající se spiritualismu

spirituality [ˌspiritjuˈæləti] (*-ie-*) **1** duchový / duchovní ráz, duchovnost, spiritualita (kniž.) **2** čast. *spiritualities, pl* církevní zájmy n. záležitosti; církevní zboží, záduší, obročí, prebenda **3** hist. duchovenstvo, klerus

spiritualization [ˌspiritjuəlaiˈzeišən] zduchovňování, zduchovnění, spiritualizace (kniž.)

spiritualize [spiritjuəlaiz] **1** učinit duchovním, oduševnět, zduchovnit, spiritualizovat (kniž.), znamenat n. pochopit v přeneseném smyslu **3** řidč. oživit ***spiritualize away*** vysvětlit a tím odstranit, zahnat, nechat zmizet

spiritualizer [spiritjuəlaizə] **1** kdo zduchovňuje **2** kdo vysvětluje, vykladač, interpret

spiritualness [spiritjuəlnis] **1** duchovnost, spirituálnost, spiritualita (kniž.) **2** posvátnost, náboženský, církevní n. kněžský charakter **3** zduchovnělost, produševnělost, éteričnost **4** duševnost **5** chytrost, bystrost, živost

spiritualty [spiritjuəlti] (*-ie-*) zast., hist. **1** čast. *spiritualties, pl* církevní zboží, obročí, prebenda **2** duchovenstvo, klerus

spirituel [spiˈritjuəl] *f: spirituelle* [spiˈritjuəl] **1** uhlazený, jemný, taktní, delikátní **2** bystrý, vtipný, duchaplný, mající esprit **3** éterický

spirituosity [ˌspiritjuˈosəti] **1** lihovost **2** alkoholičnost, destilovanost (~ *of wine and liquors*)

spirituous [spiritjuəs] **1** lihovitý **2** nápoj alkoholický, destilovaný **3** zast. živý **4** zast. duchovní

spirituousness [spiritjuəsnis] = *spirituosity*

spiritus [spiritəs] **1** lékár. líh, spiritus **2** jaz. přídech, dyšná hláska, spirans ve staré řečtině ◆ ~ *asper* ostrý přídech označení starořeckého zvuku, napodobeného v latině zvukem „h“; ~ *frumenti* whisky; ~ *lenis* označení nepřítomnosti zvuku *spiritus asper* na začátku slova ve staré řečtině

spirivalve [ˌspaiəriˈvælv] zool. **1** jsoucí se spirálovitou ulitou **2** ulita spirálovitá

spirket [spə:kit] námoř. hist. mezera mezi dnovými příčkami

spirketing, spirketting [spə:kitiŋ] námoř. hist. pás vnitřní obšívky mezi odvodňovacími otvory a bokem

spirochete [spaiəroki:t] biol. spirochéta spirálně vinutý jednobuněčný organismus

spirograph [spaiərəugræf] med. spirograf přístroj k zhotovování záznamů o dýchacích pohybech

spirometer [ˌspaiəˈromitə] **1** med. spirometr přístroj měřící množství vdechovaného a vydechovaného vzduchu **2** přístroj na cejchování plynoměrů

spirometric [ˌspaiərəuˈmetrik] med. spirometrický týkající se spirometru n. spirometrie

spirometry [ˌspaiəˈrometri] med. spirometrie měření kapacity plic

spirophore [spaiərəufo:] med. kyslíkový přístroj, resuscitační přístroj

spiroscope [spaiərəuskəup] = *spirometer, 1*

spirt [spə:t] *v* stříkat, vy|stříknout, vytrysknout, tryskat ● *s* náhlé / prudké vytrysknutí, vystříknutí

spirula [spairulə] zool. sepie točenka

spiry[1] [spaiəri] **1** špičatý, hrotitý, kuželovitý, věžovitý, věžičkový **2** věžatý

spiry[2] [spaiəri] spirálový, šroubovitý; svinutý, stočený

spissitude [spisitju:d] řidč. hutnost, kompaktnost

spit[1] [spit] *v* (*spat* / zast. *spit, spat* / zast. *spit, -tt-*) **1** plivat **2** vyplivnout, odplivnout si **3** chrlit, stříkat, házet, vyhazovat, střílet, vystřelovat **4** vy|chrlit, vy|sypat ze sebe, dštít nadávky **5** jednat opovržlivě *on / upon* s, kašlat na **6** prskat (*the cat spat at the dog, the engine was ~ ting*) **7** pero dělat kaňky, stříkat inkoust **8** déšť mžít, poprchávat, mrholit; sníh lehce padat, poletovat **9** zapálit (*~ a fuse* ... zápalnici) ♦ *~ back* motor. střílet do výfuku; *~ cotton* AM *1.* padat žízní *2.* prskat vzteky; *~ in a p.'s face* plivnout do obličeje komu; *~ / ~ ting image* věrná podoba ***spit out** 1* vyplivnout *2* vy|chrlit ♦ *~ it out* hovor. tak ven s tím, mluv, vysyp to ze sebe ● *s* **1** pliv, plivanec, plivnutí, slina, chrchel **2** plivání, plivnutí **3** krátká vzdálenost, co by doplivl (*one good ~ from the door*) **4** hovor. věrná podoba *of* koho (*he's the dead / very ~ of his father* je podobný otci, jako by mu z oka vypadl) **5** drobný déšť, sprška, lehká přeháňka, též sněhová; poletování sněhu, drobné vločky **6** zool. pěna larvy pěnodějky **7** zool. pěnodějka ♦ *~ and polish 1.* úzkostlivá čistota n. vypulérovanost *2.* buzerování, buzerace např. vojáků *3.* sekáčský, v pucu

spit[2] [spit] *s* **1** rožeň; rošt **2** otáčecí gril s tepelným zdrojem **3** ostrá, zaostřená tyč; sonda **4** zeměp. kosa; ostroh **5** dlouhá, úzká mělčina **6** vřeten ● *v* (*-tt-*) **1** nabodnout, napíchnout (jako) na rožeň **2** probodnout, propíchnout (jako) rožněm **3** zkoušet sondou balíky ♦ *~ chicken* grilované kuře na rožni

spit[3] [spit] houbka rýpnutí rýče (*dig it two ~s deep*)

spital [spitl] zast. **1** špitál, chudobinec **2** útulek, hospoda, herberk

spit-ball [spitbo:l] **1** sežvýkaná papírová kulička **2** AM baseball na jedné straně nasliněný míč

spit-box [spitboks] plivátko

spitch-cock [spičkok] *s* dělený a pečený n. smažený úhoř ● *v* **1** rozporcovat a upéci n. usmažit **2** přen. roztrhat na kusy

spit-curl [spitkə:l] AM hovor. ulízaná kudrlinka vlasů, ulízaný pejzík

spitdevil [spitdevl] čertík hračka prskající po zapálení

spite [spait] *s* **1** zášť, zášti, zlá vůle, nevraživost **2** zlá schválnost **3** řidč. zlost, zloba ♦ *~ fence* AM zeď postavená sousedovi pro zlost, zbytečně vysoká zeď postavená pouze proto, aby sousedovi znemožňovala vyhlídku, snižovala hodnotu jeho pozemku apod.; *he has a ~ against me* má na mne spadeno, zasedl si na mne, jede po mně; *in ~ of* přesto, navzdory čemu (*in ~ of o. s.* chtě nechtě, proti své vůli); *out of ~* ze zlé zvůle, naschvál, schválně, natruc, just ● *v* **1** schválně zlobit, rozčilovat, poškozovat, otravovat **2** dělat schválnosti komu, udělat něco naschvál, na zlost komu ♦ *cut off one's nose to spite one's face* pořek. poškodit sám sebe zlým chováním k jinému, řezat do vlastního těla

spiteful [spaitful] zkáštiplný, zlovolný, zlomyslný, nenávistný, nevraživý, zlý, škodolibý, záludný, jedovatý

spitefulness [spaitfulnis] záštiplnost, zlovolnost, nenávistnost, nevraživost, zloba, škodolibost, záludnost, jedovatost

spitfire [spitfaiə] **1** horká hlava, divous, rapl, třeštidlo; drak, dračice, saň **2** co chrlí oheň: sopka, dělo **3** *S~* Spitfire britský jednomotorový letoun za 2. světové války **4** = *spitdevil*

spitpoison [ˈspitˌpoizn] AM nactiutrhač, klevetník, intrikán

Spitsbergen [ˈspitsˌbə:gən] zeměp. Špicberky

spitter[1] [spitə] **1** kdo plivá, plivač; prskač **2** horn.: druh zápalnice **3** zool. had plivající jed, např. brejlovec n. kobra **4** slang. = *spitfire, 3*

spitter[2] [spitə] špičák jelen

spitter[3] [spitə] **1** druh rýče **2** kdo ryje

spittle [spitl] **1** plivanec, slina, chrchel **2** pěna larvy pěnodějky

spittlebug [spitlbag] zool. pěnodějka

spittoon [spiˈtu:n] plivátko

spitz [spits], **spitz-dog** [spitsdog] špic, špicl (hovor.) plemeno psů

spiv [spiv] BR slang.: elegantní flink, flákač, pásek; čachrář, šmelinář

splanchnic [splæŋknik] anat., med. útrobní, viscerální

splanchnology [splæŋkˈnolədži] med. splanchnologie nauka o útrobách

splanchnotomy [splæŋkˈnotəmi] med. chirurgický řez do útrob

splash [splæš] *v* **1** na|cákat, na|stříkat *a t.* co *on / over* na, pocákat, postříkat čím koho / co (*~ water on / over the floor*); pocákat, postříkat *a p. / a t.* koho / co *with* čím, na|cákat, na|stříkat, na|šplouchat na co (*~ the floor with water*) **2** ošplouchat, šplíchat vodu na co (*~ one's face*) **3** rozstřikovat např. vodu, stříkat (kolem dokola) (*fountains ~ing in the park, this tap is a bad one – it ~es* tento kohoutek je špatný – stříká kolem dokola); rozstříknout se **4** déšť cákat, pleskat, plácat, šplíchat **5** pře|brouzdat se, přejít, přebrodit se, přeplout s cákáním, šplícháním apod. (*we ~ed (our way) across the stream* přebrodili jsme se přes říčku) **6** spadnout, skočit, přistát (s cáknutím) do vody **7** naznačit, nahodit, naskicovat **8** hovor.: noviny oznámit, uveřejnit, přinést, otisknout v nápadné úpravě **9** AM plavit klády vypuštěním vzduté vody; zaplavit vzdutou vodou řečiště k plavení klád **10** tech. zalévat roztavenou pájkou spoj olověných trubek **11** sundat, sestřelit nepřátelský letoun ♦ *~ one's money about* slang. rozhazovat peníze, házet stovkami, utrácet jako grand; *~ one's way = splash, v 5* ***splash about** 1* cákat se, šplouchat se *2* na|cákat, na|stříkat kolem dokola ***splash down*** kosmická loď přistát do moře ● *s* **1** cáknutí, cákání, šplíchnutí, šplíchání, stříknutí, stříkání jev i zvuk (*he jumped into the swimming pool with a ~* skočil do bazénu, až to stříklo) **2** cákanec, šplíchanec, stříkanec; skvrna, kaňka (přen.) (*there are some ~es of mud on your* *nylon stockings* máte nylonky zastříkané od bláta) **3** nepravidelná skvrna barvy, světla (*her dog is brown with white ~es*) **4** skok do vody, krátké zaplavání s cákáním **5** senzace, rozruch, atrakce **6** nápadná úprava zprávy v novinách **7** hovor. pudr, rýžová moučka **8** BR hovor. malé stříknutí sodovky, kapka sody (*a whisky and ~*) **9** AM vypuštěná voda k plavení klád; plavení klád vypuštěním vzduté vody ◆ *make a ~* hovor., přen. udělat dojem na lidi, způsobit senzaci n. rozruch zejm. rozhazováním peněz

splashback [splæšbæk] ochranná deska proti postříkání zdi za umyvadlem

splashboard [splæšbo:d] **1** blatník auta **2** okrápka kočáru **3** námoř. snímací štítnice / roubení paluby **4** vod. hradicí prkno

splash dam [ˌsplæšˈdæm] nádržná hráz k plavení klád, klausa

splashdown [ˌsplæšˈdaun] přistání kosmické lodi do moře

splasher [splæšə] **1** kdo cáká, stříká n. šplíchá **2** ochranný kryt proti postříkání; blatník

splash guard [ˌsplæšˈga:d] **1** blatník **2** ochranný kryt soustruhu **3** motor. zástěrka

splash headline [ˌsplæšˈhedlain] palcový titulek v novinách

splash lubrication [ˈsplæšˌlu:briˈkeišən] motor. rozstřikovací mazání

splash ring [ˌsplæšˈriŋ] **1** rozstřikovací kroužek **2** mazací kroužek

splashy [splæši] (*-ie-*) **1** cákající, stříkající, šplíchající, šplouchající **2** pocákaný, postříkaný, mokrý, zmáčený; umazaný, zablácený, flekatý od postříkání **3** mající nepravidelné skvrny, skvrnitý **4** hovor. působící senzaci, nápadný, atraktivní, bombastický, senzační

splat[1] [splæt] *s* **1** vyřezávané ploché prkénko zadního opěradla židle **2** krycí lať spáry mezi prkny ● *v* střela zploštit se, rozplácnout se při dopadu

splat[2] [splæt] mokré plesknutí, plácnutí

splatter [splætə] *v* **1** o|šplouchat, po|stříkat, po|cákat **2** AM nesrozumitelně drmolit, brebentit, breptat ● *s* cákanec, šplíchanec

splatterdash [splætədæš] BR hluk, rámus, kravál, virvál

splatterdashes [ˈsplætəˌdæšiz] *pl* kožené holeně, jezdecké kamaše

splay [splei] *v* **1** též *~ out* udělat otvor na jednom konci širší např. v tlusté zdi; rozšířit, roztáhnout, rozevřít, rozhrdlit, rozplácnout **2** též *~ out* rozšiřovat se, rozvírat se, zužovat se k jednomu konci **3** udělat šikmým n. kosým, zešikmit, zkosit; mít šikmý n. kosý tvar **4** vymknout lopatku koně **5** stáhnout dužiny sudu ● *s* **1** stěna šikmého výklenku např. okna v tlusté zdi **2** rozšiřování, rozšíření, rozevření, roztažení, rozbíhání **3** zešikmení, zkosení, úkos ● *adj* **1** rozšířený, rozevřený; roztažený (*~ knees*) **2** šikmý, kosý **3** křivý, šišatý **4** nešikovný, nemotorný **5** kopyto plochý ◆ *~ brick* cihla zužující se od jednoho konce k druhému; *~ mouth 1.* široká ústa *2.* rozšklebená ústa

splayfoot [spleifut] *s, pl: splayfeet* [spleifi:t] **1** med. ploská noha **2** zvěr. ploché kopyto ● *adj = splayfooted*

splayfooted [ˈspleiˌfutid] **1** med. ploskonohý s chodidly silně od sebe **2** zvěr. mající ploché kopyto

splaymouth [ˌspleiˈmauθ] *pl: -mouths* [-mauðz] křivá huba

spleen [spli:n] **1** anat. slezina **2** špatná nálada, rozladěnost; vztek **3** rozmrzelost, trudnomyslnost, deprese, splín **4** zast. melancholie; vrtoch ◆ *vent one's ~* vylévat si svou špatnou náladu

spleenful [spli:nful], **spleenish** [spli:niš] řidč. **1** nevrlý, špatně naladěný, mrzutý, mrzoutský **2** zast. melancholický, trudnomyslný

spleenless [spli:nlis] jsoucí s vyoperovanou slezinou

spleenwort [spli:nwə:t] bot. **1** sleziník **2** papratka **3** jelení jazyk

splenalgia [spliˈnældžə] med. bolest ve slezinné krajině

splenalgic [spliˈnældžik] med. trpící bolestí ve slezinné krajině

splendent [splendənt] **1** miner., přen. zářivý, lesklý, třpytný, s jasným kovovým leskem **2** skvostný, skvělý, vynikající, báječný, nádherný

splendid [splendid] **1** skvělý, skvostný, nádherný (*a ~ sunset*) **2** okázalý, přepychový, honosný, luxusní, splendidní (*a ~ hosue*) **3** slavný, mimořádný, vynikající (*a ~ victory*) **4** hovor. ohromný, báječný, fajn, prima, stoprocentní **5** řidč. lesklý, zářivý ◆ *~ isolation* hist. nádherná izolace základní rys britské zahraniční politiky koncem 19. stol., odmítající jakékoli svazky s ostatními velmocemi

splendiferous [splenˈdifərəs] hovor. žůžo, fantastický, báchorečný

splendour [splendə] **1** lesk, jas, záře, třpyt **2** nádhera, skvělost, skvostnost **3** sláva, pompa ◆ *sun in ~* herald. slunce s paprsky a obličejem

splenectomy [spliˈnektəmi] (*-ie-*) med. splenektomie chirurgické vynětí sleziny

splenetic [spliˈnetik] *adj* **1** týkající se sleziny, slezinný, slezinový; trpící chorobou sleziny **2** rozmrzelý, mrzoutský, mrzutý **3** zast. trudnomyslný ● *s* **1** lék proti chorobě sleziny **2** nemocný stižený chorobou sleziny

splenial [spli:niəl] anat. *adj* **1** týkající se zdvihače hlavy **2** týkající se pruhu nervové tkáně spojujícího obě polokoule mozku ● *s* lýtková kost

splenic [spli:nik] med. slezinný ◆ *~ fever* sněť slezinná, antrax, uhlák

splenii [spli:niai] v. *splenius*

splenitis [spliˈnaitis] med. zánět sleziny

splenius [spli:niəs] *pl: splinii* [spli:niai] anat. zdvihač hlavy

splenization [ˌspli:niˈzeišən] med. přeměna plicní tkáně ve tkáň připomínající tkáň sleziny

splenoid [spli:noid] připomínající slezinu
splenological [ˌspli:nəuˈlodžikəl] med. týkající se studia sleziny
splenology [spli:ˈnolədži] med. studium sleziny
splenomegaly [ˌspli:nəuˈmegəli] med. chorobné zvětšení sleziny
splenotomy [spli:ˈnotəmi] med. **1** chirurgický řez do sleziny **2** = *splenectomy*
spleuchan [splu:kən] SC, IR **1** váček, mošna na peníze **2** váček, pytlík na tabák
splice [splais] *v* **1** spojovat splétáním, splétat konce lan; připlétat lana **2** podélně spojovat, stykovat trámy n. kolejnice; slepovat **3** slepovat konce filmu n. magnetofonový pásek **4** spojit, přilepit, nalepit **5** hovor. skopulovat, skopulírovat sezdat (*asked the preacher to ~ them*) **6** zahr. BR na|roubovat do rozštěpu; AM družit ◆ *~ the mainbrace* námoř. slang. *1.* dát zvláštní příděl rumu *2.* pít, napít se rumu; *get ~d* hovor. praštit do toho oženit se ● *s* **1** spojení, spletení konců lan; spletený spoj **2** podélné spojení, podélný spoj, podélná vazba trámů; styčnice, příložka **3** slepení konců filmu apod., slepka (film.) **4** námoř. spletené oko na laně, očnice **5** sport. klín rukojeti kriketové pálky **6** hovor. svatba ◆ *sit on the ~* sport. slang. hrát opatrně, hrát při zdi obrannou hru v kriketu
spliced [splaist] **1** punčocha vyztužený v patě a špičce **2** v. *splice, v*
splice graft [ˌsplaisˈgra:ft] zahr. **1** BR roubování do rozštěpu **2** AM družení, kopulace
splicer [splaisə] lepička např. magnetofonového pásku
spline [splain] *s* **1** dlouhý tenký pásek dřeva n. kovu **2** dřevěný, kovový ohebný pásek na kreslení křivek **3** pero výstupek mezi drážkami drážkového hřídele ◆ *~ shaft* drážkový hřídel; *~ ways* drážky drážkového hřídele ● *v* vy|drážkovat hřídel
splint [splint] *s* **1** dláha, dlaha; fixační dlaha **2** prkénko, laťka **3** dýha, dřevěný pásek na pletení košíků **4** nář. tříska, štěpina, odštěpek **5** plát, pásek brnění **6** zvěr. výrůstek, nádor na záprstní n. zanártní kosti koně **7** = *splint bone* **8** = *splint coal* **9** = *splinter, s* ● *v* **1** dát do dlah n do sádry **2** odštěpit se
splint basket [ˌsplintˈba:skit] dýhový košíček na ovoce
splint bone [splintbəun] **1** anat. lýtková kost **2** zool. záprstní n. zanártní kost koně
splint coal [splintkəul] tvrdé černé uhlí s břidlovým lomem, splintové uhlí, pálavé uhlí
splinter [splintə] *s* **1** tříska, štěpinka, odštěpek **2** louč, dračka **3** zast. dláha, dlaha **4** úlomek, střepina **5** střepina granátu, pumy apod. **6** maličkost, detail, drobnůstka, prkotina (*failed in some ~ of the religious law* nedodržel nějakou prkotinu náboženského zákona) **7** odštěpenecká skupina ◆ *~ bomb* tříštivá puma; *get a ~ into one's finger* vrazit si třísku n. střepinu do prstu; *go into ~s* roztříštit se, rozletět se na tisíc kusů; *~ group / party* polit. odštěpenecká strana ● *v* **1** rozbít | se, roztříštit | se na malé kousky **2** štípat | se, odštípnout |se **3** zast. dát do dlah *splinter off 1* odštípnout | se *2* odštěpit se, separovat se (*will ~ off to form a third party*)
splinter bar [splintəba:] BR příčník kočáru k podpírání pružin
splinter bone [splintəbəun] hovor. holenní kost, šimpán
splinterless [splintəlis] sklo netříštivý
splinterproof [splintəpru:f] *adj* **1** kryt odolný proti střepinám **2** = *splinterless* ● *s* kryt proti střepinám granátů
splintery [splintəri] **1** třískovitý, štěpinovitý **2** úlomkovitý, zlomkovitý, střepinovitý **3** ostrý, špičatý, jehlicovitý, jehličkovitý
split [split] *v* (*split, split; -tt-*) **1** štípat | se po vrstvách n. vláknech (*some kinds of wood ~ easily*) **2** naštípat (*~ a few sticks of kindling* naštípat pár třísek na podpal), rozštípnout, rozštěpit, roztrhnout, rozpoltit, rozbít zejm. na dvě polovičky; rozpůlit, rozříznout po délce; odštípnout *from* z (*~ a piece of wood from a block*) **3** chem. štěpit **4** též *~ up* rozložit, rozdělit, rozčlenit **5** puknout, prasknout, rozštípnout se; rozpárat se (*his coat had ~ at the seams* kabát se mu ve švech rozpáral) **6** rozejít se *with* s (*had ~ with most of his former friends*); separovat se *from* od, vydělit se z **7** rozdělit se o, jít na půl n. rovným dílem (*let's ~ the cost of the dinner party*); rozdělit si mezi sebe, podělit se o, vypít dohromady (*~ a bottle of wine*) **8** slang. šábnout se o, rozdělit se **9** rozměnit, dát dva za jeden (*can you ~ a pound note?*) **10** rozdělit větší počet akcií mezi menší počet akcionářů; rozdělit si akcie **11** jaz. rozdělit vloženým příslovečným určením (*~ an infinitive*) **12** rozplést lano **13** polit. AM volit různé kandidáty **14** loď rozbít se např. o skálu n. v bouři, ztroskotat **15** přen. zničit **16** zředit, říznout, stříknout např. whisky sodovkou **17** vyhrát a prohrát stejný počet her (*~ the first four games*) **18** karty odhodit jednu kartu z páru n. pár ze dvou párů v pokeru; otočit stejné listy ve hře farao **19** barva v kartách být rovnoměrně rozložen **20** ukrajovat a odhazovat půdu při orání **21** hovor. válet se smíchy, popadat se smíchy za břicho **22** slang. prásknout, udat spoluviníka, vypovídat o **23** slang. pelášit, mazat, hnát si to; zmizet, vzít draka / roha ◆ *~ the difference* dosáhnout zejm. cenového kompromisu stejnoměrným ústupkem, rozdělit sporný rozdíl v ceně; *~ a p.'s ears* způsobit, že komu (málem) praskají bubínky; *~ hairs* hledat hnidy při dělání rozdílu, být hnidopišský n. puntičkářský; *my head ~s / is ~ting* mám prudké bolesti hlavy, může se mi rozskočit hlava bolestí; *~ a sail* roztrhnout plachtu; *~ one's sides* pukat smíchy, válet se smíchy, popadat se smíchy za břicho; *~ straws 1.* být příliš pedantský *2.* přít se, hádat se o malicherné podrobnosti; *~ tacks*

lodě, jejich kapitáni rozjet se různými směry / kursy; ~ *the ticket* AM polit. dát svůj hlas různým kandidátům a tím zmařit jednotný postup; ~ *the vote* polit. *1.* zmařit výsledek hlasování jmenováním nových kandidátů *2.* = ~ *the ticket* ***split up 1*** rozdělit se *2* milenci rozejít se; manželé rozejít se, jít od sebe, rozvést se ● *s* **1** štípání; naštípnutí, rozštípnutí, roztrhnutí, rozpolcení, podélné rozpůlení, rozříznutí, pukání, prasknutí **2** trhlina, škvíra následkem rozštípnutí, prasklina, puklina, průrva **3** ostrá rýha ve skle od brusu **4** rozříznutí ucha dobytčete, jako značka **5** odštípnutý kus, odštípnutá část, tříska, štěpina, odštěpek, úlomek vzniklý odštípnutím **6** štípaný rákos k výrobě košíků **7** kožel. vrstva usně vzniklá štípáním, štípenka **8** rozkrojená (a obložená) žemle, rozkrojený (a obložený) rohlík **9** hovor. krém karamel s půleným ovocem zejm. s banány; zmrzlinový pohár s ovocem **10** část. ~*s, pl* rozštěp, sed roznožný (těl.), špagát (slang.); vysoká roznožka **11** = ~ *shot* **12** rozpor (*the fatal* ~ *between intellect and emotions*), rozkol, roztržka, rozvrat, též polit. **13** odštěpenecká strana, skupina, frakce **14** hovor. rozdělení se, šábnutí o peníze **15** polit. rozdělený hlas při volbách **16** sport. takové seřazení kuželek po prvním hodu, že je není možno dalším hodem všechny srazit **17** rozdělení akcií na větší množství akcií o nižší nominální hodnotě **18** díl, podíl např. kořisti **19** hovor. půlka, půlčík, poloviční sklenka, „šnyt" poloviční množství nápoje; půl a půl alkoholický nápoj zředěný stejným množstvím sodovky **20** malá láhev sodovky, třetinka sodovka **21** cihla tenčí než normální (1–2 palce tlustá) **22** karty rozložení barev zejm. rovnoměrné **23** karty ukázání stejných listů ve hře farao **24** bot. výhonek narcisu **25** filat. známka s perforací v obrazci **26** horn. větrní přehrada; dílčí větrní proud; dělič větrního proudu **27** horn. svrchní n. spodní lávka dělené uhelné sloje; vrstva uhlí oddělená proplastky **28** text. třtina paprsku; třtinová mezera **29** slang. práskač, špicl, denunciant **30** slang. polda, tajný detektiv ◆ *Devonshire* ~ žemle se smetanou a jahodovou marmeládou ● *adj* **1** prasklý, puklý, rozštípnutý podélně; štípaný (*fishing rod of* ~ *bamboo* rybářský prut ze štípaného bambusu) **2** dělený (~ *bearing* ... ložisko, ~ *cavity* ... dutina) **3** rozvrácený (*came from a* ~ *home*) **4** rozporný, protikladný, odporující si (*a curiously* ~ *feeling*) **5** biol. heterozygotní **6** akcie rozdělený na prioritní a „deferred"; kurs akcie oznamovaný šestnáctinami nikoli osminami **7** sděl. tech. víceprogramový; dělený, dvoudílný **8** v. *split, v* ◆ *be* ~ *1.* váhat, kolísat *between* mezi *2.* rozcházet se v názorech *on* na; ~ *cloth* obinadlo, obvaz s několika cípy; ~ *commission* dělená provize; ~ *course* vrstva cihel dělených podélně; ~ *decision* sport. nejednotné rozhodnutí bodových rozhodčích v boxu; ~ *flap* let. rozštěpná klapka, odklápěcí klapka; ~ *fountain* polygr. dělená barevnice; ~ *fraction* polygr. zlomek s vodorovnou čarou; ~ *gear* dělené ozubené kolo; ~ *hand* karty rovnoměrně rozložené barvy v ruce (4, 3, 3, 3) v bridži; ~ *image* přen. dvojník; ~ *infinitive* jaz. infinitiv s vloženým příslovečným určením po *to* (např. *to readily understand*); ~ *jump* vysoká roznožka; ~ *lip* rozštěp rtu; ~ *moss* bot. druh. mechu řádu *Andreaeles;* ~ *page* první stránka druhé složky novin; ~ *personality 1.* hovor. rozštěp osobnosti, schizofrenie (med.) *2.* vnitřně rozpolcený člověk; ~ *pin* závlačka; ~ *plug* banánová zástrčka, banánek; ~ *ring 1.* rozříznutý kroužek pístní aj. *2.* rozštěpený kroužek na klíče; ~ *roof* střecha se šindelovou krytinou; ~ *screen* dva filmové / televizní záběry současně na obrazovce, obrazová montáž ve filmu / v televizi; ~ *shift* dělená služba, šejdr (slang.); ~ *shot* sport.: úder v kroketu, při němž narážející a odražená koule běží různými směry; ~ *skin* kožel. štípenka; ~ *stitch* drobný řetízkový steh; ~ *stroke* = ~ *shot;* ~ *trail* (*carriage*) voj. rozevírací lafeta; ~ *ticket* AM jednotná kandidátka; *take a* ~ *vacation* vybrat si dovolenou po částech; ~ *tin* šiška chleba nahoře naříznutá aby byla větší kůrka; ~ *week* týden s dvojím programem v kině; ~ *weeker* slang. kino měnící program během týdne; ~ *wheel* = ~ *gear*

split-level [splitlevl] archit.: jsoucí se zvýšeným n. sníženým podlažím (v polovině domu)

split pea [splitpi:] též ~*s, pl* loupaný a půlený hrách

split second [ˌsplitˈsekənd] *s* zlomek sekundy ● *adj: split-second* **1** bleskový, okamžitý, jsoucí ve zlomku sekundy **2** změřený n. měřící na zlomky sekundy ◆ ~ (*stop*) *watch* stopky s dvěma ručičkami, „ratrapánky"

splitter [splitə] **1** kdo / co štípá: štípač, štípačka (na dřevo) **2** horn. dělicí zařízení na dělení větrného proudu **3** úzké kamenické dláto na rytí písmen **4** řeznický nástroj na půlení zabitého dobytčete **5** hnidopich, pedant, štěničkář **6** kdo dělá devatero řemesel

splitting [splitiŋ] *adj* **1** štípací (~ *axe* ... sekera, ~ *chisel* ... dláto) **2** prudký, bolestivý, až k prasknutí (~ *headache* prudká bolest hlavy) **3** k popukání (*a* ~ *farce* fraška k popukání) **4** velice rychlý **5** v. *split, v* ◆ ~ *property 1.* štípatelnost dřeva *2.* miner. štěpnost; ~ *saw* pila na řezání ve směru vlákna, rozmítací pila, rozmítačka ● *s* **1** geol. pukání, rozpukání hornin **2** = *split-up, 2* **3** v. *split, v*

split-up [splitap] **1** rozpad, rozdělení, rozklad (~ *of the Roman Empire*) **2** rozdělení akcií na větší množství akcií o nižší nominální hodnotě

splodge [splodž] = *splotch*

splodgy [splodži] (-*ie*-) = *splotchy*

splosh [sploš] hovor. *s* **1** plácnutí, cáknutí do vody **2** nečekaná sprcha, chrstnutí **3** slang. prachy, fiňáry ● *v* cákat, koupat | se s cákáním ● *interj* plác, prásk, bum

splotch [sploč] *s* nepravidelná skvrna, flek, kaňka špíny n. barvy ● *v* pocákat, udělat skvrny atd. na

splotchy [sploči] (*-ie-*) umazaný, pocákaný, pokecaný, flekatý, plný skvrn atd.
splurge [splə:dž] hovor., zejm. AM *v* **1** vytahovat se, honit se majetkem **2** stavět na odiv, pyšnit se, producírovat se **3** řádit **4** rozhazovat (peníze) *on* za, utrácet ● *s* **1** chlubení, honění, vytahování **2** luxus, extravagance **3** řádění **4** cákanec (~ *of foam* pěny) **5** skvrna, kaňka (*the* ~ *of ink in a print* kaňka tiskařské černi na nátisku)
splutter [splatə] *v* **1** po|prskat **2** vy|breptat, vy|brebentit, za|drmolit **3** na|stříkat, rozstřikovat, kaňkat ● *s* **1** breptání, brebentění, drmolení **2** hloupost, nesmysl **3** hašteření, hubování, hádka, hádky **4** prskání, stříkání
splutterer [splatərə] **1** kdo / co prská **2** brepta
Spode [spəud] anglický porcelán podle výrobce J. Spodea (1754–1827)
spodomancy [spodəmənsi] věštění z popele
spoffish [spofiš] slang. vlezlý, moc všetečný n. horlivý
spoil [spoil] *s* **1** část. ~*s, pl* válečná, loupežná kořist **2** loupení, plenění (*would have given their town up to* ~ vydali by jejich město v plen); ukradené, uloupené zboží, lup, kořist **3** též ~*s, pl* získané n. nashromážděné jmění, majetek, sbírka, poklad (*the literary* ~*s of Europe*) **4** výdobytek (*the* ~*s of a conservative industrial life*) **5** ~*s, pl* zejm. AM místa, funkce, úřady, výhody, požitky atd. získané vítěznou politickou stranou **6** kůže, vyčiněná useň (*moccasins of the* ~ *of the deer* mokasíny z jelení kůže) **7** zast. svlečená kůže hada **8** požerek (*the* ~*s of a deer* požerky vysoké zvěře) **9** kazové zboží, zmetek **10** vykopaná zemina, jalová hornina, jalovina, hlušina (horn.), odval, halda **11** karty: nerozhodný výsledek ve hře *spoil-five;* zdvih, který způsobí tento výsledek ◆ ~ *heap* / *mound 1.* stav. skládka, deponie *2.* horn. odval, halda, hlušina; ~*s of office* AM požitky plynoucí ze státního úřadu získané vítěznou politickou stranou; ~*s system* AM *1.* polit.: systém, podle něhož se na některé správní a státní funkce dosazují členové vítězné politické strany *2.* korytářství; ~*s of war* válečná kořist ● *v* (*spoilt* / *spoiled, spoilt* / *spoiled*) **1** z|kazit, pokazit (*holidays* ~*t by bad weather*); potravina z|kazit se **2** z|ničit, z|mařit **3** zkazit, zmrhat, svést, znásilnit (*he would not* ~ *a virgin* pannu by nikdy neznásilnil) **4** rozmazlovat (*parents who* ~ *their children*) **5** sport. tříštit hru (~*ing in soccer by constantly kicking the ball out of play* tříštící při kopané hru tím, že neustále odkopával míč do autu) **6** krájet, rozkrajovat, porcovat, dranžírovat **7** slang. vyřídit, oddělat, zmrzačit, zabít **8** zast. ukořistit **9** (*spoiled, spoiled*) zast., kniž. oloupit, okrást *a p.* koho *of* o (*financiers who* ~ *widows of their money*) ◆ ~ *one's appetite* z|kazit si chuť; ~*t ballot papers* neplatné hlasovací lístky; *be* ~*ing for* být chtivý čeho, toužit se dát do čeho; *I'll* ~ *his beauty for him* já ho zmaluju, já mu nabančím, já mu udělám monokl; *spare the rod and* ~ *the child* v. *spare, v;* ~*ed child of fortune* rozmazlené dítě štěstěny; ~ *one's dinner* zkazit si chuť na večeři; ~ *the Egyptians* přen. okrást starého, dědičného nepřítele; *it will* ~ *with keeping* to nevydrží dlouho, to není možné dlouho skladovat; *You must* ~ *before you spin* Žádný učený z nebe nespadl ***spoil o. s.*** zast. svléknout se *of* z
spoilage [spoilidž] **1** polygr. makulatura výmětový otisk; přídavek papíru na výmėty **2** zmetek, zmetky; výmět, brak **3** z|kažení, pokažení, z|ničení **4** plenění, zpustošení
spoiled [spoild] **1** zhýčkaný, rozmazlený **2** v. *spoil, v*
spoiler [spoilə] **1** AM polit.: třetí kandidát, znemožňující hlasy získanými pro sebe, aby mohl být zvolen některý ze dvou hlavních kandidátů **2** motor. rušič vztlaku, spoiler
spoiler party [ˌspoiləˈpa:ti] AM polit. frakce znemožňující některé z hlavních stran vyhrát volby
spoil-five [spoilfaiv] druh karetní hry pro 3–10 hráčů
spoilsman [spoilzmən], *pl: -men* [-mən] AM **1** zastánce systému, ve kterém vítězná politická strana obsazuje svými členy některé státní a správní funkce **2** politický prospěchář, korytář
spoil-sport [spoilspo:t] hovor. kdo kazí radost, rušitel hry n. zábavy n. dobré nálady, otrava
spoke[1] [spəuk] *s* **1** paprsek kola **2** příčel žebříku **3** námoř. paprsková rukojeť kormidelního kola **4** rameno setrvačníku **5** tyč k zablokování kola při jízdě z kopce ◆ ~ *centre* hvězdice kola; *move the wheel a* ~ pootočit kormidelní kolo o paprsek; *put one's* ~ *in* říci svůj názor bez vyžádání; *put a* ~ *in a p.'s wheel* zarazit to, zatrhnout to komu; ~ *sheave* paprsková kladka ● *v* **1** opatřit paprsky kolo **2** zasadit příčle do žebříku **3** zablokovat kolo vložením tyče mezi paprsky
spoke[2] [spəuk] v. *speak, v*
spokebone [spəukbəun] anat. vřetenní kost, rádius (zast.)
spoken [spəukən] *v* v. *speak, v* ● *s* div. mluvená role
spokeshave [spəukšeiv] **1** pořízník, srovnavač, hoblík **2** lůžková škrabačka
spokesman [spəuksmən] *pl: -men* [-mən] **1** mluvčí **2** zástupce, zastánce, propagátor, advokát (přen.) **3** řečník
spoke-wheel [spəukwi:l] řidč., **spokewise** [spəukwaiz] paprskovitě, hvězdicovitě
spoking-machine [ˌspəukiŋməˈši:n] tech. stroj na vsazování paprsků kol
spolia opima [ˌspəuliə əˈpaimə] **1** antic. spolia opima zbroj a výzbroj poraženého nepřátelského velitele **2** přen. vrcholný úspěch
spoliate [spəulieit] vy|loupit, vy|plenit, vy|rabovat
spoliation [ˌspəuliˈeišən] **1** vy|loupení, vy|plenění, vy|rabování **2** přen. vydírání **3** námoř. plenění neutrálních lodí válčící stranou **4** námoř. odnětí lodních listin **5** práv. zničení, poškození n. pozměnění listin, též lodních, aby jich nebylo lze použít jako dokladu **6** círk. odnětí prebendy, přivlastnění si cizí prebendy **7** *S*~ náb. svlékání Ježíše Krista před mučením ◆ *writ of* ~ práv. žaloba na oloupení

spoliator [spəulieitə] kdo loupí, plení n. rabuje, plenič, plenitel
spoliatory [spəulieitəri] lupičský, pleničský, plenitelský
spondaic [sponˈdeiik] liter. spondejský
spondee [spondi:] liter. spondej stopa o dvou dlouhých slabikách
spondulicks [spənˈdju:liks] AM slang. prachy, fiňáry
spondyl, spondyle [spondil] anat. obratel
spondylitis [ˌspondiˈlaitis] med. zánět obratlů
sponge [span*dž*] *s* **1** zool. houba **2** (mycí) houba **3** umytí houbou zejm. důkladné **4** plynárenská čisticí houba **5** voj. vytěrák **6** med. tampón **7** kuch. těsto před kynutím, kynuté těsto, pórovité těsto **8** kuch. piškot **9** kuch. nákyp se sněhem, šlehaná ovocná pěna, ovocný sníh **10** přen. příživník, parazit, štěnice, veš **11** přen. kdo nasává, ochlasta **12** žlutohnědá barva ♦ *pass the ~ over a t.* přen. smazat co, zapomenout např. na urážku; *throw up the ~ 1.* sport. hodit ručník do ringu a tím vzdát rohovnické utkání *2.* vzdát se, připustit porážku, nechat toho, odejít od toho, zahodit flintu do žita ● *v* **1** na|vlhčit, u|mýt, smýt, vy|sušit, vytřít, natřít, vy|čistit, nanést houbou **2** vymámit (*~ a dinner*) **3** využívat, vysávat, žít na účet *on* koho, žít z, pumpnout *on* koho *for* o ***sponge away*** smýt, setřít, vyčistit houbou ***sponge down*** umýt houbou důkladně ***sponge off*** = *sponge away* ***sponge out*** smazat, setřít (jako) houbou ***sponge over*** = *sponge down* ***sponge up*** nasát, vysát houbou
sponge bag [ˌspan*dž*ˈbæg] pytlík s toaletními potřebami
sponge bath [span*dž*ba:θ] důkladné umytí houbou místo sprchy
sponge cake [ˌspan*dž*ˈkeik] piškot, piškotový dort
sponge cloth [span*dž*kloθ] **1** hadrová tkanina **2** utěrka
sponge cucumber [ˌspan*dž*ˈkju:kambə] bot. lufa, tivuk
sponge finger [ˌspan*dž*ˈfiŋgə] podlouhlý piškot, cukrářský piškot
sponge gourd [span*dž*guəd] bot. lufa, tivuk
sponge mushroom [ˌspan*dž*ˈmašru:m] bot. smrž obecný
sponger [span*dž*ə] **1** kdo / co umývá atd. houbou **2** lovec mořských hub; loď lovců hub **3** příživník, parazit, štěnice, veš **4** text. propařovací stroj, dekatovací stroj; dekatovač
sponge rubber [ˌspan*dž*ˈrabə] houbovitá pryž
sponge tent [ˌspan*dž*ˈtent] med. tampón
sponge tree [span*dž*tri:] bot.: akácie *Acacia farnesiana*
spongeware [span*dž*weə] druh rané americké keramiky
spongiform [span*dž*ifo:m] mající houbovitý tvar, houbovitý
sponginess [span*dž*inis] **1** houbovitost **2** průlinčivost, poréznost **3** kyprost **4** mokrost, namočenost
sponging house [span*dž*iŋhaus] *pl: sponging-houses* [ˈspan*dž*iŋˌhauziz] práv. hist.: dům soudního sluhy, sloužící jako dočasné (jednodenní) vězení pro dlužníky, aby se dohodli se svými věřiteli
spongioblast [ˌspan*dž*iəuˈbla:st] spongioblast nevyzrálá buňka podpůrné nervové tkáně
spongiopilin, spongiopiline [ˌspan*dž*iəˈpailin] med. obklad z houby, vlny a gumy
spongologist [spoŋˈgolədžist] znalec mořských hub
spongology [spoŋˈgolədži] nauka o mořských houbách
spongy [span*dž*i] (*-ie-*) **1** houbovitý **2** průlinčitý, porézní **3** kyprý **4** mokrý, namočený **5** kov houbovitý
sponsion [sponšən] **1** ručení, závazek, záruka, garance **2** mezinár. práv. závazek převzatý nezplnomocněným zástupcem
sponson [sponsən] námoř. **1** boční barbeta / výstupek **2** kolesnicová plošinka u bočnokolesnicových lodí
sponsor [sponsə] *s* **1** křestní kmotr, kmotra, též při spouštění lodi na vodu **2** zejm. AM ručitel, garant, intervenient **3** ochránce, patron, protektor, kdo má záštitu *of* nad **4** zejm. AM finančník, zadavatel, objednatel reklamy n. programu v rozhlase n. televizi, sponzor **5** poradce, školitel, vedoucí školního kroužku, učitel *to* čeho ● *v* **1** ručit *a p.* za, zodpovídat za **2** podporovat, propagovat, prosazovat **3** mít záštitu / patronát *a t.* nad (*~ed by* pod záštitou koho) **4** AM platit, financovat rozhlasový / televizní program, sponzorovat
sponsorship [sponsəšip] **1** záštita, patronát, patronace, sponzorství **2** oficiální / finanční podpora
sponsorial [sponˈsoəriəl] patronátní, sponzorský
spontaneity [ˌspontəˈni:əti] **1** živelnost, dobrovolnost, impulzívnost, spontánnost, spontaneita (kniž.)**2** samovolnost, bezděčnost, nenucenost, mimovolnost, spontánnost **3** přirozenost **4** biol. instinktivnost, automatičnost, reflexnost **5** divokost, nepěstovanost
spontaneous [sponˈteinjəs] **1** živelný, dobrovolný, impulzívní, spontánní **2** samovolný, bezděčný, nenucený, mimovolný, spontánní **3** přirozený **4** biol. instinktivní, automatický, reflexní **5** divoký, nepěstěný, samorodný (*~ growth of wood* samorodný růst dřeva) ♦ *~ abortion* med. samovolný / spontánní potrat; *~ combustion* samovznícení; *~ decomposition* chem. samovolný rozklad; *~ fission* fyz. spontánní štěpení; *~ ignition* samovznícení
spontaneousness [sponˈteinjəsnis] = *spontaneity*
spontoon [sponˈtu:n] hist. sponton stará ozdobná zbraň podobná halapartně
spoof [spu:f] slang. *v* **1** napálit, převézt, vodit za nos, ušít boudu na **2** utahovat si z, parodovat, karikovat, dělat si legrácky z ● *s* **1** bouda, humbuk **2** legrace *of* z, parodie na, karikatura koho / čeho **3** anonymní autor píšící za jiného **4** negr ● *adj* falešný
spoofer [spu:fə] slang. kdo šije boudu, švindlíř, hochštapler; srandista
spoofery [spu:fəri] (*-ie-*) slang. prča, kanada legrace

spook [spu:k] **1** hovor. bubák, duch, strašidlo **2** AM slang. špión
spookiness [spu:kinis] hovor. strašidelnost
spookish [spu:kiš] hovor.: poněkud strašidelný, působící, že běhá mráz po zádech (*big black rafters looked* ~ velké černé trámy působily dosti strašidelně)
spookism [spu:kizəm] hovor. duchařina, duchařství
spookist [spu:kist] hovor. duchař
spooky [spu:ki] (*-ie-*) hovor. **1** připomínající ducha n. strašidlo (*your* ~ *friend*) **2** strašidelný (*a very* ~ *place after dark*) **3** vyděšený, vystrašený (*the gang was* ~ *after being questioned* banda byla po výslechu dost vyděšená)
spool [spu:l] *s* **1** cívka, špulka zařízení i množství **2** elektr. kostra cívky ◆ ~ *box* film. buben promítacího přístroje; ~ *reel* text. soukadlo, sukadlo, kolečník; ~ *thread* text. vzorová nit ● *v* **1** na|vinout | se na cívku, navíjet | se na cívku (*film is* ~*ed for use, cause the cable to* ~ *properly* způsobit, aby se kabel pořádně navíjel), soukat **2** odvíjet se *off* z (~ *the thread off the bobbin* odvíjet nit z cívky)
spoon[1] [spu:n] slang. *s* **1** pytlík, telátko, blbeček **2** zamilovaný blázen ◆ *be* ~*s on* / *with a p.* být zabouchnutý do ● *v* muckat se, ňuňat se, muchlat se, cicmat se s; chodit za, dvořit se komu
spoon[2] [spu:n] *s* **1** lžíce, lžička nástroj i množství **2** též ~ *oar* lžicové, lžicovité veslo; lžicovitá lopatka vesla **3** dřevěná golfová hůl se širokou hlavou **4** ryb. třpytka, blinkr **5** voj.: zařízení na vrhači torpéd, znemožňující zasažení boku lodi vypouštějící torpédo **6** zast. tříska, hoblina **7** BR nejhorší student v matematickém *tripos* zejm. v Cambridgi**8** cena útěchy pro nejhoršího účastníka soutěže ◆ *apostle* ~ lžička s vyobrazením apoštola na rukojeti; *be born with a silver* ~ *in one's mouth* pořek. narodit se v košilce; ~ *bow* lžicová / lžicovitá příď; ~ *chisel* sochařské ohnuté dláto se širokým břitem na obou stranách; ~ *dredger* plovoucí korečkové rypadlo, bagr; ~ *fashion* námoř.: způsob umisťování člunů jeden do druhého; *He should have a long* ~ *that sups with the devil* přísl. Podej čertu prst a on chce celou ruku; ~ *stern* oblá n. kulatá záď lodi; *wooden* ~ *1.* hist. dřevěná lžíce odměna nejhošímu studentu při matematickém *tripos* zejm. v Cambridgi *2.* vařečka ● *v* **1** nan|dávat lžící n. lžičkou, jíst lžící n. lžičkou **2** též ~ *out* / *up* nabírat, vybírat lžící n. lžičkou **3** lžicovitě utvářet **4** ležet, tisknout se čelem k zádům (druhého) **5** ryb. chytat na třpytku rybu; ryba zabrat na třpytku **6** kriket slabě / málo odpálit míč, zasáhnout příliš měkce / slabě míč; golf napálit do výšky míč, zahrát míč dřevěnou holí; korket nabrat, napálit do výšky kouli **7** slang. dělat zamilované oči na, dělat do, cicmat se s ***spoon out*** nabírat lžící, lovit z talíře lžící ***spoon over*** rozetřít lžící
spoonbait [spu:nbeit] ryb. třpytka, blinkr
spoonbeak [spu:nbi:k] zool. lžičák pestrý
spoonbill [spu:nbil] zool. **1** kolpík **2** veslonos americký **3** = *spoonbeak*
spoonbread [spu:nbred] AM druh jemného kukuřičného chleba
spoondrift [spu:ndrift] = *spindrift*
spooner [spu:nə], **spoonerism** [spu:nərizəm] bezděčné a vtipné přehození písmen, zejm. začátečních, ve dvou n. více slovech (např. *boiled icicle* místo *oiled bicycle*)
spooney [spu:ni] (*-ie-*) = *spoony*
spoon-feed [spu:nfi:d] (*spoon-fed, spoon-fed*) **1** krmit lžičkou; živit tekutou stravou dítě, nemocného **2** dávat po lopatě komu n. co, nalejvat, krmit koho n. čím, hustit do n. co (~*ing propaganda through the public schools*); balamutit, dát se balamutit **3** zacházet jako v bavlnce s, vodit za ručičku **4** uměle podporovat průmyslové odvětví dotací n. cly
spoon food [spu:nfu:d] = *spoon meat*
spoonful [spu:nful] **1** plná lžička množství **2** plná lžíce množství
spoon meat [spu:nmi:t] kašovitá strava, kaše, kašička
spoon net [spu:nnet] ryb. čeřen
spoony [spuni] (*-ie-*) slang. řidč. *adj* **1** hloupě / sentimentálně zamilovaný, zabouchnutý *on* / *upon* do **2** pitomý, praštěný ● *s* **1** zamilovaný blázen **2** pytlík, trouba, truhlík, pitomec
spoor [spuə] *s* stopa, pěšinka, stezka zvěře, veksl (slang.) ● *v* stopovat zvěř, jít po stopě n. pěšince zvěře
spoorer [spuərə] stopař zvěře
sporadic [spəˈrædik] zejm. med. řídce se vyskytující, řídký, jednotlivý, ojedinělý, sporadický
sporadical [spəˈrædikəl] řidč. = *sporadic*
sporadically [spəˈrædikəli] **1** sem tam, občas **2** v. *sporadic*
sporadicalness [spəˈrædikəlnis] řídký výskyt, ojedinělost, sporadičnost
sporangium [spoˈrændžiəm] *pl: sporangia* [spoˈrændžiə] bot. výtrusnice, sporangium
spore [spo:] *s* **1** výtrus, spora **2** biol. zárodečná buňka, spora **3** přen. zárodek, semeno, símě ● *v* mít n. tvořit výtrusy
sporophyte [spo:rəufait] bot. sporofyt nepohlavní generace mechů aj.
sporogenesis [ˌspo:rəuˈdženisis] bot. tvorba výtrusů, sporogeneze
sporogenous [spo:ˈrodžənəs] bot. výtrusorodý, sporogenní
sporozoan [ˌspo:rəˈzəuən] zool. *s* výtrusovec ● *adj* patřící do třídy výtrusovců
sporran [sporən] kožešinová brašna, kožešinový tlumok součást kroje skotských horalů, nošená vpředu na kiltu
sport [spo:t] *s* **1** činnost provozovaná ze záliby, rekreační činnost zejm. v přírodě, sportování; sportovní rybaření, lov; hry, hraní **2** sport druh sportu; část. ~*s, pl* sport; sportovní činnost, sportování, sportovní utkání **3** ~*s, pl* lehkoatletické závody **4** AM sportovec, sportovní fanda **5** hovor. člověk, který nezkazí žádnou legraci n. radost n. umí prohrávat; slušný člověk, dobrý kamarád, pašák, kámoš, džentlas **6** zábava, povyražení, kra-

tochvíle, rekreace **7** legrace, špás, žert **8** posměch, posměšek; terč posměchu n. vtipu **9** bezmocná hříčka (*be the ~ of circumstances* být hříčkou okolností) **10** AM hovor. hazardní hráč, sázkař **11** AM hovor. hejsek, sekáč, bonvivant, playboy **12** biol. mutace, hříčka, sport (zahr.) **13** zast. miliskování, galantnosti **14** AU hovor. oslovení muže ◆ *athletic ~s* lehká atletika; *~ coat* AM sportovní sako, látková bunda; *country ~s* lov, rybaření, hon, dostihy; *have a good ~ 1.* lovu zdar *2.* Petrův zdar; *in ~* z legrace, pro legraci, žertem; *~ of kings 1.* jezdectví *2.* sokolnictví *3.* lov; *make ~ of* dělat si legraci z ● *v* **1** bavit se, rozptylovat se, rekreovat se činností **2** skotačit, dovádět **3** pěstovat sport, sportovat; pěstovat lehkou atletiku **4** hovor. ukazovat, okázale nosit, vystavovat na odiv součást oděvu (*he ~ed a gold tie pin* honosně nosil v kravatě zlatou jehlici) **5** mít a užívat (*every clerk hoping to ~ a horse some day* každý úředníček doufající, že bude mít jednoho dne koně) **6** dělat si legraci z, zesměšňovat **7** též *~ away* rozházet, rozfofrovat peníze **8** biol. mutovat, vytvářet mutaci ◆ *~ one's oak* BR Cambridge, Oxford zavřít vnější dveře na znamení, že obyvatel pokoje nechce být rušen ● *adj* sportovní (*a trim ~ shoe*) ◆ *~ fish* sportovní ryba

sportcast [spo:tka:st] = *sportscast*

sportcaster [spo:tka:stə] = *sportscaster*

sportful [spo:tful] **1** veselý, rozmarný, legrační, šprýmovný **2** živý, rychlý, hravý, skotačivý

sportiness [spo:tinis] **1** vulgární okázalost, nápadnost, honosnost, křiklavost **2** rozpustilost **3** sportovní charakter

sporting [spo:tiŋ] **1** sportovní, týkající se sportu n. sportovního světa **2** lovecký (*~ gun*) **3** slušný, čestný, fér (*~ conduct* slušné chování, *~ offer* fér nabídka); stojící za to, aspoň fifty fifty (*~ chance of success* aspoň padesátiprocentní naděje na úspěch) **4** hejskovský, dandyovský **5** týkající se prostituce **6** biol. charakterizovaný mutací, mutační **7** v. *sport, v* ◆ *~ blood 1.* vrozená láska ke sportu, sportovní krev *2.* odvaha, kuráž; *~ box* malá lovecká chata; *~ girl* prostitutka; *~ house* AM hovor. nevěstinec, bordel; *~ man* sportovec; *~ powder* bezdýmný střelný prach

sportive [spo:tiv] **1** veselý, kratochvilný, rozmarný **2** rozpustilý, chlípný, vášnivý **3** sportovní

sports [spo:ts] sportovní vůz, polozávodní vůz; *~ coat* sportovní sako, tvídové sako; *~ day* lehkoatletický den školy; *~ department* oddělení sportovních potřeb v obchodním domě; *~ editor* redaktor sportovní rubriky; *~ field* hřiště, sportoviště; *~ jacket* sportovní sako, látková bunda; *~ page* sportovní stránka novin; *~ shirt* polokošile

sportscast [spo:tska:st] AM sportovní vysílání, sportovní reportáž v rozhlase n. televizi

sportscaster [ˈspo:tsˌka:stə] AM sportovní reportér v rozhlase n. televizi

sportsman [spo:tsmən] *pl: -men* [-mən] **1** sportovec; sportovní fanda **2** člověk holdující lovu n. rybaření, náruživý lovec n. rybář **3** člověk, který bere život sportovně **4** slušný člověk, čestný člověk, chlap

sportsmanlike [spo:tsmənlaik] sportovní, charakteristický pro sportovce

sportsmanship [spo:tsmənšip] **1** sportovní chování; slušné n. čestné chování **2** umění prohrávat

sportswear [spo:tsweə] **1** sportovní oděv, sportovní oblečení **2** vycházkový oděv

sportswoman [ˈspo:tsˌwumən] *pl: -women* [-wimin] sportovkyně

sportswriter [ˈspo:tsˌraitə] sportovní novinář

sporty [spo:ti] (*-ie-*) hovor. **1** vulgárně okázalý, nápadný, honosný, křiklavý (*~ clothes* … oblečení) **2** rozpustilý, rozverný (*a very ~ crowd*); žena „veselý" chlípný **3** sportovní; vhodný pro sport; milující sport

sporulate [sporjuleit] bot. tvořit výtrusy

sporulation [ˌsporjuˈleišən] bot. tvoření výtrusů, spolurace

sporule [sporju:l] bot. malý výtrus, malá spora

spot [spot] *s* **1** malé kolečko, tečka, puntík (*white dress material with red ~s*), bod **2** tečkovaná, puntíkovaná látka **3** malá kulatá skvrna (*which has ~s, the leopard or the tiger?*); skvrna, skvrnka špíny (*~s of mud on your stockings* kapky bláta na punčochách), flek, flíček, kaňka **4** kaz, vada (*one coat is guaranteed to cover all ~s and blemishes* ručíme za to, že jeden nátěr zakryje všechny vady a kazy) **5** sluneční skvrna **6** přen. skvrna, poskvrna, kaz (*the only ~ upon the family name*) **7** znamínko na kůži, mateřské znamínko; uher, vřídek, neštovička, pupínek, štiřík, vimrle; piha; jaterní skvrna **8** hovor. kousek, kousíček (*not a ~ of room anywhere*); trocha, troška *of* čeho, malé, krátké co (*lie down for a ~ of rest*) **9** zejm. BR hovor. slza, kapka, krapet, hlt, doušek, lok nápoje (*stopped for a ~ of beer*); prcek, frťan, malý panák (*how about having a ~?* což si dát frťana?), trocha jídla **10** přesně určené místo, místečko, lokalita (*one of the most beautiful ~s on the earth*) **11** postavení, situace, místo (*in a fine ~ for rapid promotion* v krásném postavení pro rychlou kariéru) **12** svízelná situace, šlamastika (*one of those ~s you get in*) **13** zaměstnání, místo, práce (*finally found a ~ as a receptionist* konečně si našel místo jako recepční) **14** místo, okamžik, chvíle (*has ~s of very fine acting* má okamžiky vynikajícího herectví) **15** noční podnik, bar (*tried another ~ where there was dancing*) **16** *~s, pl* pohotové zboží **17** číslo zábavního programu, výstup; umístění, místo v tomto programu (*deserve a better ~ on the program* zasloužil si v programu lepší umístění); program (*shifted him to a daytime ~* přesunuli ho na denní program) **18** krátká pauza v rozhlasovém n. televizním vysílání, vyplněná hlášením n. reklamou, krátké hlášení, krátká reklama, reklamní šot **19** oko na kostce n. dominu **20** znak, značka, označení např. kulečníkové koule **21** karty znak barvy; dvojka až desítka (např. *three* ~ trojka) **22** kulečník tečka na hrací ploše označující základní postavení koule **23** kulečníková koule s černou tečkou **24** kulečník zahrání červené koule ze základního postavení do otvoru **25** kroužek označující postavení kuželky apod. **26** hovor. štych, boďák reflektor (*proscenium* ~*s*) **27** zool.: americká ryba *Leiostomus xanthuris* **28** zool.: plemeno holuba domácího **29** slang. tipování koně; tipovaný kůň, pravděpodobný vítěz dostihu **30** polygr. značka, znamínko, hvězdička, hřebík **31** polygr. špička ◆ *bald* ~ lysina, pleš; *be in a (tough)* ~ být v úzkých, bryndě, v prekérní / svízelné situaci; *be* ~ *on* být pánem situace; *beauty* ~ zast. muška ústřižek černé náplasti jako ozdoba; *blind* ~ *of the eye* med. slepé místo na sítnici, punctum caecum; *change one's* ~*s* úplně změnit barvu, přebarvit se změnit charakter; *five* ~ AM slang. pětka pětidolarová bankovka; *gambling* ~ hráčské doupě; *high* ~ přen. vrchol, vrcholná událost, bonbónek (*high* ~*s of each publishing season*); *hit the* ~ slang. bodnout, pásnout, přijít vhod (*iced tea hits the* ~ *during the hot summer months* v horkých letních měsících pásne ledový čaj); *hit the high* ~*s* hovor. navštívit n. zařídit jen to nejdůležitější; *in a* ~ AM hovor. v bryndě, v rejži; *in* ~*s* občas, od případu k případu; *knock* ~*s off a p.* BR hovor. *1.* snadno n. daleko předčit / předstihnout koho *2.* nařezat komu; *man on the* ~ *1.* místní člověk *2.* člověk na místě o které jde a které proto nejlépe zná, místní odborník, znalec; *off the* ~ AM slang. *1.* nepřesný *2.* netýkající se tématu; *on the* ~ *1.* okamžitě, ihned, na místě *2.* na svém místě, na své místo *3.* přesně (*he arrived on the* ~ *of four* přijel přesně ve čtyři) *4.* v situaci, kdy se člověk musí rozhodnout, v dilematu *5.* v úzkých, v bryndě *6.* čilý, energický; *picnic* ~ výletní místo vhodné pro pikniky; *put a p. in a* ~ *with* rozlít komu ocet u; *put a p. on the* ~ AM slang.: gangster rozhodnout se oddělat, odkráglovat koho jako odplatu; *put one's finger on a p.'s weak* ~ objevit slabinu koho; *running on the* ~ poklus na místě; *soft* ~ zvláštní sympatie, slabost, záliba, náklonnost (*she has a soft* ~ *for small animals*); *sore* ~ = *tender* ~; *strong* ~ pevné místo na burze; *television* ~ *1.* přerušení programu pro televizní reklamu *2.* krátký propagační televizní film, reklamní šot; *tender* ~ přen. citlivé, bolavé místo, Achillova pata; *tight* ~ prekérní situace, brynda; *trouble* ~ místo neklidu; *upon the* ~ = *on the* ~; *vacation* ~ rekreační místo, letovisko; *vice* ~ doupě neřesti, brloh; *weak* ~ slabá stránka, slabina; *with* ~*s* též puntíkovaný, puntíkový, tečkovaný ● *v* (*-tt-*) **1** poskvrnit *a t.* co *with* čím, na|dělat skvrny na čem, umazat co od, po|třísnit (*trail of blood* ~*ted the snow* krvavá stopa třísnila sníh), zamazat, pokaňkat, postříkat (*was* ~*ted with mud from top to bottom* byl od hlavy k patě postříkaný od bláta), pokecat (~*ted his necktie* pokecal si kravatu) **2** dělat skvrny (*always said gin didn't* ~), z|flekovatět, z|flekatět, stávat se skvrnitý; vyvolat / působit / tvořit skvrny na (*fungus that* ~*s the leaves* houba, která vyvolává na listech skvrny) **3** látka snadno vytvářet skvrny **4** též ~ *out* odstranit, vyčistit skvrnu z látky **5** též ~ *out* fot. retušovat tečkováním **6** tvořit tečky na, kde **7** tečkovat, o|značkovat; označit / rozlišit barevnými tečkami, udělat puntík na; opatřit znamínky **8** AM les. lízovat stomy; vyznačit lizinou cestu **9** dělat lesklé pravidelné vzory na hladkých plochách **10** zast. nalepit mušku na tvář **11** postavit na určitou tečku kulečníkovou kouli **12** hovor. padnout na, poznat, najít, objevit, zjistit, zahlédnout, všimnout si (~ *a friend in a crowd*) **13** zjistit *a p.* že je kdo *as / for* kdo (~*ted him at once for an American*), vytipovat **14** náhle, náhodou, za nepříznivých okolností uvidět, rozeznat, zahlédnout, všimnout si **15** voj. zjistit přesně polohu čeho; označit polohu čeho **16** voj. pozorovat jako pozorovatel (~ *the fall of a shot* pozorovat dopad střely) **17** voj. přesně zaměřit, řídit (*gunners were unable to* ~ *their shots* dělostřelci nedokázali své střely přesně zaměřit); přesně ostřelovat **18** voj. řídit a opravovat střelbu dělostřelců **19** letecky vyhledávat cíle n. pozorovat palbu **20** osvítit (jako) reflektorem, zamířit (jako) reflektor (*his genial smile was* ~*ted on every one in turn* zamířel svůj srdečný úsměv na každého člověka zvlášť) **21** umístit, postavit na určené místo, rozstrkat, rozestavit, rozmístit **22** sport. slang. předem určit, tipovat (~ *the winner in a race* tipovat vítěze závodu) **23** zařadit (na program) (~*ted the main bout at ten o'clock* zařadili hlavní zápas na desátou hodinu) **24** hovor. mžít, mrholit **25** AM těl. dávat záchranu n. dopomoc **26** AM sport. přiznat handicap, věnovat jako handicap (~*ted his opponent five points and still won easily*); koncedovat, připustit výhodu jakou, v (*will* ~ *his rival ten years*) **27** zahr. přepichovat **28** žel. přistavovat např. vozy k nakládání n. vykládání ◆ *be* ~*ted with* též být poset čím (*aviation landing fields with which California is* ~*ted* přistávací plochy pro letadla, jimiž je Kalifornie poseta); *it is* ~*ting with rain* začíná pršet, mrholí ● *adj* **1** okamžitý, promptní (~ *sale*) **2** pohotový, k okamžitému dodání (~ *cocoa*) **3** splatný ihned po dodání; za hotové (*a* ~ *transaction*), obchodující za hotové (*a* ~ *firm*) **4** prováděný na místě (~ *regulation of traffic* řízení dopravy prováděné na místě), místní (*treatment of* ~ *unemployment* řešení místní nezaměstnanosti) **5** sděl. tech.: program místní, oblastní, lokální **6** namátkový (*a* ~ *test*), namátkou vybraný (*a dozen* ~ *cities*) **7** sděl. tech. vysílaný / vložený mezi dvěma programy (*20-second*

~ *announcements throughout the day* dvacetisekundová hlášení vložená během dne mezi programy) ◆ ~ *ace run* slang. premiérové kino; ~ *analysis* chem. kapkový rozbor; ~ *bombing* voj. mířené bombardování; ~ *check* namátková / náhlá kontrola; ~ *colour* polygr. barevná značka při barvotisku; ~ *elevation* zeměměř. výškový bod, výšková značka; ~ *frequency* sděl. tech. ustálený / stabilní kmitočet; ~ *height* kóta; ~ *landing* let. bodové přistání, přesné přistání; ~ *price* loco cena, cena při okamžitém dodání n. placení; ~ *ship* loď připravená k nakládání; ~ *weld* bodový svar

spot ball [spotbo:l] kulečníková koule s černou tečkou

spot-barred [spotba:d] : ~ *game* kulečníková hra, při které nejsou dovoleny *spotstrokes*

spot-check [ˌspotˈček] u|dělat rychlou / namátkovou kontrolu čeho

spotkick [spotkik] sport. pokutový kop, penalta

spotless [spotlis] **1** jsoucí bez skvrn **2** přen.: jsoucí bez nejmenší poskvrny, úzkostlivě čistý (~ *kitchens*), ničím neposkvrněný **3** přen. neposkvrněný (~ *reputation*), nevinný, bezúhonný (~ *hero*), čistý (*kept herself* ~)

spotlessness [spotlisnis] **1** úzkostlivá čistota, neposkvrněnost **2** přen. neposkvrněnost, nevinnost, bezúhonnost, čistota

spotlight [spotlait] *s* **1** div. bodový reflektor, sledovačka, štych (slang.); kužel světla z takového reflektoru, kruh, místo takto osvícené **2** přen. střed zájmu / pozornosti veřejnosti, zájem / pozornost veřejnosti, popředí (*held the political* ~ pokud jde o politiku, poutal na sebe pozornost veřejnosti) **3** aktuální článek, aktualita (*wrote this week's* ~ *on business*) **4** hledáček, hledací světlomet (motor.) **5** elektrická svítilna, baterka vrhající úzký kužel světla **6** přen. ostré světlo ● *v* **1** po|svítit | si na (jako) bodovým reflektorem, osvítit; zamířit reflektor na **2** upoutat pozornost na

spot-on [spoton] BR hovor. absolutně přesný, perfektně zaměřený, perfektní

spotstroke [spotstrəuk] kulečník zahrání červené koule ze základního postavení do otvoru

spotted [spotid] **1** skvrnitý **2** tečkovaný, flekatý, puntíkovaný, kropenatý **3** uhrovitý, pihatý (*a* ~ *youth*) **4** přen. poskvrněný (*inherited a* ~ *name* zdědil poskvrněné jméno) **5** pozorovaný, sledovaný; podezřelý **6** v. *spot, v* ◆ ~ *adder* zool.: neškodný americký had *Lampropeltis triangulum;* ~ *clover* bot. tolice arabská; ~ *crake* zool. chřástal kropenatý; ~ *dog 1.* zool. doga *2.* BR slang. lojový puding *3.* BR slang. nákyp s hrozinkami; ~ *fever* med. *1.* skvrnivka, skvrnitý tyfus *2.* mozkomíšní meningitida; ~ *flycatcher* zool. lejsek šedý; ~ *hemlock* bot. bolehlav plamatý; ~ *medic* = ~ *clover;* ~ *sandpiper* zool. pisík

spottedness [spotidnis] **1** skvrnitost **2** flekovatost; tečkovanost, kropenatost **3** uhrovitost, pihatost **4** přen. poskvrněnost

spotter [spotə] **1** voj. pozorovatel zásahů dělostřelby **2** pozorovací letoun, dělostřelecký letoun pro opravu palby; pilot takových letounů **3** voj. ukazovadlo **4** BR náletová hlídka civilní obrany **5** AM hovor. soukromý detektiv **6** AM kontrolor, dozorce, inspektor nad dělníky pracujícími na různých místech **7** přen. pozorovatel, vyhledavač **8** fot. retušér **9** odborný čistič skvrn, detašér **10** čisticí prostředek na odstraňování skvrn **11** dřevorubec označující stromy **12** pomocník, asistent dávající pozor na účastníky dražby n. pomáhající rozeznávat hráče; skriptér, část. skript(ér)ka (film.); hledač talentů **13** kdo si z vlastního zájmu zapisuje čísla n. typy aut, autobusů, lokomotiv aj. **14** zloděj aut; tipař kdo pro spolupachatele vyhledává domy k vyloupení **15** těl. kdo dává záchranu n. dopomoc **16** nástroj na dělání lesklých pravidelných vzorců na hladké kovové plochy **17** žel. měřicí tyč zařízení na voze na označování nepravidelnosti trati **18** polygr. papír s výřezem pro posuzování barev **19** polygr. testová maska

spottiness [spotinis] **1** skvrnitost, tečkovanost, kropenatost, strakatost **2** nepravidelnost, nejednotnost, nestejnoměrnost, nerovnoměrnost, nevyrovnanost **3** nestejnoměrný vzrůst **4** místní charakter, omezenost na určité místo

spotty [spoti] (*-ie-*) **1** skvrnitý, tečkovaný, kropenatý, strakatý **2** nepravidelný, nejednotný, nestejnoměrný, nerovnoměrný, nevyrovnaný (~ *piece of music*) **3** nestejnoměrně vzrostlý (~ *crop* ... úroda) **4** místní, místně omezený (~ *business*); lokální (~ *unemployment* ... nezaměstnanost)

spousal [spauzəl] *adj* **1** svatební (~ *rite* ... obřad) **2** manželský (~ *love*) *s* **1** zast. manželství **2** část. ~ *s, pl* svatba, oddavky

spouse [spauz / AM spaus] **1** choť; manžel, manželka **2** snoubenec, snoubenka **3** náb.: božský Ženich Ježíš Kristus **4** též ~ *of Christ* náb. nevěsta Kristova Církev; řeholnice

spout [spaut] *v* **1** též ~ *out* tryskat, vytrysknout, vy|prýštit, stříkat, vystřikovat prudce, do výšky (*water* ~ *ing out from a broken water main* voda tryskající z porušeného vedení, *blood* ~ *ing from a severed artery* krev stříkající z přeťaté tepny), vylévat, lít proudem, vrhat proudem (*a broken pipe* ~ *ing water*), chrlit (*the volcano* ~ *ed lava*), též přen. (*machines of steel which* ~ *out pins by the hundred million*) **2** velryba stříkat, chrlit vodu **3** hovor. přednášet, deklamovat, recitovat pateticky (*always goes around* ~ *ing Shakespeare*); mít spousty řečí, vykládat, přednášet (~ *about science and rationalism*) **4** vy|chrlit ze sebe, vy|sypat ze sebe (~ *ed French like a Frenchman*) **5** mít n. dát hubičku, opatřit hubičkou konev (*teapot poured badly, had not been properly* ~ *ed* z konvice se nalévalo špatně, neměla dobře udělanou hubičku); mít n. dát chrlič, opatřit chrličem **6** slang. dát do frcu zastavit ● *s* **1** hubice, hubička např. konve **2** násypný n. výsypný žlab na obilí, výsypka

3 střešní žlab; chrlič okapu; výlevka, výpust; výtoková trubka, výtokový otvor **4** stružka **5** tryskající, padající proud; sloup vody chrlený velrybou **6** vřídlo, pramen, vývěr (řidč.) **7** malý vodopád, kaskáda **8** zř. liják **9** hovor. dělová hlaveň, roura **10** zool. stříkací otvor velryby **11** dř. skluz, skluzavka, zdviž v zastavárně **12** slang. frc zastavárna ◆ *up the* ~ slang. *1.* v tahu, v hajzlu, fuč zničený, ztracený, v koncích *2.* ve frcu v zastavárně *3.* v tom těhotná

spouter [spautə] **1** kdo n. co chrlí, chrlič **2** velryba chrlící vodu **3** velrybářská loď **4** tryskající vrt plynový, naftový **5** kdo ze sebe chrlí slova, žvanil, žvastoun, řečnil (*a* ~ *who thought he was an orator* žvanil, který si myslil, že je řečník)

spout hole [spauthəul] zool. stříkací otvor velryby

spoutless [spautlis] jsoucí bez hubice atd.

spouty [spauti] (*-ie-*) tak mokrý, že po došlápnutí stříká (~ *marshland*)

sprag [spræg] *s* **1** kus dřeva k zablokování kola strčením mezi paprsky **2** brzdný špalek kladený pod kola **3** horn. vzpěra, podpěra, podložka k podepření podhrázděného bloku uhlí ● *v* (*-gg-*) **1** zablokovat kolo kusem dřeva n. špalíkem, zabrzdit kusem dřeva **2** horn. podepřít, vzepřít

sprain [sprein] *v* narazit si, vyvrtnout si, podvrtnout si, udělat si výron v ● *s* **1** naražení, vyvrtnutí, podvrtnutí, výron v kloubním pouzdře

spraints [spreints] *pl* BR vydří trus

sprang [spræŋ] v. *spring*[1], *v*

sprat [spræt] *s* **1** zool. šprot obecný **2** neodb. mladý sleď; sleďovitá ryba, sardinka **3** žert. hubeňour, vyžle ◆ *throw a* ~ *to catch a herring* / *mackerel* / *whale* pořek. risk je zisk, dát vajíčko, aby byla slepička ● *v* (*-tt-*) lovit šproty

sprat day [sprætdei] BR *Lord Mayor's Day* 9. listopad, kdy začíná sezóna lovení šprotů

spratter [sprætə] rybář lovící šproty

sprawl [spro:l] **1** být, sedět n. ležet roztažený n. rozvalený, roztahovat se, rozvalovat se **2** rozplácnout se s roztaženými údy **3** nemotorně natahovat nohy, roztahovat paže **4** hrabat se, škrábat se nemotorně **5** rozrůstat se, plazit se, pnout se, rozlézat se nepravidelně, nehezky (*bushes are allowed to* ~ *as they will* keře se mohou rozlézat, jak chtějí), roztahovat se, táhnout se **6** být rozvleklý, táhnout se, vléci se (*this novel undeniably* ~*s* tento román je naprosto jasně rozvleklý) **7** psát / napsat roztaženým rukopisem; rukopis být roztažený **8** voj. roztáhnout se, rozptýlit se, utvořit nepravidelnou rojnici; roztáhnout řadu vojáků do šířky, nechat vojáky utvořit nepravidelnou rojnici ● *s* **1** roztažení, natahování údů **2** poloha s nepravidelně roztaženými údy, rozplácnutí **3** nepravidelná, roztažená řada (*a bare and shadeless* ~ *of houses* holá, nepravidelně roztažená řada domů bez stínu); nepravidelné, roztažené množství ◆ *urban* ~ živelný růst měst

spray[1] [sprei] *s* **1** větev, větévka, ratolest, snítka, haluz, haluze **2** šperk ve tvaru větévky (*a* ~ *of diamonds* diamantová větvička) **3** slév. skupina odlitků se společným vtokem, stromeček **4** dlouhý hrozen květů kytice

spray[2] [sprei] *s* **1** jemná prška, sprška, mlha, vodní tříšť; rozprášená tekutina **2** postřik, též zahr.; roztok k rozprašování n. postřikování, postřikovač, spray **3** rozstřikovač; rozprašovač, sprej, též med. **4** přen. prška, déšť (*a* ~ *of bullets* déšť střel), padající tříšť (*a* ~ *of shattered glass* ... rozbitého skla) **5** voj. svazek střepin, rozlet střepin **6** tech. tryska, hubice ● *v* **1** rozprašovat, rozstřikovat **2** postřikovat, stříkat, provádět postřik čeho (~ *fruit trees*); zavlažovat postřikem (~ *the lawn*) **3** med. sprejovat, rozprašovat tekuté léčivo, postřikovat; výr. sušit tekuté látky rozprašováním; kosmetika sprejovat (~ *lacquer on hair* sprejovat lak na vlasy, ~ *hair with lacquer* sprejovat vlasy lakem, na|lakovat | si vlasy sprejí **4** rozprašovat se, tvořit pršku n. mlhu **5** po|kropit (~ *the enemy with bullets* pokropit nepřítele kulkami) ◆ ~ *carburettor* rozprašovací karburátor; ~ *coating* nanášení nátěrových hmot stříkáním stříkací pistolí; ~ *jet* / *nozzle* rozprašovací tryska / hubice; ~ *painting* stříkaný nátěr; ~ *rig* rozprašovací zařízení; ~ *ring* / *thrower* odstřikovací kroužek na hřídeli

sprayboard [spreibo:d] námoř. ochranná štítnice

spray drain [spreidrein] haťový trativod, haťový drén

spray-dry [spreidrai] (*-ie-*) výr. sprejovat sušit tekuté látky rozprašováním

sprayer [spreiə] **1** rozprašovač, rozstřikovač, postřikovač **2** hořák

sprayey[1] [spreii] **1** rozvětvený **2** připomínající větévku, větévkovitý

sprayey[2] [spreii] **1** připomínající pršku **2** přinášející pršku n. vodní tříšť (*a* ~ *wind from the sea*)

spray gun [spreigan] stříkací pistole natěračská

spraying [spreiiŋ] **1** postřik **2** v. *spray, v*

spread [spred] *v* (*spread, spread*) **1** též ~ *out* roztáhnout (*the bird* ~ *its wings* pták roztáhl křídla), natáhnout (~ *a carpet*), rozvinout (*a ship with all sails* ~ loď s plnými rozvinutými plachtami, ~ *a flag*), rozložit (*he* ~ *the pots on the ground* rozložil hrnce na zemi, ~ *out a map*), rozpřáhnout (~ *one's arms*) **2** roztahovat při psaní (~ *out handwriting* roztahovat rukopis) **3** roztrousit (*buildings are* ~ *around this central point*) **4** rozhazovat, rozmetat *over* po (~ *fertilizer over the soil* rozmetávat hnojivo po poli) **5** roz|válet těsto **6** vytahovat tkaninu **7** roz|prostřít *a t.* co *on* na (~ *a cloth on a table*) **8** prostřít upravit n. připravit k jídlu (~ *the tables*) *a t.* k, podávat co (~ *afternoon tea for us*) **9** potáhnout, povléci, pokrýt *a t.* co (~ *the floor with a carpet*) **10** na|mazat pomazánkou (~ *butter on bread*) *with* pomazánkou (~ *a slice of bread with butter* namazat krajíček chleba máslem) **11** nanést barvu *on* na, natřít, nabarvit, nalakovat (*the varnish was* ~ *on every exposed part* každá nezakrytá část byla natřena lakem) **12** šířit, rozšiřovat, prodlužovat klepáním (*hammered the metal to* ~ *it* rozklepal kov do šířky), rozklepat (~ *the end of a rivet* rozklepat konec nýtu) **13** rozvrhnout, protáhnout, natáhnout časově; rozdělit pracovní úkol tak, aby jeho splnění trvalo déle **14** vydávat, šířit (*the hyacinth* ~*ing its fragrance* hyacint šířící svou vůni) **15** roznášet, přenášet, šířit nákazu **16** pokrýt, posít *with* čím (*a meadow* ~ *with flowers*) **17** roztahovat od sebe váhou n. tlakem (*the locomotive* ~ *the rails* lokomotiva svou tíhou roztáhla koleje od sebe), rozpírat, rozpínat **18** roz|šířit, hlásat, rozhlásit, roznést (~ *a man's fame* šířit mužovu slávu) **19** též ~ *out* rozkládat se (*city* ~ *out on a level terrain* město se rozkládalo na rovném terénu) **20** roz|šířit se (*the fire* ~ *from the factory to the houses near by, the panic* ~ *rapidly* panika se rychle šířila), proniknout, prostupovat *through* čím (*the odour* ~*s through the room* vůně prostupuje místností) **21** rozprostírat se, rozkládat se, táhnout se (*a desert* ~*ing for hundreds of miles* poušť táhnoucí se několik stovek mil) **22** roztáhnout se (*the servant's mouth* ~ *in a placating grin* služčina ústa se roztáhla do smířlivého úsměvu) **23** rozestupovat se (*rails* ~*ing under the great weight* koleje rozestupující se od sebe pod tou velkou tíhou) **24** rozrůstat se, rozlézat se **25** roztírat se (*a thin paint that* ~*s well* slabá vrstva barvy, která se dobře roztírá); dát se mazat, mazat se **26** být rozvržen časově (*a course of studies* ~ *over three years*) **27** šířit se, jít, letět (*the rumour* ~ *from mouth to mouth* zpráva se šířila od úst k ústům), roznést se, rozhlásit se **28** AM zanést, zapsat, dát *upon* do zápisu (*moved that the foregoing resolution be* ~ *upon the minutes* dal návrh, aby se předchozí usnesení dalo do zápisu) **29** ukázat karty při sehrávce; vyložit na stůl karty **30** fonet. široce rozevřít rty **31** let. vysunout klapky, podvozek **32** nakládat len **33** voj. rozvinout do šířky (~ *the fire*) ♦ ~ *a chord* hud. za|hrát akord arpeggio; ~ *the cloth* též prostřít, dát ubrus; ~ *fear* nahánět / budit / vzbuzovat strach n. hrůzu; ~ *fires* rozhrabat uhlí v kotlích; ~ *by hammering* rozklepat kladivem; ~ *mines* položit miny; ~ *oil on a rough sea* námoř. nalít olej na rozbouřené vlny; ~ *sheet* pryžovaná tkanina; ~ *the table* prostřít stůl n. tabuli, dát na stůl; *table* ~ *with luxuries* stůl pokrytý lahůdkami; *the view* ~ *out before us* před námi se rozkládala vyhlídka ***spread o. s.*** *1* rozvalit se, rozvalovat se, roztahovat se *2* šířit se *on* o, psát n. mluvit obšírně o, zejm. pompézně *3* ukázat se, dát se vidět ♦ ~ *o. s. thin* AM *1.* rozptylovat se, jít příliš do šířky *2.* ničit si zdraví přílišnou činností ● *s* **1** rozrůstání, neorganizovaný růst (~ *of the city*) **2** roz|šíření, rozšiřování (~ *of disease* rozšíření choroby) **3** roztažitelnost (~ *of an elastic material*) **4** rozpětí (*the* ~ *of a bird's wings* ... ptačích křídel); rozpětí větví; rozpětí křídel letadla **5** šířka (*the* ~ *of a sail* ... plachty) **6** rozsah, rozloha **7** rozloha, plocha (*this giant* ~ *of land* tak obrovská plocha pozemku) **8** rozptyl též voj. **9** voj. roj vystřelených torpéd, vějíř torpéd **10** ubrus **11** pokrývka, přikrývka, přehoz zejm. přes postel **12** hovor. stůl plný dobrot, hostina, hody, banket **13** pomazánka **14** polygr. celostránkový článek s ilustracemi, celostránková ilustrace; dvojstránka; text, sazba přes dva slouce n. dvě stránky; titulek přes dva sloupce **15** mezera (*the wide* ~ *between theory and fact*) **16** vzdálenost mezi předníma nohama např. psa **17** AM burz. dvojitý prémiový opční obchod, steláž; rozpětí mezi nákupní a prodejní cenou, rozdíl kursu emisního a denního **18** plochý drahokam **19** druh strku v kulečníku **20** hovor. honění; zdání **21** skupina karet, kterou lze vyložit; vyložení takové skupiny na stůl; odkrytí, ukázání karet při sehrávce **22** AM hovor. ranč, farma (*a cattle* ~) **23** AM hovor. stádo (*a* ~ *of 10 000 sheep*) ♦ *a middle-age* ~ hovor. bříško čtyřicátníků; ~ *of sails* námoř. *1.* napnuté plachty *2.* plachtoví; ~ *of the salvo* rozptyl salvy

spread city [ˌspredˈsiti] AM živelný neurbanistický růst města

spread eagle [ˌspredˈi:gl] *s* **1** herald. rozkřídlený orel **2** sport. měsíc krasobruslařská figura **3** AM honimír, hurávlastenec, šovinista **4** AM hurávlastenectví, šovinismus **5** hovor. rozpůlený pečený pták, rozříznuté a grilované kuře apod. **6** námoř. rozepjatý / rozkřídlený orel trest na lodích, při němž byl trestaný přivázán na úponách s roztaženýma rukama i nohama ● *v: spread-eagle* **1** spadnout, ležet, rozplácnout se s roztaženýma rukama a nohama **2** námoř. hist. přivázat s roztaženýma rukama a nohama k úponám jako trest **3** slang. úplně odrovnat, vyřídit **4** rozlézt se, roztáhnout se po (*the company's plants* ~*d the state* továrny společnosti ...) **5** hrabat se, klátit se nemotorně **6** sport. udělat měsíc v krasobruslení **7** kriket srazit a rozházet branku ● *adj* **1** připomínající rozkřídleného orla, s roztaženýma rukama a nohama **2** AM hovor. hurávlastenecký, šovinistický, bombastický

spread-eagleism [ˈspredˌi:gəlizəm] AM hovor. hurávlastenectví, vlastenčení, fangličkářství, šovinismus

spreader [spredə] **1** rozšiřovač **2** rozprašovač; stříkací pistole **3** rozhazovač, rozmetadlo **4** nanášecí stroj / přístroj **5** korek na napínání hmyzu ♦ *tree* ~ zahradní postřikovač

spread-over [ˈspredˌəuvə] též ~ *system* rozvrh práce, pružné přizpůsobování pracovní doby danému úkolu

spreathed [spri:ðd] BR nář. **1** bolavý **2** rozpraskaný

spree [spri:] *s* hovor. **1** dovádění, řádění **2** pitka, flám, mejdan **3** záchvat činnosti, horečka (*spending* ~ záchvat utrácení, nákupní horečka) ◆ ~ *drinker* notorik, kvartálník; *go on a* ~ jít si zařádit, jít to někam roztočit, jít si vyhodit z kopýtka ● *v* řádit, roztáčet to, vyhazovat si z kopýtka

sprent [sprent] BR zast. posetý, prokvětlý (*the brown* ~ *with gray*)

sprig [sprig] *s* **1** větévka, větvička, snítka, ratolest **2** ozdoba / šperk ve tvaru větévky **3** aplikovaný květ, aplikovaný list na látce **4** potomek, ratolest (*a young* ~ *of nobility* mladá šlechtická ratolest); mladík, dorostenec (*a young* ~ *of a book reviewer*) **5** hanl. aplégr **6** malá ukázka **7** SC vrabec **8** hřebíček n. hřeb bez hlavy; zasklívací hřebíček, plíšek; kolíček, flok **9** zahr. řízek, odnož ● *v* (*-gg-*) **1** zdobit větévkami n. větévkovými vzory např. keramiku; aplikovat květy n. větévky na (~*ged muslin* mušelín s aplikovanými květy) **2** ořezávat větvičky z **3** zajišťovat hřebíčky např. okenní tabuli **4** při|flokovat, při|kolíčkovat (~*ged and screwed soles* přiflokované a přišroubované podrážky) **5** ker. přidělat, přilepit *a t.* co *on* k (~ *a handle on a pitcher* přidělat ke džbánku ucho)

sprig awl [sprigo:l], **sprig bit** [sprigbit] řidč. šídlo

spriggy [sprigi] (*-ie-*) posetý / ozdobený větévkovými vzory, vzorovaný

spright [sprait] = *sprite*

sprightliness [spraitlinis] živost, čilost, veselost, bujnost, bujarost

sprightly [spraitli] *adj* (*-ie-*) živý, čilý, veselý, bujný, bujarý ● *adv* živě, čile, vesele, bujně, bujaře

sprigtail [sprigteil] zool. **1** ostralka štíhlá **2** americký tetřívek *Pediocetes phasianellus* **3** americká kachna *Oxyura jamaicensis rubida*

spring [spriŋ] *v* (*sprang, sprung*) **1** vy|skočit (*sprang forward to help me, he sprang out of bed*), přeskočit, vzít skokem (*the horse sprang the narrow fence* kůň přeskočil úzký plot), skočit *across* / *over* přes, přeskočit co; vyletět (*the sparks sprang upward as he stirred the fire* když prohrábl oheň, vylétly vzhůru jiskry), vymrštit se **2** vy|prýštit, tryskat, vytrysknout, vy|řinout se, téci / vytékat proudem (*the blood* ~*s from the wound* z rány se řine krev), v|hrnout se (*blood* ~*s in the face*) **3** pocházet (*both parents sprang from wealthy landowners* oba rodiče pocházeli z bohatých statkářských kruhů) **4** pramenit, pocházet, povstávat *from* z, mít původ v (*her anxiety had sprung from a definite cause* její úzkost pramenila z určitého důvodu) **5** objevit se náhle, neočekávaně (*where have you sprung from?* kde ses tady vzal?) **6** dát vzniknout, vytáhnout (přen.) (*hoped it would rain very soon, to* ~ *some new grass*); rašit, vyrážet (*the winter wheat is* ~*ing*) **7** roztrhnout, rozštípnout, udělat puklinu, prasklinu v (*the wind sprang the foremast of the ship* vítr rozštípl přední stěžeň lodi), rozrazit (*the ship sprang its keel on a rock* loď si rozrazila kýl o skálu); utrpět prasknutí, rozštípnutí čeho (*the ship sprang a mast* lodi praskl stěžeň); trhat, roztrhnout náloží **8** dřevo pukat, praskat, dostat trhlinu (*my cricket bat has sprung* praskla mi kriketová pálka); z|bortit | se (*I had sprung my tennis racket*) **9** náhle vysunout, posunout, strhnout (*the wind sprang some tiles from the roof* vítr strhl ze střechy několik tašek); uvolnit se (*the board sprang from the fence during the storm* při bouři se uvolnilo prkno z plotu) **10** uvést do činnosti mechanicky: sklapnout, secvaknout (~ *a mine* odpálit minu); odemknout pružinou (~ *a lock*), sklapnout pružinou (*a trap* ~*s* past sklapne) **11** překvapit *a t.* čím *on* koho, vybafnout s na (~ *a new theory on a p.*), zaskočit čím koho **12** opatřit pružinami, dát pružiny do, vy|pérovat; dát pružnost čemu, učinit pružným **13** ohnout pružně, vtěsnat, zasadit pružně (~ *the steel band*) **14** odpružit, přetáhnout, příliš natáhnout až ztratí pružnost **15** ochromit, způsobit ochromení čeho (*sprang every muscle in my leg* ochromilo mi to každý sval v noze) **16** tyčit se, zvedat se do výše (*from its corners* ~ *four slender minarets*); táhnout se do šířky **17** klenba začít se klenout, pnout se, vzpínat se; s|klenout oblouk **18** vyplašit bažanta; bažant vytahovat **19** pobídnout do trysku koně **20** kráva být březí; vemeno březí krávy otékat, nalévat se **21** námoř. pohybovat, táhnout, natočit uvazovacím lanem loď **22** hovor.: peníze dát, utratit, špendýrovat (*nothing immoral about* ~*ing ten cents for a ball of twine* na tom není nic nemravného dát za klubko špagátku deset centů) **23** hovor. pumpnout *a p.* koho *for* o **24** slang. pomoci / dostat z basy n. z armády (*there'd be a lawyer there to* ~ *him before I got the cell door shut* než dokážu zavřít dveře cely, už tam bude advokát, aby ho dostal z basy) **25** zast., bás. svítat, rozbřesknout se ◆ ~ *to attention 1.* postavit se rychle do pozoru *2.* okamžitě zbystřit sluch; *be sprung* též *1.* pocházet (*he is sprung from royal blood* pochází z královské krve) *2.* být klenutý (*the dog's ribs are well sprung* pes má krásně klenutá žebra); ~ *into being* náhle se objevit, náhle vzniknout; ~ *a bit* též nabídnout lepší cenu; ~ *a butt* námoř. dostat trhlinu uvolněním konců planěk; ~ *to the eyes* padnout do očí; ~ *to one's feet* vyskočit; ~ *a leak 1.* loď dostat trhlinu *2.* hovor. chtít čurat; ~ *into life* = ~ *into being;* ~ *the* / *her luff 1.* loď stočit se do návětří *2.* stočit do návětří loď; ~ *a rattle* za|točit, za|řehtat řehtačkou; ~ *a surprise on a p.* náhle překvapit koho; ~ *at a p.'s throat* skočit po krku komu ***spring aside*** uskočit ***spring back*** odskočit, pružností se vrátit do původní polohy, cvaknout, švihnout (*the branch sprang back and hit me in the face* větev se vrátila do původní polohy a švihla mě do tváře) ***spring down*** seskočit ***spring in*** vsunout, vtlačit, zasadit ohnutím pružného ***spring open*** otevřít tlakem na pružinu (*sprang the watchcase open* otevřel víčko hodinek) ***spring up 1*** vyskočit, vymrštit se vzhůru (*sprang up from his seat*) *2* náhle, prudce objevit se, vzniknout, udělat se, zvednout se (*a breeze has sprung up*), prudce rašit, vystřelovat, růst jako houby po dešti (*weeds were ~ing up everywhere* všude rašil plevel) ◆ *a suspicion sprang up in her mind* náhle se jí zmocnilo podezření ● *s* **1** skok, vy|skočení; poskok, poskočení v tanci **2** SC živý tanec, skočná **3** pružina, zpružina, zpruha, (řidč.) pero, péro; pérování **4** pružnost, pružení, elastičnost; pružný pohyb; vrácení do původní polohy **5** pružné vyrovnávací koleno **6** duševní pružnost, bystrost, energie **7** pramen, zdroj, zřídlo, vřídlo, studánka; léčivý pramen (*mineral ~s*) **8** přen. zdroj, pramen, studnice **9** motiv, popud, pohnutka (*the ~s of human conduct* pohnutky lidského chování) **10** trhlina, prasklina, puklina; z|bortění **11** jaro, též hvězd., meteor., vesna (bás.) **12** přen. doba probuzení, mládí **13** = *~ tide; ~s pl* období vysokých slapů, období skočného přílivu **14** nekvalitní jarní kůže, kožka **15** pateční čára n. rovina klenby **16** klenutost hrudníku psa **17** námoř. uvazovací lano střední, zadní n. přední vazák (zajišťující loď vyvázanou u mola) **18** zool. malé hejno čírek, poláků **19** zool. vidlička chvostoskoka **20** zast., bás. úsvit, svítání, rozbřesk ◆ *~ of action* pohnutka, popud, motiv činu; *air ~ = pneumatic ~; bow ~* oblouková pružina; *cee ~* oblouková pružina tvaru C; *set every ~ in motion* nasadit všechny páky (přen.); *pneumatic ~* vzduchová pružina; *take ~* skočit ● *adj* **1** pérový, pérovaný (*~ mattress*); jsoucí s pružinou, pružinový **2** jarní (*~ flowers*) **3** pramenitý (*~ water*)

springal[1] [spriŋgl] hist. prak, katapult na metání kamenů

springal[2] [spriŋgl], **springald** [spriŋgld] BR zast. jinoch, jun

spring back [spriŋbæk] klips; svorka, svorník

spring balance [ˌspriŋˈbæləns] pružinové závěsné váhy

spring beam [spriŋbi:m] tech., námoř. trám např. u kolesového parníku

spring beauty [ˌspriŋˈbju:ti] bot. batolka

spring bed [ˌspriŋˈbed] pérová matrace

spring beetle [ˌspriŋˈbi:tl] zool. kovařík

springboard [spriŋbo:d] **1** skokanské prkno **2** trampolína **3** přen. odraziště, východiště, nástupiště **4** AU prkno sloužící jako stanoviště při seřezávání stromů

springbok [spriŋbok] **1** zool.: africká gazela *Antidorcas euchore* **2** *S~s* přezdívka Jihoafričanů, jihoafrického fotbalového mužstva apod.

spring box [ˌspriŋˈboks] text. pérovník

spring carriage [ˈspriŋˌkæridž,] **spring cart** [spriŋ·ka:t] pérovaný kočár, bryčka

spring chicken [ˌspriŋˈčikin] **1** kuře, mladý pulard **2** přen. zajíc

spring-clean [spriŋkli:n] důkladně uklidit, vy|gruntovat zejm. na jaře

spring-cleaning [ˌspriŋˈkli:niŋ] jarní úklid, jarní gruntování

spring crop [ˌspriŋˈkrop] jarní osení, jař, jařina

spring door [ˌspriŋˈdo:] dveře, které se samy zavírají

spring drive motor [ˌspriŋdraivˈməutə] strojek na pružinový / pérový pohon

springe [sprin*dž*] *s* **1** oko, smyčka, osidlo **2** přen. nástraha, léčka, past, osidlo ● *v* **1** klást oka **2** chytit do oka

springer [spriŋə] **1** kdo skáče, skákač, skokan **2** hovor. tělocvikář **3** patka např. klenby n. oblouku; patní klenák; šikmý uložený kvádr **4** honec, nadháněč který plaší zvěř **5** též *~ spaniel* španěl pes **6** zool. cípal **7** kráva těsně před telením **8** = *springbok*

spring fever [ˌspriŋˈfi:və] jarní malátnost

spring gun [ˌspriŋˈgan] samostříl střelná zbraň

spring halt [spriŋho:lt] zvěr. křečovité podlamování zadních nohou koně, zápal šlach koně

springhead [spriŋhed] zdroj, pramen, též přen.

spring heath [ˌspriŋˈhi:θ] bot. vřesovec pleťový

spring hook [spriŋhuk] karabina očko s pérovým jazýčkem

springhouse [spriŋhaus] *pl: springhouses* [ˈspriŋˈhauziz] AM chladírna postavená nad pramenem

springiness [spriŋinis] pružnost, elastičnost

springless [spriŋlis] **1** jsoucí bez péra n. pružiny, nepérovaný **2** nepružný; tvrdý, namáhavý, těžký, těžkopádný (*a ~ step*)

springlet [spriŋlit] pramínek, stružka

springlike [spriŋlaik] **1** jarní **2** připomínající péro n. pružinu

spring line [ˌspriŋˈlain] **1** námoř. uvazovací lano střední, zadní n. přední vazák (zajišťující loď vyvázanou u mola) **2** archit. rovina klenby

spring-loaded [ˈspriŋˌləudid] jsoucí s pružinovým zatížením, odpružený

spring lock [ˌspriŋˈlok] střelkový zámek

spring mattress [ˌspriŋˈmætris] pérová matrace

spring onion [ˌspriŋˈanjən] jarní cibulka

spring safety hook [ˌspriŋˈseiftihuk] karabinka

spring scale [ˌspriŋˈskeil] zejm. AM pružinové závěsné váhy

spring snowflake [ˌspriŋˈsnəufleik] bot. bledule jarní

springtail [spriŋteil] zool. chvostoskok

spring tide [ˌspriŋˈtaid] **1** námoř. nejvyšší stav přílivu a odlivu při úplňku a novu **2** *springtide = springtime*

springtime [spriŋtaim] jaro, jarní čas, jarní doba, vesna (bás.)

spring trap [ˌspriŋˈtræp] talířová železa past

spring water [ˌspriŋˈwo:tə] pramenitá voda

spring wool [ˌspriŋˈwul] zimní vlna

springy [spriŋi] (*-ie-*) pružný, elastický

sprinkle [spriŋkl] *v* **1** jemně postříkat *a t.* co *with* čím (*~ a dusty path with water*), na|stříkat *a t.* co *on* na (~ *water on a dusty path*) **2** posypat, poprášit, poházet *a t.* co *with* čím, na|sypat, rozsypat na co (~ *the floor with sand*) **3** přen. poházet, roztrousit (*a series of model houses* ~*d about the grounds*), posít **4** přen. prošpikovat (*a propaganda tract* ~*d with glib half-truths* propagační traktát prošpikovaný hladkými polopravdami) **5** mrholit, mžít **6** polygr. stříkat ořízku, kůži **7** círk. po|křtít pouze postříkáním ◆ *be* ~*d with* tu a tam obsahovat co ● *s* **1** po|stříkání, po|kropení **2** sprška, prška, přeprška, mrholení, mžení; rozptýlené kapičky **3** ~*s, pl* kapky, kapičky (*chocolate* ~*s*) **4** poprašek **5** malé roztroušené množství **6** špetka, troška, ždibec (*a* ~ *of salt*)

sprinkler [spriŋklə] **1** postřikovač, rozstřikovač, rozprašovač, zavlažovač, postřikovadlo, skrápeč, sprcha **2** kropič; kropítko, kropáč **3** kropicí vůz **4** círk. kropáč **5** též ~ *system* samočinné hasicí zařízení, sprinkler ● *v* vybavit samočinným hasicím zařízením, zavést / intalovat samočinné hasicí zařízení v

sprinkling [spriŋkliŋ] **1** pár roztroušených n. ojedinělých *of* čeho (*a* ~ *of junipers* pár roztroušených jalovců, *a* ~ *of intellectuals*) **2** trocha, ždibec, špetka (*not a* ~ *of common sense* ani za mák zdravého rozumu) **3** malý poprašek (*a* ~ *of snow*) **4** pár kapek, pár zrnek jemného **5** v. *sprinkle, v*

sprint [sprint] *v* **1** krátký závod s maximálním vypětím po celé trati; závod na krátkou vzdálenost, sprint (sport.) **2** závěrečný spurt, finiš **3** přen. maximální vypětí sil ◆ ~ *race* sport. běžecký sprint ● *v* **1** běžet / přeběhnout s maximálním úsilím **2** sport. spurtovat, sprintovat; běžet sprintem (~ *a hundred yards*); veslovat na krátké trati; jet sprintem

sprinter [sprintə] sport. sprinter běžec na krátkých tratích; jezdec v cyklistickém závodě na 1 km

sprit[1] [sprit] námoř. plachetní rozpěra

sprit[2] [sprit] bot. *s* klíček, výhonek, výhon ● *v* (*-tt-*) klíčit, naklíčovat např. ječmen

sprite [sprait] **1** elf, víla, šotek, skřítek **2** duch, přízrak **3** zool.: krab rodu *Ocypede*

spritsail [spritseil] **1** námoř. bidílcová / lugrová / rozpěrová plachta **2** námoř. hist. blinda, čelenovka plachta napínaná na čelenu

sprocket [sprokit] **1** zub řetězového kola **2** řetězové kolo **3** stav. násadec na zvýšení okapu n. na zajištění podélné vazby krovu **4** zavětrování; větrová příčka; nárožní návětrná krokev **5** film. ozubený bubínek / váleček promítacího přístroje ◆ ~ *chain* kloubový řetěz pro řetězové kolo; ~ *holes* film. perforace

sprocket wheel [sprokitwi:l] řetězové kolo

sprout [spraut] *v* **1** klíčit, rašit, pučet; růst, vyhánět výhonky / šlahouny **2** rychle vy|růst, vyrazit **3** způsobovat klíčení čeho (*the rain* ~*s seeds* po dešti semena vyklíčí); mít, nést jako výrůstek (*roof tops began to* ~ *antennae* ze střech začaly vyrážet antény, na střechách se začaly objevovat antény) **4** zbavovat šlahounů, odlamovat šlahouny z (~ *potatoes*) ● *s* **1** bot. klíček; výhonek, puk; prýt, šlahoun **2** výrůstek **3** mladík, výrostek; ratolest, potomek **4** ~*s, pl* růžičková kapusta

spruce[1] [spru:s] *adj* elegantní, vyšňořený, fešný, fešácký, švihácký, vyfešákovaný, vyštafírovaný, jako ze škatulky n. ze žurnálu ● *v* část. ~ *up* vystrojit | se, nastrojit | se, vyparádit | se, vyfešákovat | se, vyštafírovat |se, dát | se do pořádku, dát | se do pucu, načinčat | se

spruce[2] [spru:s] bot. **1** též ~ *fir* smrk **2** jehličnatý strom **3** Douglasova jedle, douglaska tisolistá **4** tsuga kanadská n. americká **5** dřevo jehličnatých stromů ◆ *Canadian* ~ = *white* ~; *black* ~ smrk černý; *Norway* ~ smrk ztepilý; ~ *pine* borovice; *white* ~ smrk sivý

spruce beer [spru:sbiə] jedlové, smrkové pivo proti kurdějím

spruceness [spru:snis] elegance, elegantnost, vyšňořenost, šviháckost, fešnost, fešáckost, vyfešákovanost, vyštafírovanost, načinčanost

sprue[1] [spru:] tech. **1** svislý licí kanál, vtokový kanálek **2** vtokový kůl odpad **3** otvor, do kterého se zapustí kovový odlitek pro umělou obnovu zubů

sprue[2] [spru:] med. maladsorpční syndrom

spruik [spru:ik] AU slang. nalejvat lidi, oblbovat lidi, kecat při projevu

spruiker [spru:ikə] AU slang. oblbovač demagog

spruit [spreit] SA říčka, potok tekoucí pouze v době dešťů

sprung [spraŋ] **1** slang. mírně nalitý, stříknutý, mající v hlavě **2** pérovaný **3** v. *spring, v* ◆ ~ *rhythm* liter.: druh prozódie, v níž má důraz vždy první slabika stopy, ke které se váže nestejný počet nepřízvučných slabik, přičemž jednotlivé stopy mají časově stejně dlouhé trvání

spry [sprai] (*-ie-*) živý, svižný, čiperný, svěží, agilní

spud [spad] *s* **1** plecí rýček **2** loupák, škrabák na kůru **3** med. háček, lopatička na vybírání ušního mazu **4** pořízek **5** hovor. erteple, brambora **6** slang. čovek; čéče oslovení ● *v* (*-dd-*) **1** též ~ *out* / *up* plít rýčkem, vy|rýt, vy|rýpnout rýčkem **2** též ~ *in* začít vrtat

spud-bashing [ˈspadˌbæʃiŋ] BR voj. slang. loupání brambor zejm. jako trest

spudder [spadə] hovor. **1** zaměstnanec u naftového vrtu **2** těžní věž při začátku vrtu **3** = *spud, s 2*

spuddle [spadl] BR nář. rýpat se v zahrádce

spuddy [spadi] (*-ie-*) krátký a silný, podsaditý, jsoucí jako pořízek

spue [spju:] = *spew*

spug [spag] = *spuggy*

spuggy [spagi] (*-ie-*) BR nář. vrabec

spume [spju:m] *s* pěna ● *v* pěnit | se

spumescence [spju:ˈmesns] pěnivost

spumescent [spju:ˈmesnt] **1** pěnivý, zpěněný **2** pěnový

spuminess [spju:minis] pěnivost, pěnovost

spumoni [spuˈmauni] italská zmrzlina se sekaným ovocem n. sekanými oříšky

spumous [spju:məs], **spumy** [spju:mi] (*-ie-*) **1** pěnivý, zpěněný **2** pěnový

spun [span] **1** kov předený na kovotlačitelském soustruhu, tlačený; odstředivě litý **2** v. *spin, v* ◆ ~ *concrete* metaný beton; ~ *glass* skleněné n. skelné předivo; ~ *gold* zlatá nit, zlatem opředená nit; ~ *line* námoř. *1.* několikapramenná lance *2.* několikapřízový motouz ručně kroucený; ~ *silk* příze z odpadového hedvábí, předené hedvábí; ~ *silver* stříbrná nit, stříbrem opředená nit; ~ *sugar* cukrová vata; ~ *yarn* několikapřízový motouz ručně kroucený např. z vláken starých lan

spunge [spandž] zast. = *sponge*

spunk [spaŋk] *s* **1** hovor. kuráž, energie, gajst; pifka, vztek **2** troud **3** obsc. chám, sperma ◆ *a man of* ~ horká hlava ● *v* též ~ *up* sebrat (odvahu), vzchopit se

spunky [spaŋki] (*-ie-*) **1** kurážný **2** živý, energický **3** popudlivý, vzteklý

spur [spə:] *s* **1** ostruha **2** bot. ostruha květu **3** zool. ostruha kohouta **4** námoř. kotevní ostruha **5** co pobízí, žene člověka; bič, pobídka, podnět, vzpruha, ostruha (*the* ~ *of poverty*) **6** bodec, kovový násadec, kovová ostruha kohouta v kohoutích zápasech **7** bodec v podrážce boty velrybáře **8** hist. ostrý zobec, zoban, kloun válečné lodi **9** archit. ostruhovitá ozdoba sloupu vybíhající od spodku dříku sloupu do rohu plinty **10** bodlina, osten, trn **11** bot. zkrácená n. přiříznutá n. seříznutá postranní větévka, letorost, brachyplast; tažeň révy **12** archit., námoř. vzpěra, žebro **13** geol. ostroh, horský výběžek **14** ozub, výstupek, výběžek zdi **15** vod. křídlová hráz k odchýlení říčního proudu, vlnolam, pobřežní hráz **16** hist. předsunutá část opevnění **17** stupačka k lezení na sloupy **18** námoř.: jednorohá rohatka **19** žel. vedlejší, výhybná kolej; vlečka **20** vedlejší silnice **21** horn. odžilek, odmrsk **22** bot. postranní, bočný, sekundární kořen **23** ker. podložka, ostruha **24** = ~ *gear* ◆ ~ *gear* čelní ozubené kolo, čelní kolo s přímými zuby; *he needs the* ~ potřebuje pobídnout n. popichnout; *on the* ~ rázem, rovnou, bez úvahy; *on the* ~ *of the moment* bez přemýšlení, okamžitě, v tom okamžiku, impulzívně; *put* ~*s to a horse* dát koni ostruhy, pobídnout koně ostruhami; ~ *royal* BR zlatý reál Jakuba I.; *set* ~*s to a horse* = *put* ~*s to a horse;* ~ *wheel* = ~ *gear; win one's* ~*s 1.* hist. získat ostruhy, dostat rytířský pás, být pasován na rytíře *2.* přen. získat čest a slávu, dobýt si věhlasu, vyznamenat se ● *v* (*-rr-*) **1** pobídnout / bodat ostruhami koně, dát ostruhy koni **2** též ~ *on* / *forward* hnát, štvát, popohánět (jako) ostruhami **3** jet tryskem; hnát se, štvát se **4** dát, připevnit ostruhy komu, na **5** kohout zasadit ránu, bodnout, seknout, zranit ostruhou **6** seříznout, přiříznout větévku ◆ *booted and* ~*red* v jezdeckých botách a s ostruhami, přen. připravený; ~ *a willing horse* přen. zbytečně pobízet n. popohánět

spurge [spə:dž] bot. pryšec

spurious [spjuəriəs] **1** falešný, padělaný (~ *coins*); podvržený **2** nepravý, nesprávný, nikoliv autentický, nevlastní, nepůvodní, předstíraný **3** nemanželský, nelegitimní **4** bot., zool. nepravý **5** sděl. tech. rušivý ◆ ~ *coupling* sděl. tech. rušivá vazba; ~ *disk* hvězd. ohybový / difrakční kotouček; ~ *fruit* bot. nepravý plod

spuriousness [spjuəriəsnis] **1** falešnost, padělanost; podvrženost **2** nepravost, nesprávnost, nepůvodnost, předstíranost **3** nemanželskost, nelegitimita

spurless [spə:lis] jsoucí bez ostruhy atd.

spurling-line [spə:liŋlain] námoř. **1** lano ukazatele polohy kormidla **2** lano napjaté přes dvě úpony sloužící k vedení pohyblivého vedení

spurn [spə:n] *v* **1** pohrdavě zavrhnout, odvrhnout, zamítnout, odmítnout *at* co **2** vyjádřit, dát najevo své pohrdání *at* nad **3** zast. kopnout *against* do, odkopnout koho / co ● *s* **1** pohrdavé jednání, ústrk **2** kopanec, kopnutí **3** bot. jeden z hlavních kořenů stromu **4** horn. malý, podpěrný uhelný pilíř **5** zapuštěný sloup vrat apod.

spur-of-the-moment [ˌspə:rəvðəˈməumənt] hovor. okamžitý, bezprostřední, bez uvažování, impulzívní

spurred [spə:d] **1** mající ostruhy **2** ostnatý, bodlinatý, trnitý **3** v. *spur, v*

spurrey [spari] *pl: spurries* [-z] = *spurry*

spurrier [spə:riə] výrobce ostruh, ostruhář

spur rowel [ˈspə:ˌrauəl] **1** ozubené kolečko ostruhy **2** herald. pěticípá hvězda s otvorem ostruha

spurry [spari] (*-ie-*) bot. kolenec, zejm. kolenec rolní

spurt[1] [spə:t] *s* **1** okamžik (*leaving for a* ~ *and returning shortly*) **2** krátké intenzívní údobí, krátký rozkvět, rozmach, náhlé vzplanutí, náhlý vzestup, exploze (přen.) (*temporary* ~ *in population*) **3** sport. finiš, spurt, rychlý běh apod. v závěru závodu ◆ *sales* ~ prudké zvýšení prodeje ● *v* **1** nasadit finiš, spurtovat, finišovat (sport.) **2** vyvinout úsilí, zabrat naplno při práci

spurt[2] [spə:t] = *spirt*

spurtle [spə:tl] SC **1** měchačka na kaši **2** meč

spur track [ˌspə:ˈtræk] žel. slepá kolej, vykládací kolej

spur-wheel [spə:wi:l] čelní ozubené kolo, čelní kolo s přímými zuby

spurwort [spə:wət] bot. bračka rolní

sputnik [sputnik] umělá družice zejm. sovětská, sputník

sputter [spatə] *v* **1** prskat (*candles* ~, *talks while he eats and* ~*s all over the place*); vyprsknout **2** zmateně, vzrušeně mluvit, říkat, mlít, drmolit, brebentit, vy|chrlit ze sebe, vyrazit ze sebe **3** rozprašovat kapalinu **4** tech. pokovovat rozprašováním katody ve vakuu ● *s* **1** prskání, prskot; vyprsknutí **2** vyprsknutá slina, vyprsknutý drobek jídla **3** zmatená, vzrušená řeč, mlení, drmolení, brebentění; povyk, rámus

sputum [spju:təm] *pl* též *sputa* [spju:tə] med. chrchel, sputum
spy [spai] (*-ie-*) *s* **1** zvěd, špeh, slídil; kdo tajně sleduje **2** vyzvědač, špión, tajný agent, rozvědčík; slang. důstojník průzkumu **3** výzvědy, pozorování, špionáž **4** důkladný, pozorný pohled ● *v* **1** náhle uvidět, spatřit, zjistit, najít, všimnout si po hledání **2** tajně pozorovat, sledovat *on* / *upon* koho **3** snažit se tajně získat informace *into* o, vyzvídat **4** provádět špionáž ◆ ~ *in the cab* hovor. kolečko tachograf nákladního auta; ~ *into other people's affairs* strkat nos do cizích věcí; *I* ~ *strangers* BR polit. žádám odchod nečlenů z Dolní sněmovny ***spy out*** hledat, zjišťovat, dívat se po, tajně prozkoumat, propátrat
spyglass [spaigla:s] malý (skládací) dalekohled
spyhole [spaihəul] kukátko ve dveřích, špehýrka (hovor.)
spying post [ˌspaiiŋˈpəust] voj. stanoviště pátrače
spy ring [ˌspaiˈriŋ] špionážní síť, špionážní organizace
spyship [spaišip] špionážní loď
spy thriller [ˈspaiˌθrilə] napínavý špionážní román
squab [skwob] *adj* **1** malý a tlustý, zavalitý, podsaditý; široký, tlustý (*a* ~ *nose*) **2** pták neopeřený, nedávno vylíhnutý **3** přen. mladý, nezkušený ● *adv* s temným úderem, s bouchnutím (*come down* ~ *on the floor*) ● *s* **1** neopeřené holoubě; holátko **2** přen. nezkušený člověk, zajíc **3** malý a tlustý člověk, pořízek **4** otoman, kanape, pohovka **5** měkká, hodně vycpaná poduška, nízký polštář na podlaze; vycpané sedadlo, vycpané opěradlo v autě ● *v* (*-bb-*) cpát, vycpávat podušku apod.
squabash [skwoˈbæš] rozdrtit zejm. kritikou
squabble [skwobl] *v* **1** škorpit se, hádat se malicherně, handrkovat se, hašteřit se, pouštět se do sebe, dát se do sebe pro maličkost **2** polygr. zast. pokřivit řádky, vysázet nerovné řádky ◆ ~*d type* polygr. písmena nedodržující účaří, skákající písmena ● *s* hlasitá malicherná hádka, handrkování, hašteření, slovní potyčka, škorpení; rámus
squabbler [skwoblə] hašteřil, škorpil, kverulant
squabby [skwobi] (*-ie-*) zavalitý, podsaditý, tělnatý, korpulentní, macatý
squab chick [skwobčik] holátko, pískle
squab pie [ˌskwobˈpai] kuch. **1** sekaná / paštika ze skopového masa, cibule a jablek **2** holubí paštika
squacco [skwækəu] *pl:* ~*s* [-z] zool. volavka vlasatá
squad [skwod] **1** voj. roj, hlouček, skupina, četa; komando **2** voj. osádka, obsluha děla **3** družstvo, brigáda, mužstvo, tým, též sport. ◆ *awkward* ~ nevycvičená četa nováčků; *flying* ~ policejní přepadový oddíl ● *v* (*-dd-*) AM **1** rozdělit do čet **2** přidělit k četě
squad car [ˌskwodˈka:] AM policejní vůz s krátkovlnným spojením, rádiový policejní vůz
squad drill [ˌskwodˈdril] základní vojenský výcvik
squadron [skwodrən] *s* **1** námoř. eskadra, lodní svaz, flotila **2** let. letka, eskadra BR 10–18 letadel; AM 3 roje po 3–6 letadlech **3** voj. hist. eskadra, švadrona, škadrona (hovor.) **4** družstvo, mužstvo, brigáda, tým ◆ *bombardment* ~ let. bombardovací svaz; *flying* ~ námoř. rychlá eskadra; *pursuit* ~ let. stíhací letka ● *v* vytvořit eskadru n. eskadry, seskupit v eskadru
squadron leader [ˈskwodrənˌli:də] BR major britského letectva
squad room [skwodru:m] AM místnost pro mužstvo
squad wagon [ˌskwodˈwægən] požární vůz
squail [skweil] BR **1** blecha dřevěný kotouček **2** ~*s*, *pl* bleší hra, blechy hra s dřevěnými kotoučky
squail board [skweilbo:d] stůl, deska pro bleší hru
squailer [skweilə] BR hůlka s olověným knoflíkem k házení po veverkách
squalid [skwolid] **1** špinavý, nečistý, zaneřáděný **2** sešlý, zanedbaný, zchátralý, bídný, mizerný **3** nechutný, odporný, hrubý, sprostý
squalidity [skwoˈlidəti] (*-ie-*), **squalidness** [skwolidnis] **1** špinavost, špína, zaneřáděnost, neřád, nečistota **2** sešlost, zanedbanost, zchátralost **3** nechutnost, odpornost, hrubost, sprostota
squall[1] [skwo:l] *v* křičet, vykřiknout, za|ječet, za|vřeštět strachem, bolestí ● *s* výkřik, za|ječení, za|vřeštění
squall[2] [skwo:l] *s* **1** náhlý náraz, závan, nápor větru, větrný poryv, húlava (meteor.) **2** bouře, bouřka, hromobití (přen.) ◆ *arched* ~ meteor. húlavový límec u bouřkového oblaku; *black* ~ dešťový poryv, dešťová húlava; ~ *line* meteor. čára výskytu húlav obvykle totožná se studenou frontou; *look out for* ~*s* přen. dávat si pozor, vyhýbat se nepříjemnostem; *white* ~ húlava z bezmračna v tropech ● *v* **1** vanout v poryvech n. nárazech **2** bouřit, být bouřlivý
squaller [skwo:lə] kdo křičí n. ječí, křikloun
squally [skwo:li] (*-ie-*) **1** charakterizovaný poryvy n. nárazy větru, bouřkový, nárazový, nárazovitý **2** hovor. hrozivý, hrozící bouřkou (přen.) **3** materiál nestejný, nestejné jakosti
squaloid [skweiloid] zool. žralokovitý
squalor [skwolə] = *squalidity*
squama [skweimə] *pl: squamae* [skweimi:] bot., zool. šupina
squamosal [skweiˈməusəl] anat. *s* tenká / šupinová část spánkové kosti ● *adj* **1** týkající se této části spánkové kosti **2** = *squamous*
squamose [skweiməus], **squamous** [skweiməs] bot., zool. **1** šupinatý **2** šupinovitý
squamule [skweimju:l] bot., zool. šupinka
squander [skwondə] **1** rozházet, rozmařile utrácet peníze, plýtvat *a t.* čím, **2** utrácet, mařit čas; ničit si zdraví **3** rozptýlit ● *s* řidč. rozmařilé utrácení, rozhazování
squanderer [skwondərə] rozmařilec, rozhaza

squandermania [ˌskwondəˈmeinjə] chorobné utrácení peněz; výstřední utrácení peněz, utrácení peněz, velkorysost ve výdajích, rozhazovačnost

squarable [skwərəbl] slučitelný (*only theory* ~ *with the known facts*)

square [skweə] *s* **1** čtverec **2** čtvercový kus, čtvereček součást vzoru (*a quilt of* ~*s sewn together*); kosočtverec, káro **3** čtvercový šátek **4** čtvercová zahrada **5** čtvercový diagram **6** čtyřhranný biret s třapcem **7** čtyřhran, čtyřhranný kolíček k natahování (*winding* ~) **8** tabulka skla **9** kostka, krychlička (*butter* ~*s*) **10** pole šachovnice **11** stav. sto čtverečných stop jako míra velikosti podlah n. střech **12** stav. počet břidlic potřebných k pokrytí sta čtverečných stop **13** náměstí zejm. čtvercové n. obdélníkové s vysázenými stromy apod., sadové náměstí, sadové prostranství **14** blok domů ohraničený čtyřmi ulicemi; vzdálenost jednoho bloku (*two* ~*s up* o dva bloky dále) **15** mat. druhá mocnina, dvojmocnina, dvojmoc, čtverec, kvadrát **16** geom. pomůcka k rýsování (aspoň) s jedním pravým úhlem: úhelník, úhelnice, trojúhelník, příložník **17** lidový řadový tanec pro čtyři páry připomínající čtverylku; figura v tomto tanci **18** voj. hist. čtverhranný vojenský útvar, karé **19** architektonický článek čtvercového průřezu **20** ~*s, pl* čtvercová ocel **21** slang. šosák, paďour; kdo se odmítá přizpůsobit, kdo nezapadá do společnosti, outsider (přen.) **22** slang. normální člověk, slušný člověk, charakter **23** slang. trouba, kavka **24** námoř. plocha pod palubním jícnem **25** námoř.: otvor v horní části kotevního dříku, kterým prochází příčník **26** polygr.: přečnívající okraj knižní desky, hrana, kanta desky knihy **27** bot.: nerozvitý květ bavlníku **28** sport. kolmení vesla postavení vesla, ve kterém jeho list svírá s hladinou vody pravý úhel (před záběrem) **29** zast. náprsenka; čtvercový výstřih dámských šatů **30** zast. vzor, příklad, pravidlo, zásada **31** AM hovor. pořádné jídlo ◆ *all* ~ hovor. poctivě, čestně, na rovinu, fér; *back to* ~ *one* znovu na samém začátku, znovu v dřívější situaci, tam kde jsme byli jako by se mezitím nic nebylo dálo; *barrack* ~ nádvoří kasáren; *be on the* ~ slang. být svobodným zednářem; *break no* ~*s* nedělat žádný rozdíl; *by the* ~*s* přen. přesně; *hollow* ~ voj. hist. karé mající uprostřed volný prostor; *how go the* ~*s?* zast. jak se vede?; *in the* ~ mat. zdvojmocněný, povýšený na druhou; *long* ~ zast. obdélník; *magic* ~ matematická hříčka, záležející v tom, že součet čísel vepsaných do políček čtverce je stejný ve sloupcích i řadách; *market* ~ tržiště; *oblong* ~ zast. obdélník; *on the* ~ *1.* v pravém úhlu, do pravého úhlu *2.* čestně, otevřeně, přímo, na rovinu *3.* jako rovný s rovným; ~ *of opposition* log. logický čtverec; *out of* ~ *1.* nikoliv v pravém úhlu *2.* nepravidelný *3.* nezarovnaný, nezařezávající, vyšinutý *4.* nesprávný; *set* ~ trojúhelník rýsovací pomůcka; *T* ~ příložník; *town* ~ náměstí; *village* ~ náves; *word* ~ čtvercovka druh hádanky ● *adj* **1** čtvercový **2** s čtvercovým průřezem, čtvercový; hranatý, čtyřhranný, čtyřboký; hranolový, hranolkový **3** hranatý, energický (*a* ~ *chin*); solidní, statný **4** tvořící pravý úhel (~ *corner*) **5** kolmý, v pravém úhlu *to* k **6** plachta příčný, ráhnový čtyřrohý **7** čtvereční, čtverečný, kvadrátní (~ *foot, a room ten feet* ~) **8** přesný, zařezávající; přesně seřízený, přesně nastavený, přesně odpovídající; přiměřený, shodný **9** plocha rovný, hladký, pravidelný **10** pohyb ustálený **11** krok koně pravidelný, vyrovnaný, klidný **12** hud.: rytmicky a harmonicky pravidelný (*a* ~ *melody*); hanl. těžkopádný **13** účet vyrovnaný **14** hovor. správný, slušný, čestný, poctivý, přímý, otevřený, fér (~ *in all his dealings* poctivý ve všem svém jednání) **15** hovor. pořádný, vydatný (~ *meal*) **16** jasný, příkrý, ostrý, kategorický (*a* ~ *refusal* kategorické odmítnutí) **17** slang. paďourský, šosácký (~ *audience* paďourské obecenstvo); nemódní, nemoderní, předpotopní, konzervativní **18** slang. správný, právoplatný, jak má být, podle předpisů **19** kriket stojící n. vedený kolmo ke spojnici branek **20** voj. skládající se ze čtyř jednotek **21** text.: tkaný se stejným počtem osnovních nití a útků na jednom čtverečním palci ◆ ~ *alphabet* hebrejská abeceda; ~ *area* plocha; ~ *back* plochý hřbet knihy; ~ *bar* čtyřhranná tyč; *be all* ~ golf: hráči mít stejné skóre, být / hrát nerozhodně (*the golfers were all* ~ *on the 17th hole* na sedmnácté jamce měli všichni hráči stejné skóre); *be* ~ *with 1.* být zadobře s, mít kladný vztah k *2.* vyrovnat účet s, zaplatit komu *3.* vyrovnat si účty s, vyřídit si to s, odplatit to komu; ~ *bit* voj. slang. hezká, slušná holka; ~ *body* námoř. střední část lodního trupu; ~ *by the braces* námoř.: ráhno natočený křížem / napříč vzhledem k podélné ose lodi; ~ *brackets* hranaté závorky [ ]; *let's call it* ~*, shall we?* teď je to jedna jedna, teď jsme si kvit, teď jsme vyrovnáni, nikdo nikomu nic nedluží, že?; ~ *cap* čtyřhranný biret s třapcem, akademický biret; ~ *capitals* polygr. hranatá skriptura; ~ *centre* hrot soustruhu n. řezný nástroj ve tvaru čtyřbokého jehlanu; ~ *chisel* rovné ploché dláto soustružnické; ~ *cut 1.* kolmý řez, řez v pravém úhlu *2.* hranění dřeva; ~ *dance 1.* čtverylka *2.* lidový řadový tanec pro čtyři páry *3.* tančit tento tanec; ~ *deal 1.* poctivé / správné rozdání karet podle pravidel *2.* slušné, poctivé, spravedlivé jednání, slušný, poctivý obchod *3.* politický program prospěšný všem; ~ *engine* motor se zdvihem rovným průměru válce; ~ *four* čtyřválcový motor s rovnoběžnými osami válců; ~ *frame 1.* horn. trámový věnec výztuže jámy *2.* námoř. kolmé žebro lodního trupu v jeho střední části *3.* hranatá, urostlá postava; ~ *game* hra pro čtyři hráče sedící proti sobě ve čtverci (*play a* ~ *game* hrát poctivě); *get things* ~ uspořádat své věci; ~ *john* / *John* slang. slušný občan nikoliv zločinec, nikoliv narkoman; ~ *joint* rovný čelní / tupý spoj, tupý sraz; ~ *knot* čtvercový / kasací uzel;

~ *knotting* ozdobný uzel; ~ *law* fyz. zákon nepřímé úměrnosti na druhé mocnině vzdálenosti; ~ *leg* kriket postavení hráče v poli po pravé straně pálkaře proti brance; hráč v tomto postavení; ~ *letter* polygr. stojaté písmo, antikva; ~ *by the lifts* námoř.: ráhno postavený vodorovně; ~ *meal* řádné, výživné jídlo; ~ *measure* plošná míra; ~ *notation* hud. kvadratická notace; ~ *number* druhá mocnina, dvojmocnina, dvojmoc; ~ *peg in a round hole* v. *hole;* ~ *piece* = ~ *bit;* ~ *pitch* 45° sklon střechy; ~ *pusher* = ~ *bit;* ~ *pyramid* čtyřboký jehlan; ~ *quoin of wall* pravoúhlý roh zdi; ~ *rig* námoř. příčné / ráhnové plachtoví, příčná / ráhnová takeláž; ~ *root 1.* (druhá) odmocnina *2.* polygr. odmocnítko; ~ *rule* příložný úhelník; ~ *sail* námoř. čtyřrohá / ráhnová plachta; ~ *shake* = ~ *deal, 2;* ~ *shooter* AM přímý, slušný člověk, spravedlivý chlap, charakter; ~ *staff* zapuštěný rohový úhelník chránící roh před poškozením; ~ *stance* golf: postoj hráče s nohama ve směru odpalového míče; ~ *stern* námoř. záď zakončená šikmým zrcadlem, lodní zrcadlo; ~ *stone* kvádr; ~ *thread* plochý závit čtvercového průřezu; ~ *tin* hranatá plechovka; ~ *toe* hranatá špička obuvi; ~ *unit* jednotka plošné míry; ~ *washer* čtvercová podložka; ~ *wave* sděl. tech. čtvercová n. obdélníková vlna, pravoúhlý průběh; ~ *wheel* kolo auta, lokomotivy s obroušenou ploškou na nákolku; ~ *with a t.* v pravém úhlu k; ~ *yards* námoř. označení malého rozdílu v délce horního a spodního ráhna ● *adv* **1** do čtverce, do čtvercového formátu (*fold a sheet of paper* ~ složit arch papíru do čtverce) **2** v pravém úhlu (*the path turned* ~ *to the left* cestička zatáčela v pravém úhlu doleva) **3** tváří v tvář *to* k, obrácen např. fasádou k (*the house stood* ~ *to the road*) **4** rovnou, přímo (*hit a man* ~ *on the jaw* udeřit člověka přímo do čelisti); pevně (*looked him* ~ *in the eye*) **5** hovor. slušně, poctivě, čestně ◆ *hit a nail* ~ *on the head* udeřit hřebík rovnou na hlavičku; *sit* ~ dřepět ● *v* **1** čtvercovat, čtverečkovat, učinit károvaným **2** učinit čtvercovým, dát čtvercový tvar čemu; upravit do čtverce n. obdélníku, srovnat do pravého úhlu / do pravých úhlů **3** narovnat **4** osekávat, zpracovávat do hran, hranit (~ *timber* hranit dřevo) **5** seřizovat, přizpůsobovat; upravit, seřídit, usměrnit, zregulovat *by* / *according to* / *on* podle, shodovat se, lícovat **6** srovnat *a t.* co *with* s, přizpůsobit co čemu; souhlasit *with* s, být v souladu s **7** zaplatit *for* co / za, vyrovnat účet za (~*d for his meal and left the diner*) **8** přesně umísťovat, přesně ukládat v ložisku **9** změřit odchylku čeho od pravého úhlu / od roviny, změřit úhelníkem **10** povýšit na druhou, zdvojmocnit; vypočítat čtvercový obsah čeho **11** měřit / mít rozměr na jedné straně, rovnat se čtvercové ploše ohraničené čím, mít rozměr čeho čtverečných (~*d ten feet and ten inches*) **12** slang. podmáznout, dát bakšiš komu (*all the officials had to be* ~*d before they would do anything for us*); získat podplacením **13** posadit se napříč do sedla, posadit se do dámského sedu **14** hvězd. být v kvadratuře s (*April, when Jupiter* ~*s his Pluto / Mars conjunction* duben, kdy je Jupiter v kvadratuře s konjunkcí Pluta s Marsem) **15** sport. vyrovnat skóre **16** sport.: utkání skončit nerozhodně **17** sport. natočit veslo listem kolmo k hladině, naklonit veslo **18** námoř. postavit napříč, natočit napříč ráhna ◆ ~ *the circle 1.* provést kvadraturu kruhu *2.* přen. pokoušet se o nemožné; ~ *one's conscience* uklidnit své svědomí; ~ *by the lifts* námoř. postavit vodorovně ráhno; ~ *one's shoulder 1.* narovnat ramena *2.* přen. trvat tvrdošíjně na svém, chtít prosadit svou; ~ *a valve* nastavit účinnou délku šoupátkové tyče parního rozvodu; ~ *the yards* námoř. odvrátit ráhna; ~*d chart* námořní mapa s čtvercovou sítí; ~*d circle* = ~*d ring;* ~*d map* voj. mapa s čtvercovou sítí; ~*d paper 1.* čtverečkovaný papír *2.* milimetrový papír *3.* polygr. papír oříznutý aspoň ze dvou stran; ~*d ring* hovor.: boxerský ring ***square away 1*** narovnat, srovnat (*helped him* ~ *away his scarf*) **2** AM u|chystat, připravit uspořádáním (*is squaring away to write the first words of the new chapter*) **3** námoř. natočit křížem n. napříč ráhna **4** loď stočit se po větru **5** odplout **6** přen. najít novou cestu ***square in*** námoř. odvrátit křížem / napříč ráhno ***square off 1*** rozdělit na čtverce n. čtverečky **2** uříznout v pravém úhlu **3** postavit se do vyzývavého postoje se zaťatými pěstmi jako boxer před bojem ◆ ~*d off with 1.* rovnoběžný s *2.* rovnoběžně k ***square up 1*** zarovnat čelo v pravém úhlu **2** uvést do kolmé n. svislé polohy **3** zaplatit, vyrovnat účet (~ *up and go home*) *with* s **4** přen. vyrovnat si účty *with* s, odplatit to komu **5** = *square off, 3* **6** přen. být ochoten se prát *to* s *for* o **7** postavit se statečně *to,* podívat se realisticky na **8** zařadit se do čtverylky ◆ ~ *up to differences* uchopit býčka za rohy (přen.); ~ *up to a problem* zaujmout stanovisko k otázce, pustit se do řešení problému

square-base projectile [skweəbeis prəˈdžektail] voj. pušková střela s nezúženým spodkem

square-bashing [ˈskweəˌbæšiŋ] slang.: bezduchý dril, buzerace na cvičáku, klencáky

square-built [skweəbilt] **1** budova čtyřhranný, čtyřboký **2** člověk silný, široký, statný, zavalitý, hranatý

squareface [skweəfeis] BR slang. borovička, jalovcová, gin

squarehead [skweəhed] AM hanl. **1** skopčák, němčour **2** Skandinávec

square-jawed [skweədžo:d] jsoucí s hranatou, energickou bradou

squareness [skweənis] **1** čtvercovitost, čtyřhrannost **2** šířka **3** čestnost, slušnost, poctivost

square-pushing [ˈskwəˌpušiŋ] voj. slang. rande se slušnou dívkou

squarer [skweərə] **1** hranič, omítač dřívi; otesávač kvádrů **2** tech. čtvercový protahovák na čtvercové otvory **3** AM kdo zajišťuje plochu pro reklamu na zábavu na soukromém majetku např. rozdáváním volných vstupenek

square-rigged [skweərigd] loď: jsoucí s příčným / ráhnovým oplachtěním / oplachtováním, s příčnou / ráhnovou takeláží, s ráhnovými plachtami

square-shouldered [ˈskweəˌšəuldəd] jsoucí s rovnými rameny, ramenatý

squaresville [skweəzvil] *s* svět n. společnost konvenčních lidí ● *adj* nemoderní, konvenční, paďourský

square-toed [skweətəud] **1** obuv: jsoucí s hranatou špičkou **2** přen. upjatý, konzervativní

square-toes [skweətəuz] upjatý, konzervativní člověk

squarish [skweəriš] téměř čtvercový

squarrose [skwærəus], **squarrous** [skwærəs] bot., zool. **1** drsný, šupinatý, jsoucí s přečnívajícími šupinami; jsoucí s hrubým, drsným povrchem **2** šupiny přečnívající **3** nerovnoměrně odstávající, kostrbatý

squarson [skwa:sn] BR žert.: označení anglikánského duchovního, který je zároveň *squire*

squash[1] [skwoš] bot. tykev

squash[2] [skwoš] *v* **1** rozmačkat (~ *a fly*), rozdrtit na kaši **2** na|mačkat se, cpát se, nacpat se, vecpat se (*four of us managed to ~ into the back seat* nám čtyřem se podařilo nacpat se na zadní sedadlo) **3** zmáčknout, přimáčknout (*billycock hat ~ed low over his forehead* buřinka přimáčknutá do čela) **4** rozplácnout se při pádu **5** potlačit (~ *a strike ...* stávku) **7** hovor. usadit, setřít (*~ed by his contemptuous, ambitious wife* setřený pohrdavou, ctižádostivou manželkou) **8** let. propadat se, propadnout se ztrátou rychlosti ***squash flat*** rozmáznout, rozpliznout ● *s* **1** rozmačkání, rozdrcení na kaši; rozmačkanina, kaše, pulp; kaše z rozmačkaného ovoce **2** nával, nátřesk, tlačenice, cpanice **3** čachtání, čvachtání **4** nápoj z vymačkaného čerstvého ovoce, zejm. citrónu, citronáda; citrónový apod. sirup **5** též ~ *rackets* / *racquets* sportovní hra podobná tenisu hraná malým míčkem odráženým od stěny n. tří stěn **6** míček pro hru ~ *rackets* **7** též ~ *tennis* AM sportovní hra, obměna ~ *rackets*, pálky však mají větší plochu a kratší rukojeť **8** polygr. tiskový tlak **9** polygr. zabarvení kolem autotypu ◆ ~ *hat* zmáčknutý měkký klobouk; *lemon ~ 1.* citronáda *2.* citrónový sirup

squash-court [skwoško:t] dvorec pro hru *squash*

squashiness [skwošinis] **1** měkkost **2** mokrost, rozmáčenost, čvachtavost, blátivost **3** přezrálost, kašovitost **4** zmačkanost

squashy [skwoši] (-*ie*-) **1** měkký (~ *pillow ...* polštář); snadno mačkatelný **2** mokrý, rozmáčený, čvachtavý, blátivý **3** měkký, protože přezrálý, kašovitý (~ *melons*) **4** zmačkaný

squat [skwot] *v* (-*tt*-) **1** sedět v dřepu / na bobku, posadit | se do dřepu / na bobek, udělat dřep **2** sedět v tureckém sedu / s nohama křížem **3** zvíře krčit se při zemi (*~ ting hare* přikrčený zajíc) **4** hovor. sednout si, posadit se, uvelebit se, dřepnout si (*find somewhere to ~*); dřepět a nic nedělat **5** usadit se na neobsazené půdě; nastěhovat se do prázdného domu; rušit držbu **6** zejm. AU, AM usadit se na obecní půdě s nadějí na získání právního nároku, usadit se někde bez právního titulu **7** hliněný n. skleněný výrobek sedat se, hroutit se **8** loď klesat zádí, též při rychlé jízdě; nasednout zádí ***squat o. s.*** sednout si, posadit se do dřepu / na bobek ● *adj* **1** sedící ve dřepu / na bobku **2** zvíře skrčený, přikrčený, přimáčknutý (*a hare ~ on the hillside* zajíc přikrčený na stráni) **3** přikrčený, trochu sražený, podsaditý, zavalitý ● *s* **1** dřep, dřepnutí, sed ve dřepu / na bobku **2** zejm. AU, AM pozemek, na který si dělá nárok *squatter, 3* **3** zvířecí lože, pelech, zaječí pekáč **4** klesnutí zádi lodi, též při rychlé jízdě **5** miner. malý kousek rudy, malé ložisko rudy v žíle

squatter [skwotə] **1** kdo sedí ve dřepu / na bobku **2** kdo se usídlí na neobsazené půdě; kdo se neoprávněně nastěhuje do prázdného domu **3** AU, AM usedlík, usídlenec na obecní půdě bez právního nároku **4** AU chovatel ovcí zejm. který má pronajaty obecní pastviny ◆ *S~ State* AM přezdívka státu Kansas

squattocracy [skwoˈtokrəsi] AU bohatí chovatelé ovcí jako společenská třída

squaw [skwo:] **1** indiánská žena, squaw **2** slang., žert. ženská, baba, stará **3** forma na držení sudu **4** klečící postava střelecký terč

squawk [skwo:k] *v* **1** zejm. pták za|vřeštět, za|skřehotat, za|kvákat, za|kdákat, za|krákat ap. bolestí, strachem **2** slang. důrazně n. hlasitě si stěžovat, dělat bengál / kravál ● *s* **1** bolestné, bojácné za|vřeštění, za|skřehotání, za|kdákání, za|krákání, za|kvákání ptáka **2** slang. důrazná n. hlasitá stížnost, bengál, kravál **3** zool. kvakoš noční

squaw man [skwo:mæn] *pl: men* [men] běloch ženatý s indiánkou

squeak [skwi:k] *v* **1** za|pištět, vypísknout; za|kníkat, za|kvičet, za|kvíkat, vykvíknout **2** za|vrzat, za|skřípat (*heard the door ~ upon its wooden hinges* slyšel vrznout dveře na dřevěných pantech) **3** slang. zpívat přiznat se; prásknout, udat, prozradit ***squeak through*** jen taktak prolézt ● *s* **1** za|pištění, vypísknutí, za|kníkání, kníkot, za|kvičení, za|kvíkání, kvikot, kviknutí **2** za|vrznutí, za|vrzání, za|skřípání, za|skřípění, skřípot např. dveří **3** hovor.: poslední příležitost, malá naděje ◆ *by a ~* o vlásek, jen taktak; *have a close / narrow / near ~* mít namále, jentaktak projít, uniknout

squeaker [skwi:kə] **1** co / kdo piští atd. **2** ptačí mládě, holátko, pískle; holoubě, holoubátko **3** BR mladý čuník, sele **4** zool.: australský pták *Strepera versicolor* **5** slang. práskač, zrádce udavač **6** sport. těsné vítězství

squeaky [skwi:ki] (*-ie-*) **1** pištivý, kvíkavý, kníkavý **2** skřípavý, skřípající; rozvrzaný; vrzavý, vrzající (*~ shoes*)

squeal [skwi:l] *v* **1** za|řičet *with* čím (*~ with delight* rozkoší, *the horse ~ed with terror* kůň zařičel hrůzou); za|ječet, za|vřískat, za|vřeštět **2** za|skřípat, za|vrzat (*chalk ~ing on a slate* křída skřípající na tabulce) **3** slang. prásknout, píchnout to udat *on* koho; prásknout to; zpívat vypovídat **4** slang. křičet, hlasitě protestovat zejm. proti daním; stěžovat si, dělat bengál / kravál **5** sděl. tech. pískat, svištět ◆ *make a p. ~* vydírat koho ● *s* **1** vřískání, vřískot, za|vřeštění, za|vřísknutí **2** slang. bengál, kravál, bugr, binec protest, stížnost

squeamish [skwi:miš] **1** náchylný ke zvracení, s choulostivým žaludkem **2** vybčravý; choulostivý, upejpavý, nedůtklivý, netýkavý, háklivý, cimprlich (hovor.) **3** prudérní, skrupulózní

squeamishness [skwi:mišnis] **1** náchylnost ke zvracení, choulostivý žaludek **2** vybčravost; choulostivost, upejpavost, nedůtklivost, netýkavost, háklivost **3** prudérnost, skrupulóznost

squeegee [skwi:ˈdži:] *s* **1** gumový stírač, stěračka, stíradlo na okna, podlahu, paluby **2** fot.: gumový výtlačný váleček **3** tech. asfaltovací zařízení na rozprostírání tenké vrstvy na vozovku **4** polygr. roztěrač barvy v sítovém tisku ● *v* **1** stírat, mýt stíračem **2** fot. vytlačovat vodu válečkem **3** tech. rozprostírat tenkou vrstvu např. asfaltu asfaltovacím zařízením

squeezability [ˌskwi:zəˈbiləti] **1** vy|mačkatelnost **2** zmáčknutelnost, stlačitelnost

squeezable [skwi:zəbl] **1** vy|mačkatelný **2** zmáčknutelný, stlačitelný

squeeze [skwi:z] **1** vy|mačkat | se (*~ a sponge* vymačkat houbu, *sponges ~ easily, ~ juice from an orange* vymačkat šťávu z pomeranče); vytlačit (*~ paste*) **2** lisovat mošt **3** vmáčknout, vtlačit, vtěsnat, vecpat, nacpat, vlepit, nahemovat (hovor.) (*~ three suits into a small suitcase, ~ oneself into a crowded bus*) **4** promáčknout | se, protáhnout se *through* čím (*~ o. s. through a narrow gap in a fence* protáhnout se úzkou mezerou v plotě); protlačit se, prodrat se čím (*~ through the crowd*) **5** pomalu zmáčknout spoušť **6** přimáčknout, přiskřípnout, uskřípnout (*~ one's fingers*) **7** zmáčknout, stisknout (*~ a p.'s hand*) **8** obejmout, přitisknout k sobě, přivinout na prsa **9** působit tíseň, působit ekonomický nátlak (*would take at least two months for a strike to begin to ~* vezme aspoň dva měsíce, než začne být stávka ekonomicky cítit) **10** přen. vy|mačkat, vy|dřít, vy|ždímat (*~ more money out of the public*) **11** snížit, stlačit výdělky **12** těsně / jen taktak projít, vyhrát apod. **13** vjet na jiný pás vozovky před jejím zúžením **14** udělat otisk např. mince do vosku **15** bridž přinutit protihráče k odhození důležité karty ◆ *~ to death* umačkat, rozmačkat (*he was ~d to death by the crowd*); *~ the juice of a p. 1.* využít koho *2.* ošidit, přelstít koho; *he is a ~d orange* z něho už nic nikdo nedostane; *~ the shorts* burz. donutit ke koupi cenných papírů na úhradu; *~ a tear* vymáčknout slzu, uronit pár krokodýlich slz ***squeeze in*** vmáčknout | se dovnitř, vtěsnat | se ***squeeze out*** *1* vymačkat *2* vyhřeznout, vyvalit se, vytéci stiskem *3* jen taktak získat ● *s* **1** vy|mačkání **2** vymačkané množství; množství vymačkané *of* z; vymačkaná šťáva, džus **3** zmáčknutí, stisknutí, stisk **4** přitisknutí k sobě, přivinutí na prsa **5** nával, nátřesk, tlačenice, mačkanice **6** recepce, koktejl kde je velké množství lidí **7** hovor. prekérní situace, šlamastyka **8** tíseň, slabina, úzký profil **9** nátlak *on* na, stísnění koho, tisknutí koho, omezení koho **10** ekon. tlak, nátlak, tíseň; nepříjemná finanční situace, finanční tíseň; omezení hospodářské činnosti **11** vydřené / vyždímané peníze **12** provize, bakšiš orientálního sluhy n. úředníka **13** polygr. tiskový tlak **14** polygr. stažení, smrsknutí sazby po uzavření ve formovém rámu **15** horn. sedání nadloží / stropu, stlak **16** tlakový otisk např. mince ve vosku **17** drtící tlak, tisknutí nehoda potápěče **18** krk, hrdlo **19** hedvábí **20** = *~ play* ◆ *~ bottle* stlačitelná lahvička z umělé hmoty obyč. s rozprašovačem; *close ~* únik / výhra / záchrana o vlas; *credit ~* ekon., polit. omezení úvěru např. zvýšením úrokové míry; *narrow ~ = close ~; ~ play 1.* karty situace při hře, v níž hráč musí odhazovat cenné karty v bridži *2.* AM baseball krátký odpal do vnitřního pole, umožňující běžci na třetí metě oběh domů; *put a / the ~ on a p.* stisknout, zmáčknout koho

squeeze-box [skwi:zboks] slang. zednické piáno tahací harmonika

squeezer [skwi:zə] **1** kdo mačká / vymačkává **2** mačkadlo, mačkátko, lis **3** ždímačka **4** tech. formovací lis **5** *~s, pl* karty jsoucí se symboly v pravém horním rohu / v levém horním rohu / v obou horních rozích

squelch [skwelč] *v* **1** zeshora rozmáčknout, rozdrobit, rozšlápnout **2** bláto, obuv mlaskat, čachtat, čvachtat **3** hovor. vyvést z konceptu, umlčet, zarazit, setřít, utřít; potopit ● *s* **1** mlaskání, mlaskot např. bláta, čvachtání, čvachtot **2** hovor. odpověď, po které druhý sklapne zobák, utření, setření, umlčení, slovní převoz; potopení např. záměru ◆ *~ circuit / system* sděl. tech. umlčovací obvod, tiché ladění

squelcher [skwelčə] = *squelch, s 2*

squib [skwib] *s* **1** papírová trubka n. koule plněná pyrotechnickým prachem; ohněstrojná raketa, rachejtle; žabka, čertík, kouřová bombička, bouchací kulička **2** bezpečnostní zápalnice; zažehovač zápalnic rakety **3** satira, hanopis, pamflet, šleh (*versified ~s*); narychlo napsaný článek **4** zast.

lump, mizera ◆ *damp* ~ vtip, který vyšel naprázdno / který nezabral ● *v* (*-bb-*) 1 psát satiry atd., zesměšňovat satirou atd. 2 zapálit zažehovač; odpálit 3 vy|prsknout, vy|bouchnout 4 poskakovat, kličkovat jako zapálený čertík
squid[1] [skwid] *s* 1 zool. *pl* též *squid* [skwid] oliheň 2 ryb. umělá návnada v podobě olihně ● *v* (*-dd-*) 1 lovit olihně 2 ryb. chytat na olihně n. na umělou návnadu jim podobnou 3 padák být protažený, protáhnout se tlakem vzduchu
squid[2] [skwid] vícehlavňový protiponorkový minomet kladoucí hloubkové miny před loď
squiff [skwif] slang. piatika
squiffer [skwifə] BR slang. zednické piáno harmonika
squiffy [skwifi] (*-ie-*) BR slang. 1 nalíznutý, stříknutý podnapilý 2 šišatý, křivý 3 praštěný, cáknutý
squiggle [skwigl] *v* 1 kroutit se, vrtět se, u|dělat kličku 2 na|čmárat, na|škrábat, u|dělat klikyháky 3 vypláchnout si ústa ● *s* 1 klička 2 klikyhák, čmáranice
squiggly [skwigli] klikatý, zakroucený
squilgee [skwilˈdži:] = *squeegee*
squill [skwil] 1 bot. mořská cibule 2 bot. ladoňka 3 = *squilla*
squilla [skwilə] *pl* též *squillae* [skwili:] zool. strašek
squill fish [skwilfiš] *pl* též *fish* [fiš] = *squilla*
squinacy [skwinəsi] = *squinsy*
squinch [skwinč] archit.: malý oblouk přes roh čtvercové věže, který nese bok osmiúhelníkové věže
squinsy [skwinsi] nář. hnisavá angína
squint [skwint] *v* 1 šilhat; točit oči 2 dívat se přivřenýma očima; mhouřit oči; rychle zavřít oči 3 dívat se úkosem / kradí / pokradmu *at* na 4 dívat se *through* štěrbinou 5 hovor. koukat, mrkat 6 přen. šilhat *towards* po, narážet na, týkat se čeho, klonit se k, koketovat s 7 uchylovat se od přímého směru ● *s* 1 šilhání, strabismus (med.) 2 kradmý pohled, pohled úkosem 3 hovor. pohled, mrknutí (*let me have a* ~ *at it* ukaž, já se na to mrknu) 4 sklon, náklonnost *to* / *towards* k šilhání po, koketování s, narážka na 5 círk. archit. úzké okénko ve zdi umožňující pohled na oltář 6 též ~ *brick* cihla kosoúhlého tvaru ● *adj* 1 řidč. šilhavý, šilhající 2 bás. dívající se závistivě, nedůvěřivě n. pohrdavě, dívající se úkosem 3 šikmý, kosý
squinter [skwintə], **squint eye** [skwintai] šilhavý člověk, šilhoun
squint-eyed [skwintaid] 1 šilhavý, šilhající 2 přen. zlý, zlomyslný, předpojatý, závistivý
squirarch [skwaiəra:k] = *squirearch*
squirarchal [skwaiəra:kəl] = *squirearchal*
squirarchical [ˌskwaiəˈra:kikəl] = *squirearchical*
squirarchy [skwaiəra:ki] = *squirearchy*
squire [skwaiə] *s* 1 venkovský šlechtic, vladyka, zeman; příslušník venkovské statkářské šlechty, majorátní pán, squire; největší velkostatkář v oblasti 2 doprovod, průvodce; kavalír, rytíř, průvodce dámy 3 hovor. galán, amant 4 hist. panoš rytíře 5 řidč. sluha 6 AM hovor. (smírčí) soudce; advokát 7 BR hovor. oslovení společensky výše postaveného muže ◆ ~ *of dames* lev salónů ● *v* 1 sloužit za panoše / jako-panoš u 2 doprovázet dámu, být průvodcem n. kavalírem dámy
squirearch [skwaiəra:k] příslušník venkovské statkářské šlechty, velkostatkář
squirearchal [skwaiəra:kəl], **squirearchical** [ˌskwaiəˈra:kikəl] velkostatkářský
squirearchy [skwaiəra:ki] 1 venkovská šlechta, statkářská šlechta, velkostatkáři 2 vláda velkostatkářů zejm. před r. 1832
squireen [ˌskwaiəˈri:n] BR malý statkář zejm. v Irsku
squirehood [skwaiəhud] 1 hodnost n. postavení příslušníka venkovské statkářské šlechty, velkostatkářství 2 hist. panošský stav, panošské postavení, panošská služba 3 = *squirearchy*
squirelet [skwaiəlit], **squireling** [skwaiəliŋ] 1 malý velkostatkář 2 hist. mladý panoš, páže
squireship [skwaiəšip] = *squirehood*
squirm [skwə:m] *v* 1 kroutit | se, svíjet se; proplést se 2 vykroutit se, vytočit se, vyvléknout se *out of* z (~ *of an obligation* vykroutit se ze závazku) 3 propadat se hanbou, studem, nevidět se rozpaky; cítit silný odpor, svíjet se, potit se ◆ ~ *one's way* proplést se (~*ed my way through the crowd*) ● *s* 1 kroucení, svíjení 2 námoř. klička, smyčka lana
squirrel [skwirəl] 1 zool. veverka; veverka obecná 2 zool. veverkovitý živočich 3 veverka kožešina 4 přen. straka, křeček člověk hromadící bezcenné věci 5 text. malý válec mykadla ◆ *barking* ~ zool.: druh amerického hlodavce
squirrel cage [ˌskwirəlˈkeidž] 1 klícka pro veverky 2 elektr. klecové vinutí, klec
squirrel corn [ˌskwirəlˈko:n] bot. srdcovka
squirrel fish [skwirəlfiš] *pl* též *fish* [fiš] zool.: název různých druhů mořských ryb zejm. z čeledi *Holocentridae*
squirrel hawk [skwirəlho:k] AM zool. *Buteo regalis* druh americké káně
squirrel monkey [ˈskwirəlˌmaŋki] zool. kotul veverkovitý
squirrel tail [skwirəlteil] bot. ječmen hřívnatý
squirt [skwə:t] *v* 1 stříknout tenkým proudem (~ *soda water into a glass*) 2 vystříknout, vytrysknout, vyrazit, vy|prýštit tenkým proudem 3 postříkat, polít tenkým proudem ● *s* 1 vy|stříknutí, stříkání tenkým proudem; střik, trysk, tenký proud 2 stříkačka 3 = *squirt gun* 4 hovor. prcek, mrně, cvrček, špunt dítě 5 hovor. prcek, malé pivo malý člověk 6 hovor. vejtaha, hejsek, drzoun 7 ~*s, pl* hovor. běhavka, řídký případ, sračka (vulg.) průjem 8 slang. tryskáč 9 polygr. střik při odlévání písem / řádek sazby, špricar (slang.) 10 voj. slang. dávka z kulometu
squirt can [ˌskwə:tˈkæn] stříkací olejnička např. pro šicí stroje
squirt gun [skwə:tgan] stříkací pistole
squish [skwiš] hovor. *v* 1 čvachtat 2 zmáčknout, rozmáčknout, přimáčknout, rozplácnout (~*ed her*

nose against the window pane přimáčkla nosík na okenní tabulku) ● *s* **1** čvachtání, čvachtot **2** čvachtanice, břečka **3** slang. marmeláda, zavařenina

squit [skwit] **1** slang. prcek, záprtek, malé pivo; nula, nýmand, hovňousek **2** vulg. prd, prdlačka, hovno nic, nesmysl

squiz [skwiz] AU slang. zvídavý pohled, pohled úkosem

s-shaped [es-šeipt] esovitý

stab [stæb] *v* (*-bb-*) **1** pro|bodnout *with* čím, vbodnout, zabodnout, nabodnout, pobodat **2** v|píchnout, propíchnout, napíchnout, vrazit ostré **3** snažit se bodnout *at* koho **4** přen. bodat, trápit **5** med. působit ostré, přerušované bolesti, pálit, hrýzt **6** sport. zasáhnout krátkým tvrdým úderem **7** pronikat rychlými údery (*small forces ~ northward*) **8** stav. zdrsňovat povrch cihlové zdi aby držela omítka **9** polygr. šít drátem ◆ *~ in the back 1.* bodnout do zad *2.* pomluvit koho, vrazit kudlu do zad komu (přen.); *~ to death* ubodat; *~ in the heart* bodnout do srdce ● *s* **1** pro|bodnutí, vbodnutí, zabodnutí, nabodnutí; bodná rána **2** v|píchnutí, propíchnutí, napíchnutí; vražení ostrého **3** bodavá bolest, bodnutí, ostré píchnutí **4** náhlý silný pocit, záchvat *of* čeho (*~ of anxiety* záchvat úzkosti) **5** co bodá do očí, ostrá čára (*the ~ of the neon sign*) **6** sport. krátký, tvrdý úder **7** druh strku v kulečníku **8** hovor. pokus ◆ *~ in the back* rána do zad (přen.); *~ culture* med. jehlou očkovaná kultura; *have / make a ~ at a t.* hovor. zkusit co, pokusit se o, *~ kick* AU sport. krátká rychlá přihrávka v kopané

Stabat Mater [ˈsta:bætˈma:tə] círk., hud. Stabat mater mariánská sekvence; skladba napsaná na její text

stabber [stæbə] **1** bodač, píchač **2** bodec **3** námoř. trojboké plachtařské šídlo

stabile [steibail] *adj* **1** pevný, upevněný, stabilní **2** med. teplovzdorný **3** med.: elektroterapie přímý, stacionární ● *s* výtv.: nepohyblivá abstraktní socha / plastika z drátů, plechu apod.

stability [stæˈbiləti] (*-ie-*) **1** pevnost, stálost, ustálenost, neproměnlivost, trvalost, stabilnost, stabilita **2** rovnováha **3** pevnost, rozhodnost, vytrvalost **4** círk.: slib benediktina neodcházet z kláštera, v němž skládal profesi ◆ *~ of motion* námoř. stálost na kursu lodi; *~ plane* let. stabilizační plocha letadla

stabilization [ˌsteibilaiˈzeišən] **1** ustálení, upevnění, zpevnění, stabilizování, stabilizace, též ekon. **2** let. automatické vyrovnání, stabilizace ◆ *~ fund* ekon. vyrovnávací / stabilizační fond

stabilize [steibilaiz] **1** ustalovat | se, upevňovat | se, zpevňovat | se, stabilizovat | se **2** ekon. ustálit | se, zpevnit | se, stabilizovat | se **3** let. vrátit do původní polohy, vyrovnat, stabilizovat automaticky

stabilizer [steibilaizə] **1** chem. ustalovač, stabilizátor **2** námoř. lodní stabilizátor kymácení **3** let. AM stabilizační plocha; stabilizační zařízení, stabilizátor

stable[1] [steibl] **1** stálý, ustálený, neproměnlivý, trvalý, stabilní **2** mající stabilitu **3** pevný, rozhodný, vytrvalý, solidní; klidný, vyrovnaný ◆ *~ currency* ekon. pevná měna; *~ equilibrium* stálá / stabilní rovnováha; *~ income* stálý příjem, pevný příjem; *make ~* stabilizovat

stable[2] [steibl] *s* **1** stáj; konírna **2** řidč. chlév **3** sport. stáj chov ušlechtilých dostihových koní; jeho vedení n. zaměstnanci; skupina koní jednoho majitele, též přen. **4** přen. skupina, mužstvo, družstvo, tým pod jedním velením; řada, sada výrobků jednoho výrobce **5** *~s, pl* voj. služba n. práce ve stáji **6** = *stable call* ◆ *Augean ~s* myt. Augiášův chlév ● *v* **1** chovat (jako) ve stáji, zavřít (jako) do stáje, ustájit **2** žít (jako) ve stáji; bydlet

stableboy [steiblboi] stájník, ošetřovatel koně

stable call [steiblko:l] voj. signál k ošetření a napojení koně

stable collar [ˈsteiblˌkolə] jezdecká ohlávka

stable companion [ˌsteiblkəmˈpænjən] **1** stájový druh kůň ze stejné stáje **2** hovor. spolužák, kolega, kamarád, druh např. ze stejného klubu

stableman [steiblmæn] *pl: -men* [-men] = *stableboy*

stableness [steiblnis] **1** stálost, ustálenost, neproměnlivost, trvalost, stabilnost, stabilita **2** pevnost, rozhodnost, vytrvalost, solidnost; klid, klidnost, vyrovnanost

stabling [steibliŋ] **1** ustájení **2** stáj; stáje **3** v. *stable*[2], *v*

stablish [stæbliš] zast. = *establish*

staccato [stəˈka:təu] hud. *adv* krátce, s nedodržením plné délky tónu, staccatově, staccato ● *adj* staccatový ◆ *~ mark* staccatová tečka, svislá čárka nad notou ● *s* staccatová pasáž, staccatový způsob hry n. zpěvu, staccato

stack [stæk] *s* **1** kupa, kupka; stoh **2** stoh knih, archů papíru **3** hranice, hráň, sáh dříví **4** hovor. hromada, halda, stoh, kupa, hora velké množství **5** jehlan z pušek, kozel **6** objemová jednotka uhlí a palivového dříví **7** komín, komínová hlava s vyústěním několika komínů, vyústění komínů **8** vysoký tovární komín; lodní komín; komín lokomotivy **9** šachta vysoké pece; ventilační kanál, ventilační průduch **10** BR geol.: skalní sloup, skalní jehla u pobřeží **11** police, regál na knihy **12** *~s, pl* sklad, skladiště knih v knihovně **13** baterie plynárenských retortových pecí **14** baterie teplovzdušných radiátorů; rozvodná trubka teplovzdušného vedení **15** sloupec hracích známek koupených karetním hráčem **16** krátká výfuková trubka **17** let. letadla kroužící v různých výškách nad letištěm čekající na povolení k přistání, provoz se svislým rozestupem před přistáním ◆ *~ flue* sopouch ● *v* **1** kupit, dávat do kupy (*~ hay*); dávat do stohu, stohovat **2** navršit, nahromadit, u|dělat hromadu z, na|skládat na sebe **3** na|rovnat dříví do hranice **4** stavět / postavit do jehlanů / kozlů pušky **5** pokrýt hromadou *a t.* co *with* čeho, zaplnit, přikrýt, zacpat co čím, navršit na co **6** seřadit předem karty do určitého pořadí, podvodně namíchat karty 7 nespravedlivě složit, obsadit, udělat nespravedlivé složení čeho (*~ed against supporters of the federal aid*) 8 let. udržovat letadla v různých výškách před přistáním, přidělovat různé výšky letu, provozovat lety se svislým rozestupem ♦ *have cards ~ed against one* mít všechno proti sobě *stack up 1* na|hromadit | se, na|skládat | se 2 vypadat v porovnání *against* s, srovnávat se s ♦ *this is how things ~ up today* AM slang. takhle to tedy dneska vypadá, taková je tedy dneska situace

stack cards [ˈstækˌka:dz] namíchané karty k podvodné hře

stacker [stækə] 1 stohovací stroj; stohovací dopravník, stohař 2 vysokozdvižný vozík 3 polygr. balíkový vykladač rotačky

stack funnel [ˈstækˌfanl] větrací zařízení v komíně

stack room [ˈstækˌru:m] sklad knih

stack stand [stəkstænd] kozlík pod stoh sena, obilí

stack wood [stækwud] rovnané sáhové dříví

stacte [stækti:] bibl.: vonné koření, součást kadidla

stactometer [stækˈtomitə] med. pipeta, počítač kapek

staddle [stædl] 1 spodek stohu 2 kozlík pod stoh sena, obilí 3 podpěrné lešení, nosné lešení 4 les. semenáč, výstavek

staddlestone [ˈstædlˌstəun] dř. kamenný podstavec pro stoh

stadholder [ˈstædˌhəuldə] hist. 1 místokrál nizozemské provincie 2 místodržící Spojených nizozemských provincií

stadholdership [ˈstædˌhəuldəšip] hist. 1 místokrálovství 2 místodržitelství

stadia[1] [steidjə] zeměměř. 1 měření teodolitem a dálkoměrnou latí 2 dálkoměrná lať 3 nitkový dálkoměr ♦ *~ hairs* dálkoměrné nitě, dálkoměrná vlákna; *~ rod = stadia[1], 2*

stadia[2] [steidjə] v. *stadium*

stadiometer [ˌsteidiˈomitə] 1 přístroj na měření délky křivek 2 teodolit na přímé měření směrníků

stadium [steidjəm] *pl* též *stadia* [steidjə] 1 antic. stadion, stadium délková míra, cca 180 m 2 antic. běžecká dráha, závodní dráha pro trigy apod. 3 sportovní stadión 4 med. stav, fáze, stadium nemoci 5 zool. vývojové stadium hmyzu

stadtholder [ˈstædˌhəuldə] = *stadholder*

stadtholdership [ˈstædˌhəuldəšip] = *stadholdership*

staff[1] [sta:f] stav. stavební hmota, směs cementu a sádry s vláknitou hmotou

staff[2] [sta:f] *s pl* též *staves* [steivz] 1 rovná hůl, tyč, dlouhý klacek, též jako zbraň 2 poutnická hůl 3 věchet na tyči 4 žerď 5 měřicí lať, tyč 6 tyčka, rafika slunečních hodin 7 výztuž, kostice (*wears a corset with steel staves* nosí korzet s ocelovými výztužemi) 8 dužina sudu 9 mečík žebřín 10 zast., nář. ratiště, kopiště, násada; příčel, trnož 11 přen. opora, podpora, vzpruha 12 = *~ angle* 13 žezlo, palcát, žíla, právo; velitelská hůl 14 berla odznak úřadu 15 kouzelnická hůlka 16 žel. žezlo 17 hodinářství hřídel 18 *pl: staffs* voj., námoř. štáb; velitelství, vrchní velení; nebojová složka vojska, administrativa, služby 19 *pl: staffs* personál, osazenstvo, zaměstnanci podniku; štáb 20 *pl: staffs* vedení, kolegium; učitelský n. profesorský apod. sbor 21 osobní stav počet 22 *pl: staves* notová osnova, linky 23 med.: operační pomůcka při operaci močového měchýře n. močové trubice ♦ *~ of Aesculapius* Aeskulapova hůl; *be on the ~ of* být spolupracovníkem koho; *break a ~ with a p.* utkat se s; *diplomatic ~* diplomatický sbor; *domestic ~* služebnictvo; *editorial ~* redaktoři, redakce; *at ~'s end* zast. na tři kroky od těla; *executive ~* vedoucí pracovníci; *general ~* voj. generální štáb; *have the ~ in one's own hand* držet otěže pevně v ruce; *Jacob('s) ~* hvězd., námoř. Jakobova hůl starý hvězdářský přístroj; tři jasné hvězdy v souhvězdí Oriona; *~ of life* chléb; *~ and line / line and ~ organization* poradní, štábní organizace; *managerial ~* vedoucí, řídící pracovníci; *medical ~* lékařský personál, lékaři v nemocnici; *nursing ~* med. ošetřující personál, ošetřovatelky, ošetřovatelé; *officers of the ~* štábní důstojníci; *pastoral ~* círk. pastýřská hůl, berla; *set up one's ~ (of rest)* usadit se, usídlit se ● *adj* 1 štábní (zejm. voj.) 2 organizační, administrativní (*~ function*) ♦ *~ angle* nárožní úhelník na ochranu rohu zdi před poškozením; *~ catcher* žel. chyták žezla za jízdy; *~ college* voj. akademie generálního štábu; *~ degree* hud. umístění noty v osnově na lince n. mezi linkami; *~ deliverer* žel. předavač žezla za jízdy; *~ department* osobní oddělení, kádrové oddělení; *~ notation* hud. linkový systém hudební notace; *~ officer 1.* štábní důstojník, důstojník štábu *2.* důstojník služeb; *~ provident fund* nadlepšovací (podnikový) penzijní fond pro zaměstnance; *~ ride* voj. terénní jízda; *~ room* sborovna; *~ system* žel. žezlová soustava zabezpečení; *~ tree* bot. brslen, jesenec; *~ training* závodní školení, školení zaměstnanců, závodní škola práce; *~ wood* dubová dužina na sudy; *~ work* organizační n. administrativní práce ● *v* 1 vybavit personálem, dát personál čemu, obsadit úřad 2 vytvořit štáb pro

staff office [ˈsta:fˌofis] oddělení péče o zaměstnance v podniku

stag [stæg] *s* 1 zool. jelen; jelen evropský 2 mysl. samec parohaté zvěře, jelen, lovný jelen 3 nář. samec, kohout, beran 4 vykleštěná sviňka, nunva 5 SC hřebeček, hříbě 6 hovor. muž, pán zejm. v čistě pánské společnosti; pán bez dámského doprovodu; dáma bez pánského doprovodu; pánská společnost, „pánská jízda" 7 BR burz. spekulant upisující akcie jen za účelem prodeje se ziskem 8 slang. práskač, denunciant ♦ *~ party* čistě pánská společnost, „pánská jízda"; *turn ~* slang. prásknout, stát se práskačem udat ● *v* (-gg-) 1 BR burz. upisovat, aby se rychle prodalo **2** hovor.: pán jít do společnosti bez dámy; dáma jít do společnosti bez pána **3** slang. špehovat, stopovat **4** ustřihnout kalhoty ve výši kolen / pod koleny

stag beetle [ˈstæg͵bi:tl] zool. roháč; roháč obecný

stage [steidž] *s* **1** lešení; konstrukce; zvýšená plošina, rampa; tribuna, estráda, pódium **2** patro, poschodí, podlaží, etáž **3** police zejm. ve skleníku **4** stolek mikroskopu **5** námoř. visutá sedačka **6** = *landing* ~ **7** tech. zásypna **8** tech. třecí kámen na tření barev **9** hist. místo zastavení, zastávka, nocleh, zájezdní hospoda, přepřahací stanice **10** = *stagecoach* **11** AM poštovní autobus **12** úsek, etapa cesty mezi dvěma zastávkami; voj. zastávka, pochodová stanice, etapa **13** BR pásmo trati např. autobusu za stejné jízdné **14** úsek, období, údobí, éra, epocha (*an early ~ in our history*) **15** fáze, etapa, stav, stadium **16** zool. vývojové stadium např. hmyzu **17** med. stav, fáze, stadium **18** sociologická epocha **19** stupeň, stupínek, schod, terasa **20** stupeň vícestupňové rakety **21** geol. stupeň, etáž **22** stav vodní hladiny **23** div. jeviště; scéna **24** přen. divadlo, drama, divadelní práce, herectví **25** přen. jeviště, dějiště, scéna; místo, kde se něco odehrává **26** oblast, působení, život, pole působnosti (*the political ~*) **27** ateliér **28** sděl. tech. část obvodu, článek, stupeň ♦ *~s of appeal* instanční postup; *be on the ~* být u divadla; *diving ~* plovoucí potápěčská základna; *by easy ~s 1.* klidně, neuspěchaně *2.* postupně, s přestávkami; *go on the ~* jít k divadlu stát se hercem; *hanging ~* visuté lešení, můstek; *hold the ~ 1.* hra udržet se na repertoáru *2.* být středem pozornosti; *landing ~ 1.* lodní lávka, můstek *2.* přístavní můstek; *a larger ~ opened for him* naskytlo se mu širší pole působnosti; *matriarchal ~* matriarchát; *~ of operations* pole působnosti; *put on the ~* inscenovat hru; *quit the ~* odejít ze scény, též přen. (*quit the ~ of politics* odejít z politického života); *report ~* (předběžné) projednávání rozpočtu ve sněmovně; *retire from the ~ = quit the ~*; *revolving ~* div. točna; *set the ~* vytvořit, přichystat vhodné prostředí, vytvořit podmínky: *take the ~* herec přejít jeviště pompézně ● *adj* **1** jevištní **2** týkající se jevištní řeči n. výslovnosti **3** připomínající jevištní šarži, šaržovitý **4** tech. postupný (*~ crushing* … drcení); stupňovitý ♦ *~ left* pravá strana jeviště z hlediska diváka; *~ right* levá strana jeviště z hlediska diváka ● *v* **1** div. inscenovat (*~ "Hamlet"*) **2** hra hodit se k inscenaci, dát se inscenovat, hrát se, režírovat se, vypadat na jevišti (*this play does not ~ well*) **3** z|dramatizovat **4** pořádat, upořádat pro veřejnost (*~ a special art exhibition, ~d huge protest demonstrations*) **5** zařídit naoko, z|osnovat, inscenovat, z|režírovat, narežírovat (přen.) **6** postavit lešení, konstrukci apod. **7** vystavovat na pódiu apod. **8** dát rostliny v květníku na vrstvu písku / štěrku ve skleníku **9** odstupňovat **10** jet / cestovat dostavníkem **11** voj. umístit, posunout na nové stanoviště, usadit se, udělat si základnu (*staging there for attacks*) **12** polygr. nakrýt (a leptat) štočky ♦ *~ a comeback* vrátit se, znovu se objevit na scéně (přen.) se slávou, dramaticky

stage box [͵steidžˈboks] proscéniová lóže

stage cloth [͵steidžˈkloθ] div. sufita

stagecoach [steidžkəuč] dostavník

stagecoachman [ˈsteidž͵kəučmən] *pl: -men* [-mən] kočí, vozka dostavníku

stagecraft [steidžkra:ft] **1** dramatické n. režijní umění, divadelní umění, inscenační umění **2** technika dramatu, režie n. inscenace

stage direction [͵steidždiˈrekšən] **1** scénická poznámka, režijní poznámka v divadelním textu **2** divadelní režie

stage director [͵steidždiˈrektə] divadelní režisér

stage door [͵steidžˈdo:] zadní vchod do divadla, vchod pro herce

stage effect [͵steidžiˈfekt] **1** jevištní účin **2** scénický efekt

stage fever [͵steidžˈfi:və] touha jít k divadlu

stage footlight [͵steidžˈfutlait] jevištní rampa

stage fright [͵steidžˈfrait] tréma zejm. z (prvního) veřejného vystoupení

stagehand [steidžhænd] div. **1** technikář **2** osvětlovač **3** kulisák

stage lighting [͵steidžˈlaitiŋ] div. osvětlení scény

stage-manage [ˈsteidž͵mænidž] **1** režírovat divadelní hry **2** z|inscenovat, narežírovat (*~ a trial* inscenovat proces) **3** efektně na|aranžovat, zaranžovat událost (*~ a wedding* zaranžovat efektní svatbu)

stage manager [͵steidžˈmænidžə] div. **1** režisér **2** intendant **3** asistent režie **4** hlavní inspicient

stage name [͵steidžˈneim] umělecké jméno, pseudonym herce, herečky

stage play [͵steidžˈplei] divadelní hra, drama

stage player [͵steidžˈpleiə] divadelní herec

stage pocket [͵steidžˈpokit] div., elektr. zásuvka, rozvodná deska vzadu na jevišti

stage properties [͵steidžˈpropətiz] *pl* divadelní rekvizity

stage pumping [͵steidžˈpampiŋ] horn.: stupňovité čerpání vody z patra na patro

stager [steidžə] **1** zkušený člověk **2** zast. herec ♦ *old ~* starý mazák

stage rights [͵steidžˈraits] *pl* výhradní právo k jevištnímu provozování

stage rocket [͵steidžˈrokit] kosm. vícestupňová raketa

stage screw [͵steidžˈskru:] div. šroub na připevnění kulisy, vrtík

stage setter [͵steidžˈsetə] jevištní výtvarník, scénograf

stage setting [͵steidžˈsetiŋ] **1** výprava, scéna **2** scénografie

stage-struck [steidžstrak] posedlý divadlem, toužící jít k divadlu

stag evil [ˈstæg͵i:vl] zvěr. jelení nemoc, tetanus, strnutí úst u koní
stage wait [͵steidžˈweit] div. díra neúmyslná pauza
stage whisper [͵steidžˈwispə] hlasitý šepot
stage winner [͵steidžˈwinə] sport. vítěz etapy
stagey [steidži] AM = *stagy*
stagflation [stægˈfleišən] ekonomická stagnace charakterizovaná vzrůstající nezaměstnaností a inflací
stagflationary [stægˈfleišənəri] ekonomicky stagnující
staggard [stægəd], **staggart** [stægət] čtyřletý jelen
stagger [stægə] *v* **1** za|vrávorat, za|potácet se, motat se, za|kymácet | se, klátit | se **2** úder způsobit za|vrávorání / zapotácení **3** viklat se, za|třást se, za|chvět se (*the whole fabric of the ship seemed to ~* jako by se celá kostra lodi zachvěla) **4** za|váhat, za|kolísat, ztratit jistotu, začít mít pochybnosti **5** též *~ along / on* jít pomalu / těžce kupředu, prodírat se kupředu **6** ohromit, zdrtit, poděsit, vyvést z míry, šokovat (*I was ~ed to hear that the firm was bankrupt* zdrtilo mě, když jsem se dověděl, že se ta firma položila); zmást (*problems so intricate that they ~ the most patient mathematicians* tak komplikované problémy, že dokáží zmást i nejtrpělivější počtáře) **7** časově rozdělit, rozložit, rozvrhnout, odstupňovat, uspořádat tak, aby se nekrylo / aby nebylo najednou co (*~ lunch hours so that the cafeteria is not overcrowded*) **8** uspořádat střídavě, cikcakovitě podél osy, šachovitě rozestavit **9** let. stupnit dvojplošníky ◆ *~ all belief* vymykat se víře, být zcela neuvěřitelný; *~ to one's feet* s námahou vstát; *work ~ed hours* pracovat na směny ● *s* **1** za|vrávorání, za|potácení, motání, za|kymácení, klátění, vrávoravý pohyb; potácivý / vrávoravý krok, za|kolísání **2** viklání, chvění **3** *~s, pl* med. závrať **4** *~s, pl* též *blind ~s* zvěr. závrať skotu, jankovitost koně, vrtohlavost ovcí **5** uspořádání do směn, časové rozdělení začátků **6** cikcakovité uspořádání, střídavé uspořádání podél osy, šachovité rozestavení **7** let. stupnění dvojplošníků **8** *~s, pl* med. kesonová nemoc **9** slang. pokus ◆ *~ formation* voj. nepravidelně rozptýlená sestava
staggerer [stægərə] ohromující otázka n. odpověď n. námitka, bomba
stagger juice [stægədžu:s] hovor. lomcovák, rum, grog
staggie [stægi] čtyřletý n. pětiletý jelen
staghorn [stægho:n] jelení paroh např. jako střenka ◆ *~ moss* bot. plavuň vidlačka
staghound [stæghaund] zool. lovecký pes na vysokou připomínající anglického honiče
stagily [steidžili] divadelně, teatrálně
staginess [steidžinis] divadelnost, teatrálnost
staging [steidžiŋ] **1** div. inscenování, inscenace; dramatizace **2** lešení **3** cestování po etapách **4** cestování dostavníkem **5** námoř. lešení pro stavbu lodí v loděnici **6** kosm. odhození / oddělení stupně rakety, přechod do další fáze letu po odhození / oddělení stupně rakety **7** v. *stage, v* ◆ *~ area* voj. shromaždiště; *~ post 1.* pravidelná zastávka, též let. *2.* důležité přípravné stadium *3.* = *~ area*
Stagirite [stædžirait] **1** obyvatel Stageiry **2** Aristoteles
stagnancy [stægnənsi] **1** nepohyblivost, stojatost vody, nehybnost vzduchu **2** u|váznutí, zastavení, ustrnutí, stagnování, stagnace **3** obch. mdlá nálada na trhu apod., stagnace
stagnant [stægnənt] **1** nepohyblivý; voda stojatý; vzduch nehybný, stagnující **2** váznoucí, zaostávající, ustrnující ve vývoji, stagnující **3** voda hnijící, hnilobný
stagnate [stægˈneit / AM stægneit] **1** přestat téci n. proudit, zastavit se, stát se nehybným, zůstat stát **2** nepokračovat ve vývoji, váznout, zastavovat se, ustrnovat, stagnovat **3** voda stát se nehybným, začít hnít, zahnívat, též přen. (*he wanted change, he did not wish to ~*)
stagnation [stægˈneišən] = *stagnancy*
stagnicolous [stægˈnikələs] zool. žijící ve stojatých vodách
stagy [steidži] (*-ie-*) **1** divadelní, jevištní **2** teatrální
staid [steid] **1** klidný (*~ colours*), vážný, usedlý, seriózní (*~ persons*) **2** pevný, stálý, ustálený (*his ~ opinion*) **3** v. *stay*[2], *v*
staidness [steidnis] **1** klid, klidnost, vážnost, usedlost, serióznost **2** pevnost, stálost, ustálenost
stain [stein] *v* **1** z|barvit, obarvit potřísněním (*fingers ~ed with nicotine*); znečistit, po|třísnit, po|špinit, poskvrnit, udělat skvrnu / skvrny na, pokaňkat, polít (*a tablecloth ~ed with gravy* ubrus s kaňkami od šťávy) **2** tkanina špinit se, chytat skvrny **3** obarvit, napustit barvou, na|mořit, na|pajcovat (*he ~ed the wood*) **4** barvit, zabarvovat při výrobě sklo **5** vybarvovat mikroskopický preparát **6** zostudit, zhanobit, zdiskrediovat; pošpinit, pokaňkat např. pověst; zkazit, zkorumpovat morálně **7** zmást stopu zvěři **8** potiskovat tapety ● *s* **1** skvrna, flek **2** přen. skvrna, poskvrna, kaz, vada, kaňka (*without a ~ on your character*) **3** mořidlo na dřevo, pajc **4** barva, barvivo, též na mikroskopický preparát **5** med. pigmentová skvrna, znamínko, piha ◆ *ink ~* inkoustová skvrna, kaňka
stainable [steinəbl] **1** mořitelný **2** barvitelný
stained glass [͵steindˈgla:s] barevné sklo, katedrální sklo
stained paper [͵steindˈpeipə] **1** barevný papír, kulér **2** čalouny
stainer [steinə] **1** skvrnič; barvič; mořič dřeva **2** barva, barvivo; mořidlo
stainless [steinlis] **1** jsoucí bez skvrn **2** přen.: jsoucí bez nejmenší poskvrnky, neposkvrněný, ryzí **3** nerezavějící (*~ iron*); z nerezavějícího materiálu, nerez (*~ flatware* nerez talíře a mísy) ◆ *~ steel* nerezavějící ocel

stair [steə] **1** schod, stupeň schodu v domě **2** též *~s, pl* schody, schůdky, schodiště **3** přístaviště, přístavní můstek, přístavní schůdky; lodní n. palubní schody / schůdky ◆ *back ~* zadní schodiště, schody pro služebnictvo; *below ~s* v suterénu, v místnostech pro služebnictvo, v čeledníku; *winding ~* točité schody, spirálovité schody

stair carpet [ˈsteəˌka:pit] schodištní koberec, běhoun

staircase [steəkeis] schodiště zejm. se zábradlím ◆ *corkscrew ~* točité schody, spirálovité schody kolem sloupu

stairfoot [steəfut] začátek schodů dole, nejdolejší část schodů

stairhead [steəhed] nejhořejší ukončení schodů

stair rail [steəreil] zábradlí na schodišti

stair rod [steərod] přídržná tyč pro koberec na schodišti

stair-step [steəstep] terasovitý, stupňovitý

stairway [steəwei] schodiště

stairwell [steəwel] schodišťová šachta

staith [steiθ], **staithe** [steið] BR překladní přístaviště opatřené výklopným zařízením pro sypké hmoty

stake [steik] *s* **1** kůl, kolík k zaražení, jako značka, podpora stromu, část plotu apod.; sloup **2** kůl na hranici, hranice (přen.); smrt na hranici, upálení na hranici (*was condemned to the ~* byl odsouzen k upálení); umučení, mučednická smrt **3** kůl s půlkruhovým tupým nožem na napínání a měkčení koží **4** klanice vozu **5** babka do kovadliny **6** sázka peníze, složené u třetí nezúčastněné osoby **7** *~s, pl* celkové sázky zejm. dostihové; dostihy (*the trial ~s of Newmarket* dostihy v Newmarketu) **8** *~s, pl* cena v soutěži **9** přen. co všechno je v sázce (*think of the immensity of the ~* pomysli na to, jak obrovské věci jsou v sázce) **10** hmotný zájem *in* na (*he has a ~ in the coutry's welfare* má hmotný zájem na prosperitě státu) **11** dlouhá základní tyčka dna košíku **12** dřevěný n. kamenný terč pro lukostřelbu, terčové zařízení, terčový rám **13** AM materiální podpora ◆ *be at ~* být v sázce (*his reputation was at ~* jeho pověst byla v sázce); *be at one's last ~* musit vsadit všechno na poslední kartu (přen.): *move / pull up ~s* hovor. nechat toho, praštit s tím a odejít, odstěhovat se; *sweep the ~s* shrábnout celou výhru ● *v* **1** přivazovat ke kůlu, podpírat kůlem (*~ newly planted trees* přivázat čerstvě vysázené stromky ke kůlu); přivázat ke kůlu n. sloupu např. koně **2** též *~ off / out* označit kolíky, vykolíkovat trasu, parcelu apod. **3** námoř. vytyčit plavební dráhu kůly **4** napínat a upevňovat kolíky kůži při napínání, protahovat **5** vsadit *on* na (*~ ten shillings on the favourite* … deset šilinků na favorita), dát v sázku, riskovat (*I'd ~ my life on it* vsadil bych na to svůj život) **6** podpořit hmotně, poskytnout materiální podporu komu, pomáhat na nohy komu (přen.) ◆ *~ the claim* přen. uplatnit svůj nárok ***stake o.s.*** zasadit se *on* pro co, postavit se za ***stake out*** *1* přidělit policistu do určitého úseku, aby patroloval *2* pozorovat podezřelého, patrolovat *3* v. *stake, v 2*

stake boat [steikbəut] kontrolní člun při veslařských a jachetních závodech, vytyčovací člun

stake forest [ˈsteikˌforist] = *stake wood*

stakeholder [ˈsteikˌhəuldə] (třetí) nezúčastněná osoba, u níž sázející složí vsazené částky

stake net [steiknet] ryb.: velká síť s kolíky, velký keser, lapadlová síť

stakeout [steikaut] AM hovor. **1** policejní dohled, „očko" **2** střežený objekt

stake wood [steikwud] les. tyčkovina

stakhanovite [stəˈka:novait] stachanovec, úderník

stalactic [stəˈlæktik] geol. stalaktitový týkající se stalaktitů

stalactiform [stəˈlæktifo:m] mající tvar stalaktitu, krápníkový

stalactite [stæləktait] geol. stalaktit krápník rostoucí od stropu dolů ◆ *~ vault* archit. stalaktitová klenba u maurského slohu

stalactitic [ˌstæləkˈtitik] = *stalactic*

Stalag [stælæg] též *s~* německý zajatecký tábor pro poddůstojníky a mužstvo za 2. svět. války

stalagmite [stæləgmait] geol. stalagmit krápník rostoucí zezdola vzhůru

stalagmitic [ˌstæləgˈmitik] geol. stalagmitový týkající se stalagmitů

stalagmometry [ˌstæləgˈmomitri] fyz. stalagmometrie měření povrchového napětí kapalin

stale¹ [steil] BR zast. *v* kůň, dobytek močit ● *s* koňská n. dobytčí moč

stale² [steil] *adj* **1** chléb i pečivo starý, tvrdý, vyschlý, oschlý, ztvrdlý, okoralý; máslo žluklý **2** nápoj vyčichlý, zvětralý, vyčpělý, odstálý **3** vzduch ztuhlý, zatuchlý **4** půda úhorovaný; unavený, vymrskaný **5** starý, otřepaný, otřelý, otřískaný, vousatý (*a ~ joke* vousatý vtip); všeobecně / dávno známý, banální (*~ news*) **6** práv. propadlý, prošlý **7** vyčerpaný, umdlený, předřený, unavený častým cvikem, přetrénovaný, přehraný, přebiflovaný **8** odpočatý, vyšlý z cviku, vyleželý, málo trénovaný, netrénovaný **9** zast. příliš starý na ženění n. vdávání ● *v* **1** vyčichnout, zvětrat **2** (dát) ztvrdnout, okorat **3** ztuchnout, zatuchnout; způsobit ztuchnutí čeho **4** stát se nudným, monotónním, začít nudit, unavovat, omrzet, vyčichnout (přen.)

stalemate [steilmeit] *s* **1** šachy pat **2** přen. situace na mrtvém bodě, slepá ulička, slepá kolej, váznutí ● *v* **1** šachy přivést do patového postavení soupeře **2** zastavit na mrtvém bodě, dovést do slepé uličky ◆ *result in a ~* jednání skončit na mrtvém bodě, skončit ve slepé uličce / na slepé koleji

staleness [steilnis] **1** tvrdost, vyschlost, oschlost, ztvrdlost, okoralost chleba; žluklost másla **2** vyčichlost, zvětralost, vyčpělost, odstálost nápoje **3** ztuchlost, zatuchlost vzduchu **4** unavenost, vymrskanost půdy **5** starý charakter, otřepanost, otřelost, otřískanost, vousatost, banálnost **6** práv.

propadnutí, propadlost, prošlost **7** vyčerpanost, umdlenost, předřenost; přetrénovanost, přehranost, přebiflovanost **8** nedotrénovanost, malá připravenost atleta

Stalinism [sta:linizəm] stalinismus teorie a praxe výstavby za vedení J. V. Stalina (1879–1953)

Stalinist [sta:linist], **Stalinite** [sta:linait] *s* stalinista, stalinovec stoupenec stalinismu ● *adj* stalinský, stalinistický

stalk[1] [sto:k] *v* **1** pomalu, důstojně, ztuha kráčet, vykračovat si; rozzlobeně pochodovat **2** plížit se, vy|stopovat, vy|sledovat nepozorovaně zvěř (*watch a tiger ~ its prey* pozorovat tygra, jak se plíží za kořistí), též voj. **3** jít za, chodit za, lepit se na paty komu, pověsit se na (přen.) (*the man was ~ing him as remorselessly as if he were a criminal*) **4** prohledávat, pročesávat (*~ the woods for deer* prohledávat les, jestli je v něm vysoká) **5** jít, chodit, obcházet (*the spectre that ~ed along the castle walls at midnight* přízrak, který o půlnoci obcházel hradní zdi); plížit se, kráčet (*through*) čím (*famine ~ed (through) the land* zemí se plížil hlad) ● *s* **1** pomalý, důstojný, tuhý krok, kráčení, vykračování si **2** stopování; plížení **3** voj. krytý postup, plížení

stalk[2] [sto:k] *s* **1** bot. stonek, lodyha, stéblo; stopka **2** zool. stopka, stvol **3** co připomíná stopku, stopka, nožka sklenky **4** archit. stonek, lodyha **5** vysoký komín ◆ *hard ~* košťál

stalker [sto:kə] **1** stopař zvěře, šoulající lovec **2** voj. bojovník plížící se za protivníkem n. nepozorovaně ho sledující

stalk-eyed [ˈsto:kˌaid] jsoucí s očima na stopkách, též zool.

stalking-horse [sto:kiŋho:s] **1** kůň n. figura koně sloužící jako kryt při stopování zvěře **2** záminka, klamné zdání, kamufláž, maska, pláštík **3** AM polit. nastrčená figurka, loutka za skutečného kandidáta

stalkless [sto:klis] jsoucí bez stopky / stopek

stalklet [sto:klit] stebélko

stalky[1] [sto:ki] **1** mající stopky atd. **2** přen. štíhlý, hubený

stalky[2] [sto:ki] škol. slang. mazaný, chytrý

stall[1] [sto:l] *s* **1** zeď, společník kapsáře odlákávající pozornost **2** slang. trik, podfuk, bouda přetvářka **3** vytáčka, zdržovačka, zdržovací manévr ● *v* **1** pomáhat, dělat zeď kapsáři **2** AM provádět zdržovací manévr, zdržovat, oddalovat; vytáčet se, vyhýbat se, vykrucovat se, vymlouvat se a tím získávat čas **3** AM sport. hrát na čas, zdržovat hru; hrát úmyslně hůře n. pomaleji, být úmyslně pomalejší ◆ *~ for time* získávat čas vytáčkami ***stall off 1*** zbavit se vytáčkami, držet si od těla (*tried to ~ off his creditors till the expected check came*) **2** oddálit, odložit, odsunout pomocí vytáček apod. (*Wilson can ~ off elections until March*)

stall[2] [sto:l] *s* **1** stání, box, kotec místo ve stáji vyhrazené pro jednotlivé dobytče **2** stáj; chlév **3** stánek, bouda, krámek, kiosk; kotec; prodejní vozík, stůl **4** stánek, kiosk s knihami; novinový stánek; nádražní knihkupectví **5** kabina, kout (*a shower ~* sprchovací kout); box ve studovně **6** parkovací místo pro jedno auto, stanoviště na parkovišti, ve výtopně **7** místo, postavení **8** horn. předek, komora **9** círk. křeslo, trůn kanovníka, děkana apod.; *~ s, pl* sedadla v chóru pro kanovníky, řádové rytíře apod. **10** kanovická, děkanská apod. hodnost (*how long has he had his ~?*) **11** sedadlo, místo v chórové lavici **12** kostelní lavice **13** BR křeslo lepší místo např. v divadle; *~ s, pl* obecenstvo sedící na křeslech **14** zhasnutí motoru, zastavení vozidla přetížením n. nedostatkem pohonných hmot **15** let. přetažení letadla; ztráta rychlosti **16** zahlcení mlátičky **17** kožený, gumový prst, palec obvaz ◆ *~ bar* těl. žebřiny, ribstol; *shooting ~* střelnice ● *v* **1** ustájit, dát do chléva; umístit / chovat ve stání / v boxu / v kotci **2** vykrmovat v chlévě **3** být ve stání / v boxu / v kotci **4** postavit, zařídit stání / boxy v chlévě n. stáji **5** uvíznout v blátě n. sněhu **6** přetížit motor; motor zastavovat se, zhasnout, chcípnout (hovor.) **7** let. ztrácet rychlost; přetáhnout letadlo **8** zahltit mlátičku ◆ *be ~ed* též uvíznout

stallage [sto:lidž] BR **1** místo na postavení stánku; právo postavit si stánek; nájemné za toto místo **2** stánky, boudy, krámky, kotce

stall dive [sto:ldaiv] let. propadnutí

stall-fed [sto:lfed] vykrmený ve stáji

stall-feed [sto:lfi:d] (*stall-fed, stall-fed*) vy|krmit ve stáji n. chlévě; krmit suchým krmivem

stallion [stæljən] plemenný hřebec

stalwart [sto:lwət] *adj* **1** silný, svalnatý, statný, robustní, mohutný, hřmotný **2** statečný, odvážný, chrabrý **3** zejm. polit. věrný, pevný, spolehlivý, oddaný, skalní ● *s* **1** statný, mohutný člověk, silák, lamželezo **2** polit. pevný člen strany, oddaný stoupenec strany, skalní straník **3** *S~* AM hist. skalní republikán stoupenec znovuzvolení Granta v r. 1877 a 1880

stalwartness [sto:lwətnis] **1** svalnatost, statnost, robustnost, mohutnost, hřmotnost **2** statečnost, odvážnost, chrabrost **3** polit. stranická věrnost, pevnost, spolehlivost, oddanost

Stambul [stæmˈbu:l] **1** nejstarší část Istanbulu **2** Istanbul

stamen [steimen] *pl* též *stamina* [stæminə] bot. tyčinka

stamina[1] [stæminə] **1** výdrž, vytrvalost, životní síla, vitalita **2** obranyschopnost, odolnost, nepoddajnost

stamina[2] [stæminə] v. *stamen*

staminal [stəminl] bot. tyčinkový

staminate [stæmineit] bot. mající (pouze) tyčinky a nikoliv pestíky

stamineal [stæˈminjəl], **stamineous** [stæˈminiəs] bot. tyčinkový, tyčinkovitý

staminiferous [ˌsteimiˈnifərəs] bot. mající tyčinky, nesoucí tyčinky
stammer [stæmə] *v* zadrhávat, zajíkat se v řeči, vy|koktat, zakoktat ● *s* zadrhování, zajíkání, koktání, koktavost
stammerer [stæmərə] kdo zadrhuje v řeči, kokta, koktal
stammeringly [stæməriŋli] zajíkavě, přerývaně
stamp [stæmp] *v* **1** dupnout *a t.* čím (~ *one's foot*) na (~ *the ground*), dupat po (*the watch officer* ~*ing the deck* důstojník hlídky dupající po palubě); vytvořit dupáním, udusat (~*ing a trail in the deep snow* udusající v hlubokém sněhu cestu) **2** též ~ *about* chodit s dupáním, dupat, dusat; dupat zlostí **3** zprudka *šlápnout* on na (~ *on a spider* zašlápnout pavouka) **4** pěchovat, dusat **5** dát, vložit, napěchovat výbušnou nálož **6** drtit, krušit ve stoupě rudu **7** potlačit, zlikvidovat, udusit *on* co (*decided to* ~ *on all utterances of a disloyal character* rozhodl se zlikvidovat všechny projevy neloajálního charakteru) **8** na|tisknout (~ *one's name and address on an envelope*), potisknout *a t.* co *with* čím (~ *an envelope with one's address*), na|tisknout na co **9** nalepit / přilepit známku na, o|frankovat; vlepit známku např. do legitimace; nalepit kolek na; okolkovat, opatřit kolkem, opatřit razítkem, že kolkovné bylo zaplaceno **10** o|razítkovat, o|štemplovat (hovor.) **11** o|cejchovat např. závaží; puncovat **12** vy|razit razidlem, razit mince **13** lisovat plechy **14** text. dírkovat, vytloukat karty **15** kožel. valchovat **16** charakterizovat *as* jako, vytvářet charakteristiku, puncovat jako, dát pověst jakou, dát vysvědčení (přen.) jaké (*these actions* ~ *him as a man of high principles* tyhle skutky mu dávají vysvědčení člověka vysokých zásad); o|cejchovat, trvale označit, poznamenat, vyznačovat, dávat punc čemu; dát punc, potvrdit, stvrdit, sankcionovat **17** být charakteristickou známkou čeho **18** vtisknout trvalý, charakteristický rys *a t.* čeho *on* / *upon* čemu (*concerned to* ~ *our civilization upon the world*) **19** vrýt do paměti, vtisknout (*one of the symbolic events that had* ~*ed itself on his mind as a child* jedna z těch symbolických událostí, které se mu jako dítěti vtiskly do duše) **20** ekon. zaplatit kolkovné ◆ ~ *flat 1.* rozšlápnout *2.* udupat, udusat; ~ *the mud off one's boots* odupat si boty z bláta; ~*ed envelope* obálka s vytištěnou známkou, frankovaná obálka; ~*ed stationery* poštovní cenina; ~*ing die* polygr. *1.* ražební deska štoček, rytina *2.* knihařské razidlo; ~*ing machine 1.* lisovací stroj na plechy *2.* pěchovací stroj u koksovacích pecí *3.* AM výplatní stroj, frankotyp; ~*ing shop* lisovna plechu ***stamp down*** podupat, udupat, udusat ***stamp out 1*** uhasit dupáním, udupat (~ *out sparks* udupat jiskry), zašlápnout (~ *out a cigarette*) **2** z|likvidovat, zdolat, uhasit, potlačit, potřít (~ *out a rebellion*) *3* vyrazit, vyseknout *4* = *stamp down* ● *s* **1** dupnutí, dupot, dusot, dupání, dusání **2** razník, razidlo; značkovadlo, značkovačka, raznice **3** razítko, štempl (hovor.) **4** poštovní známka **5** kolek **6** potištěná nálepka, zálepka, etiketa **7** horn. pěchol, tlouk stoupy; též ~*s*, *pl* stoupa **8** kožel. kladivo valchy, valcha **9** značka, cejch, punc **10** otisk, tisk, rytinka **11** ražba na deskách knihy **12** výrazná, charakteristická známka, punc (přen.) (*a poet who has left her* ~ *upon her generation*) **13** trvalý / hluboký vliv (*the* ~ *of his character upon his style*) **14** fyzický rys, tvar, podoba, charakteristika **15** druh, charakter, typ **16** karta pro hazardní hru, označená na rubu výrobcem **17** ~*s*, *pl* AM slang. hadry, papíry papírové peníze **18** řidč. tiskařský lis ◆ *S*~ *Act* hist. kolkový zákon z r. 1765; ~ *battery* stoupová baterie, stoupy; *bear the* ~ *of truth* nést na sobě pečeť pravdy, působit dojmem pravdy; *date* ~ denní / datumové razítko; ~ *deal* kamenné pečetítko; *duty* ~ kolek; *embossed* ~ kolek tištěný slepotiskem; *government* ~ kolek; ~ *hammner* buchar; ~ *iron* značkovadlo, cejch; *leave one's* ~ *on* trvale poznamenat koho / co; *local* ~ poštovní známka vydaná soukromou společností; *official* ~ úřední razítko, kulaté razítko; *postage* ~ výplatní / poštovní známka; *postage due* ~ doplatní známka; *put to* ~ slang. začít tisknout, vyjet; *rubber* ~ razítko; *set one's* ~ *upon* vtisknout svůj punc komu / čemu; *signature* ~ faksimile podpisu razítko; *subscription* ~ příspěvková známka; *trading* ~ AM kupón vydávaný při nákupu určitého množství zboží
stamp album [ˈstæmpˌælbəm] album na poštovní známky
stamp collector [ˈstæmpkəˌlektə] sběratel známek, filatelista
stamp dealer [ˌstæmpˈdi:lə] obchodník s poštovními známkami pro filatelisty
stamp duty [ˈstæmpˌdju:ti] kolkovné, kolkovací povinnost
stampede [stæmˈpi:d] *s* **1** útěk, úprk splašeného stáda, též přen. (*this was no disciplined march; it was a* ~) **2** masová horečka, vlna, panika **3** masové hnutí, masový úkaz, masová akce **4** AM polit. masová podpora jednoho kandidáta; obrat ve veřejném mínění **5** AM slavnost, festival; jezdecké závody, rodeo ● *v* **1** plašit se, hnát se splašeně, běžet v panickém strachu **2** hnát se, štvát se **3** splašit stádo **4** poštvat, vehnat množství lidí; vyvolat paniku u, zpanikařit **5** dohnat *into* k, vehnat do (*don't be* ~*d into buying a house*) **6** AM polit. dohnat k masové podpoře kandidáta
stamper [stæmpə] **1** pěchovač, dusač; drtič **2** razič; lisovač plechu **3** značkovač, známkovač, razítkovač **4** kožel. valchovač **5** pěch, pěchovadlo; pěchol, tlouk stoupy **6** matrice na lisování gramofonové desky
stamping [stæmpiŋ] **1** odpad při vykrajování razidlem **2** v. *stamp*, *v*

stamping ground [stæmpiŋgraund] hovor. obvyklé místo výskytu, místo, kde se cítíme doma, oblíbené místo, působiště, rajón, revír
stamp machine [ˈstæmpməˌši:n] **1** automat prodávající poštovní známky **2** frankotyp **3** razicí stroj
stamp mill [stæmpmil] horn. **1** stoupa **2** stoupovna
stamp office [ˈstæmpˌofis] úřad přijímající kolkovné a vydávající kolky
stamp pad [ˈstæmpˌpæd] polštářek na razítka
stance [stæns] **1** postoj, postavení, pozice (*a boxer's* ~) **2** kriket, golf postoj určený postavením nohou **3** postoj, přístup, poměr, vztah (*a hostile* ~ *towards modern poetry* nepřátelský vztah k moderní poezii) **4** horolezectví postavení horolezce zajišťujícího druhého; místo, plošinka, římsa kde lze zajišťovat
stanch[1] [sta:nč, sta:nš] *v* **1** zastavit krvácení; krvácení zastavit se **2** ucpat otvor **3** zast., nář. zmírnit, uklidnit ● *s* vod. vrata na vzdutí vody, primitivní propust
stanch[2] [sta:nč, sta:nš] *adj* = *staunch*[1]
stanchion [sta:nšən] *s* **1** podpěra, vzpěra, sloup, sloupek, stojka; železná tyčka **2** prut gotického okna **3** klanice vozu **4** zeměd. stájová ohlávka omezující pohyb dobytčete dopředu a dozadu ◆ ~ *gun* voj. otáčecí puška; ~ *housing* vazné ustájení, vazná stáj ● *v* **1** podepřít **2** zeměd. zavřít do stájové ohlávky dobytče
stand [stænd] *v* (*stood, stood*) **I.** základní významy (bez předložek) **1** stát zaujímat vzpřímenou polohu (*a clock stood on the mantel* hodiny stály na krbové římse); zaujímat místo (*the house* ~*s on a knoll facing the sea* dům stojí na kopečku s výhledem na moře); vyskytovat se v tisku, v písemnostech (*copy a passage exactly as it* ~*s in the original*); nebýt v pohybu n. činnosti (*let the wine* ~ *so that the lees will settle* nechte víno stát, aby se kal ustálil na dně); nefungovat **2** postavit (*picked the child up and stood him on his feet*); postavit se, vstát; zůstat stát (*choose whether to run away or* ~ *and fight it out* vyberte si, jestli chcete utéct nebo podstoupit boj) **3** vojsko stát připraven, být seřazen v bitevním šiku **4** město, vesnice stát, ležet, být situován, rozkládat se **5** důl, továrna být zavřen, stát **6** polygr.: sazba stát nebýt rozmetán **7** ustát se, usadit se, ustálit se (*allow a liquid to* ~ nechte tekutinu ustát), na|táhnout, vylouhovat se (*let the tea* ~) **8** voda být stojatý **9** měřit ve stoje, být vysoký **10** mít míst k stání (*this bus* ~*s 41 people*) **11** též ~ *good* platit, být platný, mít platnost, zůstávat v platnosti, trvat **12** barva držet, nepouštět, být stálý, neblednout **13** stát si, být na tom finančně **14** být v určité situaci (~*s revealed as a liar* ukazuje se, že je lhářka, ~*s accused of betraying his friend* je obžalován, že zradil přítele) **15** mít naději na zisk n. ztrátu (~*s to realize a handsome profit on his investment* má naději, že na své investici pěkně vydělá) **16** být na místě koho, zastupovat (~ *father*) **17** BR kandidovat (*will* ~ *for reelection in his own district*) **18** strpět, dát si líbit, připustit, vystát (*cannot* ~ *criticism*), snášet, vydržet (~ *the cold*) **19** vydržet, vzdorovat, odolat, čelit čemu (~ *a siege*) **20** podřídit se čemu (~ *the judgement of a Roman senate* podřídit se rozsudku římského senátu) **21** loď mít / sledovat kurs, plout, směřovat, mít polohu **22** zast.: vítr vanout, dout (*fair stood the wind for France* ku Francii vál vítr příznivý) **23** znít (*the sentence must* ~ *thus*) **24** za|platit, koupit a tím pohostit (~*ing drinks for the crowd*) **25** ohař vystavovat (zvěř) **26** kůň být chován ve stáji n. v boxu **27** kriket rozhodovat, být rozhodčí na hřišti **28** karty hrát z ruky; přijmout trumf **29** půjčovat, pronajímat hřebce k plemenitbě; hřebec být k dispozici / najmutí k plemenitbě **30** samec oplodňovat, obskakovat samice (*the average stallion* ~*s for about seven years* normální hřebec může hřebit klisny asi sedm let); samice přijímat samce, běhat se **II.** spojení s předložkou **1** postavit se, vzdorovat *against* komu / čemu (*no king could* ~ *against Alexander*) **2** být opřen, opírat se *against* o co (*a ladder* ~*ing against the wall* žebřík opírající se o stěnu) **3** mít napsáno / zapsáno *at* jakou položku, kolik bodů apod., ukazovat kolik (*the thermometer* ~*s at 78°*); být v určité výši, dosáhnout určitého stupně (*temperature* ~*s at 80°*) **4** couvnout *at* před, lekat se čeho (*he will not* ~ *at murder* necouvne ani před vraždou) **5** váhat, otálet *at* nad **6** zůstat věrný *by* komu / čemu, stát při, podporovat, bránit koho / co (*a strong minority would always* ~ *by the king* silná menšina by vždycky podporovala krále) **7** potvrdit *by* co (*I will* ~ *by whatever he says*) **8** splnit *by* co, trvat na (*stood by all his promises* splnil všechny své sliby), honorovat závazek **9** dozírat *by* na **10** připravit *by* co (~ *by the lifeboats* připravte záchranné čluny) **11** znamenat, značit, symbolizovat *for* co, být symbolem pro / čeho (*white* ~*s for purity* bílá znamená čistotu) **12** námoř. plout určitým směrem *for* kam (~ *for the harbour* plout směrem k přístavu) **13** být zastáncem *for* čeho (~ *for decency* … slušnosti), stavět se za, stát (pevně) za (*has always stood firmly for states' rights* vždycky stál pevně za právy států), hlásat co, usilovat o (*the Labour Party* ~*s for nationalization and state control of industry* labouristická strana usiluje o znárodnění a státní kontrolu průmyslu) **14** být charakterizován *for* čím (*dictatorship* ~*s for the denial of individual freedom* diktaturu charakterizuje popření svobody jednotlivce) **15** dovolit, nechat, strpět *for* co (*human sacrifice was more than the Romans could* ~ *for* lidské oběti už Římané nemohli dovolit) **16** BR ucházet se *for* o co (~ *for an office*); kandidovat za (~ *for a constituency* … za volební obvod) **17** AM hovor. dát si líbit, trpět *for* co (*I won't* ~ *for this* tohle musí přestat) **18** být *in* v jaké situaci (~ *in jeopardy* být ohrožen) **19** hovor. přijít *in* na, stát

kolik (*it stood me in £ 10* to mě přišlo na deset liber) **20** opírat se při diskusi *on* o; být založen *on* na **21** záviset, záležet *on* / *upon* na, mít svůj podklad v **22** trvat *on* / *upon* na, dbát na (*never stood on ceremony with his friends*) **23** mít názor *on* na, zaujímat postavení k (*how does he ~ on the disarmament question* jaký má názor na otázku odzbrojení) **24** stát *over* nad, pozorovat, hlídat koho, dávat pozor na, dozírat na **25** podporovat *to* koho, zůstat věrný komu **26** postavit se pořádně *to* k, vzít, zabrat, za, opřít se do (*~ to the oars* zabrat za vesla); pokračovat, nepolevovat v (*~ to your rowing, men* veslujte usilovně dál, muži) **27** hovor. koupit, zaplatit *to* co, pozvat na (*I'll ~ you to a drink when the manuscript is in*) **28** loď plout *under* s jakými plachtami **29** být plný *with* stojaté vody **30** být slučitelný *with* s (*if it ~s with honour* je-li to slučitelné se ctí) ♦ *~ accused* být obžalován; *~ ajar* být pootevřený / nezavřený; *let all ~* též námoř. nechat lodi všechnu takeláž; *~ alone* (*in an opinion*) zastávat sám, jako jediný, určitý názor; *~ by the anchor* připravit se ke spuštění kotvy; *~ at attention* voj. stát v pozoru; *~ battle* utkat se v bitvě; *~ at bay* *1.* zvěř být staven *2.* přen. být v úzkých, stát a odrážet útoky (*stood at bay facing his tormentors*); *~ to benefit* mít prospěch, vy|těžit z toho; *nothing ~s between you and success* nic nebrání tvému úspěchu, tvému úspěchu nestojí nic v cestě; *~ in the breach* skočit do průlomu; *~ on ceremony with* jednat zdvořile, korektně ale zdrženlivě; *not to ~ on ceremony* nedělat žádné okolky, nemazat / nemazlit se s někým, zacházet s někým tvrdě, bezohledně; *~ a chance* mít určitou šanci, mít naději *with* proti (*he doesn't ~ a chance with the champion*); *~ one's chance* riskovat to; *~ clear* ustoupit stranou, uhnout se, vyhnout se *of a t.* čemu; *these colours do not ~* tyto barvy nejsou trvanlivé, brzy vyblednou; *~ committed* být vázán, nemít volné ruce; *~ upon conditions* nedat se, nedat si říci, trvat na svém; *~ corrected* uznávat svou vinu; *you ~ in danger* hrozí ti nebezpečí; *~ on the defensive* bránit se, zaujmout obranné postavení; *~ and deliver!* peníze nebo život!; *~ to one's duty* řádně vy|konat / s|plnit svou povinnost; *~ easy* BR *1.* stát v pohovu *2.* pohov! povel; *~ at ease!* voj. pohov! povel; *~ on end* vlasy ježit se, vstávat na hlavě; *the evidence ~s* práv. svědectví se připouští; *the exception ~s beside the rule* výjimka potvrzuje pravidlo; *~ or fall with* přen. stát a padat s, být nerozlučně spjat s; *~ fast!* voj. *1.* stát, stůj! povel *2.* zastavit stát! povel; *~ on one's own feet* *1.* stát na svých vlastních nohou, uživit se sám *2.* být samostatný; *I could never ~ the fellow* hovor. toho chlapa jsem nikdy nemohl vystát / ani cítit; *~ firm* neustoupit ani o krok, zaujmout pevné stanovisko; *~ for it* trpět to, snést to, vydržet to, tolerovat to; *~ for nothing* nemít žádnou cenu, nestát za nic; *~ for something* mít nějakou cenu, stát za něco; *~ on me for that* slang. *1.* nech to na mně, spolehni se *2.* čestné slovo; *~ in force* nařízení platit; *I have often stood his friend* mnohokrát jsem mu prokázal přátelskou službu; *~ the gaff* všechno vydržet, nechat se, nevzdát se; *~ gaping* (zůstat) stát s otevřenými ústy, čučet; *~ in the genitive* jaz. být v genitivu; *~* (*as*) *a godfather* jít za kmotra např. při křtu; *~ good* platit, mít platnost, být v platnosti, zůstávat v platnosti; *~ one's ground* stát / trvat pevně na svém, nepovolit, neustoupit ani o píď; *~ guard* voj. stát / být na stráži, mít stráž, hlídat; *~ by one's guns* lpět na své pozici, nedat se, postavit se na odpor a vydržet, zašprajcovat se (hovor.); *~ in hand* AM nář. přijít vhod, bodnout (hovor.); *~ all hazards* odvážit se všeho, necouvnout před ničím; *~ on one's head* *1.* stát na hlavě, udělat stoj o hlavě *2.* dělat kotrmelce radostí; *~ high with a p.* být velmi dobře zapsán u, být vysoce ceněn kým; *corn ~s higher* obilí je dražší; *~ in hope of a t.* doufat v; *buy the house as it ~s* koupit dům se vším všudy / jak stojí a leží; *I explained to them how I stood* vysvětlil jsem jim svou situaci; *~ idle* nepracovat, nefungovat; *~ insurer* AM převzít do pojištění, pojistit; *not to have a leg to ~ on* nemít tu nejmenší naději (*he hasn't a leg to ~ on* nemůže se o nic opřít v debatě, nemá žádné pádné argumenty); *~ on one's hind legs* postavit se na zadní, naježit se, začít řádit; *I didn't leave him a leg to ~ on* úplně jsem ho odrovnal v debatě; *~ on one's own legs* = *~ on one's own feet;* *~ in line* AM stát ve frontě / frontu; *~ at livery* kůň být chovaný ve stáji n. v boxu; *~ to lose* moci pouze ztratit, nemít naději na zisk n. výhru, nemoci čekat nic jiného než prohru n. ztrátu; *~ the loss of a t.* oželet co; *how do we ~ in the matter of horses?* jak to vypadá s koňmi, jak jsme na tom s koňmi?; *~ model* stát (modelem) výtvarníkovi; *~ mute* zatčený neodpovídat na dotazy, odmítat se přiznat; *~ in* (*the*) *need of help* potřebovat pomoci; *~ neuter* neplést se do sporu, zůstat neutrální; *~ on the offensive* nastoupit do útoku; *~ for the offing* loď vyplout na širé moře, směřovat na širé moře, mít kurs na moře; *if we ~ by each other* když budeme stát při sobě, když budeme držet dohromady, když budeme svorni; *~ pat* AM *1.* poker hrát z ruky *2.* přen. být proti jakékoli změně; *~ the patter* slang. být postaven před soud; *~ proud* panel vyčnívat nad úroveň; *~ the racket* AM slang. *1.* zaplatit to *2.* vypít si to, odnést si to, odskákat si to; *it ~s to reason* *1.* je logické *2.* hovor. to dá přece zdravý rozum; *~ in request* zboží těšit se poptávce; *~ Sam* dát se vidět, ukázat se, všechno platit hostit: *~ to sea* loď vyplout na moře; *~ security for* za|ručit | se za; *~ in a p.'s shoes* být na místě koho, být v kůži koho; *~* (*the*) *shot* hovor. koupit drink, po|hostit; ~ *a show* AM, AU = ~ *a chance;* ~ *(as) sponsor* = ~ *(as) godfather;* ~ *in good stead* dobře posloužit, přijít vhod, hodit se (*his knowledge of Czech stood him in good stead in Prague* v Praze mu přišla vhod jeho znalost češtiny); ~ *in terror of a p.* mít hrůzu z; ~ *the test 1.* vydržet zkoušku, vyhovět při zkoušce *2.* osvědčit se; *failed to* ~ *the test 1.* propadl při zkoušce, nevyhověl *2.* neosvědčil se; *as things* ~ jak se věci mají, jak to vypadá; *know how things* ~ vědět, jak na tom jsme / jak se věci mají, znát situaci; ~ *upon thorns* přen. být jako na trní; ~ *on tiptoe* stát na špičkách; ~ *treat* za|platit za všechny, zatáhnout to všechno (*we all went to a baseball game, myself* ~ *ing the treat* všichni jsme šli na baseballový zápas a já to všechno platil); ~ *trial* být postaven před soud; ~ *upon one's trial* stát před soudem; ~ *umpire* kriket být rozhodčím na hřišti; ~ *from under!* námoř. pozor, uhněte se!; ~ *a watch* námoř. mít hlídku, být na hlídce, konat / stát stráž; ~ *with water* být plný vody; ~ *in the way of* stát v cestě komu / čemu; ~ *well* plachta být dobře vytažený n. napjatý; ~ *well with a p.* být dobře zapsán u; mít dobrou pozici o, mít to dobré u; ~ *to win* mít naději na výhru ***stand about 1*** lidé postávat tu i tam ***2*** člověk postávat, okounět, zevlovat ***stand across*** loď na kotvě stát napříč ***stand aloof / apart*** stát stranou, distancovat se *from* od ***stand aside 1*** ustoupit (stranou), též přen. (*he might have married Marjory, but he stood aside, because his brother loved her*), poodstoupit ***2*** = ~ *aloof* ***stand away*** loď odplout ***stand back*** ustoupit (*asked the crowd to* ~ *back*) ***stand by 1*** stát / být připraven / v pohotovosti, zůstat ve stavu připravenosti, připravit se, též voj., námoř. (~ *by for action*) ***2*** zůstat / být nablízku, počkat, čekat ***3*** sděl. tech. nevypínat, nepřepínat, zůstat v pohotovosti na příjmu / na vlně; být připraven k vysílání n. k přepnutí z příjmu na vysílání nebo obráceně ***4*** klidně stát, nečinně přihlížet (*I shall not* ~ *by and see him mocked at*) ***stand down 1*** přiblížit se ***2*** práv. sestoupit, odejít ze svědeckého místa ***3*** námoř.: loď plout po větru n. se slapy ***4*** sport. vyloučit ze hry; odejít ze hřiště, odstoupit ze závodu ***5*** voj.: stráž skončit službu, mít volno ***6*** voj. propustit z aktivní služby ***stand in 1*** zaskočit jako náhradník, zaskočit *for* za, vzít to za, zastupovat koho ***2*** jít napůl *with* s, být partnerem koho ***3*** být domluvený / spřažený *with* s ***4*** hovor. být zadobře *with* s, mít oko u ***5*** kormidlovat do přístavu ***stand off 1*** držet se stranou n. zpátky; uvolnit dráhu n. cestu; ustoupit, odstoupit, udělat místo, jít od někoho pryč, nechodit k někomu blíž ***2*** odtahovat se, distancovat se, být nepřístupný, udržovat určitý odstup; odtahovat se *from* od, uzavírat se před ***3*** zadržet, odrážet, nedovolit postupovat komu, zastavit postup koho, zbavit se koho (*able to* ~ *off his creditors*) ***4*** propustit, vysadit, vyloučit z práce zejm. dočasně ***5*** námoř. plout směrem od břehu, vyplout ***6*** vyčnívat *from* z ◆ ~ *off and on 1.* loď plout podél pobřeží *2.* rozmýšlet se, váhat, kolísat ***stand on*** námoř. plout stále stejnou rychlostí a stejným směrem, pokračovat ve stále stejném kursu ***stand out 1*** nezařadit se, nezačlenit se do společné činnosti, distancovat se ***2*** vystupovat jako reliéf; čouhat, vyčuhovat ***3*** uši odstávat ***4*** být nápadný, vynikat, bít do očí, být vidět ***5*** odrážet se *against* od, rýsovat se proti ***6*** odstát stráž ***7*** vydržet, přestát, přetrvat (~ *out a storm* vydržet bouři) ***8*** vydržet *against* co, postavit se proti, nepodlehnout čemu, trvat na svém a nedat se čemu ***9*** bojovat *for* za ***10*** handrkovat se *for* o ***11*** nedat se zviklat, nepovolit; tvrdit, trvat na tom *that* že ***12*** loď plout směrem od břehu, vyplout ◆ *make a t.* ~ *out 1.* zdůraznit plasticky, vypíchnout *2.* odlišovat, činit nápadným; ~ *out of my sight* jdi mi z očí; ~ *out of my way* jdi mi z cesty, uhni se ***stand over 1*** počkat na řešení, zůstat, odkládat se (*the accounts can* ~ *over till next week* vyúčtování může počkat do příštího týdne) ***2*** odložit, odsunout ***stand to 1*** připravit | se ***2*** stát s připravenou zbraní (~ *to!* voj. do zbraně! povel) ***3*** chodit na stráž v zákopech ***stand together*** souhlasit ***stand up 1*** postavit do kolmé polohy; vstát, povstat, postavit se (~ *up when the national anthem is played* povstat při hraní státní hymny); vzpřímit se ***2*** stoupat (vzhůru) (*columns of smoke* ~ *ing up to the sky* sloupy dýmu stoupající k obloze) ***3*** sport. rozestavit se, zaujmout své postavení ***4*** loď držet se těsně / ostře k větru; plout bez velkého úhlu ***5*** držet se v boji ***6*** závodní kůň vydržet ***7*** hovor. schovat se, ukrýt se před deštěm ***8*** být na svatbě svědkem n. družičkou *with* koho ***9*** nechat čekat koho, nepřijít na rande s, dát kvinde komu **10** trvat *for* na, při|hlásit se o ***11*** veřejně podporovat *for* koho / co, postavit se za (*has always stood up for the rights of the individual* vždycky se stavěl za práva jednotlivce) ***12*** statečně se postavit bok po bok *to* koho, zastat se *for* koho ***13*** obstát (*proof that would* ~ *up in court* důkaz, který by obstál u soudu), osvědčit se, nepovolit, vydržet, snést (*a fieldpiece reported to have stood up well to rough treatment* polní dělo, které prý sneslo hrubé zacházení) ***14*** postavit se, čelit, vzdorovat *to* nebezpečí ***15*** splnit *to* slib, vyrovnat se s úkolem ***16*** tančit *with* s **17** mít erekci ◆ ~ *up for o. s.* nedat se, bránit se, ozvat se; *I've only the clothes I* ~ *up in* mám jen ty šaty, které na mně vidíte ● *s* **1** zastavení **2** stojaté postavení, pozice ve stoje, stoj (*the tumblers ended the stunt in a* ~ akrobaté skončili číslo stojem) **3** zastávka, zastavení, zaražení se na útěku k obraně; obrana, obranná akce, vojenský odpor (*a gallant* ~ *at the bridge* hrdinný odpor u mostu) **4** též ~ *of tide* námoř. klidná voda při změně slapů **5** div. štace, stagiona (*a one-night* ~)

6 zastávka, stanice, štace **7** kotviště **8** místo, postavení, poloha, pozice **9** stanoviště lovce **10** stanoviště, místo obchůzky hlídky **11** AM práv. místo pro svědka, svědecké místo, svědecká lavice v soudní síni **12** AM poloha, místo, stanoviště pro obchodní činnost **13** stanoviště, štafl (slang.) (*a ~ for six taxi-cabs*); řada vozů na stanovišti **14** hledisko, stanovisko, postoj (*urged to take a definite ~ on the question of civil rights* vybídnut, aby zaujal definitivní postoj k otázce občanských práv) **15** stojan, stojánek, pult, pulpit; etažérka **16** stolní kalamář **17** polička, regál **18** stolek, podstavec (*typewriter ~*) **19** podpěra, kozlík, stativ **20** pódium, stupínek; pódium pro kapelu; hudební pavilónek **21** tribuna na sportovním hřišti **22** zejm. AM stánek, kiosk **23** malá expozice, stánek např. na veletrhu n. na výstavě (*British ~ at the Hanover Fair*) **24** AM novinový stánek (*after the latest edition hit the ~s* potom, co se poslední vydání dostalo na novinové stánky) **25** nesklizená úroda, stojaté obilí (*a good ~ of wheat*) **26** AM, AU les. hustota porostu, množství hmoty na dané ploše obvykle na jednom akru (*timber thinned to a proper ~* dříví prokácené na správnou hustotu) **27** tech. válcovací stolice **28** kriket: delší údobí hry, kdy není vyřazen ani jeden pálkař **29** též *~s, pl* BR zast. úplná výzbroj jednoho vojáka **30** zast. sud, bečka (*a ~ of lard* bečka sádla) **31** zast. úl ◆ *~ of arms* zast. úplná výzbroj jednoho vojáka; *at a ~ 1.* v klidu, v nehybnosti *2.* zast. v úzkých, zmateně, překvapeně (*be at a ~* zůstat stát, zkoprnět údivem); *bring to a ~* zastavit, zarazit; *~ camera* fot. stativní kamera; *~ of colours* voj. plukovní vlajky pěchoty; *come to a ~* zastavit se, zarazit se; *~ conversion* les. převod; *~ development* les. věkový stupeň; *make a ~ 1.* zaujmout postavení *2.* postavit se (*make a ~ against the enemy* postavit se proti nepříteli, *make a ~ for one's principles* postavit se za své zásady) *3.* postavit se na odpor; *milliner's ~* hříbek, podstavec pod čepce n. klobouky; *reviewing ~* čestná tribuna; *take a ~ 1.* zaujmout postavení (*he took his ~ near the window*) *2.* zaujmout určité hledisko / stanovisko *3.* odvolávat se, opírat se (*I take my ~ upon sound precedents* odvolávám se na uznávané precedenční případy); *take the ~* AM práv. vystupovat jako svědek, svědčit (*took the ~ in his own defence* vystupoval jako svědek při své vlastní obhajobě); *take the ~ on a t.* AM práv. svědecky odpřisáhnout; *~ test* motor. zkouška na brzdě

standage [stændidž] místo, kde může stát *for* co (*~ for cattle*) n. být postaveno co (*~ for bicycles*)

stand-alone [ˈstændəˌləun] samostatný (*~ units*)

standard [stændəd] *s* **1** standarta, korouhev, praporec, plaménec, vlajka **2** voj. korouhev, zástava jízdního pluku **3** královská standarta; prezidentská vlajka **4** standard ustálená, normální míra jako základ hodnocení **5** míra, měřítko, norma, normál, požadavky, „laťka“ **6** nivó, stupeň (*~ of learning*); úroveň, standard (*a high ~ of living*) **7** vzor, vzorek, model, směrnice **8** předepsaná / očekávaná úroveň, předepsané požadavky (*work that is not up to the ~*) **9** známka, hodnocení **10** tech. norma; etalon **11** standardní kvalita, standardní provedení **12** běžná, normální velikost oděvu **13** standardní metoda **14** obvyklé číslo hudebního repertoáru, šlágr, hit, evergreen **15** *~s, pl* zákon, zvyk, uznávaný životní styl (*he tried to live up to his father's ~s*) **16** *~s, pl* mravní výše, mravní úroveň, charakter (*maintain ~s in the face of temptation* zachovat si mravní úroveň tváří v tvář pokušení) **17** podstavec (*the ~ for a Sèvres vase*) **18** stožár, sloup **19** ná|střešník **20** velký svícen **21** poměr zlata n. stříbra v minci, zrno, ryzost mince **22** BR zast. třída obecné školy (*boys in S~ one*) **23** les. výstavek; strom který má 30–60 cm výčetní tloušťky **24** standard měrná jednotka řeziva, ca 4,7 m³ **25** zahr. stromek zejm. původně keřovité rostliny; solitérní dřevina; keř naroubovaný na kmen stromu **26** bot. pavéza **27** tech. svislá / stojatá trubka **28** zast. velká truhla ◆ *above ~* nadprůměrný; *be below ~* být podprůměrný, neodpovídat požadavkům; *be up to ~* mít předepsanou / očekávanou úroveň, splňovat požadavky n. očekávání; *~ of care* průměrná, obvyklá péče; *code of ~s* směrnice; *~ of comfort* požadavky životní úrovně; *double ~* poměr zlata a stříbra v minci; *efficiency ~* výkonnostní norma; *fiduciary ~* papírová měna nepodložená zlatem; *gold ~ 1.* ekon. zlatý standard, zlatá měna *2.* ryzost zlaté mince *3.* herald. dlouhý praporec, plaménec; *~ of height* nejmenší předepsaná výška, výšková norma (*the ~ of height required for recruits to the police force* minimální výška předepsaná pro policejní uchazeče); *set a high ~* mít / stanovit vysoké požadavky; *~ of living* životní úroveň; *monetary ~ 1.* ekon. měnový standard *2.* ryzost mince; *multiple ~* ekon. cenový průměr, průměrná úroveň cen; *raise the ~ of revolt* přen. zvednout prapor revoluce, hlásat revoluci; *Royal ~* královská korouhev s královským znakem; *silver ~* ryzost stříbrné mince; *tabular ~* ekon. = *multiple ~*; *~ of wages* mzdová úroveň ● *adj* **1** standardní **2** normální, obvyklý, běžný; typický, průměrný **3** normalizovaný; předepsaný **4** uznávaný, autoritativní, klasický (*~ biography*) **5** zahr. volně rostoucí nepřivazovaný, netvarovaný **6** ovoce, zelenina nikoli prvotřídní, horší jakosti, druhořadý, konzumní **7** zahr. stromkový (*~ rose*) **8** psací stroj kancelářský **9** kryptogram zachovávající abecední pořádek ◆ *~ atmosphere* let. normální / srovnávací atmosféra; *~ author* literární klasik; *~ bread* BR obyčejný anglický chléb, bílý chléb; *~ broadcast* sděl. tech. rozhlas na středních vlnách; *~ candlemeter* fyz. lux jednotka osvětlení; *~ compass* námoř. hlavní kompas; *~ deviation* směrodatná odchylka ve statistice; *S~*

English spisovná angličtina; ~ *film* normální film, klasický formát filmu 35 mm široký; ~ *gauge* žel. normální rozchod kolejí; ~ *grades* normalizované / normální / standardní jakosti zboží; ~ *hour* normovaná hodina, normohodina; ~ *inks* polygr. normální barvy pro barvotisk: žlutá, purpurová, azurová; ~ *lamp* BR stojanová / stojací lampa, stolní lampa; ~ *measure* normální / základní míra; ~ *model* standardní model, sériový model; ~ *patch* námoř. dřevěná konstrukce, kterou se prozatímně ucpává díra do lodi způsobená nehodou; ~ *rate* normální / základní daňová sazba; ~ *silver* mincovní stříbro; ~ *size 1.* normální velikost *2.* normalizovaná velikost; ~ *stock* normální filmový materiál; ~ *time 1.* pásmový čas *2.* úřední čas *3.* normovaný čas na vykonání určité práce; ~ *trajectory* voj. teoretická dráha letu střely; ~ *unit* mincovní jednotka; ~ *weight* předepsaná zákonná hrubá váha, stříž mince ● *v* **1** zjistit ryzost např. zlata **2** stanovit zrno v minci

standard-bearer [ˈstændədˌbeərə] **1** voj. korouhevník, praporečník **2** hist. praporčík **3** přen. přední pracovník, hlasatel, průkopník, praporečník; vůdce (*the ~ of a political party*)

standard-bred [stændədbred] AM týkající se plemene závodních klusáků

standardization [ˌstændədaiˈzeišən] **1** ustalování, ustálení, normování, normalizování, normalizace, standardizování, standardizace **2** chem. faktorování, titrace **3** cejchování ◆ ~ *committee* normalizační výbor

standardize [stændədaiz] **1** ustalovat, ustálit, normovat, normalizovat, standardizovat **2** chem. faktorovat odměrné roztoky, titrovat **3** cejchovat

standard-wing [stændədwiŋ] zool. *Semioptera wallacii* druh rajky

standby [stæn*d*bai] *s pl: standbys* [stæn*d*baiz] **1** spolehlivý pomocník n. přívrženec, opora **2** co / kdo nikdy nezklame, co je vždy účinné, čeho lze vždy použít **3** vděčné téma **4** obvyklá výpomoc **5** záloha, rezerva, co je schováno pro strýčka Příhodu, koho / čeho lze použít v případě potřeby **6** náhražka **7** tech. pomocný / rezervní přístroj ● *adj* **1** rezervní, záložní, připravený pro případ potřeby, náhradní (~ *pilot*) **2** vedlejší ◆ *S~ Reserve* AM voj. všeobecná záloha

standee [stænˈdi:] *s* **1** zejm. AM kdo stojí např. v autobuse n. divadle, stojící cestující, divák na místě k stání **2** autobus n. vlak, kde je mnohem více míst k stání než k sezení ● *adj* hromadný dopravní prostředek mající mnohem více míst k stání než k sezení

stand-in [ˌstændˈin] **1** film. statista, technikář zastupující herce při osvětlování scény; dvojník, dubl zastupující herce při nebezpečném záběru **2** náhradník ◆ *have a (good) ~ with a p.* mít to dobré u koho

standing [stændiŋ] *s* **1** trvání **2** (dobré) postavení ve společnosti; dobrá pověst, vliv; situovanost **3** kvalifikace (*postgraduate ~*), místo ve služebním postupu, služební léta **4** místo, pozice, umístění (*improved their ~ in the baseball league* zlepšili si své umístění v baseballové lize) **5** místo k stání; stanoviště **6** zeměd. stání **7** v. *stand, v* ◆ *of long ~ 1.* trvající už dlouho, starý, dávný (*a debt of long ~* starý dluh) *2.* pevně zakořeněný (*a custom of long ~* pevně zakořeněný zvyk) ● *adj* **1** stálý (~ *army*); pevný, zavedený (~ *rule* pevné pravidlo) **2** obvyklý (*a ~ dish* ... pokrm), osvědčený, starý, klasický (*a ~ joke*) **3** zastavený, nepracující, nečinný, zahálející **4** stojatý (~ *water*), nepohyblivý (~ *barrage*), fixní **5** svislý (~ *gutter*) **6** v. *stand, v* ◆ *all ~* námoř. s plnými plachtami, se vším v provozu, se vším, čeho lze použít k danému účelu; ~ *backstay* námoř. zadní stěh, parduna; ~ *bevel* tupý úhel rovin n. přímek; ~ *charges* fixní náklady; ~ *corn* obilí nastojato, neposečené obilí; ~ *jib* námoř. hlavní kosatka; ~ *jump* skok z místa; ~ *lights* námoř.: předepsaná navigační světla; ~ *order 1.* trvalý příkaz / rozkaz *2.* předplatné např. novin *3.* jednací řád; ~ *part* pevná část lana; ~ *rigging* námoř. pevné lanoví; ~ *salt* slánka; ~ *stone* archeol. menhir; ~ *time* doba stání, prostoj; ~ *vice* stolní svěrák

standing desk [stændiŋdesk] písařský pult u kterého se stojí

standing place [stændiŋpleis], **standing room** [stændiŋru:m] místo k stání např. v divadle n. dopravním prostředku

standish [stændiš] zast.: stolní kalamář, psací souprava

standoff [stændof] *s* **1** AM stání stranou, distancování se **2** vyrovnání **3** nerozhodná hra **4** ragby spojka ◆ ~ *bomb* raketa středního doletu typu vzduch–země; ~ *half* ragby spojka ● *adj* = *standoffish*

stand-offish [ˌstændˈofiš] **1** chladný, rezervovaný, udržující si odstup **2** pyšný, namyšlený, netýkavkovitý

stand-out [stændaut] AM hovor. *adj* vynikající (~ *performance*) ● *s: standout* **1** vynikající jedinec, eso **2** trvalá opozice člověk

standover [stəndəuvə] AU hovor. hrozivý n. zastrašující skutek

standpat [stæn*d*pæt] AM hovor. *adj* konzervativní, skalní ● *s* = *standpatter*

standpatter [ˈstæn*d*ˌpætə] AM hovor. konzervativec, konzerva (hovor.) odmítající změny

standpattism [ˈstæn*d*ˌpætizəm] AM hovor. konzervativnost, konzervativní / skalní názory

standpipe [stæn*d*paip] **1** svislá / stojatá trubka **2** stoupající potrubí, stoupačka **3** věžový vodojem

standpoint [stæn*d*point] **1** hledisko, stanovisko, aspekt, zřetel **2** stanoviště

stand rest [stænd*r*est] vysoká stolička
standstill [stænd*s*til] *s* **1** klid, zastavení nečinnost **2** ustálení, stabilizace **3** mrtvý bod, slepá ulička ◆ *be at / come to / reach a ~* zastavit se; *bring to a ~* zastavit ● *adj* **1** jsoucí / zůstávající v klidu **2** týkající se zastavení (*~ agreement on nuclear testing*)
stand-to [stæn*d*tu] **1** shromáždění, nástup, nastoupení na místa **2** vojenská pohotovost
stand-up [stændap] *adj* **1** stojatý, stojací (*~ collar*); mající stojánek **2** pojídaný ve stoje (*~ lunch*); konaný ve stoje, sólový (*~ comedy act* sólové komické číslo); mající pouze místa k stání (*~ bar* bufet ...) **3** čestný, podle pravidel (*a ~ fight*) **4** hovor.: boxer agresívní, ale málo pohyblivý ● *s* **1** trvanlivost, vytrvalost **2** stojan, stojánek **3** nepřijití na rande
stanhope [stænəp] **1** lehký otevřený kočár **2** též *S~ press* polygr. Stanhopův tiskařský lis
staniel [stænjəl] zool. poštolka obecná
stank[1] [stæŋk] v. *stink, v*
stank[2] [stæŋk] *s* **1** dřevěná jímka utěsněná jílem **2** BR nář. rybník ● *v* učinit vodotěsným, zejm. jílem
stannary [stænəri] BR *s* (*-ie-*) **1** důl na cín; cínová huť **2** oblast cínových dolů ● *adj* týkající se cínových dolů ◆ *~ courts* hist.: soudní dvůr pro horníky v cínových dolech v Cornwallu a Devonshiru
stannate [stæneit] chem. cíničitan, stannát
stannel [stænl] = *staniel*
stannic [stænik] chem. cíničitý ◆ *~ acid* kyselina cíničitá, hydroxid cíničitý
stanniferous [stæˈnifərəs] **1** cínonosný **2** obsahující cín
stannite [stænait] chem. cínatan
stannous [stænəs] chem. cínatý
stannum [stænəm] chem. řidč. cín
stanza [stænzə] liter. **1** strofa **2** oktáva, stance **3** slang. týden (*signed the orchestra for the last ~ in June*) ◆ *Alcaic ~* alkajská strofa; *Sapphic ~* sapfická strofa; *Spencerian ~* v. *Spencerian, adj*
stanzad [stænzəd] strofový, strofický
stanzaic [stænˈzeiik] strofický
stapes [steipi:z] *pl: stapes* [steipi:z] n. *stapedes* [steipidi:z] anat. třmínek
staphylitis [ˌstæfiˈlaitis] med. zánět čípku
staphylococcus [ˌstæfiləˈkokəs] *pl: staphylococci* [ˌstæfiləˈkoksai] biol. stafylokok(us) kulovitý mikrob tvořící hroznovité shluky a vyvolávající hnisání
staple[1] [steipl] *s* **1** skoba, skobka, skobička se dvěma hroty **2** sešívací svorka, drátek do sešívačky **3** očko petlice **4** hud. mosazná trubička obsahující plátek např. hoboje **5** též *~ pit* slepá jáma, šibík; sypný komín, sýp ◆ *~ and hasp* oko s petlicí ● *v* **1** spojit / připevnit / přibít / přibít skobou / skobami apod. **2** sešít sešívačkou *to* s
staple[2] [steipl] *s* **1** hlavní produkt / výrobek / zboží určité země n. oblasti **2** přen. hlavní téma n. myšlenka, tenor (*~ of their conversation*) **3** běžné zboží, zboží denní potřeby; kvalitní zboží, kvalitní výrobky **4** surovina, polotovar **5** středisko, skládka, sklad surovin, zboží **6** hist. tržní město, trh, tržiště se skladním právem: skupina kupců se skladním právem **7** text. vlákno; jakost vlákna **8** stříž umělá vlákna ● *adj* **1** výrobek hlavní, obvyklý, obvykle vyráběný; zboží běžný **2** přen. hlavní, základní (*~ subjects of conversation*) **3** tržní; skladní
stapler [steiplə] **1** velkoobchodník s hlavními plodinami **2** třídič vlny podle délky vláken, staplovací přístroj **3** = *stapling machine*
stapling machine [ˈsteipliŋməˌši:n] **1** sešívací strojek, kancelářská sešívačka **2** polygr. drátovka, stroj na šití drátem
star [sta:] *s* **1** hvězda nebeské těleso; předmět připomínající hvězdu, často jako symbol, znak, odznak apod. (*sheriff's ~* šerifská hvězda); vynikající osobnost (*the films create ~s out of young actors and actresses* filmy dělají z mladých herců a hereček hvězdy); bílá skvrna na čele koně; zast.: planeta jako symbol životního údělu, osud; též hvězd., herald.; hvězdice **2** hvězdička knižní značka (*); značka jakosti (*his book could hardly rate three ~s for juvenile reading* jeho knížka je sotva tříhvězdičkové čtení pro mládež) **3** *~s, pl* šťastná hvězda, osud, štěstí (*you may thank your ~s you were not there*) **4** *~s, pl* horoskop např. v časopise **5** *~s, pl* hvězdičky, kola, kruhy, mžitky před očima **6** přen. zlatý hřeb, hlavní atrakce, hlavní magnet (*the ~ of an exhibit* zlatý hřeb výstavy) **7** elektr. hvězdicové spojení **8** též *~ cut* hvězdovec, hvězdicový výbrus drahokamu **9** též *~ facet* trojúhelníková ploška brilantu **10** hvězdovec brilant **11** BR kulečník: koupená příležitost ke hře pro promarnění svých tří příležitostí **12** BR nováček ve věznici poprvé odsouzený **13** miner. asterismus drahokamu; drahokam s asterickým jevem **14** zool. hvězdice **15** zool.: druh kolibříka z rodu *Calothorax* **16** sport. star třída plachetnic ◆ *battle ~* voj.: americké válečné vyznamenání; *~ of Bethlehem 1.* bibl. betlémská hvězda *2.* bot. snědek, zejm. snědek chocholičnatý; *binary ~* hvězd. fyzická dvojhvězda; *cluster ~* hvězd. člen hvězdokupy, hvězda hvězdokupy; *~ of David* Davidova hvězda, židovská hvězda; *~ of day* = *morning ~*; *double ~* hvězd. dvojhvězda; *dwarf ~* hvězd. trpaslík; *evening ~* večernice; *~ in one's eye* přen. růžové brýle (*an enamoured girl with ~s in her eyes* zamilovaná dívka, dívající se na svět růžovými brýlemi); *falling ~* padající hvězda (hovor.), létavice, meteor; *fixed ~* stálice; *follow one's ~* jít za svou šťastnou hvězdou; *giant ~* hvězd. obří hvězda, obr; *S~ of India* hist. řád Indické hvězdy britské vyznamenání za zásluhy v Indii; *literary ~* hvězda na literárním nebi; *morning ~* jitřenka, denice; *multiple ~* hvězd. několikasložková hvězda; *my ~s!* hovor. páni! nebesa! výkřik údivu; *North ~* polárka; *observed ~* hvězd. sledovaná n. pozorovaná hvězda; *polar ~* polár-

ka; *see ~s* vidět hvězdičky po úderu (*he saw ~s* zajiskřilo se mu v očích), slyšet andělíčky zpívat (*I see ~s* též dělají se mi mžitky před očima); *his ~ had set* jeho hvězda zhasla / zašla; *shell ~* hvězd. hvězda s obalem, obal hvězdy; *shooting ~* létavice, meteor; *stable ~* hvězd. stabilní hvězda; *S~s and Stripes* hvězdnatá vlaka státní vlajka Spojených států amerických; *triple ~* hvězd. trojhvězda; *unlucky ~* nešťastná hvězda n. planeta ● *adj* **1** hvězdicový, hvězdicovitý, hvězdovitý **2** hlavní, největší (*~ attraction*); vynikající (*~ athlete*) **3** týkající se hvězd zejm. filmových ◆ *~ aniseed 1.* hvězdový anýz, hvězdičkové koření, badyán *2.* voj. slang. pečené fazole; *~ billing* jméno herce jako samostatný titulek v úvodu filmu; *S~ Chamber* hist. Hvězdicová komora soudní dvůr zrušený r. 1641; *~ circuit* elektr. spojení do hvězdy; *~ cloud* hvězd. hvězdný oblak; *~ cluster* hvězd. hvězdokupa; *~ finder* hvězd. hledáček dalekohledu; *~ flight* let. hvězdicový let; *~ forecast* horoskop; *~ formation* vznik hvězd n. tvoření hvězd; *~ performance* představení s prvotřídním obsazením; *~ sapphire* asterický safír; *~ shake* hvězdicovitá trhlina ve dřevě; *~ shell* osvětlovací střela; *~ shower* déšť létavic / meteorů; *~ system* div. systém hvězd organizace divadelního života, při níž soubor tvoří jedna n. dvě hvězdy a řada průměrných herců; *~ thistle* bot. sikavice červená; *~ turn* zlatý hřeb, hlavní atrakce, hlavní magnet; *~ wheel 1.* hvězdicové kolo, hvězdice *2.* rohatka *3.* řetězové kolo ● *v* (*-rr-*) **1** proměnit ve hvězdu (*a mighty archer ~red by the gods* mocný lukostřelec proměněný bohy ve hvězdu) **2** ozdobit, posít (jako) hvězdami / hvězdičkami **3** hvězdovitě popraskat; tvořit hvězdovité kresby **4** označit hvězdičkou jako značku důležitosti n. kvality (*a monument ~red in the guidebook*); dát, udělat hvězdičku k **5** polygr. vyplnit hvězdičkami **6** za|zářit jako hvězda; vyniknout, upozornit na sebe, mít vynikající úspěchy (*the author ~red as journalist, novelist, and playwright*) **7** uvádět jako filmovou hvězdu, dát hlavní roli komu (*the movie ~s a famous stage personality* hlavní roli ve filmu hraje slavná divadelní herecká osobnost); hrát hlavní roli (*~ in two pictures a year*) **8** div. vystoupit pohostinsky v hlavní roli **9** BR kulečník koupit si právo k další hře

star apple [ˈsta:ˌræpl] bot. **1** *Chrysophyllum cainito* druh tropického stromu **2** plod tohoto stromu

starboard [sta:bəd] *s* pravý bok, pravobok, pravá strana podélné osy lodi n. letadla ve směru pohybu ● *adj* pravý, pravoboční, na pravé straně ● *adv* napravo, vpravo, na pravou stranu, k pravé straně, z pravé strany ● *v* **1** otočit / stáčet se doprava, pohybovat se doprava **2** vyložit v pravobok kormidlo ◆ *~ the helm!* námoř. kormidlo vpravo! povel

starch [sta:č] *s* **1** škrob, též chem. **2** *~es, pl* potraviny s velkým obsahem škrobu **3** přen. upjatost, odměřenost, rezervovanost, škrobenost **4** AM slang. elán, energie ◆ *white potato ~* bramborový škrob ● *v* **1** na|škrobit **2** zast. přilepit škrobem **3** též *~ up* přen. učinit škrobeným ● *adj* **1** škrobový **2** řidč. upjatý, odměřený, škrobený ◆ *~ paper* škrobový papírek; *~ powder* škrobová moučka

star-chamber [ˈsta:ˌčeimbə] **1** hist. týkající se *Star Chamber* **2** nespravedlivý, zneužívající práva, svévolný, despotický **3** zasedání tajný, uzavřený ◆ *~ proceedings, pl* kabinetní justice

star chart [sta:ča:t] mapa hvězdné oblohy

starched [sta:čt] **1** upjatý, odměřený, formální, rezervovaný, škrobený **2** v. *starch, v*

starchedness [sta:čidnis] = *starchness*

starch gum [sta:čgam] chem. dextrin

starchiness [sta:činis] **1** škrobovost, škrobovitost **2** tvrdohlavost **3** = *starchness*

starchness [sta:čnis] **1** na|škrobenost **2** upjatost, odměřenost, formálnost, rezervovanost, škrobenost

starch-reduced [ˈsta:čriˌdju:st] potraviny se sníženým obsahem škrobu

starchy [sta:či] (*-ie-*) **1** škrobový, škrobovitý **2** na|škrobený **3** upjatý, odměřený, formální, rezervovaný, škrobený **4** tvrdohlavý

star-crossed [sta:krost] narozený na nešťastné planetě, pronásledovaný osudem

stardom [sta:dəm] **1** postavení, charakter umělecké n. sportovní hvězdy, svět hvězd (*gathered from the ~ of European centres*)

star drift [sta:drift] hvězd. vlastní pohyb skupin hvězd, hvězdný proud

stardust [sta:dast] **1** hvězd. kosmický prach **2** neodb. hvězdný prach, hvězdný mrak, hvězdná mlhovina **3** přen. romantika, sentimentálnost, romantické / sentimentální názory

stare [steə] *v* **1** dívat se upřeně / dlouho *at* / *upon* na **2** otvírat oči, vy|valit oči, vy|třeštit oči, zírat **3** civět, čučet, zírat tupě **4** jevit se, zračit se; bít do očí **5** přivést upřeným pohledem do určitého stavu **6** vlasy ježit se **7** peří čepýřit se ◆ *~ out of countenance = stare down; ~ dumb* umlčet dlouhým / upřeným pohledem; *~ a p. in the face 1.* bít do očí komu (*the fact ~s in the face*) *2.* být / ležet před nosem koho / komu (*You are looking for the key? It's staring you in the face*) *3.* bezprostředně hrozit (*ruin ~d him in the face*); *make a p. ~* udivit koho, způsobit, že kdo vyvalí oči; *~ into silence = ~ dumb* ***stare down*** přivést dlouhým / upřeným pohledem do rozpaků ◆ *~ up and down* prohlížet si dlouze / upřeně od hlavy až k patě, přejíždět pohledem ***stare out*** dívat se na upřeně tak dlouho, až odvrátí oči ● *s* **1** dlouhý / upřený / tupý pohled se široce otevřenýma očima **2** vyvalené oči

starfinch [sta:finč] zool. rehek zahradní

starfish [sta:fiš] *pl* též *-fish* [-fiš] zool. hvězdice

stargaze [ˈsta:ˌgeiz] **1** dívat se na hvězdy, pozorovat hvězdy **2** snít, snivě přemýšlet

stargazer [ˈsta:ˌgeizə] **1** žert. hvězdičkář hvězdář **2** astrolog **3** zool. *Astroscopus* mořská ryba **4** roztržitý, zasněný člověk

stargazing [ˈsta:ˌgeiziŋ] **1** žert. hvězdaření **2** snění, bloumání, zasněnost, roztržitost

staring [steəriŋ] *adj* **1** nepříjemně nápadný (*a ~ tie*), křiklavý (*~ red*) **2** vytřeštěný (*~ eyes*) **3** v. *stare, v* ● *adv* úplně, dočista, naprosto ◆ *stark ~ mad* úplně cvok

stark [sta:k] *adj* **1** úplný, naprostý, totální, absolutní, čirý, holý (*~ madness* úplné šílenství) **2** úplně nahý **3** tuhý, ztuhlý (*~ with cold*) **4** tuhý, pevný, tvrdý, přísný (*~ discipline*) **5** pustý, prázdný, holý, nehostinný (*the terrain has been rendered even more ~ by deforestation* po vykácení lesa se stala krajina ještě nehostinější) **6** tvrdý, chladný, věcný (*the ~ realism of the torture scenes* věcný realismus scén mučení), strohý (*a ~ description of a very gracious movement*) ● *adv* **1** úplně, dočista, totálně, absolutně (*~ crazy* totálně zcvoklý) **2** nář. silně, mocně

starkers [sta:kəz] slang. **1** úplně nahatý **2** úplně zcvoklý, šílený

stark-naked [ˈsta:kˌneikid] úplně nahý

starless [sta:lis] jsoucí bez viditelných hvězd, bezhvězdný (*a ~ night*)

starlet [sta:lit] **1** hvězdička **2** mladá začínající filmová herečka, hvězdička

starlight [sta:lait] *s* svit hvězd, světlo hvězd ● *adj* **1** týkající se světla n. svitu hvězd **2** noc hvězdnatý

starlike [sta:laik] **1** připomínající hvězdu, hvězdový, hvězdovitý **2** zářící, třpytící se

starling[1] [sta:liŋ] zool. špaček ◆ *American ~* vlhovec; *European ~* špaček obecný

starling[2] [sta:liŋ] jehlová / pilotová ochrana kolem pilíře mostu, ledolam mostního pilíře

starlit [sta:lit] osvětlený pouze svitem hvězd, hvězdnatý

starquake [sta:kweik] hvězd. série rychlých změn ve tvaru hvězdy

starriness [sta:rinis] **1** hvězdnatost **2** charakter hvězdy

starry [sta:ri] (*-ie-*) **1** hvězdnatý, plný hvězd (*~ night*), hvězdný (*~ light*) **2** hvězdicový, hvězdicovitý **3** třpytící se, zářící jako hvězdy (*~ with gold and gem* zářící zlatem a drahokamy) **4** jsoucí ve hvězdách, sahající ke hvězdám **5** s velkým počtem hvězd mezi účinkujícími **6** prahnoucí po slávě hvězd

starry-eyed [ˌsta:riˈaid] **1** mající zářící oči **2** zasněný, romantický, nepraktický, nereálný; přehnaně optimistický, mající růžové brýle (přen.) (*~ advocates of world government in our time*)

star-spangled [ˈsta:ˌspæŋgld] posetý hvězdami, hvězdnatý ◆ *S~ Banner* hvězdnatá vlajka státní vlajka, státní hymna Spojených států amerických

starstone [sta:stəun] drahokam s asterismem

star-studded [ˈsta:ˌstadid] **1** plný hvězd, posetý hvězdami **2** plný uměleckých hvězd, nabitý hvězdami, jsoucí s prvotřídním obsazením

start [sta:t] *v* **1** trhnout sebou, škubnout sebou (*he ~ed at the sound of my voice*) **2** probudit se, vzbudit se náhle, vytrhnout se ze spánku, zamyšlení **3** vyskočit např. leknutím (*everywhere men and women ~ed from their beds at the shots*) **4** leknout se, vyděsit se a trhnout sebou (*she never ~s or shows surprise*) **5** zast. poplašit, poděsit **6** vy|řinout se, vytrysknout, tryskat, vy|prýštit náhle / prudce (*blood ~ing from the wound* krev řinoucí se náhle z rány); vhrknout, vhrnout se (*tears ~ed to her eyes* slzy ji vhrkly do očí) **7** vyplašit (*~ a hare …* zajíce) **8** šíp náhle dostat jiný směr **9** začít, počínat, začít dělat, dát se do (*it ~ed raining* dalo se do deště); dát se do toho; vypuknout (hovor.) (*the party ~s at 9.00*) **10** jmout se *to do/doing a t.* do (*~ed studying music at the age of three, ~ to load the truck*), zahájit (*they ~ed the meeting with cocktails*) **11** začít dělat *on* co, spustit co, pustit se do (*~ on a business enterprise* pustit se do obchodního podniku) **12** začít šroubovat šroub, začít vrážet hřebík **13** vydat se na cestu, vyrazit (*we must ~ early*), od|jet, od|letět *for* kam (*he ~ed for India last week*) **14** dát se do pohybu (*at last the bus ~ed*), rozjet se (*the train ~ed with a jolt* vlak se s hrknutím rozjel) **15** vypravit vlak **16** vylít, vyprázdnit, vysypat ze sudu; přelít, přesypat **17** načít (*~ a fresh loaf of bread* načít čerstvou veku chleba); narazit, otevřít (*~ a new keg of beer* narazit nový soudek piva) **18** zavést řeč na, nadhodit téma (*~ed a subject*), vznést námitku **19** přimět *a p.* koho *doing* k činnosti, způsobit, že kdo začne dělat co (*this news ~ed me thinking* tato zpráva mě přiměla k přemýšlení, *smoke ~ed her coughing* kouř ji rozkašlal) **20** vyvolat v život **21** otevřít si obchod (*~ a millinery shop* otevřít si obchod s dámskými klobouky) **22** opatřit si, pořídit si (*~ a yacht*) **23** postavit na vlastní nohy koho, pomoci na nohy komu **24** přijmout zaměstnance, zaměstnat pro počátek (*the station ~ed him as a news announcer* stanice ho přijala jako hlasatele zpráv) **25** zavést (*~ed the custom many years ago* zavedli ten zvyk před mnoha léty), založit (*~ a college*), být / stát se zakladatelem čeho (*~ed the modernist movement in art*); začít vydávat (*~ a newspaper*) **26** pustit do oběhu, rozšířit (*~ed a story that his opponent was a crook* rozšířil fámu, že je jeho soupeř podvodník) **27** uvést do chodu (*~ a clock after winding* uvést hodiny po natažení do chodu), spouštět, natáčet motor, protočit, roztočit vrtuli, nastartovat auto **28** motor naskočit, stroj rozběhnout se **29** uvolnit | se, vyviklat | se (*the planks have ~ed* prkna se uvolnila, *the damp has ~ed the timbers* trámy se vlhkem vyviklaly) **30** popustit, uvolnit, povolovat (*~ a rope* popustit lano) **31** zvednout kotvu **32** polygr. řidč.: knižní blok rozjet se, rozlézt se, uvolnit se **33** nář. vyvést z míry **34** vy|pěstovat malé n. mladé (~ *seedlings* ... sazenice, ~ *chicks* ... kuřata), vy|cvičit psa **35** sport. odstartovat závod **36** sport. přihlásit ke startu (*plans to ~ the horse in only a few races this year*) **37** sport. stavět, postavit, nominovat hráče **38** na|stoupit jako hráč (*despite his injury, he will ~ in the centre field* přes své zranění nastoupí jako střední útočník) ◆ ~ *agitation* AM hovor. bouřit, podněcovat nepokoje; ~ *a baby* hovor. už být v tom otěhotnět; ~ *the ball rolling* spustit to, spustit lavinu (přen.); ~ *at the beginning* začít od začátku; ~ *on a book* začít psát / číst knihu; ~ *a bulkhead* loď dostat trhlinu v přepážce; ~ *a p. in business* (pomoci) založit obchod, firmu komu, poskytnout finanční pomoc komu k zahájení obchodní činnosti; ~ *from one's chair* vyskočit ze židle; ~ *on a cigar* zapálit si doutník; ~ *down the ways* loď hnout se se skluzu při spouštění na vodu (~ *a ship down the ways* spustit loď na vodu); *his eyes were ~ing out of his head* lezly mu oči z důlků; *his eyes nearly ~ed out of his head* oči mu div nevypadly z důlků údivem; *she ~ed feeling ill* začalo jí být špatně; ~ *to one's feet* vyskočit např. ze sedu; ~ *a fire 1.* rozdělat oheň, zatopit *2.* založit požár; ~ *another hare* odvést hovor na jiné téma; ~ *an old hare* vytahovat starou historku; ~ *on a journey* vydat se na cestu, vyrazit, odcestovat; ~ *a letter* začít psát dopis; ~ *into life* začít náhle žít, být náhle živý, obživnout (*in a few short paragraphs, the characters ~ into life* stačí několik krátkých odstavců a postavy začínají žít); *now don't you ~!* hovor. nezačínej, nech si to!; *be on the point of ~ing* užuž odcházet atd.; ~ *into rage* rozvzteklit se; ~ *something* vyvolávat nepříjemnosti, něco si začínat; ~ *into song* dát se do zpěvu, začít zpívat; *to ~ with 1.* za prvé, předně, jednak (*to ~ with, we haven't enough money*) *2.* pro začátek, na začátku (*we had only six members to ~ with*) ***start aside*** kůň bočit, plašit se ***start back*** *1* odjet atd. nazpátek *2* prudce se stáhnout, ucuknout (*she ~ed back in surprise* překvapeně ucukla) ***start in*** hovor. začít dělat, pracovat ◆ ~ *in for a t.* AM hovor. začít co ***start off*** *1* dát se do pohybu, vyrazit (*the horse ~ed off at a steady trot* kůň se dal do pravidelného klusu) *2* vypravit, vyslat *3* začít program, podnik *4* program, podnik začít (*the evening ~ed off badly*) ***start over*** AM začít znova ***start out*** hovor. udělat / podniknout první kroky k, mít se k, chystat se k (~ *out to write a novel*) ***start up*** *1* začínat (*the Japanese course ~s up next week* *2* prudce vyskočit, vyletět *he ~ed up from his seat*) *3* objevit se náhle (*numerous difficulties have ~ed up* objevilo se množství obtíží) *4* nastartovat vůz *5* roztočit vrtuli ● **1** náhlé trhnutí, škubnutí bolestí, úlekem, trhavý pohyb **2** ~*s, pl* nárazová práce **3** zahájení činnosti, začátek, počátek (*the ~ of his article was good*) **4** impuls **5** začátek cesty, odchod, odjezd, odlet, výjezd **6** let. vzlet, start **7** sport. start počátek sportovního běhu n. jízdy apod.; místo, odkud se začíná závodit **8** náskok v závodu **9** spuštění, natočení motoru, start **10** rozběh, výhodné postavení, výhodná příležitost ke kariéře **11** sport. účast v závodě n. utkání, hra v utkání, závod (*finished no worse than second in his last six ~s* jeho nejhorší umístění v posledních šesti závodech bylo druhé místo), utkání **12** řidč. uvolnění, povolení **13** volný / uvolněný arch v knize; uvolněné prkno ◆ *as a ~* pro začátek; *bring a fresh ~* přinést obrat k lepšímu; *~s of fancy* vtipné nápady; *from ~ to finish* od začátku až do konce; *get the ~ of a p.* získat náskok před kým, předhonit koho; *give the car a ~* nastartovat auto (*give the car a ~ by pushing it* nastartujte auto roztlačením); *give a p. a ~ 1.* polekat, vyděsit koho, až sebou trhne *2.* pomoci při začátku komu; *housing ~s* zahájení výstavby nových bytů, bytová výstavba; ~ *in life 1.* vstup do života *2.* příležitost pro dobrou kariéru; *make a ~* vyrazit, vydat se na cestu (*we shall make an early ~ for town*); *make a fresh ~* začít znovu, začít zase od začátku; *make a new ~ in life* začít nový život; ~ *of oscillations* rozkmitání; *rum ~* hovor. překvápka, divná věc; *work by fits and ~s* pracovat nepravidelně, nárazově

starter [sta:tə] **1** kdo / co jak začíná **2** původce, iniciátor (*one of the ~s of the scientific revolution* jeden ... vědecké revoluce) **3** zejm. AM výpravčí vlaku, autobusu apod. **4** sport. startér **5** první chod, předkrm **6** motor. spouštěč, startér **7** kvásek, zákvas **8** kus plástu v rámku úlu **9** chem. iniciátor **10** startující v závodě n. soutěži; závodník; kůň **11** výživný přípravek podporující prudký růst např. telat **12** AM liftboy; šéf liftboyů **13** AM sport. nadhazovač v baseballu **14** BR předkrm ◆ *as a ~ / for a ~* pro začátek, do začátku, jako začátek; *under ~'s orders* sport. připraven ke startu

starting [sta:tiŋ] **1** začáteční, počáteční; začínající, zahajující; výchozí **2** spouštěcí **3** startovací **4** v. *start, v* ◆ ~ *age* přijímací věk do školy, školní věk; ~ *block* sport. startovní blok; ~ *box 1.* spouštěč motoru *2.* elektr. spouštěcí odpor / reostat; ~ *cable* let. startovací lano; ~ *crank* motor. roztáčecí klika; ~ *gear* motor. první rychlost, jednička; ~ *grid* sport. startovní plocha automobilového závodu; ~ *handle* = ~ *crank;* ~ *material* výchozí surovina, výchozí materiál; ~ *pistol* startovní pistole; ~ *point* východisko; ~ *price* konečný poměr sázek na koně před odstartováním dostihu; ~ *shot* sport. startovní výstřel; ~ *next week* od příštího týdne

starting gate [sta:tiŋgeit] dostihy startovní stroj

starting post [sta:tiŋpəust] dostihy startovní čára, místo startu, start

startle [sta:tl] *v* **1** nepříjemně překvapit **2** po|plašit | se, vyplašit | se, po|děsit | se, vyděsit | se, po|lekat | se, vylekat | se **3** vyrušit | se, vyburcovat | se (*~d out of one's sleep*) **4** přimět překvapením / poděšením *into* udělat / *to* k ◆ *be ~d* též divit se; *~ a t. out of a p.'s mind* vyhnat překvapením komu z hlavy co, vylekat koho tak, že zapomene na / pustí z hlavy co ● *s* **1** poplašení, překvapení, šok **2** lekavost

startler [sta:tlə] **1** co / kdo překvapí, překvapení **2** překvapivá věc, překvapivá zpráva, bomba

startling [sta:tliŋ] **1** překvapivý **2** poplašný, alarmující; hrozivý **3** v. *startle, v*

start-up [sta:tap] **1** zavedení do výroby **2** spuštění reaktoru

starvation [sta:ˈveišən] **1** vy|hladovění **2** smrt hladem ◆ *~ wages* hladové mzdy

starve [sta:v] **1** umřít hladem / hlady **2** hladovět, mít hlad, trpět hladem kritickým **3** trpět velkou nouzí, velice strádat, třít bídu **4** hovor. umírat / padat hlady mít hlad **5** přimět vyhladověním *into* k (*they tried to ~ the garrison into surrender* snažil se vyhladovět posádku a tím ji donutit, aby se vzdala) **6** vy|léčit hladovkou (*feed a cold and ~ a fever* nastuzení se léčí jídlem a horečka hladovkou) **7** dychtit, prahnout, lačnět, hladovět *for* po (*the motherless children were starving for affection* děti bez matek dychtily po lásce); trpět / za|hynout naprostým nedostatkem čeho **8** BR nář. z|mrznout **9** auto zastavit se z nedostatku benzinu **10** hasit / zdolat oheň odstraněním hořlavin ◆ *be ~d of* trpět naprostým nedostatkem čeho; *~ to death* *1.* umřít hladem / hlady *2.* nechat umřít hladem ***starve out*** vyhladovět např. posádku pevnosti

starved [sta:vd] **1** podklad nátěru savý **2** v. *starve*

starveling [sta:vliŋ] *s* kdo trpí hladem, hladovějící člověk, hladovec, hladovějící zvíře ● *adj* **1** hladový, hladovějící, hladomřivý **2** vyhladovělý, podvyživený; hubený, vyzáblý, vychrtlý **3** bědný, žalostný, ubohý

starver [sta:və] hladovkář

stash¹ [stæš] slang. **1** ulít, ulejt, schovat, zašantročit na připravené místo **2** mít ulito n. schováno **3** praštit s, nechat čeho, udělat konec čemu, zatrhnout

stash² [stæš] AM slang. knír

stasis [steisis] *pl: stases* [steisi:z] **1** městnání krve, stáze, stase (med.) **2** zácpa **3** stagnace (*achieve social and economic ~* dosáhnout sociální a ekonomické stagnace)

statant [steitənt] herald. stojící

state [steit] *s* **1** stav (*the house was in a dirty ~*) **2** duševní stav, rozpoložení **3** hovor. strašný stav, neuvěřitelný stav (*his affairs were in a ~* jeho záležitosti byly ve strašném stavu) **4** biol. stav, vývojové stadium (*the larval ~* larvální stadium) **5** fyz. stav, skupenství **6** pozice, situace, stav (*financial ~*) **7** kniž.: společenská třída, vrstva, stav (*persons in every ~ of life*); postavení; status, hodnost **8** polit. stát (*railways in Great Britain belong to the S~*) **9** vláda státu **10** *S~s, pl* hovor. Spojené státy severoamerické **11** *S~s, pl* zákonodárná moc v Guernsey, Jersey a Alderney **12** *~s, pl* hist. stavy, stavové **13** *S~s, pl* hist. Spojené nizozemské provincie, Holandsko **14** zast. trůn **15** zast. baldachýn, nebesa **16** zast. pódium, podstavec trůnu **17** přiměřený přepych, nádhera, okázalost; přepychový způsob života **18** ušlechtilé držení těla, vznosnost **19** dílčí náklad knihy **20** jaz. podoba, tvar **21** BR voj. hlášení o stavu vojska **22** výtv. stadium, stav rytiny, tisk z grafické desky v určitém stavu ◆ *~ of affairs* situace, poměry; *~ of the art* též stav techniky; *buffer ~* polit. nárazníkový stát; *carriage of ~* královský kočár; *chair of ~* trůn; *S~s of the Church* hist. papežské státy; *Department of S~* AM státní department, ministerstvo; *~ of emergency* *1.* výjimečný stav *2.* voj. pohotovost; *S~'s evidence* AM korunní svědek svědčící proti spolupachatelům; *~ of facts* práv. skutková podstata, stav, povaha; *I am not in a fit ~ to travel* já nejsem schopen cesty ze zdravotních důvodů; *free ~* AM hist. stát, ve kterém bylo zrušeno otroctví; *now don't get into a ~* hovor. nevzrušuj se, nerozčiluj se, neznervózňuj se; *~ of grace* náb. stav milosti posvěcující; *~ of happiness* pocit štěstí; *~ of a p.'s health* zdravotní stav koho; *~ of the imposts* poplatnost, bernictví; *in ~* též *1.* podle protokolu, oficiálně, se všemi poctami s veškerou pompou (*the President was received in ~*) *2.* v gala, ve slavnostní uniformě; *in a ~ of intoxication* v podnapilém stavu; *lie in ~* zesnulý být vystaven ke vzdání poslední pocty; *liquid ~* kapalné skupenství; *live in ~* žít na velké noze; *maternity ~* těhotenství; *~ of mind* duševní rozpoložení; *in a ~ of nature* *1.* v původním n. přirozeném stavu, necivilizovaný, nezkrocený *2.* nahý *3.* náb. ve stavu hříchu; *of ~* *1.* státní (*affairs of ~*) *2.* formální, oficiální, královský (*robe of ~* oficiální plášť); *~ of readiness* stav pohotovosti, pohotovost; *~ of repair* zachovalost, potřebnost opravy např. budovy; *~ of rest* klid; *~s' rights* AM polit. individuální práva amerických států zajištěná ústavou; *riparian ~* pořiční stát; *people in a savage ~* dosud primitivní lidé, necivilizovaní lidé, divoši; *Secretary of S~* *1.* BR ministr *for* čeho *2.* AM ministr zahraničí; *sit in ~* *1.* sedět na trůně *2.* přen. trůnit; *slave ~* AM hist. otrokářský stát; *solid ~* fyz. pevné skupenství; *stationary ~* fyz. v. *stationary, adj*; *succession ~* nástupnický stát; *~ of things* situace, poměry (*here's a nice / pretty ~ of things* iron. no tady to ale pěkně vypadá); *S~ of the Union message* AM polit. každoroční zpráva o stavu Unie podávaná prezidentem; *~ of war* válečný stav; *what a ~ you are in* ty ale vypadáš ● *adj* **1** státní **2** oficiální, úřední, **3** politický (*~ criminal, ~ prisoner …* vězeň) **4** reprezentační (~ *apartments*); slavnostní ◆ ~ *aid* státní subvence; ~ *attorney* = *State's Attorney;* ~ *ball* oficiální ples; ~ *call* hovor. státní / oficiální návštěva; ~ *capitalism* státní kapitalismus; ~ *car* žel. královský vůz / vagón, prezidentský vůz / vagón; ~ *carriage* královský kočár; ~ *coach* přepychový autokar; ~ *coat of arms* státní znak; ~ *colours* státní barvy; ~ *control* státní kontrola, státní dozor, zestátnění (*bring an industry under ~ control* zestátnit určitý průmysl); ~ *documents* státní listiny; ~ *enterprise* státní podnik, národní podnik; ~ *farm* státní statek; ~ *flower* AM státní květina; ~ *function* fyz. stavová funkce; ~ *legislature* státní legislatura jednotlivého státu; ~ *machinery* státní aparát, státní správa; ~ *ownership* státní vlastnictví (*transfer to ~ ownership* zestátnit, postátnit); ~ *paper* státní dokument; ~ *prison 1.* státní vězení *2. S ~ prison* AM káznice; ~ *service* státní služba; ~ *socialism* státní socialismus nerevoluční; ~ *taxation* AM státní daně zdanění ve prospěch federovaných států USA; ~ *trial 1.* politický proces např. pro vlastizradu *2.* proces, ve kterém hrají důležitou roli otázky ústavního n. mezinárodního práva ● *v* **1** jasně říci, oznámit, prohlásit, vyjádřit **2** rozhodně tvrdit (*he ~d positively that he had never seen the accused man* kategoricky tvrdil, že obžalovaného nikdy předtím neviděl) **3** poznamenat, zmínit se **4** uvést (~ *full particulars* uvést všechny podrobnosti), specifikovat (*this condition was expressly ~d*); formulovat **5** popsat, vy|líčit, vysvětlit (~ *the problem in full*); přednést, vypočítat, vyčíslit **6** zjistit, shledat, konstatovat **7** předem určit, stanovit (*no precise time was ~d*) **8** vyjádřit matematicky **9** hud. přinášet, přednést (*the opening measures of the first movement where the horns ~ the first theme* úvodní takty první věty, kde lesní rohy přednášejí první téma) ◆ *he is ~d to have said* podle oficiální zprávy řekl, prý řekl, prý prohlásil; ~ *account* podat účetní zprávu; ~ *one's case 1.* žalobce přednést žalobu *2.* obžalovaný přednést obhajobu; ~ *a t. in one's defence* uvést na svou obhajobu; ~ *one's opinion* říci otevřeně svůj názor / své minění

state-aided [ˈsteitˌeidid] subvencovaný státem

state cabin [ˈsteitˌkæbin] námoř. **1** reprezentační kajuta; soukromá kajuta majitele lodi, luxusní kajuta **2** kajuta pro pasažéry na obchodní lodi

state-controlled [ˈsteitkənˌtrəuld] jsoucí pod státní kontrolou, státem řízený, státní (*French ~ television*)

statecraft [steitkra:ft] **1** státnictví **2** politika, diplomacie; politické řemeslo **3** zast. politikaření

stated [steitid] **1** stanovený, určený **2** zejm. AM pravidelný **3** zejm. AM řádný, oficiální (*a ~ meeting*) **4** v. *state, v*

State Department [ˌsteitdiˈpa:tmənt] AM ministerstvo zahraničí

statedly [steitidli] pravidelně

statehood [steithud] polit. **1** postavení státu **2** státnost, suverenita zejm. jednotlivých států USA

statehouse [steithaus] *pl: -houses* [-hauziz] AM legislativní budova státu

stateless [steitlis] **1** jsoucí bez státní příslušnosti (~ *persons*) **2** jsoucí bez státu (*a ~ society*)

stateliness [steitlinis] vznešenost, velkolepost, vznosnost, majestátnost

stately [steitli] (*-ie-*) *adj* vznešený, velkolepý, majestátní, vznosný, impozantní (*a ~ palace*) ● *adv* vznešeně, velkolepě, majestátně, vznosně, impozantně

stately home [ˈsteitliˌhəum] BR zámek zejm. přístupný veřejnosti

statement [steitmənt] **1** prohlášení; oznámení, vyjádření **2** tvrzení, údaj, udání; konstatování **3** zpráva **4** výpověď, též log. **5** rozhodnutí *on* čeho / o, určení, stanovení čeho **6** práv. řeč, projev **7** úřední výklad, referát, expozé v parlamentě **8** přehled, výtah, výkaz; bilance **9** specifikace, formulace **10** soupis, seznam (~ *of goods*) **11** hud. téma, motiv přednesený nástrojem ◆ ~ *of account 1.* výpis z účtu *2.* vyúčtování; ~ *of the bank 1.* hlášení banky *2.* výpis z účtu; ~ *of claim* práv. *1.* prohlášení návrhu *2.* civilní žaloba, obžalovací spis; ~ *of cost* vyúčtování nákladů; ~ *for the defence* práv. obhajovací řeč, žalobní odpověď; ~ *of defence* obhajovací spis; *detailed ~* podrobný výkaz, specifikace; *disprove a ~* dokázat nepravdivost tvrzení; *financial ~ 1.* finanční výkaz, účetní závěrka *2.* BR zpráva ministra financí o stavu rozpočtových příjmů a výdajů; ~ *of general average / general average ~* námoř. dispaš, rozvrh škod ze společné havárie, havarijní protokol; *make a ~ 1.* učinit prohlášení, prohlásit *2.* učinit výpověď, vypovídat; ~ *under oath* = *sworn ~; formal ~ of policy* polit. zásadní politické prohlášení, vyhlášení oficiálního politického programu; *price ~* cenová kalkulace; ~ *for the prosecution* práv. obžalovací řeč, řeč prokurátora; *sworn ~* přísežné prohlášení, výpověď pod přísahou; ~ *of value* udání ceny; *verbal ~* ústní vyjádření, ústní výpověď; *written ~* písemné vyjádření, písemná výpověď

state-monger [ˈsteitˌmaŋgə] hist. politikář, rádobypolitik

state-of-the-art [ˌsteitəvði:ˈa:t] **1** neexperimentální, nevývojový, známý po technické stránce, zavedený **2** vývojový, nejmodernější, v současné době nejlepší

state paper [ˈsteitˌpeipə] **1** oficiální n. diplomatický dokument **2** *~s, pl* státní listiny

stater [steitə] antic. statér řecká stříbrná n. zlatá mince

stateroom [steitru:m] **1** reprezentační pokoj n. sál **2** námoř. reprezentační kajuta, luxusní kajuta; soukromá kajuta **3** AM žel. soukromé kupé s lůžky **4** žel. vládní salónek na nádraží

state-run [steitran] státní, zestátněný
State's Attorney [ˌsteitsəˈtə:ni] AM státní návladní / zástupce / žalobce, státní prokurátor
stateside [steitsaid] AM do n. ze Spojených států
statesman [steitsmən] *pl: -men* [-mən] **1** státník **2** politik **3** nář. malý sedlák obdělávající vlastní půdu ◆ *elder* ~ zkušený, uznávaný politik; *Elder Statesmen* hist. političtí poradci japonského císaře, genro
statesman-like [steitsmənlaik] **1** státnický **2** politicky prospěšný
statesmanship [steitsmənšip] **1** státnictví, státnické vlastnosti n. schopnosti, státnická činnost (*forgot* ~ *and embraced politics* zapomněl na státnickou činnost a věnoval se politice) **2** politika, politické vedení
statewide [steitwaid] *adj* celostátní ● *adv* celostátně
static [stætik] *adj* **1** klidný, nehybný, neměnný, jsoucí v klidu, statický **2** fyz., elektr., tech. statický **3** stálý, stabilní, ve stabilní poloze; pevný, pevně instalovaný **4** anat. týkající se statického ústrojí, statický **5** elektr. týkající se statické elektřiny, statický **6** sděl. tech. atmosférický, statický; týkající se atmosférických poruch ◆ ~ *ataxia* med. statická ataxie porušení koordinace pohybů projevující se nemožností klidně stát; ~ *electricity* fyz. statická elektřina; ~ *equilibrium* fyz. statická rovnováha; ~ *field* fyz. statické pole, elektrostatické pole; ~ *line* let. otvírací lano padáku; ~ *machine* fyz. elektrika; ~ *pressure* tech. statický tlak; ~ *standard* neměnná / základní / srovnávací norma; ~ *water* vod. voda v nádrži pro vodovod bez čerpadel ● *s* **1** též ~*s, sg* fyz. statika část mechaniky, která se zabývá mechanikou sil **2** fyz. statická elektřina, atmosférická elektřina **3** ~*s, pl* praskání poruchy v signálu zaviněné statickou elektřinou gramofonové desky; atmosférické poruchy rádiového signálu
statical [stætikəl] = *static, adj*
statice [stætisi] bot. trávnička, trávnička přímořská; limonka
static-free [stætikfri:] jsoucí bez atmosférických poruch
station [steišən] *s* **1** stanoviště, též bot. **2** zastávka, krátký pobyt **3** služební pobyt, stáž, služba **4** místo, působiště; kde kdo slouží, kde je kdo posádkou, posádka **5** rajón (*the waiter says this isn't his* ~ číšník říká, že to není jeho rajón) **6** hist.: britská kolonie; evropská čtvrť např. v Indii **7** námoř.: určené stanoviště každého člena posádky pro případ nouze **8** stanice; staniční budova; nádraží **9** AM stanice dostavníků **10** rádiová stanice, rozhlasová / televizní stanice vysílací i přijímací **11** AM stanice pionýrů (*tribes were constantly interrupting stage service, attacking* ~*s* kmeny neustále narušovaly dostavníkovou službu, útočily na stanice) **12** vojenská n. námořní základna; kotviště, stanoviště, vojenská posádka **13** služebna, komisařství, strážnice, policejní stanice **14** pošta; poštovní služebna **15** požární stanice **16** pracoviště, stanice (*a seismological* ~), ústav (*a marine biological* ~) **17** misijní stanice, misie **18** AU ranč, farma **19** místo výskytu, výskytiště, lokalita, naleziště **20** skladiště, depo **21** celní sklady **22** stání, postoj, postavení (*his* ~ *was unsteady with the eyes open or closed* stál vratce, ať měl oči otevřené nebo zavřené) **23** místo, pozice lodě v konvoji, letadla v letce **24** BR let. vojenské letiště **25** společenské postavení (*the duties of the* ~ *in which we find ourselves*); vysoké společenské postavení **26** náb. zastavení křížové cesty **27** círk. stacionární bohoslužba; stacionární kostel **28** IR návštěva zpovědníka u farníka **29** námoř. teoretické žebro **30** výchozí bod při měření; základní míra (100 stop) **31** zeměměř. trigonometrický bod **32** horn. náraží **33** AM stánek **34** = ~ *day* ◆ *action* ~*s* námoř. bojová stanoviště; ~ *area* voj. velitelský okruh; ~ *agent* AM žel. přednosta / náčelník stanice; *baby health* ~ AM poradna pro matky a kojence; *boarding* ~ námoř. celní přístaviště; ~ *boy* horn. narážeč; ~ *break* hlášení stanice v rozhlasovém n. televizním vysílání; *broadcasting* ~ rozhlasová stanice, vysílací stanice; ~ *bus* hotelový autobus vozící hotelové hosty z nádraží; *call* ~ telefonní hovorna; *coach* ~ *1.* autobusové stanoviště, autobusové nádraží *2.* stanice autobusů; ~ *commander 1.* velitel stanice *2.* BR let. velitel vojenského letiště; *S*~*s of the Cross* náb. křížová cesta, pobožnost křížové cesty; ~ *day* náb. den újmy, půst středa, pátek; *dressing* ~ voj. obvaziště; ~ *error* zeměměř. stanovištní chyba; *every man to his* ~ každý na své místo; *extension* ~ pobočková / vedlejší telefonní stanice; *filling* ~ AM benzínová čerpací stanice; *first-aid* ~ stanice první pomoci; *free* ~ franko nádraží; *freight transfer* ~ překladiště nákladů; *go one's* / *the* ~*s* modlit se křížovou cestu; *goods* ~ BR nákladové nádraží; ~ *headquarters* BR voj. velitelství letky; ~ *hospital* AM polní lazaret; ~ *hotel* nádražní hotel; *jamming* ~ rušička rádiového vysílání; *leave* ~ vybočit, opustit své místo v konvoji n. letce; *lifeboat* ~ BR stanice n. pobočka pobřežní záchranné služby; *make the* / *one's* ~*s* = *go the* ~*s; marry below one's* ~ dopustit se mezaliance; *naval* ~ *1.* námořní základna *2.* kotviště; *perform the* / *one's* ~*s* = *go the* ~*s; petrol* ~ BR benzínová čerpací stanice; ~ *point* střed promítání v lineární perspektivě; *polling* ~ volební místnost; *postal* ~ AM poštovní služebna; *power* ~ elektrárna; *private* ~ neoficiální postavení; *radar* ~ radarová / radiolokační stanice; *railway* ~ žel. *1.* železniční stanice *2.* nádraží *3.* nádražní / staniční budova; *service* ~ benzínová čerpací stanice se servisem; *shunting* ~ seřaďovací nádraží; *take up one's* ~ zaujmout své postavení, jít na své stanoviště; *telegraph* ~ telegrafní stanice; *telephone* ~ AM telefonní účastnic-

ká stanice; *trading* ~ obchodní stanice, závod, pobočka • *v* **1** ubytovat **2** přikázat na místo; umístit, rozmístit, rozestavit, postavit např. stráže ***station o. s.*** postavit se, zaujmout místo / postavení

stationariness [steišnərinis] **1** nehybnost; nečinnost **2** pevnost, stálost, stabilnost **3** stojatost **4** tech., odb. stacionárnost

stationary [steišnəri] *adj* **1** nehybný (*the shadow remained* ~ stín zůstal ...); neměnný **2** pevný, stálý, stabilní; pevně instalovaný, nepojízdný **3** stojící, stojatý **4** zast. posádkový, pevnostní (~ *troops*) **5** tech., odb. stacionární ♦ *be* ~ též zůstávat ve stejné výšce n. na stejném místě, stát; ~ *disease* med.: periodicky se vyskytující lokální choroba; ~ *engine* *1.* stabilní motor *2.* stabilní lokomobila; ~ *orbit* stacionární dráha družice; ~ *point* hvězd. zastávka planety, stacionární bod planety; *remain* ~ zůstat na místě; ~ *state* fyz. ustálený stav, stacionární stav; ~ *take-off* let. kolmý start, start s malým rozletem; ~ *wave* fyz. stojatá vlna • *s* (*-ie-*) **1** konzervativec, reakcionář **2** zast., hist. člen stálé posádky

station bill [steišənbil] námoř. **1** bojové zařazení na lodi **2** požární n. poplachový plán s úkoly posádky na lodi n. v záchranném člunu

station calendar [ˈsteišənˌkælində] BR nádražní jízdní řád tabule

stationer [steišnə] **1** papírník **2** zast. knihkupec **3** zast. nakladatel, vydavatel ♦ *S~s' Company* BR londýnské sdružení knihkupců, tiskařů, knihařů, papírníků apod.; *S~s' Hall* BR sídlo *S~s' Company* (*enter at S~s' Hall* zaregistrovat knihu a tím si zajistit její autorskoprávní ochranu před r. 1842); *S~s' Register* nakladatelský rejstřík; ~*'s* (*shop*) papírnictví

stationery [steišnəri] **1** dopisní papír / papíry **2** papírnické zboží; psací potřeby, kancelářské potřeby **3** papírenské výrobky s tiskem i bez tisku ♦ ~ *box* / *fancy-boxed* ~ (luxusní) kazeta s dopisními papíry

station house [steišənhaus] *pl: houses* [hauziz] **1** policejní stanice, strážnice **2** AM malé venkovské nádraží

station locker [ˈsteišənˌlokə] nádražní skřínka na zavazadla

station master [ˈsteišənˌma:stə] BR žel. přednosta / náčelník stanice

station pointer [ˈsteišənˌpointə] námoř.: trojramenný protraktor

station wagon [ˈsteišənˈwægən] motor. kombi, stejšn; dodávkové auto, dodávka

statism [steitizəm] **1** sociol.: teorie hlásající kontrolu hospodářství, politiky apod. státem n. vládou **2** státní řízení, plánované hospodářství **3** podpora vlády, státotvornost **4** zast. státnictví, politika

statist [steitist] *s* **1** statistik **2** zastánce plánovaného hospodářství • *adj* týkající se centrálně plánovaného hospodářství; hlásající centrálně plánované hospodářství

statistic [stəˈtistik] *s* statistická položka • *adj* = *statistical*

statistical [stəˈtistikəl] statistický, týkající se statistiky ♦ ~ *bureau* statistický úřad; ~ *independence* statistická nezávislost; ~ *statement* / *table* statistické vyjádření, statistika

statistician [ˌstætiˈstišən] statistik

statistics [stæˈtistiks] *pl* **1** statistika **2** statistický přehled, statistika ♦ *vital* ~ *1.* sociol. životní statistika, přírůstek a úbytek obyvatel *2.* hovor. míry kolem prsou, pasu a boků ženy (*Susanne's vital* ~*s are 38–22–38*)

statistology [ˌstætisˈtolədži] statistika věda

stator [steitə] tech. **1** stator nepohyblivá část stroje, zejm. elektrického motoru **2** skříň parní turbíny ♦ ~ *armature* elektr. statorová kotva

statoscope [stætəskəup] **1** let. variometr, statoskop citlivý výškoměr **2** fyz. vysoce citlivý aneroid

statuary [stætjuəri] *s* (*-ie-*) **1** sochařství; sochařina, sochaření **2** sochy, sousoší, plastiky, skulptury **3** sochař **4** kameník • *adj* sochařský (~ *marble*) ♦ ~ *art* sochařské umění, sochařství

statue [stætju:] **1** socha **2** ~*s, pl* sochy společenská hra (zejm. dětská)

statued [stætju:d] **1** ozdobený sochami, jsoucí se sochařskou výzdobou **2** vytesaný z kamene (*a* ~ *satyr*)

statuesque [ˌstætjuˈesk] připomínající sochu, vznešený / krásný / nehybný / strnulý jako socha, sošný

statuesqueness [ˌstætjuˈesknis] sošnost, sošná vznešenost, krása, nehybnost, strnulost

statuette [ˌstætjuˈet] soška, plastika, statueta, statuetka

stature [stæčə] **1** tělesná výška, velikost, vzrůst, postava **2** výška, velikost předmětu **3** přen. velikost, velký formát, velký kalibr, význam, úroveň (*playwright of* ~) ♦ *advance in* ~ růst, vyrůstat, nabývat na velikosti n. významu; *increase in* ~ (ještě) vyrůst; *man of mean* ~ středně velký člověk

status [steitəs] **1** společenské aj. postavení, životní úroveň **2** vysoké postavení, uznání, prestiž (*her connections gave her* ~ *in the group*) **3** role, charakter, funkce (*the* ~ *of guerilla leader*) **4** práv. stav, charakter, postavení, status (*the legal* ~ *of the gypsies* právní postavení cikánů) **5** med. stav nemocného, status ♦ ~ (*in*) *quo* stav v daném okamžiku, status quo; ~ *quo ante* dřívější stav, původní stav, status quo ante; ~ *symbol* viditelný znak, symbol životní úrovně n. společenského postavení

statutable [stætjutəbl] = *statutory*

statute [stætjut] *s* **1** práv. zákon; ustanovení, předpis, nařízení; směrnice, pokyn pravidlo i dokument **2** mezinár. práv. ustanovení **3** ~*s, pl* stanovy, statut (*the* ~*s of a university*) **4** bibl. zákon, přikázání ♦ *declaratory* ~ práv. prováděcí nařízení; *general*

~ práv. všeobecně závažný zákon; ~*s at large* práv. znění zákona; ~ *of limitations* práv. zákon o promlčení / promlčecích lhůtách (*not subject to the ~ of limitations* nepromlčitelný); *private* ~ práv. zákon vztahující se na omezený okruh osob; *public* ~ = *general* ~; *regulatory* ~ = *declaratory* ~; *S*~ *of Westminster* BR hist. Westminsterský statut z r. 1931, likvidující právní omezení suverenity dominií ● *adj* úřední, statutární ◆ ~ *law* zákonné právo, psané právo, zákonodárství vytvořené parlamentem; ~ *labour* robota; ~ *mile* úřední míle (1 609 m)

statute-barred [stætju:tba:d] prekludovaný

statute book [stætju:tbuk] zákoník, sbírka zákonů

statute roll [stætju:trəul] práv. **1** svitek zákona **2** přesně formulovaný zákon

statutory [stætjutəri] práv. zákonný, zákonem n. státem nařízený, statutární ◆ ~ *agent* zákonný zástupce; ~ *declaration* místopřísežné prohlášení; ~ *duty* povinnost vyplývající ze zákona / daná zákonem; ~ *heir* zákonný dědic; ~ *law* = *statute law;* ~ *limitations* promlčení; ~ *meeting* výroční schůze, valná hromada nařízená stanovami; ~ *offence* porušení zákona; ~ *rape* AM pohlavní zneužití osoby, jehož kvalifikace je určena zákonem; ~ *tenant* držitel nájmu nabytého na základě zákona

staumrel [sto:mrəl] SC přiblblý

staunch¹ [sto:nč, sto:nš] **1** věrný, poctivý, spolehlivý, neochvějný, vytrvalý (~ *ally* věrný spojenec) **2** zásadní, horlivý, zapřisáhlý (~ *defender of free speech* horlivý zastánce svobody projevu) **3** pevný, silný, tvrdý **4** vodotěsný; vzduchotěsný, hermetický

staunch² [sto:nč, sto:nš] *v, s* = *stanch¹*

stauroscope [sto:rəskəup] stauroskop přístroj k zkoumání krystalů v polarizovaném světle

stave [steiv] *s* **1** dužina sudu, kádě apod. **2** prkno, plaňka bednění, skruže **3** příčel žebříku, trnož **4** hůl, klacek **5** prut, pružná větev k výrobě luku **6** zpěvný úryvek, melodie, písnička (*the quick, eager* ~ *of the chaffinch* rychlá, rozdychtěná písnička pěnkavy) **7** liter. strofa, verš **8** liter. aliterace **9** hud.: notová osnova **10** archit., výtv. lodyha akantu ◆ *tip a* ~ *1.* předzpívat *2.* žert. napsat / poslat pár řádek ● *v* (*staved* / *stove, staved* / *stove*) **1** vylomit dužinu z, udělat díru vylomením dužiny do **2** udělat díru do lodi; loď mít díru **3** rozebrat na dužiny **4** sud popukat, rozložit se, rozpadnout se **5** opatřit dužinou; dělat dužiny **6** vylít / nechat vytéci víno rozbitím sudu **7** vrazit, narazit **8** rozbít, rozsekat, nadělat třísky z **9** bít holí n. klackem **10** tech. pěchovat tyč; utěsňovat kov **11** SC, AM hnát si to, spěchat ***stave in 1*** prolomit dovnitř, udělat díru zvenku dovnitř **2** zdeformovat, nabourat klobouk ***stave off 1*** odhánět, zahnat (jako) klackem **2** odvrátit, zažehnat; zabránit v poslední chvíli čemu ***stave out:*** ~ *it out* vydržet

stave-rhyme [steivraim] liter. aliterace

stavesacre [ˈsteivzˌeikə] **1** bot. všivec, hnidoš, kapucínské semeno **2** prášek proti vším ze semen všivce

stay¹ [stei] námoř. *s* stěh ◆ *miss* ~*s* loď nedokázat obrat proti větru; *ship is* (*hove*) *in* ~*s* loď dělá obrat přes příď; ~ *tackle* stěhový kladkostroj ● *v* **1** upevňovat, stahovat, podpírat, naklonit stěžeň stěhem **2** otáčet proti větru loď; loď dělat obrat přes příď

stay² [stei] *v* (*stayed* / *staid, stayed* / *staid*) **1** zůstat prodloužit svůj pobyt (*I* ~*ed to see what would happen* zůstal jsem, abych viděl, co se stane); setrvat ve stavu n. činnosti (~ *clean*); setrvat **2** zůstat na místě, u|držet | se (*this curl will not* ~ tato kudrlinka nevydrží na místě, *money won't* ~ *in his hand*) **3** zast. pevně stát **4** zůstat a počkat na, čekat, počkat *for* na **5** přechodně bydlet, ostávat (~ *at a hotel*), zdržovat se, meškat, prodlévat, pobýt **6** být na návštěvě *with* u **7** udržet se, vydržet, být vytrvalý, projevit vytrvalost **8** zast. zúčastnit se čeho, být přítomen čemu **9** přestat dělat *from* co **10** nezúčastnit se *out of* čeho, neplést se, nestrkat prsty do **11** vyrovnat se *with* komu, u|držet krok s (*no rival could* ~ *with him*) **12** zastavit, zarazit (~ *the progress of a disease* zastavit postup choroby) **13** zast. zajmout **14** po|zdržet, přerušit (~ *proceedings* přerušit jednání); odsunout, odložit, nařídit odklad čeho (~ *the execution*) **15** zast. čekat, očekávat; být odložen; váhat; přestat **16** usmířit, urovnat (~*ed the civil war*); potlačit, zdolat, udusit; zamezit, učinit přítrž čemu **17** utišit (hlad) koho, uhasit (žízeň) koho (*a glass of milk* ~*ed me until meal time*) **18** pokrm nasytit **19** řidč. přestat mluvit, zmlknout, zavřít ústa, být zticha **20** též ~ *up* podpírat, vyztužovat **21** všít kostice do **22** zakotvit sloup apod. **23** posilovat, být útěchou komu **24** přen. opírat se *on* o, spoléhat se na ◆ ~ *behind 1.* zůstávat vzadu *2.* zůstat doma; ~ *a p.'s hand* přen. zadržet ruku komu; *come to* ~ též *1.* nastěhovat se, usadit se natrvalo *2.* získat si někde definitivní místo n. uznání (*a book that has come to* ~), stát se definitivním, zdomácnět (*foreign word that have come to* ~); ~ *one's course* sport. vydržet až do finiše; ~ *the course against* vydržet, snést co; ~ *a p. to lunch* zdržet na oběd koho; ~ *the night* zůstat přes noc; ~*ing power* vytrvalost, výdrž; ~ *put* hovor. *1.* zůstat na místě a ani se nehnout *2.* zůstat trčet *3.* zkejsnout kde; ~ *still* nehýbat se; ~ *a p.'s stomach 1.* utišit hlad koho *2.* přen. vzít chuť komu, zkazit radost komu; *touch and* ~ *at any ports* uchýlit se do kteréhokoli přístavu a zdržet se v něm; ~ *in tune* hud. *1.* zůstat naladěný, udržet ladění *2.* ladit, nedistonovat, nebýt falešný, neslézt; ~ *where you are* zůstaň na místě, nehýbej se ***stay o.s.*** opřít se, za|chytit se (*a hand on her uncle's chair to* ~ *herself from falling* ruku na strýcově židli, aby neupadla) ***stay away 1*** nevracet se **2** nejít nikam **3** zdržet se účasti, nezúčastnit se ***stay down***

1 zůstat sedět, propadnout ve škole *2* pokrm nevracet se, nejít zpátky, zůstat v žaludku ***stay in*** *1* zůstat doma, nechodit ven (*the doctor advised me to ~ in* lékař mi doporučil, abych nechodil ven) *2* zůstat po škole *3* poker pokračovat ve hře ◆ *make ~ in* nechat po škole ***stay on*** zůstat, setrvat na stejném místě, nehnout se z místa; zkejsnout (hovor.) ***stay out*** *1* být ještě venku, zůstávat venku (*tell the children they mustn't ~ out after dark*) *2* vydržet až do konce čeho (*he decided to ~ the month out* rozhodl se vydržet až do konce měsíce); zůstat ještě po odchodu koho *3* chybět, scházet ve škole ***stay over*** AM zůstat přes noc ***stay up*** zůstat vzhůru, být vzhůru (*tell the servant to ~ up until I get home*) ● *interj* počkat, okamžik, moment, pozor (*~! you forget one thing*) ◆ *~ and be hanged* vulg. jo, do prdele! ● *s* **1** pobyt zejm. přechodný (*a short ~ in Karachi* krátký pobyt v Karáčí) **2** návštěva, pobyt *with* u (*a fortnight's ~ with my rich uncle*) **3** zastavení **4** klidná poloha, klid **5** přen. vytrvalost, výdrž **6** práv. odklad **7** zast., kniž. překážka *upon* čeho (*a ~ upon his activity*), zdržení **8** zast. mírnost, sebeovládání **9** podpěra, vzpěra, opěra **10** výztuha, vyztužení **11** přen. opora (*the ~ of his old age*) **12** *~s, pl* kostice do korzetu; zast. korzet **13** tech. kotva, zakotvení **14** rozpěrka lokomotivního kotle **15** horn. stojka **16** opěra, luneta soustruhu; *duration of ~* délka pobytu; *make a ~* zdržet se, pobýt, zůstat (*make a long ~ in London*); *put a ~ on* brzdit, zdržovat, vadit, překážet čemu; *stand at a ~* zast. zůstat stát

stay-at-home [steiəthəum] *adj* člověk který zůstal doma, rád se zdržující doma, domácký, usedlý ● *s* kdo raději zůstává doma, domácký člověk, pecivál

stay bar [steiba:] tech. **1** výztužná tyč **2** rozpěrná tyč, rozpěra **3** kotevní tyč

stay-down strike [ˈsteiˌdaunˈstraik] stávka horníků, při níž stávkující zůstávají v dole

stayer [steiə] **1** kdo zůstává, setrvává atd. **2** kdo má vytrvalost, kdo vydrží, vytrvalec **3** kdo podporuje, podpůrce **4** sport. cyklista za vodičem

stay-in strike [ˈsteiˌinˈstraik] okupační stávka

stay lace [steileis] tkanice korzetu

staymaker [ˈsteiˌmeikə] výrobce korzetů

stay-put [steiput] trvanlivý (*~ polish* ... leštidlo)

staysail [steiseil, námoř. steisl] námoř. stěhová plachta, stěhovka

stead [sted] **1** zast. místo **2** užitek, služba, výhoda **3** podstavec, kostra (*an iron ~*) ◆ *since he couldn't come, his brother came in his ~* protože nemohl přijít, přišel jeho bratr místo něho; *stand a p. in good ~* dobře posloužit, přijít vhod komu

steadfast [stedfəst] **1** upřený, utkvělý, pevný (*a ~ gaze*) **2** pevný, neměnný, nezlomný, neochvějný, ničím neotřesitelný, vy|trvalý **3** věrný *to* čemu, stálý, poctivý, opravdový, spolehlivý **4** stálý, ustálený; stejnoměrný

steadfastness [stedfəstnis] **1** upřenost, utkvělost, pevnost pohledu **2** pevnost, neměnnost, nezlomnost, neochvějnost, neotřesitelnost, vy|trvalost **3** věrnost, stálost, poctivost, opravdovost, spolehlivost **4** stálost, ustálenost, stejnoměrnost ◆ *~ of purpose* cílevědomost

steadily [stedili] v. *steady, adj*

steadiness [stedinis] **1** pevnost, upevněnost, stabilita **2** pravidelnost, vytrvalost **3** stálost, stejnoměrnost, rovnoměrnost, plynulost; trvalost, nepřerušovanost **4** neochvějnost, nezlomnost, neotřesitelnost; upřenost, utkvělost, pevnost **5** klid, klidnost, vyrovnanost, slušnost, řádnost, solidnost **6** spolehlivost, vyrovnaný výkon **7** námoř. stabilita lodi

steading [stediŋ] BR usedlost

steady [stedi] (*-ie-*) *adj* **1** pevný, upevněný, pevně stojící, stabilní (*a ~ ladder* žebřík); ustálený, stacionární **2** pravidelný, vytrvalý, notorický (*~ drinkers*) **3** stálý, stejnoměrný, rovnoměrný, plynulý (*~ rate of progress* plynulý postup kupředu); trvalý, nepřerušovaný (*a ~ fight*) **4** neochvějný, nezlomný, ničím neotřesitelný (*he was ~ in his purpose* nedal se ve svém záměru ničím zviklat); upřený, utkvělý, pevný (*gave him a ~ look*); jistý (*a ~ hand*) **5** klidný, vyrovnaný, slušný, řádný, solidní (*lead a ~ life*); ustálený **6** spolehlivý, s vyrovnaným výkonem (*a ~ horse*) **7** námoř.: loď mající dobrou stabilitu ◆ *~ on course* námoř. *1.* přesně na kursu; *2.* stabilní na kursu; *~ girl friend* známost, milá; *~ gradient* stejnoměrné stoupání; *hold ~* držet, přidržovat; *he was not ~ on his legs* nestál pevně na nohou; *make ~* vyrovnat rovnováhu, upravit stabilitu čeho; *~ nerves* pevné / silné nervy; *ready, ~, go!* připravit ke startu, pozor, teď!; *~ wind* stálý vítr; *~ work* trvalé zaměstnání ● *adv* **1** pevně; stabilně **2** plynule, stejnoměrně, stále, nepřerušovaně, trvale (*the rain was coming down ~*) ◆ *go ~* hovor.: milenci chodit spolu, mít známost delší dobu; *hold / keep ~* námoř. *1.* držet na kursu loď *2.* loď mít stabilitu na kursu; *slow and ~* pomalu, ale jistě ● *v* **1** udržet, ustálit | se, upevnit | se, stabilizovat | se **2** vyrovnat, získat rovnováhu **3** pohybovat se rovnoměrně; přimět k rovnoměrnému pohybu **4** z|krotit, přivést k rozumu ***steady o. s.*** *1* podržet se, přidržet se, za|chytit se, obnovit / zachovat rovnováhu (*she swayed slightly and put a hand out to ~ herself*) **2** uklidnit se (*steadied himself with an effort of will* uklidnil se silou vůle) ***steady down*** usadit se, uklidnit se (přen.) ◆ *~ the ship down in position* námoř. udržet loď v sestavě, aby nevybočovala ● *interj* **1** pozor, opatrně, pomalu **2** (jen) klid **3** námoř. držet loď na stálém kursu povel kormidelníkovi ◆ *~ on! 1.* stát! *2.* = *steady, interj 1* ● *s* **1** podpěra, opora **2** opěra, luneta soustruhu **3** AM hovor. známost, přítelkyně, děvče, milá s níž hoch chodí delší dobu

steady-state [stedisteit] hvězd. věčný, se stále se vytvářející novou hmotou
steady-stater [ˈstediˌsteitə] hvězd. zastánce názoru, že hmota ve věčném vesmíru se stále znovu vytváří
steak [steik] kuch. *s* **1** rychle pečený silnější řízek masa, zejm. hovězího, stejk **2** biftek; ramstejk **3** rybí filé **4** sekaný řízek ◆ ~ *hammer* palička na maso; ~ *knife* nůž na maso s pilovitým ostřím ● *v* **1** roz|krájet rybu na filé **2** roz|krájet maso na řízky
steakburger [steikbə:gə] maso mezi dvěma chleby, sendvič se stejkem
steak tartar, steak tartare [ˌsteikˈta:tə] tatarský biftek
steal [sti:l] *v* (*stole, stolen*) **1** u|krást, odcizit *a t.* co *from* komu (*he had a watch stolen from him*), odkud (*stole money from the cash register* kradl peníze z pokladny) **2** přen. vzít si tajně / bez dovolení, uloupit co *from* komu (*stole a kiss from her* uloupil jí polibek) **3** ukrást, přivlastnit si, přisvojit se, vypůjčit si neprávem, vzít; napodobovat, plagovat (*his jokes were borrowed and stolen all over the country* jeho anekdoty si vypůjčovali a napodobovali v celé zemi) **4** převzít, vypůjčit si **5** vzít, uloupit co *from* komu, zbavit koho čeho (*they've stolen our liberty from us* oni nám uloupili svobodu) **6** odloudit, přebrat, přetáhnout (*deliberately ~ing each other's clients* záměrně si jeden druhému přetahujíce zákazníky) **7** získat bod lstí, náhodou ve hře **8** tajně uskutečnit (~ *a visit*) **9** odkrást se, odplížit se *from* odkud **10** vloudit se, vplížit se, vkrást se *in* / *into* kam **11** tajně dát, vložit, pronést, propašovat, vpašovat *in* / *into* kam **12** přijít nepozorovaně *over* / *upon* na (*the infirmities of age began to ~ upon him*) **13** slepice zanášet **14** AM baseball uhodnout a využít znamení soupeře; uskutečnit běh bez zásahu n. chyby ◆ ~ *the limelight* soustředit na sebe všechnu pozornost, stát se středem zájmu; ~ *a look* podívat se úkradkem, tajně se podívat; ~ *a march on* získat tajně výhodu nad, nepozorovaně předstihnout koho, předejít koho, vypálit rybník komu; ~ *a nap* tajně si zdřímnout; ~ *the show* = ~ *the limelight;* ~ *a p.' s thunder* ukrást nápad n. plán komu, chlubit se cizím peřím ***steal away 1*** odkrást se, odplížit se *2* ukrást, uloupit zejm. přen. *3* brát, ubírat, zbavovat čeho, připravovat o (*to ~ away their lust for life* zbavovat je chuti k životu) ***steal by*** nepozorovaně míjet ● *s* **1** hovor. kradení, krádež **2** AM kradená věc **3** AM hovor. co je skoro zadarmo, obrovsky výhodná koupě, báječný kšeft **4** AM hovor.: politický podvod, podfuk, švindl
stealer [sti:lə] **1** kdo krade, zloděj **2** též ~ *plate* námoř. ztracený pás / plech lodní obšívky
stealing [sti:liŋ] **1** *~s, pl* AM něco kradeného, kradené zboží, lup **2** v. *steal, v*
stealth [stelθ] **1** tajnost, pohyb n. činnost potají, lstivost **2** zast. tajné / nepozorované pronikání, tajný / nepozorovaný od|chod **3** zast. kradení, krádež, u|kradená věc ◆ *by* ~ *1.* kradmo, kradí, úkradkem *2.* tajně, nepozorovaně
stealthiness [stelθinis] **1** kradmé chování; tajnost **2** tajnůstkářství, tajnůstkaření
stealthy [stelθi] (*-ie-*) **1** kradmý, pokradmý, tajný, konaný potajmu / kradí **2** tajnůstkářský
steam [sti:m] *s* **1** vodní pára **2** výpary; opar, páry, mlha **3** přen. hovor. síla, elán, energie, chuť, pára **4** plavba parníkem ◆ *blow off* ~ = *let off* ~; *dry* ~ suchá pára; *at full* ~ plnou parou; *full* ~ *ahead* plnou parou vpřed; *get up* ~ *1.* vyrobit páru, vytopit *2.* přidat páru, vyhrnout si rukávy, plivnout si do dlaní, vzít za to pořádně *3.* hovor. nakrknout se, začít vyvádět; *let off* ~ *1.* pouštět / vypustit páru *2.* spustit se, odpoutat se, odvázat se, odreagovat se, vybít se, říci od plic své dosud tajené názory, přestat se záměrně ovládat; *put on* ~ přidat páry, též přen.; *raise* ~ tech. vyrobit páru; *saturated* ~ nasycená / sytá pára; *superheated* ~ přehřátá pára; *wet* ~ mokrá / vlhká pára; *work off* ~ odreagovat se, vybít se ● *adj* **1** parní, poháněný párou, s parním pohonem **2** žert. staromódní, předpotopní ● *v* **1** vyrábět páru (*the boiler ~s well*); zásobovat / naplnit / zahltit párou **2** zpracovávat párou, pařit, napařovat **3** vařit nad párou n. v páře; dusit **4** tvořit páru n. výpary; kouřit (*you are ~ing* z tebe se kouří) **5** zapařit |se, pokrýt | se, orosit | se výpary, zamžít | se, zamlžit | se, **6** vypařovat | se, od|pařovat | se **7** pohánět párou **8** loď na parní pohon plout, vplout, vyplout plnou parou (*the vessel ~ed out of the harbour* loď vyplula z přístavu) **9** vlak s parní trakcí jet, vjet, vyjet, odjet **10** přen. hnát se, řítit se, letět (*the white ball came ~ing across at me*) **11** jet parníkem, dopravovat parníkem **12** text. propařovat, dekatovat **13** text. barvit parními barvami ◆ *~ing hot* tak horký, že se z něho kouří, kouřící; *make* ~ způsobit, že se kouří; ~ *open* otevřít nad párou (~ *open an envelope*) ***steam ahead*** hovor. dělat na plné pecky, jet plnou parou vpřed, dělat velké pokroky ***steam away 1*** parník odplout *2* = *steam ahead* ***steam off 1*** odpařovat *2* oddestilovat s vodní párou ***steam out*** vypařovat ***steam up 1*** zamžít | se, zamlžit | se, orosit | se, opotit | se *2* vyrobit páru; opatřit párou *3* hovor. nasáknout | se, nakrknout | se, rozzuřit | se, vyletět, chytat se stropu *4* slang. dostat se pod páru, napařit se, namazat se, zlinkovat se opít se ◆ *be ~ed up* zuřit, vztekat se
steam bath [ˌsti:mˈba:θ] parní lázeň
steamboat [sti:mbəut] **1** říční parník **2** parní člun ◆ ~ *ratchet* tech. dvojitá napínací matrice s řehtačkou
steam-boiler [ˈsti:mˌboilə] parní kotel
steam-box [sti:mboks] **1** šoupátková komora rozvodu parního stroje **2** propařovací komora

steam brake [ˌsti:mˈbreik] žel. parní brzda
steamcars [ˈsti:mˌka:z] *pl* řidč. vlak s parní trakcí
steam-chest [sti:mčest] **1** parní komora **2** = *steam-box, 1*
steam coal [sti:mkəul] kotelní uhlí, koksové uhlí, koksárenské uhlí
steam colour [ˈsti:mˌkalə] text. parní barva na barvení párou
steam crane [ˌsti:mˈkrein] parní jeřáb
steam cylinder [ˈsti:mˌsilində] parní válec parního stroje
steamed-up [sti:mdap] hovor. nasáknutý, nakrknutý, navztekaný
steam engine [ˈsti:mˌen*d*žin] **1** parní motor, parní stroj, parostroj **2** lokomotiva, parostroj
steamer [sti:mə] **1** parník, parní loď, paroloď, loď s parním pohonem **2** parní generátor, parní kotel; pařič, napařovač **3** pařák **4** vypařovací / odpařovací / pařicí / napařovací / spařovací přístroj / stroj **5** parní motor, parní stroj ◆ ~ *chair* AM lehátko; ~ *lane* pravidelná trasa zaoceánských parníků
steamer gas [sti:məgæs] vysoce přehřátá pára
steam fitter [ˈsti:mˌfitə] instalatér parního topení
steam gauge [sti:mgeidž] manometr na páru
steam gun [ˌsti:mˈgan] **1** tech. parní tryska, pistole **2** hist. parní dělo
steam hammer [ˌsti:mˈhæmə] parní buchar
steam heat [sti:mhi:t] **1** kondenzační teplo páry **2** teplo z parního topného tělesa
steam heating [ˈsti:mˌhi:tiŋ] vytápění párou
steam jacket [ˈsti:mˌdžækit] parní plášť
steam navigation [ˈsti:mˌnæviˈgeišən] paroplavba
steam navvy [ˌsti:mˈnævi] BR parní lopatové rypadlo
steam paddy [ˌsti:mˈpædi] (*-ie-*) korečkové rypadlo
steam pipe [sti:mpaip] parní trubka
steam port [sti:mpo:t] parní kanál
steam power [ˈsti:mˌpauə] parní energie
steam power station [ˌsti:mˈpauəˌsteišən] parní elektrárna
steam radiator [ˌsti:mˈreidieitə] parní topné těleso, radiátor parního ústředního topení
steam radio [ˌsti:mˈreidiəu] slang. obyčejné rádio na rozdíl od televize
steamroller [ˈsti:mˌrəulə] *s* **1** silniční parní válec **2** přen. drtivá síla, nemilosrdný parní válec, tank ● *v* **1** z|válcovat parním válcem **2** přejet jako parním válcem, rozdrtit (~ *the opposition*) **3** násilím přinutit *into* k ***steamroller through*** násilím protlačit, prorazit (~*ed the bill through*) ● *adj* bezohledný, násilnický, drtící vše, co stojí v cestě ~ *tactics*)
steam-set inks [ˌsti:msetˈiŋks] polygr. barvy schnoucí vypařováním ředidel
steamship [sti:mšip] zaoceánský parník, parní loď, loď s parním pohonem
steam shovel [ˌsti:mˈšavl] AM = *steam navvy*
steam table [ˌsti:mˈteibl] **1** párou ohřívaný teplý stůl na udržení správné teploty pokrmů **2** tech. parní tabulka
steam-tight [sti:mtait] nepropouštějící páru, parotěsný
steam train [ˌsti:mˈtrein] vlak s parní trakcí
steam tug [ˌsti:mˈtag] parní remorkér
steam turbine [ˌsti:mˈtə:bain] parní turbína
steamware [sti:mweə] dušák pekáč s příklopem
steam whistle [ˌsti:mˈwisl] parní píšťala, parní siréna
steam winch [ˌsti:mˈwinč, ˌsti:mˈwinš] parní vrátek
steamy [sti:mi] (*-ie-*) **1** jsoucí z páry; připomínající páru **2** plný páry / par, pařící se, zamžený, zamlžený, zapařený, opocený, orosený **3** charakterizovaný živočišným teplem, živočišný, žhavý **4** přen. mlhavý, matný, kalný **5** med.: rohovka kalný, zakalený
stearate [stiəreit] chem. stearan sůl kyseliny stearové
stearin [stiərin] chem. stearín vosku podobná látka
steatite [stiətait] miner. mastek, talek, tuček, steatit
steatitic [ˌstiəˈtitik] steatitový, mastkový
steatopygia [ˌstiət*əu*ˈpaidžjə] med. steatopygia abnormální hromadění tuku v hýžďové krajině
steatopygous [ˌstiət*əu*ˈpaigəs] med. steatopygický
steatosis [ˌstiəˈtəusis] *pl: steatoses* [ˌstiəˈtəusi:z] med. tukový patvar, znetvoření způsobené tukem
steed [sti:d] **1** bás., kniž., žert. oř, komoň **2** žert. oř, kůň bicykl, motocykl apod.
steedless [sti:dlis] jsoucí bez oře atd.
steel [sti:l] *s* **1** ocel **2** ocílka ocelový brousek; ocelová součást křesadla; čepel, želízko nože **3** ocelářský průmysl (*the growth of* ~ *since the end of the war* růst … od konce války) **4** bás. meč, ocel **5** přen. ocelová zbroj, výzbroj, zbraně **6** též *cold* ~ studená zbraň nikoliv střelná **7** ocelová výztuž korzetu n. krinolíny **8** kolej, kolejnice; koleje, trať **9** přen. tvrdost, síla, elán, energie, vytrvalost, výdrž (*all the* ~ *and energy had left him*) **10** burz. ocel, tržní cena ocelářské akcie; ~*s, pl* ocelářské akcie, akcie oceláren ◆ *foe worthy of my* ~ protivník, který je hoden, abych s ním zkřížil zbraň, obávaný protivník; *hard* ~ tvrdá ocel; *heart of* ~ kamenné srdce; *high* ~ = *hard* ~; *low* ~ měkká ocel; *medium* ~ středně tvrdá ocel; *mild* ~ = *low* ~; *muscles of* ~ ocelové svaly; *soft* ~ = *low* ~; *as true as* ~ ryzí jako zlato ● *adj* **1** ocelový (~ *pen*) **2** ocelářský (~ *industry*), ocelárenský (~ *furnace* … pec) **3** přen.: jsoucí z ocele, ze železa, železný (~ *nerves*) ● *v* **1** poocelovat; navařovat ocelí (~ *an axe*) **2** zocelit **3** obtahovat, brousit na ocílce **4** zatvrdit, obrnit *against* proti (*he* ~*ed his heart against compassion* obrnil své srdce proti soucitu) ***steel o. s. 1*** obrnit se, zatvrdit se *against* proti **2** tvrdě se chystat *to do* na dělání, dodat si odvahy a dělat, zatvrdit se a dělat
steel band [ˌsti:lˈbænd] **1** ocelový pás / pásek **2** bubnová kapela hrající na vyladěné bubny vyrobené z barelů

steel blue [ˌsti:lˈblu:] ocelová modř
steel bronze [ˌsti:lˈbronz] Uchatiův bronz, dělovina
steel cap [ˌsti:lˈkæp] lehká ocelová přilba
steel-clad [sti:lklæd] **1** jsoucí v ocelové zbroji, jsoucí v brnění **2** loď obrněný, pancéřovaný, pancéřový
steel concrete [ˌsti:lˈkonkri:t] železový beton, ocelový beton
steel engraving [ˌsti:linˈgreiviŋ] **1** rytí do oceli **2** ocelorytina, oceloryt
steel frame [ˌsti:lˈfreim] **1** ocelový rám **2** ocelová kostra / konstrukce
steel grade [ˌsti:lˈgreid] jakost oceli
steel grey [ˌsti:lˈgrey] *s* ocelová šeď ● *adj: steel-gray* ocelově šedý
steel guitar [ˌsti:lgiˈta:] havajská kytara
steelhead [sti:lhed] *pl* též *steelhead* [sti:lhed] zool. pstruh americký
steelify [sti:lifai] (*-ie-*) zkujňovat surové železo, litinu
steeliness [sti:linis] **1** ocelovost, ocelovitost **2** tvrdost, zatvrzelost **3** chladnost, ledovost
steel jacket [ˌsti:lˈdžækit] ocelový plášť např. střely
steelman [sti:lmən] *pl: -men* [-mən] ocelář
steel mill [ˌsti:lˈmil] **1** ocelový mlýn **2** ocelárna
steel plant [ˌsti:lˈpla:nt] ocelárna
steel-plated [ˈsti:lˌpleitid] **1** pancéřovaný, oplátovaný ocelovým plechem **2** galvanicky poocelený
steel rule [ˌsti:lˈru:l] **1** ocelové měřítko **2** ocelové pravítko
steel strip [ˌsti:lˈstrip] **1** pás oceli **2** pásová ocel
steel wool [ˌsti:lˈwul] **1** ocelová vlna, drátky na drátkování **2** drátěnka na nádobí
steelwork [sti:lwə:k] **1** ocelový předmět, ocelový výrobek, ocelová součást **2** ocelová konstrukce
steelworks [ˌsti:lˈwə:ks] *sg* ocelárna
steely [sti:li] (*-ie-*) **1** ocelový, ocelovitý **2** přen. železný, ocelový (*~ nerves*) **3** tvrdý, zatvrzelý; chladný, ledový (*a ~ glance*) **4** ostrý (*a ~ wind*) ◆ *~ composure* železné nervy, ledový klid
steelyard [sti:lja:d] běhounové váhy, přezmen, mincíř
steen [sti:n] vyzdívat, roubit studni
steenbok [sti:nbok] africká antilopa z rodu *Rhaphiceros*
steening [sti:niŋ] **1** vyzdívka, roubení studně **2** v. *steen*
steenkirk [sti:nkə:k] hist.: volná vázanka zdobená krajkami
steep[1] [sti:p] *v* **1** na|máčet, na|močit, macerovat **2** dát / nechat nasáknout, prosáknout **3** namočit, navlhčit, potopit do vody (*~ ed my wrists and laved my temples* namočil jsem si zápěstí a obmyl spánky) **4** zaplavovat (*a river-mist is ~ing the trees* říční mlha zaplavuje stromy) **5** polít, zalít, přelít *in* čím, dát / nechat vy|louhovat v (*~ tea in boiling water*) **6** ležet v tekutině, vy|louhovat se, táhnout (*the tea is ~ing*) **7** přen. být prosáklý *in* čím, být plný čeho (*a mind ~ ed in romance*) **8** topit se / být naložený v alkoholu ◆ *be ~ ed in 1.* být ponořený do / v (*was ~ ed in slumber* byl ponořený do dřimot) *2.* být prosáklý / prodchnutý / načichlý skrz naskrz čím, být až po uši zapadlý v / do (*be ~ ed in vice* byl skrz naskrz prosáklý neřestí) *3.* být honěný v, dokonale ovládat co (*be ~ ed in Latin*); *~ in lye* louhovat, luhovat ***steep o. s.*** ponořit se *in* do, dát se prodchnout / prostoupit čím, splynout s (*~ o. s. in the atmosphere of the Middle Ages*) ● *s* **1** namočení, namáčení; močení lnu; namočenost **2** vyluhování, macerace **3** máčecí lázeň, vyluhovací lázeň **4** piv. máčecí voda **5** namáčecí nádržka / káď např. při výrobě whisky ◆ *put in ~* namočit do lázně ● *adj* sloužící k namáčení, namáčecí (*~ tub*)
steep[2] [sti:p] *adj* **1** příkrý, strmý, srázný (*~ hills*) **2** rychlý, prudký (*a ~ flight* rychlý let) **3** hovor.: cena příliš vysoký, přehnaný, přemrštěný, horentní, nestydatý **4** hovor.: požadavek neslýchaný, nesnadný, nelogický **5** hovor. přehnaný, neuvěřitelný, nepravděpodobný, těžko stravitelný (*a ~ story*) **6** zast. vysoký; vzdutý ◆ *~ climb* let. prudké stoupání; *~ dive* let. příkrý / strmý let střemhlav; *~ fall* prudký hluboký pokles cen; *~ gradient* strmé stoupání; *~ soundings 1.* náhlá změna hloubky moře *2.* příkré dno moře; *~ turn* ostrá zatáčka ● *s* prudký svah, sráz ● *adv* příkře, prudce nahoru n. dolů ● *v* stát se příkrým n. strmým
steepen [sti:pən] **1** stát se příkřejším n. strmějším
steeper [sti:pə] **1** namáčecí káď **2** piv. máčecí stok, náduvník **3** namáčeč, máčeč např. v palírně whisky
steepish [sti:piš] poměrně n. téměř příkrý atd.
steeple [sti:pl] **1** vysoká, štíhlá věž nahoře se zužující; kostelní věž **2** vysoká štíhlá věžička, špička na věži **3** zvonice
steeplechase [sti:plčeis] sport. *s* **1** steeplechase těžký překážkový dostih; běh na 3000 m překážek na dráze **2** terénní běh přespolní, lesní, silniční ● *v* jet n. běžet ve steeplechase, závodit ve steeplechase, zúčastnit se steeplechase; jet překážkový závod, zúčastnit se terénního běhu n. běhu na 3000 m překážek
steeplechaser [ˈsti:plˌčeisə] sport. **1** účastník steeplechase, steepler (slang.) **2** terénní / přespolní běžec **3** překážkář **4** vytrvalec
steeplechasing [ˈsti:plˌčeisiŋ] sport. jízda závodu steeplechase
steeple-crowned [sti:plkraund] ozdobený špičkou, korunovaný věžičkou ◆ *~ hat* vysoký špičatý klobouk
steepled [sti:pld] **1** opatřený věžičkou **2** jsoucí s mnoha věžemi n. věžičkami, stověžatý
steeplejack [sti:pldžæk] kominík, pokrývač, opravář pracující na vysokých věžích n. komínech
steeple-top [sti:pltop] zool. velryba grónská
steepness [sti:pnis] **1** příkrost, strmost, sráznost **2** rychlost, prudkost např. letu **3** hovor. přehnanost, přemrštěnost, horentnost, nestydatost ceny **4** hovor. neslýchanost, neuvěřitelnost, nelogičnost, požadavku **5** hovor. přehnanost, neuvěřitelnost, nepravděpodobnost příběhu

steer¹ [stiə] *s* **1** mladý vůl, volek, bulík **2** býček ● *v* vy|kleštit, vy|kastrovat býčka
steer² [stiə] *v* **1** řídit (~ *a bicycle,* ~ *an automobile*); kormidlovat (~ *a ship*), řídit loď kormidlem (~*ed by the stars*) **2** loď řídit se, poslouchat kormidlo **3** hovor. vést, uvést, zavést, přivést, dirigovat (~*ed the conversation into his favourite channels* zavedl rozhovor do svých oblíbených kolejí) **4** na|mířit, mít namířeno, směřovat, plout, jet, letět *for* kam ◆ ~ *clear of* vyhnout se komu / čemu, též přen. (~ *clear of controversial issues* vyhnout se sporným bodům) ● *s* AM hovor. návrh, nápad, podnět, tip jak co dělat
steerable [stiərəbl] řiditelný
steerage [stiəridž] **1** řízení kormidlem, kormidlování; reakce lodi na kormidlo **2** řídicí n. kormidelní zařízení **3** zast.: nejlacinější prostor na lodi, určený pro dopravu cestujících **4** směr plavby, kurs **5** prostor pro nižší důstojníky n. kursisty na válečné lodi; mezipalubí na osobní lodi **6** přen. řízení, vedení ◆ ~ *passenger* cestující nejlevnější třídy; *ship went with easy* ~ loď se lehko kormidlovala
steerageway [stiəridžwei] námoř. kormidlovací rychlost, nejmenší rychlost, při níž loď ještě reaguje na pohyb kormidla ◆ *maintain* ~ loď zůstat řiditelný / ovládatelný kormidlem
steered [stiəd] v. *steer,*¹˒² *v* ◆ ~ *economy* řízené hospodářství
steerer [stiərə] **1** kormidelník, muž u kormidla **2** řidič **3** loď reagující jak na kormidlo (*a quick* ~) **4** kormidelní zařízení **5** řídicí zařízení, řízení **6** náhončí *for* čeho
steering [stiəriŋ] **1** řídicí; týkající se řízení **2** kormidelní **3** v. *steer*¹˒² *v* ◆ ~ *arm* motor. hlavní páka řízení; ~ *committee* polit. řídicí / programový výbor např. Organizace spojených národů; ~ *gear 1.* motor. řízení *2.* námoř. kormidelní zařízení; ~ *oar 1.* kormidelní veslo *2.* opačina, opačnice zadní veslo např. u voru; ~ *play* tech. chod naprázdno
steering wheel [stiəriŋwi:l] **1** kormidelní kolo **2** volant ◆ ~ *compass* cestovní kompas
steersman [stiəzmən] *pl: -men* [-mən] **1** muž u kormidla, kormidelník **2** vorař u opačnice
steeve¹ [sti:v] námoř. *v* **1** čelen mít sklon **2** zasadit čelen šikmo pod určitým úhlem ● *s* úhel sklonu např. čelenu
steeve² [sti:v] námoř. *s* pěchovací sochor, ukládací sochor ● *v* ukládat zboží v lodi; na|pěchovat balíky apod. sochorem v nákladním prostoru lodi
stegosaur [stegəso:], **stegosaurus** [ˌstegəˈso:rəs] stegosaurus vymřelý ještěr
stein [stain] kameninová holba, konvice na pivo, džbánek s víčkem, nádoba i množství piva
Steinberger [stainbə:gə] druh rýnského vína z okolí Wiesbadenu
steinbo(c)k [stainbok] zool. **1** řidč. kamzík **2** = *steenbok*
stela [sti:lə] *pl: stelae* [sti:li:] = *stele 1, 2*
stele [sti:li(:)] *pl: stelae* [sti:li:] **1** archeol., archit. stéla, stélé architektonicky upravený náhrobní n. pamětní kámen (sloup, deska) s nápisem a reliéfem **2** část stěny s nápisem **3** bot. stélé soubor cévních svazků ve stonku
stellar [stelə] **1** hvězd. hvězdný, stelární (~ *spectrum*) **2** hvězdicový, z hvězd (~ *ornamentation*) **3** týkající se filmových n. divadelních hvězd; hlavní, titulní (*given a* ~ *role*) **4** prvotřídní, vynikající (*a* ~ *production*) ◆ ~*eclipse* hvězd. zákryt jedné složky dvojhvězdy, zákryt hvězdy
stellate [stelit] hvězdicový ◆ ~ *leaf* bot. list v přeslenu
stellated [steleitid] **1** posetý hvězdami, hvězdnatý (~ *sky, a* ~ *flag*) **2** bot. hvězdovitý
stellenbosh [stelənboš] BR voj. slang. odstranit, dát k ledu, přeložit do Zapadákova
stelliferous [steˈlifərəs] **1** hvězdnatý (~ *sky*) **2** jsoucí s hvězdicovým vzorem, s kresbou hvězd
stelliform [stelifo:m] hvězdicovitý
stellify [stelifai] (*-ie-*) **1** proměnit ve hvězdu n. souhvězdí **2** přen. vynášet do nebe, oslavovat
stellite [stelait] stelit tvrdá slitina kobaltu
stellular [steljulə], **stellulate** [steljulit] **1** hvězdicovitý, hvězdovitý, hvězdičkovitý **2** paprskovitý (~ *markings* ... kresby např. křídel hmyzu) **3** posetý n. pomalovaný hvězdičkami
stem¹ [stem] *s* **1** kmen, peň stromu **2** stonek, lodyha, stvol, stopka, řapík **3** dřík sloupu **4** trs banánů **5** třeň houby (bot.), noha (neodb.) **6** hlavní stvol přisedlého měkkýše **7** nožka, stopka sklenky **8** troubel dýmky **9** čípek zámku pro duté klíče **10** trubička teploměru **11** patka elektronky; nožka žárovky **12** natahovací hřídel, hřídelík korunky hodinek **13** vřeteno **14** osa ptačího pera **15** dřík písmena **16** nožka noty **17** jaz. kmen **18** ~*s, pl* špice **19** námoř. přední vaz, klounovec; příď lodi **20** kmen rodu; rod, původ **21** ~*s, pl* AM slang. podstavce, pedály nohy (*she's got gorgeous* ~*s* má fantastické jedenáctky) ◆ *false* ~ námoř. vnější vaz, vazový břit; *from* ~ *to stern 1.* po celé délce lodi *2.* úplně, důkladně, skrz naskrz; ~ *mother* zool. zakladatelka, samička z oplozeného vajíčka u mšic a perlooček; *of noble* ~ urozeného původu ● *v* (*-mm-*) **1** odstopkovat, zbavit stopek ovoce **2** odřapíkovat a odstranit střední žebra u tabákových listů **3** námoř. najet přídí n. předním vazem **4** plout proti proudu, větru n. přílivu **5** pocházet, pramenit *from* / *in* z, mít původ v
stem² [stem] *v* (*-mm-*) **1** stavět, zarazit, zastavit proud, zahradit, přehradit vodní tok **2** zastavit krvácení; krvácení zastavit se, přestat **3** přen. zarazit, zadržet postup čeho **4** ucpat, upěchovat vrt; utěsnit spáru **5** opřít, zapřít **6** sport. plužit na lyžích ***stem back 1*** zapřít se proti pohybu kupředu *2* zarazit, zadržet postup čeho, učinit přítrž čemu ● *s* **1** překážka, zarážka **2** sport. pluženi, přívrat na lyžích ◆ ~ *turn* sport. oblouk v pluhu, přívratný oblouk
stemless [stemlis] **1** jsoucí bez stopky, stonku atd. (~ *herbs* byliny bez stonku) **2** bez nožky (*a*

~ *drinking cup*) **3** nezadržitelný, nezastavitelný **4** proud proti kterému se nedá plout
stemlet [stemlit] kmínek
stemma [stemə] *pl: stemmata* [stemətə] **1** zool. očko hmyzu **2** rodokmen; přímý původ
stemmer [stemə] **1** odstraňovač řapíků a středních žeber tabákových listů **2** odstopkovač ovoce; stroj na odstraňování stopek ovoce, odstopkovačka **3** dělník vyrábějící n. přidělávající stonky umělých květin **4** horn. nabiják, pěchovací tyč
stemple [stempl] horn. **1** rozpěra, rozpínka, příčka, stojka **2** stojkořadí
stemson [stemsən] námoř. kleč, koleno, kobylka příďového vazu
stemware [stemweə] sklenky, pohárky na nožičkách
stemwinder [ˈstemˌwaində] **1** hodinky natahované otáčením korunky, remontérky **2** AM kanon, eso
stemwinding [ˈstemˌwaindiŋ] AM vynikající, prvotřídní, skvělý
Sten [sten] též ~ *gun* voj. lehký kulomet, samopal Sten
stench [stenč, stenš] *s* **1** odporný pach, puch, zápach, smrad **2** silná, až nepříjemná vůně (*sweet ~ of magnolia*) • *v* **1** páchnout, zapáchat, smrdět **2** nasmrdět (*the paint ~es the whole house* celý dům smrdí barvou)
stench bomb [stenčbom, stenšbom] voj. slang. bomba s dusivým plynem
stench trap [stenčtræp, stenštræp] vodní uzávěr, sifon
stencil [stensl] *s* **1** malířská šablona, patrona **2** nápis, vzorek zhotovený šablonou **3** barva na malování šablonou **4** rozmnožovací blána **5** polygr. tisková šablona; sítotisková forma **6** přen. šablona, manýra (*literary ~s*) • *v* (*-ll-*) **1** malovat n. tisknout n. označovat n. značkovat šablonou **2** rozmnožovat, cyklostylovat (~ *an interoffice memorandum* nacyklostylovat vnitřní sdělení)
stenciller [stenslə] malíř pracující šablonou
stencil plate [stenslpleit] malířská šablona, patrona
stenochromy [stəˈnokrəmi] polygr. simultánní barvotisk, stenochromie
stenograph [stenəugra:f] *s* **1** těsnopisný záznam, stenogram **2** těsnopisný znak **3** stenografický stroj • *v* psát / napsat těsnopisně, zaznamenat / zachytit těsnopisem, stenografovat
stenographer [stəˈnogrəfə] těsnopisec, stenograf
stenographic [ˌstenəuˈgræfik] těsnopisný, stenografický
stenographist [stəˈnogrəfist] = *stenographer*
stenography [stəˈnogrəfi] těsnopis, stenografie
stenohaline [ˌstenəuˈheili:n] zool. žijící jen v určité salinitě vody
stenosis [stiˈnəusis] *pl: stenoses* [stiˈnəusi:z] med. chorobné zúžení, stenóza některých dutých orgánů
stenotype [stenəutaip] **1** těsnopisný stroj **2** těsnopisný znak těsnopisného stroje
stenotypist [stenəutaipist] řidč. stenotypistka
stenotypy [stenəutaipi] těsnopisný systém užívající normálního písma n. normálních typů
step [step] *v* (*-pp-*) **I.** základní významy **1** udělat (krok) (*rose and ~ped three paces* vstal a udělal tři kroky), jít (*please ~ to the telephone*), chodit, kráčet, vykračovat si po (*deer ~ the highways* vysoká zvěř přechází po silnicích) **2** kůň jít rychle **3** dělat kroky při tanci; za|tančit, za|tancovat (*that girl can really ~, ~ a minuet*) **4** udělat stupně n. zářezy v / do (~ *a key*) **5** udělat stupně, odstupňovat, stupňovitě / terasovitě uspořádat, stoupat n. klesat **6** stupňovitě osadit hřídel **7** horn. stupňovitě dobývat **8** námoř. ukládat stěžeň do botky / stojanu **9** stěžeň pevně stát protože je dole upevněn v botce **II.** spojení s předložkou **1** přejít, překročit *across* co, udělat krok přes (~ *across a stream* překročit potok) **2** vstoupit *between* mezi a tím rozdělit (*the referee ~ped between the two boxers* soudce vstoupil mezi oba boxery) **3** vejít, vstoupit *in*(*to*) do **4** být zatažen, dostat se *in* do **5** zasadit jako do botky *in* do (*a small pole ~ped in a block of wood served as a mast*) **6** přijít lehce / snadno a rychle *into* k, náhle / snadno získat co (~ *into a good job, he ~ped into fortune* spadlo mu štěstí do klína) **7** sestoupit, sejít *off* z (~*ped off the curb* sestoupil z obrubníku) **8** vystoupit, vstoupit *on* / *on to* na (~ *on the platform* vstoupit na pódium) **9** šlápnout *on* na (~ *on a rusty nail* šlápnout na rezavý hřebík), sešlápnout co (~ *on the brake* sešlápnout brzdu), rozšlápnout, zašlápnout *on* co (~ *on a worm* ... červa) **10** šlapat *on* po, opovrhovat kým (*he either ~s on people or patronizes them* buď po lidech šlape nebo se k nim chová blahosklonně) **11** překročit *over* co (*hunters ~ over the dead animal* lovci překračují mrtvé zvíře) ◆ ~ *ashore* vystoupit na břeh; ~ *foot* vložit nohu, vkročit (*the first man who ~ped foot on the enemy's soil*); ~ *on a p.'s foot* šlápnout na nohu komu; ~ *on the gas* hovor. *1.* šlápnout na plyn, přidat plyn *2.* šlápnout / dupnout na to, hodit sebou, mrsknout sebou; ~ *high* kůň zvedat vysoko nohy; ~ *it* hovor. tancovat, trsat; ~ *on it* hovor. *1.* šlápnout / dupnout na to, hodit sebou, mrsknout sebou *2.* tempo, pohyb výzva; *keep a p. ~ping* udržet v rychlém pohybu; ~ *out of the ranks* voj. předstoupit; ~ *short* dělat krátké kroky; ~ *out of one's way to do a t.* namáhat se, snažit se, udělat něco mimořádného, aby se stalo; ~ *this way* račte přistoupit, račte vstoupit ***step across*** jít přes ulici, naproti, na protější stranu ulice (~ *across to a neighbour's* jít naproti k sousedům) ***step along*** zvednout se, jít dál, odejít ***step aside 1*** odstoupit, ustoupit, pustit někoho na své místo **2** odbočit, odchýlit se od tématu ***step back 1*** ustoupit, udělat krok zpět (*ordered the spectators to ~ back* nařídil divákům, aby ustoupili) ***2*** stupňovitě / pyramidovitě

postavit n. uspořádat ***step down 1*** sejít (*~ped down to the corner for a newspaper* sešel si dolů na roh pro noviny) *2* odejít ze svědeckého místa v soudní síni *3* rezignovat na vyšší funkci, podat demisi, odejít, jít na odpočinek; vzdát se *from* vyššího postavení, odejít z (*had ~ped down from active management of the household* vzdala se aktivního řízení domácnosti) *4* snížit, zmenšit, z|redukovat *5* elektr. snížit napětí transformátorem ***step forward*** postoupit kupředu např. v hromadném dopravním prostředku ***step in 1*** vejít dovnitř *2* zaskočit na návštěvu, zastavit se u někoho (*~ in and take your chocolate with her*) *3* zakročit, zasáhnout, vložit se do toho pomoci i překazit ***step off*** změřit, odměřit kroky ◆ *~ off with a / the left foot* vykročit levou nohou; *I'll soon tell him where he ~s off* já ho hnedle odkáui do příslušných mezí ***step out 1*** odejít, vyjít ven *2* na chvilku odejít, zmizet, ztratit se, odskočit si (*just ~ped out for a while*) *3* pospíšit si, přidat do kroku; rychle pochodovat *4* změřit, odměřit kroky (*~ out a distance of ten yards*) *5* AM hovor. jít večer za zábavou, vyhodit si z kopýtka *6* hovor. vést bohatý společenský život, žít intenzívně společensky *7* slang. zahýbat, zanášet *on* komu být nevěrný (*hadn't been married two months before I knew he was ~ping out on me*) *8* slang. zaklepat bačkorama, natáhnout brka zemřít ***step over 1*** jít přes určitý prostor, přejít *to* k (*~ over to the bar*) *2* zajít si, zaskočit si (*any senator who cared to ~ over to the Pentagon*) ***step round*** zaskočit na návštěvu *to* k ***step up 1*** přijít *to* k *2* vystoupit, zvednout se, postavit se *3* udělat pokrok, zlepšit se; být povýšen, postoupit **4** zesílit, zintenzívnit, učinit intenzívnějším, zvýšit (*~ up production*), zrychlit, urychlit (*radio and television have ~ped up the tempo of the news*) *5* elektr. zvýšit napětí transformátorem *6* zasadit do botky (*~ up a mast*) ● *s* **1** krok pohyb nohou (*he was walking with slow ~s*); vzdálenost (*it's only a few ~s farther*); zvuk kroků (*we heard ~s outside*); chůze; kročej **2** taneční krok **3** malý krok, krůček (*there is but one ~ from the sublime to the ridiculous* od rafinovaně kultivovaného ke směšnému je jen malý krůček); pár kroků, (*just a ~ from the bank, lives a good ~ down the road*) **4** stopa, šlépěj, krok **5** čin, počin, jednání, zákrok, krok **6** stupeň schodu, schod (*the child was sitting on the bottom ~* dítě sedělo dole na posledním schodě); vytesaný schod, schůdek např. ve skále; práh **7** stupačka, stupátko **8** příčka, příčel žebříku **9** *~s, pl* schůdky, dvojitý žebřík, dvojžebřík, štafle **10** společenský stupeň, třída (*rose several ~s in my opinion* podle mého názoru postoupil ve společnosti o několik stupňů) **11** hodnost, postavení; povýšení **12** stupeň např. v lomu **13** fot. stupeň expozice **14** hud. stupeň; vzdálenost dvou sousedních tónů v diatonické stupnici, sekunda; krok, interval **15** pracovní operace **16** námoř. patní ložisko kormidla; botka stěžně; stěžňový stojan **17** osazení hřídele **18** fazóna, fazónka límce ◆ *be in ~* držet krok (*they are not in ~ with the times*); *be out of ~ 1.* nejít stejným krokem, nedržet spolu *2.* nedržet krok *with* s, jít jiným krokem než *3.* jít jinak než jde *with* kdo (*the right of a man to be out of ~ with society*); *~ by ~ 1.* postupně *2.* systematicky, krok co krok, krok za krokem *3.* opatrně; *change ~* změnit krok; *come a ~ nearer* přistoupit o krok blíž; *at every ~* na každém kroku; *fall in ~* vyrovnat krok; *fall into ~ with* přizpůsobit se komu / čemu; *false ~ 1.* chybný krok *2.* poklesek, prohřešek; *flight of ~s* schody, schodiště k budově; *follow a p.'s ~s = tread in a p.'s ~s; get one's ~* být povýšen; *half ~* hud. půltón, malá sekunda; *in ~ with 1.* stejným krokem, stejnou nohou jako, stejně s *2.* v souladu, ve shodě s (*keep wages and salaries in ~ with economic conditions* udržet mzdy a platy v souladu s ekonomickými podmínkami); *keep ~ to (a / the) band* jít / pochodovat podle hudby / na hudbu; *long ~* přen. velký krok, skok pokrok; *mind your ~! = watch your ~!; do not move a ~* dál ani krok, nehýbej se, ani se nehni; *what's the next ~?* jaké jsou další kroky, co se podnikne teď, jaká opatření jsou na řadě teď?; *on the ~* hydroplán dotýkající se vody pouze zadní částí plováků (*she went up on the ~ and was off into space* zvedl se na zadní část plováků a zmizel v prostoru); *out of ~ with* nestejným krokem jako, jiným krokem, jinou nohou, jinak než; *a pair of ~s* BR schůdky, dvojitý žebřík, dvojžebřík, štafle; *rash ~* ukvapený krok, ukvapenost (*take a rash ~* ukvapit se); *retrace one's ~s 1.* jít zpět, vrátit se stejnou cestou *2.* přen. odvolat své opatření; *take a ~ forward* učinit krok vpřed, pokročit kupředu; *take ~s to do* podniknout opatření, učinit kroky k (*take ~s to prevent the spread of influenza* podniknout opatření, aby se zabránilo šíření chřipky); *tread in a p.'s ~s* kráčet ve šlépějích koho, následovat příkladu koho; *waltz ~* valčíkový krok; *watch your ~!* dávej pozor, dej si pozor na to, co děláš!; *whole ~* hud. celý tón, velká sekunda ● *adj* stupňovitý, stupňový ◆ *~ bearing* patní ložisko; *~ chair* skládací schůdky které se mohou složit též jako židle; *~ fault* geol. stupňovitý zlom; *~ function* mat. stupňovitá / schodovitá funkce; *~ rate* odstupňovaná sazba; *~ rocket* stupňová / několikastupňová / vícestupňová raketa; *~ stone 1.* kamenný práh přede dveřmi *2.* nášlapný kámen např. při přecházení přes potok; *~ table* dvouposchoďový / víceposchoďový stolek / stojan jehož jednotlivé desky tvoří schody; *~ turn* sport. telemark; *~ ward 1.* vnitřní roubení zámku *2.* vnitřní zářez v zubu klíče

stepbrother [ˈstepˌbraðə] nevlastní bratr

stepchild [stepčaild] *pl: stepchildren* [ˈstepˌčildrən] nevlastní dítě, pastorek

stepdame [stepdeim] **1** zast. nevlastní matka, macecha, též přen. **2** krkavčí matka
step dance [stepda:ns] step tanec
stepdaughter [ˈstepˌdo:tə] nevlastní dcera, pastorkyně
stepfather [ˈstepˌfa:ðə] nevlastní otec, otčím
stephanotis [ˌstefəˈnəutis] bot. **1** druh tropické popínavé rostliny z čeledi klejichovitých **2** květ této rostliny
step-in [stepin] *adj* oděv, obuv do kterého lze lehce vklouznout ● *s* **1** *~s, pl* lodičky, pérka obuv **2** *~s, pl* dámské kalhotky
stepladder [ˈstepˌlædə] **1** schůdky, dvojitý žebřík, dvojžebřík, štafle **2** lanový žebřík
stepmother [ˈstepˌmaðə] **1** nevlastní matka, macecha, též přen. **2** krkavčí matka
stepney [stepni] BR motor. hist. náhradní kolo, rezerva automobilu
step-parent [ˈstepˌpærənt] **1** nevlastní otec n. matka, otčím, macecha **2** *~s, pl* nevlastní rodiče
steppe [step] **1** step rovina bez dostatečné pravidelné vláhy **2** *S~s, pl* ruská step; kirgizská step
stepper [stepə] **1** stepař tanečník **2** kůň, který vykračuje
stepping stone [stepiŋstaun] **1** nášlapný kámen např. pro přechod přes potok **2** přen. odrazový můstek
stepsister [ˈstepˌsistə] nevlastní sestra
stepson [stepsan] nevlastní syn, pastorek
steps-teller [ˈstepsˌtelə] krokoměr
stepwise [stepwaiz] *adv* **1** stupňovitě **2** dílčími kroky, postupně **3** AM hud. postupující v sekundových intervalech
steradian [stəˈreidiən] geom., fyz. steradián jednotkový prostorový úhel
stercoraceous [ˌstə:kəˈreišəs] **1** hnojní **2** lejnový, výkalový
stercoral [stə:kərəl] **1** žijící v hnoji n. ve výkalech **2** výkalový, sterkorální
stercoricolous [ˌstə:kəˈrikələs] = *stercoral, 1*
stere [stiə] krychlový metr dřeva
stereo [stiəriəu] *s* **1** stereofonní zařízení n. aparatura, stereofonní nahrávka, stereofonní reprodukce, stereo **2** fot. stereoskopická fotografie obor i snímek, stereografie obor **3** polygr. stereotyp, stereo ◆ *in ~ 1.* stereofonní *2.* ve stereofonní nahrávce, ve stereu ● *adj* **1** stereofonní, stereo **2** fot. stereoskopický **3** polygr. stereotypický, stereotypový, stereotypérský ◆ *~ plate* polygr. stereotyp
stereobate [stiəriəbeit] archit. **1** základ, sokl, stereobat budovy **2** podnož sloupového řádu
stereochemistry [ˌstiəriəˈkemistri] stereochemie nauka o prostorovém uspořádání atomů v molekule
stereochrome [stiəriəkraum] *s* stereochromový obraz ● *v* malovat (stereochromií) na suché omítce
stereochromic [ˌstiəriəˈkromik] stereochromový s malbou na suché omítce
stereochromy [stiəriəkraumi] stereochromie malování na suché omítce
stereogram [stiəriəgræm] fot. **1** stereoskopický snímek **2** stereoskopický rentgenogram
stereograph [stiəriəgra:f] fot. stereoskopický snímek
stereography [ˌstiəriˈogrəfi] stereografie zobrazování tvaru těles v rovině
stereoisomerism [ˌstiəriəˈaisomerizəm] chem. stereoizomerie jev, že se látky od sebe liší jen prostorovým uspořádáním molekul
stereometer [ˌsteriˈomitə] stereometr přístroj pro prostorové vyhodnocování snímků
stereometric [ˌsteriəˈmetrik] stereometrický
stereometrical [ˌsteriəˈmetrikəl] = *stereometric*
stereometry [ˌsteriˈomitri] stereometrie prostorové vyhodnocování snímků
stereology [ˌsteriˈolədži] vědní obor zabývající se studiem trojrozměrných těles, které lze pozorovat jen dvojrozměrně
stereophonic [ˌstiəuriəˈfonik] *adj* zvukově plastický, prostorový, stereofonní, stereofonický, pořízený stereofonním záznamem ● *s: ~s, sg = stereophony*
stereophony [ˌstiəriˈofəni] stereofonie obor elektroniky zabývající se záznamem, přenosem a reprodukcí plastického zvuku
stereophotography [ˌstiəriəfəˈtogrəfi] stereoskopická fotografie, stereofotografie
stereopticon [ˌstiəriˈoptikən] promítačka diapozitivů, diaprojektor umožňující prolínání obrazů
stereoscope [stiəriəskəup] fyz. stereoskop přístroj s dvěma optickými soustavami umožňující prostorové vidění obrazu
stereoscopic [ˌstiəriəˈskopik] fyz. stereoskopický týkající se stereoskopu
stereoscopy [ˌstiəriˈoskəpi] **1** stereoskopie obor optiky zabývající se prostorovým viděním **2** stereoskopické vidění
stereotactic [ˌstiəriəˈtæktik] reagující pohybem na dotek pevného tělesa
stereotape [stiəriəteip] stereofonní magnetický pásek ◆ *~ player* stereofonní magnetofon
stereotaxis [ˌstiəriəˈtæksis] reakce pohybem na dotek pevného tělesa
stereotype [stiəriətaip] *s* **1** polygr. stereotyp tisková deska odlitá pomocí matrice **2** polygr. stereotypie zhotovování stereotypů **3** konvence, šablona, manýra, stereotyp ● *v* **1** polygr. zhotovovat stereotypy, stereotypovat **2** učinit šablonovitým
stereotyper [stiəriətaipə], **stereotypist** [stiəriətaipist] polygr. stereotypér pracovník zhotovující stereotypy
stereotypography [ˌstiəriətaiˈpogrəfi] polygr. tisk ze stereotypů
stereotypy [stiəriətaipi] polygr. **1** stereotypie zhotovování stereotypů **2** tisk ze stereotypů
sterilant [sterilənt] sterilizační prostředek
sterile [sterail] **1** sterilní prostý choroboplodných zárodků (*~ bandage*); neplodný (*a ~ cow*) **2** pustý, neplodný, jalový, úhorovitý, úhorový (*a ~ arid region* pustá vyprahlá oblast) **3** neúrodný (*a ~ year*) **4** vázaný, nijak nevyužitý **5** jsoucí bez nápadů, nevynalézavý, nemohoucí, neschopný, impotentní, sterilní (*a ~ author*); bezobsažný, prázdný, hluchý, jalový, neslaný nemastný (*~ prose*) **6** biol. infertilní, sterilní

sterility [ste|rilәti] **1** neplodnost, sterilnost, sterilita **2** pustost, neplodnost, úhorovitost, jalovost **3** neúrodnost **4** nevyužitost; vázanost **5** nevynalézavost, nemohoucnost, neschopnost, impotence, impotentnost, sterilnost, sterilita; bezobsažnost, prázdnota, hluchost, jalovost **6** biol. infertilnost, sterilnost
sterilization [|sterәlai|zeišәn] **1** sterilizace, sterilizování **2** sterilnost, sterilita; sterilizovanost
sterilize [sterәlaiz] **1** sterilizovat **2** dát / nechat ležet ladem, nevyužívat **3** vymrskat půdu **4** ekon. sterilizovat; zbavit účinnosti n. vlivu; vyloučit z oběhu n. činnosti ◆ *~d gold* nijak nevyužité zlaté zásoby
sterilizer [sterәlaizә] sterilační / sterilizační přístroj, sterilizátor
sterlet [stә:lit] zool. jeseter malý
sterling [stә:liŋ] *adj* **1** šterlinkový týkající se britské měny (*pound ~* libra šterlinků); splatný v librách / v anglické měně (*a ~ bill*) **2** zlato, stříbro mincovní, standardní, plnohodnotný, téměř čistý, ryzí **3** vyrobený z téměř čistého stříbra (*~ cutlery*) **4** přen. čistý, pravý, bezvadný, poctivý, ryzí, nefalšovaný; absolutní, stoprocentní, vynikající, skvělý, báječný **5** AU narozený ve Velké Británii n. v Irsku ◆ *~ area* ekon. šterlinková oblast; *~ bloke* buran, dacan; *~ silver* zákonné mincovní zrno **4** zákonné mincovní stříbro; stříbrné příbory, stříbro **5** AU člověk narozený ve Velké Británii n. Irsku
stern[1] [stә:n] *s* **1** námoř. záď lodě **2** zadní část, zadek **3** hovor. zadek, zadnice, panímanda **4** prut, oháňka psa **5** zast. kormidlo, též přen. ◆ *~ all* námoř. oba boky vzad povel k veslování; *by the ~ 1.* loď zadotížný *2.* na zádi, po zádi; *counter ~* převislá záď; *cruiser ~* křižníková záď; *~ foremost* couvání, pohyb nazpět / po zádi; *~ on* zádí napřed, pozpátku; *park one's ~* vulg. uprdelit se; *from stem to ~* po celé délce lodi ● *adj* záďový
stern[2] [stә:n] **1** přísný, příkrý, tvrdý, ostrý, strohý, striktní *to / towards* na **2** tuhý, tvrdý, přísný (*~ discipline*) **3** temný, nepřívětivý, nepříjemný, nevlídný, odporný, odpudivý (*a ~ face*); nehostinný (*a ~ landscape* nehostinná krajina) **4** vážný, závažný, těžký (*a ~ warning* vážné varování) **5** krutý, urputný, kritický, nebezpečný, vážný, těžký (*~ times*) **6** kniž. pevný (*~ resolve* pevné rozhodnutí) ◆ *~er sex* silnější pohlaví muži
sternal [stә:nl] anat. sternální týkající se hrudní kosti
sternalgia [stә:|nældžiә] med. sternalgie bolest v krajině hrudní kosti
stern chase [stә:nčeis] námoř. **1** stíhání v kýlové čáře **2** hist. záďová střílna
stern-chaser [|stә:n|čeisә] námoř. hist. dělo na lodní zádi, zadní dělo, záďové dělo
stern drive [|stә:n|draiv] zadní lodní motor
stern-fast [stә:nfa:st] námoř. záďové uvazovací lano ◆ *~ frame* kormidelní vaz
sternmost [stә:nmәust] **1** nejzadnější **2** nejbližší zádi
sternness [stә:nnis] **1** přísnost, příkrost, tvrdost, ostrost, strohost, striktnost **2** tuhost, tvrdost, přísnost **3** temnost, nepřívětivost, nepříjemnost, nevlídnost, odpornost, odpudivost; nehostinnost **4** vážnost, závažnost, těžkost **5** krutost, kritický stav, nebezpečnost, vážnost **6** kniž. pevnost
sternoclavicular [|stә:nәklә|vikjulә] anat. týkající se kosti hrudní a klíční
sternofacial [|stә:nә|feišәl] anat. týkající se svalu spojujícího hrudní kost se svalovým pouzdrem ramenního svalu
sternothyroid [|stә:nә|θairoid] anat. **1** týkající se hrudní kosti a štítné chrupavky **2** týkající se svalu spojujícího hrudní kost se štítnou chrupavkou
stern-post [stә:npәust] námoř. zadní vaz ◆ *~ tube* vazová trouba / trubka
stern-sheets [stә:nši:ts] námoř. **1** záďový roštový jíçen **2** záďová lavice v otevřeném člunu
sternum [stә:nәm] *pl* též *sterna* [stә:nә] anat. hrudní kost, sternum
sternutation [|stә:nju|teišәn] odb., žert. kýchání
sternutative [stә(:)|nju:tәtiv] *adj* dráždící ke kýchání, kýchací, kýchavý ● *s* kýchavá látka, kýchací prostředek
sternutator [stә:njuteitә] voj., chem. kýchavý bojový plyn
sternutatory [stә(:)|nju:tәtәri] *adj* = *sternutative, adj* ● *s* = *sternutator*
sternward [stә:nwәd] *adj* záďový ● *adv* = *sternwards*
sternwards [stә:nwәdz] k zádi, na záď
stern-way [stә:nwei] **1** couvání, zpětný / zadní chod lodi **2** setrvačný pohyb lodi nazad
stern-wheeler [|stә:n|wi:lә] zadokolesová loď, zadokolesový parník
steroids [stiәroidz] chem., biol. *pl* steroidy skupina důležitých přirozených látek, do které náležejí i některé vitamíny a hormony
sterols [sterәlz] chem. *pl* steroly cyklické alkoholy odvozené od společné základní sloučeniny
stertorous [stә:tәrәs] chroptivý, chroptící
stertorousness [stә:tәrәsnis] chroptivost, chropotnost
stet [stet] (*-tt-*) **1** platí poznámka v korektuře **2** polygr. nerozmetat, nechat stát sazbu **3** vrátit v korektuře, označit, že platí, podtečkovat, zrušit korekturu čeho
stethoscope [steθәskәup] med. stetoskop jednoduchý přístroj tvaru trubky zesilující slabé zvuky v dutinách tělních
stethoscopic [|steθә|skopik] stetoskopický týkající se stetoskopu
stethoscopist [ste|θoskәpist] kdo vyšetřuje stetoskopem
stethoscopy [ste|θoskәpi] vyšetřování stetoskopem

stetson [stetsən] vysoký kovbojský klobouk se širokou střechou, stetson

stevedore [sti:vido:] námoř. *s* **1** nakladač, vykladač zboží **2** úředník / podnikatel odpovědný za nakládání a vykládání lodního nákladu ♦ *~'s knot* skladnický uzel ● *v* **1** nakládat, vykládat, překládat lodní náklad **2** řídit nakládání n. vykládání lodního nákladu

stevengraph [sti:vngra:f] text. tkaný hedvábný obraz

stew¹ [stju:] čast. *~s, pl* zast. hampejz, nevěstinec, pajzl

stew² [stju:] *v* **1** kuch. dusit | se (*~ed the beef for goulash* dusil hovězí na guláš) **2** přen. péct se, potit se s, dělat si starosti s, lámat si hlavu s / nad **4** škol. slang. biflovat | se, šprtat | se, dřít | se ♦ *let him ~ in his own grease / juice* přen. nech ho dusit ve vlastní šťávě, ať se dusí ve vlastní šťávě; *~ing pears* hrušky vhodné k dušení n. vaření , kompotové hrušky; *the tea is ~ed* čaj je příliš vylouhovaný ● *s* **1** kuch. pokrm, jehož hlavní součástí je dušené maso **2** přen. salát, mišmaš, guláš **3** pec, výheň, pařák (*the tropical ~ of downtown Philadelphia*) **4** hovor. zmatek, vzrůšo, hlava v pejru **5** hovor. patoky, příliš vylouhovaný čaj ♦ *be in a ~* mít zamotanou hlavu, mít hlavu v pejru; *beef ~* hovězí maso dušené na zelenině; *go into a ~* vzrušovat se, chytat se stropu; *Irish ~* irský guláš maso, zprav. skopové, dušené s cibulí a brambory

stew³ [stju:] BR zast. **1** rybníček, sádka **2** umělá ústřicová líheň

steward [stjuəd] *s* **1** správce **2** inspektor, dozorce; šafář **3** dílenský mistr **4** majordom, majordomus **5** hist. hofmistr **6** číšník, stolník; sklepmistr **7** správce lodních zásob **8** stevard na lodi n. v letadle **9** hospodářský správce, hospodářský ředitel klubu **10** ředitel jezdeckého klubu; pracovník, sekretář, člen řídícího výboru / předsednictva plesu **11** pořadatel např. při slavnosti **12** AM námoř. velitel důstojnické jídelny **13** voj. hist. proviantmistr ♦ *Lord High S~* nejvyšší hofmistr britského království vysoký státní úředník, řídící korunovaci n. soudní řízení proti peerovi; *Lord S~ (of the Household)* nejvyšší královský hofmistr ● *v* **1** obsluhovat, sloužit komu **2** dělat správce atd. komu, být správcem atd. koho / čeho; správcovat, šafářovat

stewardess [stjuədis] **1** stevardka na lodi, v letadle **2** letuška

stewardship [stjuədšip] **1** hodnost n. funkce správce atd. **2** hist. hofmistrovství

stewed [stju:d] **1** slang. napařený opilý **2** v. *stew², v*

stew pan [stju:pæn], **stew pot** [stju:pot] dušák, kastrol, rendlík, pánev, kuthan

sthenic [sθenik] **1** med. stenický charakterizovaný zvýšenou činností **2** silný, plný síly, svěží, jarý, stenický **3** psych. pyknický, stenický

stich [stik] karty: poslední vzatek, zdvih, štych (nespr.) v některých hrách

stichomyth [stikəumiθ], **stichomythia** [ˌstikəuˈmiθiə] liter. stichomythie (v řecké tragédii) spádnost dialogu způsobená tím, že jednotlivé osoby pronášejí jen velmi stručné repliky, zprav. jeden verš

stick [stik] *v* (*stuck, stuck*) **I.** základní významy **1** na|píchnout, na|bodnout **2** připíchnout, přitlouci, přibít připevnit např. hřebíčky **3** nabodnout trokarem nadmuté dobytče **4** píchat, píchnout, porazit vepře, zejm. sport. **5** zool. napíchnout hmyz na entomologický špendlík (*~ butterflies and mount them* napíchnout motýly a napnout je) **6** uchytit hřebík před zatlučením **7** být vpíchnutý, vbodnuté vězet, trčet (*the needle stuck in my finger*) **8** rychle, nepořádně za|strčit, vrazit (*he stuck his hands in his pockets*) **9** lepit | se (*this stamp won't ~* tato známka nelepí, *keep the biscuits from ~ing to the pan*), slepit se (*these stamps have stuck* tyhle známky se slepily dohromady) **10** na|lepit, přilepit (*~ a stamp*), vylepit (*~ a placard on a hoarding* vylepit plakát na plakátovací plochu) **11** vězet, uváznout, uvíznout, zůstat vězet / trčet (*the key stuck in the lock* klíč trčel v zámku, *the bus stuck in the mud* autobus zůstal vězet v blátě) **12** zaklesnout se, nejít otevřít (*desk drawer always stuck* zásuvka psacího stolu nešla nikdy otevřít), přilepit se a nedat se otevřít (*the door has stuck*) **13** zadřít se, zanést se; zadrhnout se (*her zipper stuck half way up* její zip se v půlce zadrhl) **14** zaskočit v krku **15** zastavit se, zarazit se, zůstat stát, zakopnout při selhání paměti (*stuck in the middle of the verse*) **16** bránit v pohybu čeho / čemu (*prevent foreign matter from ~ing valve* zabránit cizímu tělesu, aby zadřelo ventil) **17** hovor. sedět, tvrdnout (*fancy having to ~ in an office on a day like this* představte si, že člověk musí v takovýhle den tvrdnout v kanceláři); trčet, zkejsnout (*stuck on the farm while his brother travelled* zůstal trčet na farmě, zatímco jeho bratr si cestoval) **18** zboží zůstat ležet **19** zůstat (*here I am and here I ~*) **20** udržet se, zachovat si platnost (*many reorganizations in the past have failed to ~* v minulosti si jen málo reorganizací zachovalo svou platnost) **21** zvyk, pocit, pomluva nedat se setřást n. odlepit, zůstat; fakt, slova zůstat v mysli, uvíznout v hlavě, udržet se v paměti **22** přivést do rozpaků / do úzkých, vyvést z míry (*stuck him with the first question they asked*) **23** tížit jako kámen koho (*things like debt and family illness can ~ you* dokáží vás tížit věci jako jsou dluhy a nemoc v rodině) **24** ošidit, okrást, podvést, brát / vzít na hůl, dřít kůži z (*fixed the prices and stuck the rich to favour the poor* uzpůsobil ceny tak, že bohaté bral na hůl a zvýhodňoval chudé) **25** BR hovor. vydržet, snést (*I can't ~ it any longer*), vystát (*how can you ~ that fellow?*); nést hrdinně **26** (*sticked, sticked*) opatřit holí n. tyčí, upevňovat tyčí; přivázat k tyči / tyčce; dát kůl např. k révě **27** (*sticked, sticked*) sbírat dříví např.

v lese **28** (*sticked, sticked*) rovnat řezivo do hráně s proklady **29** ozdobit, obložit pokrm **30** AU zahnat do úzkých, zahnat a tím chytit zvíře **31** polygr. řidč. sázet do sázítka **32** ker. slepit **II.** spojení s předložkou **1** trčet, vězet, sedět, dřepět *at* u, tvrdnout (hovor.) nad (*he* ~*s at his work ten hours a day*) **2** věnovat se pouze *at* čemu (*he* ~*s persistently at his studies* věnuje se houževnatě studiu) **3** zastavit se *at* před, mít / brát ohledy na, váhat, stydět se, rozpakovat se udělat co (*not one who would* ~ *at calling her at midnight*), lekat se, štítit se čeho (přen.) (*he wouldn't* ~ *at murder if it would serve his purpose* ten by se neštítil ani vraždy, kdyby tím dosáhl svého) **4** být zmaten *at* čím, být v úzkých z, být v rozpacích nad (*what we* ~ *at in most religious poetry is not the belief but the emotions*) **5** zůstat věrný *by* komu **6** vyčnívat, koukat, čouhat, vyčuhovat *from* odkud, z (*had a book* ~*ing from his pocket*) **7** hovor. vymámit *a p.* z *of* co, pumpnout koho o (*expert at* ~*ing his friends of drinks*) **8** hovor. chtít *a p.* od, počítat, účtovat komu *for* za (*what do they* ~ *you for a meal?*) **9** napíchat *in* do (~ *pins in a pincushion* napíchat špendlíky do jehelníčku) **10** zasunout, vsunout, zastrčit, v|strčit, vetknout, dát *in* do (~ *a flower in a buttonhole* dát si květinu do knoflíkové dírky) **11** strčit, dát, postavit *in* na určité místo (~ *the chair in the corner*), píchnout, majznout, mejknout (hovor.) **12** vrazit, v|píchnout, v|bodnout *a t.* co *into* do, napíchnout na co (~ *a fork into a potato*) **13** propíchnout *a t.* čím *into* co (~ *a needle into a blister* propíchnout puchýř jehlou) **14** napíchnout, nabodnout *on* na (~ *an apple on a fork*), narazit na (*heads were stuck on spikes of gateway* na kůlech brány byly naraženy hlavy) **15** připíchnout *on* na, přitlouci např. hřebíčky (~ *a painting on the wall*) **16** strčit, hodit, dát *on* na určité místo (~ *your books on the table*) **17** udržet se *on* na, udržet se na hřbetě čeho, nespadnout z (*can you* ~ *on a horse?*) **18** slang. přišít *a t.* co *on a p.* komu na triko **19** vyčnívat, koukat, čouhat, vyčuhovat *out of* odkud, z (*nose of the car was* ~*ing out of the garage*) **20** vystrčit *over* nad (*soldier foolish enough to* ~ *his head over the rock*) **21** přetáhnout *over* přes (*that's why he stuck his blanket over her face* proto jí přetáhl přes obličej svou přikrývku) **22** při|lepit se *to* na (*glue had stuck to his fingers* klih se mu přilepil na prsty), lnout, lpět, být nalepený, držet na (*the mud stuck to his shoes*); nalepit se, přilepit se, přichytit se k (*the vegetables have stuck to the pan* zelenina se připekla k pánvi) **23** lpět *to* na, houževnatě se držet čeho, nespouštět ze zřetele co **24** držet se *to* čeho (*translation stuck closely to the original*), dodržet, splnit (*always stuck to his word*) **25** držet se *to* čeho, věnovat se pouze čemu (*the faculty should* ~ *to education and abjure finance* fakulta by se měla věnovat vzdělání a odřeknout se financí), nehnout se od (~ *to a task until it is finished*) **26** být věrný *to* komu / čemu, držet se koho / čeho **27** přes odpor zůstat *to* na, vydržet na (~ *to one's post until the last battle is won* vydržet na svém místě, dokud nebude vyhrána poslední bitva) **28** u|držet krok *to* s, stačit komu, pověsit se na (*managed to* ~ *to the leader's heels for two laps* podařilo se mu po dvě kola pověsit se vedoucímu běžci na paty) **29** hovor. nechat si neprávem *to* co, ulít si co (*the messenger was alleged to have stuck to the money which he received as change* poslíček si prý ponechal drobné, které dostal nazpátek) **30** propíchnout, probodnout, prorazit *through* co **31** propíchat *with* čím (*an orange stuck with cloves* pomeranč s napíchaným hřebíčkem) **32** zůstat *with* komu (*childhood fears that had stuck with him*) **33** zůstat věrný *with* komu / čemu **34** u|držet krok *with* s, stačit komu (*was stronger than his opponent but the latter stuck with him and earned a draw* sice byl silnější než jeho protivník, ale ten se mu vyrovnal a tak získal nerozhodný výsledek) **35** slang. hodit *a p.* komu na krk *with* co, přišít komu co ◆ *be stuck* též vězet, u|váznout, uvíznout, zůstat vězet / trčet; *be stuck full of* být posázen, pokryt napíchaným (*top of the wall had been stuck full of broken glass* nahoře byla celá zeď posázena skleněnými střepy); *be stuck on* též *1.* dostat se do úzkých při *2.* AM slang. být zabouchnutý do, bláznit po (*many boys were stuck on her*); *be stuck with* též *1.* mít na krku co, dostat na krk co, musit se vypořádat s (*it is your car and you are stuck with it*) *2.* být zatížen, obtěžkán, handicapován čím; *become stuck* uváznout, uvíznout, zůstat vězet / trčet; ~ *bills* BR vylepovat plakáty; ~ *no bills* BR plakátování zakázáno!; ~ *boards* prokládat prkna; ~ *like a bur* držet se jako klíště; ~ *to business* nedat se rozptylovat, soustředit se na to, co se dělá; ~ *in one's craw / crop* být těžko stravitelný, ležet v žaludku, dát se těžko spolknout, též přen.; ~ *fast* být v nesnázích, nevědět si rady, nemoci z místa; ~ *to one's fingers* zůstat za nehty / pod prstem; ~ *full of 1.* posázet, naplnit čím (*windows stuck full of plants*); ~ *a t. full of* nacpat co spoustou čeho *2.* prošpikovat čím (přen.); *get stuck* = *be stuck; get stuck on* AM slang. zabouchnout se, zbláznit se do; ~ *in one's gizzard* = ~ *in one's craw; go* ~*ing* jít na dříví např. do lesa; ~ *to one's guns* nedat se, trvat na svém, neustoupit ani o krok; ~ *to a p.'s heels* při|lepit se na paty komu; ~ *at home* sedět doma; ~ *it!* vydrž, nedej se, nepovol!; ~ *to one's knitting* vzít věci pevně do ruky; ~ *to one's last* přen. držet se svého kopyta; ~ *like a leech / limpet* = ~ *like a bur; make* ~ provést, prosadit, takže je platný n. že se udrží; *fact that* ~*s in the mind* skutečnost, která se pevně vryla do paměti, fakt, který nejde z mysli; ~ *in the mud* přen. uvíznout, nepostupovat; *~ at nothing* nezastavit se před ničím, být schopen všeho; *~ a pig* pro|bodnout oštěpem divokého vepře při lovu; *~ to the point 1.* držet se tématu (*his sermons ~ too closely to the point to be entertaining* jeho kázání se příliš drží tématu, takže nejsou ani zábavná) *2.* neodbíhej od tématu, (mluv) k věci!; *~ to one's / the ribs* naplnit břicho, nasytit (*liked a breakfast that would ~ to the ribs*); *he ~s to his room* nevychází ze svého pokoje; *~ in one's throat* přen. *1.* návrh dát se těžko spolknout *2.* slova váznout v krku / na jazyku ***stick around*** hovor. zůstat blízko, nechodit daleko / pryč, potulovat se kolem, poflakovat se kolem, pobýt ***stick down 1*** přilepit *2* slepit, zalepit (*~ down an envelope*) *3* hovor. složit, shodit, vrznout, mrsknout, dát (*~ it down anywhere you like*) *4* hovor. napsat, nadrásat (*~ my name down for a fiver* napište mě na pět liber) ***stick in 1*** vlepovat, nalepovat např. do alba (*~ in photographs*) *2* zůstat doma *3* hovor. vrazit tam / do toho / mezi to (*~ a few commas in*) ***stick on 1*** přilepit, nalepit (*~ on a label* ... štítek) *2* narazit na hlavu, vzít si (*~ your cap on* vezmi si čepici) *3* udržet se na hřbetě koně, nespadnout (*was not a good rider but managed to ~ on*) ◆ *~ it on* slang. chtít / účtovat horentní ceny, napružit ceny (*the hotelkeepers ~ it on during the busy season*) ***stick out 1*** natáhnout, napřáhnout, strčit kupředu (*the beggar stuck out a grimy hand towards us* žebrák k nám vztáhl špinavou ruku) *2* vystrčit ven / kupředu; vypnout hruď; vypláznout jazyk; vyklánět hlavu; vysunout bradu; zvedat nos; natáhnout dopředu nohy; být vyboulený (*how his stomach ~s out!* jak má vyboulený žaludek!) *3* čouhat, vyčuhovat *behind* za, vystrčit za čím *4* být nápadně vidět (přen.) (*their writer's prejudices would often ~ out* často jsou z nich vidět předpojatosti jejich autora) *5* hovor. snažit se všemožně *for* o, trvat na *6* hovor. nedat se, nepovolit *for* dokud se nezíská co, stávkovat za (*they're ~ing out for higher wages*) *7* stát, trvat na tom *that* že *8* hovor. namítat, předhazovat komu ◆ *this ~s out a mile* to je jasné jako facka; *~ one's neck out* riskovat, riskovat vlastní kůži ***stick over 1*** napichat po celé ploše (*a cake stuck over with almonds* dort celý posázený mandlemi) *2* polepit (*trunk stuck all over with labels* kufr celý polepený štítky) ***stick together 1*** slepit se *2* držet dohromady, táhnout za jeden provaz *3* med. sepnout, stáhnout sponkami (*~ together the edges of a wound* sepnout sponkami okraje rány) ***stick up 1*** natáhnout nahoru (*I could ~ my feet up*) *2* postavit, vztyčit (*~ up a target* postavit terč) *3* vyčnívat, být vidět, čouhat, vyčuhovat nahoru (*aerial ~s up above the chimney* anténa čouhá nad komínem), trčet, vyčnívat *in* z (*the branch was ~ing up in the water*) *4* postavit se *for* za, přimluvit se za, podpořit koho (*~ up for one's friends*) *5* přepadnout zejm. ohrožováním namířenou zbraní (*~ up a bank, ~ a stagecoach up* přepadnout dostavník) *6* bránit se při přepadení *to* komu *7* postavit se na odpor *to* komu (*~ up to a bully* postavit se na odpor násilníkovi) *8* tahat, vytáhnout peníze z (*stuck him up for the community chest* vytáhl z něho peníze do obecní pokladny) *9* péci na rožni *10* našpendlit *11* ker. čistit keramické výtočky ◆ *~'em up!* hovor. pracky nahoru! ● *s* **1** klacek, klacík, suchá, ulomená, odříznutá, spadlá větev, větvička **2** kůl, kolík, tyčka (*cut ~s to support the peas in the garden* nařezat tyčky k hrachu na zahradě) **3** hůl, hůlka; vycházková hůl (*the old man cannot walk without a ~*) **4** hůl jako odznak moci **5** nositel tohoto odznaku moci **6** *~s, pl* suché dříví, klestí např. v lese (*gather dry ~s to make a fire* nasbírat suché klestí na rozdělání ohně) **7** *~s, pl* kulatina **8** výprask, nářez holí, klackem apod. (*got a fair share of the ~* dostal pěkný nářez klackem) **9** přen. hůl, klacek, bič donucovací prostředek **10** jedlý stonek, řapík (*stewed a few ~s of rhubarb* udusila pár řapíků reveně), košťál **11** řapík celeru, výhonek chřestu **12** špejle (*an apple on a ~*), dřívko (*a burnt ~ of a match*) **13** prut (*willow ~s* vrbové proutí), tyčka, hůl **14** kmen, kláda **15** *~s, pl* AM hovor. lesy, pralesy, divočina daleko od měst atd. **16** *~s, pl* AM hovor.: vzdálený venkov **17** tyčinka křídy, pečetního vosku apod., štangle, štanglička (hovor.) **18** přen. kousek (*house stood facing her, not a ~ of it changed*) **19** kosmetická tyčinka **20** tyčinka druh bonbónu; lízátko **21** ruční řídicí páka letadla, knipl (slang.) **22** obušek, pendrek policisty **23** hůl, držadlo deštníku **24** držadlo rakety **25** taktovka **26** hůlka, prut smyčce; houslový smyčec **27** palička bubnu **28** *~s, sg* bubeník; bubeník n. trubač námořní pěchoty **29** flétna **30** píšťala dud **31** hrabičky croupiera **32** holicí mýdlo váleček **33** svícen **34** plnicí pero **35** požární žebřík **36** periskop ponorky **37** námoř. stěžeň; ráhno **38** sport. hokejová hůl, hokejka **39** *~s, pl* sport. vysoké hole porušení pravidel v pozemním hokeji **40** sport. hůl pro hru lacross **41** *~s, pl* kriketová branka **42** sport. překážka zejm. dostihová **43** *~s, pl* nábytek **44** *~s, pl* hovor. jedenáctky, nohy **45** slang. bouchačka; páčidlo **46** AM slang. marihuanová cigareta **47** AM hovor. šutr přísada alkoholického nápoje (*a cup of tea with a ~ in it*) **48** hovor. člověk, chlápek (*a decent old ~*) **49** hovor. moula, trouba, pytlík, balík, dacan; žebrák, nýmand; suchar, otrava, smutný patron **50** slang. neschopný herec **51** série, svazek leteckých bomb **52** parašutistická skupina, výsadek seskakující současně **53** lepivá látka **54** lepivost **55** sušené jateční odpadky jako krmivo n. hnojivo **56** bodnutí, píchnutí **57** šťouchnutí, dloubnutí, rýpnutí klackem, holí apod. (*a ~ in the ribs* šťouchnutí klackem do žeber) **58** dočasné zastavení **59** překážka **60** množství 25 úhořů **61** 25 liber ryb **62** polygr. sázítko; plné sázítko množství sazby ◆ *add one's ~ to the* *pile* přiložit si polínko; *Any ~ to beat a dog* Kdo chce psa bít, hůl si vždycky najde; *~ and bangers 1.* tágo a koule kulečníku *2.* obsc. klacek pyj se šourkem; *be at a ~* zastavit se dočasně; *be high up the ~* mít vysoké postavení / vysokou funkci (*so high up the ~ they have no time to answer inquiries* mají tak vysokou funkci, že nemají čas odpovídat na dotazy); *big ~ 1.* kyj *2.* přen. násilí; *in a cleft ~* přen. v kaši, v bryndě; *cut one's ~ = wrong end of the ~; as dry as ~* suchý jako troud; *eat ~* dostat nařezáno; *fire a good ~* umět zacházet s puškou, být výborný střelec; *~s of furniture* primitivní nábytek, bedny; *get on the ~* slang. hodit sebou, mrsknout sebou; *hold a ~ to / with* vyrovnat se komu; *play a good ~ 1.* houslista dobře hrát *2.* přen. dobře pracovat; *shaving ~* holicí mýdlo; *short end of the ~ = wrong end of the ~; stout ~* les. kuláž, poval; *take a lot of ~* dostat co proto; *to ~s and staves* na cucky, na kousíčky; *to ~s 1.* na kusy *2.* úplně; *up the ~* úplně trhlý, cvok; *want the ~* zasloužit si (dostat) výprask; *wrong end of the ~ 1.* špatné, nespravedlivé zacházení *2.* nevýhodné postavení *3.* zkreslená, nesprávná verze (*you've got hold of the wrong end of the ~* pochopils to úplně špatně, je to úplně obráceně) ● *adj* **1** jsoucí v tyčince, tyčinkový **2** v tyčince a proto tuhý (*a ~ deodorant*) **3** vyrobený z klacků, větví apod. (*a ~ bridge*) ◆ *~ basket* koš na hole a deštníky; *~ body* laťová karoserie auta;, *~ bombing* letecké bombardování v řadách; *~ candy* tyčinka druh bonbónu; *~ caterpillar* píďalka housenka; *~ cement* roubíkový tmel; *~ cinnamon* celá skořice, skořicová kůra; *~ figure* schematický panáček z čárek; *~ grenade* ruční granát s rukojetí; *~ lac* tyčinkový šelak; *~ licorice* lékořicová tyčinka, pendrek; *~ powder 1.* dynamit *2.* výbušnina v roubících; *~ rider* lyžař užívající odpichu holí; *~ salve* lepivá mast; *~ sulphur* roubíková síra; *~ time* let. doba pojezdu / rolování při startu a přistávání ● *adv* úplně, docela, dočista, naprosto (*~ blind*)

sticker [stikə] **1** osten, trn, pichák **2** bodná zbraň, bodlo, bodák **3** zapichovací nůž řeznický **4** slang. nůž, kudla zločince **5** ozub podkovy koně **6** zapichovač vepřů; kdo vykrvuje, vykrvovač na jatkách **7** lepicí štítek, nálepka, zálepka, přelepka **8** lístek, cedulka oznámení o porušení dopravních předpisů nechané policistou na autě **9** AM plakát **10** filat. lepicí pásek **11** lepidlo; lepicí přísada do sprejů **12** lepič, slepovač **13** lepič plakátů **14** hovor. kdo je věrný, vytrvalý pracovník, vytrvalec, člověk s výdrží **15** věrný přívrženec, stoupenec *of* čeho **16** host, který se nechce zvednout a odejít **17** kriket: pomalý pálkař který odpaluje pomalu a získá málo bodů; pálkař, který se nedá snadno vyautovat **18** ležák neprodejné zboží **19** hut. připečený ingot **20** *~s, pl* plechy slepené při žíhání **21** hovor. problém, oříšek, rébus, hlavolam **22** proklad, prokladek mezi řezivo **23** tyč, tyčka ve varhanách **24** dusítko, dusítková tyč klavíru **25** kdo sbírá dříví např. v lese **26** sport. kdo dobře zachází s holí **27** les. adhesivum v ochraně lesa **28** sport. slang. štípler překážkář, skokan v dostihu **29** tvarovací stroj, stroj na tvarování lišt na rámy

stickful [stikful] polygr. plné sázítko liter, řádka

stickiness [stikinis] **1** lepivost, lepkavost **2** vlhkost, dusnost **3** hovor. otravnost, protivnost, blbost **4** hovor. delikátnost např. situace

sticking place [stikiŋpleis] **1** místo na krku zvířete, kam se vráží nůž **2** doraz šroubu **3** přen. místo, kde něco pevně drží

sticking plaster [ˈstikiŋˌplas:tə] leukoplast

sticking point [stikiŋpoint] = *sticking place*

stick insect [ˈstikˌinsekt] zool. pakobylka

stick-in-the-mud [stik*in*ðəmad] hovor. *s* konzervativec, staromilec, buchta, nekňuba ◆ *Mr S~* pan Tenaten / Jaksejmenuje ● *adj* konzervativní, zpátečnický, nepokrokový

stickit [stikit] SC nedodělaný (*a ~ job*) ◆ *~ minister* bývalý kněz, páter vyklouz

stickjaw [stikdžo:] BR slang.: příliš tuhé cukroví lepící se na zuby

stickle [stikl] **1** hašteřit se, handrkovat se **2** vznášet malicherné námitky, být protivně puntičkářský **3** mít skrupule

stickleback [stiklbæk] **1** zool. koljuška obecná **2** bot. svízel přítula

stickler [stiklə] **1** puntičkář, pedant, prevít *for* na (*~ for accuracy* prevít na přesnost, *I am no ~ for ceremony* já si na ceremonie moc nepotrpím) **2** těžký problém, oříšek, rébus

stickpin [stikpin] jehlice do kravaty

stick-up [stikap] *adj* **1** zvednutý, trčící do výše **2** týkající se přepadení ◆ *~ collar* stojací / stojatý límec, stojáček (hovor.); *~ man* bandita, lupič ● *s* přepadení s ohrožováním namířenou zbraní

sticky [stiki] *adj* (-ie-) **1** lepivý, lepkavý, přilnavý; naklížený **2** lepkavý, lepící se (*~ hands*); ke kterému se někdo / něco snadno přilepí (*~ cheap furniture*) **3** vlhký, dusný (*an unbearably ~ day* nesnesitelně dusný den) **4** hovor. otravný, protivný (*~ diplomatic problems*); nepříjemný, blbý (hovor.) (*he came to a ~ end* skončilo to s ním blbě) **5** cena pevný, nepodléhající deflačním podmínkám **6** AM hovor. sentimentální ◆ *be ~ about* hovor. zdráhat se udělat, mít námitky proti; *~ dog / wicket* přen. nepříjemná situace, kaše, brynda ● *v* hovor. učinit lepivým n. lepkavým ● *s* **1** upřený pohled (*have a ~ at* čučet na) **2** AU hovor. = *stickybeak, s*

stickyback [stikibæk] malá fotografie s naklížnou zadní stranou

stickybeak [stikibi:k] AU *v* plést se, strkat nos do cizích věcí ● *s* kdo strká nos do cizích věcí, všetečka

sticky bomb [ˈstikiˌbom] magnetický protitankový granát

sticky-fingered [ˌstikiˈfiŋgəd] zlodějský, hmatácký
sticky label [ˈstikiˌleibl] gumovaný štítek, nálepka
sticky-out [stikiaut] odstávající
sticky tape [stikiteip] hovor. **1** leukoplast **2** lepicí páska; izolepa
sticky willie [ˈstikiˌwili] bot. svízel obecný, svízel přítula
stiff [stif] *adj* **1** tuhý, tvrdý, škrobený (*a ~ collar*) **2** ztuhlý, nehybný (*lying ~ in death*) **3** špatně pohyblivý, téměř nepohyblivý (*a ~ piston* špatně pohyblivý píst) **4** ztuhlý, strnulý, znehybnělý, zdřevěnělý (*have a ~ leg*); toporný **5** neohebný, nepoddajný, nepohodlný, tvrdý (*a ~ chair*) **6** hustý, tuhý (*stir the flour and milk to a ~ paste* umíchejte z mouky a mléka tuhé těsto) **7** drsný, ostrý (*a ~ breeze* ostrý větřík) **8** úder silný, ostrý, tvrdý (*landed a ~ left to the head*) **9** hovor. příliš vysoký, přemrštěný (*a ~ price*) **10** chování chladný, chladně korektní, zdrženlivý (*get a ~ reception*), upjatý, rezervovaný, odměřený, škrobený (*give a p. a ~ bow* škrobeně se uklonit), prkenný, formální (*a ~ salute*) **11** namáhavý, obtížný, vyčerpávající, těžký, tvrdý (*leading an orchestra is ~ work*) **12** těžkopádný, kostrbatý (*too arid and ~ a melody for song* příliš suchá a těžkopádná melodie, než aby z ní mohla být píseň), strnulý, toporný, kožený (přen.) (*a style which is lofty but not ~* styl, který je majestátní a přitom ne kožený) **13** pevný, neoblomný (*has taken a ~ position*); hrdý, pyšný (*too ~ to tell her the reason* příliš hrdý na to, aby jí řekl důvod) **14** přísný (*a ~ penalty*), tvrdý (*Nicaragua objected and ~ notes were exchanged*), strohý, příkrý, rázný (*a ~ denial* strohé odmítnutí), tvrdohlavý (*took a rather ~ stand in defense of his handiwork* hájil svou práci poněkud tvrdohlavě) **15** tvrdošíjný, zarytý (*a ~ adversary* zarytý protivník), urputný (*a ~ battle*) **16** pořádný, velký (*a ~ dose of cod liver oil* pořádná dávka rybího tuku) **17** silný obsahem alkoholu, ostrý, tvrdý (*a couple of ~ cocktails* několik ostrých koktejlů); alkoholický nápoj čistý, neředěný a ve větším množství (*a ~ glass of rum* pořádná sklenička čistého rumu) **18** slang. nalitý, nadrátovaný, tuhý, mrtvý (*after drinking in that bar for two hours, I was pretty ~*) **19** plný *with* čeho, přeplněný čím (*an audience ~ with academic dignitaries* publikum plné akademických hodnostářů) **20** nepravděpodobný, těžko stravitelný (*he told some ~ tales*) **21** půda těžký **22** obch. stabilní, pevný; mající stoupající tendenci **23** SC podsaditý **24** honér v kartách samotný, plonkový (slang.) **25** AU hovor. smolný, nešťastný ◆ *be ~ in the back 1.* mít pevnou páteř *2.* být rozhodný n. energický; *beat the egg whites until ~* ušlehejte z bílků tuhý sníh; *the book is ~ reading* tou knihou se člověk těžko prokousává; *~ climb* příkrý, ostrý výstup; *~ competition* tvrdá konkurence; *~ drink* ostrý / tvrdý nápoj, panák, štamprle; *drive a ~ bargain 1.* vést tvrdé obchodní jednání *2.* uzavřít obchod po tvrdém jednání; *~ ink* polygr. hustá barva; *keep a ~ face* nehnout ani brvou, zachovat ledovou / kamennou tvář; *keep a ~ rein* držet otěže pevně v rukou; *keep a ~ upper lip* zachovat si charakter, nedat na sobě nic znát, nenaříkat, nestěžovat si při bolesti; *~ market* stabilní trh; *~ neck* med. ztuhnutí šíje; *~ as a poker* vzpřímený, jako by spolkl pravítko, prkenný, štajf (hovor.); *~ ship* tuhá n. nepřevratitelná loď; *a ~'un* slang. *1.* mrtvola *2.* starý vyřízený sportovec ● *adv* **1** ztuha, tvrdě (*a uniform that is starched ~*); prkenně (*stood up straight and ~*) **2** hovor. nesmírně, strašně, děsně, příšerně, k smrti (*bored ~* děsně otrávený, *scared ~* k smrti vyděšený) ◆ *freeze ~* zmrznout na kámen (*the clothes were frozen ~*) ● *s* **1** neproježděný kůň který určitě nevyhraje dostih **2** slang. mrtvola **3** hanl. otrava, blbec, vůl člověk **4** slang. ožrala **5** slang. hadr bankovka **6** slang. falešná bankovka, falešný šek **7** slang. moták **8** slang. držgrešle host dávající malé zpropitné **9** hovor. dělňas; fluktuant ◆ *big ~* úplný blbec
stiff-backed [stifbækt] **1** kniha jsoucí s tuhým hřbetem **2** přen. rozhodný, pevný, tvrdošíjný
stiffbit [stifbit] páková uzda
stiffen [stifn] **1** z|tuhnout, za|tvrdnout (*mud ~s as it dries* jak bláto schne, tvrdne); zhoustnout **2** z|tuhnout, znehybnět (*she ~ed in the saddle* ztuhla v sedle); proměnit *a t.* co *into* v nehybné, udělat z živého neživé **3** zatvrdnout, za|kalit se (*a powerful will ~ed by many years of opposition*) **4** učinit tuhým n. neohebným, zpevňovat, vy|ztužit, na|škrobit (*drapery ~ed with starch* textil ztužený škrobem); zahustit, zaprášit (kuch.) (*milk well ~ed with wheaten flour* mléko dobře zahuštěné pšeničnou moukou) **5** posílit, vzpružit, zvýšit (*~ing the morale of his crew* zvyšující morálku posádky), podpořit (*~ the armies*) **6** stávat se ostřejším (*a ~ing breeze* vzmáhající se větřík) n. příkřejším, zvedat se prudce (*the climb ~s as we near the top* když se blížíme vrcholu, je výstup stále strmější) **7** zvýšit, stabilizovat ve vysoké hladině (*~ prices*); konsolidovat se vysoko (*stock prices ~ed*) **8** elektr. zvýšit poměr induktance ke kapacitě v okruhu **9** námoř. vyrovnat, stabilizovat loď změnou zátěže **10** slang. složit, uspat soupeře v boxu **11** slang. oddělat, odkráglovat zabít ***stiffen o. s.*** *1* posílit se alkoholickým nápojem *2* nalévat se, opíjet se
stiffener [stifnə] **1** tužič, úpravce klobouků **2** výztuž, výztuha; armatura **3** námoř. vyztužovací profil, úhelník, výztužník např. přepážek **4** hovor. životobudič, cloumák vzpružující alkoholický nápoj
stiffening [stifniŋ] **1** výztuž, výztuha **2** v. *stiffen* ◆ *~ agent* tužidlo, ztužovadlo; *~ bar 1.* vyztužovací tyč *2.* námoř. výztužný úhelník; *~ mangle* škrobicí mandl

stiffish [stifiš] téměř n. poměrně tuhý atd. (*a ~ examination* poměrně těžká zkouška)
stiffleg [stifleg] též *~ derrick* třínožkový jeřáb
stiff-necked [stifnekt] **1** jsoucí se ztuhlou šíjí **2** tvrdohlavý, zarytý, neoblomný, arogantní (*a ~ aristocrat*) **3** formální, konvenční; vyumělkovaný
stiffness [stifnis] **1** tuhost, tvrdost, škrobenost **2** ztuhlost, nehybnost **3** špatná pohyblivost, nepohyblivost **4** ztuhlost, strnulost, znehybnělost, zdřevěnění; topornost **5** neohebnost, nepoddajnost, nepohodlnost, tvrdost **6** hustota, tuhost **7** drsnost, ostrost, tvrdost úderu **8** přemrštěnost ceny **9** chladnost, korektnost, zdrženlivost, upjatost, rezervovanost, odměřenost, škrobenost, prkennost, formálnost chování **10** namáhavost, obtížnost, vyčerpávající charakter, těžkost výkonu **11** těžkopádnost, kostrbatost, strnulost, topornost, koženost stylu **12** pevnost, neoblomnost, hrdost, pýcha, pyšnost **13** přísnost, tvrdost trestu; strohost, příkrost, ráznost odmítnutí **14** tvrdohlavost, tvrdošíjnost, zarytost nepřátelství, urputnost boje **15** velká / silná dávka léku **16** alkoholický obsah nápoje **17** nalitost, nadrátovanost opilost **18** velké množství, přeplněnost **19** nepravděpodobnost příběhu **20** těžkost půdy **21** obch. stabilnost, stabilita, pevnost např. cen; stoupající tendence
stifle[1] [staifl] *v* **1** dusit (*the oppressive air ~d her* tíživý vzduch ji dusil); udusit, zadusit, též přen. (*vital art is ~d by culture*) **2** u|dusit se (*no need to ~ in a hot kitchen*), též přen. (*why should I ~ in a convent*) **3** z|dusit, z|tlumit, utajit (*~ noise of operation*); úplně přehlušit, umlčet **4** přemáhat, potlačit (*~ a yawn* potlačit zívnutí, *~ one's grief* přemáhat svůj žal), dusit v sobě (*to ~ anger* dusit v sobě vztek), potlačovat, umlčovat násilím (*~ free speech by breaking up meetings* potlačovat svobodu projevu rozbíjením schůzí) **5** zast. udusit, uhasit oheň ● *s* dusná atmosféra
stifle[2] [staifl] **1** zool. kolenní kloub, (kolenní) ohbí zadní nohy koně n. psa **2** zvěr. onemocnění n. posunutí kolenního kloubu n. kolenní čéšky koně
stifle bone [staiflbəun] kolenní čéška koně
stifled[1] [staifld] v. *stifle*[1], *v*
stifled[2] [staifld] zvěr.: kůň jsoucí s posunutou kolenní čéškou
stifle joint [staifldžoint] = *stifle*,[2] *1*
stifle shoe [staiflšu:] podkova, kterou je podkována zdravá zadní noha koně s posunutou kolenní čéškou
stifling [staifliŋ] **1** dusný (*~ atmosphere*) **2** v. *stifle*[1], *v*
stigma [stigmə] *pl* též *stigmata* [stigmətə] **1** skvrna, cejch, znamení hanby, stigma **2** zast. vypálené znamení **3** stopa, znamení, znak, stigma, též med. (*~s of riboflavin deficiency state*) **4** zool. stigma nápadná skvrna u některých živočichů; skvrnka, oční skvrna některých prvoků; tmavá skvrna na předním okraji křídla hmyzu **5** zool. průduch vzdušnic; vzdušnice **6** bot. blizna **7** *pl: ~ ta* med. stigma krvácení na určitých místech u neurotiků **8** *pl: ~ ta* stigma jizva, stopa, známka po bodné ráně na těle Kristově
stigmatic [stigˈmætik] *adj* **1** označený, poznamenaný, o|cejchovaný, stigmatizovaný **2** bot. týkající se blizny **3** fyz. bodový, stigmatický ● *s = stigmatist*
stigmatist [stigmətist] náb. stigmatizovaný člověk
stigmatize [stigmətaiz] trvale označit, ocejchovat, vypálit, dát znamení hanby komu, stigmatizovat
stigmatose [stigmətəus] **1** bot. týkající se blizny **2** náb. stigmatizovaný
stilbene [stilbi:n] chem. stilben
stilbestrol [stilˈbi:strəl] AM chem. stilbestrol
stilbite [stilbait] chem. vodnatý křemičitan hlinitovápenatý, desmin
stilboestrol [stilˈbi:strəl] BR chem. = *stilbestrol*
stile[1] [stail] **1** schůdky n. schodový přechod přes plot n. ohradu **2** turniket **3** zast. překážka ◆ *help a lame dog over the ~* v. *dog, s*
stile[2] [stail] **1** svislý vlys dveřního rámu **2** sloupek montované příčky
stiletto [stiˈletəu] *s pl* též *stilletoes* [stiˈletəuz] **1** dýka, bodec **2** též *~ heel* jehlový podpatek dámského střevíce, jehla ● *v* zabít, pro|bodnout dýkou
still[1] [stil] *s* **1** destilační přístroj, destilační kotel; destilační zařízení **2** palírna, destilovna; vinopalna; lihovar ◆ *~ wax* parafin z destilace nafty ● *v* **1** pálit, destilovat **2** bás. vy|destilovat, získat trest z
still[2] [stil] *adj* **1** tichý; tlumený, utišený; mlčenlivý, mlčící **2** klidný; nehybný, stojící **3** počasí klidný, stálý **4** víno obyčejný, nešumivý **5** určený n. vhodný pro fotografie n. fotografování **6** zast.: dítě mrtvý při narození ◆ *be ~* též být ticho / ztichа, mlčet, ztichnout (*her radio was never ~*); (*as*) *~ as a grave* tichý jako hrob; *keep ~ 1.* být zticha, mlčet (*keep ~ about a matter*) *2.* nehýbat se, nevrtět se (*keep ~ while I take your photograph*); *~ small voice* hlas svědomí; *S~ waters run deep* pořek. Tichá voda břehy mele ● *s* **1** bás. klid, pokoj, poklid, ticho, tišina, tiš **2** fot.: statická fotografie, statický obrázek **3** kopie filmového okénka, obrázek, fotografie z filmu **4** nehybná fotografie, mapa, diagram v televizním pořadu, mrtvolka (slang.) **5** zátiší **6** AM hovor. = *still alarm* ● *v* **1** utišit | se, uklidnit | se, upokojit | se **2** přemoci (*~ed her shuddering*) ● *adv* **1** tiše, klidně, nehybně **2** stále, stále ještě, ještě, pořád, pořád ještě (*he is ~ busy*), dosud, dotud, doposud, dotavad, dosavad, doposavad (*he ~ hopes for a letter from her*) **3** ještě ve větším množství n. větší intenzitě (*Tom is tall, but Mary is ~ taller*) **4** stále, neustále, pořád, v jednom kuse (*~ widening his acquaintance* stále rozšiřující své známosti) ◆ *~ more so* tím více, že, navíc proto, že; *stand ~ 1.* klidně stát *2.* zastavit se, zůstat stát ● *conj* přesto (přese všechno), nicméně (však), zase naopak, ale ko-

nec konců, ale to je jedno, ale co se dá dělat (*he has treated you badly; ~, he's your brother and you ought to help him*), přece (*the child has some new toys and ~ cries*)
stillage [stilidž] *s* **1** police, lavice, lešení, podstavec pod sudy apod. **2** lihovarské výpalky ● *s* dávat, stavět sud na lavici apod.
still air [ˌstilˈeə] bezvětří
still alarm [ˌstiləˈla:m] AM požární poplach, volání o pomoc při požáru bez použití požárního poplašného zařízení
stillbirth [ˌstilˈbə:θ] porod *n.* narození mrtvého dítěte
stillborn [stilbo:n] **1** mrtvě narozený **2** přen. od samého začátku nevydařený, nevyvedený, nepovedený, nepodařený (*a ~ novel*) **3** prázdný, jalový (*~ remarks*) ● *s* mrtvě narozené dítě
still bugle [ˌstilˈbju:gl] námoř. signál ke klidu na trubku
still camera [ˌstilˈkæmərə] fotoaparát
stillettoes [stiˈletəuz] *pl* v. *stiletto*
still-fish [stilfiš] chytat ryby ze zakotveného člunu
still hock [ˌstilˈhok] nešumivé bílé rýnské víno
still hunt [ˌstilˈhant] *s* **1** lov, hon stopováním, šoulačka **2** hovor. tajný hon, tajné hledání, tajné snažení ● *v* lovit stopováním
stillicite [ˈstiliˌsait] práv.: právo n. povinnost spojená s vodou stékající z okapu na cizí pozemek
stilliform [stilifo:m] kapkovitý
stilling [stiliŋ], **stillion** [stiljən] = ~ *stillage, s 1*
still life [ˌstilˈlaif] *pl: still lifes* [ˌstilˈlaifs] výtv. zátiší
stillness [stilnis] **1** ticho, tichost, tlumenost, nehlučnost **2** klid, klidnost, nehybnost **3** mlčenlivost
still pack [ˌstilˈpæk] balíček karet, s kterým se právě nehraje
still photography [ˌstilfəˈtogrəfi] statické fotografování, statická fotografie
still picture [ˌstilˈpikčə] **1** statický obraz, snímek, statická fotografie **2** AM přitažlivý film, tahák
still projector [ˌstilprəˈdžektə] **1** epidiaskop **2** diaprojektor, diaskop
stillroom [stilru:m] BR **1** destilovna, palírna, vinopalna místnost **2** spižírna, spíž, zásobárna ve velkém domě, ve které se též připravuje káva, čaj apod. **3** spíž na zavařeniny, šťávy a lihoviny **4** přípravna kávy, čaje apod. v hotelu
Stillson [stilsən] : ~ *wrench* klíč na trubky, hasák
still tide [ˌstilˈtaid] směna slapů, střídání slapů
stilly *adv* [stilli] tiše, klidně ● *adj* [stili] bás. pokojný, tichý, klidný
stilt [stilt] *s* **1** chůda **2** kůl, jehla, pilota **3** zool. tenkozobec, pisila **4** ker. trojnožka, podložka, koník **5** horn. ocelový oblouk na stojkách výztuž; oblouk výztuže na stojkách n. na hráních **6** stav. svislá vrstva zdiva, která zvyšuje pateční čáru oblouku n. klenby nad skutečnou patku klenby ◆ *on ~s 1.* na chůdách *2.* nabubřelý, bombastický ● *v* **1** chodit na chůdách **2** zvyšovat pateční čáru oblouku n. klenby nad skutečnou patku klenby **3** SC kulhat
stiltbird [stiltbə:d] zool. pisila
stilted [stiltid] **1** nabubřelý, pompézní, bombastický, šroubovaný **2** afektovaný (*a ~ pronunciation*) **3** v. *stilt, v* ◆ *~ arch* oblouk se zvýšenou pateční čarou nad skutečnou patku klenby
stiltedness [stiltidnis] **1** nabubřelost, pompéznost, bombastičnost, šroubovanost **2** afektovanost
Stilton [stiltn] též ~ *cheese* stiltonský sýr připomínající jemnější rokfór
stilt-petrel [ˈstiltˌpetrəl] zool. buřňák
stilt-plover [ˈstiltˌpləuvə] zool. pisila
stilt-sandpiper [ˈstiltˌsændpaipə] zool.: jihoamerický pták *Himantopus mexicanus*
stilt-walker [ˈstiltˌwo:kə] zool. pisila
stilus [stailəs] = *stylus*
stime [staim] SC, IR **1** drobet, kapka **2** krátký pohled
stimulant [stimjulənt] *s* **1** med. povzbuzující / vzpružující prostředek, stimulační prostředek, stimulans **2** vzpružující nápoj; alkoholický nápoj, alkohol **3** pochutina **4** = *stimulus, 1* ◆ *he never takes ~s* on je abstinent ● *adj* med. povzbuzující, vzpružující, stimulační
stimulate [stimjuleit] **1** povzbudit, podnítit, pohnout, pobídnout, ponouknout, stimulovat **2** med. po|dráždit sval, nerv; celkově povzbudit (*the caffein in coffee will ~ the patient*) **3** dopovat závodního koně **4** povzbudit, posilnit, oživit alkoholickým nápojem, rozjařit ◆ *~d emission* fyz. stimulované záření, stimulovaná emise
stimulation [ˌstimjuˈleišən] **1** povzbuzení, podnícení, vyvolání, podnět, pobídnutí, pobídka, vzpruha **2** povzbuzující n. vzpružující účinek **3** biol. po|dráždění, stimulace **4** dopování, doping závodního koně
stimulative [stimjulətiv] *adj* dráždící, povzbuzující, stimulační ● *s* stimulační prostředek, stimulans
stimulator [stimjuleitə] **1** kdo / co povzbuzuje n. podněcuje, stimulátor **2** povzbuzující látka n. prostředek **3** stimulační přístroj
stimulus [stimjuləs] *pl* též *stimuli* [stimjulai] **1** podnět, popud, pobídka, impuls, stimulus; hnací síla (přen.) (*under the ~ of hunger* hnán hlady) **2** med. po|dráždění; dráždící prostředek, stimulans **3** bot. žahavý chlup kopřivy
stimy [staimi] (*-ie-*) = *stymie*
sting [stiŋ] *v* (*stung* / zast. *stang, stung*) **1** píchnout, bodnout, štípnout (jako) žihadlem (*a mosquito had stung him* bodl ho moskyt); dávat žihadlo, bodat (*all bees do not ~*), dát žihadlo komu (*a hornet stung me on the cheek* sršeň mi dal žihadlo do tváře) kam (*a bee stung my finger*) **2** žehat, žahat, pálit (*not all nettles ~* všechny kopřivy nejsou žahavé) **3** had uštknout **4** hmyz na|bodnout, píchnout kladélkem **5** z|působit palčivou bolest komu / čemu, kde (*the blows of the cane stung the boy's fingers* po ranách rákoskou chlapce pálily prsty) **6** nepříjemně se dotknout, způsobit palčivou bo-

lest komu (*he was stung by his enemy's insults* urážky jeho nepřítele ho pálily) **7** pálit kde, v (*ginger ~s the mouth* zázvor pálí v ústech), na (*pepper ~s one's tongue* pepř pálí na jazyku) **8** cítit palčivou bolest, pálit, bolet (*his fingers were sill ~ing from the caning he had* dosud ho pálily prsty po ranách rákoskou) **9** popíchnout, podnítit (jako) palčivou bolestí (*anger stung him to action* vztek ho popíchl k akci) **10** slang. vzít na hůl, natáhnout, okrást přemrštěnou cenou (*he was stung for £ 5* vzali ho o pět liber) ◆ *be stung with remorse* být trápen výčitkami svědomí; *Nothing ~s like the truth* Pro pravdu se lidé nejvíc zlobí; *~ to death* smrtelně uštknout ● *s* **1** žihadlo např. vosy **2** sosák komára **3** jedový trn, žihadlo, bodec štíra **4** jedový zub hada **5** žahavý chlup kopřivy **6** bodnutí, štípnutí hmyzem, pupenec po štípnutí hmyzem, štípanec (*her face was covered with ~s*) **7** prudká n. palčivá bolest tělesná i duševní *of* způsobená čím (*the ~ of a whip* prudká bolest od švihnutí bičem), štípnutí, bodnutí; osten, hlodání, hryzání, pálení (*the ~ of remorse* osten lítosti) **8** osten vtipu, pointa; břitkost, šleh **9** ostrost, síla, údernost, švih, švunk (hovor.) (*that bowling had no ~ in it* to nadhazování v sobě nemělo žádný švih) **10** tenká tyč k upevnění modelu v aerodynamickém tunelu

stingaree [stiŋgəri:] AM, AU = *stingray*

stingbull [stiŋbul] *pl* též *stingbull* [stiŋbul] zool.: ostnatec *Trachinus draco*

stinger [stiŋə] **1** co dává žihadlo, štípe n. žahá (*hornets are severe ~s* sršni dávají pořádná žihadla) **2** = *sting, s 1–5* **3** prudký úder působící palčivou bolest **4** hovor. ostrá / kousavá poznámka, šleh **5** AM koktejl z likéru a brandy **6** BR slang. whisky se sodou

stingfish [stiŋfiš] *pl* též *stingfish* [stiŋfiš] zool. ropuška ryba

stinginess [stin*dž*inis] lakotnost, lakomství, lakota, skrblictví

stinging nettle [ˈstiŋiŋˌnetl] bot. kopřiva žahavka

stingless [stiŋlis] **1** zool.: jsoucí bez žihadla, nebodavý **2** bot.: jsoucí bez žahavých chlupů

stingo [stiŋgəu] **1** slang. šmrnc, švunk **2** zast. těžké pivo

stingray [stiŋrei] zool.: rejnok z čeledi trnuchovitých

stingwinkle [ˈstiŋˌwiŋkl] zool. ostranka ježatá

stingy[1] [stiŋi] mající osten n. žihadlo

stingy[2] [stin*dž*i] (*-ie-*) **1** lakomý, lakotný, skrblivý, skrblický **2** malý, ubohý, špatný, mizerný, bídný, hubený (*complained about his ~ allowance* stěžoval si na své hubené kapesné) ◆ *be ~ of a t.* skrblit čím

stink [stiŋk] *v* (*stank / stunk, stunk*) **1** odporně páchnout, zapáchat, vydávat puch, čpět, smrdět **2** též *~ up* naplnit smradem, nasmrdět, zasmrdět **3** přen. být odporný, budit hnus **4** přen. stát za starou bačkoru / za pendrek / za su[...]u belu (*his first performance stank*) **5** slang. cítit (*one can ~ it a mile off*) ◆ *he ~s of money* z něho peníze jen kapou; *it ~s to high heaven* to volá do nebe (o pomstu) ***stink out 1*** vykouřit zvíře, nepřítele ***2*** vyhnat smradem ***3*** zasmrdět, nasmrdět ● *s* **1** odporný zápach, puch, smrad **2** *~s, pl* BR škol. slang. přírodák, zejm. chemie **3** slang. bengál, brajgl, bugr ◆ *make / raise a ~* zvířit prach, ztropit rozruch stížností, udělat bugr

stink-alive [ˈstiŋkəˌlaiv] zool.: pojmenování druhu tresky

stinkard [stiŋkəd] **1** páchnoucí živočich, smraďoch **2** smrad, smrděnka, smrdina ničemný člověk

stink ball [stiŋkbo:l] námoř. hist. **1** smrdutá koule **2** = *stinkpot*

stink bomb [stiŋkbom] smrdutá puma

stinker [stiŋkə] **1** kdo / co smrdí **2** slang. smrad, syčák, sígr, šuft **3** slang. slabota, volovina, mizerná hra, mizerný film **4** slang. fuška, šichta, porod (*the three-hour examination was a real ~*) **5** něco urážlivého n. odporného; hrubý dopis (*I wrote him a ~*) **6** zool.: druh buřňáka **7** = *stinkhorn*

stinkhorn [stiŋkho:n] bot. **1** jelenka obecná, hadovka **2** (jiná) houba vydávající zápach

stinking [stiŋkiŋ] *adj* **1** odporně zapáchající, smrdutý **2** slang. odporný, ohavný, hnusný, prašivý, blbý **3** slang. ožralý, grogy **4** slang. prachatý, zazobaný ◆ *cry ~ fish* hanět, zostouzet zejm. vlastní dílo ● *adv* slang. děsně, úplně (*a ~ drunk bum* úplně ožralý tulák)

stinking badger [ˌstiŋkiŋˈbædžə] jezevec rodu *Mydans*

stinking weed [stiŋkiŋwi:d] bot.: druh americké kasie, jejíž pražená semena nahrazují kávu

stinking wood [stiŋkiŋwud] bot. **1** název různých druhů tropických stromů, jejichž dřevo páchne **2** = *stinking weed*

stinko [stiŋkəu] slang. totálně ožralý

stinkpot [stiŋkpot] **1** námoř. hist. nádoba se smrdutými věcmi n. smrdutou výbušninou jako puma **2** slang. smrad, syčák, smrděnka **3** slang.motorový člun **4** zool.: pojmenování různých druhů buřňáka **5** zool. americká želva *Sternotherus odoratus*

stink stone [stiŋkstəun] miner. smrdutý živičný vápenec, bituminózní vápenec

stinktrap [stiŋktræp] vodní uzávěr, kanalizační sifon

stinkum stuff [ˌstiŋkəmˈstaf] AM slang. voňavka, parfém

stint[1] [stint] *v* **1** omezit *in* v **2** dávat málo čeho, skrblit (s) čím, omezovat (*~ food*); šetřit *on* na, omezovat co **3** přidělit úkol **4** připustit klisnu **5** zast. přestat *doing / to do* dělat co, skončit co / s, nechat čeho ***stint o. s. 1*** uskrovňovat se, omezovat se *of* v, odpírat si co (*she ~ed herself of food in order to let the children have enough*) **2** šetřit na sobě, utrhovat si od úst (*they will ~ themselves for months to buy a bicycle*) ● *s* **1** omezení **2** omezené n. předepsané množství, míra **3** přikázaná úloha, úkol, penzum; díl práce, funkce; určená doba práce, turnus, směna, šichta **4** horn.: úsek sloje, který má být zpracován v jedné směně ♦ *exceed one's ~* přebrat; *without ~* bez jakéhokoli omezení (*he laboured without ~* vynaložil při práci veškerou námahu) ● *adj* horn.: ložisko chudý, hluchý, hubený

stint² [stint] zool. jespák ♦ *little ~* jespák malý

stintless [stintlis] neomezený, nekonečný

stipa [stipə] bot. kavyl

stipate [staipeit] bot. hustý, hustě namačkaný, nahloučený, směstnaný

stipe [staip] **1** bot. stonek, lodyha, stopka, řapík **2** bot. třeň houby **3** zool. kmen čelisti, stopka

stipel [staipl] bot. palístek

stipellate [staiˈpeleit] bot. mající palístky

stipend [staipend] pevný / pravidelný příjem, plat, služné, důchod zejm. duchovního

stipendiary [staiˈpendjəri] *adj* **1** dostávající pravidelný plat, placený **2** služba placený, honorovaný **3** týkající se příjmu, platu, služného n. důchodu ● *s* (*-ie-*) kdo dostává pravidelný příjem

stipes [staipi:z] *pl: stipites* [stipiti:z] = *stipe*

stipitate [stipiteit] bot. stopkatý, stonkatý (řidč.), lodyhový, lodyžný, řapíkatý

stipple [stipl] *v* výtv. **1** tečkovat, též přen. (*sunlight that fell through the trees and ~d the sidewalks* sluneční světlo, které dopadalo mezi stromy a dělalo tečky na chodnících); kreslit / malovat / dělat rytinu tečkovací technikou **2** tupovat **3** po|stříkat barvou přes sítko ● *s* **1** tečkovací manýra / technika, pointilismus **2** dílo zhotovené tečkovací technikou; pointilistický obraz **3** tečkování, stříkání barvou přes sítko; tupování **4** stříkaná plocha, stříkaný okraj knižního bloku **5** tečkovací / tupovací štětec

stipple graver [ˈstiplˌgreivə] výtv. tečkovací jehla, tečkovací rádlo, špičaté rýtko (polygr.)

stippler [stiplə] výtv. **1** tečkovač; pointilista **2** tečkovací / tupovací štětec

stippling [stipliŋ] polygr. tečkovací manýra rytí, leptání, kreslení, malování

stipulaceous [ˌstipjuˈleišəs], **stipular** [stipjulə] bot. palistový

stipulary [stipjuləri] bot. palistovitý

stipulate¹ [stipjuleit] **1** smluvně sjednat, ujednat, určit, stipulovat (kniž.) **2** vymínit si, vyhradit si smluvně *for* co, dohodnout se smluvně na **3** určit, specifikovat (*~ a price* … cenu); slíbit, garantovat **4** práv. navrhnout dohodu, že fakt bude považován za prokázaný

stipulate² [stipjuleit] jsoucí s palisty, palistnatý

stipulation¹ [ˌstipjuˈleišən] **1** úmluva, smluvní ustanovení, dohoda **2** výhrada, výminka ve smlouvě **3** práv. klauzule, podmínka

stipulation² [ˌstipjuˈleišən] bot. řidč. uspořádání, postavení palistů

stipulator [stipjuleitə] smluvní strana, smluvník, kontrahent

stipule [stipju:l] bot. palist

stipuliform [stipjulifo:m] bot. palistovitý

stir¹ [stə:] slang. chládek, lapák, díra, loch, basa vězení

stir² [stə:] *v* (*-rr-*) **1** hýbat se, hnout se, pohnout se (*not a leaf was ~ring*); hnout se z místa (*he did not ~ while you were gone*) **2** hýbat se nespat (*nobody was ~ring in the house* v domě všichni spali) **3** vzbudit se, vzburcovat se; být vzhůru, vstát **4** trochu pohnout *a t.* čím, rozhýbat co (*a breeze ~red the leaves* větřík rozhýbal lístky), roz|čeřit (*~ its mysterious black waters*) **5** být aktivní, činit se (*the friends of the unfortunate exile were ~ring anxiously in his behalf* přátelé nešťastného vyhnance se energicky namáhali v jeho prospěch) **6** díti se, přiházet se, stávat se (*everything that ~s*) **7** reagovat *to* na **8** míchat tekuté, polotuhé (*lick the spoon she was ~ring with* olízni lžíci, kterou to míchala), zamíchat (*~ one's tea*), vmíchat (*~ milk into a cake mixture* vmíchat mléko do dortové směsi), smíchat, rozmíchat *into* do (*~ the ingredients well* dobře smíchat jednotlivé přísady dohromady); roz|kvedlat, zakvedlat **9** dojmout, rozrušit (*~ people to the point of tears* dojmout lidi až k pláči) **10** budit, vzbuzovat (*men lacking an arm or leg ~red universal pity* muži, kterým chyběla noha či ruka, vzbuzovali všeobecně lítost), vzrušit (*the story ~red the boy's imagination*), podněcovat (*heroism that ~s orators to eloquence* hrdinství, které podněcuje řečníky k výmluvnosti); popíchnout, vyprovokovat, vyburcovat (*discontented men ~red the crew to mutiny* nespokojenci vyprovokovali posádku ke vzpouře), vyvolat (*the inquiry has ~red a hot controversy* vyšetřování vyvolalo prudkou polemiku); nutkat (*an instinct ~s her to feed the older grubs* pud ji nutkal krmit starší larvy) **11** začínat se zvedat, vznikat, doutnat (přen.) (*the discontents that had been ~ring in him for at least fifteen years*) **12** cit po|hnout se, ozvat se (*pity ~red in his heart* srdce se mu hnulo lítostí) **13** zabývat se *in* / *about* čím **14** řidč. nadhodit otázku **15** řidč. rušit (*~red the silence*) ♦ *~ a p.'s bile* zvednout žluč, pohnout žlučí komu; *~ the blood* vzrušit, nadchnout; *don't ~!* ani hnout!; *not to ~ an eyelid* ani nemrknout, nehnout ani brvou; *not to ~ a finger* nehnout ani prstem; *~ the fire* prohrábnout oheň pohrabáčem; *~ a p.'s heart* dojmout koho; *I didn't ~ out of the house* nevytáhl jsem paty z domu; *there is no news ~ring* není nic nového, nic se neděje; *~ one's stumps* hovor. hnout sebou, po|hout kostrou; *~ a p.'s wrath* = *~ a p.'s bile* ***stir o. s.*** hnout sebou, dát se do práce, pospíšit si ***stir abroad*** zast. jít ven ***stir out*** hnout se z domova, jít ven, vytáhnout paty, být venku (*I haven't ~red out all morning*) ***stir up 1*** pořádně za|míchat, rozmíchat **2.** rozvířit usazeninu (*~ up the mud on the bottom* … bahno na dně) ***3*** vyvolat (*~ up discontent* … nespokojenost) ***4*** vyburcovat z klidu;

pohnout, dohnat (*she ~red up her father to proclaim a campaign against the whites* pohnula otce, aby vyhlásil kampaň proti bělochům) **5** nahnat strach komu ◆ *~ things up* rozvířit klidnou hladinu, na|dělat zlou krev; *~ up trouble* dělat rozbroje, vyvolávat nepokoje ● *s* **1** hnutí, pohnutí, malý pohyb **2** vzruch, neklid; rozruch, senzace **3** podnět, pobídka, impuls ◆ *give a t. a ~ 1.* hnout čím *2.* prohrábnout oheň; *not a ~* naprostý klid, když se nic ani nehne

stirabout [ˈstə:rəˌbaut] **1** druh ovesné kaše **2** rozruch **3** agilní člověk, všetečka **4** druh strku v kulečníku

stir-crazy [ˈstə:ˌkreizi] AM slang. pomatený z dlouhého sezení v base

stirless [stə:lis] nehybný, nehnutý

stirk [stə:k] **1** SC, nář.: roční býček n. jalovice **2** tele hlupák

stirpiculture [ˈstə:piˌkalčə] chov, šlechtění zvláštních rodů a ras

stirps [stə:ps] *pl: stirpes* [stə:pi:z] **1** kmen, rod; větev rodu, linie **2** práv. zakladatel rodu, předek **3** biol. dědičné rysy

stirrer [stə:rə] **1** podněcovatel **2** míchač **3** míchačka, měchačka, kvedlačka, kopist, míchadlo, míchací rameno; promíchávací zařízení ◆ *early ~* ranní ptáče člověk

stirrer-up [stə:rəap] vyvolavatel nepříjemnosti, buřič

stirring [stə:riŋ] *adj* **1** vzrušující, strhující, burcující, plamenný (*a ~ speech*) **2** rušný, bohatý na události (*lead a ~ life*) **3** dojemný, pohnutlivý **4** v. *stir, v* ● *s* **1** pohyb; hnutí **2** v. *stir, v*

stirrup [stirəp] **1** třmen; třmeny **2** námoř. závěs šlápnice na ráhnu **3** třmínek, třmen, spona výztuže betonu

stirrup bar [stirəpba:] můstek jezdeckého třmenu

stirrup bone [stirəpbəun] anat. neodbor. třmínek

stirrup cup [stirəpkap] **1** pohár vína který pije jezdec na koni před odjezdem **2** sklenka na rozloučenou

stirrup iron [ˈstirəpˌaiən] kovový oblouk třmenu

stirrup leather [ˈstirəpˌleðə] třmenový řemen jezdeckého sedla

stirrup piece [stirəppi:s] třmen

stirrup pump [stirəppamp] třmenová ruční stříkačka

stitch[1] [stič] *s* **1** steh část nitě mezi dvěma vpichy jehly; protažení nitě látkou **2** oko, očko smyčka při pletení; udělání oka při pletení **3** steh druh krejčovského n. vyšívacího stehu **4** med. steh, sutura **5** nit, nitka, hadřík, kousek látky (*left without a dry ~ on his back* nezůstala na něm suchá nit) **6** malý kousek, kousíček, ždibec (*refused to do a ~ of work*) **7** bodnutí, pichnutí bodavá bolest zejm. v hrudníku **8** polygr. skobka, svorka dělaná drátovkou **9** zeměd. hřeben mezi dvěma brázdami ◆ *buttonhole ~* steh na obšívání knoflíkových dírek; *with every ~ of canvas set* námoř. s plnými plachatmi; *I got the ~* začalo mě píchat v boku; *if one ~ gives the rest will* povolí-li jeden steh, rozpáře se to celé; *drop a ~* pustit oko při pletení; *keep a p. in ~es* způsobit, že kdo puká smíchy; *put a ~ / ~es into a wound* med. sešít ránu; *take ~es out of a wound* med. brát / vytahovat stehy; *take up a ~* nabrat oko při pletení; *without a ~ on* úplně nahý ● *v* **1** se|šít, přišít, našít, prošít; pro|štepovat **2** vyšít (*~ a sampler*) **3** se|stehovat, nastehovat **4** sešít sešívačkou, spojit drátky (*~ the flaps of a fiber box*) **5** přenášet vzorek na kov propichováním přiložené papírové šablony **6** zeměd. orat do hřebenů **7** polygr. sešívat, šít složku **8** obuv. šít za použití šídla ***stitch on 1*** sešít dohromady, spravit šitím, za|látat *2* spíchnout rychle (*~ up a dress to wear this evening*)

stitch[2] [stič] BR nář. vzdálenost, kus cesty chůze

stitching [stičiŋ] **1** námoř. strojové sešívání (stykovkami) plachet cikcak **2** v. *stitch, v*

stitching-horse [stičiŋho:s] sedlářský koník

stitch-wheel [stičwi:l] **1** sedlářské značkovací kolečko **2** text. tvořič oček, zatahovací kolečko

stitchwort [stičwə:t] bot. ptačinec

stithy [stiði] (*-ie-*) zast. bás. *s* **1** kovadlina **2** kovárna ● *v* kout, kovat

stive[1] [staiv] moučný prach

stive[2] [staiv] **1** nahustit, natlačit **2** dusit v malé teplé místnosti

stiver [staivə] **1** hist. stuiver holandská mince malé hodnoty **2** přen. halíř, šesták, groš ◆ *I don't care a ~* mně je to úplně fuk

stoa [stəuə] *pl* též *stoae* [stəui:] archit. krytá kolonáda, portikus, stoa

stoat[1] [stəut] zool. **1** lasice hranostaj zejm. s letní srstí **2** lasice kolčava

stoat[2] [stəut] sešít neviditelným stehem

stob [stob] nář. **1** kůl **2** pařez; pahýl

stochastic [stoˈkæstik] mat. náhodný, stochastický

stock [stok] *s* **1** sklad **2** zásoba (*get in ~s of coal and coke for the winter*) **3** zásoba papíru **4** karty talón **5** horn. skládka **6** automobilový, vozový park **7** sazenice, semena v zahradnictví n. školce **8** živý inventář např. statku; dobytek; otroci jako živý inventář **9** surovina, suroviny, základní hmota, materiál, polotovar **10** mlýnský polotovar **11** nezpracovaný film, neexponovaný filmový materiál **12** (rafinovaná) nafta určená k dalšímu zpracování, frakce, destilát ve zpracování ropy **13** kuch. masový vývar, bujón, vývar z kostí, zeleninový n. rybí vývar jako základ pro další zpracování **14** výtažek, tresť **15** kmen, peň **16** pařez, špalek, též přen. (*they stood like ~s, stupidly listening*) **17** strom, z něhož se berou rouby **18** roub, štěp **19** podnož roubu **20** bot. lodyha, stvol, stonek **21** bot. oddenek **22** základ, praotec rodu (*one of many sons might well become the ~ of a new dynasty*) **23** původ, rod (*a woman of Irish ~* žena irského původu, *a man of farming ~* muž ze selského rodu); rodina (*she comes of good ~*) **24** kmen (*the main ~s of mankind* hlavní kmeny lidstva), rasa, plemeno (*the Hamite ~ of northern Africa*) **25** biol. archetyp čeledi, rodu; chov **26** zool. kolonie živočichové vzniklí nepohlavním rozmnožováním **27** jaz.: jazyková rodina; jazyková skupina **28** zast. zdroj **29** včelí úl **30** kmenové jmění společnosti, akciový kapitál **31** majetek, jmění **32** cenný papír, akcie (*have £ 5000 in the ~s*) **33** BR státní dluhopis **34** pověst, reputace, akcie (přen.) (*his ~ with the electorate remains high* u voličů má stále výbornou pověst) **35** dřevo, trám, kláda **36** podpěra, kůl, podstavec; sloup **37** trám, na němž je připevněn zvon **38** *~s, pl* hist. kláda mučidlo **39** násada, rukojeť **40** bičiště **41** rybářský prut **42** pažba pušky **43** *~s, pl* dřevěná pažba revolveru **44** tělo hoblíku **45** hlava kola, náboj kola **46** kostra, rám, stojan, kolovratu **47** podstavec kovadliny **48** podstavec kropenky **49** ostruha dělové lafety **50** držadlo, kostra pluhu, plužní nosník, plužní hřídel **51** koník soustruhu; vřeteník soustruhu **52** vratidlo závitnice **53** skříňka zámku **54** kolovrátek na vrtání **55** trubka normální délky **56** konstrukce, klec k zajištění koně při kování, též zvěř. **57** text. kladivo valchy na sukno **58** *~s, pl* text., kožel. valcha **59** kratší rameno úhelníku n. příložníku **60** pevný díl posuvného měřítka **61** námoř. příčník, příčka kotvy **62** námoř. kormidelní peň **63** štapel, stavební poloha **64** *~s, pl* námoř. štapelové špalky / hranice, lešení pro stavbu lodi **65** tuhá vázanka, plastrón **66** náprsenka kolárku, plastrón **67** dámský stojací / stojatý límeček, stojáček **68** kopyto do holínek **69** tiskový papír **70** pečicí trouba **71** sériový automobil **72** závod sériových automobilů **73** nář. punčocha **74** bot. brukev **75** bot. fiala; fiala šedivá a jiné druhy **76** círk. nádobka na olej **77** div.: divadelní soubor hrající repertoárovým systémem; repertoár (*played bits in summer ~* v letním repertoáru hrál štěky); představení repertoárové společnosti **78** geol. peň **79** hut. vsázka, zavážka pece **80** polygr.: kovová část válce barevníku **81** horn. průměrná týdenní těžba **82** BR druh jakostní cihly ◆ *active ~* běžný cenný papír; *Bank ~* akcie n. kapitál *Bank of England; barometer ~* cenný papír citlivý na situaci trhu; *base ~* minimální / základní / železná zásoba; *~ of bit* kolovrátek na vrtání; *~s and bonds* cenné papíry; *bonus ~* „gratis" akcie; *~ and bowl motion* text. kladkový závěs; *buffer ~s* nárazníkové zásoby k stabilizování cen surovin a potravin; *capital ~* AM kmenové jmění; *carry a t. in ~* AM vést, mít na skladě; *classified ~* akciový kapitál rozdělený na různé druhy akcií; *consignment ~* konsignační sklad; *consolidated ~* BR konsolidační dluhopisy, sjednocená renta anglická, fundovaný státní dluh; *corporate ~* AM = *capital ~; cushion ~* minimální pojistná zásoba; *dated ~* zboží skladované delší dobu; *dead ~ 1.* mrtvý inventář *2.* neprodejné zboží, ležáky; *~ and dies* závitnice na řezání závitů; *I am at the end of my ~ of wine* dochází mi / došlo mi víno; *excess ~* přebytečný sklad; *fat ~* jateční dobytek; *floating ~* oběžný kapitál; *forfeited ~* propadlé akcie; *gold ~* zásoba zlata (*monetary gold ~ of the world* světová zásoba měnového zlata); *growing ~* les. stromová zásoba, zásoba hmoty; *~ on hand* pohotové zboží; *idle ~* neprodané zboží na skladě, ležák; *in ~* též *1.* na skladě *2.* pohotově, k dispozici (*he invariably has an apt phrase in ~* vždycky má pohotově vhodné úsloví); *have a great ~ of information* být velmi dobře informovaný; *joint ~* akciový kapitál; *keep ~ of a t.* sledovat, bedlivě pozorovat; *while the ~ lasts* dokud zásoba stačí; *lay in ~* nakupovat, dělat zásobu čeho (*lay in one's autumn ~* udělat si zásoby na podzim, *lay in a good ~ of books for the holidays* zásobit se na svátky / prázdniny literaturou); *listed ~* kotovaný cenný papír znamenaný na burze; *live ~ 1.* = *livestock 2.* žert. breberky vši; *lock, ~, and barrel* přen. jak to stojí a leží / běží, úplně, kompletně, se vším všudy, sakumpak, sakumprásk (hovor.); *long in ~* AM spekulant na vzestup cen, haussista; *management ~* správní kapitál; *mining ~* kuks; *non-flam ~* nehořlavý film, bezpečný film; *off the ~s 1.* loď spuštěný na vodu *2.* hotový, kompletní, dokončený; *on the ~s* připravený, rozdělaný, rozestavěný, v práci (*have a piece of work on the ~s* mít rozdělanou práci); *ordinary ~ 1.* základní, kmenový kapitál; základní, kmenové jmění *2.* AM kmenové akcie; *out of ~* neskladovaný, nejsoucí na skladě (*the book is out of ~* kniha je úplně rozebraná); *paper ~* papírovina; *pawn ~* lombardovat, zastavit cenné papíry; *permanent ~* železná zásoba, stálá rezerva; *~ of plays* repertoár; *preferred ~* přednostní akcie, priorita; *prior ~* prioritní akcie; *put little ~ in a t.* mít malou důvěru v, necenit si příliš čeho; *~ of a railway 1.* park železničních vozů, vozový železniční park *2.* základní kapitál soukromé železnice *3.* dlužní úpisy vydané železnicí; *remnant ~s* neprodané, zbytkové zásoby; *renew one's ~* doplnit zásoby n. sklad; *roller ~* válcový hřídel, vřeteno válce barevníku; *rolling ~ 1.* vozový park, dopravní prostředky *2.* železniční park; *set a great ~ by a t.* velice si vážit čeho; *shoemaker's ~* žert. těsné boty; *~s and stones 1.* dřevěné a kamenné modly, neživé věci *2.* tupí, netečnί lidé, *surplus ~s* přebytkové zásoby; *take ~* dělat inventuru, inventarizovat; *take ~ in a t. 1.* koupit si akcie čeho *2.* AM zakládat si na, přikládat váhu čemu *3.* AM důvěřovat čemu, věřit čemu, mít důvěru v; *take ~ of o. s.* AM hovor. jít do sebe; *take ~ of a p.* hovor. prohlédnout si od hlavy k patě koho; *take ~ of a t.* udělat si přehled o, odhadnout, zvážit co; *trustee ~* pupilární / sirotčí cenný papír ● *v* **1** zásobit | se *with* čím **2** vybavit, vyzbrojit **3** dát, zavést dobytek na statek, vybavit živým inventářem (*~ a stream with trout* nasadit do potoka pstruhy) **4** osít pící; osadit, zalesnit **5** skladovat, uskladňovat, dávat do skladu; mít na skladě n. ve skladu, mít v zásobě **6** dát pažbu k **7** námoř.

opatřit příčkou kotvu **8** opatřit násadou atd., dát násadu atd. k **9** spásat dobytkem pastvinu, pást dobytek na pastvině **10** nepodojit krávu, aby měla při prodeji velké vemeno **11** oplodnit samici domácího zvířete **12** svážet klády **13** okleštěný strom vyrážet výmladky, znovu obrůstat **14** zarazit růst rostliny **15** noha koně otéci mezi spěnkou a hleznem **16** připravit si, uspořádat si předem karty v balíčku **17** kožel. tlouci, valchovat **18** posadit provinilce do klády **19** zast. investovat ***stock up 1*** dobře zásobit, naplnit sklad *with* čím **2** vytrhnout z kořenů ● *adj* **1** jsoucí na skladě, stále skladovaný **2** zaměstnaný ve skladu (*a ~ girl*), skladový **3** obvyklý, běžný, normální, standardní (*a ~ size of paper, the ~ answer to all these complaints*), sériový (*a ~ model of an automobile*) **4** tuctový, konvenční, stereotypní, banální (*~ fictional characters*), otřelý, otřískaný, omletý (*a ~ argument*) **5** zaměřený na živočišnou výrobu, zaměřený na chov dobytka, koní, ovcí n. vepřů **6** určený pro dobytek, dobytčí, dobytkářský, s dobytkem (*~ train*) **7** chovný (*a ~ bull*) **8** jateční, žírný (*~ cattle*) **9** div. repertoárový (*~ actors*)

stock account [ˌstokəˈkaunt] BR **1** skladová účetní kniha, seznam zboží ve skladu **2** konto

stockade [stoˈkeid] *s* **1** hradba z kůlů, kůlová ohrada, palisáda, palisády **2** voj. plovoucí kládová přehrada na ochranu pontonů **3** pilotový vlnolam **4** AM vojenský trestný tábor ● *v* **1** obehnat, opevnit n. chránit palisádou **2** chránit plovoucí kládovou přehradou

stock agent [ˈstokˌeidžənt] AU **1** obchodník s dobytkem **2** firma zásobující dobytkářskou farmu

stock anvil [ˈstokˌænvil] babka do kovadliny

stock arrangement [ˈstokəˌreindžmənt] úprava / uspořádání skladů

stock beer [stokbiə] ležák pivo

stock bin [stokbin] zásobník

stock book [stokbuk] **1** skladová účetní kniha, skladní kniha, zásobník **2** plemenná kniha

stockbreeder [ˈstokˌbri:də] BR chovatel / pěstitel dobytka, dobytkář

stock brick [stokbrik] BR jakostní cihla pálená ve skládce

stockbroker [ˈstokˌbrəukə] burzovní dohodce, komisionář, makléř ◆ *~ belt* BR hovor. bohatá předměstí zejm. Londýna

stockbroking [ˈstokˌbrəukiŋ] burzovní makléřství

stock brush [stokbraš] zednická štětka

stock car [stokka:] **1** sériový automobil **2** AM žel. dobytčí vůz ◆ *~ racing* závody sériových automobilů, zejm. starších

stock cattle [ˈstokˌkætl] chovný dobytek starší tří let

stock certificate [ˌstoksəˈtifikit] akcie znějící na jméno

stock change [ˌstokˈčeindž] zmýdelňování

stock character [ˈstokˌkærəktə] div. typická postava určitého typu hry, též přen.

stock chute [stokšu:t] rampa pro nakládání a vykládání dobytka

stock clerk [ˈstokˌkla:k] skladní účetní, úředník ve skladu, skladník

stock company [ˈstokˌkampəni] AM **1** akciová společnost **2** div. soubor hrající repertoárovým systémem

stock corporation [ˈstokˌko:pəˈreišən] AM kapitálová, akciová společnost

stock cube [ˈstokˌkju:b] polévková kostka

stock dealer [ˈstokˌdi:lə] AM obchodník s dobytkem, „handlíř"

stockdove [stokdav] zool. (holub) doupňák

stock exchange [ˈstokiksˌčeindž] burza ◆ *Stock Exchange* BR londýnská burza

stockfarm [stokfa:m] farma pro živočišnou výrobu

stock farmer [ˈstokˌfa:mə] chovatel / pěstitel dobytka

stock feeder [ˈstokˌfi:də] krmič dobytka

stock fire [stokfaiə] zavřená kovářská výheň

stockfish [stokfiš] *pl* též *stockfish* [stokfiš] nesolená sušená ryba, např. treska

stockgang [stokgæŋg] rámová několikalistá pila na řezání prken z kmene

stock gas [stokgæs] vysokopecní plyn

stock gilliflower [ˌstokˈdžiliˌflauə] bot. fiala, fiala šedivá

stock goods [stokgudz] zboží na skladě, skladové zboží

stockholder [ˈstokˌhəuldə] **1** AM akcionář, majitel cenných papírů **2** AU dobytkář

Stockholm tar [ˈstokhəumˌta:] stokholmský dehet užívaný ve stavbě lodí

stock house [stokhaus] skladiště budova

stockiness [stokinis] **1** podsaditost, sporost **2** chladnost, přísnost

stockinet [stokinet] text. trikotýn

stocking[1] [stokiŋ] **1** les. zakmenění **2** v. *stock, v*

stocking[2] [stokiŋ] *s* **1** punčocha (*a pair of ~s* punčochy, pár punčoch) **2** AM tech. řidč. punčoška **3** co připomíná punčochu: bílá skvrna na noze koně, tmavá skvrna na krku kanadské husy ◆ *elastic ~* med.: elastická zdravotní punčocha; *stands six feet in his ~s* měří bez bot šest stop ● *v* obléci / obout do punčoch ◆ *~ed feet = stocking feet*

stocking cap [ˈstokiŋˌkæp] „punčocha", kulich, čepice s třapcem

stocking feet [stokiŋfi:t] : *in one's ~* bez bot, pouze v punčochách / ponožkách

stocking filler [ˈstokiŋˌfilə] BR dárek, zejm. hračka vhodná do vánoční punčochy

stocking frame [stokiŋfreim] stávek na punčochy

stockingless [stokiŋlis] jsoucí bez punčoch, bosý

stocking loom [stokiŋlu:m], **stocking machine** [ˈstokiŋməˌši:n] = *stocking frame*

stocking mask [ˈstokiŋˌma:sk] nylonová punčocha přetažená přes obličej maska zločince

stock-in-trade [ˌstokinˈtreid] *s* **1** celková zásoba zboží pro obchod, zboží v obchodě **2** provozo-

vací / provozní inventář **3** všechny potřeby řemeslníka **4** charakteristický rys, obvyklá charakteristika, schopnost, dovednost, co patří k „řemeslu" (*eloquence is a part of a salesman's ~* výřečnost patří k řemeslu obchodního cestujícího) ● *adj* otřelý, běžný, stereotypní
stockish [stokiš] hloupý jako pařez, zabedněný
stockist [stokist] BR obchodník, velkoobchodník s velkým skladem, dodavatel, dodavatelská firma určitého zboží
stockjobber [ˈstokˌdžobə] **1** BR jednatel, burzovní dohodce, senzál **2** BR hráč na burze, spekulant **3** AM hanl. makléř, čachrář s bezcennými akciemi
stockjobbery [ˈstokˌdžobəri], **stockjobbing** [ˈstokˌdžobiŋ] **1** BR funkce n. práce burzovního senzála **2** BR spekulace na burze **3** AM hanl. makléřství, čachrářství s bezcennými akciemi
stock keeper [ˈstokˌki:pə] skladník
stockless [stoklis] **1** jsoucí bez pažby, bez rukojeti **2** kotva jsoucí bez příčky, sklopná, patentní
stock list, stocklist [stoklist] **1** skladová listina, regleta **2** burzovní n. kursovní lístek
stock lock [stoklok] venkovní zámek v dřevěném krytu
stockman [stokmæn] *pl: -men* [-men] AU **1** dobytkář, ovčák **2** honák, pastevec, ovčák **3** AM zaměstnanec skladu, skladník
stockmarket [ˈstokˌma:kit] burza cenných papírů, trh n. obchodování s cennými papíry
stock owl [stokaul] BR výr velký
stock pass [stokpa:s] propustek, mostní otvor pod tratí pro průchod dobytka
stock phrase [ˌstokˈfreiz] ustálená fráze, rčení
stockpile [stokpail] **1** rezervní zásoba, rezerva pro čas nouze **2** válečný potenciál, připravené zbraně **3** hromada materiálu, hromada např. štěrku u cesty **4** horn. skládka, halda uhlí n. rudy **5** geol. zásoba užitkového nerostu ● *v* **1** těžit na skládku, skládat na hromadu n. haldu **2** shromažďovat / dělat / hromadit zásoby čeho (*stockpiling war materials in Europe*)
stockpot [stokpot] zejm. BR **1** velký hrnec na polévku, polévkový hrnec **2** hrnec na výrobu polévkového výtažku
stockrider [ˈstokˌraidə] AU pastevec na koni
stock right [stokrait] upisovací právo
stockroom [stokru:m] **1** skladiště **2** vzorkovna v hotelu
stock saddle [ˈstokˌsædl] ozdobné kovbojské sedlo
stock shot [stokšot] dokumentární filmový záběr, archivní šot uschovaný pro použití v budoucnu
stock solution [ˈstoksəˌlu:šən] **1** fot. zásobní roztok, zejm. koncentrovaná vývojka **2** chem. zásobní roztok
stock-still [ˌstokˈstil] nehybný, jsoucí bez hnutí, jako socha
stocktaking [ˈstokˌteikiŋ] **1** inventura, inventurizace **2** zjištění stavu *of* čeho, orientace v, rekapitulace čeho a z toho vyvozené důsledky
stock tub [stoktab] ležácký sud
stock whip [stokwip] dlouhý bič s krátkou násadou, karabáč
stockwork [stokwə:k] **1** horn. dobývání v patrech, komorování **2** geol. skalní masív proražený sítí drobných rudních žil, žilník
stocky [stoki] (*-ie-*) **1** podsaditý, sporý **2** chladný, přísný (*the ~ virtues*)
stockyard [stokja:d] dvůr pro dobytek zejm. jako středisko odvozu např. na trh n. na porážku
stodge [stodž] škol. slang. *v* **1** nacpat | se, naprat | se, naprásknout | se (*he could eat but he could not ~*) *with* čím (*the young will be ~d with tea and buns*), na|sytit **2** smíchat, splácat dohromady (*all they ever do is ~ some old jello and fruit* nic nedělají, jen plácají dohromady staré želé a ovoce) **3** protloukat se, tlouci se, trmácet se (*ought no longer to go stodging along in penury* už by se neměl protloukat životem v těžké bídě) ● *s* **1** těžké jídlo; dlabanec, žraso **2** žrout **3** tlustý nudný román; nezáživné / otravné učení, otravná přednáška, otrava **4** pomalý člověk, pomalý pracant **5** BR nář. nákyp pečený n. vařený v páře
stodginess [stodžinis] **1** těžkost, špatná stravitelnost **2** tloušťka a nemotornost **3** těžkopádnost, nezáživnost, nudnost, nezajímavost, fádnost, banálnost **4** staromódnost **5** přecpanost **6** podsaditost
stodgy [stodži] (*-ie-*) **1** těžký, těžko stravitelný (*grey, ~ war bread*) **2** tlustý a proto nemotorný, těžce se pohybující (*the cook's a ~ German woman*) **3** těžkopádný, nezáživný; nudný, nezajímavý, fádní, banální **4** staromódní, copařský (*a ~ father, the ~ efforts of most composers*) **5** přecpaný **6** podsaditý
stoep [stu:p] SA terasovitá veranda, plošina před domovním vchodem
stogey [stəudži] = *stodgy*
stogie, stogy [stəudži] (*-ie-*) AM **1** těžká bota, baganče **2** dlouhý levný doutník
stoic [stəuik] *s* **1** *S~* stoik stoupenec stoicismu **2** lhostejný, klidný, vyrovnaný člověk, flegmatik, stoik ● *adj* = *stoical*
stoical [stəuikəl] **1** stoický příznačný pro stoika n. stoicismus **2** lhostejný, netečný, flegmatický, stoický
stoichiometry [ˌstoikiˈomitri] chem. stechiometrie nauka o váhových poměrech při chemickém slučování
Stoicism [stəuisizəm] **1** stoicismus směr starověké filozofie s řadou materialistických stránek, zdůrazňující vyrovnanou životní moudrost **2** *s~* lhostejnost, netečnost, klid, vyrovnanost, flegmatičnost, stoicismus
stoke [stəuk] **1** prohrábnout oheň a přiložit do ohně; přihazovat a rozhrabávat uhlí v topeništi **2** přikládat zejm. pod kotel, topit, být topičem **3** přen. nacpat | se, naprat | se, naprásknout | se, cpát se
stokehold [stəukhəuld] **1** stanoviště topiče **2** lodní kotelna
stokehole [stəukhəul] **1** přikládací otvor pece **2** lodní kotelna

stoker [stəukə] **1** topič zejm. námoř.; přikladač **2** mechanické přikládací zařízení
STOL [stol] též ~ *aeroplane* letoun s krátkým vzletem a přistáním
stola [stəulə] *pl: stolae* [stəuli:] antic. stola dlouhá bílá říza vznešených Římanek
stole[1] [stəul] **1** štóla dlouhý úzký pruh látky, který nosí kněz při některých obřadech; dlouhý úzký dámský přehoz z látky n. kožešiny **2** = *stola* ◆ *groom of the* ~ BR královský komoří
stole[2] [stəul] = *stolon*
stole[3] [stəul] v. *steal, v*
stole fee [stəulfi:] círk. štóla poplatek za církevní úkon
stolen [stəulən] v. *steal, v*
stolid [stolid] tupý, nechápavý, flegmatický, lhostejný, netečný, apatický
stolidity [stoˈlidəti] tupost, nechápavost, flegmatičnost, lhostejnost, netečnost, apatičnost
stolon [stəulən] **1** bot. výběžek, šlahoun, stolon; oddenek **2** zool. stolon, výhonek
stolonate [stəuləneit], **stoloniferous** [ˌstəuləˈnifərəs] bot. výběžkatý
STOLport [stolpo:t] letiště pro letouny s krátkým vzletem a přistáním
stoma [stəumə] *pl: stomata* [stəumətə] **1** bot. průduch **2** zool. ústa, ústní otvor; ústní dutina hlístic
stomach [stamək] *s* **1** žaludek **2** břicho, život; panděro, pupek, nácek, cejcha (hovor.) **3** chuť k jídlu, hlad *for* na (*had a good* ~ *for dinner after their climb* po výstupu měli pořádný hlad na večeři) **4** chuť *for* k, nálada na (*he had no* ~ *for further fighting*) **5** zast. odvaha, kuráž **6** zast. pýcha **7** zast. zlost, vztek ◆ *glandular* ~ žaludeční žlázy; *coat of the* ~ žaludeční stěna; *it lies heavy on my* ~ leží mi to v žaludku, tlačí mě to v žaludku; *muscular* ~ žaludeční svalstvo; *pit of the* ~ *1.* žaludeční krajina *2.* solar; *ruminant's* ~ žaludek přežvýkavců ● *v* **1** jíst, sníst, strávit bez potíží **2** snést, strpět, schválit, beze všeho přijmout, spolknout (přen.), souhlasit s (*the legislators should not* ~ *the proposal* zákonodárci by ten návrh neměli jen tak beze všeho spolknout) **3** urazit se kvůli, vztekat se nad
stomach ache [staməkeik] žaludeční bolest / bolesti, bolení žaludku, bolení břicha
stomachal [staməkəl] týkající se žaludku, žaludeční
stomach cough [staməkkof] kašel způsobený podrážděním žaludku n. tenkého střeva
stomachful [staməkful] **1** plný žaludek **2** přen. dost, až po krk *of* čeho (*had a* ~ *of his abuse* měl jeho urážek až po krk)
stomachic [stəuˈmækik] *adj* žaludeční týkající se žaludku; léčící žaludek; podporující trávení ● *s* **1** lék podporující trávení, žaludeční lék, stomachikum **2** žaludeční likér
stomachless [staməklis] **1** jsoucí bez žaludku **2** řidč. jsoucí bez chuti
stomach pump [staməkpamp] žaludeční pumpa k výplachu žaludku
stomach staggers [ˈstaməkˌstægəz] zvěř. mrtvice koně způsobená ochrnutím žaludku
stomach tooth [staməktu:θ] *pl: stomach teeth* [staməkti:θ] špičák mléčného chrupu
stomach tube [staməktju:b] hadička používaná při výplachu žaludku
stomachy [staməki] (*-ie-*) **1** břichatý **2** BR nář. popudlivý
stomack [stamək] SA: *have a* ~ hovor. chodit s břichem být těhotná
stomata [stəumətə] v. *stoma*
stomatitis [ˌstəuməˈtaitis] *pl* též *stomatitides* [ˌstəuməˈtaitidi:z] med. zánět úst
stomatogastric [ˌstəumətəˈgæstrik] týkající se úst a žaludku, týkající se hořejší části zažívacího traktu
stomatology [ˌstəuməˈtolədži] stomatologie nauka o chorobách ústní dutiny a zubů
stomatoscope [stəuˈmætəskəup] stomatoskop přístroj k vyšetřování dutiny ústní
stone [stəun] *s* **1** kámen; kamínek (*gathering* ~*s on the beach* sbírající kamínky na pobřeží), oblázek (*six* ~*s for his sling* šest oblázků do praku), šutr (hovor.) **2** ~*s, pl* kameny, kamení **3** náhrobní kámen, náhrobek **4** archeol. stéla **5** mlýnský kámen, žernov **6** brusný kámen, brus; brousek **7** kotouč pro lední metanou **8** hrací kámen pro dámu apod. **9** kámen, rubín v hodinkách **10** litografický kámen, litografická deska **11** dlažební kostka **12** med. žlučový kamínek; ledvinový kamínek; močový kamínek **13** drahokam **14** meteor. kroupa **15** světle šedá n. béžová barva **16** *pl: stone* kámen jednotka hmotnosti (6,35 kg); hmotnost 14 liber (*he rides 12* ~ žokej váží 76,2 kg) **17** pecka; tvrdé jádro (*the* ~ *of a date*); pecička v hroznu **18** polygr. též *imposing* ~ vyřazovací „kámen", vyřazovací stůl **19** zast. varle ◆ *artificial* ~ umělý kámen, cement, beton; *Bath* ~ bathský kámen stavební vápenec; *kill two birds with one* ~ zabít dvě mouchy jednou ranou; *break* ~ *1.* roztloukat kamení, živit se jak se dá, žít z ruky do úst; *Bristol* ~ křišťál, bristolský diamant; ~*'s cast* vzdálenost co by kamenem dohodil; *cast a* ~ / ~*s at a p. 1.* hodit kamenem po *2.* špinit, pomlouvat koho; ~ *of cheese* 7,26 kg sýru; *Cornish* ~ kaolinizovaná žula; ~*s will cry out* kámen by se ustrnul, kamení bude volat (bibl.); *give a* ~ *and a beating* sport. hovor. rozdrtit, roznést snadno porazit; *give a* ~ *for bread* bibl. dát místo chleba kámen; *great* ~ balvan; *as hard as* (*a*) ~ tvrdý jako kámen; *harden into* ~ zkamenět; *a heart of* ~ kamenné srdce; *leave no* ~ *unturned to do* učinit vše, co je v lidských silách, aby se stalo; ~ *of meat* 3,63 kg masa; *meteoric* ~ *1.* meteorit; *2.* úlomek meteoritu; *philosophers'* ~ kámen mudrců; *Portland* ~ portlandský vápenec; *precious* ~ drahokam; *rolling* ~ nestálý člověk, fluktuant; *A rolling* ~ *gathers no moss* Devatero řemesel desátá bída; *shower of* ~*s 1.* déšť kamenů *2.* lavina; ~*'s throw* = ~*'s cast; throw a* ~ / ~*s at a p.* = *cast*

a ~ at a p.; Those who live in glass houses should not throw ~s Jak se do lesa volá, tak se z lesa ozývá; *turn to ~* zkamenět, petrifikovat; *mark with a white ~* červeně si zatrhnout příjemný den ● *v* **1** házet (jako) kamením na, po (*began stoning us with empty beer cans* začali po nás házet plechovkami od piva); kamenovat **2** zpracovávat kamenem, třít kamenem; obkládat kameny, opevňovat kameny, vyzdívat kameny; vydláždit kameny **3** sbírat kamení na poli **4** zast. zatvrdit (*harsh deeds did ~ his heart* tvrdé skutky mu zatvrdily srdce) **5** zast. zkamenět **6** otupit, opít, přivést do bezvědomí drogami zfetovat **7** obtahovat brouskem **8** kožel. vytahovat, vyrážet trčičem useň **9** odpeckovat, vypeckovat ovoce **10** ovoce tvořit pecku ◆ *~ to death* ukamenovat ***stone down 1*** obtahovat brouskem *2* sbrousit, obrousit brouskem ● *adj* **1** kamenný **2** kameninový

Stone Age [ˌstəunˈeidž] doba kamenná

stone axe [stəunæks] **1** kamenická sekera, plošatka **2** archeol. kamenná sekerka, mlat

stone band [ˌstəunˈbænd] horn. kamenný proplástek v uhlí

stone bed [ˌstəunˈbed] geol. vrstva horniny

stone-blind [ˌstəunˈblaind] úplně slepý

stone blue [ˌstəunˈblu:] zelenomodrá barva

stone boat [ˌstəunˈbəut] AM prknový smyk

stone boiling [ˈstəunˌboiliŋ] vaření tekutiny vkládáním rozpálených kamenů

stone borer [ˈstəunˌbo:rə] **1** živočich vrtající kameny **2** zool. datlovka vrtavá

stone bramble [ˈstəunˌbræmbl] bot. ostružník skalní

stone break [stəunbreik] bot. lomikámen

stone breaker [ˈstəunˌbreikə] **1** štěrkař **2** drtič kamene

stonebuck [stəunbak] zool. = *steenbok*

stone butter [ˈstəunˌbatə] krachlový kamenec, římský kamenec

stone cast [stəunka:st] = *stone's cast*

stonechat [stəunčæt] zool. **1** bramborníček černohlavý **2** sýkora modřinka

stonechip [stəunčip] úlomek / odštěpek kamene

stonecoal [ˌstəunˈkəul] kusový antracit, antracit, antracitové uhlí

stone-cold [ˌstəunˈkəuld] **1** ledový **2** studený, neživý

stone copy [ˌstəunˈkopi] původní litografie

stonecrop [stəunkrop] bot. **1** rozchodník ostrý **2** jiné druhy rozchodníku

stone curlew [ˈstəunˌkə:lju:] zool. dytík

stonecutter [ˈstəunˌkatə] **1** kameník **2** brusič kamene **3** stroj na tesání kamene

stoned [stəund] **1** slang. opilý na mol, kamenný, mrtvý **2** slang. zfetovaný, jsoucí v bezvědomí po požití drog **3** v. *stone, v*

stone-dead [ˌstəunˈded] úplně mrtvý

stone-deaf [ˌstəunˈdef] hluchý jako poleno / pařez

stonedresser [ˈstəunˌdresə] kameník

stone drift [ˌstəunˈdrift] horn. překop, chodba ražená v kamení

stone eater [ˈstəunˌi:tə] = *stone borer*

stone engraving [ˌstəuninˈgreiviŋ] kamenoryt

stone fence [stəunfens] AM slang.: koktejl z moštu a destilátu

stone ferns [stəunfə:n] bot. kyvor lékařský

stone fish [ˈstəunˌfiš] *pl* též *fish* [fiš] zool.: tropická ryba *Synanceja verrucosa*

stone fly [stəunflai] (*-ie-*) zool. pošvatka

stone fox [ˌstəunˈfoks] zool. liška polární

stone frigate [ˌstəunˈfrigit] BR suchozemské námořní zařízení, kasárny, ubytovny

stone fruit [stəunfru:t] peckovité ovoce, peckovice, peckoviny

stone gabion [ˌstəunˈgeibjən] les. objekt drátokamenný

stone gall [stəungo:l] hliněná pecka v pískovci

stone-ground [ˈstəunˌgraund] mouka rozemletý mlýnskými kameny

stone horse [stəunho:s] zast. hřebec

stoneless [stəunlis] jsoucí bez pecky

stone lily [ˈstəunˌlili] (*-ie-*) zkamenělá lilijice

stone lime [ˌstəunˈlaim] kusové vápno

stone man [ˌstəunˈmæn] mohyla

stone marten [ˌstəunˈma:tin] zool. kuna skalní

stonemason [ˈstəunˌmeisn] kameník

stone parsley [ˈstəunˌpa:sli] bot. sesel

stone pine [ˌstəunˈpain] bot. **1** pinie **2** limba

stone pit [stəunpit] lom na kámen, kamenolom

stone pitch [ˌstəunˈpič] tvrdá smůla

stone plover [ˈstəunˌplauvə] zool. **1** jespáček **2** břehoš **3** kulík

stone quarry [ˈstəunˌkwori] (*-ie-*) kamenolom

stone-race [stəunreis] závod, při kterém musí běžci sbírat rozmístěné kameny

stone rag [stəunræg] BR bot. terčovka skalní / podčerná, lišejník skalní

stone rue [stəunru:] bot. sleziník routička

stone run [ˌstəunˈran] horská kamenitá suť, „kamenné / skalní moře"

stone saw [stəunso:] pila na kámen

stone's cast [stəunska:st] vzdálenost co by kamenem dohodil

stone snipe [stəunsnaip] zool. **1** vodouš **2** = *stone plover*

stone's throw [stəunsθrəu] = *stone's cast*

stonewall [ˌstəunˈwo:l] **1** pálkař v kriketu hrát defenzívní hru, odpalovat obezřetně **2** zejm. AU dělat obstrukce, zdržovat projednávání n. schválení návrhu zákona

stoneware [stəunweə] kamenina, kameninové zboží ◆ *~ sink* kameninová výlevka

stonework [stəunwə:k] **1** též *~s, pl* kamenictví, kamenický závod **2** kamenná stavba, kamenné zdivo **3** práce v kamení, práce z kamene **4** továrna na kameninové zboží

stonewort [stəunwə:t] bot. **1** parožnatka sladkovodní řasa **2** kyvor
stoniness [stəuninis] **1** kamennost **2** kamenitost, kamenovost **3** zkamenělost **4** lédovost
stonk [stoŋk] *v* ostřelovat, bombardovat střelbou z děl ● *s* dělo
stonkered [stoŋkəd] AU slang. úplně zlitý, oddělaný
stony [stəuni] (*-ie-*) **1** kamenný, též přen. **2** kamenitý; kamenový **3** vedoucí ke zkamenění; zkamenělý **4** ledový (~ *silence*) **5** = *stony-broke*
stony-broke [stəunibrəuk] BR slang.: jsoucí úplně dutý, švorc, plonk, plajte bez peněz
stony coral [ˌstəuniˈkorəl] zool. větevník
stony-hearted [ˈstəuniˌha:tid] jsoucí s kamenným srdcem, zatvrzelý
stood [stud] v. *stand, v*
stoodge [stu:dž] slang. *s* **1** AM hloupý partner v komickém výstupu, kladoucí naivní otázky; nahrávač vtipů konferenciéra, též z obecenstva **2** slang.: něčí loutka, tahací panák, pochop, poskok **3** pilot začátečník **4** nastrčená figurka, štróman, loutka, též polit. **5** špicl ● *v* **1** AM nahrávat partnerovi v komickém výstupu; nahrávat konferenciérovi **2** slang. dělat loutku, tahacího panáka n. poskoka **3** též ~ *about* létat (*stoodging over the sea in all weathers*) ***stoodge around 1*** toulat se, potulovat se **2** létat
stook [stuk] *s* **1** panák obilí **2** kopka sena **3** horn. malý pilíř, opěrný pilíř, ochranný uhelný pilíř v uhelném dole ● *v* **1** též ~ *up* panákovat obilí **2** kopit, kopkovat seno
stool [stu:l] *s* **1** stolička, židlička bez opěradla, sedátko, sedačka, taburet; podnožka; štokrle (hovor.) **2** zast. stolec, stolice **3** biskupský stolec **4** stolec, trůn západoafrického náčelníka; náčelnictví; podklad, dosedací plocha **5** nízký stojánek, podstavec, základ **6** ~*s, pl* námoř. základová deska pro zadní stěhy / parduny **7** AM parapet okna **8** AM volavec, volavý pták při čižbě; stojan s volavým ptákem **9** pařez apod. z něhož vyrážejí každý rok výmladky; výhonek / výhonky na pařezu **10** med. stolice **11** zast. záchodová stolice, záchod (*go to* ~ jít na stolici) **12** = *stool pigeon* ◆ *fall between two* ~*s* přen. posadit se mezi dvě židle; *folding* ~ skládací židlička, sedačka, polní sedačka; ~ *of repentance* kajícná stolice cizoložníků atd. ve skotském kostele; *three-legged* ~ trojnožka ● *v* **1** vyrážet výmladky z pařezu apod. **2** tvořit stoličku **3** AM dravec dát se nalákat na volavého ptáka; lákat dravce na volavého ptáka **4** špiclovat **5** zast. jít na stolici, vykálet se
stool ball [stu:lbo:l] sport.: stará hra připomínající kriket
stool pigeon [ˈstu:lˌpidžin] **1** holub jako nástraha při čižbě **2** slang.: nastrčený policejní špicl, práskač, denunciant **3** zejm. AM slang. kibic
stoop[1] [stu:p] *v* **1** ohnout se, sehnout se, s|klonit se, nachýlit se celým tělem; být sehnutý, schýlený **2** jít sehnutě, ploužit se (~*ed along the shore* ploužil se podél pobřeží) **3** na|hrbit se, být skloněn (~ *over a desk*) **4** mít ohnutá n. kulatá záda **5** sehnout, sklonit hlavu (~ *one's head to get into a car*) **6** nahnout sud **7** strom atd. sklánět se, naklánět se, být nachýlený, být skloněný; sráz svažovat se, klesat **8** přen. klesnout, snížit se *to* k (~ *to cheating* snížit se k podvádění) **9** zneužívat, zahazovat (~*ing his talents to an unworthy cause* mrhat svými schopnostmi kvůli něčemu, co za to nestojí) **10** dravec snést se, vrhnout se, slétnout na kořist **11** zast. ponížit, podrobit **12** řidč. poddat se, ustoupit, kapitulovat ◆ ~ *to conquer* získat moc n. dosáhnout cíle sebeponížením; *a man who would* ~ *to anything* člověk schopný všeho ***stoop down*** sehnout se ● **1** ohnutí, sehnutí, sklonění, nachýlení; ohnutost, sehnutost, skloněnost, nachýlenost **2** shrbení, nahrbení, ohnutá n. kulatá záda (*have a* ~) **3** snížení, ponížení; klesnutí, pokles **4** ústupek, kapitulace, pád **5** zast. střemhlavý let dravce na kořist
stoop[2] [stu:p] horn. ochranný pilíř, (uhelný) opěrný pilíř, celina
stoop[3] [stu:p] AM nezastřešená veranda, malá plocha před vchodem; schůdky s plošinkou
stoop[4] [stu:p] *s* = *stoup*
stop [stop] *v* (*-pp-*) **1** zastavit (~ *a train, the earthquake* ~*ped all the clocks* při zemětřesení se všecky hodiny zastavily) **2** za|stavit krvácení (*to* ~ *the blood*) **3** zastavit při autostopu, stopnout (~ *a car*) **4** zastavit se, zůstat stát (*the train* ~*ped, the clock has* ~*ped*) **5** ~*!* (zůstaňte) stát!, stop! **6** veřejný dopravní prostředek stavět, stát, zastavovat (*does this train* ~ *at Crewe?*) **7** končit, přestávat (*the resemblance to the picture* ~*ped there* tím končila podobnost s obrazem) **8** sahat, vést jen kam, končit (*the blue jacket* ~*ping at his waist* modré sako sahající k pasu) **9** přestat dělat co, nechat čeho (*why doesn't he* ~ *beating his wife?, it has* ~*ped raining* přestalo pršet); nechat toho, přestat (*he didn't know where to* ~) **10** ustat v **11** zastavit se, zarazit se, přerušit činnost *to do* za účelem, aby (*we* ~*ped to have a rest* zastavili jsme se, abychom si odpočinuli) **12** přerušit a tím skončit **13** znemožnit pokračování v činnosti (*rain* ~*ped the game*) **14** být n. stát v cestě **15** za|bránit *a p.* komu (*from*) *doing* v (*what can* ~ *us from going?*), přimět *a p.* koho *from* aby neudělal co (~*ped him from making a speech*) **16** skoncovat *a t.* s, zarazit, překazit, zatrhnout co (*I shall* ~ *that nonsense* já ten nesmysl zatrhnu), učinit přítrž čemu, zabránit čemu (~ *burglaries* zabránit vloupání) **17** chytit, zadržet prchajícího **18** zabránit čemu, zabránit přístupu čeho **19** odpojit, přestat dodávat vodu, plyn **20** tech. odstranit (~ *the rattle* … řinčení) **21** zastavit vysokou pec **22** držet v šachu střelnou zbraní **23** zatarasit, za|blokovat (*a narrow gangway, which one person could* ~ úzká chodba,

kterou mohl zablokovat jediný člověk) **24** karty zarazit soupeři hru v jaké barvě (*~ped his spades* zarazil mu hru v pikách) **25** zarazit, přivést do rozpaků (*questions that have ~ped the industrial experts*) **26** zastavit se *at* před, neštítit se čeho (*doesn't ~ at the most outrageous lies* neštítí se ani nejnehoráznějších lží) **27** zarazit výplatu šeku, zakázat proplacení, obstavit, pozastavit **28** strhnout *a t.* co *from* ze mzdy (*each worker pays the equivalent of ten cents a week, which is ~ped from his wages by the employer* každý dělník platí deset centů týdně, které mu zaměstnavatel strhává ze mzdy) **29** zacpat, ucpat, utěsnit otvor, trhlinu (*~ a leak in a pipe* ucpat díru v trubce); zamazat a tím ucpat, zasádrovat, zacementovat, zatmelit, zakytovat **30** AM za|plombovat zub. **31** zamazat, namazat nohy koně **32** zazátkovat, zašpuntovat (hovor.) **33** zahradit, přehradit, zapřít, zadrhnout **34** stisknout, zmáčknout **35** hud. stisknout, zmáčknout prstem strunu např. houslí, stisknout, zacpat otvor např. flétny, vsunout ruku do korpusu lesního rohu; vytvořit tón zmáčknutím struny apod. **36** hovor. zůstávat, bydlet (*are you ~ping at this hotel?*) **37** hovor. zůstat, počkat, zdržet se (*shall you ~ for the sermon?* zdržíte se na kázání?) **38** hovor. být na návštěvě **39** zasáhnout, strefit se do (*missed his first shot, but ~ped a bird with his second* při prvním výstřelu se nestrefil, ale druhým ptáka zastřelil) **40** hovor. chytit, dostat co / čím, být zasažen čím (*easy to ~ a bullet along a lonely stretch of road* na osamělém úseku silnice je snadné chytit kulku) **41** jaz. dělat tečky n. interpunkci v (*a badly spelt and badly ~ped letter* dopis napsaný špatným pravopisem a se špatnou interpunkcí) **42** námoř. po|pouštět lano při kotvení lodi **43** námoř. přivázat, uvázat, upevnit stuhou, šňůrou, popruhem **44** námoř. přivázat, zakotvit loď **45** sport. zachytit a odrazit **46** sport. zastavit, stopnout (slang.) (*~ a ball*) **47** sport. knokautovat, složit knokautem, též technickým (*~ped his last opponent in three rounds*) **48** porazit ve hře n. utkání ◆ *be ~ped by* též zastavit se, zarazit se, zachytit se na, o (*most of the rain is ~ped by the outer hills*); *~ the block signal* žel. dát návěstí na „stůj"; *~ (a) blow* sport. zachytit a odrazit úder; *~ blow with one's head* žert. dostat rovnou do nosu; *~ a p.'s breath* zardousit koho; *I can't ~ to do a t.* nemám čas se zdržovat čím; *cars ~ by request* vlak elektrické dráhy staví pouze na znamení; *~ dead* náhle / prudce (se) zastavit; *~ one's ears 1.* zacpat si uši *2.* přen. nechtít slyšet *to* co, být hluchý k; *~ a factory* zavřít továrnu, přerušit práci v továrně; *~ a gap* zaplácnout díru, vytrhnout trn z paty; *~ it* přestaň, nech toho; *~, look, listen!* AM pozor při přechodu trati! *~ a p.'s mouth* zavřít ústa komu např. úplatkem; *once on this subject he never ~s* jak se dostane na toto téma, neví, kdy přestat; *he never ~s to think* nikdy si nenajde čas na přemýšlení; *~ that noise* přestaň dělat rámus; *do not ~* též nezastavuj se, nepřerušuj práci, dál; *he will not ~ till he has succeeded* nedá pokoj, dokud se mu to nepovede; *~ one* dostat to / ji, chytit to / ji, koupit to / ji a zemřít n. být raněn (*~ped one in the last battle of the war*); *pass without ~ping* projet (*pass a station without ~ping* projet stanicí bez zastavování); *~ payment* položit se, zkrachovat (*bank has ~ped payment* banka nemůže splnit své finanční závazky); *~ped pipe* hud. uzavřená píšťala, kryt ve varhanách; *~ progress* zabrzdit pokrok; *~ with putty* zatmelit, zakytovat; *~ short* = *~ dead; thick walls ~ sound* silné stěny pohlcují zvuk; *~ a speaker* přerušit řečníka; *~ thief!* chyťte zloděje!, zloděj, chyťte ho!; *the walls must be ~ped* je nutno ucpat díry ve zdi; *~ the way* zarazit, překazit; *~ a wound* zastavit krvácení z rány ***stop away*** nejít *from* kam ***stop by*** zastavit se na chvíli, zaskočit (*suggested that she ~ by that evening to talk things over*) ***stop down*** fot. víc zaclonit objektiv ***stop in*** *1* zůstat doma, nejít ven *2* zaskočit, zastavit se (*if you're in town, be sure to ~ in*) ***stop off*** *1* krátce se zastavit před odjezdem *2* zastavit se při cestě *3* uzavírat, oddělovat *4* uhrazovat formu *5* krýt, izolovat místa, která se nemají pokovovat *6* = *stop out, 1, 2* ***stop on*** zůstat někde déle ***stop out*** *1* fot. vykrýt negativ *2* polygr. vykrýt, nakrýt štoček *3* zakrýt černým voskem zuby *4* AM přerušit na čas studium a věnovat se jiné činnosti ◆ *~ out a yard rope* námoř. upevnit košovou spoušť ***stop over*** přerušit cestu a zastavit se *at* kde ***stop up*** *1* zacpat, ucpat, zatarasit *2* ucpávat se, být ucpán (*the sink ~s up constantly* výlevka se neustále ucpává) *3* zůstat vzhůru, nejít si lehnout *4* námoř. uvázat pomocí šňůr n. popruhů na několika místech např. plachty ● *s* **1** zastavení **2** znamení / značka „stůj" **3** klid, pauza, stop **4** stanice, zastávka veřejného dopravního prostředku; let. mezipřistání **5** zastávka, zdržení; místo, kde se někdo zastaví (*an old town by the sea is a must ~* staré přímořské město, kde se musíte zastavit); pobyt vzniklý přerušením cesty **6** za|bránění; zaražení, přerušení činnosti **7** zátaras, překážka (*I put out ~s on the motor road*) **8** přehrada, jez **9** uzávěr, kohoutek **10** uzavírací zátka výtoku; uzávěr, korek, zátka **11** tech. narážka, zarážka, doraz, záchyt, závorka, závěrka **12** stavítko, maltézský kříž v hodinkách **13** příkaz, aby nebyl šek proplacen, příkaz k zastavení výplaty šeku **14** zacpání, ucpání, utěsnění, zamazání, zasádrování, zatmelení **15** ucpávka **16** zubní plomba **17** hud. klapka, ventil, otvor např. flétny **18** hud. pražec kytary **19** hud. hmatat **20** hud. rejstřík varhan n. čembala, klapka, knoflík, tlačítko, táhlo k ovládání rejstříku **21** přen. tón, struna (*can put on / pull out the pathetic ~* umí nasadit patetický tón, umí zahrát na patetickou strunu) **22** nastavovač okrajů psacího stroje; tabulátorový jezdec psacího stroje **23** fot. objektiv **24** fot. clona **25** jaz. závěr, okluze; závěrová hláska, okluzíva **26** jaz. interpunkční znaménko; tečka; „stop" tečka v telegramu **27** liter. césura **28** úhel svíraný čelem a čenichem psa **29** rýha mezi čelem a zobákem holuba **30** místo, kde se stýká hlava a čenich delfína **31** honec bránící zvěři v úniku; *~s, pl* honci na křídle při ploužení **32** bridž honér s kartami menší hodnoty znemožňující soupeři pokračovat v nesené barvě **33** v některých karetních hrách karta znemožňující soupeři pokračovat ve hře ve stejné barvě; *~s, pl* název některých druhů karetních her **34** sport. obranný úder, úder jako protiútok **35** sport. chycení, krytí míče n. kotouče směřujícího na branku **36** kanoistika zastavení lodě zasunutím pádla kolmo do vody **37** šerm výpad jako protiútok místo krytu **38** námoř. úvaz, úvazek, nosník ◆ *be at a ~ 1.* stát, nehýbat se (*business is at a ~*) *2.* být na konci / v koncích, nemoci už dál; *bring a t. to ~ = put a ~ to a t.; come to a ~* zastavit se; *full ~ 1.* tečka *2.* náhlé / prudké zastavení (*come to a full ~* úplně se zastavit, úplně přestat); *glottal ~* v. *glottal; make a ~* zastavit se, udělat zastávku; *put a ~ to a t.* zastavit, zarazit co, učinit přítrž čemu; *put a ~ on a t.* zadržet co; *request ~* zastávka na znamení; *scheduled ~* pravidelné přistání podle letového řádu; *this train goes from London to Leeds with only two ~s* tento vlak z Londýna do Leedsu staví pouze ve dvou stanicích; *without a ~* bez přerušení, bez přestávky (*this train runs from London to Crewe without a ~* tento vlak z Londýna do Crewe projíždí) ● *adj* **1** sloužící k zastavení **2** jaz. závěrný, okluzívní

stopball [stopbo:l] tenis: krátký úder těsně za síť hraný tak, aby odskočil co nejníže

stop bath [ˌstopˈba:θ] fot. přerušovací lázeň, přerušovací roztok

stop block [ˌstopˈblok] **1** zarážka, narážka, doraz **2** žel. kolejové zarážedlo, kolejová zarážka

stop buffer [ˌstopˈbafə] žel. kolejové zarážedlo na konci kolejí

stop catch [ˌstopˈkæč] západka

stopcock [stopkok] uzavírací kohout

stop collar [ˈstopˌkolə] tech. narážkový nákružek

stop cylinder [ˈstopˌsilində] též *~ press* polygr. rychlolis se stavným válcem

stop drill [stopdril] vrtačka s nástavným dorazem

stope [stəup] horn. *s* vyrubaný / vydobytý prostor při dobývání rudy, dobývka, porub, výstupek, stupeň ● *v* rubat, dobývat

stopgap [stopgæp] *s* **1** zátka; zacpávka **2** zatímní opatření, improvizovaná náhrada, provizorium ● *adj* improvizovaný, provizorní, prozatímní

stop-go [ˌstopˈgəu] hovor. *s* střídavá inflace a deflace, též jako vládní opatření ● *adj* **1** charakterizovaný střídavou inflací a deflací **2** střídavý, kolísavý

stop key [stopki:], **stop knob** [stopnob] klávesa, tlačítko, knoflík, táhlo rejstříku varhan

stoplight [stoplait] **1** motor. brzdové světlo, stopka **2** červená světelná návěst, červené světlo semaforu na křižovatce

stopless [stoplis] **1** nezastavitelný, nezadržitelný **2** nezastavující

stop motion [ˌstopˈməušən] film **1** natáčení po okénku **2** zařízení pro natáčení po okénku při trikových záběrech (např. kresleného n. loutkového filmu)

stop number [ˌstopˈnambə] fot. číslo clony

stopoff [stopof] = *stop over*

stop order [ˈstopˌo:də] **1** příkaz makléři prodat n. koupit akcie v určeném cenovém limitu **2** příkaz k zastavení výplaty šeku apod.

stop-out [stopaut] *s* AM student, který přeruší na čas studia a věnuje se jiné činnosti ● *adj* vykrývací ◆ *~ varnish* polygr. vykrývací lak

stopover [ˈstopˌəuvə] zejm. AM *s* **1** přerušení cesty, zastávka **2** let. mezipřistání ● *v* přerušit cestu / let

stoppage [stopidž] **1** zastavení, zaražení (*~ of hostile seaborne traffic*); zastavení výplaty šeku **2** zastávka, pobyt; stání **3** zácpa, zacpání, za|blokování, ucpání (*~s due to the weeds* ucpání zaviněné rostlinami); překážka, zahrazení, přehrazení, zatarasení **4** med. zacpání, ucpání orgánu **5** zastavení dopravy, dopravní zácpa **6** zaseknutí, vzpříčení náboje ve střelné zbrani **7** srážka ze mzdy; zastavení platu **8** zadržení člověka n. zboží **9** stávka **10** jaz. závěr, okluze **11** fot. clonění ◆ *right of ~* (*in transit*) právo prodávajícího zadržet dodávku zboží na cestě; *~ at source* strhávání daně plátcem; *~ in transit / transitu* zadržení zboží na cestě

stopper [stopə] **1** kdo / co zastavuje n. zaráží: zastavovač, zarážeč, zadržovač; zarážka, zastavovací zařízení, vypínací zařízení stroje **2** ucpavač, ucpávadlo **3** zátka zejména ze stejného materiálu jako láhev, uzávěr; korek, špunt (hovor.) **4** poutač pozornosti **5** sport. stoper střední obránce **6** námoř. lanový záporník, lanová svěrka, řetězový záporník; kus lana n. řetězu, který slouží k zachycení jiného lana n. řetězu **7** karta znemožňující pokračovat v nesené barvě ◆ *put a ~ on / to a t.* zastavit, zarazit co ● *v* **1** zazátkovat, zavřít uzávěrem, zašpuntovat (hovor.) **2** ucpat **3** námoř. zadržet, zabrzdit běžící lano; zadrhnout lano, stáhnout záporník

stopper bolt [ˌstopəˈbəult] námoř. palubní kruh

stoppered bottle [ˌstopədˈbotl] lahvička se zabroušenou zátkou

stopper knot [stopənot] námoř. stavěcí uzel

stopping [stopiŋ] *s* **1** horn. větrní přehrada, uzávěra v dole **2** ucpávací n. vyplňovací materiál, výplň **3** hovor.: zubní plomba; plombovací látka **4** hud. prstoklad; hmaty **5** jaz. interpunkce **6** v. *stop, v* ● *adj* **1** zastávkový (*~ train* lokálka) **2** v. *stop, v*

stopping brush [stopiŋbraš] vykrývací štětec

stopping distance [ˌstopiŋˈdistəns] motor. brzdná dráha

stopping place [ˌstopiŋˈpleis] **1** stanice, zastávka **2** let. místo mezipřistání **3** přechodné bydliště

stopping plate [stopiŋpleit] hradicí plech, zarážkový plech, též žel.
stopping train [ˌstopiŋˈtrein] zejm. BR zastávkový vlak, lokálka
stopple [stopl] *s* **1** zátka **2** hud. klapka např. flétny **3** hud. kryt varhanní píšťaly **4** ucpávka do uší ● *v* zazátkovat
stop press [stoppres] zpráva jedna n. více došlá po uzávěrce novin a zařazená během tisku
stop signal [ˌstopˈsignl] návěst „stůj"
stop street [ˌstopˈstri:t] vedlejší ulice, ve které musí vozdilo před vjezdem do hlavní ulice zastavit
stop thrust [ˌstopˈθrast] šerm výpad jako protiútok místo krytu
stop valve [ˌstopˈvælv] uzavírací ventil
stop volley [ˈstopˌvoli] tenis: krátký úder hraný přímo ze vzduchu těsně za síť
stop watch [stopwoč] stopky hodinky
storable [sto:rəbl] uskladnitelný, skladovatelný
storage [sto:ridž] **1** skladování, uskladnění (*meat packaged for* ~ maso balené pro skladování) **2** poplatek za uskladnění, skladné, úschovné, úložné **3** skladovací prostor, sklad, skladiště **4** zásoba, nahromaděné množství zejm. vody; kapacita **5** hromadění, jímání, akumulování, akumulace energie **6** paměť počítače ◆ ~ *battery* elektr. *1.* akumulátorová baterie *2.* akumulátor; ~ *bellows* zásobní měch varhan; ~ *cabinet* film trezor; ~ *cell* elektr. akumulátorový článek; *cold* ~ *1.* chladírna *2.* uskladnění v chladu; *3.* slang. hřbitov, hrobka; ~ *dam* údolní přehrada; ~ *element* paměťový prvek počítače; ~ *heater* tepelný akumulátor; ~ *reservoir* vodojem; ~ *risk* pojišť. riziko skladování; ~ *yard 1.* skládka, sklad *2.* žel. odstavná plocha pro vagóny
storax [sto:ræks] **1** bot.: dřevina z čeledi vilínovitých; ambroň; rasamala **2** styrax, styraxový balzám
store [sto:] *s* **1** zásoba (*good* ~ *of provisions in the house* dobrá zásoba potravin v domě) **2** rezerva, rezervy (*his physical* ~ jeho fyzické rezervy); velký fond (~ *of courage* ... odvahy) **3** velké bohatství, zdroj, pramen, studnice, pokladnice (přen.) (*a* ~ *of sound advice* studnice moudrých rad) **4** ~*s, pl* zásoba, zásoby zejm. určitého n. speciálního zboží; zásoby surovin n. základního / provozního materiálu **5** ~*s, pl* vojenské a lodní potřeby, muniční sklad **6** velké množství, spousta, kvantum, kvanta, hodně *of* čeho **7** sklad, skladiště **8** uskladnění (*for* ~) **9** ~*s, pl* provozovna, provozovny služeb veřejnosti (~*s and offices will be closed for the holiday*) **10** též. ~ *s, pl* BR obchodní dům **11** zejm. AM obchod (*a clothing* ~ obchod konfekcí) **12** zejm. BR paměť počítače **13** místo pro figurky n. kameny, s nimiž se nehraje na hracím plánu společenské hry **14** slang. podnik, zařízení používané podvodníky jako vějička **15** slang.: pouťová atrakce s vyvolávačem ◆ *Army and Navy* ~ *s* konzum; *chain* ~ filiálkový obchod, filiálková prodejna, filiálka; *coop* ~ hovor.: družstevní konzum; *five-and-ten-cents* ~ AM jednotkový obchodní dům; *general* ~*s* BR vesnický obchod smíšeným zbožím; *grocery* ~ AM potravinářství; *in* ~ *1.* na skladě *2.* připravený, přichystaný, určený pro budoucnost (*who knows what the future has in* ~ *for us* kdo ví, co nám chystá budoucnost / co nás v budoucnosti čeká, *success was in* ~ *for him* čekal ho úspěch); *keep a t. in* ~ mít v zásobě, mít schováno pro strýčka Příhodu; *lay great* ~ = *set great* ~; *lay in* ~*s* zásobit | se, udělat | si zásoby (*lay in* ~*s of coal for the winter*); *marine* ~*s 1.* lodní skladiště *2.* staré lodní potřeby lanoví, plachty apod., *multiple* ~*s 1.* obchodní prodejny *2.* filiálkové obchody; *naval* ~*s 1.* lodní a loďmistrovské potřeby *2.* dehtový materiál; *out of* ~ nejsoucí na skladě, rozebraný ve skladu; *place in* ~ uskladnit; *put great* ~ = *set great* ~; *self-service* ~ AM samoobsluha; *set great* | *little* ~ *by* vážit si velice | málo čeho, přikládat velkou | malou hodnotu / váhu / cenu čemu; *variety* ~ jednotkový obchodní dům ● *v* **1** zásobit *with* čím **2** též ~ *up* / *away* na|hromadit, shromažďovat, dělat si zásobu čeho (*do all squirrels* ~ *up food for the winter?* dělají si všechny veverky zásoby jídla na zimu?) **3** naplnit (*bins* ~*d with grain* sýpky naplněné obilím) **4** dát / uložit do skladu **5** dát / uložit stranou; uložit, vložit, dát a uschovat **6** naplnit, vyzbrojit (přen.) (*a mind well* ~*d with facts*) **7** mít, nechat, dát (jako) ve skladišti, do skladiště; garážovat **8** dát uležet pivo **9** pojmout, obsáhnout; obsahovat jako zásobu **10** uchovávat se ve skladu, vydržet (*an egg that will* ~ *60 per cent longer*) **11** nakládat / brát zásoby (*ships storing in the harbour*) **12** skládat (*to* ~ *snow plowed from the pavement in winter months* skládat sníh odstraněný v zimních měsících z chodníku) **13** střádat, akumulovat energii **14** sděl. tech. zaznamenávat, registrovat impulzy **15** vkládat / uložit do paměti počítače informaci; programovat počítač ◆ *the harvest has been* ~*d* úroda je svezena / je pod střechou ● *adj* též ~*s* **1** skladní, skladovací, skladový **2** sloužící jako sklad, nákladní **3** zásobní **4** dobytek žírný, jateční **5** kupovaný (~ *bread*) **6** konfekční (~ *clothes*) **7** umělý (~ *teeth*)
storehouse [sto:haus] *pl: storehouses* [ˈsto:ˌhauziz] **1** skladiště, sklad, magacín **2** přen. studnice, pokladnice (*books that are* ~*s of information*)
storekeeper [ˈsto:ˌki:pə] **1** skladník, správce skladu, též voj., námoř. **2** AM kupec, maloobchodník, detailista
storeroom [sto:ru:m] **1** sklad, skladiště **2** zásobárna
storeship [sto:šip] zásobovací loď
storey [sto:ri] *pl: storeys* [sto:riz] **1** podlaží, etáž, též přízemní; patro, poschodí **2** vegetační vrstva **3** les. etáž ◆ *upper* ~ slang. hlava, mozek (*he is a little wrong in the upper* ~ straší mu na cimbuří, šplouchá mu na maják)

storeyed [sto:rid] **1** poschoďový, patrový, též ve složeninách (*a two ~ house*) **2** mající vegetační vrstvu, jsoucí s vegetačními vrstvami
storey house [ˌsto:riˈhaus] *pl: houses* [hauziz] SA patrový dům
storey post [sto:ripəust] stav. nosný pilíř mezi poschodími
storiated [sto:rieitid] titulní list ozdobný, zdobený (historickými) výjevy
storied[1] [sto:rid] **1** legendární, historický; opředený bájemi **2** zdobený legendárními n. historickými výjevy (*a ~ frieze* vlys ...)
storied[2] [stori:d] AM = *storeyed*
storiette [ˌsto:riˈet] malý příběh, historka
stork [sto:k] zool. čáp ◆ *King S~* despotický král
storksbill [sto:ksbil] bot. **1** pumpava čapí nůsek **2** pelargonie
storm [sto:m] *s* **1** bouře, též přen. (*the economic ~s of the 1930s, a ~ of protests*), bouřka s blesky **2** vichr, vichřice, bouře; cyklón **3** přen. příval, záplava (*the ~ of paperbacks* záplava knížek do kapsy); déšť, krupobití (*a ~ of arrows* déšť šípů) **4** náhlé zhoršení choroby **5** voj. zteč, úder, prudký útok, nápor (*attack a fort by ~* podniknout prudký útok na pevnost) **6** *~s, pl* AM vnější okna ◆ *~ of hail* krupobití; *S~ and Stress* lit. Sturm und Drang; *take by ~ 1.* voj. dobýt zteči *2.* strhnout obecenstvo; *~ in a teacup* bouře ve sklenici vody ● *v* **1** zejm. AM bouřit, burácet (*it was ~ing in the mountains*) **2** bouře, člověk zuřit, bouřit, vztekat se, burácet **3** hnát se rozzuřeně, vyrazit (*jumped into his clothes and ~ed over to the office* vletěl do šatů a hnal se do kanceláře) **4** voj. vzít zteči, učinit prudký útok zejm. dělostřelecký, útočit, ztéci **5** strhnout (*they simply ~ed their audiences* prostě obecenstvo strhli)
storm-beaten [ˈsto:mˌbi:tn] ošlehaný n. bičovaný bouří / bouřemi
storm belt [sto:mbelt] **1** bouřkové pásmo **2** pásmo tropických cyklónů
storm bird [sto:mbə:d] zool. buřňák
stormbound [sto:mbaund] loď zadržený bouří / bouřemi
storm canvas [ˌsto:mˈkænvəs] námoř. bouřkové plachty
storm card [sto:mka:d] námoř. bouřkový kompas
storm centre [ˈsto:mˌsentə] **1** meteor. střed / oko bouře **2** meteor. střed tlakové níže cyklóny **3** přen. ohnisko nepokoje
storm cloud [sto:mklaud] **1** meteor. bouřkový mrak **2** meteor. oblak tropického cyklónu **3** mraky na obzoru
storm coat [sto:mkəut] teplý, zejm. nepromokavý kabát s kožešinovým límcem
storm-cock [sto:mkok] zool. **1** (drozd) brávník **2** (drozd) kvíčala **3** žluna zelená **4** buřňák
storm collar [ˌsto:mˈkolə] vysoký límec na kabátě
storm cone [stə:mkəun] BR námoř. bouřkový signální kužel
storm door [sto:mdo:] **1** vnější dveře dvojitých dveří **2** řidč. vnitřní část dvojitých dveří
storm drum [sto:mdram] námoř. bouřkový válec signální těleso
storm finch [sto:mfinč, sto:mfinš] zool. buřňáček malý
storm glass [sto:mgla:s] tlakoměr, barometr ukazující tlak změnou barvy tekutiny v zatavené trubičce
storminess [sto:minis] **1** výskyt bouří, množství bouřek, bouřkovost **2** bouřlivost **3** rozbouřenost
storming party [ˈsto:minˌpa:ti] (*-ie-*) voj. úderný oddíl, komando
storm jib [ˌsto:mˈdžib] námoř. bouřková kosatka
storm lantern [ˈsto:mˌlæntən] povoznická svítilna, lampa, lucerna, kahan mající plamen chráněný sklem proti větru
stormless [sto:mlis] jsoucí bez bouří, bezbouřkový (*a ~ summer*)
storm petrel [ˈsto:mˌpetrəl] zool. buřňáček malý
stormproof [ˈsto:mˌpru:f] **1** odolný proti bouři **2** chráněný před bouří
storm rubber [ˌsto:mˈrabə] AM galoše
storm sail [sto:mseil] námoř. bouřková plachta
storm signal [ˈsto:mˌsignl] **1** bouřkový signál **2** přen. varovný signál
storm surge [ˌsto:mˈsə:dž] mořská hladina vzdutá bouřemi
storm-tossed [sto:mtost] **1** zmítaný bouří n. bouřemi **2** přen. ostřílený, otrlý, otrkaný
storm-trooper [ˈsto:mˌtru:pə] **1** příslušník úderného oddílu, člen komanda **2** úderník, člen úderky (*the ~s of some yet undefined totalitarianism*) **3** hist. SA-man
storm-troops [sto:mtru:ps] **1** úderky **2** hist. oddíly SA
storm warning [ˌsto:mˈwo:niŋ] **1** hlášení bouře **2** bouřkový signál
strom wind [sto:mwind] bouřlivý vítr
storm window [ˈsto:mˌwindəu] **1** vnější okno dvojitého okna **2** svislé vikýřové okno
stormy [sto:mi] (*-ie-*) **1** jsoucí plný bouřek, jsoucí s častými bouřkami, bouřlivý, též přen. (*a ~ conference, the course of the disease is usually extremely ~* průběh choroby je většinou nesmírně bouřlivý) **2** věštící bouři (*a ~ sunset*); bouřkový **3** rozbouřený (*~ sea*)
stormy petrel [ˈsto:miˌpetrəl] **1** zool. buřňáček malý **2** přen. zlověstný posel
stormy zone [sto:mizəun] bouřkové pásmo
storthing, storting [sto:tiŋ] norský parlament
story[1] [sto:ri] (*-ie-*) AM = *storey*
story[2] [sto:ri] (*-ie-*) *s* **1** příběh, historka, vyprávění **2** pohádka (*used to tell stories to his grandchildren at night*) **3** anekdota, vtip **4** vyprávění, výpověď, podání, líčení, popis (*the man's ~ of the robbery was not convincing* mužovo vylíčení loupeže bylo nepřesvědčivé) **5** životní příběh, zajímavý osobní příběh, zajímavý osud (*there's*

a ~ in every one of your fellow passengers), sága **6** příběh, historie, kronika, sága *of* čeho, kniha o (*the ~ of the ocean*) **7** liter. povídka **8** liter. novela, román (*detective stories*) **9** fabule, zápletka, děj **10** námět, literární předloha filmu **11** co se povídá, pověst, šeptanda (*a ~ going round*) **12** rozhlasová zpráva (*human-interest ~*); článek v novinách n. časopise (*feature ~*) **13** událost, senzace (*the biggest stories of the year*) **14** pozadí události, stavu (*get the whole ~ before commenting*) **15** fotografický / obrázkový příběh, seriál s určitým dějem **16** legenda, romantický příběh **17** dět., hovor. lež, výmluva, vytáčka **18** dět. hovor. lhář (*oh you ~!*) **19** zast. dějiny, dějepis, historie ◆ *but that is another ~* ale to už je jiná historie; *it is quite another ~ now* ale teď je to celé jiné, teď to však vypadá celé jinak; *the best of the ~ is* nejlepší / nejhezčí na této historii je, že; *~ of the bible* biblická dějeprava; *cock-and-bull ~* v. *cock-and-bull; cut a long ~ short* abych to zkrátil, zkrátka a dobře; *famous in ~* legendární; *funny ~* anekdota, vtip; *the ~ goes* vypráví se, říká se; *good ~ = funny ~; ~ of a p.'s life* životopis, biografie koho; *make a long ~ short = cut a long ~ short; old ~* též stará / obehraná písnička; *it's the old ~ of* to je ta stará, známá historie o; *according to his own ~* podle toho, jak to líčí on sám; *they all tell the same ~* všichni říkají jedno a totéž; *short ~* povídka (*long short ~* novela) ● *v* **1** ozdobit historickými n. legendárními výjevy **2** řidč. vyprávět příběhy (o)

storybook [sto:ribuk] *s* **1** kniha příběhů n. povídek zejm. pro děti **2** kniha pohádek, pohádková knížka, pohádky ● *adj* neskutečný, pohádkový (*he lives in a ~ world*)

storyteller [ˈsto:riˌtelə] **1** vypravěč (pohádek) v Orientě **2** vypravěč, povídkář; pohádkář **3** vypravěč anekdot / vtipů, anekdotář **4** dět. kdo si vymýšlí, lhář

stosh [stoš] odpad z ryb

stoss [stos] geol. jsoucí proti směru pohybu ledovce

stot [stot] BR nář. býček, volek, bulík

stotious [stəušəs] IR nář. nadrátovaný, sťatý, ožralý

stotter [stəutə] SC nář. **1** elegantní kočka mladá žena **2** okamžik, chvilinka **3** bolest, píchnutí

stound [staund] nář. *s* **1** překvapení, ohromení ● *v* překvapit, ohromit

stoup [stu:p] **1** kropenka v kostele **2** zast. pohár, číše nádoba i obsah **3** SC vědro, džka

stour [stuə] zast., BR, SC nář. **1** spor, bouřka (přen.) **2** zvířený prach

stoush [stauš] AU slang. *v* praštit, cáknout, bacit ● *s* rvačka, výtržnost

stout [staut] *adj* **1** nebojácný, mužný, odvážný, udatný, statečný, chrabrý, srdnatý **2** pevný, jistý, bezpečný, spolehlivý (*a ~ pillar of the church* bezpečná opora církve), solidní (*~ boots*), pevně stavěný (*a ~ ship*), pořádný (*a ~ stick* pořádná hůl) **3** fyzický silný, statný, zdravý, robustní **4** rázný, energický, důrazný (*the nation is safer with ~ criticism going on in Washington*) **5** tvrdošíjný, tvrdý (*~ resistance* tvrdošíjný odpor) **6** tvrdý, silný, mocný (*a ~ attack*) **7** silný, ostrý (*a ~ wind*) **8** rozhodný, nesmiřitelný, zarytý (*a ~ foe* zarytý nepřítel) **9** zavalitý, podsaditý **10** obtloustlý, tlustý, mohutný, masívní, korpulentní (*a big ~ woman*) **11** silný, tlustý (*a small tree with ~ spreading branches* stromek se silnými, rozložitými větvemi, *this ~ volume of over 400 pages*) **12** kůň vytrvalý **13** pivo s vyšším obsahem alkoholu, alkoholický, těžký, silný (*~ home-made beer*) ◆ *~ fellow* zast. *1.* chlap, chlapík *2.* nebojsa, kurážný člověk, dobrý bojovník; *~ heart* odvaha, kuráž, statečnost, chrabrost ● *s* **1** těžké černé pivo, silný porter **2** zavalitý člověk, pořízek **3** *~s, pl* oděvy, konfekce pro silné postavy

stout-hearted [ˈstautˌha:tid] nebojácný, statečný, odvážný, kurážný, chrabrý, udatný, srdnatý

stout-heartedness [ˈstautˌha:tidnis] nebojácnost, statečnost, odvážnost, odvaha, kurážnost, kuráž, chrabrost, udatnost, udatenství, srdnatost

stoutish [stautiš] téměř n. poměrně statný atd.

stoutness [stautnis] **1** pevnost, jistota, bezpečnost, spolehlivost; solidnost, pořádnost **2** statnost, síla, zdraví, robustnost **3** ráznost, energičnost, důraznost **4** tvrdost, tvrdošíjnost **5** síla, ostrost **6** rozhodnost, nesmiřitelnost, zarytost **7** zavalitost, podsaditost **8** obtloustlost, tloušťka, mohutnost, masívnost, korpulentnost, korpulence **9** vytrvalost **10** alkoholičnost, síla, vysoký stupeň piva **11** = *stout-heartedness*

stove[1] [stəuv] v. *stave, v*

stove[2] [stəuv] *s* **1** kamna; kamínka; sporák **2** pec, pícka; vypalovací pec; sušicí pec, sušárna; ohřívač větru **3** BR teplý skleník **4** speciální pánev na dušení ● *v* BR pěstovat v teplém skleníku

stove coal [ˌstəuvˈkəul] antracit, velký ořech

stove enamel [ˌstəuviˈnæml] vypalovaný email

stove fitter [ˌstəuvˈfitə] kamnář

stove glass [ˌstəuvˈgla:s] lístková slída

stove length [ˌstəuvˈleŋθ] polínko na topení

stove-pipe [stəuvpaip] **1** kouřová roura, trouba kamen **2** AM též *~ hat* hovor. vysoký cylindr **3** *~s, pl* hovor. roury těsné kalhoty s úzkými nohavicemi

stove plant [ˌstəuvˈpla:nt] skleníková rostlina

stove polish [ˌstəuvˈpoliš] leštidlo na kamna

stover [stəuvə] slamnatá píce

stove tile [ˌstəuvˈtail] kamnářský kachel

stove woods [ˌstəuvˈwud] řezané palivové dříví

stow [stəu] **1** uložit, umístit (*~ed the patient in the hospital*) **2** ukládat, skládat zboží v lodi **3** naložit vůz / loď (*~ a wagon, six warships ~ed to the hatches*) **4** svinout, sbalit (*~ the jib* svinout kosatku) **5** vejít se do vyhrazeného místa (*a stout rope ladder which ~s neatly in a box on the floor* silný provazový žebřík, který se dobře vejde do krabice na podlaze) **6** pojmout, obsáhnout; vyplňovat prostor **7** BR slang. nechat čeho, přestat s (*~ that nonsense* přestaň s těmi hloupostmi) ◆ *~ it!* slang. nech si to, odpusť si to, buď zticha! ***stow away*** *1* uklidit, uložit z cesty *2* schovat se na lodi / v letadle / ve vlaku jako černý pasažér *3* hovor. spucovat, zbaštit snist

stowage [stəuidž] **1** skládání, ukládání; uložení zejm. zboží na lodi; způsob uložení zboží v prostorách lodi **2** uložení zboží do kontejneru **3** uložení kontejneru na lodi **4** poplatek za uložení, skladné **5** skladištní / nákladní prostor **6** též *~ factor* skladovací činitel ◆ *~ container* let. schránka na padák

stowaway [stəuəwei] **1** podloudný pasažér, černý pasažér **2** skrýše, schovávačka (*this makes another good ~*) ◆ *~ arm rest* sklápěcí opěradlo sedadla

stow-wood [stəuwud] špalíčky k podkládání sudů na lodi

strabismal [strəˈbizməl], **strabismic** [strəˈbizmik] med. týkající se strabismu

strabismus [strəˈbizməs] med. šilhání, strabismus

strabotomy [strəˈbotəmi] med. strabotomie operační zákrok při strabismu

Strad [stræd] = *Stradivarius*

straddle [strædl] *v* **1** rozkročit | se, stát, sedět, postavit | se, posadit | se obkročmo, být rozkročen (*he ~d in front of the fire*) na, nad, přes (*~ a horse*) **2** roztáhnout nohy; nohy roztáhnout se **3** roztahovat se (*branches ~d in every direction* větve … všemi směry) **4** voj., námoř. zastřílet se, zaráměovat cíl do vidlice; pokrýt salvou **5** přen. sedět na dvou židlích; reagovat vyhýbavě, vyhýbat se čemu (*~ an issue* vyhýbat se otázce); být nerozhodný, nevyjadřovat se, stranit oběma stranám, stavět se na obě strany **6** burz. uzavřít steláž **7** poker zdvojnásobit počáteční vklad ● *s* **1** rozkročení, stání / sezení obkročmo **2** burz. steláž, dvojitý prémiový opční obchod koupě n. prodej **3** voj. rámec, vidlice **4** voj. krycí skupina

Stradivarius [ˌstrædiˈveəriəs] stradivárky housle ap. zhotovené houslařem Antoniem Stradivarim (c. 1644–1737)

strafe [stra:f] *v* **1** hovor. těžce bombardovat, ostřelovat; zasypávat, kropit střelami **2** ostřelovat z palubního kulometu při hloubkovém náletu **3** slang. setřít, spucovat, zničit, potrestat ◆ *strafing aircraft* = *strafer* ● *s* střelba, ostřelování, bombardování

strafer [stra:fə] bitevní letoun v hloubkovém náletu

straggle [strægl] *v* **1** opožďovat se za oddílem apod., trousit se, courat se; odbíhat, vzdalovat se, nedržet se pohromadě **2** přen. odbíhat, odbočovat, bloudit jinam (*try to keep your mind from straggling*) **3** rostlina rozrůstat se, roztahovat se nepravidelně **4** být rozházený, v nepořádku; vlasy být rozcuchaný, padat (*hair straggling over her collar*) **5** být roztroušený, ležet roztroušeně / rozptýleně, táhnout se jednotlivě ***straggle along*** trousit se, jít v hloučcích (*crowd ~d along*) ***straggle off*** jednotlivě / v hloučcích odcházet, rozcházet se (*the guests ~ off* hosté se rozcházejí) ● *s* **1** nepořádný (řídký) chumáč (*a man with a ~ of a beard* muž s řídkými rozcuchanými vousy) **2** rozptýlený hlouček (*a little ~ of mourners* malý hlouček jednotlivých truchlících), rozptýlená skupina (*a ~ of outbuildings*)

straggler [stræglə] **1** opozdilec **2** loď, která zůstala za konvojem, opozdilec **3** voják odloučený od svého pluku **4** vyčnívající šlahoun, výhonek

straggling [strægliŋ] *s* **1** fyz. rozptyl, fluktuace **2** v. *straggle, v* ● *adj* **1** rozptýlený, roztroušený, táhnoucí se u něčeho **2** ucouraný (*a ~ melody*) **3** v. *straggle, v* ◆ *~ money* voj. námoř. *1.* odměna za chycení dezertéra *2.* pokuta za nepřítomnost

straight [streit] *adj* **1** rovný (*a ~ road*), přímý (*sought a ~er way from his house to the office* hledal kratší cestu z domu do kanceláře) **2** uklizený, spořádaný (*in the general confusion, this room alone was ~* uprostřed všeobecného zmatku jen tento pokoj byl uklizený); jsoucí v pořádku (*his accounts were found to be ~*) **3** přímý, rovný, upřímný, otevřený (*give a ~ answer to a question*), slušný, poctivý, čestný, charakterní (*a ~ man of business*) **4** logický, jasný (*~ reasoning* logické uvažování) **5** čistý, ryzí (*write ~ humour*) **6** AM nespoutaný, jsoucí bez zábran, čistý (*a ~ comedy*) **7** hovor. spolehlivý, od pramene **8** div. normální, charakterní (*an excellent ~ actor*); obyčejný, bez problémů (*a ~ part*) **9** hud. určený k hraní přesně podle notového zápisu bez improvizací apod. **10** slang. normální, konvenční **11** dluhopis jsoucí bez záruk, splatný v určitý den **12** jsoucí za pevnou cenu, bez slevy při nákupu většího množství (*cigars 10 cents ~*) **13** motor.: jsoucí s válci v řadě **14** námoř. svislý (*~ bow*) **15** box: úder vedený od ramene, přímý **16** kriketová pálka kolmo postavený **17** AM polit. slang. nekompromisní, skalní (*a ~ Republican*) **18** SC hora strmý, srázný **19** = *straight-time, adj* ◆ *~ A* prvotřídní, vynikající, prima (*a ~ A student through high school*); *~ angle* přímý úhel 180°; *~ arch* stav. *1.* přímá klenba, plochá klenba, klenební pás, přímý oblouk klenby, lomený oblouk; *2.* překlad, nadpraží; *~ arrow* AM přímý, charakterní člověk; *as ~ as an arrow* rovný jako svíčka; *~ dynamite* dynamit; *~ eye* dobré oko schopnost dobře vidět odchylky od přímého směru; *~ face* vážný obličej (*keep a ~ face* zachovat ledovou tvář, nehnout ani brvou); *a ~ fight 1.* slušný, čestný, opravdový boj nikoliv předem domluvený *2.* polit. souboj pouze dvou kandidátů; *~ file* obdélníkový pilník; *~ flour* obyčejná hrubá mouka; *~ flush* poker čistá sekvence nepřerušovaný sled hodnot v jedné barvě; *~ grain* rovné vlákno dřeva; *~ hair* hladké, rovné vlasy; *~ hit* přímý zásah; *~ jet* tryskové letadlo nikoliv turbovrtulové, reaktivní / tryskový letoun; ~ *joint* stav. rovný čelní / tupý spoj, tupý sraz, plochá spára; *keep* ~ žít spořádaným životem, bezúhonně; *keep a p.* ~ přimět / pomoci ke spořádanému způsobu života, udržet na správné cestě, přimět / pomoci komu, aby se kdo nedostal opět do konfliktu se zákonem (*his wife will keep him* ~ *when he is released from prison* až ho pustí z vězení, jeho manželka se postará o to, aby se opět nedostal do konfliktu se zákonem); ~ *knee* natažené koleno; ~ *left* box levý přímý úder (direkt); ~ *line 1.* přímka *2.* žel. přímá trať; ~ *magnet* tyčový magnet; ~ *man* div. partner komika který mu nahrává; ~ *matter* polygr. hladká, nekombinovaná sazba; *put* ~ *1.* uklidit, dát do pořádku, srovnat (*please put your desk* ~ *before you leave the office, put one's hair* ~ urovnat, uhladit, učesat si vlasy, *put matter / things* ~ *1.* vysvětlit, vyložit *2.* urovnat, vyžehlit celou záležitost) *2.* narovnat učinit souběžným zejm. s vodorovnou čárou (*put the picture* ~); ~ *razor* břitva; ~ *right* box pravý přímý úder (direkt); ~ *theatre* normální divadlo, normální drama; *vote the* ~ *ticket* AM polit. hlasovat pro celou kandidátku beze změny; *your tie isn't* ~ máš kravatu nakřivo; ~ *time 1.* pracovní doba *2.* mzda za práci v normální pracovní době; ~ *tip* spolehlivý tip ve sportu, obchodu apod.; ~ *whisky* AM *1.* čistá burbonka nikoliv ze sladu, destilát zejm. kukuřičný, vyzrálý v nových sudech ● *s* **1** přímost, rovnost; rovný směr, přímý směr **2** přímka **3** přímý úsek dráhy, rovina, rovinka; cílová rovinka (*the two horses were together as they entered the* ~) **4** první místo v koňském dostihu **5** sport. série úspěšných výkonů, zásahů apod. v utkání **6** poker prostá sekvence **7** AM čistá pravda, jaké co skutečně je, jak co vypadá (*tell us the* ~ *of it* řekni nám to na rovinu) **8** slang. normální, konvenční člověk, paďour **9** bota umožňující nošení na obou nohách **10** AM čistý, nesmíšený nápoj ◆ *be on the* ~ hovor. sekat dobrotu, žít spořádaným životem; ~ *and narrow* bibl., hovor. slušný, bezúhonný způsob života, spořádaný způsob chování, cesta ctnosti; *out of the* ~ nerovný, křivý, šišatý ● *adv* **1** rovnou, přímo (*come* ~ *home*) **2** rovně (*the road ran* ~ *for several miles*) **3** správně, pořádně (*he doesn't see* ~) **4** čestně, počestně, slušně, poctivě, spořádaně, bezúhonně, nikoliv v rozporu se zákonem (*live* ~) **5** též ~ *out* rovnou, přímo, otevřeně, na rovinu **6** hned, okamžitě (*I'll come* ~ *over*) ◆ ~ *away* v. *straightaway, adv*; *hit* ~ *from the shoulder 1.* box udeřit, zasáhnout přímým úderem (direktem) *2.* přen. přímo zasáhnout, zasáhnout tvrdým úderem; *go* ~ žít dál spořádaným životem, nedostat se do nového konfliktu se zákonem; ~ *off* rovnou, bez přemýšlení, spatra (*I cannot tell you* ~ *off* nemohu ti to vysypat z rukávu); ~ *up* BR slang. fakticky, čestné slovo otázka i odpověď

straight-arrow [ˈstreitˌærəu] AM velice přímý, čestný, charakterní

straightaway [ˌstreitəˈwei] *adj* letící přímo rovně pryč (*a* ~ *bird*) **2** jednosměrný **3** dlouhý a rovný (*a* ~ *bar*) **4** logicky uspořádaný, jasný, logický (*a* ~ *story*), prostý, obyčejný, srozumitelný (*written in* ~ *English*) **5** okamžitý (*made a* ~ *reply*) ● *s* **1** rovina, rovinka na závodní dráze **2** rovná část ● *adv* **1** ihned, okamžitě, bez váhání (~ *found an answer*) **2** rovnou, přímo

straight-cut [streitkat] podélně řezat tabákové listy

straightedge [streitedž] **1** pravítko; příměrné pravítko **2** polygr. prostá, nebarevná / nezlacená ořízka

straight eight [streiteit] osmiválec v řadě

straighten [streitn] **1** narovnat | se, vyrovnat | se, napřímit | se (*exercise helped to* ~ *the injured arm* cvičení pomohlo narovnat poraněnou paži, *the wilting flowers* ~*ed in the rain* povadlé květiny se v dešti narovnaly) **2** též ~ *out* natáhnout (~*ed himself on the couch*) **3** též ~ *out / up* dát do pořádku, uklidit **4** část. ~ *out* přivést ke spořádanému životu (*discipline without love never* ~*ed out anyone*) **5** též ~ *out / up* hovor. vzchopit se, napravit se, začít nový život (*determined to* ~ *up and make something of himself* rozhodnutý se vzchopit a někam to dotáhnout) ◆ ~ *one's face* nasadit vážnou tvář; *I expect things will* ~ *out 1.* mám za to, že se situace vytříbí *2.* mám za to, že se bude situace normalizovat

straightener [streitnə] **1** kdo / co rovná n. vyrovnává: rovnač, vyrovnávač, rovnadlo **2** rovnací stroj, rovnací zápustka **3** ~*s, pl:* ~*s, please* žert. prosím, málo vody do grogu

straightforward [ˌstreitˈfo:wəd] *adj* **1** směřující přímo vpřed (*a* ~ *glance*), přímý, rovný **2** upřímný, poctivý, otevřený, čestný, přímočarý (~ *in one's dealings* přímočarý v jednání) **3** jasný, zřejmý, zřetelný (*their responsibility is* ~ jejich odpovědnost je naprosto jasná); nepokrytý (*a* ~ *lie*) **4** BR úkol jednoduchý, nekomplikovaný ● *adv* zejm. AM **1** přímo, rovnou **2** upřímně, poctivě, otevřeně, čestně; nepokrytě

straightforwardness [ˌstreitˈfo:wədnis] **1** přímost, rovnost **2** upřímnost, poctivost, otevřenost, čestnost **3** jasnost, zřejmost, zřetelnost **4** BR jednoduchost, nekomplikovanost

straightforwards [ˌstreitˈfo:wədz] = *straightforward, adv*

straight-line [streitlain] **1** přímý **2** přímkový; lineární **3** jsoucí v řadě **4** pravidelný, pravidelně rozložený

straightness [streitnis] **1** rovnost, přímost **2** uklizenost, spořádanost, pořádek **3** přímost, upřímnost, otevřenost; slušnost, poctivost, čestnost, charakternost **4** logičnost, logické uspořádání, jasnost **5** čistota, ryzost **6** hovor. spolehlivost **7** námoř. svislost

straight-out [streitaut] AM hovor. **1** úplný, dokonalý, absolutní **2** rovný, upřímný, čestný
straight-time [streittaim] *adj* **1** týkající se pracovní doby **2** mzda hodinový, jsoucí na hodinu ● *s = straight time*
straight-tube [streittju:b] boiler strmotrubný
straightway [streitwei] zast. **1** přímo, rovnou **2** ihned, okamžitě
strain [strein] *v* **1** napnout, vypnout, na|šponovat (hovor.) (~ *a rope to breaking point* napnout lano k prasknutí), přetáhnout, napnout *over* přes **2** přetěžovat, přepínat, příliš namáhat, poškodit přepínáním (~ *one's heart*), z|kazit | si, z|ničit | si (~ *one's voice*) **3** trhat, cloumat *at* čím, snažit se vyprostit z upoutání, snažit se odpoutat od (*ships ~ing at their anchors* lodě napínající kotevní řetězy) **4** s|tisknout **5** kniž. při|tisknout, přimknout (*she ~ed the boy to her bosom* přitiskla chlapce na svou hruď) **6** namáhat se, snažit se, pachtit se (*the wrestlers ~ed and struggled* zápasníci se namáhali a zápasili), snažit se *after* o, pachtit se po (~ *too much after effect* příliš se snažit o efekt) **7** překročit, přestoupit, zneužít čeho (~ *one's authority*) **8** příliš násilně vykládat, násilně rozšiřovat význam čeho, překroutit, z|komolit (~ *a meaning of the word*) **9** mít námitky *at* proti (*anyone would ~ at such an interpretation*) **10** být příliš úzkostlivý *at* v **11** couvat, cukat se *at* před, zdráhat se *at doing* udělat co (~ *at accepting an unpleasant fact* zdráhat se uznat nepříjemnou skutečnost) **12** pro|cedit, přecedit (~ *the soup*), scedit (~ *rice* ... rýži), pře|filtrovat, pře|pasírovat **13** též ~ *out* odcedit pevné (~ *out coffee grounds* odcedit kávovou sedlinu) **14** kapat, crčet, téci (*juice ~ing from overripe fruits* šťáva kapající z přezrálého ovoce); prosakovat *through* čím (*water ~ing through sandy soil* voda prosakující písčitou půdou) **15** zkřivit | se, deformovat | se, bortit | se (*the ship ~ed in the heavy sea* loď se na rozbouřeném moři deformovala) **16** zast. chytit do drápů **17** zast. vynutit ◆ ~ *one's back* ublížit si tak, že se člověk nemůže postavit, strhnout se v zádech; ~ *to breaking point* málem pukat, div nepraskat vnitřním napětím; ~ *a canvas over a frame* napnout plátno na rám; ~ *one's conscience* obtěžkat své svědomí; ~ *courtesy* zast. být zbytečně / nadměrně zdvořilý, přehánět zdvořilost; ~ *one's ears* napínat, natahovat uši; *these glasses ~ my eyes* od těchto brýlí mě bolí oči; ~ *at a gnat* dělat problémy z malicherností; ~ *the gravy free from the lumps* přecedit šťávu, aby se z ní odstranily žmolky; ~ *one's luck* opovážlivě spoléhat na své štěstí; ~ *a muscle* způsobit si namožení svalu; ~ *every nerve* napnout poslední síly; ~ *a point 1.* zajít příliš daleko (přen.) *2.* udělat něco mimořádného, udělat výjimku; ~ *relations between* způsobit napjaté vztahy ke komu; ~ *at stool* tlačit na stolici; ~ *one's strength* přecenit své síly; ~ *one's wrist* vymknout si ruku v zápěstí ***strain o. s.*** *1* vypnout se k výkonu *2* ublížit si námahou, namoci se, strhnout se (~*ed herself moving the piano*) ***strain off*** *1* odcedit, vylít přes sítko / cedník (~ *off the water from the vegetables* scedit zeleninu) *2* vytáčet med ***strain up*** vyhnat, vyšroubovat, zvýšit ● *s* **1** přílišné napnutí, napětí (*the rope broke under the ~* lano přílišným napětím prasklo); přepětí, pnutí; tlak, tah, síla vyvolávající deformaci / přetvoření **2** poškození způsobené velkou námahou **3** přetvoření, zkřivení, zborcení, deformace **4** zast. zkomolený n. překroucený význam **5** co zatěžuje n. vyčerpává: přílišná námaha, přílišné namáhání, přetížení, přetěžování; vypětí, duševní námaha, přemáhání; zátěž, zatížení; vyčerpávající tlak, nárok, vyčerpávající břemeno, vyčerpanost, vyčerpání **6** vymknutí, vykloubení; namožení svalu **7** velká snaha, námaha; intenzita **8** verš, pasáž, zpěv, báseň, úryvek (*the ~s of the Elizabethan poets*) **9** část. *~s, pl* bás. hudba, melodie (*the martial ~s of the Royal Marines* vojácké melodie Královské námořní pěchoty), tóny **10** hud. motiv **11** tón, duch ráz projevu (*in cheerful ~*) **12** výbuch, tiráda, záplava (*~s of obscenity* sprosté tirády) **13** nálada, rozpoložení (*he was in a philosophizing ~*) **14** povahový rys, povahová složka, sklon, náběh *of* k (*there is a ~ of insanity in the family* v rodině je náběh k šílenství); zděděná vloha, dispozice *of* pro **15** příměsek, stopa *of* (*a ~ of Greek blood*) **16** rod, rodina, linie (*come of a noble ~*) **17** zvířecí plemeno, rasa, ráce (*a spaniel of good ~*); kmen, druh viru **18** řidč.: dosažený vrchol, stupeň **19** řidč. druh ◆ *be a great ~ on* činit si velké nároky na (*it was a great ~ on my attention*); *be a ~ on a p.'s nerves* jít na nervy komu, vysilovat koho; *breaking ~* tech. přetvoření přetížením; *give a great ~* napnout / vypnout všechny síly; *impose a ~ on a machine* přetěžovat stroj; *put a great ~ on a p.* klást příliš velké nároky na koho; *relieve the ~ on a t.* povolit napnuté; *in the same ~* ve stejném duchu podobně; *all his senses were on the ~* všechny jeho smysly byl napnuty na nejvyšší míru; *suffer from ~* být přetažen, být přepracován; *suffer from mental ~* být duševně úplně vyčerpán; *take the ~ off* povolit napnuté; *without ~* lehce, bez námahy
strained [streind] **1** usilovný, namáhavý (~ *work*) **2** příliš vyumělkovaný, vypocený; nepřirozený, nucený, násilný (*a ~ laugh*) **3** nervózní, podrážděný, znavený **4** téměř nepřátelský, napjatý (~ *relations*) **5** v. *strain, v*
strainer [streinə] **1** cedník, cedítko, síto, sítko **2** čistič, filtr **3** napínač, napínadlo **4** výztuha na zadní straně panelu vozidla **5** sací koš
strain gauge [streingeidž] tech. tenzometr
strain hardening [ˌstreinˈha:dniŋ] hut. mechanické zpevňování zpracováním za studena

straining beam [streiniŋbi:m], **straining piece** [streiniŋpi:s] **1** tesařské kleště, kleštiny **2** rozpěra kovu

strait [streit] *adj* **1** bibl. úzký **2** zast., kniž. těsný, stísněný **3** zast. striktní, přísný **4** zast. lakomý, lakotný **5** intimní, důvěrný ● *s* **1** mořský průliv, mořská úžina **2** *~s, pl* v zeměpisných názvech průliv, úžina **3** *S~s, pl* zeměp. Gibraltarský průliv; Malacký průliv **4** šíje, převlaka, istmus **5** *~s, pl* obtížná / prekérní situace, tíseň ◆ *~ jacket = straitjacket; S~s dollar* bývalá měnová jednotka *S~s Settlements; S~s of Dover* Calaiská / Doverská úžina; *S~s of Malacca* Malacký průliv; *S~s of Messina* Mesinský průliv; *S~s Settlements* název bývalých britských kolonií (Malacca, Penang, Singapore, Labuan)

straiten [streitn] **1** zúžit (*~ the bed of the river with high embankments*), stísnit (*the arable land was ~ed between the mountains and the sea* orná půda byla stísněna mezi hory a moře); omezit (*the decision of the court ~ed the range of his authority* soudní rozhodnutí omezilo rozsah jeho pravomoci) **2** sužovat, trápit, stíhat (*a man ~ed by misfortune* člověk stíhaný smůlou)

straitened [streitnd] **1** stísněný (*in ~ circumstances* ve stísněných poměrech) **2** v. *straiten* ◆ *be ~ for / in* mít málo čeho, být v jaké tísni (*I am rather ~ in time* jsem poněkud v časové tísni)

straitjacket [ˈstreitˌdžækit] *s* svěrací kazajka, též přen. ● *v* sešněrovat

strait-laced [ˌstreitˈleist] **1** zast. pevně stažený ve šněrovačce, pevně sešněrovaný **2** prudérní, skrupulózní, puritánský

straitness [streitnis] **1** těsnost, stísněnost **2** stísněné poměry, nouze **3** omezenost

strait waistcoat [ˌstreitˈweiskəut] = *straitjacket, s*

strake [streik] **1** plaňkový / plátový pás lodní obšívky **2** pruh, proužek **3** článkovaná obruč kola **4** kovový pruh zapuštěný do pneumatiky **5** horn. splav ◆ *garboard ~* kýlový pás lodní obšívky

stramineous [strəˈminiəs] **1** zast. slaměný **2** bezcenný **3** slámově žlutý

stramonium [strəˈməuniəm] **1** bot. durman obecný **2** sušené listy durmanu

strand[1] [strænd] *s* **1** bás. pobřeží moře, břeh řeky, jezera **2** *S~* jméno ulice ve středu Londýna **3** cizina ● *v* **1** najet na mělčinu / na útes s, ztroskotat **2** nechat na mělčině n. na souši, vyvrhnout ◆ *be ~ed 1.* najet na mělčinu / na útes, ztroskotat (*the vessel was ~ed on the west coast* loď ztroskotala na západním pobřeží) *2.* přen. zůstat trčet, zůstat v bezvýchodné situaci *3.* přen. být n. zůstat na holičkách / na suchu, ostrouhat kolečka

strand[2] [strænd] *s* **1** pramen lana, praménec jednoduše krouceného lana **2** drát žíly kabelu **3** větev řemenu **4** nit příze **5** vlákno niti **6** pramen vlasů, kadeř **7** šňůra perel, korálků apod. **8** text. zdrhovací šňůra **9** přen. pramínek, jednotlivá nitka ● *v* **1** splétat, soukat, kroutit, vinout prameny lana **2** přetrhnout pramen lana, přetrhnout lano; pramen lana, lano přetrhnout se

strand line [strændlain] pobřežní čára

strange [streindž] **1** cizí, neznámý (*worship ~ gods*); nesrozumitelný (*~ tongues*) **2** divný, podivný, zvláštní, neobvyklý, neobyčejný (*what ~ clothes you are wearing*), nový *to* pro koho; jakýsi **3** zdrženlivý, chladný, rezervovaný, cizí **4** zast. cizozemský ◆ *be ~* též neznat to, nevyznat se (*I am quite ~ here* já to tady vůbec neznám, já tu netrefím); *be ~ to a t.* neznat co, nebýt zvyklý na, nevyznat se v, nerozumět čemu (*he is still ~ to the work*); *be ~ to a p.* být neznámý komu (*the handwriting is ~ to me* ten rukopis já neznám); *become ~ to a p.* odcizit se komu; *feel ~ 1.* necítit se dobře, necítit se ve své kůži, mít takový zvláštní pocit (*if feels ~* je to zvláštní / nový pocit, *feel ~ in a place* necítit se někde doma) *2.* mít závrať (*I feel ~* točí se mi hlava); *move to a ~ place* odstěhovat se do cizího prostředí; *~ to say* je zvláštní, kupodivu, je překvapující; *~ species* bot. druh společenstvu cizí ● *adv* **1** cize **2** hovor. divně, podivně, zvláštně

strangely [streindžli] **1** jaksi, tak nějak **2** v. *strange, adj* ◆ *~ enough* kupodivu

strangeness [streindžnis] **1** cizost, cizota, cizí charakter, cizí původ; neznámost, neznámý charakter, neznámý původ; nesrozumitelnost jazyka **2** divnost, podivnost, zvláštnost, neobvyklost, neobyčejnost, novost **3** zdrženlivost, chladnost, rezervovanost, cizost

stranger [streindžə] **1** cizinec **2** cizí člověk, neznámý člověk (*the dog always barks at ~s* na cizí lidi pes vždycky štěká), ten cizí (*I am a ~ in this town* já jsem v tomto městě cizí), cizí host, návštěvník, nový příchozí, vetřelec, člověk neznámý *to* komu **3** nezasvěcený člověk, nikoliv člen; laik **4** práv. třetí strana, nezúčastněný **5** člověk, který nezná *to* co, který se nevyzná v, který si nevšímá čeho, který nepatří k, který není seznámen s **6** AM hovor. vašnosti, vážený pane, příteli oslovení **7** pověrčivé znamení, že přijde neočekávaná návštěva ◆ *be no ~ to a t.* dobře znát co, vyznat se v, dobře vědět, co je co (*he is no ~ to poverty* on dobře ví, co je to chudoba); *the dirty floor had long been a ~ to the scrubbing brush* ta špinavá podlaha už neviděla dlouho rejžák; *made a ~ of a p.* zacházet s kým jako s cizím; *make no ~ of a p.* jednat srdečně s, chovat se přátelský k; *little ~* přírůstek do rodiny novorozeně; *you are quite a ~* vás už pomalu ani neznám; *I see / spy ~s* BR žádám odchod nečlenů z Dolní sněmovny britského parlamentu

strangle [stræŋgl] *v* **1** uškrtit, zaškrtit, zardousit **2** u|dusit | se (*the tear gas ~d the convicts* slzný plyn dusil trestance, *she chokes very easily and sometimes ~s, several prisoners in the hold ~d*) **3** tlumit, dusit, potlačovat, rdousit **4** límec škrtit ● *s ~s, pl* zvěr. hříběcí stlačení trachey a zabránění dýchání

stranglehold [stræŋglhəuld] **1** sport. škrcení, chvat znemožňující dýchání v zápase **2** přen. smrtící sev-

ření znemožňující další činnost, stlačení *on* čeho, tlak, nátlak na
strangler [stræŋglə] **1** škrtič, rdousič, dávič **2** potlačovatel **3** motor. sytič karburátoru
strangulate [strængjuleit] **1** med. zaškrtit; podvázat, pevně stáhnout **2** řidč. u|dusit
strangulation [ˌstræŋgjuˈleišən] **1** med. zaškrcení, strangulace **2** přen. zardoušení, uškrcení, zmrazení, úplné potlačení (*the gradual ~ of industry* postupné potlačování průmyslu)
strangury [straengjuəri] **1** med. řezavka, strangurie **2** bot.: choroba rostlin způsobená zaškrcením
strap [stræp] *s* **1** řemen, řemínek; kožený pás, opasek, pásek; popruh **2** výprask (řemenem), bití, nářez **3** řemínek, pásek k náramkovým hodinkám **4** ramínko na dámském prádle, šněrovadlo, přezka, látkový cancour, cancourek (*one of those corsets with ~s hanging down*) **5** štruple u bot **6** držák, držadlo (*a ~ in a bus*) **7** kovový / plechový pásek **8** papírová páska **9** náplast, leukoplast **10** IR drzá holka, uličnice, rošťanda; coura, děvka **11** řemínkový vzor **12** bota s řemínkovým zapínáním na přezku **13** zast., nář. obtahovací řemen na břitvu **14** podtitulek **15** bot. jazýček, ligula **16** lanová smyčka na svazování břemen **17** stahovací pouto, třmen **18** elektr. fázovací spojka **19** stav. styčnice, stykový příložka podélné vazby trámů **20** tech. hnací řemen **21** tech. lešticí pás **22** tech. spojka **23** tech. věšadlo u kladnice **24** lano závěsu **25** tech. objímka, obojek výstředníku ● *v* (*-pp-*) **1** též *~ up / down* svázat, stáhnout, upevnit, utáhnout řemenem atd. **2** přen. škrtit (*a decent man ~ped by dogma* slušný člověk škrcený dogmatem) **3** dát řemínek / pásek k **4** též *~ up* stáhnout n. zalepit leukoplastem **5** obtáhnout na řemeni např. břitvu **6** spráskat, nařezat, dát výprask komu řemenem **7** třít, hřebelcovat koně **8** AM přen. dřít, utahovat, vy|ždímat, přivádět na mizinu ◆ *~ped trousers 1.* jezdecké kalhoty *2.* šponovky
strap belt [ˌstræpˈbelt] popruh
strap brake [ˌstræpˈbreik] pásová brzda
strap hammer [ˌstræpˈhæmə] řemenový buchar
straphanger [ˈstræpˌhæŋə] hovor. **1** cestující, který stojí a drží se držadla ve veřejném dopravním prostředku **2** pravidelný cestující ve veřejném dopravním prostředku
straphanging [ˈstræpˌhæŋiŋ] hovor. jízda ve stoje ve veřejném dopravním prostředku
strap hinge [ˌstræpˈhindž] dlouhý závěs dveří
strap iron [ˌstræpˈaiən] pásová ocel
strap joint [ˌstræpˈdžoint] tech. styčnicový spoj
strap key [ˌstræpˈki:] elektr. páskový dotek
strap-laid [stræpleid] lano dvojitý, jsoucí ze dvou lan vedle sebe položených a spletených
strapless [stræplis] dámský oděv jsoucí bez ramínek, s nahými rameny
strapline [stræplain] podtitulek
strap oil [ˌstræpoil] slang. výprask, nářez, sekec
strap-on [ˌstræpˈon] *adj* raketa, motor přídavný, pomocný ● *s* přídavná raketa, pomocná raketa, přídavný motor, pomocný motor
strappado [strəˈpeidəu] hist. *s* strappado druh mučení spočívající v tom, že mučený, který je přivázán za ruce spoutané za zády, je vytahován a prudce spouštěn na laně; mučidlo na takové mučení ● *v* mučit strappadem
strapper [stræpə] **1** hovor. urostlá dívka n. žena, kus, mašina; urostlý mládenec, kus, vazba, pořízek **2** podkoní, čeledín ve stáji **3** v. *strap, v*
strapping [stræpiŋ] *adj* **1** hovor. urostlý, udělaný; velký, obrovský, kolosální **2** v. *strap, v* ● *s* **1** řemení **2** výprask **3** med. fixace náplastí **4** ozdobné stužky na dámských šatech **5** v. *strap, v*
strap rail [ˌstræpˈreil] hist. dřevěná kolejnice s ocelovým páskem na jízdní ploše
strap saw [ˌstræpˈso:] pásová pila
strap watch [ˌstræpˈwoč] náramkové hodinky
strapwork [stræpwə:k] řemínkový vzor, proplétaný vzor
strapwort [stræpwə:t] bot. drobnokvět pobřežní
Strasbourg [stræzbə:g] Štrasburk město ve Francii ◆ *S~ goose* krmená husa s velkými játry
strass [stræs] štras silně olovnaté sklo k výrobě napodobenin drahokamů
Strassburg [stræzbə:g] = *Strasbourg*
strata [stra:tə] v. *stratum*
stratagem [strætidžəm] válečná lest, úskok, trik
stratal [streitl] geol. vrstevnatý, vrstevní, vrstevný, zvrstvený
strategic [strəˈti:džik] *adj* **1** strategický týkající se strategie **2** strategicky důležitý ● *s ~s, pl* řidč. = *strategy*
strategical [strəˈti:džikəl] řidč. = *strategic, adj*
strategist [strætidžist] stratég odborník ve strategii
strategus [stræˈti:gəs] *pl: stratigi* [stræˈti:džai] antic. řecký vojevůdce, stratégos
strategy [strætidži] (*-ie-*) **1** strategie válečné umění, též přen. **2** lest, úskok, intrika; taktika
Stratfordian [strætˈfo:diən] **1** Stratforďan obyvatel Stratfordu nad Avonou **2** zastánce názoru, že autorem Shakespearových dramat je stratfordský rodák William Shakespeare
strath [stræθ] SC geol. široké říční údolí v horách, údolí zaplněné náplavy
strathspey [stræθˈspei] SC druh rychlého skotského tance; hudba k tomuto tanci (hraná na dudy)
strati [streitai] *pl* v. *stratus*
straticulate [stræˈtikjulit] geol.: ležící v tenkých vrstvách
stratification [ˌstrætifiˈkeišən] **1** z|vrstvení, vrstevnatost, rozvrstvení, stratifikace, též geol. **2** zahr. vrstvovité ukládání semen n. řízků, stratifikace
stratified [strætifaid] **1** vrstvený **2** v. *stratify*
stratiform [strætifo:m] **1** geol. vrstevnatý, vrstevní, stratiformní **2** meteor. připomínající stratus, tvořící vrstvy
stratify [strætifai] (*-ie-*) **1** geol. tvořit vrstvy, vrstvit se, ležet na sobě ve vrstvách **2** zahr. vrstvovat, strati-

fikovat provést stratifikaci semen n. řízků 3 roz|vrstvit; rozvrstvovat se, rozdělit se do společenských vrstev, vytvořit společenské vrstvy
stratigraphic [ˌstræti'græfik] stratifrafický týkající se stratigrafie
stratigraphy [stræ'tigrəfi] 1 geol. sratigrafie nauka o posloupnosti vrstev 2 med. tomografie, stratigrafie způsob rentgenového snímkování poskytující snímek řezu n. vrstvy ve zvolené výšce objektu
stratocirrus [ˌstrætəu'sirəs] meteor. řasosloha, řasová sloha
stratocracy [stræ'tokrəsi] (*-ie-*) vojenská vláda
stratocruiser ['strætəuˌkru:zə] stratosférický letoun
stratocumulus ['strætəuˌkju:mjuləs] meteor. slohokupa, stratocumulus
stratofortress ['strætəuˌfortris] létající pevnost pro lety ve stratosférických výškách (nad 12 km)
stratoplane [strætəuplein] letadlo pro lety ve stratosférických výškách
stratosphere ['strætəuˌsfiə] meteor. stratosféra vrstva zemského ovzduší nad troposférou (zhruba od 15 do 50 km)
stratospheric [ˌstrætəu'sferik] 1 stratosférický 2 mystický, metafyzický 3 šíleně vysoký, závratný (*a ~ price*)
stratum [stra:təm] *pl: strata* [stra:tə] vrstva, též geol., biol., sociol.
stratus [streitəs] *pl: strata* [streitai] meteor. vrstva oblaků, oblačná vrstva, stratus
stravaig [strə'veig] SC, BR nář. bloumat
straw [stro:] *s* 1 sláma 2 umělé pletivo podobné slámě 3 slámka, brčko (*suck lemonade through a ~* pít limonádu brčkem) 4 kuch. slámka; tyčinka (*cheese ~s* sýrové tyčinky) 5 slaměný klobouk, slamák 6 maličkost, drobnost, nicůtka, nicotnost (*grateful for such ~s as the garden and the weather*) 7 žvanění, mlácení prázdné slámy, bezobsažná vycpávka např. obsahu knihy ◆ *make bricks without ~* dělat něco / pustit se do něčeho bez základního materiálu, stavět na písku; *he doesn't care a ~* jemu na tom houby záleží, nezáleží mu na tom ani za mák / zbla, jemu je to úplně fuk (hovor.); *catch at a ~ / at ~s* chytat se stébla, chytat se všeho možného, zkoušet poslední naději; *chopped ~* řezanka ze slámy; *draw ~s* losovat, táhnout los nejkratší slámka prohrává; *in the ~* zast. v šestinedělí; *last ~* poslední kapka kterou se věc stává nesnesitelnou, hřebík do rakve; *load of ~* fůra slámy; *made of ~* slaměný; *man of ~ 1.* strašák, hastroš *2.* finančně slabý člověk, nikdo, nula, nýmand *3.* bezcharakterní člověk *4.* myšlený, lehce porazitelný protivník; *thatched with ~* pokrytý slaměným doškem, doškový; *~ in the wind* známka, předzvěst, náznak, první vlaštovka budoucího vývoje; *this is not worth a ~* to nestojí ani za zlámanou grešli ● *adj* 1 slaměný 2 na slámu 3 slámově žlutý 4 zejm. AM bezcenný 5 zejm. AM fiktivní, rádoby, nepravý; neoficiální ● *v* 1 svazovat slámou, pokrýt slámou, vystlat, podestlat slámou 2 cpát, nacpávat (slámou) slamník 3 zast. trousit, rozhazovat
straw bed [ˌstro:'bed] slamník
strawberry [stro:bəri] *s* (*-ie-*) 1 jahoda; jahodník 2 zejm. *crushed ~* jahodová barva ◆ *Chilean ~* jahodník čiloeský zahradní; *scarlet ~* zahradní; *scarlet ~* jahodník virginský zahradní; *wood ~* jahodník obecný lesní ● *adj* jahodový ◆ *~ fiddle* druh xylofonu; *~ leaf* BR jahodový list v ozdobě korunky vévody, hraběte n. markýze (*~ leaves* korunka n. hodnost vévody, hraběte n. markýze); *~ pear* bot. plod kaktusu *Cereus; ~ roan* v. *roan, adj; ~ shrub* bot. sazaník
strawberry mark ['stro:bəriˌma:k] mateřské znamínko připomínající jahodu
strawberry tree ['stro:bəriˌtri:] bot. planika
straw blonde [stro:blond] AM platinová blondýna
strawboard [stro:bo:d] lepenka ze slámy
straw-bound [stro:baund] vinná láhev oplétaný slámou
straw case [ˌstro:'keis] slaměné oplétání vinné láhve
straw colour ['stro:ˌkalə] slámová barva
straw-coloured ['stro:ˌkaləd] slámový, slámově žlutý
straw hat [ˌstro:'hæt] slaměný klobouk, slamák
straw man [ˌstro:'mæn] zejm. AM 1 panák ze slámy 2 nastrčený člověk, figurka, štróman (hovor.)
straw mat [ˌstro:'mæt] slaměná rohožka
straw mattress [ˌstro:'mætris] slamník
straw poll [ˌstro:'pəul] zejm. AM = *straw vote*
straw pulp [ˌstro:'palp] slámová buničina, slámovina
straw rope [ˌstro:'rəup] 1 slaměný provazec n. pletenec 2 pletené povříslo
straw stem [stro:stem] vinná sklenka s taženou nožkou nikoliv přitavenou
straw vote [ˌstro:'vəut] zejm. AM neoficiální n. zkušební hlasování
straw wine [ˌstro:'wain] slaměné víno ze sušených hroznů
straw worm [stro:wə:m] zool. 1 larva chrostíka 2 tmavka
strawy [stro:i] (*-ie-*) 1 slaměný, slámový, slamatý 2 zast. bezcenný
stray [strei] *v* 1 z|bloudit, zabloudit, zatoulat se; sejít, sjet omylem; sejít ze správné cesty, též přen. 2 zrak, myšlenky bloudit, těkat 3 dočasně morálně klesnout, po|chybit 4 mimoděk sjet, za|bloudit (*my hand automatically ~s towards my pocket*) 5 odloučit se, odběhnout, odejít *from* od 6 odchýlit se, odbočit, odbíhat *from* od (*don't ~ from the point* neodbíhej od tématu); dát se strhnout stranou, vybočit *from* z (*I have ~ed from my role of historian*) 7 rozejít se *from* s (*those who ~ed from the party line* ti, kteří se rozešli s linií strany) 8 nebýt uspořádaný n. na svém místě, být rozstrkán *from to* odkud kam (*a leading article which*

regrettably ~s from page to page among the advertisements úvodník, který je bohužel rozestrkán na několika stránkách mezi inzeráty) **9** zaběhnout, přiběhnout *to* k **10** toulat se bez cíle **11** dobytek volně se pást **12** elektr. bloudit, rozptylovat se ***stray apart*** ztratit se jeden druhému (*the two had ~ed apart* ti dva se jeden druhému ztratili) ● *s* **1** zbloudilé dobytče, zatoulaný kus, též bez majitele **2** člověk bez domova n. přátel, bludná duše; ztracené dítě **3** zatoulaný jednotlivec (*white renegades and ~s from hostile tribes* odrodilí běloši a jednotlivci z nepřátelských kmenů) **4** toulavý pes **5** zatoulaná věc; jednotlivá věc, jednotlivý exemplář **6** rozptyl **7** *~s, pl* sděl. tech. atmosférické poruchy, poruchy vlivem rozptylu v atmosféře **8** BR společná pastvina; právo nechat volně pást dobytek na společné pastvině **9** BR práv. odúmrť ● *adj* **1** zatoulaný (*~ cow*), toulavý (*~ dog*); zbloudilý, který zabloudil n. se odloučil (*a ~ enemy group* zbloudilý nepřátelský oddíl), minuvší se cílem **2** ztracený (*~ child*), zapomenutý (*~ coats*) **3** rozházený, rozsypaný (*retrieving ~ cigarettes* sbírající rozházené cigarety), vypadaný (*~ hairs from the horses' tails* vypadané žíně z koňských ocasů) **4** jednotlivý, individuální, výjimečný (*one or two ~ expressions that have evaded revision* jeden či dva jednotlivé výrazy, které unikly revizi); řídce se vyskytující, občasný, sporadický (*a ~ weekly hour of hygiene*), náhodný (*~ acquaintances* ... známosti, *~ remark* ... poznámka) **5** obskurní (*wrote only one complete novel and a few ~ pieces and fragments*) **6** nechtěný, rušivý ◆ *~ bullet* zbloudilá střela; *~ capacitance* sděl. tech. rozptylová kapacita; *~ coupling* sděl. tech. parazitní / rušivá vazba; *~ currents* elektr. bludné proudy; *~ field* elektr. rozptylové pole; *~ power* ztráta / energie např. u dynama

streak [stri:k] *s* **1** úzký, nepravidelný pruh, proužek (*~s of lean and fat* proužky libového a tučného), nepravidelný pás, pruh souše, vody; nepravidelná čmouha, stříkanec (*~ of mud*); pruh ve skle **2** *~s, pl* pruhování, též polygr.; pruhové zabarvení otisku **3** sloj, žíla horniny; žilka ve dřevě **4** blesk (*off like a ~, heading down for homestretch* vyrazil jako blesk směrem k cílové rovince) **5** určitý povahový rys *of* čeho, náklonnost, sklon k, jaká vlastnost (*there's a ~ of vanity in his character* v jeho charakteru je určitý rys marnivosti); stopa, příměsek (*a ~ of Indian blood in him*) **6** malá chvilka, okamžik, záblesk (*~ of bad luck*); (krátký) časový úsek, ve kterém něco trvá (*a long winning ~* série výher, *talking ~* záchvat řečnění) **7** vryp nerostu; barva jemného prášku z vrypu **8** bot. virová čárkovitost druh choroby rostlin **9** biol.: druh technického očkování **10** les. lizina při smolaření **11** les. počínající hniloba ve dřevě ◆ *hit a ~* AM hovor. mít určitou dobu, náhle štísko / kliku (*when he hits a ~ everything's dandy* když se ho drží štěstí, jede všechno jako po másle); *~ of lightning* blesk (*like a ~ of lightning* jako blesk); *he is on a losing ~* jde to s ním s kopce; *silver ~* BR kanál La Manche; *with ~s* pruhovaný (*with ~s of fat and lean* maso prorostlý) ● *v* **1** pruhovat, proužkovat, stříkat, tvořit proužky, být v proužcích **2** přen. prokvétat (*hair beginning to ~ with gray*) **3** bleskově letět, mihnout se (*lightning ~s from cloud to cloud* blesky přeskakují z oblaku na oblak) **4** pádit, letět jako blesk (*reporters ~ed through the crowd and out of doors* reportéři proletěli davem a ze dveří ven) **5** biol. očkovat kultivační půdu ***streak down*** stékat v proužcích, tvořit proužky odshora dolů ***streak off*** vyletět, vystřelit (přen.) (*the children ~ed off as fast as they could*)

streakiness [stri:kinis] **1** pruhovanost, proužkovanost **2** tvoření pruhů např. na nátěru **3** prorostlost slaniny **4** pruhovitost dřeva **5** hovor. smíšený charakter, nevyrovnanost, nespolehlivost

streaky [stri:ki] (*-ie-*) **1** nepravidelně pruhovaný, proužkovaný; mající n. tvořící pruhy na nátěru **2** prorostlý (*~ bacon*) **3** dřevo žilkovaný **4** hovor. jsoucí smíšeného charakteru, nevyrovnaný, nespolehlivý

stream [stri:m] *s* **1** proud (*a ~ of blood, ~s of people*) **2** mořský proud **3** vodní proud, tok, pramen, potok, říčka, řeka **4** příval, záplava, proud (*~ of words*); stálý, pravidelný přísun (*a steady ~ of material flowed into the Smithsonian from all over the world*) **5** hojný pramínek, čůrek potu (*~s of sweat pour down his back* po zádech mu stékají pramínky potu) **6** běh, chod, sled (*the ~ of history*); proud, směr, hnutí, trend, tendence (*in full accord with the main ~ of British policy* v naprostém souhlasu s hlavní tendencí britské politiky) **7** charakteritický rys, proud, hlavní vliv (*the two ~s of heredity that shaped his life* dva hlavní dědičné rysy, které utvářely jeho život) **8** dlouhá řada, kolona **9** pruh, proužek světla (*the ashen ~ of daybreak* popelavý rozbřesk dne) **10** fyz., meteor. proudění (*a deep ~ of persistent northerly winds* nízké proudění trvalých severních větrů) **11** pohyb, posun písku hnaného větrem **12** sděl. tech. proud, tok, svazek paprsků **13** zejm. BR ped.: prospěchové n. zájmové oddělení žáků ve třídě **14** *~s, pl* zast. proud, tok **15** zast. ohon komety ◆ *against the ~* proti proudu, též přen.; *cometary ~* hvězd. kometární proud, kometární roj; *~ of consciousness 1.* odb. proud vědomí *2.* v literárním díle nepřerušený tok myšlenek, vjemů a pocitů, vědomí, duševní pochody tlumočené autorem; *go up | down ~* jít / jet proti | po proudu; *Gulf ~* Golfský proud; *on ~* AM v běhu, v provozu (*go on ~* rozběhnout se naplno); *with the ~* po proudu, s proudem, též přen. (*go with the ~* jít / plout s proudem / po proudu) ● *v* **1** proudit (*passengers ~ed ashore*) **2** plynout, téci (*a river ~s to* *the sea)* **3** pohybovat se, letět v proudu, táhnout (*rooks went* ~ *ing across the windy sky* havrani táhli po zvichřené obloze); zakotvit v proudu **4** pouštět proud, tryskat **5** prolévat, hojně ronit (slzy) (*his eyes* ~*ed tears, holding his pocket handkerchief before his* ~ *ing eyes* tisknoucí kapesník k uslzeným očím) **6** řinout se, stékat v proudech (*rain was* ~ *ing down the windowpane* po okenní tabulce se řinul déšť) **7** světlo, zvuk linout se, řinout se, do|padat, doléhat *on* na **8** být pokryt proudem *with* čeho (*his face was* ~*ing with sweat* po tváři se mu řinul pot), přetékat *with* čím **9** vát, vanout *through* čím, provívat co / čím (*a cooler wind was beginning to* ~ *through the palms*) **10** třepetat se, poletovat, plápolat, vlát (*the flag* ~ *ed in the wind*) **11** hodit, vrhnout do vody (~ *the buoy* hodit bóji do vody); hodit do vody a tím rozvinout **12** natáhnout (*outthrust neck and* ~ *ing legs are characteristic of its flight* jeho let charakterizují dopředu natažený krk a dozadu natažené nohy) **13** proletět a zářit, udělat světlý pruh kde (*a falling star* ~*ed down the blue vault* na modré klenbě udělala létavice světlý pruh) **14** rýžovat, prát, promývat rudu **15** BR ped. rozdělit do prospěchových n. zájmových oddělení n. tříd žáky ***stream away*** mizet (jako) po proudu (*capes and headlands* ~ *ing away into the west* mysy a výběžky pevniny mizející na západě) ***stream in*** *1* proudit dovnitř *2* řeka vtékat, vlévat se ***stream out*** vlajka rozvinout se ● *adj* týkající se proudu n. vodního toku

stream anchor [ˈstriːmˌæŋkə] námoř. proudová kotva, vlečná kotva

stream cable [ˌstriːmˈkeibl] námoř. kabel vlečné lodi

stream channel [ˌstriːmˈčænl] řečiště

streamer [striːmə] **1** co proudí, plyne, vlaje apod. **2** praporec, plaménec **3** stuha, stužka, pentle, fábor **4** dlouhý úzký útržek, pásek, proužek, cár např. mlhy n. mraku; šlahoun **5** úzký plakát, transparent **6** papírová serpentina **7** svazek paprsků u polární záře; ~*s, pl* paprskovitá polární záře **8** hvězd. koronální paprsek u Slunce **9** elektr. trsový výboj **10** padák, který se uvolní, ale neotevře **11** senzační titulek přes celou první stránku novin **12** též ~ *fly* sport. druh rybářské mušky s dlouhým peřím

stream feeder [ˌstriːmˈˈfiːdə] polygr. šupinový nakladač

stream flow [ˌstriːmˈfləu] říční průtok, průtok toku

stream-gold [ˌstriːmˈgəuld] zlato z rýžoviště, zlato ze zlatonosných písků

stream ice [ˌstriːmˈais] proud ledových ker na řece

streaming [striːmiŋ] **1** přetékající, z kterého tečou proudy **2** v. *stream, v* ◆ ~ *cold* rýma, při které teče z nosu; ~ *sunset* západ slunce v dešti; ~ *umbrella* deštník, z kterého teče

streamless [striːmlis] **1** krajina: jsoucí bez řek, suchý, vyprahlý **2** voda: jsoucí bez proudu, stojatý

streamlet [striːmlit] **1** potůček, říčka, stružka **2** malý proud, čůrek

streamline [striːmlain] *s* **1** aerodynamický, proudnicový tvar **2** fyz. proudnice ● *v* **1** dát / navrhnout aerodynamický, proudnicový tvar čemu, učinit aerodynamickým, proudnicovým **2** dát nový, lepší tvar čemu, upravit, zmodernizovat (~ *the text to bring it closer to the contemporary stage* zmodernizovat text, aby byl bližší současnému jevišti) **3** řídit, z|organizovat, učinit produktivnějším, zvýšit produktivitu čeho **4** z|redukovat na minimum, zkrátit, zjednodušit, zhustit (*school terms were* ~*d to get the graduate sooner for industry* škola byla zkrácená, aby se absolventi dostali dřív do průmyslu) ● *adj* = *streamlined*

streamlined [striːmlaind] **1** aerodynamický, proudnicový **2** zaoblený (~ *pressure cooker*), moderní, elegantní (~ *Ibsen translations*) **3** úsporný, praktický, racionální (*all-steel kitchens,* ~ *and efficient* ocelové kuchyně, úsporné a praktické), účelný, efektivní **4** v. *streamline, v*

streamliner [ˈstriːmˌlainə] zejm. AM **1** aerodynamický / proudnicový vlak n. autokar **2** aerodynamické / proudnicové letadlo

stream tin [ˌstriːmˈtin] rýžovištní cínovec

streamy [striːmi] řidč. **1** mající velké množství vodních toků, vodný, vodnatý **2** proudící

streek [striːk] BR nář. **1** protáhnout údy, natáhnout např. ruku **2** narovnat a připravit do rakve nebožtíka **3** rozplácnout se, padnout, ležet s roztaženýma rukama a nohama

street [striːt] *s* **1** ulice; v názvech též třída **2** vozovka, jízdní dráha **3** zast. silnice, cesta **4** ulička mezi stany **5** *S*~ BR Fleet Street sídlo novinových redakcí v Londýně; přen. noviny, novináři **6** *S*~ AM Wall Street sídlo bank a burz v New Yorku; přen. finanční svět **7** přen. systém; trend, směr úsilí **8** obyčejný člověk z ulice, ulice (přen.) **9** AM slang. propuštění z vazby, svoboda ◆ *across the* ~ naproti, přes ulici, na druhé straně / na druhou stranu ulice; ~*s ahead* AM hovor. mnohem lepší; *be on the* ~ ocitnout se / být na dlažbě; *be on the* ~*s* živit se prostitucí; *be down / up one's* ~ *1.* týkat se koho *2.* znát, ovládat, umět, vyznat se v tom (*it was up their* ~ to jim sedělo, *he thought that the Society would be right up Lasker's* ~ myslel si, že Společnost je zrovna ten špek, po jakém Lasker skočí); ~*s better* = ~*s ahead; children of the* ~ bezprizorné děti, bezprizorná mládež, děti ulice; *done in the* ~ BR obchod dohodnutý po zavření burzy; *fashionable* ~ ulice, ve které bydlí „lepší lidé"; *go on the* ~*s* žena spustit se, stát se prostitutkou; *high* ~ BR hlavní ulice, třída; *live in the* ~ nebýt nikdy doma, stále někde pobíhat; *he lives in the Oxford S*~ bydlí v Oxfordské ulici / na Oxfordské třídě; *main* ~ AM hlavní ulice, třída; *man in the* ~ obyčejný / průměrný člověk, typický občan; *not in the same* ~ *as / with* hovor. mnohem / nesrovnatelně horší než; *of the* ~*s* z ulice, pouliční, živící se prostitucí (*a woman of the* ~*s*); *on* *the* ~ na ulici, venku; *side* ~ postranní ulice; *turn a p. out into the* ~ vyhodit na dlažbu koho● *adj* **1** uliční, pouliční **2** určený pro venek, pro den, pro denní nošení (~ *clothes,* ~ *makeup*) **3** BR týkající se obchodů dohodnutých po uzavření burzy, mimoburzovní (~ *price*) **4** biol. virový

street Arab [ˌstri:tˈærəb] bezprizorný chlapec, dítě ulice

streetcar [stri:tka:] AM tramvaj, elektrika, pouliční dráha; vůz pouliční dráhy

street Christian [ˌstri:tˈkristjən] AM příslušník hnutí neorganizované křesťanské mládeže

street cleaner [ˌstri:tˈkli:nə] počišťovač ulic, metař

street corner [ˌstri:tˈko:nə] *s* roh ulice ● *adj: street-corner* postávající na rohu ulice

street cries [ˌstri:tˈkraiz] volání / vyvolávání pouličních prodavačů

street crossing [ˌstri:tˈkrosiŋ] křižovatka ulic

street curb [ˌstri:tˈkə:b] obrubník chodníku

streetdoor [stri:tdo:] dveře vedoucí na ulici, venkovské dveře, hlavní dveře, vrata

street elbow [ˌstri:tˈelbəu] tech. závitové koleno

street furniture [ˌstri:tˈfə:ničə] zařízení, vybavení městských ulic staniční útulky, lampy, koše na odpadky apod.

streetgirl [stri:tgə:l] holka z ulice, pouliční děvka, prostitutka, šlapka (hovor.)

streetlight [ˈstri:tˌlait] = *street lamp*

street lamp [ˈstri:tˌlæmp] stojan osvětlení, uliční svítidlo, kandelábr

streetline [stri:tlain] AM pouliční dráha, tramvaj, elektrika

street orderly [ˌstri:tˈo:dəli] počišťovač ulic, kdo vyprazdňuje koše na odpadky

street organ [ˌstri:tˈo:gən] kolovrátek, flašinet

street people [ˌstri:tˈpi:pl] hippies

street piano [ˌstri:tpiˈænəu] = *street organ*

street refuge [ˌstri:tˈrefju:dž] nástupní / dopravní ostrůvek v jízdní dráze, refýž

streetscape [stri:tskeip] **1** vzhled ulice **2** obraz ulice

streetsweeper [ˈstri:tˌswipə] **1** stroj na zametání ulic **2** počišťovač ulic, zametač, metař

street theatre [ˌstri:tˈθiətə] protiválečná n. protestní scéna zejm. pantomimická, hraná na ulici

street traffic [ˌstri:tˈtræfik] pouliční doprava, provoz, dopravní ruch

street vendor [ˌstri:tˈvendo:] AM pouliční prodavač

street virus [ˌstri:tˈvaiərəs] přirozený / divoký virus nikoliv vypěstovaný v laboratoři

streetwaif [stri:tweif] = *streetwalker*

streetwalker [ˈstri:tˌwo:kə] holka z ulice, pouliční děvka, prostitutka, šlapka (hovor.)

streetwalking [ˈstri:tˌwo:kiŋ] pouliční prostituce

streetward [stri:twəd] *adj* směřující na ulici ● *adv* = *streetwards*

streetwards [stri:twədz] směrem na ulici, k ulici

streetwise [stri:twaiz] AM znalý místních poměrů v ulici

streetworker [ˈstri:tˌwə:kə] sociální pracovník pečující o narušenou mládež v blízkém sousedství

strength [streŋθ] **1** fyzická síla (*as the day went on / her* ~ *lessened*) **2** morální síla **3** kupní síla **4** pozice síly (*negotiate from* ~ jednat z pozice síly) **5** zdroj síly n. vlivu (*the magnificent sense of history and tradition which is one of the* ~*s of the Roman Catholic Church*); opora, podpora, sloup **6** moc, síla (*a policy based on peace through* ~ politika založená na míru daném silou) **7** intenzita, síla (*the overall* ~ *of a noise* celková intenzita hluku) **8** vydatnost zdroje, zřídla **9** výbušná síla, výbušnost, razance (*testing the* ~ *of a new high explosive*) **10** koncentrace, stupeň, síla např. nápoje (~*s are given as percentages of alcohol by volume* síla každého nápoje se udává v objemových procentech alkoholu) **11** váha, síla (~ *of legal evidence* váha právního dokladu) **12** počet, síla v poměru k celku (*they were there in great* ~); rezerva (*economic and industrial* ~*s*); počet pracovníků n. zaměstnanců **13** klad, silná stránka (*the* ~*s and weaknesses of the book* silné a slabé stránky knihy); talent, nadání (*children exhibit special gifts and* ~ *relatively early* u dětí se nadání a talent projevují poměrně brzo) **14** stručný obsah, výtah, jádro (*I'll get the* ~ *of matters soon enough*) **15** voj. živá síla, vojáci, stav vojska; vojenská moc, vojenská síla, bojová síla, válečný potenciál (*made it easier for power seeking nations to build* ~ *for the second world war* usnadnilo mocichtivým národům vybudovat si válečný potenciál pro druhou světovou válku) **16** tuhost (*the* ~ *of igneous rocks* ... vyvřelých hornin), pevnost (*the rubber does not attain full* ~ *until vulcanization is complete* dokud není vulkanizace dokončena, pryž nezíská vysokou pevnost) **17** jakost např. mouky **18** nejvyšší rychlost mořských slapů **19** pevná n. stoupající cena; zboží pevné n. stoupající ceny; stoupající cenová tendence **20** zast. pevnost, opevnění **21** zast. dostatečné množství lidí, dostatečná posádka **22** zast. úrodnost půdy ◆ *above a p.'s* ~ nad síly koho; *bring up to* ~ doplnit početní stav např. pluku; ~ *of conviction* síla přesvědčení; *from* ~ *to* ~ od jednoho silného místa k druhému, od efektu k efektu; *at full* ~ v plném počtu; *gain* ~ *1.* získat sílu, nabrat sil *2.* trh zpevnit; *gather* ~ znovu nabrat sil; *he has the* ~ *of a horse* má sílu jako kůň; *that is beyond human* ~ to je nad lidské síly; *in* ~ ve velkém počtu, ve velkém množství; *on the* ~ BR v početních stavech vojska; *on the* ~ *of* na základě, kvůli, pro (*I did it on the* ~ *of your promise* já to udělal na základě tvého slibu); ~ *of purpose* cilevědomost

strengthen [streŋθn] **1** posílit, posilnit, učinit silnějším, vzpružit, dodat síly komu / čemu (*means of* ~*ing the brethern* způsoby, jak spolubratry povzbudit) **2** zesílit (~ *a defensive position*), zpevnit, zvýšit pevnost čeho, upevnit, vyztužit **3** podpořit, zvětšit, utužit (~ *family life*) **4** sílit, zesilovat se, být silnější, vzrůstat **5** akcie stoupnout v ceně ◆ ~ *a p.'s hands* podpořit, podnítit koho, dodat odvahy k činnosti komu

strengthener [streŋθənə] **1** kdo n. co zpevňuje, zesiluje apod. **2** posilující lék, roborans (lékár.) **3** výztuha

strenuous [strenjuəs] **1** snaživý, pracovitý, přičinlivý, činorodý, aktivní, agilní, energický **2** horlivý, zanícený (~ *Puritanism*) **3** usilovný, namáhavý, těžký, vyčerpávající (*a ~ day's work*), velice náročný (*a ~ examination*), tvrdý, tuhý (*a ~ opposition*)

strenuousness [strenjuəsnis] **1** snaživost, pracovitost, přičinlivost, činorodost, aktivnost, agilnost, energičnost, energie **2** horlivost, zanícenost **3** usilovnost, namáhavost, těžkost, vyčerpávající charakter; velká náročnost; tvrdost, tuhost

Strephon [strefn] **1** jméno pastýře v *Arkádii* Sira Philipa Sidneyho **2** přen. zamilovaný, milovník

strepitoso [ˌstrepiˈtəusəu] hud. hlučně, dravě, strepitoso

streptococcus [ˌstreptəuˈkokəs] *pl: streptococci* [ˌstreptəuˈkokai] biol. streptokokus, streptokok mikrob tvořící řetízkové shluky a vyvolávající hnisání

streptomycin [ˌstreptəuˈmaisin] lékár. streptomycin antibiotikum obsažené v některých plísních rodu Streptomyces

Strepyan [strepiən] archeol. strépyský týkající se úseku starší doby kamenné (podle naleziště Strépy v Belgii)

stress [stres] *s* **1** tlak (*the ~ of circumstances*) **2** nepřízeň, nepohoda (*driven into the harbour by ~ of weather*) **3** důraz **4** fyz. tlak **5** fyz. napětí; pnutí **6** fyz. namáhání **7** fyz. odpor proti stlačování **8** jaz. důraz; přízvuk, akcent (*in "strategic" the ~ is on the second syllable*); přízvučná slabika **9** med. stress zátěž, soubor podnětů působících nadměrně na organismus **10** geol. stress orientovaný tlak v kůře zemské ◆ *heavy ~ of weather* vpád bouřlivého počasí; *lay ~ on a t.* klást důraz n. váhu, zdůraznit, vyzdvihnout, podtrhnout ; *time of ~* čas nouze, tíseň, krizová doba ● *v* **1** zdůraznit, vyzdvihnout, podtrhnout, položit důraz na (*he ~ed the point that ...*) **2** jaz., hud. akcentovat, dát přízvuk na, udělat přízvuk na **3** fyz. namáhat

stretch [streč] *v* **1** natáhnout (*~ a rope across a path* natáhnout provaz přes cestu, *~ one's neck, ~ed his legs cautiously* natáhl opatrně nohy) **2** natáhnout, napnout např. strunu (*~ the strings of a violin*) **3** natáhnout, napnout na mučidle **4** srazit, složit takže leží natažen na zemi; rozmáznout po zemi **5** nář. natáhnout a připravit do rakve nebožtíka **6** slang., zast. oběsit, pověsit **7** natáhnout se (*rubber ~es easily*) **8** natáhnout se např. na zem, položit se, uložit se, rozložit se pohodlně **9** vytáhnout do délky n. šířky (*~ glass threads or fibers to the thinness necessary* vytáhnout skleněné nitky nebo vlákna do žádané tenkosti); vytáhnout, napnout kůži; rozšlápnout střevíce (*~ one's shoes by use*) **10** vytáhnout se deformovat se (*a sweater ~ed at the elbows*); rukavice roztáhnout se, povolit; střevíce rozšlápnout se **11** protáhnout | se (*~ one's muscles* protáhnout svaly, *he awoke, yawned and ~ed* probudil se, zazíval a protáhl se); rozpřáhnout (*~ one's arms*), roztáhnout křídla **12** být pružný, elastický, pérovat, natahovat se (*material that ~es*) **13** táhnout se, rozkládat se, rozprostírat se (*forests ~ing for hundreds of miles*), sahat *to* kam **14** trvat (*their authorship ~ed over a score of years* jejich autorství trvalo řadu let) **15** rozšířit (*the understanding must be ~ed*) **16** příliš volně vyložit (*~ the law*), příliš rozšířit, příliš nedbat na správný výklad čeho, komolit v něčí prospěch, překročit volným výkladem (*the law tacitly permits the rules to be ~ed* zákon mlčky dovoluje, aby se nařízení překračovala) **17** přehánět, lhát **18** nastavit, šikovně rozdělit aby vystačilo déle (*~ food to feed extra guests* rozdělit jídlo tak, aby se najedli i neočekávaní hosté); ředit aby bylo víc čeho, přilévat *a t.* do *with* co (*they caught the bartender ~ing the gin with water* nachytali barmana, jak ředí gin vodou); způsobit / dokázat, že stačí, použít čeho (*~ one egg for two recipes* použít jedno vejce na dva recepty) **19** šetřit čím (*~ money to keep within the budget* šetřit penězi, aby se dodržel rozpočet) **20** natahovat, zpomalovat (děj, tempo) *a t.* o aby rozhlasový n. televizní program skončil až v určenou dobu (*~ the action two minutes*) **21** vzít za to, pořádně zabrat při veslování **22** námoř.: loď stočit se do větru, plout u větru zejm. s plnými plachtami **23** přimět koně, aby stál s nataženýma nohama dopředu a dozadu **24** baseball udělat z jednoho úderu dva oběhy **25** zast. stačit, dosahat ◆ *~ a credit* překročit úvěr; *~ one's eyes* vyvalovat, kulit oči; *~ one's leg 1.* natáhnout si nohy *2.* jít se projít, jít si protáhnout nohy / kostru; *his mouth ~es from ear to ear* má pusu od ucha k uchu; *~ a point* (*in a p.'s favour*) vyjít vstříc (výjimečnou laskavostí) komu, udělat velký ústupek komu; *~ one's powers 1.* napnout všechny síly, pracovat usilovně, dřít *2.* pracovat do přetažení, přecenit své síly; *~ one's principles* zapomenout na své přísné zásady; *~ a p. on a rack* hist. natáhnout na skřipec koho; *~ tight* napnout, vypnout (*~ a rope tight*); *~ trousers* napnout kalhoty, pověsit kalhoty na samožehlicí ramínko; *~ the truth* přehánět, zkreslovat např. při vyprávění ***stretch o. s.*** protáhnout se ***stretch ahead*** trvat, sahat do budoucnosti (*in the years which ~ ahead* v létech, která leží před námi) ***stretch away*** táhnout se do dálky (*a road ~ing away across the desert*) ***stretch back*** sahat *to* do minulosti, pocházet, být znám od kdy (*this game seems to ~ back to time immemorial* tato hra je zřejmě známá od nepaměti) ***stretch down*** sahat *to* kam (*his memory ~ed down to his child-*

hood) ***stretch out*** *1* natáhnout, napřáhnout (*~ out one's arm for a book*) **2** začít dělat delší kroky, přidat do kroku ***stretch o. s. out*** pohodlně si lehnout, uložit se, natáhnout se, roztáhnout se, ležet natažen ● *s* **1** natažení, roztažení, natahování, roztahování, napínání, protahování **2** natažení, roztažení, uložení, uvelebení (*that first comfortable ~ on the sand*) **3** AM sport. natažení těla, natáhnutí, vypnutí nadhazovače v baseballu **4** prodloužení, prodlužování **5** protáhnutí, protažení (*he got up with a ~ and a yawn* zívl, protáhl se a vstal) **6** procházka jako osvěžení po dlouhém sezení **7** ničím nepřerušená plocha, nepřerušený pás, pruh (*a beautiful ~ of wooded country*) **8** spojitá čára n. plocha **9** rozpětí, rozsah **10** celá délka (*killed all fish life in a ~ of the creek* zničili zarybnění po celé délce potoka); kus, kousek (*suspended by nothing except a ~ of stiff wire* zavěšený jen na kousku těžko ohebného drátu) **11** plavební úsek **12** část, oddíl, pasáž (*~es of narrative*) **13** nepřerušovaný časový úsek, doba (*regular ~es of work, pause for unbearably long ~es* dělat nesnesitelně dlouhé pauzy); doba zaměstnání, služba (*during his ~ with a southern newspaper*) **14** slang. rok vězení; nakládačka, pár let n. měsíců doba uvěznění **15** rovina, rovinka na závodní dráze; cílová rovinka (*in the ~ the jockey looked back*) **16** poslední stadium, finiš **17** vypětí, námaha; nejvyšší vypětí, vrchol (*~ of your malice* vrchol vaší zlomyslnosti) **18** překročení, zneužití *of* výsady, práva (*~ of authority*); rozšíření významu *of* čeho (*by a ~ of language*) **19** pružnost, elasticita **20** elastická punčocha, punčocha z krepové příze, krepnylonka, krepsilonka **21** horn. směr **22** *S*~ čára, tyčka, slonbidlo přezdívka čahouna ◆ *at a ~* zejm. BR *1.* bez přerušení, v jednom kuse, v jednom tahu, na jeden zátah (*can you work for six hours at a ~?*) *2.* s vypětím sil *3.* v nouzi, je-li to skutečně nutné; *at full ~ 1.* úplně napjatý, natažený *2.* s veškerým vypětím (*be / go at full ~* dělat / jet naplno); *~ of the fingers* rozpětí prstů např. při hře na klavír; *give a ~* protáhnout se (*the cat woke and gave a ~*); *go for a ~* jít na procházku, jít si protáhnout kostru; *home ~* cílová rovinka; *~ of imagination* vypětí, vynaložení veškeré fantazie (*not even by the longest ~ of imagination can the sensitive listener be persuaded* ani s vypětím veškeré fantazie se nedá citlivý posluchač přesvědčit); *keep a t. at its ~* u|držet napnuté, napnout, též přen. (*keep his mental faculties at the ~* udržuje si duševní schopnosti v plné pohotovosti); *nerves on the ~* napnuté nervy; *on the ~* napnutý, napjatý; *serve a ten-year ~ for counterfeiting* slang. od|kroutit, sedět, bručet deset let za padělání; *~ of time* časový úsek; *with two-way ~* tkanina elastický dvěma směry; *~ of wing* rozpětí křídel; *over a ~ of years* po dobu několika n. mnoha let ● *adj* elastický, jsoucí z krepové / kadeřené příze

stretchable [strečəbl] natáhnutelný, roztažitelný, elastický, pružný

stretched [strečt] **1** vytažený, vytahaný, který ztratil pružnost **2** řeč vyumělkovaný, afektovaný **3** v. *stretch, v*

stretch break [ˌstrečˈbreik] pauza, přestávka k osvěžení

stretcher [strečə] **1** nosítka pro nemocné **2** AU skládací polní lůžko **3** kdo n. co natahuje atd., natahovač, roztahovač, natahovadlo, napínadlo **4** napínák, kopyto do obuvi **5** napínací rám, napínací slepý rám malířský **6** rozpěrka; rozpínka (text.) **7** trnož židle, stolu **8** podnož, trnož, opěra, opěrka, opěrátko pro nohy veslařů v člunu **9** slang. přehnaná zpráva, lež, kec, přehnané tvrzení **10** stav. běhoun; vazný rám **11** *~s, pl* hovor. krepnylonky, krepsilonky **12** *~s, pl* AM polygr. hřbetové archové značky **13** tesařské kleštiny ◆ *~ case* pacient, který nemůže sám chodit

stretcher-bearer [ˈstrečəˌbeərə] kdo nosí nosítka s nemocným, zdravotník, nosítkář

stretcher-bond [strečəbond] běhounová vazba zdiva

stretcher-party [ˈstrečəˌpa:ti] (*-ie-*) oddíl, skupina, četa zdravotníků s nosítky

stretchiness [strečinis] **1** pružnost, elastičnost, elasticita **2** snadná deformovatelnost vytažením

stretch-out [strečaut] AM **1** natahování, protahování rozhlasového n. televizního programu **2** prodloužení pracovní doby přesčasovými hodinami bez přiměřeně vyšší mzdy

stretch pants [ˌstrečˈpænts] dámské šponovky, kaliopky

stretch stockings [ˌstrečˈstokiŋz] krepnylonky, krepsilonky

stretchy [streči] (*-ie-*) **1** pružný, elastický **2** který se vytahuje a tím deformuje ◆ *I feel ~* AM potřeboval bych se protáhnout

stretta [stretə] hud. stretta rychlý závěr skladby po vyvrcholení

streusel [stroizəl] zejm. AM kuch. drobení, drobenka

streuselkuchen [ˈstroizəlˌku:lchən] kuch. drobenkový koláč

strew [stru:] (*strewed, strewed / strewn*) **1** rozházet, poházet, po|sypat, rozsypat, rozsévat, roz|trousit **2** rozsévat semena, sít **3** roztrušovat, rozšiřovat (*~ rumours*) **4** naseté pokrývat, být rozseto

strewth [stru:θ] = *struth*

stria [straiə] *pl: striae* [straii:] **1** odb. pruh, proužek, žilka; rýha, rýžka **2** žilka mramoru **3** stav. stezka mezi žlábky sloupu, kanelura

striate *v* [straieit] **1** proužkovat **2** rýhovat, dělat rýhy ● *adj* [straiit] **1** proužkovaný, pruhovaný **2** rýhovaný

striated [straiˈeitid / AM straieitid] v. *striate, v* ◆ *~ muscle* anat. příčně pruhovaný sval

striation [straiˈeišən] **1** proužkování, pruhování,

pruhovatost, proužkovatost, pruhy, proužky **2** rýhování, rýhovitost, rýhy
stricken [strikən] **1** zvěř zasažený, po|střelený **2** těžce stižený, postižený, sklíčený, poškozený, zničený (přen.); raněný, nemocný **3** zachvácený, posedlý, přepadlý např. strachem **4** zarovnaný, rovný s povrchem nádoby, přesně odměřený (*a ~ measure of grain* rovná měřice obilí) **5** v. *strike, v* ♦ *~ field* bojiště; *~ in years* ve vysokém věku
strickle [strikl] **1** shrnovací pravítko na zarovnávání míry obilí apod. **2** brousek na kosy **3** hut., stav.: formovací šablona ● *v* **1** shrnovat shrnovacím pravítkem **2** hut. šablonovat
strict [strikt] **1** přísný (*a ~ father*); strohý, striktní **2** tuhý, tvrdý, ostrý (*~ discipline*) **3** rigorózní, nekompromisní (*~ morals*) **4** suchý, strohý, přesný (*a ~ statement of facts*) **5** přesně vymezený, přesný, precizní **6** úplný, naprostý, přísný (*in ~ confidence* přísně důvěrně) **7** zkoumání pečlivý, podrobný, detailní **8** bot. tuhý **9** zast. sevřený, stažený ♦ *be ~ with a p.* být přísný na, jednat, zacházet přísně s; *~ liability* pojišť. odpovědnost za výsledek, odpovědnost kauzální, odpovědnost absolutní; *a ~ rule against smoking* přísný zákaz kouření; *in the ~ sense of the word* v užším slova smyslu
striction [strikšən] sevření, zúžení, stažení
strictly [striktli] **1** vyloženě, naprosto jasně **2** v. *strict* ♦ *~ speaking* přesně / přesněji řečeno
strictness [striktnis] **1** přísnost, strohost, striktnost **2** tuhost, tvrdost, ostrost např. kázně **3** rigoróznost, nekompromisnost **4** suchost, strohost, přesnost **5** přesné vymezení, preciznost **6** úplnost, přísnost **7** pečlivost, podrobnost, detailnost zkoumání
stricture [strikčə] **1** čast. *~s, pl* důtka, přísný, ostrý soud *on / upon* o, ostrá kritika čeho, kritická poznámka čeho **2** med. zúženina trubicových orgánů, striktura; zaškrcení, zúžení **3** omezení, omezovací nařízení (*a ~ against disclosure of classified information* směrnice o utajování tajných informací) **4** zast. náznak, stopa **5** řidč. sevření, stažení **6** zast. = *strictness* ♦ *intestinal ~* med. zauzlení střev; *urethral ~* med. striktura močové trubice
strictured [strikčəd] med. zúžený
stridden [stridn] v. *stride, v*
stride [straid] *v* (*strode, stridden* / zast. *strid*) **1** kráčet, udělat velký krok, dělat velké kroky, vykračovat si **2** chodit velkými kroky *a t.* kde, po (*~ the deck*) **3** překročit (*~ a ditch* … příkop) *over* co / přes (*~ over an obstacle* … překážku) **4** řidč. stát rozkročmo *across* přes, nad; sedět rozkročmo na (*~ a horse*) **stride out** (začít) dělat dlouhé kroky, pořádně vykročit ● *s* **1** dlouhý krok pohyb nohou i vzdálenost; rozkročení **2** krok koně **3** hovor. normální tempo, švunk **4** čast. *~s, pl* přen. pokrok, skok kupředu **5** sport. postoj roznožmo, stoj rozkročmý, roznožka **6** *~s, pl* slang. kaťata ♦ *get into / hit one's ~* dostat se do normálního pracovního tempa, rozběhnout se na plné obrátky (přen.); *make great ~s* učinit velký pokrok; *take a t. in one's ~ 1.* kůň překonat snadno překážku *2.* lehce absolvovat co, snadno se vypořádat s, nijak se nezdržovat s; *with vigorous ~s / a vigorous ~* energickým krokem, energicky, rychle
stridence [straidns], **stridency** [straidnsi] **1** ostrost, průraznost, pronikavost zvuku **2** řvavost, křiklavost barvy
strident [straidnt] **1** zvuk ostrý, průrazný, pronikavý **2** barva řvavý, křiklavý
stride piano [ˌstraidˈpjænəu] hud. způsob hry na klavír v taneční hudbě, při kterém levá ruka hraje basy i „přiznávky"
stride-sitting position [ˈstraidˌsitiŋ pəˈzišən] sport. sed roznožný
stride-stand [straidstænd] sport. rozkročmý
stridor [straido:] **1** med. hvizd, pískavý zvuk, chrčení při dýchání **2** kniž. ostrý zvuk
stridulant [stridjulənt] hmyz vrzající, cvrkající, crkající, cvrčící
stridulate [stridjuleit] hmyz vrzat, cvrkat, crkat, cvrčet
stridulation [ˌstridjuˈleišən] **1** zool. stridulace vyluzování zvuku u některých bezobratlých (např. u hmyzu) **2** vrzání, cvrkání, crkání, cvrkot hmyzu
stridulator [stridjuleitə] cvrkající hmyz
stridulous [stridjuləs] = *stridulant*
strife [straif] **1** spor, svár, nesvár **2** hádka, potyčka, boj, střetnutí **3** řidč. soutěž **4** zast. snaha, námaha, snažení
strife-torn [straifto:n] zmítaný vnitřními rozpory / boji, rozeštvaný
strig [strig] bot. řapík, stopka listu, listová nožka
strigil [stridžil] **1** antic. škrabka na kůži **2** masážní kartáč **3** zool. struhadélko, stridulační destička ploštic, strigil **4** archit. esovitý ornament, esovka v římské architektuře
strigose [straigəus], **strigous** [straigəs] **1** bot.: tvrdě štětinatý, pokrytý tuhými až tvrdými štětinami **2** zool. rýhovaný, žlábkovaný
strike [straik] *v* (*struck, struck / stricken*) **1** uhodit, udeřit, praštit, bouchnout, bacit koho / co (*he struck me on the chin*) *at* koho / co (*he seized a stick and struck at me*), dát / zasadit ránu komu; uhodit se, udeřit se *a t.* do *against / on* o, bouchnout se, praštit se, narazit čím o (*~ the knee against the dashboard* narazil kolenem do přístrojové desky); narazit *against* na, udeřit se o (*struck against the stove as she fell* při pádu se udeřila o kamna); bít, bušit, tlouci (*his heart struck heavily*) **2** hodiny bít, odbíjet, tlouci (*the clock has just struck four*) **3** dravec zatnout drápy do kořisti; had kousnout, uštknout (*a rattlesnake ready to ~* chřestýš připravený kousnout) **4** blesk udeřit, uhodit do (*lightning struck the spire* blesk udeřil do věže), zasáhnout (*the tree was struck by lightning* strom byl zasažen bleskem) **5** světlo ozářit, osvítit, do|pad-

nout na (*a bright light struck her face*), svítit, do|padat *upon* na, ozařovat co, prorážet *through* čím (*the sun's rays struck through the fog*); zvuk doléhat k sluchu; znít (*a deep sound* ~*s like a rising knell* hluboký zvuk zní jako stále silněji znějící umíráček) **6** za|útočit (*fast vessels which could* ~ *and get away* rychlá plavidla, která mohla rychle zaútočit a odplout) *at* na, zasadit ránu / úder čemu (*bombers struck at the munitions factories* bombardéry bombardovaly muniční továrny), bojovat (~ *for freedom*) **7** po|žádat *for* o, pumpnout o (hovor.) **8** náhle, jako bleskem nastat, objevit se, vypuknout (*a shortage of nurses when the epidemic struck* nedostatek ošetřovatelek, když vypukla epidemie) **9** razit (~ *a coin*); razit razidlem knižní vazbu; vy|tisknout bankovky **10** vrazit (*struck a knife into his heart*); nabodnout, probodnout; harpunovat velrybu **11** zaseknout (rybu); ryba zabrat, chytit se **12** s|trefit | se úderem; zasáhnout, za|střelit, složit (*a deer struck by an arrow* jelen střelený šípem) **13** po|stihnout, zasáhnout (*this rise in living costs* ~*s especially the poorer people of the country* toto zvýšení životních nákladů zasahuje zejména chudší část obyvatelstva), zasahovat, ohrožovat *at* co (*ideas that* ~ *at the foundation of democracy*) **14** vyrazit úderem *from* z (*struck the knife from his hand*) **15** vy|křesat (~ *sparks from flint* ... jiskry z pazourku), škrtnout čím, rozškrtnout (~ *a match* škrtnout zápalkou); vzplát při škrtnutí, chytnout (*the matches are damp, they won't* ~ zápalky jsou vlhké, nechytají) **16** useknout, odseknout, uříznout, odříznout *from* od (*struck a branch from the tree*) **17** vrhnout se *into* do (*sees no brawl but he must* ~ *into the midst of it* jak vidí rvačku, hned se do ní vrhne) **18** zasáhnout *in* do diskuse apod., podílet se na, zúčastnit se čeho, moci promluvit do, moci přispět k (~ *in a problem*) **19** dát se, vydat se určitým směrem, zatočit, zabočit, odbočit, zahnout (*we struck into the woods*); dosáhnout při cestování čeho (*we struck Rome before dark*); pronikat (*an irresistible impulse to* ~ *nearer the heart of the truth* neodolatelné nutkání proniknout k jádru pravdy) **20** vyrazit jakým krokem, dát se do, nasadit (*the horse struck a gallop* kůň vyrazil cvalem) **21** vyvinout úsilí, napnout všechny páky, vynasnažit se, snažit se *for* o, snažit se získat co (~ *for a commission in the Royal Navy*) **22** budit jaký dojem, působit jakým dojmem, dýchat čím (*the room* ~*s warm and comfortable as you come in, the prison cell struck cold and damp* z vězeňské cely táhl chlad a vlhko), připadat *a p.* komu *as* jaký, vz|budit dojem v, že je, zdát se komu (být) jaký, jevit se komu, že je (*the plan* ~*s me as ridiculous*); přicházet na mysl, napadnout (*an idea suddenly struck him, it struck me that he was not telling the truth* dostal jsem dojem, že nemluví pravdu); u|činit, u|dělat (hluboký) dojem, zapůsobit (hlubokým dojmem) na (*always struck strangers that way* vždycky tak na cizí lidi zapůsobilo) **23** upoutat (~*s the attention, the things that had struck her eye*); o|čarovat, začarovat **24** náhodou přijít (*on* / *upon*) na, narazit na, objevit co, najít co (~ *the name of a friend in a newspaper*), setkat se s (*the most unpractical person I ever struck, the best sea story I have struck in years*); najít co, narazit při vrtu (*this peasant had the luck to* ~ *water*); pes najít stopu **25** spustit, stáhnout vlajku; složit, strhnout stan; div. zbourat, rozebrat, přestavět (~ *a stage set* přestavět jeviště); loď apod. stáhnout / spustit vlajku na znamení, že se vzdává; vytáhnout bílou vlajku; vzdát se (*town* ~*s*) **26** narazit na, nabourat se do (*the car skidded and struck a tree* auto dostalo smyk a narazilo na strom); loď narazit, najet na (*the ship struck a rock* loď najela na skálu); najet, nasednout na mělčinu **27** stávkovat *for* za (~ *for higher pay* stávkovat za zvýšení mezd), *against* na protest proti (~ *against bad working conditions* stávkovat na protest proti špatným pracovním podmínkám); zastavit, zarazit stávkou práci, továrnu **28** vy|škrtnout to, vynechat to **29** vybrat, sestavit, vytvořit např. porotu **30** udeřit ve struny čeho, za|hrát na (~*s the golden lyre*), zahrát, vzít *on* na (~ *a few chords on the piano* zahrát pár akordů na klavír); začít hrát n. zpívat, spustit *into* co (*the orchestra struck into another waltz*) **31** sloužit jako ordonance **32** zarovnat zarovnávacím pravítkem **33** namalovat, nakreslit čáru; opsat kruh; vyznačit mez plochy zejm. rovnou čárou **34** řadit, zasouvat ozubená kola **35** lít, odlévat do formy svíčky **36** hoblovat lišty **37** srazit mořidlem barvivo **38** nanést elektrolyticky tenký základní povlak **39** sůl vsáknout se při nakládání masa **40** hmyz klást vajíčka do čeho **41** ústřice přisednout, přilepit se k něčemu **42** sport. udělat záběr veslem; veslovat určitým počtem záběrů (*Oxford struck forty in the first minute*) **43** sport. vyrazit kámen ze hry při lední metané **44** sport.: pálkař netrefit se třikrát do míčku a být odvolán ze hry v baseballu **45** sport. uvolnit čepičku loveckému sokolu **46** elektr. tvořit výboj; zapálit elektrický oblouk **47** geol.: vrstva táhnout se určitým směrem **48** kožel. omykat **49** motor. nalít do chladiče chladicí směs **50** stav. šikmo rýhovat spáry; odskružit, odbednit, odstranit bednění z **51** stav. zahladit spáry **52** strhnout jádro v omítce **53** zahr. množit řízky **54** zast. po|hladit rukou ◆ ~ *all of a heap* hovor. zmást, vyvést z míry, odrovnat; ~ *an attitude* zaujmout pózu, postavit se do pózy; ~ *an average* dosáhnout průměru; ~ *a balance* *1.* obch. udělat uzávěrku *2.* dosáhnout rovnováhy; ~ *a ball out of court* sport. odpálit míč do autu; ~ *a bargain* uzavřít dohodu n. obchod, plácnout si; *be struck dumb* oněmět; *be struck on a girl* slang. být zblázněný do děvčete; *be struck with* též *1.* být oslněn čím *2.*

dostat náhlý záchvat čeho, být stižen čím (*be struck with dizziness*); *be unpleasantly struck* být nepříjemně dotčen / překvapen; ~ *the bell* námoř. zvonit hodiny na lodní zvon; ~ *a blow* udeřit, dát ránu; ~ *a blow for a t.* bojovat, lámat kopí za; ~ *a p. blind* náhle oslepit koho; ~ *me blind* = ~ *me dead;* ~ *bottom 1.* námoř. narazit na dno *2.* AM hovor. ocitnout se na dně finančně n. duševně; ~ *camp* zvednout ležení; *the clock has struck the hour* hodiny odbily celou; ~ *a compromise* dosáhnout, docílit kompromisu, dohodnout se na kompromisním řešení, zvolit kompromis; ~ *a cutting* zahr. zahradit odnož / řízek aby zapustila kořeny; ~ *dead* zabít úderem, nárazem (*a stray bullet struck the man dead* zbloudilá kulka muže zabila); ~ *me dead!* ať se propadnu, ať mě na místě raní mrtvice!; ~ *a p. deaf* náhle způsobit, že kdo ohluchne; ~ *a deal* udělat dohodu, dohodnout se; ~ *a docket* BR práv. hist. položit se, ohlásit úpadek; ~ *me dumb* = ~ *me dead;* ~ *a p.'s eye* upoutat zrak koho, padnout do oka komu; ~ *a p.'s fancy* zalíbit se komu, udělat dojem na; ~ *fear into a p.* nahnat strach komu; ~ *fire* též přen. mít úspěch, dosáhnout cíle; ~ *one's fist on the table* udeřit / bouchnout pěstí do stolu; ~ *one's flag 1.* spustit vlajku *2.* odevzdat velení na lodi i ve svazu *3.* loď, pevnost vzdát se; ~ *ground* námoř. dotknout se dna olovnicí; ~ *hands* plácnout si; ~ *a p. to the heart* zpráva hluboce se dotknout koho (*the news of the loss struck him to the heart*); ~ *home 1.* strefit se do černého *2.* tnout do živého *3.* úder přesně sedět *4.* přen. mít / vykonávat vliv, učinit dojem *upon* na; ~ *for home* hovor. jít domů; ~ *hope* vzbudit naději; *his hour has struck* přen. udeřila jeho hodina; *how does it* ~ *you?* jakým dojmem to na tebe působí, jak ti to připadá, co tomu říkáš, co si o tom myslíš, jaký je na to tvůj názor?; *an idea struck him* napadlo ho, dostal nápad; ~ *upon an idea* dostat nápad; *S*~ *while the iron is hot* Kout železo, dokud je žhavé; ~ *a lead 1.* horn. narazit na žílu *2.* = ~ *it rich 2.;* ~ *a p. in a new light* postavit do nového světla; ~ *a light* udělat světlo škrtnutím zápalkou; ~ *a mast* sejmout, vyjmout, složit, položit stěžeň a zbavit jej takeláže; ~ *a note of* vzbudit dojem čeho (*the prime minister struck a note of warning against over optimism*); ~ *oil 1.* objevit naftu, přijít na naftu při vrtu *2.* přen. objevit zlatý důl; ~ *a pedestrian* auto srazit, porazit chodce; ~ *me pink* = ~ *me dead;* ~ *it rich* zejm. AM *1.* narazit na bohatou žílu *2.* přen. objevit zlatý důl, namastit si kapsu; ~ *root* rostlina vyhnat, za|pustit kořeny, ujmout se, chytit se; ~ *at the root of evil* zničit zlo od kořene, zabít žábu na prameni; ~ *sail* námoř. stáhnout plachty; ~ *on a p.'s sense of the ludicrous* zapůsobit na čí smysl pro humor; ~ *soundings* námoř. měřit hloubku při plavbě z větší hloubky na menší; ~ *the spurs in a horse* dát koni ostruhy; ~ *terror into a p.* nahnat hrůzu komu, budit, vzbuzovat hrůzu v (*Attila struck terror into the people of eastern Europe*); ~ *the track of a p.* přijít na stopu komu, vypátrat, vyslídit koho; ~ *twelve 1.* dát to nejlepší *2.* mít výrazný úspěch; *his voice struck a chill into the girl's heart* když promluvil, zamrazilo dívku u srdce; ~ *work* zastavit práci, vstoupit do stávky ***strike across*** elektr.: výboj přeskočit ***strike aside*** odrazit stranou ***strike back*** oplatit úder, vést odvetný úder, postavit se na odpor ***strike below*** spustit do nákladního prostoru lodi, uložit v podpalubí kladkostrojem ***strike down 1*** cesta stočit se, vést dolů **2** uložit v podpalubí náklad kladkostrojem ***3*** pře|škrtnout, vyškrtnout ***4*** srazit; sklátit (*apoplexy struck him down* sklátila ho mrtvice) ***5*** slunce šžíhat, spalovat např. trávu ***strike in 1*** vmísit se, skočit do řeči, přerušit řeč *with* poznámkou (*John struck in with a suggestion that we should ...* John ho přerušil poznámkou, že bychom měli ...) **2** řídit se *with* podle, přizpůsobit se čemu ***3*** choroba obrátit se, začít hlodat dovnitř, zachvátit vnitřní orgány, vrazit se dovnitř (*lived only a few days after the disease struck in*) ***4*** tisknout, vyrážet ***5*** děrovat, perforovat s vynecháním okrajů ***6*** zatnout kosu, začít sekat kosou ***strike off 1*** useknout, utnout, srazit např. hlavu **2** vydat se na cestu, pustit se, dát se (*struck off through the jungle*) ***3*** vyškrtnout ze seznamu členů, vyloučit z organizace (*the doctor was struck off for advertising*) ***4*** srazit, slevit, zlevnit o (~ *off 5 per cent.*) ***5*** polygr. obtáhnout, udělat obtah čeho; vytisknout (~ *off 1000 copies of a book*) ***6*** snadno napsat, složit, vysypat z rukávu (*struck off a sonnet for the occasion*), hodit na papír n. na plátno obraz; rychle naklepat (*she struck off several letters and had no more work to do*) ***7*** zarovnat, srovnat obilí apod. ***8*** označit vyoranou brázdou pole ***strike out 1*** dát se, pustit se, vydat se, vyrazit (*the boys struck out across the fields*) **2** dělat energická tempa při plavání, (začít) energicky plavat (~ *out for the shore*), rozmáchnout se, rozhánět se, švihat rukama i nohama např. při bruslení ***3*** bít, mlátit kolem sebe, zaútočit, vyrazit (*he lost his temper and struck out wildly* přestal se ovládat a divoce zaútočil); vést direkt, vést úder, vyrazit *at* proti ***4*** snadno vytvořit, udělat, vymyslet (*struck out the fundamental method now used by all aesthetic historians* vymyslel základní metodický postup, jehož nyní používají všichni historikové estetiky), zavést (~ *out a new fashion*) ***5*** vyškrtnout (~ *out a word*) ***6*** nemít úspěch, být bezúspěšný, vybouchnout (hovor.) (*his next two business ventures struck out* jeho dva další obchodní pokusy zkrachovaly) ***7*** hut. shrnout formu pravítkem ◆ ~ *out for o. s.* pustit se pořádně do práce, obout se do toho (*had struck out for himself and refused to live the same easy life that he could have lived* pustil se pořádně do práce a odmítl ten snadný způsob života, který mohl vést); ~ *out a line for o. s.* být originální, najít si něco nového / neobvyklého, přijít s novým nápadem, jít svou vlastní cestou; ~ *out into a new course of life* dát svému životu nový směr / novou náplň, změnit svůj život od základu; ~ *out on one's own* postavit se na vlastní nohy, začít jednat samostatně; ~ *out right and left* bít kolem sebe hlava nehlava; ~ *out untrodden paths* jít nevyšlapanou cestou ***strike through*** ***1*** proškrtnout, přeškrtnout (~ *a word through*) ***2*** polygr.: tisk prorážet ***strike together*** sprásknout (~ *the hands together*) ***strike up 1*** vyrazit směrem nahoru např. meč **2** začít hrát n. zpívat, spustit (*the band struck up* (*a tune*)) *3* hut. shrnout formu pravítkem ◆ ~ *up an acquaintance with a p.* seznámit se náhodně; ~ *up a conversation* začít | si, zapříst roz|hovor, dát se do řeči (~ *up a conversation with the neighbours*); ~ *up a friendship* uzavřít přátelství, spřátelit se ● *s* **1** stávka (*a ~ of bus drivers*) **2** udeření, úder, uhození, úhoz **3** kousnutí, uštknutí (~ *of a rattlesnake* uštknutí chřestýšem) **4** bití, odbíjení (*the ~ of the clock*) **5** bicí kladivo, bicí ústrojí, bicí stroj hodin **6** letecký úder, útok, nálet na jednotlivý cíl; letka provádějící úder **7** zaseknutí ryby; zabrání ryby **8** všech (devět n. deset) kuželek: sražení prvním hodem; body za tento hod **9** ražba; otisk razítka, razítko **10** jedna ražba, emise mincí **11** várka cukru, syrupu **12** množství barvy pohlcené tkaninou na začátku barvení, počáteční natahování barviva **13** tenký elektrolytický základní povlak; elektrolyt na tenký základní povlak **14** jednotlivý motiv vzoru obtisku na porcelán **15** zejm. AM nalezení, objevení např. nafty při vrtu **16** AM hovor. klika, štísko, terno **17** ujmutí, vytvoření a zapuštění kořenů, zakořenění *of* / *on* čeho **18** zarovnávací pravítko **19** baseball úder pálkaře do míče, „správný" nadhoz, správně nadhozený míč nezasažený pálkařem; trestný bod **20** = *strike bill* **21** AM pokus o vydírání, vyděračství **22** AM nevýhoda, handicap (*his racial background was a second ~ against him* druhá nevýhoda byla jeho rasová příslušnost) **23** geol. směr ukloněné vrstvy **24** div. z|bourání, přestavba jevištní výpravy **25** piv. kritická teplota mladiny; dávka sladu; síla, jakost, kvalita várky piva, (*three hogsheads of ale of the first ~*), stupeň piva **26** polygr. matrice **27** zvěr.: druh kožní choroby ovcí **28** zast. chumáč koudele ◆ *be on ~* stávkovat, být ve stávce; *call off a ~* skončit stávku; *come out on ~* jít / vstoupit do stávky, začít stávkovat; *general ~* generální stávka; *go out on ~ = come out on ~ ; have two ~s against a p.* mít to předem spočítané, nemít žádnou velkou naději; *hunger ~* hladovka; *make a ~* AM hovor. objevit zlatý důl; *make a ~ for a p.* had (chtít) kousnout, uštknout koho; *sympathetic ~* solidární stávka; *take ~* pálkař chystat se zahrát míč ● *adj* **1** stávkový **2** útočný, úderný

strike-a-light [ˌstraikəˈlait] křesadlo

strike benefit [ˈstraikˌbenifit] = *strike pay*

strike bill [ˌstraikˈbil] AM návrh zákona předložený proto, aby mohl být za úplatek odvolán

strikebound [straikbaund] ochromený stávkou

strikebreaker [ˈstraikˌbreikə] stávkokaz

strikebreaking [ˈstraikˌbreikiŋ] stávkokazectví

strike-curb [straikkə:b] protistávkový (~ *laws*)

strike fault [ˌstraikˈfo:lt] geol. zlom rovnoběžný se směrem vrstev

strike folds [ˌstraikˈfəuldz] geol. vrásy s osou rovnoběžnou se směrem vrstev

strike hammer [ˌstraikˈhæmə] perlík

strike measure [ˌstraikˈmežə] zarovnaná míra obilí apod.

strike note [ˌstraikˈnəut] BR = *strike tone*

strike pay [straikpei] podpora vyplácená odborovou organizací stávkujícím ze stávkového fondu

striker [straikə] **1** stávkující **2** kdo n. co bije, uhodí apod. **3** přitloukač kovář **4** bicí hodiny, bicí kladivo, bicí ústrojí, bicí stroj hodin **5** bicí palička gongu **6** voj. úderník palné zbraně, zápalník **7** rybář, harpunář; harpuna; **8** závozník **9** ordonance **10** zarovnávací pravítko **11** text. prohozní vačka **12** též *~ plate* zapadací plech zámku **13** pálkař v kriketu **14** kulečník hráč na řadě **15** vysunutý útočník, zakončovatel v kopané **16** hráč útočící, hráč, který nemá podání v tenisu ◆ ~ *pin* voj. zápalník úderníku

strike through [ˌstraikˈθru:] polygr. protisk

strike tone [ˌstraikˈtəun] AM výška tónu jednou udeřeného zvonu

striking [straikiŋ] **1** nápadný, neobyčejný, zvláštní; frapantní **2** jasný, význačný; překvapivý, překvapující **3** nápadně půvabný, krásný, okouzlující **4** v. *strike, v*

striking circle [ˈstraikiŋˌsə:kl] sport. střelecký kruh v pozemním hokeji

striking distance [ˈstraikiŋˌdistəns] **1** dosah úderu (*within ~*) **2** elektr. přeskoková vzdálenost, doskok

striking force [straikiŋfo:s] voj. **1** úderný oddíl, úderný svaz **2** úderná síla

strikingness [straikiŋnis] **1** nápadnost, neobyčejnost, zvláštnost, frapantnost **2** jasnost, význačnost; překvapivost **3** nápadný půvab, nápadná krása

striking off [ˌstraikiŋˈof] polygr. obtah

Strine [strain] slang. *s* australská angličtina ● *adj* australský

string [striŋ] *s* **1** provaz, provázek, motouz, špagát (hovor.) (~ *and brown paper for a parcel*); tkaloun, tkanice, tkanička; stuha, stužka na vázání (~*s of a bonnet* stuhy dámského čepce); šňůrka, řemínek na převázání **2** šňůra, vodítko **3** provaz šibenice **4** nit, nitka závěsné loutky **5** řada zavěšeného *of* čeho, provaz, šňůra plné čeho, s pověšeným čím (*a ~ of fish*) **6** šňůra (*a ~ of pearls*) **7** pletenec (*a ~ of onions* … cibule) **8** dlouhá řada, kolona (*a ~ of buses*); proud, záplava, příval (*a ~ of curses* proud nadávek); série, řetěz (*a ~ of lies* jedna lež za druhou); šňůra, procesí (přen.) (*a long ~ of tourists*); konvoj (*a ~ of barges* ... vlečných člunů); sada (*a ~ of tools*) **9** sport.: předepsaná série, počet (*a ~ of 10 to 20 shots*) **10** voj. svazek leteckých pum **11** AM články slepené do dlouhého pásu novináře za řádkový honorář **12** obtah sazby v pásu, sloupec sazby **13** struna, tětiva luku **14** hud. struna; *~s, pl* strunový potah *of* čeho (*~s of a violin* houslový potah) **15** *~s, pl* hud. smyčcové nástroje, skupina smyčcových nástrojů v orchestru, smyčce nástroje i hudebníci **16** *~s, pl* strunový výplet (*~ of a tennis racquet*) **17** bot. šev spojující dvě chlopně lusku; žilka, žebro listu **18** zast. šlacha (*~s in meat*) **19** sport. pětka (*the first ~ of the basketball team*) **20** všechny dostihové koně trénované v jedné dostihové stáji a běžící v jednom dostihu **21** skupina koní jezdce, kterou má přidělenou k ježdění n. ošetřování ve stáji, přidělený počet koní, tým (*each rider had his ~ of two to six horses* každý jezdec měl přiděleno dva až šest koní) **22** určitá podmínka, háček **23** AM bič, karabáč **24** AM slang. houpání, natahování lži **25** kulečník počitadlo **26** kulečník strk určující kdo bude hrát první **27** kulečník šňůra omezující hrací plochu **28** elektr. izolátorový řetězec **29** horn. soutyčí; kolona pažnic **30** geol. žilka, odžilek, odmrsk; vrtná korunka **31** stav. pás, kordon **32** stav. schodnice ◆ *be a second ~* přen. *1.* patřit k druhé garnituře *2.* hrát druhé housle, sekundovat; *~ of beads 1.* korále ozdoba *2.* náb. růženec; *~ of burst* dávka např. z kulometu; *by the ~ rather than by the bow* přímo, rovnou, bez oklik; *catgut ~* hud. střevová struna; *first ~* ten první, první případ / věc / pokus vhodný, úspěšný ze dvou možných; *harp on one / on the same ~* stále vést stejnou, stále mlít svou, opakovat jedno a totéž, vracet se stále k jednomu; *hold all the ~s* mít všechno v ruce, všechno ovládat, vším manipulovat; *have in / by a ~* nenechat těkat, udržet na uzdě, ovládat myšlenky; *have a p. on a ~* mít v moci, ovládat koho, manipulovat s, vodit na provázku, na šňůrce koho; *have a p. on the ~* nechat koho v nejistotě, vodit / tahat za nos; *have two ~s to one's bow* mít dvě želízka v ohni, mít v ohni ještě jedno želízko, mít schovanou ještě jednu kartu; *keep a p. on the ~* mít absolutně ve své moci koho; *lead in / by a ~ = have in a ~; no ~s attached* hovor.: půjčka n. (hospodářská) pomoc bez jakýchkoli podmínek; *pull a few ~s for a p.* pomoci, zaonačit to komu svým vlivem; *pull the ~s 1.* manipulovat s lidmi, stát v pozadí a řídit, být šedou eminencí *2.* zařídit si to tajně; *second ~* až ten druhý, druhý pokus, druhá věc, druhé želízko v ohni vhodný, úspěšný ze dvou možných; *touch a ~* přen. dotknout se jaké struny, udeřit na jakou strunu; *touch the ~s* udeřit ve struny, za|hrát; *without ~s = no ~s attached* ● *v* (*strung, strung* / řidč. *stringed*) **1** svázat provazem apod. (*~ a pony* ... poníka), ovázat **2** AM za|šněrovat (*~ one's shoes*) **3** napnout tětivu, napnout, natáhnout luk **4** hud. napnout strunu / struny na, dát strunový potah na **5** naladit, vyladit hudební nástroj **6** vyplést tenisovou raketu **7** též *~ up* napnout, natáhnout na provaz apod. (*~ up lamps across the street*), rozvěsit na provaze apod. (*~ up lanterns among the trees* rozvěsit lampióny mezi stromy) **8** navléknout na šňůru **9** navěsit *a t.* na *with* co (*strung the rope with the birds taken in our day's bag* navěsil na šňůry ptáky, které jsme ten den ulovili) **10** ověsit, ozdobit, vyzdobit *with* zavěšeným n. přehozeným (*a room strung with festoons* místnost vyzdobená girlandami) **11** přen. seřadit, spojit **12** též *~ up* napnout, vzrušit nervově, vynervovat, povzbudit **13** táhnout se, postupovat v řadě **14** stahovat vlákna z lusků, odvlákňovat (*~ beans*) **15** stát se lepkavým; lepkavé tvořit nit, táhnout se **16** kulečník hrát o první strk **17** hovor. být oběšen, viset **18** AM hovor. utahovat si z *with* čím, nabulíkovat komu co, věšet komu na nos bulíky čím ***string along*** *1* jít, táhnout *with* s, souhlasit s, přidat se k, táhnout za jeden provaz s, tancovat podle toho, jak kdo píská *2* hovor. napálit, o|klamat koho, tropit si šašky z, vodit za nos koho, nechávat na omylu koho ***string out*** *1* roztáhnout | se za sebou, rozdělit | se jeden za druhým (*horses strung out towards the end of a long race* koně běžící jednotlivě ke konci dlouhého dostihu) *2* táhnout se (*the parade strung out for miles*); natáhnout se, protáhnout se (*the promised three days strung out to six weeks*) ***string together*** řadit se k sobě n. za sebou, tvořit řetěz (*the ideas ~ together coherently*) ***string up*** hovor. pověsit, oběsit ● *adj* **1** strunový, strunný **2** smyčcový (*~ orchestra*) **3** houslový, violoncellový (*~ stop of a pipe organ* violoncellový rejstřík varhan)

string alphabet [ˌstriŋˈælfəbit] uzlová abeceda druh slepeckého písma

string-back [ˌstriŋˈbæk] text. smyčkový (*~ gloves*)

string bag [ˌstriŋˈbæg] síťovka

string band [ˌstriŋˈbænd] smyčcový orchestr

stringbark [striŋba:k] bot.: druh blahovičníku

string bass [ˌstriŋˈbeis] kontrabas

string bean [ˌstriŋˈbi:n] zejm. AM **1** fazole, fazolový lusk **2** přen. čára, dlouhán

stringboard [striŋbo:d] **1** hud. struník **2** stav. schodnice **3** námoř. vazník trámec

string correspondent [ˈstriŋˌkoriˈspondənt] novinář za řádkový honorář

string course [striŋko:s] stav. pás, kordon, řádek vyčnívající z líce zdiva ◆ *~ wall* zeď s řádky vyloženými před líc zdiva

stringed [striŋd] **1** strunný, strunový **2** v. *string, v* ◆ *~ instruments 1.* strunné nástroje *2.* smyčcové nástroje; *~ music* hudba pro smyčcové nástroje, smyčcová hudba

stringency [strindžənsi] (*-ie-*) **1** ostrost, štiplavost **2** ostrost, přísnost, tvrdost, strohost, rigoróznost, striktnost **3** přesnost, ukázněnost, přesvědčivost **4** sešněrovanost, těsnost, tísnivost, svízelná situace **5** ekon.: finanční tíseň, svízelná situace; nedostatek peněz, deviz apod.

stringendo [strinˈdžendəu] hud. zrychlené tempo, stringendo

stringent [strindžənt] **1** ostrý, štiplavý (*the air was ~ with wood smoke*) **2** ostrý, přísný, tvrdý, strohý, rigorózní, striktní (*extremely ~ libel laws* nesmírně striktní zákony o ublížení na cti) **3** přesný, ukázněný (*~ thinking*); přesvědčivý **4** sešněrovaný, těsný, tísnivý

stringer [striŋə] **1** kdo natahuje, natahovač (*wire ~s sweated down the road*) **2** tětivář **3** výrobce strun **4** navlékač na šňůru (*pearl ~*) **5** novinář za řádkový honorář; novinář spolupracující s více redakcemi n. agenturami **6** pás, pruh (*~s of gravel*) **7** sport.: rybářská šňůra, drát s háčky **8** hud. rám klavíru **9** stav. schodnice; podélník **10** geol. tenká žilka; odžilek **11** žel.: kolejnicová podložka **12** námoř. podélná výztuha, stringer **13** let. tvarový podélník **14** karty sled v jedné barvě, postupka, sekvence

stringhalt [striŋho:lt] zvěr. křečovité podlamování zadních nohou koně

stringiness [striŋinis] **1** vláknitost **2** šlachovitost, houževnatost **3** lepkavost, sirupovitost tekutiny **4** nekonečnost, velká délka **5** nazálnost tónu

string instrument [ˌstriŋˈinstrumənt] hud. **1** strunný nástroj, též drnkací **2** smyčcový nástroj

string leaf [ˌstriŋˈli:f] bot. nitkový list

stringless [striŋlis] jsoucí bez provazu atd.

string-opening [ˈstriŋˌəupniŋ]: *~ top* víčko zařízené na otvírání odtržitelným páskem

string pea [ˌstriŋˈpi:] cukrový hrášek

stringpiece [striŋpi:s] stav. **1** podélník, schodnice **2** podlahový polštář

string plate [ˌstriŋˈpleit] hud. rám klavíru

string proof [ˌstriŋˈpru:f] zkouška na nit cukrového sirupu

string-pulling [ˈstriŋˌpuliŋ] hovor. protekce, protekcionářství

string quartet, string quartette [ˌstriŋkwo:ˈtet] **1** smyčcový kvartet skladba **2** smyčcové kvarteto komorní soubor

string tie [ˌstriŋˈtai] dlouhá úzká kravata, tkanička (hovor.)

stringy [striŋi] (*-ie-*) **1** vláknitý (*~ roots*) **2** maso tvořící vlákna, šlachovitý, houževnatý, vláknitý **3** šlachovitý (*~ old cowboys*) **4** připomínající provázky n. nitě (*~ hair*) **5** tekutina lepkavý, syrupovitý, táhnoucí se **6** velmi dlouhý, nekonečný (*a ~ sentence*) **7** tón slabý a nazální

stringy-bark [striŋiba:k] *s* bot.: název různých druhů blahovičníku; kůra blahovičníku ● *adj* AU jsoucí z buše

strip[1] [strip] *v* (*-pp-*) **1** stáhnout, svléknout, sloupnout (*~ wallpaper from a wall*), sundat (*~ pictures from a wall*); odřít, sedřít, setřít, se|škrabat **2** sebrat, vzít *a p.* | *a t.* komu | čemu *of* co, obrat o, vykrást co z (*they ~ped the house of all its furnishings* vykradli z domu všechno zařízení), ukrást, vybrat, vyloupit, vybrakovat *a p.* komu *of* co, obrat, koho o (*~ a p. of his possessions* obrat koho o majetek), odstranit, odnést, vystěhovat *a t.* z *of* co (*~ a house of its contents* vystěhovat všechno, co je v domě) **3** odejmout, vzít *a p.* komu *of* co, zbavit koho čeho (*~ a man of his titles*) **4** degradovat (*~ an N.C.O.*) **5** svléknout se, obnažit se, svléknout *a p.* komu *of* co (*~ped him of his robe* svlékli mu roucho) **6** dělat / předvádět striptýz **7** zbavit odmontovatelných součástí, demontovat; rozebrat, rozložit, rozmontovat (*could ~ and reassemble a machine gun in the dark* uměl rozebrat a složit strojní pušku potmě) **8** zbavit nepodstatných věcí, obrat, zjednodušit, z|redukovat (*~ped his proposition to the bare bones* zredukoval jeho návrh na pouhou kostru) **9** přen. odhalit **10** stáhnout, svléknout prsten, náramek **11** med. vymačkat moč **12** o|škubat drůbež, škubat psa **13** dobytek úplně spást, vypást kde *of* co **14** vydojit krávu, mléko **15** vytírat rybu **16** očesat, otrhat strom, otrhat listy z rostliny; oloupat, odkorňovat, loupat kůru z **17** otrhat listy tabáku, odstraňovat žilky a žebra z tabákových listů **18** strhnout závit např. šroubu **19** šroub uvolnit se, vyviklat se **20** strhnout závit střely a tím ji zbavit rotace **21** střela nemít rotaci, opustit hlaveň bez rotace **22** setřít, se|škrábat starý nátěr **23** elektr. odstraňovat / stáhnout izolaci; odizolovat vodič **24** horn. odklízet skrývku, skrývat (nadložní horniny) **25** hut. stahovat kokilu **26** chem. zbavovat těkavých složek, od|destilovat *a t.* lehčí n. těkavé složky z *of* co, odehnat parou, odbenzolovat **27** námoř. odstrojit loď, sejmout takeláž **28** též *~ in* namontovat na film negativ n. pozitiv pro tisk hlubotiskem, vmontovat obraz, text **29** sport. úplně pustit šňůru z navijáku **30** stav. demontovat bednění, odstranit bednění z betonu, odbednit **31** tech. odstraňovat galvanický povlak **32** text. vyčesávat povlak mykadla **33** text. odbarvit tkaninu; odklizovat, vyvařovat hedvábí; odmašťovat vlnu **34** karty odstranit nepotřebné karty z balíčku karet **35** bridž odhodit překážející karty z listu v ruce ◆ *~ a bed* stáhnout, svléknout lůžkoviny z postele; *~ a car* odmontovat z auta, co se dá (*was sure the car would be either ~ped or stolen*); *~ a fruit of its rind* o|loupat ovoce; *~ a gear* strhnout převod; *~ a p. naked* svléknout do naha koho; *~ a nut* strhnout závity v matici; *~ a p. of his office* zbavit funkce koho, odejmout funkci komu; *saint ~ped of his halo* svatý zbavený svatozáře; *~ a screw* strhnout závity šroubu; *~ a p. to the skin* svléknout do naha koho; *~ a tree of its fruit* o|trhat, o|česat ovoce ze stromu; *~ped to the waist* polonahý ***strip off*** svlékat se (jako) při striptýzu ● **1** AM zničení, zdemolování, poškození **2** = *striptease*

strip[2] [strip] *s* **1** úzký pruh, pás (*a ~ of garden behind the house*), proužek, pásek (*a ~ of paper*) **2** kreslený seriál **3** též *landing ~* provizorní rozjezdová (startovací) a přistávací dráha **4** pás oceli; pásová ocel **5** lišta, lať, laťka **6** sport. závodní dráha, trasa **7** sport. planš **8** div. světelná baterie **9** jeden coul silné prkno do šířky čtyř coulů, proklad mezi řezivo **10** žlab na plavené rudy **11** filat. řada tří n. více známek **12** AM ulice, třída s obchody (*Sunset S~ in Los Angeles*) **13** hovor. dresy (*the colourful ~ of many football teams*) ◆ *~ of (coconut) matting* kokosový koberec, běhoun; *~ of rock* geol. proplástek; *tear a p. off a ~* setřít koho, vynadat komu ● *adj* pásový, páskový
strip artist [ˈstripˌa:tist] striptérka
strip cartoon [ˌstripka:ˈtu:n] BR kreslený seriál
strip chart [ˌstripˈča:t] graf na pásu papíru
strip city [ˌstripˈsiti] AM městská výstavba podél dálkových spojů
strip club [stripklab] bar, podnik se striptýzem
stripe [straip] *s* **1** barevný pruh, proužek **2** tkanina s proužkovým vzorem, proužek **3** vrstva odlišného **4** voj. prýmek, proužek jako odznak hodnosti, frčka (hovor.); lampas **5** pás, pruh, proužek (*a ~ of land*) **6** AM typ, druh, ražení (*man of quite a different ~*) **7** zast. úder, rána, švihnutí např. bičem jako trest; *~s, pl* bičování **8** *~s, pl* BR hovor. tygr ◆ *get a / one's ~* být povýšen; *lose a / one's ~* být degradován ● *v* proužkovat
striped [straipt] **1** pruhovaný, proužkovaný **2** v. *stripe, v* ◆ *~ alder* bot. *Ilex verticillata* strom z čeledi cesmínovitých; *~ hyena* hyena žíhaná
stripiness [straipinis] pruhovanost, pruhovitost, proužkovanost, proužkovatost
strip lighting [ˈstripˌlaitiŋ] **1** zářivkové osvětlení **2** pruhové osvětlení
stripling [stripliŋ] výrostek, mládenec
strip map [ˌstripˈmæp] let. mapa letu, mapa letecké trati
strip mill [ˌstripˈmil] **1** válcovna na pásovou ocel **2** válcovací stolice na pásovou ocel
stripped [stript] **1** nahý **2** holý (*~ chassis*) **3** v. *strip, v*
stripper [stripə] **1** striptérka **2** loupač, loupačka **3** rozmítací kotoučová pila **4** téměř vyčerpaný naftový vrt **5** text. čisticí přístroj; stěrací válec; obracecí válec, obraceč **6** hut. stěrač lisovadla **7** hut. stripovací jeřáb **8** tech. odstraňovač starých nátěrů **9** polygr. kopista
stripping [stripiŋ] **1** voj. rozborka zbraně **2** v. *strip*[1], *v*
strip poker [ˈstripˌpəukə] karty: poker, při němž prohrávající hráči odkládají části oděvu
strip show [stripšəu] kabaret, show se striptýzem
strip steel [ˌstripˈsti:l] voj. nábojový pás
striptease [stripti:z] striptýz
strip window [ˈstripˌwindəu] stav. stěna z oken
stripy [straipi] pruhovaný, proužkovaný (*a ~ tie*)
strive [straiv] (*strove, striven*) **1** namáhat se, pracně se snažit, snažit se ze všech sil *to do* udělat (*he ~s to keep his self-control*), usilovat *after / for* o, jít za (*~ for success*) **2** zápasit, bojovat *with / against* s, jít, stavět se proti (*~ not with your superiors in argument*) ◆ *~ with each other* = ***strive together*** zápasit, soutěžit mezi sebou
striven [strivn] v. *strive*
striver [straivə] kdo se snaží, dříč
strix [striks] *pl: striges* [straidži:z] archit. stezka mezi žlábky sloupu, žebra mezi kanelurami sloupu
strobe [strəub] hovor. **1** = *strobe light* **2** = *stroboscope*
strobe light [strəublait] přerušované bleskové světlo
strobile [strəubail] bot. šiška, šištice
stroboscope [strəubəskəup] odb. stroboskop zařízení užívané při studiu periodických jevů využívající přerušovaného osvětlení
strode [strəud] v. *stride, v*
stroke[1] [strəuk] *s* **1** úder, udeření, rána (*kill a man with one ~ of one's sword*) **2** úder např. hodin, na buben apod., též sport. **3** úhoz, též hud. n. na psací stroji (*no more than 65 ~s to the line for business letters*) **4** tep, úder srdce **5** tempo při plavání (*swim with a slow ~* plavat pomalými tempy); plavecký styl **6** ráz, záběr vesel; tempo způsob veslování (*a fast ~*); veslovací styl **7** též. *~ oar* sport. strok veslař sedící nejblíže kormidlu závodních veslařských lodí a udávající rytmus a tempo **8** pohyb, ráz rukou n. taktovkou při udávání tempa **9** čára udělaná perem, škrt, škrtnutí (*with one ~ of the pen*) **10** tah, črta tužkou **11** tah štětcem n. pilníkem; tah písma **12** šikmá zlomková čára (*the ~ dividing numerator and denominator* šikmá zlomková čára dělící čitatele a jmenovatele, *A / B = A ~ B* A lomeno B) **13** hud. trámec **14** kyv kyvadla **15** smyk smyčcem **16** kulečník strk, šťouch (hovor.) **17** zdvih pístu, doba cyklu motoru, takt motoru **18** mrtvičný záchvat, mrtvice, apoplexie (med.) **19** šachy série chytrých tahů, manévr **20** opatření, tah, manévr (*brilliant diplomatic ~*); kus, kousek práce; chytrý nápad, vtip; vhodný detail (*a description full of ~s from life*) **21** ruka, rukopis (přen.) (*his style revealed the ~ of a master* jeho styl prozrazoval ruku mistra) **22** pointa (*~ of wit* ... vtipu) **23** rozhodný pokus získat *for* co (*a bold ~ for liberty* statečný pokus získat svobodu) **24** elektr. úder, zásah blesku **25** řidč. charakteristický rys ◆ *at a / one ~* najednou, naráz, okamžitě, ihned, rázem; *~ of business* výhodný obchod; *die from a ~* zemřít na mrtvici; *~ of fate* rána osudu; *finishing ~ 1.* rána z milosti *2.* poslední dotek, poslední úprava (*add / put the finishing ~(s) to a t.* provést poslední úpravu čeho, dodělat, vylepšit, vy|pilovat co); *~ of genius 1.* geniální tah *2.* geniální nápad; *~ of lightning* úder blesku, blesk; *~ of (good) luck* náhlé štěstí, šťastná náhoda; *on the ~* přesně, na chlup v určenou dobu (*he was there on the ~*); *on the ~ of three*

etc. úderem třetí atd., přesně ve tři atd.; *paralytic* ~ / ~ *of paralysis* mrtvičné ochrnutí; *pull* ~ sport. dělat stroka, veslovat jako strok; *pull a swinging* ~ pořádně zabírat při veslování; *row* ~ = *pull* ~; *set the* ~ sport. udávat rytmus a tempo při veslování; *he has not done a* ~ *of work today 1.* dnes ještě ani nehnul prstem *2.* spisovatel dnes ještě neudělal / nenapsal ani čárku / řádku ● **1** označit ležatou čárkou, přeškrtnout (~*d the t's*) **2** hud. spojit trámcem **3** udeřit (míč), ťuknout, zasáhnout kulečníkovou kouli **4** udeřit na klávesu, stisknout klávesu psacího stroje **5** hodiny bít, odbíjet, tlouci **6** sport. udávat tempo veslařům na závodních lodích, strokovat; veslovat určitým počtem úderů; veslovat jako strok ***stroke out*** přeškrtnout, vyškrtnout (~*d out the last name on the list*)

stroke² [strəuk] *v* **1** po|hladit jedním směrem, uhladit **2** rýhovat omítku, kvádr **3** po|dojit krávu ◆ ~ *the wrong way* hladit proti srsti, dráždit ***stroke down*** u|konejšit, u|chlácholit ***stroke in*** vetřít hlazením (*massage for five minutes, stroking in the cream with firm upward movements*) ● *s* po|hlazení

stroll [strəul] *v* **1** procházet se, jít na pomalou procházku, být na procházce **2** AM jít procházkou kudy **3** toulat se, potulovat se, kočovat ● *s* **1** procházka (*a short* ~ *before supper*) **2** procházení; toulka ◆ *go for a* ~ / *take a* ~ jít na procházku

stroller [strəulə] **1** kdo je na procházce **2** zejm. SC tulák, pobuda, vagabund **3** kočovný herec, kočovný umělec **4** AM dětský sportovní kočárek zejm. skládací

strolling [strəuliŋ] **1** kočující (~ *gypsies*), kočovný (~ *actor*) **2** v. *stroll, v*

stroma [strəumə] *pl: stromata* [strəumətə] **1** biol. stroma základní pojivová složka tkáně **2** bot. podhoubí

stromatic [strəuˈmætik] biol. stromatický

strong [stroŋ] *adj* **1** silný mající sílu (*as* ~ *as a horse*); tlustý (*a* ~ *stick* silná hůl); odolný (~ *furniture*); intenzívní (*a* ~ *light*); mocný (~ *ruler*); mohutný (~ *wind*); pádný (~ *ground for believing him guilty* silné důvody pokládat ho za vinného); pevný (*have* ~ *nerves*); rozhodný (*a* ~ *will*); početný (*a* ~ *army*); dobře trávící (~ *stomach*); obsahující mnoho účinných látek (~ *liquor*, ~ *tea*, ~ *perfume*); s vysokou optickou mohutností (~ *lens* silné čočky, ~ *eyeglasses*) **2** zdravý, silný, jsoucí v pořádku (*are you quite* ~ *again?*), dost silný *to do* aby udělal, na udělání **3** dobrý, výborný, platný, úspěšný (*he's no good at bat, but he's a* ~ *fielder* jako pálkař není dobrý, ale polař je výborný) **4** odolný *under* proti (~ *under temptation* odolný proti pokušení) **5** výrazný, nápadný, charakteristický (~ *nose*, ~ *face*) **6** jsoucí v nějakém počtu n. množství (*army ten thousand* ~ vojsko silné deset tisíc mužů, *each choir was over 150* ~ v každém sboru bylo přes sto padesát členů) **7** pevný, odolný, téměř nedobytný (~ *fortress* nedobytná pevnost) **8** vyzbrojený, opevněný, odolný proti útoku (*a* ~ *flank*) **9** pevný, solidní, štrapační (~ *shoes*) **10** hutný, jadrný (~ *style*) **11** barva sytý **12** půda úrodný **13** obilí, mouka s vysokým obsahem lepku **14** zakořeněný, hluboký (~ *beliefs*) **15** s velkými vyhlídkami na úspěch, přední, vážný (~ *candidate*) **16** energický, tvrdý, drastický (~ *measures* drastická opatření); autoritativní (*a* ~ *judge*); důrazný, ostrý (*write in* ~ *terms*) **17** jasný, jasně definovaný, nekompromisní, vyhraněný (~ *views on raising children* vyhraněné názory na výchovu dětí) **18** ostrý, páchnoucí (~ *cheese*) **19** štiplavý, pálivý (~ *onion*) **20** těžký (*the fruitcake was too* ~) **21** náruživý, přesvědčený, horlivý, zuřivý, skalní (*the whole family are* ~ *Republicans*) **22** jaz. přízvučný, akcentovaný, mající přízvuk (~ *syllable*); mužský (~ *ending of a line of verse*); zdůrazněný, důrazný, nezkrácený (*Modern English 'off' descends historically from the old* ~ *form of 'of'*) **23** fot.: negativ hustý, hustě krytý **24** horn. mocný, vydatný (~ *vein of coal* ... uhelná žíla) **25** obch. zpevňující (*prices are* ~) **26** obch. kapitálově silný (~ *bank*) **27** AU vlna hrubý; ovce s hrubou srstí **28** IR bohatý **29** zast. hanebný, ostudný **30** zast.: boj lítý, rozhořčený ◆ *prince* ~ *in the affections of the people* vladař velice oblíbený u svého národa; *by* / *with a* ~ *arm* pevnou, silnou rukou, tvrdě, násilně; *use* ~ *arm* užít fyzického násilí; *be* ~ *against a t.* být silně, rozhodně proti, nechtít mít nic společného s; *be* ~ *for it* AM být silně pro; *be* ~ *on a t.* být silný v (*if you are* ~ *on logic*); *bear a* ~ *resemblance to a p.* být velice podoben komu; ~ *beat* hud. těžká doba; ~ *breath* zápach z úst; ~ *breeze* meteor. silný vítr; ~ *butter* žluklé máslo; ~ *cast of actors* silné herecké obsazení; ~ *constitution* robustnost, pevné zdraví; ~ *conviction* neochvějné přesvědčení; ~ *custom* starý, pevně zakořeněný zvyk; ~ *drink* tvrdý, ostrý nápoj silně alkoholický; ~ *eyes* dobré oči, ostrý zrak; ~ *gale* meteor. vichr, vichřice, silný bouřlivý vítr; *get* / *grow* ~*(er)* sílit, stávat se silnějším; ~ *head* schopnost dobře snášet alkohol; ~ *health* dobré, pevné zdraví, zdravá robustnost; *have a* ~ *hold upon* / *over a p. 1.* mít velkou moc nad, pevně ovládat koho *2.* mít velký vliv na; *how many* ~ *are you?* jak jste silní, kolik vás je, kolik máte lidí?; ~ *ink* polygr. hutná, vydatná, dlouhá barva; ~ *language* hrubé výrazy, klení, nadávky; ~ *man 1.* silák, svalnatec, svalovec, svalnatý zápasník *2.* tvrdý, autoritativní úředník *3.* iniciativní člověk, opora, tahoun; ~ *market* obch. čilý trh; ~ *meat* těžké sousto (přen.); ~ *memory* dobrá, spolehlivá paměť; ~ *mind 1.* zdravý, čilý duch *2.* chytrá hlava, hlavička; ~ *point* silná stránka, přednost, v čem je kdo silný; ~ *sense of duty* silně vyvinutý smysl pro povinnost; ~*er sex* silnější pohlaví, muži; ~ *shadow* tmavý stín; ~ *situation* efektní scéna / situace např. v dramatu;

have a ~ smell silně páchnout, zapáchat; *~ suit 1.* karty dlouhá barva *2.* přen. silná stránka; *~ stock* obch. pevné, „těžké“ akcie / cenné papíry; *~ verb* jaz. silné sloveso, nepravidelné sloveso; *~ waters = ~ drink* • *adv* **1** silně, mohutně (*wind blowing ~ from the west*), energicky **2** důrazně **3** ve velkém počtu ◆ *come it ~* slang. = *go it ~; come out ~* důrazně se ozvat; *be going ~* být stále ještě zdravý a čilý n. čiperný (*still going ~ after 40 years of hard work*); *go it ~* slang. jít přes mrtvoly jednat bezohledně

strong-arm [stroŋa:m] hovor. *adj* silácký, brutální, násilnický, používající fyzické síly (... *tactics, ~ methods of strike breaking* násilné metody likvidace stávky) ◆ *~ man* strážce, gorila; *~ work* rvačka • *v* **1** AM zbít, zmlátit **2** AM vyhrožovat násilím, zastrašovat **3** přepadnout a okrást

strongback [stroŋbæk] tech. svlak bednění

strong-bodied [ˈstroŋˌbodid] víno tělnatý

strongbox [stroŋboks] pancéřová skříňka, nedobytná pokladna, trezor, sejf

strong-headed [ˈstronˌhedid] **1** tvrdohlavý, tvrdošíjný, umíněný **2** BR velice chytrý, inteligentní

stronghold [stroŋhəuld] **1** tvrz, pevnost, opevněné místo **2** přen. bašta, opora (*Liverpool was a ~ of protestantism*)

strongish [stroŋiš] téměř n. poměrně silný atd.

strongly [stroŋli] v. *strong, adj* ◆ *I feel ~ about a t. 1.* velice mi záleží na, velice se mě dotýká co, kladu velký důraz n. velkou váhu na *2.* důrazně trvám na

strongly-cast [stroŋlika:st] div.: jsoucí se silným obsazením, výborně obsazený (*~ Shakespeare production*)

strongly-worded [ˈstroŋliˌwə:did] nóta, dopis ostrý, ostře formulovaný

strong-minded [ˈstroŋˌmaindid] **1** mající pevnou vůli, energický, cílevědomý, duševně silný **2** žena hlásající rovnoprávnost s muži, emancipovaný; neženský, chlapský

strongpoint [stroŋpoint] **1** voj. opěrný bod **2** silná stránka, přednost, v čem je kdo silný

strongroom [stroŋru:m] pancéřová komora v bance, na lodi, trezor

strong-willed [stroŋwild] cílevědomý

strongyl [strondžəl], **strongyle** [strondžil] zool. zubovka, zejm. zubovka koňská

strontia [stronšiə] chem. kysličník strontnatý

strontian [stronšiən] *adj* stronciový, strontnatý • *s = strontia*

strontium [strontiəm / AM stronšiəm] chem. stroncium ◆ *~ 90* stroncium 90 radioaktivní izotop stroncia

strop [strop] *s* **1** obtahovací řemen na břitvy **2** lanová n. kovová smyčka; věšadlo • *v* (*-pp-*) **1** obtahovat na řemenu břitvu **2** ovázat lanovou smyčku

strophanthin [strəˈfenθin] lékár., chem. strofantin

strophe [strəufi] **1** v antice strofa **2** liter. sloka, strofa

strophic [strofik] **1** antic. strofický týkající se strof **2** liter. strofický, psaný ve strofách

stropper [stropə] obtahovací strojek na žiletky

stroppy [stropi] (*-ie-*) hovor. nervózní

strove [strəuv] v. *strive*

strow [strəu] (*strowed, strown / strowed*) = *strew*

struck [strak] **1** AM stižený stávkou (*a ~ plant*) **2** v. *strike, v* ◆ *~ jury* práv.: porota sestavená vyškrtnutím kandidátů, kteří jedné n. druhé straně nevyhovují; *~ measure* zarovnaná míra, rovná míra obilí

structural [strakčərəl] **1** stavební, konstrukční, skladební, strukturní, strukturální **2** biol. organický; morfologický, strukturální **3** stav. stavební (*~ engineer, ~ timber* ... dříví) ◆ *~ engineering* inženýrské stavitelství; *~ error* konstrukční chyba; *~ formula* chem. strukturní vzorec; *~ geology* geol. strukturní geologie; *~ glass* skleněné panely n. obkládačky; *~ psychology* strukturální psychologie; *~ steel* konstrukční ocel, stavební ocel

structuralism [strakčərəlizm] strukturalismus

structuralist [strakčərəlist] *s* strukturalista • *adj = structuralistic*

structuralistic [ˌstrakčərəˈlistik] strukturalistický

structure [strakčə] **1** stavba, složení, vnitřní uspořádání, konstrukce, struktura (*the ~ of the human body*), též přen. (*the ~ of modern science*) **2** stavba, kostra stavby; konstrukce, též přen. **3** velká stavba, budova (*the city's most important public ~*) **4** biol. organismus **5** psych. struktura **6** geol. sloh, stavba, struktura ◆ *~ contours* geol. vrstevnice horninových těles; *economic ~* ekonomický systém • *v* **1** postavit, vystavit, sestavit, z|konstruovat (*the author has ~d his book as a simple chronology*) **2** mít / udělat strukturu; sestavit strukturu

structured [strakčəd] **1** členěný, odstupňovaný **2** v. *structure, v* ◆ *be ~d for* být uzpůsoben k

structureless [strakčəlis] **1** jsoucí bez určitého slohu, jsoucí bez určité struktury **2** homogenní

structurism [strakčərizəm] výtv. strukturismus umělecký směr zdůrazňující základní geometrické tvary

structurist [strakčərist] *s* strukturista zastánce strukturismu • *adj* strukturistický týkající se strukturismu

structurization [ˌstrakčəraiˈzeišən] uspořádání do struktur n. sériových vzorců

structurize [strakčəraiz] uspořádat do struktur n. sériových vzorců

strudel [stru:dl] jablečný závin, štrůdl (hovor.)

struggle [stragl] *v* **1** zápasit *against / with* s, proti *for* o, bojovat, vést zápas n. boj (*he ~d to save his life* bojoval o záchranu jeho života) **2** vzpírat se, vzpouzet se **3** razit si cestu, probíjet se, prodírat se *through* čím, jít proti čemu (*~ through the snow*) **4** pokoušet se, snažit se, namáhat se *to do* udělat (*she ~s to control her feelings*) **5** též *~ along* zápasit o živobytí, žít z ruky do úst, živořit; obchod jít jen tak tak ◆ *~ for air* lapat po vzduchu; ~ *with death* zápasit se smrtí; ~ *to one's feet* namáhavě se postavit na nohy; ~ *for peace* bojovat za mír, vést boj za mír ● *s* **1** zápas, boj *for* o (~ *for freedom of thought*) *with* s (~ *with disease*) **2** krátký zápas, potyčka, šarvátka (*in the course of the* ~ *he was made prisoner* během potyčky byl zajat) **3** svár, spor (*the* ~ *between the natural sciences and religion*) ◆ *carry on a* ~ vést boj / zápas, bojovat, zápasit; *class* ~ třídní boj; ~ *for existence 1.* biol. boj o život *2.* existenční zápas; *mental* ~ duševní boj / zápas

struggler [straglə] kdo bojuje n. zápasí

struldbrug [straldbrag] nesmrtelný nemajetný, živořící stařec odkázaný na almužny v *Gulliverových cestách* Jonathana Swifta

strum[1] [stram] **1** cedník na cezení sladu **2** sací koš čepadla

strum[2] [stram] *v* (*-mm-*) brnkat zejm. neuměle *at* na (~ *the guitar* ... na kytaru); klimprovat (hovor.) na piano; vybrnkat, zabrnkat např. na kytaru, vyťukat na piano (~ *a tune* ... melodii) ● *s* **1** brnkání **2** klimprování (hovor.)

struma [stru:mə] *pl: strumae* [stru:mi:] **1** med. zduření štítné žlázy, vole, struma **2** bot. nádor, zduřenina, hrbol, boule, struma na orgánech rostlin

strumose [stru:məus] **1** bot. mající nádor, hrbol n. bouli **2** = *strumous*

strumous [stru:məs] med. trpící zduřením štítné žlázy, mající strumu

strumpet [strampit] děvka, coura, běhna, nevěstka

strung [straŋ] v. *string, v* ◆ ~ *taut* úzce zaměřený

strung out [straŋaut] AM slang. zesláblý, rozrušený zejm. požíváním drog

strung up [straŋap] přecitlivělý, vynervovaný, neurotický

strut[1] [strat] *v* (*-tt-*) **1** vykračovat si, chodit jako páv, naparovat se při chůzi **2** vynášet se, vychloubat se, honosit se, holedbat se *a t.* čím, stavět na odiv co **3** z|tuhnout, z|tvrdnout (*freshly cut unwilted tobacco plants* ~ *when exposed to rain* čerstvě sklizený, nezaschlý tabák na dešti tuhne); z|topořit | se ◆ ~ *one's stuff* slang. honit se, vytahovat se předváděním nejlepšího ***strut about*** chodit, procházet se pyšně, vyzývavě ● *s* **1** pyšná chůze, pyšný krok, naparování se **2** vychloubání, honosení, holedbání

strut[2] [strat] *s* **1** stav. vzpěra, podpěra, opěra, též přen. (*another tiny* ~ *in the British system*); krátče; rozpinka, rozpěra; stojka **2** horn. podpěra, příčka, stojka ● *v* (*-tt-*) vzpírat, podpírat (jako) vzpěrou n. podpěrou; rozpírat (jako) rozpěrou

struth [stru:θ] himbajs, heršvec, herdek

struthious [stru:θiəs] zool. pštrosovitý

strutter [stratə] kdo chodí jako páv, hrdopych, nadutec, vejtaha, náfuka

strychnia [strikniə] zast. strychnin

strychnic [striknik] chem. strychninový ◆ ~ *acid* kyselina strychnová

strychnine [strikni:n] **1** chem. strychnin prudce jedovatý alkaloid **2** bot. kulčiba jedovatá **3** přen. povzbuzující prostředek, dráždidlo (*a standard one-set farce that serves as* ~ *for Broadway* normální fraška v jedné dekoraci, sloužící jako dráždidlo pro Broadway)

strychninism [strikninizəm], **strychnism** [striknizəm] med. otrava strychninem

Stuart [stjuət] Stuart, Stuartovec člen skotského, později anglického panovnického rodu

stub [stab] *s* **1** pařez; pahýl **2** pahýl ocasu **3** zbytek, špaček tužky **4** oharek svíčky **5** oharek, nedopalek, špaček, vajgl (hovor.) cigarety, doutníku **6** palička, knoflík parohu; špička brku **7** kontrolní útržek, ústřižek, talon, juxta např. šekové knížky **8** též ~ *nail* starý podkovák, starý hřebík, krátký tlustý hřebík, hřeb bez hlavičky **9** pero s tupou špičkou **10** též ~ *file* krátký, široký pilník se šikmou rukojetí **11** sloupec názvů položek po levé straně matematické n. statistické tabulky **12** též ~ *track* žel. kusá kolej **13** polygr. křidélko pro vlepení přílohy; stržek zbytek kotoučového papíru **14** *stub tenon* ● *v* (*-bb-*) **1** též ~ *up* vytrhávat s kořeny, klučit, dobývat pařezy z, čistit **2** otupit špičku tužky, nože **3** ochromit koně neopatrnou jízdou ve špatném terénu **4** tlouci, roztloukat, drtit kámen **5** zbavovat špiček drůbež **6** též ~ *out* zamáčknout, udusit cigaretu; zašlápnout cigaretu ◆ ~ *one's foot against a stone* narazit si nohu o kámen; ~ *one's toe 1.* narazit si palec u nohy, ukopnout si palec *2.* přen. spálit se, spálit si prsty

stub axle [ˌstabˈæksl] motor. čep předního kola

stubble [stabl] *s* **1** strnisko, strniště, též přen. (*the black unshaven* ~ *of his jaw* černé neholené strniště na jeho bradě) **2** krátká srst ovce po stříhání ● *v* **1** nechat jako strniště; pokrývat jako strniště na **2** zbavovat strniště

stubble crop [ˌstablˈkrop] strniskové plodiny

stubble-feeding [ˈstablˌfi:diŋ] pasení na strništi

stubborn [stabən] **1** umíněný, vzpurný, vzdorovitý, vzdorný, svéhlavý, tvrdohlavý, tvrdošíjný, paličatý (*as* ~ *as a mule* tvrdohlavý jako mezek) **2** nepoddajný, nezlomný, neoblomný, nezkrotný, nepřekonatelný (~ *carelessness* nepřekonatelné lajdáctví) **3** rozhodný, zatvrzelý, zarytý, zarputilý, urputný (~ *resistance* urputný odpor) **4** půda těžko obdělávatelný, nepoddajný **5** choroba úporný, urputný **6** tvrdý, pevný, nepoddajný (*cut in* ~ *materials*); houževnatý, nezdolný, trvalý, perzistentní (*the* ~ *life of small religious bodies* houževnatý život malých náboženských organizací) ◆ *facts are* ~ *things* fakty se nedá hnout

stubborness [stabənis] **1** umíněnost, vzpurnost, vzdorovitost, vzdornost, svéhlavost, tvrdohlavost, tvrdošíjnost, paličatost **2** nepoddajnost, nezlomnost, neoblomnost, nezkrotnost, nepřekonatelnost **3** rozhodnost, zatvrzelost, zarytost, zarputilost, urputnost **4** špatná obdělávatelnost, nepoddajnost půdy **5** úspornost, urputnost choroby **6** tvrdost, pevnost, nepoddajnost; houževnatost, nezdolnost, trvalý charakter, perzistence

stubby [stabi] (*-ie-*) *s* **1** pahýlovitý; useknutý **2** krátký a tlustý (~ *fingers*), podsaditý (~ *little fellow*) **3** ježatý (~ *close-clipped hair* ježaté, krátce ostříhané vlasy) **4** krátký, zkrácený, upsaný, sebroušený, otupený, tupý opotřebováním ● *s* AU slang. malá láhev piva

stub end [ˌstabˈend] **1** tech. hlava ojnice **2** žel. krátká odbočka

stub hose [ˌstabˈhəuz] klučnice motyka

stub iron [stabaiən] voj. železo na hlavně původně ze starých podkovářských hřebíků

stub mortise [ˈstabˌmo:tis] řem. slepý dlab, krytý dlab

stub nail [stabˈneil] zbytek hřebíku bez hlavičky

stub tenon [ˈstabˌtenən] řem. neprůchozí čep do dlabu

stucco [stakəu] *s, pl* též *stuccoes* [stakəuz] **1** štuk; štuková malta n. omítka **2** = *stuccowork* ● *v* omítat, zdobit štukem

stuccowork [stakəuwə:k] štukatura

stuccoworker [ˈstakəuˌwə:kə] štukatér

stuck [stak] **1** hovor. v troubě, v rejži, v koncích, ve slepé uličce **2** v. *stick, v*

stuck-up [stakap] slang. nafoukaný, dělající ze sebe fajnovku

stud[1] [stad] *s* **1** ozdobný knoflík, ozdobný hřebík, hřebíček, cvoček, ozdobná malá puklice, puklička **2** spojovací knoflík dvouhlavý; knoflík, knoflíček do límce, náprsenky apod. **3** knoflík vyznačení přechodu v jízdní dráze **4** pahýl, suk **5** výčnělek **6** tech. trn, čípek, čep, svorník, krátká tyč, podpěrka **7** tech. závrtný šroub **8** tech. můstek článku řetězu **9** stav. dřevěný sloupek příčky **10** elektr. plochý čelní kontakt **11** voj. vodicí výčnělek na plášti střely **12** AM výška místnosti měřená od podlahy ke stropu (*built a house at least 15 by 15 feet with a seven-foot* ~) **13** zast. sloup **14** = *stud poker* ◆ *ear* ~*s* ozdobné knoflíky do uší ● *v* (*-dd-*) **1** o|zdobit, pobít ozdobnými knoflíky, cvočky apod. **2** přen. zdobit, prostupovat (*figures of speech thickly* ~ *his work*) **3** stav. stavět dřevěné sloupky; opatřit dřevěnými sloupky ◆ *be* ~*ded* přen. *1.* být poset (*surrounding waters are* ~*ded with small islands* okolní vody jsou posety malými ostrůvky) *2.* být poznamenám, prošpikován, prostoupen; ~*ded boots* okované boty

stud[2] [stad] *s* **1** stáj chov ušlechtilých koní; skupina těchto koní **2** chovná skupina, chov (*a* ~ *of light canaries*) **3** hřebec; chovný samec **4** slang.: mladý pásek, chuligán (*an oily* ~ *in a second-hand sports jacket*) **5** obsc. samec, kanec ◆ *at* / *in* ~ hřebec daný k chovu, sloužící jako plemenný hřebec ● *adj* chovný, plemenný

stud bolt [ˌstadˈbəult] tech. závrtný šroub

studbook [stadbuk] kniha rodokmenu koní, plemenná kniha

stud chain [ˌstadˈčein] článkový řetěz s můstky

studding [stadiŋ] **1** dřevěné sloupky příčky **2** postavení dřevěných sloupků pro příčku **3** v. *stud[1], v*

studdingsail [stadiŋseil] námoř. předvětrná plachta, přídavná plachta

studdle [stadl] horn. **1** stojka **2** rozpěra, rozpinka

student [stju:dənt / AM stu:dənt] *s* **1** student **2** kdo studuje, zkoumá, pozoruje *of* co, bádá o (*a* ~ *of human nature*), pozorovatel čeho **3** BR v některých kolejích stipendista; člen **4** AM žák ◆ *be a* ~ *of* studovat co; *close* / *hard* ~ pilný student; *hostel for* ~*s* studentská kolej; ~ *of medicine* student medicíny, medik; ~ *of theology* bohoslovec ● *adj* **1** studentský **2** studující ◆ ~ *body* studenti, studentstvo; ~ *council* studentská rada; ~ *government* studentská samospráva; ~ *interpreter* BR kandidát na diplomatické místo mající n. získávající jazykovou kvalifikaci zejm. pro službu v Orientě; ~ *lamp* stavitelná stolní lampa na čtení; ~ *power* absolutní studentská samospráva; ~ *teacher* student např. v posledním ročníku učitelského ústavu na pedagogické praxi

studentship [stju:dəntšip / AM stu:dəntšip] **1** studenti, studentstvo **2** stipendium

stud farm [ˌstadˈfa:m] hřebčín, hřebčinec

stud fee [ˌstadˈfi:] zeměd. skočné

studhorse [stadho:s] plemenný hřebec, skoček (řidč.)

studied [stadid] **1** líčený, vyumělkovaný, dělaný, strojený (~ *politeness* strojená zdvořilost) **2** úmyslný, záměrný, vědomý, schválný (~ *insult* záměrná urážka) **3** učený, vzdělaný, zběhlý, kovaný *in* v. **4** v. *study, v*

studiedness [stadidnis] **1** líčenost, vyumělkovanost, strojenost **2** úmyslnost, záměrnost, schválnost **3** učenost, vzdělanost, zběhlost, kovanost

studio [stju:diəu] **1** malířský, fotografický apod. ateliér **2** ~*s, pl* filmové ateliéry **3** rozhlasové, televizní studio **4** div. zkušebna, zkušební sál

studio apartment [ˈstju:diəu əˌpa:tmənt] AM garsoniéra

studio audience [ˌstju:diəuˈo:djəns] obecenstvo ve studiu součást rozhlasového n. televizního programu

studio couch [ˌstju:diəuˈkauč] gauč, válenda

studio manager [ˌstju:diəuˈmænidžə] ředitel filmových ateliérů

studio master [ˌstju:diəuˈma:stə] šéf ateliéru např. na výtvarné škole

studio reels [ˌstju:diəuˈri:lz] film. denní práce

studious [stju:djəs] **1** velice pečlivý, pilný, snaživý, svědomitý, horlivý, úzkostlivý **2** horlivě se snažící *to do* / *of doing* dělat (~ *to please*), zaměřený na **3** věnující se studiu n. vědě (*lead a* ~ *life*) **4** týkající se studia, vědy n. vědecké práce; učený, vědecký; vědychtivý **5** zast. úmyslný, zaměřený, cílevědomý **6** bás. vhodný ke studiu n. duševní práci (*within these* ~ *walls*) **7** zamyšlený

studiousness [stju:djəsnis] **1** píle, snaživost, zejm. při studiu **2** pečlivost, péče, svědomitost, úzkostlivost

stud lathe [ˌstadˈleið] soustruh na svorníky a šrouby

studmare [stadmeə] plemenná klisna

stud poker [ˌstadˈpəukə] stud poker druh pokeru, při němž se některé karty rozdávají lícem navrch

stud wall [ˌstadˈwo:l] hrázděná zeď, hrázděná stěna

study [stadi] (*-ie-*) *s* **1** studování, studium (*give all one's leisure time to* ~ věnovat všechen svůj volný čas studiu); učení; vědecké studium, pozorování *of* čeho, bádání *in* o **2** *studies, pl* studijní práce, studium, studování, studie **3** zasnění, zamyšlení (*to be in a deep* ~) **4** studijní odvětví, obor studia (*what are your favourite studies?*); předmět bádání, předmět studia (*the proper* ~ *of mankind is man*) **5** co zaslouží být předmětem studia (*his face was a* ~), zajímavá pozorování (*it was quite a* ~ *to watch the faces round the table*), zajímavá ukázka, přehlídka *in* čeho **6** studie výsledek bádání, monografie (*the ablest* ~ *of the iron and steel industry*), práce, rešerše, analýza, rozbor (*he made a* ~ *of the transistor market for his firm* udělal pro svou firmu rozbor prodejních možností tranzistorových přijímačů) **7** literární studie **8** výtv. studie, náčrt, skica **9** uměl. studie, etuda (*studies in pure dance*) **10** hud. etuda **11** studovna **12** pracovna (*you will find Mr Green in his* ~), pánský pokoj, kabinet **13** div. hist. alkovna na alžbětinském jevišti **14** herec, který se jak učí divadelní roli (*is not considered a fast* ~ nepokládají ho za herce, který se učí rychle) **15** zast. velká snaha, snažení, záměr (*her constant* ~ *was how to please her husband* měla neustále jednu velkou snahu: jak potěšit manžela) ◆ *be under* ~ být předmětem studia; *brown* ~ zasnění, zamyšlení (*he was in a brown* ~); *enter upon the* ~ *of* začít studovat co, dát se zapsat na studium (*enter upon the* ~ *of law* dát se zapsat na práva); *finish one's studies 1.* dostudovat *2.* zakončit / dokončit studium; *make a* ~ *of* prostudovat co; *make a* ~ *of doing* namáhat se, snažit se, vzít si za cíl dělat; *pursue one's studies* studovat | si; *take up the* ~ *of* začít studovat co; *it shall be my whole* ~ budu se snažit ze všech sil ● *v* **1** studovat jazyk, obor apod. (~ *law*) *for* co, na, jaký obor, jaké povolání *with* u, kde, *under* u **2** pro|studovat (~ *the map*) **3** probírat ve škole (*we studied the Egyptians from November to December*) **4** pozorně sledovat, pozorovat, vyšetřovat, zkoumat, probádávat (*experts* ~ *tides and ocean currents* odborníci zkoumají mořské slapy a proudy); promýšlet, pečlivě uvažovat o (~ *the next move* promýšlet příští tah) **5** snažit se *to do* dělat (*I studied to appear calm* snažil jsem se, abych vypadal chladný) **6** pečovat o, mít zájem o, mít na zřeteli co (~ *only one's own interests*); zabývat se čím, starat se o **7** div. na|učit se zpaměti, na|studovat (*he was waiting in the wings* ~ *ing his part* čekal v zákulisí a studoval svou roli) ◆ ~ *for the bar* studovat práva; ~ *for an examination* učit se ke zkouškám, připravovat se na zkoušky; ~ *a p.'s wishes* snažit se uhodnout přání koho ***study out*** vymýšlet, promýšlet, vyspekulovat ***study up 1*** z|opakovat si (~ *up one's Latin*) *2* najít, zjistit studiem *in* v, nastudovat z

study group [ˌstadiˈgru:p] studijní skupina, komise

study hall [ˌstadiˈho:l] **1** studovna, čítárna **2** čas vyhrazený studiu a domácím úkolům, povinné studium

stuff [staf] *s* **1** látka, hmota, materiál **2** surovina **3** tkanina, látka, textil **4** BR vlněná látka **5** radioaktivní látka (*plutonium was the* ~ *of the early atom bombs*) **6** zboží (*brings the* ~ *in by freight car*) **7** drogy, omamné jedy **8** označuje látku, jejíž název je nevyslovený, nedůležitý n. nejistý: to, tento, ono, věc, věci, kus, kousek (*Bach composed some splendid* ~); jídlo, pití; alkoholický nápoj, drink (*that* ~*'s too strong on an empty stomach* to je na prázdný žaludek příliš silné) **9** věc, záležitost (*this book is sorry* ~); námět, náměty, téma (*only very sexy* ~ *interested him*); v češtině zpodstatňuje přídavné jméno (*rough* ~ hrubost, *funny* ~ legrace) **10** slang. styl (*grandstand* ~ tribunový styl) **11** označuje látku špatné kvality (*do you call this* ~ *beer?* tomuhle vy říkáte pivo?), něco takového (*imagine a player getting away with that* ~ *today* umíte si představit, že by dnes herci něco takového prošlo?) **12** nářadí, nádobí, cajky, vercajk (slang.) (*the plumber went to collect his* ~ instalatér si šel pro vercajk), věci, krámy (*my* ~ *is all unpacked* všechno mám rozbalené) **13** základ, podklad (*their adventures make the* ~ *of a stirring novel* jejich dobrodružství tvoří podklad vzrušujícího románu), podstata (věci), základ, jádro (*the* ~ *of greatness*), schopnost, vlastnost charakterizující podstatu (*the* ~ *of martyrs*), materiál, surovina, těsto (přen.) **14** odpadky **15** hlouposti, nesmysly, cancy, voloviny (*there is so much vulgar, trivial* ~ *on the air* v rozhlase je tolik vulgárních, triviálních nesmyslů) **16** slang. prachy **17** papírovina **18** dobytče **19** kuch. nádivka **20** tuk na mazání usní **21** stav. malta na hrubou omítku, žitná výplň **22** námoř. lodní mazadlo; **23** zast. zásoba; zásoba munice, munice, střely **24** SC obilí **25** baseball repertoár nadhazovače; hod míče, švih, švunk (hovor.) **26** baseball faleš hozeného, odpáleného míče **27** AM slang. marihuana; heroin ◆ *all the* ~ *of* vše co patří do, k, co má být v (*contained all the* ~ *of opera and was dramatically well-pointed* obsahovalo vše, co v opeře má být, a bylo to dobře dramaticky vypointované); *be on the* ~ brát drogy; *bit of* ~ hovor. dívka; *carpenter's* ~ tesařské dříví, řezivo; *do your* ~ slang. ukaž, co dovedeš, předveď se; *doctor's* ~ hovor. pilulky, dryjáky, medicíny; *dull* ~ otrava, nuda (*the procession of presidents and wars in history is dull* ~ *in-*

deed); *garden* ~ zelenina; *he gave them the big town* ~ ukázal jim, jak se žije ve velkoměstě, zahrál na ně velkoměstského člověka; *give* ~ *to a patient* dát pacientovi narkózu; *that's the* ~ *to give 'em / the troops* slang. tohle na ně platí, takhle se na ně musí; *good* ~ *1.* něco dobrého, dobrota *2.* kvalitní věc, kvalita (*he is a man with plenty of good* ~ v tom člověku je velmi mnoho dobrého); *green* ~ zelenina; *not to have the* ~ (*it takes*) nebýt z toho pravého dřeva / těsta (přen.); *he is not the* ~ *heroes are made of* ten má do hrdiny daleko; *horned* ~ dobytek; *hot* ~ v. *hot; household* ~ zast. nábytek, zařízení; *inch* ~ stav. coulové prkno; *kid* ~ hračičky (přen.); *know one's* ~ umět, vědět co se sluší a patří, ovládat svůj obor; *madman* ~ hovor. šílenost (*I'll just tell you about this madman* ~ *that happened to me* ještě vám řeknu, jaká šílenost se mi stala); ~ *and nonsense!* nesmysl, starou bačkoru, houby s octem!; *S*~ *and Other S*~ směs nukleárních částic; *primer* ~ základ, abeceda (přen.); *printed* ~ tiskovina; *push the* ~ prodávat pokoutně drogy; *raw* ~ surovina, suroviny; *real* ~ něco pořádného; *silk* ~*s* hedvábný textil; *sob* ~ sentimentální články; *be of sterner* ~ být z tvrdšího dřeva (přen.); *that's the* ~ to je ono, to je to pravé; *thick* ~ stav. fošny silnější než 10 cm; *we must find out what* ~ *he is made of* musíme si zjistit, co je zač / jakou má povahu / co vydrží / z jakého je těsta ● *v* **1** cpát, nacpat, na|plnit, na|pěchovat, nadít *with* čím (~ *a bag with feathers* nacpat pytel peřím) *into* do (~ *feather into a bag* nacpat peří do pytle), též přen. (*a head* ~*ed with silly romantic ideas*) **2** zacpat, ucpat, utěsnit (~*ed the keyhole* zacpal klíčovou dírku) **3** cpát, ládovat jídlem *a p.* koho *with* čím, cpát do koho co (~ *child with cakes*); cpát se, přecpávat se, přejídat se (*when will that boy stop* ~*ing?*) **4** cpát, krmit, vykrmovat např. husu **5** kuch. nadívat, plnit, dávat nádivku do, plnit nádivkou co **6** polštářovat, polstrovat nábytek **7** vycpávat konzervovanou kůži (*a* ~*ed tiger*) **8** směstnat, vměstnat, stlačit, natlačit, namačkat, vmáčknout, vtěsnat (*I was* ~*ed between them*) **9** nacpat, natřisknout cestujícími (*the train was* ~*ed full*) **10** dát, vložit do obálky / obálek (~*ed and addressed the invitations*) **11** přen. zasunout, vložit (~*ed it deep down in his mind*) **12** hovor. vtloukat, natloukat, nalívat do hlavy *into* komu (*have* ~*ed too many of the facts in my intellectuals*) **13** hovor. balamutit, houpat, tahat za nos, věšet bulíky na nos komu (*don't believe him – he's* ~*ing you*), bulíkovat, nalívat, balamutit *with* čím, nakukávat co (*he's* ~*ing you with silly ideas*) **14** napouštět tukem, mazat usně, napalovat **15** obsc.: muž souložit s ◆ ~ *a ballot box* AM házet do volební urny falšované volební lístky; *be* ~*ed* též *1.* být plný *with* získaného (*those whose heads are* ~*ed with facts*) *2.* mít plný nos při rýmě; ~ *a coat* (*with padding*) dát do kabátu vycpávku; ~ *a cold and starve a fever* při nastuzení jez hodně a při horečce málo; ~*ed derma* kuch.: druh pečeného jelítka; ~*ed eggs* kuch. plněná vejce; ~ *an envelope* dávat, vkládat obsah do obálky; ~ *one's fingers into one's ears* zacpat si uši prsty; *get* ~*ed* vulg. odprejskni, neotravuj, běž se vysrat; ~ *one's hands into one's pocket* vrazit / nacpat si ruce do kapes; *don't* ~ (*up*) *your head with things you don't understand* nezatěžuj si hlavu věcmi, kterým nerozumíš; ~ *it!* vulg. strč si to do prdele!; ~ *a pipe* nacpat si dýmku; ~*ed shirt* samolibý, konzervativní náfuka, nadutec; ~*ed turkey* nadívaný krocan, krocan s nádivkou ***stuff o. s.*** cpát se, přecpat se jídlem ***stuff out*** přen. nafouknout, natáhnout, vycpat *with* čím, dát vycpávku do čeho z čeho ***stuff up*** zacpat, utěsnit (~ *up a hole*), ucpat (*my nose is* ~*ed up*)

stuff chest [ˌstafˈčest] papírenství míchací nádrž, míchací káď

stuff engine [ˌstafˈen*dž*in] papírenství: mlecí holandr

stuffer [stafə] reklamní příloha, leták přiložený k obchodnímu dopisu

stuff gown [ˌstafˈgaun] BR **1** vlněný talár mladšího právníka **2** mladší právník

stuffiness [stafinis] **1** dušnost, nevětranost **2** nudnost, fádnost **3** hovor. omezenost, staromódnost, nepřístupnost novým myšlenkám, nepružnost, topornost, kostnatost, zkostnatělost **4** hovor. prudérnost, pruderie, úzkoprsost **5** hovor. nevrlost, podrážděnost **6** plný nos při rýmě

stuffing [stafiŋ] **1** kuch. nádivka, plnění **2** ucpávka; vycpávka, též přen.; polštářování, polstrování, výplň **3** v. *stuff, v* ◆ *knock the* ~ *out of a p.* hovor. úplně zničit koho, roztrhat na cucky, ukázat, zač je toho loket komu

stuffing box [stafiŋboks] **1** tech. ucpávka **2** elektr. koncovka kabelu

stuffy [stafi] (*-ie-*) *adj* **1** dusný, špatně větraný, nevětraný **2** nudný, fádní **3** hovor. omezený, staromódní, nepřístupný novým myšlenkám, nepružný, toporný, kostnatý, zkostnatělý **4** hovor. prudérní, úzkoprsý **5** hovor. mrzutý, nevrlý, podrážděný **6** mající plný nos při rýmě ● *s* zkostnatělý člověk, starý paprika, páprda (hovor.)

stull [stal] horn. **1** krátká spojka **2** rozpěra mezi boky výstupku

stultification [ˌstaltifiˈkeišən] **1** zesměšnění, blamáž **2** z|maření, z|ničení **3** práv. prohlášení nepříčetným; důkaz o nepříčetnosti **4** důkaz o nedůvěryhodnosti

stultify [staltifai] (*-ie-*) **1** zesměšnit, učinit směšným, dělat blázna z, ukázat nesmyslnost / směšnost čeho, ukázat v divném světle, blamovat **2** z|mařit, z|ničit, tísnit, dusit (přen.); otupit, oblbit **3** práv. dokázat koho / vlastní nepříčetnost, tvrdit, že je nepříčetný kdo, prohlásit nepříčetným koho

4 učinit | se nedůvěryhodným ***stultify o. s.*** udělat si blamáž, blamovat se

stum [stam] *s* **1** nekvašený vinný mošt, hroznová šťáva **2** ovocný mošt **3** víno osvěžené přidáním čerstvého moštu ● *v (-mm-)* **1** zastavit, zabránit kvašení vína sírou, šířit víno **2** obnovit kvašení vína přidáním čerstvého moštu

stumble [stambl] *v* **1** zakopnout, klopýtnout, za|škobrtnout (*the child ~d and fell*), brknout *over* o, přes (*~ over the root of a tree*); škobrtat, nejistě jít / projít / pokračovat **2** narazit, vrazit při klopýtnutí / aby klopýtl **3** udělat chybu *over* při, spáchat poklesek, klopýtnout *over* při **4** uvíznout, ztroskotat (přen.) (*that is where all ~*) **5** zadrhávat při řeči, koktat, zakoktávat se, breptat (*he ~ed through an apology* vykoktal omluvu) **6** náhodou narazit *across / upon* na, klopýtnout, zakopnout o **7** náhodou / nechtěně spadnout, dostat se *into* do, přijít k **8** mást, zarážet (*the problem ~s him*) ◆ *It's a good horse that never ~s* Kůň má čtyři nohy a přesto klopýtne; *~ on a hurdle* sport. shodit překážku; *~ in one's speech* koktat, zakoktat se; *he ~s at a straw* jeho urazí každá maličkost ***stumble along*** jít klopýtavě, klopýtat, škobrtat ● *s* **1** zakopnutí, za|škobrtnutí, klopýtnutí, brknutí **2** klopýtnutí, poklesek **3** chyba, omyl, bota

stumblebum [stamblbam] **1** špatný n. ranami omámený boxer **2** = *stumblebums*

stumblebums [stamblbamz] venkovský hejhula, neotesanec, bambula, venkovský balík

stumbling block [stambliŋblok] přehážka, kámen úrazu

stumer [stju:mə] BR slang. **1** falešná mince n. bankovka **2** falešný n. nekrytý šek **3** úskok, klička; neúspěch, špatný kšeft (přen.)

stump [stamp] *s* **1** pahýl též údu po amputaci, zubu apod. **2** pahýl n. úlomek stěžně **3** pařez, špalek **4** stojící osekaný kmen **5** košťál (*cabbage ~s* ... kapusty) **6** žert. noha **7** oharek, nedopalek, špaček cigarety apod.; špaček tužky **8** *~s, pl* strnisko, strniště vousů, ježek, kartáček vlasů **9** výčnělek **10** kriket tyčka, špalíček branky (*send the middle ~ flying*) **11** kriket strážce branky, brankář **12** dřevěná protéza **13** těžký, temný, kulhavý krok např. člověka s protézou **14** malý cvalík, kraťas, malé pivo člověk **15** přední podpěra židle **16** výtv. těrka **17** horn. okrajový pilíř, zbytek vypreparované výplně sopouchu **18** AM hovor. vybídnutí ◆ *buy on the ~* kupovat na stojato dřevo; *draw (the) ~s* kriket přerušit hru; *go on the ~* řečnit, mít politické n. agitační projevy; *on the ~* hovor. mající politické projevy, agitující; *~s are pitched at eleven o'clock* kriket zápas začíná v jedenáct hodin; *stir one's ~s* hovor. po|hnout kostrou; *take the ~ = go on the ~; up a ~* AM slang. zmatený, zaražený ● *v* **1** kácet s ponecháním pařezů, uříznout s ponecháním pahýlů, zastřihnout (*~ing the plants*) **2** též *~ up* vytrhnout i s kořeny, vy|klučit, vy|mýtit **3** hovor. z|mást, zarazit, vyvést z konceptu (*all the candidates were ~ed by the second question*) **4** též *~ along, about* belhat se, jít těžkým krokem kde (*~ed through the puddles* belhal se kalužemi) **5** hovor. za|bušit, uhodit těžkým (*he ~ed his umbrella on the ground*) **6** BR slang. obrat, odřít o peníze **7** cestovat a řečnit, agitovat, mít projevy (*~ed the country by air, train, and automobile caravans*) **8** výtv. odstínit, změkčovat, roztírat, tónovat těrkou **9** též *~ out* kriket skončit „innings" pálkaře shozením branky **10** AM vybídnout, vyzvat k obtížnému (*he ~ed me to jump the fence* vyzval mě, abych přeskočil plot) ◆ *be ~ed for an answer* nevědět si rady s odpovědí; *be ~ed* BR slang. být úplně dutý, švorc; *~ it* slang. *1.* jít šourem *2.* vzít draka, zdejchnout se, zmizet *3.* AM mít předvolební projev; *~ one's toe* AM hovor. ukopnout si palec u nohy ***stump up*** BR slang. vypláznout, navalit (prachy) ● *adj* připomínající pahýl, pahýlovitý

stumpage [stampidž] AM **1** dříví na stojato **2** cena dříví na stojato **3** práv. právo kácet stromy v určité oblasti

stumper [stampə] **1** kdo těžce jde, kdo se belhá **2** kdo dobývá pařezy **3** hovor. těžká, zarážející otázka, těžký problém, tvrdý oříšek **4** AM hovor. předvolební řečník, agitátor **5** kriket strážce branky, brankář

stump jumper [ˌstamp'džampə] pluh na orání paseк

stump mast [ˌstamp'ma:st] námoř. krátký horní stěžeň, stěžeň bez košové čnělky

stump orator [ˌstamp'orətə] předvolební řečník, agitátor cestující po kraji

stump oratory [ˌstamp'orətəri] *(-ie-)* předvolební projev, řečnění, agitace, propaganda

stump sucker [ˌstamp'sakə] výhonek z pařezu, výmladek

stump tenon [ˌstamp'tenən] tech. **1** komolý čep **2** osazený, neprůchozí čep do dlabu

stump wood [ˌstamp'wud] dřevo z kořenového náběhu

stumpy [stampi] *(-ie-) adj.* **1** pahýlovitý **2** hovor. krátký a silný, podsaditý **3** AM plný pařezů ● *s* **1** podsaditý člověk, pořízek **2** bárka na Temži **3** BR slang. prachy

stun [stan] *v (-nn-)* **1** omráčit (*~ a rabbit with a stone* omráčit králíka kamenem) **2** omráčit, ohromit, konsternovat **3** ohlušit hlukem **4** poškrábat povrch hrubým pískem ● *s* **1** omračující rána, úder **2** ohromující, ohlušující rána **3** omráčení, ohromení

Stundism [standizəm] náb. stundismus hnutí stundistů

Stundist [standist] náb. *s* stundista příslušník ruské protestantské sekty ● *adj* stundistický týkající se stundismu

stung [staŋ] **1** AU slang. ožralý, sťatý, nadrátovaný **2** v. *sting, v*

stun gas [ˌstan'gæs] voj. umrtvovací plyn

stunk [staŋk] v. *stink, v*
stunner [stanə] **1** kdo / co ohromuje, omračuje **2** hovor. bomba, třída, klasa, eso, senzace (*the flashiest kind of girls – genuine ~s* ty nejoslnivější holky – prostě bomby)
stunning [staniŋ] **1** hovor. senzační, fantastický, splendidní (*a ~ recording*) **2** v. *stun, v*
stunsail, stuns'l [stansl] námoř. = *studdingsail*
stunt¹ [stant] *v* **1** brzdit, zarážet, za|bránit v růstu, škrtit (přen.) (*~ the growth of a nation's power*) **2** nechat zakrsnout, zakrnět ◆ *~ a child* zabránit dítěti v růstu, brzdit růst dítěte, též přen. ● *s* **1** zabránění v růstu **2** zakrslý vzrůst; zakrnělé, zakrslé zvíře, zakrslík **3** bot. zakrslá rostlina, zákrsek **4** dvouletá velryba
stunt² [stant] hovor. *s* **1** vynikající n. bravurní ukázka / výkon / dílo, husarský kousek **2** akrobatický kousek, akrobatická ukázka, akrobacie, číslo **3** prvek letecké akrobacie, letecký akrobatický kousek **4** propagační nápad, trik, fór (hovor.) **5** senzace, šlágr; zvláštní, senzační novinová zpráva, senzační novinová kampaň ◆ *~ flying* letecká akrobacie ● *v* **1** předvádět akrobatické kousky zejm. letecké, předvádět leteckou akrobacii *with* s, v (*~ an airplane*) **2** snažit se vzbudit senzaci (*~ing newspapers*)
stunted [stantid] **1** zakrslý, zakrnělý **2** v. *stunt¹, v*
stunt man [stantmæn] *pl: men* [men] dvojník, kaskadér zastupující herce v nebezpečných scénách
stupe¹ [stju:p] med. *s* teplý mokrý obklad, náčinek ● *v* přiložit teplý obklad, náčinek na
stupe² [stju:p] slang. blbec, vůl, idiot
stupefacient [ˌstju:piˈfeišənt / AM ˌstu:piˈfeišənt] med. *adj* omamující, otupující ● *s* omamný, otupující lék, narkotikum
stupefaction [ˌstju:piˈfækšən / AM ˌstu:piˈfækšən] **1** omámení, otupení; učinění netečným, zlhostejnění **2** ohloupení **3** ohromení, omráčení
stupefactive [ˌstju:piˈfæktiv / AM ˌstu:piˈfæktiv] = *stupefacient*
stupefied [stju:pifaid / AM stu:pifaid] **1** omámený, v bezvědomí **2** necitlivý, necítící, nereagující **3** v. *stupefy*
stupefy [stju:pifai / AM stu:pifai] (*-ie-*) **1** otupit, omámit; učinit netečným, zlhostejnět **2** ohloupit, oblbnout (*the whole ~ing word game*) **3** ohromit, omráčit (*was stupefied by the impact of this tragedy* byl omráčen dopadem této tragédie)
stupendous [stju(:)ˈpendəs / AM stu:ˈpendəs] ohromný, ohromující, obrovský, překvapivý, překvapující, zarážející, úžasný, nesmírný
stupendousness [stju(:)ˈpendəsnis / AM stu:ˈpendəsnis] ohromující charakter, překvapivost, úžasnost, nesmírnost
stupid [stju:pid / AM stu:pid] *adj* **1** hloupý, pitomý, idiotský (*a ~ person, a ~ joke*); tupý, zabedněný, praštěný **2** jsoucí bez citu, necitelný (*nothing is so ~ as a fact*) **3** velice nerozumný, nemoudrý, pošetilý, nesmyslný, bláhový (*a ~ refusal to be realistic* pošetilé odmítnutí dívat se na věc realisticky) **4** nepříjemný, nanicovatý, protivný, nudný, otravný, hloupý (*a ~ book, a ~ evening*) **5** omámený, otupený, zhlouplý, oblbený *with* čím (*~ with drink*) ◆ *on the ~ side* hloupoučký, připitomělý; *~ thing* nerozum, hloupost, pitomost, volovina ● *s* hlupák, pitomec
stupidity [stju(:)ˈpidəti / AM stu:ˈpidəti] (*-ie-*) **1** hloupost, pitomost, idiotství, tupost, zabedněnost, praštěnost **2** necitelnost, bezohledná tvrdost **3** naprostá nerozumnost, nemoudrost, pošetilost, nesmyslnost, bláhovost **4** nepříjemnost, nanicovatost, protivnost, nudnost, otravnost, hloupost **5** omámenost, otupenost, zhlouplost, oblbení
stupor [stju:pə / AM stu:pə] **1** ztuhnutí, strnutí, zkoprnění **2** omámení, otupění (*in drunken ~*) **3** lhostejnost, netečnost, apatie, apatičnost, letargie způsobená např. šokem **4** med. stupor úplná ztráta tělesné a duševní aktivity; chorobná nehybnost ◆ *drink o. s. into ~* zpít se do němoty
stuporous [stju:pərəs / AM stu:pərəs] **1** tupý, otupělý **2** med. chorobně nehybný, stuporózní
stupose [stju:pəuz] bot. koudelnatě vlnatý
sturdied [stə:did] zvěr. trpící vrtohlavostí
sturdily [stə:dili] v. *sturdy¹*
sturdiness [stə:dinis] **1** statnost, zdatnost **2** hřmotnost, masívnost, robustnost **3** pevnost, houževnatost **4** trvanlivost, odolnost **5** pevnost, solidnost, důkladnost
sturdy¹ [stə:di] (*-ie-*) **1** statný, zdatný (*~ children*) **2** hřmotný, masívní, robustní **3** pevný, houževnatý (*our democratic faith was ~*) **4** trvanlivý, odolný **5** pevný, solidní, důkladný (*a ~ peasant cottage*) ◆ *~ beggar* zast. zdravý člověk štítící se práce
sturdy² [stə:di] zvěr. vrtohlavost ovcí
sturgeon [stə:džən] zool. jeseter
stutter [statə] *v* **1** koktat, zadrhávat v řeči, zajíkat se **2** též *~ out* zakoktat, vykoktat ● *s* koktání
stutterer [statərə] koktal, kokta
sty¹ [stai] (*-ie-*) *s* **1** prasečí chlívek, kotec **2** chlív, svinčík (*her house was a perfect ~*) **3** doupě neřesti ● *v* **1** ustájit, umístit v chlívku, žít v chlívku **2** přen. žít v chlévě, ve svinstvu **3** brodit se v mravním bahně
sty² [stai] (*-ie-*), **stye** [stai] med. ječné zrno
Stygian [stidžiən] **1** antic. styxský, styžský týkající se Styxu **2** chmurný, temný, nepřívětivý **3** pekelný, ďábelský **4** smrtelný (*upon those roseate lips a ~ hue* na oněch růžových rtech barva smrtelná) **5** řidč. nezrušitelný, neporušitelný (*a ~ oath*)
style¹ [stail] **1** ukazatel, rafika, tyčka gnómonu, tyč slunečních hodin **2** bot. čnělka
style² [stail] = *stile*

style³ [stail] *s* **1** sloh, styl, též výtv. (*what do you know about the Norman ~s of architecture?* co víte o normanských stylech architektury?), liter. (*the ~ in this book is better than the matter* tahle kniha má lepší styl nežli obsah) **2** sport. styl, technika **3** způsob (*the Italian ~ of singing*); žánr **4** vyjadřovací schopnost, styl (*he has no ~*) **5** vnitřní, domácí směrnice, pravidla sjednocující pravopis, interpunkci aj. v redakci, v tiskárně apod. **6** tón řeči (*spoke in the ~ of a master to slaves*) **7** styl, způsob života (*did they live in European ~ when they were in Japan?* žili při svém pobytu v Japonsku evropským stylem?) **8** letopočet, kalendář **9** druh, typ (*which ~ of house do you require?*); vzor, tvar, provedení, fazóna, model **10** móda, módní směr (*the latest ~s in hats*); elegance, mondénní styl **11** titul při oslovení (*has he any right to assume the ~ of a colonel?* má vůbec právo dát si říkat „plukovníku"?), oslovení, jméno (*my ~ is plain John Smith* jmenuji se prostě John Smith) **12** označení, název firmy, jméno, firma (*were in partnership under the ~, Acme Trading Company*) **13** antic. rydlo, stylus **14** výtv. rydlo, jehla **15** bás. pero, tužka **16** jehla, hrot gramofonové přenosky **17** med. sonda **18** zool. ostrý úzký výčnělek, trn ◆ *be in the ~ of* archit. být ve stylu čeho, blížit se svým stylem čemu; *cramp a p.'s ~* brzdit výkon koho; *do things in ~* dělat věci ve velkém stylu; *drive up in ~* přijet honosně, ve velkém stylu např. v luxusním autě; *in fine ~* též pěkně, hezky, dobře (*slashed about him in fine ~* pěkně kolem sebe sekal); *gentleman of the old ~* džentlmen ze staré školy; *hotel in ~* elegantní, přepychový hotel; *~ of life* životní styl; *live in (grand) ~* žít na vysoké noze; *New S~* gregoriánský kalendář, datum podle gregoriánského kalendáře; *she has no ~ about her* nemá žádný styl, je bezvýrazná; *Old S~* juliánský kalendář, datum podle juliánského kalendáře; *out of ~* nemoderní; *put on ~* AM hovor. být nadutý, naparovat se, nafukovat se, dělat se, honit vodu; *~ setter* kdo určuje módu; *something in that ~* něco takového, něco podobného; *take a lofty ~ with a p.* mluvit vznešeně s; *that ~ of thing* též něco takového; *that's the ~!* to je ono, výborně, bravo!; *under the ~* pod jménem n. firmou; *~ of Wagner* wagnerovský styl; *woman of ~* mondénní dáma, elegantní dáma, mondéna ● *v* **1** titulovat, oslovovat jak, dávat jaký titul komu, říkat jak komu (*he is ~d "Sir"* má nárok na titul „Sir") **2** udělat podle určitého stylu; formulovat, stylizovat **3** sjednotit např. rukopis podle domácích směrnic **4** navrhnout, udělat podle poslední módy (*a nicely ~d dress*) **5** AM obch. slang. dělat reklamu čemu, uvádět reklamou na trh (*~ a certain type of shoe*) **6** o|zdobit rytím

stylebook [stailbuk] **1** domácí směrnice, pravidla příručka pro redaktory, sazeče aj., podle níž se sjednocuje pravopis, interpunkce apod. **2** módní příručka

styler [stailə] AM módní kreslíř, módní návrhář

stylet [stailit] **1** hist. stilet dýka s tenkou čepelí a několika ostřími **2** med. sonda, pátrací jehla; sondážní drát **3** zool. bodcový výběžek, trn

styliform [stailifo:m] jsoucí ve tvaru rydla, připomínající tvarem rydlo, pero apod.

styling [stailiŋ] **1** stylistické přepracování, stylistická úprava **2** motor. navrhování nových karoserií **3** v. *style, v*

stylish [stailiš] **1** stylový **2** moderní, elegantní; módní

stylishness [stailišnis] **1** stylovost **2** modernost, elegance; módnost

stylist [stailist] **1** dobrý stylista **2** sportovec s vynikajícím stylem, technikář **3** módní návrhář; architekt (neodb.) **4** kdo stanoví směrnice, pravidla pro sjednocování pravopisu, interpunkce aj. v redakci, tiskárně apod.

stylistic [staiˈlistik] *adj* stylistický; slohový ● *s ~s, sg* stylistika nauka o stylu

stylite [stailait] stylita starokřesťanský mnich východních zemí, který z askeze trávil život na sloupu

stylization [ˌstailiˈzeišən] stylizace

stylize [stailaiz] **1** udělat podle určitého stylu, přizpůsobit určitému stylu, upravit podle určitého stylu, stylizovat **2** udělat konvenčním **3** výtv. upravit, ztvárnit, přetvořit, stylizovat **4** stylizovat taneční pohyby **5** div. navrhnout výpravu v jednotném stylu a tím vyjádřit myšlenku hry, stylizovat

stylo [stailəu] hovor. propiska

stylobate [stailəubeit] archit. stylobat horní plocha podnože antických chrámů

stylograph [stailəugra:f] propisovací pero plnicí pero, které má místo hrotu dutou trubičku

stylographic [ˌstailəuˈgræfik] stylografický ◆ *~ pen = stylograph*

stylohyoid [ˌstailəuˈhaioid] anat. *musculus stylohyoideus* sval jdoucí od výběžku bodcovitého k jazylce

styloid [stailoid] anat. *adj* bodcovitý, bodcový ◆ *~ process* = ● *s* bodcovitý výběžek

stylomaxillary [ˌstailəumækˈsiləri] anat. týkající se bodcovitého výběžku spánkové kosti a čelisti

stylus [stailəs] **1** antic. rydlo, stylus **2** jehla, rydlo, psací hrot, pisátko **3** propisovací pero, propiska **4** snímací hrot; záznamový hrot při nahrávání na gramofonovou desku **5** ukazatel, rafika, tyčka gnómonu **6** bot. čnělka

stymie [staimi] *s* **1** golf: situace, při které leží vlastní | soupeřův míček mezi soupeřovým | vlastním míčkem a jamkou (ve vzdálenosti větší než 6 palců); míček v této pozici **2** přen. prekérní, téměř neřešitelná situace ● *v* **1** golf: způsobit soupeři tuto situaci, přivést soupeřův míček do této situace **2** přen. zhatit, zmařit (*~ a plan*) ***stymie o. s.*** zahrát svůj míček do takové pozice, ve které mezi ním a jamkou leží míček soupeřův

styptic [stiptik] *adj* zastavující krvácení, hemostatický ◆ *~ pencil* kamencová tyčinka na zastavení

krvácení ● *v* prostředek zastavující krvácení, hemostatikum, styptikum
styrax [staiəræks] bot. **1** styrač **2** balzám z ambroní
styrene [staiəri:n] chem. styrén surovina k výrobě polystyrénu a syntetického kaučuku
Styria [stiriə] zeměp. Štýrsko
Styrian [stiriən] *adj* štýrský ● *s* Štýřan
Styx [stiks] mytol. Styx řeka v podsvětí ◆ *black as ~* černý jako noc; *cross the ~* zemřít
Suabian [sweibjən] = *Swabian*
suability [ˌsju:əˈbiləti] zejm. AM práv. žalovatelnost
suable [sju:əbl] žalovatelný
suade [sweid] nář. = *persuade*
suasion [sweižən] domluva, naléhání, přesvědčování ◆ *moral ~* přátelská domluva
suasive [sweisiv] přesvědčující, přesvědčivý, výmluvný (*a ~ speaker, ~ eloquence* přesvědčivá výmluvnost)
suave [swa:v] **1** příjemný, milý, lahodný, něžný, sladký (*~ odour of lilies* sladká vůně lilií); vemlouvavý (*~ tone*) **2** pouze společensky uhlazený, uctivý, zdvořilý, přívětivý, přátelský **3** hladký, dokonalý, dotvořený, dokončený, dotáhnutý, začistěný (odb.)
sub[1] [sab] hovor. *s* **1** podřízený **2** poručík; podporučík **3** ponorka **4** předplatné; předplatitel **5** náhrada, náhradník, zástupce, záskok **6** (pomocný) redaktor **7** voj. samopal, automat **8** AM podzemka, metro ● *v* (*-bb-*) zastupovat *for* koho, zaskočit za
sub[2] [sab] hovor. záloha na mzdu (*ask the manager for a ~*)
sub[3] [sab] *prep.: ~ finem* ke konci; *~ judice* dosud v soudním řízení, dosud nerozsouzený, dosud projednávaný; *~ rosa* důvěrně; *~ silentio* tiše, tajně, soukromě; *~ voce* pod udaným heslem ve slovníku
subabdominal [ˌsabæbˈdominl] **1** med. podbřišní **2** zool. uložený na břiše ještě směrem dozadu k řiti (*~ fin*)
subacetate [sabˈæsiteit] chem. zásaditý octan
subacid [sabˈæsid] **1** slabě kyselý, nakyslý, též přen. (*a ~ smile*) **2** poněkud kousavý, jedovatý (*a little ~ kind of impertinence* jistá malá, lehce jedovatá drzost)
subacidity [ˌsabæˈsidəti] **1** nakyslost **2** kousavost, jedovatost
subacute [ˌsabəˈkju:t] **1** med. méně prudký, méně akutní, subakutní **2** bot., zool. přitupý, tupě špičatý
subadar [ˈsu:bəˌda:] = *subahdar*
subaerial [sabˈeəriəl] **1** bot. rostoucí téměř při povrchu země, subaerický **2** geol. ležící na povrchu země
subagency [sabˈeidžənsi] **1** zvláštní zastupitelství, podzastupitelství, podjednatelství **2** práv. podzástupčí, plná moc
subagent [sabˈeidžənt] **1** speciální zástupce, podzástupce, podjednatel **2** práv. podzástupce **3** práv. substitut v advokacii
subah [su:ba:] **1** provincie, oblast, država indického místokrále **2** = *subahdar*
subahdar [ˈsu:bəˌda:] **1** místokrál, guvernér indické provincie **2** domorodý velitel indických vojáků v britských službách
subair missile [ˌsabeəˈmisail] voj. raketa typu „voda-vzduch"
subalpine [sabˈælpain] **1** bot. subalpínský vysokohorský, klečový, jsoucí v pásmu kleče, kosodřeviny **2** týkající se úpatí Alp
subaltern [sabltən / AM səˈbo:ltən] *adj* **1** podřízený, subalterní **2** log. dílčí ● *s* **1** podřízený člověk, podřízený úředník **2** log. dílčí soud **3** BR voj. subalterní důstojník ke kapitánovi
subantarctic [ˌsabæntˈa:ktik] subantarktický týkající se přechodné oblasti od jižního pásu k Antarktidě
subapostolic [ˌsabæpəˈstolik] cirk.: jsoucí z doby poapoštolské, poapoštolský, raně křesťanský (*~ church*)
subaqua [sabˈækwə] sport. potápěčský (*a ~ club*)
subaquatic [ˌsabəˈkwætik] podvodní, subakvální
subaqueous [sabˈeikwiəs] **1** vyskytující se pod vodou, pod hladinou (*a soft ~ light*) **2** přen. tlumený, temný **3** vodní, mořský, podmořský, subakvatický; potápěčský (*a ~ helmet*)
subarch [saba:č] stav. podružný oblouk, nosný, podpěrný oblouk
subarctic [sabˈa:ktik] subarktický týkající se přechodné oblasti od severního mírného pásu k Arktidě
subarid [sabˈærid] téměř suchý, ne zcela suchý
subassembly [ˌsabəˈsembli] (*-ie-*) tech. montážní podskupina
subassociation [ˈsabəˌsəusiˈeišən] subasociace
subastral [sabˈæstrəl] podhvězdný, pozemský
subastringent [ˌsabəsˈtrindžənt] mírně stahující n. svírající
subatmospheric pressure [sabˌætməsˈferikˈprešə] tech. podtlak
subatom [sabˈætəm] chem. fyz. částice atomu, subatomová veličina, subatom
subatomic [ˌsabəˈtomik] menší než atom, subatomární ◆ *~ particle* elementární částice
subaudi [sabˈo:dai] domyslit si
subaudible [sabˈo:dəbl] **1** fyz. jsoucí pod hranicí slyšitelnosti, subakustický, infraakustický, infrazvukový **2** téměř neslyšitelný
subaudition [ˌsabo:ˈdišən] **1** pochopení, porozumění, doplnění, domyšlení nevysloveného **2** čtení mezi řádky **3** vedlejší význam
subaural [sabˈo:rəl] anat. uložený pod uchem
subauricular [ˌsabo:ˈrikjulə] anat. uložený pod vnějším uchem
subaxillary [ˌsabækˈsiləri] **1** anat. podpažní **2** bot. podúžlabní, téměř úžlabní, subaxilární
subbase [sabˈbeis] **1** archit. základ pod patkou sloupu **2** tech. základová, podložná deska **3** podlož,

podklad vozovky 4 voj. krátká základna 5 hud. = *subbass*
subbass [sabˈbeis] hud. subbas 16-stopový n. 32-stopový rejstřík varhan
subbranch [sabbra:nč, sabbra:nš] 1 odborná skupina, sekce, pododdělení 2 vedlejší pobočka, filiálka 3 bot. vedlejší větev
subbreed [sabbri:d] plemeno, rasa, odnož chovu
subcalibre [sabˈkælibə] 1 malá ráže 2 malorážní zbraň ♦ ~ *barrel* vložná hlaveň, školní hlaveň; ~ *gun* malorážka k cvičné střelbě
subcartilaginous [ˌsabka:tiˈlædžinəs] 1 částečně chrupavkovitý 2 uložený pod chrupavkou
subcategory [sabˈkætigəri] podkategorie
subcaudal [sabˈko:dl] zool. *adj* podocasní ● *s* krunýř, šupina na spodní straně ocasu
subcelestial [ˌsabsiˈlæstjəl] *adj* 1 podnebeský, pozemský, světský 2 hvězd. ležící pod klenbou nebeskou 3 hvězd. pozemský, terestrický ● *s* pozemská bytost, pozemšťan
subcellar [sabˈselə] sklep pod sklepem
subcentral [sabˈsentrəl] 1 umístěný pod středem 2 téměř ústřední 3 anat. uložený pod středem mozku; uložený pod středem páteře
subcentre [sabˈsentə] hvězd. vedlejší radiant
subcerebral [sabˈseribrəl] anat. podmozkový, subcerebrální
subchaser [sabčeisə] voj. stihač, stihačka ponorek loď
subclass [sabkla:s] *s* biol. podtřída ● *v* začlenit do podtřídy
subclassification [sabˌklæsifiˈkeišən] rozdělení do podtříd
subclassify [sabˈklæsifai] (*-ie-*) rozdělit do podtříd
subclavian [sabˈkleiviən], **subclavicular** [ˌsabkləˈvikjulə] anat. uložený pod klíční kostí ♦ *subclavian artery* podklíčková tepna; *subclavian muscle* podklíčkový sval
subcommission [ˌsabkəˈmišən] užší komise, subkomise
subcommissioner [ˌsabkəˈmišənə] 1 člen subkomise 2 zástupce zplnomocněnce 3 subkomisionář
subcommittee [ˈsabkəˌmiti] užší výbor, podvýbor, subkomitét
subcompact [sabˈkompækt] malé dvoudveřové auto
subcompany [sabˈkampəni] (*-ie-*) AM sesterská společnost, koncernový podnik
subconcave [ˈsabˌkonˈkeiv] téměř n. lehce vydutý, vyhloubený, konkávní
subconical [sabˈkonikəl] téměř kuželovitý, kónický
subconscious [sabˈkonšəs] *adj* 1 podvědomý 2 neuvědomělý, bezděčný 3 částečně vědomý / uvědomělý, polovědomý ● *s* podvědomí
subconsciousness [sabˈkonšəsnis] podvědomí; podvědomost
sub-constable [sabˈkanstəbl] IR člen pomocné stráže
subcontinent [sabˈkontinənt] zeměp. subkontinent
subcontract *s* [sabˈkontrækt] 1 dílčí n. vedlejší smlouva 2 dodatek, doplněk ke smlouvě 3 poddodavatelská smlouva ● *v* [ˌsabkənˈtrækt] 1 zadat n. upravit vedlejší smlouvou 2 uzavřít poddodavatelskou smlouvu
subcontractor [ˌsabkənˈtræktə] subdodavatel
subcontrariety [sabˌkontrəˈraiəti] log. podprotiva, subkontrárnost
subcontrary [sabˈkontrəri] log. *adj* subkontrární ● *s: subcontraries, pl* subkontrární soudy
subconvex [sabˈkonveks] téměř n. lehce vypouklý, vypuklý, vydutý, konvexní
subcooling [sabˈku:liŋ] 1 podchlazení 2 přechlazení
subcordate [sabˈko:deit] téměř srdcovitý
subcorneous [sabˈko:njəs] anat. 1 téměř n. lehce rohovitý 2 uložený pod rohovou n. rohovinovou vrstvou; podrohový, podnehetní
subcortex [sabˈko:teks] *pl: subcorteces* [sabˈko:tisi:z] anat. část mozku pod korou mozkovou
subcortical [sabˈko:tikəl] biol., anat. uložený pod kůrou, podkorový, subkortikální
subcostal [sabˈkostl] anat. podžeberní
subcranial [sabˈkreinjəl] anat. podlebeční
subcritical [sabˈkritikəl] atomový reaktor neschopný udržet průběh samovolné řetězové reakce, podkritický
subcrystalline [sabˈkristəlain] skrytě krystalizovaný
subculture *v* [sabˈkalčə] pěstovat ve vedlejší kultuře baktérie n. buněk ● *s* [ˈsabˌkalčə] vedlejší kultura baktérií n. buněk
subcutaneous [ˌsabkju(:)ˈteinjəs] anat., med. podkožní, subkutánní
subcuticular [sabˈkju(:)tikjulə] biol. uložený pod pokožkou, subkutikulární
subcutis [sabˈkju:tis] anat. škára
subcylindrical [ˌsabsiˈlindrikəl] téměř válcový
subdeacon [sabˈdi:kən] círk. podjáhen, subdiakon
subdeaconate [sabˈdi:kənit] = *subdeaconship*
subdeaconship [sabˈdi:kənšip] podjáhenství, subdiakonát
subdealer [sabˈdi:lə] maloobchodník, detailista
subdean [sabˈdi:n] podděkan
subdeanery [sabˈdi:nəri] podděkanství, podděkanát
subdeb [sabˈdeb] AM hovor. = *subdebutante*
subdebutante [sabˈdebju:ta:nt] AM mladá dívka, která bude uvedena do společnosti
subdelirium [ˌsabdiˈliriəm] med. lehké n. přechodné n. počáteční delirium
subdermal [sabˈdə:ml] = *subcutaneous*
subdiaconate [ˌsabdaiˈækənit] círk. podjáhenství, subdiakonát
subdistinction [ˌsabdisˈtiŋkšən] další rozlišení
subdistrict [ˈsabˌdistrikt] voj. úsek, rajón
subdivide [ˌsabdiˈvaid] 1 rozdělené rozdělovat | se, znovu / dále dělit, členit, druhotně dělit 2 dělit

| se do pododdělení, dělit | se do několika částí, rozčleňovat se 3 roz|parcelovat
subdivision [ˈsabdiˌvižən] **1** nové, další dělení, rozdělení, druhotné dělení, další členění **2** pododdělení; sekce **3** rozparcelovaná půda
subdominant [sabˈdominənt] *s* **1** hud. subdominanta čtvrtý stupeň stupnice **2** biol. subdominantní rostlina ● *adj* subdominantní
subdorsal [sabˈdo:səl] uložený u hřbetu
subdrainage [sabˈdreinidž] podzemní odvodnění
subduable [səbˈdju:əbl] **1** podmanitelný, porobitelný, přemožitelný, zdolatelný, zkrotitelný **2** požár zdolatelný, uhasitelný **3** cit potlačitelný, utlumitelný, ovládnutelný, zvládnutelný, zkrotitelný **4** bolest utišitelný, ztišitelný, zmírnitelný **5** zvuk, barva apod. ztlumitelný, změkčitelný, zmírnitelný, ztišitelný, zeslabitelný, zklidnitelný, uklidnitelný **6** půda obdělávatelný
subdual [səbˈdju(:)əl] **1** podmanění, porobení, podrobení, přemožení, zkrocení **2** zdolání, uhašení požáru **3** potlačení, utlumení, ovládnutí, zvládnutí, zkrocení citů **4** utišení, ztišení, zmírnění bolesti **5** ztlumení, změkčení, zmírnění, ztišení, zeslabení, uklidnění, zklidnění zvuku, barvy **6** obdělání půdy
subduce [səbˈdju:s] zast. = *subduct*
subduct [səbˈdakt] řidč. **1** odvést, odejmout, odstranit **2** mat. odečíst
subduction [səbˈdakšən] **1** odvedení, odejmutí, odnětí, odstranění **2** odečtení
subdue [səbˈdju:] **1** podmanit, porobit, podrobit, přemoci, zdolat, zvítězit nad (~ *an enemy*); zkrotit (~ *a wilful child* … umíněné dítě) **2** zdolat, uhasit požár **3** potlačit, utlumit, ovládnout, zvládnout, z|krotit (~ *one's passions* ovládnout své vášně) **4** utišit, ztišit, zmírnit bolest **5** z|tlumit, změkčit, zmírnit, ztišit, zeslabit, uklidnit, zklidnit zvuk, barvu **6** obdělat
subdued [səbˈdju:d] **1** tichý, zaražený **2** tlumený (~ *greens*) **3** v. *subdue*
subduedness [səbˈdju:dnis] **1** porobenost **2** potlačenost **3** tlumenost barvy apod.
subduer [səbˈdju:ə] podmanitel, porobitel, přemožitel
subduplicate [sabˈdju:plikit] mat. vyjádřený druhou odmocninou ◆ ~ *ratio* poměr druhých odmocnin
subedit [sabˈedit] **1** novin. redakčně zpracovat, upravit cizí příspěvek **2** být (pomocným) redaktorem čeho
subeditor [sabˈeditə] **1** novin. redaktor **2** spoluvydavatel **3** (pomocný) redaktor
subepidermal [ˈsabˌepiˈdə:məl] biol. uložený pod pokožkou, subkutikulární
subequal [sabˈi:kwəl] téměř rovný *to* čemu
subequatorial [ˈsabˌekwəˈto:riəl] nadrovníkový n. podrovníkový, tropický
subequilateral [ˈsabˌi:kwiˈlætərəl] téměř rovnostranný
suberect [ˌsabiˈrekt] **1** téměř vzpřímený, kolmý n. vztyčený, polovzpřímený **2** bot. rostoucí téměř kolmo vzhůru
suber [sju:bə] korek
subereous [sjuˈbiəriəs], **suberic** [sjuˈberik] korkový, korkovitý, zkorkovatělý ◆ *suberic acid* kyselina korková
suberin [sju:bərin] chem. korkovina, suberin
suberize [sju:bəraiz] z|korkovatět
suberose[1] [sjubərəus] *adj* = *subereous*
suberose[2] [ˌsabiˈrəus] bot. vroubkovaný
subfamily [ˈsabˌfæmili] (*-ie-*) **1** zool. podčeleď **2** bot. podčeleď
subfebrile [sabˈfi:brail] med. subfebrilní týkající se zvýšené teploty do 37,5°C
subflavour [sabˈfleivə] příchuť, podchuť
subflight [sabflait] voj.: letecký roj
subfloor [sabˈflo:] podklad podlahy, hrubá podlaha
subfluvial [sabˈflu:vjəl] **1** ležící na dně řeky (~ *cables*) **2** podříční (*a* ~ *tunnel*)
subform [sabˈfo:m] odvozená forma, odvozenina (~*s of the Gothic in 19th century writing*)
subfusc [sabfask] *adj* tmavý, temný, pochmurný ● *s* **1** tmavý oděv **2** BR akademický oděv na oxfordské universitě
subfuscous [sabˈfaskəs] = *subfusc, adj*
subgelatinous [ˈsabˌdžiˈlætinəs] téměř rosolovitý, polorosolovitý
subgeneric [ˈsabˌdžiˈnerik] bot., zool. týkající se podrodu, podrodový, subgenerický
subgenus [ˈsabˌdži:nəs] *pl: subgenera* [ˈsabˌdženərə] bot., zool. podrod
subglacial [sabˈgleisjəl] **1** (původně) podledovcový **2** téměř n. částečně ledový n. ledovcový
subglobular [sabˈglobjulə] téměř kulovitý
subgrade [sabˈgreid] **1** podlož, podklad vozovky **2** pláň železničního spodku
subgrallatorial [ˈsabˌgræləˈto:riəl] zool. téměř brodivý, polobrodivý
subgroup [sabgru:p] odb. *s* **1** podskupina **2** mat. podgrupa ● *v* rozdělit do podskupin
subgun [sabˈgan] voj. automat, samopal
subhead [sabhed] **1** podtitul, podtitulek, vedlejší titulek, mezititulek **2** podkapitola, oddíl v knize **3** obch. rozpočtová podkapitola **4** škol. místoředitel, zástupce ředitele **5** AM polygr. řádka upozorňující na pokračování n. další zprávy
subheading [ˈsabˌhediŋ] = *subhead 1, 2, 3*
subhepatic [ˌsabhiˈpætik] anat. uložený pod játry
subhimalayan [ˈsabˌhiməˈleiən] podhimálajský, ležící pod Himálajem
subhuman [sabˈhju:mən] *adj* **1** téměř nelidský, polozvířecí (*a* ~ *child*) **2** nedůstojný člověka, nelidský (~ *conditions of life*) **3** téměř lidský (*a dog with* ~ *intelligence*) ● *s* poločlověk polozvíře
subhumeral [sabˈhju:mərəl] anat. podramenní
subincision [ˈsabˌinˈsižən] rituální naříznutí spodní strany penisu, otevření močové trubice jako znak dospělosti

subindex [sab'indəks] *s, pl* též *subindices* [sab'indisi:z] dolní index, index pod účařím ● *v* označit dolním indexem
subinfeudation ['sab,infju:'deišən] hist.: za feudalismu **1** postoupení propůjčené lenní půdy jinému leníkovi **2** takto vytvořený vztah mezi dvěma leníky **3** půda takto propůjčená
subinoculation ['sabi,nokju'leišən] přeočkování
subinspector ['sabin,spektə] podinspektor
subintestinal ['sab,in'testinl] anat. uložený pod střevy
subirrigation ['sab,iri'geišən] spodní zavlažování
subitem [sab'aitəm] pododdíl
subito [su'bitəu] hud. náhle, subito
subjacent [sab'džeisənt] **1** níže / dole ležící / položený (*hills and* ~ *valleys*) **2** podpovrchový (~ *fire*) **3** přen. tvořící příčinu n. podklad
subject[1] *adj* [sabdžikt] **1** poddaný, podřízený, podrobený (~ *tribes*) *to* komu / čemu (*this territory has been long* ~ *to England* toto území už dlouho patří Anglii, *we are* ~ *to the law of the land*) **2** závislý *to* na, platný až po, podmíněný čím, podléhající čemu, pod podmínkou čeho, s výhradou čeho, vázaný na (*the arrangement is made* ~ *to your approval* tato dohoda podléhá ještě vašemu schválení, *a treaty* ~ *to ratification* smlouva, která musí být ještě ratifikována) **3** náchylný *to* k (*are you* ~ *to colds?*), mající tendenci k (*the trains are* ~ *to delays when there is fog* když je mlha, mívají vlaky zpoždění, *it is* ~ *to putrefaction* snadno tlí) **4** vystavený *to* čemu (~ *to ridicule* ... posměchu) **5** zast. níže / dole ležící / položený ◆ *all men are* ~ *to death* žádný člověk nemůže ujít smrti; *be* ~ *to 1.* podléhat čemu, vyžadovat ještě co *2.* reagovat na; *be held* ~ být udržován v závislosti; ~ *to duty* podléhající clu; ~ *nation* porobený, nesamostatný národ; ~ *to my order* podle mé objednávky; *states* ~ *to foreign rule* státy v cizím područí ● *s* [sabdžikt] **1** poddaný, vazal **2** poddaný státní příslušník monarchie (*British* ~), státní příslušník (*French* ~) **3** přen. oddaný ctitel (*the* ~*s of King Shakespeare*) **4** látka, téma, námět (~ *of a conversation*), syžet (*the* ~ *of a poem*); motiv fotografie **5** v obchodním dopise věc **6** předmět, objekt *for* čeho / pro (*a* ~ *for experiment*), důvod *for* k (*gave them no* ~ *for complaint* nezavdal jim příčinu ke stížnosti), předmět čeho (*a* ~ *for pity* ... soucitu), oběť *of* čeho (*helpless* ~ *of his cruelty* bezmocná oběť jeho krutosti) **7** škol.: vyučovací předmět, obor **8** hud. téma, hudební myšlenka, základní motiv; subjekt polyfonní skladby, dux fugy **9** jaz. podmět **10** člověk, jedinec, subjekt, pacient (*a hysterical* ~) **11** pitvané tělo, mrtvola, kadáver **12** hypnotické médium **13** filoz. subjekt, poznávající já **14** log. subjekt **15** rostlina s určitými vlastnostmi (*make good hedge* ~*s*) ◆ ~ *card* kartoteční lístek v předmětovém katalogu; ~ *catalogue* předmětový katalog; *change the* ~ změnit téma rozhovoru, obrátit list; ~ *index* předmětový rejstřík; *liberty of the* ~*s* občanská práva zaručená ústavou; ~ *and object* filoz. já a ne-já, subjekt a objekt; *on the* ~ *of* týkající se čeho (*be on the* ~ *of* mluvit o, mít za téma co, být u (*while we are on the* ~ *of money* když už jsme u těch peněz)); *wander from the* ~ odchýlit se od tématu ● *v* [səb'džekt] **1** podrobit | si, podřídit *to* čemu, přivést pod, učinit závislým na (*ancient Rome* ~*ed most of Europe to her rule* antický Řím podrobil své vládě většinu Evropy) **2** podrobit *to* čemu (~ *a man to torture* vyslýchat útrpným právem), vystavit čemu (*as a test the metal was* ~*ed to great heat*), dát na pospas čemu (*hated to* ~ *his wife to such company*) **3** z|působit *to* co, zavinit (*his conduct* ~*ed him to needless suffering* zavinil si svým chováním zbytečné utrpení), nutit k (*rudeness* ~*s one to retorts in kind* hrubost nutí člověka, aby odpovídal stejným způsobem) ***subject o. s.*** *1* poddat se, podrobit se, podvolit se, podřídit se *to* čemu (*refused to* ~ *himself to their judgement* odmítl se podřídit jejich úsudku) *2* podstoupit *to* co
subject heading ['sabdžikt,hediŋ] heslo v předmětovém katalogu
subjectify [səb'džektifai] (*-ie-*) ze|subjektivizovat
subjection [sab'džekšən] **1** poddanost, podřízenost, podřízené postavení, porobení, porobenost, poddanství, potlačení, útlak, útisk **2** závislost *to* na ◆ *be in* ~ *to a p.* být podřízen komu, být závislý na; *bring under* ~ *1.* porobit, podrobit | si *2.* potlačit; *hold* / *keep in* ~ *1.* držet v závislosti, utiskovat *2.* držet na uzdě
subjective [səb'džektiv] *adj* **1** osobní, subjektivní (*a* ~ *impression*) **2** zaujatý, jednostranný, individuální, subjektivní (*a* ~ *judgement* subjektivní úsudek) **3** med. subjektivní **4** psych. subjektivní **5** hovor. vymyšlený, imaginární, iluzorní **6** zast. poddanský **7** jaz. podmětový, nominativní ◆ ~ *case* jaz. nominativ; ~ *genitive* jaz. podmětový genitiv; ~ *verb* nepřechodné, intranzitivní sloveso, intranzitivum
subjectivism [səb'džektivizəm] **1** filoz. subjektivismus pojetí zdůrazňující základní úlohu osobnosti jako principu všeho dění **2** subjektivnost, subjektivita, subjektivismus
subjectivistic [,sabdžekti'vistik] subjektivistický
subjectivity [,sabdžək'tivəti] **1** subjektivnost, subjektivita **2** zaujatost, jednostrannost
subject matter [,sabdžikt'mætə] **1** téma, námět, obsah např. obrazu **2** podstata, substance **3** předmět jednání, studia apod., téma **4** práv. žalobní důvod; skutková podstata ◆ ~ *insured* pojištěný předmět
subject-object [,sabdžikt'obdžikt] psych. subjektivní objekt poznání
subjoin [sab'džoin] **1** připojit, přidat, připsat zejm. jako dodatek, dodat (~ *a postscript to a letter* připsat doušku k dopisu) **2** přiložit (~*ed a statement of expenses to his account* přiložil ke své zprávě vyúčtování)

subjoinder [sab'džoində] dodatečná poznámka, dodatek
subjoint [sab'džoint] **1** zool. podružný / vedlejší kloub nohy hmyzu **2** tech. podružný spoj
subjugable [sabdžugəbl] **1** porobitelný **2** zkrotitelný **3** ovládnutelný
subjugate [sabdžugeit] **1** dobýt a porobit, zotročit, podmanit | si, utiskovat, utlačovat, potlačovat **2** zkrotit (~ *wild horse*), též přen. **3** ovládnout, potlačit, držet na uzdě (*had to ~ his own feeling*)
subjugation [ˌsabdžu'geišən] **1** dobytí; porobení, podmanění, zotročení, útisk, útlak; potlačení **2** zkrocení **3** ovládnutí
subjugator [sabdžugeitə] porobitel, podmanitel, dobyvatel
subjunction [səb'džaŋkšən] **1** připojení **2** dodatek
subjunctive [səb'džaŋktiv] jaz. *adj* konjuktivní ♦ ~ *mood* = ● *s* konjuktiv
subkingdom [sab'kiŋdəm] **1** podřízené království **2** zool. podříše **3** bot. podříše
sublanceolate [səb'la:nsiəleit] bot. téměř kopinatý
sublanguage [sab'læŋgwidž] substandardní jazyk
sublapsarian [ˌsabləp'seəriən] = *infralapsarian*
sublate [sableit] **1** log. popřít, zrušit **2** přen. povýšit, umocnit (*evil is not evaded, but ~d in the higher religious cheer of these persons*)
sublease *v* [sab'li:s] dále pronajmout, dát / dostat do podnájmu, získat podnájem čeho (*~s her apartment from her friend*) ● *s* [sabli:s] podnájem
sublessee [ˌsable'si:] podnájemník; podnájemce
sublessor [ˌsable'so:] podnajímatel
sublet [sab'let] *v* (*sublet, sublet, -tt-*) dát do podnájmu, dále pronajmout n. propachtovat ● *s* podnájem (*a pleasant ~ near the park*)
sublethal [sab'li:θəl] téměř smrtelný
sublibrarian [ˌsablai'breəriən] zástupce hlavního knihovníka, pomocný knihovník
sublieutenant [ˌsablef'tenənt / AM ˌsablu:'tenənt] BR námoř. podporučík
sublimate [sablimeit] *v* **1** fyz., chem. sublimovat provést sublimaci; procházet sublimací **2** přeměnit | se, vy|stupňovat | se, vy|tříbit | se, sublimovat v něco vyššího **3** psych. sublimovat ● *s* chem. **1** sublimát produkt sublimace **2** též *corrosive ~* chlorid rtuťnatý, sublimát
sublimated [sablimeitid] **1** sublimátový **2** povznešený (~ *thoughts*) **3** v. *sublimate, v*
sublimation [ˌsabli'meišən] **1** fyz., chem. sublimace přechod z pevného skupenství v plynné; sublimování; sublimát; sublimovanost **2** přeměna, vy|stupňování, vy|tříbení, sublimace v něco vyššího **3** psych. sublimace nevědomý duševní pochod, kterým se pudová hnutí odvracejí od svých původních cílů a zaměřují k náhradním, společensky schvalovaným
sublime [sə'blaim] *adj* **1** vznešený, výsostný, posvátný (~ *truths*); zjemněný, sublimní (kniž.) (~ *language*); důstojný, ušlechtilý (~ *thought*); majestátní, grandiózní, velebný, velkolepý (~ *scenery*) **2** dokonalý, nádherný, nezapomenutelný (*a ~ moment*); mimořádný, úžasný, velkolepý, výsostný (~ *beauty*); vzbuzující bázeň, mocný, obrovský (~ *tempest* obrovská bouře) **3** velký, pozoruhodný (*a ~ husband*); bezpříkladný, vrcholný, kterému není rovno (~ *impudence* vrchol drzosti); hrubý, křiklavý, naprostý (~ *indifference* naprostá lhostejnost) **4** iron. úplný, naprostý, absolutní, totální (*a ~ idiot*) **5** med. povrchový, vrchní **6** bás. hrdý, hrdopyšný, pyšný, arogantní **7** zast. vysoký, zvýšený, vyvýšený ♦ *S~ Porte* Vysoká porta turecká sultánská samovláda ● *s* **1** vznešený atd. charakter, vznešenost, posvátnost, důstojnost, ušlechtilost, majestátnost, grandióznost, velebnost, velkolepost **2** dokonalost, nádhernost, nezapomenutelnost, mimořádnost, úžasnost, velkolepost, výsostnost **3** řidč. vrchol (*the ~ of folly* vrchol pošetilosti) **4** = *Sublime Porte* ● *v* **1** chem. sublimovat | se **2** přeměnit | se, vy|stupňovat | se, vy|tříbit | se, sublimovat | se *into* do vyššího **3** způsobit, že se zvedne co, rozpustit (*the sun's hot rays ~ the morning dew* žhavé sluneční paprsky ... ranní rosu) ♦ *~d sulphur* chem. sirný květ
sublimeness [sə'blaimnis] = *sublime, s 1, 2, 3*
sublimer [sə'blaimə] **1** kdo n. co sublimuje **2** chem. sublimační přístroj
subliminal [sab'liminl] psych. *adj* podprahový, neuvědomený, jsoucí pod prahem vědomí, vědomě neregistrovaný ♦ ~ *advertising* obch.: druh televizní reklamy zaměřené na podvědomí diváka, při kterém propagační text n. obraz na zlomek vteřiny přerušuje vysílaný program; ~ *perception* psych. podprahový vjem; ~ *self* = ● *s* podvědomí
sublimination [sab'limineišən] použití *subliminal advertising* v televizi
sublimity [sə'blimәti] = *sublime, s 1, 2, 3*
sublingual [sab'liŋgwəl] anat. *adj* uložený pod jazykem, podjazykový ● *s* podjazyková žláza
sublittoral [sab'litərəl] *adj* **1** ležící pod příbřežím tj. pod pobřežní čarou při odlivu **2** příbřežní ● *s* sublitorál vodní zóna pod litorálem (příbřežím)
sublunar [sab'lu:nə] bás., **sublunary** [sab'lu:nəri] **1** umístěný pod Měsícem, sublunární, jsoucí pod oběžnou drahou Měsíce **2** přen. pozemský, světský
submachine gun [ˌsabmə'ši:ngan] voj. samopal, automat
submachine gunner [ˌsabmə'ši:nˌganə] voj. samopalník, automatčík
submammary [sab'mæməri] anat. umístěný pod prsy
subman [sab'mæn] *pl: -men* [-men] méněcenný člověk, zaostalý člověk, podčlověk
submarginal [sab'ma:džinl] **1** bot., zool. vyskytující se téměř na okraji, téměř okrajový, submarginální **2** jsoucí s výnosem nižším než jsou náklady, nevýnosný, ztrátový **3** nedostatečný; hladový (*a ~ diet*)

submarine [ˌsabməˈri:n / AM sabməri:n] *adj* 1 podmořský (~ *cable*); submarinní (geol.) 2 ponorkový ● *s* 1 ponorka 2 ponorný člun, podmořský člun (hist.) 3 dlouhý sendvič ● *v* voj. hovor. za|útočit, přepadnout ponorkou, torpédovat, potopit torpédem vystřeleným z ponorky
submarine-based [ˌsabmə:ri:nˈbeist] voj.: raketa vypuštěný z ponorky
submarine chaser [ˈsabməˌri:nˈčeisə] voj. stihač, stihačka ponorek loď
submarine detector [ˈsabməˌri:n diˈtektə] voj. hydrofon
submarine pen [ˈsabməˌri:nˈpen] podmořský kryt pro ponorky
submariner [sabˈmærinə / AM sabməri:nə] člen posádky ponorky, námořník sloužící na ponorce
submarine war [ˈsabməˌri:nˈwo:] voj. ponorková válka
submaster [sabˈma:stə] BR škol. zástupce ředitele
submaxillary [ˌsabmækˈsiləri] anat. umístěný pod spodní čelistí, podčelistní ◆ ~ *gland* slinná žláza
submediant [sabˈmi:djənt] hud. šestý stupeň v diatonické stupnici
submental [sabˈmentl] 1 anat. uložený pod bradou 2 zool. týkající se submenta
submentum [sabˈmentəm] *pl: submenta* [sabˈmentə] zool. submentum část spodního pysku u hmyzu
submerge [səbˈmə:dž] 1 ponořit | se, potopit | se 2 ponorka ponořit se pod hladinu záměrně 3 zaplavit, zatopit vodou 4 přen. zavalit *by* čím, u|topit se *in* v
submerged [səbˈmə:džd] 1 skrytý 2 v. *submerge* ◆ ~*d tenth* chudina, nemajetné vrstvy
submergence [sabˈmə:džəns] 1 ponoření; potopení 2 zaplavení, zatopení vodou 3 přen. zamyšlení
submergent [səbˈmə:džənt] téměř n. částečně ponořený n. potopený
submergible [səbˈmə:džəbl] řidč. = *submersible*
submerse [səbˈmə:s] řidč. = *submerge*
submersed [səbˈmə:st] 1 bot. ponořený ve vodě, rostoucí pod vodou, vodní, submersní 2 v. *submerse*
submersible [səbˈmə:səbl] *adj* 1 ponořitelný, ponorný, potopitelný 2 zaplavitelný, zatopitelný ● *s* zast. ponorka
submersion [səbˈmə:šən] 1 ponoření; potopení 2 zaplavení, zatopení
submetallic [ˌsabmiˈtælik] lesk polokovový
submicroscopic [ˌsabmaikrəˈskopik] neviditelný n. nezjistitelný běžným mikroskopem, submikroskopický
submine [sabmain] voj. cvičná mina
subminiaturize [sabˈminjəčəraiz] učinit menší než je miniaturní, provést mikrominiaturizaci čeho
submission [səbˈmišən] 1 podřízení, poddání, vzdání, podrobení, podvolení, odevzdání *to* komu 2 poddanost, podřízenost, poslušnost, pokora, rezignovanost, odevzdanost 3 písemné nabídnutí, podání, předložení, odevzdání (*the ~ of his sketch for the mural* předložení skici na nástěnou malbu) 4 nabídnutý příspěvek (*received more ~s than we could possibly publish*) 5 návrh (*included the ~ that 300,000 people should move out*) 6 práv. tvrzení, výklad, návrh 7 práv. rozhodčí smlouva 8 práv. kompromis, smír 9 sport. neschopnost odolat soupeřovou chvatu v zápase
submissive [səbˈmisiv] poddajný, povolný, ústupný; podřizující se cizí vůli (*a ~ reply*)
submissiveness [səbˈmisivnis] poddajnost, povolnost, ústupnost, poslušnost, ochota se podřídit
submit [səbˈmit] (*-tt-*) 1 podrobit se, podvolit se, poddat | se, podřídit | se *to* komu / čemu (~ *s his will to divine authority* podřizuje svou vůli božské autoritě) 2 podrobit | se (~ *to an operation*), vystavit (~ *metal to high heat and pressure* vystavit kov vysoké teplotě a tlaku) 3 vzdát se *to* komu / čemu, sklonit se před (~ *to superior intelligence*), trpně přijímat, trpět co 4 předložit (~ *proofs of identity* předložit důkaz totožnosti), postoupit, předložit k projednání n. rozhodnutí 5 nabídnout, odevzdat (~ *a manuscript to a publisher*) 6 dovolit si prohlásit, předložit k úvaze (*I ~ that it was only a slip of the tongue* podle mého názoru který předkládám k rozhodnutí šlo o pouhé přeřeknutí) ◆ ~ *for consideration* předložit k laskavému uvážení; ~ *to defeat* uznat porážku, vzdát se; ~ *to treatment* podrobit se léčbě, dát se léčit
submittal [səbˈmitl] vzdání se, podrobení se
submitter [səbˈmitə] 1 kdo se vzdává, poddává n. podřizuje 2 zejm. práv. navrhovatel
submontane [sabmontein] 1 podzemní; ležící pod horou n. pohořím 2 ležící na úpatí n. pod úpatím hory n. pohoří, ležící v podhůří, podhorský
submucous [sabˈmju:kəs] anat. uložený pod sliznicí, podslizniční
submultiple [sabˈmaltipl] mat. *s* alikvotní část, alikvotní podíl čísla (*8 is a ~ of 72*) ● *adj* alikvotní
subnarcotic [ˌsabna:ˈkotik] med. lehce narkotický, lehce omamný
subnasal [sabˈneizəl] anat. uložený pod nosem
subnatural [sabˈnæčrəl] zkažený, nepřirozený
subnormal [sabˈno:məl] *adj* 1 podnormální, subnormální (řidč.) 2 psych.: duševně zaostalý, výrazně podprůměrný ● *s* 1 duševně zaostalý, méněcenný člověk 2 mat. subnormála
suboccipital [ˈsabˌokˈsipitl] anat. uložený pod týlem, subokcipitální
suboceanic [ˌsabəušiˈænik] 1 ležící pod mořským dnem 2 podmořský (~ *light*)
subocellate [sabˈoseleit] zool. ležící pod očkem
suboctave [ˈsabˌoktiv] hud. 1 dolní oktáva, suboktáva 2 též ~ *coupler* suboktávová spojka
subocular [sabˈokjulə] *adj* anat., zool. uložený pod okem, podoční ● *s* zool. podoční šupinka u plazů
suboesophageal [ˌsabi:sofəˈdžaiəl] anat. uložený pod jícnem

suborbital [sabˈo:bitl] *adj* **1** anat. podočnicový **2** kosm. nejsoucí ještě na oběžné dráze, suborbitální ◆ ~ *flight* let po balistické dráze ● *s* anat. podočnicová kost
suborder [ˈsabˌo:də] **1** bot., zool. podřád **2** archit. podřád, podružný řád
subordinal [sabˈo:dinl] bot., zool. týkající se podřádu
subordinary [sabˈo:dinəri] (*-ie-*) herald. heroltské znamení druhého řádu
subordinate *adj* [səˈbo:dinit] **1** podřízený **2** vedlejší, podružný, podřadný, druhořadý, méně hojný, méně důležitý **3** závislý **4** jaz. podřadný, hypotaktický, subordinovaný **5** zast. poddaný ◆ *be ~ to a t.* být méně důležitý než co; ~ *clause* jaz. vedlejší, závislá věta; ~ *cone* geol. parazitický kužel sopky ● *s* [səˈbo:dnit] **1** podřízený (*never trusts his ~s* nikdy svým podřízeným nevěří) **2** něco vedlejšího, podružného, druhořadého, méně důležitého, vedlejší věc ● *v* [səˈbo:dineit] podřídit *to* komu / čemu, podřazovat
subordination [səˈbo:dineišən] **1** podřízení, podřazení **2** služební podřízenost, subordinace; podřízené postavení **3** závislost *to* na **4** se|řazení **5** poddanost **6** řidč. řada
subordinationism [səˌbo:diˈneišənizəm] náb. názor, že božské osoby Nejsvětější Trojice si nejsou navzájem rovné
subordinative [səˈbo:dinətiv] podřizující, podřazující
suborn [səˈbo:n] **1** práv. svést, ponouknout, svést podplacením k nezákonnému činu **2** práv. svádět ke křivé přísaze **3** svádět, přimět k odpadnutí n. k odboji
subornation [ˌsabo:ˈneišən] **1** svádění k nezákonnému činu, podplácení **2** svádění / svedení ke křivé přísaze; křivá přísaha
suborner [səˈbo:nə] kdo svádí ke křivé přísaze n. jinému nezákonnému činu
suboval [sabˈəuvəl] téměř elipsovitý n. vejčitý
subparietal [sabˌpəˈraiitl] anat. uložený pod temenní kostí
subpharyngeal [ˈsabˌfærinˈdži:əl] anat. uložený pod hltanem, podhltanový
subphrenic [sabˈfrenik] anat. uložený pod bránicí
subphylum [sabˈfailəm] bot., zool. podkmen
subpilose [sabˈpailəus] slabě / řídce porostlý vlasy
subpleural [sabˈpluərəl] anat. uložený pod pohrudnicí
subplinth [sabˈplinθ] archit. spodní plinta
subplot [sabplot] div. vedlejší zápletka
subpoena [səbˈpi:nə] práv. *s* úřední obsílka, předvolání k soudu, soudní obsílka jejíž neuposlechnutí je trestné ◆ ~ *ad testificandum* svědecká obsílka; ~ *duces tecum* předvolání s výzvou předložit určité důkazy; *obey a ~* vyhovět obsílce; *serve a ~* doručit obsílku ● *v* předvolat, vyzvat soudní obsílkou
subpolar [sabˈpəulə] **1** zeměp. subpolární ležící přibližně při polárním kruhu **2** hvězd. ležící pod nebeským pólem
subprefect [sabˈpri:fekt] podprefekt
subprefecture [sabˈpri:fektjuə] podprefektura
subprior [sabˈpraiə] círk. podpřevor
subprofessional [ˈsabˌprəˈfešənl] poloodborník
subprogram [sabˈprəugræm] část programu počítače
subpyramidal [ˈsabˌpiˈræmidl] téměř pyramidovitý n. jehlanovitý
subquadrangular [ˈsabˌkwoˈdræŋgjulə] téměř čtyřúhelný
subquadrate [sabˈkwodrit] téměř čtvercový
subramose [ˌsabræˈməus] bot. téměř n. částečně rozvětvený, mající málo větví
subreader [sabˈri:də] BR škol. lektor *v Inns of Court*
subrectangular [ˈsabˌrekˈtæŋgjulə] **1** téměř pravoúhlý **2** téměř obdélníkový
subrector [sabˈrektə] **1** škol. zástupce ředitele; zástupce rektora **2** círk. zástupce faráře
subregion [sabˈri:džən] bot., zool. část oblasti, podoblast
subrent [sabˈrent] *s* pod|nájemné, činže od podnájemníka ● *v* **1** pronajmout, propachtovat za nepřiměřeně nízké nájemné **2** dát do podnájmu
subreption [səbˈrepšən] **1** práv. vyloudění, vymámení, vylákání, úskočné nabytí zejm. překroucením n. zamlčením skutečnosti **2** překroucení skutečnosti
subreptitious [ˌsabrepˈtišəs] získaný úskokem, vylákaný, vymámený
subretinal [sabˈretinl] anat. umístěný pod sítnicí
subrhomboidal [sabˈromboidl] téměř kosodélníkový n. kosodélníkovitý
subrock [sabrok] voj. raketa odpalovaná z ponorky
subrogate [sabrəugeit] **1** nahradit, substituovat **2** práv. provést subrogaci
subrogation [ˌsabrəuˈgeišən] **1** práv. subrogace převzetí práv věřitele zaplacením jeho pohledávky **2** práv. postup práv **3** změna v osobě věřitele n. dlužníka **4** nahrazení, substituce
subsacral [sabˈseikrəl] anat. uložený pod křížovou kostí
subsaline [sabˈseilain] trochu slaný
subsatellite [sabˈsætəlait] vedlejší družice vypuštěná z družice na oběžné dráze
subsaturated [ˈsabˌsæčəreitid] **1** téměř nasycený **2** téměř prosáklý
subsaturation [ˌsabsæčəˈreišən] **1** téměř nasycený stav **2** téměř prosáklý stav
subscapular [sabˈskæpjulə] anat. umístěný pod lopatkou, podlopatkový
subscribe [səbˈskraib] **1** podepsat se pod, podepsat vlastnoručně **2** podepsat a tím schválit *to* co, souhlasit s (*he was unwilling to ~ to the agreement* nechtěl na tu dohodu přistoupit), ztotožnit se s **3** podporovat, schvalovat *a t.* / *to* co (*unable to ~ their beliefs* neschopen schvalovat jejich přesvědčení); patřit *to* k **4** upsat (*each man ~d ten dollars*); přispět čím, platit, dávat peníze na (*~ to a fund* přispívat na fond) **5** obch. upsat podíly n. akcie **6** předplatit si *to* / *for* co, abonovat, sub-

skribovat, přihlásit se k odběru publikace, odebírat ♦ ~ *for a book* přihlásit se k odběru knihy před jejím vydáním ***subscribe o. s.*** podepsat se pod

subscriber [səbˈskraibə] **1** podepsaný, nížepodepsaný **2** přispěvatel; podporovatel *to* čeho **3** předplatitel, abonent, subskribent **4** telefonní účastník ♦ ~ *exchange* účastnická telefonní ústředna; ~ *trunk dialling* telefonní automatická dálková volba

subscript [sabskript] *adj* napsaný pod úcařím (*the ~ 2 of* H_2O) ♦ *iota ~* řec. jaz. iota subscriptum ● *s* dolní index, index pod účařím

subscription [səbˈskripšən] **1** příspěvek *to* na, poplatek za, upsaný podíl, upsaná částka **2** členský příspěvek; příspěvkový fond **3** předplácení, abonmá, předplatné, subskripce *to* čeho, na **4** podepsání, podpis, subskripce (řidč.) **5** povolení, schválení *to* čeho, souhlas daný podpisem s **6** stálý poplatek telefonní **7** peněž. upsání, upisování podílů, akcií **8** círk. formální, písemné uznání zásad, učení ♦ ~ *book 1.* seznam předplatitelů *2.* kniha prodávaná v subskripci; ~ *concert* zejm. AM abonentní koncert; ~ *library* soukromá půjčovna knih; ~ *of a loan* vypsání půjčky; *raise a ~* AM udělat sbírku; ~ *rate* předplatné; ~ *of stock* peněž. subskripce; *take out a year's ~* předplatit si na rok

subsection [ˈsabˌsekšən] **1** pododdělení, podsekce **2** voj. hlouček pěchoty, kulometný roj; dělostřelecká poločeta, odřad

subsellium [sabˈseliəm] *pl: subsellia* [sabˈseliə] **1** úzká lavice v kostele **2** opěra, opora skládacího chórového sedadla

subsemitone [sabˈsemitəun] hud. citlivý tón

subsensible [sabˈsensəbl] nevnímatelný smysly, jsoucí pod prahem smyslového vnímání

subsequence [sabsikwəns] **1** co následuje, následnost **2** řada

subsequent [sabsikwənt] **1** následující, následný (~ *events*), další, pozdější, dodatečný **2** geol. následný, subsekventní ♦ ~ *loss* pojišť. nepřímá škoda

subserous [sabserəs] anat. subserózní, jsoucí pod serózní blanou

subserve [səbˈsə:v] podřídit se, sloužit čemu, též přen.

subservience [səbˈsə:vjəns], **subserviency** [səbˈsə:vjənsi] **1** služebnost **2** poddanost, podřízenost, područí **3** užitečnost **4** podlézavost, patolízalství, servilnost

subservient [səbˈsə:vjənt] **1** podřízený **2** sloužící, užitečný **3** podlézavý, patolízalský, servilní

subsessile [sabˈsesail] bot. téměř přisedlý, polopřisedlý, subsesilní

subside [səbˈsaid] **1** opadnout, po|klesnout, ustoupit (*the floods have ~d* záplavy ustoupily, *the fever ~d* horečka klesla) **2** půda sedat si **3** usazovat se, klesat ke dnu **4** přen.: postupně odeznít, doznít, ustat, ubývat, přestat, s|končit, utišit se, uklidnit se (*the laughter ~d*) **5** přen. přejít v méně intenzívní (*he ran for ten minutes, then ~d into a walk*) **6** hovor. klesnout, sesunout se (*he ~d into a chair*)

subsidence [səbˈsaidəns] **1** pokles, po|klesnutí, opadnutí, ustoupení **2** sednutí / sedání, pokles půdy **3** usazenina **4** přen. doznění, ustání, ubývání, s|končení, utišení, uklidnění

subsidiary [səbˈsidjəri] *adj* **1** pomocný, vedlejší, náhradní, podpůrný, subsidiární **2** podružný, druhotný **3** dodatečný, doplňující ♦ ~ *address* dočasná, přechodná adresa; ~ *body* pomocný orgán např. OSN; ~ *company* obch. přidružená společnost, spřátelená / sesterská firma; ~ *enterprises* přidružená výroba, přidružené podniky; ~ *industry* pomocný průmysl; ~ *stream* přítok ● *s* (*-ie-*) **1** pomocník **2** *subsidiaries, pl* pomoc, výpomoc, podpora **3** hud. vedlejší téma **4** = ~ *company*

subsidize [sabsidaiz] **1** přispívat na, podporovat, subvencovat z veřejných prostředků **2** vydržovat, platit (*he ~d an army of 8000 men*) **3** podplácet, koupit si, platit si např. úředníka

subsidy [sabsidi] (*-ie-*) **1** podpora, subvence z veřejných prostředků **2** peněžitá pomoc jednoho státu druhému **3** polit. půjčka, peněžitá pomoc jednoho státu druhému **4** BR hist. zvláštní daň, částka darovaná parlamentem koruně

subsign [sabsain] řidč. podepsat ♦ ~ *with a cross* udělat tři křížky místo podpisu

subsinking [ˌsabˈsiŋkiŋ] voj. potopení ponorky

subsist [səbˈsist] **1** být, existovat, trvat **2** existovat, žít, být živ *on / upon* z, živit | se být čím; vydržovat (~ *1000 men*) **3** spočívat, záležet (*in what does the difference ~?*) **4** filoz. být, existovat samostatně; být možný

subsistence [səbˈsistəns] **1** bytí, existence **2** filoz. bytost, podstata, bytí **3** živobytí; zdroj živobytí; výživa, výživné, podpora na živobytí, stravování **4** též ~ *money* záloha na plat **5** holé / nejnutnější živobytí, existenční minimum (*a barren land providing no more than ~* pustá země, poskytující jen nejnutnější živobytí) ♦ ~ *allowance 1.* výživné, stravné, přídavek, příspěvek *2.* záloha na plat; ~ *farm* samozásobitelské hospodářství; ~ *level* existenční minimum; *means of ~* životní prostředky; ~ *wage / wages* minimální, existenčně nutná mzda

subsistent [səbˈsistənt] *adj* **1** existující, jsoucí **2** vlastní, příslušející *in* čemu (*qualities ~ in matter*) ● *s* bytost, jsoucno

subsoil [sabsoil] *s* spodní půda, spodina, základová půda, poloha mezi půdou a matečnou horninou ● *v* prohlubovat ornici, přibírat spodinu při orání

subsolar [sabˈsəulə] **1** ležící pod sluncem, zemský, pozemský **2** zeměp. tropický, ležící mezi obratníky

subsonic [sabˈsonik] **1** neslyšitelný **2** nedosahující rychlosti zvuku, podzvukový, infrazvukový,

subsonický ♦ ~ *speed* podzvuková / subsonická rychlost
subspecies [ˈsabˌspi:ši:z] bot., zool. plemeno, poddruh, subspecie
subspecifical [ˌsabspiˈsifikəl] bot., zool. poddruhový, subspecifický
subspherical [sabˈsferikəl] téměř kulový n. kulovitý, téměř kulatý
subspinous [sabˈspainəs] **1** částečně n. téměř trnitý **2** anat. uložený pod páteří
substage [sabsteidž] **1** geol. podstupeň **2** nástavek mikroskopu pod stolkem ♦ ~ *condenser* kondenzor mikroskopu
substance [sabstəns] **1** hmota, látka, materiál, substance, též chem. **2** podstata, základ, jádro, substance **3** podstatná část **4** náb. podstata (*being of one ~ with the Father* jedné podstaty s Otcem) **5** hlavní smysl, vnitřní obsah, předmět (*the ~ of this essay*) **6** majetek, jmění, substance (*a man of ~*) **7** hutnost, výživnost, vydatnost (*soup without much ~*); solidnost **8** náb. Duch ♦ *argument of little ~* málo pádný argument; *book of ~* solidní kniha; *caustic ~* žíravá látka, žíravina; *in ~ 1.* v podstatě *2.* ve skutečnosti, vlastně; *there is no ~ in him* je to prázdný, povrchní člověk; *waste one's ~* rozhazovat jmění, utrácet
substandard [sabˈstændəd] **1** nestandardní, neodpovídající standardu, menší než předpisuje norma, podnormální, podnormativní **2** nikoliv první jakosti n. kategorie, druhé jakosti **3** rizikový **4** jaz. nespisovný, substandardní ♦ ~ *film* úzký film; ~ *life insurance* AM pojištění anormálních životů, životní pojištění proti zvýšeným životním rizikům
substantial [səbˈstænšəl] *adj* **1** podstatný, substanciální (kniž.) **2** skutečný, hmotný, hmatatelný, reálný (*the ~ world*) **3** důležitý, závažný, značný, významný **4** značný, pořádný, velký (*a ~ sum of money*) **5** pevný, solidní (*a ~ house, ~ cloth*), masívní, robustní, hřmotný **6** pádný, přesvědčivý (*~ evidence*), oprávněný (*~ reasons* oprávněné důvody); rozhodný (*a ~ victory*) **7** hojný, bohatý (*set a ~ table*); vydatný, hutný, důkladný, pořádný, podstatný, výživný, sytý (*after that too ~ dinner*) **8** zámožný, bohatý; finančně solidní, zajištěný; movitý, vlivný ♦ *in ~ agreement* v podstatě se shodující; ~ *breakfast* snídaně na vidličku; ~ *difference* podstatný rozdíl ● *s* **1** podstatná věc; důležitá, hlavní, hmatatelná věc; podstatný, hlavní bod **2** hutný, pevný pokrm
substantialism [səbˈstænšəlizəm] filoz. substancialismus
substantialist [səbˈstænšəlist] filoz. stoupenec substancialismu
substantiality [səbˌstænšiˈæləti] **1** podstatnost **2** hmotnost, hmatatelnost, reálnost **3** pevnost, solidnost, masívnost, robustnost, hřmotnost **4** pádnost, váha **5** bohatost, vydatnost; vydatný, hutný pokrm **6** filoz. substancialita
substantialize [səbˈstənšəlaiz] **1** ztělesnit | se, zhmotnit | se **2** uskutečnit | se, realizovat | se
substantiate [səbˈstænšieit] **1** dokázat, ospravedlnit, odůvodnit, zdůvodnit, řádně doložit, opodstatnit (*~ a charge* řádně doložit obvinění) **2** vyložit, nastoupit důkaz **3** ztělesnit, zhmotnit; ztvárnit, formulovat, vyjádřit, dát tvar čemu (*~ one's impressions in language* vyjádřit své názory jazykem) **4** uskutečnit **5** posílit
substantiation [səbˌstænšiˈeišən] **1** odůvodnění, zdůvodnění, opodstatnění, řádné doložení, důkaz, doklad, potvrzení **2** dokazování, odůvodňování **3** ztělesnění, zhmotnění, ztvárnění, vyjádření (*his thoughts received ~ in a book*)
substantival [ˌsabstənˈtaivəl] jaz. substantivní
substantivally [ˌsabstənˈtaivəli] jako podstatné jméno
substantive [sabstəntiv] *adj* **1** jaz. substantivní, týkající se podstatného jména **2** jaz. zpodstatnělý **3** podstatný, týkající se podstatné záležitosti **4** skutečný, reálný **5** velký, značný, pořádný **6** samostatný, nezávislý, autonomní (*a ~ existence*) **7** formální (*make an amendment into a ~ resolution* udělat z dodatku součást formální rezoluce) **8** pevný, solidní **9** pevný, trvalý, definitivní (*a ~ appointment to an office* definitivní jmenování do funkce), oprávněný k plnému platu **10** jaz. vyjadřující existenci, existenciální (*"to be" is a ~ verb*) **11** práv. hmotný, materiální **12** tech. přímý, substantivní (*~ dye* substantivní barvivo) ♦ ~ *law* práv. hmotné, materiální právo; *noun ~* jaz. podstatné jméno, substantivum; ~ *verb* jaz. verbum substantivum ● *s* **1** jaz. podstatné jméno, substantivum **2** filoz. nezávislé jsoucno
substantiveness [sabstəntivnis] **1** jaz. substantivnost **2** jaz. zpodstatnělost **3** podstatnost **4** skutečnost, reálnost **5** velikost, značnost, pořádnost **6** samostatnost, nezávislost, autonomnost **7** formálnost **8** pevnost, solidnost **9** pevnost, trvalost, definitivnost
substation [ˈsabˌsteišən] **1** vedlejší, pomocná stanice, podružná stanice, též rozhlasová **2** telefonní přípojka **3** AM malá poštovní služebna, poštovna **4** elektr. měnírna, transformovna
substernal [sabˈstə:nl] anat. uložený pod hrudní kostí
substituent [səbˈstitjuənt] chem. substituent atom n. atomová skupina, která se v molekule při substituci vyměňuje
substitute [sabstitju:t] *s* **1** náhradník, zástupce, výpomoc, substitut **2** voj. hist. náhradník **3** náhražka (*margarine is not a ~ but a distinctive article*), surogát **4** napodobenina (*beware of ~s* pozor na napodobeniny) **5** náhradní / zastupující výraz, náhrada (*pronoun serves as a ~*) **6** náhradní součástka ♦ *act as a ~ for a p.* zastupovat koho

● *v* **1** nahrazovat kým | čím *for* koho | co, dát, použít, dosadit co místo čeho (*they ~d wool for cotton* bavlnu nahradili vlnou, místo bavlny použili vlny); být náhražkou, sloužit jako náhražka **2** vzít, použít jako náhradu **3** zastupovat, být zástupcem n. náhradníkem **4** chem. nahrazovat, substituovat ◆ *~ surreptitiously* podstrčit, podvrhnout ● *adj* **1** náhradní **2** náhražkový
substitution [ˌsabstiˈtju:šən] **1** záměna, náhrada, nahrazení, substituce **2** podstrčení, podložení, podvržení (*~ of a child*) **3** mat. dosazení, dosazování, nahrazení, nahrazování **4** chem. nahrazování, substituce **5** jaz. nahrazování, substituce **6** práv. surogace **7** psych. nahrazení, substituce jednoho objektu n. cíle jiným **8** hud. klamný závěr **9** hud. výměna prstů na klávese ◆ *~ neurosis* med.: druh neurózy
substitutional [ˌsabstiˈtju:šənl] **1** náhradní **2** náhražkový **3** zastupující
substitutive [sabstitju:tiv] náhradní, hodící se jako náhrada
substratosphere [sabˈstrætosfiə] let. substratosféra, tropopauza mezi výškou 5,5 a 11 km
substratum [sabˈstra:təm / AM sabˈstreitəm] *pl: substrata* [sabˈstra:tə / AM sabˈstrəitə] **1** substrát podklad, základ; bot.: pevné prostředí poskytující suchozemským rostlinám živný podklad; biol.: látka, na kterou působí enzym; živná půda pro pěstování mikroorganismů; filoz.: podstata; jaz.: zaniklý jazyk; jazykové jevy, které se zachovaly v jiném jazyce n. jiných jazycích, které vznikly na jeho místě; základ, podklad **2** fot. spodní vrstva, základní vrstva pod citlivou emulzí
substruction [ˈsabˌstrakšən], **substructure** [ˈsabˌstrakčə] **1** spodní stavba, spodek např. silnice **2** základy, spodní konstrukce, substrukce budovy
subsume [səbˈsju:m] zahrnout, zařadit, subsumovat (*~d into a more embracing scheme*)
subsumption [səbˈsampšən] **1** zařazení, zahrnutí, včlenění **2** log. subsumpce podřazení pojmu zvláštního pojmu obecnějšímu, zařazení jednotlivého případu do všeobecného pravidla **3** log. dolejší premisa
subsurface [sabˈsə:fis] **1** podpovrchový (*~ layer* … vrstva) **2** podzemní (*~ water*)
subtangent [sabˈtændžənt] geom. subtangenta
subteen [sabˈti:n] hovor. žabec, kluk, mládě mladší než 13 let
subtemperate [sabˈtempərit] zeměp. ležící při mírném pásmu
subtenancy [sabˈtenənsi] **1** podnájem **2** podpacht
subtenant [sabˈtenənt] **1** podnájemník **2** podpachtýř
subtend [səbˈtend] geom. **1** přepínat **2** přepona, tětiva ap. ležet proti, být protilehlý
subtense [səbˈtens] *s* geom. **1** tětiva **2** přepona, strana ležící proti uvažovanému úhlu ● *adj* zeměměř. tacheometrický
subterfuge [sabtəfju:dž] **1** výmluva, vytáčka **2** lest, trik, úskok **3** útočiště
subterminal [sabˈtə:minl] téměř konečný
subternatural [ˌsabtəˈnæčrəl] nepřirozený, méně než přirozený
subterranean [ˌsabtəˈreinjən] *adj* **1** podzemní **2** jeskynní **3** tajný, krytý ● *s* **1** obyvatel jeskyně **2** kdo žije n. pracuje pod zemí **3** jeskyně
subterraneously [ˌsabtəˈreinjəsli] pod zemí
subterrestrial [ˌsabtiˈrestriəl] podzemní, podzemský
subtext [sabtekst] div. podtext
subthoracic [ˌsabθo:ˈræsik] anat. uložený pod hrudním košem
subtil, subtile [satl] zast. = *subtle*
subtility [sabˈtiləti] = *subtlety*
subtilization [ˌsatilaiˈzeišən] **1** zjemnění, zjemňování, zušlechťování **2** zředění, zřeďování, rafinování **3** zostření, zostřování, zbystření, zbystřování např. smyslů **4** dělání jemných rozdílů; hnidopišství, hnidaření **5** chem. vyprchání, vyprchávání
subtilize [satilaiz] **1** zjemnit, zušlechtit **2** zřeďovat, rafinovat **3** zostřit, zbystřit např. smysly **4** dělat jemné rozdíly v, vnášet jemné rozdíly do, debatovat, vykládat bystře a s děláním jemných rozdílů, pitvat (přen.) **5** chem. vyprchat
subtilizer [satilaizə] hnidopich, hnidař
subtilty [satlti] = *subtlety*
subtitle [ˈsabˌtaitl] *s* **1** řidč. podtitul, podtitulek **2** film.: dialogový titulek, podtitulek; mezititulek v němém filmu ● *v* otitulkovat, opatřit titulky
subtle [satl] **1** sotva patrný, jemný, slabounký (*a ~ odour* jemná vůně) **2** jemný, lehký, nepatrný, tichý (*a ~ irony*), něžný (*a ~ smile*), prchavý, křehký, subtilní (*a ~ charm* křehké kouzlo) **3** choulostivý, ožehavý, delikátní (*a ~ point*) **4** bystrý, citlivý, pronikavý, ostrý, hluboký, detailní, vysoce vyvinutý (*a ~ understanding*) **5** bystrý, chytrý, inteligentní (*a ~ diplomat*) **6** jemný, obratný (*~ fingers*) **7** lstivý, vychytralý, mazaný, prohnaný, rafinovaný (*a ~ thief* rafinovaný zloděj) **8** tajemný, tajuplný (*a ~ magic*) **9** plíživý, zákeřný (*a ~ poison* zákeřný jed) **10** zast.: tekutina řídký, zředěný
subtlety [satlti] (*-ie-*) **1** jemnost **2** lehkost, nepatrnost, tichost, něžnost, prchavost, křehkost, subtilnost **3** choulostivost, ožehavost, delikátnost **4** bystrost, citlivost, pronikavost, ostrost, hloubka, detailnost např. úsudku **5** hnidopišství **6** bystrost, chytrost, inteligence **7** jemnost, obratnost např. prstů **8** lstivost, vychytralost, mazanost, prohnanost, rafinovanost **9** tajemnost, tajuplnost **10** plíživost, zákeřnost
subtone [sabˈtəun] polotón, spodní tón, též přen.
subtonic [sabˈtonik] hud. sedmý stupeň diatonické stupnice, cilivý tón
subtopia [sabˈtəupiə] hanl.: živelně zastavěný okraj města, rozlezlý okraj města, periférie hyzdící krajinu
subtorrid [sabˈtorid] subtropický
subtotal [sabˈtəutl] dílčí součet, mezisoučet

subtract [səb'trækt] **1** odečíst *from* od, odčítat (*~ 5 from 9*) **2** ubírat *from* na (*we must not ~ from his greatness*)
subtraction [səb'trækšən] odčítání, odečtení ◆ *~ sign / mark* znaménko méně, minus (–)
subtractive [səb'træktiv] **1** týkající se odčítání **2** odb., fot. odčítací, subtraktivní
subtrahend [sabtrəhend] mat. menšitel
subtranslucent ['sab,trænz'lu:snt] téměř průsvitný, ne zcela průsvitný, poloprůsvitný
subtriangular ['sab,trai'æŋgjulə] téměř trojúhelníkový, ne zcela trojúhelníkový
subtribe [sab'traib] **1** bot. podshluk **2** zool. podtribus
subtropical [sab'tropikəl] zeměp. subtropický
subtropics [sab'tropiks] zeměp. subtropy
subulate [su:bjəlit], **subuliform** [su:bjəlifo:m] bot., zool. šídlovitý
subungulate [sab'aŋgjuleit] zool. *adj* kopytnatý ale s vyvinutými prsty ● *s* kopytník, prstochodec, ploskochodec
suburb [sabə:b] **1** předměstí **2** okrajové sídliště na předměstí **3** *~s, pl* okraj, okrajová oblast n. část ◆ *residential ~* vilová čtvrť na kraji města
suburban [sə'bə:bən] *adj* **1** předměstský **2** přen. maloměstský, maloměšťácký, provinciální, omezený, šosácký, úzkoprsý, konvenční, nepokrokový (*a ~ point of view* šosácké hledisko) ● *s* **1** obyvatel předměstí **2** dodávkové auto
suburbanite [sə'bə:bənait] obyvatel předměstí
suburbanize [sə'bə:bənaiz] dát předměstský charakter čemu, udělat předměstí z
suburbia [sə'bə:biə] zejm. hanl. **1** okrajové čtvrti, předměstí zejm. Londýna **2** obyvatelé předměstí n. okrajových čtvrtí zejm. Londýna **3** život na předměstí n. v okrajových čtvrtích zejm. Londýna ◆ *they both reflected ~ strongly* bylo na nich zdaleka vidět, že žijí na předměstí (Londýna)
subursine [sab'ə:sain] zool. téměř medvědovitý, připomínající medvěda
subvariety ['sabvə,raiəti] bot., zool. pododrůda, subvarieta
subvene [sab'vi:n] objevit se jako opora n. podpora
subvention [səb'venšən] **1** pomoc, podpora, subvence zejm. z veřejných prostředků **2** poskytování subvencí, subvencování
subversion [səb'və:šən] **1** svržení, svrhnutí, vynucené odstoupení (*~ of a government*), násilná změna (*~ of a constitution*), převrat **2** zkáza, zničení, rozvrácení, rozrušení **3** podvratná činnost, rozvracečství
subversive [səb'və:siv] *adj* podvratný, rozvratný, subversní ● *s* podvratník, rozvratník, rozvraceč
subversiveness [səb'və:sivnis] podvratnictví, rozvratnictví
subvert [sab'və:t] **1** svrhnout (*~ a government*) **2** zrušit (*~ a law*); úplně zničit, zkazit, vyvrátit, rozvrátit, rozrušit, demolovat **3** podrývat, podkopávat (*~ a p.'s faith* podrývat víru koho), vykonávat zhoubný vliv na, rozvracet (*propaganda that ~s foreign-born citizens*), změnit podvratnou činností *into* v
subvertebral [sab'və:tibrəl] anat. uložený pod obratlemi, podobratlový
subvertical [sab'və:tikl] *adj* strmý, téměř svislý, ne zcela svislý ● *s* stav. vedlejší / podružná svislice, polosvislice
subvitreous [sab'vitriəs] lesk polosklovitý
subway [sabwei] **1** BR podchod **2** kolektor **3** AM podzemní dráha ◆ *~ circuit* AM hovor. divadla na předměstí New Yorku
subzero [sab'ziərəu]: *~ weather* AM velmi chladné počasí, kdy teploměr ukazuje méně než 0°F (cca –18°C)
succade [sa'keid] řidč. **1** též *~s, pl* kandované ovoce **2** *~s, pl* kompot, sladkosti
succedaneous [,saksi'deiniəs] náhradní, náhražkový
succedaneum [,saksi'deiniəm] *pl: succedanea* [,saksi'deiniə] **1** náhrada, náhražka **2** med. náhradní lék
succeed [sək'si:d] **1** mít úspěch, být úspěšný (*he ~ed as a doctor*), podařit se, zdařit se, dobře dopadnout (*the attack ~ed* útok byl úspěšný), dokázat to **2** mít úspěch, být úspěšný *in* v, podařit se, zdařit se, dokázat co, mít úspěch *with* u / s **3** dopadnout, skončit (*I have ~ed very badly*) **4** nastoupit *a p.* po, být nástupcem koho (*who ~ed Churchill as Prime Minister?*) **5** zdědit *to* co; zdědit trůn, nastoupit (na trůn) (*on George VI's death, Elizabeth II ~ed*); zdědit titul, funkci (*when he dies, his nephew will ~*) **6** následovat *a t. / to* po / v přirozeném pořadí, vystřídat (*slate has ~ed to thatch and brick to timber* břidlice vystřídala došky a cihly dřevo), nastat (*day is over, night ~s* skončil den, nastává noc)
succentor [sək'sentə] pomocník kantora, sukcentor
succès d'estime [,sukseidə'sti:m] ohlas pouze u kritiky
succès fou [,suksei'fu:] nadšené přijetí
success [sək'ses] **1** úspěch; sukces **2** úspěšný člověk (*be a ~*) **3** žák, který úspěšně složil zkoušku **4** zast. výsledek, následek, rezultát ◆ *be the ~ of the evening* být celý večer středem pozornosti; *be a ~ with a p.* umět to s; *box-office ~* finančně úspěšná hra, úspěšný film, kasovní kus, kasaštyk (hovor.); *Nothing succeeds like ~* Komu Pán Bůh, tomu všichni svatí; *play was an immediate ~* hra byla okamžitě úspěšná, hra měla okamžitý úspěch; *poor ~* malý úspěch, neúspěch; *without ~* bezúspěšně, nadarmo; *~ worker* vynikající pracovník chválený v tisku
successful [sək'sesful] **1** úspěšný **2** podařený, vydařený **3** rostlina, živočich rozšířený
succession [sək'sešən] **1** následnost, následování jednoho za druhým, sled, posloupnost (*the ~ of the*

seasons) **2** řada za sebou, série (*a ~ of wet days*), nepřerušovaný řetěz, řetězec, pořadí **3** nastoupení, nástupnictví; nastoupení *to* do, převzetí čeho po řadě (*~ to an office*) **4** práv. sukcese, posloupnost **5** potomci (*the estate was left to him and his ~* panství zdědil on a jeho potomci); dědici **6** bot., geol. sled vzniku, sukcese **7** hud. chod, posloupnost, řada, postup, sekvence ◆ *Apostolic S~* círk. apoštolská posloupnost; *be next in ~* být následovníkem, být příští na řadě; *~ of crops* střídání plodin; *~ duties* dědická daň, dědické poplatky; *in ~* za sebou, po sobě, jeden za druhým (*in rapid ~* rychle za sebou); *law of ~* práv. *1.* dědické právo *2.* trůnní právo; *S~ State* nástupnický stát vzniklý po rozpadu např. Rakouska-Uherska r. 1918; *~ to the throne* nástupnictví na trůn

successional [sək'sešənl] nástupnický

successive [sək'sesiv] **1** jdoucí po sobě, za sebou (*the school team won five ~ games* školní mužstvo vyhrálo pět zápasů za sebou) **2** následný, postupný (*the product of the ~ labours of innumerable men*); postupně vzniklý **3** další (*many ~ editions* mnoho dalších vydání) **4** jsoucí v řadě, v sérii, sériový

successor [sək'sesə] následník, nástupce *to* / *of* koho / čeho, do, na ◆ *~ to the throne* následník trůnu

succinate [saksineit] jantaran

succinct [sək'siŋkt] **1** stručný, zhuštěný, pregnantní, sumární **2** strohý, kusý, odměřený **3** těsný **4** zool. přepásaný, s páskem

succinctness [sək'siŋktnis] **1** výstižná stručnost, zhuštěnost, pregnantnost, sumárnost **2** strohost, úsečnost, kusost, odměřenost **3** těsnost **4** zool. přepásanost

succinic [sak'sinik] chem. jantarový

succor [sakə] AM = *succour*

succory [sakəri] (*-ie-*) = *chicory*

succose [sakəus] šťavnatý

succotash [sakətæš] AM **1** pokrm ze zelené kukuřice, fazolí a soleného vepřového masa **2** směska např. ovsa a ječmene k setí

succour [sakə] *v* **1** pomoci, poskytnout pomoc komu **2** ulehčit v obtížích komu, podpořit koho **3** voj. vysvobodit, zachránit z obležení, přijít na pomoc ● *s* **1** pomoc **2** podpora; útěcha **3** pomocník **4** *~s, pl* voj. posila, pomoc, pomocný sbor

succuba [sakjubə] *pl: succubae* [sakjubi:], **succubus** [sakjubəs] *pl: succubi* [sakjubai] **1** sukubus démon souložící se spícími muži **2** prostitutka

succulence [sakjuləns] **1** šťavnatost **2** přen. výraznost, jadrnost, šťavnatost

succulent [sakjulənt] *adj* **1** šťavnatý **2** přen. výrazný, jadrný, šťavnatý **3** bot. sukulentní ● *s* bot. sukulent typ suchomilných rostlin se silně zdužnatělým stonkem n. se zdužnatělými listy

succumb [sə'kam] **1** podlehnout *to* komu (*~ to an adversary* … protivníkovi), čemu (*~ to temptation* … pokušení); podlehnout nemoci, zranění apod., zemřít; podlehnout obchodní konkurenci, krizi apod., položit se (*590 businesses ~ed*) **2** vzdát se, oddat se odevzdaně (*~ to grief* oddat se zármutku)

succursal [sa'kə:səl] filiální (*a ~ church of a cathedral, a ~ bank*)

succuss [sə'kas] za|třást

succussion [sə'kašən] za|třesení

such [sač] *adj* **1** takový (*poets ~ as Keats and Shelley* takoví básníci jako Keats a Shelley); takový *as* že, aby (*his illness is not ~ as to cause anxiety* není tak nemocný, aby to budilo úzkost); takový *that* že, až (*~ was the force of the explosion that all the windows were broken* síla výbuchu byla taková, že / až rozbila všechna okna) **2** podobný, stejný, takový (*I hope never to have another ~ experience* doufám, že něco takového víckrát nezažiji) **3** tento, řečený, takový (*if any member is behind in his payments, ~ member shall be suspended* člen, který nezaplatí příspěvky včas, bude mít pozastaveno členství) **4** hovor. tak krásný, velký ap., takový (*we had ~ fun!*) **5** ten a ten nejmenovaný (*these films were shown in ~ a place*) ◆ *~ as* též jako, (jako) například (*coarse fish, ~ as carp* nelososovité ryby, například kapr); *~ as it is* i když není valný, třebas za mnoho nestojí (*you can use my bicycle ~ as it is*); *don't be in ~ a hurry* nepospíchej tolik; *~ is life!* takový je život!; *~ master ~ servant* jaký pán, takový krám; *no ~ thing* nic takového; *~ a one* takový člověk; *a system ~ as this* takovýto systém, tento systém; *there are ~ things* takové věci se přiházejí ● *adv* tak (*it was ~ a long time ago* to už bylo tak dávno, *you gave me ~ a fright* ty jsi mě tak vylekal) ● *pron* **1** toto (*~ is not my intention*) **2** hovor.: ve funkci osobního zájmena tento (*people who leave parcels in the train cannot expect to recover ~* lidé, kteří zapomínají ve vlaku balíčky, nemohou počítat s tím, že tyto dostanou zpět) **3** vulg. tentononc

such and such [sačənsač] ten a ten, takový nejmenovaný

suchlike [sačlaik] *adj* podobný ● *pron* takový člověk; taková věc

such that [sačðæt] takže

suck [sak] *v* **1** vy|sát (*~ the juice from an orange* … šťávu z pomeranče, *~ poison out of a wound* … jed z rány), vy|cucat **2** vy|sát šťávu z (*~ an orange* … z pomeranče) **3** cucat, lízat (*~ a lollipop*) **4** kojenec sát, pít z (*a baby ~s its mother's breast* dítě pije z matčina prsu); pít z prsu **5** mládě savce pít z matčina struku **6** kojit **7** vír, bažina stáhnout, vtáhnout, vsát, vcucnout (*the canoe was ~ed into the whirlpool* kanoe byla vtažena do víru) **8** pít slámkou, brčkem (*~ lemonade through a straw* pít limonádu brčkem) **9** srkat (*~ soup*) **10** čerpadlo sát vzduch místo vody ◆ *~ advantage out of a t.* získat výhodu z, využít čeho; *~ air into* *one's lungs* nabrat dech do plic, zhluboka se nadechnout; ~ *the blood 1.* sát, pít krev *2.* finančně vyčerpat, pustit žilou komu *3.* vyčerpat, vyždímat, vzít všechnu energii komu; ~ *a p.'s brains* tahat rozumy z, krást myšlenky komu, pumpovat nápady z, olizovat mozek komu; ~ *dry 1.* úplně vysát n. vycucat *2.* úplně vyčerpat; ~ *the monkey* BR *1.* pít z láhve *2.* pít např. víno brčkem n. trubičkou rovnou ze sudu *3.* pít brčkem rum z kokosového ořechu; ~ *noisily* hlasitě srkat; ~ *at a pipe* sát / cucat dýmku, táhnout z prázdné dýmky; ~ *sweets* cucat bonbóny; ~ *one's thumb* cucat si palec; ~ *one's teeth* vtahovat vzduch mezi zuby; ~ *one's tooth* vysávat vzduch z děravého zubu, dělat „c c" ***suck around*** chovat se ke každému podlézavě ***suck away 1*** sát, cucat stále, s chutí *at* co / z (*the baby was ~ing away at the empty feeding bottle* dítě dále cucalo prázdnou láhev) **2** odsávat, odčerpávat ***suck down*** stáhnout, vtáhnout pod hladinu (*be ~ed down by a sinking ship* být stáhnut pod hladinu potápějící se lodí) ***suck in 1*** sát, nasávat, na|čerpat (~ *in knowledge*) **2** vdechovat (~ *in the morning air*) **3** slang. napálit, ošulit, podvést, vzít na hůl, ušít boudu na ◆ ~ *a t. in with one's mother's milk* přen. znát od malička; ~ *in a p.'s words* žížnivě hltat slova koho ***suck off*** obsc. *1* vykouřit **2** vylízat ***suck out 1*** vysát *2* přen. dokonale se vyptat, vyčerpat vědomosti koho, vyždímat informace z ***suck up 1*** vysávat, odsávat (*plants that ~ up moisture from the soil* rostliny, které odsávají vlhkost z půdy) **2** slang. šplhat *to* u, podlézat komu ● *s* **1** sání, nasávání, odsávání, vysávání **2** sací síla **3** vsávaná, nasávaná látka **4** zast.: mateřské mléko **5** zvuk vydávaný při sání, cucání, srkání **6** vír **7** hovor. hlt, líznutí malý doušek **8** BR slang. cukrle, cucátko bonbón **9** slang. šplhoun, štrébr; vliv šplhouna n. jeho šplhounství **10** slang. otrava, kšanda z neúspěchu (*what a ~!*) **11** slang. švindl, humbuk, bouda ◆ ~*s!* slang. dobře ti tak!; *a child at ~* kojené dítě; *give ~ to* kojit koho; *have / take a ~ a t.* cucnout si, líznout si čeho (*have a ~ at a lollipop* líznout si lízátka)

suck-a-thumb [sakəθam] dítě, které si cucá paleček

sucker [sakə] *s* **1** kdo n. co saje, cucá n. srká **2** kojenec **3** sele, podsvinče **4** sající tele velryby **5** zool. štítovec lodní; název různých druhů ryb **6** přísavka **7** zool. přísavná ústa; přísavná noha **8** polygr. savka nakladače n. vykladače **9** bot. odnož, kořenový výmladek, šlahoun, vlk **10** bot. haustorium **11** tech. sací píst; sací ventil; sací potrubí **12** slang.: důvěřivý kořen, kavka, zelenáč; člověk, který miluje *for* co n. který naletí na (*he is a ~ for blondes* ten naletí každé blondýně) **13** zast. vyděrač, příživník **14** AM hovor. cuc na špejli, lízátko **15** *S~* AM přezdívka obyvatelů státu Illinois ◆ *lay a p. for a ~* oškubat koho; ~ *regeneration* les. odnožování ● *v* **1** zbavovat výhonků (~ *tobacco*) **2** tvořit, vyhánět, výhonky n. odnože **3** zejm. AM slang. podvést, okrást, oškubat

suckerfish [sakəfiš] *pl* též *-fish* [-fiš] zool. štítonoš lodní

suck-in [sakin] **1** otrava, kšanda z neúspěchu **2** švindl, humbuk, bouda

sucking [sakiŋ] **1** sací, sající **2** přísavný **3** přen. začínající, sotva vylíhlý, mající ještě skořápku na zadečku (*a ~ barrister* advokátské holoplíště) **4** v. *suck, v*

sucking coil [ˌsakiŋˈkoil] magnetizační cívka se vtažným jádrem

sucking disk [sakiŋdisk] přísavka

sucking dove [ˌsakiŋˈdav] neopeřené holoubě

sucking fish [sakiŋfiš] *pl* též *fish* [fiš] zool. mihule

sucking infant [ˌsakiŋˈinfənt] kojenec

sucking louse [ˌsakiŋˈlauz] veš

sucking pig [sakiŋpig] sele, podsvinče

suckle [sakl] **1** kojit **2** pít, sát při kojení **3** přen. živit, krmit, vychovávat ◆ *be ~d* být odkojen *on* čím

suckling [sakliŋ] **1** kojenec **2** zool. kojené mládě ◆ *babes and ~s* přen. úplní začátečníci, holoplíšťata

suck-thumb [sakðam] = *suck-a-thumb*

suck-up [sakap] škol. slang. šplhoun

sucrase [sju:kreis] chem. sacharáza, invertáza

sucrose [sju:krəus] chem. třtinový, řepný cukr, sacharóza

suction [sakšən] **1** sání; nasávání, odsávání, **2** savost **3** fyz., tech. podtlak **4** tech. zdvih **5** tech. sací zařízení **6** BR nasávání alkoholického nápoje

suction chamber [ˈsakšənˌčeimbə] sací komora, odsávací komora

suction fan [sakšənfæn] **1** sací ventilátor, odsavač **2** fukar

suction flask [sakšənfla:sk] odsávací baňka, odsávačka

suction pipe [sakšənpaip] sací trubka / trouba, sací potrubí

suction plate [sakšənpleit] rovnátko

suction pump [sakšənpamp] **1** sací čerpadlo **2** laboratorní vývěva

suction sweeper [ˈsakšənˌswi:pə] vysavač

suctorial [sakˈto:riəl] zool. **1** sací, savý, sající **2** mající přísavky, přísavkový

Sudanese [ˌsu:dəˈni:z] *adj* súdánský ◆ ~ *grass* bot. súdánská tráva ● *s* **1** *pl: Sudanese* [ˌsu:dəˈni:z] Súdánec **2** súdánská arabština, súdánština

Sudani [ˌsu(:)ˈda:ni(:)] = *Sudanese, s 2*

sudarium [sjudeəriəm] *pl: sudaria* [sjudeəriə] **1** antic. sudarium šátek na utírání potu **2** náb. rouška sv. Veroniky

sudation [sju(:)ˈdeišən] pot, pocení

sudatorium [ˌsju:dəˈto:riəm] antic. sudatorium lázeň vyvolávající pocení

sudatory [sju:dətəri] med. *adj* vyvolávající pocení ● *s (-ie-)* **1** lék vyvolávající pocení **2** = *sudatorium*

sudd [sad] plovoucí rostlinné části, zejm. bažinných a vodních rostlin, bránící v plavbě po Bílém Nilu

sudden [sadn] *adj* **1** náhlý; nenadálý, neočekávaný, nepředvídaný **2** prudký (~ *in his movements,* *a ~ turn)* **3** přenáhlený, ukvapený (*a ~ action*) **4** zast. rychle udělaný **5** zast. rychle působící (*~ poison*) ♦ *~ death 1.* náhlá smrt *2.* rozhodnutí jedním hozením mince *3.* sport. hovor. "náhlá smrt" v tenise; *~ voltage difference* elektr. skok napětí ● *adv* bás. náhle, pojednou ● *s: (all) of a ~ / on a* řidč. *the ~* náhle, najednou, neočekávaně, pojednou

suddenness [sadnnis] náhlost; nenadálost, neočekávanost, nepředvídanost **2** prudkost **3** přenáhlenost, ukvapenost

sudoriferous [ˌsju:dəˈrifərəs] anat.: žláza vylučující pot, potní

sudorific [ˌsju:dəˈrifik] *adj* **1** med. vyvolávající pocení **2** anat. potní ● *s* med. lék vyvolávající pocení

sudoriparous [ˌsju:dəˈripərəs] = *sudoriferous*

Sudra [su:drə] šúdra nejnižší indická kasta; příslušník této kasty

suds [sadz] *s pl* **1** mýdlová voda, mydliny **2** (mýdlová) pěna **3** praní v mýdlové vodě / v mydlinách (*trousers usually require only one ~* kalhory obvykle stačí prát v mydlinách pouze jednou) **4** zejm. AM slang. zrzavá voda, pivo ♦ *in the ~ 1.* v kaši, v bryndě *2.* námoř. v moři, ve vodě ● *v* **1** prát v mýdlové vodě / v mydlinkách **2** tvořit mydliny

sudsy [sadzi] (*-ie-*) **1** mydlinový, mydlinkový **2** plný pěny, napěněný, pěnivý

sue [sju(:)] **1** podat žalobu, za|žalovat *for* co / o / pro, domáhat se žalobou čeho **2** naléhavě žádat, prosit *for* o *to* koho (*he ~d for mercy*) **3** loď při odlivu zůstat na suchu **4** zast. řidč. dvořit se komu ♦ *~ and labour clause* námoř. doložka pojistky o odvrácení a zmenšení škody; *~ for a breach of promise* žalovat pro svedení pod slibem manželství; *~ for damages* žalovat o náhradu škody; *~ for a debt* žalovat dluh; *~ for a divorce* podat žalobu.o rozvod; *~ for infringement* žalovat pro porušení ***sue out*** žádat u soudu *a t.* o (*~ out a writ*)

suède, suede [sweid] **1** rukavičkářská useň; jemná hlazená kůže na rukavice, glazé **2** též *~ coth* text. velur, dyftýn

suedehead [sweidhed] = *skinhead*

suedette [ˌsweiˈdet] imitace glazé

suer [sju:ə] **1** žadatel, prosebník **2** práv. žalobce, navrhovatel

suet [sjuit] hovězí, skopový lůj kolem ledvin ♦ *~ pudding* těsto z mouky a loje

suety [sjuiti] lojovitý, lojový

suffer [safə] **1** trpět; utrpět, vytrpět, protrpět; trpět *from* čím **2** být soužen, sužován *from* čím **3** pykat *for* za, odpykat si co, odnést si co, zkusit za, vypít si co, odskákat si co (hovor.), být potrestán za (*the child ~ed for his impudence* dítě bylo za svou drzost potrestáno) **4** být poškozen, utrpět škodu (*the engine ~ed severely* motor byl vážně poškozen) **5** být zraněn (*no one ~ed in the accident*) **6** snést, vystát, strpět, mít trpělivost s (*how can you ~ him*) **7** dovolit, nechat (*he ~ed them to come*) **8** být v nevýhodě, jevit se horším (*the story ~s by comparison with the shorter ones* v porovnání s kratšími povídkami tahle nepřipadá tak dobrá) **9** odsouzenec jít na smrt, být popraven **10** zkusit, zakusit co ♦ *~ a change* změnit se; *~ damage* utrpět škodu; *~ death* umřít; *~ decline* poklesnout v ceně; *~ default* práv. prohrát proces pro nedostavení se k soudu; *~ defeat* utrpět porážku; *~ fools gladly* mít trpělivost s hloupými lidmi; *~ heavy losses* utrpět těžké ztráty; *~ a shipwreck* ztroskotat; *~ thirst* trpět žízi ***suffer o. s.*** dovolit, strpět (*he ~ed himself to be cheated* nechal se podvést vědomě)

sufferable [safərəbl] **1** snesitelný **2** dovolitelný, dovolený

sufferance [safərəns] **1** svolení, tichý souhlas **2** snesení, strpění, vydržení (*it is beyond ~* to se nedá vydržet) **3** zast. bolest, utrpění **4** zast. trpění, trpělivé snášení ♦ *bill of ~* povolení k nalodění zboží vydané celním úřadem; *on ~* mlčky n. z milosti trpěný nikoliv dovolený; *~ wharf* námoř. část nábřeží n. mola určená k vykládání nákladu podléhajícího clu, celní prostor v přístavu

sufferer [safərə] **1** kdo je sužován *by* čím **3** poškozený **4** mučedník

suffering [safəriŋ] *s* **1** trápení, utrpení, bolest (*he died without much ~*); útrapy **2** v. *suffer* ● *adj* **1** nemocný, chorý (*he is very ~*) **2** v. *suffer*

suffete [safi:t] antic. nejvyšší úředník v Kartágu

suffice [səˈfais] do|stačit (*your word will ~*); postačit, být dost komu, pro (*one dollar ~d him*) ♦ *~ it to say* stačí pouze říci

sufficiency [səˈfišənsi] **1** dostatek, dostatečné množství *of* čeho (*~ of money*) **2** dostatek peněz, bohatství **3** dostatečnost, přiměřenost, postačitelnost **4** schopnost, způsobilost **5** sebedůvěra ♦ *eat a ~* najíst se dosyta

sufficient [səˈfišənt] *adj* **1** dostatečný, dostačující, postačující **2** řidč. pořádný (*a ~ blow* ... rána) **3** bridž: hláška vyšší **4** zast. schopný ♦ *be ~* stačit, dostačovat, postačovat; *beyond what is ~* víc než dost ● *s* hovor. dostatečné množství, dost (*have you had ~?*)

suffix [safiks] *s* **1** jaz. přípona, sufix **2** řidč. spodní index, index pod účařím ● *v* jaz. připojit jako příponu

sufflate [səˈfleit] zast. nafouknout

suffocate [safəkeit] u|dusit | se (*the fumes almost ~ed me* výpary mě téměř zadusily, *two victims were ~d* dvě oběti zahynuly udušením), též přen. (*he was suffocating with rage* dusil se vztekem)

suffocating [safəkeitiŋ] *adj* **1** dusný, dusivý **2** dušený, přidušený (*~ sound*) ● *s* = *suffocation*

suffocation [ˌsafəˈkeišən] u|dušení, sufokace (med.)

suffragan [safrəgən] círk. *adj* sufragánní ♦ *~ bishop / bishop ~* = ● *s* sufragán biskup podřízený arcibiskupovi; světící biskup

suffrage [safridž] **1** volební hlas, podpora ve volbách *for* pro (*they gave their ~s for free trade*) **2** volební

/ hlasovací právo **3** hlasovací lístek, hlas; hlasování, volba **4** círk. krátká modlitba, prosba **5** zast. přímluvná modlitba ◆ *female* ~ = *woman* ~; *the horse has my* ~ dávám přednost tomuto koni; *manhood* ~ hlasovací právo pro všechny dospělé muže; *universal* ~ všeobecné hlasovací právo; *woman* ~ hlasovací právo pro ženy
suffragette [ˌsafrəˈdžet] sufražetka bojovnice za hlasovací, politická práva žen
suffragist [ˌsafrəˈdžist] bojovník za hlasovací n. politická práva např. žen
suffuse [səˈfju:z] zalít, zaplavit (*tears* ~*d her eyes*), polít (*a face* ~*d with blushes* tvář zalitá ruměncem)
suffusion [səˈfju:žən] **1** zalití, zaplavení; polití **2** též ~ *of the blood* (krevní) podlitina, hematom (med.) **3** ruměnec
sufi [su:fi] náb. súfí, súfista stoupenec súfismu
sufism [su:fizəm] náb. súfismus mystický směr v islámu spojený s novoplatónským učením, indickou askezí a panteistickou spekulací
sugar [šugə] *s* **1** cukr **2** kostka (n. lžička) cukru (*how many* ~*s in your tea?*) **3** chem. cukr **4** oslazení nepříjemné věci; sladká slova, lichocení, mazání medu kolem úst **5** slang. prachy (*heavy* ~) **6** slang. miláček, zlatíčko **7** = *sugar basin* ◆ *beet* ~ řepný cukr; *brown* ~ drobný surový cukr; *candy* ~ kandysový cukr; *cane* ~ třtinový cukr; *castor* ~ pískový cukr, jemná krupice; *confectioner's* ~ práškový cukr, cukr moučka; *cube* ~ kostkový cukr; *granulated* ~ krystalový cukr; *grape* ~ hroznový cukr, glukóza; *icing* ~ práškový cukr; *lump* ~ kostkový cukr; *malt* ~ sladový cukr, maltóza; *maple* ~ javorový cukr; *milk* ~ mléčný cukr, laktóza; *powdered* ~ práškový cukr, cukr moučka; *refined* ~ rafinovaný cukr ● *v* **1** osladit cukrem **2** o|cukrovat, pocukrovat; dát cukrovou polevu na **3** (dát) zcukernatět, krystalizovat **4** dělat javorový cukr **5** též ~ *over* / *up* přen. osladit, přisladit, dělat sladším, růžovějším než ve skutečnosti je, malovat růžovými barvami (*his inclination to* ~ *up reality*) **6** BR slang. flinkat se, flákat se, ulejvat se při práci, dělat lážově **7** AM slang. podmazat, podplatit ***sugar off*** svařit sirup při přípravě javorového cukru ● *adj* **1** cukrový **2** sladký jako cukr
sugar basin [ˈšugəˌbeisn] BR cukřenka
sugar bean [šugəbi:n] bot. fazol měsíční
sugar beet [šugəbi:t] cukrová řepa, cukrovka
sugarbird [šugəbə:d] zool.: název různých druhů ptáků z čeledi *Meliphagidae* a *Nectariniidae*
sugar bowl [šugəbəul] AM cukřenka
sugar bush [šugəbuš] **1** bot.: keř *Protea mellifera* **2** AM sad, plantáž n. lesík javorů cukrodárných
sugar candy [ˈšugəˌkændi] (*-ie-*) *s* **1** kandysový cukr, kandys, cukrkandl **2** zejm. AM cukroví, cukrovinky **3** přen. slaďák, cukrkandl ● *adj* **1** sladký, cukrkandlový **2** nepříjemně sladký, přeslazený
sugar cane [šugəkein] bot. cukrová třtina
sugar-coat [šugəkəut] **1** pokrýt cukrovou polevou **2** přen. osladit, ocukrovat, učinit přijatelným n. stravitelným
sugar-coated [ˈšugəˌkəutid] **1** jsoucí s cukrovou polevou **2** v. *sugar-coat* ◆ ~ *pill* lékár. dražé
sugar daddy [ˈšugəˌdædi] (*-ie-*) AM bohatý starý kořen, paprika, přítel vydržující si mladou přítelkyni
sugar dye [šugədai] pálený cukr, karamel
sugarer [šugərə] BR slang. flink, flákač, ulejvák při práci
sugar gum [šugəgam] bot.: druh blahovičníku
sugar glider [ˈšugəˌglaidə] zool. veverovec krátkohlavý
sugar house [šugəhaus] *pl: houses* [hauziz] **1** cukrovar **2** rafinérie na cukr
sugar icing [ˈšugəˌaisiŋ] tvrdá cukrová poleva
sugariness [šugərinis] **1** sladkost **2** cukrovost, cukrovitost **3** nepříjemná sladkost, přeslazenost
sugarless [šugəlis] jsoucí bez cukru, neslazený, nepřislazený (~ *tea*)
sugar loaf [šugələuf] *s, pl: loaves* [ləuvz] homole cukru ● *adj* = *sugar-loafed*
sugar-loafed [šugələuft] homolovitý
sugar maple [ˈšugəˌmeipl] bot. javor cukrodárný
sugar mill [šugəmil] **1** mlýn na cukrovou třtinu **2** cukrovar
sugar mite [šugəmait] zool. peříčkovec
sugar orchard [ˈšugəˌo:čəd] javorový sad osázený javorem cukrodárným
sugarplum [šugəplam] **1** švestka v cukru **2** zast. bonbón zejm. plněný, cukrátko **3** sladké slovo, lichotka
sugar refinery [ˈšugəriˌfainəri] (*-ie-*) rafinérie cukru
sugar shell [šugəšel] lžička na cukr
sugar teat [šugəti:t], **sugar tit** [šugətit] cumel, cumlík, cucák
sugar tongs [šugətoŋz] kleštičky na cukr
sugary [šugəri] (*-ie-*) *adj* **1** cukrový; cukernatý **2** sladký, slazený cukrem **3** přeslazený, nepříjemně sladký ● *s* AM cukrovar
suggest [səˈdžest / AM səgˈdžest] **1** navrhnout, dát / předložit návrh (*I* ~ *going* / *that we should go to the theatre* navrhuji, abychom šli do divadla) **2** doporučit, navrhnout (*he* ~*ed a relative for the position*) **3** ponoukat, podnítit, inspirovat *a t.* k *to* koho, vnuknout nápad komu (*this poem* ~*ed to Dryden his famous satire*); našeptat komu, dát tip komu na **4** naznačit, prozrazovat, svědčit o (*the white look on his face* ~*ed fear* z jeho pobledlé tváře se dalo usuzovat / vyčíst, že má strach), budit dojem *of* čeho **5** připomínat (*the shapes of clouds often* ~ *human figures* tvary mraků často připomínají postavy lidí) **6** podnítit, vzbudit, vyvolat (*indirectly* ~ *the desired attitude* nepřímo vyvolat žádaný názor); vylákat, vytáhnout (~*ed the most improbable falsehoods from witnesses* ze svědků tahal nejnepravděpodobnější lži) **7** připomenout, (dovolit si) upozornit, dát na srozuměnou, naznačit, podotknout, chtít říci (*do you* ~ *I am lying?* chceš říci, že lžu?) **8** práv. navrhovat, předpokládat, tvrdit, obvinit **9** psych.

v|sugerovat, nasugerovat např. v hypnóze ◆ *I ~* též podle mého názoru (*this, I ~, is what happened*) *suggest o. s.* nabízet se (*the folk customs that ~ themselves for study* lidové zvyky, které se nabízejí ke studiu) ◆ *an idea ~s itself to me* napadá mě myšlenka

suggester [səˈdžestə / AM səgˈdžestə] **1** navrhovatel **2** podněcovatel, našeptavač

suggestibility [səˌdžestiˈbiləti / AM səgˌdžestiˈbiləti] ovlivnitelnost, sugestibilita

suggestible [səˈdžestibl / AM səgˈdžestibl] ovlivnitelný, lehce přístupný cizím myšlenkám, sugestibilní (*too ~ to possess a style of his own* příliš přístupný cizím myšlenkám, než aby měl svůj vlastní styl)

suggestio falsi [saˈdžestiəuˌfælsai / AM səgˈdžestiəuˌfælsai] práv. nepravdivá výpověď, záměrný klam, dolózní nepravda

suggestion [səˈdžesčən / AM səgˈdžesčən] **1** návrh (*his ~s had the force of commands*) **2** pokyn, pobídka, rada, doporučení, typ; podnět, inspirace **3** dvojsmyslný náznak, nápověď, naznačení; narážka **4** náznak, známka, stín, stopa (*not a ~ of fatigue* ani stopa únavy); dojem **5** názor, dojem, domněnka, dohad, hypotéza, teorie (*a mere ~*) **6** připomínka *of* koho / čeho **7** představivost, asociační proces; asociace **8** psych. sugesce, v|sugerování např. v hypnóze; autosugesce **9** práv. nepřísežná výpověď **10** zast. pokušení ◆ *it conveys the ~ that* budí to dojem / působí to dojmem, že; *cure by ~* léčit hypnózou; *full of ~* podnětný; *hypnotic ~* hypnotická sugesce; *make a ~* učinit návrh, navrhnout; *my ~ is* navrhuji; *offer a ~ = make a ~*

suggestive [səˈdžestiv / AM səgˈdžestiv] **1** připomínající, naznačující *of* co, budící dojem čeho (*a sky ~ of spring*), svědčící o **2** podnětný, inspirující, obsažný, sugestivní; budící asociace **3** dvojsmyslný, svůdný (*she made a ~ movement*), lechtivý (*a ~ play*) **4** psych. sugestivní **5** práv.: otázka snažící se ovlivnit tázaného, sugestivní

suggestiveness [səˈdžestivnis / AM səgˈdžestivnis] **1** podnětnost, obsažnost, sugestivnost **2** schopnost vyvolávat asociace **3** dvojsmyslnost, lechtivost

suicidal [sjuiˈsaidl] sebevražedný, též přen.

suicide [sjuisaid] *s* **1** sebevrah **2** sebevražda, též přen. ◆ *commit ~* spáchat sebevraždu, též přen. (*commit political ~*) ● *v* AM = ***suicide o. s.*** spáchat sebevraždu

suicide seat [ˌsjuisaidˈsi:t] sedadlo / místo sebevrahů, sebevražedné místo / sedadlo vedle řidiče automobilu

suicidology [ˌsjuisaiˈdolədži] studium sebevražd a sebevražedného chování

sui generis [ˌsju(:)aiˈdženəris] svého druhu, zvláštního druhu, zvláštní, sui generis

sui juris [ˌsju(:)aiˈdžuəris] svéprávný, plnoprávný, sui juris

suilline [sju(:)ilain] zool. prasatovitý

sui-mate [sju:imeit] šachy samomat

suit [sju:t] *s* **1** oblek; odění, oděv, šaty z více dílů a ze stejné látky; civilní oblek, civil **2** plavky **3** souprava spodního prádla **4** souprava, garnitura, sada, série, řada, sled **5** námoř. sada, komplet (*~s of sails for racing yachts* kompletní oplachtění pro závodní jachty) **6** karty barva **7** domino všechny kameny se stejným počtem ok (*the ~ of sixes* šestky) **8** žádost, prosba, petice, suplika nadřízenému, zejm. panovníkovi **9** požádání o ruku, nabídka k sňatku **10** práv. žaloba *against* proti, spor s, proces, soudní řízení **11** průvod, doprovod, družina, suita (*in his ~ was a young gentleman*) **12** za feudalismu služba u dvora **13** zast. vlasový porost, kštice (*a heavy ~ of hair*) ◆ *~ of armour* brnění; *at the ~ of 1.* na žádost koho *2.* práv. na návrh koho; *bathing ~* plavky; *in one's birthday ~* úplně nahatý; *bring a ~* práv. žalovat; *business ~* tmavý oblek; *~ in chancery* BR práv. žaloba podaná k soudu lorda kancléře; *civil ~* práv. civilní řízení; *~ of clothes* oblek; *criminal ~* práv. trestní řízení; *Cut one's ~ according to one's cloth* Spokojit se s málem, upravit výdaje podle příjmů; *ditto ~ / ~ of dittos* vícedílný oblek ze stejné látky, komplet; *divorce ~* práv. žaloba o rozvod; *dress ~* frak; *follow ~ 1.* karty ctít / přiznávat barvu *2.* přen. u|dělat totéž co někdo jiný předtím, připojit se, následovat příkladu; *grant a p.'s ~* vyhovět žádosti koho; *~ of harness* postroj; *have one's ~ pressed* dát si vyžehlit oblek; *in ~ with* souhlasící, ve shodě s, přiměřený, přizpůsobený čemu (*manual strength in ~ with the ferocity of his manners*); *~ at law* žaloba, spor, proces, soudní řízení; *libel ~* práv. žaloba pro křivé obvinění; *long ~* dlouhá barva víc než tři karty stejné barvy (*long ~ of spades* dlouhé piky); *lounge ~* AM = *business ~*; *major ~* bridž srdce n. piky; *make ~ to a p. 1.* poníženě žádat koho *2.* dvořit se komu; *man's ~* pánský oblek; *minor ~* bridž trefy n. kára; *out of ~ with* nesouhlasící, v neshodě s, nepřiměřený, nepřizpůsobený čemu; *~ for pardon* žádost o milost; *be party in a ~* práv. být stranou v soudním procesu; *plead one's ~ with a young woman* požádat mladou ženu o ruku; *press one's ~* žadonit, žebrat, naléhat na vyřízení své žádosti; *prosper in one's ~* mít svou žádost vyřízenu kladně; *short ~* krátká barva méně než čtyři karty stejné barvy v ruce (*short ~ of spades* krátké piky); *space ~* kosm. kosmický skafandr; *strong ~* přen. silná stránka, v čem je kdo silný, co kdo ovládá; *track ~* tepláková souprava; *trump ~* karty trumfová barva, trumfy; *three-piece ~ 1.* pánský oblek s vestou *2.* dámský kostým s vestou; *twopiece ~ 1.* pánský oblek bez vesty *2.* dámský kostým bez vesty; *woman's ~* dámský kostým; *working ~* pracovní oblek ● *v* **1** hodit se, být vhodný, vyhovovat (*a restaurant that will ~*)

2 vyhovovat, hodit se *a p.* komu (*the seven o'clock train will ~ us very well*), být vhod; vyhovovat *a t.* čemu, být vhodný, dobrý pro, prospívat, dělat dobře čemu (*does the climate ~ your health?*) 3 slušet *a p.* komu (*it doesn't ~ you to have your hair cut short* krátce ostříhané vlasy ti nesluší); oděv ap. slušet, dobře jít, padnout, sedět (*does this hat ~ me?*); jít dobře *a t.* s, jít dohromady s, jít k (*that colour does not ~ your complexion* tahle barva ti nejde k pleti); pokrm jít k duhu, dělat dobře *a p.* komu (*wine does not ~ me* po vínu mi nebývá dobře, víno špatně snáším) 4 slušet, náležet, patřit (*mercy ~s a king*) 5 odpovídat *with* čemu (*the position ~s with his abilities* ta funkce odpovídá jeho schopnostem) 6 zavděčit se komu, vyhovět u, komu uspokojit (*I am not easily ~ed*) 7 obch. vyhovět, uspokojit (*aim to ~ all our patrons* snažte se vyhovět všem našim zákazníkům) 8 přizpůsobit *a t.* co *to* k (*~ one's style to one's audience* přizpůsobit svůj styl posluchačům); uzpůsobit, připodobnit 9 dvořit se 10 obléknout, odít 11 zast. žádat *a t.* co *of* od, prosit o, koho ◆ *~ the action to the word* přen. proměnit slovo v čin, okamžitě provést / učinit / splnit, učinit skutkem oznámené; *be ~ed for / to 1.* hodit se k čemu (*that man is not ~ed for teaching*) *2.* být vhodný, hodit se pro (*the book is not ~ed for children*) *3.* obch. být spokojen, mít všechno (*I hope you are ~ed* doufám, že máte všechno, co jste chtěli) *4.* mít a být spokojen (*are you ~ed with a cook?* už máte kuchařku?); *be ~ed with a situation* mít vyhovující zaměstnání; *they are ~ed to each other* oni se k sobě dobře hodí; *we are not ~ed to one another* my dva se k sobě nehodíme; *~ a p.'s book* být vhod, hodit se do krámu komu; *he is hard to ~* jemu je se těžko zavděčit; *~s me* též *1.* prosím, ano, dobře, výborně, souhlasím *2.* voj. rozkaz, provedu; *~s me all points* to mi dokonale vyhovuje; *I shall do it when it ~s me* udělám to, až budu mít čas; *to ~* vhodný, hodící se, jdoucí k tomu (*and a hat to ~*) **suit o. s.** chovat se jen podle vlastního přání, hledět jenom sám na sebe, jednat podle svého, chovat se jako doma ◆ *~ yourself 1.* dělejte si co chcete *2.* jak račte, jak je vám libo varování sluhy

suitability [ˌsju:təˈbiləti] vhodnost, přiměřenost

suitable [sju:təbl] 1 vhodný 2 přiměřený ◆ *be ~ for / to* být vhodný, hodit se, šiknout se *2.* odpovídat čemu

suitableness [sju:təblnis] = *suitability*

suitcase [sju:tkeis] kufr, cestovní zavazadlo

suite [swi:t] 1 družina, doprovod, suita; štáb spolupracovníků 2 sada, řada, garnitura, série 3 souprava nábytku (*bedroom ~* ložnice nábytek) 4 řada pokojů, byt, apartmá; apartmá v hotelu 5 žel. dvojité kupé ve spacím vagónu 6 hud. suita (*orchestral ~*) 7 biol. typová řada

suiting [sju:tiŋ] 1 obleková látka 2 v. *suit, v*

suit length [sju:tleŋθ] kupón odstřižený kus látky na oblek

suitor [sju:tə] 1 nápadník, ctitel, uchazeč o ruku 2 práv. žalobce, navrhovatel 3 žadatel, prosebník 4 zast. dvořan, člen družiny

suivez [swi:vei] hud. 1 podle sólisty, colla parte 2 ihned připojit, attaca

sulcal [salkəl] anat. spojený rýhou

sulcate [salkeit] 1 bot. vroubkovaný, rýhovaný 2 zool. rozeklaný

sulfur [salfə] etc. AM = *sulphur* etc.

sulk [salk] *s* 1 část. *~s, pl* špatná nálada, nevrlost, trucování (*be in the ~s* mít špatnou náladu) 2 durdivý, trucovitý člověk, morous, kakabus ● *v* 1 mít špatnou náladu, trucovat, být nevrlý, morousovat 2 přen.: voda nehnutě stát; řeka pomalu n. líně plynout

sulkiness [salkinis] 1 zakaboněnost, zamračenost, náladovost, rozmrzelost, nevrlost, durdivost, vzdorovitost, vzpurnost, neposlušnost, trucovitost, morousovitost 2 zamračenost počasí

sulky [salki] (*-ie-*) *adj* 1 zakaboněný, zamračený, náladový, rozmrzelý, nevrlý, durdivý, trucovitý, vzdorovitý, vzpurný, neposlušný, morousovitý 2 počasí zamračený 3 AM pro jednu osobu (*a ~ set of china* porcelánový servis pro jednu osobu) ● *s* 1 sulka lehký dvoukolový vozík pro jednoho jezdce 2 též *~ plow* AM zeměd. pluh se sedátkem

sullage [salidž] 1 splašky 2 smetí, nečistota 3 náplav, naplavenina, nános 4 geol. jílový náplav 5 hut. struska na tavenině v pánvi

sullan [salən] antic. sullovský týkající se Lucia Cornelia Sully (138–78 př. n. l.)

sullen [salən] *adj* 1 stranící se lidí, nevlídný, nevrlý, mrzoutský, mrzutý, rozmrzelý, podrážděný, nepřívětivý, špatně naladěný 2 zatrpklý, zatvrzelý 3 zamračený, zakaboněný; kalný, pochmurný, zasmušilý, zachmuřený, ponurý 4 zvuk, barva temný 5 řeka, krok pomalý, těžký, těžkopádný, smutný, vážný, melancholický 6 zvíře, věc vzpurný, trucovitý, neposlušný 7 zast.: planeta škodící, nepřátelský ● *s ~s, pl* špatná nálada, nevrlost

sullenness [salənnis] 1 samotářství, nevlídnost, mrzoutství, rozmrzelost, podrážděnost, nepřívětivost, špatná nálada 2 zatrpklost, zatvrzelost 3 zamračenost, zakaboněnost, kalnost, pochmurnost, zasmušilost, zachmuřenost, ponurost 4 temnost barvy, temná barva zvuku 5 pomalost, pomalý tok řeky; těžkopádnost chůze 6 vzpurnost, trucovitost, neposlušnost zvířete, věci

sully [sali] (*-ie-*) 1 bás. poskvrnit, potřísnit, pošpinit 2 přen. hyzdit, kazit, zkazit lesk čeho, být skvrnou na

sulphamate [salfəmeit] chem. amidosulfan

sulphamic [salˈfæmik] chem. sulfaminový

sulphate [salfeit] chem. síran, sulfát ◆ *copper ~ / ~ of copper* síran měďnatý, skalice modrá; *iron ~ / ~ of iron* síran železnatý, skalice zelená; *magnesium ~ /~ of magnesium* síran hořečna-

tý, hořká sůl; *sodium* ~ / ~ *of sodium* síran hořečnatý, hořká sůl; *zinc* ~ / ~ *of zinc* síran zinečnatý, skalice bílá
sulphation [salˈfeišən] chem. sulfatace
sulphide [salfaid] chem. sirník, sulfid
sulphite [salfait] chem. siřičitan, sulfit
sulphocyanic acid [ˈsalfəusaiˌænikˈæsid] chem. rhodanovodík, kyselina rhodanovodíková
sulphur [salfə] *s* **1** chem. síra **2** přen. síra, blesky **3** sírová žluť **4** zool. žluťásek motýl ◆ *flower(s) of* ~ sirný květ; *milk of* ~ sirné mléko ● *adj* **1** chem. sírový **2** sírově žlutý ● *v* **1** sířit **2** vykuřovat sírou
sulphurate [salfəreit] chem. sířit
sulphuration [ˌsalfəˈreišən] chem. síření
sulphurator [salfəreitə] sířicí přístroj
sulphur-bottom [ˈsalfəˌbotəm] zool. plejtvák obrovský
sulphureous [salˈfjuəriəs] **1** chem. sírový, sirný **2** chem. sířený **3** sírově žlutý
sulphuretted [salfjuretid] chem. sloučený se sírou, napuštěný sírou ◆ ~ *hydrogen* sirovodík
sulphur flower [ˌsalfəˈflauə] chem. sirný květ
sulphuric [salˈfjuərik] chem. sírový ◆ ~ *acid* kyselina sírová; ~ *ether* sirný éter, dietyléter
sulphurization [ˌsalfəraiˈzeišən] chem. síření, sulfurace
sulphurize [salfəraiz] chem. sířit, sulfurovat
sulphur ore [ˌsalfəˈo:] **1** sirná ruda **2** pyrit
sulphurous [salfərəs] chem. **1** obsahující síru **2** siřičitý
sulphur spring [salfəspriŋ] sirný pramen
sulphur whale [ˌsalfəˈweil] zool. = *sulphur-bottom*
sulphur-wort [salfəwə:t] bot. smldník lékařský
sulphury [salfəri] **1** chem. sírový, sirnatý, sirný **2** sírově žlutý
sultan [saltən] **1** sultán **2** hist. turecký sultán **3** přen. despota, tyran **4** zool.: plemeno kura domácího **5** zool.: slípka modrá **6** též *sweet* / *yellow* ~ bot.: druh sikavice
sultana [salˈta:nə] **1** sultánka, manželka n. matka sultána 2 milenka, milostnice, favoritka, metresa zejm. panovníka **3** zool. slípka modrá **4** [səlˈta:nə] sultánka druh hrozinky
sultanate [saltənit] sultanát území spravované sultánem
sultaness [saltənis] = *sultana, 1*
sultrily [saltrili] v. *sultry*
sultriness [saltrinis] **1** dusnost, parnost; pálivost, bodavost; rozpálenost **2** žhavost, vášnivost, smyslnost, erotičnost **3** vzteklost, rozzlobenost, hrubost, sprostota
sultry [saltri] (*-ie-*) **1** dusný, parný (~ *weather*); dusně rozpálený, pálivý, bodavý (~ *sun*); rozpálený (~ *deserts*) **2** žhavý, vášnivý, smyslný (~ *actress*); dusně erotický (*the music was* ~) **3** vzteklý, rozzlobený (*with* ~ *mutterings* se vzteklým mumláním), hrubý, sprostý (~ *language*)
sum [sam] *s* **1** výsledek, rezultát **2** mat. součet (*the* ~ *of 5 and 7 is 12*) **3** též ~ *total* celkový počet, celkové množství, suma, souhrn úhrn, též přen. (*within the* ~ *of human experience*) **4** souhrn, jádro, podstata (*the* ~ *and substance of this religion*) **5** vrchol, vyvrcholení (*saw the war as the very crown and* ~ *of human folly* chápal válku jako korunu a vrchol lidské pošetilosti) **6** peněžitá částka, obnos, suma; ~*s, pl* peníze (*if all* ~*s for armaments were used to build libraries* kdyby se všech peněz vydávaných na zbrojení použilo na výstavbu knihoven) **7** ~*s, pl* hovor. počítání, počty ◆ ~ *assured* pojišť. pojistná částka; *be good at* ~*s* hovor. umět dobře počítat, znát počty; *do* ~*s* hovor. počítat; *in* ~ *1.* celkem, souhrnně *2.* prostě, krátce řečeno, zkrátka, sumou; *lump* ~ paušální částka, paušál; *round* ~ zaokrouhlená částka, zaokrouhlený obnos ● *v* (*-mm-*) **1** počítat, spočítat, sečíst (~ *a column of figures* sečíst sloupec číslic) **2** též ~ *up* shrnout, stručně vyjádřit (*the body of thought may be* ~*med in a phrase* myšlenkovou podstatu lze shrnout do jedné věty) **3** též ~ *up* sahat, jít *to* / *into* do určitého počtu (*benefactions that* ~ *into the thousands* dobročinné příspěvky jdoucí do tisíců) ***sum up 1*** práv. shrnout celý případ **2** tvořit výsledek (*victories* ~*med up his record*) **3** sebrat sílu (*he* ~*med up all his strength*) **4** důkladně prohlédnout a ocenit (*he* ~*med him up from head to foot*); zhodnotit, zvážit (*he* ~*med up the situation in a glance* zhodnotil situaci jedním krátkým pohledem)
sumac, sumach [su:mæk] **1** bot. ruj, škumpa **2** škumpová tříslovina, sumach
Sumerian [su:ˈmiəriən] *adj* sumerský ● *s* **1** Sumer **2** sumerština
sumless [samlis] **1** bás. nespočetný, nezměrný **2** přen. nekonečný
summarily [saməriIi] v. *summary, adj*
summarist [samərist] **1** kdo tvoří souhrn n. výtah **2** autor příruček
summarize [saməraiz] **1** shrnout, přehledně uvést **2** udělat souhrn n. přehled čeho, udělat stručný obsah / výtah (z) čeho **3** stručně vyjádřit
summary [saməri] *adj* **1** shrnující, úhrnný, souborný, souhrnný, sumární **2** hromadný, globální **3** zkrácený, rychlý, okamžitý, sumární, též práv. **4** práv. týkající se zkráceného řízení (~ *order*) ◆ ~ *card* stat. děrný štítek součtový; ~ *court (martial)* válečný polní soud; ~ *dismissal* okamžité propuštění; ~ *judgement* práv. okamžité rozhodnutí bez soudu; ~ *jurisdiction* práv. právo užít zkráceného řízení; ~ *offence* práv. přestupek; ~ *procedure* práv. zkrácené řízení; ~ *punishment* disciplinární trest ● *s* (*-ie-*) **1** stručný nástin, obsah, přehled **2** souhrn, celkové sestavení **3** výtah, shrnutí, resumé **4** shrnutí věci, sumarizace
summat [samət] hovor., nář. **1** = *something* **2** = *somewhat*
summation [sameišən] **1** sčítání; součet **2** souhrn **3** AM práv. závěrečná řeč žalobce

summer[1] [samə] stav. **1** překlad **2** podvlak **3** podélný trám nesoucí příčné trámky n. krokve
summer[2] [samə] *s* **1** léto, též přen. (~ *of life*) **2** ~*s*, *pl* bás. jara (*a child of ten* ~*s*) ◆ *Indian* / *St Luke's* / *St Martin's* ~ babí léto; ~ *and winter* v zimě v létě celý rok ● *v* **1** chovat v létě (~ *stock on upland pasture* chovat dobytek v létě nahoře na pastvinách) **2** strávit léto (~ *in Italy*) **3** učinit letním n. slunečným ◆ ~ *and winter 1.* strávit, žít celý rok *2.* stále chránit, být stále věrný *3.* SC nekonečně mluvit ● *adj* letní
summer annual [ˌsaməˈænjuəl] zahr. letnička
summer capital [ˌsaməˈkæpitl] letní rezidence amerického prezidenta
summer catarrh [ˌsaməkəˈta:] senná rýma
summer complaint [ˌsaməkəmˈpleint] med. letní průjem
summer cypress [ˌsaməˈsaipris] bot. bytel (metlovitý), letní cypřišek (zahr.)
summer forest [ˌsaməˈforist] listnatý les s opadavým listím
summerhouse [saməhaus] *pl: summerhouses* [ˈsaməˌhauziz] **1** altán, pavilón **2** letní sídlo
summer lightning [ˌsaməˈlaitniŋ] blýskání na časy
summer rash [ˌsaməˈræš] med. vyrážka z horka, potníčky
summer resort [ˌsaməriˈzo:t] letovisko, letní rekreační středisko
summersault [saməso:lt], **summerset** [saməset] = *somersault*
summer solstice [ˌsaməˈsolstis] letní slunovrat
summertime [samətaim] **1** léto, letní období, letní počasí **2** letní čas posunutý o hodinu dopředu (*British double* ~ dvojitý letní čas posunutý o dvě hodiny dopředu)
summertree [samətri:] = *summer*[1]
summerweight [ˈsaməˌweit] oblek lehký, letní
summing-up [ˌsamiŋˈap] *pl: summings-up* [ˌsamiŋzˈap] **1** shrnutí, souhrn; rekapitulace, resumé **2** práv. závěrečná řeč soudce
summit [samit] *s* **1** nejvyšší vrcholek, vrchol, temeno hory; vrchol, špička, špice stěžně; hřeben vlny, pohoří **2** přen. nejvyšší bod, vrchol, vrcholek (*the* ~ *of human fame* vrchol lidské slávy) **3** polit. nejvyšší úroveň (*conference at the* ~ konference na nejvyšší úrovni / šéfů vlád) **4** = *summit meeting* ● *adj* **1** vrcholový (~ *angle*) **2** polit. na nejvyšší úrovni, týkající se šéfů vlád (~ *talks*)
summit level [ˈsamitˌlevl] **1** výška vrcholu **2** polit. nejvyšší úroveň
summitless [samitlis] jsoucí bez vrcholu, bez špičky, zkosený
summit meeting [ˈsamitˌmi:tiŋ] polit. schůzka na nejvyšší úrovni, schůzka šéfů vlád, sumit
summitry [samitri] polit. řešení otázek schůzkami na nejvyšší úrovni, politika schůzek na nejvyšší úrovni
summon [samən] **1** svolat (~ *a meeting*); povolat, předvolat, obeslat (~ *witnesses* předvolat svědky); vydat předvolání **2** zavolat, přivolat; vyzvat, vybídnout (~ *a p. to do a t.*) **3** euf. povolat na věčnost (*in the midst of his work he was* ~*ed*) **4** též ~ *up* sebrat, shromáždit, vzbudit (~ *up all one's courage* sebrat veškerou svou odvahu) **5** přen. vehnat, nahnat (*a sight that* ~*ed the blood to his face*) **6** vyzvat město, aby se vzdalo ◆ ~ *Parliament* svolat zasedání parlamentu ***summon away*** odvolat
summoner [samənə] **1** posel **2** práv. hist. soudní posel
summons [samənz] *s* **1** výzva (*a* ~ *to surrender* ... vzdát se) **2** zavolání, předvolání, svolání, rozkaz dostavit se **3** též *writ of* ~ soudní obsílka, předvolání ● *v* předvolat, obeslat
summum bonum [ˌsaməmˈbəunəm] nejvyšší dobro, summum bonum
sump [samp] **1** žumpa, odvodňovací jáma, jímka, jímková tůň, též horn. **2** motor. spodek klikové skříně **3** kal, bahno, bláto ◆ ~ *fuse* zápalnice n. palník na odpalování pod vodou
sumpter [sam*p*tə] zast. **1** soumar **2** člověk vedoucí soumary, mezkař, velbloudář apod.
sumpter horse [sam*p*təho:s] kůň sloužící jako soumar
sumpter mule [sam*p*təmju:l] mezek sloužící jako soumar
sumpter pony [ˌsam*p*təˈpəuni] (*-ie-*) poník sloužící jako soumar
sumption [sam*p*šən] log. hlavní premisa
sumptuary [sam*p*tjuəri] týkající se přepychu, týkající se výdajů zejm. na oblečení a jídlo ◆ ~ *law* hist. zákon omezující soukromé výdaje
sumptuosity [ˌsam*p*tjuˈosəti] = *sumptuousness*
sumptuous [sam*p*tjuəs] **1** drahý, přepychový, opulentní, luxusní **2** žijící v nádheře n. v přepychu
sumptuousness [sam*p*tjuəsnis] **1** drahost, přepych, přepychovost, opulence, opulentnost, luxus, luxusnost **2** život v nádheře n. v přepychu
sun [san] *s* **1** slunce, též hvězd. (*the* ~ *rises*) **2** sluneční svit, sluneční záře, sluneční teplo, sluneční paprsky, slunce (*let in the* ~); místo na slunci, výsluní, slunce **3** přen. šťastná hvězda (*his* ~ *is set* jeho šťastná hvězda zapadla); sláva, nádhera (*the* ~ *of conquest* sláva dobytého vítězství) **4** bás. den; rok **5** bás. západ n. východ slunce, ráno, večer, slunko **6** slunce, sluneční raketa druh ohňostrojné rakety **7** též ~ *burner* plynové, elektrické velké osvětlovací těleso složené z většího počtu malých, koruna, stropní lustr **8** círk. monstrance připomínající slunce ◆ *adore the rising* ~ = *hail the rising* ~; *against the* ~ řidč. proti směru hodinových ručiček; *apparent S*~ hvězd. pravé Slunce; ~ *drawing water* námoř. = ~*'s backstays; empire on which the* ~ *never sets* říše, nad níž slunce nikdy nezapadá; *from* ~ *to* ~ od slunka do slunka; *hail the rising* ~ *1.* uctívat vycházející slunce *2.* šplhat u nového n. budoucího pána; *have the* ~ *in one's eyes 1.* mít slunce v očích *2.* slang. mít nahoře rozsvíceno být opilý; *Hold a candle to the*

~ Nosit dříví do lesa; *let not the ~ go down upon your wrath* bibl. ať slunce nad vaším hněvem nezapadá; *Make hay while the ~ shines* Kout železo, dokud je žhavé; *mean S~* hvězd. střední Slunce; *midnight ~* půlnoční slunce; *mock ~* hvězd. vedlejší slunce, falešné slunce; *The morning ~ never lasts a day* Žádný strom neroste do nebe; *nothing new under the ~* nic nového pod sluncem; *Order of the Rising S~* Řád vycházejícího slunce v Japonsku; *place in the ~* přen. místo na slunci, výsluní; *~ and planet (gear)* tech. planetové soukolí, planetový převod; *rise with the ~* vstávat se slepicemi; *~'s backstays* námoř. slunce táhnoucí vodu, sluneční sloup svazky slunečních paprsků na temném pozadí; *see the ~* přen. být naživu, žít; *~'s eyelashes* námoř. = *~'s backstays; shoot the ~* námoř. slang. vzít výšku slunce změřit; *S~ of righteousness* bibl. slunce spravedlnosti Ježíš Kristus; *take the ~ 1.* slunit se *2.* námoř. změřit výšku slunce; *with the ~* též *1.* se slunce východem *2.* ve směru hodinových ručiček ● *v (-nn-)* **1** slunit | se **2** svítit, zářit na, ozařovat, prozařovat jako slunce, osvítit, ozářit jako sluncem ***sun o. s.*** slunit se, opalovat se

sun-and-planet [ˌsanənd ˈplænit] tech. planetový

sunawning [ˈsanˌo:niŋ] = *sunblind*

sunback [sanbæk] jsoucí vzadu s hlubokým výstřihem

sunbake [ˈsanˌbeik] AU hovor. doba strávená sluněním

sun-baked [sanbeikt] sušený na slunci, vysušený sluncem

sun bath [sanba:θ] sluneční lázeň, slunění

sunbathe [sanbeið] brát sluneční lázeň, slunit se, opalovat se též pod horským sluncem

sunbather [ˈsanˌbeiðə] kdo se sluní n. opaluje

sun bathing [ˈsanˌbeiðiŋ] **1** sluneční lázeň, slunění **2** v. *sun bathe*

sunbeam [sanbi:m] sluneční paprsek

sun bear [sanbeə] zool. medvěd malajský

sunbird [sanbə:d] zool. **1** pták z čeledi strdimilovitých **2** = *sun bittern*

sun bittern [ˈsanˌbitən] zool. slunatec nádherný

sunblind [sanblaind] BR plátěné stínidlo, stahovací plátno, svinovací sluneční plachta, sklopná plátěná stříška nad okny proti slunci, markýza

sunbonnet [ˈsanˌbonit] **1** dámský čepec proti slunci **2** dětský klobouček proti slunci

sunbow [sanbəu] duha, duhový efekt např. na vodní tříšti

sun-bright [sanbrait] bás. **1** jasný jako slunce **2** zalitý sluncem

sunburn [sanbə:n] *s* opálení, spálení sluncem ● *v (sunburned, sunburned / sunburnt)* **1** opálit | se, spálit | se na slunci **2** u|sušit na slunci cihly; vyblednout na slunci

sunburst [sanbə:st] **1** sluneční zážeh **2** náhlé proniknutí slunečních paprsků mezi mraky, paprsky slunce **3** slunce, sluneční raketa druh ohňostrojné rakety **4** šperk v podobě růžice z drahokamů **5** japonská vlajka s vycházejícím sluncem

sun cult [sankalt] sluneční kult, kult slunce

sun-cured [sankjuəd] sušený na slunci

sundae [sandei] zmrzlinový pohár s ovocem, sirupem, oříšky apod.

sun dance [sanda:ns] rituální tanec k oslavě slunce, sluneční tanec zejm. severoamerických Indiánů

Sunday [sandi] *s* **1** neděle **2** nedělní noviny ◆ *look like a wet ~* tvářit se jako umučení; *look two ways to find ~* slang. hledět šourem šilhat; *month of ~s* přen. strašlivě dlouho, věčně; *on ~* v neděli; *on ~s* každou neděli; *~ out* volná neděle ● *adj* **1** nedělní **2** sváteční (*a ~ driver*), slavnostní, božíhodový, hodobožový, nedělní (*his new white ~ suit*) **3** nedělní, naivní (*~ painters*) ● *v* AM s|trávit neděli

Sunday best [ˌsandiˈbest] sváteční šaty, sváteční oblečení

Sunday child [ˌsandiˈčaild] nedělňátko

Sunday citizen [ˌsandiˈsitizn] zast. svátečně oblečený občan

Sunday-go-to-meeting [ˌsandigəutəˈmi:tiŋ] AM hovor. slavnostní, sváteční, božíhodový, hodobožový (*~ shoes*)

Sunday letter [ˌsandiˈletə] círk. nedělní písmeno

Sunday punch [ˌsandiˈpanč / -ˈpanš] knokaut, rozhodující úder, též přen.

Sunday saint [ˌsandiˈseint] slang. pokrytec, licoměrník

Sunday school [sandisku:l] nedělní škola náboženská výuka

Sunday supplement [ˌsandiˈsaplimənt] nedělní příloha novin

sun deck [sandek] **1** námoř. sluneční paluba, horní promenádní paluba **2** AM terasa, rovná střecha sloužící ke slunění

sunder [sandə] zast., kniž., bás. **1** dělit, rozdělovat **2** lámat, štěpit, roztrhnout **3** řidč. rozdělit se; rozejít se

sunderance [sandrəns] zast. rozdělení

sundew [sandju:] bot. rosnatka

sun dial [sandaiəl] **1** sluneční hodiny **2** bot. vlčí bob vytrvalý

sun disk [sandisk] hvězd. sluneční disk, sluneční kotouč

sundog [sandog] **1** meteor. vedlejší slunce **2** meteor. malý kruh, malé halo **3** duhové zabarvení oblaků v blízkosti slunce

sundown [sandaun] **1** západ slunce **2** dámský klobouk se širokou střechou ◆ *beyond ~* AM na Dalekém Západě; *~ student* žák večerní školy

sundowner [ˈsanˌdaunə] **1** AU hovor. tulák, vagabund žádající o přístřeší na noc **2** BR drink, pití, sklenička nápoj požívaný při západu slunce **3** námoř. kruťas, plantážník přísný kapitán dávající námořníkům dovolenou jen do západu slunce

sun-drenched [sandrenčt, sandrenšt] zalitý sluncem (*the ~ shores of the Mediterranean*)
sun-dried [sandraid] sušený na slunci, vysušený sluncem ◆ *~ brick* vepřovice
sun-dry [sandrai] (*-ie-*) sušit na slunci
sundry [sandri] *adj* různý, rozličný, rozmanitý, všelijaký, některý, několikerý ◆ *all and ~* veškerý, všichni možní, všichni dohromady (a každý zvlášť) ● *s* (*-ie-*) **1** AU sport. náhradník v kriketu **2** *sundries, pl* různé / rozličné předměty, rozmanitosti
sundry shop [ˈsandriˌšop] malajské lahůdkářství prodávající čínské potraviny
sunfast [sanfa:st] zejm. AM **1** barva stálý na slunci **2** tkanina stálobarevný, neblednoucí na slunci
sunfish [sanfiš] *pl* též *-fish* [-fiš] **1** měsíčník ryba **2** název severoamerických okounů z čeledi *Centrarchidae*
sunflower [ˈsanˌflauə] bot. **1** slunečnice; slunečnice roční **2** grindelie **3** měsíček lékařský **4** devaterník **5** otočník ◆ *S~ State* AM přezdívka státu Kansas
sung [saŋ] v. *sing*
sunglass [sangla:s] lupa, spojná čočka, zvětšovací sklo
sunglasses [ˈsanˌgla:siz] *pl* **1** sluneční brýle, brýle proti slunci **2** v. *sunglass*
sun glow [sangləu] **1** meteor. ranní n. večerní červánky, sluneční záře při východu n. západu slunce, sluneční soumrak **2** sluneční okolek / dvůr, sluneční aureola
sun-god [sangod] sluneční božstvo
sungrebe [ˈsanˌgri:b] zool. chřástalovec
sunhat [sanhæt] měkký, světlý klobouk se širokou střechou proti slunci
sun helmet [ˈsanˌhelmit] tropická přilba
sunk [saŋk] **1** potopený, ponořený **2** zapuštěný **3** v. *sink, v* ◆ *~ enamel* jamkové smaltování; *~ fence* *1.* rozhraničovací příkop *2.* ochranná zeď, plot zapuštěný do země; *~ panel* zapuštěná výplň n. náplň dveří apod.; *~ screw* zapuštěný šroub
sunken [saŋkən] **1** potopený (*a ~ ship*); ponořený, zaplavený **2** po|kleslý, sedlý (*a ~ wall*), propadlý **3** jsoucí v nižší úrovni, níže položený, jsoucí v průkopu n. v úvoze **4** zapuštěný **5** zapadlý (*~ eyes*), vpadlý, vyhublý, vyzáblý (*a ~ face*) **6** v. *sink, v* ◆ *~ garden* zahr. parter; *~ poop* snížená záď lodi, snížená záďová paluba; *~ rock* skryté úskalí; *~ rowlock* havlenka ve tvaru výřezu, veslový výřez na obrubníku člunu
sun lamp [sanlæmp] **1** horské slunce **2** film. tisícovka, kilo silný reflektor
sunless [sanlis] jsoucí bez slunce, tmavý, chmurný, kalný (*a ~ morning*)
sunlessness [sanlisnis] chmurnost, temnost, tmavost
sunlight [sanlait] sluneční světlo, sluneční paprsky, sluneční svit, sluneční záře, slunce
sunlike [sanlaik] připomínající slunce
sunlit [sanlit] ozářený sluncem, osvětlený sluncem, zalitý sluncem, slunný, sluneční
sun lounge [sanlaun*dž*] salón s velkými ateliérovými okny, zasklená veranda
sun myth [sanmiθ] sluneční mýtus
sunn [san] též *~ hemp* bot. chřestnatec sítinovitý, bengálské konopí
sunna, sunnah [sanə] náb. sunna ortodoxní islámská tradice
sunnad [sanæd] = *sanad*
sunni [sani:] = *sunnite*
sunniness [saninis] **1** slunnost, slunečnost, prosluněnost **2** radostnost, veselost, optimističnost **3** zářivost, zlato (přen.)
sunnite [sanait] náb. sunnita vyznavač ortodoxního islámu
sunnily [sanili] v. *sunny, adj*
sunny [sani] (*-ie-*) *adj* **1** slunný, slunečný (*a ~ room*), prosluněný **2** sluneční (*a ~ beam* ... paprsek) **3** radostný, veselý, šťastný, usměvavý, optimistický (*a ~ mood* optimistická nálada) **4** zářivý, zlatý (*~ locks* zlaté kadeře) ◆ *~ side* *1.* osvětlená strana *2.* přen. světlá stránka (*he is on the ~ side of 40* ještě mu není 40, *look on the ~ side of things* dívat se na svět z jeho lepší stránky); *~ weather* slunečno ● *s* zool. slunečnice pestrá
sunny-side [sanisaid]: *~ up* vejce sázený, smažený jako volské oko
sun parlour [ˈsanˌpa:lə] = *sun lounge*
sun power [ˈsanˌpauə] sluneční energie
sunproof [sanpru:f] **1** nepropouštějící sluneční svit **2** barva stálý na slunci
sunray [sanrei] **1** sluneční paprsek **2** *~s, pl* ultrafialové paprsky z horského slunce
sunrise [sanraiz] východ slunce
sun roof [sanru:f] **1** plochá střecha, terasa ke slunění **2** motor. posuvná střecha
sunrose [sanrəuz] bot. devaterník
sunscald [sansko:ld] korní spála vada dřeva
sunseeker [ˈsanˌsi:kə] **1** kosm. hledač slunce **2** přen. hledač slunce člověk toužící strávit dovolenou v zemi, kde svítí slunce a je teplo
sunset [sanset] **1** západ slunce **2** přen. večer, podzim, sklonek (*the keynote of this ~ of her life* základní téma na tomto sklonku jejího života), zánik (*~ of the secure Victorian life*)
sunset sky [ˌsansetˈskai] večerní červánky, západ
sunshade [sanšeid] **1** slunečník **2** stínítko, plachta proti slunci, markýza nad výkladní skříní **3** fot. sluneční clona **4** *~s, pl* sluneční brýle
sunshine [sanšain] *s* **1** sluneční svit, sluneční záře, slunce **2** místo na slunci, výsluní **3** slunné počasí, slunečno **4** přen. co / kdo září n. zahřívá, zdroj štěstí n. optimismu, sluníčko (*a good laugh is a ~ in a house*); teplo (*in the ~ of his home circle*) ◆ *in the ~* slang. nalíznutý ● *adj* **1** slunný, slunečný **2** vyzařující optimismus, optimistický, úsměvný (*a writer of the ~ type*) **3** povrchní,

existující jenom když nehrozí žádné nebezpečí n. nepříjemnosti (*more then just a ~ friend*)
sunshine recorder [ˌsanšain riˈko:də] meteor. heliograf
sunshine roof [ˌsanšainˈru:f] motor. posuvná střecha
sunshiny [ˈsanˌšaini] **1** slunný, slunečný (*a ~ day*) **2** zářící, šťastný (*~ faces*)
sun shower [ˈsanˌšauə] krátká dešťová přeháňka při svitu slunce
sun snake [sansneik] archeol. sluneční kolo, sluneční had ornament na severoevropských nálezech
sunspot [sanspot] **1** hvězd. sluneční skvrna **2** piha
sun star [sansta:] zool. hvězdice
sunstone [sanstəun] miner. sluneční kámen
sunstroke [sanstrəuk] med. sluneční úžeh, úpal
sunstruck [sanstrak] med. trpící slunečním úžehem ◆ *be ~* mít / dostat sluneční úžeh
sunsuit [sansju:t] dětské kalhotky na hraní, šortky, opalovačky
suntan [santæn] **1** opálení sluncem **2** hnědočervená barva, bronz **3** *~s, pl* AM voj.: hnědavý letní stejnokroj ◆ *get a ~* opálit se dohněda n. dobronzova
suntrap [santræp] **1** místo, kam slunce svítí velmi často n. s neobvyklou intenzitou, výsluní **2** zahrada n. terasa vystavená slunci a chráněná před větrem
sun-up [sanap] AM nář. východ slunce
sunward [sanwəd] *adj* **1** obrácený / otočený k slunci ● *adv = sunwards*
sunwards [sanwədz] směrem k slunci
sunwise [sanwaiz] řidč. ve směru hodinových ručiček
sunworship [ˈsanˌwə:šip] uctívání slunce
sunworshipper [ˈsanˌwə:šipə] vyznavač slunce
sup[1] [sap] (*-pp-*) **1** večeřet, mít k večeři *off / on* co (*they ~ped off cold meat*) **2** dát k večeři **3** též *~ up* na|krmit večer koně
sup[2] [sap] *v* (*-pp-*) jíst tekuté n. pít po lžičkách n. v malých doušcích, srkat, usrkávat, polykat ◆ *He must have a long spoon that ~s with the devil 1.* Okolo močidla chodě nádchy neujdeš *2.* Podej čertu prst a on chce celou ruku; *~ sorrow 1.* mít starosti n. zármutek *2.* cítit lítost, litovat ● *s* malý lok, doušek ◆ *neither bit nor ~* nic k jídlu ani k pití
super [sju:pə] *s* **1** statista; člen komparsu **2** hovor. velkofilm **3** hovor. nástavec na úl **4** hovor. řída, šéf, starý; superintendent policie **5** hovor. nadpočetný člověk, člověk, s nímž se nepočítalo; pomocník, výpomoc **6** hovor.: velká samoobsluha, supermarket **7** obch. slang. zboží prima kvality **8** polygr. druh knihvazačského plátna ● *adj* **1** hovor. extra, prima **2** hovor. plošný (*120 ~ feet*) **3** slang. báječný, fantastický, senzační, super ● *v* hovor. řídit např. práci
superable [sju:pərəbl] přemožitelný, překonatelný
superableness [sju:pərəblnis] přemožitelnost, překonatelnost
superabound [ˌsju:pərəˈbaund] **1** být ještě ve větší míře, být ještě větší (*where poverty abounds, charity must ~* kde je chudoba veliká, tam musí být dobročinnost ještě větší) **2** mít přebytek / nadbytek *in / with* čeho **3** vyskytovat se v nadbytečném množství (*~ing moisture* velice hojná vláha)
superabundance [ˌsju:pərəˈbandəns] **1** velká hojnost, přemíra (*~ of wealth* přemíra bohatství) **2** přebytek, nadbytek
superabundant [ˌsju:pərəˈbandənt] **1** přebytečný, nadbytečný **2** víc než dostatečný, velice hojný **3** přehnaný
superacid [ˌsju:pərˈæsid] nadměrně kyselý, překyselený
superacute [ˌsju:pərəˈkju:t] med. velice prudký, akutní
superadd [ˌsju:pərˈæd] ještě přidat, přidat navíc
superaddition [ˌsju:pərəˈdišən] **1** další přidání, přidání navíc **2** další přídavek
superalloy [ˌsju:pəˈræloi] vysoce legovaná slitina
superaltar [ˈsju:pərˌo:ltə] náb. **1** oltářní kámen **2** hist. přenosná oltářní deska, menza
superanal [ˌsju:pəˈreinəl] anat. nadřitní
superangelic [ˌsju:pərænˈdželik] náb. nadandělský
superannuate [ˌsju:pəˈrænjueit] **1** dát do starobního (n. invalidního) důchodu, dát do penze, penzionovat **2** dosáhnout důchodové věkové hranice **3** vyřadit pro stáří; vyřadit pro zastarání n. nemodernost **4** zastarat **5** škol. vyloučit pro nedostatečný studijní prospěch ● *s* důchodce, penzista
superannuated [ˌsju:pəˈrænjueited] **1** jsoucí v důchodu / na penzi, penzionovaný **2** přestárlý **3** zaostalý, nemoderní, překonaný; obnošený, vyšlý z módy **4** v. *superannuate*
superannuation [ˈsju:pəˌrænjuˈeišən] **1** dání do důchodu, penzionování, odchod na odpočinek / do penze / do výslužby **2** zastarání, zastaralost, nemodernost **3** přestárlost **4** promlčení cenných kupónů **5** starobní důchod ◆ *~ allowance* starobní důchod, penze; *~ fund* penzijní fond; *~ scheme* důchodové pojištění
superaqueous [ˌsju:pəˈreikwiəs] jsoucí nad vodou
superatomic [ˌsju:pərəˈtomik]: *~ bomb* vodíková bomba
superaudible [ˌsju:pərˈo:dəbl] frekvence neslyšitelný, nadzvukový
superb [sju(:)ˈpə:b] **1** skvostný, skvělý, kouzelný, překrásný, nádherný (*~ view, ~ jewels* nádherné klenoty) **2** vynikající, jedinečný, znamenitý, nejvyšší, absolutní (*~ technique*); nevídaný, neslýchaný (*~ impudence* neslýchaná drzost) **3** přepychový, luxusní, honosný, nádherný (*~ beauty*) **4** zool. krásně zbarvený n. vybarvený
superbazaar, superbazar [ˌsju:pəbəˈza:] indický obchodní dům, velká samoobsluha zejm. státní
superbazooka [ˌsju:pəbəˈzu:kə] voj. tarasnice
superbity [sju(:)ˈpə:bəti] řidč. povýšenost, drzost, arogantnost, arogance

superbomb [sju:pəbom] vodíková bomba
superbus [sju:pəbas] velký autokar
supercalender [ˌsju:pəˈkælində] pap. *v* dát vysoký lesk papíru, kalandrovat na vysoký lesk papír ◆ *~ed finish* vysoký lesk papíru; *~ed paper* papír s vysokým leskem ● *s* kalandr na vysoký lesk
supercargo [ˈsju:pəˌka:gəu] *pl: supercargoes* [ˈsju:pəˌka:gəuz] námoř. lodní zprostředkovatel, lodní komisionář, průvodce lodního nákladu na lodi
supercarrier [ˌsju:pəˈkæriə] voj. obří letadlová loď
supercelestial [ˌsju:pəsiˈlestiəl] **1** nadnebeský **2** nadandělský
supercentrifuge [ˌsju:pəˈsentrifju:dž] *s* rychloběžná odstředivka, supercentrifuga ● *v* odstředit na rychloběžné odstředivce
supercharge [sju:pəča:dž] *v* **1** přetížit, přitížit **2** voj. zesílit náplň **3** přebít, přílišně nabít akumulátor **4** doplnit, přeplnit; plnit přetlakem, přetížit (elektr.) **5** přen. nabít víc než je snesitelné, nabít až k prasknutí ● *s* **1** příliš velké zatížení, přetížení **2** přílišné nabití, přebití **3** zesílená náplň
supercharged cabin [ˌsju:pəča:džd ˈkæbin] let. přetlaková kabina
supercharged engine [ˌsju:pəča:džd ˈendžin] motor. přeplňovaný spalovací motor
supercharger [ˈsju:pəˌča:džə] motor. plnicí dmychadlo
superchurch [sju:pəčə:č] velká církev vzniklá sloučením menších církví
superciliary [ˌsju:pəˈsiliəri] *adj* **1** anat. nadočnicový **2** anat., zool. nadoboční, nadoční ◆ *~ arch / ridge* anat. nadočnicový oblouk **2** zool. proužkovitá kresba nad očima ptáka
supercilious [ˌsju:pəˈsiliəs] **1** dívající se pohrdavě n. spatra *about* na, povýšený, pyšný, arogantní **2** pohrdavý, opovržlivý (*a ~ smile*)
superciliousness [ˌsju:pəˈsiliəsnis] pohrdání, pohrdavý přístup, povýšenost, pýcha, pyšnost, arogance, arogantnost
supercity [ˌsju:pəˈsiti] (*-ie-*) obří velkoměsto
supercivilized [ˌsju:pəˈsivilaizd] přecivilizovaný, přetechnizovaný
supercluster [ˌsju:pəˈklastə] „obří kupa" galaxií
supercolumnar [ˌsju:pəkəˈlamnə] archit. nadsloupcový
supercolumniation [ˈsju:pəˌkoləmniˈeišən] archit. řazení sloupů nad sebou
superconductivity [ˈsju:pəˌkondakˈtivəti] fyz. supravodivost
supercontinent [ˌsju:pəˈkontinənt] domnělá obrovská původní pevnina
supercool [ˌsju:pəˈku:l] fyz. přechladit, podchladit
supercooling [ˌsju:pəˈku:liŋ] fyz. **1** přechlazení, podchlazení **2** v. *supercool*
supercountry [ˌsju:pəˈkantri] (*-ie-*) supervelmoc
supercritical [ˌsju:pəˈkritikəl] hyperkritický
superdense [ˌsju:pəˈdens] suprahustý ◆ *~ theory* hvězd. teorie o suprahustém vesmíru
superdividend [ˌsju:pəˈdividend] obch. mimořádná dividenda, bonus, superdividenda
superdominant [ˌsju:pəˈdominənt] hud. šestý stupeň v diatonické stupnici
superdreadnought [ˌsju:pəˈdredno:t] námoř. hist. superdrednot, obří bitevní loď
super-duper [ˌsju:pəˈdju:pə] slang. prima, fajn, hogofogo
super-ego [ˌsju:pəˈregəu] psych. nad-já, psychoanalyticky pojaté svědomí
superelevated [ˌsju:pəˈreliveitid] žel. převýšený ◆ *~ curve* převýšený oblouk
superelevation [ˈsju:pəˌreliˈveišən] žel. převýšení koleje
supereminence [ˌsju:pəˈreminəns] vynikající postavení, vynikající vlastnost, mimořádný význam
supereminent [ˌsju:pəˈreminənt] výborný, výtečný, znamenitý, vynikající, mimořádný, lepší než eminentní
supererogate [ˌsju:pəˈrerəgeit] **1** dělat víc než je povinnost **2** náb. činit dobré skutky
supererogation [ˈsju:pəˌrerəˈgeišən] **1** nežádaná, navíc udělaná práce **2** přen. přemíra (*~ of malice* ... zloby) **3** náb. konání nepředepsaných dobrých skutků ◆ *work of ~* práce navíc z pilnosti; *works of ~* náb. nepředepsané dobré skutky
supererogatory [ˈsju:pəˌrerəˈgætəri] **1** nepředepsaný, konaný navíc, dobrovolný (*~ fasts* dobrovolné posty) **2** přebytečný, zbytečný, nedůležitý
superethical [ˌsjupəˈreθikəl] nadetický
superette [ˌsju:pəˈret] zejm. AM malá samoobsluha
superexcellence [ˌsju:pəˈreksələns] převýbornost, mimořádně vynikající vlastnost
superexcellent [ˌsju:pəˈreksələnt] převýborný, mimořádně vynikající
superexcitation [ˈsju:pəˌreksiˈteišən] **1** fyz. nadměrné buzení **2** předráždění
superfamily [ˌsju:pəˈfæmili] (*-ie-*) zool. nadčeleď
superfatted [ˌsju:pəˈfætid] přemaštěný, přesycený tukem
superfecundation [ˈsju:pəˌfi:kənˈdeišən] med. oplození v těhotenství
superfetate [ˌsju:pəˈfi:teit] med. počít v těhotenství
superfetation [ˌsju:pəfəˈteišən] med. = *superfecundation*
superficial [ˌsju:pəˈfišəl] **1** povrchový **2** míra plošný **3** povrchní, nehluboký, mělký (*~ wound* povrchní zranění) **4** povrchní, mělký, ledabylý (*~ observer*), nedbalý, plytký (*~ character*), jalový, bezcenný (*a ~ novel*) **5** vnější (*~ character of an Eskimo*), vnějškový (*~ piety*) ◆ *~ area* řidč. plošný obsah, plocha; *~ content* řidč. plošný obsah; *~ deposit* geol. povrchové usazeniny; *~ lode* geol. plošná žíla
superficialist [ˌsju:pəˈfišəlist] povrchní člověk

superficiality [ˈsju:pəˌfišiˈæləti] (*-ie-*) **1** povrchovost **2** povrchnost; povrchní charakteristika
superficies [ˌsju:pəˈfiši:z] *pl: superficies* [ˌsju:pəˈfiši:z] **1** povrch, plocha **2** přen. vnější stránka, povrch, zdání na povrchu (*notwithstanding the ~ of a material prosperity* přes všechno vnější zdání hmotného blahobytu) **3** práv. vlastnické právo na dům na cizím pozemku; vlastnictví domu na cizím pozemku
superfilm [sju:pəfilm] velkofilm
superfine [ˌsju:pəˈfain] *adj* **1** obch.: zboží nejlepší jakosti, výběrový **2** přejemnělý; vyumělkovaný, preciózní ● *s* obch. zboží nejlepší jakosti
superfinish [ˌsju:pəˈfiniš] tech. *v* přehlazovat ● *s* přehlazování, superfiniš
superfluent [ˌsju:pəˈfluənt] **1** přebytečný, nadbytečný **2** plovoucí seshora n. na povrchu
superfluity [ˌsju:pəˈflu(:)əti] (*-ie-*) **1** přebytek, nadbytek; přebytečné n. nadbytečné množství (*a ~ of introductions and summaries* příliš mnoho úvodů a závěrečných přehledů) **2** *superfluities, pl* zbytečné n. postradatelné věci, zbytečnosti
superfluous [sju(:)ˈpə:fluəs] **1** přebytečný, nadbytečný **2** zbytečný, postradatelný, nikoliv absolutně nutný **3** zast. výstřední, extravagantní; nezřízený
superfluousness [sju(:)ˈpə:fluəsnis] **1** přebytečnost, nadbytečnost **2** zbytečnost, postradatelnost
superflux [sju:pəflaks] = *superfluity*
superfort [sju:pəfo:t], **superfortress** [ˌsju:pəˈfo:tris] - voj. obří létající pevnost
superfuse [ˌsju:pəˈfju:z] **1** polít, přelít **2** přechladit, podchladit
supergiant [ˈsju:pəˌdžaiənt] hvězd. veleobr, supergigant
supergroup [ˌsju:pəˈgru:p] rokenrolová skupina složená z (bývalých) členů jiných podobných skupin
superheat *s* [sju:pəhi:t] přehřátí ● *v* [ˌsju:pəˈhi:t] přehřát ◆ *~ed steam* přehřátá pára
superheater [ˌsju:pəˈhi:tə] přehřívač, přehřívák páry
superheating [ˌsju:pəˈhi:tiŋ] **1** přehřátí, přehřívání **2** v. *superheat, v*
superheavy [ˌsju:pəˈhevi] fyz. *adj* supertěžký ● *s* (*-ie-*) supertěžký prvek
superhet [ˌsju:pəˈhet] hovor. = *superheterodyne*
superheterodyne [ˌsju:pəˈhetərədain] sděl. tech. superheterodynový přijímač, superhet (hovor.)
superhigh [ˌsju:pəˈhai] velmi vysoký ◆ *~ frequency* frekvence z mikrovlnného pásma
superhighway [ˌsju:pəˈhaiwei] AM dálnice, autostráda
superhive [sju:pəhaiv] včel. nástavec / nástavek nad úlem
superhuman [ˌsju:pəˈhju:mən] nadlidský
superhumanity [ˈsju:pəˌhju(:)ˈmænəti] nadlidskost, nadlidský charakter
superhumeral [ˌsju:pəˈhju:mərəl] círk. **1** pallium **2** štola **3** humerál **4** efod
superimpose [ˌsju:pərimˈpəuz] **1** dát / položit / přiložit *over* na (*a transparent mask is ~d over the print* na tisk je přiložena průhledná maska) **2** dát, klást, skládat, vrstvit, na|vršit na sebe (*four strata ~d one upon another* čtyři vrstvy naskládané jedna na druhou) **3** volně, neorganicky se|řadit, přidat, připojit, přilepit (hovor.) (*his symbolism is too often something ~d*) *on* / *upon* na (*ideas ~d on each other*) **4** tech. klást, superponovat **5** polygr. přetisknout přítiskem / na otisk; přikopírovat, překopírovat
superimposed [ˌsju:pərimˈpəuzd] **1** vrstvený, ve vrstvách (*~ strata* na sebe naskládané vrstvy) **2** daný zvenčí, nařízený (*~ imperatives*) **3** v. *superimpose* ◆ *~ river* geol. antecedentní řeka; *~ title* dialogový titulek, podtitulek filmu; *~ valley* geol. epigenetické údolí
superimpregnation [ˈsju:pəˌrimpregˈneišən] med. = *superfecundation*
superincumbent [ˌsju:pərinˈkambənt] **1** ležící na něčem n. nad něčím, ležící nahoře **2** tlak svrchní, horní **3** těžce doléhající, tlačící, těžký, obtížný **4** geol. pokryvný, nadložní
superinduce [ˌsju:pərinˈdju:s] **1** ještě / navíc přidat, připojit **2** přivést navíc, přivést nově, zavést nově **3** pokrýt, překrýt *over* / *upon* co, klást, položit na
superinduction [ˌsju:pərinˈdakšən] **1** přidání, připojení **2** nové přivedení, nové zavedení
superinfection [ˌsju:pərinˈfekšən] med. nová infekce
superintend [ˌsju:pərinˈtend] **1** vést, řídit, spravovat *a t.* / *over* co, dohlížet na (*~ed publication of a score of good plays* redigoval desítku dobrých her), mít na starosti co, kontrolovat co, starat se, pečovat v řídicí funkci o, mít dozor nad **2** být vedoucím
superintendence [ˌsju:pərinˈtendəns] vedení, řízení, spravování *over* čeho, starost, péče o, kontrola čeho
superintendency [ˌsju:pərinˈtendənsi] (*-ie-*) **1** funkce vedoucího apod. **2** BR okrsek spravovaný superintendentem **3** círk. superintendence
superintendent [ˌsju:pərinˈtendənt] *s* **1** vedoucí, vedoucí oddělení, ředitel, správce, dozorce, kontrolor; dohližitel, inspektor; komisař **2** stavební dozor **3** BR superintendent policejní hodnost **4** círk. superintendent vyšší duchovenská hodnost ◆ *~ of schools* školní inspektor; *traffic ~* BR žel. přednosta, náčelník ● *adj* vedoucí, řídící, kontrolní, dohlédací
superior [sju:ˈpiəriə] *adj* **1** lepší (*~ grades of coffee*), kvalitnější (*~ cloth*), vyšší (*a girl of ~ intelligence*) **2** nadřízený, představený (*~ officer*) **3** vyšší, výše postavený, lepší, hořejší (*~ classes of society*) **4** iron. lepší, nóbl (*~ persons*) **5** mimořádný nadprůměrný (*a ~ person*) **6** vyšší, ušlechtilejší (*~ beings*), inteligentnější (*a class of ~ children*), duchovní, metafyzický **7** silnější (*a ~ opponent*), početnější, silnější, větší (*the enemy attacked with ~ forces* nepřítel zaútočil vět-

šími silami) **8** lepší, kvalitnější, dokonalejší *to* než kdo / co (*this cloth is ~ to that*), větší, důležitější, silnější *to* než kdo / co **9** nadřazený *to* čemu (*certain rights are ~ to constitutions* určitá práva jsou nadřazená ústavám) **10** povznesený, povznešený, povýšený *to* nad (*he is ~ to that fear* nad takový strach je on povznešen) **11** mající přednost, přednostní **12** povýšený, bohorovný **13** bot., zool. svrchní **14** obch. prima, výběrový, špičkový (*~ wine*) **15** polygr. horní, indexový ◆ *~ ability* větší schopnost; *with a ~ air* povýšeně; *be ~ to* být povznesený nad, nepodléhat čemu; *~ character* polygr. horní indexové písmeno; *~ conjunction* hvězd. horní / svrchní konjunkce; *~ court 1.* vyšší soudní instance *2.* AM nejvyšší soud jednotlivého státu; *~ durability* větší trvanlivost; *~ figure* polygr. horní / indexová číslice, exponent; *~ force* voj. přesila: *you needn't get so ~* nemusíš se tak dělat, nemusíš se tak vytahovat; *~ grades* škol. vyšší ročníky; *~ limb* hvězd. horní okraj nebeského tělesa; *~ manpower* voj. přesila; *~ in numbers* početnější, početně silnější (*be ~ in numbers* mít početní převahu, převažovat); *~ order* vyšší služební rozkaz; *~ ovary* bot. svrchní semeník; *~ planet* hvězd. vnější planeta; *rise ~ to* nepoddat se čemu, nedat se ovlivnit čím (*rise ~ to flatterers*), nepodlehnout čemu (*rise ~ to temptation*); *~ slope* korunní svah opevnění; *of a ~ sort* prvotřídní, vynikající; *~ in speed* rychlejší; *~ tide* příliv na straně Země obrácené k Měsíci, svrchní příliv; *~ train* žel. vlak mající přednost, přednostní vlak; *~ wings* zool. *1.* svrchní letková křídla *2.* krovky ● *s* **1** představený, nadřízený (*went first to her immediate ~* nejdříve navštívila svého bezprostředního ...) **2** círk. představený; superior; opat; abatyše **3** lepší, kvalitnější člověk ve srovnání s jiným **4** hist.: za feudalismu lenní pán **5** polygr. horní, indexové písmeno ◆ *have no ~* nemít sobě rovna, být lepší než ostatní

superioress [ˌsju:ˈpiəriəris] círk. matka představená, abatyše

superiority [ˈsju:ˌpiəriˈorəti] **1** nadřazenost *to / over* nad, nadřízenost **2** převaha, přesila **3** přednostní právo, přednost

superjacent [ˌsju:pəˈdžeisnt] ležící na něčem n. nad něčím, ležící nahoře

superjet [sju:pədžet] nadzvukové letadlo zejm. dopravní

superlative [sju:ˈpə:lətiv] *adj* **1** nejvyšší, největší; mimořádný, vynikající, nepřekonatelný, nemající sobě rovna, výjimečný, superlativní (kniž.) (*~ beauty*) **2** přehnaný, přemrštěný (*~ praise* přehnaná chvála) **3** jaz. superlativní ● *s* 1 ztělesnění nejvyššího / největšího *of* čeho, nejvyšší bod, nejvyšší stupeň, vrchol (*he is the ~ of hypocrisy* je to největší pokrytec ze všech) **2** jaz. superlativ třetí stupeň při stupňování přídavných jmen a příslovcí **3** přehánění ◆ *speak / talk in ~s 1.* mluvit v superlativech *2.* přehánět

superlativeness [ˌsju:ˈpə:lətivnis] **1** nejvyšší stupeň, nejvyšší míra **2** mimořádnost, nepřekonatelnost, výjimečnost **3** přehnanost, přemrštěnost

superliner [ˈsju:pəˌlainə] obří luxusní parník / loď

superload [ˈsju:pəˌləud] pohyblivé zatížení, dynamické zatížení mostu

superlunar [ˌsju:pəˈlu:nə], **superlunary** [ˌsju:pəˈlu:nəri] **1** ležící za Měsícem, superlunární **2** nebeský, božský

superman [sju:pəmæn] *pl: -men* [-men] **1** nadčlověk, übermensch, též filoz., superman **2** člověk s nadlidskými schopnostmi, zázrak (*scientific supermen*)

supermarine [ˈsju:pəməˌri:n] *adj* nadvodní, nadmořský ● *s* voj. let. hydroplán

supermarket [ˈsju:pəˌma:kit] velká prodejna se samoobsluhou, velká samoobsluha, supermarket

supermedial [ˌsju:pəˈmi:djəl] umístěný nad středem

supermolecule [ˌsju:pəˈmolikju:l] chem. supermolekula

supermundane [ˌsju:pəˈmandein] **1** nadzemský, nezemský **2** nikoliv z tohoto světa, fantastický

supernaculum [ˌsju:pəˈnækjuləm] *adv* **1** úplně, docela **2** zast. do dna, do poslední kapky (*drink ~*) ● *s* víno nejlepší jakosti

supernal [sju:ˈpənl] **1** nadzemský, nadpozemský, nebeský, božský (*~ judge* nadpozemský soudce), též přen. (*~ beauty*) **2** nejvyšší, sahající do nebe (*~ summits* nejvyšší vrcholy)

supernatant [ˌsju:pəˈneitənt] **1** plovoucí na povrchu **2** umístěný / jsoucí nad čárou ponoru

supernatural [ˌsju:pəˈnæčrəl] *adj* **1** nadpřirozený **2** mimořádný, neobyčejný, nadprůměrný, fantastický (*with almost ~ speed*) ● *s* nadpřirozeno

supernaturalism [ˌsju:pəˈnæčrəlizəm] **1** nadpřirozenost **2** náb., filoz. víra ve zjevené náboženství, superracionalismus, supranaturalismus, supernaturalismus

supernaturalist [ˌsju:pəˈnæčrəlist] *s* **1** náb., filoz. supranaturalista přívrženec supranaturalismu **2** kdo věří v nadpřirozeno ● *adj = supernaturalistic*

supernaturalistic [ˈsju:pəˌnæčrəˈlistik] náb., filoz. supranaturalistický

supernaturalize [ˌsju:pəˈnæčrəlaiz] **1** pokládat za nadpřirozené **2** učinit nadpřirozeným, dát nadpřirozené vlastnosti čemu

supernature [ˈsju:pəˌneičə] filoz. nadpřirozeno, nadpřirozený svět

supernormal [ˌsju:pəˈno:məl] **1** nadprůměrný, vyšší / větší než normální **2** mimořádný, neobvyklý

supernova [ˌsju:pəˈnəuvə] hvězd. supernova hvězda s náhlým vzrůstem jasnosti (zhruba o 19 hvězdných tříd)

supernumerary [ˌsju:pəˈnju:mərəri] *adj* **1** přespočetný, nadpočetný (*a ~ tooth*) **2** jsoucí ve větším počtu **3** mimořádný (*the ~ position of inspector general*) **4** zbytečný (*the ~ asterisk* ... hvězdička) **5** pomocný, výpomocný ◆ *~ rainbow* meteor.

duha druhého n. třetího řádu, vícenásobná duha, vedlejší duha • *s* (*-ie-*) **1** přespočetný, nadpočetný člověk; přespočetná věc **2** pomocník, výpomoc **3** div. statista, figurant, též přen. **4** *supernumeraries, pl* div., film. kompars
supernutrition [ˌsju:pənju(:)ˈtrišən] med. nadvýživa
superoctave [ˈsju:pəˌroktiv] hud. **1** svrchní oktáva **2** superoktáva varhanní rejstřík
superorbital [ˌsju:pəˈro:bitl] anat. nadočnicový
superorder [ˌsju:pəˈro:də] biol. nadřád
superordinal [ˌsju:pəˈro:dinl] biol. týkající se nadřádu
superordinary [ˌsju:pəˈro:dnri] mimořádný
superordinate *adj* [ˌsju:pəˈro:dnit] nadřazený, též log. • *v* [ˌsju:pərˈo:dineit] nadřadit • *s* [ˌsju:pərˈo:dnit] **1** nadřízený úředník, důstojník apod. **2** log. nadřazený výrok, nadřazený pojem
superorganic [ˌsju:pəro:ˈgænik] **1** sociol. nadorganický, nadspolečenský **2** psychický, duchovní, duševní
superoxide [ˌsju:pərˈroksaid] chem. peroxid
superoxygenation [ˈsju:pəˌroksidžiˈneišən] chem. superoxidace
superparasite [ˌsju:pəˈpærəsait] biol. dvojnásobný cizopasník, hyperparazit
superparasitismus [ˌsju:pəˈpærəsaitizəm] biol. dvojnásobné cizopasnictví, hyperparazitismus
superphosphate [ˌsju:pəˈfosfeit] zeměd. superfosfát hnojivo
superphysical [ˌsju:pəˈfizikəl] **1** nadpřirozený **2** nepodléhající fyzikálním zákonům
superpose [ˌsju:pəˈpəuz] **1** dát / položit / přiložit *on / upon* na **2** seřadit stupňovitě n. kolmo nad sebe **3** geom. položit, srovnat tak, aby se krylo, překrývat, superponovat
superposed [ˌsju:pəˈpəuzd] **1** rostoucí svisle, kolmo; kolmý *to* k, protilehlý čemu **2** v. *superpose*
superposition [ˌsju:pəpəˈzišən] **1** kladení na sebe, vrstvení **2** překrývání **3** geol., archeol. navrstvení, superpozice uložení vrstev nad sebou tak, že spodní vrstva je vždy starší než vrstva nad ní **4** mat., fyz. superpozice skládání jednotlivých složek; výsledek tohoto skládání ♦ *law of* ~ geol. zákon o navrstvení / superpozici vrstev
superpower [ˈsju:pəˌpauə] **1** větší síla, větší moc, převaha, přesila **2** polit. supervelmoc **3** nadměrný výkon, abnormální výkon **4** elektr. soustředěná elektrická energie
super-royal [ˌsju:pəˈroiəl] **1** formát tiskového papíru (20 ½ × 27 ½ in.) **2** formát dopisního papíru (19 ½ × 27 ½ in.)
supersacral [ˌsju:pəˈseikrəl] anat. uložený nad křížovou kostí
supersaturate [ˌsju:pəˈsæčəreit] med., chem., tech. přesytit
supersaturation [ˈsju:pəˌsæčəˈreišən] med., chem., tech. přesycení
superscribe [ˌsju:pəˈskraib] **1** napsat nahoru; nadepsat **2** napsat na napsané, přepsat (*hidden by* ~*d Latin characters*) **3** zast. adresovat
superscript [sju:pəskript] *s* **1** nadepsání, nadpis **2** mat. horní index, mocnitel, exponent • *adj* **1** nadepsaný **2** napsaný nahoře; napsaný nad písmenem
superscription [ˌsju:pəˈskripšən] **1** nadepsání, nadpis; nápis **2** adresa **3** lékár. zkratka Rp., ℞ na lékařském předpise
supersede [ˌsju:pəˈsi:d] **1** nahradit (*the automobile began to* ~ *the horse*) *by* kým / čím (*this organization would have to be* ~*d by another* tuto organizaci by musela nahradit nějaká jiná), vyměnit za **2** zatlačit, vytlačit, převzít úlohu čeho **3** nastoupit na místo, být nástupcem koho / čeho, vystřídat **4** přeskočit při postupu **5** odstranit z úřadu, sesadit **6** upustit od dělání (~ *to do* neučinit, ~ *to name* nejmenovat) **7** práv. odložit řízení n. zastavit výkon rozsudku příkazem k zastavení **8** práv. zastavit řízení na rozkaz vyššího soudu
supersedeas [ˌsju:pəˈsi:diæs] **1** práv. příkaz k zastavení řízení **2** přen. zast. překážka
superseder [ˌsju:pəˈsi:də] **1** nástupce **2** náhrada
supersedure [ˌsju:pəˈsi:duə] **1** včel. nahrazení staré královny mladou **2** = *supersession*
supersensible [ˌsju:pəˈsensəbl] nepostižitelný smysly, nadsmyslový, duševní, duchovní, transcendentální
supersensitive [ˌsju:pəˈsensitiv] velmi citlivý, dokonale citlivý, supercitlivý, hypersenzitivní, supersenzitivní
supersensual [ˌsju:pəˈsenšjuəl] **1** řidč. velice smyslný **2** = *supersensible*
supersensuous [ˌsju:pəˈsensjuəs] = *supersensible*
supersession [ˌsju:pəˈsešən] **1** sesazení z úřadu **2** nahrazení **3** práv. zastavení výkonu rozhodnutí
superservisable [ˌsju:pəˈsə:visəbl] příliš ochotný sloužit, příliš horlivý, vlezlý, velice servilní
supersolid [ˌsju:pəˈsolid] mat. těleso se čtyřmi n. více rozměry
supersonic [ˌsju:pəˈsonik] *adj* **1** fyz., let. nadzvukový, supersonický **2** fyz. ultrazvukový **3** škol. slang. přesný, fantastický, senzační ♦ ~ *aircraft* nadzvukové letadlo; ~ *bang / boom* let.: rána způsobená letadlem prolétávajícím zvukovou hranici; ~ *wave* fyz. ultrazvuková vlna; ~ *wind tunnel* let. aerodynamický tunel na zkoušení tvarů pro nadzvuková letadla • *s* **1** fyz. ultrazvuková vlna **2** ~*s, pl* nauka o nadzvukovém proudění
supersound [sju:pəsaund] fyz. ultrazvuk
superstar [sju:pəsta:] **1** přen. největší hvězda, největší eso, největší kanón **2** obrovité kosmické těleso
superstate [sju:pəsteit] polit. nadstát, superstát
superstition [ˌsju:pəˈstišən] **1** pověra **2** pověrečný zvyk, pověrečná představa, pověra **3** zast. modlářství, modloslužba
superstitionist [ˌsju:pəˈstišənist] pověrčivý člověk
superstitious [ˌsju:pəˈstišəs] **1** pověrčivý, pověrečný **2** zast. úzkostlivě pečlivý, puntičkářský, přehnaně svědomitý

superstitiousness [ˌsju:pəˈstišəsnis] pověrčivost, pověrečnost
superstratum [ˌsju:pəˈstreitəm] **1** geol. vrchní vrstva, pokryvná vrstva **2** jaz. superstrát soubor prvků zaniklého jazyka dobyvatelů trvající v jazyce porobených
superstructure [ˈsju:pəˌstrakčə] **1** nadstavba, nástavba; vrchní stavba **2** filoz. nadstavba (*saying that religion is a mere ~ in the class struggle* říkající, že náboženství je pouhou nadstavbou v třídním boji) **3** žel. svršek **4** tech. svršek silnice, mostu apod. **5** voj. vrchní lafeta **6** námoř. palubní nástavba
super-submarine [ˌsju:pəˈsabməri:n] voj. superponorka
supersubstantial [ˌsju:pəsəbˈstænšəl] duchovní, nadhmotný, nadmateriální
supersubtle [ˌsju:pəˈsatl] **1** velice n. příliš jemný **2** velice n. příliš rafinovaný
supersubtlety [ˌsju:pəˈsatlti] **1** velká n. přílišná jemnost **2** velká n. přílišná rafinovanost
supertanker [ˈsju:pəˌtæŋkə] námoř. obří tanková loď
supertax [sju:pətæks] **1** daňová přirážka **2** BR zvláštní daň na příjmy vyšší než £ 5000 ročně (1909–29)
supertelluric [ˌsju:pətelˈjuərik] nadzemský
supertemporal [ˌsju:pəˈtempərəl] **1** nadčasový, věčný **2** anat. nadspánkový
superterrene [ˌsju:pətəˈri:n] nadzemský
superterrestrial [ˌsju:pətiˈrestriəl] = *superterrene*
supertonic [ˌsju:pəˈtonik] hud. **1** druhý stupeň, sekunda v diatonické stupnici **2** stupnice n. akord na druhém stupni
supertuberation [ˈsju:pəˌtju:bəˈreišən] med. dvojnásobné vytváření nádorů na nádoru
supervacaneous [ˌsju:pəvəˈkeinjəs] úplně zbytečný
supervene [ˌsju:pəˈvi:n] **1** přijít, přihodit se vzápětí n. dodatečně *on* / *upon* po **2** náhle n. dodatečně se objevit, vyskytnout; náhle zasáhnout **3** mít za následek, následovat
supervenient [ˌsju:pəˈvi:niənt] **1** náhle n. dodatečně se vyskytnuvši **2** následující
supervention [ˌsju:pəˈvenšən] **1** náhlé n. dodatečné objevení, náhlý n. dodatečný výskyt n. zásah **2** následek
supervise [sju:pəvaiz] **1** mít dohled, dozor nad, dohlížet, dozírat na **2** kontrolovat
supervision [ˌsju:pəˈvižən] **1** dohled, dozor **2** kontrola, řízení, vedení, inspekce, vrchní dozor **3** škol. školní inspekce **4** řidč. revize, redakce textu ◆ *under police ~* pod policejním dozorem
supervisor [sju:pəvaizə] **1** dozorce, dohližitel **2** kontrolor, inspektor; dozorčí úředník **3** vedoucí, ředitel **4** umělecký poradce, umělecký vedoucí **5** AM starosta, předseda okresu, okresní hejtman **6** škol. odborný inspektor **7** na některých univerzitách domácí pedagog, konzultant **8** AM škol. odborný asistent **9** žel. traťový inspektor **10** polygr. zast. vrchní korektor, revizor
supervisory [sju:pəvaizəri] **1** dozorčí, dohlédací, dohlížecí **2** kontrolní ◆ *~ body* dozorčí orgán; *~ officer* dozorčí důstojník; *~ radio station* kontrolní rozhlasová stanice; *~ signal 1.* sděl. tech. závěrečná návěst *2.* elektr. kontrolní odzváněcí / dálková návěst
supervolute [ˈsju:pəˌvolju:t] bot. svinutý, stočený
supinate [sju:pineit] **1** obrátit | se dlaní n. chodidlem nahoru **2** položit | se n. obrátit | se na záda
supination [ˌsju:piˈneišən] **1** obrácení dlaní n. chodidlem nahoru **2** poloha na zádech
supinator [sju:pineitə] anat. supinator sval
supine[1] [sju:pain] jaz. **1** latinské aj. supinum **2** anglický infinitiv s *„to"*
supine[2] [sju:ˈpain] **1** ležící na zádech, ležící s obličejem vzhůru **2** jsoucí s dlaní n. chodidlem otočeným nahoru **3** pasívní, nečinný, netečný, lhostejný, líný, nevšímavý, otupělý, tupý **4** opovrženíhodný, mrzký, bídný **5** zast., bás. nakloněný, skloněný dozadu
supineness [sju:ˈpainnis] **1** poloha na zádech, poloha s obličejem nahoru **2** pasívnost, pasivita, netečnost, nezájem, lhostejnost, lenost, nevšímavost, otupělost, tupost **3** mrzkost, bídnost, co si zasluhuje opovržení
supper [sapə] *s* **1** večeře **2** též *high ~* lehká večeře po *dinner,* poslední jídlo dne **3** večerní banket, recepce, slavnostní večeře ◆ *have ~* večeřet, navečeřet se, povečeřet; *Last S~* bibl. Poslední večeře; *Lord's S~* náb. večeře Páně, sv. přijímání; *sing for one's ~* musit si to zasloužit; *No song no ~* Za málo peněz málo muziky ● *v* **1** večeřet, navečeřet se, povečeřet **2** dát večeři komu **3** na|krmit a opatřit večer koně
supperless [sapəlis] jsoucí bez večeře
suppertime [sapətaim] *s* večerní doba, doba večeře ● *adj* večerní, jsoucí v době večeře
supplant [səˈpla:nt] **1** nahradit, zatlačit, přijít na místo koho / čeho **2** vytlačit, vyštvat, vyhodit ze sedla, vypíchnout, vystrnadit z funkce (*the Prime Minister was ~ed by his rival*) **3** zahnat, vymýtit *by* čím
supplanter [səˈpla:ntə] **1** náhrada **2** šťastnější sok
supple [sapl] *adj* **1** ohebný, vláčný, poddajný, pružný, elastický (*~ leather* vláčná kůže) **2** hladký, plynulý (*his painting is remarkably ~* jeho malířský rukopis je pozoruhodně hladký) **3** čilý, čiperný (*a ~ mind*) **4** poddajný, poslušný, ústupný, přizpůsobivý, učenlivý **5** přen. podlézavý, patolízalský ● *v* **1** zvláčnit, učinit poddajným n. pružným **2** z|mírnit, u|tišit bolest mastí, též přen. **3** změkčit, zjemnit, oblomit **4** objezdit, vycvičit koně, aby citlivě reagoval **5** zast. zvláčnět, stát se ohebným, poddajným, pružným
supplejack [sapldžæk] **1** AM pružná vycházková hůl **2** bot. paulinie
supplement [saplimənt] *s* **1** dodatek, doplněk **2** dodatek ke knize, dodatkový svazek, dodatky **3** novi-

nová příloha (*Sunday* ~) **4** geom. výplněk úhlu do 180° **5** přídavek např. do krmiva ● *v* **1** dodat, doplnit, přidat **2** opatřit dodatkem n. doplňkem **3** geom. vyplnit úhel do 180°

supplemental [ˌsapliˈmentl] **1** práv. doplňkový, dodatečný, doplňovací **2** = *supplementary*

supplementary [ˌsapliˈmentəri] *adj* **1** dodatkový; doplňkový, doplňovací (~ *reading*) **2** dodatečný **3** geom. výplňkový ◆ ~ *air* tech., med. přídavný vzduch; *be* ~ *to* doplňovat co, být dodatkem čeho; ~ *benefits* BR státní podpora nemajetným; ~ *charge* příplatek, přirážka; ~ *film* vedlejší film; ~ *income* vedlejší příjem; ~ *lens* fot. předsádková čočka; ~ *payment* doplatek; ~ *proceedings* práv. doplňkové řízení; *take a* ~ *ticket* žel. doplatit si na jízdenku ● *s* (*-ie-*) doplněk, dodatek

supplementation [ˌsaplimenˈteišən] **1** doplnění, doplňování **2** doplněk, dodatek, doplnění

suppleness [saplnis] **1** ohebnost, vláčnost, poddajnost, pružnost, elastičnost **2** hladkost, plynulost **3** čilost, čipernost **4** poddajnost, poslušnost, ústupnost, přizpůsobivost, učenlivost **5** podlézavost, patolízalství

supplial [səˈplaiəl] dodání, dodávání, zásobování, dodávka

suppliance¹ [sapliəns] = *supplication*

suppliance² [səˈplaiəns] zásoba, dodávka

suppliant [sapliənt] *adj* **1** snažně, úpěnlivě, pokorně prosící, žadonící, žebrající **2** pokorný ● *s* pokorný prosebník, uctivý žadatel

supplicant [saplikənt] *s* **1** pokorný prosebník, žadatel, suplikant (zast.) **2** = *supplicat* ● *adj* = *suppliant, adj*

supplicat [saplikæt] BR žádost, petice o přijetí n. udělení titulu na některých univerzitách

supplicate [saplikeit] **1** pokorně, snažně, úpěnlivě prosit, žádat *for* o, vyprošovat | si co **2** prosit Boha, modlit se *for* o / za ◆ *he* ~*d Heaven's blessings upon them* svolával na ně požehnání nebes; ~ *pardon* prosit o odpuštění

supplication [ˌsapliˈkeišən] **1** pokorná, úpěnlivá, snažná prosba, žádost *for* o **2** prosebná modlitba **3** antic. náb. den modliteb, den díkůvzdání ve starém Římě **4** = *supplicat*

supplicatory [saplikətəri] pokorně prosebný

supplier [səˈplaiə] dodavatel, zásobitel

supply¹ [sapli] v. *supple*

supply² [səˈplai] (*-ie-*) *v* **1** dodávat *a t.* co *for* komu, obstarávat, zabezpečovat (~ *food for one's children*); zásobovat *a p.* koho *with* čím, dodávat, obstarávat komu co (~ *one's children with food*) **2** dodávat energii čemu, pohánět (*river that* ~*s a mill* řeka, která pohání mlýn); přivádět vodu, páru apod., napájet elektrickým proudem **3** uspokojit, krýt potřebu, požadavek **4** být zdrojem čeho, stanovit, určovat **5** poskytnout (~ *an answer*, ~ *sufficient proof*... dostatečný důkaz) **6** nahradit, vyplnit, kompenzovat nedostatek, odpomoci nedostatku, vyrovnat ztrátu **7** vyrovnat, opravit, spravit (~ *a defect in manufacture* opravit chybu ve výrobě) **8** doplnit, dopsat (~ *missing words* doplnit chybějící slova) **9** vyplňovat, tvořit pozadí **10** nahrazovat, zastupovat, fungovat jako někdo jiný, suplovat **11** zastupovat kazatele, kázat jako zástupce **12** škol. suplovat, zastupovat **13** ekon. přispět, přispívat penězi ◆ ~ *demand* krýt poptávku; *families supplied daily* soukromé objednávky se přijímají a vyřizují tentýž den s dodávkou do domu upozornění např. řezníka ● *s* **1** zásoba, zásoby **2** dodávka **3** zásobování *of* čím *to* koho / čeho, dodávání čeho komu / čemu (*the* ~ *of raw materials to industry* zásobování průmyslu surovinami) **4** přísun, přívod, přítok, příkon (~ *of energy*) **5** voj. přísun **6** též *supplies, pl* krytí potřeby, přísun **7** *supplies, pl* potřeby, pomocný n. provozovací materiál **8** zboží na skladě, pohotové zboží, paleta zboží **9** *supplies, pl* peněžní fondy, rozpočtové výdaje každoročně povolované parlamentem, rozpočet výdajů **10** kapesné, apanáž **11** výpomoc, zastupování **12** zástupce, substitut **13** círk. zástupce kněze n. kazatele; administrátor ◆ *aggregate* ~ souhrnná nabídka; *base of* ~ zásobovací základna / středisko (*the town became a base of* ~ *for cowboys*); *continuous supplies* pravidelný přísun; *cut off a p.'s supplies 1.* přerušit dodávky komu, přestat zásobovat koho *2.* zarazit kapesné komu; ~ *and demand* nabídka a poptávka, zákon nabídky a poptávky; *floating* ~ běžná nabídka; *good* ~ *of* dostatečná zásoba, dostatečné množství, dost čeho (*have you a good* ~ *of reading matter for the train journey?* máte s sebou dost čtení do vlaku?); *in limited* ~ *1.* v omezeném množství k dodání *2.* = *in short* ~; *Minister of S*~ BR ministr pro zásobování branných sil; ~ *of power* dodávka energie; *in short* ~ zboží nedostatkový (*beer was in short* ~ *in that hot weather* v tom vedru byl (v hostincích) nedostatek piva) ● *adj* **1** zásobovací (~ *depot*) **2** dodavatelský (~ *house*) **3** suplující ◆ ~ *area* odbytiště; ~ *day* den, kdy se v parlamentě projednávají rozpočtové výdaje; ~ *form* AM žádanka, výdejka na materiál; ~ *gallery* horn. těžní chodba n. střída; ~ *main 1.* elektr. síťová přípojka, napájecí vedení *2.* přívodní potrubí; ~ *meter 1.* měřidlo spotřeby *2.* elektroměr; ~ *network* elektr. rozvodná síť; ~ *parts* náhradní součástky; ~ *pastor* círk. administrátor; ~ *point* výdejna, zásobovací středisko; ~ *price* nejnižší dodací cena; ~ *ship* zásobovací loď; ~ *station 1.* voj. zásobovací stanice *2.* zásobní stanice, napájecí stanice *3.* elektrárna; ~ *teacher* suplent, suplující učitel

support [səˈpo:t] *v* **1** podpírat; sloužit jako podstavec čeho, podepřít, podložit **2** pomáhat jít, podpírat při chůzi (*he hurt his ankle, so he had to be* ~*ed home* poranil si kotník, tak ho musili domů dovést) **3** posílit, vzpružit, dodat sil, postavit na nohy (*what ~ed him was a glass of brandy*), dodat (*a glass of wine ~ed his strength* sklenka vína mu dodala síly) **4** u|nést (*is this bridge strong enough to ~ heavy lorries?* je tenhle most dost pevný, aby po něm mohla jezdit nákladní auta?) **5** udržovat nad vodou, nadnášet, nést (*~ed by a life belt* nesený záchranným pásem) **6** uržovat v chodu (*~ the conversation*), též tech. **7** udržovat, zachovat (*we must ~ the good name of the school*), udržovat při životě apod., živit, též přen. **8** snést, vystát, trpět, vydržet (*I can't ~ your impudence any longer* už tu tvou drzost nemohu dále snášet) **9** podporovat, podpořit, protěžovat, napomáhat komu / čemu (*~ed the government in practically all its major measures* pomáhal vládě v prakticky všech hlavních opatřeních), prosazovat (*difficult to ~ his political aims*) **10** podporovat, dávat podporu komu / čemu, sloužit jako podpora koho / čeho (*machine guns ~ed the attack* kulomety podporovaly útok) **11** být stoupencem čeho (*~ the peace policy*), stranit čemu, hlásit se k; jít s (*nobody ~ed him*), stát při, být oporou koho (*his wife ~ed him throughout the trial* během procesu mu byla oporou jeho manželka), fandit komu **12** být dokladem správnosti čeho (*example that ~s the reading*), odůvodňovat, potvrzovat (*his alibi was ~ed by neighbours*) **13** oficiálně doprovázet (*the mayor ~ed by the Council* starosta doprovázený městskou radou) **14** doprovázct hudbou **15** herec přihrávat komu, být spoluhercem koho, hrát s jiným hercem v důležité, nikoliv však hlavní roli **16** dát dodatky n. vysvětlivky k (*~ and supplement their textbooks* dodat vysvětlivky a dodatky k jejich čítankám) **17** bridž licitovat a tím podpořit partnera **18** podporovat, živit, vyživovat (*he has a large family to ~*) **19** skýtat, poskytnout obživu pro, uživit (*the island could probably ~ three, though no more* na ostrově by se možná uživili tři lidé, ale víc ne); skýtat, poskytnout dostatečný materiál pro, zásobovat **20** starat se o jak, obstarávat jakou stránku čeho (*to ~ the town industrially* starat se o město z hlediska průmyslu) **21** vydržovat, financovat (*a hospital ~ed by voluntary contributions* nemocnice financovaná z dobrovolných příspěvků) **22** platit, hradit (*few students ~ their studies from personal funds* málo studentů si hradí studia z vlastních prostředků) **23** mít tolik peněz, že si může dovolit, financovat, uživit (přen.) (*the town ~s a grammar school, a movie, and two hotels* město dokáže uživit střední školu, kino a dva hotely) **24** AM ekon. intervenovat prodejní cenu **25** ekon. krýt měnu, být podkladem měny **26** šachy krýt (*your figures are not well ~ed*) **27** herald. podpírat, držet ◆ *be ~ed* též *1.* být podepřen čím, spočívat, stát na *2.* přen. být založen na, být dokazován, doložen čím (*an accusation not ~ed by proofs* obvinění nepodložené důkazy) *3.* program být doplněn čím (*the main film will be ~ed by two short documentaries*); *~ fatigue* snášet únavu; *~ life* stačit k životu, udržet při životě; *~ the motion* podporovat návrh, hlasovat pro návrh; *~ the spirits* dodávat, udržovat duševní energii ***support o. s.*** žít *by* z, živit se čím ● *s* **1** opora **2** opěra, podpěra, podstavec, nosník **3** podpírání, podepření (*carried a large club, partly for the ~ of his weak legs* měl velký klacek, částečně jako podporu pro slabé nohy) **4** opěrný pilíř, nosník mostu **5** přen. opora, útěcha, jistota (*find a sure ~ in religion* najít spolehlivou oporu v náboženství) **6** podpora (*financial ~*), podporování **7** potvrzení správnosti, opora, podpora **8** podporovatel, zastánce, záštita, opora (*he is the chief ~ of this cause* je hlavním zastáncem tohoto hnutí) **9** podklad, podkladový materiál, též výtv. (*the first to use canvas as a ~ for painting in oil* první, kdo užil plátna jako podkladového materiálu pro olejomalbu) **10** výživné, prostředky k životu (*his wife sued for ~* jeho manželka vymáhala výživné soudně) **11** živitel, chlebodárce (*~ of the family*) **12** hudební doprovod **13** div. ostatní soubor; herec, který hraje s hereckou hvězdou, vedlejší role, partner **14** též *logistical ~* voj. materiálně-technické zabezpečení **15** voj. pomoc, posila jedné jednotky druhé **16** voj. záloha **17** voj. krytí, zabezpečení **18** též *masculine ~* suspenzor **19** těl. vzpor, podpor **20** zahr. podpěra, tyč, kůl **21** fot. podklad **22** fot. stativ **23** bridž dostatečná podpora umožňující zvýšení hlášky ◆ *be a p.'s ~ in old age* být oporou ve stáří komu / koho; *give ~ to* podporovat koho, pomáhat komu; *go in ~* voj. jít / jet / plout na pomoc; *I hope to have your ~* doufám, že mohu počítat s vaší podporou; *in ~* voj. v záloze; *in ~ of 1.* na / jako doklad, důkaz, potvrzení (správnosti) čeho (*produce documents in ~ of an allegation* předložit doklady potvrzující správnost tvrzení) *2.* ve prospěch, pro; *~ of life 1.* udržení při životě *2.* prostředky, podmínky k existenci života; *means of ~* prostředky k výživě peníze, práce; *moral ~* morální podpora; *price ~* AM cenová intervence, podpora poskytovaná např. farmářům; *speak in ~ of* podpořit svým projevem koho / co, hlásat, propagovat koho / co; *throw one's full ~ behind a t.* postavit se celou svou váhou za ● *adj* podpěrný, podporový, opěrný, nosný, podložný, úložný ◆ *~ stand* stojan; *~ trench* voj. prostřední zákop ze tří

supportable [səˈpo:təbl] **1** podporovatelný, podpořitelný **2** snesitelný *to* pro (*a light not ~ to the naked eye* světlo nesnesitelné pro nechráněné oko) **3** který lze vydržet, likvidovatelný, snesitelný (*an assault that is not ~* útok, který nelze vydržet)

supporter [səˈpo:tə] **1** nosič, podpírač **2** podporovatel, napomáhač, pomocník, pomoc; zastánce, přívrženec, stoupenec, propagátor, advokát **3** sport. fanoušek **4** co umožňuje existenci n. udržuje při životě, udržovatel (*oxygen is a ~ of life*) **5** suspenzor **6** herald. štítonoš **7** tech. koleno **8** námoř. podpěra, podpěrka; konzola

supporting [sə'po:tiŋ] **1** nesoucí, nosný, opěrný, podpěrný **2** podpůrný **3** v. *support, v* ◆ *~ actor* druhý hlavní herec nikoliv „hvězda"; *~ artillery* voj. podpůrné dělostřelectvo; *~ bracket* nosná konzola; *~ crop* zeměd. vedlejší plodina; *~ distance* voj. kritická vzdálenost za níž nemůže jedna jednotka druhou podpořit; *~ film* druhý film, krátký film, dodatek; *~ frame* nosný rám, nosná konstrukce; *~ picture = ~ film; ~ player = ~ actor; ~ surface* let. nosná plocha; *~ timber work* výdřeva tunelu

supposable [sə'pəuzəbl] možný, myslitelný; který lze předpokládat

supposal [sə'pəuzəl] **1** předpoklad **2** dohad, hypotéza, teorie, domněnka **3** log. předpoklad, položka, zásada, věta

suppose [sə'pəuz] **1** považovat za možné, představit si jako možné, předpokládat, připustit (*let us ~ a second flood* dejme tomu, že by nastala podruhé potopa světa) **2** předpokládat, myslet si, domnívat se, mít (ten) dojem, mít za to, být přesvědčen (*all her neighbours ~d her to be a widow* všichni její sousedé ji pokládali za vdovu); doufat (*I ~ you are aware of your mistake* doufám, že si uvědomujete svou chybu), věřit (*I don't ~ we shall be back*) **3** vyjadřuje návrh n. zdvořilý imperativ (*~ we go for a swim* což kdybychom se šli vykoupat?) n. dohad co když, co kdyby, dejme tomu, že **4** mít za podmínku, předpokládat, postulovat (*creation ~s a creator* stvoření předpokládá nějakého stvořitele) **5** zast. předstírat **6** zast. očekávat ◆ *be ~d to do a t. 1.* mít za předpokládanou / samozřejmou povinnost udělat, musit dělat (*is the servant ~d to clean the outside of the windows or only the inside?* očekává se / chce se od služebné, že bude mýt / aby myla okna také zvenčí, nebo pouze zevnitř?, *he is ~d to be at home* správně by měl být doma, *a grammarian is ~d to know grammar* od gramatika se očekává znalost mluvnice, *you are not ~d to know everything* ty nemusíš všechno vědět) *2.* prý, údajně dělat (*country where fairies are ~d to dwell* kraj, kde prý sídlí víly, *he is ~d to be wealthy* on prý je bohatý); *be not ~d to do* hovor. nemít dovoleno, nesmět (*we're not ~d to play football on Sundays* v neděli nemáme hrát kopanou); *I ~ (so)* snad, asi, (dost) možná, samo|-zřejmě, pravděpodobně, předpokládám (*you will not be there, I ~* vy tam asi nebudete); *I should scarcely have ~d so* to by mě sotva napadlo); (*let us*) *~* též dejme tomu, předpokládejme (*let us ~ (that) the news is true, ~ an epidemic of typhoid should break out?* a co když vypukne tyfová epidemie?); *supposing you are right* za předpokladu, že máte pravdu; *that being ~d* za tohoto předpokladu

supposed [sə'pəuzd] **1** teoretický, hypotetický (*a ~ case*) **2** předpokládaný, pravděpodobný (*the ~ site of an ancient temple* pravděpodobné místo antického chrámu) **3** domnělý, zdánlivý, údajný (*the ~ beggar proved to be a policeman in disguise* ukázalo se, že domnělý žebrák je přestrojený policista) **4** v. *suppose*

supposing [sə'pəuziŋ] **1** za předpokladu (*always ~*) **2** jestli, (a) co když (*~ I were to die?* a co když zemřu?) **3** v. *suppose*

supposition [ˌsapə'zišən] **1** předpoklad **2** domnívání; domněnka, hypotéza (*a mere ~*) **3** log. obsah, význam slova **4** podvrh ◆ *on the ~ that* za předpokladu, že

suppositional [ˌsapə'zišənl] **1** předpokládaný **2** domnělý, hypotetický

supposititious [səˌpozi'tišəs] **1** podvržený, falešný, zfalšovaný **2** dítě podvržený, podstrčený, nemanželský **3** vymyšlený, vybájený **4** pomyslný, imaginární, hypotetický

suppositive [sə'pozitiv] *adj* **1** jaz. podmiňovací, kondicionální **2** domnělý, imaginární, hypotetický ● *s* jaz. spojka podmiňovací

suppository [sə'pozitəri] (-ie-) lékár. čípek, supositorium

suppress [sə'pres] **1** potlačit **2** zdolat, udusit (*~ a rising*) **3** zrušit, zakázat, odstranit (*~ all opposition parties*) **4** zamlčet (*the name of which I prefer to ~*), utajit (*~ a feeling*), nevyjádřit (*a ~ed subject*) **5** znemožnit, zatajit, nepustit (*certain news is ~ed* některé zprávy se nepouštějí do veřejnosti); odstranit, škrtnout, zcenzurovat výraz **6** přemoci, překonat, potlačit (*~ a cough* přemoci se a nezakašlat) **7** zastavit např. krvácení **8** zastavit plynoucí n. pokračující, zarazit; zabránit průběhu n. rozšíření, též med. (*~ed measles* zabránilo to rozšíření spalniček) **9** elektr. potlačit, odstranit rušení **10** psych. potlačit, zabránit v projevu (*a ~ed creative wish*)

suppressant [sə'presənt] *adj* tlumivý, tlumicí, mající tlumicí účinky ● *s* tlumicí prostředek

suppressed [sə'prest] **1** zakrnělý **2** v. *suppress*

suppressible [sə'presəbl] **1** potlačitelný, utajitelný

suppression [sə'prešən] **1** potlačení **2** zdolání, udušení např. vzpoury **3** zrušení, zákaz, odstranění **4** zamlčení, utajení **5** znemožnění, zatajení; odstranění, škrtnutí, zcenzurování; cenzura **6** přemožení, překonání **7** zastavení, zaražení, zabránění **8** elektr. potlačení, odstranění rušení **9** psych. potlačení **10** bot. zatlačení, amortace ◆ *~ of civic rights* potlačení občanských práv

suppressio veri [səˌpresiəu'vi:rai] zatajení pravdy

suppressor [sə'presə] **1** kdo / co potlačuje, potlačovač **2** utajovač **3** elektr., sděl. tech. zádrž, filtr, potlačovač **4** též *~ grid* elektr., sděl. tech. hradicí n. brzdicí mřížka elektronky

suppurate [sapjuəreit] med. z|hnisat, tvořit hnis
suppuration [ˌsapjuəˈreišən] med. **1** hnisání, hnisavý proces **2** řidč. hnis
suppurative [sapjuərətiv] med. hnisavý (*~ arthritis* hnisavá artritida)
supra [sjuːprə] výše, shora, svrchu, dříve, před tím odkaz na jiné místo v knize
supraclavicular [ˌsjuːprəkləˈvikjulə] anat. umístěný nad klíční kostí
supralapsarian [ˌsjuːprəlæpˈseəriən] náb. *adj* supralapsarianistický ● *s* stoupenec supralapsarianismu
supralapsarianismus [ˌsjuːprəlæpˈseəriənizəm] náb. supralapsarianismus kalvinistická nauka hlásající, že Bůh vyvolil předurčené ke spáse ještě před pádem člověka
supraliminal [ˌsjuːprəˈliminl] psych. nadprahový, působící nad prahem vědomí
supramaxillary [ˌsjuːprəmækˈsiləri] *adj* týkající se horní čelisti ● *s* (*-ie-*) horní čelist
supramolecular [ˌsjuːprəməuˈlekjulə] fyz. nadmolekulární
supramundane [ˌsjuːprəmanˈdein] nadsvětský, nadzemský
supranational [ˌsjuːprəˈnæšənl] polit. nadnárodní, nadstátní
supraorbital [ˌsjuːprəˈoːbitl] anat. nadočnicový
supraprotest [ˌsjuːprəˈprəutest] též *acceptance ~* práv. akceptace n. zaplacení směnky třetí osobou po protestu pro neakceptaci n. neplacení
suprarenal [ˌsjuːprəˈriːnəl] anat. *adj* nadledvinový, nadledvinkový ● *s* též *~ gland* nadledvinka
supremacist [sjuˈpreməsist] *s* zastánce teorie o nadřazenosti zejm. rasové, rasista (*white ~*) ● *adj* **1** týkající se teorie o nadřazenosti zejm. rasové, rasistický **2** hlásající tuto teorii, rasistický
supremacy [sjuˈpreməsi] (*-ie-*) **1** polit. nejvyšší moc, vláda, nadvláda, svrchovanost, supremace, supremacie (kniž.) **2** přen. nadvláda, nadřazenost, převaha (*the naval ~ of England* námořní převaha Anglie), nejvyšší místo (*Shakespeare holds the ~ among dramatists*) **3** círk. supremát vrchní moc ◆ *Act of S~* círk. hist. supremační akt zákon, který prohlašuje anglického krále hlavou církve (1535); *oath of ~* círk. supremační přísaha, slib věrnosti
supreme[1] [sjuːˈpriːm] *adj* **1** vrchní, nejvyšší (*~ command*) **2** nejvyšší, vrcholný, maximální (*~ baseness*) **3** prvotřídní, nejlepši, všechny převyšující (*a ~ philosopher*) **4** rozhodný, rozhodující, kritický (*the ~ hour in the history of a nation*) ◆ *be ~* mít nejvyšší moc, vládnout, panovat; *S~ Being* Nejvyšší bytost; *~ court* nejvyšší soud; *~ end / good* filoz. nejvyšší dobro; *~ moment* poslední chvíle člověka; *S~ Pontiff* papež; *~ sacrifice* nejvyšší oběť obětování vlastního života; *S~ Soviet* Nejvyšší sovět ● *s* **1** *S~* Nejvyšší Bůh **2** bás. vrchol (*the ~ of folly*)
suprême[2] [sjuːˈpriːm] kuch. **1** též *sauce ~* bílá omáčka z drůbežího vývaru a smetany **2** pokrm s touto omáčkou, zejm. drůbeží prsíčka **3** nejlepší kus masa **4** vysoká sklenka na šerbet
supremo [səˈpriːməu] **1** vojenský diktátor **2** BR hovor. šéf, náčelník
sura, surah[1] [suərə] náb. súra kapitola v koránu, výrok z koránu
surah[2] [sjuərə] text. surah celohedvábná pevná, měkká tkanina v keprové vazbě
sural [sjuərəl] anat. lýtkový
surat [suˈræt] **1** suratská bavlna, bavlna Surat **2** text. hrubá bavlněná tkanina vyráběná v Indii
surbase [səːbeis] archit. **1** krycí lišta deštění zdi **2** profilovaný architektonický článek n. římsa kolem vršku podstavce
surbased arch [ˌsəːbeistˈaːč] plochý, segmentový oblouk
surbased vault [ˌsəːbeistˈvoːlt] klenba se vzepětím menším než je polovina rozpětí
surcease [səˈsiːs] zast. *s* **1** skončení **2** přerušení (*~ of sorrow*) ● *v* přestat dělat co, nechat čeho
surcharge *s* [səːčaːdž] **1** přetížení, přeplnění, přecpání; přílišná n. dodatečná zátěž **2** přen. příliš velká námaha, příliš velké zatížení, příliš velké břemeno **3** příliš vysoká cena; přirážka, příplatek **4** daňová přirážka; pokuta za nesprávné přiznání daní **5** poštovní doplatné, doplatek, trestné porto **6** nedoplatek **7** přetisk známky n. bankovky, zejm. měnící její hodnotu **8** tech. převýšení náspu nad opěrnou zdí ● *v* [səːˈčaːdž] **1** přetížit, přeplnit, přecpat, příliš n. dodatečně zatížit **2** přen. přetěžovat, deptat (*the greatest affairs ~ him not*) **3** přen. nabít, přeplnit (*the hospital wards were ~d* všechna oddělení nemocnice byla víc než plná) **4** přirazit, zvýšit poplatek **5** dále n. dodatečně zatížit konto **6** předepsat pokutu komu, předepsat jako pokutu **7** žádat vrácení přeplatku od **8** přetisknout známku, bankovku **9** herald. překrýt
surcingle [səːˈsiŋl] *s* **1** upínací podbřišník k upnutí sedla n. nákladu na hřbetě koně **2** círk. cingulum ● *v* **1** dát podbřišník koni **2** upnout, připevnit podbřišníkem např. houni
surcoat [səːkəut] **1** hist. suknice, kabátec nošený přes brnění **2** hist. kabát, plášť **3** sportovní bunda, větrovka
surculose [səːkjuləus], **surculous** [səːkjuləs] bot. tvořící / vyhánějící šlahouny
surd [səːd] *adj* **1** mat. iracionální **2** jaz. neznělý ● *s* **1** mat. iracionální číslo / výraz **2** jaz. neznělá souhláska
sure [šuə] *adj* **1** jistý **2** zkušený, jistý sám sebou (*a ~ climber* zkušený horolezec) **3** spolehlivý, bezpečný, zaručený (*there is no ~ remedy for colds* proti nachlazení není žádný spolehlivý lék); pravdivý, naprosto jistý, jasný, stoprocentní (*a ~ proof* jasný důkaz); neklamný (*a ~ sign* ... znamení) **4** pevný (*stand on ~ ground* stát na pevné půdě), solidní (*a ~ foundation* ... základ), neochvějný (*a ~ faith* neochvějná víra) **5** ne-

omylný (*a ~ shot* ... střelec, *a ~ aim*) **6** nevyhnutelný (*death is ~*) **7** zast. v bezpečí, chráněný ◆ *be ~* být přesvědčen, vědět určitě (*are you ~?* víte to určitě?, *I'm ~ I didn't mean to hurt you* čestné slovo, nechtěl jsem vám ublížit, *I'm ~ I don't know* to vážně nevím); *be ~ of o. s.* být si sebou jist, mít sebedůvěru; *be ~ of a t.* být si jist čím, vědět určitě co (*can we be ~ of his honesty?*, *you are ~ of welcome* určitě budete vítán); *be ~ to do* jistě, určitě udělat, nezapomenout udělat (*be ~ to write and give me all the news*); *be ~ that* vědět určitě, že; *be not ~* nevědět jistě n. určitě, nebýt si jist; *to be ~ 1.* připouštím, dobrá, prosím, po pravdě řečeno, sice (*she's not pretty, to be ~, but she's very intelligent* no dobře, hezká není, ale je velmi inteligentní) *2.* výraz překvapení no tohle, na to se podívejme; *~ card* přen. určitě spolehlivý plán; *~ crop* AM pšenice; *~ draw 1.* houština, křoví, kde je určitě liška *2.* provokativní poznámka vyvolávající určitě reakci; *feel ~* být přesvědčen; *feel ~ of o. s.* = *be ~ of o. s.*; *not feel ~ of a t.* mít pochybnosti o, nebýt si jist čím, nemoci se spolehnout na; *for ~* určitě, jistě, stoprocentně (*I don't know it for ~*); *~ hand* spolehlivý posel; *make ~ 1.* být si jist *2.* spolehlivě zařídit, zajistit (*I made ~ he would be here*), pojistit se, vyloučit neúspěch (*to make ~ he had another shot* pro jistotu vystřelil ještě jednou) *3.* ujistit se, přesvědčit se, ověřit si to (*I think there is a train at 5,15 but you'd better make ~* myslím, že jeden vlak jede ve čtvrt na šest, ale raději si to ověřte, *you'd better make ~ yourself* bude lépe, když se přesvědčíte na vlastní oči); *make ~ of a t.* postarat se o, zařídit si co; *~ thing* slang. zejm. AM *1.* hotovka, beton *2.* jasný, hotový, stoprocentní, na beton; *well, I'm ~* no tohle výraz překvapení ● *adv* **1** AM hovor. ano, jistě, ovšem, samozřejmě, samo sebou, přirozeně, jasně, to bych prosil (*Will you come? S~!*) **2** zast. připouštím, jistě připustíte (*it's pleasant, ~, to see one's name in print* jistě připustíte, že je příjemné vidět své jméno vytištěné) ◆ *as ~ as eggs is eggs, as ~ as a gun* hovor. na beton; *~ enough 1.* skutečně, vskutku, doopravdy (*he said it would happen and ~ enough it did* řekl, že se to stane, a ono se to fakticky přihodilo) *2.* určitě, stoprocentně, na beton (*he will come ~ enough*); *it was ~ cold* to vám tedy byla zima, zima to byla pořádná

sure-enough [ˌšuəriˈnaf] AM hovor. pořádný, poctivý, jaký má být (*a ~ man*)

sure-fire [ˈšuəˌfaiə] hovor. **1** jistý (*a ~ winner*) **2** spolehlivý (*a ~ recipe*)

sure-footed [ˈšuəˌfutid] **1** mající jistý krok, našlapující jistě a pevně (*on a ~ donkey*) **2** přen. nedělající chyby, jistý, spolehlivý, neomylný (*most ~ of the statesmen* většina neomylných státníků)

surely [šuəli] **1** jistě, určitě, nepochybně, bezpochyby (*the results are ~ encouraging* výsledky jsou jistě povzbuzující) **2** přece (*~ you will not desert* přece nebudete dezertovat) **3** jako odpověď na otázku jistě, pochopitelně, samozřejmě, spolehlivě, ovšem

sureness [šuənis] **1** jistota, určitost **2** pevné přesvědčení **3** neomylnost, rozhodnost

surety [šuərəti / AM šuərti] (*-ie-*) **1** jistota **2** záruka, jistota; kauce **3** ručení, rukojemství **4** ručitel, rukojmí ◆ *~ bond 1.* záruková, garanční pojistka *2.* AM jistota, záruční listina; *~ factor* koeficient bezpečnosti; *~ insurance* zárukové pojištění; *of a ~* zast. jistě, určitě; *stand ~* ručit

sureship [šuəšip] **1** ručení, záruka **2** zárukové pojišťování

surf [sə:f] *s* příboj, vlnobití, též přen. ● *v* **1** koupat se v příboji **2** jezdit na příbojových vlnách např. na prkně **3** tvořit n. připomínat příboj / vlnobití **4** zaplavit (jako) příbojem

surface [sə:fis] **1** povrch (*glass has a smooth ~* sklo má hladký povrch) **2** přen. povrch, vnějšek, zevnějšek, vnější slupka (*when you get below the ~*) **3** stěna (*a cube has six ~s* krychle má šest stěn) **4** hladina kapaliny, zejm. moře (*the submarine rose to the ~*) **5** geol. zemský povrch; terén **6** geom. plocha **7** horn. povrch; den **8** let. nosná plocha **9** motor. povrch vozovky, koberec **10** žel. rovina ◆ *bring to the ~ 1.* vynést na povrch *2.* vynést na denní světlo; *curved ~* zakřivená plocha; *developable ~* rozvinutelná plocha; *~ in contact* styčná n. dosedací plocha; *~ of operation* stav. výchozí rovina; *~ of revolution* rotační plocha; *spherical ~* kulová plocha ● *v* **1** vyrovnat, vyhladit **2** upravit n. obrábět povrch, ohoblovat povrch čeho, dát povrchový finiš čemu, nalakovat povrch, zpracovat povrch jak, dát jaký povrch čemu (*walls ~d with cream stucco* stěny mají smetanově štukovou úpravu) **3** pobít na povrchu (*the towers are ~d with steel plates* věže jsou pobity ocelovými pláty) **4** opatřit kobercem vozovku **5** čelně obrábět n. soustružit **6** horn. dobývat na povrchovou rudu **7** vyjít n. vynést na povrch **8** vyplout na hladinu např. s ponorkou; ponorka vyplout na povrch, vynořit se, též přen. (*the truth began to ~*) **9** přen. vrátit se k dřívější činnosti n. způsobu života (*we look forward to surfacing after finishing this work* už se těšíme, že se po ukončení této práce vrátíme opět k normálnímu způsobu života) ● *adj* **1** povrchový (*~ energy*); plošný (*~ measure* ... míra) **2** pozemní (*~ radar*) **3** vnější, vnějškový, povrchní (*~ politeness* ... zdvořilost)

surface area [ˌsə:fisˈeəriə] plocha povrchu, plošný obsah

surface bed [ˌsə:fisˈbed] horn. povrchové ložisko

surface brightness [ˌsə:fisˈbraitnis] jas

surface burst [ˌsə:fisˈbə:st] pozemní výbuch atomové bomby

surface colour [ˈsə:fisˌkalə] **1** barva povrchu, povrchová barva **2** polygr. řidč. barva pro tisk z plochy, knihtisková n. ofsetová barva
surface contour map [ˈsə:fisˌkontuəˈmæp] vrstevnicová mapa
surface cooler [ˌsə:fisˈku:lə] **1** chladič povrchu **2** zařízení na chlazení mléka
surface craft [ˌsə:fisˈkra:ft] hladinové plavidlo
surface development [ˌsə:fisdiˈveləpmənt] **1** horn. povrchové otvírkové práce **2** fot. povrchové vyvolávání
surface dressing [ˌsə:fisˈdresiŋ] **1** úprava povrchu **2** úprava koberce vozovky **3** štěrk, dehet apod. pro úpravu koberce vozovky
surface-effect ship [ˈsə:fisiˌfektˈšip] AM druh vznášedla
surface element [ˌsə:fisˈelimənt] mat. plošný prvek
surface fire [ˌsə:fisˈfaiə] povrchový n. přízemní požár lesa
surface forces [ˌsə:fisˈfo:siz] hladinové loďstvo
surface friction drag [ˈsə:fisˌfrikšənˈdræg] fyz. třecí odpor
surface mail [ˌsə:fisˈmeil] obyčejná pošta nikoliv letecká
surfaceman [sə:fismæn] *pl: -men* [-men] **1** horn. dělník na povrchu, dělník na povrchových pracích, povrchový dělník **2** cestář **3** žel. traťový obchůzkář
surface mission [ˌsə:fisˈmišən] letecký útok na pozemní n. námořní cíle
surface noise [ˌsə:fisˈnoiz] povrchový šum gramofonové desky
surface plate [ˌsə:fisˈpleit] stroj. příměrná, „tušírovací" deska
surface printing [ˌsə:fisˈprintiŋ] polygr. řidč. tisk z plochy, knihtisk, ofset
surface railway [ˌsə:fisˈreilwei] pozemní n. úrovňová železnice
surface rate [ˌsə:fisˈreit] obyčejná poštovní sazba nikoliv pro letecké zásilky
surface run-off [ˌsə:fisˈranof] les. povrchový odtok vody
surface ship [ˌsə:fisˈšip] hladinová loď
surface sizing [ˌsə:fisˈsaiziŋ] papír. povrchové klížení papíru
surface tension [ˌsə:fisˈtenšən] fyz. povrchové napětí kapaliny
surface-to-air missile [ˈsə:fistuˌeəˈmisail / AM misl] voj. raketa země-vzduch
surface-to-surface missile [ˈsə:fistəˌsə:fisˈmisail / AM misl] voj. raketa země-země
surface transport [ˌsə:fisˈtrænspo:t] pozemní doprava
surface water [ˈsə:fisˌwo:tə] povrchová voda
surface weir [ˌsə:fisˈwiə] vod. stav. přepadový jez
surfactant [sə:ˈfæktənt] chem. povrchově aktivní látka, detergent, saponát
surfbathing [ˈsə:fˌbeiðiŋ] sport. **1** koupání v příboji **2** surfink
surfbird [sə:fbə:d] zool. kulík
surfboard [sə:fbo:d] sport. prkno pro surfink, surf
surfboat [sə:fbəut] námoř. příbojový člun
surfeit [sə:fit] *s* **1** příliš velké množství, přemíra, přebytek, nadbytek (*a murder with a ~ of clues and motives* vražda s velkým množstvím stop a motivů) **2** sytost, nasycení; přesycení, přejedení, přecpání **3** opití **4** nevolnost zaviněná přesycením ● *v* **1** přesytit | se, přecpat | se, přejíst se **2** být přesycen, mít dost čeho **3** opít | se **4** libovat si nad míru, tonout v
surfing [sə:fiŋ] **1** sport. jízda na prkně ve vlnách příboje, surfink **2** v. *surf, v*
surfman [sə:fmæn] *pl: -men* [-men] **1** člen osádky příbojového člunu **2** AM člen pobřežní záchranné služby
surfriding [ˈsə:fˌraidiŋ] sport. = *surfing, 1*
surfy [sə:fi] (*-ie-*) charakterizovaný příbojem n. vlnobitím; připomínající příboj n. vlnobití
surge [sə:dž] *v* **1** vlnit se, dmout se, vzdouvat se **2** stoupat n. klesat, vertikálně kmitat **3** pulzovat **4** hrnout se, proudit ve vlnách (*millions of farmers ~d westwards*) **5** vzkypět, vzplanout (*anger ~d up within her* vzplanul v ní hněv), nahrnout se, vhrnout se (*the blood ~d to her cheeks* krev se jí nahrnula do tváří) **6** tryskat, vytrysknout **7** proud, napětí náhle stoupnout **8** varhany za|burácet **9** námoř.: lano klouzat, vysoukat se **10** námoř. povolovat náhle / škubáním lano **11** motor.: kolo točit se na místě, proklouzávat, protáčet se ◆ *~ absorber* elektr. tlumič / pohlcovač rázových vln, bleskojistka; *~ chamber* vod. = *~ tank; ~ diverter* elektr. bleskojistka; *~ tank* vod. vyrovnávací nádrž / komora; *~ valve* tech. tlakový ventil ● *s* **1** vysoká vlna; vlny, dmutí, vzdouvání **2** kolébání nahoru a dolů, podélné kolébání vody **3** kypění, vzkypění, nával (*~ of emotion*) **4** prudká změna např. tlaku n. napětí **5** námoř. houpání zakotvené lodi
surgeon [sə:džən] **1** chirurg **2** zast. ranhojič, felčar **3** dř. praktický lékař **4** námořní lékař, vojenský lékař, důstojník zdravotnické služby **5** zool. = *surgeonfish* ◆ *dental ~ = surgeon-dentist; physician and ~* doktor veškerého lékařství; *~'s knot* med. chirurgický uzel
surgeoncy [sə:džənsi] (*-ie-*) voj. funkce / postavení vojenského lékaře
surgeon-dentist [ˌsə:džənˈdentist] zubní chirurg, chirurg stomatolog
surgeonfish [sə:džənfiš] *pl* též *-fish* [-fiš] zool.: mořská ryba *Acanthurus chirurgus*
surgeon general [ˌsə:džənˈdženərəl] **1** *Surgeon General* voj., námoř. náčelník zdravotnické služby **2** AM hlavní lékař zdravotnických zařízení **3** BR člen lékařského štábu britského vojska
surgeon major [ˌsə:džənˈmeidžə] BR plukovní lékař
surgery [sə:džəri] (*-ie-*) med. **1** chirurgie **2** chirurgický / operativní zákrok, operace **3** operační sál

4 BR lékařská, zubní ordinace 5 též ~ *hours* ordinační hodiny ♦ *clinical* ~ klinická chirurgie; *conservative* ~ udržovací chirurgie; *plastic* ~ plastická chirurgie

surgical [sə:džikəl] med. 1 chirurgický (~ *instruments*) 2 vyžadující chirurgický zákrok (~ *appendix* apendix ...) 3 operační (~ *wound*), pooperační (~ *fever* ... horečka) ♦ ~ *appliance* léčebný obvaz, fixační konstrukce ap.; ~ *boot* ortopedická bota; ~ *compress* operační rouška; ~ *spirit* čistý líh k mytí pokožky před chirurgickým zákrokem

surgy [sə:dži] (*-ie-*) 1 vlnící se, dmoucí se, rozvlněný 2 kypící

suricate [sarikeit] zool. surikata africká cibetkovitá šelma

surlily [sə:lili] v. *surly*

surliness [sə:linis] 1 nevrlost, mrzoutství, rozmrzelost, nevlídnost, nepřívětivost, bručivost, hrubost, neurvalost 2 vzpurnost, neposlušnost, divokost, zlá povaha zvířete 3 nepoddajnost půdy 4 nevlídnost, chmurnost počasí

surloin [sə:loin] = *sirloin*

surly [sə:li] (*-ie-*) 1 nevrlý, mrzutý, rozmrzelý, nevlídný, mrzoutský, nepřívětivý, bručivý, neurvalý 2 zvíře vzpurný, neposlušný, divoký, zlý 3 půda nepoddajný 4 počasí nevlídný, chmurný, špatný 5 zast. nadutý, povýšený, arogantní

surma [suəmə] miner. surma, antimonit líčidlo na oční víčka (v Indii)

surmaster [sə:ˈma:stə] BR škol.: titul zástupce ředitele londýnské *St Paul's School*

surmise *s* [sə:maiz] 1 dohad, domněnka, neopodstatněná teorie, hypotéza 2 podezření ● *v* [sə:ˈmaiz] 1 dohadovat se, domnívat se 2 pouze si myslet, zkoušet uhádnout, domýšlet si, vymýšlet si, představovat si, vy|tušit 3 mít podezření, podezírat

surmount [sə:ˈmaunt] 1 převyšovat, tyčit se nad 2 korunovat, pokrývat (*peaks* ~*ed with snow* vrcholky hor pokryté sněhem); o|zdobit nahoře (*the roof was* ~*ed with a crest* střecha byla nahoře ozdobená hřebenem) 3 překonat, přelézt překážku 4 zlézt horu, vystoupit, vylézt, vyšplhat na horu 5 přen. překonat, přemoci, zdolat obtíže 6 herald. částečně překrývat

surmountable [sə:ˈmauntəbl] 1 který lze zlézt, pokořitelný 2 přen. zdolatelný, překonatelný, přemožitelný

surmounted arch [sə:ˌmauntidˈa:č] stav. převýšený oblouk

surmounted vault [sə:ˌmauntidˈvo:lt] stav. převýšená klenba

surmullet [sə:ˈmalit] *pl* též *surmullet* [sə:ˈmalit] zool. parmice

surname [sə:neim] *s* 1 příjmení 2 přízvisko, přezdívka, přídomek 3 antic. cognomen ● *v* 1 dát přízvisko n. přezdívku komu, přezdít, přezvat, zvát 2 dát příjmení komu

surnamed [sə:neimd] 1 zvaný, vulgo, přezdívkou (*Attila* ~*d the Scourge of God* Attila zvaný Boží bič) 2 v. *surname, v*

surpass [sə:ˈpa:s] 1 předčit, přetrumfnout, být lepší než *in* v 2 překonat (*the reality* ~*ed all expectations* skutečnost překonala veškeré očekávání) 3 být větší než, být nad co, převyšovat, vymykat se čemu (*the task* ~*ed his powers*) 4 tyčit se nad (*mountain masses* ~*ed the level of perpetual snow* horské masívy se tyčily nad hranicí věčného ledu) ♦ *not to be* ~*ed* nepřekonatelný ***surpass o. s.*** překonat sám sebe

surpassing [səˈpa:siŋ] 1 nepřekonatelný, vynikající, mimořádný, vše převyšující 2 v. *surpass*

surplice [sə:plis] *s* círk. rocheta ● *adj* výstřih čtverhranný ♦ ~ *choir* chlapecký sbor v rochetách

surpliced [sə:plist] oblečený do rochety

surplice fee [sə:plisfi:] církˇ. štolový poplatek, štóla

surplus [sə:pləs] *s* 1 přebytek, přebytečný zbytek 2 nadbytek 3 obch. excedent, přebytek, zisk 4 AM obch. kapitálová rezerva, rezervní fond společnosti ● *adj* přebytečný, nadbytečný, zbývající (*the* ~ *wheat of America*) ♦ ~ *account* ekon. ziskové konto; ~ *fund* rezervní fond; ~ *labour 1.* nadpráce, práce vytvářející nadhodnotu *2.* dělníci, pro něž není práce, nezaměstnaní, pracovní rezervy; ~ *plan* nadplán; ~ *population* přespočetné obyvatelstvo, přebytek obyvatelstva; ~ *product* výrobek nad plán; ~ *stores* přebytečné zásoby; ~ *value* nadhodnota; ~ *war stores* přebytky válečných zásob; ~ *weight 1.* přebytečná váha *2.* let. nadváha

surplusage [sə:pləsidž] 1 přebytek, nadbytek; přebytečný / nadbytečný materiál 2 zbytečný n. nadbytečný text, zbytečné přikrašlování, kudrlinky (*say what you have to say with no* ~) 3 práv. zbytečnost, nepodstatná okolnost 4 obch. zbytečná sleva

surprint [sə:print] *v* přetisknout, dotisknout na tištěné ● *s* přetisk

surprisal [səˈpraizəl] 1 zast. překvapení 2 ~*s, pl* pojišť. zabavení lodi

surprise [səˈpraiz] *s* 1 překvapení (*a life full of* ~*s*) 2 úžas, údiv (*his* ~ *was visible*) 3 voj. přepadení, náhlý útok (*a fortified camp capable of resisting* ~*s* opevněný tábor schopný odolat náhlému útoku) 4 kuch. překvapivý pokrm, překvapení ♦ *come as a* ~ neočekávaně se objevit, být překvapením; *show* ~ být překvapen, žasnout, divit se; *spring a* ~ *on a p.* překvapit koho; *stare in* ~ kulit / vyvalovat oči úžasem; *take by* ~ *1.* překvapit *2.* voj. přepadnout, dobýt náhlým útokem ● *v* 1 překvapit 2 překvapit, chytit, nachytat (~ *a burglar in the act* nachytat lupiče při činu) 3 překvapit např. otázkou a dovědět se, překvapením získat (~ *the facts from a witness* položit svědkovi překvapivou otázku a dovědět se fakta), překvapením vyvolat 4 voj. přepadnout, náhle zaútočit na **5** zast. přemoci, dobýt ◆ *be ~d at a t.* být překvapen čím, divit se čemu, žasnout nad (*I am ~d at your behaviour* žasnu nad vaším chováním); *I shouldn't be ~d if* ani bych se nedivil, kdyby, ani by mě nepřekvapilo, kdyby ● *adj* překvapivý, překvapující, neočekávaný, neohlášený (*a ~ visit*) ◆ *~ packet BR* šťastný balíček, kouzelná obálka; *~ party 1.* neočekávaní hosté kteří však přinášejí občerstvení *2.* neočekávaná oslava tajně připravená *3.* nepříjemná neočekávaná návštěva

surprising [səˈpraiziŋ] **1** překvapivý; udivující **2** v. *surprise, v*

surra [su:rə] zvěr. sura choroba koní, mul a hovězího dobytka

surreal [səˈri:l] *adj* neskutečný, fantaskní, bizarní ● *s* neskutečnost, fantasknost, bizarnost

surrealism [səˈriəlizəm] liter., výtv. surrealismus umělecký směr soustřeďující se na spontánní realizaci podvědomých duševních pochodů, fantastických představ, snů apod.

surrealist [səˈriəlist] liter., výtv. *adj* surrealistický ● *s* surrealista

surrebut [ˌsəriˈbat] práv.: navrhovatel odpovídat na jedno podání ve sporu, odpovídat kvintuplikou, odpovídat na kvadrupliku odpůrce

surrebutter [ˌsəriˈbatə] práv. odpověď na jedno podání ve sporu, kvintuplika, písemná odpověď na kvadrupliku odpůrce

surrejoin [ˌsəriˈdžoin] práv.: navrhovatel odpovídat triplikou, odpovídat na dupliku odpůrce

surrejoinder [ˌsəriˈdžoində] práv. triplika, písemná odpověď na dupliku odpůrce

surrender [səˈrendə] *v* **1** vzdát se, kapitulovat (*we shall never ~*) **2** vzdát se *a t.* čeho (*we shall never ~ our liberty*), zříci se čeho, odstoupit od, provést odkup čeho (*~ed his insurance policy* odstoupil od své pojistky) **3** pod nátlakem vydat (*forced to ~ the ship* donucen vydat loď), odevzdat, postoupit (*~ dollars to a bank*) **4** přihlásit se *to* čemu, dát se k dispozici čemu, udat se čemu (*~ to the police*) **5** přestat se bránit, přestat vzdorovat *to* čemu, podlehnout, propadnout, poddat se, podvolit se čemu, kapitulovat před ◆ *~ arms* odložit, odevzdat zbraně; *~ to one's bail* práv. dát se k dispozici soudu; *~ one's chastity* dívka vzdát se muži; *he ~ed to despair* propadl zoufalství; *~ at discretion* bezpodmínečně kapitulovat; *~ one's mind* věnovat se duševní činnosti; *~ upon terms* kapitulovat za určitých podmínek; *~ unconditionally* bezpodmínečně kapitulovat ***surrender o. s. 1*** vzdát se **2** přestat se bránit *to* čemu, propadnout čemu ● *s* **1** vzdání se, kapitulace, též voj. **2** přen. propadnutí, podlehnutí *to* čemu (*the heroine's ~ to drugs* hrdinčino propadnutí drogám) **3** přenechání (*complete ~ of initiative to the adversary* úplné přenechání iniciativy protivníkovi) **4** práv. odstoupení **5** vydání např. uprchlíka **6** pojišť. odkup životní pojistky ◆ *~ charge* srážka při předčasném vyplacení životní pojistky; *~ of foreign currency* odvod cizí měny; *no ~!* nekapitulujme!; *~ of policy* odkup pojistky; *~ value* hodnota vrácené pojistky, odkupní hodnota pojistky, odbytné za pojistku

surrenderee [səˌrendəˈri:] **1** kdo přijímá kapitulaci, komu někdo kapituluje **2** práv. přejimatel majetku

surreptitious [ˌsarəpˈtišəs] **1** podvodný, podloudný **2** tajný, tajně provedený, tajně získaný **3** kradmý (*a ~ glance*) **4** nedovolený, jsoucí bez autorského povolení, neautorizovaný, pirátský (*~ edition*) **5** nepůvodní, dodatečně vsunutý, vložený (*a ~ passage*)

surreptitiously [ˌsarəpˈtišəsli] **1** dívat se pokradmu, kradí, po očku **2** bez dovolení, pirátsky, pod rukou (*publication was continued ~ during the war*) **4** v. *surreptitious*

surrey [sari] *pl: ~s* [-z] **1** lehký dvousedadlový krytý kočár **2** starý automobil připomínající tento kočár

surrogate [sarəgit] *s* **1** BR círk. zástupce biskupa vydávající povolení k sňatku bez předchozích ohlášek **2** AM práv. soudce pro nesporné věci **3** náhražka, surogát **4** psych. zástupce, náhražka např. ve snu (*persons like teachers who represent mother's ~*) ◆ *~'s court* AM práv. soud pro nesporné věci pozůstalostní apod. ● *v* **1** jmenovat (svým) zástupcem **2** určit za nástupce **3** nahradit ● *adj* zastupující, náhradní, sloužící jako náhrada (*introduces a native girl to offer the grieving husband as a ~ satisfaction* přivádí domorodou dívku, aby nabídl truchlícímu manželovi náhradní uspokojení)

surrogateship [sarəgeitšip] úřad zástupce

surround [səˈraund] **1** obklopit ze všech stran (*the crowd ~ed the speaker*), též přen. (*~ed by luxury*) **2** uzavřít, zahalit ze všech stran (*fog ~ed the ship*), též přen. (*complete secrecy ~ed the meeting* schůzku zahalovalo dokonalé tajemství) **3** obehnat (*house ~ed on three sides by a wide veranda*) **4** žít, být kolem, okolo (*the negroid people who ~ them*); stát kolem, okolo (*~ the bed*), točit se kolem, okolo (*flatterers who ~ the duke* pochlebníci, kteří se točí kolem vévody) **5** voj. obklíčit (*the troops were ~ed* vojska byla obklíčena) **6** zast. zatopit, zaplavit ● *s* **1** okolí; kraj, okraj, obložení (*the paved ~ of the swimming pool* dlážděný okraj bazénu), okolní plocha (*brass ~ of the electric bell* mosazná ploška kolem elektrického zvonku) **2** čím je co obehnáno, ohrazení, oplocení, plot (*wire netting ~ of a tennis court* ohrazení tenisového dvorce drátěnou sítí) **3** BR nekrytá podlaha mezi kobercem a zdí; krytina na tuto podlahu (*a linoleum ~*) **4** AM hon, lov při kterém lovci obklopí zvěř, takže nemůže uniknout; místo, kam je zvěř nahnána ◆ *~ speakers* kolem dokola instalované reproduktory např. v kině

surrounding [səˈraundiŋ] *adj* **1** kolem ležící, okolní (*~ country*) **2** kolemstojící (*~ people*) **3** v. *surround, v* ● *s* **1** *~s, pl* okolí **2** *~s, pl* životní podmínky, prostředí, milieu **3** v. *surround, v*

sursum corda [ˌsə:səmˈko:də] **1** círk. vzhůru srdce, sursum corda začátek mešní preface **2** přen. odvahu, hlavu vzhůru!

surtax [sə:təks] *s* **1** daňová přirážka 2 BR progresivní důchodová daň z vyšších příjmů (1929–30) **3** celní přirážka ● *v* předepsat daňovou přirážku komu, na

surtout [sə:tu:] hist.: jednořadový kabát, převlečník

surveille [sə:ˈveil] AM ostře střežit, přísně sledovat

surveillance [sə:ˈveiləns] **1** stálý dozor, dohled (*a suspected person under police* ~ podezřelá osoba pod policejním dozorem) **2** stálé pozorování (~ *of air traffic by radar* stálé radarové pozorování leteckého provozu), střežení **3** voj. pozorování, palebné střežení ◆ ~ *radar* přehledový n. vyhledávací radiolokátor

surveillant [sə:ˈveilənt] *s* dohlížející, dozorce ● *adj* **1** mající dozor, dohlížející **2** ostražitý

survey *v* [sə:ˈvei] **1** přehlížet, dohlížet, prohlížet | si, obzírat, pozorovat **2** podrobně si prohlédnout, pro|zkoumat; provézt průzkum čeho **3** znalecky vy|šetřit, ohledat, udělat znalecký nález / posudek čeho, udělat dobrozdání o, odhadnout **4** udělat přehled čeho/o, udělat souhrn, podat ucelený obraz čeho (~ *the situation in France*) **5** udělat statistiku čeho (~ *population*) **6** provést inventuru n. inspekci ke zjištění kvality, odpisu apod., sepsat protokol **7** zeměměř. vyměřovat, zaměřovat **8** měřit a třídit dříví ● *s* [sə:vei] **1** přehlížení, prohlížení, prohlídka, obhlížení, obhlídka, obzírání, pozorování **2** prozkoumání, průzkum **3** dohled, dozor **4** znalecké vyšetření, ohledání, znalecký nález / posudek, dobrozdání **5** úřední zjištění stavu (~ *of a state's roads*), úřední zpráva o prozkoumaném **6** úřední prohlídka lodi **7** přehled, souhrn, ucelený obraz **8** statistický přehled **9** inventura; inspekce **10** zeměměřičský výzkum, průzkum terénu **11** topografický plán, náčrt, skica, mapka ◆ *serial* ~ = *Serial surveying;* ~ *course in literature* kurs přehledu literatury; ~ *fees* znalečné poplatek; ~ *group* voj. *1.* topografický oddíl *2.* dělostřelecká rozvědka; ~ *mark 1.* geodetická značka *2.* mezník; ~ *plane* let. letoun pro topografické práce; ~ *report* znalecký nález např. o havárii, zpráva havarijního komisaře, havarijní certifikát; ~ *station* zeměměř. stanovisko

surveying [sə:ˈveiiŋ] **1** měření, vyměřování, zaměřování, zeměměřičství **2** v. *survey, v* ◆ *aerial* ~ letecké mapování n. vyměřování, letecká fotogrametrie; ~ *officer* námoř. důstojník hydrografické služby; ~ *ship* / *vessel* námoř. hydrografická výzkumná loď

surveyor [sə(:)ˈveiə] **1** dohlížitel, dozorce, inspektor **2** státní inspektor; daňový inspektor **3** znalec, odborník, expert, úřední odhadce **4** AM celní kontrolor **5** BR stavitel, stavební architekt **6** voj. pozorovatel **7** zeměměř. měřič, geometr, topograf, zeměměřič **8** horn. vyměřovač, důlní měřič **9** námoř. lodní inspektor např. klasifikační organizace **10** pojišť. havarijní komisař ◆ ~ *general 1.* BR generální inspektor *2.* AM inspektor státních pozemků; ~*'s chain* zeměměř. měřický řetěz dlouhý 22 yardů; ~*'s compass* měřický kompas, busola; ~*'s level* nivelační přístroj; ~*'s rod* měřická / nivelační lať

surveyorship [sə(:)ˈveiəšip] **1** inspektorství, inspektorát **2** úřad zeměměřiče

survival [səˈvaivəl] **1** přežití, dožití, též práv.; přečkání **2** další život, pokračování v životě (*the* ~ *of the soul after death*) **3** pozůstatek minulosti (~*s of classical sculpture* pozůstatky klasického sochařství) ◆ ~ *of the fittest* biol. přežití nejzdatnějších podle Darwina; ~ *kit* let. záchranné zavazadlo, nouzová výzbroj obsahující též potraviny; ~ *rate* roční přírůstek obyvatelstva; ~ *time* voj. doba, po kterou člověk vydrží v krytu; ~ *value 1.* biol. míra schopnosti přežít v existenčním boji *2.* životnost materiálu

survivance [səˈvaivəns] **1** následnické n. nástupnické právo **2** = *survival*

survive [səˈvaiv] **1** přežít (~ *an earthquake* ... zemětřesení, *the old lady has* ~*d all her children* stará dáma přežila všechny své děti); zůstat na živu **2** přečkat, přetrvat, vydržet (~ *all perils* přečkat všechna nebezpečí); zůstat, zbýt (*this fact* ~*d in my memory*) ◆ ~ *to an estate* práv. získat podíl zemřelého na společném majetku; ~ *one's usefulness* žít, zůstávat na místě, ale nebýt už užitečný

surviving [səˈvaiviŋ] **1** jsoucí naživu, dosud žijící (*some* ~ *friends*); dosud existující (*the only* ~ *frontier blockhouse* jediná dosud existující hraniční pevnůstka) **2** žijící po smrti partnera n. rodičů (~ *wife*) **3** v. *survive*

survivor [səˈvaivə] **1** člověk, který přežil *of* co (*the sole* ~ *of the shipwreck* jediný člověk, který přežil ztroskotání lodi), ten, kdo zůstal naživu **2** práv. kdo přežil společníka n. společníky

survivorship [səˈvaivəšip] **1** práv. nárok na podíl zemřelého společníka **2** pojišť. přežití ◆ *right by* ~ nápadnictví, právo dědit po spolumajiteli

susceptibility [səˌseptəˈbiləti] (*-ie-*) **1** vnímavost, citlivost **2** dychtivost, rozdychtěnost, chytlavost **3** náchylnost *to* k, vnímavost pro, citlivost na **4** *susceptibilities, pl* lehce zranitelné city (*wound national susceptibilities* nešetrně se dotknout národních citů) **5** elektr. magnetická susceptance

susceptible [səˈseptəbl] **1** vnímavý, citlivý (*a girl with a* ~ *nature*), snadno ovlivnitelný (~ *minds*) *to* čím (~ *to flattery* snadno ovlinitelný lichotkami) **2** snadno propadající citu, dychtivý, rozdychtěný, chytlavý (*a* ~ *young man*) **3** náchylný *to* k (~ *to colds*), citlivý na, vnímavý pro (~ *to the attractions of other women* podléhající přitažlivosti jiných žen), citlivě reagující na (~ *to public opinion* citlivě reagující na veřejné mínění) **4** schopný přijmout *of* / *to* co (~ *of high polish*

... vysoký lesk), připouštějící, dovolující, umožňující co (~ *of various interpretations*) **5** vhodný, příhodný (*ditch drainage of ~ areas* povrchové odvodnění vhodných ploch) *of / to* pro, k (*the subject is hardly ~ to high poetry*); tvořící vhodný terč pro, volající po (~ *to satire*) **6** silně reagující na drogy n. léky ◆ *be ~ of a t.* dovolovat, připouštět (*be ~ of proof* být dokazatelný); ~ *to injuries* snadno zranitelný

susceptive [sə'septiv] **1** vnímavý, chápavý, bystrý **2** = *susceptible*

suscitate [sasiteit] řidč. vzrušit, vzbudit, oživit

suscitation [ˌsasi'teišən] řidč. vzrušení, vzbuzení, oživení

susi [su:si] text. zast. hedvábím protkávaná bavlněná tkanina

suslik [saslik] **1** zool. sysel obecný **2** syslí kožešina, sysel

suspect *v* [sə'spekt] **1** podezírat *a p.* koho *of* z (~ *a p. of murder* podezírat koho z vraždy, *I ~ him of lying* podezírám ho, že lže) **2** chovat určité podezření **3** mít podezření, že existuje, obávat se čeho (*I ~ a plot* obávám se spiknutí) **4** cítit, větřit, tušit negativní (~ *danger* tušit nebezpečí) **5** pokládat za možné, mít dojem, domnívat se negativní, pochybné (*I ~ that there is an error* domnívám se, že jde o omyl), mít za to, myslit, obávat se (*I ~ you once thought otherwise*); hádat (na) mít podezření, že jde o (*we never ~ed the disease* nikdy nás ani nenapadlo, že jde o tuto chorobu) **6** nevěřit, nedůvěřovat čemu, pochybovat o (~*s the motives of the salesman* nevěří motivům obchodního cestujícího) ◆ *be ~ed of a t.* být podezírán n. podezřelý n. v podezření z; ~ *nothing* nic netušit ● *adj* [saspekt] **1** podezřelý (*his statements are ~* jeho výpovědi jsou podezřelé), suspektní (odb.) **2** pochybný ● *s* [saspekt] **1** podezřelý člověk, člověk podezřelý z (*murder ~* člověk podezřelý z vraždy), člověk, u něhož je podezření na (*a tuberculosis ~* člověk, u něhož je podezření, že má tuberkulózu) **2** zast. podezření ◆ *political ~* nespolehlivý člověk podezřelý z politického hlediska

suspend [sə'spend] **1** volně pověsit, zavěsit odshora (~ *a lamp from the ceiling* zavěsit lampu na strop, zavěsit lampu od stropu, ~ *a ball by a thread* pověsit míček na nit) **2** vznášet se, viset ve vzduchu (*dust ~ed in the air*), nechat viset, též přen. **3** chem., fyz. suspendovat rozptýlit jemné částečky pevné hmoty v kapalině **4** zdržet se čeho, nechat si pro sebe, nevyjádřit, nedat najevo (~ *one's indignation* ... své rozhořčení) **5** prozatím / na čas zastavit, přerušit (~ *hostilities* ... nepřátelské akce); na čas zrušit (~ *a regulation*); počkat s (~ *the sale* ... s prodejem); na čas zavěsit (~*ed their oars to listen* zavěsili vesla a poslouchali) **6** odložit, odročit (~ *a hearing*) **7** dočasně zbavit funkce n. hodnosti, suspendovat (~ *a clergyman* ... duchovního), dočasně vyloučit (~ *a member of a club*); vyhodit, vyrazit (~*ed him from the ministry*) **8** hud. nechat viset, prodloužit, protáhnout tón **9** zast. upoutat, fascinovat ◆ ~ *fire!* voj. palbu stav!; ~ *on gimbals* tech. zavěsit do kardanového závěsu; ~ *judgement* zdržet se úsudku, prozatím se nevyjádřit; ~ *a licence* odebrat řidičský průkaz; ~ *one's opinion* = ~ *judgement;* ~ *payments* banka zastavit placení, ohlásit úpadek, ~ *a sentence* práv. *1.* odložit vyhlášení rozsudku *2.* odložit výkon trestu *3.* přerušit výkon trestu; ~ *the service* dočasně zastavit provoz

suspended [sə'spendid] **1** visutý; visací **2** chem. rozptýlený **3** v. *suspend, v* ◆ ~ *animation* med. bezvědomí; *be ~* viset; ~ *cadence* hud. klamný závěr; ~ *joint* žel. převislý spoj / styk; ~ *sentence* podmíněný rozsudek

suspender [sə'spendə] **1** zavěšovač **2** závěs **3** co visí; zavěšený koš s květinami **4** BR ~*s, pl* podvazky **5** AM ~*s, pl* šle **6** kdo odkládá n. odročuje **7** kdo suspenduje ◆ *pair of ~s 1.* BR podvazky *2.* AM šle

suspender belt [səˌspendə'belt] BR dámský podvazkový pás, podvazky

suspense [sə'spens] *s* **1** napětí, úzkostlivé n. napjaté očekávání **2** nejistota, nerozhodnost, nerozhodnutí, nevyřízení **3** odklad, odročení, přerušení **4** práv. dočasné pozbytí práva ◆ *be in ~* nebýt ještě rozhodnutý n. definitivní, být ještě nejistý (*our plans were still in ~* naše plány ještě visely ve vzduchu); *keep in ~ 1.* nechat v nejistotě n. v napětí *2.* nechat nerozhodnuto *3.* odkázat na pozdější dobu věřitele *4.* neakceptovat směnku; *novel of ~* dobrodružný román; napínavý román ● *adj* **1** dobrodružný, napínavý (*a ~ film*) **2** ekon. předběžný, prozatímní (~ *account* předběžný účet, ~ *entry* prozatímní přihláška)

suspenseful [sə'spensful] slang. napínavý

suspensibility [səˌspensi'biləti] **1** odložitelnost, odročitelnost **2** chem. suspendovatelnost

suspensible [sə'spensəbl] **1** odložitelný, odročitelný **2** chem. suspendovatelný

suspension [sə'spenšən] *s* **1** věšení, zavěšení, pověšení **2** dočasné zastavení, zaražení, přerušení, odročení, odklad; odebrání řidičského průkazu **3** zproštění úřadu, suspendování; dočasné vyloučení, vyhození, vyřazení **4** napětí, vzrušení **5** med. poloha v závěsu, zavěšení, závěs **6** tech. závěs **7** hud. průtah **8** chem. suspendování; suspenze ◆ ~ *of arms* prozatímní klid zbraní; *in ~* chem. rozptýlený, suspendovaný, jsoucí v suspenzi; ~ *of payments* ekon. zastavení placení, úpadek; ~ *of the statute of limitations* práv. stavění, promlčení ● *adj* **1** závěsný (~ *bolt* ... svorník) **2** visutý **3** nosný (~ *cable* ... lano)

suspension bridge [səˌspenšən'bridž] visutý most

suspension colloid [səˌspenšən'koloid] chem. suspenzoid

suspension points [sə͵spenšən'points] zejm. AM tři tečky ...
suspension switch [sə͵spenšən'swič] elektr. hruškový spínač / vypínač
suspensive [sə'spensiv] **1** odkladný, odkládací, suspenzívní **2** nejistý, nerozhodný, nerozhodnutý **3** udržující v napětí **4** dobrodružný, napínavý (*a ~ novel*) ◆ *~ veto* prozatímní veto s odkladným účinkem
suspensor [sə'spensə] **1** med. kýlní pás, průtržní pás, pás na kýlu **2** bot. suspenzor
suspensory [sə'spensəri] *adj* **1** závěsný **2** práv. odkladný, suspenzívní ● *s* (*-ie-*) **1** anat. závěsný sval, závěsné vazivo **2** med. = *suspensor, 1*
sus. per. coll. [͵saspə'kol] hist. práv. oběsit, oběšen poznámka u jména odsouzeného
suspicion [sə'spišən] *s* **1** podezření *of* z (*~ of murder* podezření z vraždy) na (*~ of tuberculosis*) **2** podezřelý, negativní dojem, tušení **3** nedůvěra *of* k (*~ of certain common vegetables* nedůvěra k některým obyčejným druhům zeleniny), podezírání (*he succeeded in dispelling their ~s* podařilo se mu rozptýlit jejich podezírání), podezíravost **4** náznak, zdání, nejmenší stopa, stín (*without a ~ of scandal*) ◆ *above ~* mimo veškeré podezření; *arrest on the ~ of being the offender* zatknout pro podezření, že je pachatelem; *arrest on the ~ of theft* zatknout pro podezření z krádeže; *be under ~* být v podezření; *cast a ~ on a p.* vrhnout podezření na; *draw ~* vzbudit podezření; *entertain / have ~* mít podezření; *~ is upon him* lpí na něm podezření; *with ~* podezíravě ● *v* nář., AM hovor. podezírat, mít podezření
suspicional [sə'spišənl] chorobně podezíravý
suspicionless [sə'spišənlis] jsoucí bez nejmenšího podezření n. tušení, nic netušící ◆ *be ~ of a t.* netušit co
suspicious [sə'spišəs] **1** podezřelý (*a ~ character, ~ circumstances* podezřelé okolnosti) **2** nedůvěřivý, podezíravý (*a ~ attitude* podezíravý postoj) **3** podezírající *of* koho / co, mající podezření na, nedůvěřivý ke (*the unsophisticated native is often ~ of all strangers* nerafinovaný domorodec často podezírá všechny cizince) ◆ *be ~ of a p.* chovat podezření proti; *be ~ of a t.* nevěřit, nedůvěřovat čemu, obávat se, bát se čeho, mít strach z; *he became ~ 1.* stal se podezřelým *2.* zmocnilo se ho podezření
suspiciousness [sə'spišəsnis] **1** podezřelost **2** nedůvěřivost, podezíravost
suspiration [͵saspi'reišən] dlouhý, hluboký vzdech
suspire [sə'spaiə] **1** zast., bás. hluboce vzdechnout; vzdychat *after / for* po **2** zhluboka dýchat, zhluboka se nadechnout
suss [sas] slang. mít v merku podezírat
susso [sasəu] AU slang. **1** podpora nezaměstnanému **2** nezaměstnaný pobírající podporu
sustain [sə'stein] **1** u|nést, držet, podpírat, (*the beams ~ the ceiling* trámy podpírají strop), udržet podepřením (*will this light shelf ~ all these books?, the dam could not ~ the heavy head of the water* hráz nemohla udržet těžký spád vody) **2** vydržet, unést, snést (*~ a year's teaching*), s|trpět, vystát (*I couldn't ~ such an act*) **3** živit (*plant life ~s the living world*), uživit (*the sort of defense which our economy can ~* ten druh obrany, jaký naše ekonomika unese), vydržovat (*~ an army*) **4** udržet, zachovat (*~ maximum attention every minute*), způsobit, že stále trvá, udržovat (při životě), živit (přen.); udržet v chodu, vést dál (*~ a consecutive conversation* udržet v chodu plynulou konverzaci) **5** podpořit, dát podporu komu, být podporou (*~ed his colleagues* podporoval kolegy, *comfort and ~ the parents* být rodičům útěchou a podporou) **6** vzpružovat, povzbudit, občerstvit, posílit, dodávat vzpruhy komu (*hope that ~ed them*) **7** utrpět (*~ a defeat* ... porážku, *~ severe injuries* ... těžká zranění, *~ a loss* ... ztrátu); odnést to, zaplatit to zraněním (*he ~ed a broken arm*) **8** potvrdit, rozhodnout ve prospěch koho / čeho (*the court ~ed his claim* soud potvrdil jeho nárok), dát za pravdu komu (*the court ~ed him in his claim* soud mu dal za pravdu, že tento nárok má), schválit, souhlasit s (*the court ~ed the motion* soud souhlasil s návrhem), připustit, uznat (*~ an objection* uznat námitku) **9** dokázat, potvrdit (*testimony that ~s our contention* svědectví, které potvrzuje naše tvrzení) **10** trvat n. tvrdit, obhájit **11** hud. držet tón **12** div. unést, dokázat, uhrát (*he hasn't the experience to ~ the part of Hamlet*) ◆ *~ charges* práv. *1.* podepřít žalobu n. obvinění *2.* doložit žalobu n. body obžaloby; *~ comparison with a t.* snést srovnání s čím; *~ injury 1.* utrpět zranění *2.* utrpět škodu, ztrátu, újmu; *~ a siege* vydržet obléhání; *the suit is ~ed* práv. soud připouští žalobu jako oprávněnou ***sustain o. s.*** *1* živit se, udržovat se při životě *with* čím, žít z *2* přen. neklesnout na mysli, zachovat si duševní rovnováhu
sustainable [sə'steinəbl] **1** práv. udržitelný, obhájitelný, doložitelný **2** zast. snesitelný
sustained [sə'steind] **1** trvalý, stálý, ničím nepřerušovaný (*~ effort* trvalé úsilí) **2** ucelený, nikde a v ničem neochabující (*~ performance* ucelený výkon) **3** hud.: tón držený **4** v. *sustain* ◆ *~ tone 1.* hud. držený tón *2.* přen. táhnoucí se jako červená nit (*a ~ tone in his correspondence* motiv ... v jeho dopisech); *~ yield* biol. plynulý přírůstek, přirozený doplněk
sustainer [sə'steinə] **1** podpora, opora; nositel (*~s of an idea*) **2** kosm. nosná raketa **3** AM = *sustaining program*
sustaining [sə'steiniŋ] **1** opěrný (*a ~ wall*) **2** posilující, výživný (*a ~ food*) **3** přispívající (*a ~ member paying 25 dollars annually*) **4** AM sděl. tech. týkající se nekomerčního programu **5** v. *sustain* ◆ *~ pedal* hud. pravý pedál klavíru; *~ pro-*

gram AM sděl. tech. vlastní pořad rozhlasu, televize, nikým nefinancovaný
sustainment [səˈsteinmənt] **1** opora **2** udržení **3** výživa, poživatiny **4** podpora
sustenance [sastinəns] **1** výživnost, výživa (*there is little ~ in sweets*) **2** jídlo, potrava, strava, poživatiny (*lived a week without ~*) **3** živobytí **4** živiny, výživa (*plants draw most of their ~ from the soil* rostliny čerpají většinu výživy z půdy) **5** přen. opora, podpora **6** řidč. výživa, živení (*for the ~ of our bodies*), vydržování (*money for the ~ of the homeless*)
sustentacular [ˌsastenˈtækjulə] podpůrný
sustentation [ˌsastenˈteišən] **1** vydržování, udržování (*taxes for the ~ of a college*) **2** zachování, udržení (*the ~ of peace in a nation*) **3** opora, podpora (*air so thin as to afford no ~ for an airship* tak řídký vzduch, že neunese vzducholoď) ◆ *~ fund* cirk. podpůrný fond pro duchovní *Free Church of Scotland*
susurrate [ˌsju:səˈreit] řidč. **1** ševelit, šeptat, tiše mumlat **2** šustit
susurration [ˌsju:səˈrəišən] řidč. **1** ševelení, šeptání, tiché mumlání **2** šustot, šustění
susurrous [sju:ˈsarəs] řidč. **1** ševelící, šeptající, tiše mumlající **2** šustící
susurrus [sju:sarəs] **1** mumlání **2** šustění, šustot např. hedvábí
suti [sati(:)] = *suttee*
sutler [satlə] markytán, markytánka
Sutra [su:trə], **sutta** [sutə] sútra staroindický, buddhistický učebný text; aforismus; sbírka aforismů
suttee [sati:] satí vdova, která se dá dobrovolně upálit s mrtvolou manžela; označení tohoto hinduistického zvyku
sutteeism [sati:izəm] satí hinduistický zvyk, podle něhož se dá vdova dobrovolně upálit s mrtvolou manžela
sutural [sju:čərəl] **1** švový, týkající se švu **2** mající šev
suturation [ˌsju:čəˈreišən] med. se|šití rány
suture [sju:čə] *s* **1** anat. šev, sutura **2** med. steh, sutura **3** med. se|šití; nit, drátek na sešívání rány **4** spojovací čára, spojnice **5** bot. šev, rýha srůstu **6** šití, sešívání, se|stehování; šev **7** tech. šev ● *v* **1** med. se|šít ránu **2** se|šít, se|stehovat
suzerain [su:zərein / AM su:zərin] **1** též *~ lord* hist. lenní pán, vrchnost, suzerén **2** též *~ state* polit. suzerén stát ovládající jiný, závislý stát
suzerainty [su:zəreinti / AM su:zərinti] (*-ie-*) **1** hist. hodnost / postavení lenního pána, suzerenita **2** polit. suzerenita; vazalství; vazalský stát, vazal
svelte [svelt] **1** žena: půvabně štíhlý **2** hladký (*~ knitted bathing suits* hladké pletené plavky); uhlazený (*~ accents*)
swab [swob] *s* **1** hadr např. na holi, mop **2** námoř. stěrák, utěrák, provazový smeták, mop **3** vlhčicí houba **4** dělový vytěrák **5** med. tampón **6** med. vata na špejli k vytírání; výtěr (*take ~s from children suspected of having diphteria*) **7** hut. štětec k natírání líce formy **8** tech. píst se zpětnou klapkou na čerpání nafty z vrtu **9** BR třásňový náramenik, epoleta námořního důstojníka **10** námoř. slang. důstojník **11** námoř. slang. slon, medvěd, nemehlo, nemotora, nešika; špindíra, umouněnec **12** slang. hadr, bačkora, salát, blbec ● *v* (*-bb-*) **1** též *~ down* stírat, mýt utěrákem např. palubu, vytírat podlahu **2** med. vysušit tampónem ránu **3** med. ošetřit, dezinfikovat tampónem (*~ a wound with iodine* ošetřit ránu jódovým tampónem) **4** vytírat dělo **5** na|mazat na povrchu **6** čerpat naftu pístem se zpětnou klapkou *swab up* vysušit, vytřít, utřít, vysát tekutinu
swabber [swobə] **1** kdo myje, vytírá apod. **2** námoř. námořník, který stírá utěrákem palubu **3** = *swab, s 12*
Swabia [sweibjə] zeměp. Švábsko
Swabian [sweibjən] *adj* švábský ◆ *~ emperors* hist. Hohenštaufové (1138–1254) ● *s* **1** Šváb **2** jaz. švábština
swacked [swækt] slang. **1** zlitý, tuhý, mrtvý opilý **2** zfetovaný drogami
swaddle [swodl] *v* **1** pevně zavinout do plenek, těsně ovinout, stáhnout plenkami nemluvně **2** ovinout, zavázat, ovázat, obvázat, za|fačovat **3** přen. zacházet jako s miminkem *s*, vodit za ručičku koho **4** přen. svazovat, omezovat; bránit *v*, čemu (*liturgical style ~s all improprieties* liturgický text brání všem neslušnostem) ◆ *~ with a bandage* obvázat, za|fačovat ● *s* **1** dlouhý úzký pás, fáček k ovinutí nemluvněte **2** zast. obinadlo, obvaz, fáč, bandáž **3** AM pleny, plenky
swaddling bands [swodliŋbændz] = *swaddle, s 1*
swaddling clothes [swodliŋkləuðz] **1** pleny, plenky, též přen. **2** přen. pouta (*~ of mediocrity* … prostřednosti) **3** = *swaddle, s* ◆ *be still in one's ~ 1.* být ještě v plenkách *2.* mít ještě skořápku na zadečku; *I have never seen him since I was in ~* neviděl jsem ho od dětských střevíčků
swaddling clouts [swodliŋklauts] SC = *swaddling clothes*
Swadeshi [swa:ˈdeiši] *s* svadéši indické hnutí vzniklé 1905 na podporu domácího průmyslu a bojkotující britské zboží ● *adj* zboží domácí, indický, vyrobený v Indii, nikoliv z dovozu
swag [swæg] *s* **1** slang.: lupičská kořist, lup **2** slang. prachy, fiňáry; hromada, halda, moře peněz; co si kdo nahrabe **3** AU cestovní ranec, tlumok, balík, pingl tuláka **4** kývání, houpání, kymácení **5** girlanda **6** girlandová ozdoba na nábytku apod. ● *v* (*-gg-*) **1** roz|kývat | se, roz|houpat | se (*their shutters ~* jejich okenice se kývají, *~ the rowboat* rozhoupat člun), za|kymácet | se **2** být převislý, (nechat) viset dolů, plandat **3** prohýbat se uprostřed **4** ozdobit girlandami **5** AU zabalit celý svůj majetek do jednoho rance; cestovat, toulat se jenom s jedním rancem přes rameno ● *adj* **1** visicí, tvořící girlandu (*men with ~ watch chains* muži s girlandami řetězů k hodinkám) **2** beztvarý,

neforemný (*~ in mind as in belly* stejně neforemného ducha jako břicha)
swag-bellied [ˈswægˌbelid] panděratý, břichatý
swage [sweidž] tech. *s* **1** kovací n. pěchovací zápustka **2** strojek na pěchování zubů pily **3** kovadlo ● *v* **1** kovat n. pěchovat v zápustce **2** pěchovat zuby pily **3** zúžit trubku, zahrotit tyč
swage block [sweidžblok] tech. zápustková (a průbojní) deska
swage hammer [ˈsweidžˌhæmə] tech. zápustkový buchar
swagger[1] [swægə] = *swagman*
swagger[2] [swægə] *v* **1** pyšně si vykračovat, vypínat se, naparovat se, pávit se **2** chvástat se, holedbat se, vytahovat se, honit se *about* čím **3** vlastním chvástáním přimět, donutit *into* k, vylákat *a p.* z *out of* co (*~ a p. out of his money*) ● *s* **1** pyšná chůze, vykračování, naparování (*the real ~ of the aristocrat*) **2** chvástání, holedbání, vytahování, honění **3** fanfarónství; drzost, arogance ● *adj* hovor. švihácký, frajerský, elegantní (*~ clothes*), nóbl (*~ society*)
swagger cane [swægəkein] BR vycházková hůlka důstojníka
swagger coat [swægəkəut] dámský volný tříčtvrteční plášť
swaggerer [swægərə] chlubil, chvástal, vejtaha, honimír (hovor.)
swagger stick [swægəstik] = *swagger cane*
swagman [swægmæn] *pl: -men* [-men] **1** AU tulák, pobuda, vandrák, vagabund **2** příležitostný dělník s jedním zavazadlem **3** slang. přechovávač
Swahili [swa:ˈhi:li] *adj* svahilský ● *s* **1** *pl* též *Swahili* [swa:ˈhi:li] Svahil, Bantu **2** jaz. svahilština
swain [swein] **1** zejm. bás. mladý venkovan, mladý pastýř **2** venkovský milovník, šohaj **3** žert. ctitel, nápadník, galán
swale[1] [sweil] **1** nář. stín **2** AM vlhká, močálová nížina, vlhký dolík; zatopená louka, močál, mokřina, bažinatá deprese v rovině
swale[2] [sweil] BR **1** zapálit, vypálit, spálit křoví / nízký porost; křoví apod. být vypálen **2** svíčka shořet, dohořet, roztavit se
swallet [swolit] BR **1** podzemní vodní tok **2** otvor, kterým mizí vodní proud v zemi, závrt, ponor (geol.)
swallow[1] [swoləu] zool. **1** vlaštovkovitý pták, vlaštovka **2** neodb. vlaštovka název ptáků zejm. z čeledi rorýsovitých připomínajících vlaštovku ◆ *One ~ does not make a summer* Jedna vlaštovka jaro nedělá
swallow[2] [swoləu] *v* **1** s|polknout, s|polykat (*~ing pint after pint of strong ale* polykající půllitr za půllitrem silného piva) **2** hodit do sebe, hltat, zhltnout (*~ed his lunch and rushed out* hodil do sebe oběd a vyrazil ven) **3** hltat, shltnout dychtivě pře|číst (*~ books like oysters* hltá knihy jako ústřice) **4** nezřetelně vyslovovat, polykat např. slova (*~ed so many of his words*) **5** též *~ up* pohltit (*wished the floor would open and ~ her up*), spotřebovat (*earnings that were ~ed up by lawyers' bills* výdělky, které padly na účty od advokátů); vstřebat do sebe, absorbovat, pojmout do sebe (*the theory of electromagnetism ~ed up the theory of light*) **6** pochopit (*her head could not ~ it* nešlo jí to do hlavy) **7** smířit se s, spolknout, překousnout (*couldn't quite ~ the idea of being ruled by a 17-year-old girl* nedokázal spolknout, že by měl být v područí sedmnáctileté holky) **8** důvěřivě hltat, lokat, polykat, sát, pokládat za bernou minci (*~ed his every remark as gospel* hltala každé jeho slovo jako evangelium) **9** mlčky spolknout, strpět, snést (*~ an injustice* snést nespravedlnost) **10** nechat si pro sebe, nevyslovit, spolknout (*pride was ~ed* hrdost si nechal pro sebe) **11** vzít zpět, odvolat (*~ one's words, ~ one's ideas*) ◆ *~ the anchor* námoř. slang. *1.* odejít do výslužby *2.* praštit s námořničinou, zběhnout; *~ the bait* sednout na lep, skočit na špek; *~ a camel 1.* zbaštit to, naletět na to *2.* nechat na sobě dříví štípat; *hard to ~* těžko stravitelný, neuvěřitelný, nesnesitelný; *~ a tavern token* přen. opít se; *~ the wrong way* zakuckat se (*he ~ed the wrong way* zaskočilo mu do nepravé dírky) ● *s* **1** hltan, jícen **2** schopnost jíst, chuť **3** polknutí (*ate the canapé in one ~* snědl chuťovku na jedno polknutí), spolknutí, spolykání **4** doušek, hlt, lok **5** námoř.: otvor v kladkostroji, jímž je vedeno lano **6** = *swallow hole*
swallowable [swoləuəbl] **1** polykatelný **2** možný, přijatelný, věrohodný, snesitelný
swallow bug [swoləubag] zool. štěnice ptačí
swallow dive [swoləuˈdaiv] BR sport. vlaštovka (slang.) skok střemhlav do vody
swallowfish [swoləufiš] *pl* též *-fish* [-fiš] zool. štítník
swallow hawk [swoləuho:k] zool. *Elanoides forficatus* druh luňáka
swallow hole [swoləuhəul] geol. závrt, ponor
swallow plover [ˈswoləuˌpləuvə] zool. ouhorlík stepní
swallow shrike [swoləušraik] zool.: pták *Muscivora forificata*
swallow tail [swoləuteil] **1** vlaštovčí ocas, hluboce rozeklaný ocas **2** též *~ butterfly* zool. otakárek; otakárek fenyklový **3** též *~ coat* dlouhý frak **4** truhlářství rybina, ozub **5** voj.: přední ramenatá hradba, rameník **6** námoř. rozštěpová vlajka
swallow-tailed [ˈswoləuˌteild] mající hluboce rozeklaný ocas, připomínající vlaštovku ◆ *~ coat* dlouhý frak, frakový kabát; *~ flag* = *swallow tail, 7; ~ moth* zool. píďalka bezová
swallowwort [swoləuwə:t] bot. **1** klejicha vatočník **2** tolita lékařská **3** vlaštovičník větší
swam [swæm] v. *swim, v*
swami [swa:mi] **1** *S~* pán, mistr, ctihodný titul bráhmínského učitele **2** AM fakir, jógi, jogín; mudrc, vševěd (*that modern ~, the quiz contestant* ten

moderní vševěd, účastník kvizové soutěže)3 hinduistické božstvo, bůžek ◆ ~ *house* hinduistický chrám, pagoda; ~ *work* stříbrné náčiní n. šperky zdobené hinduistickými bůžky
swamp [swomp] *s* **1** močál, bažina, bahnisko, mokřina **2** horn. nízké místo ve sloji uhlí ◆ ~ *buggy* voj. obojživelný tank; ~ *fever 1.* med. malárie *2.* zvěr. infekční anémie koní; ~ *moss* bot. rašeliník; ~ *oak* bot. přesličník ● *v* **1** zaplavit (*a big wave ~ed the boat*), též přen. (*songs and slogans ~ed the country*) **2** být zaplaven; potopit | se zaplavením **3** zasypat, zavalit, zahrnout (*they ~ed him with questions*) **4** (nechat) zapadnout do bažin **5** přen. porazit, dostat | se do nesnází; klesnout, padnout **6** AM též ~ *out* prosekat, vysekat, cestu lesem **7** AM osekat, oklestit poražený strom **8** polit. povalit (přen.) zákon ◆ *be ~ed* též vězet až po uši / po krk (*be ~ed with debts* být až po uši zadlužen)
swamper [swompə] **1** AM obyvatel bažin **2** AM lesní dělník klestící cestu lesem v bažinaté krajině **3** pomocník **4** horn. zadní brzdař
swampy [swompi] (*-ie-*) bažinatý, bažinný
swan[1] [swon] *s* **1** zool. labuť **2** souhvězdí Labutě, Labuť **3** přen. pěvec, básník, labuť ◆ *S~ of Avon* Labuť avonská Shakespeare; *black ~ 1.* zool. labuť černá *2.* přen. bílá vrána; *common ~ = mute ~; Mantuan S~* Labuť mantovská Vergilius; *mute ~* zool. labuť velká ● *v* (*-nn-*) **1** pohybovat se bez cíle, těkat, jezdit sem a tam **2** plachtit, letět
swan[2] [swon] (*-nn-*) AM nář. překvapit (*said he'd be ~ned*) ◆ *I ~! 1.* čestné slovo! *2.* no tohle, padám do mdlob!
swan dive [swondaiv] AM = *swallow dive*
swanee whistle [ˈswoniˌwisl] hud.: primitivní dřevěná píšťala užívaná v džezové hudbě
swan flower [ˈswonˌflauə] bot.: orchidej druhu *Cycnoches*
swan goose [swongu:s] *pl: swan geese* [swongi:s] zool. husa labutí
swanherd [swonhə:d] **1** úřední kontrolor značek na labutích **2** pasák labutí
swank[1] [swæŋk] BR škol. slang. šprtat, dřít se, biflovat, vrčet se
swank[2] [swæŋk] *s* hovor. **1** AM prudká elegance, šmrnc **2** vytahování, honění **3** BR vejtaha, honimír ● *v* též ~ *it* **1** honit se, vytahovat se **2** honit vodu ● *adj* **1** AM prudce elegantní **2** nafoukaný
swankily [swæŋkili] v. *swanky*
swanky [swæŋki] (*-ie-*) hovor. **1** nafoukaný, vytahující se, honící vodu, honimírský **2** luxusní, prudce elegantní, hogofogo
swanlike [swonlaik] připomínající labuť
swan maiden [ˈswonˌmeidn] mytol. labutí panna
swan mark [swonma:k] majitelova značka, označení labutě na zobáku
swan mussel [ˈswonˌmasl] zool. škeble rybničná
swan neck [swonnek] **1** labutí krk, labutí šíje **2** též ~ *pipe* trubka tvaru S
swannery [swonəri] (*-ie-*) labutí jezero, labutí rybník, zákoutí pro labutě, místo chovu n. výskytu labutí
swanny [swoni] = *swanlike*
swan's-down [swonzdaun] **1** labutí prachové peří **2** text. vigoňová tkanina **3** text. česaný barchet, drsný barchet, barchetové piké
swan shot [swonšot] hrubé broky
swan skin [swonskin] **1** labutí kůže s peřím **2** text. molton, molleton
swan song [ˌswonˈsoŋ] labutí píseň
swan-upping [ˈswonˌapiŋ] BR každoroční sčítání a značkování labutí na Temži
swap [swop] v. *swop*
swaraj [swəˈra:dž] polit. svarádž autonomie n. nezávislost Indie
swarajist [swəˈra:džist] *adj* svarádžistický ● *s* svarádžista stoupenec svarádže
sward [swo:d] s **1** drnovina, drn **2** trávník ● *v* položit drn, položit trávník
swarded [swo:did] **1** travnatý **2** v. *sward, v*
sware [sweə] v. *swear, v*
swarf [swo:f] tech. **1** kal z broušení za mokra **2** jemné kovové piliny, třísky
swarm[1] [swo:m] též ~ *up* vy|šplhat | se *a t.* po, na (~ *up a mast* vyšplhat se na stěžeň)
swarm[2] [swo:m] *s* **1** roj např. včel **2** pohybující se dav, hejno, houf, shluk, zástup, horda, roj (~ *of children in the parks*) **3** spousta, kupa, halda, hora (*a ~ of bills*) **4** mrak, oblak (*~s of dust* oblaka prachu) **5** biol. plovoucí skupina, kolonie zoospor **6** geol. roj, skupina (~ *of dikes* žilný roj) **7** hvězd. roj (~ *of meteorites*) **8** voj. roj, rojnice ● *v* **1** včely rojit se **2** být plný *with* rojícího se n. hemžícího se (*the house ~ed with mice* v domě se to hemžilo myšmi), být plný, mít v sobě hejna čeho (*the stables were ~ed with flies* ve stájích byla hejna much), být plný *with* davů čeho, koho (*the beaches were ~ing with bathers* na pláži byly davy koupajících se lidí) 3 jednotlivec točit se, motat se, plést se (*the little boy ~ed around me*) **4** rojit se, hemžit se, vyskytovat se ve velkém množství (*beggars ~ed round the rich tourists*) **5** zaplnit, vyskytovat se ve velkém množství kde (*men will ~ the decks* muži zaplní paluby); pokrýt, přikrýt, zaplavit *over* co **6** proudit, hrnout se *into* kam (*the crowds ~ed into the cinema* davy se hrnuly do kina) **7** přimět k rojení včely **8** chytit roj **9** biol.: zoospory plout v kolonii **10** filmový obraz třást se ◆ ~ *with fleas* být samá blecha
swarm cell [swo:msel], **swarm spore** [swo:mspo:] biol.: aktivní zoospora
swart [swo:t] zast., bás., nář. = *swarthy*
swarthiness [swo:ðinis] **1** snědost, sněď **2** tmavohnědá, hnědočerná barva
swarthy [swo:ði] (*-ie-*) snědý, tmavohnědý, hnědočerný
swarthy-faced [swo:ðifeist] snědý v obličeji

swash [swoš] *v* **1** voda pleskat, plácat *against* do (*rain ~ed against the window*); plácnout sebou *in* do (*~ in one's bath* plácnout sebou do vany) **2** cákat | se, brodit se s cákáním **3** v|lít, vy|chrstnout; voda hlasitě téci, šumět **4** spláchnout vychrstnutím vody **5** za|řinčet např. mečem **6** hodit, mrsknout, cáknout **7** zast. prudce udeřit, zasadit prudký úder komu / čemu ● *s* **1** pleskání, pleskot, plácání, plácnutí **2** cákání **3** vy|lití, vlití, vy|chrstnutí; hlasitý šum **4** spláchnutí vychrstnutím vody **5** zeměp. úzký průtok, průliv mezi písčinou a břehem **6** podmořský práh přes který přetéká moře **7** vychloubání, vytahování, chvástání; chvastoun, chlubil, vejtaha (hovor.) **8** tvrdý úder, prudká rána ◆ *~ letter* polygr. ozdobné kurzívové písmeno; *~ channel* zeměp. úzký průliv

swashbuckle [ˈswošˌbakl] **1** chlubit se, vytahovat se, chvástat se **2** psát romantické dobrodružné příběhy

swashbuckler [ˈswošˌbaklə] **1** dobrodružný chvastoun, vejtaha, prášil; chvástavý dobrodruh n. voják **2** romantický dobrodružný román n. film; autor takového románu n. filmu; herec hrající (hlavní roli) v takovém filmu

swash plate [swošpleit] tech. kolotavý kotouč, kývavý kotouč

swastika [swostikə] svastika, hákový kříž, haknkrajc (hanl.)

swat [swot] *v* (*-vv-*) **1** zamáčknout, rozmáčknout, připlácnout např. hmyz **2** zabít plácačkou mouchu **3** udeřit, praštit (*~ a person over the head with a club* praštit člověka klackem přes hlavu) ● *s* **1** prudký úder **2** plácačka na mouchy **3** baseball dlouhá rána

swatch [swoč] **1** vzorek, ukázka látky, kůže apod. **2** vzorník **3** typická ukázka, typický příklad (*~ of dialogue*) **4** chomáč (*white ~es of hair*) **5** plocha, ploška, pole, políčko (*irregular ~es of planted land* nepravidelné plochy kultivované země) **6** skupina (*~ of my alumni* … mých absolventů) **7** sbírka, soubor (*~es of cancelled stamps* sbírky orazítkovaných známek)

swatching [swočiŋ] polygr. vzorkování papírů

swath [swo:θ] **1** zeměd. pokos; záběr žacího stroje **2** zeměd. skosená hrst; posekaný / vysekaný pruh, řad posekaná tráva, obilí **3** pás, pruh ◆ *cut a* (*wide*) *~* AM *1.* filmovat to, blafovat, honit se, vytahovat se *2.* nadělat paseku; *~ turner* obraceč, obracečka na seno

swathe [sweið] *v* **1** ovázat, ovinout, ofačovat, zafačovat **2** obalit, zabalit **3** zahalovat, halit (*fog ~s the river*) ● *s* **1** med. bandáž **2** zast. obvaz **3** *~s, pl* zast. plenky

swather [sweiðə] zeměd. řádkovač, řádkovací žací stroj

swatter [swotə] **1** plácačka na mouchy **2** AM hovor. dobrý hráč, dobrý střelec v baseballu

sway [swei] *v* **1** kolébat | se, houpat | se, pohupovat | se (*~ing in the rhythm*), kolébat se při chůzi; ohýbat | se, roz|kývat | se (*the branches were ~ing in the wind*), pokyvovat, vrtět (*~ed her head from side to side with worry* vrtěla starostlivě hlavou), kymácet | se **2** naklonit | se, vyklonit | se, vychýlit se (*the earthquake caused the wall to ~ to the right* zemětřesením se zeď vychýlila doprava, *the pillars were ~ed three inches by the blast*) **3** přen. přiklánět se (*opinion ~s to his side*) **4** stáčet | se ve vodorovném směru, zahnout, zatočit, zabočit (*the bus ~ed to the right*), obrátit kroky kam (*~ home*) **5** zmítat se *between* mezi (*the heart ~ed between hope and fear* srdce se zmítalo mezi nadějí a strachem), kolísat, pendlovat (*the industry continues to ~ between extravagancy and bankruptcy* průmysl neustále kolísá mezi marnotratností a bankrotem), pohybovat se kyvadlovitě **6** ovládat, řídit, vládnout komu / čemu (*with a bloody hand he ~s a nation* krvavou rukou národu vládne) **7** přemluvit, ovlivnit, vykonat rozhodující vliv na (*a speech that ~ed the voters* řeč, která měla na voliče rozhodující vliv), strhnout na svou stranu (*~ vast audiences with his eloquence* … svou výmluvností davy posluchačů), mít rozhodující vliv *with* na (*distinguish what motive actually ~ed with him* rozeznat, který motiv měl na něho rozhodující vliv) **8** mávnout, máchnout, rozmáchnout se čím (*~ a cricket bat* mávnout kriketovou pálkou) **9** hrozivě se přiblížit **10** zast. ohánět se nástrojem; hrát na hudební nástroj ◆ *be ~ed by a t.* též příliš dbát na, poslouchat co, řídit se čím (*be ~ed by a dream*); *be not ~ed* nedat se odradit od rozhodnutí, nedat si rozmluvit rozhodnutí; *~ one's hips* žena pohupovat boky, kolébat se v kyčlích; *~ the sceptre* držet žezlo v ruce, vládnout; *~ to and fro 1.* kývat se sem a tam *2.* bitva zuřit s proměnlivým úspěchem hned pro tu, hned pro onu stranu ***sway across*** námoř. zdvihnout do vodorovna stěžně n. ráhna ***sway up*** zvednout houpavým pohybem ● *s* **1** kolébání, houpání, pohupování, ohýbání, roz|kývání, kymácení **2** náklon, naklonění, výkyv, rozkyv **3** výchylka, sklon **4** mávnutí, roz|máchnutí, rozmach **5** moc, nadvláda, panství, knuta (přen.) (*the peoples who were under the ~ of Rome* národy, které byly v římském područí) **6** přen. vliv, zajetí (*under the ~ of false doctrines*) **7** přen. váha, rozhodující slovo **8** přen. vystupování (*his presence and social ~*) ◆ *~ beam* vahadlo; *fall under a p.'s ~* dostat se do vlivu koho; *hold ~ 1.* panovat, řídit, vládnout *2.* zákon platit

sway-backed [sweibækt] kůň: jsoucí s prohnutým hřbetem

sweal [swi:l] = *swale*

swear [sweə] *s* **1** přísaha **2** nadávka, zaklení; nadávání ● *v* (*swore* / zast. *sware, sworn*) **1** přísahat (*he swore to tell the truth*), složit přísahu, zavázat | se přísahou, odpřisáhnout, zapřisáhnout | se, slíbit (jako) pod přísahou (*swore to uphold the Consti-*

tution odpřisáhl, že bude bránit Ústavu); slíbit na čestné slovo na **2** hovor. dát krk, vzít jed *to* na (*I would* ~ *to having met that man somewhere*) **3** odhadnout pod přísahou (~ *an estate at £ 10,000*), učinit pod přísahou (~ *an accusation against a p.* přísežně obvinit koho) **4** tvrdit, prohlašovat, přísahat (*he swore to having paid for the goods*) **5** přísahat *by* při, brát za svědka koho / co, dovolávat se koho / čeho (~ *by all the gods*) **6** plně věřit | důvěřovat *by* v | komu / čemu, mít plnou důvěru v, nenechat dopustit na, přísahat na (*he* ~*s by quinine for malaria* pokud jde o malárii, přísahá na chinin) **7** za|klít, za|nadávat, mluvit hrubě n. sprostě (*don't teach my parrot to* ~, *please* neučte laskavě mého papouška mluvit sprostě) **8** spílat, nadávat *at* komu, proklínat (*swore at him for being late*) **9** nejít dohromady, tlouci se *at* s (*a trailing lavender negligee that swore at her bright red hair* dlouhé levandulové negližé, které nešlo s její ohnivě zrzavou kšticí dohromady) **10** ručit *for* za (*his friends will* ~ *for his integrity*) **11** zvíře zlostně vrčet, prskat ◆ ~ *to the bar* práv. dovolit provozovat advokátskou praxi po složení přísahy; *be sworn in* složit služební přísahu; ~ *on the Bible* / *Book* přísahat na bibli; ~ *falsely* křivě přísahat; ~ *friendship* přísahat si přátelství; ~ *the jury* vzít do přísahy porotu; ~ *like a bargee* / *blazes* / *a lord* / *a trooper* klít jako pohan; ~ *a false oath* složit křivou přísahu; ~ *a solemn oath* složit slavnostní přísahu, slavnostně odpřisáhnout; ~ *the peace against a p.* hist. práv. přísahat, že se cítí ohrožen na životě kým; ~ *a p. to secrecy* zavázat koho přísahou mlčenlivosti (*I* ~ *you to secrecy* zapřisahám tě, abys mlčel); ~ *a treason against a p.* odpřisáhnout, že kdo spáchal vlasti|zradu; ~ *a witness* vzít svědka do přísahy ***swear away*** odříci se, zříci se pod přísahou, slavnostně se zřeknout ***swear in*** vzít do přísahy, přijmout služební přísahu koho ***swear off*** zříci se (jako) pod přísahou čeho (*he swore off smoking* zařekl se, že přestane kouřit) ***swear out*** AM způsobit vydání zatykače složením přísežné žaloby (*swore a warrant out against him*)

swearer [sweərə] **1** kdo přísahá **2** kdo obvykle kleje, hrubec, sprosťák, grobián

swearword [sweəwə:d] nadávka, zaklení; hrubé n. sprosté slovo

sweat [swet] *s* **1** pot (*wipe the* ~ *off one's brow* setřít si z čela pot) **2** vy|pocení (*they say that a good* ~ *will cure a cold*) **3** z|vlhnutí, zapocení, zapaření (*apples spoiled by* ~ jablka zkažená tím, že se zapařila), opocení např. stěn n. lodi, orosení, rosa (~ *formed on the cold pitcher* studený džbán se orosil) **4** též ~*s, pl* chorobné pocení **5** zool. výpotek **6** hovor. (nemá *pl*) robota, dřina, fuška, makačka, rachota (*this job is a frightful* ~) **7** krátký běh pro zahřátí koně např. před dostihem **8** druh hry s třemi kostkami **9** = *sweatband* ◆ *all of a* ~ hovor. *1.* zpocený, propocený *2.* zpocený hrůzou n. úzkostí; *be in a* ~ *1.* být zpocený, být politý potem (*he was in a cold* ~ polil ho studený pot) *2.* být zvědavý, napjatý, nedočkavý; *bloody* ~ med. krvavý pot; *by* / *in the* ~ *of one's brow* bibl. v potu tváře; *get into a* ~ zpotit se, zapotit se; *nightly* ~ med. noční pocení; *no* ~ slang. kliďánko, snadno a rychle, bez námahy; *old* ~ slang. *1.* stará vojna *2.* starý mazák ● *v* **1** živočich z|potit se, zapotit | se (*the long climb made him* ~ při dlouhém výstupu se zapotil, *don't* ~ *your horse*) **2** věc potit se (*cheese in ripening* ~*s* zrající sýr se potí), zapotit se, opotit se, orosit se (*the glass is* ~*ing*), potit, vylučovat, ronit, potit se čím (*the drying figs* ~ *tiny drops of moisture*) **3** prosáknout *through* čím **4** dát vypotit, předepsat vypocení komu (*the doctor* ~*ed his patient*) **5** zapařit se, (dát) zapařit **6** tabák fermentovat; (dát) fermentovat tabák **7** kožel. zbavit kůži chlupů v potní komoře **8** kuch. dusit (~ *the finely chopped onions*) **9** potit se úzkostí n. hrůzou **10** lámat si hlavu *over* s, za|potit se nad (~ *over a problem*) **11** hovor. odskákat si, vypít si, odnést si *for* co (*he must* ~ *for it*) **12** připravit o váhu *off* koho, stát váhu (*the hard week's work* ~*ed five pounds off him* při té týdenní dřině ztratil pět liber váhy) **13** vytřít zpoceného koně **14** těžce pracovat, dřít, makat **15** dostávat co kam s námahou, rvát, dřít (*machine gunners* ~*ed their weapons up the hill* kulometčíci se dřeli se zbraněmi nahoru na kopec) **16** dřít, vykořisťovat (~ *one's workers*), honit, štvát (*he* ~*ed his crew unmercifully* honil nemilosrdně svou posádku), dát zabrat komu **17** dělník dělat za hladovou mzdu **18** vydřít, vymačkat nepoctivě **19** AM slang. zmáčknout, stisknout vyslýchat třetím stupněm **20** tech. připájet (~ *a gold pen to an irridium point* … iridiový hrot ke zlatému peru), pájet v ohni, při|letovat **21** tech. vycezovat např. cín **22** odírat zlaté mince v koženém měšci a tím zlehčovat **23** slang. potit olej *a t.* kvůli ◆ ~ *blood 1.* med. potit se krví *2.* přen. potit krev; ~ *to think* potit se úzkostí n. hrůzou při pomyšlení ***sweat away*** shodit pocením, vypotit, zhubnout pocením o (~*ed away three pounds* zhubl pocením o tři libry ***sweat down*** přen. drasticky zkrátit, zmenšit, ztenčit, zhustit *to* na ***sweat off*** = *sweat away* ***sweat out*** *1* vypotit se, vypařit se, odpařit se (*the surplus moisture will* ~ *out* přebytečná vlhkost se odpaří) *2* vyléčit vypocením, vypotit (~ *out a cold*) *3* zbavit vlhkosti, vysušit (~ *out the moisture from a wall* vysušit zeď) *4* pracně dosáhnout výsledku (*the director* ~*ed out a camera angle with the cinematographer* režisér pracně vnutil kameramanovi úhel záběru), snažit se namáhavě získat, dřít se na (~ *out a master's degree*), vypotit (~*ed out one novel after another*) ◆ ~ *one's gut out* hovor. dřít se jako vůl, sedřít se, udřít se; ~ *it out* vydržet přes obtíže se zaťatými zuby ***sweat***

through propotit (~ *through a shirt*) **sweat up** *1* dělat s námahou, potit se při přípravě čeho (*stood in front of her cookstove ~ing up supper* stála před kamny a potila se s večeří) *2* námoř. napnout

sweatband [swetbænd] **1** potní páska v klobouku **2** páska kolem čela na sání potu

sweatbox [swetboks] **1** kožel. potní komora **2** hovor. malá díra, ajnclík, potítko

sweat cloth [swetkloθ] tenká pokrývka pod sedlo n. chomout koně

sweat damage [ˌswetˈdæmidž] pojišť. škoda způsobená lodním potem na nákladu

sweat duct [swetdakt] anat. potní kanálek

sweated [swetid] **1** ekon. vyrobený za hladovou mzdu (~ *clothes*) **2** pracující za hladovou mzdu (~ *industries*), vykořisťovaný (~ *workers*) **3** získaný vykořisťováním dělníků **4** v. *sweat, v*

sweated money [ˌswetidˈmani] hladová mzda

sweater [swetə] **1** těžký vlněný svetr **2** kdo / co se potí **3** kdo dává potit, zapařovat n. fermentovat **4** vykořisťovatel; faktor vykořisťující domácí dělníky **5** med. prostředek pro pocení **6** hovor. dřina, fuška, robota, rachota, makačka ◆ ~ *girl* hovor. dívka s bujným poprsím nosící těsné svetry

sweathouse [swethaus] *pl: sweathouses* [ˈswetˌhauziz] **1** místnost, kde se fermentuje tabák **2** indiánský druh sauny

sweatily [swetili] v. *sweaty*

sweatiness [swetinis] **1** zpocenost, zapocenost, propocenost, upocenost **2** přen. vypocenost, vydřenost, namáhavost, pracnost

sweating bath [swetiŋba:θ] med. potní lázeň

sweatingiron [ˈswetiŋˌaiən] stěrka, nůž k utírání vypocených koní

sweating room [swetiŋru:m] potírna v parních lázních

sweating sickness [ˈswetiŋˌsiknis] med., hist. potní nemoc epidemická nemoc v Anglii v 15. a 16. stol.

sweat pants [ˌswetˈpænts] *pl* tenké tepláky

sweat rag [ˌswetˈræg] **1** čisticí hadr **2** text. čisticí sukno

sweat shirt [ˌswetˈšæ:t] bavlněné tričko s krátkými n. dlouhými rukávy, tenká bunda

sweatshop [swetšop] ekon. slang. (malá) dílna, v níž pracují dělníci za hladové mzdy a v nevyhovujících podmínkách, robotárna

sweat suit [swetsju:t] AM tenká tepláková souprava

sweaty [sweti] (*-ie-*) **1** působící pocení, horký, parný (*a ~ day*) **2** zpocený, zapocený, propocený, upocený **3** vypocený, vydřený, namáhavý, pracný, při kterém se člověk zapotí (~ *work*)

Swede [swi:d] **1** Švéd **2** *s*~ bot. tuřín, kolník

Sweden [swi:dn] Švédsko

Swedenborgian [ˌswi:dnˈbo:džjən] filoz. *adj* **1** swedenborgovský **2** swedenborgiánský ● *s* swedenborgián stoupenec učení Emanuela Swedenborga (1688–1722)

Swedish [swi:diš] *adj* švédský ◆ ~ *fir* bot. borovice lesní; ~ *massage* med. švédská masáž; ~ *movements* med. švédská gymnastika; ~ *turnip* bot. = *swede, 2* ● *s* **1** jaz. švédština **2** Švédové

sweeny [swi:ni] AM zvěr. svalová atrofie u koní

sweep [swi:p] *v* (*swept, swept*) **1** za|mést zejm. smetákem n. koštětem (~ *the floor*), vymést (~ *the chimney* ... komín), omést, smést **2** přejet rukou, přejet *a t.* čím *over* (~ *a brush over a table* přejet kartáčkem přes stůl); dotknout se letmo čeho **3** odstranit, smést (*to ~ all obstacles from one's path* odstranit všechny překážky z cesty) **4** vyčistit *of* od, zbavit čeho (~ *the seas of pirates*); sesbírat, shrnout, nasbírat, shromáždit sítí; prohledávat dno čeho (*swept the river with a dragnet* prohledávali dno řeky nevodem); prohledat minovým drakem n. minolovným paravánem, lovit miny vlečnou sítí; vyčistit od min (~ *the channel*) **5** prohledat po celé šířce zorného pole (*swept the sky with his binoculars* prohlédl triedrem celou oblohu), obhlížet (*his eyes swept the horizon*) **6** pohled přeletět, přejet, putovat v širokém kruhu (*his glance swept from right to left* přeletěl pohledem zleva doprava); světlometem, radarem zkoumat, prozkoumávat, hledat *for* co **7** ovládat střelbou, ostřelovat, postřelovat, prostřelovat (*artillery placed to ~ the whole field*) **8** pohybovat se po oblouku / obloukovitě, opsat oblouk **9** klenout se (*her pencilled eyebrows ~ in wide arcs* tužkou namalované obočí se klenulo dvěma širokými oblouky) **10** letět obloukem (*eagle swept past* kolem proletěl orel), zahnout, zatočit širokým obloukem (*the sun ~s across the sky*) **11** udělat plavným pohybem (*she swept him a curtsey* udělala mu reverenci) **12** vinout se, táhnout se, točit se, vést bez přerušení (*the road ~s round the lake, the coast ~s northwards in a wide curve* pobřeží směřuje širokým obloukem k severu) **13** vítr vát, vanout, fičet, dout (*the wind ~s along the road*), navát (*the wind swept the snow into drifts* vítr navál ze sněhu závěje), ovívat, profukovat, bičovat (*swept by clean mountain winds*) **14** hnát (*they swept the enemy before them*), hnát se, přehnat se *a t.* / *over* po, přes (*a blizzard swept the country* přes krajinu se přehnala sněhová bouře, *the big tanks swept over the enemy's trenches* velké tanky se přehnaly přes nepřátelské zákopy) **15** vlna zalít, zaplavit, zatopit (*bucking heavy seas that swept the deck*), též přen. (*archery and then lawn tennis swept the country* vlna lukostřelby a pak i tenisu zaplavila zem) **16** zachvátit, zuřit v (*fire swept the business district*), zachvátit *over* co (*fear swept over Europe*) **17** učinit rychlý pohyb n. široké gesto; shodit, shrnout, smést jediným pohybem (*swept the books off the desk*), strhnout (*the net ~s the pouch from the arm* síť strhne váček z ramene) *into* kam (*we were swept into the road by the crowd*) **18** shrábnout (*swept his winnings into his pocket* shrábl výhry do kapsy) **19** vtrhnout *over* na, zaplnit, zaplavit co (*the crowd swept over the pitch* dav vtrhl na hřiště) **20** vyhrát rozhodujícím způsobem (*the team swept the series* mužstvo vyhrálo sérii zápasů) kde (*the crew swept the river*) **21** polit. vyhrát drtivou většinou ve volbách **22** polit. strhnout na svou stranu (~ *the country with a programme*) **23** dlouhá sukně, vlečka šustit po zemi, vléci se, táhnout se, vláčet se, courat se po **24** kráčet, chodit v dlouhých šatech **25** majestátně se pohybovat / kráčet / jet, plout (*she swept out of the room* vyplula z místnosti) **26** dotknout se prsty (strun n. kláves) hudebního nástroje, vybrnkat, zabrnkat, vyloudit brnkáním **27** pohánět např. loďku ve stoje dlouhým veslem, veslovat dlouhým veslem **28** raněná velryba bít ocasem **29** let.: křídla tvořit ostrý úhel s trupem **30** sděl. tech. vychylovat; přebíhat, rozmítat kmitočet n. napětí **31** sport. odstranit sníh před kamenem v lední metané ◆ ~ *all before one* všechno před sebou zamést, se všemi zamést, mít stoprocentní úspěch; ~ *for an anchor* hledat ztracenou kotvu na mořském dně; ~ *the board 1.* brát všechno při hazardní hře *2.* všechno vyhrát, mít ve všem úspěch; *A new broom* ~*s clean* Nové koště dobře mete; ~ *a constituency* získat převážnou většinu hlasů ve volebním okrese; ~ *death and ruin over a country* vnést do země smrt a zkázu, šířit v zemi smrt a zkázu; ~ *the enemy out of his positions* voj. donutit prudkým útokem n. náletem nepřítele k opuštění pozic; ~*s everything into his net* vrhá se na všechno, bere všechno; ~ *off one's feet 1.* strhnout proudem k zemi, podrazit nohy *2.* vzít dech komu (*his courtship swept her off her feet, be swept off one's feet* přen. být u vytržení, být nadšen); ~ *to one's feet* bleskově vstát; ~ *one's fingers over a t.* lehce za|brnkat na, přejet prsty co; ~ *with gas* zaplynovat, naplnit plynem; ~ *overboard* vlna strhnout, spláchnout přes palubu; ~ *the polls* vyhrát ve volbách drtivou většinou; ~ *into the realm of international politics* vrhnout se / vtrhnout do mezinárodní politiky; ~ *the sea for enemy ships* křižovat moře a hledat nepřátelské lodi; ~ *the seas* projet křížem krážem všechna moře; ~ *the table clean* přen. sníst vše, co bylo na stole ***sweep across 1*** přeletět **2** přejet rukou ***sweep along 1*** strhnout proudem (*the current swept the logs along* proud strhl klády), též přen. (*he swept his audience along with him* strhl své posluchače) **2** uhánět, letět ***sweep aside*** rozhrnout jedním širokým pohybem (*swept the curtains aside*) ***sweep away 1*** zamést, odmést, odklidit (~ *away the snow*) *2* strhnout (*many bridges were swept away by the floods* zátopy strhly řadu mostů) *3* odnést, odvést jako násilím (*swept him away into a far corner of the hall*) *4* prudce n. náhle smést ze zemského povrchu, zrušit, zničit, odstranit (~ *away slavery*) **5** sklánět se v široké ploše (*plains* ~ *away to the sea*) ◆ *be swept away* být smeten, zmizet ***sweep by*** jít / jet / plout majestátně kolem ***sweep down 1*** vrhnout se *on* na co *2* strhnout dolů (*the current* ~*s the logs down with it* proud s sebou strhává dolů i klády) *3* useknout, z|kosit širokým rozmachem (*the grain swept down by the reapers* obilí zkosené ženci) *4* táhnout se dolů, svažovat se (*hills* ~*ing down to the sea*) ***sweep in 1*** vrhnout se dovnitř, majestátně vplout dovnitř *2* vítr foukat dovnitř, vnikat, táhnout; navát, nafoukat *3* úžit se, být zúžený (*chassis swept in at the front*) ***sweep on*** hnát se nezadržitelně vpřed ***sweep off 1*** strhnout z povrchu (*the wind swept my hat off*) **2** smrt, nemoc z|kosit, za|hubit (*the plague swept off thousands* mor zkosil tisíce lidí), vyrvat např. z rodiny ***sweep up 1*** zamést, vymést, smést (~ *dead leaves from the garden paths* vymést suché listí z cestiček na zahradě) **2** vzlétnout širokým obloukem (*the bird swept up*) *3* hut. šablonovat ● *s* **1** za|metení, smetení, ometení, vymetení **2** smetač, zametač, metař, počišťovač; smetadlo **3** ~*s, pl* smetí, smetky zejm. drahého kovu **4** vlečení, táhnutí, courání, šustění šatu, sukně po zemi **5** vání, vanutí větru **6** snos, snesení větrem **7** voj. odminování, odminovací operace **8** námoř. hledací n. zachycovací lano např. pro odminování, tralovací síť **9** námoř. projetý, prohledaný, prokřižovaný prostor **10** voj. soustředěný útok, nálet (*full-dress artillery and aerial* ~*s all day*) **11** kruhový pohyb, máchnutí (*the impatient* ~ *of a hand* netrpělivé máchnutí rukou) **12** široký pohyb, velké gesto; mávnutí, máchnutí, rozmach, rozmáchnutí (*with a* ~ *of his arm*) **13** dosah rozmáchnutí (*the knight killed everyone who came within the* ~ *of his sword* rytíř zabil každého, kdo mu přišel na dosah meče) **14** rána, úder širokým rozmachem **15** dostřel (*the* ~ *of the guns*); vyložení, dosah stroje **16** dosah, manévrovací schopnost (~ *of the telescope*) **17** vyhnutí, vybočení **18** zakřivení, zákrut cesty, ohyb, záhyb (*the* ~ *of the draperies*) **19** kruhová dráha, oblouk **20** vzepětí oblouku **21** řada budov, pokojů, místností **22** přen. oblast, okruh, obor, sféra (*within the* ~ *of human intelligence*) **23** systematický průzkum, systematické pozorování, hledání po celé šířce obzoru **24** široká, část. zakřivená plocha, pás **25** zakřivená zeď n. plocha **26** zakřivený vjezd, zakřivená spojovací cesta od silnice k domu **27** zakřivený obrys, kontura (*the* ~ *of her hair*), zakřivenost (*the* ~ *of a motor car's lines*) **28** zakřivený svah (~ *of a hill*) **29** poloměr zakřivení listu pružnice, nárazníku apod. **30** nepřerušovaný tok **31** neustálý tah, tlak, mohutný proud (přen.) (*the symphony has passages of* ~ *and power*), neustálý pohyb spojený s tlakem (*the slow* ~ *of a glacier* pomalý pohyb ledovce), nápor, opření, vzepření **32** nepřerušovaný, dlouhý, zakřivený kus, díl, část cesty, řeky, pobřeží apod. **33** výhra *of* v (*their* ~ *of this crucial series* jejich výhra v této důležité sérii zápasů) **34** polit. lavinovité vítězství drtivou většinou (*no ~ in favour of either party*) **35** dlouhé veslo ovládané stojícím veslařem, opačina, opačnice **36** vahadlo studny **37** rameno, lopatka větrného mlýnu **38** kláda, oj žentouru **39** zejm. BR kominík **40** AM služba, uklizeč v koleji **41** slang. smutný patron **42** fyz. přecházení látky do tepelné rovnováhy, tendence látky přejít do tepelné rovnováhy **43** hut. šablonování, šablona **44** let. šíp křídel letadla, šípovost křídel **45** námoř. oblouk vratipně **46** námoř. výkroj zadního lemu plachty **47** sděl. tech. vychylování; přeběh, rozmítání kmitočtu n. napětí **48** zeměd. trojúhelníkové řádkové kypřidlo, šípová radlička plečky **49** zool.: druh australské ryby **50** karty velký slem ve whistu; vyčistění / vyklizení stolu v kasinu **51** les. křivost kmene **52** = *sweepstake* ♦ *at one ~* jedním rázem, jednou ranou; *give a t. a good ~* dobře zamést co; *make a ~* opisovat oblouk; *make a ~ of a p.* zvítězit nad; *make a clean ~ 1.* všechno vyhrát *2.* všechno ukrást, všechno vybrat (*the thieves made a clean ~* zloději všechno vykradli); *make a clean ~ of a t.* úplně se zbavit čeho, vyklidit, odstranit všechno co (*they made a clean ~ of their old furniture*); *move with a ~* pohybovat se majestátně; *~ of the oars* rozmach; *~ of vision* kam oko dohlédne, obzor

sweepage [swi:pidž] zeměd. výnos pole

sweepback [swi:pbæk] let. šíp křídel vzad letadla, pozitivní šíp, šíp vzad, kladná šípovost

sweeper [swi:pə] **1** metař, čistič ulic, počisťovač **2** kominík **3** zametací stroj; zametačka; smeták **4** námoř. minolovka **5** motor. stěrač, stírač auta **6** AM voj. slang.: 75 mm protiletadlové dělo **7** rozstřikovač pisoáru

sweep hand [ˌswi:pˈhænd] = *sweep second, 1*

sweeping [swi:piŋ] *adj* **1** velký, rozmáchlý, široký (*a large ~ gesture*) **2** kolem dokola, po celém obzoru (*a ~ glance*), široký (*a ~ view of the river valley*) **3** splývající (*~ folds* … záhyby) **4** pronikavý (*~ victory*), rozsáhlý, dalekosáhlý, radikální, drastický (*~ election reforms*) **5** příliš všeobecný, povšechný, povrchní, příliš generalizující, zevšeobecňující, paušální (*a ~ statement* paušální tvrzení) **6** v. *sweep, v* ♦ *~ car* zametací vůz ● *s* **1** *~s, pl* smetí, smetky **2** *~s, pl* hanl. co je k vyhození, smetí, haraburdí **3** v. *sweep, v*

sweep net [swi:pnet] **1** nevod, vlečná síť **2** smýkačka, smýkací síť

sweep-out [swi:paut] zametení, smetení, ometení, vymetení

sweep second [ˈswi:pˌsekənd] **1** centrální sekundová ručička **2** hodiny n. hodinky s centrální sekundovou ručičkou

sweep seine [swi:psein] vlečná síť, kruhová síť, kruhový nevod

sweepstake [swi:psteik], **sweepstakes** [swi:psteiks] *sg* **1** dostih, při kterém sázejí pouze majitelé koní **2** *sweepstakes, sg* výhra v tomto dostihu **3** druh dostihové sázky, při němž se celková vsazená částka rozdělí mezi výherce, kteří si vytáhli lístek se jménem vítězného n. umístivšího se koně

sweep-up [swi:pap] = *sweep-out*

sweet [swi:t] *adj* **1** sladký **2** čerstvý, nezkažený, nezkysaný, nežluklý; čerstvý nesolený (*~ butter*) **3** svěží (*~ breath*) **4** víno nasládlý, přírodně sladký **5** koktejl smíchaný s větším množstvím vermutu (*~ Manhattan*) **6** nálev sladkokyselý; lák sladkoslaný **7** voňavý, provoněný, vonící, mající (sladkou) vůni (*the garden is ~ with thyme* zahrada voní mateřídouškou) **8** příjemný, něžný, milý, líbezný (*a ~ voice*) **9** pastelový (*~ colours*) **10** melodický (*~ song*) **11** džezový styl melodický, taneční nikoliv „hot"; hraný tímto stylem **12** rozkošný, roztomilý, kouzelný (*what a ~ little doggie you have!*), sladký (*isn't the baby ~!*) **13** nasládlý, přesládlý, sentimentální (*the flaw in her book is the ~ side* její kniha má jednu chybu: je sentimentální) **14** hodný, hezký, milý (*that's very ~ of her* to je od ní moc hezké), laskavý, vlídný *on* k; mírný, umírněný **15** spánek osvěžující, sladký **16** sobě vyhovující, jaký sám chce (*take its own ~ time*) **17** obratný, zručný, zkušený (*a ~ pilot*) **18** hovor. obrovský, kolosální, fantastický (*one ~ inferiority complex* kolosální mindrák) **19** lehce ovladatelný, poslušný (*a ~ ship*) **20** sport.: luk citlivý, poslušný, pružný, elastický, pohodlný do ruky **21** sklo poddajný, tvárný **22** nafta bez sloučeniny síry **23** horn. čistý, bez škodlivých plynů (*a ~ mine air*) **24** zeměd. půda dobrý, nikoliv kyselý **25** zast. milovaný, vzácný, drahý (*~ father*) ♦ *as ~ as honey* medově sladký, medový; *at one's own ~ will* podle vlastní vůle, jak a kdy se zachce, libovolně; *be ~ on / upon a t.* hovor. být celý pryč do, šílet po; *be ~ on / upon a p.* hovor. být zabouchnutý do, být blázen do; *be ~ with a t.* vonět čím; *do you like your tea ~?* sladíte si čaj?; *~ one* též *1.* miláček, drahoušek *2.* slang. řacha, šala, bomba prudký úder; *revenge is ~* pořek. pomsta je sladká; *have a ~ tooth* mít / jíst rád sladkosti, mlsat, být mlsný; *~ and twenty* půvabná dvacetiletá dívka ● *s* **1** sladká chuť, sladká vůně, sladkost **2** co je sladkého, sladkost **3** sladký pamlsek cukrovinka, sladkost; *~s, pl* cukroví **4** BR moučník, dezert **5** BR bonbón **6** *~s, pl* příjemná stránka, klady, příjemnosti, výhody, radosti, plody, ovoce **7** *~s, pl* BR nasládlá vína; sladké likéry **8** miláček, drahoušek, zlato, brouček **9** AM = *sweet potato, 1* **10** *~s, pl* zast.: sladké vůně, vonící květiny ♦ *like ~s* rád mlsat, být mlsný

sweet abyssum [ˌswi:təˈbisəm] bot. lobularie přímořská

sweet balm [ˌswi:tˈba:m] bot. meduňka lékařská

sweet basil [ˌswi:tˈbæzl] bot. bazalka pravá

sweet bay [ˌswi:tˈbei] bot. vavřín

sweetbread [swi:tbred] kuch. **1** též *neck / throat ~* brzlík **2** též *belly / stomach ~* břišní slinivka

sweetbrier [ˈswi:tˌbraiə] bot. růže rudá
sweet calamus [ˌswi:tˈkæləməs] bot. puškvorec
sweet cherry [ˌswi:tˈčeri] bot. třešně
sweet chestnut [ˌswi:tˈčesnat] bot. kaštan jedlý
sweet cicely [ˌswi:tˈsis*i*li] bot. čechřice vonná
sweet cider [ˌswi:tˈsaidə] AM nezkvašený mošt
sweet clover [ˌswi:tˈkləuvə] bot. komonice
sweet corn [ˌswi:tˈko:n] bot. kukuřice cukrová
sweeten [swi:tn] **1** o|sladit **2** zesládnout **3** zmírnit, zjemnit, změkčit **4** usmířit, uklidnit (~ *the people*) **5** osvěžit (~ *the instruction*), učinit svěžím např. dech, osvěžit vzduch v místnosti, učinit (opět) čerstvým **6** zeměd. zjemnit, zúrodnit půdu, zmírnit kyselost půdy vápnem **7** chem. odkyselovat, neutralizovat **8** čistit, odstranit sirné sloučeniny **9** odstranit sůl z mořské vody **10** slang. podmazat **11** slang.: poker zvýšit základní sázku před zahájením hry **12** ekon. slang. dát větši záruky na půjčku
sweetener [swi:tnə] **1** sladidlo **2** slang. podmazání, bakšiš úplatek
sweet fern [ˌswi:tˈfə:n] bot. *Comptonia peregrina* druh severoamerického keře
sweet flag [swi:tflæg] bot. puškvorec
sweet gale [ˌswi:tˈgeil] bot. vřesna obecná
sweet gasoline [ˌswi:tˈgæsoli:n] AM nepáchnoucí, bezzápachový benzín
sweet going [ˌswi:tˈgoiŋ] příjemná, hladká jízda dobře pérovaným autem n. po dobré silnici
sweet gum [ˌswi:tˈgam] **1** bot. ambroň **2** ambroňový balzám
sweetheart [swi:tha:t] *s* **1** miláček, drahoušek, srdéčko **2** hoch, chlapec, milý, milenec; dívka, milá, milenka ◆ ~ *agreement* AM dohoda mezi zaměstnavatelem a odborovým funkcionářem výhodná pro zaměstnavatele a uzavřená bez vědomí členů odborové organizace ● *v* chodit za děvčaty, mít milou / milého, milovat se
sweet herbs [ˌswi:tˈhə:bz] vonné byliny
sweetie [swi:ti] hovor. **1** BR sladkost, bonbón **2** = *sweetheart, s 1*
sweeting [swi:tiŋ] **1** bot. svatojánské jablko; sládě **2** zast. ~ *sweetheart, s 1*
sweetish [swi:tiš] **1** téměř n. poměrně sladký atd. **2** nasládlý
sweet john [swi:tdžon] bot.: druh úzkolistého hvozdíku vousatého
sweet marjoram [ˌswi:tˈma:dž*ə*rəm] bot. majoránka
sweetmeat [swi:tmi:t] **1** část. ~*s, pl* pralinky, bonbóny, cukrovinky, cukroví; zavařeniny; sladké pečivo **2** koželu. fermež **3** zool.: přílipka *Crepidula fornicata*
sweetness [swi:tnis] **1** sladkost **2** čerstvost **3** svěžest **4** sladkokyselost nálevu, sladkoslanost láku **5** voňavost, provoněnost, příjemná vůně **6** příjemnost, něžnost, něha, líbeznost **7** pastelový charakter barev **8** melodičnost písně **9** rozkošnost, roztomilost, kouzelnost, sladkost **10** nasládlost, přesládlost, sentimentálnost **11** milé chování, laskavost, vlídnost; mírnost, umírněnost **12** obratnost, zručnost, zkušenost **13** lehká ovladatelnost, poslušnost **14** poddajnost, tvárnost skla ◆ ~ *and light 1.* harmonie krásy a inteligence *2.* přátelskost, svolnost
sweet oil [ˌswi:tˈoil] **1** olivový olej **2** stolní olej
sweet orange oil [ˈswi:tˌorin*dž*ˈoil] lékár. pomerančová tinktura
sweet pea [ˌswi:tˈpi:] bot. hrachor vonný ◆ *do / plant a* ~ žert., euf. vyčůrat se
sweet pepper [ˌswi:tˈpepə] zelená paprika, paprika křovitá, cayenský pepř
sweet potato [ˌswi:tp*ə*ˈteitəu] **1** bot. batata **2** hovor. okarína
sweetroot [swi:tru:t] bot. **1** lékořice lysá **2** puškvorec obecný
sweet running [ˌswi:tˈraniŋ] klidný chod motoru
sweet rush [ˌswi:tˈraš] bot. **1** puškvorec obecný **2** druh asijské trávy rodu *Cymbopogon*
sweet-scented [ˈswi:tˌsentid] vonný, voňavý, vonící
sweetshop [swi:tšop] BR cukrářství, cukrárna, obchod s cukrovinkami
sweet singer [ˌswi:tˈsiŋə] básník, pěvec ◆ ~ *of Israel* Žalmista král David
sweetsop [swi:tsop] bot.: druh láhevníku
sweet sultan [ˌswi:tˈsalt*ə*n] bot. **1** druh chrpy **2** benedikt
sweet stuff [ˌswi:tˈstaf] cukroví, cukrovinky
sweet talk [ˌswi:tˈto:k] AM hovor. mazání medu kolem úst
sweet-tempered [ˌswi:tˈtempəd] příjemný, vlídný, mírný
sweet toil [ˌswi:tˈtoil] příjemná, i když namáhavá práce, dřina podstoupená s radostí
sweet trefoil [ˌswi:tˈtrefoil] bot. pískanice modrá
sweet vernal grass [ˈswi:tˌvə:nlˈgra:s] bot. tomka vonná
sweet violet [ˌswi:tˈvaiəlit] bot. violka vonná
sweet water **1** [ˌswi:tˈwo:tə] sladká voda **2** [ˈswi:tˌwo:tə] chrupka druh révy
sweet william [ˌswi:tˈwiljəm] bot. hvozdík vousatý
sweet willow [ˌswi:tˈwiləu] bot. vrba pětimužná
sweety [swi:ti] (*-ie-*) sladkost, bonbón
swell [swel] *v* (*swelled, swollen* / řidč. swelled) **1** nabýt na objemu, na|bobtnat (*wood often* ~*s when wet*), z|duřet, na|bubřet; rozšiřovat | se, mohutnět, zesilovat | se **2** způsobit nabobtnání atd. čeho (*warm summer water will quickly* ~ *the planks* v teplé letní vodě prkna rychle nabobtnají) **3** též ~ *up* otékat, natékat, opuchnout, napuchnout (*his face began to* ~), naběhnout **4** nalévat se (*the buds are* ~*ing*) **5** těsto kynout **6** též ~ *out* nadouvat | se, vzdouvat | se, na|dmout | se, nafouknout | se (*the sails* ~*ed out in the wind* plachty se ve větru vzdouvaly, *the wind* ~*ed the sails*) **7** též ~ *out* vyboulit | se, být vydutý **8** být vyhřezlý, čouhat, drát se (*a comfortable paunch* ~*ed out beneath the buttons of his dinner jacket*)

9 být příliš vysoký n. přehnaný; přesahovat **10** moře vzdouvat se **11** řeka stoupat, rozvodnit se, vylévat se z břehů (*the river was swollen with melted snow* roztátý sníh rozvodnil řeku) **12** posílit, rozšířit, zvětšit, rozmnožit (*the Rhône, swollen by the Saône, turns south*), způsobit rozvodnění čeho, změnit se stoupnutím n. zesílením *into* do čeho (*the murmur ~s into a roar* mumlání zesílilo v řev) **13** pramen, slzy vytrysknout **14** terén zvedat se, stoupat **15** nadouvat se, nadýmat se, nafukovat se (*he was ~ing with pride* pyšně se nafukoval), kypět, dmout se (*her heart ~ed with a suffocating sense of resentment* srdce jí kypělo dusivým pocitem zášti) **16** nadchnout **17** též *~ it* holedbat se, chvástat se, vytahovat se, nafukovat se, hrát si na sekáče, honit vodu **18** zvýšit počet, zvětšit, rozšířit, zesílit (*~ the flood of misery* zvětšit záplavu bídy, *~ the demand for country houses*) **19** stoupat (*job opportunities ~ed hugely in government* ve vládních službách obrovsky stoupla příležitost k zaměstnání), růst (*the ranks of the unemployed are daily ~ing* řady nezaměstnaných rostou den ode dne) **20** hud. zesílit (a zeslabit) zvuk; zvuk zesílit, zvednout se, stoupnout a pak klesnout ♦ *~ the chorus of admiration* etc. přidat se k obdivovatelům atd.; *have / suffer from ~ed head* být nadutý, nafoukaný, myslit si o sobě kdoví co; *~ like a turkey cock* nadýmat se jako páv, pávit se ● *s* **1** z|duření, nabubření, na|bobtnání **2** opuchnutí, otečení, naběhnutí, otok, opuchlina, oteklina, zduřenina, nádor **3** silnější část válcového předmětu (*the ~ of the forearm*), vydutí, vydmutí, vyboulení, vydutina, boule (*~ in the back of the book*) **4** nafouknutí zkažené konzervy, zkažená konzerva **5** rytmické, pravidelné vlnění, stoupání a klesání; dlouhá vlna, zvlnění **6** zvlnění terénu, kopec, pahorek **7** vzdouvání, vzdutí moře; vlnění, vlnobití, příboj **8** vzkypění emoce **9** růst, vzrůst, přírůstek (*a ~ in population*) **10** želví ploutev **11** hovor. sekáč, fešák oblečený podle poslední módy, dandy **12** hovor. příslušník hořejších deseti tisíc, nabob, velké zvíře, paďour **13** hovor. sekáč, kanón, machr *on / at* na co **14** geol. naduření horninové vrstvy, výzdvih **15** geol. systém vrás **16** hud. zesílení a zeslabení tónu, boule; značka crescenda a decrescenda, vidličky (slang.) **17** hud. žaluzie varhan; žaluziový stroj; páka / válec ovládající žaluzie **18** horn. místní zmohutnění sloje **19** text. jazýček člunečníku, brzda člunku ● *adj* zejm. AM hovor. **1** děsně luxusní, nóbl, fajnový, hogofogo (*a ~ hotel*) **2** oháknutý, ohozený, olepený podle poslední módy **3** senzační, fantastický (*a ~ impression*), bašta, k sežrání (*a ~ girl*)

swell box [swelboks] hud. žaluziový stroj varhan, žaluzie

swelldom [sweldəm] zast. hovor. **1** módní svět, sekáči **2** hořejších deset tisíc

swellfish [swelfiš] *pl* též *-fish* [-fiš] zool. ježík

swell head [swelhed] slang. náfuka

swelling [sweliŋ] *adj* **1** vznosný; pompézní, bombastický **2** v. *swell, v* ● *s* **1** otok, oteklina; zduřenina, nádor **2** vyvýšenina **3** les. bobtnání dřeva **4** v. *swell, v*

swellish [sweliš] hovor. = *swell, adj*

swell manual [ˈswelˌmænjuəl] hud. druhý / třetí / čtvrtý manuál s rejstříky, na nichž lze hrát crescendo a decrescendo

swell mob [ˌswelˈmob] kapesní zloději elegantně oblečení

swell-mobsman [ˈswelˌmobsmən] *pl: -men* [-mən] kapesní zloděj elegantně oblečený

swell organ [ˈswelˌo:gən] hud. žaluziový stroj

swell pedal [ˈswelˌpedl] hud. páka n. válec ovládající žaluzie varhan

swell rule [swelru:l] polygr. koncová / anglická linka, linková špička slabá na koncích, silná uprostřed

swelter [sweltə] *v* **1** omdlévat z horka **2** péci se, pařit se v horku, být vystavený horku **3** potit se, koupat se ve vlastním potu, být jako uvařený **4** způsobit, že se potí kdo (*amphitheatre which sheltered and ~ed the last convention* amfiteátr, kde se konal a potil poslední sjezd), pálit, péci, u|vařit (přen.) ● *s* **1** vedro, parno, hic (hovor.) **2** vířící vřava ♦ *be in a ~* potit se

sweltering [sweltəriŋ] **1** parný (*a ~ day* pařák) **2** rozpálený (*a ~ room*) **3** únavný, namáhavý pro velké horko **4** v. *swelter, v*

sweltry [sweltri] (-ie-) = *sweltering*

swept [swept] v. *sweep, v* ♦ *~ volume* motor. zdvihový obsah válce

swept-back wing [ˌsweptbækˈwiŋ] let. křídlo do šípu, šípové křídlo, křídlo s pozitivním šípem

swept-wing [sweptwiŋ] **1** též *~ aircraft* letadlo s šípovými křídly **2** = *swept-back wing*

swerve [swə:v] v **1** náhle, prudce uhnout, změnit směr (*~ed to avoid two boys on bicycles* změnil směr, aby se vyhnul dvěma chlapcům na kolech), udělat kličku; zatočit | se, stočit se (*the highway ~s south*) **2** uhnout, zahnout, zabočit *a t.* čím, stočit co **3** sport. dát faleš míči, říznout míč; míč dostat faleš **4** přen. uchýlit se, odchýlit se *from* od, uhnout, couvnout před (*~ from one's duty*); kolísat **5** (dát se) odradit *from* od rozhodnutí **6** loď těkat, odklánět se od původního směru ♦ *not to ~ a jot from a t.* neslevit ani čárku z ***swerve down*** motor. sjíždět dolů po serpentinách ***swerve off*** odbočit stranou ● *s* **1** náhlé, prudké uhnutí, změna směru, zatočení, stočení, zabočení **2** uchýlení, úchylka, odchýlení, odchylka **3** vychýlený předmět **4** sport. míč s falší **5** voj. úchylka ve střelbě **6** voj. zbloudilá střela

swerveless [swə:vlis] neodchylující se, neuhýbající

sweven [swevən] zast. **1** sen **2** vidění

swift [swift] *adj* **1** velice rychlý (*the ~ flight of an arrow* rychlý let šípu), prudký (*the river's too ~ to swim*), bystrý, svižný (*~ feet*) **2** rychle letící, prchavý (*~ hour*) **3** náhlý (*his ~ death*) **4** okamžitý, bezprostřední (~ *response* ... odpověď) **5** šikovný (*a ~ worker*) **6** kniž. náchylný *for / to* k (~ *to anger* ... k hněvu) **7** hovor.: dívka svolná, lehce k mání **8** hovor.: hoch těžký, tvrdý, ostrý ◆ *be ~ to do a t.* být rychlý na dělání čeho, neváhat udělat co, hrnout se do; *be ~ to take offence* být snadno urážlivý ● *adv* rychle, svižně, prudce ● *s* **1** též *European ~* zool. rorýs obecný **2** též *chimney ~* zool. rorýs ostnitý **3** ještěrka *Sceloporus* **4** zool. hrotnokřídlec **5** BR odrůda holuba **6** rychlý pramen, proud, bystřina **7** křídlo, lopatka větrného mlýna **8** tech. viják, moták **9** text. svislé snovadlo; buben mykadla **10** = *swifter*

swift-comming [ˌswiftˈkamiŋ] rychle přicházející, rychlý

swifter [swiftə] námoř. *s* **1** krajní úpony umístěné vedle normálních **2** stálý lanový nárazník omotaný kolem člunu, sloužící jako oděrka **3** spojovací lanko vratidlových pák ● *v* **1** vytáhnout na břeh n. naklonit plavidlo za účelem prohlídky n. opravy podponorové části **2** potahovat plachtovinou **3** ovázat spojovacím lankem vratidlové páky ◆ ~ *in the shrouds* stáhnout úpony šněrováním

swiftfoot [swiftfut] *pl: swiftfoots* [swiftfuts] zool. běhulík plavý

swift-footed [ˌswiftˈfutid] rychlonohý, rychlý

swift-handed [ˌswiftˈhændid] rychle jednající, rychle účinný, rychlý

swiftlet [swiftlit] zool. salanga

swiftness [swiftnis] **1** velká rychlost, prudkost, bystrost, svižnost **2** prchavost **3** náhlost **4** okamžitost, bezprostřednost **5** šikovnost **6** náchylnost

swift-passing [ˈswiftˌpa:siŋ] rychle míjející

swift-sailing [ˈswiftˌseiliŋ] loď rychlý

swift-tongued [ˈswiftˌtaŋd] výřečný

swift-winged [ˌswiftˈwiŋd] bás. mající rychlé perutě, rychle letící, rychlokřídlý

swig¹ [swig] hovor. *s* **1** pořádný doušek, lok, hlt zejm. pálenky **2** alkoholický nápoj, drink ● *v* (*-gg-*) vy|táhnout, nasávat, polykat, lít do sebe (*fancy ~ging liquor like a beer*)

swig² [swig] námoř. *v* **1** též ~ *off* za|táhnout, potahovat za napjaté lano ve svislém směru za účelem jeho většího napnutí **2** též ~ *up* vytáhnout, napnout plachtu takovým tahem ● *s* **1** takeláž s lany svírajícími značný úhel **2** tah, za|táhnutí v svislém směru

swile [swail] slang. tuleň

swill [swil] *v* **1** vypláchnout, propláchnout, spláchnout, omýt **2** nasávat, táhnout, lít do sebe, chlastat, ožírat se **3** řinout se, hrnout se ***swill out*** *1* vypláchnout *2* nalévat ve větším množství ● *s* **1** též ~ *out* vypláchnutí **2** špína z nádobí, pomyje **3** odpadky **4** břečka, brynda, pomyje, chcanky (vulg.) špatný nápoj **5** řidč. tah, chlast ◆ *swell ~* AM slang. báječné žrádlo

swiller [swilə] chlastoun, ochlasta

swillings [swiliŋz] *pl* pomyje

swim [swim] *v* (*swam, swum, -mm-*) **1** plavat (*fishes ~*), též přen. (*meat ~ming in the gravy* maso plavající ve šťávě), uplavat, přeplavat *across / a t.* co (*he swam across the river, ~ the English Channel*) **2** udělat plavecké tempo (*he cannot ~ a stroke* neumí udělat ani jedno tempo) **3** sport. za|plavat (*~ a mile*), závodit v plavání *a p.* s (*~ a p. half a mile*) **4** plavit koně, psa (*~ one's horse across a river*) **5** udržovat se na vodě apod., vznášet se, plavat (*oil ~s on water*) **6** plout jako na vodě (*a cloud swam slowly across the moon* přes měsíc plul pomalu oblak) **7** zalévat se, přetékat *with* čím (*eyes ~ming with tears*), plavat v, být zalit *in* čím (*the floor swam in blood* podlaha plavala v krvi), kypět (*his heart swam with joy*) **8** přen. tonout, topit se *in* v (*he ~s in riches*) **9** přen. točit se, motat se (*his head swam*) ◆ ~ *on one's back* plavat naznak / znak; ~ *to the bottom* jít ke dnu; ~ *beyond one's depth* odvážit se příliš daleko; ~ *for it* zachránit se plaváním; ~ *like a stone / brick / tailor's goose* žert. plavat jako zednická tříska; ~ *a race* účastnit se plaveckých závodů; *sink or ~* přen. hop nebo trop; ~ *against the stream* plout proti proudu; ~ *with the stream* plout s proudem ● *s* **1** za|plavání **2** místo, které lze proplavat **3** plavný, klouzavý pohyb, plynutí **4** rybnatá tůň, rybnaté místo v řece **5** hovor. běh událostí, události, životní ruch, život **6** kruhy před očima, závrať, mdloba **7** = ~ *bladder* ◆ *be in | out of ~ 1.* být | nebýt informován o běhu událostí *2.* zúčastnit se | nezúčastnit se aktivně událostí; *be in the ~ with* být dobře obeznámen s, být dobře informován o; ~ *bladder* plovací měchýř ryb; *go for a ~* jít plavat, jít si zaplavat, jít se vy|koupat; *have / take a ~* zaplavat si, vykoupat se

swimmer [swimə] **1** plavec **2** zool. plovavý pták **3** zool. potápník **4** zool. plovací orgán, plovák **5** tech. plovák, poplavek ◆ *breaststroke ~* sport. prsař; *crawlstroke ~* sport. kraulař

swimmeret [swimərit] zool. nožka, zadečková plovací noha korýše, zadečková noha desetinožce

swimming [swimiŋ] *s* **1** pocit závratě, závrať, točení hlavy, mdloba, mdloby **2** sport. plavecký styl **3** v. *swim, v* ◆ *adj* **1** plovací **2** zaplavený, plný slz (~ *eyes*) **3** stižený závratí **4** hladký, plynulý (*a ~ market*) **5** v. *swim, v*

swimming bath [swimiŋba:θ] *pl: swimming baths* [swimiŋba:ðz] BR malý krytý bazén

swimming bell [swimiŋbel] zool. zvon, plovací měchýř trubýše

swimming belt [swimiŋbelt] **1** plovací pás k učení plavání **2** záchranný pás

swimming bird [ˌswimiŋˈbə:d] zool. plovavý pták

swimming bladder [ˌswimiŋˈblædə] plovací měchýř ryb

swimming costume [ˌswimiŋˈkostju:m] BR dámské plavky

swimming gala [ˌswimiŋˈga:lə] sport. sportovní den plaveckých sportů

swimming hole [ˌswimiŋˈhəul] hluboké místo, tůň, přirozené koupaliště v potoce
swimming-in [swimiŋin] AM polit. **1** (protestní demonstrace požadující) zrušení rasové segregace při koupání **2** přístup na pláž pro bílé i barevné
swimming instructor [ˌswimiŋ inˈstraktə] plavčík na plovárně apod. učící plavat
swimmingly [swimiŋli] přen. bez potíží, snadno, lehce, hladce (*everything was going* ~)
swimming pool [swimiŋpu:l] **1** plavecký bazén **2** krytá plovárna, plavecký stadión
swimming stone [swimiŋstəun] miner.: druh křemene
swimming trunks [ˌswimiŋˈtraŋks] pánské plavky
swimmy [swimi] **1** stižený závratí, motající se, mající nejasnou hlavu *with* z (~ *with the local cider* omámený místním jablčákem) **2** pohled zamlžený
swimsuit [swimsju:t] dámské plavky
swindle [swindl] *v* **1** podvádět, s|páchat podvod **2** napálit (*I am not easily* ~*d*) **3** vylákat *a t.* co *out of a p.* z, podvést o co koho (~ *money out of a p.*), vylákat *a p.* z koho *out of a t.* co, podvést koho o, zpronevěřit, defraudovat komu co ● *s* **1** podvádění **2** podvod **3** přen. podvod, švindl, podfuk, lumpárna (*this advertisement is a real* ~)
swindler [swindlə] **1** podvodník **2** lump, hochštapler
swindle sheet [ˌswindlˈši:t] slang. osobní režie odčitatelná od daňového základu
swine [swain] *pl: swine* [swain] **1** prase, vepř **2** zool. prase divoké; prase domácí **3** mrcha, bestie, svině, hulvát, holomek **4** prase, kanec, prasák, sviňák ◆ ~ *erysipelas* zvěr. červenka prasat
swine bread [swainbred] bot.: název různých druhů rostlin
swinecress [swainkres] bot. vranožka šupinatá
swine fever [ˈswainˌfi:və] zvěr.: virový mor prasat
swineherd [swainhə:d] **1** pasák / pasáček vepřů **2** ošetřovatel prasat
swine plague [swainpleig] zvěr. zápal plic, pasteurelóza, paratyf prasat
swinepox [swainpoks] **1** med. hist. plané neštovice, ovčí neštovice **2** zvěr. neštovice prasat
swinery [swainəri] (*-ie-*) **1** prasečí / vepřový chlívek, prasečník, prasečák **2** prasata, vepřový dobytek **3** přen. svinstvo, sviňárna, prasárna
swine's snout [ˈswainzˌsnaut] bot. smetanka lékařská, pampeliška (hovor.)
swinestone [swainstəun] miner. smrdutý, živičný vápenec
swing [swiŋ] *v* (*swung [* řidč. *swang, swung*) **1** houpat se, kývat se, pohybovat se sem a tam (*his arms swung as he walked*), roz|houpat (~ *a censer* houpat kadidelnicí), kývat, kejklat, pohupovat čím (*he was* ~*ing his arms*) **2** kývat se, houpat se *from* na (*a basket* ~*s from her arm*), viset *from* z, na **3** houpat | se na houpačce **4** kolébat | se **5** též ~ *o. s.* houpat se a přitom skákat, skákat s houpáním (*the big ape swung (itself) from branch to branch* velká opice skákala z větve na větev), ručkovat *along* po (~ *along a rope* … po laně) **6** zavěsit, pověsit a umožnit houpání (~ *a hammock between nearby trees* pověsit síť mezi nedaleké stromy) **7** nést, přenášet, transportovat zavěšené (*huge cranes that* ~ *cargo up over the ship's side and into the hold* velké jeřáby, které přenášejí náklad přes bok lodi do podpalubí) **8** svézt v houpající se síti **9** vyšvihnout se, vyhoupnout se (*put one foot in the stirrup and* ~ *up into the saddle* vložit jednu nohu do třmenu a vyhoupnout se do sedla) **10** rozmáchnout se čím (~ *an axe*), mávnout, zamávat čím (*the porcupine swung his tail* dikobraz zamával ocasem), komíhat, za|točit čím (~ *a lasso*), kroužit čím (~ *Indian clubs* kroužit kužely) **11** bít, tlouci s rozmachem (*told the boxer to go into the ring* ~*ing*), mířit *at* na, udeřit s rozmachem do **12** pustit se s vervou *into* do (~ *into action, musicians* ~ *into their first tune* muzikanti se pouštějí do první skladby) **13** AM hovor. dokázat, svést, provést, uskutečnit (~ *the job,* ~ *the sale*), moci si dovolit (~ *a new car*) **14** svižně, lehce jít s volným pohybem paží, pochodovat, rázovat (*the troops swung along the street*) **15** otočit se, obrátit se (*she swung on a high heel and walked away* obrátila se na vysokém podpatku a odkráčela), pootočit, natočit, stočit **16** být otáčivý **17** jet, plout, letět v ostré křivce **18** zatočit při pochodu, rychle objet *round* co, zahnout za (*the car swung round the corner*) **19** otáčet magnetickou loď | letadlo k zjištění ochylky lodi | leteckého kompasu; zjistit úchylku (magnetické lodi n. leteckého kompasu) otočením lodi n. letadla **20** sport. změnit směr otočkou při lyžování **21** provést otočku při tanci **22** kolísat (~ *from optimism to pessimism and back*) **23** způsobit změnu názoru *a p.* koho **24** polit. mít / vykonávat rozhodující vliv na, rozhodnout (*the labour vote will* ~ *the presidential election*), získat změnou názoru **25** hud. zpívat, hrát swingovým způsobem (~ *a folk song*) **26** hrát swing, tančit swing **27** mít ostrý rytmus (*likes verses that* ~) **28** sděl. tech. kolísat, unikat **29** tech. (moci) soustružit do určitého průměru **30** slang. být oběšen, viset, houpat se *for* za zločin **31** slang. žít na plné pecky, žít život, který frčí (*she may be 45, but she still* ~*s*) **32** slang.: místo být rušný n. živý (*Las Vegas* ~*s all year*) **33** slang.: dva lidé jít k sobě, jít dohromady, táhnout za jeden provaz, mít stejné názory, rozumět si (*she may be ugly but we* ~ třeba je šereda, ale rozumíme si) ◆ ~ *one's arms* házet pažemi např. při chůzi; ~ *a bell* roz|houpat zvonek v ruce, zvonit; *door that* ~*s to and fro in the wind* dveře, které se větrem otvírají a zavírají; ~ *it!* slang. zatraceně! ~ *it on a p.* vrazit jednu komu; ~ *the lead* BR voj. slang. ulejvat se, slejvat se předstíráním práce, hodit se marod; ~ *one's legs* kývat n. klátit nohama; ~ *a lot of weight* mít velkou váhu, být velké zvíře; ~ *a matter over one's shoulder* hodit (celou)

záležitost za hlavu; ~ *into motion* rozhoupat, rozkývat; ~ *open* otevřít se otočením; ~ *the propeller* let. nahodit motor ručním otočením vrtule; *no room to ~ a cat in* prostor velice těsný, kde se člověk nemůže ani otočit; ~ *round the circle 1.* podrobně probrat všechny body osnovy *2.* přiklánět se postupně ke všem názorům a teoriím *3.* AM polit. projíždět svůj volební okres a mít v něm předvolební projevy; *set ~ing* rozhoupat, rozkývat; *ship ~s at anchor* loď krouží na kotvě; ~ *to* zavřít se otočením (*the door swung to*) **swing around** *1* otočit, obrátit kolem osy *2* otočit partnera při tanci **swing away** odklopit **swing by** zajet si, udělat objížďku (*promised to ~ by and pick them up*) **swing back** odklopit, sklopit **swing in** *1* zahnout, zabočit *2* otočit do původní polohy *3* otočit se směrem dovnitř při tanci **swing round** *1* rychle, prudce se obrátit, otočit, zabočit, zahnout *2* námoř. točit se, kroužit na kotvě **swing out** *1* vyjet širokým obloukem *2* otočit se směrem ven při tanci ● *s* **1** kývání, houpání, kejklání **2** výkyv, rozkyv, kyv kyvadla **3** rozkmit **4** co se houpá atd. **5** závěsná houpačka; zahradní houpačka **6** houpání se na houpačce **7** mávání, mávnutí, rozmach; švihnutí, švih **8** rána, úder s rozmachem **9** sport. švih oblouk smykem na lyžích; rohovnický úder **10** těl. švih **11** tempo, švih, švunk (hovor.) (*his ~ and gusto*) **12** pravidelný, rytmický pohyb, rytmus (*the machinelike ~ of the bodies* strojový rytmus těl); ostrý rytmus, švih, švunk (hovor.) **13** otáčení, po|otočení, natočení, stočení; otočení startovací klikou (*the car started up at the first ~*) **14** periodický výkyv (*~s of prosperity and depression* výkyvy do blahobytu a krize), obrat (*a sudden ~ of public opinion*) **15** otáčka, otočka při tanci **16** zakřivený pohyb, zakřivená dráha **17** křídlo otočného mostu **18** volný, elastický chod **19** duchovní, materiální rozkvět, tvůrčí rozmach **20** přen. chod, akce, činnost **21** periodický stav; sklon, příklon *to* k (*the ~ to diesels*) **22** odpočinek, oddech, přestávka, volno v práci na směny **23** AM volnost, svoboda rozhodování **24** AM ekon. slang. období konjunktury **25** AM okraje hnaného stáda **26** střední pár v šestispřeží **27** AM polit. okružní cesta kandidáta po volebním okresu **28** též ~ *music* hud. swingová hudba, swing tanec **29** bridž výsledek se ziskem 500 a více bodů **30** tech. průchod obrobku; největší oběžný průměr soustruhu **31** řem. zakřivení vnější strany podrážky **32** námoř. kroužení na kotvě **33** zast. přirozený sklon **34** = *swingback* ◆ *be on the ~* přen. být chvíli nahoře, chvíli dole, mít střídavé štěstí; ~ *around the circle* AM polit. předvolební okružní cesta např. prezidentského kandidáta; ~ *of fortune* vlna štěstí, trefa; *free ~* volnost pohybu, vůle; *at full ~* plným tempem, plnou parou (*a train approaching at full ~*); *in full ~ 1.* v akci, v chodu, v činnosti *2.* v plném proudu; *get into the ~* dostat se do tempa; *give a p.* | *a t. a ~* rozhoupat koho | co; *give free ~ to one's temper* popustit uzdu své náladě; *give the handle a ~* otočit klikou; *give full ~ to a t.* dát volný průchod čemu; *give full ~ to a p.* dát volnou ruku komu; *go with ~ 1.* být výrazně rytmický *2.* přen.: zábava apod. jít pěkně v tempu kupředu, neváznout, jít jako po másle, mít švunk *3.* drama, představení stále táhnout; *have one's ~* mít volný průchod; *let a t. have its ~* dát volný průchod čemu; ~ *of the pendulum* též přen. náchylnost ke střídání, zejm. náchylnost voličů nevolit dvakrát po sobě stejnou politickou stranu; *walk with a ~* svižně jít, rázovat; *what you lose on the ~s you make up on the roundabouts* skončíš tak, jak jsi začal, na jednom vyděláš, na druhém proděláš; *with a ~* živě, svižně ● *adj* **1** kyvný, výkyvný **2** otočný **3** hud. swingový

swingback [swiŋbæk] **1** sklopné opěradlo, sklopný lenoch sedadla **2** fot. nakláněcí kazetový rám **3** AM polit. obrat, zvrat, reakce

swing beam [ˌswiŋˈbi:m] žel. kolébka podvozku vagónu

swingboat [swiŋbəut] loďka, lodička houpačka

swing bridge [ˌswiŋˈbridž] otočný most

swing-by [swiŋbai] *pl: swing-bys* [swiŋbaiz] kosm.: změna dráhy kosmické lodi vyslané ke vzdálené planetě, způsobená přitažlivostí bližší planety

swing door [ˌswiŋˈdo:] kývavé dveře, kyvadlové dveře, létací dveře, lítačky

swinge [swin*dž*] zast. **1** zbít, spráskat (bičem) **2** potrestat

swingeing [swin*dž*iŋ] **1** těžký, pádný (*a ~ blow*) **2** převážný, obrovský (*~ majority*), fantastický, velký, příšerný (*a ~ lie*) **3** v. *swinge*

swinger¹ [swiŋə] **1** kdo houpá atd. **2** co se houpá atd. **3** slang. aktivní moderní člověk, člověk žijící naplno; sekáč **4** polygr. poslední forma k tisku

swinger² [swin*dž*ə] **1** kdo bičuje n. trestá **2** něco obrovského

swing frame [ˌswiŋˈfreim] kyvadlový rám pily

swing hand [ˌswiŋˈhænd] bridž list umožňující vysokou výhru (500 bodů a více)

swinging [swiŋiŋ] *s* **1** sděl. tech. kolísání, unikání, fading **2** v. *swing, v* ● *adj* **1** rytmicky rázný, svižný (*a ~ trot* svižný klus), rytmicky výrazný n. pregnantní (*a ~ choir*) **2** otočný **3** kyvný, výkyvný **4** závěsný, zavěšený, visutý **5** = *swingeing* **6** v. *swing, v* ◆ ~ *boom* námoř. boční ráhno napínající dolní část předvětrné plachty; ~ *davit* námoř. otočný člunový jeřáb; ~ *door* = *swing door;* ~ *post* stěžejový sloupek, veřej dveří; ~ *rings* těl. kruhy

swing joint [ˌswiŋˈdžoint] kloubový spoj

swing knife [ˌswiŋˈnaif] text. mědlice, trdlice

swingle [swiŋgl] *s* **1** potěrač, potěrák, potěračka, potěradlo lnu **2** biják cepu ● *v* potěrat len

swingletree [swiŋgltri:] BR rozporka, brdce, brdečko vah vozu

swinglingtow [swiŋgliŋtəu] pazdeří

swing plough [ˌswiŋˈplau] **1** houpavý pluh **2** oboustranný pluh

swing shift [ˌswiŋˈˈšift] večerní směna mezi denní a noční
swing shifter [ˌswiŋˈšiftə] dělník večerní směny
swing span [swiŋspæn] AM = *swing bridge*
swing-swang [swiŋswæŋ] kyvadlový pohyb sem a tam, též přen.
swing-wing [swiŋwiŋ] **1** letadlo s měnitelným úhlem křídla **2** křídlo takového letadla
swinish [swainiš] sviňský, sviňácký, prasečí, prásácký
swinishness [swainišnis] svinstvo, sviňárna, prasárna
swink [swiŋk] zast. *v* (*swank* / *swonk, swonken*) **1** s námahou udělat **2** dřít se, lopotit se ● *s* dřina, lopota
swipe [swaip] *v* **1** (chtít, zkusit) odpálit, napálit *at* např. míč silně n. naslepo; dát ránu, udeřit, mlátit do (~ *away at the punching bag* mlátit do boxovacího pytle) **2** vytáhnout do dna, vypít ex **3** slang. šlohnout, seknout, čajznout, čmajznout, štípnout, otočit u|krást (*caught swiping watermelons*) ● *s* **1** rána, úder *at* do míče, napálení, odpálení míče **2** dlouhý doušek **3** podkoní, štolba **4** hud.: primitivní harmonický sled na jednu slabiku **5** tech. páka, rukojeť ručního stojadlového čerpadla **6** tech. spouštěcí páka přenosného motoru
swiper [swaipə] **1** hovor. kdo odpaluje míč naslepo v kriketu **2** slang. ochlasta, ožungr **3** AM slang. zloděj, chmaták
swipes [swaips] *pl* BR slang. břečka, slivky, chcanky (vulg.) špatné n. slabé pivo
swipl, swipple [swipl] biják cepu
swirl [swə:l] *v* **1** rychle kroužit, vířit, u|tvořit vír / víry **2** být rozvířený **3** kroužit čím (~ *the brandy around*) **4** vlasy tvořit lokýnky n. kudrlinky **5** hlava točit se ***swirl away / off*** odnést vírem ● *s* **1** rychlý krouživý pohyb, vír, víření **2** lokýnka, kudrlinka **3** zákrut na stuze **4** suk ve dřevě
swish[1] [swiš] BR slang. šikézní, elegantní
swish[2] [swiš] *v* **1** kosa, šíp svištět **2** hedvábí šustit **3** voda šplouchat, šplíchat **4** slyšitelně švihat *a t.* / *with* čím **5** BR mrskat, bít metlou ***swish off*** švihnutím odseknout, useknout, utnout (~ *off the tops of weeds with a sickle* odseknout srpem vršky plevele) ● *s* **1** svist, svistot, svištění **2** šustot, šustění **3** šplouchání, šplíchání **4** metla, prut; rána metlou n. prutem **5** rázný tah štětcem **6** AM slang. teplouš aktivní
swishy [swiši] (*-ie-*) **1** šustivý **2** AM slang. teplý, přihřátý
Swiss [swis] *s* **1** *pl: Swiss* [swis] Švýcar **2** = ~ *muslin* ◆ ~ *German* švýcarská němčina, schwyzerdütsch ● *adj* švýcarský ◆ ~ *cambric* text.: druh mušelínu; ~ *chard* bot. řepa burák; ~ *cheese* ementálský sýr, ementál; ~ *franc* švýcarský frank; ~ *French* švýcarská francouzština; ~ *German* = *German* ~; ~ *Guard* švýcar námezdný voják strážní služby, zejm. papežovy; ~ *mountain pine* bot. (borovice) kleč, alpská kleč; ~ *muslin* text.: druh mušelínu; ~ *pine* bot. (borovice) limba; ~ *roll* piškotová roláda; ~ *tea* řebříčkový odvar
swissing [swisiŋ] text. hlazení n. kalandrování za vlhka
switch [swič] *s* **1** proutek, rákoska, tenký jezdecký bičík **2** šleh, rána proutkem n. bičíkem **3** prut, proutek, výhonek **4** žel. výměna, výhybka **5** žel. vedlejší kolej, výhybka **6** žel. přestavění výměny / výhybky; převedení vlaku na jinou kolej **7** elektrický vypínač, spínač, přepínač **8** zapnutí, vypnutí vypínačem, přepnutí přepínačem **9** sděl. tech. přepínač, přepojovač, volič telefonu **10** tech. kohoutek plynového vedení **11** motor. zařazení rychlosti **12** odvedení stranou, odbočení, odbočka **13** náhlá změna, obrat, přesun, jiná orientace **14** přejití, přechod na jiné téma **15** přesunování, přesun investic **16** bridž změna barvy **17** chvost, střapec chlupatý konec oháňky **18** dlouhý příčesek, falešný cop **19** voj. přenos palby, úhlová pohyblivost při střelbě **20** voj. stavění odměru kulometu **21** bot. rákoska ◆ *flick* / *flip the* ~ zmáčknout / stisknout vypínač, otočit vypínačem; ~ *hooter* motor. spínač houkačky; *knife* ~ elektr. nožový n. pákový spínač; *lever* ~ elektr. *1.* páčkový spinač, vypínač, přepínač *2.* výhybka se zdviženým jazykem visuté lanovky; *main* ~ elektr. hlavní vypínač n. spínač; *plug* ~ elektr. kolíkový spínač n. vypínač; *riding* ~ jezdecký bičík; ~ *and spurs* co nejrychleji, plným tempem; *starting* ~ motor. spínač spouštěče, startér; *two-way* ~ elektr. dvoucestný / dvoupólový přepínač ● *v* **1** švihat *a p.* | *a t.* koho | co / do (*lower branches* ~*ing the back of his head*) čím (*horse* ~*es his tail*); bít, mrskat, popohnat proutkem n. bičíkem; spráskat, napráskat, našvihat komu *with* čím (*he* ~*ed the boy with a cane* nařezal klukovi rákoskou) **2** ohnat se, mávnout čím (*the cow* ~*ed her tail* kráva mávla ocasem) **3** zahánět (jako) proutkem (*horses contentedly* ~*ing flies* koně odhánějící spokojeně ocasem mouchy) **4** švihat sebou ze strany na stranu, mrskat se (*the cat's tail* ~*ing*) **5** učinit prudký pohyb čím, prudce strhnout (*she* ~*ed the cloth off the table*), prudce vytrhnout *out of* z (*the rope may be* ~*ed out of your hand* třeba se vám lano vytrhne z ruky) **6** žel. převést na jinou kolej vlak, posunovat, přesunovat, šíbrovat, šíbovat **7** změnit (~ *methods*), vyměnit | si, prohodit | si (~ *places*) **8** přepnout *to* na **9** změnit téma čeho, převést, přejít, přeskočit *to* na jiné téma (~ *the conversation to a less embarrassing subject* převést rozhovor na méně ožehavé téma) **10** bridž změnit barvu, nést jinou barvu **11** film, televize měnit rychle kameru **12** burz. přejít z jednoho cenného papíru na druhý **13** burz. přesunout plnění smlouvy o termínovaném obchodu na jiný měsíc na plodinové burze **14** sport. přihlásit k dostihu pod jiným jménem koně ◆ ~ *one currency to another* převést jednu měnu

na druhou; ~ *fire* voj. přesunout palbu; ~ *the guns* zamířit děla; ~ *one's vote* dát svůj hlas jinému kandidátovi než původně ***switch in*** elektr. zapnout, zapojit ***switch off 1*** vypnout elektrický spotřebič, vypnout, zavřít rozhlasový / televizní přijímač apod., vypojit (elektr.) *2* zhasnout, vypnout plyn *3* motor. vypnout motor *4* přerušit telefonní rozhovor *5* žel. přestavit výměnu, převést vlak na jinou kolej *6* převést řeč *to* na jiné téma ◆ ~ *off the light* zhasnout vypínačem ***switch on 1*** zapnout elektrický spotřebič, zapnout, pustit rozhlasový / televizní přijímač apod. *2* zapnout plyn *3* sděl. tech. spojit *to* s *4* slang. být hypermoderní *5* slang. přivést do extáze *6* slang. mít halucinace, dostat se do extáze / transu po požití drog ◆ ~ *on the light* rozsvítit vypínačem ***switch out*** elektr. vypnout, vypojit ***switch over*** *1* přepnout (~ *over to another wavelength*) *2* přejít (~ *over to electric and diesel traction*) ***switch round*** rychle otočit (~ *one's head round*) ● *adj* **1** elektr. spínací, zapínací **2** žel. výměnový **3** sděl. tech. voličový

switchback [swičbæk] *s* **1** též ~ *railway* BR horská dráha, tobogan atrakce **2** horská serpentina **3** žel. hrotová úvrať **4** film. retrospektiva ● *v* jít, vinout se v ostrých zatáčkách nahoru a dolů

switchbar [swičba:] **1** žel. tyč, páka výměny **2** elektr. páka vypínače

switchblade [swičbleid] též ~ *knife* zejm. AM nůž s čepelí na péro, vyskakovací nůž

switchboard [swičbo:d] **1** telefonní přepojovač; centrála **2** elektr. rozvodná deska, rozváděč ◆ ~ *jack* sděl. tech. přepojovací n. spojovací svírka; ~ *operator* telefonista, telefonistka

switch box [ˌswičˈboks] elektr. rozvodná skříň

switch clock [ˌswičˈklok] spínací hodiny

switch desk [ˌswičˈdesk] elektr. manipulační rozvodný stůl

switched-on [swičton] slang. **1** hypermoderní **2** nadšený, jsoucí v extázi

switch engine [ˌswičˈendžin] posunovací lokomotiva

switcher [swičə] žel. **1** výhybkář **2** posunovací lokomotiva

switcheroo [swičəru:] AM slang. náhlá změna, neočekávaný obrat, kotrmelec ◆ *work / pull a ~ on a p.* divně, neočekávaně za|točit s

switchgear [swičgiə] **1** elektr. spínací ústrojí na vysoké napětí **2** žel. pohon výměny

switching engine [ˌswičiŋˈendžin] posunovací lokomotiva

switch knob [ˌswičˈnob] tlačítko vypínače

switch lever [ˈswičˌli:və] **1** žel. páka výměny, přestavovací páka **2** elektr. páka vypínače

switchman [swičmən] *pl: -men* [-mən] AM žel. výhybkář

switch-over [ˈswičˌəuvə] **1** přepínání, přepnutí, přepojování, přepojení **2** přeměna, přechod *to* na jinou výrobu

switch panel [ˌswičˈpænl] rozvodná deska

switch rail [ˌswičˈreil] žel. hrotnice

switch selling [ˌswičˈseliŋ] BR prodej dražšího výrobku místo levnějšího, který byl inzerován

switch signal [ˌswičˈsignl] žel. výměnová návěst

switch socket [ˌswičˈsokit] objímka s vypínačem

switch tower [ˌswičˈtauə] žel. AM stavědlová věž

switchyard [swičja:d] AM žel. seřaďovací nádraží, seřadiště

swither [swiðə] SC *v* váhat, kolísat, pochybovat, nebýt si jist ● *s* pochybnosti, nejistota

Switzer [switsə] **1** zast. Švýcar **2** švýcar voják strážní služby

Switzerland [switsələnd] Švýcarsko, Švýcary (hist.)

swive [swaiv] obsc., zast. souložit s

swivel [swivl] *s* **1** obrtlík řetězu **2** otočný čep **3** poutko na řemenu pušky **4** tech. protkávací, prošlupové zařízení stavu **5** voj. odměrová matice, točna děla **6** voj. = *swivel gun* ● *v* (*-ll-*) **1** otočit se na obrtlíku **2** opatřit obrtlíkem, spojit obrtlíkem **3** o|točit | se, natočit | se (~ *one's eyes in various directions*, ~*ed around in his chair to face the door* otočil se v židli směrem ke dveřím) ● *adj* otočný

swivel bookrest [ˌswivlˈbukrest] čtecí kolo

swivel bridge [swivlbridž] = *swing bridge*

swivel chair [ˌswivlˈčeə] otočné sedadlo, točicí židle, točicí křeslo

swivel eye [swivlai] **1** oko obrtlíku **2** slang. šilhavé oko

swivel-eyed [swivlaid] slang. pidlooký, šilhavý

swivel gun [ˌswivlˈgan] voj. dělo na pivotové lafetě, pivotové dělo

swivel hook [swivlhuk] otočný hák

swivel joint [swivldžoint] otočný kloub

swivel rowlock [ˌswivl ˈrolək] námoř. otočná havlenka / havlinka / veslová vidlice

swivet [swivit] nář. nervóza, vzrušení

swiz, swizz [swiz] hovor. **1** zklamání **2** bouda, podfuk, švindl

swizzle [swizl] *s* **1** ledový koktejl s přidáním cukru a citrónové šťávy (*rum ~, gin ~*); rumový koktejl mléčný **2** hovor. bouda, podfuk, švindl **3** hovor. zklamání ● *v* **1** chlastat **2** míchat malou kvedlačkou

swizzle stick [swizlstik] malá kvedlačka k míchání nápojů

swob [swob] = *swab*

swobber [swobə] = *swabber*

swollen [swəulən] **1** vystouplý z břehů, rozvodněný (*the ~ Nile*) **2** pompézní, bombastický (*a ~ word*) **3** přemrštěný, předimenzovaný **4** bot.: kalich, lusk nafouklý **5** v. *swell, v*

swollen head [ˌswəulənˈhed] nadutost, nafoukanost

swollen-headed [ˈswəulənˌhedid] domýšlivý, nadutý, nafoukaný

swoln [swəuln] = *swollen*

swoon [swu:n] *v* **1** též ~ *away* omdlít, ztratit vědomí mdlobou **2** způsobit mdloby komu / koho, přivést do mdlob **3** též ~ *away* hudba atd. tišit se, usínat, zeslabovat až přestat ◆ ~ *with* | *for joy* být radostí bez sebe ● *s* **1** mdloba, mdloby **2** malátnost **3** vytržení, extáze **4** ustrnutí (*moral and intellectual* ~)

swoony [swu:ni] (*-ie-*) slang. fajn, prima

swoop [swu:p] *v* **1** též ~ *down* dravec vrhnout se (střemhlav) *on* | *upon* | *at* na (*the eagle* ~*ed down on its prey* orel se vrhl střemhlav na svou kořist); s|padnout, slétnout, snést se, též přen. **2** též ~ *down* let. za|útočit střemhlav **3** skákat, míhat se, létat v oblouku (*ladies in tights* ~*ing through the air* dámy v trikotech létající vzduchem), dělat, tvořit v letu (*storks* ~ *white streaks* čápi tvoří v letu bílé pruhy) **4** mihnout se *by* kolem, lehce se dotknout čeho, štrejchnout (hovor.) o (~ *by the table*) ***swoop away*** | ***off*** | hovor. ***up*** prudce, násilím sebrat, odnést, odvést, unést, uchvátit (*British Intelligence* ~*ed him off to London*) ● *s* **1** (střemhlavý) let dravce na kořist **2** let. nálet (střemhlav) **3** přepad, razie, šťára ◆ *at* | *in one* (*fell*) ~ jedním rázem, jednou ranou, najednou

swop [swop] *v* (*-pp-*) hovor. vyměnit | si, prohodit | si, vyčenžovat (*will you* ~ *places?*) ◆ *Never* ~ *horses while crossing the stream* Jede-li fůra z kopce, vola nepřepřahej ● *s* výměna, čenž

sword [so:d] **1** meč, též přen. **2** šavle; kord **3** palaš, dýka **4** přen. válka, násilí, válčení **5** zool. meč mečouna **6** text. mečík bidlenu **7** voj. slang. bajonet ◆ *be at* ~*'s points* dva být spolu na kordy, být připraveni bojovat proti sobě; *cavalry* ~ jezdecká šavle; *court* ~ mečík, dýka ke slavnostní uniformě; *cross* ~*s* zkřížit meče, bít se, utkat se; *double-edged* ~ meč nabroušený po obou stranách; *draw* ~ *1.* tasit meč *2.* vstoupit do války; *dress* ~ = *court* ~; *duelling* ~ kord, fleret, končíř; *fire and* ~ oheň a meč válka, zkáza; ~ *of justice* meč spravedlnosti, spravedlnost; ~ *mat* tkaná rohožka; *measure* ~*s* = *cross* ~*s; put to the* ~ zabít, popravit např. zajatce; *sheath the* ~ *1.* zasunout meč do pochvy *2.* přestat válčit; ~ *of the spirit* meč ducha Boží slovo; ~ *of State* BR meč součást korunovačních klenotů, odznak panovnické moci; *throw one's* ~ *into the scale* prosazovat své nároky zbraní; *two-handed* ~ dvouruční meč, šaršoun; *wooden* ~ šaškovská plácačka, pleskačka ● *v* řidč. **1** opásat mečem, dát meč komu **2** zranit n. zabít (jako) mečem

sword arm [so:da:m] **1** pravá paže, pravice **2** přen. síla, moc

sword bar [so:dba:] voj. záchyt bodáku pušky

sword bayonet [ˈso:dˌbeiənit] voj. mečovitý bodák

sword-bearer [ˈso:dˌbeərə] BR mečník, mečonoš

sword belt [so:dbelt] opasek s pochvou na meč

swordbill [so:dbil] zool. kolibřík mečozobec

swordblade [so:dbleid] mečové ostří, meč

swordcane [so:dkein] = *swordstick*

swordcraft [so:dkra:ft] zručnost v zacházení s mečem

swordcut [so:dkat] **1** sek mečem **2** sečná, bodná rána, zranění mečem

sword dance [so:dda:ns] mečový tanec

sworded [so:did] **1** mající meč **2** v. *sword, v*

swordfish [so:dfiš] *pl* též *-fish* [-fiš] zool. mečoun

sword flag [so:dflæg] bot. kosatec

sword-flighted [ˈso:dˌflaitid] pták mající barevné letky které složené připomínají meč zavěšený u pasu

sword grass [so:dgra:s] bot. **1** mečík **2** mařice **3** skřípina

sword guard [so:dga:d] chránič jílce meče, koš meče

sword hand [so:dhænd] pravá ruka, pravice

sword hilt [so:dhilt] jílec meče

sword knot [so:dnot] zápěstník, zápěstní řemínek šavle

sword law [so:dlo:] **1** právo silnějšího **2** vojenská vláda

swordless [so:dlis] jsoucí bez meče, neozbrojený

swordlike [so:dlaik] mečovitý

sword lily [so:dlili] (*-ie-*) bot. mečík, gladiola

swordplay [so:dplei] **1** šerm, šermování, šermířský výstup **2** přen. slovní šerm, šermování

swordproof [so:dpru:f] neproseknutelný mečem

swordsman [so:dzmən] *pl: -men* [-mən] **1** šermíř **2** válečník, bojovník

swordsmanship [so:szmənšip] **1** šermířství, šermířské umění **2** šerm, šermování, šermířský výstup

swordstick [so:dstik] vycházková hůl s kordem, kord v holi

sword swallower [ˈso:dˌswoləuə] polykač mečů

swordtail [so:dteil] zool. **1** mečovka ryba **2** krab *Limulus polyphemus* **3** ploštice rodu *Uroxiphus* **4** kobylka rodu *Conocephallus*

swore [swo:] v. *swear, v*

sworn [swo:n] **1** přísežný (~ *expert*, ~ *statement*) **2** zapřisáhlý (~ *enemies*) **3** přísahou spojený **4** v. *swear, v* ◆ ~ *brother* pobratim

swot[1] [swot] BR škol. slang. *v* (*-tt-*) dřít, šprtat, biflovat ***swot up*** nadřít | se, našprtat | se, nabiflovat | se, navrčet | se rychle ● *s* **1** dření, šprtání, biflování **2** šprt, šprtoun **3** dřina, fuška

swot[2] [swot] = *swat*

swound [swaund] zast. = *swoon*

swounds, 'swounds [zwaundz] zast. rány Boží, pro pět ran

swum [swam] v. *swim, v*

swung [swaŋ] v. *swing, v*

swung dash [ˌswaŋˈdæš] polygr. tilda ~

sybarite [sibərait] *s* **1** *S*~ antic. Sybarita obyvatel Sybaridy **2** požitkář, rozkošník, sybarita ● *adj* = *sybaritic*

sybaritic [ˌsibəˈritik] **1** *S*~ antic. sybarský, sybaritský týkající se Sybaridy **2** požitkářský, rozkošnický, sybaritský

sybaritism [sibəraitizəm] požitkářství, rozkošnictví, sybaritství, sybaritismus

sybil [sibil] nespr. = *sibyl*

sycamine [sikəmain] bibl. bot. morušovník, černá moruše

sycamore [sikəmo:] bot. **1** též ~ *fig* fíkovník sykomora **2** též ~ *maple* klen **3** AM platan ◆ *Egyptian* / *oriental* ~ sykomora
syce [sais] v indickém prostředí štolba, podkoní
sycee [saisi:] též ~ *silver* hist.: puncované kusové stříbro, stříbrné pruty platidlo v Číně
sychnocarpous [ˌsiknoˈka:pəs] bot. nesoucí víckrát plody
syconium [saiˈkəuniəm] *pl: syconia* [saiˈkəuniə] bot. sykonium hruškovitě ztlustlá stonková část soukvětí, v jejíž dutině jsou květy a plody
sycophancy [sikəfənsi] **1** podlézavost, pochlebování, patolízalství **2** antic. udavačství, vyděračství, sykofantství
sycophant [sikəfənt] **1** pochlebník, patolízal **2** antic. řemeslný, vyděračský udavač, sykofant
sycophantic [ˌsikəˈfæntik] **1** pochlebnický, podlézavý, patolízalský **2** udavačský, vyděračský, sykofantský
sycosis [saiˈkəusis] med. fíkovina druh kožní choroby v obličeji
Sydneysider [ˈsidniˌsaidə] AU obyvatel Sydney
syenite [saiənait] geol. syenit hlubinná vyvřelina podobná žule
syenitic [ˌsaiəˈnitik] geol. syenitový
syllabary [siləbəri] (*-ie-*) **1** seznam slabik **2** slabiková abeceda ◆ *cuneiform* ~ abeceda klínového písma
syllabi [siləbai] *pl* v. *syllabus*
syllabic [siˈlæbik] *adj* **1** slabičný, sylabický **2** slabikotvorný **3** zřetelně vyslovovaný po slabikách, pečlivě artikulovaný **4** hud. sylabický ● *s* slabikotvorná hláska
syllabicate [siˈlæbikeit] **1** tvořit slabiky z, roz|dělit do slabik **2** slabikovat
syllabication [ˌsilæbiˈkeišən] **1** tvoření slabik, roz|-dělení do slabik **2** slabikování
syllabification [siˌlæbifiˈkeišən] = *syllabication*
syllabify [siˈlæbifai] (*-ie-*) = *sillabicate*
syllabism [siləbizəm] **1** užívání znaků vyjadřujících slabiky **2** roz|dělení do slabik
syllabize [siləbaiz] **1** recitovat verše se zdůrazňováním jednotlivých slabik, skandovat **2** = *syllabicate*
syllable [siləbl] *s* **1** jaz. slabika **2** písmový znak vyjadřující slabiku **3** přen. slovo, slůvko (*not to tell a* ~) **4** též ~ *name* hud. solmizační slabika ◆ *repeat every* ~ *of a story* opakovat příběh slovo od slova; *sing by* ~*s* zpívat na solmizační slabiky; *word of one* ~ jednoslabičné slovo ● *v* **1** zřetelně vyslovovat po slabikách, pečlivě artikulovat **2** bás. mluvit, vyslovovat **3** vyjádřit slabikami
syllabled [siləbld] **1** slabičný **2** v. *syllable, v*
syllabub [siləbəb] = *sillabub*
syllabus [siləbəs] *pl* též *syllabi* [siləbai] **1** stručný výtah, přehled, nástin, program, sylabus **2** přen. shrnutí, souhrn **3** cirk. sylabus seznam učení zavržených katolickou církví
syllepsis [siˈlepsis] *pl: syllepses* [siˈlepsi:z] jaz. sylepse shoda mluvnická, nikoliv významová (*neither he, nor we are willing*); doslovný a přenesený význam jednoho slova použitý najednou (*he fought with desperation and his trusty sword*)
sylleptic [siˈleptik] jaz. syleptický
syllogism [silədžizəm] log. **1** sylogismus typ deduktivního úsudku **2** logický závěr, dedukce (*the perilous* ~ *that the end justifies the means*) ◆ *categorical* ~ sylogismus kategorický; *disjunctive* ~ sylogismus hypoteticko-kategorický; *false* ~ logická chyba, chybný úsudek; *hypothetical* ~ sylogismus hypotetický
syllogistic [ˌsiləˈdžistik] *adj* týkající se sylogismů, složený ze sylogismů, sylogistický ● *s* **1** sylogistika nauka o sylogismech **2** uvažování v sylogismech
syllogize [silədžaiz] **1** uvažovat v sylogismech **2** vytvořit sylogismus z **3** vy|dedukovat
sylph [silf] **1** mytol. vzdušná bytost, duch vzduchu, sylf, sylfa, sylfida **2** štíhlá, pružná dívka n. žena, sylfida **3** zool.: druh kolibříka
sylphid [silfid] mladá n. malá sylfa, sylfida
sylphlike [silflaik] připomínající sylfidu, éterický
sylva [silvə] *pl* též *sylvae* [silvi:] **1** lesní porost **2** pojednání o stromoví určité oblasti **3** seznam stromů **4** sbírka název knihy
sylvan [silvən] kniž. **1** lesní (~ *deities*), jsoucí o lesích (~ *poetry*) **2** lesnatý, zalesněný (~ *landscape* lesnatá krajina) **3** přen. venkovský, rurální, bukolický (*a* ~ *life*)
sylvian [silviən] zool. *adj* pěnicovitý ● *s* pěnice
sylviculture [silvikalčə] = *silviculture*
sylvine [silvain], **sylvite** [silvait] miner. sylvín nerostný chlorid draselný
symbion [simbiən], **symbiont** [simbiənt] biol. symbiont organismus žijící v symbióze s jiným organismem
symbiosis [ˌsimbiˈəusis] *pl: symbiosis* [ˌsimbiˈəusi:z] biol. symbióza, též přen. ◆ *antagonistic* / *antipathetic* ~ cizopasnictví, parazitismus
symbiotic [ˌsimbiˈotik] biol. symbiotický
symbol [simbəl] *s* **1** symbol (*the lion is the* ~ *of courage*) **2** smluvená značka, znak, symbol (*the usual* ~*s for crossroads*) **3** odznak **4** náb. vyznání víry, krédo **5** chemická značka prvku ● *v* (*-ll-*) řidč. **1** symbolizovat, být symbolem čeho **2** vyjadřovat symbolem n. symbolicky **3** tvořit, vytvořit symboly (*man has the power to* ~)
symbolatry [simˈbolətri] přeceňování, nadměrné uctívání symbolů zejm. náboženských
symbolic [simˈbolik] *adj* **1** symbolický, též filoz., mat., jaz. **2** obrazný, vyjádřený symbolem ◆ *be* ~ *of a t.* symbolizovat co; ~ *logic* log., mat. symbolická logika, matematická logika pro počítací stroje ● *s* **1** symbol **2** ~*s, pl* náb.: srovnávací studium věrouk různých církví
symbolical books [simˌbolikəlˈbuks] náb. věroučné spisy n. knihy
symbolism [simbəlizəm] **1** symbolizování, symbolizace, symbolika, symbolismus **2** liter., výtv. symbolismus

symbolist [simbəlist] *s* **1** kdo užívá symbolů n. je jejich znalcem, symbolik, symbolista **2** symbolický význam, symbol, symbolismus, symboly **3** liter., výtv. symbolista **4** *S*~ náb. symbolik odpůrce transsubstanciace; ctitel symbolů při bohoslužbě ● *adj* = *symbolistic*
symbolistic [ˌsimbəˈlistik] liter., výtv. symbolistní, symbolistický
symbolization [ˌsimbəlaiˈzeišən] **1** symbolizování **2** užívání symbolů **3** zavádění symboliky do; vyjádření symbolem **4** symbolický výklad; symbolický význam
symbolize [simbəlaiz] **1** symbolizovat, být symbolem čeho **2** užívat symbolů **3** učinit symbolickým, zavést symboliku do **4** vyjádřit symbolem **5** chápat n. vykládat symbolicky
symbology [simˈbolədži] **1** symbolika **2** symbolické vyjádření **3** studium symbolů
symbololatry [ˌsimbəˈlolətri] = *symbolatry*
symbolology [ˌsimbəˈlolədži] řidč. = *symbology*
symmetric [siˈmetrik], **symmetrical** [siˈmetrikəl] **1** souměrný, symetrický **2** med. oboustranný (~ *gangrene of the legs* ... sněť v nohách) **3** bot. podélně dělitelný ◆ ~ *axis* geom. osa souměrnosti, symetrála
symmetrization [ˌsimitraiˈzeišən] u|činění souměrným / symetrickým
symmetrophobia [ˌsimitrəˈfəubiə] výtv. odpor k souměrnosti
symmetry [simitri] (*-ie-*) **1** souměrnost, symetrie **2** řidč. vyváženost
sympalmograph [simˈpælməgra:f] tech. sympalmograf ke grafickému znázornění skládání dvou harmonických pohybů
sympathetic [ˌsimpəˈθetik] *adj* **1** soucitný (*a* ~ *heart*), účastný (~ *words*); dojímavý, vzbuzující city (~ *landscape*) **2** milý, příjemný, působící příznivým dojmem **3** vhodný, příznivý *to* pro, podporující co, souhlasící s (*not* ~ *to the idea of a sales tax*) **4** kongeniální **5** založený na magickém principu, sympatetický **6** med. týkající se sympatického nervstva, sympatický **7** hud. rezonanční, ozvučný, způsobený ozvukem (~ *vibration*) **8** hud. alikvotní, parciální, doplňkový (~ *tones*) **9** hud. sborový (~ *string* ... struna) ◆ *be* ~ *to a t.* mít sympatie k, dívat se sympaticky na; ~ *clock* tech. sympatetické hodiny; ~ *detonation* detonace přenosem třesku; ~ *ink 1.* odb. sympatetický inkoust, tajný inkoust *2.* polygr. neviditelná barva; ~ *nerve* = ● *s* anat. sympatické nervstvo, sympatikus
sympathize [simpəθaiz] **1** mít účast n. soucit *with* s (~ *with a friend in trouble*); projevit soustrast *with* komu **2** mít kladný postoj *with* k, mít pochopení pro, mít stejné názory jako kdo, solidarizovat s, sympatizovat s **3** med. být stižen stejnou chorobou *with* jako co ◆ ~ *with a feeling* sdílet cit n. pocit
sympathizer [simpəθaizə] kdo s někým n. něčím sympatizuje, kdo někoho n. něco podporuje, stoupenec (*strikers and their* ~*s* stávkující a ti, kteří s nimi sympatizují)
sympathy [simpəθi] (*-ie-*) **1** náchylnost, příchylnost **2** duševní spřízněnost, vztah **3** *sympathies, pl* náklonnost, směr, tendence, sklon, zájem **4** upřímný soucit, upřímná soustrast *with* s **5** souhlas *with* s, kladný postoj / vztah k, pochopení pro, solidárnost s, sympatie k **6** souhlas, soulad, harmonie ◆ *be in* ~ sympatizovat; *letter of* ~ kondolenční list; *offer one's sympathies to a p.* vyjádřit upřímnou soustrast komu, kondolovat komu; *stir up* ~ budit soucit, soustrast
sympelmous [simˈpelməs] zool. srostloprstý
sympetalous [simˈpetələs] bot. srostloplátečný, sympetalní
symphonic [simˈfonik] **1** hud. symfonický **2** souhlasně znějící; vyvážený, harmonický (*a* ~ *flower arrangement* harmonické aranžmá květin) ◆ ~ *composer* symfonik; ~ *poem* symfonická báseň
symphonious [simˈfəuniəs] řidč. harmonický
symphonist [simfənist] **1** symfonik **2** člen symfonického orchestru
symphony [simfəni] (*-ie-*) *s* **1** souznění, souzvuk, harmonie **2** hud. symfonie **3** hud. hist.: orchestrální předehra, dohra, sinfonia **4** symfonický orchestr **5** přen. symfonie (~ *of colours*) ◆ *choral* ~ symfonie se sborem, zejm. Beethovenova IX. symfonie ● *adj* symfonický (~ *orchestra,* ~ *concert*) ◆ ~ *concerto* koncertantní symfonie
symphyllous [simˈfiləs] bot. srostolistý, symphylní
symphysial [simˈfiziəl] anat., bot. srůstový
symphysis [simˈfisis] *pl: symphyses* [simˈfisi:z] **1** anat. pevné spojení dvou kostí, symfýza **2** též *pubic* ~ anat. symfýza stydkých kostí **3** bot. srůst, srostlost
sympiesometr [ˌsimpiiˈzomitə] tech. **1** měřič tlaku n. rychlosti vodního proudu, pitometr **2** druh barometru
sympodial [simˈpəudiəl] bot.: větvení sympodiální
sympodium [simˈpəudiəm] bot. sounoží, sympodium, způsob větvení
symposiac [simˈpəuziək] *adj* vhodný pro dialog při hostině, sympoziální ● *s* sympozium
symposial [simˈpəuziəl] = *symposiac, adj*
symposiarch [simˈpəuzia:k] **1** předseda sympozia **2** kdo organizuje zábavu při stole, ceremoniář **3** antic. symposiarchos
symposium [simˈpəuziəm] *pl* též *symposia* [simˈpəuziə] **1** odborná porada, konference, sympozium **2** liter. sborník **3** antic. hostina, pitka, sympozion **4** liter. sympozion literární útvar ve formě duchaplného dialogu při hostině
symptom [sim*p*təm] příznak, symptom, též med.
symptomatic [ˌsim*p*təˈmætik] **1** med. příznakový, symptomatický (~ *classification of disease*) *of*

pro, jsoucí symptomem čeho (*excessive drinking ~ of a psychiatric disturbance* nadměrné pití svědčící o psychické poruše) **2** příznačný *of* pro, tvořící příznak čeho ◆ *be ~ of a t.* být příznakem, symptomem čeho
symptomatology [ˌsimptəməˈtolədži] med. příznakosloví, symptomatologie
symptomless [simptəmlis] bezpříznakový
synaeresis [siˈniərəsis] *pl: synaereses* [siˈniərəsi:z] **1** jaz. synereze stažení dvou samohlásek v jednu **2** = = *synizesis, 1*
synagogical [ˌsinəˈgodžikəl] synagogální
synagogue [sinəgog] náb. **1** synagóga **2** židovské náboženství
synallagmatic [ˌsinəlægˈmætik] práv. zakládající práva a povinnosti pro obě smluvní strany, synalagmatický
synaloepha [ˌsinəˈli:fə] jaz. elize, elidování koncové samohlásky před následující samohláskou
synantherous [siˈnænθərəs] bot. mající srostlé prašníky, synandrický
synanthous [siˈnænθəs] bot. mající spojové květy
synaphea [ˌsinəˈfi:ə], **synapheia** [ˌsinəˈfi:jə] liter. metrická souvislost veršů
synarthrosis [ˌsinəˈθrəusis] *pl: synarthroses* [ˌsinəˈθrəusi:z] anat. synartróza pevné spojení dvou kostí, zubů s kostí apod. jinou pojivou tkání
sync [siŋk] hovor. *v = synchronize* ● *s = synchronization*
syncarp [sinka:p] bot. synkarpum
syncarpous [sinˈka:pəs] plod synkarpický
synchondrosis [ˌsiŋkənˈdrəusis] *pl: synchondroses* [ˌsiŋkənˈdrəusi:z] anat. pevné spojení kostí chrupavkou
synchrocyclotron [ˌsiŋkrəuˈsaiklətron] fyz. synchrocyklotron, fázotron
synchroflash [siŋkrəuflæš] fot. **1** týkající se automatického blesku **2** pořízený s automatickým bleskem
synchromesh gear [ˌsiŋkrəumešˈgiə] motor. synchronizovaný ozubený převod, synchron, synchronizace (hovor.)
synchronic [siŋˈkronik], **synchronical** [sinˈkronikəl] = *synchronous*
synchronism [siŋˈkronizəm] **1** současnost, soudobost, synchronie **2** chronologický přehled, chronologická tabulka, chronologické uspořádání **3** film. synchronizace, synchronismus **4** historická přesnost v podrobnostech **5** výtv. zobrazení dvou po sobě následujících dějů na jednom obraze
synchronization [ˌsiŋkrənaiˈzeišən] **1** tech., elektr., film. synchronizování, synchronizace, synchronace **2** současnost, časová souběžnost **3** seřízení na stejný čas **4** časové sjednocení, sestavení, srovnání
synchronize [siŋkrənaiz] **1** být synchronní n. synchronizovaný, být současný / časově souběžný; učinit synchronním, synchronovat, synchronizovat **2** film., fot. synchronizovat **3** seřídit, nařídit na stejný čas chronometr; dva chronometry jít stejně, ukazovat stejný čas **4** časově sjednotit jízdní řád **5** sestavit, srovnat události a tím ukázat jejich současnost; ukázat chronologický vztah *with* s **6** hud. sehrát, dát dohromady, propracovat orchestr, sjednotit smyky
synchronizer [siŋkrənaizə] **1** tech. přístroj na synchronování, synchronizační zařízení **2** kdo synchronizuje
synchronology [ˌsiŋkrəˈnolədži] bot. synchronologie, nauka o vývoji rostlinných společenstev
synchronoscope [siŋˈkronəskəup] tech. synchronoskop ukazovatel synchronismu
synchronous [siŋkrənəs] **1** současný, časově souběžný, soudobý, synchronní, synchronický **2** dva chronometry jdoucí stejně, ukazující stejný čas **3** tech., fyz., elektr. synchronní **4** kosm.: družice stacionární **5** kosm. týkající se stacionární družice ◆ *be ~* též být synchronizován, zapadat časově do sebe; *be ~ with* chronometr, motor jít / běžet stejně s / jako co; *~ orbit* kosm. stacionární oběžná dráha družice
synchrotron [siŋkrəutron] fyz. synchrotron druh kruhového urychlovače
synclastic [siŋˈklæstik] fyz. se stejnou křivostí ve všech směrech, synklastický
synclinal [siŋˈklainl] *adj* geol. synklinální ◆ *~ fold = syncline*
syncline [siŋˈklain] geol. sedlo, koryto, synklina, synklinála
Syncom [siŋkom] AM stacionární retranslační družice
syncopate [siŋkəpeit] **1** hud. synkopovat **2** jaz. stáhnout se; samohláska, slabika zaniknout následkem synkopy, synkopovat
syncopated [siŋkəpeitid] **1** hud., jaz. synkopovaný **2** v. *syncopate*
syncopation [ˌsiŋkəˈpeišən] **1** hud. synkopa, synkopy; synkopování, synkopace; synkopovaný rytmus, synkopovaná hudba **2** jaz. synkopování, synkopace **3** jaz. = *syncope, 1*
syncope [siŋkəpi] **1** jaz. synkopa zánik samohlásky n. slabiky, kterým se slovo zkracuje **2** med. náhlé přechodné bezvědomí
syncopic [siŋˈkopik], **syncoptic** [siŋˈkoptik] synkopický
syncotyledonous [ˌsiŋkətiˈli:dənəs] bot. jsoucí se srostlými dělohami, srostloděložný
syncretic [siŋˈkri:tik] synkretický vzniklý synkretismem
syncretism [siŋkritizəm] synkretismus filoz., náb.: mechanické spojování různých názorů, směrů apod.; jaz.: splývání různých pádů n. slovesných tvarů, spolu s přejímáním jejich funkcí
syncretist [siŋkrətist] synkretik, synkretista
syncretistic [ˌsiŋkrəˈtistik] **1** synkretický **2** synkretistický
syncromesh [siŋkrəumeš] = *synchromesh*

syncytium [siŋˈsitiəm] *pl: syncytia* [sinˈsitiə] biol. soubuní, syncitium
syndactyl [sinˈdæktil] *adj* mající srostlé prsty, srostloprstý (zool.), syndaktylický (med.) ● *s* pták, živočich se srostlými prsty
syndactylism [ˌsindəkˈtilizəm] **1** zool. srůst prstů **2** med. syndaktylie vrozený srůst dvou n. několika prstů
syndactylous [sinˈdæktiləs] = *syndactyl, adj*
syndesmography [ˌsindesˈmogrəfi] anat. popis vaziva
syndesmology [ˌsindəsˈmolədži] anat. nauka o vazivech, syndesmologie
syndesmosis [ˌsindesˈməusis] *pl: sindesmoses* [ˌsindesˈməusi:z] anat. syndesmóza spojení kostí vazivem
syndesmotic [ˌsindesˈmotik] anat. vazivový
syndetic [sinˈdetik] jaz. spojený pomocí spojek, spojkový, syndetický
syndic [sindik] **1** úředník, funkcionář vyřizující právní agendu, syndik, syndikus **2** ekon. správce podstaty při konkursu **3** BR člen akademického senátu na cambridžské univerzitě
syndicalism [sindikəlizəm] syndikalismus socialistické hnutí se sklony k anarchismu, opírající se o odborové organizace a odmítající všechny politické strany, i dělnické
syndicate *s* [sindikit] **1** ekon. sdružení právně samostatných podniků, svaz, sdružení, organizace, oborový podnik, syndikát **2** syndikát hodnost n. úřad syndika **3** tiskové středisko, tisková agentura **4** AM zločinecká organizace ● *v* [sindikeit] **1** spojit | se ve svaz, sdružit | se, syndikalizovat | se **2** současně uveřejnit zprávu, článek v několika novinách; dodávat několika novinám současně článek, zprávu
syndicated [sindikeitid] **1** článek agenturní, otištěný ve více novinách **2** v. *syndicate, v*
syndication [ˌsindiˈkeišən] ekon. sdružování, tvoření syndikátů; vytvoření syndikátu
syndicator [sindikeitə] člen n. vedoucí syndikátu
syndrome [sindrəum] syndrom souhrn příznaků charakterizujících určitou chorobu; určitý způsob chování
syne [sain] SC = *since* ◆ *auld lang* ~ staré zlaté časy název a refrén písně na rozloučenou
synecdoche [siˈnekdəki] liter. synekdocha metonymie, při které je celek pojmenován označením části
synecology [ˌsinəˈkolədži] bot. ekologie rostlinných společenstev, synekologie
synectics [siˈnektiks] filoz.: výměna názorů a nápadů jako prostředek k rozvoji nových myšlenek, řešení problémů apod.
syneresis [siˈniərəsis] = *synaeresis*
synergamy [siˈnə:gəmi] skupinové manželství
synergetic [ˌsinəˈdžetik] spolupracující, synergistický
synergic curve [siˌnə:džikˈkə:v] kosm. optimální dráha rakety dopravující družici na oběžnou dráhu
synergism [sinədžizəm] synergismus náb.: učení o součinnosti člověka s Bohem na spáse své duše; med.: zesilování léčivého účinku kombinováním dvou n. více léků stejně působících
synergistic [ˌsinəˈdžistik] vzájemně působící, vzájemně propojený, kombinovaný
synesis [siˈni:sis] *pl: syneses* [siˈnaisi:z] jaz. mluvnická atrakce
syngenesis [sinˈdženisis] *pl: syngeneses* [sinˈdženisi:z] **1** miner. současný vznik, syngeneze **2** biol. pohlavní rozmnožování
syngnathous [siŋgnəθəs] zool. jehlovitý
synizesis [ˌsiniˈzi:sis] *pl: synizeses* [ˌsiniˈzi:si:z] **1** jaz. synizese stažení dvou různých samohlásek v jednu **2** biol. pohyb chromatinů v buněčném jádru **3** med. uzavření zornice
synod [sinəd] **1** círk. synod, synoda, sněm, shromáždění **2** konference, sněm, shromáždění **3** hvězd. konjunkce
synodal [sinədl] synodální
synodic [siˈnodik] hvězd. synodický ◆ ~ *month* lunace, synodický měsíc od úplňku do úplňku; ~ *period* synodická doba oběhu, synodická oběžná doba mezi dvěma konjunkcemi se Sluncem
synoeciosis [ˌsini:siˈəusis] *pl: synoecioses* [ˌsini:siˈəusi:z] liter. spojení dvou (zdánlivě) protichůdných tvrzení
synoecious [siˈnišəs] bot. jednodomý
synonym [sinənim] **1** jaz. souznačné slovo, souznačný tvar, synonym **2** zool., bot. neplatný vědecký název, synonymum
synonymic [ˌsinəˈnimik] souznačný, synonymní, synonymický
synonymity [ˌsinəˈniməti] = *synonymy, 1*
synonymize [sinənimaiz] **1** dát / uvést synonymum pro **2** zařadit synonyma do slovníku **3** užívat synonym
synonymous [siˈnoniməs] jaz. znamenající totéž *with* jako, mající stejný význam, souznačný, synonymní, synonymický ◆ *be* ~ *with* přen. být totožný s, rovnat se čemu, znamenat co
synonymy [siˈnonimi] (*-ie-*) **1** synonymnost, synonymičnost, synonymita **2** synonymika nauka o synonymech; souhrn synonym **3** bot., zool. seznam vědeckých názvů, synonymika **4** hromadění synonym
synopsis [siˈnopsis] *pl: synopses* [siˈnopsi:z] **1** výtah, přehled, heslový obsah (~ *of the week's news*); anotace **2** osnova, synopse, synopsis
synoptic [siˈnoptik] *adj* **1** názorný, přehledný, synoptický **2** všeobsáhlý (*the* ~ *genius of Shakespeare*) **3** *S*~ náb. synoptický týkající se synoptických evangelií n. jejich autorů **4** meteor. synoptický ◆ ~ *chart* meteor. synoptická mapa; *S*~ *Gospels* náb. synoptická evangelia první tři; ~ *meteorology* meteor. synoptická meteorogie ● **1** *S*~ náb. synoptické evangelium **2** = *synoptist*
synoptical [siˈnoptikəl] = *synoptic, adj*
synoptist [siˈnoptist] náb. synoptik autor synoptického evangelia
synosteology [ˌsinostiˈolədži] med. nauka o kloubech a kostech

synosteosis [ˌsinostiˈəusis], **synostosis** [ˌsinəsˈtəusis] **1** anat. kostěný srůst sousedních kostí, synostóza **2** med. ztuhlost kloubů, nehybný kloub
synostotic [ˌsinəsˈtotik] anat. synostotický
synovia [siˈnəuviə] anat. maz kloubní, synovie
synovial [siˈnəuviəl] anat. synoviální ◆ ~ *fluid* = mok / maz kloubní, synovie; ~ *membrane* synoviální blána
synovitis [ˌsinəˈvaitis] med. zánět synoviální blány
syntactic [sinˈtæktik] *adj* jaz. skladební, skladebný, syntaktický ◆ ~ *construction* syntaktická stavba věty ● *s* ~*s, pl* mat. kombinatorika
syntactical [sinˈtæktikəl] syntaktický
syntagm [sintæm] jaz. syntagma spojení (dvou) slov vázaných syntaktickým vztahem
syntagma [sinˈtægmə] = *syntagm*
syntax [sintæks] **1** jaz. skladba, syntax **2** log. syntax nauka o skladbě výrazů **3** zast. systematické seřazení, systém
synthesis [sinθisis] *pl: syntheses* [sinθisi:z] **1** shrnutí, sjednocení v celek, syntéza **2** jaz., mat., filoz., fyz. syntéza **3** chem. slučování; syntéza **4** tech., chem. syntéza **5** med. spojení, srovnání, syntéza
synthesist [sinθisist] syntetik
synthesize [sinθisaiz] **1** spojit, sloučit, z|kombinovat, syntetizovat **2** vytvořit syntézu z, shrnout (~ *the whole situation*) **3** chem. vyrobit synteticky / syntézou (~ *alizarin*), syntetizovat
synthetic [sinˈθetik] *adj* **1** zakládající se na syntéze, syntetický **2** chem., tech. umělý, syntetický (~ *rubber*) **3** jaz. užívající syntetických tvarů, syntetický **4** přen. strojený, umělý, vymyšlený; nepravý, méněcenný ◆ ~ *equipment* tech. simulátor; ~ *plastic material* plastická hmota ● *s* **1** umělá hmota **2** umělé vlákno
synthetical [sinˈθetikəl] = *synthetic, adj*
synthetist [sinθitist] syntetik
synthetize [sinθitaiz] = *synthesize*
syntonic [sinˈtonik] fyz. souzvučný, naladěný, sladěný, vyladěný, syntonní
syntonize [sintənaiz] fyz. naladit, sladit, vyladit na stejnou frekvenci
sypher [saifə] řem. spojit prkna přeložením přes sebe
sypher joint [saifədžoint] řem. spojení prken přeložením přes sebe
syphilis [sifilis] med. příjice, lues, syfilida, syfilis ◆ *primary* etc. ~ první atd. stadium příjice
syphilitic [ˌsifiˈlitik] med. *adj* příjičný, luetický, syfilitický ● *s* luetik, syfilitik
syphilize [sifilaiz] med. nakazit příjicí
syphiloid [sifiloid] med. připomínající příjici
syphilology [ˌsifiˈlolədži] med. nauka o příjici
syphilous [sifiləs] = *syphilitic, adj*
syphon [saifən] = *siphon*
Syracusan [ˌsaiərəˈkju:zən] *adj* syrakuský ● *s* Syrakusan
Syracuse 1 [saiərəkju:z] Syrakusy město v jihovýchodní Sicílii **2** [sirəkju:s] Syracuse město v USA
syren [saiərən] = *siren*
syrette [siˈret] skládací injekční stříkačka
Syria [siriə] Sýrie
Syriac [siriæk] *adj* starosyrský ● *s* jaz., hist. syrština aramejské nářečí
Syrian [siriən] *adj* syrský ● *s* **1** jaz. syrština, syrská arabština ● *s* Syřan
syringa [siˈriŋgə] bot. **1** pustoryl věncový **2** šeřík
syringe [sirindž] **1** malá ruční stříkačka **2** irigátor **3** též *hypodermic* ~ med. injekční stříkačka ● *v* **1** po|-stříkat stříkačkou **2** med. vstříknout stříkačkou; vypláchnout stříkačkou např. ucho
syringeal [siˈrindžiəl] **1** anat. týkající se Eustachovy trubice **2** zool. týkající se ptačího zpěvného ústrojí
syringitis [ˌsirinˈdžaitis] med. zánět Eustachovy trubice
syringotomy [ˌsiriŋˈgotəmi] med. chirurgické odstranění píštěle
syrinx [siriŋks] *pl* též *syringes* [siˈrindži:z] **1** anat. Eustachova trubice **2** med. píštěl **3** zool. ptačí zpěvné ústrojí **4** hud. Panova píšťala, moldánky, syrinx **5** mytol. *S*~ Syrinx nymfa **6** archeol. úzká skalní chodba v egyptské hrobce
Syro-Arabian [ˌsaiərəuəˈreibjən] syrskoarabský
Syro-Phoenician [ˌsaiərəufiˈnišiən] *adj* syrskofénický ● *s* obyvatel syrské Fénicie
syrphid [sə:fid] zool. *s* pestřenka ● *adj* pestřenkovitý
syrtis [sə:tis] *pl: syrtes* [sə:ti:z] pohyblivý písek
syrup [sirəp / AM seəp] *s* **1** ovocný, řepný sirup, sirob, též lékár. **2** hovor. přen. přílišná sladkost, přeslazenost, limonáda, limonádovost, sentimentalita ◆ *golden* ~ BR obchodní název světlého sirupu ● *v* **1** zpracovat na sirup, udělat sirup z **2** přidat sirup do, osladit sirupem; zalít sirupem
syrupy [sirəpi / AM seəpi] **1** připomínající sirup, sirupový, sirupovitý, hustý, lepkavý **2** přen. sladký, přeslazený, limonádový, sentimentální
syssarcosis [ˌsisa:ˈkəusis] anat. spojení kostí svaly
syssitia [siˈsišjə] antic.: řecká veřejná jídelna
systaltic [sisˈtæltik] fyziol. rytmicky se stahující a roztahující, systaltický
system [sistim] **1** systém (~ *of philosophy*) **2** řád (*the feudal* ~) **3** přen. společnost, společenský řád (*to beat the* ~); totalitní systém **4** zařízení, uspořádání (~ *of wheels*) **5** metoda, forma (~ *of government*) **6** řád, systém (*work without* ~ pracovat nesystematicky) **7** (celé) tělo, organismus (*the poison has passed into his* ~ jed mu vnikl do celého těla) **8** přen. tělo **9** přen. vesmír, kosmos **10** anat. soustava, systém (*the nervous* ~), ústrojí, trakt (*the digestive* ~ zažívací trakt) **11** hud. systém **12** geol. masív (*mountain* ~ horský ...); útvar **13** hvězd., miner. soustava **14** tech. síť (*a nationwide dial telephone* ~ celostátní automatická telefonní síť) ◆ *cooling* ~ motor. chlazení; *decimal* ~ desetinná soustava; *I must get it out of my* ~ musím se toho zbavit, musím to dostat

z hlavy co mě trápí; *hire-purchase* ~ splátkový obchod; ~ *of pulleys* kladkostroj; *three-field* ~ trojhonné, úhorové hospodaření
systematic [ˌsistiˈmætik] **1** systematický, též odb. **2** metodický, plánovitý, cílevědomý, systematický (~ *investigation* systematické vyšetřování) **3** neustále se opakující, neustálý, soustavný, systematický (~ *insolence* neustálá drzost) **4** týkající se vědeckého systému, systematický, systematicky uspořádaný (~ *botany*); taxonomický, nomenklaturní (*the ~ names of plants*) ♦ ~ *errors* soustavné, systematické chyby měření
systematism [sistimətizəm] **1** systémovost **2** systemizování
systematist [sistimətist] systematik
systematization [ˌsistimətaiˈzeišən] **1** soustavné uspořádání, systemizace **2** systemizování
systematize [sistimətaiz] **1** soustavně uspořádat, systematizovat **2** organizovat se
systematizer [sistimətaizə] systematik
systemic [sisˈtemik] **1** med., jaz. systémový, systematický **2** insekticid systemický ♦ ~ *circulation* anat. velký oběh krevní; ~ *heart* anat. levá polovina srdce
systemization [ˌsistəmiˈzeišən] = *systematization*
systemless [sistimlis] jsoucí bez systému, nesystematický, nesoustavný, nemetodický
systole [sistəli] fyziol. srdeční stah, systola
systolic [sisˈtolik] fyziol. systolický
systyle [sistail] archit. *adj* sloupy stojící těsně vedle sebe s mezerou dvou průměrů sloupu ● *s* systylos takové sloupořadí
systylous [sistiləs] bot.: jsoucí s čnělkami srostlými v sloupek
syzygetic [ˌsiziˈdžetik], **syzigial** [siˈzidžiəl] hvězd. syzygiální ♦ ~ *tide* vysoký příliv v době konjunkce n. opozice Měsíce
syzygy [sizidži] (*-ie-*) **1** hvězd. syzygie souhrnný název pro konjunkci a opozici planet n. satelitů **2** liter. spojení dvou stop